安岡健一 解説

復刻版 日本4H新聞 第9巻

資料 戦後日本の農業と地域 1

●第577号～第646号（1969年7月4日～1971年6月24日）

不二出版

凡例

一、本書は、戦後、社団法人日本４Ｈ協会が発行した『日本４Ｈ新聞』第15号（１９５２年9月4日）から第７０７号（１９７３年3月24日）と、関連する４Ｈ運動の資料を、『復刻版 日本４Ｈ新聞』全10巻・別巻１（資料 戦後日本の農業と地域１）として復刻・刊行するものである。

一、『日本４Ｈ新聞』は、第２４５号（１９６０年1月14日）までは『日本４・Ｈ新聞』と表記されているが、本復刻では『日本４Ｈ新聞』で統一した。

一、配本は第1回（第８－10巻）、第2回（第４－７巻）、第3回（第１－３巻・別巻１）の全３回である。

一、収録内容については各巻目次（収録一覧）を参照されたい。

一、別巻には、日本４Ｈ運動に関係する戦後の資料を収録、また第1巻冒頭には安岡健一による解説を収録する。

一、原則的に第一面から最終面までを収録した。欠号ならびに欠落部分については、当該箇所にその旨を記載、あるいは＊を入れる等とした。

一、原資料を忠実に復刻することに努め、紙幅の関係上、縮小して収録した。誤植、破損個所、印字が不鮮明な箇所等もそのままとした。

一、復刻にあたっては一般社団法人全国農業協同組合中央会、全国農業青年クラブ連絡協議会、学校法人日本力行会、公益財団法人キープ協会、国立国会図書館の所蔵資料を使用した。

一、今日の視点から人権上、不適切な表記、現在では使用されなくなった表現がある場合も歴史的資料としての性質に鑑み、底本通りとした。

＊ご協力いただいた学校法人日本力行会、公益財団法人キープ協会に記して感謝申し上げます。

復刻版　日本4H新聞　第9巻

目次〈収録一覧〉

1969年（第5777号～第5593号）

日本4H新聞
4Hクラブ 農事研究会 生活改善クラブ 全国弘報紙
発行所 社団法人 日本4H協会
東京都市ケ谷家の光会館内 電話(269)1675 郵便番号162
編集発行人 玉井光
月3回・4の日発行 定価 1部 20円
一ヵ年700円(送料共)
振替口座東京 12055番

クラブの綱領

私達は実践を通じて自らを磨くとともに互いに力を合わせてよりよい農村、よりよい日本を創るため四つの信条をかかげます。一、私達は農業の改良と生活の改善に役立つ腕をみがきます。一、私達は科学的に物を考えることのできる頭の訓練をします。一、私達は誠実で友情に富む心をつちかいます。一、私達は楽しく暮し元気で働くための健康を増進します。

米国から草の根大使来日

民間外交の推進へ
マイク君とマージさん

国際農村青年交換(IFYE)計画に基づいて、社団法人日本4H協会(松下幸之助会長)が米国から招いた4Hクラブ員代表、マイケル(愛称マイク)・ウェングリン君(二三)ニュージャージ州とマーガレット(愛称マージ)・マローさん(二三)イリノイ州の二人は、さる六月二十二日、パンアメリカン機で来日、東京で関係者にあいさつをしたり、二日間にわたるオリエンテーションを受けたあと、二十六日、日本での最初の訪問地千葉へ向った。

元気な姿で羽田空港に着いたマイク君とマージさん

六月二十二日午後三時二十五分、梅雨の晴れ間をついて、東京・羽田空港に着いた二人は、4H協会職員ら大勢の関係者の出迎えをうけた。マイケル君はがっしりした体格の好青年、一方のマーガレットさんは驚くほど背が高い、並んだマイケル君よりなお高い。

二人とも旅の疲れもみせず、にぎやかにロビーであいさつを交わしたあと、宿舎の港区芝の農林年金会館に向った。

二十四、二十五の両日は、この受入れを共催している港区西新橋の全国農村青少年教育振興会(東畑精一会長)でつぎのようなオリエンテーションを受けた。

二十四日、午前「日本の農業事情」農林省官房企画室・高谷企画官、午後「日本の農業改良普及事業」農林省普及教育課・藤田係長。

二十五日、午前「日本の農村青少年活動」農林省普及教育課・大賀課長補佐、午後「日本の農家の生活改善」農林省生活改善課・辻課長補佐。

二人とも熱心にメモをとり、また、判らないところは質問をしてこれから訪ずれる日本の農家生活とその環境について一応の予備知識を得たあと、二十六日午前十時二十分、両国駅から最初の訪問地千葉へ向った。

二人は二日間にわたるオリエンテーションを受けたあと、日本やアメリカの生活などについて、関係者と話し合いをしたが、日本側の質問につぎのように答えた。

―訪日が決定してから、日本についてどんなことを勉強してきましたか。

マイケル君 昨年、日本を訪ずれたウイリアム君から手紙で教わったり、ワシントンの日本大使館から資料をもらって調べました。日本語は台湾の人から学びました。

マーガレットさん 私は日本人の二世の友だちがいて、その学友から教わりました。

―アメリカの農業青年は、農業についてどう考えていますか

マーガレットさん 農業が嫌いということはなく、後継者も確保されていますが、一時、農業を放れて他へ勤めて稼いたあと、再び農業に就くということはあります。私の長兄もいま他へ働きに出ていますが、いずれ帰ってきて農業を継ぐはずです。

―アメリカの青年は何を生きがいに感じていますか

マイケル君 都会では、目的意識がなく、そのため逃避するという傾向があるが、農家の人たちは自分の肉体労働が目に見えた結果に現われるのでやりがいがあると感じています。

―アメリカの農村青少年は、農業技術をどこで身につけていますか

マイケル君 父親から教わるか大学に入って学ぶか、またはファーム・ビューローという研究施設で学ぶという三つのケースがあります。

―日本の農業はどんなものだと考えていますか

マイケル君 都会とちがって、あまり近代化されていないのではないですか。たとえば、集約農業では進んでいても、機械化などはまだ?

―日本で学びたいことは、どんなことですか

マーガレットさん 家庭生活のこと。裁縫や料理の違い、室内装飾など、それに日本の4Hクラブ活動です。

マイケル君 海産物や4Hクラブについて学びたい。

―日本に着いてまだ四日目ですが、日本の印象はどうですか

マーガレットさん 東京はモダンで英語がはんらんしています。通りに小さい店があって、忙しそうです。それから、日本人は親切です。

凉風暖風

紅葉子(もみじこ)の味(あじ)

私はタラ子を食べるたびに、子どものころ食べたタイの子のことを思い出す。タイの子は赤い色をしていて、母は「これはおいしい鯛の卵だよ」といって、金網の上で焼いて食べさせてくれた。タイの子は高価なものだったから、めったに私たちの口には入らなかったものである。

ところで、過日、わが家の食卓に出されたタラ子は、うす黄色で、焼いて硬くなった皮の表面を暗赤色の血管が走り廻っており、どう見ても臓物の一部でしかなかった。それは着色してないタラ子なのだが、見れば見るほどに嫌悪を催すような感じであった。食べてみると、味は赤いものと変わりないようであったが、なんだか気分のせいか、食欲がすすまなかった。

私はそのとき、タラ子のおいしさは赤い色によって活かされていることに気がついた。そして、つくづくと思ったものである。やはり、タラ子は赤くなくてはいけないーと。

実は、私が子どものころに食べたタイの子というのは、この赤く染めたタラ子のことである。私がタイの子のことを、都会ではタラ子と呼び、どうやらほんとうは鱈の卵で、鯛の卵らしいと判ってきたのはかなりのちのことである。鱈の子だったらタラ子と呼ぶのが正当であり、タイの子といえば私の母でなくとも鯛の子と思い込むに違いない。

むかしから日本人は目で食べるといわれ、日本料理はその美しさにおいて世界に比をみない。うす黄色の嫌らしいものをきれいな真紅に染めあげることは、自然な発想であったろう。

このごろ、自然色のタラ子が乾物屋の店先きにちらほら出てきたのは、近年の食用添加物による慢性中毒や、二、三年前に、赤い色素に発ガン性のものがあることが発見され、色素や添加物について消費者の関心が高まってきたからである。この赤い発ガン性色素については、すぐに公表すると影響が大きすぎるというので、厚生省は公表をさしひかえながら禁止と取り締まりをやったといういわくつきのものである。

たしかに、恐しい色素で着色されたものを食べるわけにはいかない。とはいっても、自然色のタラ子のようなものはいただけない。着色そのものはいいことである。大事なことはそれが人体に害を及ぼさないということである。

赤いタラ子のことを、紅葉子ともいうそうである。紅葉子とは、その名もいいが味もよさそうではないか。

愛読者優待のお知らせ

本会代理部では発売中の「4Hクラブバッチ」を日本4H新聞愛読者優待サービスとして、つぎによって割引販売します。

一、定価一個五十円のところを、一個四十円(荷造り送料も)とする。ただし取引きは五十個以上のこと。

一、申込みは、振替または現金送金到着によって発効するものとする。

一、申込みは代理部分室あてのこと。

東京都千代田区外神田六丁目十五番十一の七〇
日本4H協会代理部分室
(振替東京七二〇八二[illegible]

つどいの「標語」決る
全協で執行部会開く

全国4Hクラブ連絡協議会(会長、黒田保君)は、さる二十八日東京・新宿区市ケ谷の家の光会館の同会事務局で執行部会を開き、来る二十七日から鳥取県下で開催する「第五回全国4Hクラブ員のつどい」の運営について協議するとともに、「"4H"家族と仲間ですすめよう」の大会スローガンを採択した。

この打合せには、全協役員のほか、つどいを主催する日本4H協会の新田事務局長ら職員と鳥取県連の安住会長も出席し、行事の一つひとつを詳細に検討、各人の責任分担なども同時に決定した。

まず、受付では、米子駅前にマイクロバスを回し、4Hクラブの歌を流しながら、会場へ誘導する。会場では地方ごとに受付を設け、混乱のないようにする。参加者は昼食をとり、十一時三十分までに会場に入る。

黒田会長

十一時三十分から、久野事務局長がオリエンテーションを行なう。

入場式のバンド演奏は「三百六十五歩のマーチ」で、地元の米子東高校の楽団にお願いする。

開会式の司会は久野事務局長が行なう。4H会館建設については遠藤建設委員会事務局長の司会で、趣旨説明、話し合いなどを行なう。

歓迎レセプションは❶笠おどり❷貝がら節❸かぺぬりさんご❹大山小唄❺安来節など郷土民謡のかずかずを地元の有志にお願いする。

大山登山組は夕食後すぐ床につく。散策組は自由交歓を行なう。

第二日目は、登山組は二時に起床する。深夜のため静かに行動する。一班約五十名に編成して、山岳会から注意と説明をしてもらう。山岳会からリーダー十名、県連からサブリーダー十名を出し、その指示により行動する。先頭、中間、後部と本部にトランシーバーをおく。他に医師一人、看護婦二名が同行する。

散策組は六時起床。八時集合し、十時三十分まで散策。登山組と合流し、バスで蒜ケ成に向う。車中で弁当を配り、昼食をとる。

記念植樹は、各県ごとに「からまつ」三本を植える。

レクリエーションは、日本レクリエーション協会の清水良隆氏の指導で行なう。このとき、郷土品の交換を行なう。

話し合いは、名簿によって三十班に分ける。運営委員は各班に一名以上参加してリードする。司会、記録を各々一名ずつ選び❶自主的な4Hクラブ活動と組織の強化❷家族と地域社会に理解される4Hクラブ活動❸自立経営により豊かな生活をするには―以上三つの議題について話し合う。OBの分科会については別に設ける。

「鳥取の思い出を記す時間」は運営委員も原則として自由に、一クラブ員として、話し合い、スケッチ、コーラス、サイン交換、写真撮影など行なう。

キャンプ・ファイヤーの材料などは、前日までに用意しておく。ファイヤーの進行は小原副会長の司会ですすめる。

意見、体験発表は一人二十分とし、はじめ十分間発表、あと十分間を質疑応答とする。

閉会式の司会は、鳥取県連の役員があたる。

これらのことを、詳細にわたり検討し、つどい運営の万全を期することにした。

なお、全協と4H協会では、さきに募集していたつどいの意見、体験発表者の選考を近日中に行ない、本人に連絡することにしている。

集いを意義あるものに
鳥取県連会長 安住秀雄

私たちクラブ員の祭典ともいうべき「全国4Hクラブ員の集い」も、七月二十七日まであと二十日あまりになってまいりましたが、このような意義ある大会の開催県に推して下さった全国のクラブ員の皆さんに、県内の会員を代表してお礼を申しあげたいと思います。

現在までの受入れ準備については、全協役員諸氏と度たび会合を持ち、打合せをしてまいり、また、先に徳島で開かれた全国会長会議の席上ご報告申し上げた通りでございますけれども、いま一度、紙面を通して、仲間の皆さんに進行状況のあらましを報告し、皆さんのお越しを待ちたいと思います。

まず、大きな問題は、会場、宿舎の件でございますが、すべて交渉は終り、主会場になる大山山麓はその日の来るのを待つばかりになっております。

早朝リクリエーションの大山は、一七一二米で中国地方唯一の秀峰で、周囲にそれほど高い山がないのと眼下に海が開けていることで、雲の白さと山のみどり、海の紺碧は、たとえようもないコントラストをかもしており、きっと皆さんにご満足願えるものと思います。

また、思い出の一コマをかざっていただくキャンプファイヤー、歓迎レセプションなどの準備もすべて順調に進み、地元の郷土芸能を披露する会員も、多忙な農事のあい間に練習し、そのことが会員相互のつながりをより深いものにしております。

また、交歓訪問の受入れも、各地区連ともその体制に万全を期しております。

すべての点で決して先進地とはいえない鳥取県ではありますが、それでも二十世紀梨、砂地園芸などは、訪問される皆さんも何んらかの勉強になることと思います。

ともあれ、現在千名に満たない会員数ではありますが、県内で開く夏の大会をこの集いにとり入れ、会員の総力を結集してこの祭典を成功させるべく準備に明け暮れております。

農業、林業、そして観光の県鳥取をこの機会に認識していただけたら幸いと思います。

どうか、一人でも多くのみなさんに参加していただき、この祭典を意義あるものにしていただきたいと思います。

各地区連を盛んに
茨城県連で活発化を図る

【茨城県=村山文雄連絡報道員発】茨城県農業研究クラブ連絡協議会(会長、小橋正一君)は、さる六月十七日から三日間、県立農村青年研修館でリーダー研修会を開催した。

これは、同県下の単位クラブ員のため、地区連が活発な活動をするように各地区連の役員を対象に開いたもの。

第一日目は、開会式、オリエンテーションのあと、真壁地区連から地区連活動の現状が報告された。つづいて、参加者全員が五つの分科会に別れ、各地区連の活動状況などを話し合い、地区連活動を活発化するためにはどのようなことが問題になるかなどを熱心に話し合った。

第二日目は、前日話し合った問題を中心に、地区連活動を活発にするためにどんなことが必要か、今後の地区連活動のあり方など具体的に話し合った。

このあと、各分科会で話し合ったものを全体討議にかけて質疑応答をした結果、地区連としては、普及所と連絡を密にとり合い、クラブ員や単位クラブの問題の解決にあたり、単位クラブではやれない活動の推進にあたることになった。

また、クラブ員一人ひとりがやろうという姿勢でなければ、地区連は発展しないんだということが強調された。

午後は、農村評論家の山田民雄氏を招いて、農村青少年とグループ活動と題した講演を聴いた。このなかで、山田氏は、クラブ員のあり方やクラブ活動のあり方などを全国各地の実例をもとに話された。

夜は、県連はじめての試みとして、ダンスパーティを開いた。これには賛否両論があったが、女性にはなかなか好評であった。

第三日目は、地域社会とグループ活動というテーマで全体討議を行ない、4Hクラブ活動においては、4Hクラブだけの交流ではなく、青年団、婦人会、農協、農業研究グループなどと連絡を密にした活動がなされなければいけないという意見がでた。

さいごに、反省会、閉会式を行なって三日間にわたるリーダー研修会を終った。

4Hクラブ活動について事前研修を受ける青年の船団員たち

"4Hクラブ"を学ぶ
全協推薦の青年の船団員

全国4Hクラブ連絡協議会(会長、黒田保君)は、さる二十七日午前十時から、東京・新宿区市ケ谷の家の光会館で、全協推せんで今年度の青年の船団員に選ばれた古川喜美子さんら七人の代表の事前研修会を行なった。

古川さんらは、さる十九日から二十六日まで、静岡県御殿市の国立中央青年の家で、総理府青少年対策本部が行なった事前研修に参加し、団員としての心得や各国事情などを学び、各種のテストや組織編成などを無事に終え、晴れて正式に団員証を交付されたばかり。

全協では、4Hクラブ員の代表として乗船するからには、最低これだけは知っておいてもらいたいという「4Hクラブの本質」「全協の組織と行事」「クラブ員としての心構え」などについて、膝を交えて説明し、代表側からも熱心な質問が出された。

午後三時までに研修を終り、会場を神楽坂に移して、代表の壮行を祝して激励会を開いた。

なお、全協推せんの第三回青年の船団員の氏名つぎの通り。古川喜美子(愛知)大鹿良夫(埼玉)大島充利(岐阜)河本哲征(山梨)野川和久(神奈川)豊川民男(青森)宮川四郎(石川)以上七名。

古川喜美子さんの話 このたび幸せにも、全協から推薦されて第三回青年の船団員になることができました。事前研修を受けたいま、その喜びと、全国のクラブ員の代表としての責任の重大さを痛感しています。

私が4Hクラブ活動に足を踏み入れてから足かけ三年になりますが、いままでの自分を振り返ってみますと、農村青少年との交流がほとんどであり、他産業の青年たちとの交りはあまりありませんでした。この青年の船で二ヵ月間、あらゆる職業の人たちと船内生活を共にすることになり、この機会にいままでの活動を振り返るとともに、団体生活を通じて青少年活動のあり方や今後の4Hクラブ活動についても学んできたいと思います。

また、現地の農業についても、しっかりとこの目で見、確めて、クラブ員のみなさまにご報告したいと思っています。

ごご支援いただきました多くのみなさま方のご期待にそえるよう、一生懸命勉強し、学んできたいと思います。

"来年も、また来てね"
好評よんだキャラバン隊
高知県連

【高知県=和田豊喜連絡報道員発】高知県農村青少年クラブ連絡協議会(会長、川村雅士君)は、さる六月十九日から二十一日までの三日間、県連の役員でキャラバン隊をつくり、県の東部(安芸、室戸地区)へ、現地交歓会に出かけた。

この県連キャラバン隊は、次の目的をもって実施された。❶とかく役員というと、一般クラブ員から特別の目をもって見られがちである。そこで、役員もみんなと同じように、手にクワを握り、土に取り組んでいる農業青年であって一般クラブ員と少しも変らない、ということを知ってもらうこと❷現在、募金活動を進めている「働く青年の像」(建設費百五十万円完成予定八月上旬)建設についての協力呼びかけ❸今年八月に高知県で開催される「全国農村青少年技術交換大会」へのぞむための心構えを整える―などについて話し合い、一般クラブ員たちと県連役員との"きずな"をよりいっそう強くするためであった。

このキャラバン隊は、これが二回目で、一回目は、今年の二月に今回と同じ目的で、県の西部(須崎、窪川、中村、土佐清水、宿毛地区)へ、六日間の日程で現地交歓会に行き、その効果をあげた。

二回にわたるこの県連キャラバン隊は、どこへ行っても、地域のクラブ員たちに大変歓迎されたと同時に喜ばれて「来年もまた来てほしい」といわれ、この現地での交歓会は大変な好評であった。

とくに、窪川高校での農業科の生徒との交歓、そして、帰全農場での農場生との交歓会などは、われわれ農村青年に新しい課題を投げかけてくれたばかりでなく、県連キャラバン隊にとって忘れることのできない交歓会となった。

同県連ではこれからも、県連役員に一般クラブ員をまじえてキャラバン隊をつくり、末端の声を聞きに行く計画をたてている。

楽しくレク大会
徳島・井川町農業後継者クラブ
みんなで若さを発散

【徳島県=近藤吉正連絡報道員発】井川町農業後継者クラブ(会長、近藤武十郎君)は、さきごろクラブ員の相互の親睦をはかるためレク大会を開き、ソフトボール試合や料理講習などを行なった。

男子クラブ員たちが白球を追って走り廻っている間、女子クラブ員たちは農繁期の栄養料理を実習し、お腹をすかした男子諸君と一緒に楽しく昼食。

午後からは、男女なかよ[illegible]をうたったり、フォークダ[illegible]若いエネルギーを発散し[illegible]

夏の大会月程決る

農林省、全国農村青少年[illegible]興会(東畑精一会長)、[illegible]三者共催の第九回農村青少[illegible]交換大会は、南国の高知県[illegible]る八月二十六日から開催さ[illegible]とになり、このほどその日[illegible]が主催者から発表された。

心頭技健

七月。さる[illegible]は富士山の山開きが行なわれ、い[illegible]山、海の季節[illegible]のシーズン[illegible]た。山陰の地[illegible]県で開催される「第五回全[illegible]Hクラブ員のつどい」も、あ[illegible]三週間に迫り、心はすでに[illegible]つどいに向いている。地元県連では準備も整い、あ[illegible]国の仲間の来訪を待つだ[illegible]いう▼このつどいの参加[illegible]前回を上回ることは確実[illegible]た。もちろん過去四回の[illegible]最も多い。しかし、この[illegible]参加者の増加は喜ばしい[illegible]期日が迫ってもなお後を[illegible]い参加申し込みに主催者[illegible]嬉しい悲鳴をあげている[illegible]うのも、経費を自己負担[illegible]誰れでもが気軽に参加で[illegible]の制限がない。もちろん[illegible]担といっても宿泊代や交[illegible]どの最底必要経費だけ。[illegible]資料や記念品などはみん[illegible]者もちである。実はこの[illegible]馬鹿にならないのである[illegible]者側では、はじめ前回な[illegible]から参加者数を推定し、[illegible]算を立てて準備を始める[illegible]会場、旅館の予約をとり[illegible]手配をとる。旅館には余[illegible]ればよいが、昨年の奈良[illegible]に、予約していたところ[illegible]は不足し、急に頼み込[illegible]いで利用する旅館には[illegible]値段で交渉しているの[illegible]に頼んだ宿館は宿泊代[illegible]る。しかし参加者の経[illegible]なので、主催者の負担[illegible]これは資料や記念品に[illegible]じことだ。いずれも予[illegible]なり早くから乗者に依[illegible]かないと間に合わない。[illegible]ると、追加すればするほ[illegible]者負担となり面くらって[illegible]わけだ。早晩、先着何名[illegible]しするというように、[illegible]そうたなければならな[illegible]▼ともかく、青年みず[illegible]画し、運営する"青年の[illegible]青年による、青年のつ[illegible]全国の仲間と関係者が[illegible]友を求めて全国から大[illegible]ちがやってくることは[illegible]というほかない。▼先[illegible]開かれた全国都道府県[illegible]青少年育成担当者会[illegible]農林省などの行政機関[illegible]ている全国大会との一[illegible]鳴しているが、苦労し[illegible]元県連や全協執行部の[illegible]姿をみると、また楽し[illegible]の感さえ受ける。

……〈10〉……

奥地巡回が本番

農村指導に入って早やひと月。サンパウロ周辺の農業事情はかなりかわってきたが、なんといっても、日本的地形のところが多かったので、どうもブラジルの実感がわかなかった。

夜行バスで奥地へ

四月二十七日 いよいよ本格的な奥地巡回が始まった。サンパウロ州の奥地の入口といわれるバウルへ夜行バスで出発である。夜の十一時にサンパウロ中央バスターミナルを出る。豪華な大型バスである。

リクライニング式で、さらに前の椅子の背にとりつけた長短形の板をおろすと、自分の座る椅子に連結して、丁度安楽イスのように足を長々と伸ばして横臥できる。枕と毛布がわたされて、運転席と客席の間にアコーディオンドアー式の重いカーテンがひかれると、立派な寝室になる。もちろんトイレ付きである。道路は全面アスファルトなので、騒音が殆んどない。ただ猛スピード、おそらく時速百二十ぐらいは出すだろうから、ピーッというタイヤと路面の摩擦音がするぐらいである。

車中、少々とろっとしたが、眠れないのでよくねむれなかった。しかし、朝焼けする大陸の美しさは、形容のしようのないほどで、その雄大なスケールにのまれてしまって、すっかり時のすぎるのを忘れていた。約六時間の夜行バスであった。

4H指導に情熱注ぐ林茂夫氏

向って右端が林茂夫氏、一人おいて湯浅氏＝モジ市の岡田英成氏（栃木県西那須町出身）宅前で

篤志指導者の講習

バウルの指導は、ブラジル4Hクラブ篤志指導者講習会である。会場は、ルーア・テンリ、つまり天理通りという名の通りに堂宇をもつ天理教会である。実に立派だ。門と本堂の向きがちがうのは、本堂は、日本の天理市の方をむいて建てられたものだからだそうである。この教会の中に日本文化研究所という図書館風の建物があり、中の図書は、日本の有名古典、書籍の殆んどが納められていた。古事記、日本書記に始まり、日本文学全集にいたるまで揃っている。なんでも日本書籍の豊富さは、ブラジル第一であるそうである。

講習会には、十七名の指導者が参加していた。いずれも4Hクラブ創設時の初代リーダーたちで、三十〜四十歳代の人々である。遠くは、パラナ州からもきている。おそらく、七百㌔は離れているだろうが、これらの人たちが、全くの無報酬で集まってくるのである。これは、ブラジル4H協会常任理事・林茂夫先生の人徳識見と青年指導に対する情熱がしからしめた輝かしい姿なのであった。

偉大な林茂夫先生

ここに、林先生とブラジル4Hクラブのことについて紹介しておかなければならない。

林茂夫先生は、長身白髪の紳士である。ついぞ、本当のお年をきかないでしまったが、おそらく七十歳に近い高令であろう。山形県出身で、県内で村長もされた経験者であった。いまでも山形県最上郡舟形町堀内には身内の方がおられる。元気な林先生は、髪は無雑作にわけているが、背広とネクタイを離したことがない。長年仕事を一緒にしている青年の諸川有朋君は、林先生の馬力には舌をまいている。あの高令で、毎月二十日も連続して奥地の4H指導に出かけるのはめずらしくないというのである。

心もち前こごみに歩くが、足どりもしっかりしていて、私と長い旅行をしたが、私のことを何かと気づかいながらも、ちっとも疲れらしいものを見せない。そして談論風発とでもいうか、先生の話は、実におもしろく、また博学である。そして、ブラジル日本人の中でも屈指の論客でとおっている。先生は、日本人移住の大御所、永田力行会長の信頼厚く、永田先生の依頼をうけて4Hクラブをサンパウロ州にひろめることになったという。

現在のブラジル4Hの組織人員は四千人といわれる。その三〇%は、もう日系三世である。そしてクラブ数三四、それが、日本のおよそ二倍の広さをもつサンパウロ州とパラナ州に散在しているのである。地域の広さからみれば、その数は大変少ない。しかし、このすべてのクラブが、林茂夫先生を信奉して、次第に力をなしていく姿をみると、先生のはかりしれない偉大さにうたれるのである。

クラブ組織の強化へ

4H協会は貧乏だという。ひと握りの商社の分担拠出金によってまかなっている。もろんクラブ員からの会費もあるが、先生の指導旅費にも足らぬぐらいときく。州政府も、その価値を認めたか若干の補助金は予算化したらしいが、いつもらえるのか、手に入らなければあてにならないらしい。全くの林先生の情熱によって支えられているといってよいだろう。

バウルの講習会に集まった、いわば林学校の優等生たちは、こういっている。「いつまでも林先生だけに依存していてはいけないのではないか。いい意味で林4Hから脱皮して、先生にホッとしてもらわねばならないだろう。それには、われわれリーダーの活躍が必要なことはもちろんだが、もっと州や郡の力を利用しなければいけない」そういう意味で4Hクラブ組織の充実強化はどうしたらいいか、これが、バウル講習会のねらいであった。〈栃木県普及教育課・特別専門技術員(青少年担当)〉

わがクラブの発足と歩み

多度農研クラブ 三重

——水谷芳生君 記

農村に尽す仲間が欲しい

毎晩、会員の勧誘に奔走する

農業を始めてから早くも七年の歳月が流れた。学校卒業当時から一、二年はただ無我夢中で、父のあとについて農業をやってきた。しかし、ひととおり農業について覚え、少しゆとりができたとき、将来の農業や農村について考えるようになった。

これからの農業の姿について考えるとき、これでよいだろうかと疑問をもった。個々ばらばらの農業経営、都市からみればなんとなく進歩の遅い農村社会、考えれば考えるほど農村の悪い面が浮び上ってきてならなかった。

しかし、悪い面が出れば出るほど、自分たちでそれを直す義務を強く感じた。それは、どんなにか自分が農村を愛しているかわからない証拠だと、いまになって思う。住みよい農村づくりに大いに頑張ろうとファイトを燃した。

そしてまず、楽しいわが家の家庭づくりからと考えて努力したが父母の考えとの相異の大きいことに驚いた。そして偉そうなことを考えるけれども、実行する段階になると自分の無知にもまた驚いてしまった。

これではいまの農村を少しも良くすることができないことを痛切に感じ、農村に生きる意欲さえ失いそうになってしまった。

学生時代に考えていた「自分さえ頑張れば、努力すれば」などと思っていたことが恥かしくてならなかった。そして思うようにならなくなったら孤独感がおそってくる。

友だちが欲しい、農村のために骨おしみなくつくす友が欲しい—こんなことを思う毎日が続いた。

そんなとき、三重県に農村青少年クラブ連絡協議会ができつつあった。そして、その大会に参加する機会を得た。一泊二日の大会で自分と同じような悩みをもつ多くの友を知った。夜ふけまで帰るのを忘れ真剣に話し合った当時のことはいまも忘れられない。

一人ひとりを見れば弱々しそうな者ばかりだが、一つの大きな固まりをつくればなんと強いものか、弱々しい自分まで底しれぬ勇気がわいてきた。はじめて、これからの農業は団結せねばならぬことを知った。

「私たちの村にもこんなクラブを作ろう、そしてクラブによって農業のいろいろな勉強をし、それにより自分の農業を発展させるとともに、農村に役に立とうではないか」こんなことを考え、大いに同級生だった友だちとファイトを燃し、善は急げとばかりクラブ員の勧誘を始めた。毎晩毎晩、友だちと二人で勧誘に歩いたが、私たちに同調する者の少ないことに改めて驚いてしまった。

それは、家は農業をしていても本人は町へ働きに出ている者が非常に多く、そのために農業にあまり関心がないということである。たくさんの人数を集めてすばらしいクラブにしようと胸をおどらせていた私たちは、少しばかり気抜けしたが、同調して集まった者は農業に真剣に取り組み、いまの農業を少しでも進歩させようとする者ばかりでとても嬉しく思った。

町内に六、七百戸農家があるが集まった人数は五名、なんと寂しいクラブかと誰でも思うかもしれないが、私たちはそんなことは全く思わなかった。私たちのクラブは人数こそ少ないが、クラブの力は他のクラブより何倍も強いと信じた。私たちのクラブは多くの人々から激励を受け、昭和三十九年八月十二日に誕生した。

たとえ五名の人数でも、会のルールというものをはっきりさせるため規約を作った。

会長に私が選ばれ、いよいよ農研クラブはスタート。さっそく私たちの目的に向って事業計画をたてた。

一、毎週水曜日の夜七時半から農協で会合する。
一、先進地視察を行なう。
一、母親と座談会を行なう。
一、女子青年に農村についてのアンケート調査を行なう。

水曜会、これはほとんど母会特別に用のないかぎり全員の出席だった。そして、そこでの話し合いは、農業技術に関することから社会時評、ときには悩み相談まであらゆる話がでた。

静岡県へ先進地視察、農薬会社、温室経営、石垣イチゴなどを一泊二日の日程で視察した。見るものすべて私たちの地方ではみられないものばかり。私たちは初めて大海を知ったようだった。

母親と座談会、私たちが農業を行なうと、とかく親との意見の対立が多いためにこんな行事をとりいれた。しかし、座談会を行なったところ、ほとんど意見の相違がなかった。それは、出席した母親は農協婦人部の部長さんたちだったためだろうか。これらの人たちは私たちの町では相当の理解者らしい。

また、女子青年に対するアンケート調査を試みた。

農村について、町内の農家の女子青年五十名に対して、二十ばかり質問を出した。返ってきた答はいまの農業、農村に対する不満が書かれていたのが大多数で、農業は重労働だ、婦女子には仕事がきつい、封建性がぬけない、余暇が少ない、などとここではとても書きつくせないほどであった。これを読んだとき絶望感さえいだきそうになった。そして、また私たちの使命の重大さを痛感した。クラブ活動を行なうようになり、そして行なえば行なうほど、私たちクラブ員間のつながりがより強くなって行くのを感じるのだった。

クラブが発足してことしで五年目を迎えた。発足当時はただ夢中だったが、いまではいくらか余裕をもつことができるようになり、社会的にも少しずつ認められるようになった。そして、最初には考えられなかった十三名もの会員になった。ミカンを作る者、温室経営に励む者、ビニールハウス経営を行なう者、いろいろな仕事をもつ者の集まりであるが、目的はみな同じ、だから団結力は巨慢ではないがほめてよいと思う。いつもクラブのことを思いつつ仕事に励んでいるのである。

（三重県桑名郡多度町下野代）

オーストラリア館

テーマ…人類の進歩と調和に対するオーストラリアの貢献
敷地面積 8、000㎡
出展費用 約24億円

展示館は、明石と中部オーストラリアの町を通る子午線を象徴した〝東経135度上の隣人〟とよばれるユニークなデザイン。

地上約39ｍにそびえ立つ片持ちばり形の建物で、〝空カギ〟のように曲がったその頂点から、直経約48ｍの円形屋根が宙づりになっていて地上に浮かんでいるように見えます。また地面から一だん低くなった庭に、スペース・チューブ（空間筒）と名づける展示館と展示および資料用ホールが建てられます。

円形屋根の下には、2000人を収容できる待合室があり、オーストラリアを紹介するパノラマ映画が上映されます。

スペース・チューブには、二本の動く歩道があり、上下、あるいは両側の壁にオーストラリアの開発や文化が、電子技術・音楽・照明などを背景に展開され、ドラマチックな旅行が楽しめます。

展示・資料用のインフォメーション・ホールでは、現代芸術や工業デザインなど、いろいろな展示や催しがくりひろげられます。

〈日本万国博覧会展示館の紹介〉

スペインメロンの産地形成へ

“先陣”を買って出る

姉妹都市の大和郡山（奈良）から種子入手

福島県・開成4Hクラブ

【福島県＝阿部邦芳通信報道員発】郡山市の開成4Hクラブ（会長、佐藤幸正君）では、本年度のプロジェクト活動にスペインメロンの栽培をかかげて、いまその育成に精を出している。

これは、郡山市がスペインメロンの生産地にしようと企画、昨年から実施しているが、これに協力することになったもの。郡山市のメロン生産地の形成へ歩き出したきっかけはこうだ。三年前に、同名のよしみということで、奈良県の大和郡山市と福島県の郡山市が姉妹都市として結ばれた。その後両郡山市長のほか財界人の訪問や市民による使節団を相互に派遣したりしているうちに、大和郡山市でスペインメロンが栽培されていることを聞き、当郡山市長が訪問したときに、メロンの種子をいただいてきた。それをクラブ員が委託して試験的に栽培したところ、当郡山地方でも、品質の優秀なものが生産されることが実証された。このため、当市ではスペインメロンの生産地にしようと計画、大和郡山市の協力のもとに栽培しているもの。

開成4Hクラブでは、メロンの試験栽培農家がクラブ員であった関係で、クラブ員の中から「われわれクラブ員もこの事業に協力しようではないか」という声が出た。みんなで話し合った結果、意見がまとまり、本年度のプロジェクト活動の一つとして取り上げることになった。

種子は、クラブ購入したほか、市から試作用種子（三袋）をゆずり受け、育苗について先進クラブ員に相談したところ、さっそくOKとなりプロジェクト活動が始まった。

また、地域農家や消費者へのPRをする関係で、栽培は各クラブ員が行ない、あとで発表し評価し合うことにしている。苗は、五月の定例会で配布され、その後各クラブ員によって栽培されているが異常天候にもかかわらず、クラブ員が精根をこめて手入れし、技術を交換し合っているために、すくすくと順調に成育している。

なお、この両市の姉妹都市とともに、同じく4Hの間に姉妹クラブとして結ばれているが、このメロン栽培によってさらに両クラブの関係が深まるものと期待されている。

十一人の青い目のお客さん

米国から4Hクラブ員

アメリカの若い4Hクラブ員が日本を訪れて、両国の農業に尽すとともに、国際的な視野を広めようという「4H・ディーン・キャラバン」の一行がさる六月二十五日午後十時三十分、羽田空港に着いた。

一行はアタリー・ハーンさんをリーダーとする女子九名、男子二名のグループで、いずれも十七歳から十九歳の4Hクラブ員。

さっそく、二十六日午前十時から、日本4H協会の新田事務局長を宿舎の赤坂のホテル・ニュー・ジャパンに招いて、日本の4Hクラブ活動について話を聞いた。

同日、午後からは東京見物、二十七日は日光、二十八日は鎌倉から箱根へ観光旅行を楽しんだあと二十九日から八月十一日まで受入側の日本農業研修生国際クラブ（小松崎正衛会長）所属の会員の家庭に入り、日本の農家生活を体験する。また期間中、地域の4Hクラブ員と交歓することになっている。

（写真は、新田4H協会事務局長の話を聞く、アメリカの4Hクラブ員たち）

富士登山のご案内

みんなで登ろう霊峰富士へ

全国の4Hクラブ員のみなさん こんにちは——ことしも明るい太陽の季節、私たち若人の鍛錬の夏がやってきました。

さて、私たち北駿4Hクラブでは、日本のシンボル、富士山に4Hの旗をなびかせて登る恒例の「全国4Hクラブ員・富士登山のつどい」を、ことしも来る八月四日から三日間にわたって、左記の日程で計画しましたのでご案内します。

私たちのクラブ員のなかには、アルバイトながら、富士登山の案内をする者もいます。そのベテランが、全国の仲間をご案内するのを楽しみにしています。どうか、私たち北駿4Hクラブ員一同、全国から多くのクラブ員のみなさんのお越しをお待ちしていますので、ご参加ください。

静岡県北駿4Hクラブ 会長 山口宗秀

第三回全国4Hクラブ員・富士登山のつどい実施要領

一、日程
八月四日（月）
十三時〜十七時 御殿場駅前で受付
十九時三十分 開会
二十時三十分 交歓のつどい
二十二時 消灯
八月五日（火）
八時三十分〜十二時 話し合い・地域見学
十三時 富士登山（須走）
富士山八合目泊
八月六日（水）
十二時 富士下山（御殿場駅）
十二時〜十四時 お別れ会
十四時 解散

二、携行品および会費
（イ）会費三千円（食費、交通費、宿泊費、その他）
（ロ）携行品 ズック、登山靴、帽子、雨具、手袋、懐中電灯、冬着など登山できる仕度、その他

三、参加者は、全日程に参加するものとします。

四、参加申し込み方法
クラブ単位、または個人で左記の様式で七月十五日までに申し込んでください。

氏名	年令	性別	クラブ名	住所	御殿場駅到着時間

なお、準備の都合がありますので、登山ご希望の方は、なるべく早目にご連絡ください。

【連絡先】
静岡県駿東郡小山町竹の下二三〇一一
電話 小山（〇五五〇）六一〇〇九一
郵便番号 四一〇一一三
北駿4Hクラブ 岩田乙女

私の養鶏経営

神奈川県横浜市港区北山田・二、三三三　織茂芳幸

簿記記帳の面白さ　数字的に経営の動向知る

私の住むところは、港で名高い横浜市の北部です。激しい都市化の波に押される中で近郊農業の立地条件を生かし、厳しい環境の中を頑張っています。

私の家は現在、養鶏と野菜を組み合わせた経営を行なっています。経営規模は、成鶏二千五百羽育成鶏千三百羽、普通畑七十アール、水田四十アールです。労働力は両親と私の三人で、両親は蔬菜部門を、私は養鶏部門を受けもち、経営の分業を行なっています。

◆◆◆ 簡単な単式簿記で

私が五年前に養鶏を始めた動機は、どうせ農業をやるならいままでのように蔬菜中心では、労力をかける割合いに所得があがらないことに気づいたのです。当時、私の家では、鶏を三百五十羽ほど飼育していましたので、これを基礎にした養鶏部門を拡大しようと考え一年間、県立農業経営研修場へ入って勉強してきました。そして、研修場で学んだ技術を生かして四年前から養鶏部門の拡大を図りました。

研修場で学びながら将来の計画を練り、卒業と同時に鶏舎を建てるために近代化資金を借り受け、春からヒナの育成を開始しました。そして一年目は成鶏千羽、二年目は二千羽とし、昨年は二千四百羽となりました。こうして四年間で私一人で管理できる範囲の養鶏部門を築きました。

その間、経営改善を正しく行なうために、養鶏部門の簿記の記帳をはじめました。初めは簡単な単式簿記で出発しましたが、四十一年の七月から複式簿記に切り替えました。その理由は、いままでのように「ドンブリ勘定」から、もうかる経営にしてみようと考えたからです。

それでは「私の養鶏経営」は、どうなっているのか、簿記記帳の結果から考えてみることにします。

私が農業を始める前の昭和三十九年と四十二年七月から四十三年六月までの実績ですが、三十九年度は野菜が中心でしたが、繁殖豚が四頭おり子豚の価格が高かったため予想外の収入があり、農業所得は五十一万五千円でした。四十三年は、水田が十アール増えたことと両親が野菜で頑張り、鶏の羽数が増えたことから、農業所得は百四万円へと七ケタ農業を達成しました。

この成果を四十二年度と四十三年度の貸借対照しをてみますと、四十二年では成鶏二千四百羽の経営で資産を評価しますと四百九十七万円となり、四十三年度は成鶏二千五百羽を評価しますと六百七万円となります。また、負債は百五十九万円、出資金が四百四十八万円となります。

次に四十二年と四十三年度の損益計算を比較しますと、四十二年度の場合はヒナ代、飼料費などの営業費として五百七十五万円かかり、そのほかに労賃などの管理費を見積りますと、費用の合計は六百二十七万円となりました。これに対して収入は、卵の売上げ、廃鶏などで六百十九九円となり、収入合計は六百二十三万円となりました。

◆◆◆ 赤字の原因を追求

その結果、私の経営は三万七千円の赤字となってしまいました。赤字となった原因は、成鶏を三千二百羽収容へ鶏舎を増築したことと、運搬車を入れ替えたことなど固定資産への資本投下が多かったためです。

四十三年度の場合は一カ年間にヒナ代、飼料代の営業費として五百九十七万円かかり、そのほかに給料などを見積りますと費用合計は六百八十六万円となりました。これに対して収入は、卵の売り上げ、廃鶏代などで六百九十七万円となり、鶏糞価格と合わせると七百二十三万円となり、利潤は三十七万円となりました。前年の予想では利潤を七十万円位見込んでいましたが、保健衛生費がかかりすぎたこと、卵を運搬するためのライトバンを購入したために思ったより利潤がありませんでした。

私の経営における各科目別収入の割合は、四十三年度の卵の売り上げ九〇％を占め、飼料代が六十八％、ヒナ代が八％を占めています。

また四十三年度も前年と大差なく飼料代が十％、ヒナ代が二％の減でした。

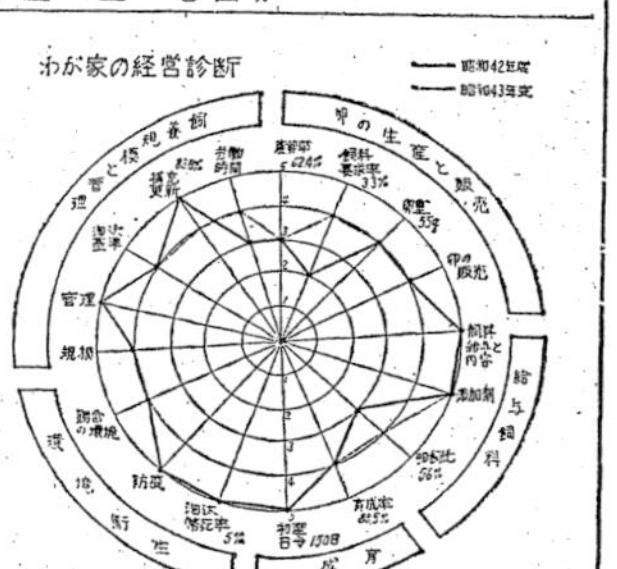

◆◆◆ 簡易診断法で分析

この簿記記帳の結果を簡易診断法に基づいて分析してみました。上図のように七項目を五段階に分けて、その線が外の円に近くなればよいわけで、くぼんでいるところは改良しなければならないわけです。

診断の結果、四十二年度の場合飼料要求率が三・三二％、産卵率が六十五％、卵の売り上げに対する飼料費が五十六％と三項目について悪い点を発見しました。これらの原因は昨年の春ヒナが病気にかかったことにより淘汰更新ができず、老鶏が多くなってしまい、卵を産む割合に飼料の消費量が多かったことが影響していることがわかりました。

四十三年度は、飼料要求率が二・九六％、卵飼比が五十三％と、この二項目についてはよくなりましたが、産卵率は六十％と悪くなってしまいました。

◆◆◆ 淘汰更新を早める

この二年間の結果、私の経営の悪い点を改善するためには、第一に育すう回数が八回と多すぎ、そのため病気にかかったり、ヒナが不揃になってしまうことと、第二に淘汰更新が遅れてしまい、産卵率が低下することを解決することです。そのために育すう回数を減らし一回に千羽を目標とする。そしてまた、経営診断の表が真円になるようにし、二年後には成鶏五千羽の規模とし努め、年間所得二百万円を目標に「もうかる養鶏」経営に拡大していきたいと考えています。

なお、複式簿記を記帳する前までは、たいへんだと思っていましたが、やってみればむずかしいことではなく、むしろ毎月たな卸をして成鶏羽数をつかむことなど、経営全体の動きをつかみ、改決すべき問題点が見つけだす面白さがあることを体験しました。こんごも科学的にものを判断し、数学的に経営を分析できる農業者となるよう頑張りたいと思います。

農業簿記

京都大学名誉教授　大槻正男

財産形態の変化だけ

（前号からつづく）次に不流動性財に関しては、その取引額（購入支出額および販売収入額）をもってしてはなんら年度内に生起する損益額を把握することができない。不流動性財のうち、不消耗性財および不生産性財は原則として消耗することも増殖することもない。減耗性財（固定供用財）および長期生産性財（固定結果財）も、その財の取引額の全部がその年度において、あるいは消耗し、あるいは増殖するのではなく、そのごく一部が消耗または増殖するのである。だから、不流動性財の取引は損益計算にはなんら関係ないところの、したがって、流動性財の取引とは厳密に区別されて、単に財産形態の変化のみを引き起こすところの取引という意味で、財産的取引（すなわち「財産的支出」「財産的収入」）と称されて区別して記録され、不流動性財の損益額は、別に年度末の財産たな卸しの際に計測評定して、これを記録計算する方法をとるのである。

すなわち、減耗性財（すなわち固定供用財）に対しては、年度内減耗額（すなわち減価償却額）が見積られ、長期生産性財（すなわち固定結果財）に対しては年度内増殖額が見積られる。

そこで年度内総損出額は——

年度内総損失額＝消耗・損失額＋減価償却額＝（利益的収入額＋年度末純増加額）＋減価償却額＝損失的支出額＋（減価償却額＋年度末純減少額）

自計式簿記においては、損失的支出額は、動態的記録計算帳である現金現物日記帳の「所得的収入」欄の年計として算出され（年度内増殖額＋年度末純増加額）は、静態的記録計算帳である財産台帳の、それぞれ固定資産台帳の「増殖額」欄と流動資産台帳の「償却額」欄と流動資産台帳の流動供用財の「増減額」欄の各計として算出される。

また年度内総利益額は——

年度内総利益額＝生産・利益額＋年度内増殖額＝（利益的収入額＋年度末純増加額）＋年度内増殖額＝利益的収入額＋（年度内増殖額＋年度末純増加額）

利益的収入額は、自計式簿記においては、動態的記録計算帳である現金現物日記帳の「所得的収入」欄の、それぞれ固定資産台帳の「増殖額」欄と流動資産台帳の流動結果財についての「増減額」欄の各計として算出される。

最後に年度内純利益額は、以上のようにして算出された年度内総利益額から、年度内総損失額を控除して算出する。次式に示すとおりである。

年度内純利益額＝年度内総利益額－年度内総損失額

以上のようにして、動態的記録計算の結果である損失的支出・利益的収入を根幹とし、これに補正を加えて算出された年度内純利益額から、さらにもう一つの損失的支出である家計支出を差し引いた農家経済余剰は、静態的記録計算の結果である財産純増加額と一致しなければならない。

財産形態の変化　ある任意の個別経済の所有する財産についておこる形態の変化は、二種に分けることができる。そのひとつは取引（購売・販売）によっておこるものであり、他は消耗および減耗、生産および増産によって、不断に連続的におこるものである。これらの変化の一簿記年度の総合的結果は、静態的記録計算帳である財産台帳の年度末記入と年度始め記入との単なる対比によって算出することができる。

これに対し、変化の分析的な動態的記録は、たとえば自計式簿記においては、動態的記録計算帳である現金現物日記帳に記入された取引（収入・支出）を財種別に分類集計して、財産台帳のそれぞれ該当財種の記入行の「財産的取引による増減」欄に転記することによって、一覧的に表示する方法を採用している。

プロジェクトの取り組み方

北海道専門技術員　三輪　勲

効果的な巡回指導　集合指導によって補強

プロジェクト巡回指導

青少年のプロジェクト活動を効果的に展開させるためには、改良普及員の巡回指導が必要である。巡回指導に当たっては、巡回指導の体制・計画・方法と内容などに留意しなければならない。

巡回指導の体制　青少年に対するプロジェクトの巡回指導は、青少年個人を対象に行なうことが中心となる。巡回指導には、前項で述べたとおりグループ（地域）別分担と課題（部門）別分担とがある。前者は、その地域の農業や生活の実態や青少年グループにおけるプロジェクト活動を十分にはあくできるので、プロジェクトの総合的な指導が容易である。

しかし、個々のプロジェクトの専門的な技術指導に困難が生ずることが少なくない。後者は、その特技項目に応じた専門的な技術指導には効果が上るが、必ずしも青少年の立場やそのグループ活動の教育上の理解が十分であるとはいえない。

したがって、プロジェクトの巡回指導はグループ（地域）別担当普及員を主体として行ない、とくに専門的な技術上のプロジェクト指導については、プロジェクト課題（専門）別担当普及員による巡回指導や集合指導によって補強するなどの体制が必要である。

巡回指導の計画　巡回指導は、計画的に実施することが効率的であることはいうまでもない。青少年個々のプロジェクト進度に応じて、次の事項を留意のうえ年間の巡回指導計画を作成する。

a）青少年のプロジェクト課題に従って、実践中の重要単位作業・技術上の習熟点などを予想し、これに即応する指導を考慮する。

b）巡回指導の回数は、プロジェクトの種類や規模・青少年の能力・巡回の地理的条件・巡回対象の青少年数などの諸条件によって異なるが、プロジェクト四段階ごとに一回、つまり一名に対して年間四～五回程度行なう。こうした巡回指導は、一般農家の巡回指導に合わせて行なうと便利である。

c）巡回指導の経路は、道順を考慮して能率的に行なうよう計画する。

d）改良普及員が指導上計画し、ほかに、青少年から巡回指導を要請してくる場合を考慮して計画上に弾力性を持たせる。

巡回指導の内容と方法

巡回指導の内容　指導の内容は、プロジェクト実践過程における問題点の解決助言が中心となるが、ほかに、プロジェクトレコードブックの記帳整理・実践中の観察・計画変更・参考資料の活用、両親との話し合いなどについて助言指導が必要である。

巡回指導事項の具体例をあげると次のようである。

a）プロジェクトに対する両親の協力と促進

b）プロジェクト選定および実施計画樹立の指導

c）農業後継者育成資金の利用指導

d）プロジェクト実践中の問題処理、実施計画の変更などの指導

e）実践中の観察・測定・調査・学習などの指導

f）展示発表の準備についての指導

g）プロジェクト記録の点検および資料整理の指導

h）プロジェクト実績のまとめ方および自己評価の指導

i）プロジェクト実績発表の準備指導

巡回指導の方法　巡回指導にあたって青少年に指導日時を予告し、日程を調整し当日本人が不在とならないようにする。次に巡回指導の年間計画に基づいて指導項目・内容・方法について検討するとともに指導に必要な諸資料を準備する。このため、対象青少年のプロジェクト実施状況を前もって理解しておく必要がある。

これは、青少年実態調査によるほか、青少年グループの定例集会などにおいて状況を聴取しておくとよい。実施にあたっては、巡回指導者、青少年グループO・Bや必要により農業高校教師の同行を得て行なうと指導上きわめて効果的である。とくに、定時制高校生即青少年グループ員の場合は、高校教師の同行による巡回指導が能率的である場合が多く、効果が大きい。

プロジェクト集合指導

プロジェクトの集合指導は、巡回指導を補強するうえに効果が大きい。もちろん集合自体も重要であるが、個別的な巡回指導と合わせて行なうことによって全体指導と個別指導との組み合わせによる教育上の効果が高められよう。

課題別集合指導　青少年がいろいろな種類のプロジェクトを実施している場合の集合指導は、できるだけ課題ごと部門ごとにわけて行なうとよい。

集合指導の計画　集合指導は計画的に行なう必要がある。この計画は、プロジェクトの指導計画事項別に対象人員や指導内容・方法などを検討のうえまとめておくとよい。この場合、巡回指導の計画との重複をさけて、指導活動を能率的に進めるよう留意することがたいせつである。

個人別プロジェクト巡回指導簿（例）

番号	26
氏名	北海太郎
グループ	ひまわり会

年度	プロジェクト概要 名称	種類	規模	巡回指導期日	担当普及員名	指導事項	所見
40	養鶏	生産	100羽	40. 3.26	（山田）	計画作成・父兄の協力	計画おおむね良
	鶏舎改善	改良	1むね	40. 5.30	（山田）	飼料給与	実践中の観察不十分
				40. 8. 5	（川上）	鶏舎の改善計画検討	計画過大につき再検討
				40.10.30	（山田）	記録の整理・病気手当て	記録良・鶏の病気の学習要
41							

ニンジン栽培を研究

消費動向に対処して

【埼玉】所沢市柳瀬4Hクラブ（会長、新井利夫君）では、このほど共同プロジェクトとして、十アールのニンジン栽培をはじめた。

この栽培は品種の特性、多収穫などを研究するのが目的で、品種は「US四寸種」を七月中旬に五アール、「黒田五寸種」も同様。

同地方は、ニンジンの特産地で、東京市場の人気の的となっていたが、現在は消費傾向の変化から短根種に変ってきている。

こうした動向に対処するため、生産者である同4Hクラブ員七十名が共同プロジェクトとして取り組んでいく。

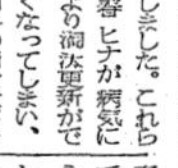

NHK農事番組

（6月11日～20日）

テレビ

明るい農村　6・30～6・55総合
11日　村をむすぶ　フイルム・リレー
12日　農業新時代　機械化養蚕（前橋市・農林省蚕糸試験場蚕室部）
14日　村の記録　鉱害地に生きる（福岡県嘉穂郡）
15日　きょうの話題　病気追放
16日　産物往来　きゅうり
17日　話題の広場　家畜バキューム・カー（群馬県箕郷郡）おかあさんのマンドリンクラブ（山梨県小淵沢町）
18日　村をむすぶ　フィルム・リレー
19日　農業新時代　牧場の多角経営（岩手県雫石町小岩井牧場）
農業教室　7・30～8・00　教育
11～12日　水田の除草技術
14～16日　一万羽養鶏の設計
17～19日　流通近代化を考える
あすの村づくり
日　7・00～8・00教育
再　土　1・00～2・00教育
13日　あすを担うリーダーたち（三重県農村青少年技術交換会）
20日　グループ便り＝野菜にかける仲間たち、仲間とともに＝山を育てる（北海道江差町あすなろ4Hクラブ）　青年像＝（埼玉県秩父郡吉田町・町田芳文）

ラジオ

早起き鳥　5・05～6・00　①
11日　現地報告　構造改善事業を現地にみる（愛媛県舟岡町）
12日　村のポスト
13日　話題の窓　農村と健康
14日　現地報告　転機にたつたばこ栽培
15日　人と話題　在ブラジル農場主婦人　伊藤ヨシコ
16日　通信員の手帳から
17日　産地訪問　山梨大根
18日　現地報告　観光農業に生きる（神戸市垂水区）
19日　村のポスト
20日　話題の窓　自主流通米
ラジオ農業学校
月～土　6・40～7・00　②
日　6・30～7・00　②
再　19・00～19・15　②
13日　経営手帳＝乳用オス子牛の市場性＝全国肉用牛協会・大川忠男、＝生卵と液卵＝農林省食肉鶏卵課・山田績
20日　優秀農家に学ぶ＝（秋田県金浦町赤石生産振興組合・伊藤喜太郎）

農業法令の手引

農業改良助長法

農業改良のための法律

農業の改良発達を図るための一般的法律としては、昭和二十三年に制定された農業改良助長法があります。

この法律は「能率的な農法の発達、農業生産の増大及び農民生活の改善のために、農民が農業に関する諸問題につき有益、適切かつ実用的な知識を得、これを普及交換して公共の福祉を増進すること」を目的としておりますが、蚕糸業に関する試験研究及び普及事業については、この法律は適用されず、別途予算措置による助成が行なわれています。

農業改良助長法の内容は、農業に関する試験研究の助長と、農業に関する普及事業の助長の二つにわかれています。

農業に関する試験研究の助長　政府は、農業に関する試験研究を助長するため、次のように補助金又は委託金を交付します。

（ア）国及び地方の農業事情からみて緊急と認められる都道府県その他の試験研究機関の特定の試験研究に要する経費について、その一部又は全部

（イ）都道府県が次に述べる「協同農業普及事業」に必要な研究を推進するため都道府県農業試験場に設置する農業改良研究員の設置に要する経費について、その三分の

（ウ）「協同農業普及事業」に必要な試験研究を行なうための試験研究施設の設置及び運営のための都道府県の要する経費について、その二分の一

農業に関する普及事業の助長　政府は、農民が農業及び農民生活に関する有益かつ実用的な知識を取得交換し、それを有効に応用することができるように都道府県が農林省と協同して行なう農業に関する普及事業「協同農業普及事業」を助長するため、都道府県に補助金を交付します。「協同農業普及事業」の内容は、次のように定められています。

（ア）専門技術員及び改良普及員を置くこと

専門技術員は、試験研究機関、市町村、農業団体、教育機関と密接な連絡を保ち、専門事項についての調査研究と改良普及員の指導を行ない、改良普及員は、都道府県が設置する農業改良普及所に属し、直接農民に接して農業又は農民生活の改善に関する科学的技術及び知識の普及指導にあたります

（イ）専門技術員又は改良普及員の巡回指導、農場展示、出版物の配布、講習会の開催、器材の利用、その他の手段により農民に対し、農業又は農民生活の改善に関する教示及び展示を行なうこと

（ウ）農業講習施設による改良普及員の養成研修、農業又は農民生活の改善を目的とする農村青少年団体の指導者その他専門技術員又は改良普及員に協力して、農業又は農民生活の改善を推進する農民の育成を行なうこと

（エ）右のイ、及びウの事業の遂行に必要な施設を整備すること

協同農業普及事業に対する国の補助金の額は、右のア、及びイの事業については、都道府県の支出額の三分の二以内、ウ及びエの事業については同じく二分の一以内と定められています

農業改良助長法には、以上のほか、国の補助金の交付についての申請、割当その他国の助成の実施の方法が定められています。

〈全国農業会議所編「農業法令のあらまし」から〉

春の終り　(10)

一ノ瀬綾　多賀要子画

「今はお袋の飼ってくれる鶏だけが頼りだが、これだって今年は値がさがるという話だ。妹もすぐ嫁に出さねばならねえ、どうしても毎月安定した現金収入が欲しい」

淳はテーブル越しに体を乗り出してきた。敏子は追いつめられた身動きのならない気持のままに思わず小さく叫んでいた。

「だから、役場に勤めるというの！」

「そうだ。俺は勤める。今断ったら二度とこんなチャンスはつかめやしねえ」

「チャンスがあったんじゃない。自分で作ったんじゃないか……農政課に申し込むほど淳さんは役場に勤めたかったんだね。頼まれただなんて嘘までついて……」

敏子は目を光らせて言いつのった。淳が自分の都合のいいように話を曲げるのに我慢がならなかった。おそらく何ケ月も以前から計画され、心の準備もできていたであろうに、飛島近相談をしなかった淳の気持が信じられなくなっていた。

「相談したら敏子さんは [illegible]

[illegible] られた。

「淳さん、あんたはきれいごと並べているけど、本当は百姓が厭になったんでしょうが、わたしだけに押しつけておいて、自分は楽をして面白い目を見たいずら？そうに決まっている。」

敏子の脳裏には、不意に狂ったような須田健一の目の色が広がってきた。久江を責めていた須田の顔、蔑廟してふるえていた逞しい肩……自分が今、あの時の須田と同じ意味を口にし、同じ立場で淳に対しているのだと知った時、敏子の心は屈辱と絶望で黒く塗りつぶされていった。淳は狼狽していた。

「なにを言い出すんだ。俺達は愛し合っている。結婚すればなにもかもうまくいく。自分の家庭だと決まれば、敏子さんだって欲が出てきっと俺の勤めに賛成したくなる。とにかく結婚しよう」

淳は席を立ってくると、改まった仕草で敏子を引きよせた。抱いてしまえばなにもかも済んでしまうのだと思い込んでいるような強 [illegible]

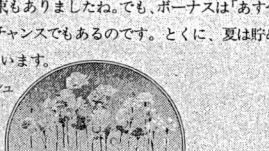

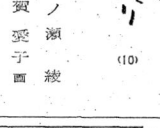

農村雑感

折原俊二郎

或る青年の告白

E君は、農村出身の青年である。彼は中学時代から自分の入る高校を決めていた。しかも、当然のこととして希望する一流高校に入れると思い、一つの不安も感じなかったという。事実その希望していた一流高校に難なく入学できた。しかし、高校に入るとそれまでのような目標がなくなって、勉強にも十分身が入らずして、高校を卒え、直ちに農業に従事した。

その頃、父親の云うことは何事も正しいものと信じ、人格者として最大に尊敬していた。しかし、一年、二年とすぎるうちに、こんな状態で毎日を過していてよいだろうか。一つ農村以外の他の社会をのぞいてみたいと思い、父親に相談したところ、父親は若いうちにのみ経験できる唯一の機会であるからということで心よく彼を東京に出してくれた。勿論、父親としては、子供が農業から一時手を離しても十分やっていける丈の体力と資力があったからのことである。

さて、東京に出てきたE君は牛乳配達として住み込み、周囲の様子をみていると漫然と過していては、仲間からとり残されると考え、ここから本格的に勉強を始めた。そして昼は牛乳配達、夜は大学へと通う毎日が続いた。

一年たって久し振りでわが家に帰り、父親と話しあってみると、大分話の内容なり考え方に食い違いが出てき、かつて東京に出る前までの尊敬していた父親の意見と自分の意見が一致しない。また、父親の知識も大分自分より劣っているように思えてならない。この頃から父親不信の念が大きくなってきた。丁度、それは砂上の楼閣のように、音をたててくずれていくようであった。数日間に父親との間に大きな溝ができたままで、再び東京に戻った。

そして、或る日、学校の講義で父親の問題がでた。その内容は、若い青年は勉強すれば、その学んだ事柄は誰よりも深く知識として吸収する。その教わった知識をもとにして父親と議論をすれば、父親は負けるだろう。しかし、人生は学校で学んだ知識のみでは生きられないし、社会生活もその知識のみで過せるものではない。世の中は幅が広く、極めて複雑であり、学校で学んだ知識は、人生の中の小さな一つの要素にすぎない。そうした見方をすれば、父親とは人間的にはるかに上の方であり、知識についても、実際的な立場で広く深いものであるという。

このことについて彼は随分考え悩んだ。本当だろうか。人生とは、また社会とは、そして父親とは……考えれば考えるほどむずかしい問題であった。こうした悩みが数ヵ月続いた。多くの友達にも相談した。そして得た結論は、やはり父親の方が人間的に自分よりはるかに上であるし、尊敬し得るということであった。とともに、自分の心の中でもやもやとしていたものが消え去ったという。

あと二年もすれば大学を卒業できる。今度は胸を張って郷里に帰り、農業をやるつもりであるという。牛乳配達をしながら考えると、自分には農業が最適だと思えるし、どの職業よりも好きだ。その好きな道が自分には与えられている。幸福だとも思っているという。胸のしこりが消えた今は、親が生活の防波堤となって家で働いてくれている間、それに負けないようにこれからの与えられた期間を夢中になって勉強しようと思う、それが唯一の親孝行でもあると考えているということであった。

〈農林省・農業者大学校〉

新刊書の紹介

余技に遊ぶ文人の姿偲ぶ

「文人俳句歳時記」（石塚友二編）

この篇は、明治、大正、昭和の三代にわたる作家、詩人、歌人、評論家など文人の俳句、約二千六百句を配列した異色の新俳句歳時記である。

ここには、金色夜叉で親しまれた尾崎紅葉、夏目漱石、幸田露伴、森鴎外という明治を代表する文豪をはじめ、大正年代には芥川竜之介、室生犀星、久米正雄など、つづいて昭和期に入ると新感覚派の旗手・横光利一からノーベル賞作家川端康成まで二百数十家が収められ、それぞれの時代に、それぞれの諷体をもって、余技に遊んだ文人たちの姿が偲ばれる。

漱石の句は、奔放な詩想と豊富な語い、和漢洋に通じた学殖と独特の表現がある。

また、巧緻を極めた格調で絶品もあり、作家の中で第一級と評せられる竜之介、華麗絢爛でいかにも才気に満ちた詩人北原白秋など四季折々に百花乱れ咲く花園をさまような楽しさを与えてくれる。

（東京都新宿区市ヶ谷船河原町11　家の光会館　生活文化社発行　定価八四〇円送料六〇円　振替東京二七〇〇番）

青春と仲間

サラリーマンからUターン

仲間と酪農に生きる

滋賀県神崎郡五個荘町　農業後継者クラブ　北川富蔵

わたくしは、三年前、大阪のある自動車会社に勤めていました。毎日の生活は、朝七時に起床し八時に出勤、五時退社と時間のワクにはめられ、退社してからは町をぶらぶら歩いたり、パチンコをしたりして、いま考えてみると無駄な時間を費やしていました。

一面、与えられた仕事は、同僚には負けずにやって来ました。しかし、やっと仕事にも慣れたとき自分自身これでいいのだろうか、いままでのような浪費生活をしていて自分はどうなるのか、一生サラリーマンとして生きていくのか、だが、サラリーマンとして立派に生きていけないんじゃないだろうかという疑問がいっぱいに広がりはじめました。

ちょうど今から三年半前、入社試験に合格したとき、私は、ただ自動車が好きで、一度は都会へ行ってみたいという欲望から何の目標一つない浮き足だった状態であった。

このような訳で、自分でも一生サラリーマンなんかしないだろうという気持でいました。しかし、与えられた仕事は一生懸命やると入社式の日に心に誓っていきました。だんだん仕事にも慣れ、責任のある満足感を味わうようになりました。

一年たつころ、わたしの一生はどうなるのか、このまま進んでもいいのか、いまの仕事はやればやっただけ確実にはねかえってくるだろうかと、仕事中、朝夕の電車の中で考えるようになりました。そのような時、父が来阪して語った。「親家の酪農を手伝い技術をマスターして自立しないか、とおさんも出来るだけの援助はしよう。どうや、やってみないか」―力強い言葉だった。

その夜、寮に帰ってサラリーマンとしての将来、酪農家としての将来、長男として、家のことなどいろいろ考えました。そして、私はじっくり長い時間をかけてついに決心しました。"家に帰って酪農をやろう！太陽の下で汗をかこう、力いっぱいきれいな空気を吸って働こう"と。

いったん決心するとからだ中の力が内から外へ爆発していくように感じた。やるぞ！こうして、わたくしの一年あまりの都会生活の体験は終った。

いま思うには「酪農をやるのだったら、都会へ一年いったことは無駄をやったなあ」とよく人に言われますが、現在、酪農をやっていけるのは、一年間都会にいっていたお陰でもある。都会のサラリーマンの網のない無関心さに自分自身もいつのまにか染まっていくのが恐ろしかった。人間をむしばむきたない空気があった。意志の弱い自分を堕落させる誘因があまりにも多くあった。そのほかあらゆることを体験したからです。

しかし、いろいろ考えたつもりでも帰ってきてみると、現実はきびしかった。牛の餌、搾乳などにしても簡単にやれると思っていたが、ぜんぜんできなかった。一ヵ月ごろから搾乳をはじめたが、半年ぐらいは手が馴れてとじられなかった。思えばそれも懐しい。

一年前から実習生一人がきていましたが、よく働き、よい技術をもっていて、私は大いに刺激され競争心を燃えさせてくれました。この人がきていなかったら、いまのように伸びていなかったと思う。

一年になるころ、ようやく仕事にも慣れて、やっと自分の周囲が視えるようになり、企業としての酪農を考えるようになって機械化による労働力の省力化、生産性の向上を自分なりに進めています。

いまクラブの一員として多くの仲間と交歓し、相互の悩みを話し合い、みんなで考え、ともに悩み励まし合っています。

いま、わたくしは、一生を土に、酪農に生きる決意を固めています。

道

染谷美津江

ある日　私は泣いた
泣きながらも、私の選んだ一本の道を探した
乱れた私の心を　誰れの前にうち明けたらいいの……
いつになれば　涙でいっぱいになった心に
明るい光がさすの……
それがあるところは　死の世界かも知れない
誰れも分ってくれない心の中を
私は　あの人にだけ　分かってもらいたい

ある日、私は笑っている
希望にみちて、私の選んだ一本の道を歩いた
緑の森を　すがすがしさが　みなぎっている
花と小鳥にかこまれて　一日が始まる
それがあるところは　夢の世界かも知れない
誰れも分かってくれない心の中を
私は　あの人にだけ　教えてあげたい

ある日　私は悩んだ
苦しみながらも　私の選んだ一本の道を歩いた
いばらの道を　この道を歩き続けていいのか
自ら苦しい道にしているのかも知れない　希望をもとう
それがあるところは　現実の世界
誰れも分かってくれない心の中の道を
私は　あの人とだけ歩き続けたい

私は　どこまでも歩き続ける
流れてくる涙　つらい悲しみ
それを背負ってあき死ぬまで歩く
どこまでも　どこまでも
明るい　楽しい
土の臭いのする　世界をめざして

（千葉県・八千代4Hクラブ）

短歌

猪鼻文明

そよ風が　やさしくふれる　朝の畑の　幸福信る　苺もぐ手に

（埼玉県比企郡川島村・三保谷4Hクラブ）

4Hクラブ運動への考察

記帳活動（プロジェクト）の強化を

4H精神の高揚に効果大

山形市・クラブOB　佐藤章夫

▽序章

日本に4Hクラブが発足したのは昭和二十三年。大戦直後の国民が飢餓に瀕している時であった。

この状況下においては、これを日本にとり入れた当局者が、いかに4Hクラブの基本的理念に精通していたとしても、これを指導するに当っては、食糧増産という大前提を当初から強く意識せざるを得なかったであろう。

この出発点が、その後の日本における4Hクラブ運動を次の二つの点で特徴づけている。

一、4Hクラブが二十三年に発足したことは、日本の農村における諸々の青少年活動、運動の中で、最も遅れて始まったことを意味する。

二、食糧増産のための営農技術が4HのうちのHANDを意味するという誤った解釈（注）がそのまま適用し、しかも、この意味のHANDが最優先していく現実の過程の積み重ねが、日本の4Hクラブ運動の歴史をつくっていた。

注　4Hクラブのなかで述べられているHANDは「広く社会一般への奉仕をするための手」と直訳できる英文であって、これを「農業の改良と生活の改善に役立つ腕」と訳したのは、意味を限定して、日本的現実に合わせて思い切って意訳したものである。

▽第一章

現在、日本の農村には、青少年を対象として、官民入り乱れて、新旧さまざまな教育運動がある。例えば、青年団運動、農協青年部の系統、放送農業クラブ、それに伝統のある、村の生活に密着した若者講、消防団、部落青年会……など。

このような、古くからの組織やグループ活動が複雑に交錯して存在しているところに、新入りの4Hクラブ運動が、どのように入り込んだであろうか。

4Hクラブに新たに組織された青少年は、青年団員であり、同時に消防団員であり、また同時に、村の神社の若者講中であった。一人の青年がこれら諸団体に同時に加入していたものに、また新しくもうひとつ同時に加入する団体として4Hクラブが登場したのだ。

この状況は現在でも大差がない。それどころか、趣味や、その他で自主的に作っているサークルの一員にもなっているという青少年が今の農村ではごく普通であって、山形のある普及員が調べたところによると、農村青年はひとり平均六つの異ったサークルのメンバーになっているそうだ。

▽第二章

4Hクラブが他の諸団体、諸活動と相違する点はどこにあるだろうか。言うまでもなく、クラブ活動の目的をはっきりと綱領に掲げそれを達成するための手段としてのプロジェクト活動を明示していることである。

他のものには、これだけはっきりと目標と手段を掲げているものはない。ところが、これらのサークルやグループで、青年たちは無意識のうちにしろ4Hクラブが目指すような訓練を行なってきたのである。例えば、若者講や部落青年会などで村落社会への奉仕作業がよく行なわれたが、これなどは4HのmyHand to larger Service for my communityに他ならないし、青年団などでよくやるスポーツ練習、レクリエーション活動などは my Health to better livingに他ならない。

本場のアメリカでは、四つのHを均等に発育させるため、いつの間にかプロジェクトは多種多岐にわたってしまった。しかし、プロジェクトがいかに広範にわたろうとも、それは4Hクラブという名の下における活動なのだ。日本では、こういった多種多様のプロジェクトが、農村の長い歴史のなかで、いろいろな旗印の下に、初めから分散して定着していたものだと言えよう。

4Hクラブとは本来、全人格的な修養をする人間形成の場である。従って、プロジェクトは広範にわたらなければならなかった。ところが日本では、4H本来の機能のいくつかが、すでに存在していた団体の活動のなかで知らず知らずのうちに代替されていたのだ。

日本における4Hクラブは、他の既成諸活動が十分に代替できなかった面を補完することによって農村青少年の全人格的な修養の完全さを期すことが要請されてくる。

▽第三章

農業クラブ即4Hクラブというように一般に受けとられ、クラブ員自身がそれに何の疑問をもたない現状は、以上の考察からおしていわば当然の結果であった。

これを是とするか、非とするかさまざまの議論があろう。それは即ち、日本の4Hクラブをどの方向に進めようとするかの、考え方の相違である。

クラブの対象を現在の年令層、十八、九歳～二十五歳までにし、農業に従事している青年を前提として、日本的な、あるいは日本化された4Hクラブを目指すものであるとすれば、農業クラブ＝4Hクラブを、私は是としたい。

日本の4Hクラブを、本場アメリカのそれに近づけようとするのであれば、私は、現在の状況を大いに非としたい。それはかりか、現在のいわゆる日本の4Hクラブをアメリカナイズすることは到底できない、と断言してもよい。アメリカ的4Hクラブを作るには、日本は初めから出直さなければならない。

農業クラブ＝4Hクラブについて少しく述べよう。

まず組織上の問題がある。村の生産や人事諸関係に深くはまり込んでいる農村の青少年たちを、4Hクラブに加入させるために、他の諸組織、諸団体から、彼らを脱退させることは不可能である。新卒の青少年を4Hクラブがいち早くとらえて、他の諸団体に加入させないように規制することも不可能である。

したがって、一人の青年がそれぞれの目的に応じた諸団体に、二重にも三重にも加入していくことは避けられないことであるし、全人格的な修養、近代的な人間関係をもった近代的な農村青年が育つためには、むしろ大いにけっこうなことである。こうした認識にたって、4Hクラブはそれなら何を彼らに期待せしめ、何を提供し得るかと言えば、つまるところは、農業人としての農業者となるための基本的な研修場なのである。故にその対象も、農村に住む青年一般ではなく、農業に従事しているあるいはしようとしている青年男女であるべきだ。

私は、これが日本に於ける4Hクラブ活動を、他の諸組織との円滑な関係のうえに立って推進していける基本的な条件であると考える。4Hクラブとは、近代的な経営としての農業を担う青年男女が自主的に己れを磨く場なのだ。そこでは、いみじくも初めに意訳し切った栽培技術としてのHANDが優先せざるを得ないし、それを中心として、他の三つのHの発達を促す方向が自然自然に生じてくるのである。

アメリカのように、小さな子供が4Hクラブ以外の何にも加入しないでプロジェクト活動をするのとはわけが違う。

▽第四章

それは、4Hクラブを4Hクラブたらしめる根拠をどこに求めたらよいかというに、それは言うまでもなくプロジェクト活動である。今のプロジェクト活動に欠けているのは記帳活動であろう。

アメリカでは全国一律の様式で4Hレコードブックなるものがつくられてあって、クラブ員は加入した年から卒えるまで、何年でも記録していく。日本でも何らかのレコードブックを様式化する必要がありはしまいか。優秀なクラブ員なら自分なりに考案したノートをつけていることだろうが、一般のクラブ員の記帳習慣を喚起するための何らかの方策が検討されなければならない。もし、全国一律のレコードブックを普及させ得るならば、それは4H旗やバッチよりはるかにすぐれた4H精神高揚の媒体となろう。

記録活動がおろそかになっていることは、プロジェクトが長期に継続していないことを示している。高校卒が圧倒的に多くなってきている現状からいって、彼らの行なうプロジェクトは、少なくとも「研究活動」でなければならないし、一年以上の期間にわたるものであって欲しい。

プロジェクトは、必ずしも個人別にしなくとも良い。より良い研究は、グループ共同で行なった方が便利な場合が多いからだ。指導者は彼らよりかなり優れた技術や知識の所有者でなければならず、プロジェクトの性質によって、複数の指導者があっても一向にかまわない。

日本の4Hクラブにおけるいわゆるリーダーとは、こういったプロジェクトの指導助言者であるべきで、会の運営その他に口ばしを入れたり、世話を焼いたりするアメリカ型のリーダーであってはならない。クラブ員は自分らの欲するリーダーを自分たちで求める権利を確保すべきである。そして会の運営その他のクラブ員のうちから選んで、自らリーダーシップのトレーニングの場と化すことも大切である。

▽終章

以上、日本の農村の現実と、日本4Hクラブがたどった歴史的過程を踏まえて、日本的4Hクラブの在り方に関して私の所感の一端を綴った。私は、これとは別に、日本に、アメリカ的4Hクラブを導入すべきであるし、その可能性も高いと見ている。それは、日本の子供会の組織を活用すれば案外容易であろうと予想している。

でもそれは、これまで私の述べてきたことがらとは、まるっきり別の視角、別の発想で考えなければならない。一口に言って、それは農業への教育ではなくて、どの職業にも通じるであろう人間一般の全人的教育法だからである。アメリカ的4Hクラブがもし日本にいつの日か定着したとしたら、現在のいわゆる日本的4Hクラブは潔よく脱皮して、4Hクラブの名を返上しなくてはならないだろうが、そこに至るまで、日本的4Hクラブは日本的なりに存在の価値は充分あるはずである。

（昭和四十一年度派米クラブ員）

生活もの知りコーナー

梅酒　セキ止めにも好薬

☆梅酒づくり

梅酒をつくる時期を迎えました。さいきんは梅酒をつくる家庭がふえてきましたが、これから梅酒をつくる人のために、そのつくり方や注意などを紹介しましょう。

梅酒はおいしいばかりでなく、薬としての効用があります。下痢の好薬であることはわりと知られていますが、はれものの痛み、リューマチ、神経痛などに梅酒の湿布がてきめんにきくことは、あんがい知られていません。また、湿布がセキ止めの作用をすることもご存知ない方が多いようです。

梅の選び方　粒は大粒よりも中粒で、肉の厚いものを求めます。ほんのりと黄色味を帯びたものが最適、色が赤くついて熟れすぎたものは酸味が出ておいしくありません。また、あまり青いものは、早く食べると中毒を起こすことがあります。

中毒の予防には、最初に梅を一昼夜灰にまぶすとよい、といわれています。

作り方　梅酒は、さる三十七年四月、酒税法の改正で自家用のものは無税になり、三十八年四月から夏みかん、いちごなど十二品目の果実酒が自家用としてつくることが許可になりました。

梅酒の作り方は、まず材料として青梅約一㌔、しょうちゅう（二五～三五度のもの）一・八㍑、砂糖八〇〇㌘～一・二㌔（氷砂糖がよいのですが普通の白砂糖でもよい）の割合で用意し、容器は広口のものを選びます。

漬け方は、青梅をよく洗って水気をじゅうぶんにとり、容器は洗ってから乾燥させておきます。まず、梅と砂糖を交互に入れます。そして最後にしょうちゅうを注ぎ、密封します。セロテープで目張りをするか、ビニールをかぶせて丈夫なヒモでしっかりしばって下さい（発酵するわけではないので、ガスの圧力でふたが飛ぶことはありません）

そして最低二ヵ月は、温度の低い暗い場所におきます。途中でふたをあけて中をかき回したり、食べたりすると味がなじます、とくに、こどもは中毒を起こしがちです。ただ、ときどき容器ごと持って振りますと熟成も早くなります。

こうして二ヵ月でコハク色の美しい梅酒ができます。いったん上の方に浮かんでいた梅もしだいに沈んできますから、このころから飲み出していいわけです。中の実はこの際上げてタネをとり、砂糖を入れてジャムを作りますと香り高いサッパリした夏向きの高級ジャムができます。またそのままにしておいて眼を楽しませるのもおもしろいです。

なお、香りの強い梅酒をつくりたい方は、種子の中にある仁（じん・天神さまと呼ばれているもの）だけを、漬けこむと書加えておきましょう。

日本4H新聞
4Hクラブ 農事研究会 生活改善クラブ 全国弘報紙
発行所 社団法人 日本4H協会
東京都市ケ谷家の光会館内 電話(269)1675番 郵便番号162
編集発行人 王井光
月3回・4の日発行 定価1部20円 一ヵ年700円（送料共）
振替口座東京12055番

クラブの綱領

全協・専門委員会に着手

4H理論の確立へ

同時に組織の強化図る

全国4Hクラブ連絡協議会（会長、黒田保君）は、さきの総会において、日本における4Hクラブの理論の確立、組織の体系化と強化策について、全面的に検討し今後の活動の指針とするため、専門家とOBによる専門委員会の設置を決議したが、その後、執行部会を重ねて協議した結果、早急にこの委員会を発足させることになり、このほど、学識経験者とOBそれぞれに就任依頼を申し入れた。全協では依頼した各氏から承諾が得られ次第、専門委員会を発足させ、できるだけ早く、新しく統一された理論を基に一大飛躍を図りたい意向である。

全協が、このような専門委員会の設置を考えたのは、日本における現在の4Hクラブがその理念さえ充分解明されておらず、4Hクラブの進め方やリーダーのあり方はこうあらねばならないというようなものがなく、指導関係者の間でも各人によって異った考え方をしており、全協自身も統一された理論がないので、この際、日本の4Hクラブについて徹底的に検討を加え、全協としての理論の確立を図ろうとしたものである。

戦後、日本に農業改良普及事業の一環としてアメリカの4Hクラブ活動が導入されてから二十年、当初から食糧増産という緊急の使命を課せられて出発したところにクラブの理念の明確化を妨げる要因があった。

その後、農業をとりまく環境が大きく変わり、クラブ活動もそれにつれて変わってきた。そして現在は、日本独得のクラブ形態と組織ができている。

したがって、指導関係者のなかには、アメリカの4Hクラブを念頭において、日本のクラブは4Hクラブではないという人もあるが、それは日本の環境がそのようなクラブに育てあげたもので、その理念は共通のものである。

全協としても、このあたりの事情を考慮して、日本の4Hクラブには、日本の4Hクラブとしての筋の通った理論づけをして、全協としての思想の統一を図るとともに、関係者にも理解を求める意向である。

この4H理論の確立のほかに、全協としては、単位クラブから地区連、県連、全協にいたる組織のあり方を検討し、これも望ましい方向へ強化してゆきたいと考えている。

この専門委員会で具体的に検討される審議事項は、つぎのようなものになるもよう。

一、4Hクラブの本質について
名称と目的、プロジェクト活動、日常活動、事業や行事など

二、4Hクラブの組織について
単位クラブ、地区連、県連、全協などのあり方と相互の関係、中青連、国民会議、青年団、農協など他団体との連携、農林省、文部省、総理府、各県庁など役所との連携など、役員構成（任務と選出方法）、ブロック連協結成の動きについて、総会、評議員会のあり方

三、リーダーについて
内部リーダー、外部リーダー、OB、篤志指導者などについて

四、将来の4Hクラブのあり方
4Hクラブのビジョン、4Hクラブ員の社会的、地域的役割は何か

五、日本4H会館建設について

六、海外青少年との交流について

七、その他

総力を会館建設へ

日本4H会館建設副委員長 梅田清雄

さる昭和三十八年、和歌山県の高野山で開催された全国4Hクラブ員大会の席上で、

「われわれクラブ員の殿堂として、また、全国のクラブ員の心の拠点としての4H会館を!!」

「クラブ員の手による、クラブ員のための、クラブ員の会館を!!」という動議が、クラブ員の間から出され、そこに参加していた全国のクラブ員の大喝采をうけて可決されました。

この感激の場面が、いまなおまざまざと私の記憶に残っています。百雷怒涛のような拍手。これは、クラブ員がかねてからの願望と必要性を率直に表わしたものと、私は確信しています。

その後、全協の総会において会館建設が決議され、OBクラブ員もその必要性を強く感じ、会館建設委員会の発足となりました。

この会館建設は、ただたんに建設するということでなく、この建設の過程において4Hクラブの理念を生かし、OBとクラブ員が一体となり、心と心の結びをより強くし、更に、クラブ活動の充実と強化を図りたいとの考えから、この会館建設によって数多くの問題を解決したいのが私たちの願いであり、その後、目標に向って、着々と歩を進め今日に到ったのであります。

それから六年経過した現在、全協、各県連、OBクラブ員のなみなみならぬ努力によって、募金もまことに順調に運びつつあることは感謝に堪えません。

また一方、育成指導機関の絶大なる協力と助言を得て、先ごろようやく期待の4H会館完成図もできあがり、もはや着工の段階に近づいたことも嬉しいことであります。

いま、もう一歩というところであります。どうか、若人の全精力を傾注して、来春、全協発足十五周年を期して、滞りのない準備の完了を心から待望してやみません。

来る二十七日から鳥取県で開催される全国4Hクラブ員のつどいにおいても、この事業が参加者に説明され、協力を求められようとしています。

会館建設にいま一歩という今日、建設委員はもちろんのことクラブ員やOBの誠意と熱意を総結集して、ゆるぎない強力な体制をとって、私たち若人の悲願である歴史的大事業の完遂が一日も早いようにと祈るものです。

クラブ活動を検討

禅寺でリーダー研修会開く

富山県連

【富山県＝老川早苗連絡報道員発】富山県4Hクラブ連絡協議会（会長、横井弘三君）主催の県4Hクラブリーダー研修会が、さる六月十四、十五の両日、高岡市太田の国泰寺を会場として県下のクラブ員約百五十名の参加のもとに盛大に開催された。

将来の農業に夢を託し、自分たちのクラブは自分たちの手で盛り上げようと意気ごむクラブ員の熱意に、日ごろ静かな国泰寺本堂もはちきれそうであった。また、この研修会が、精神修養の場として県下でも厳しい修行寺として名高い禅宗のお寺で開催されたことは、リーダーの研修という性格や、今年度最初の行事でもあったことなどから、大変意義があり、ここで養ったことがらは日常生活にも役立つものと思われる。

日程は十分の余裕もなく時間に追いまわされる中で、講演、分科会、全体討議、レクリエーション指導講習などを行なった。

とくに今回は、朝のつとめ、朝夕一時間ずつの坐禅、食事にいたるまで、日頃の生活にくらべて大変厳しく、つらいものであった。

まず、「現在の農業、将来の農業のあるべき姿」と題して、大谷技術短大・助教授足立原貫氏の講演が行なわれた。

分科会は「クラブ活動の現状と今後の進め方」「プロジェクト実施の問題点」の二つに分かれ、他に「クラブリーダーの役割り」を共通テーマとして話し合った。

「クラブ活動の現状と今後の進め方」の分科会では、

❶ クラブ員の参加が少ない。とくに女子クラブ員の参加が少ない。
❷ 4Hクラブに魅力が欠けている。
❸ 新規加入者の勧誘方法の問題点。
❹ 4Hクラブの目的を知らない人が多い。

これらの現状報告がなされ、今後の進め方として、次のような対応策が話し合われた。

❶ 農業青少年と農村青少年とのちがいをはっきりのみこむ。
❷ 農業元来のくささから脱皮する。
❸ 実践を通してPR活動を活発にして、立体的勧誘法を実行する。
❹ 身近かなレクリエーションを取り入れながら、加入者をふやしていく。
❺ 専業兼業の区別をのみこみ、相互のクラブ員の納得のいくようにグループを作り、同志をつくって研究しあう。
❻ レクリエーションとして、スポーツを多くとりあげる。

つぎに「プロジェクト実施の問題点」については、一クラブ員一プロジェクトの徹底を図るとともに、全体的にプロジェト活動を盛り上げるため、次のことを話し合った。

❶ プロジェクト活動をクラブ員に浸透させるため再教育を行なう。
❷ プロジェクトの意義は、広く農村生活に課題を求め、その課題解決を図るということである。この意義を理解させる。
❸ 反省する場合の材料を得るため、ホームプロジェクトに取り組む。
❹ プロジェクト委員を設け、巡回指導を徹底する。

また、共通テーマである「クラブ・リーダーの役割り」については次のようなことが話し合われた。

❶ クラブ員が一人ひとりリーダーとしての自覚をもつ。
❷ リーダーの更新。
❸ 活動内容の充実を図る。
❹ 県外視察などを取り入れ、他県のクラブ員との交流を図る。
❺ プロフェッショナル・リーダーを育成する。
❻ クラブのマンネリ化を一新するため、青年団などの他団体と交流を行なう。
❼ 新入クラブ員を各大会への積極的参加を図る。

なお、この研修会を通じて、坐禅を取り入れたことがも参加者に強い印象を与えた。

ある参加者の話「坐禅は己を無我の境地に立たせて俗界の雑念を取りさることとともに、己を己と認めずに静寂の間に己を溶け込ませることにある」との教を受け、坐禅の一端のまねごとを行ない、身にしみる苦を味あい、禅の厳しさということは以前から話に聞いていたがも聞きしにまさる禅の苦境がほんの一部理解できたと思う。自分の考え方、行動その他の事柄に対しての認識を新たにして、今後の自分という価値を高めることに専念できるような気がほんの少ししただけでも、坐禅の効果があったのではなかろうかと思っている。

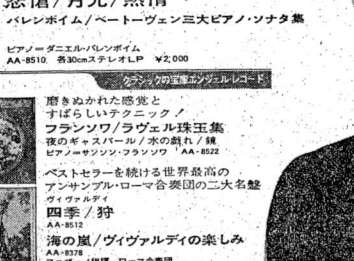

禅宗のお寺で、精神修養の場として富山県下でも名高い国泰寺で行なわれた富山県連のリーダー研修会

茨城県連で大会

地域農業の発展めざして

【茨城】茨城県農業研究クラブ連絡協議会（小橋正一会長）は、県と共催で、さる十一日から三日間、新治郡新治村の県立中央青年の家で、第九回茨城県農村青少年クラブ大会を開催した。

この大会は、日頃、自主的なクラブ活動を通して、近代的農業に力強く取り組み、農業経営、技術および農村生活の改善に研究、実践している同県下のクラブの代表が、互にその成果を交換するとともに、さらに、その技術や知識をみがき、地域農業をになっていくクラブとして、その活動がより活発になることをねらいとして、各クラブのリーダーを対象として開いたもの。

涼風暖風

自然と人間のつながり

私は、「自然を相手に生きる農業が大好きです」というクラブ員の声をよく耳にする。そんなとき、もっともなことだ、と思う。少しでも工場の騒音やほこりの中で働いた経験のある人ならば、農村の澄みきった空の下で働くことが、どんなにすばらしいとかを知っているはずである。

人間の心は、帰るべき自然をいつも求めているのだ。思うに、人々が都会で働くのは、生活の便利さを求めるか、帰るべき故郷がないからであろう。

この美しい自然が、近頃は、国土開発の美名のもとに、むやみに破壊されている。もっと自然をいたわらなければ、いまに日本の美しい自然は消滅してしまうにちがいない。

そして、最も恐るべきことは、人間が便利な文明生活になれ、自然の価値を忘れ、自然の恵みを受けて生きている人間本来の姿を見失なうようになりはしないか、ということである。

先月、東名高速道路が開通し、東京―大阪間が本格的なハイウエイで結ばれ、新しい高速自動車時代を迎えた。鉄道の方はこれより一歩早く、東海道新幹線はとっくに超特急が走っている。それなのに、ことしの初め、厚生省が昔の弥次、喜多道中さながら「東海道自然歩道」の計画を発表したとき、この構想が喝采をもって迎えられたのはどうしてか。いうまでもなく、そこには、文明の利器を利用すればわずか三時間で行き着くところを、人の足でたっぷり三十日かかっていこうという文明への反抗というよりは、忘れかけていた人間と自然をつなぐという貴いねらいがあったからである。

また、厚生省の東海道自然歩道に少し遅れて、林野庁も「自然休養村」なる構想を発表した。こちらは、うっそうと茂る自然林や高山植物の咲き乱れる高原など、風景の美しい国有林野を、自然をこわさずに国民に利用させようというものである。

この休養林は、車は入口で止め、広さ五百から千ヘクの地区に遊歩道、キャンプ場、上下水道などを設け、旅館、食堂、売店などはなるべく公営にするというもので、まず、第一次として、花畑やスキー場のある奥那須など十ヵ所を決めた。

ところで、4Hクラブのメンバーたる必須の条件は、個人でプロジェクトを持つことである。そして、それも、自然や生き物を選ぶのを最上とする。したがって、4Hクラブ活動は、自然と人間をつなぐ活動であるということができる。このすばらしい活動を行なえるクラブ員は仕合せである。

山梨で地区連が発足

北巨摩普及所管内を一本化

【山梨】山梨県峡北地の龍崎地区4Hクラブ連絡協議会（会長、望月由勝君）、八ケ岳地区4Hクラブ連絡協議会（会長、篠田勝利君）、須玉4Hクラブ（会長、清水幸一君）の二地区連と一クラブは、このほど話し合いの結果、三つの組織を一本化した北巨摩地区4Hクラブ連絡会を発足させることにした。

これは、北巨摩農業改良普及所管内のクラブを統一させ、広域普及と歩調を合わせようというもので、農業の広域化傾向にともなって、小さなワクの中にとじこもったままの活動では成果も期待できないので、横の連絡強化を図るのがねらいである。

この結果、四栄、上栄、双葉、つばさ、六栄、さわらびの七クラブ七十六人（龍崎地区）と清里、安都玉、熱見、井出原、中丸の五クラブ三十六人（八ケ岳地区）および須玉4Hクラブ（十九人）を含む広域化した組織ができあがることになった。

富山で技術交換会

【富山】魚津、黒部両4Hクラブは、黒部農業改良普及所と共催で、このほど、魚津市役所三階ホールで第十六回魚津、黒部両市農村青少年クラブ技術交換大会を開いた。

この日、参加した約四十人のクラブ員たちは、会場に並べられた稲や果菜などを観ながら、五十問からなる技術競技の問題と取り組んだ。

この成績の上位入賞者は、県大会に出場することになった。

試験田に田植え

奈良の4Hクラブ

【奈良】奈良県大和郡山市4Hクラブ（会長、森本宗和君）は、このほど、郡山市井戸野町の三千代の試験田に新品種風ほか三品種の田植を行なった。

国体に花そえる

【長崎】長崎県島野町の島野町4Hクラブ（会長、佐中勝君）は長崎国体の花いっぱい運動に協力して、このほどサルビア二百五十本を国道筋に植えた。

心頭技健

梅雨前線が停滞して雨模様が続く日、東京の街角、スピーカーのボリュームを全開して宣伝カーが行き交う。いま日本の首都東京は都議会議員選挙運動の終盤を迎えて各政党、各候補者入り乱れて戦いを続けている▼この選挙は、単に首都の議会議員選挙ならず日本の将来の姿を決するものとして、内政・外交問題の論争を各政党がそれぞれの立場で展開し、重大選挙として国会議員選挙なみの支援対策をもって臨んだ選挙であるにもかかわらず、残念ながら一般有権者の関心はうすいようである▼にもかかわらず、朝七時の第一声を主要駅頭で通勤客に呼びかけ、住宅街、商店街、ふたたび駅頭で帰宅客に候補者の名前を告げる。このように各政党、各候補者を中心にした選挙運動を連日展開しているが、個人演説会には人が集まらず、会場はカンコ鳥が鳴くありさまだという。街頭で足を止めて耳を傾ける人も以外に少ない。この結果は、十三日の投票日に投票率となって有権者の関心の度合が明白になるが、それにしても、選挙どこふく風と装う人が多すぎる。議会制民主主義を是としている日本人がどうして選挙に関心を失してしまったのだろうか▼たしかに汚職政治、選挙違反の続発が真面目な選挙民の信頼を失し、明るく正しいというイメージはないが、それを恐れとして戦う勇気がなくなっているのである。政治や選挙はみにくい。たしかに、現状はそうである。だからといって汚いみにくいものから逃避していたのでは、爽しくも正しくもならないし、日本の将来は知らぬ間にでもない方向に走ってしまう▼いたずらに物質的な繁栄の下に国家民族の理想と目的を見失った日本に、新しい魂を与え、偉大な伝統を蘇らせ、その上に新しい真の繁栄を築いていく――これこそ政治に参画するものとそれを選ぶわれわれ責任において行なわれなければならない▼調子よいスローガン、関心をそそるような公約、いずれも結構であるが、この裏には生活と直結しないみにくいイデオロギー論争があることも理解しなければならない。正しい使命感にもえた青年の力と正しい国政に導くリーダーシップ、これが日本の繁栄を築く。昭和維新の若き志士出でよ。

土と人と

対話の間

―新潟県人について―

堀越久甫

初めて新潟県へ行ったときのことだ。もう十数年もまえになる。ある村へ行き、用件を果たして駅へ帰ってくる途中、道にまよってしまった。

その村は、「この村の米の供出量は山梨県一県分よりも多いんですよ」といわれる米どころである。どちらを見ても水田ばかり、ハサの木が行列をつくっている道を歩いているうちに方角がわからなくなってしまったのである。弱ったなと思って行くとひとりの人に会った。しめたと思って道をたずねる。

「S駅へ行くにはどう行ったらいいんでしょうか？」

と、その人――農家の人らしい中年の人、黙って立ったまま返事をしない。だから私は思った。

「ハハア、この人も道を知らないんだな」そして「いや、どうも」とか何とか言って、その人に背を向けて一、二歩、歩みはじめた。ところがその人、

「この道を真っすぐ行って、あそこで左に曲がって……」

と詳しく道順を教えてくれるのだ。いやこれには驚いた。つまりこれは、こちらが聞く、向こうの人が答える、という対話の間がひどく長いのである。だから、そそっかしい私は向うから返事がかえってこないと思ってしまったのだ。

新潟県の人たちは、話の「間」がたいへん長いのである。

そのことがあってしばらくから新潟県の県庁へ行った。そして県庁の人と話しているときも同じことを感じた。私が何かを言う。次は向うが言う番だが、その間がしばらく空いている。初めは、私は「この人は何か怒っているのかな」とさえ思った。すぐ返事をしてくれないのだから――。

だが、すぐに気がつく。新潟県の人たちの会話は、誰でも「間」が長いのだから、これが平常なのだ――と。そこでこちらも対話の間にすこし長く「間」をおいてしゃべることにした。

この「間をおく」というのは、ゆっくりしゃべるということとは違う。そして、こういう対話のしかたは、日本中のどこにもない。新潟県独得のものだ。もちろん一口に新潟県人といっても、多い人のうちだから、そうでない人もいるけれども、たいがいの人はそうだ。だからこれは新潟県における独得な習慣だといってよい。

私は、こういう新潟県の人が好きだ。

この、対話のときに「間をおく」という方法は、ことによると新潟県の人の思考装置からきているのかもしれない。

即ちにこれは、別な言い方をすれば、流行にとびつかない、ということでもある。たとい世の中の人がみないっせいにあちらの方向を向いて走り出した、というときでも、新潟県の人はなおじっーと考えている。そういう態度は、上杉謙信の陣法にもあるし、明治維新の長岡藩河井継之助の独立論にもあるし、近くは山本五十六の日独伊防共協定反対にもある。

そのことを積極的にいうと、ことをじっくりじっくりやってゆくという性格になる。私には新潟県人の知人が多いけれども、あの人、この人と顔を思い浮かべてみると、みなそういう性格の人である。そして、こういう人たちこそ立派な仕事をする人だ。

だいたい、われわれ日本人は、世の中の流行に動かされすぎる。司馬遼太郎にいわせると「それが時流だと感ずると、なにが正義かなにが美かなどの思考はすべて停止し、ひとのゆく方向にむかってなりふりかまわずに駈(か)けだしてしまう。この軽薄な……」である。そういう一般的な日本のくせに対して、新潟県人だけは、正義や美に対しての思考を停止しないらしい。この性格は、日本の中でひときわ燦然と光っている。（評論家）

会館建設委など決る

神奈川県連・当面の諸問題に対処し

【神奈川県＝石井忠輝連絡報道員発】神奈川県農村青少年クラブ連絡協議会（会長、中野正義君）は、さきごろ県農業経営研修場で日本4H会館建設委員会、新都市計画法対策委員会、普及所統合問題対策委員会を発足させた。

この三つの委員会は「クラブ活動をすすめる中で農業の諸問題を考え、解決に努力するとともに青少年らしい自主独立の精神を養う」という本年度、同県連活動の基本方針にそって、当面するこれら三問題の解決に対処するために設けたもの。

日本4H会館建設委員会 昭和三十八年、全国4Hクラブ員大会において、全国のクラブ員の研修の場として、また、心のよりどころ、現役クラブ員とOBとの結束を図る旗印として、この日本4H会館建設が決議され、現在に至っている。

そこで、当初の目標どおり四十五年度建設をめざして、神奈川県連としても、この会館建設に積極的に取り組み、末端のクラブ員まで4H会館建設の目的、意義を理解させ、一日も早く、日本の4H活動発展のための殿堂である日本4H会館が建設されるよう募金活動を行なうことにした。この募金運動を具体的にすすめるため、会館建設委員会が設けられた。

普及所統合問題対策委員会 神奈川県下では、現在十六ヵ所ある普及所が近いうちに七ヵ所に統合される予定である。

そこで、現在、普及所単位に結成され、事務局も普及所に置いている地区連は、組織や事務局、普及所からの指導やその利用など、今後の活動について検討しなければいけなくなってきた。

このような理由で、県連としても、各地区連がこれまで以上に自主独立の精神をもってクラブ活動の真のあり方を考え、各地区で起こる数々の問題をこの委員会が中心になって対処することにした。

さらに、この統合を機会に各地区連相互が、情報を交換し、交流の場をもち、各地区での対応策を考え合うなど、活動がやりやすい態勢になるよう仲介の労をとる。

新都市計画法対策委員会 いま全国的な課題として投げかけられた新都市計画法の施行によって、われわれの生活の基盤である農業が大きな影響を受けることはまちがいない。この重要な農業問題を少しでも解決し、安心して営農を継続できるよう、この対策委員会が設置された。

しかし、県連としては、あくまでクラブ活動を主体として、クラブ員の意見を県の農政に少しでも反映させ、さらに、これらの活動を通して県連と末端クラブ員との密にし、クラブの組織強化を図ることをねらいとした。

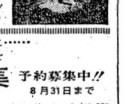

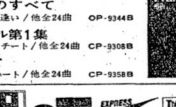

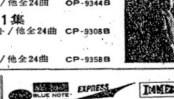

渭東4Hクラブ（徳島）を訪ねて

阪神市場の七割押える
青ねぎに青春賭けるクラブ員

クラブ訪問記

4H旗と優良グループとして県から表彰された賞状を手に＝クラブ員のねぎ畑で

阪神の市場の七〇%を占める――全国でも珍らしい青ねぎの生産地である四国の徳島市沖洲、この地で活躍している渭東4Hクラブ（会長、野田繁男君）を先日訪ねてみた。クラブ員は、いずれも青ねぎ専業農家の人たちで、プロジェクトとして青ねぎ栽培と取組んで、その改良に努力している。彼らには先進地はなく、誰れからも教えてもらえない。「自分たちが研究してリードして行くしかない」という責任感と自負心と意欲が強く感じられた。以下はその訪問記である。

渦潮で有名な阿波の鳴門、そこから潮の流れに沿って太平洋の方へ目を転ずると、はるかに潮の出張ったところがある。そこが先ほど訪ねた沖洲であった。

× ×

県庁所在地の徳島市から車で海岸（紀伊水道）に向けて十五分も走ったろうか、そこに目的地の渭東地区があった。道路の左右に青ねぎ畑が広がり、それが海岸まで続いている。強烈な青ねぎの匂いが鼻をつく。その匂いは街全体をおおい、この地に深く浸み込んでいるように感じられた。

同地区の青ねぎの生産量は、阪神市場の六〇%から七〇%を占めるという。だが、目に入る限りでは、それを実感として受けとめるまでには時間を要した。北に"四国三郎"と異名をとる吉野川が海に注いでいるが、そこらあたりまで畑があるというのだから相当広いに違いない。

花畑のようにきれいなボンコをつけたねぎ（これらは種をとるためと、値段が下って放置されたままになった場合とがある）

同地域で栽培する青ねぎは、どうしても塩害を受ける。海と陸は頑強な防波堤によってさえ切られてはいるものの、塩水が土地の底から上ってきて稲の病気と同じくねぎを枯らしてしまう。ゆうれい病というのだそうである。また連作するため土地がやせるので客土が必要になるが、その土はこの吉野川から運ぶ。吉野川からサンドポンプでとった砂を一ヵ月ぐらい雨にさらしてから畑に入れるが、これを商売にしている専門業者がいるというから、この土地の特殊性がうかがえよう。その沙は三輪車一台で二千五百円くらいということだった。

× ×

同地区で青ねぎを栽培する専業農家は大体三〜四十戸。平均耕作面積は約一・五反、兼業農家の数もこれとほぼ同数で、片手間にやっている農家も合わせると、青ねぎを栽培している農家は百四十戸を上回るという。平均耕作面積はぐんと下るが、このようなねぎの生産地は全国でも類がないそうである。それだけにねぎに傾ける情熱もすばらしく、先進地として誇りをもって努力するクラブ員の意欲が迫ってくる。

阪神の市場の70%を占める青ねぎがここから出荷される。ねぎは白い部分が多いほど若い。

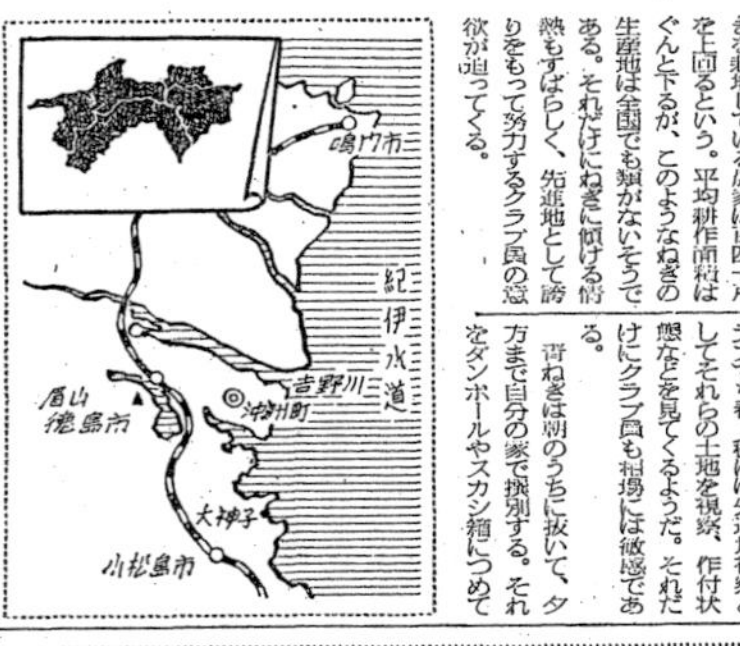

沖洲での青ねぎ栽培の歴史は古く約五十年といわれる。しかし、このように青ねぎを専業とする農家が現われ、渭東農協を通じて共同出荷するようになったのは比較的新しく、クラブ員の話しでは約十年前ということだった。それまでは、サツマイモとムギの単作地帯だったが、次第にねぎが入ってきたものだ。それが今では阪神のねぎ市場の六、七割を抑えるまでになった。

では短期間にこれほどまでに伸びた原因は何か。水稲ができない、青ねぎは連作がきいて一年中栽培できる、回転がうまくいく、サツマイモやムギより収入が多い―などがあげられるが、それよりもやはり、品質の向上や市場調査など青ねぎ栽培への努力であり、また値が下がって損をしても出すという根性、それによってつちかわれた信用が大きくものをいっているように思われた。「阪急や阪神のデパートなどでは、渭東のマークがついていないと買わない」といわれるのもそれを物語っているようだ。

× ×

この付近の青ねぎの産地としては、三重県の津、大阪の八尾、兵庫の西宮、高知の中村市などがあるが、とくに三重あたりからは安物が出るので、市場調査がまた大変である。これらのほとんどが沖洲のように産地を形成しているわけではないので、現地に行って作付状況をつかもうとしてもなかなかつかみにくい。この調査は現在農協の出荷部が行ない、市場の希望数量などを把握しているが、クラブでも春、秋には先進地視察としてそれらの土地を視察、作付状況などを見てくるようだ。それだけにクラブ員も相場には敏感である。

青ねぎは朝のうちに抜いて、夕方まで自分の家で撰別する。それをダンボールやスカシ箱につめて農協へ持ち寄り、共同出荷する。そして翌朝三時から六時ごろの間に市場に出回ることになる。この出荷の時は、クラブ員にとって火花散る生きた勉強の場だ。また仲間の一人が農協に勤めていることも、クラブ員にとってはプラスになっている。

このように、クラブ員たちは、農協と密着した活動を進める一方、青ねぎづくりのパイオニアとして、4Hクラブ活動の中で技術と自己に磨きをかけている。

渭東4Hクラブメンバー

会長	野田繁男	(24)
副会長	金沢正広	(〃)
前会長	福井貞敏	(25)
〃	広瀬武	(〃)
	石本芳	(22)
	中山洋一	(〃)
	小川進	(〃)
	広沢栄	(18)
	山下宏	(19)
	中山雅夫	(18)
	井川豊	(21)
	吉田道子	(22)
	原満佐子	(18)

技術的にリード　プロジェクト
旅行や交歓会の要望は強い

渭東4Hクラブは、八名のクラブ員によってさる三十九年二月八日に結成された。そして会員がしだいにふえ、現在は十三名（うち女子二名）平均年令は約二十二歳。いずれも青ねぎ専業農家の人たちばかりだ。結成したときの八人のうち四人がまだ残っている。

発足当時は遊ぶことが多かったが、まずその年の夏ごろ「農休日を作ろう」という話が持ち上り、地元の人たちに呼びかけて歩いた結果、賛成されてそれを実現することができた。そして農休日（出荷休みの毎月第二と第四土曜日）[illegible]

[illegible]査では酸性、アルカリ性などについて調査結果を印刷し各農家に配って大変喜ばれたという。さらに地域の消毒もクラブ員が行なうなど奉仕活動にも活躍している。この4Hクラブ員のプロジェクトが自分の家の経営を伸ばすだけでなく、地域農業発展の原動力という大役を担っているわけだ。

このような実績が認められて四十年には県から優良グループとして表彰された。

定例会を第二金曜（農休日の前日）の夜に開き、土曜日にクラブの行事を行なっている。県段階な[illegible]るクラブのリーダー研[illegible]でクラブ員を出席さ[illegible]の運営技術などにつ[illegible]いる。そして、県大会[illegible]にも代表に選ばれて出[illegible]になった。[illegible]は一人当り月五百円[illegible]年度から先進地視察[illegible]毎月二百円ずつ積み立てることになった。しかし先進地といっても青ねぎに関して沖洲より進んでいて参考になる地域があるわけではない。みんな自分たちが研究し、他の地域の先頭に立っていかなければならないのだが、ふだん一生懸命働いているクラブ員にとって息ぬきや気分転換になることだろう。

とくに他クラブとの交歓会は楽しみのようである。というのも、この交歓会で奥さんを射とめたクラブ員がいるからだ。さいきん、男性クラブ員はしきりにこの交歓会を要望しているということだった。

しかし、同クラブにも悩みがないわけではない。宅地化、農協の合併、後継クラブ員の減少、それに伴う平均年令のアップ、行事のマンネリ化からの脱皮、クラブ員の新陳代謝によるチームワークのゆがみ―など問題があるが、これらはみんなの智恵と努力で解決していくことだろう。

青ねぎの消費量は冬場は夏の倍にふくれ、一日平均七百から八百ケースの需要がある。すき焼き、うどん、そば、すいもの、インスタントラーメン……用など。それに輪をかけるように、「これからは料理の仕方もPRしていく必要があるのではないだろうか」とクラブ員は夢をひろげている。

同クラブで発行している機関紙「ぼんこ」に、こんなうたが載っていた。

「青春を賭けて悔いない　葱作り」

「葱作り　いつか飛ばすぞホームラン」

そして最後に収入のことについては、秘密主義が出てくるとどうも……ということであった。

クラブの行事を追って

- 1月　徳島県農村青年会議
- 2月　他クラブとの交歓会
- 3月　全国大会東京へ派遣、クラブ員の結婚送別パーティ
- 4月　他クラブとの交歓会、県連総会
- 5月　クラブ員の結婚祝賀会、講演会「近郊農業」の進むべき道
- 6月　個人プロジェクト実施、除草剤、病虫害、肥料の各試験
- 7月　車両の客体調査
- 8月　県農村青少年クラブ技術交換大会、全国大会へ派遣
- 9月　球技大会　バレーボール
- 10月　やぶ刈り
- 11月　慰安会、プロジェクト実績発表大会
- 12月　クラブ交歓会

- 1月　地区青年会議　県青年会議　土壌調査
- 2月　全国大会東京へ派遣　機関誌「ぼんこ」発行
- 3月　視察旅行
- 4月　新入会員の歓迎会　勤労奉仕溝の掃除
- 5月　クラブ交歓会

26日から「近畿のつどい」
兵庫・淡路島で開く

近畿農村青少年クラブ連絡協議会（会長、天羽竜文君）は、全国農村青少年教育振興会（東畑精一会長）と共催で、来る七月二十六日から三日間、兵庫県三原郡南淡町の国立淡路青年の家で「第六回近畿地方農村青少年のつどい」を開催する。

参加者は、営農に従事する農村青少年であればだれでもよいが、主催者側では、できるかぎり就農経験の浅い者を歓迎しており、約四百人の参加を見込んでいる。

主な行事は、❶なかまづくりと班活動（各班ごとの自主活動による話し合いや野外活動を通じて、お互いの親睦と融和をはかる）❷若人の広場登山（班ごとの団体行動による登山を行ない、美しい景色を眺め、たくましい体と豊かな情操を養い、生活を明るく楽しくする）❸講演会❹キャンプ・ファイヤー❺若い夫婦を囲んで（シンポジウム）＝青年パイオニア農家である若夫婦を囲み、経営の現況、今後の希望、抱負、苦労話などについて発表を聞き、相互に語りあいをすすめ、問題解決を図るもの）など。

〈11〉

日系人、南に集結
開発進むサンパウロ、パラナ両州

林先生によって名実ともに育てられたブラジル4Hクラブは、三十四クラブで、約四千人である。サンパウロ州とパラナ州にそれが、またがって散在している。といっても、日本の二倍の面積があるのだから、そういう中でのクラブ育成は、並大抵のことではなかったろう。

農業に適した"南"

4Hクラブが、どうして、この二つの州だけにあるのかは、その背景になるいくつかの話しをまずしなければならない。ブラジル国土は、日本の二十二・五倍もある広大な資源豊かな土地をもっているが、文明の進み方は北と南で非常なちがいがある。北へいくほど熱く、そして未開の地が多い。アマゾン上流などは人跡未踏でジャングルばかりだ。また、ブラジル中央から東部にかけても不毛の地や荒地が多く人の生活はしずらい。だから人は自然に南ブラジルに集まってしまう。

南ブラジルは、海岸山脈と呼ばれる山々が海岸に平行して走り、適当な雨があり、気温も、年間をとおして甚だしい上下がない。サンパウロは、標高・六百〜八百米ぐらいの高原で、年間平均気温は、二十度前後という快適なところである。海岸べりはそれでも若い常夏だが、バナナなどが適し、山脈から北西へ七、八百キロぐらいまでの間は、肥沃な農業地帯である。ブラジル全体の農業生産の七〇%は、このサンパウロ州で占めているということをみても、いかに農業に適しているかがわかるだろう。

日系人が奥地で成功したコーヒー農場を視察する湯浅氏（先頭左側コート姿）

弱まる日本語の力

さて、日系人の分布をみると、全ブラジルに、移民と二・三世を含めて、六十三万一千五百九人いるという。この人数は、全人口の〇・七%という少数民族だが、その数の九五・八%が、サンパウロ州、パラナ州に集結しているので、この二つの州内を歩くと、いたる所で日本人の顔を見ることができる。

もっとも、日本人の顔をしたブラジル生まれの正真正銘のブラジル人、つまり日系ブラジル人が、ほぼその七〇%を占めているのである。だから、日本語の力が大変低いのは止むをえないことであろう。

サンパウロの日伯文化協会の調べによると、日本人と日系ブラジル人の日本語力は、日本語だけを話す人が二〇%、ブラジル語だけを話す人六〇%、日本語とブラジル語の両方を話す人は二〇%となっている。また、日系産業組合中、最大の組織をもつコチヤ産組員の日本語力調査をみると組合員一万三千人のうち日本語を理解できる人は、六四%しかいないという。

開発進む南の両州

ちょっと話がそれてしまったが、このように日本語力は弱くなっても、日系人は農業に天才的な才能を持つものらしく、日系人の生産する農産物の経済価値は大変高いのである。農業についてのくわしい話は、また別にゆずるとして、とにかく、日系人の多いサンパウロ、パラナ両州は、他州に比べて数段高い生活文化をもつ、豊かな州なのである。従って州農政も他州にない進んだものがあり、州民の厚い支持をえている。例えば最近の施策に農村センター設置ということがある。

これは、州内一五〇〇ヶ所の農村に設けるものであるが、小学校、教会、グランド、映画館、ダンス、結婚式などの会場、診療所、農業指導員などを全部一セットにして設置するという事業である。さしずめ日本なら各省庁にわたる大事業だから、まずは実現不可能な事業だろうが開発途上のブラジルは、こういうことをぐんぐんやってのけることができるらしいのである。うらやましい話ではないか。

日系4Hだけ公認

このように進歩的な農政をする州だから、当然、農業青年教育も重視しているにちがいないと思ったが、実のところ、サンパウロ州では、4Hクラブは公認されていないのである。そこで、読者のみなさんは、ハテナとへんに思うだろう。前に書いたように、林先生の育てたブラジル4Hクラブがあるではないか、それなのにどうして4Hが州で認められていないかと。それはどうなのである。

林先生のブラジル4Hクラブは、日系青少年が会員であって、その活動も、実績も高く評価され、ブラジル青年教育に、またサンパウロ農業の発展にも大変役に立つものであると認められているので、ブラジル4Hという日系青年団体が、認められているのである。ところが、もう一つの4Hクラブ、これは正確には「国際4Sクラブ連盟」だが、この方は、サンパウロ州では、認めていないのである。

その理由の真意がどこにあるのかは、私の如き旅行者には、よくわからないのだが、話しによると、サンパウロ州の他州への優越性が「何も他州に4Sがあるからといって、わが州にもおく必要はない。わが州は、わが州なりに青年指導をやる」という、プライドになって、それが、日系4Hは認めても、4Sはダメという方針をとったのではないかというのである。

いずれにしても、こんな理由から、4Hクラブといえる青年団体は、サンパウロ、パラナ両州にだけしかないのである

〈栃木県普及教育課・特別専門技術員（青少年担当）〉

科学的な稲作技術
生理に基づいた管理で
稲の生育調査と観察

茨城県下館市ふじ4Hクラブ　稲見信夫

私の住むところは、東に筑波山、西に鬼怒川、北は日光連山に囲まれた商業の町、下館市で、駅から三㌔ほど北に入った純然たる水田地帯であります。私たちが4Hクラブを結成して三年目、どうにか農業が分りかけてきました。

私は商業高校に学んだ関係上、当然農業技術の習得は、他の人よりも遅れていました。そのために農業に起っているいろいろな苦悩は人一倍味わされました。しかしいつも自分の心にいいきかせながら歩んできました。「同年令の人たちに負けてなるものか」と…。したがって農業に対する意欲は誰にも負けないつもりです。私は農業を商業からみた農業、商品としてみた農産物と、違った立場や角度から農業をみつめてきました。

私の家の経営内容は、水田二・六㌶、畑三十㌃で水稲を中心にイチゴなどを加えた経営で、その所得は、水稲百四十万円、イチゴなどその他が三十万円でした。この経営をみつめたとき、現在の所得より高い所得をあげるには、何を中心にするかを考えました。

私はそこで、まず、自然から与えられた立地条件にさからわず、水稲からの所得アップをねらいました。なぜなら、十㌃当り収量六十㌔のアップができるならば、合計して二十万円近い収益の増加を得ることができるからです。しかも現在の十㌃当りの収量五百㌔に甘んじていられないと考えたからです。

そこで両親から、水田三十㌃を借り受け、昨年から水稲の増収栽培を目標に取り組みました。昨年は農業改良普及所、農業研究会員の熱心な指導によって、土壌調査から始めて、その結果十㌃当り五百七十㌔の収量を得ることができました。そして本年は、この増収栽培の研究課題を4Hクラブにもちかけて、クラブ員の共通プロジェクトとして行なっています。私たちクラブ員二十名が協力し、よい意味で競争しあい、現在、目標達成に向って、取り組んでいます。

さいわいなことに昨年から「下館米の会」が発足しましたので、私もいち早く入会しました。米の会の技術講演会や現地指導を受けて、いっそう米つくりの意欲がわいてきました。そこで昨年の稲つくりを反省して、本年はとくに稲の生理を学びながら、次の点に注意して十㌃当りの収量七百二十㌔の目標をたてました。

▽品種　コシヒカリ、ノリクラ
▽茎数の目標　七十二株（千四百本、九十株（二千本）＝三・三平方㍍当り＝
▽施肥改善　全層施肥－表層施肥、元肥中心－分施肥
▽登熟歩合の向上　穂肥および実肥の施用、中干しと間断灌水
▽病害虫の防除　イモチ病、モンガレ病、二化メイ虫、ウンカ類

以上の五項目を基本として、いままで行なってきたような勘に頼らない、稲の生理をよく理解した科学的な技術による稲つくりをやってみようと考えました。そこで普及所の指導によって稲の生育や収量調査（図参照）を行ないました。

本年は天候に恵まれたため、稲の生育が著しくすすみましたが、葉令を数えたので適切な管理ができ、目標収穫量に必要な穂数（二千本）や、粒数（十万六千粒）が確保できました。この天候が続くかぎり、登熟歩合が高まり、収量目標の十㌃当り七百二十㌔は達成できるものと確信しています。

また、来年は本年の経験を生かし、稲の生理にもとづいた科学的な方法で目標収量八百㌔に挑んでみたいと思っています。

調査観察項目	ね　ら　い	方　法
葉令	稲の生育状態を知る　生育の遅速、幼穂形成の発成段階の判断	不完全葉を1にしてエナメルで3葉ごとにしるしをつける
葉色	追肥の量と時期を知る　肥料の吸収度を知る	観察ヨード澱粉呈色反応を利用
草丈（稈長）	稲の伸長度を知る　倒伏防止の適切管理（中干し、2.4D剤の施用）	10株ずつ決まった5ヶ所を1週間おきに調べる
茎数	分けつの増え方を知る　有効分けつ終止期を知る　中干しの時期を知る	10株ずつ決まった5ヶ所を1週間おきに調べる
病虫害の発生状況	病害虫の防除	毎日観察する
出穂	出穂始め、出穂期、穂ぞろい期を知る	ほ場全体の出穂割合を調べる。始め・40～50％・80％以上の時期
穂数	収量構成の穂数を知る	代表株50株中の1株平均穂数を調べる
登熟歩合	登熟籾数を知る	代表株50株中の1株平均穂数に当る株の籾を比重選（1.06）で調べる
千粒重	精籾および玄米の充実度を知る	比重選で選んだ500粒の重量から算出
根の状態	根張りの良否と根腐れの有無を調べる	ていねいに抜き取って調べる（黒色根や、白色根の多少）

稲作から肥育牛へ
規模拡大と牧野造成を

青森県上北郡六戸町奥入瀬4Hクラブ　吉田国博

上北地方の穀物宝庫を支える奥入瀬川に沿った六戸町は、寒冷地稲作を克服し、高度の技術体系を確立した。

私が技術的に高度に安定した稲作を離れて肥育牛経営をはじめた動機は、第一に稲作収益は、現在十㌃当り九～十俵の収穫があるがあと一俵を増収するとなると技術的にも労力的にも、よりいっそうの努力を必要とする。これに比べて肥育肉牛の販売は、所得面からみて有利である。しかもやりがいのある仕事だと思われる。

第二には、十九歳になった私が耕地面積の少ないところで農業を後継するとしても、耕地の拡大ができないかぎり思うような経営は望めない。それよりも自らの責任において肥育牛部門を受けもち、所得増大の途を求める必要がある。また、さらに4Hクラブ活動を効果的に発展させるには、何か共通の研究課題（共同プロジェクト）が必要であるという観点からである。

肉牛肥育から若令肥育

昭和三十九年に資金不足もあって、飼育中の肉牛二頭を売却し、その資金で子牛四頭を購入した。この子牛を肥育して市場に出して売却するのである。この場合の体重は二百二十～二百五十㌔。またつづいて体高一㍍十㌢くらいの子牛を購入し、これを一ヵ年間肥育して、体重六百五十～七百二十㌔くらいに肉をつけて売却する。

種牡牛育成加えた経営

種牡牛と肥育牛の違いは、肥育牛が良質の肉をより多く生産するというところにあるが、種牡牛は優秀な種牛の生産が目的なので、よい血統、よい管理[illegible]がとくに必要であ[illegible]はじめたのは昨年[illegible]に比べてこの方が有利である。

一日当り二千五百円也

肥育牛経営も、最初の四頭から六頭、現在は八頭へと年々頭数を殖してきたが、本年の実績からみると、収入は、種牡牛売却代金百十八万円、肥育牛売却代金六十八万円の合計百八十六万円。これに対し支出は、飼料および管理費四十二万円、子牛購入費六十八万円となり、純収益九十三万円となる。これでみると一日当り二千五百円以上の収入となる。

農業経営は、一朝一夕にしてなるものではない。移り変わる状況を正しく把握して、自分の進むべき方向をみいだすことが、新しい農業人の姿だと思う。

現在、私が直面している問題は三つあるが、その第一は規模拡大である。肥育牛の場合は一人で二十五～三十頭までの管理が可能だと思うので、これを目標にしたい。第二には、飼料代が高いので購入についてはメーカーとの契約によって共同購入、契約購入をしていきたい。第三には、種牡牛には運動が必要なので、畑地を解放して牧野を造成したい。しかし、この経営を強く進めるためには私個人の判断ではだめなので、家族全体で話し合って進めていきたいと思う。

プロジェクトの取り組み方
まず重点事項を決定
長期的見通しして計画を

北海道専門技術員　三輪勲

プロジェクトの普及指導計画

プロジェクト指導は、農村青少年育成の長期的な見通しのうえに立って計画的に行なうことが重要である。農業改良普及所における「普及指導計画」には、こうした立場から重点的なプロジェクト指導に関する諸計画を盛り込むとよい。

もちろん普及指導計画は青少年育成全般にわたるものであるが、ここでは、プロジェクト指導の分野からみた普及指導計画の樹立手順とその留意事項を述べることにする。

課題設定・対象集団の決定

課題の設定　地区内の青少年に対してその年度に指導しようとするプロジェクト活動の重点事項を決定する。このためには、次の事項に留意して改良普及員相互の十分な協議を行なう必要がある。

a）前年度におけるプロジェクト指導について反省し、青少年育成におけるプロジェクト指導上の問題点を整理する。

b）整理した問題点について青少年のプロジェクト活動の実態を検討する。

c）市町村・教育委員会・農業協同組合・青少年問題協議会・学校などの関係機関における青少年育成の諸計画を参照し、それとの関連づけを検討する。この場合、市町村農業学園における学園生のプロジェクトおよび農業高等学校における生徒のホームプロジェクトの指導計画と、とくに念入りに照合する。

b）都道府県の農業後継者育成対策を参照して、プロジェクトの普及指導計画樹立と必要な事項を検討する。

e）重点事項（課題）の決定には、青少年が日常とくに問題としているもので、指導効果が期待できるものを優先的に考慮する。

重点指導対象集団の決定　指導対象は普及地区の農村青少年全員とするが、普及指導活動の効率化をはかるため普及所の人員・活動体制・地区のひろがりなどを考慮して、その重点指導項事（課題）に関係の深い青少年グループを選定する。この場合、青少年グループの構成地域が数部落にわたるときは地域を単位として重点対象地域を定めるとよい。重点対象集団または地域を決定するに当っては、次の条件を考慮する。

a）青少年グルプ活動の意欲が盛んであるか、またはその可能性のあるもの。

b）農業後継者の養成確保からみて、とくに濃密的な指導を要するグループであること。

c）年少者や女子が多いため、プロジェクト指導を必要とするグループであること。

d）農業構造改善事業・畜産主産地形成事業・放送利用による農村青少年等育成事業など、国・道・市町村の重要施策の実施対象となっている地域のグループであること。

e）地域における農業改良や生活改善の推進力として、拠点となる度合いの高いグループであること。

重点指導事項の整理　重点対象集団ごとに、プロジェクトの重点指導事項（課題）を阻害している要因と実情とについてはあくする。この場合、問題意識・プロジェクトの実施状況・学習程度・家庭における地位のほか、そのグループの成長度・人間関係・他のグループとの協力関係など総合的な分析が必要である。

次に、その解決方法を検討し到達目標を明確に定める。解決に数年を要すると思われるものについては、できるだけ年次ごとの到達目標を明らかにしておくとよい。また、解決方法のうち関係機関の協力が必要な事項についてはその旨を付記し、別途その機関に対して協力要請を行なう。

共同プロジェクトの検討会

農業簿記

京都大学名誉教授　大槻正男

記録計算が任務

（前号からつづき）

財産形態の変化　ある任意の個別経済の所有する財産についておこる形態の変化は、二種に分けることができる。そのひとつは取引（購買・販売）によっておこるものであり、他は消耗および減耗、生産および増殖によって、不断に連続的におこるものである。これらの変化の一簿記年度の総合的結果は、静態的記録計算帳である財産台帳の年度末記入と年度始め記入との単なる対比によって算出することができる。

これに対し、変化の分析的な動態的記録は、たとえば自計式簿記においては、動態的記録計算帳である現金現物日記帳に記帳された取引（収入・支出）を財種別に分類集計して、財産台帳のそれぞれ該当財種の記入行の「財産的取引による増減」欄に転記することによって、整然と一覧的に表示する方法を採用している。こららの実際については、自計式簿記の財産台帳の説述に際し、説明することにする。

簿記年度と主要簿

農業経済簿記は、農家経済の生活過程が農家財産の上に与えた影響、すなわち、農家財産の増減変化を記録計算することをもって任務とする。ところで、農家経済の生活は永続的なものであって、一般に完結する時期はなく、したがって、完結した計算をすることができない。

そこで便宜上、一定期間ずつを区切って、その期間を単位期間ごとの計算を行なうことが実際上必要とされる。この期間を計算年度・会計年度または簿記年度という。この年度は必ずしも暦年と一致することも、十二ヵ月を一期間とすることをも必要としない。わが国農家の一般的実情の下においては、一月一日から十二月末日にいたる期間をもって一簿記年度とするを最も適当としている。

これはわが国の大部分の地方において、この時期において多くの作物は収穫し終って、その評価に多くの困難を伴なう立毛類が圃場にきわめて少ないばかりでなく、収穫後の生産物も販売されるべきものは大部分販売し終り、掛売り・掛買いの決済も年末には完了しており、たな御しの額の最小の時期であるからである。

また、この時期はわが国の一般農家にとって冬の農閑期にあたり、決算並びに翌年度の設計などに要する時間に対し、最も余裕のある時期でもあり、その上、課税される対象としての青色申告所得額を算出する目的を兼ねて行なうことができるからである。

農家経済の生活過程が、財産の上に与える増減変化を記録計算する方法としては、静態的記録計算と動態的記録計算とがあることは前述した。

静態的記録計算を主要任務とする帳簿がすなわち財産台帳であり、動態的記録計算を主要任務とする帳簿が現金現物日記帳である。

今日も元気に野良へ……田野カズさんと二代目耕うん機ホンダF180

若者に負けられぬ！
オバアサン、耕うん機を運転

京都府舞鶴市の田野カズさんは明治三十二年生まれの七十一歳。ところがこのオバアサン、年に似合わず大型耕うん機を運転するという特技をもっている。

免許をとったのは、昭和三十二年というから運転歴十二年のベテラン。当時、一人息子が町に働きに出たので働き手がなくなり、さらに運の悪いことは、御主人の眼が病気で良く見えなくなった。どうしたらよいかと考えたすえ、男まさりのカズさんは、免許をとってホンダF150を買った。

それからは、農作物の運搬はもちろん、田畑を耕やし、いまでは収穫も前以上の成績。現在は二代目の耕うん機を使っているが、小さな故障などは自分でなおすとのこと。「老人、とくに女は機械に弱いといわれますが、新しい技術はどんどんとり入れてこれからも耕うん機を運転してゆくつもりです。まだ若いものには負けていられません」と明治女の心意気を示している。

農業法令の手引
農業改良資金助成法

この法律は、農業者が農業経営又は農家生活の改善を目的として自主的に能率的な農業技術又は合理的な生活方式を導入することを促進するとともに、農業後継者たる農村青年が近代的な農業経営を担当するのにふさわしい者となることを助長するために、都道府県が農業者等に「技術導入資金」「農家生活改善資金」又は「農業後継者資金」の貸付けを行なう場合に、政府が都道府県に助成を行なうことを定めています。

資金の種類

「技術導入資金」とは、農業経営の改善を図るために普及を図る必要があると認められる農業の技術の導入に必要な資金で、政令で各種の資金の種類が定められています。

「農家生活改善資金」とは、農家生活の改善を促進するために普及を図る必要があると認められる合理的な生活方式の導入必要な資金で、やはり政令で資金の種類が定められています。

「農業後継者資金」とは、農業後継者たる青少年が、ある農業部門の経営を自ら行なう等の方法により、近代的な農業経営の担当者として必要な農業の技術又は経営方法を実地に習得するのに必要な資金で、政令で資金の種類が定められています。

資金の貸付条件

各資金の一農業者あたりの貸付限度は、技術導入資金については農林省令で標準資金需要額が定められ、この額を基準として都道府県が定める額の七十％相当額が限度であり、他の資金については農林省令で限度額が定められています。

貸付け金は、無利子で、償還期間は、各資金の種類ごとに五年以内で政令で定められています。

都道府県は、貸付けをする場合には、貸付けを受ける者に保証人を立てさせなければなりません。

政府の助成

都道府県は、農業者またはその組織する団体に対して、前に挙げた資金の貸付けをする事業の経理を特別会計を設けて行なわなければなりません。

政府は、都道府県が貸付けの財源に充てるため、その一般会計から右の特別会計に繰り入れる金額の二倍に相当する金額の範囲内（貸付け金の財源の額全体からみればその三分の二に相当する金額の範囲内）で都道府県に補助金を交付します。

その他の規定

以上のほか、資金の貸付けを受けた者が貸付け金を貸付けの目的外に使用したとき、償還金の支払いを怠ったとき、貸付けの条件に違反したときには都道府県知事は貸付け金の一時償還を請求することができること、貸付け金の償還が困難である場合の償還金の支払いの猶予、貸付け金の償還を遅延した場合の違約金等の規定が置かれています。

〈全国農業会議所編「農業法令のあらまし」から〉

NHK農事番組（7月21日～31日）

テレビ

明るい農村　6・30～6・55総合
21日　村の記録　通勤酪農（埼玉県入間市）
22日　きょうの話題　共有林
23日　産物往来　畜産公社
24日　話題の広場　子牛の林間放牧（福岡県前原市）
25日　村をむすぶ　フイルム・リレー
26日　農業新時代　桃と桑の共同農場（岐阜県古川町）
28日　村の記録　林野を拓く（岐阜県大垣市）
29日　農村現地報告　作付転換
30日　産物往来　うなぎ
31日　話題の広場　緑の袋（滋賀県近江八幡市）

農業教室　7・30～8・00　教育
21～26日　日本の農業者　東京大学教授　川廷謹造
28～30日　豚の生理と環境　全購連　松下道夫
31日　肉牛もと牛の生産　農林省中国農試　土屋平四郎

あすの村づくり
日　7・00～8・00教育
再・土　1・00～2・00教育
27日　放送利用農業グループ北海道研究大会から（北海道常呂町道立青年の家）

ラジオ

早起き鳥　5・50～6・00　❶
21日　夏期特集❶早起き対談　佐藤三郎・中村徳夫
22日　❷　乗本吉郎・三神茂
23日　❸　曽田玄陽・中村徳夫
24日　❹　松原隆一・三神茂
25日　❺　永田喜代治・三神茂
26日　❻　日野水一郎・中村徳夫
27日　❼　篠田茂・三神茂
28日　現地報告　健康広場がいっぱい（秋田県大雄村）
29日　人と話題　家庭文庫づくり（茨城県真壁町・稲川三郎）
30日　通信員の手帳から　森礼夫
31日　産地訪問　イチジク（大阪府羽曳野市）

ラジオ農業学校
月～土　6・40～7・00　❷
日　6・30～7・00　❷
再　19・00～19・15　❷
27日　農業講演会「世界の中の日本農業」＝農政評論家＝森有義

春の終り（11）

一ノ瀬綾
多賀愛子画

敏子は夢中で表に出た。家の方角に向かってただ目茶苦茶に歩いていった。

涙がふき出すように溢れて、渇いた口中に塩辛くしみる。嗚咽の中で、胸の内側で、何かがぶつかり合い、もみ合って粉々に崩れていく。絶望感なのか、悲しみなのか、怒りなのか今の敏子にはわからなかった。

五体ごとぶっかって砕けてしまいたい激情だけであった。いつもの別れ道迄来た時、敏子は、なにかに引っ張られたように暗い神社の境内に入って行った。

淳と並んで坐った石段に腰を降ろすと、敏子は、始めて解き放たれたように声を上げて嗚咽した。子供のように手放しでしばらく泣いていると、そのうちに、不思議な落着きが敏子の心にもどってきた。

不意に、敏子の右の掌に淳の頬を打った時の感覚がよみがえった。ヒリヒリと熱いものがこびりついてでもいるようで、敏子は思わず両手を胸の前でもみ合わせた。なぜ淳を打ったのか自分で納得できない気持であった。自分と淳との間にあった感情とは、いったい何であったのか……勤めを選んだ淳が悪いのか、そういう男を拒絶した自分が浅薄なのか、敏子にはわからなかった。

この場所で淳と交した口づけや言葉の数々と共に、始めて淳が勤めたいと言った夜の記憶がよみがえる。ひどく遠い日の出来事のようであった。久江と須田との結末、そして自分と淳との今夜のいきさつを振り返ると、敏子には男と女の愛情とか、人間を結びつけている感情の力というものが、ひどくたわいのない、虚しいものに思えてくる。身の縮むようにわびしさに敏子は時を忘れていた。

ふと気がつくと、土の匂いがしていた。湿りをふくんだ柔らかい田圃の香は、濃い闇の密度と重り合って、敏子のひび割れた心の中に滲むように広がっていった。忘れ物を手にしたような安らぎがもどってきて、敏子は大きく息を引くと、ゆっくりした足取りで歩き出していた。

四月も終りに近いある朝であった。敏子は自転車に乗って家を出た。これから久江の姉の加代と農協の前で逢う約束になっていた。村の中央に出かけて行くのは一ヵ月振りであった。敏子は淳と別れた夜以来、一度も家を出ていない。出歩くどころか、まるで半病人のように家の中にこもった日が続いた。かと思うと狂ったように野良に出て仕事に没入する日もあった。家族とも口をきかない暗い混迷の一ヵ月であった。淳は勤めていた。

二度ほど電話があり、手紙もきたが、敏子の心は閉ざされたままである。

その間に久江が上京した。それを知らせてきたのは加代であった。

「あんなに悩んでいた兄を頼って東京へ行ってしまっただよ……バカな妹です……」

受話器を握りしめて敏子は、加代のふるえた声を聞いていた。今はもう、顔も見せずに去って行った久江に、[illegible]情は湧かなかった。久江も須田もなにか目に見えない、巨大な動きの中へばらばらに流されてしまったような気がしていた。自分も淳もそうなるのかと敏子は思った。

「敏子さんに渡して欲しいと、久江から預かっている物があるから都合のいい時に出掛けてください」

加代はその時そう言ったが、敏子は今日迄誰にも逢う気がしないまま見送りになっていたのである。

風をきって走る自転車の爽快なリズムが敏子の若い肉体の中で、失われていた生活のリズムを呼び覚ましてくれた。胸を張り思い切りペダルを踏みながら敏子は今日出掛けたことをよかったと思っていた。自分の内部に籠ったまま見過ごしていた野山は、いつの間にか春の盛りであった。白いブラウスが薄緑に染まって見えるほど、新緑のしたたりは水々しい。道端の桑の新芽が濡れたように光っている。敏子は、春蚕の掃立てがそう遠くないことを胸の中で計算していた。

村の大通りは、バスやトラックや耕運機が、砂ぼこりを上げて行き交っている。農協の前の広場は野良仕度のまま出入りする村人達でにぎやかであった。

クラブ活動について思うこと

大阪府堺市・別所4Hクラブ　北村　博

後輩の意志の尊重を
車の運転は自分たちで

青春と仲間

私は、4Hクラブに入会して早やくも五年目を迎え、知らず知らずのうちに、リーダーとして若い人たちを逆に育てるべき位置におかれるようになった。

いま、その歩みを振りかえり、その体験の中から私が学び得たことをまとめてみたい。これが私の意見であるかも知れない。

■"協和性"の幼木を■

クラブとは一体なんだろう。最初に二、三名が集まって"サークル"を作ろうとするときには、一人ひとりが「よし、なにかみんなと一緒にやろう」と、心のどこかにあって集まったのではないでしょうか。現在あるクラブに入会してくる人たちも同様の気持ちで、恐らく入会するものだと思います。

このような気持ちで集まる―これだけでも、クラブと言えましょう。しかし、本当のクラブとはほど遠い集まりです。ましてわれわれのクラブには4Hという頭文字がついており、四つの綱領があります。肩書きだけのクラブなら、街のあちこちに散在するグループに過ぎないのです。

では、どうすれば本当のクラブといえるのだろうか。最初に同志が集まろうとしたとき、新会員が入ったとき、このときの気持ち―協和性という素晴らしい芽生えをもったクラブ員、つまり親密に、なにごとも話しができ、一緒に学んでいこうと意志を示した一人ひとりが大切だと思うのです。きっとそこには、リーダー的な中心になる人が見られるはずです。

しかし、その人が余りにも強引な態度をとるようだと、他の人が反感をもち、面白くなくなり、一人減り、二人減りして長続きしないことと受け合いです。

私のクラブによかった例がありましたので、紹介しましょう。

昨年、年上の三十歳以上の人たちが数名4HOBとして、われわれの上で活動することになり、新入会員を集めました。集めたというよりも、いままでわれわれの先輩が村の人たちから信頼される活動をしていたので、新会員の父親から「クラブに入れてやってくれよろしく頼む」と、いった感じで集まったというほうが正しいようです。

■後輩の意志尊重■

若い人たちには「なにかをやろう」と意欲がいっぱいです。この意欲、協和性の芽ばえを完全な一つのまとまりのあるものにするため、一年間、若い人たちが最も取り組み易く、誰れもができるレクリエーションを中心に行事の計画をたて、年度が始まる四、五月から定例会などの集いの場では、大いにゲームなどをして楽しく過ごした。そうすると集いも二度、三度と回を重ねると、若い人たちからゲームのリクエストがでるほどになり、初会合の時とは全く違い、年令の壁を超えた笑顔が、若い人たちからも見つけることができたのです。

そうして夏の初めごろ、キャンプをクラブで催すことになりましたが、リーダーは、キャンプの内容を決めなくても、ただ経験上から"どうすれば良い、こうやれば楽しい"というくらいで、あとは若い人たちで次々と決めて、むしろキャンプ当日などには、ブレーキ役にまわるほどの意気込みでした。

次々と活動が行なわれているうちに「技術的なこともやろう」と予想外に早く若い者から言ってくれるようになったのです。この大成功も、❶私たちから手をさし出してやって、若い人たちに合った活動をした❷クラブ員みんなで考え、無理のない、押しつけのない行動にあったと思えるのです。

こうした中で、親密に心を打ちあけて話せるようになり、各自がクラブ員同志の心というものが、互いにわかってくる。これが協和性の幼木だと感えます。

■下からの盛上りを■

もう一つ、協和性の成不を紹介します。

新会員の入る前のことですが、活動資金かせぎのためクラブで采を作ったり、榾を作ったり、共同肥料の購入、共同出荷など忙しいほどやってきました。

みんな互いに気心が知り合っているため、どんなことを計画する際にも、よく話し合い考え合ってきました。余り、話しに熱が入ってくると喧嘩をするのではないかと心配するほど問題をねりにねりました。

会長さんなどは、簡単に話しがまとまり過ぎたと感え、まだまだ危険が隠されていると思われたらやろうとする行事の欠点や難点をみんなに持ちかけて、逆に、クラブ活動を抑制するように見えたものです。あとになってもめごとのないように、計画時にもめさせたほど協和性というものを重要視していた観がありました。

このように真剣に取り組み、みんなが互いにやろうとして、下から盛り上がった力は、恐ろしいほど強く堅いことを知った。しかしまとまりやすい条件があるようです。

■科学性ある活動に■

年齢的には、たいして壁がないようだ。が、青少年といえるべき青少年であるべきだ。それ以上に大切なことは、クラブ員の経営部門が同じであり、クラブ員数がいくら多くても十数名までの動きやすい小さな部落単位的なものが良いと思う。近ごろ、農協単位、市単位などの大世帯のクラブが増加しているようだが、活動しにくいだろうし、個人の意見などが尊重されにくい。そのために、クラブが形式的になりがちであると心配するのだがどうだろうか。

こうして、クラブ員に協和性ができれば、私たちの身のまわりにある問題に、若者らしく科学的にぶつかって行けば、知らず知らずに4Hの信条に乗って行くのではないかと思う。

クラブ活動は、科学性のある活動をしなければ、若者の意味がない。単に、何にも考えずしてものごとをすすめるのなら、昔の封建時代などどん百姓だってやる。私たちは、農業という企業をやる企業家なのだ。若者の特権をフルに発揮して立派なクラブを作り、よい実績をあげ、村の人々に信頼される4Hクラブを作れば、若い後継者に本当の魅力を呼び、新会員が自から入ってくるという良い循環を生むのでは……。

いくら大きな大会でも同じことが言えると思うのです。

私は全国農村青少年技術交換大会に初めて参加し、私の過去になかったほどスケールが大きく忘れることのできない感激を受けて帰ってきました。よく年また幸運にも、この大会に参加できたのです。胸いっぱい希望をもって大会に望んだ。これも、すばらしくスケールの大きい大会で成功したようでした。

しかし、私には「いつか、大阪にやってくる大会だ、われわれもやる番がくるのだから、なにかつかんで帰ろう」と思い、二つの大会を比べてみたり、主催者側の人たちの動きを見るなど、初めて参加の人と異なった見方をすることができました。

主催する地元青少年の演技力は大変すばらしく立派なものだ。そして私たち参加者も仲間入りして楽しく大会をすませた。だが、参加者のわれわれはこれでよかったが、地元の青少年がわれわれを迎えるべく準備、運営を機械のように動いただけでよいのか。

大会という一つの劇を完成するまでの役者だけではなく、脚本、制作から効果係まで、すべてわれわれ青少年の手でやることができれば、どんなに素晴しい、立派な変化に富んだ劇、つまり大会となるだろう……。

■自分の手で運転を■

私たち農村青少年は、普及所の先生方あるいはご指導下さる先生方に運転する車に乗せてもらって進めば良いのだろうか。なぜ、私たちの手で運転しようとしないのだろう。小さなクラブだって同じだ。自分たちで計画し、運営することこそ勉強になり、楽しいものだ。

先生方は、交通巡査、私たち農村青少年の運転する車が、安全に運転して進むように見守っている。私たちの手で、私たちの考えで目的地へ向う。先生方に乗せてもらって進めばたしかに安全だけれど、目的地は同じでも、進みゆく道順が違うだろう。

また、いつまでたっても、私たちの手で運転することができないだろう。といって急に「さあ、車に乗ろう」といっても無理な話。自動車学校へ入って、先生方に運転を教えてもらわなくてはだめだ。きっとそのままじゃ事故のもと。

私たち農村青少年は、自動車学校へなぜ入学して、自分で車を運転しようとしないのだろうか。

私たちは、農業という仕事を持っている。忙しくて入学することができない。これが第一の原因のようだが、たしかに単位クラブにおいてもぶつかる問題だ。

「仕事を犠牲にしてまでやらなくてもよいのでは」―でもっともな話しだ。私は、犠牲にまでして車の運転を習えとはいわない。だけど、自分で忙しくても、習いに行く時間を作るべきではないだろうか。そうした時間を作ることにまた楽しみがあり、仕事に意欲がでるものと考える。私は、常にそうした楽しみをもって仕事をしている。「あと何日でこれだけの仕事をやってクラブに出よう、大会に参加しよう、休日にしよう」と、一生懸命になって忙しさを乗り越えてきた。仕事に区切りもつくし、楽しみをもって仕事ができる。

■道遠くとも一歩を■

車に乗ろうとしない人に車を運転することができない。私たちは車に乗ろうと…る意欲を見せようではありませんか。

自動車学校に入学して、教師の方に教えてもらいながら、ノッキングしながら、まがりながらにも進めたら、どんなに素晴しいだろうか。

どんなに小さなクラブにおいても、また大きな大会にせよ、各クラブ員私たち一人ひとりが、こうした心構えを少しでももつことができるように、単位クラブで互いに勉強し合い、話し合って、立派なクラブ員となろうではないですか。

そうした上に、科学性のあるクラブ活動をすれば、どんなに素晴しい社会性をもったクラブが生まれるだろうか。

道は遠くてもまずは歩むことです。互いに手を取り合って一歩を踏み出そうじゃありませんか。

私の体験と意見

静岡県御殿場市　北駿4Hクラブ　真田　勝　①

高校卒後にスランプ
他人の能力に感激し発奮

「私たちは、実践を通じて自らを磨くとともに、互いに力を合わせて、よりよい農村、よりよい日本を創る」と4Hの綱領でうたっている。

「実践を通じて」これが4Hクラブの本当の意義だと思う。高校時代の勉強からは何が解けるだろうか。答案用紙のある問題集くらいしか解く考えは出ない。

しかし、農業の道へ入るなら、その答えを解くどころか、その問題を自分でつくる―どんなに簡単にしても、どんなに難しくてもその問題を出すのは自分自身です。だから、この問題によって、農業の道で成功するか否か、その人の一年が充実したかどうかが決まるものだと思います。

「自分に厳しく」という言葉がよく使われるが、農業経営にこそ、これはとくに必要だと思う。会社勤めなら上司が注意してくれる。商店なら、お客がいて、その客によって動かされる。ところが、農業は地味な仕事で、他人の目につきにくい。「自分の好きなように、思うようにできる」という特権(意識)が、かえって私たち農業に従事する青年の考え方、生活に悪い影響を及ぼしているのではないだろうか。

周囲の人たちは、自分の親や近所の人たちの中で「わがまま」のきく環境で仕事をし、生活するのです。

乗用車を親から与えられる。それが都会へ出て行く足止で、なんとなく農業の道を進む。長男だからなんとなく農業を手伝っている―これが、都市化する農村の片隅の青年の姿であるのではなかろうか。

現に私がそうです。地区にある総合高校の農業科に入ったわけですが、同高校の片隅にある農業科は一学級四十人でしたが、先生は一年から三年を通してたったの三人、しかも畜産と機械を教える先生が同じであり、卒業生で農業に就くものは一人か二人しかなかった年であった。授業も農業については形だけで就職試験の勉強に切り換える時間が多かった。いま思い出しても、学校では何も役立ちそうな勉強はしなかったような気がする。無気力で学校に行く。そして授業が始まるとすぐに、もう終ることを考える。こんな高校生活でした。

だが、私は農業が好きでした。父親が誇りをもってやっている農業を子どもの頃から見て育ったせいか、いや、やらなければならない運命にあったのか。とにかく農業をやることにしていた。農業の夢を聞いてもらう友だちもおらず、なんの抵抗も感じないまま二・五町の水田と十頭の乳牛を飼育する水田酪農の道に入りました。

しかし、当時は、友だちや仲間などについては別に考えませんでした。牧草の参考書を見ながら飼料作物の作付表を作って満足したり、隣家より早く田植えを終らそうと夜のふけるのも忘れて耕耘機に掴まったり、農期は仕事と寝るだけで一日が終るような生活をしていました。

しかし、六月に入り田植えが終って少し暇になると、自分をみつめ、考える余裕が出てくるようになると、自分がみじめで、あわれに思うようになってきた。これでは単なる農家の長男で一生が終ってしまうのではないかと思うと"百姓なんて…"と感ずるようになった。

ちょうど学校を卒業して三ヵ月ごろのスランプだったかとも思われます。

そんなある日、農村青少年の技術交換大会が開かれることになり「お宅の息子さんを出席させるように」と公に話しが持ちこまれ、私はなんの目的もなく、同級生一人を誘って出席しました。そして多くの人たちの話しを聞きましたが、自分のミカン作りの問題点や専門的なことがらをはっきり答えられる青年たちにはビックリしました。自己紹介すら満足にできなかった私だったからです。

農業技術は参考書で知っているだけで、実際にやったわけでもなく、見たこともない。知っているのは、水稲と牛のことだけ。「農業をやっています」―なんてとっても言えない自分に気づいたのです。帰りは、同じ地区から出席した他の二人と同じような気持で"あのような立派な発表態度、能力は何がもとでできるものか"と話し合った。その結論は、4Hクラブというクラブ活動があるためではないか、ということでした。農業に従事する青年が悩みを話し合い、農業学習、フォークダンスなどの活動があのような若者になる近道であろうという話しになった。

そこで、クラブを作ろうという気持が強まった。地元に帰ってから青年団の先輩を訪ねて意見を聞き、また学校の先輩に呼びかけ、普及所に相談に行ってやっとでき上ったのが、いまの「北駿4Hクラブ」です。

男子十名、女子八名のクラブ員で発足しましたが、集まって冗談を言っているだけでも楽しい。冗談の中にも、かならず農作業の話しが出てくる4Hクラブが、私のような農業は好きだけど話し合い手のない者には、とっても楽しく、心強く感じられました。(つづく)

農村雑感

折原俊二郎

毎年四月になると新聞紙上で話題となるのが、若い新入社員を一週間とか二週間、一定の場所に集めて新入生教育を実施していることである。最近では、こうした新入生のみでなく、入社経験五年、十年という人をも集めて、特別訓練をすることも流行化しつつある。

その根底は「規律ある生活を通して、苦しさに耐え得る精神力を養い、企業という集団社会の団結と意識の向上であり、その中から愛社精神を養うこと」にあるようである。こうした考え方には賛否両論があろうが、要は企業内における精神訓練であり、古い言葉で云えば根性を養うということであろう。

農民と根性

ところで、農業をやろうという人にも、こうした根性は必要なのだろうか。また、根性とは一体何を意味するものだろうか。かつて、農民精神の訓練の場としては、農民道場がよく利用されたが、今日では、こうした精神訓練に専念する場所はなくなっている。

たしかに農業の形態そのものが大きく変ってきていることも事実である。即ち、人力を主体としたものから機械化に移るとともに、いかにして合理的な経営を営むかということを皆が真剣に考えるようになってきている。さらに、生活様式も都市化されるようになると共に、自ずから、所得問題が大きく前面に押し出され、低い農業所得から抜け出すために、農業労働力が都市へなだれのように流出している。

現在では、農業所得が他産業従事者の所得に比べれば低いかも知れない。低いかも知れないといったのは、すべての農業経営者の所得が低いということでなく総平均すれば低いという意味で、このことは、現在の農業経営者の中には相当数が、他産業従事者が得ている所得の何倍も高い所得をあげているということにも連がっている。

さらに、将来の農業経営の進め方によっては、他産業従事者に負けないだけの高所得を得られるという可能性を見出し得るということもある。

サラリーマン生活は、確かに月々定められた月給がもらえるし、それでもって少ないとはいっても計画的な生活がやれる。一方、農業では、時には農産物の価格が低下したり、天候の悪化のため収益が低くなることもあるなど不安定な要素を含んでいる。しかし、こうした危険性を含んでいる反面、無限に伸ばし得る可能性をもっている。これは、他産業従事者では得ようとしても得られないものであろう。

高所得への限りない夢と希望をもち、その実現のために新しい資本の投下を積極的にはかり、高度の技術を導入するなどの手段を講じて行く考え方、これこそ新しい農業、これからの農業を進めようとする者が持たなければならないことであり、近代的農民の根性とは、ここに存在するといえるのではなかろうか。

(農林省・農業者大学校)

(派米だより)

ハリー、ハリー!! 楽しく忙しい毎日

麻生すみ子さん

受入れ農家の人たちと記念撮影する麻生さん(右から二人目)=アランファミリーの家の前で

全国4Hクラブのみなさん、いかがお過しですか?。アメリカでも、おちこちで初夏の香りがしてきましたが、昨日、今日とあられが降り、冷え込んでカーディガンが必要になってきました。日本ですと、今は梅雨…でも、雨は降っても寒いということはないだろうにと驚ろいてしまいました。

友だちからの便りによりますと日本では、東名高速道路の全線―五三〇㌔が開通したとか、すごいものですね。日に日に、私のいないまに、日本も変っていることでしょう。また、アメリカではアポロ十号の打上げがあり、十一号の打上げも迫ってきましたが、その反面、五月三十日から六月一日までの三日間の休暇で、交通事故によって四百人の死亡者が出たと、ラジオや新聞で報道しておりました。

一方では、高速化や月世界への夢が喜ばれ、他方では人間の作った機械文明により、ちょっと注意を怠ると死を招くという恐ろしい事故が起きている日本―アメリカ―そして世界の国々……いかにも現代文明の矛盾、危険性を表わしているかのように思います。

ところで、二週間ではありますが、ホストファミリーの子どもになり、おかあさん(マザー)と呼び、生活を共にしていると、二週間後の別れはとてもつらいものです。

やっと慣れ、家族の性格や息を掴み、楽しくなってきたころに、「さようなら」と言わなければならないのですから。今回の別れにも「Don't cry」(ドント・クライ)といわれても、涙はいつまでもとまりません。しかし、こうして別れてはいくものの、二週間の生活を一緒にしたおかあさん(ホストマザー)が多くできることが楽しみです。

この二週間をふりかえってみますと、とにかく忙しく、ハリーハリー!!「Hurry, Hurry!」―急ぎなさい―の連続で、休む暇もなく終ってしまい、改めてアメリカの忙しい一面を見たようで、体を通して多少なりとも感じとることができました。フォートフォールでは、大勢のインデアンと会いましたが(同地は、政府できめられたインデアンの占領地だそうです)インデアンのダンスを見ることができ、TVに出てくるような派手なものではなかったにしろ、興味のある一つでした。

カラフルなフェザー(羽)や腰のバンド、マカソン(インデアンのくつ)など、とてもきれいな色で、ビーズで刺繍がしてあり、初めて見るインデアンの正装に、私の目玉はキョロキョロ。踊りは、ごく簡単なもので、白人の子どもも一緒になっておどっていましたが、やはり多くの見物人で賑わいました。

さて、このアイダホ州は、とても乾燥していて、手や顔などカサカサになってしまいます。また、雨がほとんど降りませんので、農場には、たえずスプリン・クラーが回って、時間がきたら水パイプを動かす作業も行なわれています。

私が二週間お世話になっているイレクソン家も農業で、とうもろこしを作り、牛、馬をたくさん飼っています。家族は七人で、子どもが女の子三人、男の子二人の五人で二歳になる坊やがいますので、とても毎日賑わい、家族中がてんてこまいです。

女の子は大学に一人と高校に二人通学していますが、夏休みは五月二十九日から八月までといいますから、日本よりもずい分と長くて早い夏休みです。この夏休みに4Hクラブで活躍するのだそうです。

マラッド市には、フォートフォールの4Hリーダーと、フォートフォールのホストマザーが車で送ってくれましたが、同市に着くと私たちのために食事の席を設け、市の重要な人々を招待して、4Hリーダーの方が待っていて下さいました。

市長さん、4Hリーダー(事務所の人とおかあさん方)各4Hの会長、新聞記者、ミスマラッドなど二十人近くの人が集まって…胸につける花までいただき歓迎して下さいました。IFYEのプログラム、アメリカの4Hクラブの関係者の人々に感謝の言葉さえないくらいに有難く思いました。

前述のように、アイダホ州は雨がほとんど降りませんので、昼間はとても暑く、まるで日本の初夏のようです。ホストファミリーとともにピクニックをかねて泳ぎに行きましたが、大勢の家族が水泳を楽しんでいました。

さて、私の生活は、日ましにおしゃべりが多くなってきました。でも、まだ本調子の英語ではなくスペルを言ったり、何度も聞きかえしております。マラッド市からワイオミング州寄りのソーダ・スプリングへ、六月十四日から二十一日までモスコー、そして再びソーダ・スプリングと移動が多く、時計とにらめっこの生活です。またホストファミリーの方が私に多くのものを見せようと心を使って下さるので、ついついスケジュールがぎっしりとなり、ハリーハリーの連続、自分の体であって自分の体でないことを強く感じています。

話は変わりますが、先日、日本の4H新聞を受けとり、なつかしく読みました。

読んでいて感じたことですが、アメリカの4Hクラブと比べて、日本の4Hクラブは、地区、県、そして全国段階と大きな組織に力を入れているように思います。

アメリカ、いえ、アイダホ州では、各単位クラブ、そして個人、個人のプロジェクトに最も力を入れているように思います。モスコーで開かれた会議から帰って間もない私ですが、やはりそう感じます。

アメリカと日本の4Hクラブは歴史的に、また年齢的に、大きな違いがありますが、やはりもっと、日本のクラブは個人のプロジェクトを大切にして、個人がそれによって大きく成長するような、またクラブというものが個人の成長になくてはならない存在にしなくてはいけないと痛感しております。

しかし、地区、県などの力の結集したところの段階を大切にする日本の4Hクラブは、村や市、県そして日本を明るく住みよくするのには、一人の力ではダメだ、協同の力が必要なのだということに目覚めさせ、自覚させていることは、とてもいいことだと思います。

4Hクラブがもっと活躍し、メンバーや家の人だけでなく、村の人でも誰れでも、4Hクラブと聞いただけで「ああ、あのクラブだな…」とわかるようにならなくては、と思います。

話は横道にそれましたが、私は六月三十日、ダムで有名なアメリカン・フォールに移ってきました。

これまでホストはみな農家でしたが、こんどは獣医さんです。十四年前に、東京の立川に空軍の一人として家族とともに二年間いたそうです。ですから、ときどき、片言の日本語が飛びだしてきては楽しい会話が続きます。

これからも、楽しい生活が続きそうです。

日本4H新聞
4Hクラブ 農事研究会 生活改善クラブ
全国弘報紙
発行所 社団法人 日本4H協会
東京都市ケ谷家の光会館内
電話(269)1675郵便番号162
編集発行人 玉井光
月3回・4の日発行
定価 1部 20円
一ヵ年700円（送料共）
振替口座東京 12055番

4Hの祭典いよいよ開幕

ムードは最高潮に
張り切る地元クラブ員

【鳥取県＝山本哲嗣連絡報道員発】全国4Hクラブ員の一大祭典「第五回全国4Hクラブ員のつどい」は、全国4Hクラブ連絡協議会（会長、黒田保君）鳥取県農村青年会議連絡協議会（会長、安住秀雄君）社団法人日本4H協会（会長、松下幸之助氏）の共催によって、いよいよ来る七月二十七日から五日間、鳥取県米子市を中心に県下一円で華々しくくりひろげられる。ことしで第五回目を迎えたこのつどいも、回を重ねるごとに内容も充実し、参加者もふえ、ことしは規模においても最大のつどいとなるもよう。また、青年自らが企画、運営するこのつどいは、青年の自主性を育てるものとして、多くの関係者からも期待が寄せられている。

早朝登山が行なわれる大山の偉容

このつどいは、日本農業の担い手として、日夜、農業の改良と生活の改善に努力している4Hクラブ員が、自らの手で企画運営して実施し、新しい技術の研さんとクラブ活動状況の話し合いや現地交歓訪問などを通して、青少年の仲間づくりや自主性の高揚に資するとともに、地域社会から理解された家族ぐるみの4Hクラブ活動の推進を図るために開催するものである。

したがって、このつどいの準備も、全協と鳥取県連で着々とすすめられてきた。

「4H家族と仲間ですすめよう」の大会スローガンが決まった六月下旬頃には、現地における受入れ準備はほとんど完了していた。

また、全協と県連の度重なる打合せ会では、資料や接待、行事、運営委員の役務分担などから会場まで詳細にわたって検討し、調整された。

主な日程は、つぎの通り。

二十七日、開会式に先だって県下各地から自動車のパレードを行ない雰囲気を盛り上げる。米子駅前などでは、4Hクラブの歌を流しながら、案内のための地図を配布する。

開会式は、まず、4Hのマークも鮮やかに全協旗、各県連旗の入場によって始められる。式のあと、初めの予定を一部変更して、開会式のあと、すぐに講演を行なう。講師は当初依頼した作家の石原慎太郎氏が国会開会中で出席できなくなったので、元京大総長の平沢興（こう）氏になった。

氏は現在多くの公職につかれて多忙であるが、今回はとくに若いクラブ員のため「青年とその無限の可能性」と題して、次代を担う青年の自覚を喚起し、勇気と自信を与えられることになっている。

このあと、日本4H会館建設について、建設の意義と目的が建設委員会から説明され、みんなでこの問題について考えてみる。

夜は歓迎レセプションで、地元の有志による郷土民芸の数々が披露される。

二日目は、待望の大山登山と大山寺散策が行なわれる。なお、雨天の場合は、宿舎で自由交歓をすることに決った。この間、各県代表による記念植樹が行なわれる。

午後からは、会場を鏡ケ成に移してレクリエーション、話し合い、思い出を記す時間、キャンプ・ファイヤーとつづく。

三日目は、再び会場を米子市公会堂に移し、先きに募集していた意見、体験発表会を行なう。発表者は多数の応募者のなかから事務局で別項にあげた五人の人たちが選ばれた。

さいごに、閉会式を行なったあと、現地交歓訪問の途につく。これは全国から参加したクラブ員が地元クラブ員の家に二泊三日の間お世話になり、生まのままの生活と経営を視察し、仲間づくりと家族ぐるみの4Hクラブ活動を実践するものである。

この交歓が昨年より一日多くなったことからも、地元鳥取県連のこのつどいにかける意欲のほどがうかがわれるが、昨年来、同県連がこのつどいの開催を引き受けてからの積極的な姿勢は高く評価されており特筆さるべきものである。

クラブの綱領

私達はクラブを通じて自らを磨くとともに互いに力を合わせてよりよい農村、よりよい日本を創るため四つの信条をかかげます。一、私達は農業の改良と生活の改善に役立つ腕をみがきます。一、私達は科学的に物を考えることのできる頭の訓練をします。一、私達は誠実で友情に富む心をつちかいます。一、私達は楽しく暮し元気で働くための健康を増進します。

涼風暖風

山に魅せられる

梅雨もあけたらしい。いよいよ八月をむかえる。

夏になると、私は山のことばかり考える。ひとは、学校時代の試験の夢をみるというが、私は試験の夢をみたことがない。夢はもっぱら山行のものばかり。絶壁で、手がかりにしていた岩がはずれかかった夢、何十㍍の岩壁の中ほどで、バランスをとりながら体を投げ出すようにして体重を移動させ、岩場の渡りを試みた夢、等々。足もとに青空がのぞいていたのが印象に残る夢が多い。

私は夏になると尾瀬を必ず訪れた。毎年二十日位は尾瀬に入ったろうか。今頃の尾瀬は、おなじみの日光きすげがそろそろ終りに近づいていると思う。山では秋草の花が咲き始めているに違いない。

秋をむかえたら、やっぱり谷川岳に限る。冷たい岩場に、紅葉がよく映えるからである。

でも、今は山へいく機会もない。時間もない。淋しい、というだけ。

山へよくいっていた頃は、そのつど二度と山へは来まいと思った。夏山だと、ズボンはもちろんパンツまでが汗でビショビショになるのはおろか、ドシン、ドシンと歩く毎に、汗の玉が山路に夕立のようにそそぐ。もう山へなどくるものか、と誓うのはこんなとき。岩場で、われ目にかけた足がじわりじわりとはずれ、うつろな目をして次の足場をさぐりながら、なぜ俺はしょうこりもなく山へ登るのだろうかと自問する。

でも、里へ帰ってくると、また山へいきたくなる。病気だったのだろうか。

いまでも夢をみ、山にうなされながら、山に魅せられている自分をあわれっぽく見つめる毎日である。

ところで、今夏も元気に若ものたちは山へ登っているだろうか。ただ、山へ登るとしたら、第一に足じたくをしっかりして欲しいと思う。キャラバンシューズの上に、いきなソックスをおりかえしているような人、これはまず山登りの素人である。

酒は好きでもつつしむべし。また、どこでも寝られる人でなければアウト。青い顔でフラフラしているのは、たいていすいみん不足の組だ。それに便所は確実にいかなければならない。便秘は最大の敵だから。

夏を迎えてスキーの話で恐縮だが、尾瀬へ山スキーにいったときのこと、便意をもよおした同行の一人が、樹氷のかげに出かけた。しばらくして、オッオッオーの奇声とともに、くだんの友人はズボンをさげたまま滑り出してきた。スキーをつけたまましはじめたのがまずかった。「ゆっくりあとしまつをしてこいよ」。私達は煙草をつけて、水晶のように輝く至仏の霧氷に紫煙を吹きかけた。

（文部省 伊藤）

組織強化など図る
山口県連で地区連会長会議開く
県連の重点課題を協議

【山口県＝松尾耕助連絡報道員発】山口県農村青少年クラブ連絡協議会（会長、福島保昭君）は、このほど、県下の地区連会長会議を開き、本年度県連事業について話し合った。

同県連の本年度の活動基本方針は「よき未来のために、常に考え、そして友のために、常に考え、主体性のある行動をする」というもの。

四つの重点課題

また、つぎの四項目を重点課題として取り組むことにした。

一、組織の強化
仲間づくりを行ない、主体性のあるクラブ活動をする。4H週間（または旬間）をつくり、クラブ活動を盛り上げる。

二、4H会館建設への協力
県連から地区連に募金箱を配布し、県下の全クラブ員の協力を得るようにする。

三、リーダーの養成

四、地域社会改善への努力
現在の農村社会には、改善しなくてはならない問題がいろいろとあるが、これをクラブ員の手によって改善するよう努力する。

このほか、事業運営などについて意見を交わした。

楽しく交歓会開く
麻生・江戸崎両クラブ　茨城

【茨城県＝村山文雄連絡報道員発】茨城県行方郡麻生町4Hクラブ（会長、松兼俊文君）は、このほど麻生町にある国民宿舎白帆荘に、霞ケ浦対岸の江戸崎4Hクラブ（会長、大野陽一君）を招いて交歓会を開いた。

当日は農繁期にもかかわらず、麻生、江戸崎両クラブ員はじめ、普及所、役場などの関係者約百名が参加した。

まず、両クラブの活動状況を説明したのち、参加者全員が班別に分かれて話し合いを行なった。内容は、農業問題、クラブ活動、恋愛談義など広範囲にわたり、熱が入った。

午後からは、クラブOBの指導でレクリエーションを行なった。大きな声をはりあげ歌をうたい、ゲームで動きまわり、フォークダンスで彼女の手を握り、農作業の疲れをふきとばして楽しい雰囲気の中で交歓会がすすめられた。

また、各自が持ちよった記念品を歌のなかで交換し合い、最後に両クラブの限りない発展を祈って4Hクラブの歌を霞ケ浦にこだまさせた。（写真は両クラブの話し合い）

つどいの 意見・体験発表者決る

来る七月二十七日から鳥取県下で開催される「第五回全国4Hクラブ員のつどい」の席上で、貴重なご意見や体験を発表していただく方を募集していたところ、多数の方からご応募いただきありがとうございました。事務局で、さっそく慎重に審査した結果、左記の方々が入選者に決まりましたので、本人に通知するとともに、ここに発表いたします。

なお、入選の方には、つどい第三日目の二十九日午前九時から、米子市公会堂で内容を発表していただくことになっております。

入選者

【意見文】

「4Hクラブを伸ばすために」（クラブ員）
岐阜県海津郡南濃町
南濃町4Hクラブ　伊藤光明
（現在は東京都下南多摩町連光寺二、二〇七
農林省中央青年研修施設に入所中）

「私の青年運動」（指導者）
茨城県稲敷郡東村
東村村長　根本久夫

【体験文】

「私の4Hクラブ活動」（クラブ員）
千葉県佐倉市大篠塚七四四
佐倉4Hクラブ　岩淵重雄

「クラブ活動と私の青春」（クラブ員）
埼玉県入間郡富士見町南畑
南畑4Hクラブ　砂川みさ子

「私の4Hクラブ指導」（指導者）
愛知県知多郡美浜町大字河和字北屋敷一三一
知多農業改良普及所普及員　山田立夫

昭和四十四年七月
全国4Hクラブ連絡協議会
社団法人 日本4H協会

活気づく夏の北海道
総会、大会、記念行事が相次ぐ

【北海道＝赤松宏連絡報道員発】北海道4Hクラブ連絡協議会（会長、泉一男君）は、道と共催で来る七月三十一日から三日間、本別町仙美里の道立農業講習所で「第十四回北海道村青少年技術交換大会」および「北海道4Hクラブ連絡協議会創立十五周年記念体力づくり大会」を開催する。また、この大会に先だって、二十九日に三役・評議員会、三十日に定例総会を行なう。

定期総会では、つぎの事項が協議されることになっている。

一、昭和四十四年度道連事業経過中間報告
二、全協の状況報告
三、技術交換大会および体力づくり大会の運営について
四、北海道4Hクラブ月間の設置について
五、道連事業の今後の推進について

これらのうち、4Hクラブ月間においては、❶各地区における技術交換大会など各種研修会の開催および参加促進❷広報活動の強化❸単位クラブ実態調査の実施（長期使用可能なもの）❹日本4H新聞の一千部購読運動の展開―などが折り込まれている。

つづいて一日から開く技術交換大会は、道下のクラブ員ら約三百名が参加し、日頃の活動で身につけている技術と意見を交換するとともに、団体生活を通して協同精神を養なおうというもの。

第一日目は、大会参加の認識を仲間意識と親睦を深めるため、分科会における話し合いや仲間づくり交歓会。

第二日目は、日頃実践しているプロジェクトの理解を深め、すぐれた技術を習得するために演示発表と技術競技、それにキャンプ・ファイヤー。

第三日目は、すぐれた体力をつくり、明るい農村建設への意欲を高める体力づくり大会を行なう。

会館推進委を設置
福岡・県連あげて募金へ

【福岡】福岡県農村青少年クラブ連絡協議会は、県下のクラブ員に対して、日本4H会館建設への協力を呼びかけ、募金活動をつづけているが、このほど、県連に4H会館建設推進委員会を設け、この運動をいっそう盛りあげることにした。

委員会では、さっそく募金のためのしおり「全国クラブ員の殿堂建設のために」とPR用のマッチをつくり、県下の単位クラブに配布することにした。（福岡県4H会館推進委員会事務局 赤晴清美君より）

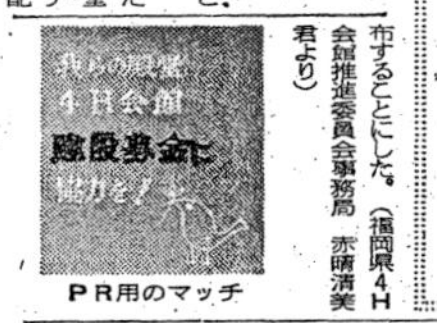

PR用のマッチ

中国から草の根大使
李君と洪さん、集いにも参加

社団法人日本4H協会（松下幸之助会長）が、国際農村青年交換（IFYE）計画に基づいて中華民国（台湾）から招いた中国代表4Hクラブ員、李政徳（リ・チェンテ）君と洪玉安（ホン・イネニ）さんが、さる二十一日十二時四十分羽田着のCPA機で来日した。空港に元気な姿をみせた中国代表たちは、出迎えの4H協会職員と固い握手を交わした。

二人は、東京で関係方面へあいさつをしたり、日本の農業や4Hクラブ活動についてオリエンテーションを受けたあと、二十七日から鳥取で開かれる第五回全国4Hクラブ員のつどいに参加する。

若い情熱を会館建設に

◇大勢の仲間たちが結集することによって大きな力が生じることを、われわれは身をもって体験しよう◇

日本4H会館建設委員会・事務局長　遠藤清之丞

戦後、早くも二十余年の月日が流れた。この間、日本農業は農政上、農地改革の実施と、農業基本法の制定という二つの重大な画期を通過している。

かつて、先輩たちは農地改革の評価を中心に話し合っていた。したがって、土地の問題にその焦点が置かれていたのである。

だが、その後農業基本法の制定を契機として、高度成長経済下における農民の問題が表面に出てきた。資本主義社会における農・工部門の較差―生産、所得の面でもあまりにもはっきりしてきた両者のひらきが今日の問題を構成している。そして、その中心を成すものは、いうまでもなく農業生産に従事する私たち農民であり、その現状と将来への展望である。新しいとは思えない、資本主義と農民の問題であるが、なお、潜在的とはいえ、農業危機が醸成される中で、私たちは過去とは異った意識を持たなければいけないのである。

さて、こうした大きな問題をかかえている環境の中で、なぜ会館建設を遂行せねばならないか。

それは、前文でも記したように、農業を取りまく環境は今後ますます厳しくなると考える。そこで、これらに対応するための現在組織されている全国4Hクラブ連絡協議会の組織の一大強化をはかる意味から、その強力な『カンフル剤』としての会館建設が進められているといってもよいのではないか。

この会館建設を進めていく過程で、クラブ員一人ひとりが時代に目ざめ、従来の農村、農業といった小さい、また狭いイメージから自らを脱皮させ、広く社会の一員であり、立派な一農業者であるという自覚の上にたって、一個人では出来得ない大きな「仕事」を、全国の仲間が共に力を結集して成し遂げようとするものである。農村青年たる私たちが、自らの力を試すによいチャンスではないか、と私は考える。

そこで、いま、われわれクラブ員が、いま、生み出さんとする組織とは、こんなものではない。個々の人格をもちより、結集し、そして分ち合う人間性を共に育てていこうとする集りである。

今日の一般社会の現状は、一方では昭和元禄などともてはやされているにも拘らず、その経済成長の陰には、実に複雑多岐な問題が横たわっている。交通戦争もその一つ、そして、今日の学生運動に至っては、その内容から推しても、もはや改革でも、進歩のためでもなく、民主主義の精神から脱落し、ただ反抗と、暴力と、破壊に明け暮れる乱チキ騒としか思えない。

この学生たちには、人格というものがあるのだろうか。「自己」を見失ったもぬけのから、ただ集団という隠れみのの陰から石を投げつけているだけである。組織なりではなく、ヤジ馬的根性である。これらの若者たちと同じ世代にいるわれわれクラブ員が、自からの力を結集してうち建てようとする4H会館の建設も大きな意味をもつと思うのである。この、もえたぎる若い情熱を、会館建設に投じてみようではないか。力以上のものを無理して建てようとするのではなく、たとえ一人の力は小さくとも、大勢の仲間たちが結集することによって大きな力が生じることを、われわれは身をもって体験しようではないか。

最後に、会館の建設はクラブ員一人の努力のみで成し得るものではない。内にあってはクラブ員の理解と、結集及び、これに携わるリーダーの衷心の努力が必要であり、外にあっては、各関係機関からの指導と連携が必要である。

いずれにしても、会館建設の目標に向って、意欲的に、かつ地道に一歩一歩努力することによってのみ、私たちの悲願である会館の実現を期することができるのである。

土と人と
九州男子
堀越久甫

初めて九州の地へ足をふみ入れたのは、たしか昭和三十三年だった。私の郷里は長野県も北の方だから、九州の農村は私のイメージにある農村とずい分違うだろうと思っていったのだが、意外なことに、北九州の農村風景は、私の郷里とよく似ている。かたまっている集落、ワラぶき四つ屋根の農家（いまはちがったが）竹やぶが家の裏をおおっているところなど、そっくりだ。

懐い、と思いながら、村を歩いてゆき、ある一軒の農家を訪ねた。野菜づくりの精農家として有名な人である。台地の上にあるその家の門口に立って、「ご免下さい」と声をかけたが返事がない。大声をあげて何べんもどなっているうちに、へんな方から返事がきこえてくる。

「なんかねー」

はてなと思ってあたりをキョロキョロ見廻すと返事の主は屋根の上にいる。しかも真夏のことだから、上半身素裸で無帽、真黒に日焼けしたたくましい男が、屋根のてっぺんにすっくと立っている。

いやこれには驚いた。屋根の上の人に怒鳴るような声で来意を告げると、彼はするするっと降りてきてこういう。

「畑を見て計画をたてていたんだよ」

この農家はうちの周辺にある畑何ヘクタールかに、たくさんの種類の野菜をつくり、毎日自動車で出荷している。雇人も何人かいる大きな経営である。

そういうように、いろいろな種類の野菜をつぎつぎに作付していくのだから、輪作のやり方がむずかしい。そこで彼は家の屋根のてっぺんに立ち、畑を見渡しながらあの畑へは次に何をつくる、というように計画していたというのである。

話をきいて二度ビックリした。なんという直截的な考え方だろう。まさにそのものズバリである。これが九州男子なのである。

そしてこんなこともあった。これは南九州、昔でいうと薩摩の中だが、そこで酪農をやっているKさんを訪ねたことがある。県庁でKさんのことをきいていったのだが、県の課長さんはKさんをこういった。

「あの人は、この県下でいちばん制度金融をたくさん借りている人で"借金王"ですよ」

そのときKさんは二十六頭の乳牛を飼い、借入金は八百万円を超えていた。"借金王"とはおもしろいと思いKさんを訪ねたのだが、そのことをKさんに話すと、彼はいやな顔をするかと思ったのにそうでない。

「アハハハハ、ぼくが借金王ですか、アハハハ」と豪快に笑いとばしてしまった。

というと彼は借金なんか気にしない、大雑把な男かと思われるだろうがそうでない。実に一生懸命やっている。特にKさんのおくさんがえらい。銀行員の娘で農業はやったことがないという人だが、いまは真っ黒になって働いている。サイロ積めの忙しい時期には、幼い子どもを実家の母に預けて働く。

そういう働き方が信用を生む。資金を貸付けている農協では「K君は夫婦で一生懸命やっているから大丈夫ですよ」といっている。

八百万円の借入金など笑いとばしてしまう明かるさは、そういう努力と、その結果に対する見通しから生まれたものなのである。でたらめに笑っているのではない。

とにかく九州の人は明かるく、楽天的である。くよくよする風がない。ぼくはこういう性格が好きだ。

それは、別な言い方をすれば現実主義、といえるかもしれない。先きのことをくよくよ心配してみても現実的には何の役にもたたない。それよりも現実において一歩でも努力した方がよい。そういう思考法である。

（農村評論家）

心頭技健

いよいよこの二十七日から、4Hクラブ員の一大祭典―第五回全国4Hクラブ員のつどいが山陰の地・鳥取で開かれる。この鳥取のつどいの会場となる大山は、古くから伯耆富士と呼ばれ、出陰地方第一の高峰、その雄姿は比較的に低い丘陵がつづく中国山地にあってきわだったものである▼つどい二日目の早朝、この山に登るはずだが、山頂からの眺めは一大偉観を呈する。北は日本海をへて隠岐の島、南は遠く瀬戸の島々から四国を収めることができる。また、宿舎の大山寺町、キャンプ・ファイアを行なう鏡ヶ成、開、閉会式場の米子を結ぶのはすべて舗装も新たなハイウエイである▼大山山頂付近のダイセンキャラボクの純生林は、鳥取県唯一の特別記念物であるが、大山寺の杉並木、それより上のブナの原生林などみごとなものである。それに、延々と広がる名物の砂丘とその砂丘農業も、交歓訪問で観てくる人も多かろう。このようにすばらしい会場に恵まれて、つどいの幕はあけられようとしている▼ところで、このつどいはクラブ員の祭典とはいえ、ただのお祭りや物見ではない。全国から志を同じくするクラブ員が一堂に集まり、友情を深め合うのはもちろんのことだが、日頃のクラブ活動や生活を通しての希望や悩みを語り合い、そのなかから明日の飛躍の糸口をつかみ出すことである。お互いに胸を開いて語り合うなかに、同志としての連帯意識も芽生えよう▼それから、このつどいのきわだった性格は、その自主性にある。このつどいは、クラブ員自らが企画し、運営するものである。つどいの主旨に賛同する者は誰れでも自由に参加できるし経費はすべて本人が負担することになっている。これは、これからの若い農民は、他人や行政の力に頼らず自ら独立の気概をもたねばならないという考えからである▼また、交歓訪問では、現地の農業を視察するとともに、その家の家族を交えて話し合いをするという家族ぐるみのつどいをねらいとして行なうのもである。参加するクラブ員はつどいに臨んで、その意義をよく認識し、所期の成果をあげてもらいたいものである。

4Hの祭典 全国4Hクラブ員のつどい を顧りみる

九州・関東・北陸・第四回

青年自らの手で企画運営する「全国4Hクラブ員のつどい」は、数えて五回を迎えた。思えば「青年の手による青年のための青年の大会を持ちたい」という青年の悲願は、"全国4Hクラブ員九州のつどい"（大分県）として産声をあげ、"関東のつどい"（埼玉県）、"北陸のつどい"（富山県）とブロックの名称を用いてきたが、一昨年一千五百名の参加者を得て花々しく古都奈良県を会場に開催した。ここに第五回つどいを開催するにあたり数々の思い出をひもといてその歴史を知り、さらに全国の4Hクラブ員自らの手によって、このつどいを4Hクラブ員の祭典として盛りあげていきたい。

自らの大会を持ちたい

農林省・社団法人日本4H協会が、全国の4Hクラブ員を対象に開催してきた実績発表大会、技術交換会には昭和三十年、4Hクラブの全国組織（全国農村青少年クラブ連絡協議会）が結成されると同時に主催者の一員として参加してきた。しかし、昭和三十七年ごろから、春・夏の両全国大会における全協の立場が主体性を欠いたものに追い込まれてしまった。

その後三年間あまり両大会の運営委員という名のもとに参加してきたが、これはあくまでも大会の運営に対するアルバイト的参加であって、なんら青年の心情をみたすものはなかった。そのころ全協役員を中心に全国4Hクラブ員の間に唱えられたのが、自らが行なう自らの大会を持ちたい、というせつなる願いであった。

その後昭和四十年四月全協の通常総会が開かれ「今日、われわれ4Hクラブ員は近代農業の建設者として真の4H精神にのっとり、4H活動を通じて一層の自覚と研さんをつみ、農村社会はもとより、ひいては日本全体の発展のため貢献しなければならない」として、全国4Hクラブ員のつどいの開催を決定した。

全協では、つどいの円滑なる運営を期するため再度の検討を重ねた結果、このつどいを通して地域クラブ活動の組織強化と4H精神の高揚を図りたい意向から、全協は地方の県連と共催し、ブロック内の各県連の協力をあおぎ、つどいに併行して現地交歓訪問を実施するなどの基本方針をかため、大分県連からの強い要望もあって大分県のきじま高原を開催地に決定した。

集いのねらいいまも

青年に自主独立の芽ばえ

全協執行部では再度の協議を重ね「全国4Hクラブ員九州のつどい」の基本構想を固め、つどいの具体的な開催要領を決めた。

これら、つどいのねらいは現在においてもつらぬかれているが、来るべき新しい時代の農業経営者になるべく青少年は自覚しなければならない。そのために新しい技術、クラブ活動の学習に励み仲間づくりを行なう。また、地域や家族に理解された4Hクラブ活動を行なうため現地交歓訪問をとり入れるほか、家族みんなが参加できるつどいにしたいとした。また、これらの企画運営は青少年自らが行ないほんとうの意味での自分たちのつどいにするとともに、これらの実践を通して青少年の自主性を認めたい。などの強い願いが込められていた。

このようにつどいは具体化されてきつつあるもの、残り少ない期日の間に行なったつどいの準備がたいへんであった。

参加者に配布される"しおり"は総てガリ版刷りであって、これを全協の役員たちが交代で事務局に日参してガリ版を切り一枚、一枚印刷したのである。謄写版のインキで手をまっ黒にしてみんなが頑張った。苦しさの連続であった。それだけに会長、事務局長を中心にした準備体制は円滑であり、チームワークは最高であった。また、みんなが手を汚してやっているだけに、自分たちが企画運営する自分たちのつどいだという切実な実感が深かった。いまは苦しくても将来は家族ぐるみのつどいになるのだと信じて誰れも疑わなかった。

やがて曲りながらも準備は完了し、事務局は開催地大分県きじま高原に移され、全協役員は旅費、参加費自弁で開催日、十月三日を待たず九州のつどいに臨んだ。

青年のもつ無限の可能性を追求したいと感激した小川会長（九州のつどい・きじま高原で）

財政面と交歓訪問を重視

昭和四十一年全協執行部のほとんどが入れ替った。このため前年に決定をみていた「全国4Hクラ[illegible]部の意向から開催予定地埼玉県側に協力を求める一方、関東ブロック県連会長に対して現地交歓訪問の受け入れ方を要望し、再度の協議を行なった結果、最終的に快よくこれに応えてくれる体制を整えた。

これに気を快くした全協執行部はつどいの具体的な開催要領を定め、各県連に対してクラブ員の参加と協力を求める一方、つどいの財政面の充実と拡充に取り組んだ。これは会長、事務局長を中心にしてつどいの協賛会社回りである。照りかえる東京の街を協賛会社を求め、つどいの説明をして幾らかの賛助金をもらい歩いた。その結果、つどいに賛同されて集った協賛金は三十数万円という予想外の額になった。

いかにして昨年以上のつどいにするかという課題もある。これについては昨年の実績があり、検討しやすいこともあったが現地交歓訪問の充実を図ろうということになった。

さっそく現地交歓訪問の計画書が作られ、開催要領と一緒に各県連に通知されたが内容は二つに分かれており、関東ブロック各県連に対しては一県当り二十五名の受け入れ者名の把握と、他の県連は訪問希望県名であって、一応の確認ができたかにみえたが、いざふたを開いてみたらまるで計画がくつ返えされていた。

この原因は執行部の読みのあまさもあったが、参加者名簿（計画書）の報告と全然違った人がほとんど実際には参加してきたのである。せっかく計画した交換訪問も初めからねりなおすという苦い思い出である。

OBの支援で運営体制

昭和四十二年度のつどいは、全協総会の席上、富山県と奈良県が開催地の候補にのぼったが、奈良県は次年度に開催する旨を確認して富山県に決定した。

全協では富山県連と協議を重ねた結果、開催期日を十月二十六日から五日間、現地交歓訪問は富山県内で受け入れるなどの「全国4Hクラブ北陸のつどい」の具体案をまとめたが、あいにくこの期間に併行して富山県連が主催する農業祭とかち合うため、県連役員の運営参加はできないとして、県連から三名、加えて県連OBの協力を求めて運営体制を整えた。

このつどいも家族ぐるみのつどいを唱えながら、とくにOBの参加を求めてきたが運営委員にOBの参加を得て非常に異色あるつどいになった。

つどい期間中は、開会式を富山県民会館、第一夜の宿泊を富山観光センター、第二夜を立山の弥陀ケ原とバス、電車、ケーブルカーで移動するつどいになったが県連役員、OBたちの献身的な運営に無事北陸のつどいは終了した。

また、この北陸のつどいで特記すべきことは、このつどいに対して文部省社会教育局青少年課から国庫補助金の交付を受けたことである。

発展的に"名称"を改正

明治百年、4Hクラブ発足二十周年記念を迎えて奈良県に予定していたつどいは名称を発展的に改名して「第四回全国4Hクラブ員のつどい」に改称した。

前年から開催地に内定していた奈良県は、県連自体がつどいに対する体制を固め、ムードの盛り上りを図る一方全協との協議を重ねたが、会場として奈良市内を当てることにし、とくには農林大臣、松下幸之助日本4H協会長の参加を求め講演をお願いする。また、4Hクラブ発足二十周年記念意見体験文の募集を行ない発表会をもつ、現地交歓訪問は奈良県、大阪府、京都府が受け入れる、開催期日は十月七日から四日間とするなどを決定した。

その後、具体的な内容、日程が検討されたが、4Hクラブ発足二十周年にふさわしい4Hクラブの一大祭典にすべく努力を誓い合った。この「第四回つどい」に対しても文部省からの国庫補助金が交付された。4H協会としてもいままでにない予算を計上し、つどいの予算的裏づけの確立はなされた。

一方、つどいの具体的な作業はすすめられ、とくに西村農林大臣松下日本4H協会長を招くための接渉に努力が注がれた結果、幸運にも祭典は千五百名の記録的な参加者を集めて、奈良県文化会館で花やかな祭典の幕が切っておとされた。

キャンプファイヤー情熱の火は夜空をこがす（第四回平城宮趾）

つどいによせて

本ものの自主性を

活動を促し要求を満せ

昔から農村青少年は視野が狭く、自主性に乏しいといわれてきた。しかし、4Hクラブ活動が日本で始められてから、この4Hクラブ活動の成果は非常に大きかったといえる。これは単に農業の改良、生活改善という農業技術や農村生活を変革しただけでなく、農業人とくに、農村青少年をも変えた。

全協では早くから4Hクラブ活動は、農村青少年の教育の場であると自覚し、普及発展に努めてきたが4H精神の高揚によって芽ばえたのが農村青少年の自主性であると思われる。なぜならば、この「4Hクラブのつどい」という実践の中にはっきりとそのことが伺える。

従来農村青少年は、関係機関が行なう各種の大会や研修にあまんじて参加し、自己を磨いてきたがこれはあくまでも教育される立場にあって青少年の主体性、自主性を欠いていたものである。しかし、青少年本来の欲望を内に秘めた4Hクラブ員はこのつどいによって青少年の主体性をとりもどし、自主性に開眼したのである。

青少年がいくら自主独立をとなえても、それには己ずから限度があろうし、当然第三者の協力が必要であろう。ここでいう主体性とか自主性とか自主独立というのは青少年が総てを自らの力で行なうということでなく青少年が自らのことを自らが行なうという熱意が必ずたいせつではなかろうか。青少年がそういう自覚に立ったとき初めて第三者の指導教育の効果がよりいっそう表われるのである。

つどいも九州、関東、北陸、第四回と経て一応軌道に乗ってきた。ことしは第五回を迎えた。当初九州のつどいでは、三百余名という参加者も昨年の千五百名、ことしはそれを上回るという予想に嬉ばしい悲鳴をあげる限りであるが、その内容を分析するとまだ完全とはいえない状態にある。

この一例をみると参加者が片寄りすぎていること、農作業の関係も含まれていようがこれを全県下平均した参加者が得られないだろうか。ということは総ての県連が参加していない、ことばを替えるならば組織的に参加できないものだろうか。ここに4Hクラブ組織の統一性を欠き、組織の弱さをもの語っているゆえんであろう。もちろん誰れでもが自由に参加できるつどいの趣旨からいえば異論があろうが。

とにかくつどいも発展に発展を重ねて社会的にも認識され、理解されてきた。こんご、このつどいをますます発展させるためには周囲の理解と協力はもちろんあおがなければならないがつどいを行なうこと自体がクラブ活動を促進し、クラブ員の要求を満すものでなければならないし、またその中に4Hクラブの主体性を強くうち出して新しい感覚のもとに行事をプログラムしていかなければならない。

いずれにしても、つどいはここまできた。こんごのいかんはこれを行なうクラブ員に課せられている。新しく芽ばえた農村青少年の自主独立の精神を正しく受けとめ、クラブ活動の中やつどいの中で活かされるならば必ずや本物の自主性として、新しい日本の農村を担う者としての将来は確約されるであろう。

思い出よもう一度

参加してよかった

湯の街別府市から阿蘇へ向うハイウェイを約四十分、つどい会場の"ホテル・きじま"に到着。会場の準備は、地元大分県連や全協役員が前夜遅くまでかかり万端整えていた。午前十時受け付け開始、参加者の到着を待つ。

開会式はホテルの野外ステージで午後一時からはじめられた。主催者を代表して小川全協会長は「このつどいは、地元の人たちの努力、後援団体の協力によって、そして私たち青年の一人ひとりの努力によって開催することができた。青年自身の主体性がうすらいでいる中で、私たち青年の自らの力で築く過程を学ぶことができた。これを機会に心と心の結びつきをもっと強くして、私たちの使命を達成し、私たち青年になにができるかを見究めたい」と述べ、ついで松崎県連会長があいさつ。つづいて来賓多数から激励のことばがのべられ開会式を終了。

全国の友を迎える受付け風景

開会式のあとオリエンテーション。ひきつづいて日本4H協会副会長宮城孝治氏の「4Hクラブに期待するもの」と題した講演が行なわれた。夜はホテル大広間で、別府市主催の「激励の夕べ」が催され第一日を終えた。

二日目は付近の高原で分科会討議が行なわれ、「クラブ活動の果す役割」をテーマに討議を続けた。

午後はスケッチコンクール、サイン会などの交歓を行なった。夜はキャンプファイヤーが行なわれ、賑やかに各県からの出し物でアトラクションを楽しんだ。

三日目は午前中、前日の分科会を代表して五人による意見発表と三人の個人発表が行なわれた。

こうして三日間にわたってくりひろげられたつどいも閉会式を迎えた。小川会長は「私は私の人生でこのように感激したことはない」と涙に声をうるませたが、この感激は小川会長だけでなく、参加者全員の感激であった。

午後から、地元や九州のクラブ員と交歓訪問に出かけるクラブ員たちの姿は、実に生き生きとして、元気よく、この三日間の話し合いで、得た成果を村に帰って実践に移す意気と希望にかがやいていた。青年たちが企画し、自ら運営したこの"全国4Hクラブ員九州のつどい"は期待を上まわる大成功の裡に幕を閉じた。参加したクラブ員の一ひとりがこのつどいに来てよかったと心から喜んで帰っていったつどいであった。

雪景色をスケッチ

「全国4Hクラブ員北陸のつどい」は、全協、富山県連、日本4H協会の主催で十月二十六日から富山県の県民会館、観光センター、立山荘を主会場にして、富山県下一円にわたって開催された。このつどいは、4Hクラブ員の4Hクラブ員による4Hクラブ員のための催しとして、全国各地から四百五十名にのぼるクラブ員や関係者の参加をみた。

立山荘で猛吹雪に迎うというように天候にこそ恵まれなかったが、初めて富山県連OBの参加を得た運営は終始円滑に運ばれ、参加者も主催者の一員としての自覚に立って行動していたために、内容においては充実した集いになった。

第一日目は県民会館ホールにおいての開会式。エレクトーンのマーチに合わせて全協旗を先頭に県連旗の入場、国歌の斉唱、主催者のあいさつとして丸山全協会長。ついで宮城4H協会副会長から「4Hクラブとは何か、4Hクラブの目的は何か」ということを、よく考え話し合ってもらいたい」とあいさつ。つづいて吉田富山県知事ほかから祝辞が述べられた。

この後昼食をとってから、富山県連が主催している富山県農業祭の展示品の見学、再び会館ホールで「農業政策の方向と問題点」と題した、共同通信社論説委員・寺山義男氏の講演をきいた。夜は観光センターで地元富山県連OBの鈴木さんの司会でキャンドルサービス、地元クラブ員たちの郷土民謡などでにぎわった。

二日目は、バスで富山駅に集合して電車、ケーブル、バスで立山に向った。この間、車窓からの展望はすばらしく、ちょうど紅葉の盛りでブナや白樺が美しかった。立山荘では班別ごとの話し合いが行なわれた。テーマは「今後の4Hクラブ理念の追求」「4Hクラブの在り方」「4Hクラブと社会奉仕」についてであった。

ついで自由交歓やみやげ品の交換。ひきつづいて全国から募集し入選した意見・体験発表を行ない質疑応答を交わして理解を深めた。この夜はあいにくの猛吹雪に迎いきもをつぶす一夜をすごした。

三日目は、朝食後スケッチの時間。雪景色などを画いて楽しんだ。その後、踊ったり歌ったり楽しいレクリエーションを行なった。

この後閉会式に移ったが、来年度つどいの開催地に決った奈良県会長と地元富山県連会長が固い握手を交わし、奈良県連会長から「来年も盛大につどいを開きたいので多くの方の参加をお願いします」と決意が述べられ閉会式を終った。

全員バスに乗って霧雨けむる立山をあとにして、富山県のクラブ員の家へ交歓訪問に向った。

惜別の情にむせぶ

「全国4Hクラブ関東のつどい」は、全協、埼玉県農研連4H部主催、農林省、日本4H協会その他の後援のもとに埼玉県秩父郡大滝村三峰神社を主会場に関東八県にまたがって開催された。

4Hの旗印のもとに、北は北海道、南は九州まで三百七十余名が姿をみせた。

感激あふる開会式の県連旗の入場、4Hクラブの推進に参考になった宮城4H協会副会長の講演、地元大滝村主催のレセプション、秩父連山の一角をハイキング、紅葉の下でのスケッチ、みやげ品の交換、月かげ淡く星のふるような晩にとどまることなく盛りあがり、心に灯を燃やしたキャンプファイヤー、意見発表、思い出を胸に秘めながら仲間と惜別の情にむせんだ閉会式、二泊三日にわたった現地交歓訪問に遂に関東平野へ散って行った。

このつどいは、友情、研修、決意の目的を達成するために積極的な自主運営で終始したが、興味ある行事が次々に展開され、クラブ員の心は一つに溶け合い、若者だけにしか味わい得ない、感激、貴重な体験を汲みどり、独力では創造できない、4Hの精神に結ばれた若い息吹きがひしひしと迫る青年の世界が描き出されたつどいであった。

古都に新しい息吹き

名称も新たに「第四回全国4Hクラブ員のつどい」と改めたこのつどいは、十月七日から四日間全協、奈良県連、日本4H協会の共催、文部、農林両省、総理府、奈良県などの後援を得て古都奈良市を主会場に開催された。

このつどいは、西村農林大臣、松下日本4H協会長のご臨席とあって、前々からムードの盛りあがりがあり、地元奈良県連ではいやがうえにも花やかな準備にわきたった。

一日目、古都奈良はときならぬ4Hクラブ員の訪ずれでにぎわった。県庁に隣接した県立文化会館大ホールは開会式を待たずして、一千五百名の参加者をのみこんだ。

開会式、つどいの幕は切って落された。自衛隊音楽隊の吹奏するマーチに合わせて全協・県連旗の入場。わき起る拍手。参加者の若い血をわかせ、感激の渦が流れた。

国家斉唱の後、主催者あいさつ、山田奈良県連会長は「ひたいに汗がにじむほど苦労は大きかっただけに、この日の感激は忘れられない。ここ奈良は古い歴史があるが、私たちは、そこに新しい息吹きを注ごうとしている」と伝統を守りながら一歩一歩前進する4Hクラブ員の意気を示した。

この後、奥田奈良県知事から歓迎のことばが贈られ、来賓として、西村農林大臣から「これからの農村は若い諸君に期待するところが大きい。4Hの信条を活かしてさらに自信と国際的視野をもって頑張ってほしい」と激励のことばがのべられた。

開会式終了後、ひき続いて西村農業政策の新しい方向を打ち出した「総合農政」を中心に、農林大臣の特別講演があった。

午後からは、松下4H協会長の講演があった。内容は、青少年の自主性、日本人の伝統的な精神、協業などについて強調したものであったが、参加者に深い感銘を与えた。

ついで、わが国における4Hクラブ発足二十周年を記念して全国から懸賞募集したクラブ活動についての体験文と意見文の入賞者に松下会長から表彰状と記念品の授与が行なわれた。つづいて入選者五名が、4Hクラブのあるべき姿やクラブ活動を通しての貴重な体験を発表した。

夜は七つの宿舎で自由交換を行ない、郷土品の交換など楽しいひとときを過した。

二日目、さわやかな秋晴れ、奈良公園内の春日野グランドで、歌やゲーム、ホークダンス、同公園内で古都の秋をスケッチ。

午後は会場を平城宮祉に移し、各県ともあすなろ、杉などの記念植樹をした。続いて「自主的な4Hクラブにするには」「家族と密着した4Hクラブにするには」などの三つのテーマについて話し合いを行なった。

夜のキャンプファイヤー、三笠の山に登った満月が秋の夜に一だんと冴えて美しく、参加者を万葉の世界へと誘った。

三日目、奈良市庁別館で映画「奈良・大和」を観賞したあと、閉会式に入った。主催者あいさつのあと、新たにつくられた「つどい」のトロフィが奈良県連合会長から来年の開催地鳥取県連会長に手渡された。

この後、思い出深いつどいに別れを告げて現地交歓訪問へと奈良県下、京都、大阪両府のクラブ員の家に向った。

ブラジル88村巡行 〈12〉

日本政府派遣農村青少年指導専門家 湯浅甲子

誇り高い"4H" 背景に輝く先輩の努力

ブラジルは、連邦制をとっているので、州の政治は可成り独立性をもっている。だから、サンパウロ州のように自立力のある豊かな州の政治には、他州にみられない独特なものが多いのである。

4H、誇り高い存在

4Sクラブにしても、ブラジル全州に及ぶ普及をみているが、ひとり、サンパウロ州だけは、それを認めないのもその一つである。そういう州内で、ブラジル4Hクラブが堂々と4Hを名のり、活動しているのは、一見、不盾しているようだが、それには、それ相当の理由がある。

私の想像ではあるが、その理由の第一は、4Hのまじめな努力が高くかわれていることがあげられよう。その中には、もちろん、林茂夫先生の献身的な努力と信頼が人をうごかしたことと、もう一つに、日本移民や日系人が、永い間に築いたサンパウロ農業の繁栄があるにちがいないと思うのである。この輝かしい先輩の努力の背景があったからこそ、わずか、四千余人のクラブで、しかも、4Sと4Hの呼び名こそ違っても実質は同一な4Hクラブを、4Sはダメで4Hはよいという特別扱いをされ、州政府の補助をも受ける公認団体にしたのであろう。

ブラジル4Hクラブはそういう意味からも、まことに誇り高き存在であるといえる。

目ひいた「松下賞」

サンパウロから西へ約五百キロの奥地に、パラガスという町がある。駅の前には、南米第一といわれる日本庭園造園中で、当市長のプレゼントである。この農業普及所には、4Hの部屋が一室あって、クラブ員のプロジェクトが展示されてあった。特に私の眼をひいたのは、日本4Hから、ブラジル4Hの優れたクラブに贈っている「松下賞」が飾られてあったことである。

ここのリーダー西沢裕美さんは、もう結婚されて、大きなコーヒー園を経営されているが、一方、4Hの篤志指導者として後継を指導しながら普及員の助手も勤めている。この方は、派日実習生として、日本に一年間留学の経験をもつ二世の優れた4HOBである。

サンパウロの北、郊外四〇キロぐらいの所に、テーラ・プレットという村がある。ここは、サンパウロから放射状にでている幹線道路の一本で、隣りのミナス州に最短距離で通じる動脈である。当然、交通量はかなり多く、日本と同じようにドライブインや、モーテルなどが道路ぞいにできている。

道路に4H即売店

この村の入口の道路わきに、4H即売店が開店したのである。同所にあるドライブインのおやじさんが、大変4Hビイキの人で、敷地を無料で提供してくれた。そこへ、クラブ員が建築材料を持ちよって、共同作業でつくりあげたのである。そして、クラブ員のプロジェクトで作った農産物を安く売るのだが、なかなかの人気があるらしく、品物はたちまち売り切れてしまい、店頭にならべる品物を確保するのにひと苦労をするという。

サンパウロ州では、道路わきで、品物を売るのは、道路庁長の許可が必要だが、最近、なかなかうるさくなり、もぐりの露店商は、取り締まられて影をひそめているようだ。ところが、4Hの店は、大変結構な趣旨であるということで、早速、認可されたというのである。開店のときには、わざわざ庁長がお祝いに出席するなどで大変にぎわったらしい。

このテーラ・プレットの4Hクラブ員は、男二四人、女三〇人で、篤志指導者、松井弥也先生によって育てられている。松井先生は、東北弁まる出しのしたずみやすい方だが、細身の体にも、青年に対する情熱があふれ、やさしい眼ざしには、信念の強さが感じられるという、丁度、林先生を細くしたような感じの方だった。お年は、六十ぐらいにもなろうか。いまは、奥さんと一緒に日本語教師をされている。

講演の別れにキャンドルサービス

私が、この村をたずねた九月四日は、夜がとても寒かった。例によって、私の講演は夜中の十二時を四十分もまわってやっと終ったが、百二十四名の聴衆は最後まで、熱心にきいていてくれた。そして、いよいよ帰える間際に、五十四名の4Hクラブ員は、松井先生のリードで手に手にローソクをもって、私をかこみ、私の指導への感謝と健康を祈って、別れのキャンドルサービスをやってくれた。会場にいた大ぜいの大人の人たちもそれを静かに見守ってくれたのである。「センセイ、ドウモ、アリガトウ、マタ、キット、キテクダサイ」というクラブ員と一人ひとり握手をしていく私の心には、限りない幸せがこみ上げてくるのだった。

この青年たちの中には、派日実習生の一人、木林茂雄君の顔もあり、そのお父さんお母さんも見えたようである。茂雄君はなんでも、日本にいた時、一人で富士山をのぼったとか、またお父さんの話の中には、何度となく息子が皇太子殿下とお話ができたよろこびを語っていた。

ブラジル4Hクラブというのは、私にとって、不思議な肉身的親しみをよびおこす何ものかがあるようであった。

〈栃木県教育課・特別専門技術員(青少年担当)〉

テーラ・プレットの道路わきに設けられた4Hの即売店の開店式(あいさつする人はブラジル4H協会副会長の農田孝氏【農学士】右端の人は道路庁長、一人おいて松井先生)

みかん専業農家への道

改めてプロジェクトの重要さ知る 暴落で日雇い働き

佐賀県・三谷4Hクラブ　田島彰一

私の家は、六年ほど前に水田一八アールを残して全部ミカン園に切り替えました。私は農業高校を卒業してから果樹試験場に一年間入所し、共同生活とともに技術の習得に努めました。そしていま、農業の二年生になろうとしています。

私の家は、成、中木一町歩、幼木六〇アールという一応のミカン専業農家です。しかし、一昨年までミカンは、一キロ当り六〇数円で栽培は楽だったわけですが、昨年の急激な大暴落で、私たちは心にも経済にもゆとりがなくなり困っています。

とくに、一昨年、家を建てるために多額の借金をしたこともあって、今までだったら一番楽な一、二月を日雇いにまで出なければならなくなってしまったのです。

私の住む太良は、土壌、気象などがミカン栽培に適し、また減酸が早いということも手伝って、ミカン一色です。どこでも可能なところはミカンが植えられ、現在はふやそうにも植える所がない状態です。しかし、太良町でも私の家から車で二十分くらいで行ける大浦という地域は、まだ開ける所が多くあります。だが、現在のようにミカンが安くては、多額の借金をして開墾して植えても果して有利なやり方といえるだろうか。

私は、現在の百六十アールのミカンで、より美味しいミカンを作ることによって価格を維持し、また作業内容を改め、能率向上によってこのミカン恐慌を切り抜けるつもりです。そんなわけで、私はいま4Hのプロジェクトとして、うまい早生ミカン作りに取り組んでいます。

うまいミカンは、必ず市場からも高く評価されて、よい値段で取り引きされると考えます。そこでプロジェクトに取り上げてみたのが、早生の晩採りです。十二月ころならせると、酸が落ち、まろやかな味となります。

私が、この問題に取り組んで三年を過ぎましたが、成木ミカンのうまいわけとか、夏肥の是否などいろいろのことがわかり、プロジェクトの必要性を改めて認識したわけです。それでこれかれも、この問題についてより深く研究して行きたいと思っています。

今年度の作業をふりかえりますと、収穫は別として、摘果、除草が最も労力を必要としもす。昨年摘果剤を使いましたが、ことしは二〇アールはやりたいと思っています。そして、もう一つの草刈りも昨年は除草剤を約二〇アール使ってみたわけですが、効果がよかったので、ことしは全区一回は必ず使いたいと思います。

これからは、NHKの農業講座を聞いたりして、より農業の実態を知り、早くミカンの真の経営者になりたいと思っています。

試験田の田植えに精を出す大和郡山市4Hクラブ員(奈良)

試験田の田植え　大和郡山市4Hク

【奈良】大和郡山市4Hクラブ(会長、森本宗和君)は、このほど、ことしもクラブ試験田の田植えを実施した。

当日は、午前七時に鶴田君宅へクラブ員三十名が集合、このうち四名の女子クラブ員を除く男子クラブ員は苗引きと代かきに分かれて作業を開始、一方、女子クラブ員は農改普及所で生活改良の先生の指導によって研修をかねて昼食とおやつをつくった。とくに、ことしの春、生駒普及所と合併したので、この日は生駒4Hクの女子クラブ員も応援にかけつけてくれた。

試験田の面積は、ことし少しふえて四反弱で、栽培する稲も二品種に分けて植えた。また、水田ごとに肥料の種類を分けて生育調査をする予定であるが、この成果を各クラブ員たちの稲作に生かすのが目的。

空腹を感じる十二時前には午前の作業を予定通り全部終って、ただちに、ことしの春新築されたばかりの大和郡山農改普及所の二階へ直行、女子クラブ員の手料理による昼食に舌つづみをうった。

昼食後は執行部から今夏に計画しているキャンプの行き先きや日程などについての説明に続いて、ことしもグループ別プロジェクトを実施するので、その個々のテーマの受け持ちを決めた。

再び、休む間もなく午後一時半から作業を開始、五つの水田に分かれてにぎやかに四時まで田植えを行なった。

ことしは天候に恵まれ、各クラブ員宅で早く田植えが終ったせいか、例年にない大勢の参加者で作業もはかどった。

国立淡路青年の家が開所

第六番目の国立青年の家として兵庫県三原郡南淡町阿万に建設が進められていた国立淡路青年の家がこのほど完成し、さる六日同所で文部省主催の開所式が行なわれた。

同日は、坂田文相が出席されたが、沿道には小学生や地元の人たちが並び、日の丸の小旗を振っての歓迎ぶりだった。午前十時から式典が行なわれ、坂田文相から「江田島について海岸に接する第二の国立青年の家として、青年に海に親しんでもらいたい。また、規律と協同の精神をもって研修し、責任感と自覚をもった青年になってほしい」とのあいさつがあった。

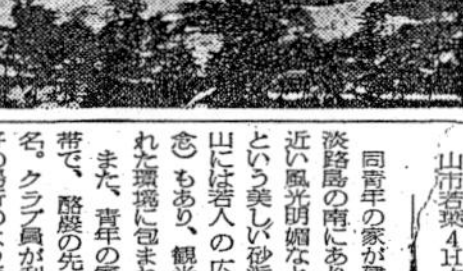

完成した国立淡路青年の家

同青年の家が建設された場所は淡路島の南にあり、鳴門海峡にも近い風光明媚なところ。吹上の浜という美しい砂浜に面し、近くの山には若人の広場(戦没学徒記念)もあり、観光や文化的に恵まれた環境に包まれている。

また、青年の家の周辺は農業地帯で、酪農の先進地としても有名。クラブ員が利用するのにも絶好の場所のようである。

青年の家の主な施設は談話室、研修室、作法室、視聴覚室音楽室、プール食堂のほか、体育館、グラウンド、球技コート、海洋訓練施設などを目下計画中である。

利用できる人は、それぞれの研修プログラムをもち、二十四時間以上滞在して、研修を行なう五人以上のグループで❶青少年(十五～二十五歳)❷青少年指導者❸その他所長が適当と認めた人。

TEL＝〇七九九五五(阿万)四六〇―四

全国4Hの集いなど

NHK農事番組(8月1日～10日)

テレビ

明るい農村　6・30～6・55総合

1日　村をむすぶ(総合農政シリーズ)これからの農政　農林大臣ほか

2日　農業新時代　水利と総合開発

4日　村の記録　キャベツ集荷合戦(群馬県嬬恋村)

5日　きょうの話題　新農地法のなかみ

6日　産物往来　牛乳

7日　話題の広場　町ぐるみ養鶏(北海道訓子府町)・カメラ通信、デンマーク農業に学ぶ(北海道黒松内町)

8日　村をむすぶ　フィルム・リレー(札、仙、松、宮崎、東)

9日　農業新時代　よみがえる大地(鹿児島県鹿屋市)

農業教室　7・30～8・00　教育

1～2日　肉用もと牛の生産　農林省中国農試　土屋平四郎

4～6日　農薬利用と安全　東京農大教授　上田喜一

7～9日　ぶどう生産の課題　山梨県果樹試験場場長　岸光夫

あすの村づくり　日　7・00～8・00　教育　土(再)13・00～14・00　教育

3日　▽グループ便り「共同でみのるトマトづくり」福島県郡山市若葉4Hクラブ▽仲間とともに「山を育てる」北海道江差市あすなろ4Hクラブ▽青年像　埼玉県秩父郡吉田町　城峯グループ

10日　▽グループ便り「野菜にかける仲間たち」山口県下関市ふたば会▽仲間とともに「クラブリーダーの発言」青森県三戸郡田子町で録画▽「第五回全国4Hクラブ員の集いに拾う」鳥取県米子市周辺

ラジオ

早起き鳥　5・50～6・00　❶1

日　現地報告　安い牛乳の波紋(白糠町)飯田竜太

2日　村のポスト(俳人)

3日　小さな発言(東京)多元干拓農地の転換(大阪、広島・松山)

4日　現地報告　爆音におびえる村(愛知県渥美町)

5日　人と話題　最後に残った開拓者(広島県大朝町)

6日　通信員の手帳から(福岡)

7日　産地訪問　ホップ(福島県伊達郡下)

8日　現地報告　構造改善事業を現地にみる(町田市)

9日　村のポスト

10日　小さな発言

ラジオ農業学校　月～土　6・40～7・00　❷　日　6・30～7・00　❷　再　月～土　19・00～19・15　❷

3日　グループの集い「全国4Hクラブ夏の集いから」鳥取県大山山麓で収録

10日　経営手帳　▽米の生産費を考える(千葉県北総開発局　石丸美春)▽穀粒サイレージ(栃木県畜産試験場　荒井四万)

プロジェクトの取り組み方

「指導の計画表」を　評価表も作り結果を集約

北海道専門技術員　三輪勲

プロジェクトの普及指導計画

指導の諸計画

(1) 指導計画表の作成

(A) 普及主題の設定　重点事項(課題)に関する解決の方法について、その年に実施する事項を普及主題として設定する。この場合、重点指導対象集団ごとに定める。

(B) 到着目標の設定　普及主題について、青少年の意欲・年令・経験などを考えてその年における到達目標を明らかにする。この場合の到達目標は、その年において実現が可能なものとし、過大な目標設定は避ける。

(C) 指導内容および方法の設定　指導の目標を達成するために指導内容を検討し、指導の対象・手段・期待するねらい・時期・場所・準備事項など指導方法の計画を立てる。

また、必要に応じて実施の際の協力機関なども予定しておくとよい。

以上の内容について整理し、指導計画表に記載する。

(2) 月別普及活動予定表の作成

指導計画表に基づく活動目標を月別に取りまとめる。この場合、実際の普及指導活動のほかに準備のための付帯的な事務も予定に入れる。また、普及指導計画に基づく重点指導事項(課題)以外の一般指導活動についてもこの予定表に加えて、全体の普及指導活動が円滑に促進されるように配慮する。

(3) 指導実施計画・指導記録表の作成

月別普及活動予定表に基づいて、重点指導事項に関する具体的な実施計画を作成する。また実施のたびに指導結果・反省と問題点・次の発展事項の三つに実施状況をまとめて記録する。これは、実施担当者ごとに作成する。これら指導実施計画と指導記録表は、前述の「指導計画表」に基づく事項だけを扱い、一般指導活動は含めない。

評価計画

(1) 評価計画表の作成

普及主題についての評価計画を作成する。この計画には、評価測定事項・測定方法・測定の対象・測定結果の分析方法などを明らかにしておく。到達目標に対して、青少年がどの程度の期待すべき変化をとげたかを判断できるように、測定事項は具体的に定めることが大切である。この場合の測定基準とすべきことがら(測定証拠)は、前もって決めておくとよい。

この評価計画は、結果の評価を行なうためのものでよいが、必要に応じて中間評価を行なうと、いっそう効果的である。このために、到達目標を事前にいくつかの段階に分割しておく必要がある。

(2) 評価実施表の作成・利用

評価計画による測定結果は、到達状況・まとめ・考察の三項にわけて記録する。そして、評価考察から問題点をはあくし、以後の普及指導活動の参考にするとともに、必要に応じて「指導計画表」「指導実施計画表」「普及活動予定表」の修正を行なうことが大切である。

なお、年度末には、普及指導計画とその実施結果について、青少年育成の全課題の総合評価を行なうことになるので、プロジェクト指導に関する分野の評価結果を集約しておくとよい。

指導計画表(記載例)

当面の改善課題	本年の普及主題	左の到達目標	本年の普及主題のおもな指導内容	指導方法：対象名	指導方法：手段	指導方法：期待するねらい	指導方法：時期	指導方法：場所	指導方法：準備事項	協力者協力機関	備考
プロジェクトの進め方の理解とその具体的な実施をはかる	1 プロジェクトの具体的な進め方を理解させる	全員が理解する。	1 プロジェクトの意義と実施方法を理解させる	a グループ全員 b 青年会全員	1 プロジェクト先進グループとの交流会	プロジェクトの実際を理解させ問題意識をもたせる	1月下旬	S村公民館	感想文記入用紙	S地区普及所	日程打ち合わせ
			2 プロジェクト課題選定のため実態調査をさせる		2 プロジェクト研修会		3月上旬	青年研修所	テキスト・スライド	町教委・	プロジェクトリスト作成
					3 巡回指導		4月上旬	現地	巡回指導簿		
	2 技能補助プロジェクトを実施させる	全員がそれぞれ1課題実施する	1 実態調査結果からプロジェクト課題を選定させる。	同上	1 巡回指導	技能補助プロジェクトの計画を立て父兄の協力で実施させる	4月中旬	現地	巡回指導簿		篤志指導者決定
			2 技能補助プロジェクトの計画を立てさせる。		2 集合指導と巡回指導		5月上旬	部落会館(現地)	指導資料	農協指導員	部落ごとに実施
			3 父兄の協力を高めさせる。		3 父兄・青少年の合同話し合い		6月上旬	同上	スライド		同上
			4 プロジェクトを実践させる。		1 巡回指導		7月上旬	現地	巡回指導簿	農業学園教務担当者	

春の終り (12) 最終回

一ノ瀬綾　多賀愛子画

加代が敏子を見つけて走り寄って来た。手拭をきりっと結んだもんぺ姿であった。

「肥料のことで相談に来ただけど、根本淳さんが居てたまげただよ。勧めてるだってな」

加代の複雑な表情を見て、敏子は口唇を噛んだ。まだ整理のついていない心が、軋むように痛んだ。今でも敏子は淳が勧めをやめてくれたら、という希望を捨て切ったのではない。顔を合わせるのが苦痛であった。

「本らしいが、調べて受取ってや」

加代の差出したのは古い新聞紙包みであった。開くと久江に貸して忘れていた文学全集であった。表紙をめくると、紙片が挿まっていた。久江の走り書きである。

…誰にも見られたくない。東京へ行きます。敏子さんは私の分も村で頑張ってね。貴女は淳さんと幸になれる人です。私はこれからの生涯、須田を裏切ったという負い目を背負って、生き続けなければならないでしょう。自業自得です……

敏子は読み終らずに目をそむけた。矛盾だらけの久江の文面ではあったが、書き残していった気持だけは心にしみた。須田はどうしたであろうかと思ったが、加代に聞くのは憚られた。今はただ人それぞれの解決の道があるのだと思うより外なかった。こうなってみてようやく敏子の胸に、現代農業の持つ根の深い、問題の重さ、大きさが理解されかかってきた。投げ出すこと、逃亡することは誰にでもできる。自分はこれからどうすべきなのか……耳の奥が鳴るような孤独感が敏子を包んだ。不意に加代が敏子を突ついた。

「ほれ、淳さんが出掛けるだよ」

目を上げると、農協の玄関から淳が出て来るところであった。黒皮のジャンパーの衿元に白いトックリセーターをのぞかせたそのスタイルは、今迄敏子が一度も見かけなかった新しい服装であった。

顔見知りの村人達と笑顔を交す淳の表情は晴れやかで、生々していて、真実楽しそうであった。敏子達には気がつかないまま、淳はオートバイを引き出してくると、悠然とまたがった。敏子は声を立てるのも忘れて眺めていた。あれが淳であろうか。一ヵ月前迄は野良着のまま平気で会議にも出席し、新しい農民の未来を口にしていた根本淳の姿であろうか。

目を疑う思いであった。

人々が振り返る中を、得意気な淳の後姿は、けたたましい爆音と共に走り去った。

「淳さん、すっかり素敵になっただね。敏子さんもぼやぼやしてねで早く式を挙げなよ」

加代の言葉で敏子は我に返った。不意に自分でもわからない妙なおかしさがこみ上げてきて、敏子は、クク……と低く笑った。どういうものか、淳のズボンだけが見なれたいつものやつで、上半身のスマートさと対照的にチグハグだったことが、鮮明に目の底に焼きついていた。気がつくと、さっき迄の軋むような胸の痛みはなくなっていた。

「あの人と、結婚なんかしない！」

「あれ、いやだ！敏子さんも東京へ行きたくなったでねえかい……」

加代は目をむいた。言い切ってみて敏子は、始めて自分の気持が割り切れたように思った。もやもやした胸の内側が、ぽっかり口を開いたようであった。巨大ななにかの流れが、一瞬敏子の前で、その底深い渦巻きを見せて、停止したように思われた。

「いいえ、わたしはここに居る。そのうちに敏子さんでなければ駄目だ、どうしても欲しい、と言ってくれる人が現われる迄ここに居る。それより自分で見つけようかな……」

おどけた笑顔で敏子は加代を見た。加代はちょっとの間口を開けてぽかんとしていたが、急に声を上げて笑った。信じていない目の色であった。

敏子はふと、自分が久江の立場ならどうしていただろうかと思ってみた。おそらく投げ出しはしなかった筈だ。須田の提案していたように、結婚の時期を延ばしたかも知れない。とにかく土地があるということ、なによりも、良人と百姓ができるということは、素晴らしいことではないか。

そこから、なにもかも始まる。

自分が今、淳に対して一つの決断がついたことは間違ってはいない。当然なことなのだ　敏子は唇をかんだ。これから先、心の痛むことはあっても、決っして振り返るまい、後悔はすまい。

「もうじき五月だ、忙しくなるね」

唐突に加代が言った。敏子はうなずいた。そうだ、春が終る……それは季節だけの春でなく、自分と久江、須田と淳の上からも、春の季節は去るのだ。やがて梅雨が来る。そして強烈な太陽の下にこの軀体をさらす夏が来る。めくるめく夏が来るのだ。(完)

大切な"人の和"

奈良県北葛城郡新庄4Hクラブ 森田秀昭

4Hクラブ活動が日本で行なわれるようになってから早くも二十年、この間全国の農村青少年は、クラブ活動を通じて農業の改良や生活の改善にすぐれた業績を残してきました。

そして、一般からもその真価は高く評価されるようになったが、反面、最近のクラブ活動には、何か気合いのぬけた感じを受けます。というのも、農村人口の減少、他産業への従事者が多くなるとともに、経営の拡大などで時間的に余裕がなくなったことが大きな理由としてあげられます。また、クラブ活動に魅力がなくなり、他に娯楽を求め易くなったこと、そのほか地域の条件、クラブの歴史などで現在、その原因は実に多種多様であるが、全国に共通した問題点は以上のようである。

◎◎◎ 多い、離村の原因

では、なぜ農村青年が地すべり現象で都会へ都会へと流出したのであろうか。悲しいような寂しいような複雑な気持です。われわれ農村青年にとって、友だちの都会への流出は自分のからだの一部をもぎ取られるくらいみじめな気もいたします。これは簡単にかたづく問題ではなく、幅が広く底の深いものではないかと考えます。

たとえば、家族の理解がないとか、都市化にともなう農地の減少、それに、農業の重要性を理解せずただ単に都会にあこがれ、農業で生計は立つが嫌いな人が多いからである。

では、なぜ農業に魅力をもてないのか。それは❶農村が都会に比べて非近代的で、青年が農村に従事していては、自分の独立した財産を持つことができない❷農作業が重労働で時間に制限がない❸とくに、婦人の仕事については、家事や育児はもとより農作業にも多忙を極めるため、農業は若い女性からも嫌われている—などがあげられる。

それにもう一つ❹学校教育にも不信を感じる。たとえば、成績のよい者が農業高校に進学しようとすると、百姓になるのはおかしいとか、農業は学問がいらないように言われ、農業の重要性を教わるどころか農業を軽視するような教育を受けてきた。これでは、青年に農業を好きになれと言う方が無理ではなかろうか。

しかし、この問題は、青年だけではなく社会全体の問題として解決し、われわれ青年が自から努力して自信と根性をもち、計画性のある農村青年にならなければいけない。そうでないと自分が進むべき道も迷ってしまうでしょう。

いつの時代においても、よりよい生活を求める場合、楽しく儲ける職業は何一つないと思います。わが奈良県においても大阪府を中心にサラリーマンが多く、行き帰りの光景は、われわれ農村青少年にとって実にうらやましく思われるが、しかし、それは見かけだけであって、実際、現実はそんなにあまいものではないようです。

◎◎◎ 松下会長を見習おう

そのことは、私のほか数名が中学を卒業するとき「つのさしクラブ」という特別の会が設けてありました。その中の会員は、農高を出て国鉄へ、ある者は工業高校を卒業して大阪の市役所へ勤めていますが、やはりそれぞれその道には数々の苦労があるようです。

私も、時おり職場に見学に行きますが、学友たちはわれわれ以上に気をつかい、真黒になり、汗水を流して働いています。この姿を見たとき、誰れもが思うことは楽しく儲ける職場はないということです。私自身も農協の女不足で呼ばれて二年半余り農協職員として働いてまいりましたが、つくづく社会の厳しさがわかりました。

それに、われわれの大先輩である日本4H協会会長の松下幸之助氏といえば道行く人にたずねても誰れもが知っている。そして聞かされる。「あの人は、努力と忍耐と和をもって現在の松下電器、いや日本の産業を築き上げた人である」と。われわれ4Hクラブ員は立派な人を先輩にもってしあわせだと思う。そして松下氏を少しでも見習い自分の進むべき道に迷わず頑張ろうではないか。

活動内容に工夫を
クラブの魅力は作るもの

◎◎◎ 周囲の"温い手"を

次に、クラブ活動に魅力がなくなった原因は、活動自体が「マンネリズム」となり、生産技術一本の一方的な活動となっているためではないだろうか。

4Hクラブの活動は、まず自分を磨いて発展させることを第一として、学校教育的な強制方式ではなしえない、立派な人間形成の基礎づけを求めるのであるから、子どもを持つ親はもちろんのこと、農村全体の問題として、その教育について真剣に検討すべき性質のものである。

このような温かい手がさしのべられてこそ、地域に根をはった家族ぐるみの4Hクラブ活動が発展していくのではないだろうか。親たちも青少年を単に労働力としてのみ考えるのではなく、力のある後継者として勉強させてほしい。クラブ活動は、金や仕事の関係で親や周囲から制約を少なくしスムーズに活発な活動ができるように部落の人たちの関心を常にクラブからそらさないようにする必要があります。そのためにも、クラブ活動などに積極的に参加しなければならないと思う。

現在では、出てくる者の顔ぶれがいつも決まっている。また役員だけの活動になりがちである。これでは、クラブ全体の活動としてはよい結果はでないと思う。活動計画は無理をせずに、できる範囲でたて余裕があれば話し合って新しい計画を追加していかなければならないと思います。

定例会も技術的な研究にとらわれず、定例会には一人が五分以上何かを発表し、人の前でも十分意見が述べられるようにする。それをテーマに検討会を開くものよい方法だと思う。クラブ員の自主性を高めるためには、4H新聞（本紙）の購読を広めて他のクラブ員を参考にし勉強することを進めるということです。

クラブ員の人数については、増すことも必要であると思いますがただ単に、クラブ員が少ないからといって無理に関係の薄い者をクラブ員にすると、かえって害を起し、クラブ活動の統制がとれず低滞していくのではないでしょうか。人数が多いから活発な活動ができるのではなく、むしろ少人数で充実した活動を行なう方が効果的である。

◎◎◎ "活動の幅"拡大を

要は、グループを構成する人たちの考え方によると思う。そこで私は、農業に関心のない人は入部させず、農業をやるのだという信念のある人こそ本当に良い立派なクラブ活動が行なえるのではないかと考えます。

そこで、われわれはこれに対応するだけの力が必要となってくるわけで、必ずや団結が必要となると思います。そのためにも、現在の旧村単位にあるクラブでは力も弱く、また経営の内容もまちまちなので自然と不活発になってしまうのではないでしょうか。

ですから従来のグループから脱皮して幅の広いグループにしたらと考えます。たとえば、現在行なっている町村単位にあるグループを普及所ごとにまとめて一つの大きなグループにし、一般的な活動は大きなグループで行ない、専門的な経営の勉強については部門別に行なえばよいものではないかと思います。

広範囲のグループになれば、人数も集まるし、必ず同じ経営部門の人々とも会えるのではないでしょうか。現在では各自が自家用車を持っていて機動力もかなり発達しているので、自分自身が張切って行なっている経営部門と関連したグループの会合であれば参考になり、また、行かなければ自分自身が一歩後退の形になり遅れてしまうので、必ずや日中の会合にでも参加するのではないでしょうか。

また、グループの年令についても問題がありますが、二十四、五歳ぐらいでグループから去ってしまったのでは何かもの足らない気がいたします。やはり、一生農業に生きる者であればOB的な存在で仲良く活動を続けてもらいたいものであります。グループ活動をする上に人と人との和ということが一番大切ではないでしょうか。自分だけ良ければよいという小さな百姓根性をもっていたのでは伸びがありません。自分が伸びようと思えば他人と共にという幅広くまた先を読んで行く目がわれわれ農村青少年にはまだまだ足りないのではないかと思います。

そのため、奉仕活動の推進もクラブ活動には大切であって、良き住民となるためには、あらゆる奉仕活動を惜んではならないと思います。

◎◎◎ 大切な心の連がり

グループ活動において、われわれ個人個人の人間というものを鍛え直し、自然の心にかえり人間と人間、心と心のつき合いをしていきたいものです。理屈だけでなく実際に心と心のつながりが深まれば、おのずとグループの魅力がでてきます。グループの魅力はあるものではなく、われわれの手によって作り出すのでありますから、グループの活動発展のためには、より多くの人々と心ゆくまで話し合って行かなければならないと思います。

農村雑感

都会の生活

折原俊二郎

農村に住んでいると、都会の生活が一面非常にうらやましく思えるものである。うらやましいということにはいろいろとあるようですが、例えば、交通が発達しており、どこに行くにも非常に便利であるとか、娯楽、設備が整っており、毎日が楽しく暮らせること、学校も多くあり、音楽会や各種の展覧会なども自由にみられるなど、教育文化の場が備わっているなど、数えあげればきりがないほど良い点があげられる。こうしたことのすべてが本当にそうであろうか。

どうも、都会の生活の良い点をあげようとすると、その表面的な理由しか考えていないように思えてならない。良い点があれば、それに伴って、裏の欠点も十分考え、表と裏の両面を差引きしてみる。そうした中で、本当の良し悪しを決めるべきではないでしょうか。

うらやましく思うもう一つの理由に、都会のサラリーマンの生活程度が高いと決めこんでいる点であろう。その例として、私自身まごつくことがあるが、それは「役人（公務員とはいわない、まして公僕とも云ってくれない）なので、高給をとるでしょうな」ということである。今どき、東京で公務員などは、所得のうえからみると、中の下か、下の上位である。ただ、俸給の遅配がないことが唯一つのよい点といえるかも知れない。

ところで、私の学校の学生が先頃、近くにある高級団地に社会調査と称して、個々の家庭をたずねて、アンケート調査を行なったことがある。その時の様子をあとで雑談の中で話しあっていたが、高級住宅団地だけに、庭が広く、しかも非常に手入れがゆきとどいて、まるで高級料理屋の庭以上であること、家が大きく、しかも立派な材木を使っており、家の中もきれいで、ピアノがどの家にもあったことには驚いたということである。

しかし、こうした立派な家に住んでいるから、さぞ生活にゆとりがあるだろうと思っていろいろ聞いてみると、まず、貯金はほとんどの家で持っていないし、この家を建てるために、莫大な借金をしており、その返済に収入の多くの部分をつぎ込んでいることがわかったということであった。

この調査から学び得たことは、第一に、外からみているほどに、生活にゆとりがないこと。ましてや、一般の都会生活者は、想像以上に生活のやりくりに苦労をしていることが考えられること、第二は、家を建てるために予想以上の借金をしていること。

農村では借金を苦にしがちであるが、借金も建設のためであれば、何もはずかしいことではないこと、そして、これからの農業経営には設備投資が必要であるから、農村に帰ったら資金の導入を本格的に考えてみたいという結論であった。

ただ、都会の生活者は、借金しても返せる、いや、返していけるという大きな自信を持っているようであること、これは、農業経営でも資金を導入した場合、返済していくだけの綿密な計画と自信をもって対処することが必要であるということを学んだようである。

（農林省・農業者大学校）

夜の海

吉田道子

浜辺の草も花も
みんな寝静まった夜の海
光といえば
こぼれ落ちそうな星と
沖ゆく舟のかがやきだけ
今夜はさみしいね!!
でも明日はきっと楽しいよ!!…
と波がいう
遠くへ行った友が
かけ足で帰ってくる
そんな気のする夜の海

（徳島県・渭東4Hクラブ）

私の体験と意見

静岡県御殿場市北駿4Hクラブ 真田勝 ②

まず4H活動に没頭
それが"道"開拓の原動力に

あれ以来、四年余の月日が4Hクラブにも、私にも流れました。クラブ員の人数も、のべ六十名以上になります。結婚するために退会した先輩、農地がつぶれ、農作業とともにそっと去った友、「これからは、お前たちがやる番だ」と言って身をひいていった先輩など沢山の人が入っては巣立って行き、発足当時からひき続いて活動しているクラブ員は四人になってしまいました。

私も、楽しさだけで出席したクラブ員から、なんでも反対したくなる野党クラブ員に、一昨年は農業改良部長をかねる副会長に、昨年は会長にと、私とクラブはともに伸びてきたようです。現在のクラブ員は三十七名で、そのうち女子が十五名と他の地区のクラブに比べて女子クラブ員が多く、予算は二十万円強です。

団体を動かすことは、日ごろの生活の中で社会を動かすことと同じであると思う。この団体運営を通じて、農作業の中からは得られない、文章を書き、話す能力や、聞く力、仲間との協調性などが自然に養われるものです。

土地ブームで農地の商品化が問題になっている現在、生活こそ豊かになっていますが、若者たちはゴルフ場に、公務員にと地味な農業から出て行ってしまいます。でも、農地が沢山ある農家や、親たちが農業に大きな夢を揃えている農家では、「どうしても農業をやってもらいたい」と長男に頼むのが現在の姿です。

農業が嫌いなまま農業に従事する、何も農業について知らないで農作業を手伝っている、これが昨年あたりから入ってくる新入クラブ員の姿です。これも地域には農業高校がなく、普通高校や商業高校を卒業した人たちでは無理もないと思う。ですから、プロジェクトの意義も知らなければ、農協についても知らない。これと同数の女子クラブ員が同じような考え方をしています。

別にあと継ぎでもなく、ただ父や長男が農業以外の職業で働いているために、農作業を手伝いながら、習いものに行っている。このようなクラブ員に対して、いかにしたら農業が好きになり、自分からやる気を起こさせるにはどうするかがクラブ活動の課題、目標でもあります。

クラブ員は同じ悩みをもつ者同士ですから、まず話し合いをなるべく多くもつようにし、見学旅行の名目でドライブを計画する。レクリエーションやスポーツを多く取り入れ、先輩、後輩の差がないような行事を多くする。県の大会や研究会、講習会に先輩クラブ員が一緒につれて行く。プロジェクトは共同プロジェクトを中心にして、それから個人プロにすることでプロジェクトの意味や必要性を知らせることができる。共同ほ場を持つことによって農業への親しみを増す。

このような活動を中心にしていくことによって、いままで親に勧められて出席していたクラブ員も、いつの間にかクラブの中心人物になってきます。女子クラブ員も、農業の素晴しさ、作業の楽しさなどを理解していくようです。現に、いままで十人以上の女子クラブ員が結婚しましたが、全員が専業農家に嫁いで行っています。また男子クラブ員も、経営においては、いつの間にか、酪農、野菜などの部門を受けもつように成長しています。

A君の場合をみると、親から息子をクラブに入れて下さいという話しがあったので、役員三人が本人に会いに行ってみると、全く農業などやる気がないと言い張る。「T」も以前は先生にでもしようと思って普通高校に進学させたので当然かも知れないが、いまの家の状態ではどうしても農業を継いでほしいという願いでした。そこに私たちが行ったのです。

私は、A君に一年間がまんして家にいてほしい。そして、4Hで俺たちと一緒に活動しようと計画表を見せて仲間にしました。親には「一年間息子を遊ばせたつもりで4Hに入れて下さい」とお願いして、それ以来活動を一緒にやってきました。そのA君も一年間もたたないうちに、自分から雨の日でも水田に行くようになった。

クラブ活動で一緒に歌をうたった友も、ホークダンスで手を取り合った仲間も夢中でやっている農業、それを見せつけられたのでは、自分もそうあまえてはいられません。

私たちは、将来、日本の農業を背負う社会人にならなければなりません。そのためにも、私たちは4Hクラブの活動をしているのです。農作業を夢中になってやらせることより、4H活動を夢中になってさせることによって、農業に夢中になり、農業、自分の経営の道を切り拓いて行く原動力になるのではないでしょうか。

（つづく）

青春と仲間

「農業の曲り角」に思う
交錯する期待と不安感

埼玉県比企郡川島村・三保谷4Hクラブ 猪鼻文明

ここ数年来「農業の曲り角」と言われてきましたが、私が思うには、いま、いやこれからが本当の農業の曲り角ではないでしょうか。

私の住む埼玉県も新都市計画法が施行され、着々とその計画が実施されつつある今日、農民ー農村青年の悩みはますます大きくふくれ上る一方ではないでしょうか。転業すべきか、あるいはこのまま農業に専念すべきか……このバスに乗り遅れたら？転業するなら若いうちに、自分にあった職業を…でも、この土地を手放したら…など、いますぐに解決できない悩みは青年の胸に大きく波打っているのではないだろうか。

その反面、新都市計画法が施かれ、地価が値上りして、高速道路が通り、これからどのような姿に変わるのだろうかと、心のどこかに不安と対照的に抱いているといったところが、近郊農業地域の隠せぬ悩みではないでしょうか。

新都市計画法が施行されて、工場が誘致され、住宅が建ち並び、そして道路が通るという複雑化した中で農業をやる。考えようによれば、生産物のはけ口ができ、輸送面、その他あらゆる面において多くの利点があることは言うまでもありません。しかしその反面、農民の耕地は買収され、工場の誘致などにともなう弊害は免れることはできません。そんな悩みに直面している、あるクラブとの話し合いの席上、はからずもその問題が出されました。

同地区でもますます離農者の数もふえるという状態であるとのことですが、「いまの新都市計画法の状態では、私の考えは決まらないので、しばらく時の流れを見ていきたい。そして、その場に直面したらまた考えます」という意見が数多くありました。

そんな不安が多く、孤独になりがちな農業、より楽しく、しかも繁栄させていくために、4Hクラブは大きく役立つのではないでしょうか。

あるクラブ員は、こんなことを言っていました。「農業は、孤独、いや自分との闘いであり、自分に勝ってこそ、立派な農業経営ができるのである」と。

たしかに、孤独は苦しい、そして孤独に耐えることこそ精神修養になり、それが農業を営む上の心の礎え、支柱になるかも知れません。しかしその前に、農業技術があってこそ、そのものが生かされるのではないでしょうか。その農業技術を楽しく学べる4Hクラブは、私たち農村青年の心のよりどころではないでしょうか。同じ職業の若人がそれぞれの悩みを語り合う。どんなに励まされ、素晴しいことではないでしょうか。

そして、4Hクラブの特徴は、プロジェクト活動にあり、4Hクラブは実践を通して四つのHを磨き、心のH、友情や誠実を中心に結びつけた有能な人材になることをねらいとしているものであり、その活動が生命となります。また実践を通じて学ぶことが4Hクラブの鉄則であり、最高の勉強の方法であると私は思います。実践を通した体験こそ本当にその人の血とも肉ともなるものです。

4Hクラブ活動はやらされるものではなく、やらねばならぬものであります。あくまで、実践をともなう体験集団なのであり、課題を解決し努力を積み重ねていくことに価値があるのです。

各地のグループの中には大変活発に、そして楽しく活動し、また仕事の面でも張り切ってやっている人が沢山います。ですから、今後もより多くの人々と交流してみずからの心を豊かにしグループ活動をより発展するよう頑張りたいと思います。

ブルガリア館

敷地面積……3,600㎡

展示館は、ブルガリの代表的な山脈〝バルカン〟を象徴した建物。入口へ続く小道は、ブルガリアのじゅうたんを模した石たたみで、そのまわりには、ゼラニウム、つげ、ブルガリア・ローズなど、特産の花が植えられます。

世界地図のある入口をはいると最初の展示場。ここでは、ブルガリアの民族的、政治的解放の歴史と闘争をもりこんだ〝伝統ある古代文化国家〟としてのブルガリアが紹介されます。そこを出たところには、常時上映の映画サロンがあります。

エスカレーターで2階にのぼると、機械建設、農業、建築科学、保健、その他、あらゆる方面で成果を上げている〝社会主義国家〟としてのブルガリアが紹介されます。また、芸術分野の特別会場が設けられていて、ここでは、世界的に有名なブルガリアの歌手の歌を聞くことができます。

最後の部門は、〝観光国ーブルガリア〟についての展示で、避暑・避寒地、黒海の美しい景色などが紹介されます。このほか、古典調を現代風にとりいれたレストランがあり、ブルガリア料理が楽しめます。

<日本万国博覧会展示館の紹介>

山陰の地で"4Hの祭典"開く

第五回全国4Hクラブ員のつどい

開会式　華々しい「つどい」の開幕。壇上右側に来賓、左側に主催者が並び、四つ葉のマークも鮮やかな県連旗をバックにあいさつする黒田全協会長＝鳥取県米子市公会堂で

炎天下、友情を誓う

参加者は増加一途　「会館建設」募金に拍車

青年の自主的な企画、運営と自費参加を旗印とする青年のための、青年による、青年の大会―全国4Hクラブ員の一大祭典「全国4Hクラブ員のつどい」は第五回を迎えて、さる七月二十七日から三十一日までの五日間、山陰の地・鳥取県米子市と大山を主会場として、全国4Hクラブ連絡協議会（会長、黒田保君）鳥取県農村青年会議連絡協議会（会長、安住秀雄君）社団法人日本4H協会（会長、松下幸之助氏）の共催、農林、文部両省、総理府、鳥取県などの後援によって盛大に開催された。回を重ねるごとにふえ続けてきた参加者は、今回も全国各地から4Hクラブ員を中心に、OBや家族、篤志指導者、県庁、農業改良普及所、農業団体の各関係者、4H協会の招きで来日中のアメリカ、台湾両国代表の"草の根大使"（4Hクラブ員）また、ブラジルの4Hクラブ員、地元農業高校生など、昨年と同じく約一千五百名に達した（開会式）とくに今回は県外参加者の数がふえて、さらに増加の傾向をみせた。地元の鳥取県連では三十名を上回る運営委員を動員するとともに、つどいに参加する県内のクラブ員全員が赤色のユニホームを着用して意識の統一を図り、県連あげて、つどいを成功へ導いていった。一方、参加者は、みずからの意志と費用で参加したという意識と自覚のもとに行動し、開・閉会式、大山登山、散策、レクリエーション、話し合い、自由交歓、キャンプファイヤー、現地交歓訪問などの行事を通じ、やけつくような炎天下で友情をつちかった。このつどいで、みんなの胸にともされた炎、成果は、やがてそれぞれの地域でさらに仲間に分かち合われ、大きな炎となって燃え上るものと期待される。

募金ガール登場

一日目　真夏の太陽が容赦なく照りつける米子市。貸切りバスで乗り込んだ佐賀、大分、愛知各県のクラブ員をはじめとして次々に参加者が到着、市内の目抜き通りはときならぬ全国の4Hクラブ員の訪ずれで色めきだった。

長かったようで短かったこのつどいまでの道のり。ついにその日がやってきた。会場の米子市公会堂は正午の開会式までに約一千五百名の参加者をのみ込んでいた。

正午過ぎ、するすると幕が上った。次の瞬間、地元農業高校生のブラスバンドが吹奏する三百六十五歩のマーチが響き渡り、それに合わせて大鹿全協副会長のもつ全協旗を先頭に全国各県連旗の堂々たる入場行進がくりひろげられた。わき起る拍手。感激と緊張感が交錯し、冷房のきいた大ホールも若人の熱気で温度は急上昇。

久野全協事務局長の司会により小原同副会長が開会を宣言。全員起立して国歌斉唱のあと、主催者あいさつとして、まず黒田全協会長が感激に声をつまらせながら、金もなければ参加者も少ないという五年前に大分県で開かれた第一回のつどいから思い起し、いま第五回を迎えた喜びを感慨深げに語りかけ、また「曲り角とも、また曲り切ったといわれる日本農業を自主独立の精神で根底から改革し手を取り合って無限の可能性に挑戦して日本農業を前進させよう」と力強く呼びかけた。

ついで安住鳥取県連会長は、現在、昭和元禄といわれ安泰の中で生活しているが、農業はむしろ戦国時代である。付和雷同することなく信念をもって努力しようと訴え、また、4Hクラブが始められてから二十年余過ぎたが、いまこそ、4Hのプロジェクトを再認識し農業を見直す必要がある。そして自分たちの次の世代が自信をもって寄せるような土台を作ろうとあいさつ、さらにトロフィーのそばに飾られている折り鶴は、つどいの成功を祈って県内の小学生から贈られてきたものであるがこれも家族ぐるみのクラブ活動の一つの姿として嬉しいとつけ加えた。

続いて、宮城4H協会副会長は4H協会の性格について、クラブ員のPTA的存在、援助団体であることを説明したあと、このつどいの特色が、全国の青年が自分たちの手で企画から運営までのすべてを行ない、しかも友情をつちかい、仲間をつくり、明日の農業を語ることによって新たな意気にもえるのが大きなねらいであり、そして4Hクラブという名のもとに全国のクラブ員が集まってくることであるとあいさつ。

また、4H会館の建設について触れ、松下会長もみなさんが募金した額と同額の資金を寄金することを約束しているので、まずみなさん自身の力を示してほしいと、募金の協力を呼びかけた。

ついで、金田鳥取県農林部長（石破県知事代理）から歓迎のことば、来賓祝辞として、田所農林省農政局普及部長が長谷川農林大臣（国会開会中と日米関係会議のため欠席）の祝辞を、また、鳥取県議会副議長が同県会議長の祝辞をそれぞれ代読、次に河合米子市長からユーモアをまじえて激励のことばが述べられた。

最後に、OBを代表して全協の二代目会長である浅野俊雄氏（島根県会議員）が立ち、さる三十三年三月、東京大学の一室で全協結成のために参画した一人として、このように盛大な大会が青年の手によって行なわれることは感慨深く、喜ばしい。当時も、自分たちで大会をもちたいと考えたが、心あせれど身がともなわずに友と肩を組んで泣いたことがある。日本の工業は世界三番目となったが、農業もやはりのし上げることができる。この鳥取のつどいを起点として世界にたち向っていくような力強い火花が燃え上っていくことを期待すると激励した。

このあと農林省、鳥取県、講師、関係機関、地元関係者、全協OBそれに4H協会の会員など多数の来賓が紹介され、佐藤首相、松下4H協会長はじめ衆議院議員、関係青年団体、全協OB、各県連役員などからの祝電が披露された。鳥取県連副会長の閉会のことばで終了した。

ひき続いて「青年とその無限の可能性」と題して、元京大学長・平沢興氏（現在、同名誉教授、医学博士、日本学士会員）の記念講演が行なわれた（内容は二面に掲載）

休憩のあと、4H会館建設委員会、遠藤事務局長の司会で会館建設について説明が行なわれた。

梅田同建設委副委員長のあいさつのあと、遠藤事務局長が募金の現状について報告、非常に厳しい中でも着実に募金活動が進められているが、さらに絶大な協力をと呼びかけた。ついで、今回初めて登場したゆかた姿の"募金娘"五人（鳥取県内の女子クラブ員）が紹介され、さっそく募金箱をもって参加者の間をまわって歩いた。

一方、壇上では、愛知県の古川喜美子さんが「私たちの手で4H会館を」と題して、募金と取り組んでいる同県の姿を紹介し"一人ではできないことも大勢集まればできるのだ"という青年の意気こそ、何ものにも替えがたい大きな力となり自信となるものと信じます。各県が足並みをそろえて自分たちの力を示そうではありませんかと呼びかけ、参加者のかっさいを集めた。

また麻生浩一元全協副会長（大分）は、現状は決してなま易しいものではないが、心のかよった4H活動を進めるためにも、クラブ員が心から話し合える自分たちの殿堂を建てよう。他人が作ってくれた道はすぐ忘れるが、自分が迷いながら努力して進んだ道は忘れられないものであると。さらに浅野氏も、この会館建設への決意を高く評価し、現在、農業には悪条件が横たわっているが、この会館建設に4Hの心、愛情を示そうではないか、そして自主的な4Hクラブとなるためにも、その実行力をつちかおうと強調。

最後に黒田全協会長（会館建設委副委員長）が自分が歩んできた4Hクラブ活動十年の足跡をふりかえりながら「口で言うより実践しよう、先輩が決めたことを実行していくのが自分たちの責任、使命であり、それが青年である」と訴えて募金の協力を求めた。

四時三十分過ぎから鳥取県連主催の歓迎レセプションにうつり、鳥取農高生有志による貝殻節はじめ各地区の保存会や地元有志によって笠踊り（江府町）かべぬりさんこ（三朝町青年団）大山小唄（西伯地区）安来節などの郷土芸能がにぎやかに披露された。参加者は声援を送り、またわれを忘れて旅情を味わっていた。

このあと、バスを連ねて標高八百米の大山に向い、夜は、五つの宿舎でそれぞれ交歓し、明日の登山にそなえた。

視界ゼロの大山頂上　だが、すがすがしい夜明け

二日目　大山登山組みは真夜中の二時に起床、地元山岳会員の注意や説明を受けたあと、三時、散策組みに送られて出発。若い人たちばかりのせいか、かなり早いペースである。道幅が狭いうえに直線が多く、しかも急だ。それにところどころ木の根っ子が出張っている。周囲は暗く、懐中電灯だけが頼りだ。次第に石が多くなる。息遣いを（？）しているだけに、じっと汗ばんでくる。

しかし、みんな元気だ。登山と休憩をくり返えすうちに、だんだん足もとが明るくなってくる。歓声がこだまする。女性を助ける男子クラブ員の姿も見える。

さきほどまで頭上に聞こえた鶯の鳴き声が足下に聞こえるころ、はるか眼下に街の明りが見えてきた。しかし、霧は濃くなるばかりだった。強まる風に汗も消えて、冷気がからだを包んだ。こうして五時半過ぎ一七一三米の頂上に達した。写真を写せないほどの濃いガス。だが、そのガスの合い間をぬって見えるすばらしい光景に「苦労して登ったかいがあった」と誰かが叫んだ。苦労のあとのすがすがしい気持がみんなの心にあった。

朝食をとり約一時間休憩したあと下山。こんどは登り道とは違いブナの木々の間をぬって走るようにして下りた。登りの緊張感とは異なり、登山者に声をかけ、あるいは記念撮影するなどして交歓しながら足を進めた。

南光河原スキー場に下りて、大神山神社で散策組みと合流したが、猛暑が待ち受けていた。

十一時前、バスで鍋ケ成へ移動（車中で昼食）、まずカラ松を各県三本ずつの割合で記念植樹し、"4Hの森"の標識をたてた。続いて、こげつくような炎天下でレクリエーション。日本レクリエーション協会の清水良隆氏の指導でゲームやフォークダンスなどで楽しく過ごし、歓声を周囲の山々にこだまさせた。

このあと各班に分かれ、ナラの木陰に腰を下して話し合いを行ない（主な内容は三面に掲載）各自が用意してきた郷土品を交換しあった。ついで鳥取の思い出を記す時間であったが、黒田全協会長から翌日から二泊三日にわたって行なう現地交歓訪問について説明があった。

陽がかげり、山々が夕闇に包まれるころ、小原全協副会長と鳥取県連役員の指導でキャンプファイヤーがくりひろげられた。

「遠き山に陽は落ちて」のハミングとともに、遠くにともされた小さな炎がするすると近づき、黒田営火長の持つタイマツへ、そして営火長から四つのHに分火、やがてマキに点火された。炎は赤々と燃え上り、夜空の中に吸い込まれていく。厳しゅくで幻想的な火の儀式。こうしてつどいの火は奈良から鳥取に運ばれた。

黒田営火長のあいさつに続いて全国農村青少年教育振興会の井上理事から「この火は諸君たち青年の火です。木は古いものもあり新しいものもある。古い木を燃やすのは諸君たち青年である」と激励のことばがあり、このあとアメリカクラブ員などをまじえて各班ごとに出し物を競演し合った。

最後に全員が肩を組んで4Hの歌を合唱してこの感激をかみしめたあと、黒田営火長と新田4H協会事務局長のあいさつと激励のことばがあり、蛍の光の歌声とともに、鳥取県連のクラブ員が持つタイマツに送られてバスに乗り、宿舎へ向った。

涙さそった体験発表　現地交歓訪問で友情深める

三日目　参加者は荷物をととのえ、バスに分乗して米子公会堂へ。午前九時過ぎから、このつどいで発表してもらうために全国から募集したクラブ活動についての意見・体験文の入選者五名の表彰が行なわれ、代表して篤志指導者の根本久夫氏（茨城県）に新田4H協会事務局長から表彰状と記念品が手渡された。

ひき続いて、入選者によるクラブ活動についての意見と体験発表が次の順序で行なわれた。

意見ではクラブ員の部として、岐阜県海津郡南濃町、南濃町4Hクラブの伊藤光明君（現在、農林省・中央農業者大学校二学年在学中）が「4Bクラブを伸ばすために」、また指導者として茨城県稲敷郡東村、同村村長の根本久夫氏が「私の青年運動」と題して。

体験では、クラブ員として、千葉県佐倉市大篠塚、佐倉4Hクラブの岩渕直雄君が「私の4Hクラブ活動」、同じくクラブ員の部で埼玉県入間郡富士見町、南畑4Hクラブの砂川みさ子さんが「クラブ活動と私の青春」、指導者の部では、愛知県知多農業改良普及所の山田立夫氏（普及員）が「私の4Hクラブ指導」と題してそれぞれ自分の体験を通じ、4Hクラブ活動を今後より盛んにするための意見や体験などを発表された（内容は逐次掲載予定）

ついで米子東高校生のバンド演奏が行なわれたあと、石破鳥取県知事を迎えて閉会式に入った。

久野全協事務局長の司会によって前田鳥取県連副会長の開会のことば、国歌斉唱について黒田全協会長が、この大会をふり返えると運営面などで十分でなかったが、同じ農業で働いている人たちがやっているのである。このつどいを迎えるために傾けた多くの人たちの努力、情熱をもう一度よくかみしめてほしい。また、このつどいの意義などをよく考え、4Hの発展を誓って頑張ろうと呼びかけた。また安住鳥取県連会長は、壇上から参加者席に下りて、これから現地交歓訪問に行って鳥取県のクラブ員の姿、鳥取農業の一部でも見てもらいたいと思います。問題も数多くありましたが、きのうの感激を明日からの活動のジャンプ台にしようではありませんかとあいさつ。

次に新田4H協会事務局長が、4H協会としてもこのつどいの主旨に絶大な賛意を示している。4Hは自分が自分を磨く場で、自主性が尊ばれ、4Hこそよい勉強の場であると思う。このつどいの成果を単に自分だけにとどめずに、仲間と手をつないで明日からの活動に頑張ってほしいとあいさつ。

続いて、来賓祝辞として、石破鳥取県知事は、稔り多いつどいであったと信じます。参加者がそれぞれ地元に帰って、このつどいで得た成果を友人に分かち、4Hの考え方を全国に広がるよう努力されることを期待します。農業は非常に難しい状態にある。農産物の価格をみても、日本は外国の二、三倍もする。日本の農業従事者が外国のそれらの人よりよい生活をしているかというと、外国に比べて低い。この矛盾の解決なくして農民の仕合わせを考えることができず、農業の安定なくして日本全体の産業の安定を考えられないと強調された。

祝電披露について4Hの歌を斉唱、霜田全協副会長の閉会のことばで終了。続いて全協旗を先頭に、拍手のうちに県連旗が退場した。

このあと、それぞれの地区ごとに現地交歓訪問へ向った。

この交歓訪問は、行事の中で大きなウエイトを占めており、つどいの特色の一つともなっているもの。とくに今回は、キャンプ、海水浴、施設見学などそれぞれの地区で特色ある行事がくりひろげられ、仲間づくりや家族ぐるみ活動、鳥取農業の勉強など大きな効果を上げた（詳細は逐次掲載予定）

心頭技健

毎日、自分の家の田畑で働き、クラブ活動を行なっている全国のクラブ員が、自分たちで金を出し合い、自分たちが企画、運営して自分たちの大会を開く▼しかも誰れ一人として労働の報酬を受けるわけでもなく、労働組合のように相手があって交渉するわけでもなし、それによって目に見えた結果がすぐに出るわけでもない。それなのに、農林省などが行なっている全国大会を上回る大規模な大会が花々しく開催され、大したアクシデントもなく幕を閉じる。それ自体が不思議なくらいであり、そのエネルギーがどこから生まれるのか、驚く人も少なくない▼貸切りバスやマイクロバスをチャーターし、汽車、電車を乗り継ぎ、乗用車、あるいは自転車で何日もかかって真夏の太陽の下を苦労しながらやってくる。ユースホステルなどに泊って方々の土地をまわりながら訪ずれるクラブ員もいる。奥さんや子どもを連れたOB、婦人同伴の来賓など、みなが友を求め、青年の若さと実践力を期待して全国各地から集まってくる。なんと素晴しいことであろう▼もちろん、先輩の血のにじむような苦労があり、それぞれの町村や指導機関、団体、民間人など周囲の共鳴と温かい思いやり、援助の手があったからだが、やはり、青年の強い決意と実行力がここまで盛り上げてきたといえる。炎天下で肩を組んで泣き、笑い、感激し、また明日からの活動に意欲新たにするということは、青年だからこそできるのであり、そのにごりのない情熱が大会の雰囲気を快いものにしている▼しかし、官製的な大会と違って厳しい規制がなく、専門的にそれだけにとりかかっている人がいないために、どこかでしわ寄せを受けていることを忘れてはならないし、大会を成功させるためには参加者一人ひとりの責任ある態度と協力が必要であることを強く自覚すべきである。いくら鳥取県連の人たちが頑張ってもから回りするばかりである。自主性の高揚はつどいのねらいの一つでもあるが、クラブ員が日常の活動においてこその精神を養い、発揮することが必要であろう。

日本4H新聞
4Hクラブ　農事研究会　生活改善クラブ　全国弘報紙
発行所　社団法人　日本4H協会
東京都市ケ谷家の光会館内
電話（269）1675　郵便番号162
編集発行人　玉井光
月3回・4の日発行
定価　1部　20円
一ヵ年700円（送料共）
振替口座東京　12055番

クラブの綱領

私達は実践を通じて自らを磨くとともに互いに力を合わせてよりよい農村、よりよい日本を創るため四つの信条をかかげます。一、私達は農業の改良と生活の改善に役立つ腕をみがきます。一、私達は科学的に物を考えることのできる頭の訓練をします。一、私達は誠実で友情に富む心をつちかいます。一、私達は楽しく暮し元気で働くための健康を増進します。

「第五回全国4Hクラブ員のつどい」特集号

青年とその無限の可能性

つどいの講演

元京都大学学長　平沢興氏

優れた日本人の知能　独創は意志と情熱から

人間の頭脳には百四十億の神経細胞

今日は、みなさんは4Hクラブ員であります。農村の推進的、中心的人物として、将来の日本を農業の面から背負って立たれようとするはずであります。

さきほどからいろいろお話がありましたが、私は、4Hクラブの四つの信条は、まず頭・ヘッド、ハンド・手、ハート・心、それから健康・ヘルス、こういうものについてみなさんとともに、広い立場から、あるいは学問的な立場から少し考えてみたいと思います。

まず、ヘッド、これは資本といっていいと思うのです。知能の面は人類全体として考えてみて、まだ、百四十億の精神中枢、大脳表面にあります精神の本部、そこに百四十億の神経細胞がありますが、それを全部利用した人はまだない。

天才といえども利用した人はありません。これはいろいろ調べてみますと、百四十億の細胞が全部発達しているわけではないのであります。

例えばベートーベンの脳を調べてみますと、音楽に関係するところは大変に発達しているのでありますが、その他のところでは平凡人に比べても負けるような部分があるのであります。

そういうようなことで、人類全体としてみても、まだ、まことに与えられたものを利用しているところまではいっておりません。

科学的に証明された日本人の優秀性

しかしこの点については、とくに私は、日本人は大変知能的には恵まれているものであるということを、科学的な立場から申し述べてみたいと思います。

それはスタンフォード大学のラーシイという人の知能検査があるんでありますが、これは十二才の世界、米国、日本、イタリヤ、スペイン、ポルトガル、そういう国の子どもについての知能検査があるんであります。これは英語を用いますとやはり英語を話さない国の子どもは損をしますから、英語を用いない方法でやりますが、そのときのスタンフォード大学の成績は、日本の子どもが七九・五、アメリカの子ども、北米の子どもが六八・三、イタリヤの子どもが五四・〇、スペインが五二・七、ポルトガルが五二・五で、これは学問的な事実でありますから、日本の手を加えた数字ではなく、日本で調べたものでもないわけであります。

ただ、この場合、学問的に申しまして問題がありますのは、二十歳位までは日本人は非常に俊敏な優れた頭をしておるが、それ以後では、歳がいくとだんだん駄目になるというような問題があるのであります。この問題はまだ学問的には解決されておりません。二十歳を越しますと知能検査が難しくなります。少年少女に対するようにちょっと簡単にはいかんのです。

しかしいずれにしても、日本の若者が優れた知能を持っておるということは、これは絶対間違いない事実です。

同時に、みなさんも新聞でお読みになった方もあるかと思いますが、ことしの七月二日ですか、ベルギーのブリッセルで、少年工の技能オリンピックというのがあったのですが、これはもう何年か前からやっておりますが、そのときの日本人の成績は全体として世界一であった。金、銀、銅、また総合点でも世界一であった。

これは今年のオリンピックだけが世界一ではないのであります。昨年と一昨年はちょっと悪かったが、ずーっと良好であります。今年は金メダルがが九つ、銀メダルが二つ、銅メダルが四つであります。二十三人出てこれだけのものを獲っております。

このことは直接農業とは関係しませんが、日本人の知能というようなものを考えた場合、やはり大事な点であります。

世界のトップを行く日本の学者たち

それならば次に、それだけ優秀ならばノーベル賞など貰っているのは少いじゃないかという疑問が起きるかと思いますが、現在、実際ノーベル賞を貰っているのは湯川秀樹博士と朝永振一郎博士、川端康成氏、三人だけであります。

しかしながら、かつてのガンの研究における山極勝三郎という東大の教授があります。それから北里柴三郎、これはもうご他界になって、おられませんけれども、これがその後になりまして、例えば北里博士などはジフテリヤの研究で、ノーベル賞を貰ったベーリングなどは研究に困りまして、どうもうまくいかないということで結局、北里さんの知恵を借りて、手伝いをしてもらって研究を続けることになって成功したのであります。

こういうようなことから考えると、当然、ベーリングという人はノーベル賞を貰ったのでありますが、北里博士が貰うべきであったと思います。

ガンの研究についてもそうであります。これらのことは余り専門的になりますから申しませんが、決して、日本人の知能というものは世界的にみてレベルの低いものではありません。

それは、特に国際学会などではっきり判るのであります。国際学会などへ出てみますと、三十五、六から四十、三十から四十位までの中に優れた世界的な学者がたくさんおります。堂々とノーベル賞級の人と論戦を張って少しも負けないのであります。そういうんで、日本人の知能というものは、一度の点は決して心配はないものであります。

いまさきほどからお話がありましたが、日本の農業についてもいろんな問題があると思います。

みなさんはその知能の面については充分信頼していいものを本来持っておられるということを、私は信じて疑わないものであります。

頭が悪ければ物真似もできないはず

それからハンズ、これはいろいろありましょう。技術面、さきほどの技能オリンピック、あれなどもこのハンズ、技術面の方に入れていいかも知れません。

これもみなさんすでにご承知のように日本人は物真似はうまいけれども独創性がないということを、私どもは子どもの時から嫌になるほど聞かされたものです。いまでも、そういう話は聞くのでありますが、模倣、物真似をするということと、独創ということは別のことではないのであります。

頭が悪ければ物真似もできません。やはり、この熟練に、熟練を重ねて、それからこの新しい独創がでてくるのであります。物真似と独創とは続いている、親戚続きのものであります。

模倣があるということは、同時にもし情熱があるならば、模倣のところでそれで満足をすれば別でありますが、もし情熱という逞ましい意志と情熱があれば、模倣力というものは同時に独創力に繋がるものだということを確信してやみません。

実は、さきほど申しました私どもの大脳の表面、百四十億の神経の細胞があると申しましたが、それはさらに細かくみますと、分け方によって違いますが、まあ、少くとも五十位の場所に、それぞれ別の場所に分かれるのであります。その別の場所は如何ようにお互いに連絡をするかということで、模倣とか独創とか決ってくるのであります。

日本人は模倣力はうまかったが独創力はなかったということは、これは誤った見方であります。模倣力もあるが、独創力があるのに発展しなかったのかも知れません。

日本の社会というものが、それほど余り立派な研究をすると首を切られたなんていう時代があるんですね。そういうようなこともあります。それはまあ、西洋にもあります。

まあ、この頃は月着陸などということは大きいことでありますが、一五四三年には地動説を、太陽の周りを地球が廻るんだという学説を出して火あぶりになった人がおるんであります。そう、火あぶりになったのは一六〇〇年です。ジョルダーノ・ブルーノというイタリアの学者であります。太陽の周囲を地球が廻るんだという地動説を称えだして火あぶりになる、それは一九四三年であります。

そういうことを思いますと、現代はやはり文化の時代だと思うのであります。

身につけたい広々とした大陸的親切

それから第三の、このハートの問題でありますが、これはまあ、この点では日本人が非常に優しさといいますか、細やかさといいますか、そういうものを持っておる。ある意味で非常に親切であるということも、これも世界的に定評のあるところであります。

しかし、これはただ手放して喜んでばかりはいられんのであります。どう申しますか、本当に広々とした大陸的な親切、そういうものになりますと、どうもまだ日本人は、私自身などもそうでありますが、世界の中では田舎者であるという点もあります。

説明はちょっと難かしいのでありますが、日本人はやはり、だがみなさんはだんだんと多少成長しておられると思います。よく、近頃の若い者は利己的で、我ままで、どうとか、こうとかいう人がありますが、実は必ずしも、そういうふうにみては正しくないのであります。やはり、さきほどから自主性という話がでております。自分に対する、自主的にものをやろうという場合に、下手をするとそんなふうになるかと思うんです。

例えば、こんどのアポロ11号の月着陸の仕事をみますと、あれは二百四十億ドルという金が使われておるそうであります。人員にしても延べ人員が使われておるのであります。

しかし、その中で、金の面もそうでありますが、こんどのアポロ11号の成功に対して一番大きな、そして日本では例えばそれだけの組織が与えられても、現在のままではどうもで言難いと思うのは、多数の人間の協力であります。

大勢の人間が一つの目的に向って余りこまかいことをいわないで、感情に走らないで、指導者のこの優れた指導に従って仕事をするということは、きわめて簡単のようでありますが、なかなかできないのであります。

日本でも総合研究というものはあります。ありますけれども、日本の総合研究はとかく大きな問題だけをあげて、その一部分だけを、そのまた一部分をそれぞれの人間がバラバラにやる。そんな感じがするのであります。

このことは、私自身も日本人でありますから、私自身を述べているような欠点があるのでありますから、なかなか判らんものでありますが、多くの人間が立場だとか感情とかを捨てて、一つの目的に気持よく、本当に心から気持よく協力するということは、確かに、日本人は不得手のようであります。

これは、あえて学問的な研究だけでなくとも、農村などにおいて仕事をされる場合でも、我慢をして、何といいますか感情を抑えて云々と、それでも感情を抑えないよりはよいのでありますけれども、できれば、そんなふうな、そんなつまらんことについて、神経質になるのではなくして、本当に腹の底から喜んで手を握りあって、お互の知恵をしぼり出しあってやるということになれば、その結果は非常に大きいと思んです（つづく）

鳥取のつどい写真特集

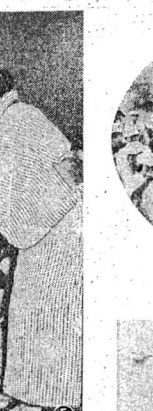

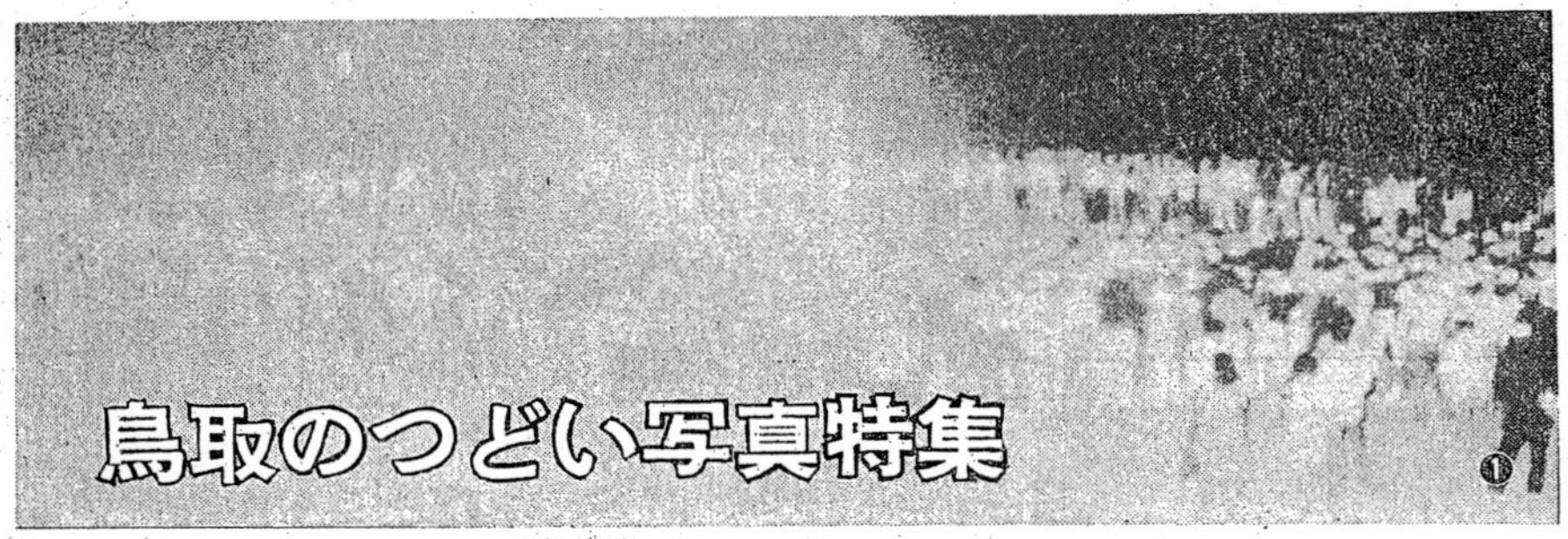

①

②

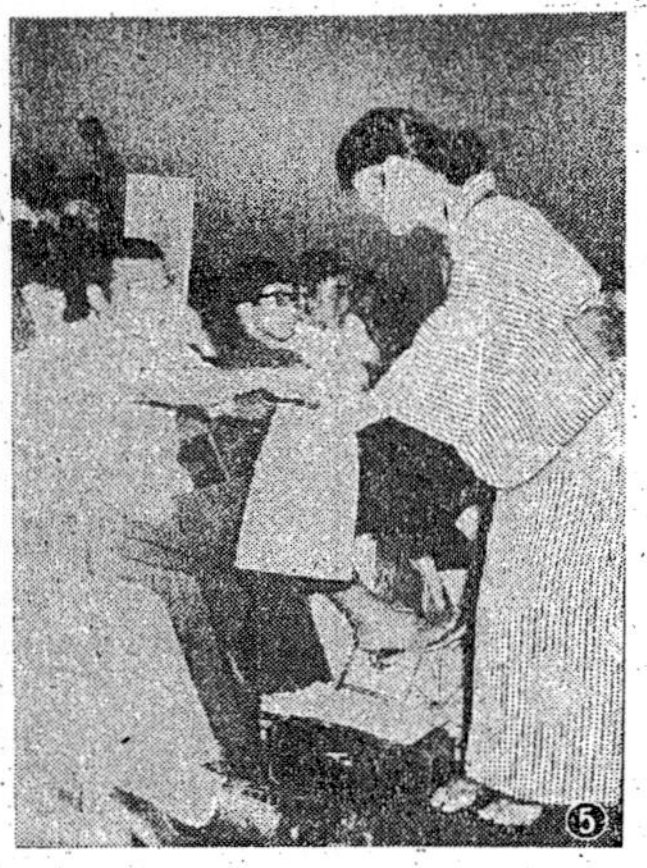

⑤

③

⑥

④

実践力に期待する
長谷川農林大臣祝詞

本日、ここに第五回全国4Hクラブ員のつどいが開催されるに当り、一言お祝いの言葉を述べさせていただきます。

このつどいは、明日の日本農業の担い手として日頃から農業経営や農家生活の改善に励むとともに4Hクラブ活動を通じて自主性の高揚に努めている諸君たちが自らの手で企画し、運営するつどいであると聞いておりますが、このつどいが、回を重ねるごとにますます盛んになり、また一段と充実されてきておりますことは誠に喜ばしいことと考えております。

この力強いつどいに参加された諸君たちの中に、農業の将来性を信じ、規模拡大に強い意志をもち多くの困難な制約、条件を克服しながら経営の改善に取り組んでいる人たちが数多く見受けられますことは、これからの農業にとって明るい面であり、誠に心強いところであります。

わが国農業の現状をみますと、昨年は二年続きの米の大豊作により需給が大幅に緩和されたほか、農業をとりまく国際情勢は、農産物の輸入増大を求める国際的要請が強く、体質的にも克服しなければならない多くの困難な問題をかかえております。

このような情勢に対応して、政府といたしましても、農産物需要の動向に即応しつつ、食糧の安定的効率的な供給を確保し、あわせて農業者の所得の向上を実現し、農業を魅力あるものにし、住みよい豊かな農村を建設するため、各種の施策を鋭意推進しているところであります。

また、諸君たちのような今後の農業を背負うべき農村青少年が、自主的に行なう研修活動については、円滑に実施できるよう従来から農業改良普及員等が日常活動を通じてその援助に当っているほか都道府県や団体が農村青少年の自主的活動を基礎として行なう各種の研修教育や集団活動促進のための技術交換大会、青年農業者会議等に対し助成してきているところであります。

しかし、それらの施策がその効果を十分に発揮するためには、自らの経営と生活の改善合理化に情熱をもち、清新な創意と旺盛な実践力をもった青年農業者諸君に期待するところが誠に大きいのであります。

どうか、この大会の成果を諸君の仲間たちと十分にわかちあうことにより、明日からの実践活動をさらに力強く押し進められるよう心から期待しますとともに、このつどいの成功をお祈りして私のごあいさつといたします。

クラブ活動と私の青春

つどいの体験発表

埼玉県入間郡南畑 南畑4Hクラブ 砂川みさ子

好きで農業の道へ 充実した悔いない活動

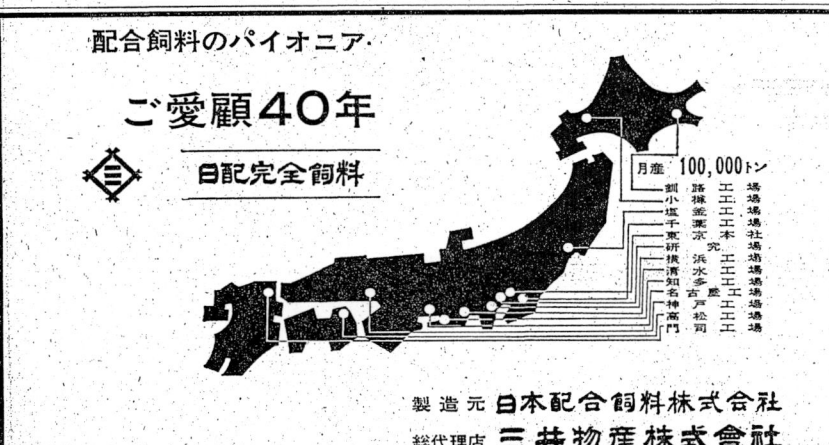

◇土への愛着感じて◇

私が農業の道に入ろうと決心したのは、たしか中学に入って間もなくの頃でした。兄にめぐまれていた私は、とくに人手が足らないというわけではなく、幼い頃から好きだった花や動物を育てることがいつしか農業に結びつき、高校進学を勧める先生の反対を押しきって、中学校を出ると伝習農場で学び、なおいっそう土への愛着を感じるようになりました。

翌年、都会の空気もすって来いという理解ある父の意見に従って、東京の洋裁学校に通いながら、私の農業の第一歩がはじまりました。

その頃、村の青年団はつぶれ、グループと名のつくものは何ひとつありませんでした。そこで、残っている農村青年に呼びかけ、兄を中心に十二名の有志によって、私たちの南畑4Hクラブが発足し、私のクラブ活動がはじまったのです。

その年、昭和三十八年は、ただクラブの土台づくりで夢中にすぎてしまいました。

翌三十九年、クラブの行事が多くなるにつれ、クラブ員の和がいっそうかたまりました。

発足三年目の四十年、私は単位クラブの役員になり、この夏の演示発表会には、クラブ員の協力がみごとに実のり、地区大会の代表に決定、私たち代表二人、母校の伝習農場で開かれた県大会で発表できることになりました。

私にとっては、大勢の人の前で話すことはもちろん初めてでしたが、このときから4Hクラブの重要性を考えさせられるようになりました。残念ながら全国大会への出場は得られませんでしたが、この発表がきっかけとなり、私たち二人に一期研修生として、第一回の九州のつどいに参加しないかという幸運がまいこみました。4Hクラブの意義も、つどいの目的もわからぬままただ周囲の人々に甘えて参加した城南高原での楽しい日々、これらが私のクラブ活動の足がかりになったということはいうまでもありません。

その間、単位クラブをはじめ、地区連、郡連でも活発な活動がつづけられ、人前で話すことのできなかった私も、少しずつ話すことになれてきました。

郡下の二百余名集まったクラブの研修会の分科会の席で、最年少だった私は一言もしゃべれず終ってしまったことが、今でもはっきり思い出されます。このときのみじめさが、かえって私に勇気をもたらし、それからの私は、どんな場所でも、どんなささいなことでも、必ず一言は自分の意見をいうよう努力し、人前で話す練習をつづけました。

◇親の理解のもとに◇

しかし、クラブ活動を通して人と接する機会が多くなるにつれ、農業やクラブ活動に対しての不安や、自分自身の不勉強さが日ましに目立ち、その年の暮れ、静岡県のある優秀なビニールハウス栽培農家に三ヵ月住みこんで、全国から集まった男子研修生にまじって学びながら、静岡のクラブ員とも接することができ、自分自身を成長させるチャンスにめぐまれました。

静岡から帰った私は、もう一度、新しいスタートラインに立って農業を考え、クラブ活動に励みました。

昭和四十一年、再び私は単位クラブの役員をひきうけ、相変らず、研修会やクラブの行事へと手あたりしだい、いろいろなところに出かけて行きました。

毎晩のように、4Hクラブだといって出かける私に、家族の者は何ひとつ不平もいわず、私のからだのことだけを心配してくれておりました。もちろん、世間の人からはいろいろ批判の目も向けられましたが、家族の者だけは私のやっていることを理解してもらえると思うと、それだけで力強くなり、クラブ活動に夢中な毎日をすごすことができました。

この年、第二回のつどいが埼玉で開かれ全国の参加クラブ員に少しでも喜んでもらおうと、女子クラブ員がクズカゴつくりに励んだのも、今となっては、懐しい思い出です。

ただ一人の農村青年として、精いっぱいやったという満足感にあふれて放送局をあとにした、NHK「青年の主張」県大会の出場も、幸運とはいえ、今までの自分をふりかえるとともに、より強い勇気をもたらしてくれました。

◇「青年の船」に乗船◇

明けて昭和四十二年、二十歳の年、私にとって、これほど思い出が多く、すばらしかった年はありませんでした。

クラブ活動五年目の私は、地区連、郡連の役員を受けつぎ、なおいっそう忙しい日日に追われましたが、だからといって、農業や、単位クラブをおろそかにしてはいけないと、強く心にちかいながら、私なりの活動をつづけました。そうした中で私自身外国行きの夢がふくらみ、ひそかにラジオで英会話の勉強をはじめておりました。そんなとき「青年の船」の事業が目にとまり、家族に内諾で応募してしまいました。

この夏の思い出は多く、県教育委員会の県外研修では、兵庫、静岡の団体活動を肌で学び、九十九里浜で開かれた夏の全国大会にも参加できることになりました。

そのうえ、埼玉国体にご出席の皇太子ご夫妻を囲んでの、青年との座談会に県内青年代表十名の一人として選ばれたことは、ただの一クラブ員の私にとっては、まるで夢のような出来事でした。

運命とは不思議なもの、自分でもおそろしくなるほど、幸運はつづきました。夢でしかなかった外国行き、第一回「青年の船」の団員に選ばれたのです。家族の者は女の身でありながらと、ハラハラしながらも、反面、非常に喜んでくれました。

船が東京港をはなれるとき、私は泣きました。家族をはじめ大勢の人の温かさの中で成長し、旅立てる自分を思うと、とてもうれしかったのです。

職業が異なり、年齢がちがい、学歴がちがい、考え方まで大きくちがう青年の船での背中あわせの生活は、今までの私に欠けていた大切なものを呼びもどしてくれました。

そして、言葉、宗教、文化、国民性などのちがいを越えて、各国の青年たちとの心をかよわせた語らいは、短い期間ではありましたが、農業青年という狭いからの中に閉じこもっていた私に、良い意味での勇気と希望を与えてくれました。

◇一クラブ員に徹す◇

マスコミでさわがれた一年がすぎ、外国帰りという色めがねでみられながらも、また今までの静かなクラブ活動にもどることができました。その頃、同級生ばかりの私たちの女子クラブ員の活動が低下し、女子のみ解散という悲しい状態にまできてしまいました。

"良きリーダーは良きリーダーを育てる"という言葉がありますが、これまでの私は、クラブ活動を通じて常に自分の成長だけを考えてきたことに気づき、そんな自分がとてもはずかしくなりました。

四十三年、女子六名を含む新会員十六名が入会しました。

この年、私に県連と全協の役員をうけてほしいとの連絡を受けました。はたして、私にそんな大役ができるのだろうかと疑いながらも、自分自身の選ばなくてはならない道を真剣に考え、悩みました。

私には、新クラブ員との活動をおろそかにすることはできません。たとえ、半年でも良い、このクラブ員たちが一人で歩けるようになるまで一緒にやってあげる人がいなければいけないと、わがままとは知りつつ、両方とも辞退させていただきました。

一クラブ員という私の立場は、とかく批判も受けやすく、はなやかな役員活動とちがい、その成果がすぐ現われないだけに、大変な面もありました。誤解も少なくありませんでした。しかし、三ヵ月、半年とたつうちに、古いクラブ員も、ときおり顔をみせてくれ、若いクラブ員も進んでクラブ活動に参加するようになり、しだいに私を必要としなくなっていくさみしさも、いつしか喜びに変って行きました。

◇やればできる自信◇

こうしたクラブ活動の忙しい中で、私は普通の娘さんのような花嫁修業は何ひとつ身につけることができませんでした。仕事の忙しさもありましたが、出歩く日々の多さに、家の人もあきれ、私自身、心では気にしつつ、それだけの時間をすべてクラブ活動についやしてしまったのです。

けれども、クラブ活動を通して学んだいろいろな体験は、いつの日かきっと役立ってくれ、私の一番の花嫁修業となり、こんな私でも理解して下さる方が、きっと現われてくれると信じております。

この年、実に三ヵ年の月日をついやした文部省認定の簿記の通信教育を終えることができました。農業とクラブ活動をつづけながらの、三倍の月日をついやしての通信教育、決してなまやさしいものではありませんでした。

何度もくじけそうになりながらも、とうなしとげたという喜びは、私に"やればできる"という自信をつけさせてくれました。これも周囲の思いやりとクラブがあったからこそだと思います。

私は、この原稿をつづりながら、過去六年間にわたる私のクラブ活動をふりかえってみて、余りにも平凡なクラブ員であったということを、強く感じさせられました。

これといって人に語れるような体験もひとつなく、自分がこの六年間、一体何をしてきたのだろうかと疑いたくもなりました。

でも、この六年間のクラブ活動により、私の青春は充実した、悔のないものとなり、今の自分というまったく異った人間ができ上ったということは、やはりどんな活動にしろ、真剣に取りくんだ日々は決して無駄ではなかったと自信を持っていえます。

そして、私を娘同様かわいがり、相談相手になってくれた先生ご夫妻、いつも温かい目でみまもっていてくれた全国各地にできた友だちや家族、私は何という幸せ [illegible] と感謝にたえません。

◇人間の本当の価値◇

けれども、そんな私でも、ひとつだけ後悔に似た、悲しい出来事がありました。それは私が最も信頼し、私の地味な活動を理解し、励ましあい、いつも温かい手をさしのべていてくれた友が、ある日、突然、はっきりした理由もなく去っていったということです。突然の出来事に、[illegible] はとまどいました。友をせめてはいけない、友にもそれなりの理由があったのではないだろうかと、自分自身をせめ、苦 [illegible] つづけました。

私のクラブ活動はまちがっていたのではないだろうかと、毎日考え、悩みました。そして、もっと悲しかったのは、私のクラブ活動を一番喜び、理解してくれていた父までが、この友のために、私やクラ [illegible]

写真説明

❶キャンプファイヤー＝満月の夜、天をこがす勢いでもえ上った炎に参加者の心はおどった（鏡ケ成キャンプファイヤー場で）
❷レクリエーション＝芝生の上に腰をおろし、真夏の太陽をいっぱい浴びて歌って踊った（鏡ケ成で）
❸大山の偉容＝早朝登山をした大山はガスに巻かれていた
❹ホークダンスに興じる＝現地交歓訪問先の西伯町農協会館で
❺"4H会館建設に協力をお願いいたします"可愛いいゆかた姿の募金ガール登場（開会式会場で）
❻早朝登山＝けわしい山路も手を取り合って（大山）
❼話し合い＝暑い陽射をさけて「自主的な4Hクラブ活動」などについて話し合った（鏡ケ成キャンプ場で）
❽歓迎レセプション＝地元保存会有志による「ゼニ太鼓」（米子市公会堂で）
❾キャンプ＝現地交歓訪問先でキャンプ（西伯地区平田海岸で）
❿サヨナラー＝現地交歓訪問を終えて帰路につく友を見送る（鳥取砂丘で）

話し合いのまとめ

活動へ親子で参加

組織人としての自覚を

話し合いは、第二日目の午後三時半から鏡ケ成にあるキャンプ場の木陰に車座をつくり約三十班に分れて話し合われた。話し合いのテーマは三つに分れており「自主的な4Hクラブ活動と組織の強化について」「家族と地域社会に理解されるクラブ活動をするには」「自主経営により豊かな生活をするには」であったが、日頃の悩みや意見を真剣にぶつけ合い、しばし真夏の暑さを忘れるような話し合いがつづいた。

自主的な4Hクラブ活動と組織の強化について

自主的な4Hクラブ活動とは何か、また、その組織のあり方はどうあるべきかについて討議したが一般的にクラブ員の自主性が乏しく、組織人としての自覚がないなどの点が指摘された。

「つどい参加者をみてもクラブ員の自覚が少なく全体的にたるんでいる」「農村青少年はこれでよいのだろうか」などの批判が出されたが「4Hクラブ活動は必ずしも農業を営む人たちだけの集まりでなく、よい社会人となるための実践集団である」という基本的な考えに立ち、まず、新入クラブ員に対して4Hクラブの理念と自覚を理解させる—などの意見が出た。

また、ほとんどの参加クラブ員が、プロジェクトの重要性を認め、共同プロジェクト活動を通して、仲間意識の向上を図りたいと訴えていた。

自主的な活動について

一、主体性のある内部リーダーがほしい。
二、自覚のある人たちだけでクラブ活動をしたい。
三、部門ごとの共同プロジェクトを取り入れて実生活に役立てたい。また、この活動の推進によってクラブ員の責任の分担を図り、出席率を向上させたい。
四、クラブ活動資金は、自分たちの活動（共同プロジェクト）で生み出していきたい。
五、役員だけの活動でなく、クラブ員一人ひとりが自覚してクラブ活動を盛りあげなくてはいけない。
六、活動に単一クラブの特長をだしたい。

組織強化について

一、クラブ員が多すぎ派閥が生まれる場があるが、主体性のあるリーダーが必要。
二、各クラブ員の自覚が基礎となり、町・郡連などの組織の発展が促進される。このため、各人が4Hクラブの組織人としての主体性のある自覚を促すとともに、地域社会と結びついた活動を行なう。
三、所属の県連・単位クラブの活動方針を各人が理解する。
四、組織委員会を作り、組織強化のための研究を行なう—などのほか他団体との連絡協調などについて交わされた。

家族と地域社会に理解されるクラブ活動をするには

家族ぐるみの4Hクラブ活動、地域から理解、支援される活動の現状はいかにということで注目された話し合いであったが、家族関係にあっては、親からの信用を得ることを第一として「クラブ活動で体得した技術や知識を経営に取り入れて、口先の理論でなく実践する努力が必要」「4Hクラブ員の家へ仕事の手伝いに行って相互理解を図っている」

地域社会に対しては「地域社会に貢献できるような活動を行なう（奉仕活動）」「農協など密接な連携を持ち、出荷組合組織などの母体となる」と積極的だが、とくに女子クラブ員にあっては、近所の人の口がうるさくて—と悩みを訴えていた。

親子関係について

一、クラブ員の家で集会を開き親子の話し合いを通じて4Hのよさや年間行事を理解してもらう。
二、経営のことで親子間の意見対立がある時は、他のクラブ員が親を説得して協力（親子協定）を得る。
三、クラブ活動へ親子の参加（父兄との交歓会、親子教室、親子のつどい、お母さん旅行、4H新聞の配布）を求め、活動内容を理解してもらう。
四、クラブ活動内容をそのつど親に話す—など親子間の連帯感を深め、実践を通じて信頼を得ることが強調された。

地域社会に対して

一、4Hクラブの本質をまずクラブ員が知らなくてはいけない。
二、先輩の築いたクラブの歴史を育てる努力が必要。
三、先輩、婦人会など関係機関との連絡事業や交流をもつ。
四、プロジェクト圃場を市町村から借り、地域産業の開発に結びつくような課題解決を行なう。
五、奉仕精神の向揚と浄薬の促進。

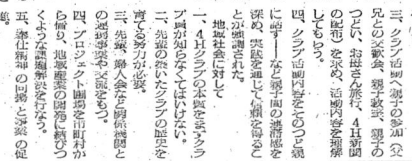

（なお、第三議題の「自主経営により豊かな生活をするには」については、紙面の都合で次回に掲載いたします）

"つどい"を追って

自覚のある行動を
その態度が成功へ導く

「参加してよかった。すばらしいの一言につきる。来年も参加したい」

これは、第五回全国4Hクラブ員のつどいに参加したクラブ員の称賛の声である。もちろん、このことばに反論したい人もいるには違いないにしても、自らが企画運営したつどいのすべてが幕を閉じた。

ここで第五回のつどいの全般にわたって反省を促し、次回への参考にしてみたい。

開催地については、早くから鳥取県連からの強い要望もあって、昨年十月奈良で正式に開催した第四回つどいの席上で正式に鳥取県に決定していた。その後たび重なる連絡会議の開催によって、受け入れ体制のムードの盛りあがりをみて、運営体制には万全を期していたといってもよかっただろう。鳥取県連では文字通り初めての全国大会の誘致とあって、すべての期待をこのつどいに賭けていたに違いなかった。

開催期日については、開催地の要望を第一としているため、いままで十月であったが七月下旬という異例の期日。参加者の申し込み期限については、三月末までという計画であったが、実際は開催日数日前までダラダラの申し込みや追加などで参加者数の把握ができない事態に陥った。この原因は申し込み期日をはさんで各県連の総会があり、実質的にはこの間、県連の活動が停滞していたため、申し込みが遅れたものと思われる。

その結果、最終的には千三百名という予想を上回る参加者の確認ができて、主催者側はうれしい悲鳴をあげたが決算面でのオーバーは免がれないだろう。また参加県連については昨年を上回り、各県連の自主的な意欲を物語っていたと思われる。

七月二十三日、全協役員はマイクロバスに必要資材を積んで東名・名神・山陰道と、一路鳥取県へ向った。

七月二十七日、米子市公会堂は北から南からの参加者の受付けでにぎわった。しかし予想に反し、申し込み者数に比較して参加者実数が少なかったのである。主催者側は、申し込み者数に応じて宿泊、交歓訪問、資料などの計画に万全を揃えているのである。それにもかかわらず一致しないということは、でたらめな参加申し込みであったか、もしくは申し込み者の無責任さであるとしか考えられない。

各人いろいろな都合があろうが仕事が忙しいから、ということはもはや4Hクラブでは通用できないことではないかと思う。ということは仕事に計画性がないこと、かりにそうであっても友だちがいるではないか。その友だちにその仕事を頼むとか、またその友だちが替って参加するとかいくらでも方法があって各人の責任が果たせるのである。

この参加者数の狂いのため、宿舎、交歓訪問地などの変更、やりなおしという形で表われたのである。もし、このことで運営がダラダラしていたと憤慨する人がいるならば、このことについて反省してみよう。もちろん参加したみなさんには問答無用だが。

では参加した人たちはどうであったろうか。すべての人にあてはまらないことであるが、少なくともこのつどいのねらいを認識し、自覚していないように思われる行動があった。これは大きな問題として考えなくてはならない。なぜならば、このようなごく一部の人の行動が全員におよぼす影響は大きく、つどいの成・不成功をも左右しかねないからである。

だれでも気軽に参加できるつどいの性格からして、各人が経費の自己負担という気持から起る問題であろうが、この経費の自己負担をたてまえとしているところに一つのねらいがあるのである。なぜならば、これは自分のことは自分の手で行なうという自主精神の基本ともいうべきものを養っていくためである。

また、すべての参加者は、つどいのお客様であってはいけないのである。運営にあたっても便宜上運営委員が置いてあると思ってよいし、もし運営委員がもたもたしている場合は、その中に飛びこんでいって円滑にするなどの行動があってもよかろう。

これは少し行きすぎにしても、これぐらいの積極性があってこそ、青年の手による青年のための青年のつどいの姿となるのではなかろうか。すべてが参加し、すべてが運営する。これこそ青年のつどいであり、この自覚を育てて行くつどいではないか。

次に行事の内容、とくに現地交歓訪問のあり方を考えてみよう。

これは日程の組み方にも問題があったとも思えるが、交歓訪問に対する認識が非常に薄かったように思える。ということは、閉会式を終えてからの行事という形に問題があろうが、交歓訪問も家族や地域社会に理解される4H活動を進めるうえで立派な行事のひとつであることを認識しなくてはならない。このため、こんごの課題として検討されるであろうが、交歓訪問を終えて一堂に会し、閉会式という形式も一例として考えられるだろう。

また、全般の運営のまずさを指摘する人もいる。しかし、運営委員はきのうまで乳をしぼり、稲を育ててきたクラブ員で、けしてプロではないのだ。その手で運営するのだから手違いも生ずることになって、決してふしぎではない。しかし、つどいの円滑な進行のために綿密な計画を立て、それに従って運営するという基本的な姿勢を怠ってはならない。青年だから素人だからとあまえてはいけないのである。

運営については、よければよいなりに、悪ければ悪いなりに主催者と参加者が一体となってよい方法を生み出す。そこに両者の心の交流が生まれ、つどいの意義がそこにあることに気づくであろう。

また、クラブ員の祭典といえども全般的にみて真剣さ、きびしさが欠けていた。怒り、泣き、笑うそういうものがなかった。真剣に意見をぶつけ合い、抱き合って喜ぶ姿、そこに青年の若さがあるのだ。表面だけの恰好のよさや、弱火の連吹では何も生まれず、空しさだけが残るのである。

いろいろと指摘してきたが、このようなことはごく一部でしかない。多くの参加者がいっていたように「つどいの運営がすべてクラブ員の手で行なわれていることにすばらしい意義を感じた。来年も参加したい」というように、まずみんなが参加するところに、つどいの第一歩があるのだ。

つどいが終えたいま、みんなで考えてみよう―「自主的なつどいとは何か」「つどいで何を得ようと努力したか」を。　（O）

農村雑感
折原俊二郎

静と動の娯楽

秋の収穫がすんで、冬の農閑期に入ると、山奥の温泉場は急に活気をおびてくる。近郷近在の農家の人たちが、米や味噌、醤油そして野菜まで背負って、山の温泉場に集ってくるからです。

この温泉場では三度の食事はコンロを利用しての自炊であり、仕事といえば、この三度の食事をつくるのみ、あとは手拭いを肩にして、一日中気のむくまま湯につかり、民謡の一つも歌いながらすごす。実にのんびりした、そして楽しい毎日を送るのが常でした。私も子供の頃、おばあさんに連られて、一ヵ月以上も湯治場ですごしたことがあり、今でもなつかしく思い出されます。今から三十数年も前のことです。

最近では、こうしたのんびりした温泉場はほとんどみられなくなり、旅館もきれいになり、湯治客を入れなくなり、あわせて泊り賃も高くなったため、昔のように一ヵ月も二ヵ月も、のんびり湯につかってすごすようなことは出来なくなった。こうした反面、都会にあった娯楽が急速に農村の中に入り、農村でも都会と同じような娯楽の場が数多く出来てきた。このように娯楽の面でも、都市と農村の差がちぢまってきたのである。

ところで、昔の湯治場の娯楽が静のものとすれば、最近の娯楽は動のものといえよう。この静の娯楽は農村が自から育て守ったものではなく、すべて都市からの要求によって変えられ、動の娯楽を持ち込まれたものであるといってよいだろう。

う。ここに一つの問題があるが、同時に若い青年自身が、静の娯楽から抜け出して、動の娯楽を求めるようになってきた。即ち、少ない刺激では満足されないものになってきたといえよう。

青年たちは、山登りやハイキング、そして、そこでのキャンプなど、集団で求める娯楽が多くなった。しかし、この集団行動は、都市の青年には多いが、農村の青年にはまだまだ少ない。まして、家族集団となると、農村では極めて少ないものになってしまう。農村に住んでおれば、山はすぐ近くにあり、キャンプ場はすぐそこにある。そうした見慣れ場での行事は娯楽にならないと思っている。

交通が便利になった今日では、遠くに行かなければ、本当の娯楽は求められないと考えているように思える。旅行や知らないところに行くことも一つの娯楽となるが、身近なところでの娯楽を活用しないことは、果してよいのだろうか。

山奥の温泉場に行くと、色の悪くなったサシミが出る。泊り客はサシミよりも、その土地でとれる山菜の方がよりうれしいものである。しかし、旅館側では、それではご馳走したことにはならないと考えている。そこに矛盾があるように、近くにある娯楽を本当に活用することを、もっと考えるべきではなかろうか。

湯治場はなくなり、新しい娯楽が入ってきた。しかも、キャンプや山登りなどで都会の人が農村に押しかけている。今更、静の娯楽を求めることは出来ないが、農村では、押し寄せる動の娯楽を自らリードし、青年たちはキャンプでも山登りでも、肩を並べて参加していくことを考えるべきではなかろうか。

（農林省・農業者大学校）

つどい　参加者の声から

共に喜び泣ける人間に
高知県　和田豊喜

来てよかった!!

いま、私たちの胸に回想しているものは、真夏の炎天下で集い合った仲間たちの顔、そして顔、顔、顔。

朝霧をついての大山早朝登山、また、鏡ケ成での分科会、ナラの樹間から射し込む真夏の太陽をからだいっぱいに浴びながらの討論会―このときばかりは、全国の仲間たちが膝をつき合わし、現在の4Hクラブ活動について熱心に意見を交換しました。

そして、いよいよ大会のクライマックス、キャンプファイヤー。はじめの小さな火がやがて天をも焦がすが如く大きな炎となって燃え上がるころ、各班の出し物が出された。楽しく、また思い出のファイヤーも終りに近づき、山陰の冷えびえとした月が頭の上にのぼるころ、静かに、またもの小さな、しかし今度はやさしい炎となって、私たちにサヨナラを告げてくれた。

鏡ケ成で私たちの胸にともった小さな灯が、それぞれの故郷で今度はより大きな炎となって、仲間が仲間を生み、全国に灯された炎がやがて日本を、世界を動かす大きな原動力となることと思います。

われわれ青年にのみ与えられた特権、それは、若さ故に実行できること、若さ故に再出発のできることだと思います。

この意義深かった鳥取での思い出を胸に、仲間たちと共に語り、嬉しいときは本当に心から喜び合え、悲しいときは、ともに泣ける人間になるべく努力するよう誓信した次第です。

最後に、鳥取県のみなさん、本当にご苦労さまでした。

いま新たな決意を
茨城県　坂本好男

私は、このつどいにお祭り的気分で参加したことを恥ずかしく思い、反省します。

このつどいに集まった全国の仲間が、私たちの住む稲作地帯とは異り、現在自分たちが置かれている困難な立場について真剣に考えていることを痛切に感じました。農業に押し寄せる個々の問題に耐え、黙々と努力する前向きの態度は、私自身の考えをも変化させるほど大きな意義がありました。苦しみに耐え、それでも明るさを失うことなく、細かな計画のもとに自分の路線を確立し、それに一歩でも近づこうとする同志、仲間。私は全国のクラブ員と会い、交歓でき、意欲的な彼らの前に、農業などに対する一沫の不安も吹き飛び、勇気と行動力の重要性を素直に受け入れたいと思います。

このつどいに参加して自分が得、決意を新たにした数々を一時的なものとすることなく、自分も微弱な行動力を恥じることなく歩んでいきたい。苦い悩みと苦しみをぶつけていた仲間たちに負けないように、私は遠地、鳥取県で得たものを大きな心の支えとしたいと思います。

このつどいに参加した喜びを感ずるとともに、陰の力として努力されましたみなさま、また、鳥取県のみなさんのご苦労をねぎらいたいと思います。どうもありがとうございました。

思い出新たに胸熱く
アメリカ4Hクラブ員　マーガレット・マローさん

私は、この全国4Hクラブ員のつどいに参加できたことを大変幸せに感じております。このつどいはこういうときでなければ会うことのできない、日本全国からのクラブ員に会う機会を私に与えてくれました。

この日程や行事は、よく企画されております。私は、このつどいのために多くの人々が、多くの時間を費して立案されたに違いないと存じます。

私には、話し合いをもっとよく理解するのために、自分が日本語を話したり、聞いたりできないことが悔まれます。私たちのために通訳をしてくださっている方々には、感謝と称賛の気持でいっぱいです。

鳥取におけるこの4Hクラブ員のつどいは、かつてアメリカで私が参加したと同じようなつどいのことを思い出させてくれました。アメリカのクラブ員を交えての、この日本の4Hクラブ員たちの、アメリカのつどいと同じような情熱と盛り上がりを見るとき、胸が熱くなるのをおぼえます。

アメリカと日本のクラブ員の唯一の相異点はその年令です。アメリカの4Hクラブ員は九歳から二十一歳までで、平均は十五歳から十七歳です。しかし、このようなつどいに参加するのは十六歳から二十一歳のクラブ員ですから、つどいの内容はよく似ております。

人数は異りますが、日本もアメリカもともに、クラブのメンバーの減少という問題をかかえています。聞くところによると、日本では長男や長女のクラブ員が多いということですから、そうでないアメリカよりも、この問題は少し深刻かも知れませんね。

クラブ活動で得た知識や体験は、たとえ農業を継がなくても町に出て会社に勤めるようなときでも役に立つと思われます。

私は、あなた方が意欲的なクラブ活動さえ続けてゆくならば、クラブ員の減少など気にすることはないように思います。百人のやる気のないメンバーをもつよりも、十人か二十人の熱心なメンバーをもつ方がいいのですから。

さいごに、このように親切で気のおけないみなさん方に会える機会を得たことを心からお礼を申しあげます。

現地交歓訪問先で　小遣いの一部を募金

七月二十九日現地交歓訪問で西伯地区を訪ずれた県外クラブ員六十七名は農委会館を会場にして地元クラブ員との交流を楽しんだ。

その席上「みんなで4H会館建設資金の募金を」と、全協評議員黒沢健一君（埼玉県）から提案があり、小遣いの一部をみんなで募金した。この募金は入江西伯地区連会長から建設委員会に送られることになった。

おことわり

さる七月二十七日から五日間、鳥取県で第五回全国4Hクラブ員のつどいが開催されたため、本号の発行が遅れましたのでご了承下さい。

ブラジル88村巡行
日本政府派遣農村青少年指導専門家　湯浅甲子

……〈13〉……

中心は青少年育成
普及機構アビカール

七月十八日に、リオ・デ・ジャネーロへいった。4H協会の諸川さんを同行したが、目的は二つあった。

一つは、日本大使館へおくればせながらの挨拶、もう一つはブラジル4Sクラブ本部訪問である。

熱弁四時間の長講

有名なカーニバルの行なわれるリオの大通りに面したビルに4S本部がある。七人ほどの職員が働いていたが、三室にわかれていて、一つは事務室、一つは会議室、ここに立派な4S旗が飾ってある。もう一つの部屋には、全アメリカ農村青少年運動（PIJR）から派遣されている指導者がいる。

さて、4Sクラブの話は専務の、セニョール・アザアナエルの熱弁長講四時間にわたった。アザアナエル氏も、一人の外人に、こんなに長く、くわしく話したことはないといっていた。忙しいところを本当によい勉強になった。

アビカール（普及機構）

アザアナエル氏の話は、まずアビカール（ABICAR）という普及機構から始まった。

アビカールは、半官半民の協議体である。文部省、農務省、教育局、厚生省、カフェ院、連邦農業協議会、ブラジル銀行、組合銀行、世界進歩同盟など二十団体で基金をだしあい、インダ（INDA）という農務省農業振興局の指導によって仕事をしている。

仕事の内容は、農業普及、教育、訓練、PRなどで、農業改良普及事業によく似ている。

一九五六年に創設され、各州にひろがり、二十五州中二十一州に州事務所を持っている。そして、二千三百人の技術指導員が、農業、経済、家庭の専門別におかれ、その九〇％は農村地域に配置されている。アビカールのない州は、サンパウロ州、ガナバラ州など四州しかないといっている。サンパウロ州がぬけているのを大変残念だといっていた。

このぬけている理由は、前述したようなサンパウロ州のプライドが底流にあるらしいのである。他の三州にアビカールがないのは政府直轄の州だからである。

青少年育成が主体

アビカールの仕事の中でも一番力をいれているのが、青少年育成指導で、融資事業がその主体である。しかし、ア氏の説明は、かなり教育事業であることを強調している。広大な国なので、各地域からの必要性に基づいて、それにあったアビカールの体制をつくり、地方農業団体とよく協力して仕事をすすめていくという。仕事の中でも、農村青少年の進歩のための仕事はグループ活動法、リーダー訓練（リーダーシップをつくる）農政とのタイアップなどに焦点をおき、宗教、政治活動には関係しない方針であると説く。なかなかの熱弁である。

融資は"少年融資"

さて、融資事業だが、これがなかなかおもしろい。少年融資である。十歳から二十一歳ぐらいまでの4Sクラブ員を対象にし、親または大人の保証人とアビカール指導員の証明で融資が認められる。融資額は、一人最高一五〇アメリカドルである。4Sクラブでは一人一プロジェクトをやる規定があるので、この資金は、プロジェクト資金的性格のようだ。返済方法はいろいろあるようだが、年利は一二％である。

地元の声を反映

話はちょっと前後するが、アビカールの性格は、半官半民なので、州事務所の予算は、アビカール本部が六〇％、州側（受益者側）負担が四〇％をもち運営されている。従って、地元の声がかなり反映するようになっている。

例えば、「何をやるか」の問題発見は、郡議会の意向が強くとり入れられるし、融資の額も地方銀行が相手側の信用度によって、独自に融資額を増やしてもよいことになっている。但し、融資対象は、必ず、アビカール機構の指導員の指導を受け入れている農家の人に限るのである。だから、同一地域の青年でも、アビカール指導員につながらない青年には、絶対に融資はされないというシステムなのである。この点は大変ハッキリと割り切っているようだ。

ア氏の熱弁は、ますます熱気をおびてきたが、アビカールの話に一段落ついた所で、丁度アメリカ4Hクラブ員が、ブラジル実習にきて挨拶のため室に入ってきた。彼らはこれからリオのファベーラ（貧民街）を見て、実習地にわかれていくという。陽気な四人の娘たちであった。

ア氏の話も、中断された。熱いカフェがだされ、うまそうにすすったア氏は、まだ、三十二～三歳である。背は日本人ぐらいの小柄さ。ロイド眼鏡ごしにラテンアメリカ人特有の親しみやすい大きな眼が、じーっと見ている。「是非、日本の4Hクラブ員との交換をやりたい。国へ帰ったら、そう伝えて下さい」と、彼は、やや薄い頭の汗を拭きながらいった。

〈栃木県普及教育課・特別専門技術員（青少年担当）〉

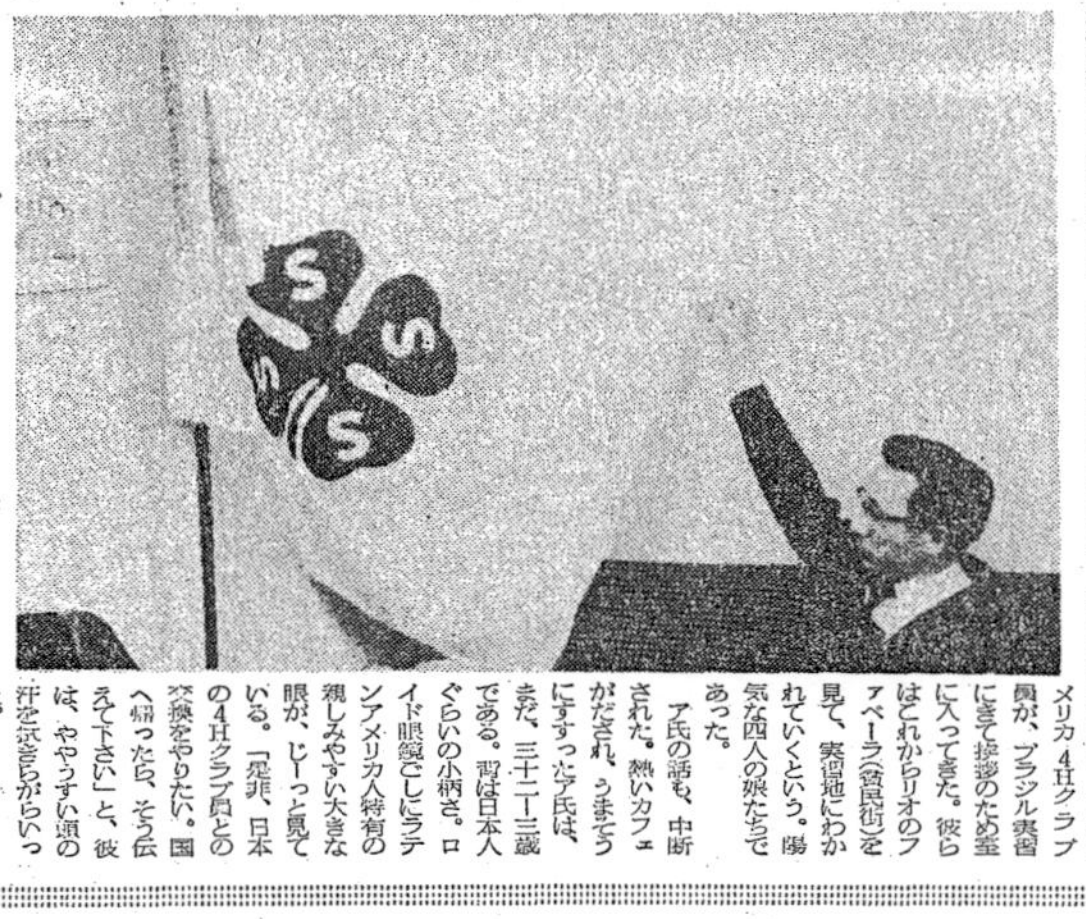

4S旗を示すブラジル4H協会の諸川氏

NHK農事番組（8月11日～20日）

テレビ

明るい農村　6・30～6・55総合
11日　村の記録（夏期特集）放射線で育てる
12日　きょうの話題（同）草づくり乳づくり
13日　産物往来（同）林産開発
14日　話題の広場（同）こども天国
15日　村をむすぶ（同）牧場の多角経営
16日　農業新時代（同）公害に挑む
18日　村の記録　母と子の二十四年（広島県加計町）
19日　きょうの話題　ハイウェイの農業
20日　産物往来　ぶどう

農業教室　7・30～8・00　教育
11～13日　稲の病害虫と対策　宇都宮大教授　後藤和夫
14～16日　もも生産の課題　福島県園芸試験場　原田良平
18～20日　たばこ作と経営　日本専売公社　松倉尚夫

あすの村づくり　日　7・00～8・00　教育　土(再)13・00～14・00　教育
17日　「ぶどうの里の体質改善」山梨県東山梨郡勝沼町努力4Hクラブ　古屋義文ほか

ラジオ

早起き鳥　5・50～六・00　❶
11日　現地報告　田中澄江（東京）夏期特集「早起き対談」
12日　人と話題（劇作家）夏期特集　小倉武一、中村徳夫（構造改善）
13日　通信員の手帳から　山田無文（京都）夏期特集
14日　産地訪問（花園大学長）伊藤菊市、三神茂（地域開発）
15日　現地報告　神田順治（東京）一楽照雄、三神茂（農住都市構想）
16日　村のポスト（東大教授）桑原正信、中村徳夫（農協論）
17日　小さな発言（東京）林雄二郎、三神茂（二十年後の農業）
18日　現地報告　前川忠夫（高松）ふえる豚の公害（旭川市）
19日　人と話題　ヨーロッパ農業をみて　岩手県経営伝習農場長（西田正道）
20日　通信員の手帳から　山口宣雄（徳島）

ラジオ農業学校
月～土　6・40～7・00　❷
日　6・30～7・00　❷
再　月～土　19・00～14・15　❷
17日　優秀農家に学ぶ　和歌山県有田市宮原町　宮本孝一ほか

日本4H新聞
4Hクラブ 農事研究会 生活改善クラブ 全国弘報紙
発行所 社団法人 日本4H協会
東京都市ケ谷家の光会館内
電話(269)1675郵便番号162
編集発行人 玉井光
月3回・4の日発行
定価 1部 20円
一ヵ年700円(送料共)
振替口座東京 12055番

クラブの綱領

私達は実践を通じて自らを磨くとともに互いに力を合わせてよりよい農村、よりよい日本を創るため四つの信条をかかげます。一、私達は農業の改良と生活の改善に役立つ腕をみがきます。一、私達は科学的に物を考えることのできる頭の訓練をします。一、私達は誠実で友情に富む心をつちかいます。一、私達は楽しく暮し元気で働くための健康を増進します。

黒潮薫る南国土佐で
夏の大会いよいよ開幕

農林省、全国農村青少年教育振興会(東畑精一会長)、高知県の三者共催の「第九回全国農村青少年技術交換大会」は、いよいよ来る二十六日から四日間、黒潮薫る南国土佐(高知県)で花々しく開催される。

この大会は、日ごろ農業改良ならびに農村生活改善について研究し、実践している全国の農村青少年が、それぞれの身につけた技術の相互交流と活動方法についての意見の交換の場をもち、これからの農業をになっていく自信と積極性を培うことを目的として開かれるもの。

参加者は、❶各都道府県の技術交換大会で優秀な成績を収めた青少年、男子五人、女子五人(計十人のうち二十歳以下八人を含めるもの)❷海外農村青少年代表❸指導者、クラブリーダー❹各都道府県の農村青少年担当者、専門技術員、改良普及員ーなど。

主な日程と行事は次の通り。

26日 18時から高知市営陸上競技場で入場行進、開会式。20時から同市営プールで歓迎の夕べ。

27日 午前中は高知公園で技術競技。各県二チーム編成で、作物、野菜、花、果樹、畜産、生活などの各部門について、審査、鑑定、診断、判定を行なう。

午後は高知公園とその周辺で、プロジェクト発表。各県一人で、部門ごとに演示発表を行なう。最優秀者男女各一名にフェンガー賞が贈られる。夕食後は自由交歓。

28日 午前中は五台公園でグループ別の話し合い。昼食をとりながら桂浜へバス散策。15時から県立青少年センターで体力づくり。19時30分から南国市久枝海浜でキャンプファイヤー。

29日 8時30分から高知新聞ホールで、代表発表、講演。11時から閉会式。

4H協会で総会

社団法人日本4H協会(松下幸之助会長)では、来る二十日午後一時から東京・港区芝の松下電器産業株式会社東京支店で理事会に続いて通常総会を開催する。

新都市計画など研究
神奈川県連で討論会開く

【神奈川県=石井忠輝連絡報道員発】神奈川県農村青少年クラブ連絡協議会(会長、中野正義君)は、さきごろ、平塚市の県農業試験場で、新都市計画、普及所統合問題についての討論会を開いた。

この討論会は、変動する神奈川農業に対して、日頃クラブ活動や営農を通して取り組んでいる県下のクラブ員が一堂に集って、当面する都市化の問題やクラブ組織の問題などを自らの手で打開し、農業を基盤とするクラブ員が農業の諸問題の知識を習得し、経営の確立を図るとともに、クラブ組織の強化を目的として行なったもの。

まず、普及所の統合はどうして行なわれなければならなかったのかということについて、県農政課の中村主幹に説明してもらったあと、各々統合される七地区に分かれて、今後のクラブ運営や青少年活動の指導、現在の普及所が青年館に変わるので、その運営などについて話し合った。

また、都市計画については、新都市計画委員会から、アンケート調査の結果やその問題点などについて報告があった。

つづいて、県農政総務室、神戸統括主幹から、新都市計画法の問題として、市街化地域と調整地域の違いについて話してもらった。

さいごに、みんなでこれらの問題について話し合った。

新都市計画法や普及所統合問題について学ぶクラブ員たち

生きがいと農業 (1)
日々の努力の中に 目標に打ち込む意志を

福岡県立築上農業高校教諭 森本勝

はじめに

農業後継者問題が叫ばれてからずいぶん久しく、行政当局、農協、学校などの努力にもかかわらず、十分の成果をあげているとは言い難い。

しかし、これは一面、農業後継者問題がいかに難しいものであり、その育成条件は複雑多岐にわたっているかを物語っているものと思われる。

そこで筆者は、農業後継者育成条件の実証的研究に数年来とりかかっているが、その場合、「人生の生きがいとは」「職業とは」「青年の心理は」「農業価値観」「農業経営者の資質」「経営能力は」などについて十分勉強し、究明しなければ、

生きがいとは

農業後継者問題の核心には触れられないのではないかと考えている。

したがって、まず「生きがいと農業」について、その一部を平易にまとめてみたのが、この稿である。

仕事に打ち込む喜こびと充実感

今年の春休みも少なくなったある日の午後、農業後継者をめざすS君が訪れて来た。そして真剣な眼差しで「最近は、大人はマイホーム主義が多いといわれ、我われ仲間もカッコよさやレジャーを追う者が多いが、人生の生きがいとは何ですか」との質問を受けた。

私の二十数年の教員生活の中で、このような「人生の生きがい」について質問を受けたのははじめてであるし、実はハタと困惑してしまった。と同時に、このS君がこんなに真剣に人生について考えていることに、驚きをおぼえるとともに、成長しつつあるS君をたのもしく感じ、あらためてS君を見直した。

ところで、実は私も時折、人生の生きがいとは何であるかを考え、二、三の本も読んでいたので、この際あらためて、「生きがい」について考えてみた。

さて、生きがいとは、どういうことをいうのであろうか。

生きがいとは、自分の仕事に精一ぱい打ち込んで、それにやりがいがあると感ずることである。つまり、自分の仕事に打ち込み、自分の意志通りにことが運べば、自ら喜びを感じ、充実感、幸福感を持つようになる。これが生きがいである。そして生きがいは、自分自身の気持ちの問題であり、自ら考え、自ら努力するところに生きがいを感ずるということになる。

そして、一つの仕事に打ち込んで、それに生きがいを感ずるということは、結局、確固たる目標を立てて、強い意志をもってこれを遂行することになるので、勇気と努力がいることになると考える。

ところで、朝日新聞社が、日立製作所とその関連会社の社員三百六十五名の面接調査を行ったところによると、「あなたの人生の生きがいは」との問いに対し男子は約七〇%の人が「仕事」と答えており、「競争会社に勝つこと」「ぼくの売ったエレベーターが設置されること」「技術者としての未知への挑戦」などの答が出てきた。

仕事以外の生きがいは約二〇%で、「子供の成長」「一家団らん」「高山植物の収集」などであった。これに対し女子は、仕事への生きがいは一〇%であったと報ぜられている。

人、それぞれの価値観によって

これをみると、職業と生きがいとは、必ずしも一致するものではないようである。というのは、生きがいとは、自分自身の気持ちの問題であり、価値観の問題であるからである。

かつて、週刊朝日の特別企画の「私の生きがい」は、日本の各層で活躍する三十五名の生きがいを紹介しているが、その二、三を記してみたい。

歌手の淡谷のり子さんは「歌いたい歌を思う存分に練習し、よいバンドで心ゆくまで歌ったとき生きがいを感じます」評論家の江藤淳氏は「積極的に仕事をして、ある発見があったとき生きがいを感じます。どんな時代でも、人間には努力してやらなければならぬことがあります。それを黙ってやっているのが生きがいです」画家の岡本太郎氏は「生きがいとは無限のひろがりに向って爆発すること、あらゆる可能性に身をぶつけること」と。

サントリー社長佐治敬三氏は「自分に課した使命に一歩ずつ近づいていることを確めたときの充実感であり、ビールづくりが私の生きがいです」二上将棋八段は「好きでこの道に飛込んだわけですから、毎日毎日が生きがいともいえます」松下電器会長松下幸之助氏は「仕事のかたわらPHPの研究に今後より一層の力を注ぎたいと思っている。現在の私のひとつの生きがいといえば、そういうことにもなろう」といわれている。

このように、各人の取り組む仕事の種類や性格が異なるので生きがいもそれぞれ異なるが、生きがいは他人とか社会によって与えられるものでなく、自分の選んだ目標に向って、精一ぱい打ち込んで進んで行く中に見出すことができることが、これらの人びとの言葉からも感じとられ、その人が何に生きがいを求めるかによって、その人の人柄と幸福とが最終的に決まってくるものである。

すすんで農業に取り組む努力を

しかし、前に述べた人びとのように、心から生きがいを感じ心からこのことを断言できる人は案外少ないのではないだろうか。そして、生きがいある人生であると断言しうることは、実は大変難しいことであるように思われるが、いかがでしょう。

ところで、生きがいについて質問をしたS君といろいろ話し合ったが、S君は水田一・二ha、果樹園(三戸共同)二haを経営している専業農家の長男であり、後継者をめざしているが、将来のよき後継者であるための目標を定めて勉強することが最も大切であり、生きがいを見出すのは、自分自身の日日の努力を積み重ねる中にあることを話し合った。

そして、現在、農業後継者の中に、自分は農家の後とり息子であるから、仕方なく家に残って農業を継がなければならないとか、人にすすめられたからやってみよう、だめだったら就職しよう、と考えている者がいるとすれば、その人は農業に生きがいを見出すはずはないと思われる。

農業後継者は、経営者であり自分の計画通りの農業経営ができ、やりようによっては、普通のサラリーマン以上の所得をあげることができ、新しい仕事も行ない得る。こういう意味では農業は生きがいを貫き通すのに好都合な職業であるということができるし、自分から選んだ職業であるという認識に立つべきであることを話し合った。

執筆者の紹介

全国の4Hクラブ員や関係者のために本稿をお寄せ頂きました森本勝氏は、福岡県立築上農業高校で校鞭を執られるかたわら、農業後継者の育成に深い関心を持たれ、下中記念財団教育奨励金や文部省科学研究補助金などで、「農業後継者育成条件の実証的研究」を数年来行なっておられる方です。

現在は教師をしておられますが、宇都宮高等農林(現、宇都宮大学)農学部卒業後、大日本製糖株式会社に技師として勤められ、また、農業改良専門技術員の資格も持っておられます。

文部省科学研究補助金、産業教育振興助成金で、暖地稲作の増収に関する研究をされ「増収と診断」「温暖地の稲作」(農業図書株式会社刊)その他の著作があり、稲作、農業経営、農業後継者に関する論文多数があります。

現住所は、福岡県豊前市八屋町赤熊

話し合いで問題解決
福島県連 単位クラブ会長研修会

【福島県=阿部邦芳連絡報道員発】福島県農村青少年クラブ連絡協議会(会長、佐藤公伯君)は、さきごろ県農業試験場を主会場に県下の単位クラブ会長研修会を開催した。

これは、各単位クラブの会長が一堂に集まり、それぞれのクラブの活動内容や問題点などの情報を交換し、話し合いのなかから問題解決の糸口をつかみ、単位クラブ活動の促進を図るとともにリーダーとしてのあり方を学ぶために開いたもの。

初日は、開会式、オリエンテーションのあと、安達太良山で行なう新規就農者を対象とした「若い農業者のつどい」の開催要領について、県連事務局が説明し、協力を求めた。

午後は、クラブ活動の発表、クラブの活動状況や地域社会の問題などを中心として活発な意見の交換をした。いずれも、身近かな問題が中心となり、時間のたつのも忘れるほどであった。

つづいて、県農業改良課、遠藤主任専技が「リーダーはどうあるべきか」について講義を行なった。

夜は、レクリエーションの実技と講演が行なわれた。

このなかで、最近はクラブ活動にレクリエーションを取り入れるクラブが少くなり、クラブ活動の魅力がうすらいではいないだろうか、また、各リーダーはレクリエーションの持ち方を身につけていないのが多数いるのではなかろうかーという反省の声が出された。

第二日目は、前日のクラブ活動の話し合いのなかで出された問題を、つぎの四つのテーマに分けて分科会討議を行なった。

第一分科会=定例会のあり方と出稼ぎ問題、第二分科会=他団体と4Hクラブの関係および他団体組織の多様化の問題、第三分科会=プロジェクト活動の持ち方とクラブ活動における年令差の問題、第四分科会=クラブ活動の運営とレクリエーションのあり方。

これらのテーマについて話し合ったあと、全体討議を行なった。

全体討議で話し合った主な内容は、4Hクラブと他団体との関係、レクリエーションの持ち方、プロジェクト活動、青少年の政治活動などで、いずれもクラブ員にとって身近かな問題であり、熱の入った討議が行なわれた。

クラブ活動に魅力を持たせるために、レクリエーションの実技指導を受けるクラブリーダーたち

涼風暖風

連日の猛暑である。朝から一日中扇風機をかけて机に向っているが、汗が流れてくるし、仕事の能率もはなはだ悪い。だいいち、気分がすぐれない。

「うちの事務所にも、クーラーが欲しいなあ! 涼しければ、もっと能率があがりますよ」などと、不平をいいながら一日が終わる。

こういうときは、一杯のビールが何よりの清涼剤である。勤めを終えて駅前あたりで「ちょっと、一杯やるか」と、だれからともなくいうと、耳より早くノドの方からゴクンと返事がでる始末。

ところで最近、目の前で勢いよくアワを吹きあげるビールのコップを見ると、私の脳裏に一瞬ためらいに似たものが走る。ふとるのが怖いのである。それでも、据膳ならぬ据コップ、飲まぬも男の恥、とばかり手を伸ばして一気に飲んでしまう。

ああ、何という爽快な味よ、こたえられない、こうなったら気の済むまで飲んでやれ、ということになる。

愚か者のなげき

それにしても、こんなつまらないことに気をつかうようになったのも、近頃、腹に脂がついてきたからである。

こんな繰り言みたいなことをいうと、貫禄がついてきたんだよといって慰めてくれる思い遣りのある人もいるが、まだ、貫禄がつく年頃でも、器量でもない。

若いくせに腹が突き出ているのは、何ともカッコよくないし、動作も鈍くなり、人の心を怠惰にする。

ことしは夏やせしたいと思ったが、期待もむなしく、やせそうにもない。

人間、でなければ私は、体を動かして働くのが本当のようである。世間には、体を使うより頭を使う方がいいように心得ている人も多いが、生理的にみても、神経を使うより肉体を使った方が健康的であろう。神経の疲れは胃を痛めたり、ノイローゼになったりするが、肉体の疲れは風呂に入って寝れば一夜で治るものである。

いまのように毎日机に向っているだけでは体によくないというので、毎朝早起きして、運動をすることにしたが、体操やかけ足はおもしろくなくて長続きしない。長続きするにはおもしろいものでなければならない。だが、いまのところ、一人でやれておもしろいものがみつからないでいる。

盛大に実績発表会開く
大分県の栄農研グループ

【大分県=梶原厚実連絡報道員発】大分県日田地区連の天瀬町栄農研究グループ(会員十六名)は、このほど初のプロジェクト発表会を行なった。

これは、日頃の自分たちのプロジェクトをみんなに聞いてもらい、今後の農業の実践に役立てようという目的で開いたもの。

最近は若者たちが都会へ流出するのが激しいおりとあって、この農村青年たちの自らの発表会は多数の人たちの関心を集め、町長をはじめ町議会正副議長、産業課長、普及所長などが来賓として出席した。

午前中、六人の代表がそれぞれ自分のテーマで発表したあと、午後からは、せっかくの機会というので、町政、町農政、青年への要望などについて懇談会を開き、お互いに十分希望や意見などを語り合った。

町からは、これから毎年こんな発表会を催してもらいたいとの依頼が寄せられた。

このあとの反省会では、これからは全員が何らかの形で発表できるようにする、また、九月には農協組合長との話し合いを持つ、などが計画された。

プロジェクトの実績を発表するクラブ員

真夏の浜辺で交歓会ひらく
奈良・大和郡山4Hクラブ

【奈良】大和郡山市4Hクラブ(会長、森本宗和君)は、このほど奈良観光のマイクロバスをチャーターし、伊勢の浜辺でキャンプを兼ねた一泊二日の交歓会を行なった。

これは共同生活を通してクラブ員同士の仲間意識を高めることをねらいとしたもので、青少年担当の普及員や女子クラブ員も交えて二十八人が参加した。

昼すぎ、目的地へ着き、テントを張ってさっそく一泳ぎ、真夏の海へ飛び込んだ。

伊勢の海はきれいに澄みきっており、クラブ員たちは思いきり泳いだ。

夕食はたき火を囲んでスキヤキパーティ。夜になって暗くなると浜でキャンプファイヤーを行ない、歌やゲームで楽しい一夜を過した。

翌日は、近くの温室メロンを視察。みごとに実ったメロンの美しさに芸術的な感激をおぼえた。また、経営者の話に熱心に耳を傾けた。

午後三時頃、キャンプ道具を片付けて、一路郡山へ向った。

小説「あしたの青春」を連載
一ノ瀬、多賀コンビで長編書下ろし

作者 一ノ瀬綾氏
さし絵 多賀愛子氏

さる四月から本紙に連載しておりました「春の終り」は、好評のうちに先月で完結いたしました。

ひきつづいて、本紙ではみなさま方のご要望に応えるように、両先生にお願いして、本号から、若いクラブ員の生き方を描く「あしたの青春」を連載することにいたしました。

テーマは、二十三歳と十九歳の姉弟の生き方で、現代農業のひずみに打撃を受けながらも、農業に対する夢を育てていく過程が描かれていきます。

その一には、肉親に対する愛情や若い男女の愛の問題もあり、これからの農業や農村に対する作者の願いも盛り込まれていきます。

どうか、「春の終り」の姉妹編ともいうべきこの「あしたの青春」にご期待ください。

日本4H新聞編集部

キャンプで仲間づくり
大阪・泉南地区4H連協

【大阪府=松浪賢一連絡報道員発】大阪府の泉南地区4Hクラブ連絡協議会(会長、田所昇君)は、このほど貝塚市辺の市営キャンプ場においてキャンプ大会を行なった。

これは、府連4H部の年中行事"仲間づくり推進事業"を推し進めるための一環として催したもので、同地区(岸和田市、貝塚市、泉佐野市、泉南郡)から三十余名のクラブ員が参加した。

キャンプでは、自主的にすすめるため、全員に仕事の役割りを分担したので、三度のご飯が三度とも味が違うなど失敗もあったが、なごやかさがみなぎっていた。

心頭技健

先に行なわれた移動での「つどい」に向う車中、同行していたK君がつくづくもらしたことは「これだけ水田が作られていては、米が余るのは、無理がないなあ」驚きともあきらめともいいがたい表情でいったのである。たしかに至るところ稲が栽培されている。水利のあるところすべて開田されているといっても過言でない。まさに瑞穂の国である▼ことしは、この米の余剰が大きな社会問題となった。近年、豊作がつづいたといっても、米作農家の血のにじむような汗の結晶によって、日本の食糧は確保され、その恩恵のお陰でこんにちの繁栄が築かれたといっても過言でないと思う。しかし、この努力の結果が米価据置、作付け転換の奨励というのでは、あまりにもなさけない農政が行なわれることになる。とにかく、ことしも早場米地帯では刈り取りがはじまる▼話は前に戻るが、つどいや現地交歓訪問の話し合いで、新たに話題になったものに、米作転換、新都市計画法などの問題があった。しかし一様に強い関心があるようでもなく、その内容をよく理解していないように思えた。これでは明日の農業の繁栄を考え、手段を論ずる期待される青年の姿とはとても思えない▼とくに両方の問題とも、現実に施行され、自分たちの営農に直接関係し、将来の経営目標をも変えざるをえない重大な問題なのである。これでは現代の情報産業時代に生きる人間として、まさに欠陥人間である。他の産業ではコンピューターをたくみに使って情報を克明に分析し、科学的データーに基づいて経営の方針をうち出しているのである▼この機械文明の発達した時代の農業経営は、単に米をつくり、政府の買上げを待つという姿勢の農業は通用しないのである。少なくとも農政の動きを知り、時代の要求を満たしながら、なおかつ自らが農政を考え、推進する、新しい時代に対処する知識と技術が農業者に要求される時代なのである▼話は米価に戻るが、東京の米穀店組合では、自主流通米の次はヤミ米だと予想して、全国各地のヤミ米価格のテレホンサービスをはじめた。若き農業者よ! この現実をどうとらえ、それにどう対処していくか。

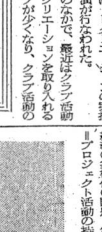

現地交歓訪問同行記

第五回・全国4Hクラブ員のつどい

現地交歓訪問は、鳥取県内六地区に分かれて行なわれた。この現地交歓訪問はつどいの一大行事として、現地を訪問し、家族との話し合いを通じて地域社会から理解、支援されるよう4Hクラブ活動を実現させるため行なわれたもので、県外参加者は鳥取の仲間の家庭に入り、家族との話し合いによって相互理解を、また、現地産業の視察や見学によって農業事情を知った――というように各受入れクラブとも独特な計画で進められた。その結果生きたクラブ活動を体験し、よりいっそうクラブ活動や新しい農業に対して意欲を燃やしている姿が印象深かった。（以下は西伯・東伯地区での同行記）

親睦深め再会約す

各地で、生きた活動を

訪問先で会館募金

「第五回全国4Hクラブ員のつどい」の閉会式を終えた参加者は現地交歓訪問に向うため、受入れクラブ員の案内で米子市公会堂から米子駅へと向った。

クラブ員たちは、それぞれの目的地への旅券を求め汽車を待つ。米子駅は、ときならぬ4Hクラブ員でにぎわった。

午後二時二十分発、山陰本線上り列車に各訪問地別に分かれて乗り込む。車窓から眺める風景は、右に大山、どこまでも続く裾野。左は点在する農家と日本海、その海岸線の松の緑が美しい。田園には出穂期前の稲が豊かに育ち、収穫期を迎えた葉タバコが黄ばんでみえる。窓から吹き寄せる潮風にしばし暑さが薄らぐ。

○○○
盛大な拍手の歓迎

二時四十五分、目的地の大山口駅に到着した。地元、県外クラブ員はホームに降りて、これから東へ行く仲間たちに手をふり、声をかけ合って別れを惜しんだ。

私たちは駅から歩いて今日の現地交歓訪問の会場にあてられた「大山町所子農協会館」に到着した。会館には〝4Hクラブ員のつどい現地交歓訪問歓迎〟の幕がつるされ、地元クラブ員の拍手で迎えられ、盛大な歓迎を受けた。

私たち一行六十七名（県外クラブ員）は、地元クラブ員四十五名とともに会館三階の大会議室に入り、大山町長、西伯地区農業改良普及所長らの来賓を迎えて「4Hクラブ員民泊歓迎会」が行なわれた。

歓迎会は、地元西伯地区連会長・入江寿雄君のあいさつに始まり、ついで大山町長・入江さんは、全国の各地からみなさんを迎えて幸栄に思う。この交歓を通じて、鳥取県で一番発展する農業地帯の実情を積極的に見てほしい。―など同町の農業政策などについて話された。

つづいて地元普及所長から、つどいの行事を通じて逞しく日やけしたみなさんを心からお迎えすると歓迎のことばが送られた。また訪問側を代表して黒沢健一君（全協評議員・埼玉県）から、よろしくお願いします。とあいさつがあった。

ひきつづいてオリエンテーション、日程の説明があり、会員が会館屋上にのぼって記念写真の撮影を行なった。

和気あいあいのうちにレクリエーションが行なわれた。途中、黒沢君から発言があり4H会館建設資金の募金が提案され、会員が同意し、同君が持ち回る帽子の中へみんな小遣いの一部を入れた。

レクリエーションに移り、会員が二重な輪になってゲームを通じて自己紹介、ホークダンスなどに興じてなごやかな楽しいひとときを過した。

つぎに、各受け入れ単位クラブ別（中山、名和、大山、淀江）に分かれて自己紹介が行なわれたあと、受入れる者と訪問者との顔合わせがあった。夕刻のせまる頃、手を取り合って今晩お世話にあずかる西地区に向うため、再び山陰本線の車中の人となった。

○○○
手料理に舌鼓うつ

受入者のAさんの案内で茨城県のS君とN君、静岡県のSさんとMさんに私の五人は中山口駅に下車して五分ほどで目的地についた。夕日は西に傾き、美しい黄昏が訪ずれる頃、Aさん宅のご両親の出迎えを受け、静岡のSさんとMさん、私の三人は、家の人へのあいさつもそこそこに座敷にくつろいだ。Nさんの兄さんは夜の搾乳に精を出しているようであった。

さっそくお風呂をいただいて夕食。Aさんのお母さんや義姉さんの心をこめた手料理に舌鼓をうつ。ご両親や兄さん夫婦を混えてしばし話題に花が咲いた。夕食を終え、近所にある部落の公民館へ交歓会に出かける。外は完全に夜になっていた。

○○○
農業に夢託す姿が

公民館には、すでに灯りが灯されていて地元クラブ員やOBのみなさんが待ちかまえていた。地元クラブ会長さんのあいさつで交歓会ははじまり、ついで自己紹介のあと話し合いに入る。

両者から質問や意見が出たが、とくに地元側からは後継者の不足、耕作地の問題など出されたが、農地が少なく長男であっても努力の余剰から出稼ぎに出てしまう。4Hクラブ員やOBたちの悩みは、部落に若い農業自営者が少ないため、部落の消防、共同防除などが一手にこの人たちの負担となってしまうと若い自営者の少ない悩みを訴えていたが、みな一様に農業への夢を育て努力している姿がみられた。

このほか、現地交歓訪問のあり方などについて話し合った。

○○○
新世紀の甘い香り

二日目朝八時、すでに陽はのぼっていた。われを忘れて寝入っていたらしい。南側の窓を明けはなすと、すがすがしい田園の彼方に大山の美しさが手に取るように見える。ゆっくり朝食をいただいたあと、梨園や葉タバコを見に出かける。

水田の中の小径に沿って五分ばかり行くと梨園があった。梨は新世紀が主で、一本の樹に何百と袋がかけられ、収穫を待っている。

ひとつもいでかぶりつくと梨特有の甘さとみずみずしさが歯の間にしみわたる。葉タバコも黄ばみ収穫を急いでいた。

帰途につき、途中地元クラブの会長さんが経営する養豚場を見る。徐々に規模を広げた豚舎には繁殖豚が数十頭飼われていた。おかげで今年は儲けさせていただきましたと顔をほころばせていた。

川原に降りて焼けつくような足を清流にひたす。清流にはアユの姿が無数にあって、近所の子供たちが水にもぐって遊っている。

○○○
松林にテント設営

午後からの日程はキャンプである。昼食をいただいて車やタクシーを乗りつぎ、平田海岸にあるキャンプ場に着く、海岸には「歓迎」の横断幕がかけられ、すでに先陣の人たちは受けつけを終っていた。参加者は五班に分けられ、ふ近の松林の中へテントの設営を行なう。ついで開会式が行なわれキャンプについての諸注意や係の紹介が行なわれた。

松林にはテントの4H村が設営され、夕飼をむかえる準備でにぎわった（西伯地区・平田海岸）

つづいて水泳大会、バレーボールなどに興じ、夕食の準備。各班毎に夕食の材料が渡され準備にとりかかる。今晩の献立はカレーライスである。材料を洗いきざむ者、ナベ、カマを洗い米をとぐ人、各自忙しくたちまわっている。早くも火がたきつけられて、そこかしこから煙がたちのぼる。

夕食を一緒にいただけないのが心残りであったが、次の訪問地（東伯地区）へ向うため、キャンプの無事を祈りつつ別れを告げて三浦君（前県連会長）の運転する車で一路東伯地区へと向った。

○○○
いずこも結婚問題

案内されたところは、東伯町の中央公民館。この地までの受入れ者は二十八名、昨夜一泊したあと今日は町内の見学を行ない、乳業会社、果実選果場、梨関係の工場など見学して交歓会を開いているところであった。

夕食のあと、四分科会に分かれて話し合う。このあと分科会の発表が行なわれたが、クラブ組織と活動、梨栽や米作転換について、結婚問題に話題が集中した。ついで地元クラブ員の指導によって、ホークダンス、ゲームなどが行なわれ、楽しいひとときを過し、午後九時解散して各家庭に向った。

○○○
おわりに

なごやかなうちに現地交歓訪問の目的は一応達成できたと思う。なぜならば、この交歓訪問は、単なる行事にあらず、生きた4Hクラブ活動ができるところに意義が多いからだ。

他の全国大会や他団体の行事に例をみない、この現地交歓訪問こそ、つどいの表看板として充実させ、家族ぐるみのつどいのいっかんとしていきたいものである。

雨の思い出いつまでも

――入江寿雄――

私たち西伯地区は、総会の終った四月から「第五回全国4Hクラブ員のつどい」の現地交歓訪問受入れ準備を着々に進めて来ました。

交歓訪問の日程が二泊三日のため一泊を民泊に、残り一日を全員でキャンプに計画しました。このキャンプは当地区連で毎年行なっているもので、そのキャンプに全国から訪ずれた仲間たちを迎えて、今年は大山町の平田海岸で波の音を聞きながら話し合う機会にしようと計画したのです。

七月三十日午後一時、前後各クラブ員の家に民泊したクラブ員は元気に姿を揃え、受付けを済せ簡単な開会式を行なった。その後テントの設営、水泳大会、夕食の準備を行なった。夕食は地方色豊かなライスカレーを食べながら話題に花が咲いたようだ。

キャンプファイヤーは、波の音と潮風の中でにぎやかに催され、各県の出し物を競い合った。その夜は防波堤で熱心に話し合っている人など、二時頃まで各テントに灯がついていて平田海岸は4H一色に塗りつぶされた。

しかし、午前三時、突然雨にみまわれ全員起床し、あわてて荷物をまとめて前もって予約しておいた農業高校の体育館へひ難しました。みんなビショぬれになって係の指示に従って四時半頃全員無事に移動を終了しました。

三十一日は予定が完全に狂ってしまい、朝食は近くのクラブ員の家でおにぎりの朝食をいただきましたが、この「雨のおかげでかえって思い出が強く残るのではないか」と思います。

九時半頃から時間の都合上、次々に帰る県外参加者を全員が拍手で送り最後に代表者が米子駅まで見送りに行き再会を約束し、現地交歓訪問の幕をとじました。事故もなく日程が無事終ったとを地区クラブ員全員が喜び合い、また、何んの不平もいわず、運営に協力していただいた県外クラブ員のみなさんに感謝しています。思わぬ雨に悩まされた交歓訪問でしたが、この雨の思い出をいつまでも忘れないで、再び語り合える日を楽しみにしています。

〈鳥取県西伯郡大山町富岡・西伯地区連絡協議会長〉

印象深い夕餉の語らい

都築秀子

4Hクラブ員のつどいに初めて参加しました。もちろん現地交歓訪問は初めてでした。私はこのつどいに参加する以前から現地交歓訪問に大きな期待をかけ、この目で鳥取県の農業事情を知り、体験したいと希望に胸をふくらませて現地に赴きました。

訪問先は、西伯郡名和町上大山のSさん宅。ここの地区は「開拓部落」といって、昭和の初めから戦後にかけて広い土地での農業を求めて移住された方ばかりのところです。愛知県に住む私たちにとって「開拓地」と聞いた時、何か農業者にとっては一番有利な地帯ではないかと感じました。

現状からみれば「工場誘致や雇用労賃と労力」などの問題から、規模拡大は実現できません。そういう問題のある中でも自分の土地を確保しそれ以上に！と意欲を燃やしており、反対に少ない土地ながら頑張っている私たち。お互いに経営面では異なりますが、そこには何か共通している問題点があると思い、私なりにその問題点をみい出し、こん後の解決の糸口にしたいと思いました。

Sさん宅は、庭先に大きな作業場があり、その奥には主家を含めて五棟が建られた広い敷地です。家族は七人、そこへ埼玉県二人、新潟県一人、私の四人が訪問しました。夕餉時の語らい、その時私が一番印象深く思ったことは、家族構成のあり方とご両親と私たちの話題の一致でした。

農業面では、私たちの場合と栽培面積の違いなどから比較できませんが、とくに、親と子のつながり、また若い私たちの考えている農業を十分理解していただいたことでした。

夜は地元の〝若草4Hクラブ〟と交歓会を行ないました。このクラブは十八名（ちう女子四名）ですごくファイトに充ちあふれ活動に活気がありました。このクラブの活動費は、専業収入で賄い、農協や役場に頼らない自主的な行動をしており、そういうところに開拓精神の旺盛さを感じさせられた交歓会でした。

期待通り有意義であった現地交歓、これらで体験したすべてをこれからのクラブや日常の活動に取り入れて行きたいと思います。〈愛知県額田郡永野山川間・幸田4Hクラブ〉

青年とその無限の可能性

つどいの講演　―2―

元京都大学長　平沢興氏

体の健康、精神の健康、社会的な健康

つぎに、健康、これはもう説明を要するまでもないと思います。

しかし、まあ今日、健康の定義はいろいろとありますが、一番進んだ定義は、このWHO・世界保健機構の定義だと思うんです。

これによりますと、健康には三つある。まず、体の健康、その次は精神の健康、そこまでは昔からいっております、心身の健康と。もう一つは、社会的な健康、さっき皆の話は、ちょうど、社会的な健康というものをいっているのであります。

社会的な健康と申しますのは、一人でおるときは何でもないのでありますが、世の中へ出るとちょっとしたことに心配になったり、気にかかったり、あるいは怒ったり等々と、伸のびと社会に出て、社会的生活ができない人があります。

社会的な健康といいますのは、そういう社会に出て、そういう困難や難かしいことはありますれども、そういう困難や難かしさというものに、世の中に出て負けないで、どんな場合にも笑顔をもってやるという、心の安定をいつでももっているというふうな健康であります。これを社会的な健康といいます。

そうしますと、これは難しいことでありまして、ちょっとしたことで怒ったり等々しておったのでは、これは社会的な健康を持っておらんわけであります。例とえ、体は丈夫で、まあ精神病でなくとも、どんなことに出喰わしても、ゆうゆうとやれるというだけの健康を持たなければ社会的な健康を持ったとはいえないのであります。もとより、これは簡単なことではありません。

そういう意味で、健康と申しましても、とにかくただ体が丈夫である、あるいは精神的にも丈夫であるということだけでなく、世の中はいろいろ難しいことはあるがそういう難しさの中においても、いつも落着いて心の安定を得て、いるような健康であります。

これが、私は、非常に大事なことだと思います。

人間の頭には使いきれない脳細胞が

私はここで強調したいことがあります。人間には使っても、使っても、使いきれないような脳細胞が与えられているのであります。

そこで、みなさんの中にも優等生、いわゆる学校の優等生がおられましょうし、そうでない方もおられるかと思うんです。

私は、それでいいと思うんです。私は子どもが六人おりますが、半分位がいわゆる秀才で半分位は鈍才であります。ただし、私は本当に鈍才だとは思いません。そのときにいいますのは、いわゆる学校秀才、いわゆる学校型秀才、そういうようにいっておりますが、残念ながら現在の学校では、とにかく成績というものをつけます。

しかしそれは学校で教えられたものを覚える、というような成績でありまして、実は応用の力とか、独創の力とか、深く物を考える。そういうことは点数には入っておらんのであります。ことに、勇気とか、長続きのする努力とか。

とくにここで申しておきたいことは、能力ということと、可能性ということ、普通は能力そのものが生れながらにして与えられておるもののように思うのでありますが、そうではなく、与えられておるのは可能性、やればできる、練習をすれば、勉強をすれば、やればできるという可能性が与えられておるのであります。

能力を伸ばす気力を　人間の可能性は無限に

与えられた無限の可能性を訓練する

例えば、サーカスへ行きますと、サルでも自転車に乗ったり、あるいはネコが逆立ちしたりしています。あるいは神経の研究者からみますと、やればそれだけの可能性は与えられておるのであります。

別にサルは、サルの社会は、自転車に乗るほど忙しくはありませんから、自転車には乗りません。ネコだって逆立ちをする必要はありません。けれども、馴せるたびに教えればそれを習うのであります。

つまり可能性は、サルも自転車に乗れる、もちろんネコも逆立ちなんかできるわけです。オットセイとかアザラシなどが鼻のところにマリを乗せたりしておりますね。このサーカスの曲芸などにしましても、普通の動物はそんなことはやりません。必要がないからやらないわけであります。しかし、それを上手に腹も立てずに、好きなものをあげるとかいうように上手に教えれば覚え込むわけです。

それは調べてみますと、それだけの神経がちゃんと供わっているのであります。

結局、人間の場合も同様で、可能性としてはほとんど無限のものが与えられておるのであります。

練習をしませんから、あるいは、学校で成績をつけたりして、実際はまだたくさんの能力を持っておるのだが、どうも点数が悪いと劣等生という札がつきますと、親も本人もそんなことになって、可能性を伸ばす機会を失うのであります。

それは極端な例を申しますと、山下清という人は精神薄弱児であります。ですけれども、日本画はあの貼り絵とにかく相当なもの、やはり絵かきとして通るほど立派なものであります。

これなどは、山下君に絵をかく喜びを与えたところにそのコツがあるんであります。つまり精薄でありますから、だいぶ神経細胞の数も少いでしょうし、だけど残っておるものだけを利用してあれ位にはなれるのであります。

ただしかし、例外があります。山下清君は、細かな写生ならず手間、暇いわずにかきますから、普通の人間がかけないような実写をしますけれども、あれを簡単に抽象的な簡単な絵に直すことはできないのであります。なぜなら、山下君の頭ではそれを抽象化、簡単にする、そういうふうな能力は残念ながら非常に弱いからです。

こういう話をしますと、そんな話はもう判りきっておるんだといわれる人が多いと思うですが、私は、判りきってはおらんと思うんです。

偉大な仕事は情熱と実行する努力で

学校の成績がよかったから頭がいいと思ったり、逆に、成績が悪かったから俺の脳は駄目なんだという考え方があるならば、それはまことに大きな誤解であります。

まあ、二十四、五歳、若いほどその可能性は大きいわけであります。また、みなさんは二十四、五歳あるいは三十歳まではでは、まだまだこれからでも遅くはないのであります。

しかし、これからでも遅くはないというには、何かをやろうというひとつの気力がなければできません。そのことについては、みんなこの立派な仕事をした人は頭がいいとか何とかいうことで片付けるのでありますが、私は学問的な立場から、また私が実際に知っている世界的な学者をみますと、学問的にも、また経験的にも偉大な情熱とそれを実行する努力であります。情熱と努力が結果を決めるのであります。いわゆる頭そのものではないのであります。

もとより、嫌いなことはできません。何としてもそれに対する情熱と、しかもそれを貫き通すという努力があるならば、それは必ずできると思います。

そのことについて、例のエジソンであります。エジソンは発明王といわれるほどの人でありますが、トーマス・エジソンが七十七歳の誕生日に、世界の新聞記者が彼に敬意を表するために集まったのでありますが、そのときに、せっかく集ったんだからひとつ「先生ほどの発明、発見の多い人はめったにないのであるが、一体、発明、発見のコツは何か」ということを聞いたのであります。

天才とは、一%の頭と九十九%の汗

エジソンは、はじめ「そんなものはありませんよ」と答えた。

しかし、新聞記者はどうしても帰りません。そこでエジソンは、エジソンもアメリカ人でありまして、なかなかユーモアを持っております。「ああ、そうか、そういえばあるかな」と、そこでいったのは「天才とは一パーセントの頭と九十九パーセントの汗だ」といったのです。

一パーセントの頭と九十九パーセントの汗、これは、一パーセントのインスピレーション、頭ですね、九十九パーセントのパースピレーション、汗といったのでありますが、そういわれると、新聞記者はいかにもエジソンが秘訣を教えてくれたような気がしたのでありますが、それで喜んで帰ったのであります。

しかし、考えてみれば、それはコツがなかったというはじめの答と同じだと思うんです。ただ、はじめは、そんなコツはないよ、といったのを、一%の頭と九十九%の汗、こういうふうにいったのです。

私は、これはエジソンが決してうまいことをいっているとは思いません。ほんとうだろうと思います。

私どもが、偉大な先輩の、どの方面であれ、それは本当にどの方面であれ、優れた先輩の伝記とか、一生を知って感心するのは、やはり、この情熱とそれを貫く努力であります。　（つづく）

話し合いのまとめ

「第五回全国4Hクラブ員のつどい」から

（前号からの続き）

計画的な規模拡大を

問題多いが自主経営に意欲的

自主経営により豊かな生活をするためには

この議題に対してはクラブ員の身近かな問題であるだけに真剣な討議が行なわれたが、規模拡大と専業化への動向、資金や設備投資、流通機構、機械化、女性の労働問題、新しい話題として農民年金制度、米作転換、新都市計画法、そのほか経営、生活の諸問題が出された。

傾向として規模拡大を図り専業化をめざしたいとしながらも、土地、資金の問題が残されており、兼業農家の方が経済的文化的にも恵まれた生活をしている――など弱気な一面もある。しかし結論としては、内外の諸情勢を広くみつめる視野を養い、幅広い経営感覚を持つことが必要だとしている。

また豊かな生活という要望については、都市のサラリーマンと比較しての考えが強く、文化的、経済的、精神的な豊かな生活を望んでいる。

自主経営について

一、資金や設備投資に計画性をもたせ、制度資金の活用により計画的な規模拡大を図る。

二、流通機構の改善については、共同出荷、規格の統一を図る。

三、経営の安定と計画性のある農業を営むため、簿記の記帳、科学的な技術を体得する。

四、労働に関しては、生活と仕事とを分離し、女性の労働を軽くしたい。

生活面について

一、計画的な収入を得て、むだな生活費の支出を省く。

二、家族が仕事の分担を決め、計画性をもたせる。

三、家庭生活と仕事の場は完全に切り離してほしい、毎月の小遣いを決めてほしい、家計の責任は女性が持ちたい（女性側の要望）

このほか新たに話題に上った米作転換問題については、実施該当者はいないが、こんご何らかの方法で一部転換を考えている。また新都市計画法については、問題が難かしいためか十分に理解されておらず、こんごの大きな研究課題とされた。このほか畜産公害、結婚問題などについて話し合われた。

NHK農事番組（8月21日～31日）

テレビ

明るい農村　6・30～6・55　総合
21日　話題の広場　地下農業（横浜市戸塚区）ほか
22日　村をむすぶ
23日　農業新時代　桃と桑の共同農場（岐阜県古川町）
25日　村の記録　かあちゃん牧場（鹿児島県坊津町）
26日　きょうの話題
27日　産物往来　こんぶ
28日　話題の広場　全国農村青少年技術交換大会から（高知市）
29日　村をむすぶ
30日　農業新時代（宮城県中田町）

農業教室　7・30～8・00　教育
21～23日　飼料の生産と利用
25～30日　優秀経営に学ぶ　あすの村づくり

日　7・00～8・00　教育
再　土　13・00～14・00　教育
24日　「農民入門」千葉県東総畜産研究会
31日　第九回全国農村青少年技術交換大会から

ラジオ

早起き鳥　5・05～6・00　①
21日　産地訪問　野菜のたね（京都府久美浜町）
22日　現地報告　入植者のいない干拓地（鹿児島県中種子町）
23日　村のポスト
24日　話題の窓　稲作報告
25日　現地報告　動き出した広域選果場（鳥取市）
26日　人と話題　米の低温輸送（食糧研究所）谷達雄
27日　通信員の手帳から　板坂
28日　産地訪問　こんにゃく（群馬県下仁田町）
29日　現地報告　刈りとりを迎えた早場米地帯（佐賀）
30日　村のポスト
31日　話題の窓　どうなる農民年金

プロジェクトの取り組み方

普及員と学校教師との連けい

北海道専門技術員　三輪　勲

改良普及員と学校の先生が相互に援助と協力を

学校と農村青少年のプロジェクト　一貫性や地域に合った指導も

農村青少年のプロジェクト指導の効果を上げるには、改良普及員と学校教師との連けいが重要である。

中学校生徒の校外クラブ活動におけるプロジェクト指導や農業高等学校生徒のホームプロジェクト指導は、ともに改良普及員による協力分野が大きい。

また、農村青少年グループ員のプロジェクト活動も、学校教師の援助指導によってさらに前進されよう。このほか、社会教育主事・公民館主事・青年学級主事など社会教育関係指導者と改良普及員の連けいも、青少年グループの育成をとおしてプロジェクト活動促進に大きな役割を果たすものである。

ここでは、プロジェクト指導に直接的な関連の深い改良普及員と学校教師との連けいについて述べることにする。

（ア）指導の連絡・打ち合わせ

地域における農業や生活の問題と、青少年や生徒のプロジェクトの関連について、改良普及員と学校教師との相互間で統一的な指導理念を明確にする必要がある。このため、資料交換・共同研究・連絡打ち合わせなど、日常の連けいがたいせつである。

なお、こうした連けいは熱心な担当者がいなくなると、その後の連けいが次第に途絶えてしまう場合が少なくない。これは、連けいのための組織がない場合に起きやすいので、青少年問題協議会の専門部会とか、農業後継者育成協議会など、関係機関の連けい組織が必要であろう。事実、連けいが十分に生かされているところでは例外なくこの種の組織が整備されている。

（イ）地域課題に即した指導協力

生徒のホームプロジェクト選定に当って父兄・生徒・教師の協議が前提とされているが、この相談に改良普及員が協力するといっそう効果が上がる。これによって、生徒のホームプロジェクトは地域の実態や将来の農業発展の方向に沿った課題が取り上げられ、農村青少年グループ員のプロジェクトとも関連が強まるので効果的な指導が可能となる。

たとえば、毎年一～二月ごろ、どこの部落でも、農家の経営主と普及所・農協・役場の関係者とが参集して当年の営農についての懇談会が行なわれるが、こうした機会に学校教師も参画して、子弟のプロジェクト促進の話し合いをすることも重要である。これは、プロジェクトをもとにした家族協定農業についての父母の理解を深める機会ともなる。

（ウ）入学時からの一貫的指導

改良普及員が生徒のホームプロジェクト指導に協力することによって、卒業後の青少年グループ参加と地域課題に即したプロジェクトが継続的に展開できるため、在学中からのプロジェクトの総合的長期計画をひき続いて実施させることが容易となろう。

したがって、高等学校との連けいだけでなく、中学校生徒の進路指導に関連して学校側に協力し、中学校生徒の校外4Hクラブの組織化やプロジェクト活動のけいもう指導を行なうことが望ましい。

（エ）プロジェクト巡回指導の協力

改良普及員によるプロジェクト巡回指導に、高等学校教師の同行協力を得ると効果が大きい。また対象青少年が、生徒即農村青少年グループ員である場合には著しい効果を上げることができる。学校教師の協力によって、青少年のプロジェクト実践中に生じた問題の処理に関して専門的な学習指導が補強されるほか、両親に対するプロジェクトのけいもうにも効果が期待される。

（オ）プロジェクト促進行事の共催

農村青少年グループと学校農業クラブの共催によって、技術競技・演示発表・展示は運営・プロジェクト実績発表などプロジェクト促進の諸行事を行なうように配慮する。

この場合、改良普及員と学校教師との協力指導によって、学校教育には地域の現実的な問題を教材として提供し、農村青少年グループの育成には系統的な学習指導をとり入れられるなど、プロジェクト促進に寄与するところが大きい。

（カ）実験・実習の施設の利用

学校の協力を得て、実験・実習の施設や設備を利用させてもらうことによって、青少年のプロジェクト実践における調査・観察・測定・実験などの指導が効果的に実施できる。これら施設・設備の利用指導面において担当教師の協力がえられると、いっそう効果が上げられよう。

とくに、農業高校の実習農場について、地域社会に対する農業技術的な機能を加えてもらうことも効果的である。

（キ）生徒進路指導の協力

農業改良普及所においてはプロジェクトの指導に関連して生徒の進路指導に対する協力が必要である。中学校生徒の進路指導に対する協力は、営農条件を具備する農家の子弟にできるだけ自営者養成農業高等学校への進路を勧め、父母に対してもその理解を深めさせる。

また、中学校卒業はただちに農業に従事しようという生徒に対しては、改良普及員のあたたかい激励や青少年グループ入会の啓もう、市町村農業学園（普通科）やラジオ農業学校、農業講習所の正しい理解を深めさせて進路を奨励するとよい。

高等学校生徒の進路指導に対する改良普及員の協力は、卒業後農業に就業する生徒のリストを学校側から提供を受けて、卒業後のプロジェクトの指導準備を整えることから手がける。また、農業学園（高等科）の理解を深めさせて進学を勧めるようにする。

農業簿記

京都大学名誉教授　大槻正男

＜自計式農家経済簿記＞

第2節　財産台帳と年度始め記入

財産台帳は、年度始めと年度末とにおいて、あらゆる財産構成分子をたな卸して、それぞれについて両時点における財産あり高を把握し、両時点における財産あり高の差額として、それら両時点間の財産の増減変化額を記録計算するところの帳簿組織である。この簿記の台帳組織においては、記録計算の便宜上、その対象となる農家の財産を下表のように分類する。

農業経済を、まず所得経済部面とに分けて記録計算するこの簿記の取扱いにおいては、農家の財産はその用途が所得経済用であるか、家計経済用であるかによって、まず所得経済財産と家計経済財産とに分類されるべきである。

ところが、一般家計簿記の原則においては、家具家財および衣服のように相当長期にわたって使用できるものであっても、購入と同時に消耗しつくすもの――すなわち消耗財――として取り扱い、それらの購入支出全額をそのままその年度の家計費とする簡略法を採用する関係から、年度末に残る家計経済資産なるものは当然ありえない。

この簿記においても、一般家計簿記の原則に従い、消費財（すなわち家計用財貨）はすべて消耗財とみなして取り扱う関係から、年度末までにはすべて消耗しつくして、年度始めと年度末には家計資産なるものはありえないのである。

ただし、住居のように消耗財として取り扱うにはあまりに実情から隔離するものについては、たとえそれが自家所有の建物であっても、取り扱い上自家所有建物とせずに、他から賃借りしたものと擬制して、それに対する家賃を見積り、その見積り家賃を家計費中に算入するのを一般通則とし、決して、その住居を家計資産として取り扱い、その減価消却費を住居費として家計費に算入する方法をとらないのである。

この点に関しても、この簿記は、一般家計費計算方法に従って、建物は、農業・家計兼用のものはもちろん、隠居家のように明らかに家計専用のものでも、一括して所得経済資産として取り扱い、その総家賃を見積り、それに家計使用割合を乗じた額が、家計経済負担の家賃として家計経済から所得経済に支払われるものとする擬制的計算方法をとるのである。

同様の理由から、家計経済負担なるものを認めない。これは、所得経済部面が家計経済部面において要する貨幣を、必要に応じて不断にまかなうものとして取り扱うからであって、貨幣が不足する場合には、所得経済部面が自らの負債として借り入れ、その金を家計経済部面に即時提供するものとして取り扱うのである。

このようにして、農家の財産は、全部、所得経済財産として取り扱うことができる。したがって、下表に見られるように農家の財産はそのまま所得経済財産を意味するものとなる。

- 農家の財産
  - 資産
    - 生産資産
      - 固定資産
        - 1）土地（貸付地をも含む全部の所有地）
        - 2）建物（貸家をも含む全部の所有建物並びに晴きょのような地下建造物）
        - 3）大植物（桑樹以上の木本性植物類）
        - 4）大動物（羊豚以上の大家畜類）
        - 5）大機具（足踏み脱穀機以上の大農具および兼業用具など）
      - 流動資産
        - 6）準現物
          - （イ）小植物（主として草本性植物類）
          - （ロ）小動物（家兎・家禽およびそれ以下の小家畜類）
          - （ハ）小機具（足踏み脱穀機よりも小さい小農具および兼業用具類）
        - 7）現物
          - （イ）未販売現物（生産現物）
          - （ロ）購入現物（経営用現物）
          - （ハ）中間生産物（いわゆる無市価物）
    - 流通資産……8）現金および準現金
      - （イ）現金
      - （ロ）準現金
        - a）貯金および貸付金
        - b）未収入金（売掛金）
        - c）講および保険金
        - d）出資金および株券類
  - 9）負債
    - （イ）借入金
    - （ロ）未払金

＜14＞

羨ましい「4Sの日」

思う通り借りられる農業（プロジェクト）資金

前回は、アビカール（ABCAR）について述べたが、その仕事の中に、融資事業を中心にした、農村青少年育成事業が含まれていることをふれておいた。

この融資の強力なバックアップをうけて殆んどの州に4Sクラブがつくられたのである。だから、アビカールと4Sは、大変近い関係にあるわけで、アビカール本部イコール4S本部といった関係なのである。

4S会員は六万人

さて、アザナエル氏の熱弁は、いよいよ4Sの話に入った。いま全ブラジルには、約六万人のメンバーがいる（一九六八年）という。一九六九年には、八万人になる見込みとかで、その組織の拡大は目を見張るものがある。さかのぼって、一九六四年には、4Sを元気づけ、青少年活動のPRをはかり、広く一般協力者を求めるために、4Sクラブ協会（COMITE・NACIONAL・DE・CLUBE・4―S）が発足した。

これは理事七人、幹事六人、事務一人、職員七人からなり、理事会は毎月一回、総会は年二回ひらかれる。予算は、一九六五年が、四万五千六百五十USドル（一千六百七十万円相当）で、六八年は、二十万USドル（七千三百万円相当）ぐらいだそうである。

主な事業は、青年の表彰、学資支給、海外派遣事業、全ブラジル4Sの日の実施（毎年七月十五日で、すでに十七回を経ている）、農村技術展、キャンプ、生産大会などである。

金をかける表彰

表彰には相当な金を投じるらしく、メタル、バッチ、三角旗、記念楯など、一見かなりの金額になるだろうと思われる高級品が、実に数多くつくられていてジャンジャン顕彰事業をやるようである。

また、地方の郡などで品評会が華やかに開かれるが、そこには必ず、クラブ員のプロジェクト展示コーナーができて作品展示即売会が行なわれている。

また、前述したアビカールのプロジェクト資金のような融資事業も、活発に行なわれているようだし、一九六八年に4Sクラブでうけた融資額は、十一万一千USドル（四千万円）である。この額をアビカールは、ブラジル銀行に振り込み、ブラジル銀行が青年に貸しつけるのである。額面からみれば、日本の後継者育成資金の比ではないが、やる気のある青年には有難いものにちがいないであろう。

ちょっと話はそれるが、ブラジルの融資のし方について耳にはさんだ話を紹介しておこう。

銀行も農業指導？

私の印象では、ブラジルの農業指導は、銀行が行なっているのではないかとさえ思えるのである。それほど、農業資金はどんどん希望する額が安易に借りられる。しかし、年利一二％で短期融資なのがこわい。移民であってでも余りやかましくないという。しかし取りたては厳しく、トラクターをさし押えられたとか、土地を抑えられたという話を大部聞かされた。

今まではインフレが急進していたので、借金した方が得であったようだが、これからはそうはいかないと、農家の人は頭をかかえている。日本のように、五十万円の後継者資金を借りるにも手続きその他でうるさいと悪評があるが、ブラジルのように手放しにかりられるのも、これまたいいとはいえないようである。

7月15日、4Sの日

全ブラジル4Sの日は七月十五日という。私の滞伯中にあったはずなのだが、全く知らなかった。新聞でもお目にかからなかった。もっとも、サンパウロ州は、この機構と無関係なのだから無視しているのかもしれない。

しかし、国中が統一記念日をもつというのはうらやましい話だ。一昨年（一九六七年）の七月十五日には記念切手を発行している。

生産大会というのは、専門部門のコンクールで、全ブラジル統一コンクールである。これに入賞すると、実力章というメタルが贈られ、在学生の場合は、学校へ通知されて、学資の全額あるいは一部を負担してやるのである。

悪評、日本の学生

海外派遣は、アメリカ向けだけのようだが、前述のように日本との交流も希望している。アメリカ実習から帰国した4Sクラブ員の話だと、日本からの実習生とアメリカで一緒に働くことが多いが、どうも日本からくる青年は、理屈ばかり達者で働かないし、口でいっても実際にはできないと悪評が高い。よく聞いてみると、国際農友会から派米する学生であるらしい。農村青年はいいが、学生はダメだというのであった。

アビカールから4Sまでの話をぶっ続けて聞いて、厚くお礼をいい外に出ると、熱いリオの町は、もう夕暮れどきであった。海岸線には、きれいな水銀灯が光り、若い男女が肩をくんで、砂浜を散歩している。ボン・デ・アスーカルの山頂にもすでに灯がともって、世界三大美港の景観は、いまやクライマックスになろうとしている。

〈栃木県普及教育課・特別専門技術員（青少年担当）〉

世界三大美港の一つ、リオのポン・デ・アスーカルの夜景

あしたの青春

一ノ瀬綾
え　多賀愛子

＜1＞

仲間達（一）

登りつめてきた道が急にひらけて、そこは山の頂上であった。白樺のまじる雑木林を切り払ってつくられた広い駐車場には、もう色とりどりの大型バスが二十台近くも並んでいて、その間隙を縫うように乗用車が出たり入ったりしている。連れ立って動きまわる人の数も、町の商店街なみのにぎわいであった。

「おーい、全員集まって」

会長の水野圭次が高く手を揚げた。広場の片隅に駐車していた四台の軽四輪車から、四、五人ずつの若者達が威勢よくとび降りて集まってくる。

「男子十八名、女子五名、みんな揃ったな」

「女子五名、うち一名飛び入り……」

仲間達の中で声をあげたのは、新一であった。わっという笑いと共に全員の顔が、新一の背後でてれ笑いをしている姉のすみ江に振り向けられた。

「きびしいこと言うなよ。昔はクラブ員だったすみ江さんだ。みんな歓迎してるんですよ。大いにたのしんでください」

ヨレヨレの登山帽をやたらにかぶり直しながら圭次が言った。出発間際の今朝になって急に参加を申し込んだすみ江に、気を使わせまいとする会長の心使いが、その場の雰囲気をなごやかにもみほぐした。

新一の仲間である村の4Hクラブの会員が、レクリエーションで美ケ原高原に行く話をすみ江が知ったのは昨日の夕方であった。

町のバス会社の事務員をしているすみ江はクラブ員ではなかったが、その計画を聞くと無性に美ケ原高原が見たくなった。日帰りのドライブ旅行ということも魅力であったが、中学時代に一度登っただけのその高原のさわやかな印象が、しきりにすみ江を招くのであった。

「急に申し込んだって無理だ。車はクラブ員の持ちよりだのに、おれん家には車がねえんだから……厚かましいよ」

新一が口をとがらして反対したが、とにかく会長に聞いてみてくれ、という姉のしつっこさに負けて、新一が電話したのである。

「すみ江さんは、クラブのOBだから、特別参加を認めやしょ」

圭次の返事は思ったよりあっさりしていた。すみ江は高校時代一年間ほどクラブに入会したことがあり、その頃圭次もクラブ員であったから覚えていたのであろう。

「チエッ、会長、女に甘いんだな」

ぼやきながら、新一は、それでも姉にうまいべんとうを作らせる、という条件を出して同行を認めたのであった。

「ここから歩いて二、三十分で高原地帯へ出る。あんまりばらばらにならねえように、まとまって行動してくれや。向うへ着いて全員でやることは、ソフトボールと、バレーだけだ。道具を忘れんでくれよな」

日焼けした顔に白い歯を光らせて、圭次が一同を見渡した。二十五歳の圭次と同年配の者は四、五人で、あとは新一のように今年高校を終ったばかりか、在学中か、中学生というハイティーンが大半であった。すみ江のように、二十三歳という娘は一人も居ない。

歩き出すと、圭次達年代の若者は自然、すみ江を中心に話がはずむ。

「しかし、町に勤めていて、よくおれ達といっしょに来る気になったね」

一人が言った。冷やかされた気がして、すみ江は少し赤くなった。

「じゃましないように、と思ったんだけど……やっぱりいけなかったみたいだね」

「その反対さ。おれ達喜んでハッスルしてるんだ。いつもじゃりっ子ばかりが相手で、少々うんざりする時もあるんだから…」

「すみ江さんは、会社にいい人が……な」

「ま！いろんな情報が入ってんだね」

すみ江は目を見張って、相手をながめた。

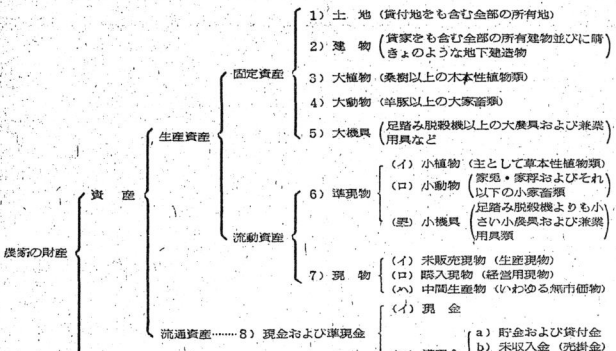

青春と仲間

農村雑感

折原俊二郎

あるじゃないか

物は考え方によって、一つのことがいく通りのものにもわかれるものである。

例えば、ここにA君とB君が一〇〇円ずつ持っているとする。A君は、この一〇〇円に対して「たった一〇〇円しかない、どうしようか」と考えている。B君は「まだ一〇〇円もあるじゃないか、よし、この一〇〇円を有効に使ってみよう」と考えている。このように「しかない」というのと「あるじゃないか」ということ、この二つの考え方の中には、次への段階に向う場合、大きなちがいが出てくるといえるのではなかろうか。

若い青年たちと話をしていると、この考え方がはっきり区別して受けとれる。しかも、その根底は、親から受けついでいる土地のことになるとはっきりしてくる。もう一つ青年たちの考えに共通していることは、自分で苦労して土地を手に入れたのではなく、だまっていても親から引き渡されたものであり、それに対する安心感と共に、他面に不満感を持っていることである。

都会の青年たちの多くは、親から多くの財産を受け継いだ人は少なく、毎日毎日の生活の中で、苦労して貯蓄していることでそこには毎日の闘争があり、明日への不安感におそわれている。都会で一人で生活していこうとしている青年たちからみれば、農村の青年は恵まれているというかも知れない。

農村の青年たちからいわせると、自分の好きな職業は、家というものにしばられて自由にならない。少しばかりの家やら土地があっても、自由な職業なり、自由な生活を出来ないのだから、苦労しても、都市での生活の方が恵まれているのではないかという。

どちらが正しく、どちらがまちがっているとはいえないが、問題は、それぞれちがった立場におかれていながら、その立場をどのように活用するか、その考え方こそ大切なのである。

かつて、全国農村青少年夏季技術交換大会の折、東北の青年と四国の青年の意見交換の中に、東北の青年は、四国の温暖な気候のもとで一年中作物がつくれることをうらやましいといい、四国の青年は雪も降らない四国で、小さい土地を持ち、一年中休むひまもなく働くよりは、冬の間、雪に閉されて、ゆっくり読書なり、年間計画をたてられる東北の農業がうらやましいといっていたことがあった。結局相手側のよい点のみをさがすことに終って、自分のおかれている環境の中にあって、その良さを見出して、どのように対応すべきかについての議論がなされなかった。

良いところを自分でさがし出す。そのことの考え方の基本には「……もあるじゃないか。これをもとにして、一つ大いに発展させてやろう」という考え方が是非必要なのではなかろうか。「……しかない」という考え方はこの際すてることが大切だと思う。

（農林省・農業者大学校）

4Hクラブを伸ばすために　つどい意見発表

クラブに強い信念を

有能なリーダーの育成を急げ

岐阜県海津郡
南濃町4Hクラブ
伊藤光明

進みゆく農村社会にあって、青年であるわれわれに学習の必要なことは、いろいろな場所で、いろいろな人々によって指摘されているし、また、われわれ自身も最近のように、技術革新のテンポが激しい中にあって、常日頃から、学習の重要性を感じています。

その中で、発展を続ける技術をいち早く身につけ、適応でき、かつ、この発展の原動力たる能力を養うことが大切ではないでしょうか。そのためには、4Hクラブ活動などのあらゆる機会をとらえて学ぶ意欲が必要であり、その積極的な営みを通じて、実力をつけていくべきではないでしょうか。

農業は、いま、基盤整備によって一区画のほ場が大きくなり、耕地面積も拡大されています。作業体系は、機械利用の一貫作業によってこれを自由に使いこなせる能力、技術、体力が要求されてきます。例えば、技術一つを取ってみましても、昨日の技術は今日に役立たず、今日の技術は明日の農村には通用しないかもしれません。しかし、昨日の技術のマスターがあればこそ、今日の技術を十分に把握した土台があってこそ、明日の技術の開花があるのではないでしょうか。

×××

迎合主義は組織弱化

4Hクラブの活動は、われわれが農村に入って、地域の中堅として活動できるようになるため、われわれは、自らが進んで4Hクラブに加入し、活動しなければならないもので、4Hクラブの活動を通じて、豊かな人間形成や、社会生活における規範の会得を行なって、われわれは、明日を夢みて飛びたたなければなりません。

このような中において、今の4Hクラブ活動から感じられることは、今までは、農業行政と共に歩んできましたが、グループの再編成が余儀なくされ、本質論に花さく現在、自主独立の精神がようやく頭をもち上げてきました。それと同時に、クラブ員自らが単なる現状維持や安易な便乗主義から脱皮し、青年特有の実行力を発揮して、やり直すだけの力強い意志を持たなければ、自主独立はまぼろしに過ぎず、将来の4Hクラブの姿が危ぶまれることにもなりかねません。

このような重要な時点に立つわれわれは、4Hクラブ活動をよりすばらしいものにするため、われわれに4Hクラブの強い信念が必要なのです。地域の4Hクラブを見ていると、組織が弱体化し、クラブ員数が減少している所をみかけます。その原因を追求していくと、一つに社会の変動による影響もありますが、クラブ内部にも数多くの問題が含まれています。4Hクラブ活動の中で、まだ行事のみに追われているクラブがあり、クラブ員一人ひとりのことよりもいかに行事を行なったらよいかに終始して、4Hクラブや、クラブ員の日常生活から遊離したような活動になっています。なぜ、このような活動を続けなければならないのか。

さらに追求してみると、一つに、クラブ活動を盛んにするため、クラブ員をかき集めたり、クラブ員にクラブの興味をもたせるための手段なのかもしれませんが、またクラブ活動そのものが、県や市町村からおしつけられたり、市町村段階において、活動予算の資料を配布する場合、目に見え、形に表われる活動にのみ予算がつけられるという現状で、予算獲得や、クラブ員に興味をもたせるためのレクリエーション的な活動ばかりに神経を集中していると、4Hクラブの本質を忘れ、また、こういったクラブ活動が、組織の弱体化を助成しているように思われます。

「青年の生活を高め、青春を謳歌するために、4Hクラブの果す役割は何か」――われわれ一人ひとりが真剣に考えて行かなければならない問題だと思います。

4Hクラブは、あくまでも個人の学習がたてまえで、その場所の提供と連絡、各種団体との交流、補助申請や指導者の要請など個人では不可能なことを処理する窓口であって、組織自体は、何の力ももたないのです。

指導者については、普及員の方々が主体で、それに各市町村や農協の指導者の援助で活動していますが、われわれは、自主性をさけびながらも、頼りすぎる傾向が強く、また、OBの方たちの組織的な応援のないのはいったい何が原因なのでしょうか。われわれは、OBの方たちの歩まれた道をそのまま歩くのではなく、先輩たちの残した足跡よりもより大きな足跡になるよう努力し、勉強しているのです。われわれの歩いた後には4Hクラブの実績が積み上げられ歴史に残るようにと……。われわれは、先輩たちの指導[illegible]から[illegible]っています。

×××

活動の盛衰は目標に

4Hクラブの会合で「クラブ活動を活発にするにはどうすればよいか」と、よく話し合います。すると、「クラブ員一人ひとりの自覚だ」、いや「リーダーの問題である」という言葉が出されます。そして、それですべての問題の結論が出て、ゆきつくところまでゆきついたという感じで、それぞれが納得顔に話しが終ってしまいます。

しかし、明らかなように、これが結論ではなく、いうなれば、それは、問題の回避にすぎないと思います。「人の問題だ」「指導者の問題だ」というとき、人々が抱くイメージは、各人各様でありましょう。しかし、その程度の差こそあれ、通俗的な、大人物待望論につながるものが少なくないと思います。

普通、リーダーを選び、リーダーに望むものとして、包容力、能弁、洞察力、精力的、自信、決断力など常に多くのものを期待します。この望む理由として「リーダーは、他のクラブ員とパーソナリティー（性格）において異っているのだ」ということ、そして「あらゆる状況や文化のもとで、すべてのリーダーがこの特性を表わしてくれるもの」という期待があるからだと思います。現に、良いリーダーのいるクラブは活気があり、リーダーのいない所は消沈しています。4Hクラブが新しく生まれたり、活動できず消滅したりする要はどこにあるのでしょうか。

4Hクラブは、生長発展していく条件をもっており、先天的に短命であったり、長命であったりするものではないと思います。4Hクラブの生存の期間を定めるものは、クラブの中で力をもっているリーダー、それに、活動するクラブ員一人ひとりが、長く続くことを願うかどうかにかかっています。しかし、願うだけでは長く続かず、結局、クラブ活動の目標、クラブ員個々の目標を何にするかによって決まります。

4Hクラブの目標は、当面の目標、実現可能な目標、理想に近い目標の三つをもち、個人目標とクラブ全体の目標を両立させるための努力が必要であります。また、地域環境に対しても、革新のために大いに働きかけ、4Hクラブが地域環境を統制するか、環境に適応するかして、環境と調和を保つ必要があります。

×××

大切なリーダー養成

ここで、「リーダーの養成をいかに行なうか」が問題になります。現在の4Hクラブは、いろいろな問題に直面しており、どのような情勢にも対応できる有能な活動家を養成することが急務であると考え、4Hクラブにおける身近かな問題を取り上げ、それを解決する糸口を見出すことが必要です。そのために「リーダー研修会」を開きます。

この研修会には、各地区連から現リーダー、サブリーダー、それに、リーダーのO・Bが一堂に集い、「4Hクラブの精神」「リーダーの心構え」を主に行ない、それに、OBの経験談や、現リーダーの直面している問題点を出して、参加者全員で討議し、自分たちのものにします。こうした研修会を行なうことによって、リーダーやサブリーダーたちは、自分に欠けているものを身につけ、あるいは磨き上げ、各クラブに帰ってその成果を発揮すればよいのです。

×××

地域との連帯感を

また、4Hクラブは、4Hクラブ員だけのものでなく皆んなのものであります。そのために、地域社会への働きかけとして「社会活動」を行なう必要があります。最近の4Hクラブ活動で、社会活動は年々低下しており、現在は、以前の奉仕的クラブ活動から脱皮しつつ、社会の変遷によって、同じ農村に住みながら、村人との交流もなくなり、全体の仲間としての連帯感も薄れて、個人的になってきました。

数年前までは、町村の4Hクラブにおいて「農作業の講習会」や「両親をはじめとした村人との交歓会」「地域の環境整備」など、4Hクラブ員が主体となって、自分たちの技術を磨くだけでなく、村人も一緒になって、地域全体の向上のために行なってきました。このような活動のなくなった現在地域の人々の、4Hクラブに対する関心もうすくなり、これが新人クラブ員の減少となって表われてきています。

われわれ4Hクラブ員は、常に郷土を良くし、国を良くしていこうという願いから、未来を築く社会の一員として、常に学習と実践を結びつけ、その活動の成果が、希望や願いをもって社会全体を良くしてゆくよう努力する必要があります。これが、自己の人間形成へと結びつくのではないでしょうか。

×××

女子活動を盛んに

次に、4Hクラブ活動を盛んにするためには、男子ばかりのクラブでは正常に発展せず、女子クラブ員の活動があってこそ、完全な4Hクラブの活動ができると思います。そこで、女子クラブ員の学習の場として、また、女子青年全体の問題解決の場として「女子青年研修会」を行なうことが必要です。

現在、女子クラブ員の活動が停滞しているといわれていますが、その原因はどこにあるのでしょうか。第一にあげられるのが、女子クラブ員の積極性に欠けている点です。「君がやらなくても、誰かがやってくれるだろう」という消極的な考えから脱皮し、4Hクラブ活動を通じて、一人でも多くの仲間を知り、社会的視野を広めるためにも、もっと自主的に活動に参加する必要があると思います。

また、女子クラブ員は若くしてやめていく。この短かく貴重な青年時代に、欠けると言われる社会性と積極性を養ない、女子クラブ員の仲間をふやすとともに、後継者を育成しつつ、女性自身の目で、この進みゆく農業の姿を見てほしいと思います。

また、仲間作りと4Hクラブ組織の拡充のために、「情報宣伝活動」を行なう必要があります。組織の実態と動向、また活動内容の資料を県下全域のクラブに流すことは、クラブの発展とヒューマニティー（人間性）を深めるために大きい要素をもっています。情報宣伝のねらいとして、会協と県連、県連と地区連、地区連と地区連の結びつきが強まり、連絡報道が行なわれることによって、クラブ員相互の心を結ばせ、当面する問題に情熱を燃やして問題解決への道へと、苦しさと戦う勇気を持たせてくれます。

×××

新入クラブ員研修も

さらに、新入クラブ員の研修が必要であります。今日、県や市町村で行なっている後継者教育はたんなる跡取り息子の確保としか思えません。農村や農業のキライな人が、無理をして、納得できないまま農村に残っても、農業発展にプラスにはならず、また、その人間としても不幸であります。

本当の後継者として、農村の現実を正しく認識し、農村と農業を力強く前進させる人が、農業に従事し、4Hクラブに入会したならばわれわれクラブ員は温かく迎えてやらなければなりません。

そこで、「新入クラブ員の研修会」を開催し、4Hクラブに入会した青年の意見交換や問題解決の場として、また4Hクラブをより深く理解するために、4Hクラブの精神を説明します。こうすることによって、4Hクラブ活動に意欲をもった、新しい力がクラブ内に加われば、クラブ活動が活発化への方向に進展するのではないでしょうか。

最後に、輝く太陽の下で、緑の大地にいどむ農村、それは、都会よりも、今の農村よりも住みよい農村社会をわれわれの手で確立していきたいと思います。われわれが真の4Hクラブ員であることを示すには、4Hの旗と、4Hの歌と、四つのHの信条を前にして、自らが誇りをもつことだと思います。真の4H精神を学ぶには、4Hの旗の下以外にないことを肝に銘じて……。

（農林省・農業者大学校二学年在学中）

私の体験と意見

静岡県御殿場市
北畿4Hクラブ　真田勝③

これからどう生きるか

技術より人間形成に磨きを

誰れもが幸せを求め、その幸せが末長くありたいと願うのは、すべての人が考えることであり、求めるものだと思う。この幸せを求める一人として、われわれは農村で農業に生きがいを感じ農業を通して生活するのです。

4Hも日本に入って二十年以上にもなり、二世もそろそろ4H活動に入ろうとしているわけだが、4Hクラブが始められた当時クラブ員だった人は「いまの4Hは何をやっている？ ただ遊ぶことしか考えていないだろう」という。また反対に「いまの4Hは大変だ、対象者は少ないし、考え方は統一しにくいし、同じ農業といえども規模が異っている。そのうえに商業環境が発達しているし」と四十歳近い元クラブ員に言われます。

私たちの活動をみて、昔を思い出しながらの会話ですが、前者はクラブを終るとそのまま村の中に入って、別に趣味も持たずに、真白面で農業一筋に生きる中年のオジサンタイプです。後者は、4Hから農協青年部に入り、そこで団体活動をしている人ですが、農業になんとなくセンスがあり、頭もフレッシュな感じのする兄貴分のような気がします。

団体活動をやっていると、忙しい日中に公用で外出することもあります。夜も家庭サービスなどと言っていられないこともあると思います。ときには防除をのがしてしまって何万円もの損害を出すこともあるかも知れません。

でも、私たちは農業を営むと同時に人生も送っている。外から見て真白面な精農家に思われても、何の趣味もなく、ただ酒を飲んで世間話しくらいしかできない大人。このような人が農業に従事している大人には多いのではなかろうか。いや大人ばかりでなく青年にもいるような気もします。

「趣味は農業です。ほかにありません。私は農休日はいりません。農業をやっているときが最高です。酒を飲みながら女性をからかうことが趣味です」―これは農村青年の会合のときの自己紹介の一例です。しかし、女の子がどうとか酒がどうだとか、また農業が趣味だとかは、何歳になってもできます。これでは、いま、ぐちをこぼしながら農業に従事している大人と変りがないと思う。

私たちがやらなければならないことは、これからの人生をいかに生きるか、これからの農業経営をどう転回させていくか、日本をどう創って行くべきかなど広い視野に立って考えていくべきではなかろうか。

六十歳を過ぎた代議士が、えらそうなことを言っても、もっともらしいことを言っても、自分はそれにぶつかって行くことができない年だ。ぶつかり、くいつき、噛みくだき、現代の世の中に合うようにするのが、私たちの役目です。その目標達成のため、私たちは教育を受け、その後は団体活動によって、ともに磨き合って伸びていく―ここに4Hクラブの焦点を合わせることが活動の意義だと思う。

いまの4H活動は、場所によっては、農村青年のぐちをこぼす集まりであったり、遊び相手の集会だったり、また、指導機関が外部に見せるための名簿クラブであったりするのはよくない。そのほかに農業の研究をすべての前提にしてそれ以外はクラブ活動でないように思っているクラブもある。これではクラブ活動でなく、単なる集まりであり研究会に過ぎないと思う。

私たちのいまの年令を考えようではないか。

このときこそ、私たちは人間形成に磨きをかけるべきではなかろうか。農業は、目標をはっきり決めて裏付けて働く。これだけにしておいて、クラブ活動によって多くの人に接し、多くの書物を読み、スポーツをやり心身を鍛えるべきだと思う。

よく言われることだが、農業に従事している人たちに利己主義者が多いということは、会社勤めしている人たちに比べて他人と接する機会が少ないこともあると思う。農業以外の人は他人の意見との交換によって自分を高め、自己を表わしていくが、田んぼの中で一人ぼっちの私たちは4Hクラブによって多くの人と接し、組織活動によってこれを補える。

若さのある集団の中で自己を主張でき、建設的ムードの中で活動がなされることが必要です。より活発な4H活動をするためには、クラブ員に4H精神を高揚しなければならない。あの四つの信条をかみくだき、クラブのものにしてから自分のものにする。

四つの信条をより自分のものにし易いように、クラブの中にいくつかの部をつくり、すべてのクラブ員がそのうちのどれかに所属する。そしてその係となって、各部が主催する行事を通じて四つの信条を習得し、人間形成の向上を図ることがよいと思います。

現に私たちのクラブでは、一つ一つの信条によって次の部を設けて、活動しています。

一、農業の改良と生活の改善に役立つ腕………農業改良部　生活改善部
一、友情と誠実な心……文化部
一、楽しく暮し元気で働くための健康……レクリエーション部
一、頭の訓練……すべての会合や研修、行事

クラブ員全員が四つの部に分かれて、その行事の企画や運営をするので内容も片寄らない。そしてクラブ員全員がリーダーになるチャンスをもち、みんながよきクラブ員でよきリーダーであるための努力を心がけています。

（つづく）

チェコスロバキア館

敷地面積…7.270m² 展示館は、静的な構造を強調した平屋建で、ラメラ構造といわれる幾何学的な設計の屋根が大きな特徴となっています。この屋根は、中央に向かって低く傾いており、床は階段なしに入場者が流れて行くように自然なカーブを描いています。建物の外壁はガラス、床は陶製タイルが使われます。

館内は、円筒形2階建の映画ホールを中心に、展示部、レストラン、売店などから構成され、映画ホールの外壁には、チェコスロバキア名産のガラス・モザイク張られます。

展示では、人類文化の各分野にわたってその時間的経過と経験、よろこび、悲しみ、誇り、不安などが、たとえば、よろこびは明るいガラスや水の流れで、暗い心は悲しむ聖母マリアや鉄のオブジェなどで表わされます。

とくに、過去の万国博と違って、日本万国博では、「哲学的・詩的な高さ」をもただよわせる文化のかおり高い新方向が持ち出されています。〈日本万博展館の紹介〉

日本4H新聞

4Hクラブ
農事研究会
生活改善グループ
全国弘報紙

発行所 社団法人 日本4H協会
東京都市ケ谷家の光会館内
電話（269）1675郵便番号162
編集発行人 王井光
月3回・4の日発行
定価 1部 20円
一ヵ年700円（送料共）
振替口座東京 12055番

クラブの綱領

私達は農業を通じて自らを磨くとともに互いに力を合わせ、よりよい日本を創るため四つの信条をかかげます。一、私達は農業の改良と生活の改善に役立つ腕をみがきます。一、私達は科学的に物を考えることのできる頭の訓練をします。一、私達は誠実で友愛に富む心をつちかいます。一、私達は楽[illegible]めの健康を増進します。

各地でつどいや交換会開く

日頃の成果を発表

県農村青少年技術交換大会

いよいよ来る二十六日から、高知市を中心に「第九回全国農村青少年技術交換大会」が華々しく開幕するが、この全国大会に先だって各県では県大会を開催し、それぞれ県下のクラブ員が日頃の成果を発表、互に技術を交換し、これからの農業をになっていく自信と積極性を身につけさせようとしている。また、参加するクラブ員も優れた技術を学ぶだけでなく、多くの友を得て、決意も新たに営農やクラブ活動に励む動機になっている。以下は、本紙連絡報道員が伝えてきた各県大会の模様である。

多くの参加者のまえで、日頃のプロジェクト活動の成果を発表するクラブ員（静岡県の技術交換大会で）

作目別話し合いも（山口）

【山口県＝松尾耕助連絡報道員発】山口県農村青少年クラブ連絡協議会（会長、福島保昭君）は県と共催で、さきごろ熊毛郡田布施町を中心に、県農村青年技術交換大会を開いた。大会は、県下のクラブ員のほか育成指導者も多数参加し、二百三十余名の盛会になった。

一日目は、田布施中学校で開会式、オリエンテーションのあと、田布施農業高校を視察した。

つぎに農業研修センターで技術競技、田布施中学校グランドでキャンプ設営。

夕食後は、フォークダンスを楽しんだあと、班別に分かれて話し合い。夜おそくまで、楽しそうな話し声や笑い声が聞こえていた。

二日目は、テントを収め、バス三台に分乗し、まず、平生町農業構造改善事業地区の説明を車内で聞き、現地を見学。

つぎにこの六月に完成した上関大橋を見て、柳井市の阿月海岸に到着、地びき網やスイカ割りで楽しいひとときを過したあと、こんどは大和村にある標高三五三メートルの石城山へ登山、みんな疲れていたが、さすが青年らしく、一人の落伍者もなく全員が登りきった。

夕食後は、この大会のクライマックスであるキャンプファイヤーを行ない、歌や踊り、ゲーム、普及所ごとのだしものなどに時間のたつのを忘れて、愉快に過した。

三日目は、キャンプ地の石城山を中心とした郷土の歴史や史跡について講話を聞いたあと、作目別話し合いを行なった。稲作、畜産、養鶏、柑橘、落葉果樹、そ菜、花の七部会に分かれ、互いの農業技術や経営、生活の問題を話し合った。

つぎに、柳瀬など二地区の青年と田布施農業高校生が演示発表を行なった。

昼食後、閉会式に移り、技術競技などの表彰とともに、この大会に特別参加したアメリカの十七歳の高校生キャッシー・ニコルスさんが愛嬌をふりまき、終始この大会を盛りあげたことに感謝状と記念品が福島会長から渡された。

優れたプロジェクト発表（静岡）

【静岡県＝鈴木政美連絡報道員発】静岡県農村青少年クラブ連絡協議会（会長、松浦幸治君）は、県内各地のクラブ員およびブラジルからの農業研修生ら約二〇〇名を集め、さきごろ浜北市の岩水寺ユースホステルで県農村青少年技術交換大会を開催した。

主な行事として、技術競技、プロジェクト発表、分科会討議などが行なわれた。

まず、技術競技は、宿舎の近くの県立公園内で、追跡ハイキング方式で行なわれた。約二〇〇名のクラブ員たちは、日頃の研さんの成果を発揮しようと、稲作、そ菜、畜産、農機具、生活の各部門で四三の問題に取り組んだ。結果は、大変に優れたクラブ員がいた反面平均点はまだまだ研究不足とでた。

プロジェクト発表は、県下各地区から選ばれた八人のクラブ員によって行なわれたが、一人ひとりの発表内容が充実したもので優劣がつけにくく、誰れが全国大会の出場権を得るのか予想がつかなかった。

分科会は、公園内で一三組に分かれ「青年は地域農業の発展にどのような役割を果したらよいか」などについて約二時間にわたり討議した。また、日頃の農業経営の中で、クラブ活動の中で悩んでいることなどを話し合い、情報を交換し、なごやかで有意義な分科会であった。

相互に技術を交換（大分）

【大分県＝中山真智子連絡報道員発】大分県農村青年連絡協議会（会長、児玉 前君）は、県と共催して、さる八月五、六日の両日、大野郡三重町の県立農業実践大学校で第十五回大分県農村青少年技術交換大会を開いた。

第一日目の五日は、十二時三十分から受付、オリエンテーションを行ない、一時から開会式に入り、児玉会長は「二日間の短かい大会ではあるが、日頃、クラブ員のみなさん方が実践を通して培ってきたものを十二分に発揮して、この大会を有意義に、これからのクラブ活動に役立つように互に頑張ってください」とあいさつした。

つづいて二時から、技術競技を行なった。競技は鑑定と総合に分かれ、鑑定は参加者全員で行ない、総合は審査、診断、判定の三つに分けられ、作物、野菜、果樹、畜産、生活の五部門に分かれて実施された。

このあと三時四十分から、県下各地区から一名ずつ、計十二名の代表によるプロジェクト発表が行なわれた。

夕食のあとは、校庭でキャンプファイヤーを行ない、楽しいひとときを過した。つづいて九時から、自由交歓で、話し合いによる仲間づくりを行なった。

第二日目の六日は、五時三十分起床、早朝の散歩をかねて、近くの円山観音へ往復六㌔のコースを散策した。八時に朝食のあと、十時三十分まで体力づくり。レクリエーションをかねて四組に分かれてソフトボールを行なった。

このあと、大分大学経済学部竹村脩一教授の「これからの青年像」という講演をきいた。

十二時から閉会式に移り、技術競技とプロジェクト発表者の表彰が行なわれた。

二日間にわたって行なわれたこの大会に参加した約百名のクラブ員たちは、多くの友を得るとともに、ここでの成果をこれからの営農やクラブ活動に役立てようと励まし合いながら別れていった。

高まった同志意識

心を結ぶ青少年のつどい

夜空に4Hの火文字＜岐阜＞

【岐阜県＝大島光利連絡報道員発】岐阜県4Hクラブ連絡協議会（会長、伊藤範雄君）では、クラブ員一五〇名の参加のもとに、さる八月二日から三日間、中津川市茄子川の県農業センターで「夏のつどい」を催した。

これは、農業の未来に夢をたくし、農業の改良と生活の改善に励む4Hクラブ員が一堂につどい、日頃体験した農業と生活技術の交換、それにクラブ活動について語りあうとともに、合宿生活を通して協同精神のかん養と仲間づくりを推進し、豊かな人間性と自主性の高揚を図るため開いたもの。

一日目は、一時からオリエンテーションにつづいて開会式、班編成のあと、講義、野外活動が行なわれた。

夕食後は、夕べのつどいで、郷土芸能を楽しみ、自由交歓では、各々のクラブ活動や経営の問題などを話し合った。

二日目は、朝食のあと「恵那の農業」「よき伴侶を得るために」の講義を聞いた。

午後は現地研修で、クリやシクラメンの栽培地・中部開拓地、西山開拓地をバスで視察した。

このあと、レクリエーションに興じた。

夜は、キャンプファイヤー。地元クラブ員が作った4Hクラブのマークの入った火文字に点火されると、感激の喚声があがり、ひときわ盛りあがりをみせた。

三日目は「豊かな農業を築くには」というテーマで、部門別に分科会討議を行なったあと、全体討議でしめくくった。

また、このつどいの中で、4H会館建設のバザーが恵那のクラブ員たちによって行なわれ、多額の収入をあげるとともに、会館建設のムードを盛りあげた。

三日間にわたるこのつどいも、参加者全員がこのつどいのねらいをよく理解して参加したので、運営もスムーズに進み、多くの友を得て別れをおしみながら散会した。

岐阜県連主催の夏のつどいの開会式（同県農業センターで）

料理の腕前を競う＜奈良＞

【奈良県＝籔内健司連絡報道員発】奈良県4Hクラブ連絡協議会（会長、中澤甚之丞君）は、県経済連と共催して、さる八月九、十の両日、県立青少年郊外センターで、農村青少年のつどいを盛大に開いた。

このつどいは、同県の有利な立地条件を充分に生かした園芸や畜産などの企業的農業をさらに推進するため、県内の4Hクラブ員が一堂につどい、これからの農業について意見を交換し、明日の農業を背負って立つ積極的な姿勢を培い、あわせて相互の親睦を図ることをねらいとしたもの。

初日は、十五名を一班として十班に分かれ、料理コンクールを行なった。

料理は、カレーライスと野菜サラダで、男子はなれない手つきで野菜を切ったり、米とぎなど、また、女子はこのときとばかり日頃の腕をふるっていた。そして、料理の早さ、盛りぐあい、味などが審査されたあと、まるく輪になって楽しく料理を賞味した。

夜はキャンドル・サービスを行ない、あわせて料理コンクールの審査結果が発表された。

翌日は、雑木林の中でレクリエーション・ゲームや歌をうたったあと、クラブ員の研究発表、プロジェクト発表を行なった。

さいごに、竹村県経済連会長が「当県は大消費都市をひかえた近郊農業県である。したがって、農業のやり方も無計画な生産や出荷でなく、計画的、能率的なやり方を行なわなければいけない。そのため、みなさんに、明日の奈良県農業を背負って立つよう期待する」と力強く激励した。

女子が四割占める＜佐賀＞

【佐賀県＝浦田 進連絡報道員発】佐賀県伊万里地区4Hクラブ連絡協議会（会長、大坪義憲君）は、伊万里市、西有田町と共催して、さる八月七、八の両日、伊万里市南波多の大野岳自然公園で「明日の農村を創る青年のつどい」を開いた。

山頂四百㍍のクヌギ林に三十組のテントが張られ、班別に話し合いや野外フォーラムを行なった。

話し合いでは、農村環境の問題やクラブ活動などについて活発な意見が出され、理解を深めた。

夜は、キャンプファイヤーを行なった。ちょうどその夜は七夕で、美しい星空と、風にあおられて天をもこがす力強い炎が印象的で、いつまでも歌声や笑い声が山々にこだました。

二日目は、まず「農村問題と農業青年の取り組み方」というテーマで分科会に分かれ、午前中四時間通して話し合った。夏でも涼しい杉林の中は、活発に討議する若者たちの熱気が溢れていた。

午後からは「青春のプロジェクト」と題して、全協の坂井邦夫事務局次長の講演が行なわれた。このあと、全体討議、反省会を行ない、さいごに公園の掃除をして、二日間にわたったつどいを閉じた。

涼風暖風

農薬禍も文化の遅れか

夏も終った。

この夏の東京は、窓をしめきったビルが目立って増えた。別にすずしかったわけではない。連日三十度を超す暑さが続いたのだから。

窓をあけているビルは旧式で、クーラーがない、というわけである。自動車でも同様で、窓をあけ、さっそうとネッカチーフをなびかせながら車をとばすのはヤボで、窓をしめきったまま、ボタンの沢山ついた上衣を着て車を走らしているのがイカスというようなものである。でも、中には無理をして、カークーラーもないくせに窓をしめきって、汗をぬぐいながらカッコつけている人もいるようだが。

科学技術が進歩してくると、人間の幸福を追求するための進歩が、逆に人間を苦しめている場合も少なくない。クーラーのない車の窓をしめきって炎天下を走らせる、なんていうのはまだおあいきょうだが、人間性を否定するようになると深刻である。公害などは、この深刻の部類であろう。

でも、これに類することは、いたるところにある。科学技術の進歩と文化のギャップがそれである。

例えば、自動車という科学技術は日々進歩しているが、これを運転する人のマナーや交通道徳、いいかえれば文化はそれ程進歩していない。むしろ、両者の間はますますひろがっていく有様である。この両者のひらきが生んだのが交通戦争といういやな言葉である。社会学のほうでは、科学技術の進歩と文化の進歩の間に生じたギャップを文化遅滞（カルチュラル・ラグ）と呼んでいる。

文化遅滞現象は、自動車ばかりではない。有線放送や公衆電話の長話しなども、これを利用する人の文化程度が低いからこそ起きることである。

人類が時代を知り、時計をもったときから、文化遅滞現象がおこっている。時間厳守という合い言葉は遅れた文化面を追いつかせようとしたわけ。〇〇時間なんて言葉が生きているとしたら、これは残念なことである。

人類が月を訪れる時代である。科学技術の進歩は、まさに天文学的な数字で飛躍するに違いない。しかし、これを扱う人類の文化は、どんな速度で進歩するだろうか。

来夏あたりは、私のオフィスにも冷房が入るかも知れない。暑い夏を激しい仕事に追われ、ようやく秋風にホッとしながら、人類の明日を考えるこの頃である。

（文部省 伊藤）

組織の拡充へ

静岡県連で総会　事業計画を決める

【静岡県＝鈴木政美連絡報道員発】静岡県農村青少年クラブ連絡協議会（会長、松浦幸治君）は、さきごろ総会を開き、四十四年度の事業計画をつぎの通り決定した。

一、農村青少年クラブ組織の拡充

クラブおよびクラブ員数は年々増加の一途をたどっているが、まだ組織化率は低いので、本年度はさらにクラブ組織の拡張を積極的に推進する。このため、県連活動を広くクラブ員に周知徹底させ、活動の盛りあがりを図る。

二、クラブ活動の推進

クラブ交歓会、主張や研究成果の発表会などを行ない、意識の高揚、活動の盛りあげ、内容の充実を図り、リーダの確保と育成につとめる。

また、行事としては①県農村青少年技術交換大会の開催②県農村教育青年会議の開催③クラブリーダー研修会の開催④関東ブロック農村青少年クラブ代表者会議への参加⑤全国4Hクラブ中央推進会議への参加⑥全国4Hクラブ員のつどいへの参加⑦4H会館建設募金活動の推進⑧クラブ活動の広報（機関紙の発行）⑨連絡会議の開催

三、他団体との連けい

全国4Hクラブ連絡協議会、関東ブロック農村青少年クラブ連絡協議会、静岡県青年協会、静岡県放送利用農業集団推進協議会など他団体との連けいを図り、県連活動の向上に資する。

飯田前全協副会長が米国へ

奈良県青年海外派遣者として

【奈良】昨年度の全協副会長、飯田喜代視君（大和郡山市）は、このほど奈良県の本年度海外派遣青年団員の一人として選ばれ、来る十月三日から二十一日間の予定で米国へ視察の途につく。

生きがいと農業（2）

福岡県立築上農業高校教諭　森本 勝

農業者は〝経営主〟

価値は自分で計画遂行に

農業に生きがいを見出す若者達

筆者は、生きがいということ、および農業は生きがいを貫き通すのに好都合な職業であろう、ということを述べてきた。

これに対し、次のような反論がかえってくると思われる。

すなわち、農業に生きがいを見出し得ないから、若い青年は農業を嫌って、都会に就職するではないかーと。

事実、若い者が農業に生きがいを見出し得ず、都会に流出する人がたしかに多いことも、筆者は十分認識している。

しかし、最近は、農業に生きがいを見出して、農業を始める人も、数は多くはないが各地に現われている。これらの人々は、農業のどこに生きがいを感じ、価値を見出しているのであろうか。

農業に生きがいを

Mさんの養鶏とYさんのみかん

福岡市のMさんは、慶応大卒であるが「大会社に就職するばかりが人生ではない。自分の手で何とかつくり出す仕事、生きがいのある仕事、また伸びる可能性の仕事はと考え、販路が広がる養鶏を選んだ」といっている。

それで、親の商業を継ぐ一人息子であるにかかわらず、養鶏にふみきり、現在五、〇〇〇羽養鶏に生きがいを感じている。

大分県豊後高田市のYさん三兄弟は、三〇〇余のミカン集団園をめざしているが、その営農意欲はすざまじいばかりと、地元ミカン農家も驚いている。

長男は明大商学部卒、次男中央大卒で、東京でサラリーマン生活一年半、四男は駒沢大の中退で、東京の生活は息がつまるといい、営農にふみきったが、「企業家意識に徹すること、これからの農業は投資が必要だ」と述べ、徳島県から大分県に移住して、ミカン大経営に打ち込んでいる。

人に使われるより、人を使って

T君は農業高校卒の三男であるが「人に使われるより人を使う職業につきたい、それには農業が最も私に適している」と、現在、親から水田二〇アールを借りうけ、一アールのビニールハウスに育苗、促成・抑成野菜をやり、年間約二〇〇万円の粗収益をあげている。

彼は、親からはまったく干渉を受けない条件として、小作料二〇万円を支払い、臨時に女子をやとって経営している。そして、「同級生にはサラリーマンになった人が多いが、農業は無限の可能性がある。自由がある。農業のおもしろさは自分で計画したものを、自分で実行できることにある。これは勤め人にはとうていやれることではない。今日の世の中で、高校を卒業して、こういうことが出来る職業はそうざらにはない。そして、忙しい時は、朝四時頃おきることがあり、霜のおそれのある時は、夜中におきることもあるが、作物が私を待ってくれていると思うと、少しも苦痛ではなく、これは会社の超過勤務と同じで、それだけ自分のもうけになる」といって、ひとみを輝やかせていた。

普通高校を出て、一時東京に就職した一人息子のK君は、水田酪農をやっているが「農業後継者育成だとさわがない方がよいのではないか。農業のきらいな人は一日も早く農業を去り、農業の好きな人だけが農業をやればよい。農業者が減ることが私たちにとって有利なのだ。そして、いままで給与とか所得を中心にしてみてきたが、人間生活はこればかりでは律し切れないものがある。自分が東京で学んだことは、独立して一つの事業をすることの生きがい、おもしろさである。それで私は酪農を選んだので、サラリーマンには何の魅力も感じない」と述べてくれた。

以上の例にみるように、農業者は独立した経営主であり、自分の計画したことを、自分で遂行する事が出来るというところに、価値を見出していることである（自己実現的価値観）。

（つづく）

福岡市のMさんは、慶大卒であるが、養鶏に生きがいを見出している

心頭技健

お盆参りを兼ねて久しぶりに田舎へ行ってきた。新潟の山奥深い妻の故郷は、大自然に囲まれて静かであった。山も河もこのまえ訪ずれたときと少しも変らず、悠然と聳え、悠然と流れていた。素朴な村の人たちは笑顔で私たちを迎えてくれた。両親は、可愛い孫の手をとって「ゆっくり遊んでゆけや」というのであった▼私は、気のむくままに、竿をかついで好きな釣りに行ったり、ウチワひとついらない冷しい家の中で昼寝をして過した。東京では内職に追われて忙しい妻も、やっと羽根を伸ばしたようだ。だが、いちばん喜んでいるのは、二歳半になる長男である。おじいちゃん、おばあちゃんに可愛がってもらえるのはもちろん、広々とした庭は存分にかけまわれるのである▼ここへ来て、私が気づいたことは、星空が驚くほど美しいことである。空一面に輝く星がこれほどきれいに冴えわたっているのを、私は近頃見たことがない。東京に住むようになって私は、星の美しさなどすっかり忘れていたのだ。科学が発達し人間が星へ行けるような時代になったが、それでもなお、美しいものはやはり美しい▼ところで涼しい、涼しいといい気になっていたところ、実は、ことしはあまり気温が低くて田圃の稲が不作で困っていると聞かされ、無邪気に喜んでいた自分が軽卒に思われた。新潟は米どころといっても、この辺りは山間部で傾斜地を利用して狭い田圃が段々に重なっている▼美しい自然とは対照的に、農業は厳しいのだ。とても圃場整備などできるところではない。そのうえ、名にしおう豪雪地方なのである。毎年冬になると、村の男たちは出稼ぎに行くのだ。私は、何とか村の人たちが出稼ぎしなくてすむ方法はないものかと、農業委員をしていた義父に聞いたことがある。だが、義父にも名案はなかった▼私は、きれいに手入れされた狭い田圃を見ながら考えたものである。この美しい自然の中で仕事をすることはすばらしいことだ。しかし、豊かな生活をしたいと望むならば、都会に出て働くより仕方があるまい。きっとここでは、野良仕事が好きな人だけが残り、自然のふところの中で質素な生活を続けていくことだろうーと。

青年とその無限の可能性

いどつ 演講の ―3―

元京都大学学長 平沢興氏

生涯自分の仕事を貫ぬく感激をもつ

彫刻で有名なロダンにしましても、はじめ出品して、それから十二年間展覧会に出品せず、もくもくとして励んだのです。これはどのみち頭の問題ではなく、結局は情熱と努力、意欲の貫ぬきであります。

それは、三日や四日、一年や二年、自分の計画でやることはできます。しかし、生涯を通じて自分の仕事に一つの感激をもつということはなかなかできません。できないのみならず、そんなことは馬鹿らしいように思うのであります。

けれども、神経学の教えるところではいわゆる頭の質が違う、どの頭もみな同じような性質ではありません。

たとえば、ある一つの仕事を貫ぬきとおすというようなのは、いわゆる頭のよい人ではなく、むしろ深くよく考えてその仕事に感激をもつ人なのです。これを具体的に申しますと、ノーベル賞をもらいました湯川秀樹さん、湯川博士は第三高等学校で非常に秀才が多いのですが、湯川さんはいわゆる優等生ではない。

しかし、湯川さんがいちばん物事を静かに比較、考える人だったのです。例のノーベル賞をもらった中間子の研究も、朝の二時頃ひょっと思い出したのだということです。もちろん、そこで完成したわけではないのですが、第一の発想であるわけです。

一流の学者には優等生が少ない

いわゆる頭がよいということは、教えられたことを早くのみ込む、よく覚えるような頭が学校ではよいとされていますが、研究の場合になりましたら、教えられたことを早くのみ込んでそれを覚えておくということでなく、いったいどうしたらいいかということを寝てもさめても考えるようなそういう考え方、そういう深く、またいわゆる頭のよさという深さです。頭の働きには、速さ、広さと深さとあるわけです。だいたい深さというようなことは普通の優等生にはなくてもよいことなのです。

面白いことでありますが、世界の一流の学者には、いわゆる普通の優等生は少ない。へんなことをいうようですが、やってやってやりまくるという、そういうふうなどちらかといえばあまり賢くはない、いわゆる世間的に賢くはない、しかし、深く考える人、そういう人がよい仕事をしていられますが、このことは、農業の場合においても同じだと思います。

自分の仕事に興味を 自主性をもつ意欲が第一

人間本来生れながらにして歩かない

例えば、流行に従って仕事をはじめるというようなことは、ある場合必要かもしれません。しかし、それを始める時には少なくとも、普通世間で考えているよりも、自分の村自分の家自分の友だち、そういうものを考えねば出来ぬのではないかと思います。

みなさん、直立しているとか、立って歩くということは、極めて簡単なことだと思われるでありましょう。ところが、われわれは元来四つ足で生れてきたのであります。それが重力に対して直立に立つようになったのです。直立とか直立の歩行ということは軽技と同じことなのです。人間は本来生れながらにして歩くということはないんです。どうして歩けるようになるかといえば、人間の中に育っていれば、できるまで歩くことをやらされるからです。

上手下手、遅い早いはありますけど、その場合に周囲の人は、あれは低脳児だとかあれは少し足らんというそういうことはいわないです。とにかく一生懸命出来るようにしてやらせるのです。その内子供の方も歩くことが面白くなるのです。そして親やその周囲の人も寝ていて人を起すような方法でなくて、歩くということ、直立の歩行というようなことはみな他の人もやっておるのです。誠に条件が揃っているのです。

出来るまでやらせる、本人の興味がでる、周囲の人もやっている等々。これは人間の社会学をみておりましても解らないのであります。不幸にして捨てられ、動物の中で育っているような子供がありま す。例えば狼の場合、子供をもっている母親は乳の匂いのする子供に対して非常に母性本能を発揮して、狼の子供なみに世話をするのです。そういうところに育った子供の記録がありますが、八歳ぐらいになりますと立つまでに五年ぐらいかかるのです。生れて一年ぐらいの間に稽古をすれば、人間の中では自然に立てるようになるのです。

直立の歩行などと簡単にいいますけれども、この中にはまったく教育の根本的なものが含まれておるのです。同じことを繰り返えしてやるということによってその難しいことも出来るようになるのです。

自分の可能性を能力に変える努力を

実は、この直立の歩行というようなことを現在世界の学者で、完全にこれを説明しうる人はいないのであります。これは非常に複雑でありまして、狼に拾われて同じ生活しておる子供も、直立し歩行する可能性は与えられておったのでありますが、それを可能性だけで、動物の中では稽古をする機会がなかったわけであります。可能性を能力に変えるだけの機会がなかったのです。

人間の社会ではあまりにも常識的なことであります。こんな話をするのがおかしいでしょうけど、その仕掛けとか神経の関係は複雑極わるものがあります。現在も世界の医学をもってしても完全に説明できないのであります。

このように人間の普通いわれております能力というのは、能力として与えられているのではないので、やればできるという可能性として与えられておるのでありますから、どんなに素晴しい可能性を与えられておっても、それを実現しようという努力がなければ出来ないわけであります。要するに自分がやろうとする仕事に興味を持つことだと思うのです。

したがって、いやいやながらではどんな素晴しい可能性を与えられておる人であっても、実際には能力として発展させることは出来ないのであります。

俺はだめだという恐ろしい潜在意識

無限の可能性というようなことを申しますと、いかにも、ことばの上だけのように思われますが、決してそうではないのであります。自分の仕事に対していかように興味を持つかということが、まず第一であります。その際に、おれはだめだという潜在意識があったら恐ろしいことであります。みなさんの年令では、いま申しましたように神経作用もまだ十分に若く、発育しうる状態にあるのでありま す。いまから始めてもって遅くはありません。

そういうことで、偉い人の仕事をみて結果だけをみますといかにも滑らかにいったように思われるのでありますが、私がとくに思うことは、先人が果した仕事をみて、その場合に結果だけを感心するのではなくて、それよりもいかようにして、その結果を導き出したかという途中のプロセス(過程)の方がよりたいせつだと思うのであります。

したがって、やろうという自主性をもつには意欲がまず第一であります。

反問し、考えながら新しい道求める

私の恩師の安達文太郎といういまは亡くなった人ですが、これは人間の動脈、静脈、人間の血管の研究では現在のところ世界一の仕事であります。これは日本人について非常に根気的な研究をして、他の民族もこれにならってやりなさいという研究の仕方でありました。

この先生なども賢いのか馬鹿なのか解らないような人でありました。しかし、一面素晴しいものを持っている人でありました。ほんとうに大きな仕事を成す人は、おおむねそんなところがあるようです。この先生は四十年以上も日本人の血管の研究をしておりました。長い間一つの仕事に目的をもってうちこむということは、それだけ仕事に対する情熱が必要なわけです。しかし、情熱とか努力だけでは足りないものがあります。

現代の世の中は、ものごとにいろいろな判断が多すぎて、どれが正しいのか自分では解らないような混乱するようなことが多く、そうゆう際に人間でありますから、人間の一番の特長は考えることだと申しましたが、批判力を持つということだと考えます。自分は自分の立場に立って考えるということがたいせつです。

この批判力も結極長い間の練習ですから、一ヵ月や二ヵ月では成し得ません。

もっとも偉大な人の歩き方をみますと初めから一直線にいっている人もありますが、たえず反問し、しかし考えながら新しい道を求めて進んでおります。(つづく)

リレー・クラブ紹介 われらのクラブ

西袋4Hクラブ(福島)

神根4Hクラブ 埼玉

松本幹穂君記

朝日4Hクラブ(愛知)

活動の中に青春が

主役演ずる誕生パーティ

きょうもほ場に出て共同プロジェクトに取組むクラブ員

埼玉県と東京都の県境い、荒川を渡り車で二十分足らずの川口市の北部に、私たちの神根4Hクラブがあります。古くから花卉、植木、軟化そ菜などの園芸地帯として、全国的にその名を知られているところです。当地も例外なく都市化の波が押し寄せ、農地の減少が目立ちながらも、私たちの農業は高度の施設利用、栽培地の他県進出などさまざまな生産、販売形態をとりながら、ますます隆盛を極めています。

このような環境にあって、私たちのクラブは創立二十周年を迎えようとしています。クラブ員の構成は男子十九名、女子八名、合計二十七名です。クラブの中に男女がいるということはお互いの理解と役割りを再認識することになり、ごく専門的なことを除いて共に考え、行動しています。

具体的な活動方法を紹介しますと、全クラブ員は文化部、産業部、生活改善部、レクリエーション部のいずれかに所属し、各部で独立した計画で進め、その分野で全クラブ員をリードしていきます。そして、その上に会長以下六名の役員がいて、全体的な活動を円滑に運営し、また、盛り上がったものを統率しリードをしていきます。

これは、一部の役員がすべての計画、実行に当るのでなく、各人のクラブへの働きかけが、もっとも重要であるからです。

活動内容としては、より実質的な活動をめざし、農業経営はもとより日頃の生活向上のためにも、実際の研究を行ない問題を一歩一歩解決しています。このことは、地道で持続的な活動がぜひとも必要で非常に難しいのですが、私たちの将来を考えるとき痛切に感じるものです。

多くの行事の中で重要なものに、誕生パーティーがあります。これは、クラブ活動を通して一年一年成長していくことを自覚し、なごやかな雰囲気の中で仲間に祝福され、新たに前進していこうとする希望を抱くからです。このパーティーでは、日頃目立たない人に、あんなユーモアがあったのかと発見したり、何を考えているのだろうかとみんなの関心を集めます。大勢の中で年に一回は主役となり、質問されたり、からかわれながらクラブの中での存在を認められるようになります。

産業部の活動をみますと、当地の特産である永年作物には、除草剤が向かないといわれてきましたが、メーカーや研究者の研究成果を待つ前に、省力化などの必要からクラブの共同プロジェクトとして、新旧除草剤の比較テストを行ないました。このプロジェクトを実施して農業に対する正しい知識を得ることに成功し、たいへん評判がよかったものです。こんごも個人で研究しきれない分野においてはクラブ員の力を合わせ、地域ぐるみの協力により、問題解決に当りたいと考えています。

また、地域に対するクラブの役割りの第一歩として、クラブ員と両親の理解を深めるために行なった「親子懇親会」も意義あるものでした。前もって実施したアンケート調査(家庭、仕事、クラブ、個人、社会に関した四十項目)は、両親にとって率直に私たちの考えや悩みなどを知る機会になったものと思います。次代を担う私たちにとって、両親との理解を深めることは、将来の計画を実現させるためにも常々なされなければならない重要なことであると感じました。

私たちのクラブでは運営するに当ってさまざまな障害や疑問がありますが、その一つに次のことがあります。単位クラブ、市連、地区連、県連という組織のつながりの中で行事が非常に多くなることです。

もちろんさまざまな分野における活動も必要でありますが、クラブ活動の中で一年を通して一貫した具体的な研究を行ないたいという強い意見があります。それを行なうには時間的な余裕がなくてはならず、とりもなおさず考える時間をもっと持ちたいということです。他の行事との兼ね合いなど、みなさんのクラブでは、どのような方法をとっていますか?。

ともあれ仕事、個人生活、クラブ活動の中に、めまぐるしい青春がクラブ員一人ひとりの中に感じとれます。これも考えようによっては「若い」からこそ出来るのかも知れません。

こんごのクラブ員の進む方向としては、農業のみに通じた人間でなく、他方面に対しても能力を発揮できる力を養う必要があると思います。これは、やがて農村と都市の区別は薄らぎ、とくに都市近郊では両者が混在して生活するのが当然な時代になりつつあるからです。

野外研究集会開く 群馬

農研、生改ク員交えて キャンプ

体力テストに"挑戦"

県教育キャンプ場で行なわれた開会式

【群馬県＝福田益美連絡報道員発】群馬県農業研究団体連合会は、このほど吾妻郡嬬恋村の県教育キャンプ場で野外研究集会を開催した。

このキャンプには、4Hクラブ員のほかに農業研究会、生活改善グループからも多数が参加し、総勢三五〇名の盛況になった。

県副知事をはじめ教育委員会など関係者をまねいた開会式のあと、すぐにテント張りが終ると、まず、日頃ためすこともできない「体力テスト」を行なった。

クラブ員は若者らしく見事に難しいテストに挑戦していたが、農研や生改の人たちは体が堅いため大変なようであった。

つづいてレクリエーション、歌を教わったり、フォークダンスやゲームに興じた。

一夜明けて、朝から班別討議。内容は①魅力ある農村を築きあげるには、経営主、主婦、青少年はどんな役割りを分担すべきか②部門経営などを開始するうえで父母への注文は何か、また、青年への期待は何か③健康を増進するために余暇をどう活用すればよいか――の三つのテーマについて話し合った。

ここに参加した人たちは、各地区から選ばれてきた人たちだけあって、行動も言葉もしっかりしており、大変活発な意見の交換がなされた。

つぎに「私の職業観と青年に期待するもの」と題して、前橋市議・荻原弥惣治氏の講演が行なわれた。ユーモアを交えながら、青年に厳しく現実をみつめるよう語りかける氏に活発な質問がでて、この講演は好評であった。

静かに陽が沈む頃、待望のキャンプファイヤーが始まり夜の更けるのも忘れて、楽しいひとときを過した。

さいごの日は、朝から雨が降り始めて、予定を変更、閉会式もそこそこに後片付をして、山を下りた。

四つの火に情熱灯す

愛知 友情の輪一回り大きく

【愛知県＝二宮直子連絡報道員発】愛知県愛日地区4Hクラブ連絡協議会(会長、川崎和彦君)は、さる八月七日から三日間、木曽駒高原でキャンプを行ない、二百万都市名古屋の近郊で農業を営む三十五名のクラブ員(うち女子五名)が参加し、生活をともにしながら互いの親睦を深めた。

初日は、まず、飯ごう炊はん。小川のせせらぎを聞きながら、男子クラブ員もなれない手つきでご飯をたいたり、野菜を切ったり、その苦労があっておいしいカレーライスとサラダができあがり、みんなそろって楽しい食事のひとときを過した。

つづいて夜は、愛日普及所の伊藤係長が、スライドを使いながら「ヨーロッパの農業と後継者」について話をした。

二日目は、待望の木曽駒ケ岳登山。あいにくの曇り空であったが朝六時、元気に山頂めざして出発。だが「山の天気と何とか」五合目あたりから冷たい雨が降りはじめた。

何のこれぐらいと前進をつづけたが、モヤが一面にたちこめ視界ゼロ。ついに、八合目まで登ってストップ。心残りに思いながら下山の途についた。

夜はキャンプファイヤー、四つのHの火によってともされたファイヤーを囲んで、歌い、踊り、思いきり若さを発散させた。

三日目は、飯ごう炊はんとレクリエーション。

レクリエーションは、山のすそ野を利用して宝さがし。「ないぞ」という声がしたかと思うと「あった!」と大きな声が響いて、みんながいっせいに注目する。「よし、おれも見つけるぞ」と草をかき分け、石の下を調べる。どの顔も真剣そのものだった。

このように、思いきり遊び、友と語った三日間。「来年もきっとやろうよ」と約束した仲間たち。友情の輪がひとまわり大きくなったキャンプであった。

国体迎える町を美しく

花だん作りの奉仕

【長崎】長崎県江迎地区農村青少年クラブ連絡協議会(会長、木下評君)では、さる九日、若い青年の力を役立てようと国体花だんづくりを行なった。これは八日から北松鹿町町のキャンプ場で技術交歓会を開いたあと、さっそく4Hクラブの奉仕の精神を実践に移したもの。

同町の県道沿いにある幅五㍍、長さ七十㍍の土手の雑草をカマや草刈り機で刈りとり、すがすがしい土手に早変わり。このあと、土を掘り起こしてコスモスの種子を播種。国体を迎える町の美化を図る奉仕の一役を買った。

郡連発足のつどい

設立総会、講演会など

【岐阜】岐阜県本巣郡4Hクラブ連絡協議会「結成発足のつどい」が、さる七日午前十時から同郡糸貫町役場で行なわれた。

これは、いままで町単位であった4Hクラブを、郡連組織にして広範囲にわたるクラブ活動や各クラブ間の連絡強調を図るための改組を目的としたもの。

この日は午前中設立総会が開かれ、次の役員が選ばれた。

▽会長＝松村一美 ▽副会長＝西尾隆幸 ▽書記・会計＝新井正信君ほか。

ついで記念講演「農村青年にのぞむ」が、午後は同町グランドで、親睦ソフトボール大会に汗を流した。

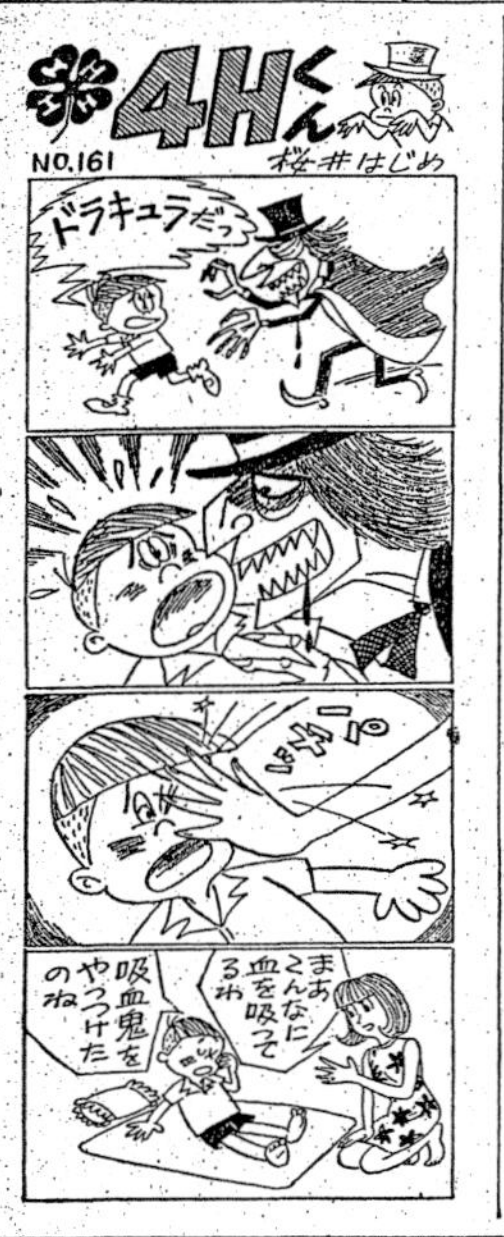

鶏糞におがくずを混ぜる

悪臭が妨げます

家畜の防疫対策

静岡県・鹿玉4Hクラブ　磯部　茂

われわれ畜産を経営している者にとって、夏という暑い環境の中で養っていくのは毎日大変ですが、まず一番の悩みのタネは糞尿の処理でしょう。養鶏をやっている私にとってもそうです。

鶏に周囲の環境が悪くなるばかりでなく、いまごろは病気もふえてくるので防疫対策にも手ぬかりが許されません。そして、私たち自身の環境衛生にも影響します。

たとえば、ハエが多くなり悪臭がひどくなってきて、いくら自分の家で養鶏をしていても余りよい臭いとはいえません。

そこで、なんとか良い方法がないかと考えた結果、近くの製材所から工面したおがくずを利用し、糞とまぜて水分をすわせましたところ、臭いもなくなり糞も取りよくなることがわかりました。

みかん畑も一haありますが、その鶏糞をまぜたおがくずを発酵させて、これを園に有機質としておいたらということでやってみました。こうすると、敷わらの代用にもなるばかりでなく、みかんにもよいと思います。いま、このような成果から、みかんと養鶏とを両立することができると、楽しみに働いています。

しかし、鶏糞全部をまくには、みかん園には少し多いので、肥料として売るため天日で乾燥させていますが、泥糞は乾きが遅く手間がかかり過ぎてしまい、雨天の場合など夜も起きてビニールをかぶせなくてはなりません。

さらに、これを楽な方法でできないものかと考えたすえ、ビニールハウスを利用し、その中に鶏糞を入れて、蒸して乾燥させるようにしました。こうして、泥糞を山に積んでおくと一週間くらいで乾きます。天候の心配も気にしなくてすみますし、養鶏をしている方には最適だと思います。

今後、養鶏は防疫対策が課題となりますが、専業農家として、まだまだ多くの経営改善を続けなければならないと思います。

早くも稲刈り

茨城県稲敷地方

……米価据置きに農家は渋い表情

【茨城県＝村上文雄連絡報道員発】関東地方の早場米地帯として知られている茨城県稲敷地方では去る七日から早くも稲刈りがはじまった。

ことしは、七月中旬の出穂期に冷害にあったが、下旬からの猛暑で成熟が早まり昨年より十日も早い刈り取り。それだけに作柄は悪く、反当り二俵減の六俵ていどしか出荷は見込めないという。

今月中には約三万俵を北海道や静岡県向けに出荷されるが、自主流通米の農家の売渡し価格は、一俵で九千七百円。

しかし、ことしは昨年の政府売り渡し価格が据え置かれたため、農家では、労賃の値上がりなどで手取りはトントンと渋い表情だという。

NHK農事番組（9月1日～10日）

テレビ

明るい農村　6・30～6・55総合　再　11・20～11・45総合
1日　村の記録　青年牧場（広島県世羅町）
2日　きょうの話題　稲作報告
3日　産物往来　マトン（羊肉）
4日　話題の広場　桑の木のヒラタケ栽培
5日　村をむすぶ
6日　農業新時代　水害を防ぐ（農業土木試験場）平塚市
8日　村の記録　宅地か農地か
9日　きょうの話題　災害と作付転換
10日　産物往来　しいたけ
農業教室　7・30～8・00　教育
1～3日　果樹経営の動向（農業技術研究所、平山完二）
4～6日　多収穫のための施肥技術（農業技術研究所、村山登）
8～10日　大型施設と金融（農業技術研究所、小家竜男）
あすの村づくり　日　7・00～8・00　教育　土（再）13・00～14・00　教育
7日▽グループ便り　試験田につどう（愛媛県西条市）仲間とともに　働く女性群像（岡山県吉田郡鏡野町）私の研修日記（静岡県庵原農協）

ラジオ

早起き鳥　5・50～6・00　第1
1日　現地報告（福岡）
2日　人と話題　未定
3日　通信員の手帳から（東京）
4日　産地訪問　幸水梨（広島）
5日　現地報告　長いもにかける砂丘地（石川県金沢市）
6日　村のポスト
7日　話題の窓　これからの農政
8日　現地報告（宮城県栗駒町）
9日　人と話題　国際水質汚濁研究会議に出席して
10日　通信員の手帳から（名古屋）

プロジェクトの取り組み方

北海道農業学園教育におけるプロジェクト指導

北海道専門技術員　三　輪　勲

農業学園の教育体制とプロジェクト

農業学園の教育体制

北海道では、農業後継者の確保に資するため、さる昭和四十年七月、新たに「北海道農業学園」を開設した。

この学園の目的は、農業に従事する青少年に対して、すぐれた農業経営および農家生活に必要な科学的・実務的な知識と技術とを習得させるとともに、農業尊重および社会協調の精神並びに自立心を身につけた近代的な農業者を養成することにある。

農業学園の課程は、普通科（二年）の課程をおく市町村農業学園（主として十八歳未満の中卒者対象）、高等科（二年）の課程をおく支庁農業学園（主として普通科修了後二年以上の実務経験がある者と高等学校卒業者とを対象）、専修科（一年）の課程をおく中央農業学園（昭和四十二年度から設置、主として高等科修了の二十五歳未満の者を対象）の三つから構成されている。

農業学園の教育体制は下図のとおりであるが、働きながら学ぶ通信教育と共同生活を通じた冬期合宿教育とを重点とし、勤労と学習とを両立させながら教育の目標を達成しようという特徴がある。また、専修科の課程を修了すると北海道農業士の称号が与えられる。

現在、支庁農業学園が十四、市町村農業学園が四十一設置されている。学園生の定数は、各学年おおむね三十名で男女共学である。

各学園には、学園長・講師・教務担当者がおかれ、学園生父母の会や学園運営協議会などが編成されている。

次号から、農業学園教育におけるプロジェクトの進め方について検討してみる。

北海道農業学園における教育形態の図式

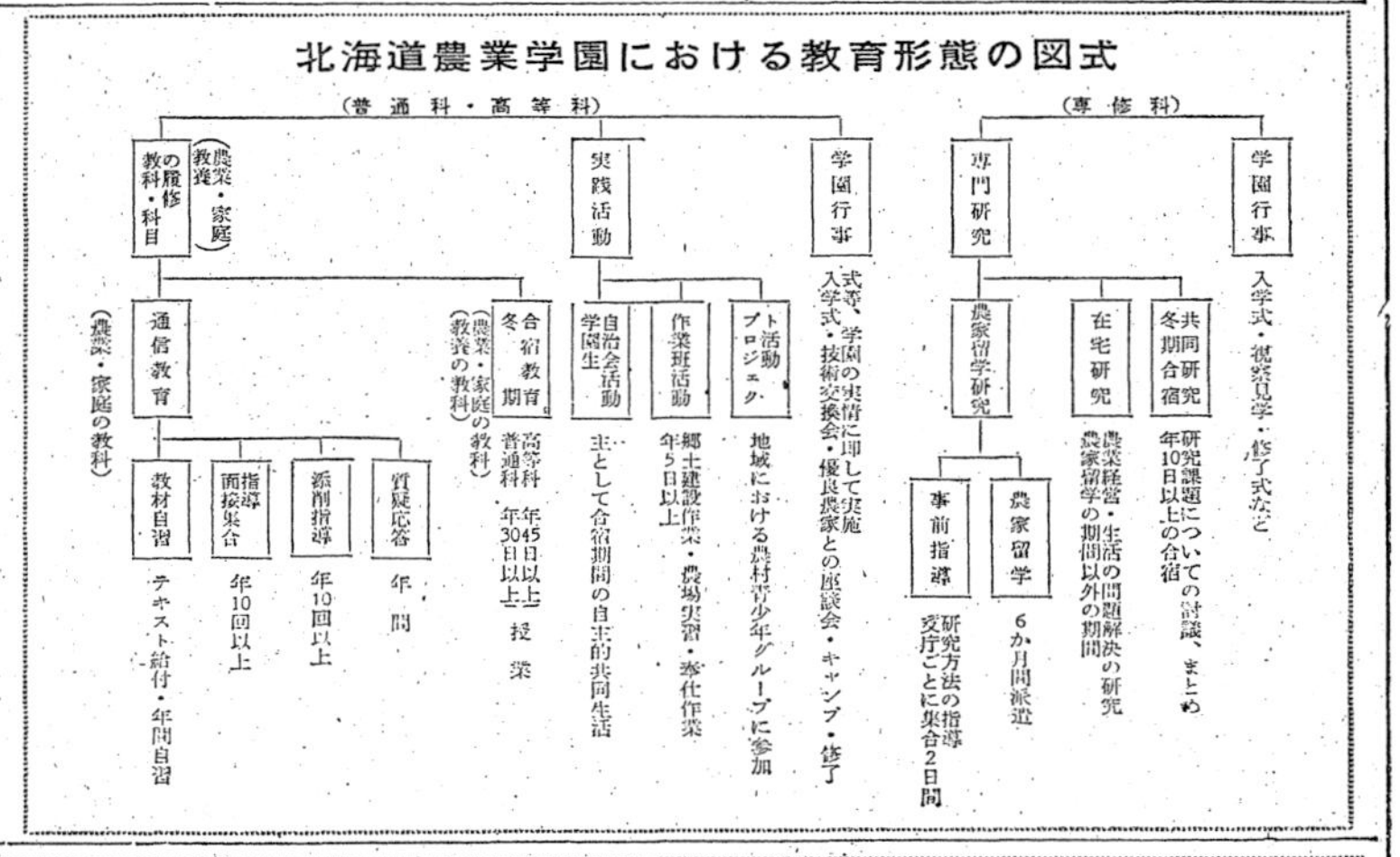

農業簿記

京都大学名誉教授　大槻正男

<自計式農家経済簿記>

財産台帳と年度始め記入

前号に掲載した農家財産の分類において、資産を生産資産と流通資産とに分けたが、生産資産とは直接的に生産に用いられる物的・技術的内容をもつ諸財の総称であって、これを構成する個々の財を生産財といい、社会組織のいかんを問わず、いかなる経済社会においても生産が行なわれる限り常に存在するものである。

これに対し、流通資産とは単なる流通手段または購買力である財、すなわち貨幣・有価証券および各種債券などを総称するのであって、これを構成する個々の財を流通財という。これらは、なんら物的・生産技術的内容を有しないところの、単に流通経済社会を前提として存在する購買力としての財であるから、直接的には生産手段となりえない財である。

生産資産は、その価値の流動性に関して固定資産と流動資産とに分類される。

固定資産とは、原則として、多年にわたって持続的に経営に用いられる、いいかえれば、年々その価値の一部だけずつを粗生産（生産物）の中に流動し、全部を一時に流動しない性質の財（固定供用財または使用財と略称される）、およびそのものの一部分だけがその年度の生産であって、全体としては過去多年の生産の蓄積である性質の財（固定結果財）の総称である。これを構成する個々の財を固定財という。

これに対し、流通資産とは調達されると同時に、少なくともその年度内において消耗しつくされ、その価値の全部を生産された生産物の中に流動するところの性質の財（流動供用財または消耗財、単用財と略される）、およびその全部が処分の直前に、少なくともその年度内において生産される性質の財（流動結果財）の総称である。これを構成する個々の財を流通財という。これらの関係を図解すると下記のとおりである。

図解の上半は、土地・建物・脱穀機および肥料・種もみなどを使用して米穀という流動結果財の生産される関係を表わすもの。建物および脱穀機（固定財）は一部分だけが消耗されて、その価値の一部ずつを生産物の中に流動される有様、また、肥料および種もみ（流動財）は全額が消耗されて全部の価値を生産物の中に流動させる有様、そして、生産物である米穀が全額その年度において生産される有様を示しているのである。

これに対し、図解の下半は固定結果財である、育成牛が、その年度の生産としては育成牛の全価値の一部分だけ生産（増殖）されるるものであることを表示したのである。

しかし、流動財を前述のように定義して厳格に解釈するときには、現実の農家資産中には流動資産に属すべきものはなくて、すべて固定財として取り扱わねばならないことになる。米・麦・肥料なども、あるいは年度にまたがる所産であり、あるいは前年度の購入物である場合が多い。

しかし、記録計算を簡易にするための便宜上、前掲の分類表にみられるように、現実には相当固定的と認められねばならないもの―たとえば、すき・くわなどの小機具、家禽・家兎などの小動物のようなもの―をも、これを流動財として取り扱うのである。

〔備考〕流動財でないものを流通財として記録計算することによって生じる実際上の食違いは、別に流動資産に対して年度末においてその増減額を算出し、これによって補正する方法をとる。詳細は後述にゆずる。すき・くわなどの小機具、家禽・家兎などの小動物なども固定財として分類して取り扱うときには、これらの個々の財に対してもいちいち減価償却計算、または増殖計算を財産台帳において行なわなければならない。それは繁雑に堪えない。この繁雑を避けるために、これらをも流動財として取り扱う便法が採用されるのである。

次に、この簿記の台帳組織においては、財産は上述の分類によって、それぞれ次の4種の台帳に分けられて記入されるようになっている。

1、固定資産台帳　　2、流動資産台帳
3、流通資産台帳　　4、負債台帳

そして、各台帳の計が財産台帳集計表に転記されて総合されるのである。

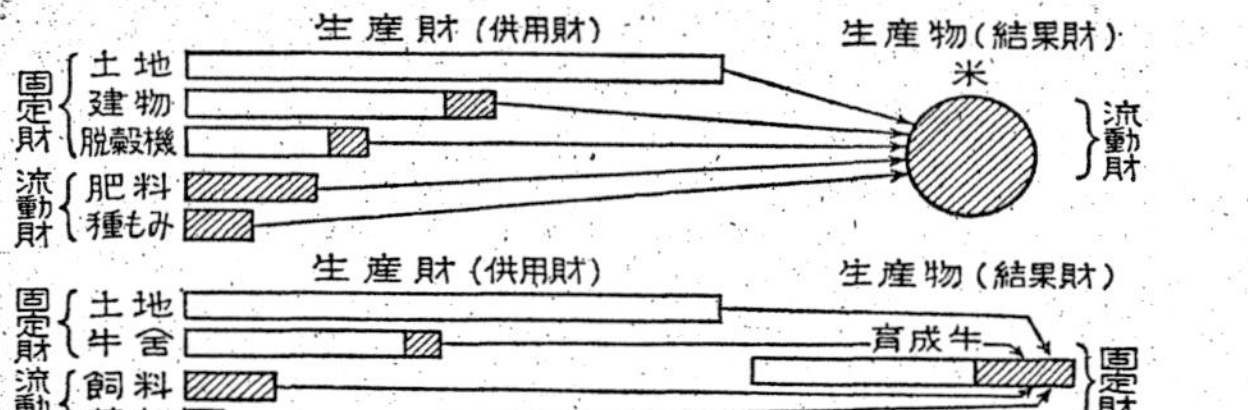

〔注〕□で表示した部分は、生産財の年度末あり高および生産物（育成牛）の年度始めあり高を表わす。
▨で表示した部分は、その年度の間に消耗して、生産物の中にその価値を流動する財産部分または価値の流動を受けてその年度の間に増殖する生産物部分を表わす。

ブラジル88村巡行

日本政府派遣農村青少年指導専門家　湯浅甲子

〈15〉

積る問題の打開へ

難航した「農村青少年指導協議会」

半年間にわたる私の行動は、サンパウロにある農村青少年指導協議会（Conselho de rintacao a juventude Rural）に一任した。いわば私の受入れ団体である。今回はこの団体を紹介しておこう。

指導協議会の誕生

一九六五年というから昭和四十年の九月二十八日である。この協議会の前身にあたる農村青少年教育懇談会第一回会議が開催された。この主催者は、ブラジル4H協会で、もちろん中心者は林茂夫先生である。

このとき集まったのは、六団体二十八人の人たちで、のちに農村青少年指導協議会の構成メンバーになった人たちである。サンパウロ産業組合中央会、コチア産業組合、スールブラジル農産組合、バンディランティス産業組合、モヂダスクルーゼス産業組合、それに4H協会であった。

この教育懇談会は、ナゼ開かれたか。それには、ブラジル日本人移民の抱える宿命的な問題と、ブラジル農業の急変がからんで、大きな、そして緊迫した問題が山積した結果、必然的にもたれたものなのであったが、いよいよ集まってみると、なかなか意見の統一ができず、難航を続けたようである。

この間、五回の会議が、林先生の情熱によって継続された。

林先生が説得する

林先生は純粋な気持で、説得にあたった。

奥地の町にある産業組合支所

「これからのブラジル農業は青年たちのあり方一つで決まる。しかも、ブラジル農業のメッカであるサンパウロ農業は、日系農家によって支えられているのだ。いまこそ、日系農家の営農青年は、しっかりしなければならない。輝かしい先駆移住者の業績を引継ぎ、ブラジル農業の近代化を果たす役者は、青少年以外にはない。いまや、4Hクラブだの、産組傘下の農業研究クラブだのと、小さな縄張り組織で、営農青少年を分離する時代ではない。関係者は広く手をとり合って、ブラジル農業の後継者育成を共通重大問題にして、力をあわせて対処すべきである」と。おそらく白髪をふり乱しながら、口角泡をとばして談論したにちがいないと思う。集まった人たちも、その主旨はよく理解できた。

しかし、長年にわたって築いた産組牙城を、いかに共通重大課題とはいっても、簡単に門を開いて共通の広場へ出てくることは躊躇せざるをえなかった。できることなら、なんとか自分の組織内でこの問題にとりくみ固めたいと考えたのであろう。そのために、五次にわたった会議は紛糾を極めたそうである。そこには、組合間にわだかまる反撥、競争心がからみ、紛糾に輪をかけたに違いないのである。

ついに二年前創設

教育懇談会は、解散の危機に直面した。お互いの間に、わが組織を守るための疑心暗鬼が露骨にでてきたためであった。とうとう来るところまできてしまった懇談会は、「いまだ機熟せず」という結論を出した。ここに事実上、農村青少年育成問題は、雨散霧消のうき目を見るという、最悪の事態にまで追いこめられてしまったのである。

その時、林先生と一部の良識ある人たちから局面打開の提案がなされた。

「どうだろう、農業後継者育成問題は、離れの立場に立っても、まことに重要な問題であることは、充分すぎるほどわかっていることなのだ。だからこの際、懇談会は解散しても、農村青少年の育成に関する六者団体の話し合う機会だけは存続させようではないか。そういう意味で、各組合から代表委員を出すようにしたらどうか」というのであった。

一九六六年九月六日、ついに合意成って、農村青少年指導協議会が創設されたのであった。

議長には、コチア産組側から、サンパウロ大学経済学博士斉藤広志氏（宮崎出身）副議長に、スールブラジル農産組合広報課長後谷益次氏（広島出身）事務局長に、ブラジル4H協会林茂夫氏（山形出身）がきまった。

そして資金は、前述六団体が、組織規模にあった分の分担金を出しあうことになった。

なお、この協議会には、サンパウロ州農務省のエルベルト・レーピー農務長官、DATE（タッテ）と呼ばれる同州農業指導機構のバックアップがえられたのである。

外国の専門家招く

さて、協議会の事業は、どういうことをなすべきか。これがまた、議論をよんだのであった。何しろ、タテ割組合を、ヨコに結んで行なう青少年育成事業なのだから、中心に立った斉藤博士や林先生の苦労は並大抵ではなかった。

事業記録をみると、合同のプロジェクト発表会を小規模ながらやっているようである。

しかしながら、委員が一番困ったのは、青少年指導の基本理念がわからないことであった。そこで、一九六七年早々の委員会で、日本か、アメリカから農村青少年指導専門家の招へいを企画し、まず専門家による指導をうけようではないかと考えたのであった。その結果、同年九月に日本の専門家派遣申請ということになり、そのおハチが、私のところへまわってきたのであった。

〈栃木県普及教育課・特別専門技術員（青少年担当）〉

あしたの青春

一ノ瀬綾　え　多賀愛子

〈2〉

仲間達（二）

「へえ……そいつは初耳だ。そりゃそうずら、すみ江さんはきれいだ。なけりゃ不思議というもんだ」

圭次が意外そうな声をあげてから、一人で頷いてみせた。

「いやだ、まるでさかなにされに来たみたい。帰ろうかしら」

すみ江は本気に受けるわけにもいかず苦笑する。今日の日曜日は、本当は津村栄吉と町へ遊びに行く約束になっていた。バス会社の宣伝部に勤める栄吉は、社用の出張が多い。一週間の予定がのびて、約束が流れてしまい、その電話が社に入った時すみ江はちょっとふくれた。町へ出かけても、映画を見るか喫茶店でねばって話し込むくらいの間柄であったが、五月六月と家の農繁期を手伝った後の初めてのデートで、楽しみにしていたから、すみ江はがっかりしたのである。新一の高原行きに倒りこんだのも、そんな不満が原因でもあったのだ。

「すみ江さんのことなら、大方知ってるぜ」

いい人がいる、とすっぱ抜いた若者が言った。すみ江は軽く受けた。

「新一がおしゃべりでもするのかね」

「冗談だよ。新一君はいい青年だ。クラブでは一番熱心な活動家で、おれ達の方が尻をたたかれるくらいだよ。なあ……」

圭次が取りなし顔に仲間を見渡した。本人の新一はなんにも知らず、すみ江達の前方で歌ったり笑ったりふざけ合っていた。

「なんだか知らないけど、今年は、父と大論争の末に、夏蚕をやめてキャベツを作っちゃったの。その金で車を買いたいんですって」

「そう言やあ、キャベツの出荷時期も近いな。大分方々で作って畑作らしいって話しだ」

一人が真顔で口をはさんだ。新一の丹精こめているキャベツ畠も、見事な成育ぶりであった。時々自宅で使うのは、中でも悪そうな玉を選ぶのだが、二つに切ると、切り口がふくれあがってくるほど固く巻いている。

父の久治も母のふく代も、反対した時のことは忘れて、新一の仕事振りに目を細めていた。

「値くずれしなきゃあいいがな」

圭次が言った。

「去年価格がよかったで、悪くするとな」

「しかし、そんな心配ばかりしていたら、おれ達はなんにも作れなくなる」

「調査では去年並という見通しだったんだから大丈夫だらずよ」

「その後、村の作付面積が一割方ふえているように、他の村だって……」

青年達の交す言葉は真剣であった。すみ江は、話題からはずれて歩きながら、心の中ではいつしか会社の同僚である若い男や栄吉達の会話や仕事振りを思い出していた。

栄吉自身、農家の次男なのだが、彼は家のことをほとんど口にしない。すみ江自身、一歩村を出れば、町の娘と少しもちがわぬ言葉使いと身形で過ごしている。やがては村を出て行くのだと思いこんでいたから、栄吉にも自分にも不満を持ったことはなかった。それだけに身近かで熱心に農業を語る若者達には、涼風にふれたような新鮮な思いが湧いた。

「お先に」

正式な登山スタイルに身を固めた数人の若い男女が、声をかけながらすみ江達を追い越して行った。町で逢ったらぶつかっても口をきかないような若者達も、山では人なつこくて折目がある。圭次が足をとめた。

「少し休んでいこうや」

声をかけるとみんな集まって来た。そこは広い新しい道と、旧登山道が交わった地点で、白樺の木で作ったベンチが涼しい樹陰に並んでいた。水もある。汗をぬぐっているすみ江の横に、いつの間にか圭次が並んでいた。

「後で少し相談があるんだがね」

農村雑感

目的達成

折原俊二郎

集団活動を進めるうえで、集団としてどうしても備えなければならない条件が三つほどある。

その第一は、目的をもつこと。第二は、統制（コントロール）があること、即ち〝きまり〟のことである。第三に、集団には集団をつくる人があり、進める人があること。

以上の三つの条件は農村青少年集団といわず、いずれの集団においても欠くことの出来ない最少限の基本的条件であるといえる。こうした条件のほかに、農村青少年クラブの場合には、加入クラブ員が必ずプロジェクトを持たなければならないという条件が加味されている。

この条件は、集団構成上の基本原則ではないが、農村青少年クラブという集団運営上の基本原則で、この原則が加わっているため、他の一般集団と異なっており、また、それが農村青少年クラブとして特徴あるものとしているといえよう。

このため、農村青少年クラブ員がプロジェクトを実施しないということであれば、それはすでに農村青少年クラブ員ではなく、他の一般集団員と何ら変るものではないといえよう。そのため、このプロジェクトを持つという特殊条件で成立している農村青少年クラブでは、そのプロジェクトは、集団の基本条件である目的を持つことと連がり、プロジェクトの完成が目的達成ということになる。

ところで、目的をクラブでたてる場合、その目的を早急に達成しようとする。このことはいずれの集団でも同じであるが目的を設定する場合に考えなければならないこととして、一つは、目的をクラブ員の到達しえないほど高いところに設定するか否かである。もちろん、目的は高くてはるか遠くにあるものですが、あまり高すぎるとその目的がぼやけてきて、日常生活の中では消え、実感が伴なわず、このため、クラブの活動まで影響し、不活発になるおそれがある。

他方、あまり近い、安易な目的であると、目的達成が早すぎ、何とも活力が出てこなくなる。このため、目的をどこにおくか、その目的はクラブを構成するクラブ員レベルとどこで一致させるか、その質的内容をつかむことが大切であり、しかもむづかしいところである。

ただ、一つの目的が達成すれば、それで事が終りでなく、次の目的を新しく設定していく、その繰返しがなければならない。目的ははるか遠方におくが、それを達成するための手段として近い目的を副次的に作っていく。ちょうど、はしご段を一段一段上るような形でなければならない。

次に目的達成には、あまり性急であってはならないことである。どうも、結論をすぐ目の前に引きずってきて、いきなり、結論を出す傾向がある。物事には、結論に到達するまでには、その結論に到る過程で、それを取り囲む諸条件が極めて多く存在することを忘れているようである。

反収いくらまであげようということになると、ただ単に反収のことのみにこだわって、その過程も十分検討しない傾向がある。これでは、高いところにおいてある目的までにはとうてい到達できない。結論を急いではならない。その過程こそ極めて大切であり、それを学ぶことが青少年の集団活動であるといえよう。

若い青少年クラブ員と話をしていると、どうもこの点が気になって仕方がないのは私だけであろうか。

（農林省・農業者大学校）

私の4Hクラブ活動 つどいの体験発表

昔と違う自分に成長 約五年間の体験を通じて

千葉県佐倉市大篠塚 佐倉4Hクラブ 岩淵重雄

私の住むところは、東京から電車で一時間余りの、千葉県のほぼ中央に位置する佐倉市というところです。

佐倉といえば、佐倉義民伝の宗倍郎。第二次世界大戦での、レイテ島における日本軍の玉砕で、今日の日本の平和と繁栄を知らずして若き命を散らした多くの兵士を送り出した佐倉五十七連隊など、城下町、兵隊の町として、昔、栄えた町です。近年は東京のベッドタウンとして、また、京葉臨海工業地帯から内陸工業地帯への工場の進出などで、労働力はもとより、農地までも奪われはじめております。それは、ここ佐倉ばかりではなく、全国いたる所で見られる傾向でしょう。そうした情勢下の昭和三十九年三月、農業高校をどうにか卒業した私でありましたが、何のためらいもなく農業という社会に飛びこんでいました。

そして、ただがむしゃらに、机上での知識を実行に移して、いろいろやってみました。計画通りにうまく行ったことや、壁につき当り悩んだことなど数知れずありました。そんなとき、周囲を見まわしても、家族労働主体の農村には、同じ世代の人がだれ一人としていないのです。私の場合、寮生活をしてまで自宅から遠く離れたところで高校生活を送った関係もあってか、地域には高校時代の友もなく、いっそう一人ぼっちの感が強かったのかも知れません。

▽▽▽ 〝4H〟結成に奔走

そんなことからして、高校卒業から一年半ほど過ぎた昭和四十年の秋、市内一円の農業青年に仲間づくりを呼びかけたのでした。

しかし、高校卒業後間もない、しかも、学生時代勉強もしたが（？）むしろ、悪名の方が知れ渡っていたような私ですので、だれもが、すぐには耳を傾けてはくれませんでした。

それでも、ようやく十一名の仲間ができたのは、稲の収穫に忙しい九月の末でありました。純農村地帯にもかかわらず、市内全体で十一名とは、あまりにも少なすぎる人数ではありましたが、こうして昭和四十年十月一日をもって、佐倉4Hクラブなるものが誕生したわけです。

それからの私は、とにかく一日も早く、私はもちろん一人でも多くの人に、4Hを理解してもらうこと、そして4Hの旗の下に一人でも多くの農村青少年の関心を向けさせ、結集させることに奔走したのでした。

年度もかわった四十一年四月一日、会長に互選されたのを機会に、新クラブ員の勧誘に努力し、女子クラブ員三名を含め二十名余のクラブ員となったのでした。

発足して間もないクラブでもあるので、とにかくクラブ員同士の融和、横のつながりというものの強化を第一目標に行事の計画もしました。クラブ員同士の労働交換、これは地域的にクラブ員の分布が広く、農繁期も多少ずれのあることを利用し、クラブ員同士が労力の交換をし合うわけですが、自然のうちに家族ぐるみの活動ができ、4H活動への理解、PRに大いに役立ちました。

そのほか、夏は、われわれ農家には果菜類などが最盛になってきますので、各自の農場でできたものを少しずつ持ち寄り、養老院や福祉家庭の慰問を行なったりして奉仕の精神修養につとめました。それが、たまたま佐倉市民の機関紙ともいうべき「市政便り」に掲載されたことによって、一般市民からも4Hなるものが注目されるようになったのでした。

▽▽ 生まれ変った自分

その後、郡連役員、県連理事と役職に追われる年が続きましたが、ますます4H活動の探究に興味がわいてくるのでした。そして郡、県と活動範囲が広くなると、高校時代の同窓生はもちろん先輩、後輩とも顔を合わせる機会も多くなってきますが、あいさつを交わしながらも、最初はだれもが、けげんそうな顔つきをするのでした。

もともと負けず嫌いの私でしたので、「なにくそ！いまの俺れは昔の岩淵とは……」という気持で汚名ばんかいを心に誓ったのでした。その間、四十一年度、農村青年会議に県代表として全国大会に参加という機会を得たことによって、視野を全国に向けることを知ったのでした。

そして四十二年度においては、第七回全国農村青少年技術交換大会がわが千葉県の九十九里浜で行なわれましたが、そのときは企画運営委員の一人として、全国の同士の接待など連日三時間程度の睡眠時間で頑張ったことも青春時代の貴重な経験として、なつかしく思い出されます。

▽▽▽ 最高の北陸の集い

そんなことから、その秋、富山県で行なわれました「全国4Hクラブ員北陸のつどい」に参加してみました。主会場であった立山での行事があいにくの悪天候のため、行事に変更のあったことは残念ではありましたが、われわれの同士自らが、企画運営にいたるまですべてを行なうというこのつどい、いままで自分が経験した大きな大会のなかでは、最も有意義で得るところが大きかったと感じております。

そうこうしているうちに、私の4H歴も五年となりましたが、いまでは4Hクラブなるものが地域にも浸透し、クラブ員も三十五名と、いつの間にかふくれあがり、当初十一名で発足した頃の思い出がなつかしく感じられます。

▽▽ 4H精神に基いて

私も、いまでは第一線で采配をふるということはしておりませんが、これまでに自分の得た知識、技術など、多少なりと役立てばと思い、集会日や行事には欠かさず出席しております。

五年間の4H活動で何を得たか？よく耳にする質問ですが、実際、生活するにあたって、これこれということが……とはっきりいいきれることは数少ないが、ただ漠然とクラブに参加するのではなく、常に課題を持ってクラブ活動に参加したのであったら、必ず得るところがあるのではないかと思う。実社会においてもその通り、毎日が課題を持つ日でありたいものです。そのほか、自分は社会の一員であるということが再認識されたような気がします。

昔の私とは全然似つかない私になれたことも、大いに感謝しております。

「一人はみんなのために……」というスローガンの大好きな一農村青年であります。

全国4Hクラブの今後の発展を祈るとともに私自身も、末端クラブにおいて4Hの精神に基づいて大いに頑張ってゆきたいと思います。

青春と仲間

農業後継者としての一歩

同志の友情は美しい

仙台市岩切・岩切4Hクラブカリム会 関内千枝子

私は、一昨年の三月、4Hクラブに入会し、農業後継者として農業の道を進みました。

とかく、都会の華やかな生活にあこがれがちな私たちにとって、天気が続けば休む暇もなく働き続け、時間にも不規則な農家の仕事は容易でありません。

父母に手取り足取りで教わった鍬の使い方、手先がはれあがった稲刈りや、田植え、ホコリだらけになっての脱穀と、仕事の手順も何も分からない私にとって、最初の一年目はつらいことだらけでした。でも、つらい仕事の後に得る収穫の歓びはいうまでもありません。

昨年は、私もささやかながらプロジェクトとして玉レタスとピーマンを栽培しました。

その結果、レタスは病気も付かず順調に生育し、大きく結球したレタスを市場に出荷したところ一個三十円という良い値でした。しかし、一方のピーマンは遅作したため病気がつき、種子代と肥料代を計算すると、わずかの金額しか残りませんでした。

表面では、多少失敗でしたが野菜を作ったことで新鮮な生野菜を使った料理が食卓をにぎわし、いままで食べずぎらいだったピーマンも家族みんなで食べるようになったことを嬉しく思いました。

また個人、共同プロジェクトを通じて、仕事も楽しくなり、ますますファイトが湧いてきたようです。

四つの信条、HEAD、HANDS、HEART、HEALTHをかかげる4Hクラブで二年間活動してきた私は、会員同志の真の友情の美しさを知りました。

いろいろな会合においての自由交歓、夜のふけるのも忘れて語り合った自慢話、悩み、不満などの問題についての活発な意見交換、みんなが、初めて会った人とは思えないくらい親身になって聞いてくれる人ばかりです。

女子クラブ員推進会議の時などは、出席者の約三分の二が伜（ムコ）取りだったことにびっくりし、私と同じ立場の人が、みんな素晴しい目的に向って、前進しているその力強さに、いつしか私も引き込まれてしまったくらいです。

月二回の定例会や、いろいろな会合に参加して、悩みも不満も4Hクラブという大きな吸取紙に吸い込まれ解消される今日の私は、本当に幸わせだと思います。

また未熟な私ですが、農業後継者としての誇りと自信をもって、農村生活を改善し明るい農村をつくるため前進したいと思います。

私の体験と意見

静岡県御殿場市 北駿4Hクラブ 真田勝 ④

みんながリーダーに 女子クラブ員の後押しを

私たちのクラブでは、農業改良部、生活改善部は、それぞれ農業の改良や生活改善のための学習。文化部は、クラブ員の間をまわすグループ日記の実施、新聞や機関誌の発行、青年の主張や弁論大会への参加呼びかけ、交歓会や宿泊研修の開催。また、レクリエーション部は、スポーツ会をはじめとしてフォークダンス、歌唱指導、キャンプ、ハイキングなどを催しています。

このように四つの部に分けることで4Hの信条もわかり易く、クラブの意識も盛り上がり、マンネリ化も防げます。

クラブ員各自が主体者でもあり、リーダーでもあります。一口にリーダーといっても、多くの型があります。話し合い、レクリエーション、人集め、農業生活研究リーダーなど、それぞれ専門的に専念することによってより高度なものが得られると思います。

できるだけ新しいクラブ員を専門のレクや話し合いのリーダーに育てるわけですが、先輩クラブ員はなるべく新しい人たちにリーダーの役をやらせる。たとえ、その会がスムーズに進行しなくとも、皆んなが笑っても、そのときだけで、次のときはただ一人でできるようになります。その上手、下手は回数を重ねることと、その研究心から違ってきます。

みんなに笑われて恥をかけば誰れでも「どうすれば上手にできるか」ということを研究します。その当人に悪感させないようにするのが、リーダー養成のリーダーのコツだと思います。とくに、新入生（クラブ員）はあらゆる大会、会合、講習会に出すことが一番近道だと思う。4Hクラブの研修だけでなく、青年団、青年学級などに出席させることも4H活動を活発にし、マンネリ化を防ぐ道だと思います。

次に、クラブ内で調子よく行っても、グループ員やクラブを取り巻く家庭や地域社会からの協力がなければその効果を十分に上げることができません。

まず、仲間をクラブに参加させてもらうために家庭の協力が必要です。クラブ活動を活発にするため、新入クラブ員の勧誘、資金、指導などの援助はやはり地域の協力が必要です。クラブ員は家庭と職業とを切り離すことのできない農業者であることそして、その地域農業のにない手であります。ですから、周囲の協力を上手に求めるのもクラブを発展させるには絶対に必要です。

とくに、女子クラブ員は、家庭の考え方でクラブでの活動は大きく変わります。各クラブ員がクラブでの出来事や研修内容などを家庭で話題にすることが、家族の人たちに理解していただき協力してもらうことに通じます。また、他のクラブ員と家庭の人たちとの接触をより多くして行くことによって、クラブの目的や現状、これからの方向などを理解していただけます。

女子クラブ員をより多くし、活発にさせるためには、男子クラブ員が会合の終ったあと女子クラブ員を送って行くのも一つの方法だと思います。そして女子クラブ員の家族の人たちと話しを交わすことによって理解を深め、会合にも出やすくなります。会合の通知は文章で出すことによって、家族の人たちにも内容を理解してもらうことができます。また、地域の協力を求めるなら、何か地域へ協力することによってスムーズに求められると思う。例えば、農業祭の準備に出るとか、試験ほ場の管理をするなどいろいろありますが、大人たちとの話し合いを多くもつことが必要です。

クラブに入って一年目は、すべての行事が目新しく、ただついて行くだけでも楽しい。二年目には、昨年の行事を思い出しながら、ことしは「こうした方が良いのではないだろうか」と工夫するようになり、活動も積極的になります。そして、三年目くらいで何かの部長などの役につき、四、五年でクラブの会長や副会長になる。これからクラブ員のリーダーになっていくのが一般のケースだと思う。十八歳で高校を卒業してクラブに入り、二、三年で長になるが、年令に五年以上の開きが出てくると、物の考え方やレクの楽しみ方、また活動から求めるものなどが大きく変ってくると思います。

とくに結婚すると、人生などということよりも、これからの生活設計に向って進まなければならなくなる。また同じ人が何年もやっていると自然にマンネリ化されてくる。4H活動をするのは学校を卒業して結婚するまでだと思う。

4Hを卒業して行った人は、若妻会なり、農協青年部、研究会などに入って、より高度の技術を求めながらサークル活動をすればよいと思う。OBの結成もよいと思うが、クラブに圧力をかけたり、強引にひっぱったり、口出しするようでは悪影響がある。求められてからアドバイスするOBであってほしい。

クラブ員の人数構成は、まとまりがとれる範囲で、男女同じくらいの人数が理想だと思います。女子クラブ員が極端に少ないとか、入ってくれないとか、また、消極的で困るなどという話しを聞きますが、これは女性自身も悪いが、男子クラブ員も反省すべき点が多いのではないだろうか。

4Hクラブでは、男女同権です。同額の会費を収めています。それなのに、女子はお茶をくめとか、女のくせに何だとかいろいろ聞きます。それに、すぐ恋愛の相手にしたがることも注意が必要です。

反面、女子クラブ員も〝女だから、そんなことをやると恥しい〟などとあまえることもあるようです。これでは、クラブ活動はもとより、いつまでたっても農村の女性の地位はいまのままだと思います。

同じクラブ員である以上、同等の義務を果たし、同じ権利を主張することが必要です。また、そのようにリードして行くのが男子クラブ員の役目でもありましょう。農業に従事する青年が少なければ通勤女性でもクラブに入れても良いと思う。農業に従事しない者でも入りたがるようなクラブ活動にしなければならない。

このような形でできた個々の単位クラブを同じ4Hクラブの名称で結びつけ、横のつながりをもっと密にして組織化することによって、明日の農業を4Hクラブ員の手で、世界へ伸ばす農業を4Hクラブ員がつくることによって、日本経済も世界一そこに住む国民も世界一になると思います。

（おわり）

新刊書の紹介

若者に勇気と誇りを 「青春を生きる」 —21世紀をつくる若者たち— 森戸辰男監修

この本は、逆境に屈せずたくましく青春時代を生き抜いている工員、農業者、会社員、学校事務員、寮母、保母など各職業、学生から選ばれた若者十六人の手記を中心に編集したもの。

「人生とはなんだ」「愛のとうとさ」「仕事の生きがい」「生きた学問を」「その灯をもやせ」の五章に分け、各章に、松山善三、間宮武、須藤克三、日高幹男、品川孝子氏らの「青春におくることば」と「古典からの名言」が添えられている。

手記は、神奈川県のチベット、伊勢原町の山間地帯で、押し寄せる都市化の波と両親が反対する中で農業に情熱をもやし、苦労のすえやっと八ケ岳農業を実現した坂本光弥君の体験談をはじめとして、幼年時代に両親を失い、高校を出てから九年間、ツルハシとシャベルを唯一の道具として都会の地下鉄工事から全国各地のダム工事現場をまわり土工という仕事に生涯を賭けている若者、また脳性マヒの障害を乗り越えて、現在、日本福祉大学の研究生として活躍している女子学生、恵まれぬ子たちの教育に情熱を傾ける保母の姿など、読む人に深い感銘を与え、若者たちに勇気と心の支柱をもたしてくれる。

この本におさめられたさまざまの青春像は、現代の若者の姿の一角に過ぎないが、次代をになう青年としての認識と誇りがあふれ、読者をしてその世界へと高めてくれる。

（全日本社会教育連合会＝東京都千代田区霞ケ関三—二—三、国立教育会館内、B6版九八頁、三百円）

英国館

敷地面積…約8,000㎡
出展費用…約17億3,000万円

展示館は、高さ34mの巨大な二重鋼製の4本の柱につり下げられ、まるで空中に浮かんでいるように見えます。

下の広場には、噴水公園や休息所がつくられ、館の正面入口近くには英国旗〝ユニオン・ジャック〟がかかげられます。また、外壁には、左藤義詮大阪府知事の筆になる〝英〟の文字が描かれます。

内部は、ブリッジで連絡された4つの展示ホールに分けられ、テーマ〝人類の進歩と調和〟の精神にそって、英国の全容が紹介されます。

第1部は、議会制度をはじめとする英国民主主義の発展やシエークスピアの文学遺産など、英国の歴史をパノラマその他で展示。

第2部は、科学技術と自然資源の開発など人類の進歩に貢献した英国の姿が、第3部は、工業、建築、運輸の技術など産業面が展示されます。

そして第4部は〝よりよき理解〟のテーマで、現代英国の青年の生活ぶりや教育、芸術、スポーツなどを紹介。

全体を通じて、英国が人類の発展にいかに貢献してきたか、また現在および将来に英国のになう役割はどのようなものであるかが浮彫りにされます。

＜日本万国博覧会展示館の紹介＞

日本4H新聞
4Hクラブ 農事研究会 生活改善クラブ
全国弘報紙
発行所
社団法人 日本4H協会
東京都市ケ谷家の光会館内
電話(269)1675郵便番号162
編集発行人　玉井光
月3回・4の日発行
定価　1部　20円
一ヵ年700円（送料共）
振替口座東京　12055番

クラブの綱領

私達は実践を通じて自らを磨くとともに互いに力を合わせてよりよい農村、よりよい日本を創るため四つの信条をかかげます。一、私達は農業の改良と生活の改善に役立つ腕をみがきます。一、私達は科学的に物を考えることのできる頭の訓練をします。一、私達は誠実で友情に富む心をつちかいます。一、私達は楽しく暮し元気で働くための健康を増進します。

広く参加者を募る
沖縄へ交歓訪問
全協　今秋11月中旬に実施

全国4Hクラブ連絡協議会（会長、黒田保君）では、沖縄の4Hクラブ員と相互に交流し、緊密化を図るため、かねて一般クラブ員による沖縄への交歓訪問を計画し、検討を重ねてきたが、このほど来る十一月中旬に実施することを決め、全国の4Hクラブ員から広く参加者を募ることになった。

全琉4Hクラブは、さる四十一年に全協に加盟したが、これに対し全協では全琉旗（4H旗）を贈ることになり、この年、当時の長田会長と岩崎茂全協初代会長（日本4H会館建設委・委員長）が同地を訪問、同旗を手渡して交流を図った。しかしその後、渡航の規制などから、沖縄のクラブ員が全協の催す行事に殆んど出席できない状態が続いていた。このため、両クラブ員の交流を求める声がこれまでにも強く出ていたが、今回いよいよ実施の運びとなったもの。この交歓訪問に対して沖縄のクラブ員や関係者も歓迎の意を示しており、多くのクラブ員の参加が望まれる。

実施計画と応募の要領は次のとおり。

応募要領

【実施期間】今秋十一月中旬を予定。

【参加者の資格】二十歳（今年の十二月三十一日現在）以上の4Hクラブ員

【参加予定人数】三十名。男子二十名、女子十名の割合。ただし飛行機一機をチャーターした方が経費面で有利な場合は、六十人となることも考えられる。

【提出書類】▽作文　次の題のうちいずれか一つを選んで一千六百から二千字内にまとめること。

一、自主的な4Hクラブ活動と組織の強化について　二、家族と地域社会に理解され、支援される4Hクラブ活動をするには　三、自立経営によって豊かな生活をするには

▽市町村長の推せん状（書）一通

▽写真　最近六ヵ月以内に撮影した上半身のもの二葉

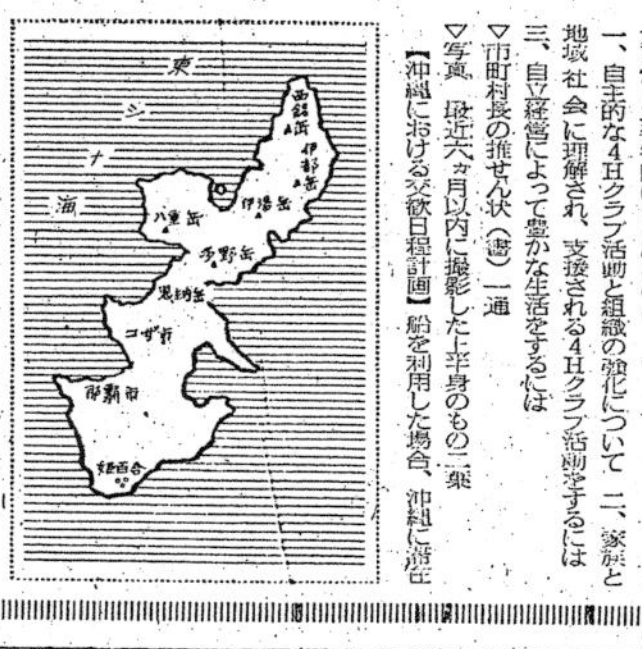

【沖縄における交歓日程計画】船を利用した場合、沖縄に滞在する期間は約四日間で、一日目は、全琉4Hクラブ代表との会合を開き、まずメッセージを交換し、そのあと相互にクラブ活動の内容を紹介し合う（現状報告の交換）続いて懇談会などを計画。二日目は、現地でクラブ員と交歓し、その夜は出来ればクラブ員宅に宿泊する。三日目はクラブ員のプロジェクトの状況や同県の農業事情について見学し、最終日に、お別れ会を開いて出発する予定であるが、同地で開かれる技術交換大会に合わせて日程が組まれることも考えられる。

なお、原則として観光見物はやらない方針である。

【研修】出発の前日、大阪で事前研修を実施するとともに航海中は船内研修する。

【経費】❶交通機関　船の場合、往復（東京―那覇間、九州を経由）約三万円。飛行機の場合、同（東京―那覇間）約四万三千円❷宿泊費や雑費、バス代などは未定。

【携行品】記念品やみやげ品は全協執行部で準備するので、参加者は生活に必要なものだけを用意すること。

【申し込み締切り日】来る三十日

【申し込み先】東京都新宿区市ケ谷船河原町十一、家の光会館内　全国4Hクラブ連絡協議会

なお。パスポートは、各自に手配することになっている。

生きがいと農業（3）

福岡県立築上農業高校教諭　森本勝

発揮できる能力　農業
よそ目ほどでない都市生活

ところで、以上のような事例は農業だけでなく、一般企業のサラリーマンの中にも、独立したいという野心派サラリーマンが増加しつつあると言われている。

職業訓練所に入る大卒者ふえる

それは、人間三十を越えると、ある程度先がみえてくる。会社でどこまでピラミットを登れるか、見通しがきくようになってくる。それで、若いうちに独立したいと考えてくる。そしてそれには、何よりも専門能力を身につけることが第一の条件であるといい、大学卒サラリーマンで公共職業訓練所に入所する者がふえている。それも、わざわざ大企業をやめてくる若手中堅の元サラリーマンが圧倒的に多く、例えば、品川公共職訓には、現在三二人の大学卒入所者がいるが、このうち一八人が訓練期間六カ月の転換コースで、これまで殆ど人気のなかったタイル職コースに四人の大学卒入所があり、四人とも弱電メーカー、電鉄会社などの大企業の中堅若手サラリーマンである。

それは、現在高層ビル建築がふえ、ビル内装のタイル張りに、タイル職人が引っ張りダコだという状況に目をつけたもので、四人とも、将来ビル内装店を独立営業したいと、希望したためである。

農業に生きがいを

同所長は「タイル関係は大変人手不足で、手間賃も高くなっているし、店を持つことは、そうむずかしいことではない。大学卒はいいところに目をつけます」と感心しているという。これらの大学卒者は、「人に使われるより使う立場に」、「たとえ小さくとも一国一城のあるじになりたい」といい、他人から監督されるのでなく、独立して自分の能力を発揮したいという価値判断にあると思われる。

最近の労働者の調査によっても、企業会社の青年に、現在の仕事で自分自身の能力を十分に発揮出来るが二八・一％、発揮できないが六九・七％もあった、と報告されている。

農業は生きがいを見出せる職業

このような例からみても、農業は若い時から独立出来る立場にあり、生きがいが見出しうる職業であると、言えないだろうか。自分は一筋に農業に生きるのだ。そして、農業で成功してみせるという独立心があってこそ、はじめて農業に対して自主的に勉強し、経営に真剣に取り組む意欲と行動が生まれてくると思われる。

更に、農村の青年が離農する理由として、収入が少ない、価格が不安定である、重労働である（経済的価値観）などをあげ、都市生活に対する一種のあこがれから、一度都会に出てみたいという青年も少なくない。

ところが、現在の都市生活は、若人があこがれているほど、住みよいところであろうか。

サラリーマンの生活は外側からみると、背広でも着て、ちょっと小ぎれいな暮しができそうに感ずるが、一歩内側にはいってみると、決して外からうらやましがられるほどではなく、仕事は無味乾燥で、孤独感を持ち、あきやすく、心の空洞化、人間疎外となり、若い人ほど仕事に生きがいを感じている者が少ない。

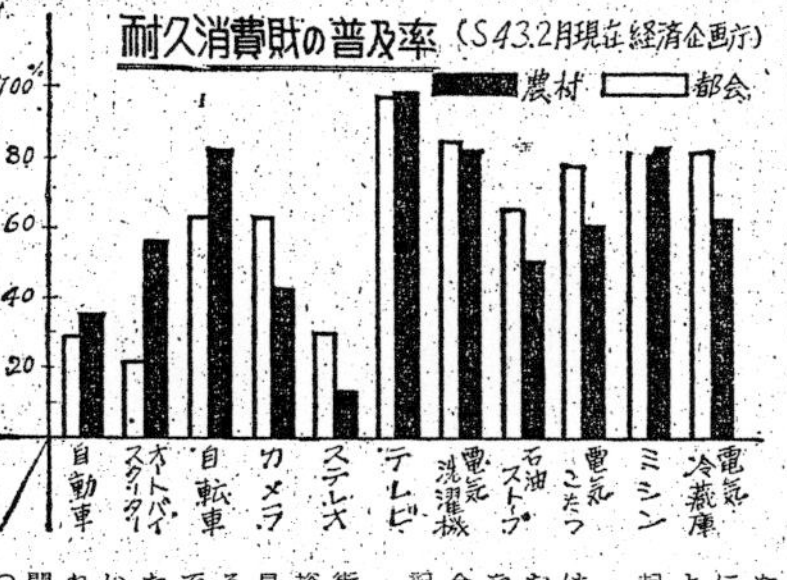

変化する都会と農村の価値意識

ある調査では、勤労青少年は、会社に対して六八％が不満と答え、仕事に対し五一％が不満を、そして余暇生活についても四八％が不満や悩みを訴え、約半分の人たちが、出来れば郷里に帰って暮したいと訴えている。これが、最近注目されつつある人口Uターン現象となって現われている。つまり、大都市は交通難、公害、高い住居費など、地方出身の人にとって、つらい要素が多く、少々収入がよくても、それは差引き損になると思う人が多くなった。そして、余暇、娯楽の面でも地方都市は大都市なみのものが一通り揃ってきた。それで、都会で機械的な単純な仕事をするなら、地方に創造的な仕事を見つけた方がよい、という価値意識の変化が起きつつあるように思われる。

また最近は、農村の都市化は、上表からも明かで、農村における生活環境はよくなり、車をもっている農家は、むしろ都会より多い。朝日新聞の主婦日記に次のように書いていた。

「とろ狭しと建並ぶ住宅街、窓と窓とは二十センチの余裕もなく、隣家の部屋の中まで見ようともしないのに目に入る。これから暑さに向い、いやでも窓を開けねばならず、思っただけでも気が重くなる。きれいに装った都会の生活にあこがれて出て来た私も、ひろびろと開放した部屋で、のんびりとくつろげるいなかの家々が、なつかしく思い出された。家はくっつき合っていても、肝心の心は、それほど通い合えぬのが、都会の現状のように思えてさびしい」と。（つづく）

立派な主婦へ修業
岐阜　「花嫁学園」開かる

【岐阜県＝大島光利連絡報道員発】岐阜県では、さきごろ中津川市加子川の県農業センターで、約百名の農村女子クラブ員と生活改良普及員を集めて、花嫁学園を開いた。

NHK望月美恵子氏の「美と健康を保つために」などの講演や講義のほか、映画観賞、三組の若夫婦による「若い夫婦との話合い」、現地研修、女子青年との話し合い、キャンプファイヤーなどで立派な主婦への修業をした。

関東でブロック推進会議
18日から4日間、日光市で開く

全国4Hクラブ連絡協議会（会長、黒田保君）の行事の大きな柱であるブロック4Hクラブ推進会議の一つ―関東ブロック推進会議は、来る十八日から二十一日までの四日間、栃木県日光市中宮祠の日光ユースパレスで、全協、関東ブロック農村青少年（4H）クラブ連絡協議会（会長、高山勝利君）栃木県青少年クラブ協議会（同）の主催、栃木県、日本4H協会の後援によって開催される。

これは、関東ブロックに所属する茨城、栃木、群馬、埼玉、千葉、神奈川、山梨、長野、静岡県連の代表者が、相互に各県連の活動状況などを紹介し、連絡協調を図るとともに、今後さらに組織を強化し、クラブ活動を積極的に推進するため話し合うもの。

参加者は、4Hクラブ員各県連五名（埼玉と群馬両県連は六名）と助言者各県一名、栃木県連クラブ員十七名、同県関係的三名、それに全協役員五名の七十五名を予定している。

なお、関東ブロック農村青少年（4H）クラブ連絡協議会は、今年の五月末に結成されたばかりで、この推進会議が第一回の行事となった。

推進会議の日程は次のとおり。

【一日目】午後一時から開会式とオリエンテーション、二時から栃木県農務部参事・菅忠義氏の「農村青少年クラブ活動の組織の強化」についての講演。三時半から各県連の情報交換、五時から関東ブロック農青少（4H）クラブ連協についての説明、五時半から入浴、食事。夜は七時から自由交歓（話し合い）を行なう。

【二日目】午前八時から分科会に分かれて「組織の強化」について討議、続いて十一時から全体討議を行ない、そのまとめを出す。昼食のあと午後一時から全協活動と4H会館の建設についての説明、記念撮影について四時から船内研修として中禅寺湖を一周する。夜は野外レクリエーション。

【三日目】午前八時から閉会式を行ない、このあと神社やお寺の見学研修をする。

ひき続いて希望者だけを対象に現地交歓会を行ない、栃木県連役員の4Hクラブ員の家に泊って交歓する。

開会式で力強く誓いのことばを述べる大沢君（空知）＝北海道連の創立15周年記念式典で

北海道連
盛大に15周年の記念式典
三百余名が参加　技術交換大会も同時に

【北海道＝赤松宏連絡報道員発】北海道4Hクラブ連絡協議会（会長、泉一男君）では、北海道と共催で、このほど三日間にわたって十勝管内本別町仙美里の道立農業講習所を舞台に、第十四回北海道農村青少年技術交換大会と北海道4Hクラブ創立十五周年記念式典を開催した。

これには、全道十四地区の4Hクラブ連絡協議会から代表百七十名、農業講習所の生徒百名、それに指導者五十名の三百余名が参加し、仲間づくり交歓会、演示発表、技能競技、体力づくり、ファイヤーなどの行事に若人の血潮をもやし、また明日への努力を誓い合った。

一日目午後一時から開会式が盛大に行なわれた。地元本別町仙美里小学校児童生徒の鼓笛隊を先頭に、国旗、道旗、4Hクラブ旗、続いて石狩、空知、上川支庁の順に十四連協、農業講習所生徒など三百五十名の入場行進がくりひろげられた。

黒川範子副会長の開式宣言によって、技術交換大会と創立十五周年記念式典の幕がきられた。国歌にあわせ、各旗が参加者の心を一つに結んで北海道の空に舞いあがった。ついで後志支庁代表の大場てる子（代議員）さんの先導で「心とわざをみがきあい、寒地農業をうちたてよう」と力強く大会のスローガンが斉唱された。大会長（代理、十勝支庁長）から、北海道農業へたくましく立ち向かう若人に力強い励ましのことばと式辞がおくられ、本別町長（代理、助役）の歓迎のことば、北海道教育委員会、農林省関係者などから祝辞を受けた。

次に、北海道4Hクラブ連絡協議会功労者の表彰で、歴代会長十二名に対して、泉会長から感謝状と記念品が代表して二代目会長の中札内村の浅見盛雄氏に手渡された。そのあと、参加者を代表して空知支庁代表の大沢博美君が、「この大会を通じて農村青年としてより良い発展と寒地農業を確立するため努力する」と誓いのことばをのべ、道4Hクラブの歌を斉唱し、閉式宣言で式を閉じた。

（行事の内容は2面に掲載）

凉風暖風
情緒と幽玄

ちょうど、石原慎太郎の小説「太陽の季節」が出たころから、世の中が変ってきたとみる人は多い。いわゆる、太陽族の発生などもその一つであったが、若者たちの思考、行動が徐々に変化してきたことは事実のようである。そのため、風紀や若者を随落させたとして、この太陽の季節をけしからんと叱る年寄者もいる。

しかし、この太陽の季節は、若者の行動力など、徐々に変化し、やがて押し寄せようとしていた時代の波を敏感に、いち早くとらえたものであり、そのために、この一冊の書物によって、世の中が変化したような錯覚を感じてしまうのだと思われる。

一編の小説が歴史を曲げるほどの偉大な力を持っているとは思われない。

それでは、今日、次に来る時代を予測し、それを表現するとしたら、どのような内容の小説が生まれるだろうか。

さいきんの芥川賞候補作にみられるようにマイホーム主義か、それとも権威の崩壊、自信の喪失、断絶、カッコよさ、経済的動物としての活動、人間疎外、思想の混乱、殺人、オオカミ運転手、宇宙（海洋）開発、交通戦争、ゲバ、精神病者の増加、都市改造、ヒッピーなどであろうか。それとも現在は、将来を感知し、予測できない状態にあるのか。だが、あんがい男性（人間）としての生き方、美などを追求する、これまでの方向と大体的似た姿で進んでいくのかも知れない。

それにしても、日本人（東洋人）個有の〝情緒と幽玄〟はやはり失ないたくないと思う。これは、とくに西洋人から見れば、理解できず、また、いやらしい姿として映るかも知れないが、民族の優秀性は、そのデリカシーな精神面にも深く潜んでいるような気がする。このことは、ことにがさがさとした今日の都会の対人関係を思うとき、それを強く意識する。

若者の行動も、カッコよさも、そしてマネーを追い求める姿もそれなりにいい。しかし、それは、猿真似ではなく、ある理論、思想の上に立って行なわれるべきであろう。そうしないと、自動車で海へまっさかさまにダイビングするように、どこで落し穴にはまってしまうか分らない危険性がある。それはまた、レジャーに酔い、セックスとスリルにひたっている若者がやがて大人へと脱皮したとき、そのあとに何が残り、そして、やがて生まれる子供たちへの影響はどうかなどの問題が含んでいるともいえる。

4H祭など賑わう
茨城

【茨城県＝村山文雄連絡報道員発】茨城県内では、このところ各地区農村青少年クラブ連絡協議会ごとに、4Hクラブ大会をはじめキャンプ大会や4Hクラブ祭などを開き、4Hクラブ活動の推進と明るく豊かな農村建設に意欲を燃やしている。

そのうちの二、三の地区連の活動を紹介してみよう。

まず、鉾田地区4Hクラブ連絡協議会では、同地区の農業改良普及所と共催で、さる八月十二日、鉾田町南中学校で第一回の「4Hクラブ祭」を開いた。

これは、プロジェクトの実績発表や農産物の品評会、各クラブの交歓会などを通じて、クラブ員相互の親ぼくを深めると同時に、4HクラブのPRを行なったもの。

農産物品評会では、約二百名のクラブ員が自作のスイカやメロン、トマトなどを出品して、会場の体育館はさながら青果市場のようなにぎわいをみせた。

また、4Hクラブ祭の終了後、クラブ員たちは出品した農産物を市価の半値近い値だんで即売し、その収益金を地区内の社会福祉施設に寄付、関係者から感謝されている。

江戸崎地区4Hクラブ連絡協議会（会長、諸岡栄一君）では、同地区普及所と共催で、さきごろ三日間にわたって筑波山ろくの真壁町キャンプ場で4Hクラブ大会を開いた。

なお同地区連独自に4H会館建設の募金にのり出し、このクラブ大会でも、期間中、募金箱を設け、また4Hクラブのバッチやハンカチなどの販売代金の一部を募金した。

一方、笠間地区農村青少年クラブ連絡協議会（会長、宮田政昭君）では、さる八月十五日から三日間にわたって福島県の磐梯高原を訪ずねて第五回同地区農村青少年クラブ大会を開いた。

このほかの地区連でも、盆踊りや4Hクラブ大会を行ない、自主的なクラブ活動を推進している。

松下会長　全協の意欲を望む
日本4H協会の総会開かる　会館建設などに関心

四十四年度の事業計画などについて審議する4H協会の総会（中央は松下会長）

社団法人日本4H協会（松下幸之助会長）は、さる八月二十日午後一時三十分から東京・港区の松下電器東京支店会議室で、理事会と通常総会を開いた。

はじめに、会議にさきだって、新田事務局長が、全協の小原副会長、久野事務局長、菊地評議員が傍聴を希望したので、会長に相談し、出席させることにした旨を報告、了承を認めた。

ついで会議に入り、まず、松下会長から「4H協会は農村青少年の育成をやっているが、まだ十分ではない。予算なども不十分である。これからは各位のご協力のもとに、本来の仕事に尽力したい」とあいさつがあり、このあと議案審議に入った。

新田事務局長が、資料に基づき「昭和四十三年度事業報告と決算承認に関する件」について説明、このあと、藤巻監査から過日行なった監査について報告。一部事務書類を簡素化したらどうかと思うとの意見が述べられ、事務局で検討することとして、了承した。

つぎに「昭和四十四年度事業計画及び予算決定に関する件」を審議、全員これを承認した。

このあと、松下会長から傍聴していた全協の役員たちに、この機会に協会に対して何か希望や意見はないかと質問があり、これに対し、まず小原副会長が、日頃の全協に対する好意に感謝を述べ、来年のつどいの開催計画について報告。ついで、久野事務局長が4H会館建設募金運動の経過を説明、飯田会員（前全協副会長）も会館問題について、説明をした。

これについて松下会長は「まずクラブ員が自力で建てる意欲を持っていただきたい。協会も以前からみなさんが五千万円集めれば、それくらいは集めようといっているが会館はみなさんが建てるという心がけが大切である。ひとつ、五千万円をみなさんたちで集めてみて下さい。全協が仕事をし、協会はそれを援助するものである。どうか頑張ってもらいたい」と激励された。

また、さいごに協会関係者に「協会も及ばずながら、これからも本来の仕方に励みたいので、みなさん方もいっそうのご協力をお願いしたい」と述べられ、午後三時、議事を終わり、閉会した。

心頭技健

日中の強い直射日光もカラッと心地よく、木陰には、もう涼しい風が吹きぬけ本格的な秋がしのび寄ってきた。4Hクラブ活動も各種の行事を消化しクラブ活動夏の陣は終了した。夏の行事の特徴として、クラブ員はその舞台を野外に求め、技術研修、体力づくり、仲間づくりに励んだわけである▼しかしその重要さは、心身ともに鍛えたこの活動が単なる青春の思い出の一コマとして終らせるだけではなく、その成果をいかにこん後のプロジェクト活動や日常生活に取り入れていくかにある。そのために、この夏体験した種々の経過を分析して反省するとともに、整理することが必要である。それによって次の活動計画への基礎が生まれるものだ▼夏の行事は、技術研修に体力づくりなどの共同生活の活動が大半を占めているが、その内容は果してこれでよいのかということにも目を向けてみる必要がある。例えば、技術競技については、現在、鑑定・判定・診断・審査の方法によって、それぞれ地域の特徴を出して実施しているが、これらについても十年一日の如くであって一考に価いするものがあると思う▼ということは、企業的農業経営を唱える若い農業者の学習の方法としては「ドンブリ勘定」的な勘に頼った、前近代的な内容があるように思えるからだ。コンピューター時代に生きる農業者はやはり企業的農業経営の手腕（能力）の持ち主でなければいけない。そのためには、経営に対する計画から反省に至るまでの全過程が科学的な数字によって裏づけされた経営、徹底した計数管理が当然要求される。また、それがこん後の農業経営の優劣をきめるともいえる▼このようなことから、こん後のクラブ活動の学習の場の中に、これらの基礎的な能力を養う方法を取り入れ、毎日の生活、仕事の中に、科学的な判断力、数字による分析を取り入れてみよう。人間の大脳は、ふつう五割しか働かず、また、人間は、持てる能力の五分の一しか発揮せずに死んでいくという。その隠れた能力を訓練する場として、技術競技の方法をみんなで考えよう。せっかく持って生まれた能力が、宝の持ち腐れにならないように。

青年とその無限の可能性

い演ど講つの　—4—

元京都大学学長　平沢興氏

一枚の標本で学問のたかさが分る

人間は割合に落着いて考えることの特意な人、どうも考えるということが特意でない人、といろいろあります。いずれにせよ、あるていどの批判力と落着きを持つということはとくに必要であると思います。そういうことで、すぐ分ったつもりになりますが、分ったということと、分ったつもりということは、これはけして同じではないのです。

私自身、いまから四十年ほど前に、最初にスイスへ行きましたときに、そこに当時の世界的な脳解剖のモナコフという教授がおられたのであります。私は留学期間が二年半しかありませんから、なるべくたくさんの標本をみなければならないことと書物を読んで、そして、書物とこんどは実物の標本、書物を読んで標本をみておこうと思いました。

書物に書いてあるだけのことをそれが分かれば、そのとき一通りのことが分ったと思ったのであります。ところがあとで先生が回ってきて平沢君きみは分ったのかときくのです。ああ、分っております。いやーどうしたってきみは分っておらんなあー、ほんとうに分っておらんなあー、とたいへんがっかりするような話をするのです。

ところが、二、三日過ぎて考えてみますと、やはり先生のいわれるのが正しいのであります。

書物に書いてあるだけのものは分っておりました。ところが実物は実際の標本には、本に書いてないこともたくさんあるのです。

本に書いてあるのは実際の一部分であるということです。本に書いていないような場所があるということが分っても、それが何んであるかということは、まだ研究されていないのでありますから、それを先生に聞いても分らんのであります。分らんのでありますけど、実物は本に書いてあるものよりはるかに、いろいろと複雑なことがあるということが分ってきました。

人生というものは十年二十年かけて

しかし、たった一枚の標本をみることによって、一枚の標本でありますけど、

青年は将来に輝く　諸君に無限の可能性が

その当時の学問の高さが実は分るわけです。

ところが、われわれ日本では、かなり大きな本でありますが、それに書いてなければ、それはつまり分らないわけです。本に書いてあることが分れば分ったと思ったのですが、それは違う、本に書いてなくとも、つまり分らないことがたくさんあるのです。そういうことを先生は私にいわれたのです。

日本におるときは、本に書いてあることが分れば、一通り分ったことと人は怪しまなかったことなのです。ところが先生は、一枚の標本をみるのでも、けして人の真似をして、本に書いてあるとかなんとかいうことでなくして、いったいなにがあるかというところまでみなければいけないということをいわれました。

私はそのとき、ほんとうに分ったということと分ったつもりということは違うのだということを気付いたのであります。このことはたいへん大事なことで、例えばみなさんが、先輩や昔の偉い人が書いた書物、論語とかをみた場合、みなさんの判断だけではこんなものはつまらんと思われては、これではあまりにも粗末です。やっぱりほんとうに分るということは難かしいことであります。

人間の社会を宇宙全体の中で考える

だいたい世の中のことは、分ったことだけが強調されていますから感心されますが、例えば、月への着陸というようなことは、これは大きなことであります。いまだかつて人類は、そこへ行ったことがないのであります。しかし、宇宙全体から考えたとき、それはどういうことであるとか、宇宙の広さがどのくらいあるかということを現代の天文では誰れも分らないのであります。

だいたい現在のところでは、宇宙全体の中には百億ぐらい小さい宇宙がある。その小さい宇宙の一つが、われわれの住んでいる地球であるわけです。われわれの地球のある宇宙は銀河と申しますが、その銀河系の中には太陽が二千億もあるといわれます。その二千億の太陽のうちの一つがわれわれの太陽であるわけです。その中に太陽の心を回っての天体がある。三番目に地球がある。地球の子分に月があるわけです。ですから月着陸ということは大きなことでありますけど、いかに人類の歴史からみたら偉大なことであるかということを感心すると同時に、いかにそれはちっぽけなことであるかということも考えなければ、ほんとうに真実でないと思うのであります。

みなさんは農村の中心になられる方でありますから、とくに、こんなことをいうのですが、分らないことは分らないで結構ですから、先輩や昔の人が書いたものについて理解ができないような場合はそれでいいのですが、それは十年なり、二十年の期間をかけて考えていけばよいわけです。

人生というものは、そんなものではないかと私は思います。

地球の内側には金星があり、外側には火星があります。これからは、そういうようなところへ探検ができるようになるのです。

そんなふうに広さの分らないような、この広大な中の銀河系という宇宙の中に、われわれの太陽があり、地球があるわけです。分らんといえば、こんにち分りきったことは世の中にないのであります。五万年の人類の学問の成果としては、こんにち科学がもたらしたものは、分らんということです。

しかし、そういう分らんということが、ほかの動物や植物にしても不思議なのでありますが、自分では不思議とか分らんということは分らんのであります。

人間はまだ最後の真理からすれば分らんことばかりでありますが、しかし、ここまで分ってきたということ、月まで行けるようになったということはたいへんなことであります。

しかし、現在は月までそうとうの日数がかかるのでありますが、将来は三十七万㌔余をこれを光の速さでかりに行けるようになれば約二秒くらいで行けるようになるわけです。これはいますぐには実現しないことです。しかし、そういうことは不可能でないのであります。

アメリカは、この月着陸のために政府は二百四十億㌦を使ったといわれますが、これはけっして無駄にはなっていないのであります。

農業にしても私は将来の発展の余地は大いにあると思います。

これには国全体としての体制の中で考えなくてはならないこともありますし、またこれでは解決できない部分もありましょうが、さきほども申しましたがみなさん自身が、ほんとうの意味での自主性と自信をもっておやりになるということ、そして開放的な大陸的な社会性をもって、また、社会的な健康をもってやれば、将来は明るい見透しがあるわけであります。

世界は日毎にだんだん小さくなってきます。私共がヨーロッパに行きますときには四十五日かかったときがあります。いまから四十年前です。現在はご承知の通りちょっとした時間で行けるわけです。そんなふうなことで、世界は小さくなっているわけですから、小さくなっているということは同時に国と国との関係も密接になることです。

そう意味でこれからの日本人は、あらゆる方面の人が考えなくてはならないことですが、やはり世界というものをあるていど考えて日々の生活を営まなければならないと思います。

自らを高くみつめて成長してほしい

さいわい日本人の知能指数というものは、素晴らしいものがあるのです。同時に技術的にも勝るものがあります。問題は日本人が将来世界的になる過程において一番難しいことはやはり、社会性を身につけることだろうと思うのであります。

そういうことは頭で分っておっても、身にはつきません。私どもも日本人であるということ、そしてわれわれは頭で考えてやはり地域社会というようなものにしましても、ほんとうに身体の中からにじみでるような地域社会もあるでしょう。また、そういう自然さ、そういうものがいいと思うのですが、これはしかし、諸君は若いのでありますから、そういう点は十分自らを高くみつめて、成長してもらいたいと思うのです。

諸君に無限の可能性が残されている

深く自分というものを基礎にして、これを社会の共同作業に貢献しようということであります。自信のない人に自信を持てということは難しいことでありますが、少なくとも諸君には無限の可能性が残されておる。百四十億の神経細胞は諸君の情熱と努力がある中で十分これから活躍しうる状態にあるわけです。

したがって問題は、諸君は自らをいかにみるからという、そしてそれをいかように生活の中に生かすかということです。

これは、自信をもって自分の可能性を伸ばすために、何か一つやってみることです。自分に勝つと申しますか、自信と努気と忍耐、そして先ほど話しました四つのHによって、私はみなさんの将来は明るく輝くと思います。

可能性はたしかめるもので、その可能性を生かすかどうかは、まったく諸君の生活態度そのものの中にあるということを申し上げて、私の話しを終ります。（おわり）

この目でみる4Hの祭典

北海道連協・技術交換大会、創立十五周年式典

北海道4Hクラブ員の技術交換大会並びに北海道4Hクラブ連絡協議会創立十五周年記念大会は、本紙一面掲載の通り、雄大な北海道の背景をバックに、また、各行事も北海道農業にふさわしい内容で展開された。参加クラブ員たちは"心と技をみがき合い寒地農業をうちたてよう"と、日頃の成果を競い、明日えの抱負を語り合っていた。以下本紙連絡報道員赤松宏君記。

班別話し合いは、千差万別のテーマで二時間近くの間、話し合われていた。各班の模様をのぞいてみる。

第七班は、テーマに"4Hクラブ活動の現状とあり方について"とむずかしいものを選んでいた。その一部をのぞいてみると……

❶入会者を迎える心構え
❷H・P（ホームプロジェクト）活動を軸としてのレクリエーションおよび教養学習の展開。
❸グループの広域化、大型化を図り、少数化を防ぐとともに細分化により、プロジェクトの内部構成の確立。
❹ことにあたる根性と家庭の理解度を深める。
❺普及員、社会教育主事などの指導の受け方と体系について

となかなか意味深いものがあった。

○○○○ことしは何カップルが

また、五班なども、クラブ員の減少などのテーマが中に入ってきていた。四班では、年齢差があり過ぎ、グループプロジェクトの運営がうまくできない点をあげ、それらの解決策として、プロジェクトには年齢別、男女別など意識度によって分けて行なうのも良いなどの答が出されていた。

リラックスしたテーマの部としては、第八班などで、「恋愛について」などが、巧みな司会によって展開されていた。まずは、初恋の体験談（中にはのろける人）。部落、町村内では、結ばれにくい現状を考えてみるなど、結婚の意義を哲学的な視点から分析していくなどの熱の入れよう。実は、例年、この大会では、二～三組のカップルが誕生している。今年は何組出現することだろうか。

話し合いが終ると、全員に、十五周年記念の赤飯が渡された。芝生に北海道独特の夏の夜風が涼しくほほをなでていた。

「若人の熱気が広場一杯にひろがった中、仲間作り交歓会が行なわれた。明治学院大学・高橋先生のたくみな指導のもとに大きな歓声がひびき、若人の輪は大きく広がる。いつしか、すてきなパートナーをみつけ、自己紹介し合い、こんなにすばらしいムードの中に仲間意識はいちだんと高まり、いつまでも広場いっぱいに熱気があふれていた。

はじめての大会だが、何の抵抗もなくみんなの中に溶けこむことができた、われわれの明日は、われわれの手の中にあり、この力強いエネルギーが、それを創り出すんだと胸に刻んだのである。

広場いっぱいの熱気　毎年2組のカップルが誕生

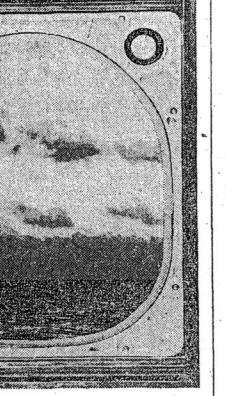

○○○○他に類をみない競技も

第二日目の主な行事は、演示発表（演示作品展）技術競技、ファイヤーであった。

演示発表は農産、畜産、生活改善の三部門に分かれておこなわれた。今年の発表は農産十四発表、畜産十一発表、生活改善八発表の合計三十三発表であった。

発表ごとに会場は熱気あふれる中で質疑応答がくりかえされていた。

また、午後一時から技術競技がおこなわれた。競技種目は男子九部門、女子二部門の十一部門にわたって北海道農業と、農家生活に心要な事柄を習得することを主なねらいとするものであった。

技術競技の内容については、中でもトラクター競技は、国際的にも難しいとされているコースでトレーラーをけん引する競技がおこなわれ、参加者の中から自動車免許証を取るより難しいとの評があるほどであった。また、このほかの競技にも、北海道農業にふさわしい内容がもり込まれていた。

班別話し合い・変愛の話しなると熱が入る……

技術競技・トラクターのトレーラけんいん競技

○○○○迷演技続出のファイヤー

広大な北海道の地に夕やみがせまる頃、ファイヤーの火がはこばれてきた。営火長から明日へたくましく生きるための素晴しいことばをいただいて点火、火はいきおいよく「もえろよ、もえろよ」と仙美里の丘に響き渡った。

歌と踊り、つぎに寸劇に入っていった。道内を4つのブロックにわけ、ブロックごとの出品、「プロレス」あり「アポロ月へ行く」「農民大運動会」と花火をあげてまでの大熱演。

つづいて、東西にわかれ、対抗チーム大会、また、最後に歌って踊って、手をつないで肩をくんでこの灯をいつまで心にともしながら別れていった。ファイヤーが静かに消え、第二日目の日程を無事閉じた。

○○○○明るい明日の北海道を

最終日は「創立十五周年記念体力作り研修会」が行なわれた。明治学院大学の高橋賢一先生の指導で、体力テストを行なった。終始などやかなふんいきの中で測定がすすみ、各自の体力測定の評価がでた。そのあと体力づくりトレーニングが行なわれ、十二時「体力作り研修会」を閉じた。

そのあと昼食を取り閉会式にはいっていった。

閉会式では、演示発表、技術競技、体力作り研修会の成績優秀者が表彰された。また、全参加者を代表し、十勝管内の小玉君が「明日への誓い」を斉唱し、式を閉じた。「また逢おう」のことばで再び全道各地、自分たちの町や村へ散って行った。明るい明日の北海道を作る誓いを互に立てながら。

夜のふけるのも忘れ自由交歓　富士登山に三百人

千葉県連で野外研修会　4H会館の募金も

【千葉県＝県連広報部・成田正雄君発】県農村青少年クラブ連合会（会長、白井新治君）主催の野外集合研修会が、富士登山をかねて、さる八月十一日から十三日までの三日間、山梨県山中湖湖山荘キャンプ場を主会場として開かれた。

これは、クラブ員の交歓による仲間づくり、体位向上などをねらいとして実施されたもので、県内各郡から三百余名のクラブ員が参加した。

まず一日目は、県庁前羽衣公園に参加者が集合して開会式を行ない、県農林部長や白井県連会長のあいさつのあと、日程や注意事項の説明があって終了。ただちに、参加者は七台のバスに分乗し、一路、山中湖湖山荘キャンプ場に向けて出発した。

キャンプ場に着いたときには、どしゃぶりの雨であったが、役員の指示に従って、無事各バンガローに落ち着いた。しかし、食事の準備にかかるころは雨もあがり、夜は、広場でフォークダンスや、二日目の夜に行なわれるキャンプファイヤーの出し物準備などで過ごし、天候にいちまつの不安を残した。

二日目は、富士登山である。心配された天候も朝から晴れわたり絶好の登山日和（びより）となった。

朝七時にキャンプ場を出発、河口湖から富士スバルラインを経て五合目から頂上めざして足を進めた。先頭は、白井県連会長、県農業改良課長、つづいて各普及所ごとに一グループを編成して八合目まで進み、そのあとは自由登山となった。

トランシーバー四台を使って先頭と最後尾とで終始連絡をとり合い、落伍者や気持の悪くなった人を助けながら、午後一時まで登れるところまで行き、そのあとは下山した。三時半までには、全員がバスに乗り終え予定通り出発した。

キャンプ場に着いたら、すぐに夕食の準備である。疲れて動きが鈍くなっている足をひきずりながら食事をすませ、七時からキャンプファイヤーが開かれた。明治学院大学の高橋賢一先生の指導で楽しいひとときを山中湖畔で過ごした。

登山で疲れているとはいえ、そこは若者たち、燃えさかる炎を囲んで数多くの余興が続き、素晴しいキャンプファイヤーとなった。

そのあとバンガローで夜のふけるのも忘れて話し合いがはずんだ。

三日目は、朝食のあと十時まで自由時間。山中湖でのボート乗りや魚釣り、あるいは屋内での卓球、話し合いなど、それぞれが思い思いに過ごし、十時半、なごりを惜しみながら、湖山荘キャンプ場をあとにした。午後三時ごろ千葉に到着し、また明日の農業に向ってそれぞれの村へと散って行った。

この二泊三日間の野外集合研修をふりかえってみると、すべてがスムーズに行ったと思う。

とかく、これまで、県の大会はスケジュールがいっぱいで自由交歓が少なく、また、大勢の参加者が集まると、規律や時間が守られずに行事の進行がくるうことが多くみられたが、今回は、この点、役員も非常に楽にいったのではないかと思われる。やはり、これからの農業者は、時間厳守の重要性を認識する意味からも、貴重な大会であったと思う。

また、行き帰りのバスの中や大会中に、4H会館建設の募金を行ない、大きな成果をあげた。その額はともかく、4H会館に対する意識がクラブ員に浸透したことは大きい。

なお、参加者はこの研修会について次のように感想をのべた。

富士登山は、世の厳しさを、われわれに教えてくれた。自分の進む道は、自分の足で、進まなければならない。自分が苦しければ、他人も苦しい。そのうえで勝ちえた楽しさは格別である。また、この大会で最も印象深かったことは、キャンプファイヤーであった。山中湖の湖畔に篝炎が立ち昇るさまは、まさに、天にも昇る気持だった。

夏バテに負けるな

運動会に汗流す　小山地区4Hク協

【栃木】栃木県小山地区4Hクラブ連絡協議会では、このほど、小山市大谷中学校グランドで盛大に"夏期運動会"を行なった。

これは、同地区クラブ員たちの「夏バテを吹きとばして体力づくりに励もう」という声に応じて開催したもの。当日は、二十四クラブ約四百人が参加してバレーボール、ソフトボールに汗を流した。

人生を語り4H推進

佐賀"全国大会参加者の会合"　「与太郎会」など会合

【佐賀県＝森武則連絡報道員発】県内の4Hクラブで、とくにリーダーとして活躍していて「全国農業者会議」「全国農村青少年技術交換大会」などに県代表として参加した人たちが、相互の友情を深め、人生観や社会観などを語り合い、真のクラブリーダーとして研さんを深めて4Hクラブ活動をさらに高めようとそれぞれグループを結成している。

「与太郎会」「ドッコの会」「ハヤブサ会」がそれで、それぞれの会合を開いて想い出を語り、意見を述べ合ってきた。しかし、その中で、目的を同じくする他のグループとも仲間となり、相互に意見を交換、協力する中で、より素晴しい4Hクラブ活動を展開しようという意見が多く出ていた。

そこでさる八月二十一、二十二の両日、景勝地、唐津市七ツ釜で高々と4H旗をかかげ、集合ラッパが鳴り響いた。

まず、女性諸君の日ごろのプロジェクト活動発表として「美味しく、栄養があり、コストの低い弁当」を試みた。男性たちは腹いっぱいになるまで審査に余念がない。

このあと水泳教室や磯遊びで友情を深めプログラムを進行した。夕食会は、女性の腕が良すぎたせいか、食べて飲んで、そして歌い友愛に徹し過ぎて眠ることも忘れて楽しんだ。

二日目は、話し合いをしたが、会場の関係上全体討議ができず個人的に意見をぶつけ合った。岩や芝生の上でプライベートな話しが出て、深く意見が交換できたことは意義があった。二十六日からの高知大会派遣グループを加えて再び集まろうと誓い合い解散した。

参加者は、県連役員、地区の会長というような立場を離れて自由に参加し、十分に意見を交すことのできるこの集いは、佐賀県4Hクラブの役目として期待が寄せられている。

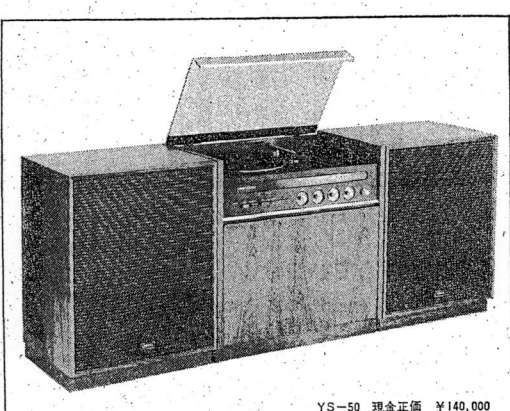

プロジェクトの取り組み方

北海道専門技術員 三輪 勲

教育課程とプロジェクト

北海道農業学園教育におけるプロジェクト指導

(1) 教育過程 普通科・高等科とも学園ごとに地域の実態を考えて教育課程を編成し、これに基づく指導計画を作成して教育を行なうものとされている(「北海道農業学園に関する規則」第九条および第十二条)。

この教育過程編成の基準として「農業学園学習指導要領」が普通科と高等科にわけて定められている。この指導要領に示されている教育課程編成の例を要約すると下表のとおりである。

(2) 教育方法とプロジェクト

農業学園の教育課程は、普通科・高等科とも教科・科目の履修、実践活動および学園行事の三領で編成されるが(下表参照)各領域における教育の方法はおよそ次のとおりである。

(A) 教科・科目の履修

教科・科目の履修は、通信教育と冬期合宿教育の方法によって行なわれる。通信教育は、専門教科(農業・家庭)に関する教材自習・面接集合指導・添削(てんさく)指導および質疑応答の方法で実施される。冬期合宿教育は、学園生全員の共同生活をとおして、教養・専門教科を履修させるしくみになっている。

(B) 実践活動

実践活動による教育は、学園生自治会活動・作業班活動およびプロジェクト活動の方法によって行なわれる。

学園生自治会活動は、学園生の学年ごとの自治会および全学年の自治会の系統的な組織をとおした自治活動が行なわれる。作業班活動は、学年ごとに作業班を編成し、郷土建設作業・農場実習・奉仕作業などに集団で従事する。

プロジェクト活動は、学園生全員をそれぞれの地域における農村青少年グループに入会させ、各学年の教科・科目の履修に関連しプロジェクト活動を実施させる。このため、学園講師や教務担当者は学園生の家庭を巡回して指導を行なう。また、学園生はプロジェクト記録簿の記帳が義務づけられている。

(C) 学園行事

教科・科目の履修および実践活動の二領域における教育を促進するため、学園の実態に即して学園行事を行なうことになっている。

学園行事の主なものは、入学式・修了式などの儀式、視察および研修旅行・技術交換会・優良農家との座談会・講演会・農村教育青年会議などの学習的行事、キャンプ・体育・レクリエーションなどの保健体育的行事の三種類である。

北海道農業学園教育課程の基本例

(普通科)

教科	科目	標準単位数	添削指導	面接集合指導
教養(男・女)	青年倫理	2		
	家庭・社会	2		
	郷土史	1~2		
	農政時事	2		
	文書実務	2		
	計算実務	2~3		
	保健体育	2		
	(小計)	(14)		
農業(男)	水稲	2~8	それぞれの科目の必要に応じて20回	同左20単位
	畑作物	1~6		
	飼料作物	1~3		
	野菜	1~7		
	果樹	1~5		
	乳牛	6~8		
	中小家畜	1~3		
	土・肥料	2~3		
	作物保護	2~3		
	農業機械	2		
	農業経営	3		
	(小計)	(22)	(20回)	(20)
農業一家庭(女)	農業一般	6	それぞれの科目の必要に応じて20回	同左20単位
	家庭経営	4~6		
	食物	2~5		
	被服	1~2		
	保育	1		
	住居	1~2		
	(小計)	(22)	(20回)	(20)
教科・科目総単位数		(36)	(20回)	(20)
学園生自治会活動		80時		
作業班活動		10日		

(高等科)

教科	科目	標準単位数	添削指導	面接集合指導
教養(男・女)	農村社会	8		
	農政時事	2		
	計算実務	8		
	(小計)	(18)		
農業(男)	水稲	6~15	それぞれの科目の必要に応じて20回	同左20単位
	畑作物	1~8		
	飼料作物	1~4		
	野菜	1~10		
	果樹	1~8		
	乳牛	1~11		
	豚	1~3		
	鶏	1~3		
	農業土木	2~3		
	農業機械	2~4		
	農業経営	10		
	農業簿記	5		
	農業協同組合概説	4		
	(小計)	(40)	(20回)	(20)
農業一家庭(女)	農業一般	12	それぞれの科目の必要に応じて20回	同左20単位
	家庭経済	4~6		
	労働管理	1~2		
	栄養	3~4		
	食品加工	2~5		
	農家被服	2~3		
	保育	1~2		
	農家住宅	2~9		
	(小計)	(40)	(20回)	(20)
教科・科目総単位数		(58)	(20回)	(20)
学園生自治会活動		120時		
作業班活動		10日		

注) この単位は、単位時間時間(通信教育による教材自習時間、冬期合宿教育における授業時間)である。ただし、教養教科の単位は冬期合宿教育における授業時間、面接集合指導の単位は授業時間として計算する。(北海道農業学園学習指導要領による)

創意に富む研究発表

埼玉県の技術交換大会 参加者が猛ハッスル

【埼玉県=細井純一連絡報道員発】埼玉県農業研究団体連合会4H部(部長、小沢賢一君)では、さる八月十二日、埼玉県農業経営研修所で技術交換大会を開き、参加者は汗がひたたり落ちる猛暑の中で、日ごろ磨いた腕を競い合った。

午前十時から開会式が行なわれたあと演示発表にうつり、各地区連4Hクラブから選抜された十一チームの代表者が三つの会場に分かれ、日ごろプロジェクト活動で研究した成果を競い合った。各地区連の代表者とあって、創意工夫に富んだものが多く、クラブ員の中には「よし!これなら俺にもできる。しかも便利だ」などの声も聞かれなかなか好評であった。

午後からは技術交換大会が開かれた。今回からは、各部門に分かれ、第一コース(そ菜+花キ)十三チーム、第二コース(そ菜+果樹)同、第三コース(酪農)五チーム、第四コース(養豚)六チームの合計三十七チームの参加があり、それぞれ専門コースに共通コースを加えて、五人一チームの編成で各地区連4Hクラブの代表者によって競われた。

その後各コース別に分科会が開かれ、一問一答の回答に、喜び合うチーム、残念そうなチーム、種々さまざまな様子もつかのま、「よし!また来年も来ようじゃないか」―そんな言葉も口々に、友と別れていった。

また、この技術交換大会会場には、数個の募金箱が設置され「4Hクラブの殿堂、4H会館建設に協力を」と呼びかけていたが、受付のときに、牛乳のつり銭などを募金してくれるなど積極的に協力するクラブ員が多かった。

暑さも忘れて日ごろ磨いた腕を競い合う参加者 =埼玉県の技術競技大会

雨をついて技術競技

宮城 県連を再発足させる

【宮城県=関場勝広連絡報道員発】県による行政上の指導によって農業青少年研修グループを一本化した宮城県農村青少年クラブ連絡協議会の設立総会が、さきごろ県庁で開かれ、会長に浅野啓一君が選ばれた。

これは、これまで活動してきた県4Hクラブ連絡協議会と同農村青少年機能集団協議会が合併したもので、県下の同志が互いに力を合わせ、自主協力と精神のもとに今後さらに努力する。

本年度の重点目標は、一、事務局体制の確立、二、組織の強化と充実、三、農村青少年クラブの使命と精神の高揚、四、放送利用によるクラブ活動の展開―などである。

なお、県連事業の一環として、このほど三泊四日の日程で、新しく国定公園に指定された栗駒山麓においてクラブ員五百余名の参加のもとに農村青少年技術交換大会が盛大に開かれた。

残念ながら、大会期間中雨にたたられどうしだったが、それでも雨にも負けず、元気に技術競技、野外料理コンクール、体力づくり、話し合いなどに青春のエネルギーをぶつけあった。しかし栗駒山登山の計画は雨天のため中止せざるをえなかった。

タツ巻で被害

茨城の4Hクラブ員が救援

【茨城県=村山文雄連絡報道員発】さる八月二十三日朝、茨城県西部と東南部で台風九号の影響によるタツマキが発生、農家が全半壊などの被害を受けるとともに、農産物に被害が出た。

このため結城市内の八つの4Hクラブのクラブ員約百名が、消防団員とともに、被害にあった部落にくり込み、勤労奉仕など援助の手をさしのべた。

こうした周囲の人たちの温かい協力に支えられて、被災者たちは立ち上がり、押しつぶされた屋根の下からタタミや家財道具などを取り出して、こわれた家のかたづけをした。

日本政府派遣農村青少年指導専門家 湯浅甲子

<16>

迫る世代の断絶感

農村青少年指導協議会 日系産業組合にも大問題

農村青少年指導協議会はスタートをきった。そして、協議会の大きな期待が私の一身にかかっている事をメンバーの方々と話しているうちにヒシヒシと身に感じてくるのであった。

「私は」難産であったこの協議会の設立動機をどうしても知る必要があった。以下それを整理して述べてみよう。

○教育レベルが低い

ブラジル移民六十周年記念の年であることからも伺えるが、いまの移住農家の主力は、日本から手をとってつれていった子供が二世の時代になっている。

当時、日本の経済不況に業をにやした反骨心旺盛な父親達は新天地をめざして、何もしらない幼い吾が子の手をとって移民船に乗ったのである。父も母も子供も移民当初は、食べるためにせい一杯の生活が続いたのであった。日本人の特色である子供の教育への配慮もとうてい手がまわらなかったにちがいない。

そのうえ、ブラジル社会の教育制度のおくれは、吾が子をますます教育環境から遠ざける結果になってしまったのである。

ある人の話では、おそらく、小学三年程度の力しかないだろうというのである。そうすると、いろいろの問題がおこってきそうである。例えば農業近代化への理解度はどうだろうか、自分と息子、娘たちとの間に時代の断絶がおきていないかなど、不安のタネは多い。

また、もう一つの問題として第二次世界大戦終結前後に生まれた二世が現在二十歳代の大事な年頃をむかえているが、この青少年達の子供の頃の親達の生活はどうであったろうか。祖国日本の敗戦を海外生活の中でむかえた移民達は、さぞかし言葉には現わしきれぬきびしい生活との戦いであったに違いない。まして、その中での子供の教育は、充分にできるはずはなかったのである。

このような教育レベルの低い農業の担い手が、いまのサンパウロ農業を背負っているとすると、これは放っておけないことである。何どか、農業に関するだけでも知識、技術のレベルアップを早急に考えねばならないのであった。

○日本語とブラジル語のカベ

親達は、日本語を話す。この事実には私も驚いた。奥地へいけばいくほど、家庭の中では、日本語が占めている。おかげで、私も言葉の不便は感じないですんだが、問題は青年達である。家庭では日本語を使うが、学校や社会の中では当然ブラジル語である。当り前の話だが、若い人は日本語よりブラジル語の方がうまい。そこで親と子の間の会話は、いつのまにか、日本語、ブラジル語がチャンポンになってしまうのである。それでも、日常会話は、どちらの言葉でも通じあうので不便は全くなさそうである。

ところが、将来の我が家の生活のあり方とか、農業か転業か、農業経営のとりくみ方はどうするか、といった見通しと想定の問題を議論することになると、言葉のちがいは大きな意志そ通を妨げるのであった。親は、どうしても使いなれた日本語で語り、子はブラジル語で話す方が自分の気持ちをいい現わせるのである。これが、青年の結婚問題になれば、なおさらデリケートな表現が使われるので言葉の障害はますます壁が厚くなるのであった。

これでは、ますます親と子のミゾは深められる一方である。いまこそ親子の問題を解明しておかなければ、農業の問題はおろか、日本移民の家庭が崩壊する危機をはらんでいると考えざるをえないのであった。

○組合継承の人材が渇れる

有識者の間では、農業後継者問題は、組合存続問題と同じ問題であると考えているのである。

ブラジルにおける日系産業組合活動の盛業は、各国人の驚異の的である。その輝かしい産業組合運動も、実はといえば、日本から移民していった一世対象の組合活動であったのである。それが、時代の流れで農家の柱は、二世に移行した。必然的に組合活動は、二世を主力にして展開しなければならないのだが、この若手には、組合活動を理解する力が、もともと無にひとしいのであった。組合はここで、組合後継者の人材不足に悩むハメになってしまったのである。農業後継者育成は、即ち、組合継承者育成に直結する問題として大変身近かな切実な問題化したのであった。

そこへ追い打ちをくれるように、アメリカ大資本の農業界乗り込みが激化してきて、従来独占的に州内日系農家を握っていた日系大組合はその屋台骨をゆさぶられることになったのである。ここに至っては、俺達の組合だけでなどと、セクト的に考えていては、とも倒れもしかねない時勢であるという認識を持たざるをえなくなったのである。

〈栃木県普及教育課・特別専門技術員(青少年担当)〉

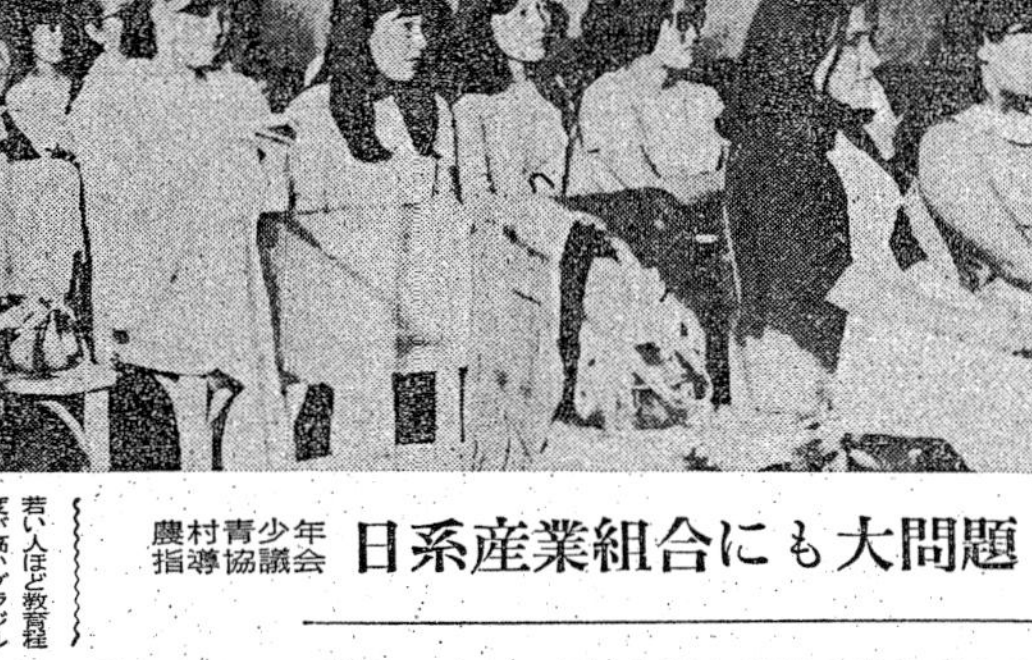

若い人ほど教育程度が高いブラジル日系人

農業簿記

京都大学名誉教授 大槻正男

<自計式農家経済簿記>

財産台帳と年度始め記入

第1項 財産の評価法

台帳に財産が記入されるに際しては、その技術的・物的側面と、その経済的・価値的側面とが、ともに把握、記録されなければならない。

物的数量は、種類により、また個数により、あるいは重量によって、あるいは容量によって、あるいは面積によって把握、記録されるが、これに対して経済的価値的量は、貨幣価値でもって把握、記録される。

財の物的数量は、特別の場合を除いては、一般に容易でしかも客観的に計測できるが、これに対して財の価値量を精確に計測することは、多くの場合はなはだ困難である。やむなくそうした場合には、なんらかの評価基礎となるものを見出し、これによってだいたいの見積りを行なうのである。この見積り手続を評価方法という。評価の基礎として何が用いられるかによって評価方法は次のように分類される。

1 調達価評価法
(一) 調達原価評価法
(1) 購入原価評価法―購入した供用財の場合
(2) 生産原価評価法
(イ) 開墾原価評価法―田畑の場合―
(ロ) 建築または築造原価評価法―建物または地下建造物の場合―
(ハ) 製作原価評価法―大機具や機械の場合
(ニ) 育成または仕立原価評価法―大家畜や果樹園の場合―
(ホ) 狭義の生産原価評価法―米・麦・マユ・牛乳・立毛などの場合―
(二) 調達時価評価法
(1) 購入時価評価法
(2) 生産時価評価法
(イ) 開墾時価評価法
(ロ) 建築または築造時価評価法
(ハ) 製作時価評価法
(ニ) 育成または仕立時価評価法
(ホ) 狭義の生産時価評価法
(三) 類推調達類推価評価法
(1) 類推購入価評価法
(2) 類推生産価評価法
II 使用価評価法
(一) 調達原価を基礎とするもの
(1) 購入原価を基礎とするもの
(2) 生産原価を基礎とするもの
(イ) 建築または築造原価を基礎とするもの
(ロ) 製作原価を基礎とするもの
(ハ) 育成または仕立原価を基礎とするもの
(二) 調達時価を基礎とするもの
(1) 購入時価を基礎とするもの
(2) 生産時価を基礎とするもの
(イ) 建築または築造時価を基礎とするもの
(ロ) 製作時価を基礎とするもの
(ハ) 育成または仕立時価を基礎とするもの
III 収益価評価法
(一) 契約収益を基礎とするもの
(1) 地主手取り小作料(租税公課などを控除したところの)を評価基礎とするもの
(2) 粗小作料租税公課を控除しないところの)を評価基準とするもの
(二) 残余収益を基礎とするもの
(1) 租税公課控除の純収益を評価基準とするもの
(2) 租税公課未控除の純収益を評価基礎とするもの
IV 処分価評価法
(一) 販売価評価法ならびに類推販売価評価法
(二) 成品価評価法ならびに類推成品価評価法
(三) 利用価評価法ならびに類推利用価評価法

調達価評価法というのは供用財の評価に採用される評価方法であって評価の目的物である財を調達するのに所要する貨幣額を基礎として、評価する方法である。

NHK農事番組 (9月11日~20日)

テレビ

明るい農村 6・30~6・55 総合
11日 話題の広場 マッシュルームの冷房栽培 カメラ通信
12日 村をむすぶ
13日 農業新時代 七人の共同酪農(島根県太田市)
16日 村の記録 老人研究会(福島県山都町)
17日 きょうの話題 過疎対策法のなかみ
17日 産物往来 じゃがいも
18日 話題の広場 植木の疎開 共同養蚕で一千万円
19日 村をむすぶ
20日 農業新時代

農業教室 7・30~8・00 教育
11~13日 消費者と農産物 森田泰三(大阪府農林技術センター)
15~17日 なし生産の課題 林真二(鳥取大教授)
16~20日 三十頭酪農の条件 西山太平(宇都宮大学教授)

あすの村づくり
日 7・00~8・00 教育
土(再) 13・00~14・00 教育

ラジオ

早起き鳥 5・50~6・00 ❶
11日 産地訪問 切花(宮城県名取市)
12日 現地報告 構造改善事業を現地にみる(千葉県市原市)
13日 村のポスト
14日 話題の窓 農民年金
15日 現地報告 こだま(特集)農業再出発(兵庫県市川村)
16日 人と話題 古米を新米に 森田大三(広島県福山市)
17日 通信員の手帳から(福島)
18日 産地訪問 玉ねぎ(札幌市)
19日 現地報告 自主流通米のゆくえ(高知県下)
20日 村のポスト

ラジオ農業学校
月~土 6・40~7・00 ❷
日 6・30~7・00 ❷
14日 経営手帳 ▽土壌診断と改良の効果(全国土壌協会)▽鶏糞のくさくない処理法(千葉県畜産試験場)

新しい農村
日 6・00~6・30 ❷
17日 地域生産向上の悩み(岩手県九戸郡山形村下川井)
14日 ▽グループ便り ポットマムで村づくり(静岡県浜松市古人見町)▽仲間とともに 北の酪農にいどむ 北海道稚内市サラキト、マナイ4Hクラブ▽先輩と語る 滋賀県大中之湖 干拓の父

あしたの青春

一ノ瀬綾
え 多賀愛子

<3>

仲間達(三)

「あれ、あとでなんて……面倒なお話し?」

「いや、別に、大したことじゃあねえんだ」

圭次は、あわてて打ち消しながら、しばらくためらっていた。すみ江達の向い合いのベンチでは、新一が見知らぬ三人の若者達と、親しそうに談笑している。途中で道連れになったのであろう。三人共都会風で、原色のきいたシャツや、ジーパンを身につけていた。時々「そしてよう」などと、声高にしゃべっている。すみ江は、弟の気安さに少々びっくりしてながめていた。

「相談と言っちあ大げさだな。すみ江さん、一度おれ達の集会に来てみないかい。クラブでもいいし、ほかにもいろいろあるがな」

圭次はさり気なく言ったが、その瞳は真直にすみ江を見つめていた。

「ああ……そのこと。そうね、今更って気がするけど……まあ考えてみるわ」

すみ江は大して心が動かなかった。もともと村の生活や農業経営に無関心、と言うよりは目をそむけてきた生活であった。

高校時代にクラブ員になった時は、小学生時代からの親友に誘われて、深い考えもなく入会しただけである。一ヘクタールに満たない土地を、年三回の養蚕を主体にして耕作してきたすみ江の家庭では、農繁期をのぞけば、すみ江が勤めに出た方が都合がいいくらいであった。その代り、一年中仕事に追われる父母の姿を、いやというほどながめ、すみ江自身も勤めと家庭の手伝いでつかれ果て、いっそ家を出ようかと思ったこともたびたびであった。それを押さえて今日迄過ごしてきたのは、弟の新一の学費が、すみ江の給料を当てにしていたからであった。

今年の三月で、それからも解放されて、ようやくすみ江は、気分的に自由になれたと思っていた。これからは好きな習い事でもしながら、嫁入り仕度などを心がけていきたいという、月並みな希望が頭をもたげてくる今頃であったのだ。

「町の将しは、そんなにいいのかい」

突然、圭次が怒ったような声を出した。

「だれも、そんなこと言ってやしないのに」

すみ江が目を見張ると、圭次は頭を掻きながら肩をゆすった。

「いや、そうだ……かんにんな。おれ、今日はどうかしてるよ。やめた、やめた。さあ、みんな出発だぞ」

おどけた笑顔で、圭次はそそくさとすみ江の傍らをはなれて行った。みんなが歩き出すと、先頭になっていた新一が急に足を止めて、すみ江の追いつくのを待っていた。

「ねえちゃん、にぎりめし、いくつ持ってきたや」

顔を近づけて言った。汗と、たばこの臭いがした。すみ江は顔をしかめた。

「また、たばこ吸ったんだね」

「そんなことじゃねえよ。いくつ持ってる」

「新ちゃんが、うんと作れって命令したから、三人分以上たっぷりだよ」

「そいつはよかった。でっかいのを、三つ出してくれや」

「こんなとこで、どうするの」

「あの連中にやるんだ。パンやすしなんかばっかりで、田舎のにぎりめしが喰いてえんだとさ。ケチケチすんな」

「いいかげんにしな。知らない連中だろ」

「話すと面白えんだ。東京の自動車工場で働いているんだと……くわしいんだ車のこと」

すみ江の出した包をひったくると、新一は仲間を追って駈けて行った。口を開けば車の話をする弟の、まるで少年のような行動がおかしくて、すみ江は一人で苦笑しながら、みんなからおくれまいと、足を踏んばった。

つどいの体験発表 指導者(上)

普及活動の歓び

愛知県知多郡美浜町河和・知多農業改良普及所
山田立夫

青春と仲間

常に縁の下の力持ち
青年と青年を結びつける

私は愛知県の山村に生まれ、山村に育って二十二歳の、住みなれた故郷、そして両親の元を離れて知多半島の最南端にあります美浜町へ普及員として採用されましたのは、昭和三十六年十一月一日であります。

同じ愛知県でありながら日頃見れない海、そして広大に広がる台地の上で大きな希望を抱きながら着任したのです。

育成担当に 自信と誇り

赴任と同時に、畜産と青少年育成の担当でありましたが、技術的な畜産については普及員になる前に、県の種畜場で一年半ほど勉強していましたので、あまり負担を感じませんでした。

しかし、青少年担当については、当時二十二才という若い私にとっては、とても大きな心の重荷に感じたのです。

この先、どう青少年の指導育成をし、助言を与えていったらよいだろうかと、考え、悩み、そして先輩普及員の体験も積極的に聞き、時には自らも青年心理学などの書物を求め、努力してきたのです。

そして普及員生活八年目を迎えた今日、いままで若いクラブ員とともに考え、ともに悩み、行動してきた体験が、現在では青少年担当に対しての自信と誇りとなって日夜頑張り続けていられるのです。

地域の概要は、知多半島の最南端に位置し、東は三河湾、西は伊勢湾と立地条件に恵まれ、大消費地の名古屋から電車で約一時間あまりのところであります。地形は低く、丘陵地でその台地に畑が広がり、谷間から海岸に向って水田が開けています。

耕作面積の約五十%が水田、三十%がみかん園、二十%が普通畑となっており、農業生産の中心は古くから米とみかんでありますが近年とくに農業構造改善事業とともに、みかんの新植が増加し、年々産地形成へとすすんでいます。一部に酪農、施設園芸などが伸びつつあります。

クラブ再発足に取組む

赴任当時の4Hクラブは、美浜町に男子ばかりで十名の河和4Hクラブ、南知多町にも同じく男子ばかりで二十名の内海4Hクラブの二つがあったのです。

この当時、三十七年頃から社会情勢の変化が急で、農家人口の都市への流出が多く、所得格差が著しくなり、農村も大きく変化しようとしていたのです。そんな情勢の中で、河和4Hクラブもクラブ員の減少が年々目立ち、クラブ活動にやや行きづまりを生じてきていたのです。

そこで地域を広げた中学校区を単位として、昭和三十九年一月にクラブの再発足にふみ切ったのです。現在では、女子クラブ員も加入し、二十名のクラブ員が活発な活動を続けております。

その後、昭和三十九年、四十年にかけて世代の交代により、農業後継者が増加し、立地条件を生かしたみかん栽培、施設園芸、酪農などに積極的に取組む姿が目立ち、これらの青年を一人の点としての存在でなく地域社会との結びつけをするのが、普及事業の最大の仕事であると確信し、その後、後継者の実態調査を行ない、部落ごとに確認に回り、また、部落の役員、地元の農協、役場とともに協力し合って、昼となし夜の十二時を過ぎるのも忘れ、時には普及員としての任務でないようなことまで行なって、クラブ育成の問題に取組みました。

二つのクラブの"誕生"

その当時部落では「あの普及員は、いまの時代で農業なんかで何を作っても儲からないのに、若い者を集めてクラブを作っても、誰れが真剣に行なうかもの、いつまで普及員は[illegible]」と、時にはいやみまでいわれたこともあったのです。

そんな時には、われわれは常に縁の下の力持なんだから、これでよいのだと自分自身の心にいいきかせながら打勝ってきたのです。

そうした日々を繰り返しているうちに、部落の二名の若い意欲に燃えた青年が「われわれの地域にクラブを作りたいと思います。たとえ数少ない仲間でも、われわれは力強く活動をして行きたいのです」と相談に来るようになり、昭和四十年に美浜町の西海岸の三つの農協を一本にして、男子ばかり二十名で"西海4Hクラブ"として発足することができたのです。

また、その年に南知多町の知多岬農協を中心に、男子ばかりの十名で岬4Hクラブが発足にふみ切ったのです。

歓びの興奮で寝られぬ夜

この当時、他の地域においてはクラブの消滅があるというのに、われわれの地域にはそれにも負けず、クラブを二つも作ることができたのです。そんな夜は床についても、なかなか目を閉じることができず、ただ時をきざむ柱時計だけが、新しいクラブの発足した歓びを祝ってくれるかのようでした。

そんなことを身に感じた時、普及員としての生きがい、喜びを身をもって体験でき、じっとしていることができなかったものでした。そして昨年八月、南知多町にみつば4Hクラブの発足をみたのです。

農村雑感

情報(その一)

折原俊二郎

随分前のことになるが、トランジスターラジオが普及しはじめた頃、よく話題に上ったのは、農村の青年が朝早く麦ふみの頃、小さなラジオを[illegible]て、流れ出る音楽に足をあわせて麦ふみをやっている姿で、何と世の中は変ったことだろうとか、寒風の中での単調な麦ふみも、これでいくらか気分がいやされるようになったのではないかなど、話題はトランジスターラジオを通じて語られたことを覚えている。

そのようなことがあってから、次に、温室の中にトランジスターラジオが入りここら明るいムードになったといい、いや、あれは音楽を聞いているのみではないので、定時に流される市況情報を聞くために、温室内にラジオを持ち込んでいるもので、その市況を通して出荷の判断をしているのであるから、これからの農業経営では、どうしても情報収集を土台にしなければならないという議論が次に出るようになった。

さて、農業が近代化され、消費との関連で生産体制も改善しなければならなくなると、今度は農協とか出荷組合単位で、市況を調べ、有利な販売方法をとるように改められてきた。農協や出荷組合では、こうした情報を適確にしかも迅速に集めるために、市場に情報を集めるための駐在員も常駐させる方法をとるようになった。しかも、一ヵ所の市場のみでなく、数ヵ所の市場に配置する形をとった。即ち、有利な市場を決めるためである。

このため、トラックなどにつんで出発した車が、途中から方向を変えて、出発当初決めた市場を変える手段までとられるようになった。もちろん、トラックには無線が装備され、その指示に従ってトラックが右に行ったり、左に変えたりという形をとったわけである。

こうした情報収集の形は、さらに拡大して、一地方のみでなく、全国的に考える必要が生じてきた。この要望にこたえるために、農林省の中に、流通情報センターが設けられ、ここには、テレタイプが数台備えられて、全国の出荷状況なり、その他の情報が集められ、その集計されたものが再び返されるという体制が整えられるようになった

これからの農業経営では、情報収集を迅速に、しかも適確にとらえなければ成立しなくなるだろうし、その体制はますます整備されることと思われる。しかし、ここで忘れてならないことは、農民自身がこの情報をいかに利用するかである。かって、温室の中でラジオから流れる市況に耳を傾け、真剣に対策を練った。その時点では、農民自身が自らのものとして情報を生かした。それが再び、農民自身の手から、農協や組合の専門家に移されつつある。この方法は効率的であるが、同時に自らのものとして手にすることを忘れないようにしたいものである。

(農林省・農業者大学校)

佐賀・藤津地区連

自衛隊演習場でクラブ員の集い開く
睦親の夕 ラッパで起床

【佐賀県=井上利幸連絡報道員発】藤津地区農村青少年クラブ連絡協議会(会長、川島豊喜君)では、さきごろ三日間にわたって藤津郡嬉野町大野原自衛隊演習場で第一回の藤津地区農村青少年クラブ員の集い」を開いた。

この集いには、地区内の4Hクラブ員男女約八十人が参加、さいわい晴天に恵まれて、第一日目は午前十時から開会式に入り、この集いのスローガン「若さで築こう明るい農村」を斉唱して集いの幕をあけた。

開会式に続いて、県柑橘同志会副会長、田島勝次氏の「農村青年の心がまえ」と題する講演があり、体験談をまじえての話にみんな真剣に耳を傾けていた。夜八時からは、長崎県大村自衛隊員、また佐賀県会議員とクラブ員との親ぼくの夕べを開いた。

二日目は、朝六時に自衛隊員のラッパで起床、朝の集い。朝食のあと九時から、参加者がそれぞれ各班に分かれて、生活やクラブ運営の現状を紹介し合いながら家庭や地域の生活、また農村における結婚問題などについて話し合った。

午後一時からは五時間にわたって、技術競技と歌、また自衛隊員の指導で体力テストなどを平行して行なった。夕べの集いは夕食のあと、陽がかげり西の空がくれないに染まるころから、演習場内で盛大にキャンプファイヤーがくりひろげられた。各班クラブからそれぞれ自慢の出し物が演じられ、集いの盛り上りが最高潮に達した。

三日目は、午前九時から演示発表を行ない、荒木新一君(三谷4Hクラブ)の「動務の自動ストッパ」秋月進次君(農生会)の「肥料用ビニール袋を利用した水田のアゼ」など六人から発表があった。

午後は全体討議に入り、前日の分科会報告のあと質疑応答、またアンケートによる反省を行ない、つづいて表彰式をかねて閉会式に移った。技術競技の団体、個人各三位までと、演示発表で三位までの入賞者が表彰された。このあと第五回全国4Hクラブ員の集い(鳥取県で開催)参加者と県技術交換大会出場者の発表があり、ついで川島地区連会長が「この大会の感激を各クラブへもち帰り、元気で頑張って下さい」と力強く呼びかけた。

また、藤津地区農業改良普及所の海野吉郎所長から集いについての批評があり、最後に、4Hクラブの歌を元気よく合唱して幕を閉じた。

親睦の夕べが行なわれ、参加者の心はうちとけ合い、なごやかなひとときを過した。

高知

「働く青年の像」建設
県連が県下の青年に呼びかけて 四人の群像

【高知県=堀見とし連絡報道員発】農漁村や工場で、たくましく働いている青年の姿をあらわした「青年の像」が、このほど香美郡野市町西野の県立青少年センターに完成し、さる八月十五日午後二時から除幕式が行なわれた。

この青年の像は、日ごろ農村や各地の職場などで困難な問題と斗いながら力強く生きる青年の姿や働く喜びを表わした県下の青年のシンボル像を働く自分たち青年の手と力で建設しようと、さる二月に建設実行委員会(委員長川村雅士君、県農村青少年クラブ連絡協議会会長)を結成、県下の青年に募金を呼びかけていた。その結果約五千人から百五十万円の募金があり、像の製作を高知大学教育学部助教授の船木直人先生に依頼していたもの。

像は、男女二人ずつの若者の群像で、高さ三・五㍍のセメント製。一人は、左手に高知県の象徴である長尾鶏をかざし、右手にスパナを持ち、また一人はカツオを釣り、一人は稲穂、そして残る一人はキュウリやトマト、ナスなどが入ったカゴを抱えた明るく力強い像で、青年の手で採石された吉野川の石で築いた高さ二㍍の台座の上に建てられた。

除幕式は、県知事を迎えて、県下の青年代表約百二十人の参席のもとに行なわれ、川村建設実行委員長は「国会では派閥争いがあり同じ世代である大学生はお互いにゲバ棒でなぐりあっているときにみんなが力を合わせて像を建てるという一つの目的に向い、それを達成できたことは大変嬉しい。青年の心のカテとして生かしてほしい」とあいさつした。

こん後、高知県の農村青年をはじめ各種団体の青年は、この県立青少年センターへ訪ずれるたびに青年の像の建設についやした努力と歓びを語り合い、明日の高知県を担う者としての自覚を高めて行くと思われる。

つどいに参加して

静岡県浜松市西山 浜西4Hクラブ 鈴木良吉

集ったものはみんな仲間
思い出の地に再び
教訓生かして真面目に

私が「4Hクラブ員のつどい」が鳥取県で開催されると知ったのは一月の4H新聞からでした。

山陰は中学時代からの憧れの土地、十代最後の思い出にと一人でオートバイ旅行をした山陰。その山陰でつどいがあると知った時、なにがなんでも参加してみようと決心しました。そんな単純な気持で参加したつどいでしたが、参加してほんとうによかったと思っています。

現地交歓訪問の時、家族の方から「近所に住んでいる同級生でも勤めに出ていると逢っても話しも合わないが、農業をやっている者同志だと初めての人でも親しく話ができていいですね」といわれた。事実、このつどいに参加するまで一度も顔を合わせたこともない若者同士が、それぞれの立場、仕事の内容、地域などが違っても"仕事"を通しての仲間意識というのか、同じ農業を志す者同志でなければできない結びつきがあったように思います。

これは個人対個人の場合だけでなく、つどいの行事を通してここに集った者は、みんな"仲間"なんだと感じました。仲間意識というのか、心の結びつき心のふれ合いは、実に素晴しいものです。私たちのクラブや青年学級にも、この"心の結びつき"がもっと必要です。

キャンプファイヤーの時「私たちの胸にともった炎が、それぞれの故郷で大きな炎となって仲間を生み、やがて日本を世界を動かす炎の原動力になると思う」というあいさつがありましたが、クラブには「心の結びつきが必要」と感じ、心にともった炎は、クラブ員や青年学級生のみんなに分ち合い、より心の結びつきを強くしていく努力するのが、このつどいに参加した私の使命だと思っています。

つどいが終ったいま、私が深く反省しなくてはならないのは"つどい"に半分遊びの気持で参加しそのまま帰って来てしまったことです。もし、このつどいを初めから真面目に考えて参加し、行動したならば、いまの何倍かの物を吸収し、収穫できたでしょう。家に帰ってから気がついたのでは、もう遅いのです。この教訓をこん後生かして、これからは遊び半分でなく真面目に考え、すべてのものを得ようという気持をたえず持って参加したいと思います。

また、現地交歓訪問に参加しなかった人がいたようですが、非常に残念です。全国の仲間が一ヵ所に集って話し合い、楽しみ、その中から友情が生まれ深まる。これから地元のクラブ員、家族の方々と真のつき合いができるという交歓訪問という時に、行事のすべてに参加するという原則を破って、早く帰ってしまう行動が私には理解できません。

別れ、とは苦しいもの。もう二度と顔を合わせ、話し合うことがないかも知れない友をおいて、二度と訪ずれることができないかも知れない土地を後にしてしまう。しかも行事の途中で……こんな感傷はすてておいても、千数百名という参加者があったこのつどいを運営するに当り、何ヵ月も前から忙しい仕事の時間をさいて、何回も何十回もの連絡会、打合わせ会などを開いたでしょう鳥取県の方々や陰の力となって努力して下さった方々に申し訳けないと思うのです。

三月末という申し込み期日が遅れたり、申し込んでも不参加の人もあったと聞いています。私は上手にいえませんが、同じ仲間が一生懸命努力しているのに、その努力を無視するようでは、4Hクラブ員としての人格が疑われます。とても心のH、誠実で友情に富む心がつちかわれているとは思えません。

私自身、遊び半分で参加したことを深く反省し、もう少しお互が自覚ある行動をとれるようにしたいものです。あんなに素晴らしいつどいに参加したんだと誰にでも自慢したい気持で、つどいに参加したこんな気持は、クラブ員の多くが感じていることでしょう。これからも機会をみてぜひ参加したいと思います。最後に盛大なつどいを企画、運営して下さいましたみなさんに心から感謝を申し上げ、こん後のご発展を祈ります。

香港政庁館

敷地面積…3,300㎡

香港政庁館は、展示館とレストランの二つの建物からなり、周囲は池でかこまれています。どちらの建物も、現代の香港を象徴するシンプルなもので、橋を形どった道によってつながれています。

建物の上には、最高21.5㍍のマストのある香港名物のジャンク数隻の帆が張りめぐらされ、風向きによってはなやかな色彩が変化します。夜になると、いろいろな照明の効果でいっそうあざやかな色彩となり、それがまわりの池に映えてすばらしい効果を生みだすでしょう。このジャンクの操作は、毎日、香港の漁夫が行なう予定。

また、水にかこまれた特設ステージでは、ライオンダンスやマネキンのパレードなど伝統的な催し物が行なわれます。

<日本万国博展示館の紹介>

愛がん用カボチャ交通安全
運転者にプレゼント

【青森】八月二十三日青森県西郡柏村の国道木造バイパスの起点付近で、四人の4Hクラブ員が、木造署員や木造農業改良普及員らと、通行中のドライバーに直径が十㌢前後の小さなカボチャを贈って交通事故防止を呼びかけていた。珍らしいプレゼントとあって運転者たちは、交通安全のマスコットにしますと喜こんでいた。

この愛がん用のカボチャを贈ったクラブ員は"ファイブ・フロンティア4Hクラブのメンバー佐々木君夫君(20)三橋一男君(20)神代光君(20)斎藤修昭君(20)木村義昭君(20)の五名。

この五人は、今春、五所川原農林高校卒業のクラスメート。卒業後も木造地区農業改良普及所を中心に団結して、農業経営を行なって行こうと相談して4Hクラブを結成。五人の仲間の開拓者という意味で"ファイブ・フロンティア"とクラブを名づけ、さっそくことしの課題として、スイカ栽培を取あげ、同郡の4Hクラブ大会で発表するなど、こん後の活躍が期待されている。

日本4H新聞

4Hクラブ
農事研究会
生活改善クラブ
全国弘報紙

発行所
社団法人 日本4H協会
東京都市ケ谷文化会館内
電話(269)1675 郵便番号162
編集発行人 玉井光
月3回・4の日発行
定価 1部20円
一ヵ年700円（送料共）
振替口座東京 12055番

全協 沖縄交歓訪問の旅
出発は十一月十六日

全国4Hクラブ連絡協議会（会長、黒田保君）は、かねてから計画していた沖縄の4Hクラブ交歓訪問団の出発を来る十一月十六日に決定し、現在、参加者を募集するかたわら、現地と具体的なスケジュールについて接渉している。この交歓訪問は、沖縄の全琉4Hクラブが全協に会員として加盟しているにもかかわらず、渡航の規制などから相互に交流の機会が少なかったので、全国のクラブ員のなかから広く希望者を募り、現地を訪問することにしたもので、沖縄では、メッセージの交換や現状報告、話し合いなどのほか、クラブ員の家に民泊したり、技術交換大会に参加する予定である。

参加希望者は至急事務局へ

全協の計画によると、今回の交歓訪問団は、男子二十名、女子十名程度の人数で、十一月十五日大阪に集合、直ちに種痘を行なったあと、事前研修を受け、翌十六日大阪から現地へ飛行機で発つ。現地では、まず那覇市の労働会館でメッセージの交換、クラブ活動や組織などについて相互に情報交換、親睦の話し合いなどを行なう。二日目からは現地で立てたスケジュールによって行動するが、この間、沖縄の技術交換大会や民泊が組まれている。

全協では、左記の要領で参加希望者を募集中である。

【実施期間】来る十一月十五日から同二十日まで五泊六日（ただし大阪での事前研修一日を含む）【参加資格】二十歳以上（今年の十一月十日現在）の4Hクラブ員【参加予定人数】三十名。男子二十名、女子十名の割合。【提出書類】▼作文 次の題のうちいずれか一つを選んで一千六百字から二千字以内にまとめること❶自主的な4Hクラブ活動と組織の強化について❷家族と地域社会に理解され、支援される4Hクラブ活動をするには❸自主経営によって豊かな生活をするには▼市町村長の推せん状（写）一通▼写真 最近六ヵ月以内に撮影した上半身のもの一葉（五㌢×五㌢）【沖縄における交歓日程】現地でスケジュール作成中【研修】十五日大阪で行なう【経費】約五万五千円程度の見込み（大阪―那覇間往復飛行機利用、大阪での事前研修および現地での宿泊費を含む）【申し込み締切り日】来る三十日【申し込み先】東京都新宿区市ヶ谷船河原町十一 全国4Hクラブ連絡協議会

なお、パスポートの申請方法や携行品、その他注意事項などについては、全協で本人あてに連絡する。

東海ブロックで推進会議
18、19の両日 岐阜県農村青年館で

全国4Hクラブ連絡協議会（会長、黒田保君）は、来る十八、十九の両日、岐阜県可児郡可児町坂戸の岐阜県農業高等学園内、農村青年研修館で、東海ブロック4Hクラブ推進会議を、岐阜県、愛知県両4Hクラブ連絡協議会、三重県農村青少年クラブ連絡協議会と共催で開く。

この会議は、4Hクラブ活動の推進と組織の強化をねらいとし、クラブ活動の本質について理解を深め、クラブ運営や組織の強化について基本的知識や技術の研修を行ない、クラブ活動の発展に役立つリーダーの養成を図るもの。

参加者は、東海各県連または地区連役員五十名のほか、全協代表、各県農村青少年育成担当官、および専門技術員など。

会議の内容はつぎの通り。

県連、地区連、単位クラブなど各組織におけるクラブ活動をより活発にし、相互の運営をより円滑にするには、どうすればよいかということを中心に、つぎの方法で会議を進める。

一、シンポジューム 現在、4Hクラブなどの組織、活動内容、運営面を説明するとともに、問題点を具体的に発表し、全体の問題提起とする。

二、分科会討議 シンポジュームで提起された問題を整理し、分科会の論題とする。

三、パネル討議 分科会で討議したことを中心として、各分科会ごとに代表一名を選出して行なう。

なお、当日は、各出席者ともクラブ活動の参考となる資料があれば持ち寄ることにしている。

中四国ブロックも
来月一日から山口県防府市で

中四国ブロックでは、来る十月一、二の両日、山口県防府市牟礼の同県経営伝習農場で、ブロック会議を開催する。

会議日程はつぎの通り。

一日、午後二時からオリエンテーションと開会式。つづいて❶全協活動方針の説明❷県連活動状況報告❸4H会館建設について❹クラブ組織についての説明や報告、討議などを行なう。

二日、現地研修で、県育成牧場や秋芳洞の見学。

鹿児島県連でつどい
来る三十日から二日間

【鹿児島】鹿児島県農村青少年クラブ連絡協議会（会長、諏訪直樹君）は、来る九月三十日から二日間、川内市民会館を主会場に、県農村青少年クラブ員北薩の集いを開催する。

この集いは、県下各地域で実践活動をしているクラブ員が一堂に会し、クラブ員意識を盛り上げ、積極的に組織活動をいっそう促進するとともに、将来の南九州農業の担い手としての自覚を深めるために開くもの。

長崎県連でつどい開く

【長崎県】長崎県農村青少年クラブ連絡協議会（会長、大久保忠信君）は、来る九月二十四日から三日間、諫早、島原両市で、4Hクラブ十五周年記念の農村青少年の碑除幕を兼ねて、県内クラブ員のつどいを開く。このつどいでは、クラブ員が互に意見を交換し、話し合いを通して意義の高揚を図ることをねらいとしたもの。

クラブの綱領

私達は実践を通じて自らを磨くとともに互いに力を合わせてよりよい農村、よりよい日本を創るため四つの信条をかかげます。一、私達は農業の改良と生活の改善に役立つ腕をみがきます。一、私達は科学的に物を考えることのできる頭の訓練をします。一、私達は誠実で友情に富む心をつちかいます。一、私達は楽しく暮し元気で働くための健康を増進します。

涼風暖風
南国土佐を訪れて

先月末、高知で開かれた全国農村青少年技術交換大会に行ってきた。

高知は、黒潮躍る南国土佐というイメージにたがわず、明るい太陽と潮風の国であった。とくに、その名も高い桂浜の景観はすばらしく、浜の小石は五色の彩を放ち、蒼々とした太平洋の海原は果しなく広がっていた。大会三日目の夜、久枝の浜辺で行なわれたキャンプファイヤーの火は潮風をうけて天まで燃え上がり、おりから登った満月は中空高く海上を照らし、小舟を出して櫓を漕ぎ廻りたい衝動をかきたてたものである。

市内には鏡川が流れ、土佐二十四万石の国宝高知城の天守閣からは五台山が望まれる。五台山には四国霊場のひとつ竹林寺があり、全国から訪ずれる巡礼があとを絶たないところ。その寺の庭には「ほろほろと山吹散るか 滝の音」という芭蕉の句碑が建ててある。

坊さんかんざし買うを見た―の唄で有名な僧純信といかけ屋の娘お馬さんの悲恋物語の舞台もここであったとか。はりやま橋の方は、川は埋められているが、市内の目抜通りに朱塗の欄干が昔日の面影を残していた。

ところで、大会には、日頃、農業の改良と生活の改善に励む4Hクラブ員を中心とした千八百名の仲間たちが全国から参加していた。そして彼らは、話し合いを通して意見や体験を交換し、優れたプロジェクトの成果を見聞した。

そして、この大会で参加者一人ひとりが得たものは何であろうか。農業の新しい技術や生活改善の知恵であろうか。

私は考える。彼らがわずか四日の間に学んだ農業や生活の技術そのものは、いずれもたいしたものではあるまい。たとえ、優れた実績発表にしても、実際に同じ栽培や飼育などをしていない人には直接の応用もできないのではないか。

では、最大の収穫として得たものは、何か。それは、これからの農業を担っていく決意と自信であったろう。全国から集った多くの同志たちと語り合う中から、これからの激変していく日本農業を背負って立つのは、我われをおいて他にない―ということを自覚したのではないかと思う。

また、高知は、明治維新の発祥の地として、坂本竜馬をはじめ多くの志士を生んだところ。彼らはみな情熱にもえる青年たちであった。

いま、日本農業は、その維新に向おうとしている。高知はそのさきがけとして施設園芸に取り組み、全国に一躍その名を馳せた。その意味からも、この地で大会が開かれたことは意義深いことであった。

生きがいと農業（4）

福岡県立築上農業高校教諭 森本勝

新しい"農業観"を
見直したい農業の価値

都会ではマイホーム建設など夢

また北九州の主婦は「マイホーム建設など夢物語である。カラーテレビや自動車はちっともほしいことはありませんが、せめて二部屋と台所、浴室のある家に住みたいのです。安い家賃で……、こんな願いはいつかなえられるでしょうか」と。

このように都会は、たまに遊びに行くには面白くても、住むところではないという事がはっきりしてきている（生活環境価値観）

農業に生きがいを

したがって、一度都市生活を経験した若い人たちが、農村に帰ってきて、農業後継者になると、意欲にもえた経営をやっている事例を、筆者は知っている。

T君は、農業高校卒業後、直ちに鉄鋼会社に就職した一人息子であるが、一年後退社して農業を継いでいる。

彼は「会社に勤務していると、外部から見るとカッコよいようであるが、八時間みっちり働かされ、単純な作業の連続である。そして、下宿すると金は残らない。そうかといって、家から通勤すると、朝早く、夜はおそく、一生を託しうる職業ではなかった」と述べ、母親とともに水田一ヘクタール、養鶏三、〇〇〇羽を飼育している。

経営は自分の責任で経営し、近代化資金、母親からの借入金などの資金一九三万円で行なっている。母親からの借入金は月々支払っており、更に経営規模拡大を計画し、暇をみてはライトバンで優良養鶏家、県種鶏場を訪れて勉強している。

農業は自分の創意を生かす職業

M君は、父が未だ若いので、しばらく北九州へ就職したいと考え、農業高校の機械科に入学した。ところが、同じ部落で北九州に就職していた卒業生が、会社をやめて農業を継いだ話をき、その事情をよく聞き直し、就職する計画を止めて、自営することを決心し、在学中から経営の勉強をし、現在は立派な後継者になっている。

そもそも、その職業に対し、いかなる価値観をもつかは、その人の生き方、考え方、心の持ち方を根底から支えるもので、正しい価値観をもつことが肝要である。そして、その価値体系を形成するものは、種々の知識と経験である。一度都会に住んでみると、農業のよさが、あらためて見直されるのも、このためである。

そして、営農を志す人は、農業のよい部面、明るい部面に希望と生きがいを見出し、離農または兼業を志向する人は、農業の不利な面、あるいは暗い面をみつめていて、農業に対する本質的な価値観が異なっている。そして、農業は自分の責任において行なう有機的な生産であり、人間の疎外感を生じめるものでなく、生産を通じて、創意、工夫、自己の意志を実践できる職業であるとみていることである。

しかし一方、農業経営には責任もあり、苦労もあり、危険を伴うことも覚悟しなければならない。また現在農業をとりまく環境は必ずしもよいとはいい難いが、これらのことをどう受け止めるかという職業観（人生観）の差異にもとづくものであろう。

ところで、個人には、職業選択の自由があり、自ら選ぶ権利がある。そこで、若い人が農業を継ぐか、他の職業につくかを決定するに当って、その職業の価値、社会の動向、所得の見通し、生活環境などを検討してみる必要がある。農業経営するよりも、他の職業についた方が、より多くの所得をあげ、生きがいを見出す見通しがあれば、それもよいことである。

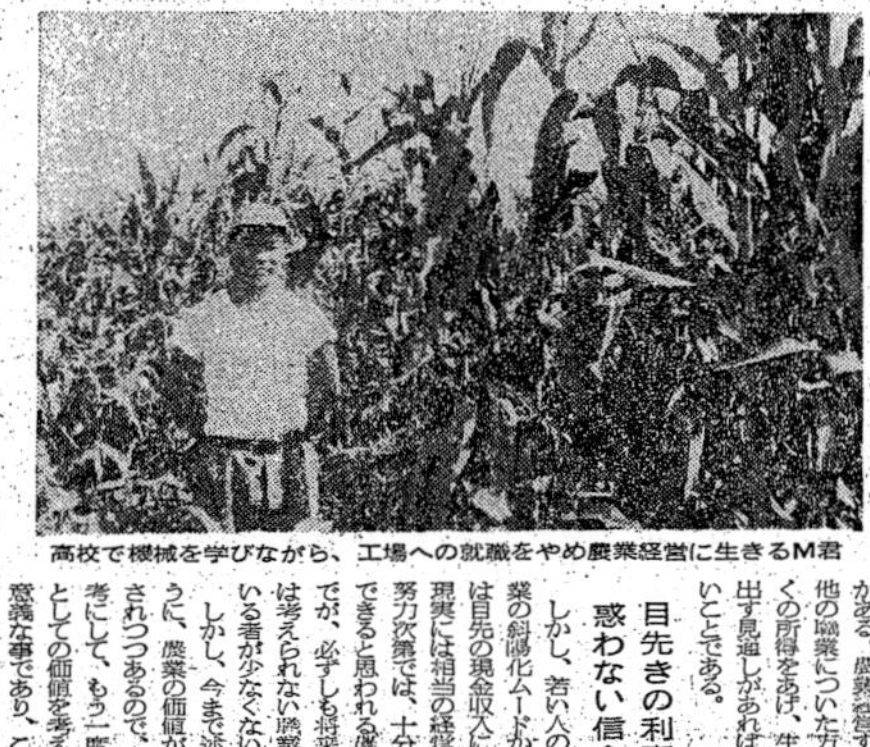

高校で機械を学びながら、工場への就職をやめ農業経営に生きるM君

目先きの利害に惑わない信念を

しかし、若い人の中には、農業の斜陽化ムードから、あるいは目先の現金収入にひかれて、現実には相当の経営規模を持ち努力次第では、十分自立経営ができると思われる農業後継者までが、必ずしも将来性があるとは考えられない職業に就職している者が少なくない。

しかし、今まで述べてきたように、農業の価値が改めて見直されつつあるので、これらを参考にして、もう一度農業の職業としての価値を考えることは有意義な事であり、この新しい農業観の芽を大事に育てて行くことが大切であると考える。（おわり）

盛大に夏の全国大会
高知県に千八百の仲間集う

農林省、高知県、全国農村青少年教育振興会（東畑精一会長）共催の第九回全国農村青少年技術交換大会は、さる八月二十六日から四日間、高知市を中心として華々しく開かれた。この大会は、日ごろ農業改良ならびに農村生活改善について研究し、実践している全国の農村青少年が、それぞれの身につけた技術の相互交流と活動方法についての意見の交換の場をもち、これからの農業をになっていく自信と積極性を培うことを目的として開かれるもの。大会には、4Hクラブ員を中心とする青少年、各県の担当官、篤志指導者やクラブリーダーなど千八百名が全国から参加し、連日、意見や技術の交換、また体力づくりやレクリエーションに若人の意気と情熱をつぎこんだ。

一日目は、午後六時から高知市内を流れる鏡川川畔の市営陸上競技場で、入場行進と開会式が行なわれた。

南国の空に打ち上げられた九発の花火を合図に、海上自衛隊音楽隊のバンドに合わせて、国旗、大会旗が入場、つづいて、海外から参加したアメリカ4Hクラブ員を先頭に、各県旗、県連旗をかかげて参加者のパレードがくりひろげられた。

主催者や来賓、多くの観衆の拍手をうけて、入場行進が終わると、ひと際高らかにファンファーレが鳴り響き、山本高知県農林部長が力強く開会を宣言。

君が代の演奏に合わせて、国旗、大会旗を掲揚、つづいて、小沢農林政務次官が「最近のわが国の農業は幾多の問題をかかえている。政府も魅力ある農業にするよう施策をたてているが、実際に行うのは諸君たちである。この大会で研究をつみ、困難に直面しても負けない体と技術を身につけ、誇りをもってやってもらいたい」と激励。

つぎに、三宅全国農村青少年教育振興会常務理事が「この大会を準備していただいた高知県当局と地元の青少年クラブ連絡協議会の方々の努力に深く感謝する。みなさん方も、一生の思い出となる大会にするよう頑張ってもらいたい」とあいさつ。

つづいて、溝渕高知県知事が「全国から多数の農業青年を迎えたことは高知県民の喜びである。当県も農業に力を入れているが内外の情勢は厳しい。若さと意気にあふれるみなさんは、この大会を通して、さらに大きな希望と自信を得て、わが国農業の発展につくしてもらいたい」とあいさつを述べられた。また、川村高知県連会長は「私たちは一生懸命やります。みなさんも、この土佐で何か一つをつかんで帰って下さい」と歓迎のことばを述べた。

このあと、来賓やアメリカクラブ員マイケル君などのあいさつがあり、さいごに全員で4Hクラブの歌をうたって式を終えた。

閉会式のあと、午後八時から会場を市営プールに移して、高知市主催の「歓迎の夕べ」に参加。

明々とライトに照らされたプールには、五色のゴム風船が無数に踊って、一同の目をみはらせた。坂本市長の歓迎のあいさつ、つづいて、映画「土佐という国」やつぎつぎと披露される郷土芸能を心ゆくまで鑑賞した。

二日目は、午前八時半から、市内を見下す土佐二十四万石の高知城、そのお城の城濠を回って技術競技が展開された。

城の下、スベリ山で各県ごとに問題用紙を受け取り、山道に設けられた三十五の関所を一つずつ通りながら日頃の研究の成果を競った。なかには乳牛の体重を推測する問題や肉用鶏を当てる問題などもあり、牛の背をなでたり、「いちばんうまそうなのが肉用種だ」などというユーモラスな光景もみられた。

昼食のあと、農協ビルなど市内四ヵ所に分かれてプロジェクト発表が行なわれた。

作物―農機、そ菜―花、果樹、畜産、生活Ⅰ、同Ⅱの六部門について、日頃の研究や工夫の成果が発表された。

例年のように、省力や廃物利用、機器の改良、作業衣など、クラブ員が実際にやってみたものを、実演しながら、披露していた。

聴衆の方も、自分たちの経営に生かせるものはないかと見まもり「その後使った具合はどうか。村にも普及されるようになったか」など、熱心に質問をしていた。

このあと、宿舎に帰り、夕食をとってから、宿舎ごとに話し合いを行なった。

地域は異っていても、青年の考え方や興味は同じで、経営の問題、クラブ活動の問題から嫁やムコ取りの話しまで、なごやかなうちにも活発な意見が交わされていた。

また、この話し合いのとき、各自が郷里からもってきた土産品の交換をし、思いがけない他国の民芸品を手にして喜び合っていた。

賑やかにバス教室

三日目は、バス三十台を連ねてまず市内の名所五台山公園へ向った。

五台山は四国霊場の一つで、巡礼が訪ずれる小さな山。頂上附近の眺望はすばらしく、北は高知市を見下し、南は広々とした土佐湾から太平洋が見渡せる。

ここで班ごとに分かれて、農村生活や農業経営、集団活動について話し合いを行なった。各班とも眺めのよい木陰を選んで円陣をつくり、前夜にもまして熱心に意見を交わした。

木陰に円陣をつくり、分科会で話し合った（3日目、五台山公園で）

十時半、再びバスに乗って名所桂浜に向う。バスの中はすっかりうちとけたクラブ員たちの歌声が響いていた。桂浜では、きれいな海をみながら昼食、水族館を見学したり、浜で小石を拾ったり楽しいひとときを過した。

つぎに、県立青少年センターに移動して、体力づくり競技を行なった。明治学院大学の高橋教授の指導で歌をうたったあと、体力測定を行なった。

体力づくりのあとは、いよいよキャンプファイヤー。バスは稲の二期作や園芸など、高知農業の特色ある風景を窓にしながら、会場の久枝海岸へ向う。

久枝浜では、なぎさに積まれたマキの山を前に、夕闇のせまる浜辺でキャンプファイヤーが行なわれた。

「遠き山に日は落ちて」の合唱につづいて、開会のことば、ファンファーレ。

つづいて元火の入場、営火長のことばで、4Hクラブの綱領をとなえながら四つの火に点火、「もえろよもえろ」の合唱とともにファイヤーのマキに点火され、黒潮おどる太平洋をバックに火は天まで燃えあがった。

つづいて、地元の「よさこい鳴子踊り」徳島の「阿波踊り」大阪の「河内音頭」など賑やかに各県のお国自慢の民踊がくりひろげられた。

さいごに、東西に分かれて歌合戦をしたあと、励ましのことばがあって、全員に渡されたキャンドルグラスを手に名残をおしみながら、思い出の浜辺をあとにした。

成果は全国の友へ
知事挨拶

四日目は、高知新聞社ホールでプロジェクトの代表発表。この大会最高の栄誉であるフェンガー賞を受賞した長野県高森4Hクラブの北原幸子さん、古林信嗣君の「私たちの考案した自動乳缶洗滌器」と福岡県夜須町4Hクラブの砥綿はつ代さんの「私の工夫した農作業衣」の発表が行なわれた。

つぎに、作家の司馬遼太郎氏の「明治維新の青年群像とこれからの農業青年」と題する講演が行なわれた。司馬氏はこのなかで、土佐が生んだ維新の志士坂本竜馬の例をあげて、新しい時代を拓いてゆく青年のあり方を説かれた。

午前十一時、大会はさいごの閉会式を迎えた。

まず、技術競技の審査結果報告。一位千葉、以下鳥取、島根福岡、宮崎、山形、熊本、千葉、神奈川、大阪と十位まで受賞。難かしいと思われるものもよくできていたとの講評があった。

同じくプロジェクト発表についても、営農や生活によく密着している点がよかったということであった。

そして、溝渕知事からフェンガー賞の銀杯、矢野農林省普及教育課長から技術競技とプロジェクト発表、体力テストの入賞者に賞状と記念品が贈られた。

つづいて、溝渕知事が「大会の成功は青少年の熱意によるものであり、技術と知識を交換したその成果は、ここに参加していない多くのクラブ員たちにも影響を与えるであろう。これからも、困難を乗り越えてやってもらいたい」と激励。

ついで、来年度大会を行う大阪府代表に大会旗の引き継ぎがあり、さいごに、川村高知県連会長が「この大会の感激を青春の思い出にしたい」と結び、溝渕知事の音頭で万歳三唱し、四日間にわたる大会の幕を閉じた。

心頭技健

話が少々固苦しいが、仁侠道の第一人者清水次郎長は、偉い親分であったという。しかし、この親分をこれほどまでに偉くしたのは、ほかならぬ子分たち二十八人衆で、これもまた立派な子分たちがついていたからだといわれている。もちろん次郎長自身にもそれなりの才覚があったに違いないが、そのバックボーンである子分たちのなみなみならぬ努力が払われていたようである▼これを現代の人物に例えるならば、さしずめ代議士、会社の社長、各種団体の長にもあてはまることである。例えば代議士として国会の赤絨毯（あかじゅうたん）を踏ませるには、なみたいていの努力ではできない。これにはやはり政治を志す当人の力量のあるなしが、当然ことの左右を決するが、ここにも日夜、わが身をもふりかえらぬ運動員の協力があるからである▼このように一人の偉人を創り出すということは一人や二人の力ではどうにもならないことで、何十人、何百人もの人の協力、応援によって初めて実現する。これは実社会の中にもあてはまる現象で、各家庭、職場、各種団体にも同じことで、それぞれの経営や業績が上手にいくか否かは、その長の才覚とそれを盛り上げていく陰の力とお互いに信じあえる人間関係が生み出すのである▼ところが最近の日本人の風潮は、利己主義の傾向が強く、人にわが身を尽すとか、人のためにという気持が薄れてきている。まさに人間不信であり、社会、国家間の断絶に通がる。この風潮は結局わが身可愛さに、人を人とも思わず残忍な殺人行為、社会の破壊行為となって現われるのである。こうなっては一人や二人の善行は焼け石に水で、平和な社会生活などとても建設できようわけがない▼現代は、人間不信と断絶の時代だといわれている。こんな状態がつづいていたのでは、とても人間の住む社会は創れない。人を信じ、信じられる。これこそ安心して生活し、労働に勤しめるのである。こんな社会は誰れが創るのか、けしてコンピューターや機械文明は創り出してはくれない、人間自身が人間関係をよくすることによって生れてくるのである。腐敗した人間の細胞は生き返らない。新鮮な若い人たちの感覚に懸っている。

沖縄の友を知ろう

全国4Hクラブ連絡協議会は、沖縄の4Hクラブ員と交流を図り相互理解と親ぼくを深めるため、今秋十一月十六日に沖縄を訪問し約四日間にわたってクラブ交歓することになったが、これを機会に、農業を中心とする沖縄の現状について、沖縄農協の関係者の話しを中心に紹介してみました。

畜産の供給基地めざす
キビやパインに代るドル箱に

東支那海に浮かぶ詩情ゆたかな魅惑の島―沖縄。サンゴ礁とエメラルドに輝く海、あくまで青く澄みきった南国の空、真紅に咲きほこる香り高き情熱の花デイゴ。亜熱帯独特の植物が一年中うっそうと茂り、バナナ、パイナップル、パパイヤがうまい、文字通り常夏の島です。

琉球王朝四百年来の伝統や物語る史跡や郷愁をさそう蛇皮線の音にあわせて踊る琉球舞踊。悲しい思い出を秘めた数々の戦跡も、日本人ならいちどは訪ねてみたいところです―。

これは、ある航空会社の沖縄についての宣伝文の一節である。

この文を読むと、いかにも異国情緒にあふれ、カラフルな花園、魅惑の島をイメージとして浮かび上らせてしまう。いわゆる観光案内向きである。確かに、観光収入が沖縄にとって大きな財源となっていることはうなずける。

しかしいま、沖縄について語るとき、基地や日本復帰の問題を素通りすることはできないし、またこれらの問題について顔をそむけるべきではないであろう。これは総理府が明治百年記念事業の一つとして実施している「青年の船」に乗って同地を訪問したクラブ員たちが強く感じ、訴えている点でもある。

これについては、沖縄の農業を語る場合でも同じである。思想的な問題はさておいて、基地収入が沖縄での最大の収入源であり、農家の兼業、農村労働力の流出も軍関係の施設、作業と密接な関係がある。そして、日本への復帰をめざして、いま、新しい農業に向って力強い足音を響かせ始めたからだ。

牛を使ってキビを収穫する農家の人たち

現在、沖縄の農家戸数は六万八千八百戸で、農村人口は三十五万人前後といわれる。一農家の家族数は約五人で本土よりやや多い。沖縄の全人口が九十六万人なので、いわゆる農業従事者の占める割合は約三〇%強。二〇%を割った本土のそれに比べるとまだ高いが、沖縄でも就農者は本土と同じく毎年減る傾向だという。

その主な原因の一つとしては、農外収入を求めて都市地域の米軍施設に働きに出る農家の人たちがふえているからだ。いわゆる兼業化の増加となっているわけで、これが労働力不足を招いている。

収穫されたパイン（パイナップル）はほとんどが缶詰にされて日本国内に入ってくる

次に、若い人たちが、農村を離れる傾向が強まっていることである。これは本土と同じだ。せっかく農林高校を卒業しても貿易商社などへ勤めてしまう若い人たちが多いという。

それに、若年労働力の農村流出に拍車をかけているのは、本土における求人難で、本土の企業が沖縄まで手をのばしているためだ。これは最近とくにすごいそうで、いまの流行語でいえば〝モーレツ〟というところ。企業の厚生施設や娯楽施設のPR、友人を通じての宣伝合戦はもちろんだが、最近は表向きには商用という看板で訪ずれ、鵜の目、鷹の目で人探しをしている人たちが目立ってふえているという。これは、昼ばかりでなく夜の商売も同じで、バーのマダムあたりも乗り込むというからすさまじい。そして若い人たちの本土への憧れ、好奇心をそそうわけだ。

このようにして若年労働力の流出は、農村の人手不足をあおり、過疎化現象さえ現われているという。

☆…………☆

沖縄の農業は、サトウキビとパインが基幹で、二、三年前からは肉牛を主体とした畜産に力を注いできている。

しかも、これらの農産物が沖縄における収入の中で、大きなウェイト占めている。

収入の中で最も多いのは、やはり基地（土地代なども含めて）とその副次なものであるが、二番目としてはサトウキビだ。年間収入が四千百万ドル（生産量約二百万トン）である。その次に観光収入がある。同地を訪れる観光客は年間約十万人で、収入は約三千万ドルといわれ、この観光客は年々ふえている。四番目はパイナップルで一千八百万ドル、畜産は現在三百万ドルと少ないが、このように農業は沖縄の基幹産業ともいえる。

キビの栽培面積は、全体で二七・八六〇〇㌶で平均反収が七トン。立地条件がよく成育に適しており、そのうえ価格が維持されている。貿易の自由化に対しても法律で保護され、てん菜振興事業団などによって支えられている。

パインは、栽培面積が約六〇〇〇㌶。台風や干ばつに強く山地で栽培できる。ほとんどが缶詰にされ、本土に移入されている。しかも関税五五%免除という優遇を受けている。また、貿易自由化で残された七十品目の中に、このパイナップルも含まれていたが、関係者の強い働きかけによって取り下げられた。

しかし、みかんやももなどとともにできすぎて豊作貧乏にあえいでいる状態なので、さとうのように事業団などで保護してもらいたいというのが関係者の声である。

次に畜産であるが、これは成長部門の最右翼。日本政府も経済援助などでテコ入れすることになっており、将来は基幹の一つにのし上るものとみられる。温暖な気候、良質の牧草など有利な条件に恵まれており、肉牛などの供給基地としての構想も描かれている。

このためには、一軒の家で二、三頭を飼育しているという現状から多頭飼育をめざす一方、販売や流通など組織的な方法で進める必要がある。これはまた、日本復帰後における沖縄農業の活路でもあるわけだ。

このような関係から、琉球政府は、畜産に関する長期五カ年計画をたて、このほど総理府、農林省と打合わせを行ない、一応の線を出した。

それによると、肉牛は現在の二万三千頭から七十五年には五万九千四百六十五頭と倍以上の増加を見込んでいる。豚は同じく十七万五十頭から二十五万頭、乳用牛が二千頭から四倍の八千頭、また採卵鶏は百四十五万羽から百六十七万羽、ブロイラーは三十四万羽から四百九十七万羽にそれぞれふやす計画である。

主食の米については、生産量は九千トン。沖縄全体の年間の消費量は九万トンなので一割に過ぎない。そのほか全体をカルフォルニアから輸入している。いわゆる加州米といわれるものであるが、外米といっても、戦後出回ったあのまずい米というイメージとは違い、味の落ちた日本の古米よりもかえってうまいという。

しかし、日本ではだぶついている米を沖縄に流したい。だがアメリカではそれを承知しない。そこで、日本政府はまず三万トンを沖縄に基金の意味をもたせて貸付けることになったようだ。

このほか、あらゆる製品、商品が輸入に依存しており、野菜も端境期（冬場）には移入している。このため、時計やカメラ、貴金属品、洋酒などを除いて本土より物価が高く、農家の生活も余り楽でないというのが実情のようだ。

☆…………☆

沖縄の人たちは、物心両面にわたる戦後の荒廃した状態から今日まで、米国政府の統治の下で努力し、今日の姿を築いてきた。悲しい思い出を秘めたひめゆりの塔も忘れられない。

これら沖縄についての無知、無関心も、また、単なる同情も沖縄の人たちは嫌う。建設的な協力を除いて…。

そして、沖縄の復帰は間近かい。全国の4Hクラブ員も沖縄を知り、日ごろ疎遠な同地の4Hクラブ員と親ぼくを深め、相互協力を図るためにも、こんどのクラブ交歓訪問には一人でも多くの人たちが参加されるよう望まれる。

なお、沖縄の主な年中行事としては、尾類馬（料亭などが商売繁昌を祈願するもので、昔の辻遊郭街の面影をとどめる唯一の祭り）清明祭（内地の彼岸に似た行事）爬竜船（大漁と安全を祈る海神祭）大綱引き（農村に古くから伝わる豊作祈願の行事）エイサー（盆踊りにあたるもので、農、漁村でコンクールがにぎやかに開かれる。三百五十年の伝統をもつ沖縄独特の祭り）

また、沖縄は日本、琉球とは中国語で呼ぶときの名称である。

農家の新規学卒の動向
高卒66%占める

農林省はこのほど、ことしの三月学校を卒業した人たちの四月末の状況をまとめた「農家の新規学卒者の動向」をこのほど発表した。その要旨は次のとおり。

一、卒業者総数

戦後のベビーブーム期後の出生数の減少を反映し、今春三月に中学校以上の学校を卒業した農家子弟（農家世帯員）の総数は、百二十二万人で前年より八万人（六%）減った。このうち「中卒」は六十六万人（前年より五万人減）、「高卒」は四十九万人（前年より四万人減）、「その他卒」は七万人（前年同）であった。

卒業者の卒業後の状況は、「進学」が五三%、「就業」が四四%（うち「農業就業」が三・九%）「家事・その他」が三%となっている。

二、農業就業者

（1）卒業者で自家農業就業者となったものは、四万八千人で前年より二二%（一・三万人）減った。

（2）男女別でみると、男子は三万四千人（前年対比七七%）で七〇%を占め、女子は、一万四千人（前年対比八一%）で三〇%となり、男子が大半を占め、さらにその比重を高めている。

（3）卒業学校別では、「中卒」は、一万三千人で前年に比べ二九%減った。「高卒」は、三万二千人で前年に比べて一五%減ったが農業就業者総数に対する割合は六六%でその比重を高めている。

（4）卒業者（進学者を除く）中に占める農業就業者の比率（以下「農業就業率」という）は、前年を下回り八・三%となった。

これを農業地域別にみると、高いところは、北海道（二五%）東北（一四%）北関東（一一%）で東日本に集中し、逆に西日本では、北九州（九・六%）を除いては、一般に低率で、とくに山陽では一・二%と最低を示し、地域によって著しい較差をみせている。

また、都道府県について経営耕地規模別に農業への新卒補充の状態をみると、補充率は著しく低く、二㌶以上層でも十分補充されているとはいえない。

三、就職者

さいきんの労働力不足、とくに新規学卒労働力の不足を反映して、四十四年も農家子弟の新規学卒労働力が大量に他産業へ流出した。その数は、四十八万人で進学者を除く卒業者の八四%を占めている。

これを学校別でみると、「中卒」が前年より二万人減って十三万人となり、卒業者数の減少と進学率の向上によって年々減っている。「高卒」も二万人減少して三十一万人となったが、その比重は高まっている。

四、進学者

卒業者のうち、上級学校へ進学したものは、六十四万人（五三%）である。「中卒」の進学者は五十一万人で前年より二万人減ったが、進学率は七七%となり、年々上昇傾向を続けている。「高卒」の進学者は、十二万人で進学率は二五%となり、「中卒」の進学率は、十二万人で進学率は二五%となり、「中卒」の進学率と同じく上昇している。なお、世帯上の地位別では、「あとつぎ」の進学率が非常に高く、「中卒」では八三%になっている。

「仲間ヤーイ」みかんもぎ手伝って下さい
小田原のクラブ員が呼びかけ

都市近郊で人手不足に悩む神奈川県小田原市の農業改良クラブ（会長、飯塚芳正君）では、今年もみかん収穫期の十一月から十二月にかけて、みかんもぎを手伝ってくれる仲間を探しています。昨年は、同クラブの依頼で本紙に「娘さんヤーイ！誰れか助けて下さい」という見出しで同クラブの呼びかけましたが、今回も次のように呼びかけています。

全国4Hクラブ員の皆さん、いかがお過しですか。実りの秋を迎えて何やらせわしい毎日と推察いたします。

私たち小田原農業改良クラブでは、昨年、全国の仲間（六名）の好意を得て、みかんもぎを手伝っていただき、無事取り込みを終了できました。この紙面を借りてお礼申し上げます。

昨年度、実習に励まれましたクラブ員は、各家庭の違った環境の中で楽しく、また強く感じ入ったことなど大いに勉強して帰られたものと思われます。

私たちの小田原地方は、箱根、相模湾に囲まれ、山沿いにみかんを産し、平野は近年都市化の波が立ち始め、みかんもぎの時期にはとくに人手が無いといった現状であります。それゆえ、私たちへの手助けと各クラブ員の精神練磨を目的として、各家庭において大いに何かを身につけていただき、楽しい思い出話しを持ち帰っていただくよう考えております。

実習期間中行なう交歓会などを通じ、全国の仲間と、また小田原の仲間とも各地区の密接な連携をもち、大いに友情をわかちたく思います。

みかんもぎは誰れにでもできる仕事ですので、どうぞ昨年以上の方々に参加していただき、有意義な実習としたく思いますので、全国の皆さんの手助けをよろしくお願い申し上げます。

諸内容は左記の通りです。

▽男女を問わない▽期間は十一月二十日～十二月二十五日くらい▽関東、東北、中部地方の方に願います▽日給千百円（交通費支給、雨天は支給しない）▽雨天の場合休業▽受け入れ家庭は十戸くらい（各戸二名くらい）▽持ち物は身の回り品、作業衣▽交歓会を一、二回開催▽申し込みありしだい受け入れ家庭から連絡します▽締切り　十月下旬まで。

【連絡先】神奈川県足柄上郡松田町惣領七四二番、県松田農業改良普及所内　小田原農クラブ事務局宛　TEL（〇四六五―八二―二三五五）小田原農クラブ会長　飯塚芳正

みかん畑で家族の人たちと記念撮影する女子クラブ員

ブラジル88村巡行 ＜17＞

日本政府派遣農村青少年指導専門家　湯浅甲子

もてる日系青年　人材不足で
広域共同生産体制の組織化が急務

農村青少年指導協議会の発足を促した条件は、まだまだ多くあった。

◎家族の学力差がひらいてきた

移民当初の生活苦は並大抵ではなく、到底子供の教育には手がまわりかねた。それは、年上の子ほどそれがひどかった。

しかし、日本人の努力は年をおうごとに報いられてきて、生活は楽になり、中には人もうらやむような素晴らしい農家生活をおくれるようになってきた。それに伴って、子供に対する教育熱が高まり、兄弟のうちでも、下の方になるに従って学校―進学が可能になってきた。しかも、日系人はいずれも頭がいいので、どんどん、高校、大学へと入学したのである。有名大学のトップクラスは、いつも日系人とドイツ人が占めているというのは、ブラジルの常識になった。

こうなると、兄貴たちは、小学校もロクにでていないが、弟達は大学卒という学力差が兄弟間に妙な影響を与えるようになってきたのである。

「俺は弟妹のために家で働いたのだ」という兄貴意識、それが高じると「もうこの辺で、俺の役目は終ったのだ、弟の中から農業をやる者をきめてくれ俺は好きなことをやりたい」と離村をほのめかす者もでてきた。

一方、親達にとっては、そういう兄貴に対して、今までに、親としてなんにもしてやれなかったヒケ目のようなものを感じて、家庭教育の尊厳を、つい忘れ甘やかしてしまう気分もないではなかったのである。こういう人情のカラミの中で、農業後継者問題は、家庭の中でますます影を濃くするのであった。

◎技術向上と共同生産体制が難行

ブラジル人口八千五百万人のうち、一四%の一千二百万人はサンパウロ市とリオ市に集まっている。あとは、日本国土の二二・五倍もの国土内に極めてうすく散在するのである。したがって、未開地と都会の格差は、まさに月とスッポンほどにひらいている。

このことは、人々の生活をも大きく二つに分けた。その大多数は、自給経済的生活者であり、わずかの人達が、消費経済的生活者であるといえるのである。

さて、そうなると、都会生活者であり、リオ・デ・ジャネーロ市と、サンパウロ市に住む人達が、そのほとんどであるということになるわけである。従って農産物の唯一の有利な市場は、この二大都市なのである。そのために、全州の農産物は、日夜リオへ、サンパウロへと流れこむのであった。

こうなれば、必然的に過当競争市場になり、良質なものを、安価で、大量を、継続して送りこむ生産体制にならざるをえないわけで、それには、強力な共同生産体制のもとで極力コストダウンを計り、優秀な技術で質の向上を図らなければならないことになるのである。こういう生産の仕方は、ブラジル的というより、日本的農業生産方式に近い。だから、従来の粗放農業から集約農業へ、奥地農業から近郊農業へと、農業の生産方式が変化をよぎなくされたのであった。

こんなことは、読者のみなさんのもつ、ブラジル農業知識には全く入っていなかったことに違いない。しかし、それが現実におこりつつあるのである。

このことは、農業者の都市近郊移動となって現われ、高度な技術を必要とする近郊園芸農業地帯の形成となって現われたのであった。ところが、ここに二つの問題があらたに浮び上ってきて、農家の人々の悩みのタネになってきたのである。

その一つは、教育に便利になったために、進学率が高まり、大学などへ入学すると、今度は卒業後、農業に就くものがなくなってきたのである。このことは、一見、教育すると農業が嫌いになるという日本流の考えどおりに見えるが、ブラジルではそれもないわけではないが、そ[illegible]に、広域共同生産体制の組織化と青年の学習活動の強化は、急務であるといわれているのである。〈栃木県普及教育課・特別専門技術員（青少年担当）〉

近郊農業に取り組む日系人青年

結婚式簡素化への道

仲間が結婚式を演出

会費制など 合理化に取り組む

静岡県御殿場市 北駿4Hクラブ　杉山良子

「近頃の結婚式はお金がかかって困る。なんとか合理的にできないだろうか」これは結婚された私たちの先輩がふともらしたことばです。この先輩のことばからもいえるように、私たちの住む農村には近代化を妨げている多くの因習やしきたりがあります。それらの中で日頃とりわけ話題になるものに結婚式があります。この結婚式の問題については、何年も前から婦人会や生活改善研究集団の人たちが中心になり、簡素化を叫んでおりますが、現実はそれとは反対に年々派手な方向に進んで行くようです。

費用が平均五十万

私たちの住む静岡県北駿地方でもその例にもれず、自家用車、電化製品、家屋の新築がブームを呼んでおります。そしてそれに平行するかのように結婚式も年々派手になり、いまでは使った費用によってその家の価値判断をするほどになっています。そしてそれは昔からの「娘が三人いると家が傾く」ということばで表現されています。

最近の結婚式をみますと、式と披露宴に使った費用が平均五十万円で、出席者は両家合わせて百名というところです。そしてそのうちのほとんどが親せき関係で、若い人たちが少ない。つまりこれは家と家との結婚式にすぎないのです。従来の場合、式そのものはおごそかでよいのですが、結婚する二人を祝福するということより、二人の大切な門出に対して、何か昔ながらの型にはまった披露宴となってしまい、また、女性側の友人はほとんど出席できませんでした。

結婚式は会費制で

そこでこのような結婚式に疑問をもった私たちは、十代から五十代の方百名に、従来の結婚式についてのアンケートを取り、その結果から、結婚する二人に負担が少なく、しかも大勢が祝福できる会費制の結婚式を知りました。さらに会費制結婚式に対する周囲の人たちの認識を調査いたしました。その結果、多くの人たちが会費制の結婚式はよいことだというように答えております。

そんなとき、日頃から私たち同様に結婚の簡素化を叫んでおりました前年度北駿4Hクラブ会長の滝口さんが結婚することになり、私たちはこれを機会に簡素化に取り組もうと思い周囲と私たちとの間で苦しむ滝口さんの家族と何回となく話し合い、その結婚式を会費制の結婚式として、企画運営させていただくことになりました。

ご両親も快く了解

しかし、運営を引き受けたものの、最初にでてきた問題は会費をどの位にするかということでした。そこで、料理、式場、飾りつけなどに必要な費用が皆目見当がつかないため、それらの調査と交渉の問題にぶつかりました。そして、いろいろと検討の結果、料理はオードブル形式とし、式場は公民館を借用することになり、私たちは一人当り八百円でよいという確信を得ました。

つづいて起った問題は祝儀をどう扱うかということでした。いろいろな意見が私たちの間で交わされた末、祝儀は、会費制結婚式の本分に従い、式場においても家においてもいっさい受け取らないということに決め、家に持ってきた人については、式場へ会費として納めて頂くことにし、その結果を滝口さんのご両親に話したところ快く了解してくれました。

このようにして第一段階の問題は解決したものの、若い私たちのほとんどのクラブ員が結婚式に出席した経験がなく、他の実例を聞いたり、結婚式のための参考書を探して研究しました。また、案内状を印刷所に頼むもの、結婚式のしおりをコピーするもの、できあがった案内状に住所を書くものなど、私たちは毎晩夢中になって準備にあたりました。

余興もにぎやかに

そして三月三十日、公民館はクラブ員の手によって立派な結婚式場に変りました。

翌三十一日の結婚式当日、出席予定者百四十名のうち、百十四名の人たちの参加をみることができました。式の運営を行なう私たちクラブ員は、仕立上りのブルーのユニホームを着て、それぞれの任務に就き、会場までの道順の案内をするもの、会費のつり銭を用意するもの、慣れない司会に胸をときめかすものなど、式開始の午後二時までは、みな緊張したおももちでした。

予定の二時、みんなの注目のうちた期待の新郎、新婦が式場に姿を現わしました。

プログラムは、最初の一時間を結婚式に、つづいて三時から四時半迄の一時間半を、媒酌人をはじめ、来賓の方々や友人からお祝いのことばや贈り物が新郎、新婦に贈られ、ウエディングマーチの音楽に合わせて数々の余興が賑やかに行なわれ、披露宴が終ると二人は、参列者の見送る中を新婚旅行に出かけました。こうして私たちが企画運営した簡素な会費制の結婚式は終りました。

好感と厳しい批判

結婚式がすぎた数日後、出席者全員からアンケートを取り、意見を求めてみましたが、みなの批判は思ったより厳しく、私たちは改めてその難しさを知りました。しかし、その中にも多くの好感と励ましのことばがあり、私たちに次の改善への勇気を与えてくれました。

それにもまして、田園で働く二人の姿をみたとき、私たちでさえほんのりとした幸福を感じます。

私たち仲間の手で仲間たちの幸福への道が開けるとしたら、同じ農業を営むものとして、それは自分たちの幸福にもつながるものと考え、未熟な私たちではありますが美しく楽しい人生の門出にふさわしい結婚式を演出していきたいと思います。

アンケートの回答

従来の結婚式についての意見

多額な費用をかけすぎている……四十三％、時間の制限がない……二十％、招待客に問題がある……十七％、周囲の人たちの楽しみにすぎない……十％

会費制結婚式についての認識

知っている……四十二％、知らない……十四％、聞いたことがある……四十四％

この方法についてどう思うか

よいことだと思う……五十四％、いやだと思う……十四％、無関心……三十二％

会費制結婚式出席の有無

出席したことがある……三十五％、出席したことがない……六十五％

会費制結婚式出席者の感想

費用がかからない▽良くなるも悪くなるも運営する人たち次第だと思った▽お客に対する礼儀がよくできている▽従来の場合にみられない若さ・楽しさ・さわやかさがあった▽式場の飾りつけがよかった▽味気ない▽式場と披露宴会場は別にしたらどうか……など。

（アンケート対象者十代～五十代の百名、回答率八十％）

プロジェクトの取り組み方

北海道農業学園教育におけるプロジェクト指導

教科領域のプロジェクト指導

北海道専門技術員　三輪勲

学園生が家庭においてプロジェクト活動を円滑に実施できるようにするため学園では専門教科・科目の履修に関連してプロジェクト指導を行なうことになっている。この場合、プロジェクトの基礎的な指導を行なう科目と、具体的な指導を行なう科目とにわけられている。前者は「農業経営」または「家庭経営」で、後者はそれ以外の各科目である。

プロジェクトの基礎指導

農業学園学習指導要領に示されているプロジェクトの基礎指導は、男子学園生については普通科・高等科とも「農業経営」の課目の履修に関連して、女子学園生については普通科の「家庭経営」の科目の履修に関連しそれぞれ授業が行なわれることになっている。

プロジェクトの基礎指導を行なうのは、プロジェクトを農業経営の全領域に拡大するのに応じた学習を必要とするためである。これらの科目におけるプロジェクトの履修項目は、学習指導要領に示されているが、それをまとめると右表のとおりである。

農業学園におけるプロジェクトの履修項目

課程	対象学園生	科目	プロジェクトに関する履修項目
普通科	男子	農業経営	農業の学習とプロジェクト
	女子	家庭経営	生活学習とプロジェクト
高等科	男子	農業経営	農業経営とプロジェクト

男子学園生のみ高等科においても重ねてプロジェクトの基礎目は、普通科・高等科とも二カ年を通じて学年が進むのに対応して習得させ、その学習指導は、学園生のプロジェクト活動の内容に関連して行なうこととされている。

したがって、第一学年でプロジェクトの基礎指導を行なったからといって、第二学年で省略することは認められていないわけである。指導内容の学年別配当は、学園の実態によって異なるが、参考までに一例を示すと下表のとおりである。

プロジェクト基礎指導の授業時数は、普通科・高等科とも一学年当たり八時間程度は必要であるが、「農業経営」「家庭経営」のそれぞれの科目の履修単位時間内では、全体の履修項目に対する時間配当からみて八時間を確保できない場合がある。この場合は、次項に述べる他の教科・科目の履修に関連して不定時間を充当することが望ましいとされている。

プロジェクトの課題別指導

農業学園学習指導要領では、普通科・高等科とも専門教科（農業・家庭）に属する各科目において、その履修に関連してプロジェクトの課題別指導を行なうように示されている。これは、その科目における系統学習の成果をプロジェクト活動をとおして実際の農業や生活に反映させる意図がある。

したがって、学園生のプロジェクト活動における技術上の問題は、そのプロジェクト課題に関する教科・科目の履修によって解明し、研究する学習指導が必要である。これらのプロジェクト指導に充当できる時間は、学習指導要領（普通科・高等科）において、次のように示されている。

「プロジェクト活動は、冬期の合宿教育および面接集合指導における専門教科・科目の単位数のうち六分の一以内の時数をこれに充てることができるものとする」（学習指導要領第三章第三教育課程編成上の留意事項の二の（2））

例えば、「水稲」の科目（普通科）で合宿教育における八単位の授業と面接集合指導二単位の授業とで教育課程を編成した場合、その授業時数は（八＋二）×六＝六十時間となり、第一学年ではその二分の一の三十時間とすれば、三十時間の六分の一の五時間までは「水稲」に関するプロジェクト指導に充当してもよいわけである。

ただし、プロジェクト指導の単位として六分の一を配当しなければならないということではない。

プロジェクト基礎指導の教育内容の学年別配当（例）（授業の場合）

区分	第1学年 履修項目	時間配当	第2学年 履修項目	時間配当
普通科	(1)プロジェクトの目的・種類・効果	1～2	(1)プロジェクトの長期計画	1～2
	(2)プロジェクトの選定と計画	2～3	(2)技能補助プロジェクトの実施	2～3
	(3)プロジェクトの実施と記録	2～3	(3)改良プロジェクトの実施	2～3
	(4)プロジェクトの評価	1～2	(4)生産プロジェクトの実施	2～3
	(5)プロジェクトとグループ活動	2	(5)プロジェクト促進のグループ運営	1
高等科	(1)プロジェクト総合的長期計画	1～2	(1)経営プロジェクトの計画	2～3
	(2)プロジェクトの組み合わせ実施	2～3	(2)経営プロジェクトの実施	2～3
	(3)大規模プロジェクトの実施	2～3	(3)経営プロジェクトの記録	2～3
	(4)プロジェクトの記録と評価	2～3	(4)経営プロジェクトの評価	1
	(5)グループの行事運営	1	(5)プロジェクトグループの運営	1

年間労働の均一化図り 苺の周年栽培めざす

奈良県天理市備前町二六八・天理4Hクラブ　東川美嗣

私が住む天理市の二階堂地区は、奈良県下でも有数の米蔵といわれ、そ菜産地でもあります。私の家でも水田百四十㌃、畑二十㌃と耕作面積は地域の平均より多い方であります。この中で西瓜、秋なす、ごぼうという作付け体系に、水稲を組み合わせた経営であります。

私が昭和四十年に高校を卒業すると同時に、天理市でも多く栽培されていた苺を取入れたのです。これは、従来の経営ですと所得が少ないのと、田植、稲刈り時期以外はこれといった仕事がなく、労力が余ってしまう状態にあったからです。

苺は、水稲の前作としての栽培であり、現在までの農閑期を利用した栽培のため年間労働の均一化が図られ、また、販売系路にしても京阪神市場へ約四十五キロという近距離にあり、荷傷みの少ない新鮮なものを出荷できるという利点があります。

こうして苺栽培に取り組みましたが、近年農村青少年が少なく、農業労働力が老令化してきている中で、苺の栽培面積は年々増加の途上にあります。これは年寄りでも十分管理できる軽労働ですので、私の家でも父母は「苺つみは楽くやなあ」といっています。

私はこうした中で、栽培面積を三十㌃に増加しました。部落でも四十二戸中八割までの農家で苺を栽培し、面積も四㌃とわずか四年間位で作付け面積が増加し、共同出荷が行なわれています。

苺の収穫期は短期間のため、このことから収穫期を若干ずらすようトンネルの大きさを変えたり、四月十日頃から五月十日位いの間の収穫最盛期には、三人の家族労力では間に合わないため、近所の人たちに手伝ってもらっています。収穫日には、朝五時頃から苺つみに出かけ朝食は圃場でとり、午前中は収穫、午後一時頃から箱詰め、荷造り、集荷場へ運びトラックに積み込んで一日の日課が終ります。このように忙しい毎日です。こん後はこの対策として施設を導入し、収穫時の労働ピークを下げるよう考慮すると同時に、制度資金などを十分利用しつつ、年間を通しての苺栽培、すなわち苺の専作化の方向で進めていきたいと考えています。

以上苺を経営の主体としてきましたが、経営全体をみると、苺のほかに西瓜、秋なす、ごぼう、白菜、きうり、青ネギなどを合わせて六十㌃も栽培している雑多経営です。こうして年中働きつづけても苺を中心とした野菜、水稲で年苺の粗収入が二百二十万円くらいです。これが私の家の労働力を百％投入した収入です。これをもう少し省力化し、収入を多くと考えるならば、どうしても栽培作目を少なくし、専業化の方向に進まなければ解決しません。

事実、現在の経営内容では「もうどうにもならん」といったところへきているのです。耕地面積が限られていますから労働をフルに使った経営なのです。これから脱皮するには施設化を図り、苺の栽培に重点を置いてハウス、トンネル、露地、抑制のハウス栽培など年間を通して出荷できるよう作付体系を改善する必要があります。こうして苺プラス水稲という専業化の方向で、一万ドル経営をめざし、こん後とも研究していきたいと思います。

全国各地で実際に行なわれている経営の状態や技術的な諸問題を知ることは、私が農業を経営していく上に非常に役立っています。また、全国の4Hクラブ員が、こん後の農業問題について話し合う機会に数多く参加し、私自身の農業に対するファイトを身につけ、経営に役立てていきたいと思います。

◇—◇—◇ 東京の田舎

農業もほそぼそと

初秋の日曜日、カメラを肩に郊外へ散歩とシャレこんだ。秋といっても陽射は強く汗ばむが心快く吹きぬける秋風に暑さを覚えない。天を仰ぐと鰯雲が流れ東京の空も青かった。都心から三、四十キロ離れた郊外の民家には、意外に緑が多く、垣根には柿の実がみのり、空地には、インゲンやトウモロコシが植えられて、ミニ農業を営んでいる。こらはふる里思う郷愁の現われであろう。民家がまばらになると、そこに畑があり、農業が営まれていた。すでに陸稲が穂首をさげ、秋取りのキャベツが整然と植えられ育っている。まさに、東京の農業は細々と息づいているようであった。【写真】＝杉並区善福寺の田園風景＝

NHK農事番組（9月21日～30日）

テレビ

明るい農村　6・30～6・55　総合
22日　村の記録　消える村
23日　きょうの話題　余る牛乳
24日　酪農往来　食品添加物
25日　話題の広場　石灰わらで多頭飼育
26日　村をむすぶ　フィルム・リレー
27日　農業新時代　放牧養豚
29日　村の記録　米商人
30日　きょうの話題　国際農村医学会の課題

農業教室　7・30～8・00　教育
22～24日　寒地の畑利用
25～27日　集果・選果の問題点
29～30日　都市周辺の水稲年間組織

あすの村づくり
日　7・00～8・00　教育
再土　13・00～14・00　教育
21日　若ものたちの農協論　秋田県仙北郡千畑村千畑農協青年部
28日　グループ役り＝成功した家族集会（茨城県稲敷郡東村稲穂サークル4Hクラブ）仲間とともに＝もうけのかんどころアイデア青年たち（大阪府貝塚市南近畿4Hクラブ）

ラジオ

早起き鳥　5・05～6・00　❶
21日　話題の窓　稲作報告（冬元）
22日　現地報告　（未定）
23日　人と話題　岩間誠造
24日　通信員の手帳から　（未定）
25日　産地訪問　オリーブ（香川県小豆島）
26日　現地報告　畜産団地をめざす（東京都町田市）
27日　村のポスト
28日　話題の窓　転機にたつみかん
29日　現地報告　米から酪農へ（北海道湧別町）
30日　人と話題　第四回国際農業医学会　若月俊一

ラジオ農業学校
月～土　6・40～7・00　❷
21日　優秀農家に学ぶ　平井文治さんの経営をきく（愛知県岡崎市正名町）
28日　農業講演会　これからの農業者像　並木正吉

農業簿記

京都大学名誉教授　大槻正男

<自計式農家経済簿記>

財産台帳と年度始め記入

第1項　財産評価法

類推調達評価法とは、調達原価も時価もともに不明な供用財に対して採用される評価法であって、その財とほぼ同等の効用をもつ類似財価の購入時価、購入時価がない場合には生産時価を基礎として、両者の効用の比較・計量において推定概算する評価方法をいうのである。例えば、レンゲ（緑肥）を金肥の購入価格を基礎として両者の肥効——さらにすすんで有効成分の含有量——の比較概算によって類推評価するなどである。

使用価評価法というのは、使用の過程中にある固定供用財——使用価という名称は固定供用財が使用財とも略称される関係から由来する——に対して採用される評価法である。

経営に設備されている固定供用財は、購入直後のものを除いてはすべて使用の過程にあるものであるから、その評価価格は、すでに用役に供された年数（経過年数）の減耗価値部分を調達価格から控除して算出しなければならない。この年々の減耗価値部分の算出法を減価償却法という。この算出法には種々あるが、最も簡単な方法は直線法であって、調達価から廃棄価——使用に耐えなくなり廃棄処分されるときの価値——を控除し、これを総耐用年数で除して年々の減耗額を算出する方法である。

収益評価法は、投下資本の対象物としての財——例えば土地・建物・大機具などのような主として用役年数の長期にわたる固定供用財——を、それがこん後において年々あげると予想される純収益額を基礎として評価する評価方法であって、固定供用財の価値額は、それが年々あがるであろう純収益額を、現在価値額に割引きした大きさの総計であるとみる見方である。

収益評価法は、できるだけ契約収益（小作料・家賃など）を基礎として算出するのがよい。処分価評価法というのは、やがて処分される財——主として結果財——に対して採用されている評価法であって、米麦・牛馬などの市価をもつ生産物に対しては、市価を評価基礎とした販売評価法を採用し、数年後に市価をもつ林木などの未成熟固定結果財に対しては成品価格を評価基礎とした成品価評価法を採用する。

自給原料または飼料として用いられて、その価値が生産物価の大部分を占めるような流動結果財——また地方において市価評価も行ないがたいもの——に対しては利用価評価法を採用する。

農家の財産は、不用になった借用財を除いて、できるだけ調達価評価法、なかでも調達原価評価法を採用すべきであって、これが困難な場合にだけ調達時価評価法を、これも困難な場合に最後の類推価評価法の採用が許される。ただし、完成品となったもの、または完成品に近いものに対しては販売価評価法または成品価評価法を行なうのが適当である。利用価評価法は、その財の価値がそれを原料として生産される生産物の価値の半ば以上を占めるようなもの以外は採用してはならない。大きなあやまりを生じる危険があるからである。

収益価評価法は簿記の評価法としては原則として採用してはならない。調達価評価が不可能であって、他に適当な評価基礎がない場合においてのみはじめてその採用が許されるのである。収益価は本来、簿記の計算結果である純収益の資本還元額として算出されるものであるから、その逆であってはならない。

あしたの青春

一ノ瀬綾　え　多賀愛子

<4>

仲間達（四）

目の前が突然ひらけて、そこに高原があった。吸いこまれるような若い空の下に、なだらかな、雄大な起伏が重なり合い、視界の果ては、そのまま天に連らなっていた。

芝草のような短い草々の間に、にじんだように野いちごの紅が、点々と広がっている。七月の太陽は、衣服を通して肌を焼くのだが、吹きぬけていく風は、その熱さを忘れさせた。すみ江は息を呑んだ。

「いつ来ても、いいなあ……」

誰からともない喚声があがった。

「おれ、田の草取りで、死にそうに暑い時、いつもここの風を思い出すなあ」

「まじめに田の草なんか取ったことあるか」

一人がまぜっかえすと、若い笑いがはじけ散る。カメラを向ける者、向けられる者、しばらくはにぎやかな交歓が続いた。

「これからテレビ塔をまわって、それから美しの塔へ行く。昼食は、水と木陰のあるキャンプ地でする予定。バレーと、ソフトボールが終れば、二時間ぐらい自由行動にします」

圭次が口に手を当てて怒鳴ったが、ハイティーンの連中は聞いているのか、いないのか、てんでに勝手なことをしゃべり合い、歌ったり笑ったりしていた。

「会長さんも、大変ね」

思わずすみ江は声をかけた。圭次は振り返って頭を掻いた。どうも癖らしい。

「いつだって、命令なんか聞く連中じゃあない。子供なんだから、なにかと言えばレクリエーションをやろうと言いだすんでね」

「遊びたいさかりだから……」

「ま、そういうつながりの中で、学習する気持を起こしていくんだ、とおれは当てにしているんだがね……」

いささかしんみりした口調であった。会員の娘達がすみ江のまわりに集まって来た。

「新一さんたら、あの変な東京者とばっかり話していてさ……」

「あれ、まだいっしょにいたの」

「今、別れて行ったけど、そのうちに、君ん家へ行くよ、なんて、一人が言ってるの」

すみ江が目でさがすと、さっきの若者達は、幾組もの登山者達にまぎれて、もう見別けがつかなくなっていた。新一自身も、仲間にまじってかなり先の方を歩いていた。クラブ員達の気分をこわしたのかと、ちょっと心配したすみ江も、それでホッとしたがここ迄来て気を使うのはばか気ていると思い直して娘達のコーラスに声を合わせた。

「ほら、避難塔が見える」

まわりの声で目をこらすと、思いがけない地点に、角張った長方型の裾を引いた塔のシルエットが望まれた。近くに見えても、起伏の大きい草原は、なかなか人をそこ迄近ずけてはくれない。しんどいが楽しいその道すがらを、すみ江はなつかしく思い出した。

登りについて不意にひらけた眼前の風景に　しばらくは世界の天井が抜けたかと思ふ　やがて一歩を踏みこんで岩にまたがりながら　此の高さにおける此の広がりの把握に尚もくるしむ

こんな一連の詩句がその塔にはきざまれている筈であった。中学生の時、すみ江は、その詩の作者である尾崎喜八という詩人の名前をはじめて知った。忙しくて苦しい農家の生活の中で、すみ江が詩や小説を読むたのしさを身につけたのは、この詩のおかげであった。塔のまわりに群れている人の姿が、豆粒のように見え、牛や馬の姿も点在していた。

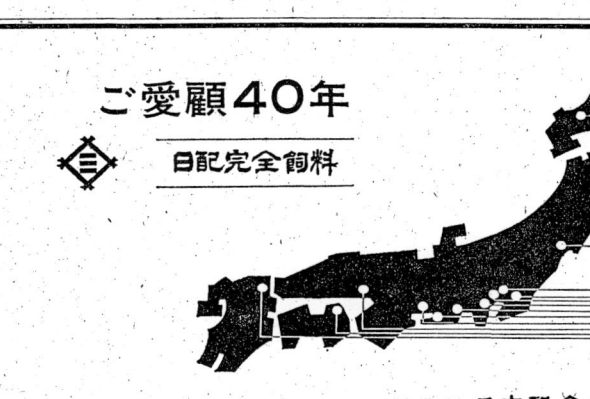

農村雑感

折原俊二郎

情報（その二）

この前は、これからの農業経営には、生産、出荷などの流通情報を迅速に、しかも適確に集めなければ成立しなくなるだろうし、その情報収集は、農民の手からはなれて、専門家の手に移り、その専門家の判断で決定され、農民はその言いなりに動かされつつある。その形を否定することではないが、農民は農民の立場で適確な判断をたてていく。そうした態度を忘れてならないといった。

ところで話を変えて、東京や大阪または都市にあるデパートをのぞいていない人は、まずほとんどないといってよいでしょう。デパートは消費市場の先端であり、消費者を満足させるためにますます巨大化の方向に進んでいる。そこには紙一枚から、数百万円もする家具や、はては犬、猫の動物のみでなく、時には家まで売りに出ることがある。

一方、食料品売場をのぞいてみると、全国各地の名産や新鮮な野菜、味噌、醤油など何でも揃っている。日本のもののみでなく、外国のものも多い。台湾産のバナナと南米産のバナナからはじまり共産圏諸国の食料品もみられる。ここでは必要とするものは、ほとんど手に入るし、眺めていると都会の巨大な胃袋に、夢中になってつめこんでいるようであり都会の人は、どん欲に、しかも満腹感が得られず、次から次へと消費していく姿がみられ、何かしら空恐ろしくさえ感ずる。

都会の巨大な胃袋を満足させるためのデパート、その中の食料品売場をみてもすでにわがもの顔に諸外国の食品が入ってきている。このことを皆は知っているのだろうか。

この現実の姿を客観的にながめたら、日本の農業に不安と恐ろしさがでてくるように思える。台風は巨大なエネルギーをもやて荒れくるうが、生産、流通機構は台風のエネルギー以上の力もって、静かに、しかも巨大な力をもって荒れくるっているのではないだろうか。台風はレーダーや気象衛星で、その目をとらえ情報を流し、その対策を考えるが、これと同じように、生産、流通の目をとらえて、適確に判断し、対策を考えることが大切だといえる。

これまでの農業経営では、どちらかといえば技術者や指導者が情報を集め、それの検討をやり、対策をたて、農民はそれを受け入れておればよかったが、これからはそれではすまなくなるだろう。情報をどのように集めるかについて、まず十分考えなければならない。そして次に集めた情報をどのように読みとるかの訓練が必要となる。そうした情報は役所に割合にある。役所にズーズーしく入る訓練と集めた資料を読みとるために数字に強くなること、この訓練は欠かせなくなる。

もう一つ、情報収集では、経営その他で失敗した例をどのようにして集めるかである。失敗の情報は得にくいが、二度と繰返えさないためにも、その収集、検討は忘れてならないことであろう。

（農林省・農業者大学校）

海外に羽ばたく 青年の船

青年の視野を広め、教養を身につけさせようと、政府が明治百年記念事業の一つとしてはじめた「青年の船」は、第3回を迎えていよいよ今月27日東京の晴海ふ頭から東南アジアへ向けて出発する。この青年の船には、全協から推せんされた4Hクラブ員7人が乗船するが、出発に当たっての彼らの抱負は…

青春と仲間

よきリーダーを志して 試練うけ鍛え直す

愛知県 古川喜美子

農業に従事してから早くも三年目を迎え、創設間もない私たちの彼光4Hクラブでは最古参のメンバーの一人となりました。農業に従事する友のいない淋しさにたえかねて、クラブ結成を呼びかけて町内に女性ばかりの4Hクラブを作り、「明るい農村家庭づくり」をめざして今日まで歩いて来ました。

その間に県連副会長という大役をさずけられ、未熟で経験の浅い私は、無我夢中で頑張り、多くの反省と教訓を学びました。「失敗の連続」＝リーダーシップトレーニングに欠けていた自分を責めること数回。しかし、今は、その失敗の一つ一つを評価反省することによって同じ失敗を二度と繰り返さない貴重な体験として活動しているしだいです。

環境の異なるあらゆる職業の若者たちが集まって乗船するという「青年の船」は、船内での研修がかなり厳しいとのこと、どんな困難な立場に立たされたときでも、自分の意志を貫くことと、自分の創造力を積極的に仕事や生活の中に生かして行く努力は必要であり、二ヵ月間の船内での訓練で、もう一度自分自身を厳しく鍛え直し、試してみようと思います。

今までのクラブ活動での体験を持って参加し、グループのメンバーとして、またリーダーとして新規まき直しをし、帰国後も4Hクラブ員として、また4Hクラブリーダーとして、仲間と共に船内での体験や学んだ点を考え、活動の中で示して行きたいと思います。

またこの体験を自分一人のものとしてしまわず、他の多くのクラブ員、青年たちに報告するためにも船内生活、海外での体験、実績、感想などを綴り、出来れば報告書をこの手で完成させたいと思っております。と共に、幹部研修会、青年会議などの研修会にも参加して、多くの人たちに報告しようと思っています。

県連活動への参加により、自分の地域のクラブ活動の利点と欠点を知ることが出来たように、日本を離れることによって、今まで歩んで来た道や、クラブ、そして日本という国を客観的に見つめることができるだろうと思います。

今までは、4Hクラブという一つのわくの中で考え、行動してきた私も、もう一歩広い社会の中で広い層の仲間を知り、彼らと連携し合えるようにして、地域の4Hクラブのよきメンバー、そしてメンバーが共に伸びて行けるリーダーとなり、仲間と共に二度とない青春時代を意義深く、悔いのないものとしたいと思っております。

理想と希望に燃えて

青森県 豊川民男

アジアの先進国である日本を代表する青年として、私は理想と希望に燃え、責任ある立場から、青年としての意義を見い出すつもりでおります。

その昔、日本人の祖先は、東南アジア方面から渡ってきたとされておりますが、今では日本がアジアの指導者的立場に立っております。戦後の日本の急激な発展には世界の人々が目を見はるのも当然のことでしょう。

私は地区4Hクラブ活動において、日本農業の動向が、今一番激しいということに気づき、仲間と共に心配しております。

農業後継者問題、労力不足問題など、他国の青年らと膝を交えて語り合ったならば、お互いに素晴らしいことだと考えております。時代の潮流と闘うのが、青年に課された使命的役割りであり、波静かな場所に導くのが国家の役割りと思います。

私は、現在、斜陽といわれる農業に従事し、水田二ヘクタールと二百頭ばかりの養豚をやっておりますが、農業後継者として自覚を持った農業経営を行ない、企業的な農業経営をめざすためには、もっともっと自分の視野を広げる必要があると痛感しております。

私は、先進地国内留学生として、また、独自に関東方面の農家へ実習に出かけ、新しい技術と経営を学ぶために努力し、実践もしてきました。しかし、日本の農業をより深く理解するためには、何んとしても海外の農業を見たり、市場を見学することが一番近道だと考えます。

このたびの、東南アジアの研修は、私にとってはこのうえない勉学になるであろうし、地域農村青少年クラブのリーダーとしても、さらに素材が加味されることと期待しております。

また、長い船旅の中で、自分と同じような目標を持ち、同じような環境にある仲間たちと一緒になれることは、地域で黙々と働くわれわれにとってはこのうえない励ましであり、これからの精神的支えともなるであろうと期待しています。

雑感

伊藤あき子

いま、自分のしていることに対して、これでいいのだろうかと、思うときがある。

大きな仕事を終えて一段落すると、いま何を考えていいのかわからなくなってしまう。そして目の前が霧に包まれる。

他人がみたら、ゆうれいみたいだろうなあー。

本当に何でも話し合える友だちがほしい。精神的、肉体的に休まるところが……

しかし、いつの間にか、何かをやろうというファイトと勇気がわいてくる。

誠心誠意、心の窓をあけて、ぶつかっていったなら、必ず理解してくれるはずです。

私たちには、青空の下で働ける歓びがある。

苦しいとき、楽しいとき、辛いときもある。しかし、負けてはいけない。自分自身に自信と勇気を持つことは、一番大切である。

私たちには、青年として与えられた責任と義務があります。

そして人生は、一度きりしかありません。だからこそ、自分の手で築くのです。

私たちは、若いからこそ、いまは失敗も繰り返すことができます。

仲間とともに語り合い、歓びを分かち合って、力強く歩み続けたい。

（埼玉県北足立郡・大和4Hクラブ）

つどいの体験発表 普及活動の歓び（下）

車の両輪の如く 充実した青年期の経験を プロジェクトとクラブ活動

愛知県知多郡美浜町 知多農業改良普及所 山田立夫

クラブ活動の中に放送利用による学習活動を四十一年から取り入れ、放送を聞き自分なりに受けとめたことや疑問に思ったことをメモをするように助言を与え、その中から自分なりに考えた解決策、実行策を見出せるように指導してきました。例えば、稲の倒伏するのは放送によって理解できた。しかし、この地域では、そのあとどれが一番大きな原因となっているのだろうか、それぞれの立場で話し合わせた。

プロジェクトと放送利用を連関

A君は施肥法に問題があるといい、B君は土壌条件に原因があるという。いや、それよりも品種に原因があるのではないかとC君はいうのです。こうしていくつかの要因が提出されたでは、その要因を除くためには、放送の中でどこをどう取り入れたら防止できるだろうかと、一つの問題点に対して検討させ、常にクラブ員のプロジェクトとかみ合わせて問題意識をもたせ、集団による思考力を養ってきたのです。

こうした活動を繰り返したある日、クラブ員の家庭訪問の際、最近うちの子供はみかんを作っていても、観察力が鋭くなり、病害虫の発生にもよく気を配るようになったと、クラブ活動の成果がよせられています。また、あるクラブ員はみかんの新植方法を取入れようではないかと、自分の意見として父親に対して力強く述べている姿が見受けられました。

こうして、常にプロジェクトと放送利用とをかみ合わせて、その中から新しい技術、経営上の問題点を見出し、その解決策をみんなで考え、実行し、結果を反省して、次の発展段階にすすむ。こうした活動を繰返すことによって、自己の能力や知識を高めてきました。それとともに、クラブ員全体の能力を高める活動を推進してからは、クラブ活動に活気をよび起すようになってきました。

部落ぐるみの防除を一手に請負う

先にも述べましたように、この地域は、みかんと稲作との経営が比較的多く、そのため稲作における労力が年々省力化され、とくに病害虫防除は行なわれず収量が不安定であったのです。こうした環境の中で、四十一年度のウンカの異常発生に対して防ぎきれなかったのです。

こうした個人の力ではウンカ対策はできないことをクラブ員は体験し、やはり防除は部落ぐるみ、地域ぐるみで一斉防除でなければと、クラブ員自身が自覚し、苦い体験を二度と繰返すまいと、お互いに考え話し合いました。そこで、この対策として、クラブ員で防除を請負ったら、という意見にて話しがまとまり、実施の方法について話し合いがすすめられました。

例えば、防除機は何を使用するか、防除面積の取りまとめ、使用農薬の種類、散布時期などについて、目的達成のために綿密な計画が検討されました。

実施に当って、請負防除面積の増加につれ、一台の機械では実施不可能になり、ついにもう一台購入して、のべ一四〇ヘクタールの請負面積の薬剤散布ができたのです。

いままでのクラブ育成は単に若い人たちに多く接し、彼らと話し合っておりさえすれば、クラブ育成はできているという気持があったことをまず反省しなければなりません。

そこで、クラブ活動の展開をどうしたらよいだろうかと所内会議で検討した結果、現在のプロジェクト活動を次の発展段階にすすませる助言には、やはりプロジェクトの記帳がたいせつであるという結論から、プロジェクトのレコードブックを作成することに意見がまとまり、先に述べました五つの単位クラブの役員の人たちに相談し検討したところ、非常によいことだという意見で、本年度の重点事項にレコードブックの記帳を推進し、圃場巡回やクラブ集会に重点をおいてすすめています。

プロとクラブ活動は車の両輪の如く

しかし、愛知の農業に対するレベルの高さと、その早い変化に対応するには、4Hクラブ活動による新しい人間関係を作り出すことが強く要求されます。

そして、クラブ員の4Hクラブに対する最大の魅力がプロジェクト活動のみでなく、よりよい生産生活、経済技術の学習と、より高い社会人としての学習や、充実された青年期の経験ということを彼らに十分満足させるためには、これからのクラブ活動はプロジェクト活動と、グループ活動とが両輪のごとく組み合わせた助言が要求されてきましょう。クラブ員のニードもそこにあると思います。

とくに私たちの地域においては園芸のパイロット事業が計画され調査の段階に入っていますが、こん後大きく変わろうとしている地域開発事業としてのパイロット事業のパイロットの役割りを果すのは、4Hクラブ員であります。それには、心から話し合える仲間作りをすすめ、私たち普及員も集団育成をプロジェクトとして、課題解決への創意を通じてこそクラブ育成が推進できると思います。

これからもこの問題に、私は真正面から取組んで行きたいと思っております。たいへん未熟な体験でありましたが、先輩各位から一層のご指導をいただくことをお願い申し上げます。

（おわり）

（派米だより）

今年度の“草の根大使”（福島県） 大竹忠幸

思わず―ホロリ 感激的な4Hショウ

私はいま、インデアナ州にいますが、やはり夏は非常に暑い毎日でした。

ところで、今日はインデアナステート・フェアー（日本の共進会に似たもの）について紹介しましょう。

このときは、二週間ぶりに他のIFYE生（国際農村青年交換計画に基づいて派遣された人たち）五人とも会うことができ、時間のたつのも忘れて話しがはずみました。この夜には、インデアナステート・フェアー女王コンテストがありましたが、私たちIFYE生六人は一番前に陣取り、その様子を見ることができました。そして十日間（ウェアーの期間）の女王が誕生したときは近くまで行って写真をとりましたが、こうしてフェアーはスタートしました。

私たちIFYE生は、4H活動に主力をおいて勉強しました。ここでまず強く感じたことは、非常に4Hプロジェクトの数が多いということです。各4H展示会場には九歳から十九歳までの4Hメンバーの作品がずらりと並べられ、各製品には評価の印がつけられています。

多い作品の中で、女子は洋裁、料理、絵、写真など、また男子の場合は、家畜（豚、牛、乳牛、めんようなど）電気製品などですが、各出品物は、各部門別にコンテストが行なわれますが、それぞれとくに家畜に対しては心がひきつけられる思いでした。

ブラシをかけ、オイルでつやを出して動物に対する愛情がすばらしい。持ち主は、コンテストまで豚や牛と一緒に寝起きを共にして、日中は扇風機で暑さを防いでやり自分の番が来るのを待っている。

そうしてグランドチャンピオンが決まったとき、彼らの目からは大きな涙が流れ、家畜に抱きつき、その愛情を示している光景は実に美しく感動的で、私も思わず、一瞬涙が流れてしまいました。

それからチャンピオンに決まった家畜はセリにかけられます。このセリの様子はテレビで流され、牛のチャンピオンは約六百万、豚は約四十五万円で取り引きされましたが、実に見ごたえのあるスマートなセリ風景であった。

外では、乗馬や歌などのコンテストなど多くのプログラムがあり、これがアメリカ4Hクラブの活動だと見せつけられた感じで、組織の大きさに驚いています。

このほか自動車レース、テレビショウ、歌など楽しい番組も、一等席で見学しました。

しかし、私たちは見ていたばかりではなく、IFYE生のプログラムも組まれ、各国のスライドや踊りなど約二時間にわたって語い仲間が集まってショウを演じました。この十日間のうちにテレビに一回、ラジオで二回放送しましたが、大変意義のあるステートフェアーでした。

徳島で実績発表会開く

中山、新井両君に4H協会会長賞

【徳島】徳島県農村青少年クラブ連絡協議会（会長、田所慎一君）は、県および県農業研究団体連絡協議会、県生活改善グループ連絡協議会と共催で、さる八月十九日徳島市幸町の県農協会館ホールで県農山漁村グループ実績発表大会を開いた。

この日十時から開会、来賓の挨拶祝辞があり、十時三十分から「特産に生きる」と題した徳島市の滑東4Hクラブの中山洋一君、「私の茶栽培」と題した山城町後継者クラブの新居健一郎君ら七人が実績発表を行ない、上記二人に日本4H協会会長賞が贈られた。

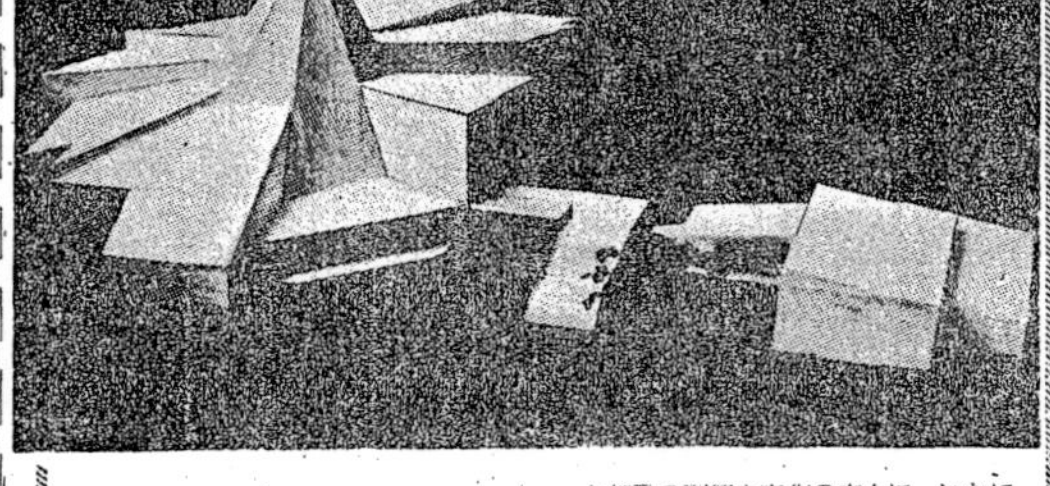

ポルトガル館

敷地面積……3,220㎡
出展費用……約7億2,000万円

展示館は、二つの建物によって構成されます。そのひとつでは、テーマ“人類の進歩と調和”に焦点を合わせ、ポルトガル人が過去、人類の進歩と相互の理解や文化の向上に、いかに寄与してきたかを表現。

もうひとつは、スケールの大きな建物で、今日のポルトガルの風景を再現します。日常の国民生活や、文化、信仰をはじめ未来へのビジョンも描き出されます。

付属施設として、ポルトガル料理専門のレストランがつくられます。

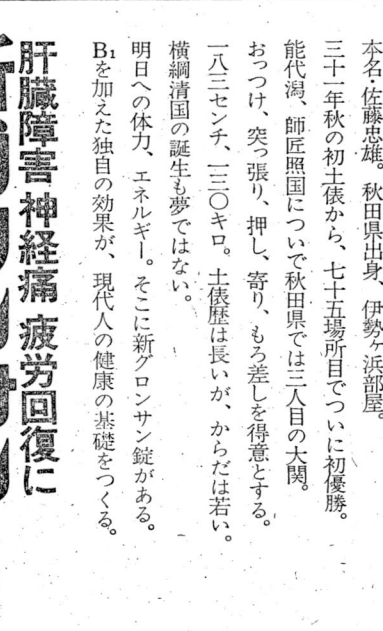

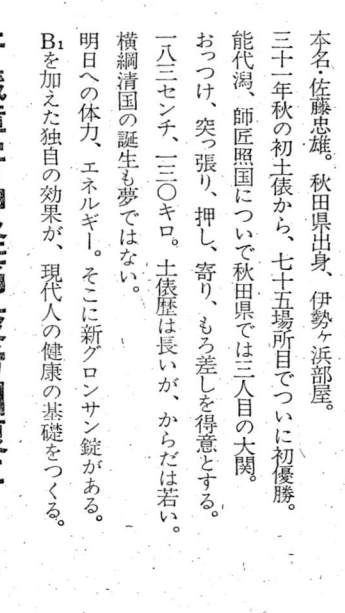

＜日本万国博覧会展示館の紹介＞

日本4H新聞
4Hクラブ
農事研究会
生活改善クラブ
全国弘報紙
発行所
社団法人 日本4H協会
東京都市ケ谷家の光会館内
電話(269)1675郵便番号162
編集発行人　玉井光
月3回・4の日発行
定価　1部　20円
一ヵ年700円(送料共)
振替口座東京　12055番

クラブの綱領

私達は実践を通じて自らを磨くとともに互いに力を合わせてよりよい農村、よりよい日本を創るため四つの信条をかかげます。一、私達は農業の改良と生活の改善に役立つ腕をみがきます。一、私達は科学的に物を考えることのできる頭の訓練をします。一、私達は誠実で友情に富む心をつちかいます。一、私達は楽しく暮し元気で働くための健康を増進します。

全協で執行部会開く

初の専門委を開催

来る29、30の両日、東京で

全国4Hクラブ連絡協議会（会長、黒田保君）は、さる十七日、東京・新宿区市ケ谷の家の光会館内同会事務局で執行部会を開き、来る二十九、三十の両日に開催する初の専門委員会、十一月十六日からの沖縄交歓訪問、来春東京で開催する全国4Hクラブプロジェクト実績発表大会などについて話し合った。

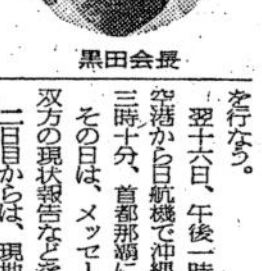

黒田会長

この日の執行部会には、黒田会長はじめ、大島、小原、鎌田各副会長、久野事務局長、石井同次長が出席、まず、沖縄交歓訪問から協議した。

この交歓訪問は、沖縄の全琉4Hクラブ連絡協議会が、さる四十一年、全協に加盟し、当時の長田会長と岩崎初代会長の二人が、全協を代表して4H旗（全琉旗）の贈呈に行って以来、渡航の規制などの事情で相互に交流の機会がなかったので、このたび全国のクラブ員のなかから広く希望者を募り現地を訪問することにしたもの。

計画によると今回の訪問団は約三十名（男子二十名、女子十名）程度の人数で、十一月十五日大阪に集合、予防接種やドルと円との交換をしたあと一泊して事前研修を行なう。

翌十六日、午後一時十分、大阪空港から日航機で沖縄へ向い、同三時十分、首都那覇に着く。

その日は、メッセージの交換や双方の現状報告などを行なう。

二日目からは、現地のスケジュールによって技術交換会に出席したり、クラブ員の家に民泊したりする予定。

なお、那覇での宿舎として労働会館を予定している。

こうして四泊五日の交歓のあと二十日午後五時五十分、那覇を発ち、同七時四十分大阪に帰着し、その夜は大阪の宿舎で反省会を開く。

はじめの計画では、二十日の大阪帰省後すぐに解散する予定であったが、飛行便の都合や、せっかく行った交歓会をより有意義なものにするため、反省会を行うことに変更した。

このほか執行部会では、旅券の申請方法や渡航上の注意事項、土産品、事前研修などについて話し合った。

つぎに、懸案であった専門委員会の開催について協議した。

この委員会は、日本における4Hクラブの理論の確立、組織の体系化と強化策について、全面的に検討し、今後の指針とするため、農村の青少年の育成指導に豊かな経験を持った担当官数名に委員を依頼したところ、中田正一（元海外技術協力事業団茨城国際農業研修館長）三輪睿（北海道農政課）西川哲雄（長野県農業改良課）芳賀惣典（茨城県普及教育課）湯浅甲子（栃木県普及教育課）星野武四郎（埼玉県農業経営研修所）川端宏（大阪府農畜産課）新田健吉（日本4H協会事務局長）の各氏から承諾が得られたので、さっそく委員会を開催することにしたもの。

まず、第一回の会議を来る二十九、三十の両日、家の光会館で開き、日本の4Hクラブの本質や組織について、現在の問題点を検討し、将来の方向づけについて話し合ってもらう予定。

全協が専門委員会の開催を決定した背景には、現在、日本における4Hクラブの理念や進め方などに統一された理論がなく各指導者によって考え方も異っており、全協としても統一見解がないので、このさい専門家に充分研究してもらい、日本の4Hクラブはこういうものだという思想の統一と理論の体系化を図り、関係者にも理解を求める意向である。

また、全協としては、この4H理論の確立のほかに、単位クラブから地区連、県連、全協にいたる組織のあり方を検討し、これも望ましい方向に強化していきたいと考えている。

また、来春二月中旬東京で開く予定の「全国4Hクラブ・プロジェクト実績発表大会」の日程や開催についても協議した。

会館募金など協議

茨城県連で地区連会長会議

【茨城県＝村山文雄連絡報道員発】茨城県農業研究クラブ連絡協議会（会長、小橋正一君）は、さきごろ水戸市の「ときわ会館」で第一回の地区連会長会議を開催した。

これは、末端クラブ員の声を県連活動に反映させようというねらいで、同県連が毎年三回ほどこれまでも行なってきているもの。

当日は、県下の各地区連会長、県連役員、県担当官など多数が参加し、女子リーダー研修、4H会館建設、機関紙の発行、県連の名称などについて熱心に協議した。

まず、県農村青少年女子リーダー研修会については、昨年度まで県連事業になかったが、地区連会長たちから強い要望があり、十二月上旬、県立農村青年研修館で、各地区代表の女子クラブ員六十人を対象に開催することに決定。

つぎに昨年度から募金を開始した4H会館建設については、まだ目標通りの成果が上がっていないので、末端クラブ員まで広く4H会館建設の意義を理解させるため、地区連会長に協力を求めた結果、県連内に4H会館建設委員会を発足させ、強力に募金活動にのりだすことにした。

また、県連事業やクラブ員の意見など載せる機関紙を、情報交換の一環として十月上旬に発行することになった。

これらのほか、県連事業に対して、数多くの要望や意見などがだされ、これからの県連活動に反映させることになった。

4H推進会議開く

意識の向上を図かる　佐賀県連

【佐賀県＝森武則連絡報道員発】佐賀県4Hクラブ連絡協議会（会長、江口和彦君）の組織委員会（委員長、森武則君）では、このほど県下二ヵ所で4Hクラブ推進会議を開催した。

これは、県下のクラブ員に、4Hクラブ活動の正しいあり方を理解させ、活動を盛りあげることをねらいとして開いたもの。

まず、さる三日、佐賀中部地区連と小城地区連のクラブ員を一堂に集め、「地域に理解される4Hクラブ活動をするにはどうすればよいか」「クラブ集会はどのようにすればよいか」「興味あるクラブ活動にするにはどうすればよいか」のテーマを中心に話し合いをもった。

つぎに、さる十一日には、三養基地区連、神崎地区連、佐賀北部地区連のクラブ員が同じく集い、会議を開いた。

いずれも、現実の問題を取り上げ、より高い4Hクラブ活動を推進しようと欠点を批判しながら熱心に話し合った。

また、これまで県連でOB会結成の呼かけをしていたものを、これからは同委員会が中心に進めることとなり、OB会が結成できれば、OBの貴重な意見を参考にしながら、高いレベルの活動が展開できるものと期待されるので、意欲的に働きかけることにした。

県連としても、本年度は十五周年の年に当り、二月上旬には十五周年記念事業と併せて、プロジェクト実績発表大会を企画している。

日頃の問題を検討

静岡県連の役員研修会

【静岡県＝鈴木政美連絡報道員発】静岡県農村青少年クラブ連絡協議会（会長、松浦幸治君）は、さる九月六、七日の両日、磐田郡豊岡村の豊岡荘で、四十二、四十三、四十四年度の県連役員研修会を開催した。

これは、日頃の4H活動の問題点、今後の4H活動の仲間づくり、活動方針、プロジェクト活動などで新しい活動を生みだすために開いたもの。

一日目は、県農業会議会長を招き、静岡県農業の実態を聞いた。役員たちも、新都市計画、総合農政などの問題を取りあげた。

二日目は、午前中「4Hクラブの活動をどのようにしたら活発な活動ができるか」のテーマで、各班に分かれて話し合った。

県の活動がマンネリ化していることから、今後どのような手段をとればよいか、クラブ員一人ひとりがよい活動家になるようどうしたらよいかなど、活発な意見が多く出され、時間の過ぎるのもわすれて真剣に話し合った。

午後は、近くのハイキングコースを散策した。

岐阜、愛知が交換会

鳥取のつどいがきっかけ

【岐阜】さきに鳥取で開かれた全国4Hクラブ員のつどいで知り合った岐阜県海津郡平田町4Hクラブ（近藤会長）と愛知県海部郡八開村4Hクラブ（田中会長）が、このほど交歓会を行った。

これは、鳥取のつどいで知り合った両クラブのクラブ員たちが、お互いに隣村だが、いままでほとんど交流がなかったが、この春、東海大橋が開通したので交歓会となったもの。八開村のクラブ員たちが平田町を訪ずれ、ソフトボール試合や技術交換会、先進地視察を行なった。

長野へ交歓訪問

静岡県・浜松市4Hク

【静岡県＝鈴木政美連絡報道員発】静岡県浜松市4Hクラブ連絡協議会（会長・渥美登美康君）は、さる一日から三日間、長野県の茅野市4Hクラブを訪ずれ、視察交歓会を行なった。

一日目は、茅野市の観光や産業などを視察。

夜は両クラブでキャンプファイヤーを行なった。参加者は浜松二十一人、茅野三十人で、はじめて会ったクラブ員同士であったが、民謡や唄、ゲーム、フォークダンスなどに興じ、時間がたつにつれ親睦が深まっていった。

二日目は、茅野市の4Hクラブ員の家に分かれて研修した。

各農家によって、水稲、そ菜、養蚕と経営内容は異っていたが、クラブ員一人ひとりは真剣に農作業に励んだ。

この夜は、地区の公民館で研修会を開いた。内容は、「農業のよさ」というテーマで分科会討議。日頃の4Hクラブの仲間づくり、クラブの活動状況、経営上の問題、それに最も熱の入った結婚問題など、活発な意見を交わした。

「短かった二泊三日の視察研修であったが、多くの友だちができ、また、茅野の農業の実態を把握できて、クラブ員一人ひとりがたいへん勉強になった。今後、これを機会に地域農業発展のために、また近代的センスのある農業青年として一生懸命頑張らなければいけないと思う」とは、ある参加したクラブ員のもらした感想。

私たちの手で4H会館を

建てることに意義

われらの意気と団結を象徴

古川喜美子

愛知県渥美郡渥美町大字小塩津字先祖畑四波光4Hクラブ副会長

心のよりどころとして

全国4Hクラブ員の殿堂「日本4H会館」を建てよう!と会館建設が提案されたのが昭和三十八年と聞きますから、そのときから今年で六年、その間の先輩諸兄の会館建設に対する情熱と絶ゆまない努力によって、全国各地、津々浦々にまで4H会館建設の声は広がり、やがて会館の構想も具体化され、いまや各県において募金活動が展開されるまでになりました。

私たち次代を担う農村青年の心のよりどころともなり、また4Hクラブ員のシンボルともいえる4H会館の建設は、いまや全国のクラブ員一人ひとりの情熱と総力を結集すべきときであり、もう一歩も後には引けないところまできていると思います。

立ち上った私達の県連

ここで、私の住む愛知県における昨年一年間の4H会館建設に対するクラブ員の姿勢と、募金活動の経過、方法などを述べさせていただきたいと思います。

会館建設の運動が全国的に展開されようとしていたときに、わが愛知県連では、4Hクラブ活動の基本ともいうべきプロジェクト活動が本来の姿を消し、形式化しつつあり、また4Hクラブにおけるグループの機能が観念的に理解され、実際の活動が形式化して、個々のクラブ員の意識の低下をきたしており、今後どのように活動すべきか反省の時期に立っておりました。

そして、われわれは近代農業の実現と豊かな農村建設のため、青少年の意識の統一と主体性の確立をはかって、忘れられがちなプロジェクト活動の重要性とグループの機能を再認識し、地域社会や家庭に広く、かつ深く根を張った家族ぐるみの4Hクラブ活動を推進しようと県連、地区連、単位クラブが一体となって張り切っておりました。

そんなときに、4H会館建設の話があり、会長会議の席上、各地区連代表の会長さん方で討議の末、4H会館の意義を理解し、4H活動の実践として「私たち4Hクラブ員の意気を示そうではないか!」ということになりました。そして、会館建設の方向が定まったあとは、さっそく募金活動に入りました。

われらクラブ員の会館

しかし、募金活動といっても、クラブ員一人ひとりがその主旨をよく理解し、賛同してくれるのでなければできるものではありません。

そこで、末端のクラブ員に知ってもらうためのPRとして各地区単連から単位クラブへの伝達はもちろんのこと、全協からのパンフレットを各単位クラブに配布したり、新入クラブ員研修会、技術交換大会、体育大会、青年会議などの各種研修会の席上、主旨の説明につとめました。また、各地区連ごとの行事や会合には、県連会長と全協事務局次長であった久野さんがその地におもむき、主旨説明とともに一般のクラブ員とひざを交えて話し合い「役員の4H会館ではなく、われわれ一般のクラブ員の4H会館」を建てるのだという方向につとめたのです。

このようにしてPRし、歴代の各会長さん方の協力も得て、募金活動が始まりました。協賛金は各単位クラブ、地区連ごとに…、また全協からの募金箱は、県連の研修会や大会などの行事ごとにあの白地にグリーンの四葉のクローバーがお目見えし、協力を願ったのです。そして県下十四地区連には、これと同じような地区連の募金箱を設施することを申し合わせ、県連の募金箱に持ち寄ることにしました。

自ら建てる過程に意義

募金活動は始まったものの、良い顔をして協力してくれるクラブ員ばかりではありません。あるクラブ員は「もし会館が建たなかったら、金はどうするのか?」と厳しく問いかけます。他の府県がどのように活動をすすめているのかわからず、自分たちばかりが張り切っても……実際に建つのだろうか?と感じる末端のクラブ員の不安は無理もないと思います。しかし、全国のクラブ員が協力を申し合わせた以上、いまにもう「建たなかったら…」を考えるときではなく、クラブ員みんなが「建てるのだ!」との前向きの姿勢で立ち向うときであると思うのです。

また、あるクラブ員はこういいました。「私たち4Hクラブ員の家が、クラブ員の研修の施設があったなら…そう考えると、全国の4Hクラブ員がみんなで力を合わせて青年の意気の結集の4H会館を建てることには諸手をあげて賛成します。しかし反面、会館ができたとしても、現実の問題として、東京近郊に建つ会館をわれわれ地方に住むクラブ員が実際に利用することがあるのだろうか?という疑問を感じます」と。

確かに、そういった疑問を感じないわけではありません。しかし、この際、利用するかしないかの問題以上に大きな問題があると思うのです。人間は一人で生きているのではありません。生れたときからこの世を去るまで、人生何十年かの間、周りの多くの人に助けられ、また助け、協力し合って生きているのです。この4H会館もクラブ員みんなが協力し、力を合わせて建てることに意義があり、人が建ててくれるものなら、その必要もないと思うのです。

日本4H会館完成予想図

アイデアとユーモアと

あちらこちらに散らばっている力を一つに集め、協力し合ってことをなす、その過程が大切であり、一人ではできないことも、大勢集まればできるのだという青年の意気こそ、私は何ものにもかえがたい大きな自信となるものと信じます。

四十三年度の県連行事もそのほとんどを終了し、募金箱がクラブ員皆の好意でその重みを増してきた頃、私はある地区連の4H祭に参加しました。開会式が終り、会場を出てビックリしたのです。

あまりきれいな話ではありませんが、トイレに行こうとしたとたん、その入口になじみの4Hマークのついた可愛い箱がつるされており、何やら書いてあるのです。

「有料トイレ、一回ご使用につき4H会館建設に十円ご寄付をお願いします」

トイレを出たところには地区連の役員さん方がニヤニヤしながら立っているので、入れないわけにはいかないし、けっきょく三十円とられました。なかば強制的といえないこともありませんが、ユーモアにとんだアイデアで笑いのうちに、何のイヤミもない募金でした。

私はこのようにアイデアを生かして活動をすすめていた地区連のみなさん方の会館建設に対する熱意に頭の下る思いでした。ただたんに「ご寄付をお願いします」というのではなく、ユーモアがあり、クラブ員が笑って参加できるようなアイデアを生かした募金活動の大切さを、この地区連の4H祭に参加して教えられました。

一日も早く会館完成を

このように県連、地区連、単位クラブのみんなが一丸となり「私たちの手で会館を建てよう!」と現在にいたっておりますが、前にも述べましたように、4H会館は、4Hクラブ員である私たちの手で、私たちのために力を合わせて建てることに意義があるのだと思います。会館建設の運動のまだあまり進んでいない県もあると聞いています。全国の4Hクラブ員の皆さん。このわれわれの会館を建てるべく、足並みをそろえようではありませんか!! そして、私たち農村青年の意気を示し、一日も早く、4H会館を完成させようではありませんか!!

涼風暖風

スイスの印象

私がスイスを訪れたのは九月の終り頃、ちょうど今頃で、キリリッと心をひきしめてくれるさわやかな秋のスイスであった。

スイスの日曜日は、ヨーロッパの国ぐにの多くがそうであるように、開いているデパートはあるが、商店はみんな休みである。だから、旅のつれづれのショッピングも楽しめない。

そこで、ある日曜日、レマン湖のほとりにホテルをとって、一日の山行を試みた。めざすはピタラス山頂、山麓の村は雪をいただくアルプス連山を背景に、乳牛が鈴をならして草をはんでいた。ホントに、絵はがきのようである。

ピタラス山は、ケーブルやおなじみの登山電車が完備した山で、訪れる観光客も多いが日本の山と違って空かん一つないのには驚いた。観光資源をみんなで大切にしているわけである。

観光の国スイスといえば、国民ひとりびとりが観光立国の精神を実践しているといえる。

例えば、スイスは公用語としてドイツ語、フランス語など三つの言葉が使われている。そこで、旅人が無理してドイツ語で道をたずねると、しわくちゃなおばあさんも流ちょうな英語で答える、といった具合で旅人の気持をそこなわない心づかいが嬉しい。

ただ、スイスのパンのまずいのには閉口した。ホテルでも、街のレストランでも、チーズ料理の美味い舌ざわりを今でも残すようなごちそうを食わせながら、パンだけはまずい。

聞くところによると、スイスは四方を他の国ぐにで囲まれているため、戦争による小麦の輸入停止に備えて、いつも二年分の小麦のストックをもっているという。米でいえば、古古米にしてから食べているのであって、備えるために、まずいパンに耐えているスイス国民である。

みんなの資産である観光地の美しさをみんなで守る国、訪れる人には、どの言葉で答えたら一番よく理解して貰えるかと気を配り、観光客によい印象を与えようとみんなでつとめる国、一朝有事に備えてまずいパンに耐えて生き抜く国、スイスはそんな国である。

観光国スイスといっても、国民はひくつではない。なかなかのプライドをもっている。スイスは海無し国である。それでも海軍をもっている。あるフランス人が、一人のスイス人にむかって「スイスは海がないのに何故海軍をもっているのか」ときいたところ、そのスイス人は次のように答えたという。

「それは、フランスが金もないのに大蔵省をもっているようなものさ」

（文部省　伊藤）

心頭技健

最近、ヨーロッパの生活を視察して帰国した評論家の松尾ちよ子さんの話によると、日本はあまりにも恵まれすぎているということである。同じ物価高といいながらも、日本では新鮮な野菜や果物が豊富にあって、欲しいものは何でも食べられる▼パリといえば花の都、セーヌの流れ、シャンゼリゼ、モンマルトルの丘、パリは若い女性のあこがれの都である。たしかに落ちついて、あかぬけしたムードは、ウインドショッピングだけでもたんのうする。セーヌは詩情をたたえて流れ、マロニエは美しく町を彩る──でも、これらはすべて表面的なもの▼そこに住む人たちの生活はあまり恵まれていない。買い物かごをさげた婦人たちが朝市で、バナナのふさから、一本二本とちぎり、インゲンひとつかみをはかりにかけている。ドイツなどは極端にいえば、いまだに日本人からみれば耐乏食のような食事に耐えているそうである。限られた生活費で赤字を出さないのが彼女らの腕のみせどころとか。▼それにしても、日本にこれだけ豊富な野菜や果物があるのも、それを精根こめて生産した農民の努力があったからである。果物にしても、品種の改良に日夜励んだ多くの人たちの汗の成果で、優れたものがたくさん食べられるようになってきた。ところが、恩恵にあずかっている側では、どうもその点について感謝の念がうすいようだ▼とくに、主食である米については、ことしも豊作だといって何か悪いことでも起ったようにいっている。ついこの間まで、食べるときは「お百姓さんが汗を流して作ったんだよ」と、親は子どもたちにいいきかせたものである。先日、見渡すかぎりの稲をイナゴの大群が喰い荒すのを噂んでいるマンガを見たが、罰当りである▼このごろは農民の生活も向上し、自家用車を持ったり、家を新築する人がふえてきた、といってそねむ人もいる。まことに結構なことといわねばならないところを、何か農民は都会人より低い生活をするのが当然だと心得違いをしているように見うけられる。衣食足りて礼節を知るというが、日本の消費者は生産者の労に感謝することを忘れているようだ。

4Hのマークと共に

クラブ活動用品の案内

（単価）

4Hパッチ	50円
レコード盤（4Hクラブの歌・4H音頭）	150円
クラブ旗　大（72cm×97cm）	360円
クラブ旗　小（33cm×40cm）	200円
手拭	100円
ハンカチ	50円
ネクタイピン	200円
女子用ブローチ	200円
クラブ員専用便箋	100円
〃　封筒	70円

◎荷造り送料代百円です。
◎ご注文は代金を振替口座へお払込みを願います。代金着次第ご送品致します。

社団法人　日4H協会代理部
東京都千代田区外神田6丁目15～11の705号
振替口座　東京72082番

自分たちの目で

＝大分県日田地区天瀬町・栄農研グループ＝

優秀農業などへ現地研修

【大分】日田地区の栄農研グループ員は、自分たちの経営だけにとらわれず、いろいろのことを自分たちの目で見て学ぼうと、「現地研修」を毎年催していますが、今年もさる四日に行ないました。

当日は、町内の優秀農家の養豚場や養蚕場、数戸で共同経営をしている牧野改良事業や数年前から町が手がけている開田事業＝写真＝などを見学しました。

なかでも、これからの日本の食糧基地（畜産）の一端として取り組んでいる牧野改良事業や、過剰米が騒がれているなかでの開田事業は、グループ員の深い関心を集めていました。

（本紙大分県連絡報道員　梶原厚実君より）

村を美しく明るく

栃木県・三日月4Hクラブ　四年間街に花飾る

【栃木】栃木県の中央部、日光線の途中駅に鹿沼というところがある。いまは"日光杉"として日本一の量と質を誇っている。また北には前日光国立公園があり、そして工業団地化の進んでいるところ。ここに、四年も前から街に花を飾り＝左下の写真＝続けて、関係者から感謝されているクラブがある。

その名は、三日月4Hクラブ。五年前に結成され、クラブ員は、現在四十三名。クラブ員たちが、なにか街のために少しでも役に立てることはないかと話し合った結果、街に花を飾ってはということになり、四年前から始めたもの。

まず、プロジェクトとして花の栽培と取り組んでいるクラブ員に葉げいとう、松葉ボタン、サルビヤ、マリゴールドなどを播種してもらう。

そして、その仮植えは、夕方、クラブ員が二班に分かれて行ない、それから近くのクラブ員が管理を手伝って育てる。

そして、いよいよ街に花を飾る日がくるわけであるが、この日は朝から花を鉢に植えるクラブ員、またトラックに積み込む者、またクラブ員が作った一斉もある鉢に植えるなど、それぞれが準備に走り回って、さあ出発ということになる。

これらの花は、小・中学校、市役所、保育所、農協、普及所、交番、警察、養老院など主に公共施設の玄関などに植えて順回する。もうこの花いっぱい運動を四年間も続けていると、行き先きで顔見知りの人も多く"今年もまたありがとう"と感謝のことばがかけられる。街の人たちの中には、花屋さんと思う人も多いが、そんなときクラブ員たちは花をわけてやっている。

そして、その奉仕作業が終ってからは、スイカなどを食べながらいままでの苦労のことなどに話しがはずむ。

また、このクラブは、秋の稲の収穫期には夜刈りをして、その報酬として農家からもらった益金を養老院などに贈って感謝されている。このような善行が認められて県知事から表彰されたり全国でも賞をもらった。

このクラブ員たちは、これからも、花を街に植えつづけて人の心も街、農村も明るく美しく育てていくことだろう。

（栃木県連絡報道員、石沢慎一君より）

4Hへ案内します

パンフレットで呼びかけ

北海道・ニセコ4Hクラブ連絡協議会

【北海道＝赤松宏連絡報道員発】北海道後志管内のニセコ町4Hクラブ連絡協議会では、4Hクラブに入会する新入りクラブ員をしっかりした方向に導くとともに組織の拡充のため、「4Hクラブ御案内」というパンフレット（右下の図）を作成し、PRに努めている。

このパンフレットは、B5版の用紙を三つ折りにしたもので、表紙は題字と4Hクラブのマークとプロジェクト発表会の写真、その下に「若いあなたがたすべてが私達の仲間です」と呼びかけのことばがあり、つづいて▽私達は、多くの仲間と共に活動できる日を待っています▽クラブでは、新しい農業と良い社会人になるため学んでいます▽そのために、クラブでは会合、見学旅行、技術交換、キャンプなどを行ないます▽クラブのメンバーは、自分を発展させるチャンスを自ら創り出します▽多くの新しいより良い友をつくります

—というキャッチフレーズが掲げてある。

中を開くと、まず第一ページに「私達の4Hクラブ活動は、次のことを目標にしています」として4Hクラブの綱領、つぎに「こんな仲間の増えることを待っています」として、つぎの条件が掲げられている。

▽農業に関する仕事に従事し、または、従事しようとする十五歳以上の青年男女▽農業とその生活に夢と、その実現のためにあふれるファクトを持てる人▽自分自身のプロジェイトを持てる人▽プロジェクトの記録を続ける力を持っている人▽4Hクラブのリーダーや、他の仲間と楽しく協力することができる人▽農業とその生活に興味のある人。

つぎの頁には「4Hクラブ活動は……」として、以下のような、クラブの活動内容が紹介されている。

▽ニセコ町の4Hクラブは、ニセコ町の農業改良普及所が指導援助してくれます▽メンバーの発展は、自分自らまた互いに協力し尽力します▽よりよく生活するための理想を心がけ▽よりすぐれた技術▽生涯研究する習慣▽団体生活、家族と自身のための責任▽他人と協力し働らくこと▽団体生活のための健康な条件▽良い花嫁、花婿になるための魅力ある有り方▽勇気▽仕事への誇り▽何かを始め、完成させる根性など。

三頁目は、クラブへの加入申し込みカード。その裏にはプロジェクトの種類が書いてある。

キャンプでの食事は楽しいひとときである

リレー・クラブ紹介　われらのクラブ

＜神根4Hクラブ（埼玉）

朝日4Hクラブ（愛知）　渡辺節夫君記

＞はまゆう4Hクラブ（愛知）

気迫いっぱいの仲間たち　定例会でゼミナー

愛知県の西の端、名神ハイウエーと東海道新幹線が平行して走る木曽川橋の下に尾西（びさい）市があります。尾西市は一宮市と並んで毛織物の産地として全国的に有名ですが、農業は余り盛んであるとはいえません。

私たちの尾西市朝日4Hクラブは、そんな中にありながら、お互いに手をたずさえて少数精鋭をモットーに、日夜クラブ活動、農業経営に励んでいるのが現状であります。

クラブの特長としては、仲間意識が非常に強いということとクラブの運営面（とくに資金）は自分たちの手で行なっていることが挙げられます。

活動資金については、五年ほど前からクラブの実習田を持ち共同プロジェクトとして実施しています。最初は、市有地を借用していましたが、最近は、自分たちが直接兼業農家から借りうけ、播種から出荷まで管理して、これからあがる収益金を主な活動資金にしています。

プロジェクト　実習田は県と市の展示圃に指定される

また、クラブと地域とのつながりについては、共同プロジェクト実習田の運営に関連して、県と市の展示圃に指定されており、これらの成果の普及を通して地域と密接な関係が保たれています。毎年二月に行なわれる農業祭に参加し、農改部会、生改部会の重要なウェートをしめています。

クラブ員数こそ十名そこそこですが、過去には全国大会参加者を四名出し、蘇東地区連においてリーダー的な存在にあり注目されています。しかし、どこのクラブでも悩みの一つや二つはあると思いますが、当クラブの悩みはプロジェクトがバラバラであることです。

一般ハウス野菜が五名、軟化野菜三名、花弁（切花、鉢花）各一名、水稲一名となっていますが、定例会では、当然同じプロジェクト同志の話し合いがはずむことが多くなり、このため定例会において毎回交代でゼミナールを行ない、お互いのプロジェクトをみんなで話し合い検討する方法をとっています、現在はこの方法が定例会の中心となっており成功しています。

クラブの年間行事は、実習田三十五アールの管理、夏季キャンプの実施、県外視察などがあり、キャンプは、岐阜県の夕森高原で七月下旬に行ない楽しいひと時を過しました。三月には県外視察旅行を行ないましたが、ことしは伊豆の大島に行き、昨年の全国青年会議で知り合った大島農研クラブの丸尾時彦さんに案内していただき、地元の農業を見学し、三原山登山を楽しみました。

また、昨年からNHKの放送利用モデルグループの指定を受け、クラブ活動に放送を取り入れて農業関係の知識、技術を学んでいます。

そのほかの行事として毎回のゼミナール、年一～二回の機関誌発行、郡・県連への参加などがあります。

各人のプロジェクト活動については、農業後継者育成資金、近代化資金などを七名が借り入れハウスのナス、鉢物、電照菊、促成菊栽培にと部門こそ違え、お互いが追いつけ追いこせの気迫を持って自分たちの道を切り開いています。

こんごクラブ活動の方向については、他団体との交流が少ないのでこの方面に力を注ぎたいと思います。つぎに、広い視野を持つため、地区、県連、全協の行事に参加し、また、もっと先進地農業を知る機会をふやしていきたいと考えています。以上の三点があげられます。

以上私たちの朝日4Hクラブの現況をお知らせしましたが、なんといってもみなさんと同じ年頃の若者の集団です。車の話、女の子の話、遊びの話などに夢中になる連中ばかりですが、クラブの定例会にはみな出席して何か自分の身につけて帰ろうという気迫に満ちています。

どうぞ尾西市朝日4Hクラブのこん後の活躍にご注目下さい。

ブラジル88村巡行 〈18〉

日本政府派遣農村青少年指導専門家　湯浅甲子

社会教育に問題

「農村青少年指導協議会」発足の背景　世間に警鐘を鳴らす

農村青少年指導協議会の発足を促す背景は、まだまだ沢山あった。

問題は教育環境に

その大きな問題の一つに、ブラジル社会の教育環境がある。人が立派に成長するには、家庭教育と学校教育と、社会教育が大切だとされているが、日系農家の家庭には、前述のように世代と、お国柄のちがいからくる移民の宿命ともいうべき断絶が親と子の間に生じている。

しかしこのことは、どうにも避けられない過渡的症候であって、いずれは日系ブラジル人家庭として安定するだろうから、私はそれほど心配していない。

問題は、学校教育と社会教育である。サンパウロ州のように、特別すすんだ州であっても、前にのべたように、小学校は四年制で、しかも一日に二時間ぐらいしか授業がない。これでは、人としての土台が築けるはずがないのである。国語、算数、歴史を中心の偏同教育にも問題がある。

また、教育者のモラルも低い。これらの学校教育問題には、日系人の議員が正面からとりくんで、連日のように議会で論議している。義務教育の強化徹底、教材費の政府負担など、そして、いずれは、学校教育問題も、日系議員たちの手によって改善がはかられるに違いない。

そうすると、一番心配なのが社会教育の問題である。これは短かい期間では改善し難い、根の深い問題である。国民の体質的な生活観や宗教に深く根ざす生活習慣の問題だから、歴史的な課題であるといってもいいだろう。しかも、この社会の教育環境が青少年へ与える影響の大きさは、私達の日頃の生活の中で、充分すぎるほど知っている。それだけに、ブラジルの社会教育には問題が多い。

改善の意欲欠ける

私の眼に映ったブラジルの市民生活は、大変興味の深いものがあった。ブラジルを語る多くの人は、ブラジルはのんびりしているというが、私には、こののんびりという生活のカゲに、人を見下すナニかがあるようで気になって仕方がない。だから私は、ブラジル社会は、のんびりしている、という表現は嫌いである。しかし、市民全体が、社会をよくしようとする行動の少ないことは事実である。

ブラジル人は、朝は早く、六時半から七時ごろが出勤時間だし、また、日曜日は、完全休業で、家族づれで野山へでかける。サンパウロ市郊外の動物園は、毎週日曜日は家族づれで超満員だし、植物園は、若いカップルでこれまた満員という盛況……これらをみると、近代的な社会生活そのものであるが、少し、焦点深度を深めて見つめると、いろいろなゆがみが見えだしてくるのである。

社会教育にゆがみ

子供達の情操を育てる絵本や、童謡、童話がない。私は半年滞伯という短かい間だったが、できるだけ、そういものを探がしまわった。しかし、心を豊かにするようなものはわずかだった。それでも、童謡のレコードを三枚手に入れたが、これとて、日本の「わらべうた」に類するもので、新作のものではなかった。

ある地方の小都市の店先では、実物のピストルと、子供の三輪車を列べて売っているショーウィンドーを見たこともあった。

農村に入ってみると、部落共同でやらなければならない仕事、例えば道路補修工事などは日系農家は、必ず参加するのに、ブラジル人家庭は誰れも出てこないという話を随分きかされた。

家庭生活をのぞくと、豪壮な邸宅は例外だが、一般家庭生活に庭がない。町の中の家庭でも、広々とした奥地の家庭でも同じである。生活のまわりを美化しようという気持ちは、どうもないらしい。

社会教育の中枢は、壮大な教会であるらしい。宗教が、人々の生活の支えになっていることはひと目でわかる。しかし、この僧は、大きな権力と威厳を誇張して、親しく市民の中へでてこないようである。どうも市民の膝まづくのを見下ろしているといった恰好に思えてならない。なる程、宗教の行事は、驚くほど華やかに盛大に、しかも頻繁に行なわれるが、社会活動となると、果してどのくらいまでやっているのだろうか。

奥地でも宗教行事は盛んだが……

世の警鐘の役目を

社会教育の面を知るには、私の滞在は短かすぎて、わかったものはほんの少部分にすぎない。しかし、かい間見たブラジル社会の環境は、青少年教育に対して、真剣にとりくんでいる姿勢であるとは伺えなかったのである。この社会的には、まだ不十分な社会に対して、一人、日系社会だけが、どんな努力をしても、まずは、焼け石に水ということになるのであろう。

しかし、ただ、なすことなく流れに押し流されていないで、何とか世の警鐘になろうと、親達の組合がヨコに手をむすびあって、後継者のための問題を考えあおうとしたのが、この協議なのであった。

〈栃木県普及教育課・特別専門技術員（青少年担当）〉

詩

湖

桑本隆昭

湖に向かい
友が語りかけている
湖に向かって
共に歌おう　心の歌を
われ　生ありて望みあり
それゆえに　共に喜び
共に叫ぶのだ
われ　世にありて何、成すべきか
それゆえに　体ごと悩む
心の底から苦しむ
ああ　われ　生ありて　望み多し

（佐賀県伊万里市・南波多4Hクラブ）

4Hくん　NO.164　桜井はじめ

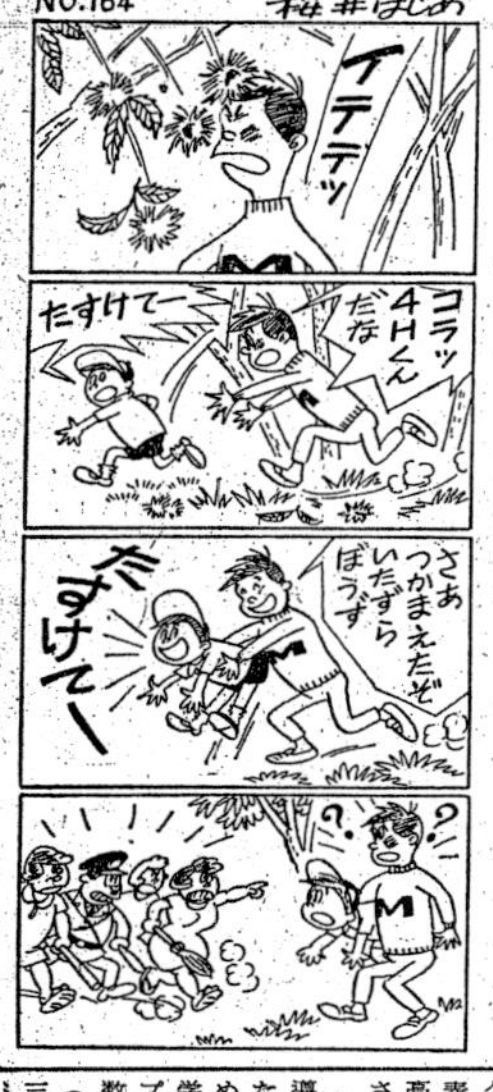

プロジェクトの取り組み方

北海道農業学園教育におけるプロジェクト指導

実践活動領域のプロジェクト指導

北海道専門技術員　三輪　勲

指導の目標

実践活動領域における学園生のプロジェクト活動については普通科・高等科それぞれの農業学園学習指導要領において、次のとおり指導の目標が示されている。(文中の( )内は高等科について表示)

(1) 学園生の自主的な農業または生活に関する(高度な)プロジェクトを通して、問題解決のための(専門的な)知識と技術を総合的に習得させ、課題設定・計画・実績・評価など問題解決の能力と態度を養う。

(2) 農家や地域における農業経営および農家生活の問題を、農村青少年グループなどによる自主的な集団活動を通じてこれを解決し、農業および農村社会の発展に貢献しようとする実践的な能力と協力の態度を養う。(学習指導要領　第七章第二款の第三)

目標の(1)　ここでは二つのねらいがある。一つは、プロジェクトの実践をとおして農業や生活の知識と技術を習得すること。二つは、思考力や観察力など問題解決の能力を養うことである。とくにプロジェクトの実践に当たっては、教科・科目の履修を総合化して実際に応用することがたいせつであり「知識と技術を総合的に習得させ」というのもこのことを意味している。

つまり、系統的な学習と問題解決学習との相互補完によって学習の効果を促進しようというわけである。したがって、この問題解決は学園生の興味と関心とに基づいて行なわれることが効果的であり、さらに自主性と自発性の態度を養うことがその根底として重要となろう。

目標の(2)　ここでは、プロジェクトを中心とするグループ活動を促進することが目標として示されている。これは、普通科・高等科とも同じ趣旨である。プロジェクトが、地域の問題解決の関連において各自のプロジェクトを実施することが重要である。プロジェクトが、地域の問題解決に直接結びついたものであるとき、グループの協力による実践意欲が高められよう。

目標の(2)では、とくに「実践的な能力と態度を養う」ことが強調されている。プロジェクト活動は学園生の自主性・自発性が基調となるがこれを促進する役割を果たすのがグループ活動である。つまり、目標の(1)と(2)とは別々のものでなく、相互に深い関係があるわけである。

学園生の「プロジェクト活動」の指導内容

普通科	高等科
(1) プロジェクトの進め方の学習	(1) 個人プロジェクト
(2) 個人プロジェクトの実施	ア　技能補助・改良プロジェクト
ア　技能補助プロジェクト	イ　大規模の生産プロジェクト
イ　改良プロジェクト	ウ　経営のプロジェクト
ウ　小・中規模の生産プロジェクト	(2) 共同プロジェクト
(3) 共同プロジェクトの実施	(3) プロジェクトを促進するのに必要な行事等の活動
(4) プロジェクトを促進するのに必要な行事等の活動	

(農業学園学習指導要領により作成)

指導の内容

指導の前提条件　農業学園学習指導要領では、学園生のプロジェクト活動の指導に関する前提として「学園生全員を、それぞれの地域における農村青少年グループなどに入会させ、主として次のような(自主的な)活動を行なう」(文中( )内は普通科について表示)と、示されている。

これは普通化・高等科とも同じ表現であるが、普通化の場合のみ「主として自主的な活動」と、「自主的な」という表現が加えられている。農村青少年グループそれ自体が自主的な組織であるのに、ことさら強調してあるのは、普通科の学園生は十八才未満の年少者であるため、一般に問題意識が低いことから自主性や自発性の向上に特別の留意が必要なためである。

また、「農村青少年グループなどに入会させ」とあるが、4Hクラブのほか、農事研究会・青年団・その他青少年集団などプロジェクト活動を中心とする青少年集団をさすものと解してよい。地域に既設の農村青少年グループがない場合は、学園生を中心として、新たにグループを組織させる配慮が当然必要である。

指導の内容　農業学園学習指導要領では、学園生のプロジェクト活動の指導内容に関して上表のとおり普通科では四項目、高等科では三項目がそれぞれ示されている。

この項目の順序は必ずしも指導の順序を意味していない。また、その標準単位数もとくに定められていない。したがって、学園生の所属する青少年グループの実態を考慮して、適当な日数を充てることになっている。(学習指導要領　第二章第二の三)・

第二回フェンガー賞

全国農村青少年技術交換大会

全国農村青少年技術技換大会における栄与ある「フェンガー賞」は、長野県高森4Hクラブの北原幸子さん、古林信嗣君の「私たちの考案した自動乳缶洗浄器」と福岡県夜須4Hクラブの砥綿はつ代さん、長沼すみえさんの「私の工夫した農作業着」が、それぞれ受賞した。このフェンガー賞は、デンマークの酪農指導者・エミール・フェンガー氏の篤志によって昨年から、この大会の最優秀者に授与されるもの。

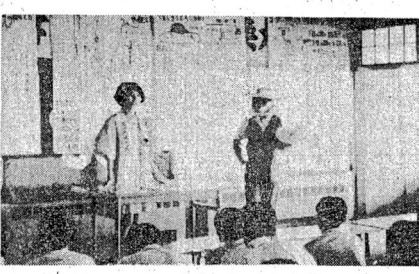

私たちが工夫した農作業衣

農作業に興味わく　私たちもよき協力者に

福岡県朝倉郡夜須町砥石　夜須町4Hクラブ
砥綿はつ代
長沼すみえ

全国大会で発表する砥石はつ代さん(左)とモデルの長沼すみえさん

私たちが工夫いたしました農作着について発表させていただきます。この課題を取り上げた動機は私たち夜須4Hクラブの女子クラブ員が、月頃使用している作業衣についての話し合いを行なってみました。

その結果、農業が近代化したために、婦人の労働を要求する度合が農繁期を除いては、ほぼ必要としなくなったことが作業衣についての関心を薄くしてしまったようです。私が4Hクラブ入り、男子クラブ員たちといろいろな会合で分りましたことは、米麦中心の農業から脱して、酪農、養豚、果樹、そ菜、園芸などの基幹部門を経営の中に組み入れて所得の向上を計り、明るく平和な家庭を建設する抱負を聞かされるたびに、私たち女子クラブ員もよき協力者とならねばならないと決心いたしました。

そこで、私たちは働き易く、着てたのしい作業衣を作り、それを着て農作業を行ない、そこから両親や主人の仕事を理解し、協力していける婦人になるために作業衣を取り上げたわけです。

現在の農作業衣は、既製品の作業衣を使用していますが、既製品の作業衣は動作がしにくいとか、大量生産のために縫い方が荒いので、ほつれ易く、あとで手を加える箇所が多少なりともあり、着用するのに不便をきたすというクラブ員の意見が多かったために、私たち夜須4Hクラブの女子は、作業着の改良を各自のプロジェクトして持つことにしました。

◎◎◎働き易く快適さを重視

その中で私は、作業衣をどのように改良したら働き易く、しかも快適なものとして着られるかということを重視して取り組んでみました。

まず、計画にあたって留意した点ですが農作業用ズボンとエプロンドレスにつきましては、

一、快適に着用できること
二、生地が丈夫であること
三、脱いだり、着たりしやすいこと
四、温度の調節がしやすいこと
五、動作がしやすいこと

以上の点に留意して作ってみました。

次に、これらの作業着の裁ち方とその特徴について説明しますと、まず農作業用ズボンについてですが、汚れの激しい作業もありますので、生地を選ぶにあたっては、洗濯に十分耐えられることをとくに考慮しました。

❶股上を普通寸法より三～四㌢長くし、動きやすくした❷従来の裾のゴム入りのモンペでは、外出する場合に跡形が残り、スカートをはく私たち女性にとって不愉快なものでした。そこで裾を普通のものにしました❸生地はカスリでは摩擦に弱いためいたみやすいので、テトロンデニムの布を使用しました❹従来のように、ただ単にゆとりがあればよいといったものではなく、不必要なゆるみを除き格好よさの点を取り入れました。

次に、農作業用エプロンドレスについて説明しますとしまして、❶着易いように左脇にファスナーをつけました❷単に前だけのエプロンではなく、胴切れを防ぐために着丈を着くしたデザインにしました❸作業中に、ポケットがあった方が便利ですから、とくに大きめのポケットをつけて、ごみが入らないように、ポケットにファスナーをつけました❹エプロン全体にステッチを入れ丈夫に仕立てました❺前身頃と後身頃にタックを入れ若々しさを出し、タックのところからひもをつけ、後で調節できるようにしました。

帽子＝写真上は涼しさを強調したもの、頭の部分に風通しがある。下は三角布付き

◎◎◎帽子は涼しさを強調

次に、作業に帽子はつきものですが従来の帽子ですと形が全部同じもので、どの仕事をする時でも同じものを使用し、不便さを感じていましたので、仕事の種類によって、帽子も使いわけるということに着目し、涼しさを工夫としたものと、三角布付き帽子の二種類の帽子を作りました。

二種類の帽子の特長としまして涼しさを強調したものは❶あごひもをベルトにした❷帽子の頭を布にした❸頭上にアクセサリーを兼ねた風通しをつけました。また、三角布付き帽子は❶帽子の後頭部ひさしの不必要な部分をカットした❷あごひもをベルトにした❸三角布を帽子といっしょにした——などの改良を加えました。

また、作業着の中でももっとも必要な手甲を作ってみました。特徴としましては、指にかけるひもは自由がきくようにゴムにしました。また、手首まわりがいたみ易いので丈夫な平ゴムを使用し、長もちするようにしました。

次に、これらの作業衣を作るのに要した経費と時間ですが、ズボンについての経費は六百二十八円で、所要時間は七時間です。またエプロンドレスと手甲については六百四円で八時間です。帽子については二個で三百三十円、約三時間要しました。費用の総計は千五百六十二円です。

◎◎◎各所の欠点今後の課題

このような結果から反省としまして、これらの作業衣を実際に使用して感じたことですが、どの場合においても動作がし易く、着用し易い点がたいへんよかったことです。また、エプロンドレスの脇とポケットにファスナーをつけたことは、着用し易く、ゴミが入らないので便利でした。

帽子については、涼しさを配慮した点はよかったのですが、雨が降った場合布に浸透するので、これを防ぐためにビニールの帽子カバーをいつもポケットに入れておき使用しています。また、三角布帽子は、簡単に使用できる面や洗濯もできるように、取りはずしができるようにした点がよかったです。

以上、いく分かの欠点を含んでいますが、その欠点をこん後の課題として研究したいと思っています。

最後に結論といたしまして、この作業衣の改良を通して農作業に自ら出ていこうという気構えができたことです。

現在のように、農業が機械化されていく時、婦人労働が少なくなればなるほど、両親や主人に対するいたわりと理解が薄れていくのではないかと思います。こんな時婦人の役割りとして、努力の対象として農作業に参加することもありますが、よき理解者、よき協力者として農作業への参加もありはしないでしょうか。

農業簿記

京都大学名誉教授
大槻正男

<自計式農家経済簿記>

財産台帳と年度始め記入

第2項　固定資産台帳

固定資産台帳には次のような形式が用いられる。

すなわち「種目」「摘要」「年度始め数量」「年度始め価額」「償却額」「増殖額」「財産的取り引による増減」および次年度の「年度始め数量」「年度始め価格」の各欄からできている。

「年度始め数量」と「年度始め価額」との両欄にはその年度始めの数量とその価額とを実査して記入し、次年度の「年度始め数量」と「年度始め価額」との両欄には本年度の年度末の数量と価額とを実査して記入する。本年度の年度末と次年度の年度始めとは事実上同一時点であるからすべての財産について数量および価額はまったく同一であり、——この帳簿においては財産台帳が三ヵ年分順次連記されるように作成されている関係から——二重に記入する必要がないからである。

「償却額」欄には建物・役牛・馬および大機具などの固定供用財の場合に、一ヵ年間の減耗額(すなわち減価償却額)を見積って記入するのである。これに対し「増殖額」欄には林木・育成または肥育中の牛馬などの固定結果財について、一ヵ年間の増殖額を見積って記入するのである。

そして、固定資産を土地・建物・大植物・大動物および大機具の五種に分類して記入するのである。以下これらについて各別に、まず年度始めの記入を詳説しよう。

土　地

記帳開始にあたって、年度始め現在において所有する土地をよく実査の上、田・普通畑・樹園地・山林・原野・池沼・宅地などの種目に分けて、なるべく順序でもれなく一枚ごとに記入する。

「摘要」欄には、所在地字名・地番や自作地か貸付地かの別、その他参考になる事項を記入する。年度始め「数量」欄には、その実測面積を。「価格」欄には、地価を評定して記入する。最近買い入れた土地については、買い入れ価に登記料・不動産取得税などの雑費を加算して購入原価を算出して、これをその地価とする。

原野を購入して開墾した耕地については、原野購入原価に開墾費用を加算して、これを地価とする。

購入原価も開墾原価もともに不明な土地については、地方税法による市町村役場の固定資産課税台帳の評価額を記入する。

借入小作地は、自家所有のものでないから本来ここに記入されるべきものでないが、便宜上所有地と同様に記入しておき、その面積および地価に(　)をつけて——記入例における田、新田5および6番の「数量」および「価額」の両欄——所有地と区別しておく。そして、土地全体の合計を算出する場合にも、必ず所有地と小作とは別々に合計して記入することを忘れてはならない。

(1)土　地　(記入例)

種目	摘要	昭和30年度 年度始め 数量	価額	償却額	増殖額	財産的取引による増減	昭和　年度 年度始め 数量	価額	償却額
田(乾田)	川原1番　自作	14.00	31,514						
〃　〃	川原2番　自作	8.15	19,134						
〃　〃	西道3番　貸付(小作料680円)	5.15	11,720						
〃　〃	新田5番　借入(小作料970円)	(7.27)	(17,388)						
〃　〃	新田6番　借入(小作料980円)	(8.00)	(17,608)						
普通畑	大能8番　自作	4.00	6,800						
樹園地	原谷11番　自作(桃・柿)	5.00	8,005						
林地	宮山20番　〃(松・杉)	40.00	13,200						
宅地	前田9番　所有(家計使用割合0.5)	5.19	24,270						
計(土地)	所有	172.07	295,339						
	(借入)	23.12	(51,496)						

芳香待つ菊の盆栽

作る人の性質が樹形に

日本の秋を代表する花は、まず菊であろう。この菊は万人に好まれ、秋の風俗を物語るに欠せない花で、近年市場の需要ものびてきている。

この菊の栽培方法も数多いが、盆栽菊を栽培している日本国香会々長、中島流二代目・吉田悦斎氏(東京都杉並区浜田山)を尋ねてみた。氏は古くからの農家であったが、若い時代から好きな菊づくりを志し、先代の師に入門して以来、苦しい修行を重ね、その念願がかなって昨年二代目中島流を継いだという。

この地帯の農地も蝕ばまれたように住宅地化され、専業農家はみあたらないくらいだが、その中にあっても近在から菊づくりを志して弟子入りして技術を修行していく青年があるという。盆栽菊は、他の菊と異なって高度の技術と根気が必要で始める人は多いが、根気が続かず完全な技術をマスターしないでやめてしまう人が多いようだ。作る人の性質が、そっくりそのまま盆栽の形に現われるというくらいの敏感さがあり、この盆栽づくりを通じて精神の修行に役立といっている。

それだけに氏の教えをこう人も多く、全国各地の研修会や展覧会の審査に出かけ、自らも丹精込めた作品を各地に出品展示している。

庭先の棚の上には、まさに芸術品ともいえる作品が並べられ、芳香を放つ日を待ちかねて育っていた。

【写真】＝芽かき、整枝がされて見事に生育している懸崖の作品＝

NHK農事番組
(10月1日—10日)

テレビ

明るい農村　6・30～6・55総合
1日　産物往来　出荷包装
2日　話題の広場　しいたけの天井栽培(広島県双三郡君田村)
3日　村をむすぶ　フイルム・リレー
4日　農業新時代　山を拓く(長野県御代田町)
6日　村の記録　米商人
7日　きょうの話題　米と総合農政
8日　産物往来　配給米・自由米
9日　話題の広場　今年のみかん娘(愛媛県)
10日　体育の日特集　体力づくり村づくり

農業教室　7・30～8・00　教育
1日　都市周辺の水稲生産組織
2～4日　水稲収穫乾燥の問題点
6～8日　暖地の畑利用
9～10日　新しい養鶏技術

あすの村づくり
日　7・00～8・00　教育
再　土　13・00～14・00　教育
5日　グループだより＝8ミリ映画で村づくり(北海道北桧山町)　仲間とともに＝若さで築く自立農業(香川県農業会議)　ある青年像＝鈴木徹郎(福島県東村)

ラジオ

早起き鳥　5・05～6・00　①
1日　通信員の手帳から
2日　産地訪問　ブロイラー(三重県長島町)
3日　現地報告　売りに出されたみかん園(広島県豊町)
4日　村のポスト
5日　話題の窓　果物輸入の波紋
6日　現地報告　機械化をはばむ村のしきたり
7日　人と話題　米の低温輸送　谷達雄(食糧研究所)
8日　通信員の手帳から
9日　産地訪問　カノコユリ(神奈川県津久井郡)
10日　特集　地区ぐるみの体力づくり(愛媛県三瓶町)

ラジオ農業学校　月～土　6・40～7・00　②
5日　グループの集い「親子でめざす農村の近代化」九州・親子会議から

あしたの青春

一ノ瀬綾
え　多賀愛子

<5>

仲間達(五)

キャンプ地は、高原の肩に当る台地から、ゆるく滑り落ちた窪地にあった。

そこには、この高原で一番古い山小屋がある。同体客も収容できるかなり大きな建物であった。山小屋の周囲は、松、杉、樅などの大木と、密生した潅木が取りまいていて、ここまでは標高二千㍍の高原を吹きぬける、強い風の音もとどかない。

小屋をかこむように点在する色とりどりのテントや小型のバンガローには、幾組もの若い男女の姿があった。

クラブ員が陣取ったのは、そんな風景が見下らせる小高い草原であった。すみ江は、中学生の時クラスメートと一泊したその山小屋を眺め、なつかしさに胸をゆすられていた。「しばらく見ないと、ずい分変るもんね」

整備された山小屋の周辺から目をそらして、近くのクラブ員に話しかける。

「なにしろ、すげえ人の数だ。バスだって、テレビ塔のそば迄行くし、車が頂上まで入る道が幾つもあるで、山小屋の中にはホテルみたいにデラックスになったのもあるそうだ」

一人の青年が答えた。樹木のうっ蒼と茂った山の尾根や谷底から、白い霧のような霧が湧き上がってくると、風に乗って、すみ江達の前を、音をたてて流れていく。サラサラとも、シャーとも聞こえる、耳の洗われるような音であった。

みんながべん当を開く段になって、やっと新一がすみ江のそ

ばへやって来た。どうも姉といるのがテレくさいらしい。新一はすみ江が差し出すにぎりめしに、横を向いたまま手を出した。

「新一、さっきのおにぎり、本当にあの人達にやったの」

「ああ、今頃どっかで喰ってるな……連中」

「駄目じゃない、みんなが気を悪くするから……自分だけ、勝手なことするんじゃない」

「ここ迄来てもお説教か。おれの仲間達は、そんなけちな根性は持ってやしねえよ」

二人だけの姉弟で、すみ江は少さい頃から新一が可愛かった。時には母親以上に細かい心使いをする。そんな姉を、新一が素直に受け入れていたのは、小学校迄であった。中学生になると「ねえちゃん」と呼ばなくなり、高校生の頃は「すみ江」と呼び捨てにした。最近では、ふざけ半分「すみ江さん」と、からかうこともある。そんなところに姉は、弟の生長の段階を感じ、自分の年令をふと振り返る時もあった。

「家へ、さそったんだって……」

「気にすんなってば。来たっていいじゃねえか。みんなおれと同じ年くれえだ……チキショウー、今年こそ、車を買うぞ」

はじめて新一は自信に満ちた顔つきを姉の方に振り向けた。すみ江も、しっかり頷いてやる。高校進学の時から農業を志し卒業したら小型車を買う約束で、たのしみにしていた新一の希望は、去年の夏にくずれ去った。母親のふく代が、国道の交叉点で、オートバイにはねられ、大怪我をしたからであった。町の若者の、信号無視による轢き逃げである。二ケ月も入院して、やっとふく代が退院して来た時、父親の久治は新一を呼びつけた。「当分、車は買わねえことにした。どうしてかわかるな。もう少しで、母さんは死ぬとこだった。もし新一が事故で人を殺したら、おら達は一生、人様に頭が上がらねえぞ」

涙をためた父親の前で、新一はじっと唇を噛んでいた。その日から新一は、自分の力で車を買う決心をしたらしい。

「キャベツが、高く売れるといいな……」

「大丈夫さ……きっと、うまくいく」

新一は、うまそうににぎりめしにかぶりついた。

農村雑感

折原俊二郎

話題にならぬ話題

農村における集団活動は最近になってようやく活発化の向を示そうとしてきている。ことに農村青少年クラブは除々ではあるが、クラブ数も会員数も増加の方向に進んでおり、よろこばしいことであると思っている。

昭和二十七―八年頃は、会員数が約八十万人という形であり今から考えると夢のような膨大な数字であるが、内容的にみた場合、必ずしも今日の状態より優れているとは、必ずしも云いきれないものであった。

しかし、青少年クラブの活動に対する熱意においては、時には今日以上のものがあったことも事実である。

青少年クラブの活動を展開する場合においては、プロジェクト（共同でも個人でも、いずれの課題にせよ）を中心課題としており、その範囲で検討され、進められてきた。このことは、青少年クラブがプロジェクト中心、しかも、それが農業の技術が中心ということであり、ここに、青少年クラブが技術研究クラブといわれるものであり、日本の青少年クラブの特徴でもあったわけで、事実、その中で日本の青少年クラブが生長してきたといえよう。

最近、二～三の農村青少年クラブ活動の実態にふれる機会があった。しかも、米どころの東北地方のクラブ員との会合である。農業においては、米の生産が第一条件であり、現在のように米が過剰でその処理対策で苦慮するという状態は、戦前から戦後、そしてつい最近まで考えも及ばないことであった。

ところが、米どころ山形市の倉庫では、昨年秋に入った米が一年近くなった今日まで、未だ一俵も倉庫から出ていないという、想像以上のものがあることを聞いて、米の過剰が実感として心の奥底にひびいてくるような有様であった。

そうした地方にあって、稲作を中心とする農家の長男で構成する青少年クラブの会合で、話しあわれている内容は、どの技術が増産につながるとか、どの農薬がよく効くとか、どの肥料が経済的であるかなど、どの話も増産増産のかけ声の中にある。

米の過剰で今後どうなるとか自主流通米は今後どう発展するかなどの問題は一つも話題にならない。最後には、話が大分やわらかくなり、隣の娘さんはどうのこうのということになり、二時間近いクラブの会合が終ることとなった。

米どころにある青年たちの話題の中に、現在各方面で論議されている米の問題が一つも出てこない。不思議に思い、帰途、青年にそのことを質問したところ「ほとんどの人は、米の問題が今後どう進むのか、実は心配で心配でならない。しかし、一たん話題にすると、どういうことになるか不安でならないのだ。それだからかえって皆が意識して話題に出さないのだということであった。

たしかに、その理由も不安な気持もわかるが、本当は、こうした根本問題を皆で考えてみる必要があるのではないだろうか。不安であるから、話しあってもなんにもならないからということでなく、わかい青年は、そうした問題を十分話しあって、その理解のうえで、自家の経営を発展させるべきではないだろうか。

これは、単に米の問題のみではない。とかく話題にすると各方面に影響を与えるとか、いやな見方をされるなどの問題は、話題として出さない。青年たちのタブーの話題が最近多いのではないだろうか。若い青年は青年らしく、問題に直面していく気力がなければならない。そこから、集団活動の活力が生まれるのではなかろうか。

（農林省・農業者大学校）

青春と仲間

「仲間づくりに思う」

静岡県浜北市　浜名4Hクラブ　鈴木政美

さあ―ファイト　みんなが活動家になろう

現在、私たちにとって、グループ活動を通じてより多くの人と接し合い自分に不足しているものを補い、吸収し合い、さらに視野を広め、物ごとに対して深く考えるということが必要ではないかと思う。

たとえば、活動が衰退しつつあり、活動が活発にできない4Hクラブがあるとすれば、グループの本質とか重要性、尊さを忘れ、グループ活動の中で利己主義的にふるまう仲間たちが少しでもいるからである。

私たちが利己主義的にふるまうということは、非常に容易です。この青年期、二度と来ない青春時代において、何ごとに対しても無限の可能性をもちながら、そのような行動をとっては余りにもなさけない。仲間たちがこういう態度をとることは、この青春期に自分自身が危機におちいっているということを知らないからだと思う。

もし、かりに仲間たちが、真からグループ活動によって、自分自身の教養を高め、自分の考えを練り、地域社会の発展、また、4H活動を世間の人々に認めてもらうという考えが少しでもあったならば、このような行動はとれないはずである。

現在、仲間づくり、仲間づくりと騒がれている。仲間づくりとはどんなものか―私は私なりに述べてみたいと思う。

私は、さきに開かれた第九回全国農村青少年技術交換大会に参加したわけですが、このときいろいろな問題にぶつかったので、まずその問題点などを取り上げてみたい。この大会に参加した人たちはグループ活動やプロジェクト活動について悩みをもっていた。これは同じような考えをもつ青年の集まりだからだと思う。

仲間づくりは必要です。仲間が欲しいのは人間だれにでも共通していることです。そして仲間づくりとは孤独からの脱出ではないかと思う。仲間、友だちを求めるのによい場として、求めるチャンスに恵まれた場としてグループ活動があるのです。

グループ活動によって多くの仲間を知り、多くの友だちをつくること、また、広い視野で人間を見つめ、その中から男対男、本当に心から信頼できる友だちを多くもつことです。この友だちは"永遠の友"である。この二度と来ない青春時代において、少しでも悔いなく過ごしたいと思うならば、自分の限界というものを、何ごとに対しても体当たりして試し、経験してみることが大切ではないだろうか。また、より多くのクラブ員が活動家になることです。人間の一生で一番大事な青年期において、けんめいに学習することがいかに大切であるかということをしみじみ感じたのである。

私たちクラブ員がしっかりしなければ、日本農業の将来に希望が持てないのではないかと思う。大人たちの期待に応えるためにも、私たち青年はしっかりしなければならない。青年が青年らしく、仕事に対するしっかりした希望をもち、そして、たくましく生きて行くことが大切であると思う。

大人たちが言うには「現在の青年には希望がないし、ただ平凡で安易なことばかりを考えて、危険なことにはちっとも出さない」と。私たちはもっとよく考えなければならない問題であると思う。

なぜならば、青年には"若い"という特権があるのだから、その特権を生かしうる人間にならなければならないと思う。青年は一度失敗しても、またそれを取り戻すチャンスをもっている。そして失敗した原因を反省し、また新たな勇気と計画をもってその問題にぶつかっていくファイトが必要ではないかと思う。そうすると、大人たちはきっと青年に期待すると思う。

われわれは、わからない点について、自分が納得のいくまで見たり聞いたり、調べたりしてトコトンまでやり通すという、青年らしい根性をもたなければならないと思う。

現在、静岡県のいわゆる農業後継者は約七千人といわれています。しかし、クラブに加入している者は、約千八百人で全体の二五%前後に過ぎないのです。私は、加入していない青年は、どうして入らないのか不思議でならない。

私たち青年は、自分に与えられた環境で、自分の持つ能力を十二分に生かしうる人間にならなければならない。そして、短い人生のしかも青春時代に、このような機会に恵まれえたこと自体に感謝するとともに、青年であることを自覚し、友愕の中で自己を見つめて働き生きる喜びという、人間性と知性をもったダイナミック人間として頑張らなければならないと思う。

全国の4Hクラブのみなさん、大いにクラブに、プロジェクト活動にハッスルして、よりいっそう充実したクラブを作ろうではありませんか。お互い一人ひとりが活動家になろうではありませんか。

私の青年運動　つどいの発表

茨城県稲敷郡東村々長（篤志指導者）　根本久夫（五〇）

青年よ立上れ……と　組織づくりに四苦八苦

〈上〉

さる昭和十七年九月、学徒動員令によって六カ月の繰り上げ卒業となり、太平洋戦争に参加して六年の戦塵を経て命からがら故郷に帰りました。

もちろん東京への夢は捨て切れませんでしたが、上京を断念せざるを得ない幾つかの条件が重なりました。

最も困ったのは、長い戦野の生活で栄養失調による極度の疲労でしたし、また、敗戦による食糧、住宅難、おまけに機械工学出身ゆえに進駐軍によって工作機械の徹去とともに、就職も困難となり、せっかくの青雲の志を捨てて畑違いの農業をすることにしたのである。

しかし、どうせやるならば、農村のために精いっぱいの努力を捧げたいと心に誓ったのでした。だが、まず復員して一番驚いたのは青年諸君の気力の頽廃であった。

全部ではないが、殆んどの青年が夢遊病者のように家業もせずに、ふらふらと町へ出かけて夜中まで遊び歩く。明日は寝ぼうだいというなげやりの生活を送っていた。

とくにひどいのは、ヒロポン注射などを得意そうにうってウロウロしている人もあり、中学生の中にも、学校にも行かず日向ボッコをして、どこから見つけてきたのか煙草をのんびりふかしているのもいた。敗戦という国民の経験しなかった未曽有の出来事のあとで人々の心は疲れ果て、張りつめた糸が切れたような状態であって今後どうしようと迷っていた時代だけに、やむを得ないことだったかも知れない。

しかし、私は少なくとも青年諸君だけはもっともっとしっかりして頂きたかった。果たしてこのままでこの村は、そして農村はどうなるだろうと、そしてどうしたらいいかと考え抜いた。

どうしたら青年諸君が立ち上ってくれるのかと考えた末に、一つの組織を作ることにした。まず、これはと思う青年に働きかけ、取りあえず共学倶楽部なるものを結成した。農繁期をさけ、ともに学び楽しむという方針で、毎晩稲作研究、精神修養のため数学、そろばん、また講習会の参加、篤農家視察など活発な活動を開始した。自宅開放である。会費は全部無料で教材集めも大変でした。そのうち子供が生まれ、ガリ版を首にかけ子守をしながらプリントを作ったが、印刷機もなく、お寺にあることを聞き、それを借りてきて使った。

ところが、私がシベリヤ帰りの将校団ということで共産主義を学ぶ会と勘違いして官憲が尾行するようになって村民から白眼視され"瑞穂会"と改名する一幕もあり馬鹿らしくなって苦笑せざるを得なかった。

当時の青年に対する風当りが強かったのかも知れない。この瑞穂会に参加する人たちが次第に増加して二十二名にもなった。そのため、家計は文字通り赤貧洗うが如く親類まで遠去かるようになってしまった。

しかしながら、徹底した規律のもとに参集した人たちだけに、冷かし半分の入会者は脱落者となり最後には七名になってしまったが私は、たとえ何人になってもと頑張り続けた。三年間も続いたが、いろいろの生活上その他の影響でこれを断念せざるを得ない状態に追いこまれた。

この間に、レクリエーションを取り入れようと協議した結果、労働奉仕によるわずかな収入で盆踊りを計画して、子供会や婦人会を含めて地方でも評判になるほどの部落をあげての盛大な年中行事となった。これは十五年も続けられ部落の人たちにはもちろん近隣の楽しみの一つにまでなった。

自分たちの考え方、そして視野がしだいに広くなり、村の発展は青年の力であるということを強く意識し、青年会の結成まで進展した。そして明朗な村政を希望し、ときの村長、村首脳部を紹介して村政のあり方などについての座談会を開こうと準備したが、当局は全然これを受付けようともしなかった。

私を過激派だと信じこんでしまったためらしい。ついに村政に参加する闘志をかき立てたのは、このときであった。あらゆる迫害、冷眼視の中から二十代の議員が初めて登場したわけで、その後連続五期、そして今日に至るまでの大きな原動力となったのは、実にとの会員同志諸君である。

（つづく）

青い目の"草の根大使"　有意義だった鳥取滞在

山本哲嗣

＝上＝

本年度アメリカから訪ずれた草の根大使（国際農村青年交換計画に基づいて日本4H協会が招いたアメリカ代表の4Hクラブリーダー）マイケル・ウェングリン君（二〇）とマーガレット・マローさん（二〇）の二人は、さる六月二十三日東京に着いて以来、千葉、茨城、鳥取での滞在を終えて日本滞在の計画の約半分を消化し、現在二人は愛媛県で日本とアメリカの相互理解と親善のため懸命に頑張っているが、このうち、二人が七月二十七日からの"鳥取のつどい"以来の約一ヵ月間滞在した鳥取県での有意義な交歓ぶりを紹介しましょう。

このところ、鳥取県において、外国の青年たちが農家などに民宿しながら、体験することによって学び、心からお互い理解し合うというようなことはなかった。ただ一度、十一年前にアメリカのモンタナ州から草の根大使が、本県倉吉市と気高郡鹿野町に宿在しただけ。それだけに、言葉こそまだ充分ではなかったが、すでに日本のおじぎをしてのあいさつ、箸の使い方、坐り方など覚えた二人がアメリカ人独得の人なつっこさで、行きちがう人に気軽にあいさつしたり、いろいろの会合などの席でアメリカの歌やゲームを教え、また、つとめて日本の風俗、習慣、文化、日本語など自分のものにしようとしていた態度は、鳥取県民に大きな話題を投げかけた。

"鳥取のつどい"のあと、マーガレットさんは日野郡溝口町、マイケル君は東伯郡赤碕町に滞在、そして無事一ヵ月間の予定を終えて高知県に向かったが、それは本当にすばらしい二人の鳥取県での一ヵ月間であった。そういうことから、いま思うと、なんと早く終ってしまったのだろうかという淋しい気もしないではないが、今日は、その二人の鳥取での活躍の主なものをふりかえってみよう。

来日アメリカクラブ員を真中にはさんで記念撮影としゃれこむ地元のクラブ員

珍しいマユにも関心　＝浴衣の贈物にニッコリ

まず"鳥取のつどい"にブラジル、台湾のクラブ員とともに参加し、約一千名の日本の4Hクラブ員たちとなごやかに交歓しあった。4Hクラブ員と一緒に鳥取入りした二人は、山陰地方もおりからの暑さでちょっと疲れ気味ではあったが、それでも元気で開会式以来、安来節などの郷土芸能をカメラに収めたり、キャンプファイヤーでは、なかなか達者な日本語で"赤トンボ"をうたったりしてつどいの雰囲気を盛りあげた。

また、このつどいでは、一緒に参加していた台湾、ブラジルそれに昨年日本からアメリカに派遣された国島淑子さん＝岐阜県＝などの草の根大使同士の国際会議（？）が大山町大山寺の宿舎で行なわれた。さらに、おりから"つどい"に参加していた東伯郡赤碕グリーンクラブの女子クラブ員、入江静子さん（二〇）田中秋美さん（二〇）が、"ぜひ私たちの作った浴衣を"とマーガレットさんに浴衣、帯、ゲタをプレゼント。この鳥取第一日目に、しかも思わぬ贈り物にマーガレットさんはニッコリ。長身をおりまげて彼女らとしばし交歓、この話題はまた"つどい"の明るいニュースとして今でも多くの人に語られている。

このつどいで、現地交歓訪問からマーガレットさんとマイケル君は、溝口町と赤碕町の受入れ農家に入った。

☆

鳥取県学校農業クラブ主催の県農業高校自営者交換大会に参加、二日間にわたって卒業後農業自営をめざす六十名の学生たちと、西伯郡大山町の大山レークホテルですごした。

FFAのメンバーだったというマイケル君、FFAの活動にすごい関心をもっているマーガレットさんも、このようなFFJの活動に終始興味をもって、参加者たちに日本の親子の様子などを聞き、アメリカのわりきった考え方などスライドを使ったりして紹介した。また翌朝は、ラジオ体操をクラブ員たちとやったり、「おおテキサス」の歌唱指導をしてみんなをよろこばせた。

☆

以前に皇太子御夫妻が来島されたことがある。そのとき、県の農村青年の中から十名がえらばれて米子市の東光園で御夫妻と話しあったことがある。以来、この十名は東光園の"東光"をとって"東光会"を発足させ、毎年六月十日に場所を変えて集まっているが、今年は、西伯郡大山町で開かれ、二人も招かれて出席した。

二人はこのとき、鳥取に入って二週間たっていた。丁度この頃はようやく鳥取に落ち着いたところとあって、二人は、皇太子御夫妻と話した青年たちと語りあいながら、おたがいの鳥取での生活など話しあっていた。二人の鳥取県でのいろいろの体験のうちマーガレットさんは、まず蚕をみて、自分で管理したことがめずらしかったようだ。蚕の飼方は初めてのことだそうで、マユから糸をとることと、その価格などを関心をもってたずねたり、マイケル君に教えてやったりしていた。

〈四十三年渡米クラブ員〉

（つづく）

映画

人類の宇宙への挑戦

アポロ11号月面に立つ　宇宙〇（ゼロ）年（東和映画）

人類が史上初めて月面にしるした偉大な第一歩―アポロ11号の壮挙のニュースは記憶に新しい。

この映画は、世界初の人間衛星船ウォストーク1号から今回のアポロ11号の月征服までをカラーフィルムに収めたもので、宇宙競争にしのぎをけずる米・ソ両国から未公開フィルムの特別提供によって、二年にわたる製作、編集期間を経て、人類が月に到達するまでの輝かしい歩みをたどった長編ドキュメンタリーである。それと同時に、宇宙飛行士の誕生と人間の生命の誕生とを比較対象させて描き、二十一世紀への展望を示しながら、この歴史的偉業の一瞬を残らずとらえて、劇的な感動すら伝える。

息づまるようなスリリングのシーンの連続で、未知の世界への好奇心も手伝ってわれわれを画面にひきつけるが、しかしこれは単なる記録映画ではない。それだけにまた、ストーリーを難解にしているともいえるし、科学の劇的なシーンだけを期待して見る人には、人間的なものはかえって画面をたるませているように感じられないこともない。

◇

☆宇宙への道＝美しき人類の夢・月

人類が長い間いだえてきた月征服の夢に現実性を与えてくれたのが五十七年七月のスプートニク衛星であり、六十一年のケネディ宣言であった。

☆宇宙飛行士の誕生＝その特訓

宇宙飛行士に、人間の体力の限界ぎりぎりの激しい訓練が行なわれる。

☆宇宙への挑戦＝地球は青かった

五十七年十月に史上初の人工衛星スプートニク1号、人間衛星船ウォストーク1号が六十一年四月にそれぞれソ連の手によって打ち上げられた。

☆宇宙遊泳＝宇宙舞う初の人間

☆宇宙のサーカス＝ランデブー飛行

☆宇宙での面会＝ドッキング

☆偉大な足跡（アポロ11号）＝人間月面に立つ

六十九年七月十六日、ケネディ宇宙センター。全世界の人たちが注目の中、サターン5型ロケットは、白熱の炎を吹き出し月へ向った。

ロケットを切離し、イーグルの月面着陸、アームストロングス、オルドリン両飛行士の月面活動、イーグルの離陸などが記録されているが、月面を飛びたったイーグルが母船コロンビアに除々に近づきドッキングする瞬間は圧巻である。

☆宇宙ゼロ年＝地上の悪夢と未来への希望

スプートニク衛星が上ってから十二年、アポロ11号の成功によって、人類は、人間の月面着陸という一つの偉業を成し遂げた。

だが、人類の広大な宇宙開発計画からみれば、今日の成功はほんのスタートにすぎない。この貴重な第一歩を一つの礎にして、宇宙ゼロに踏み出したのである。

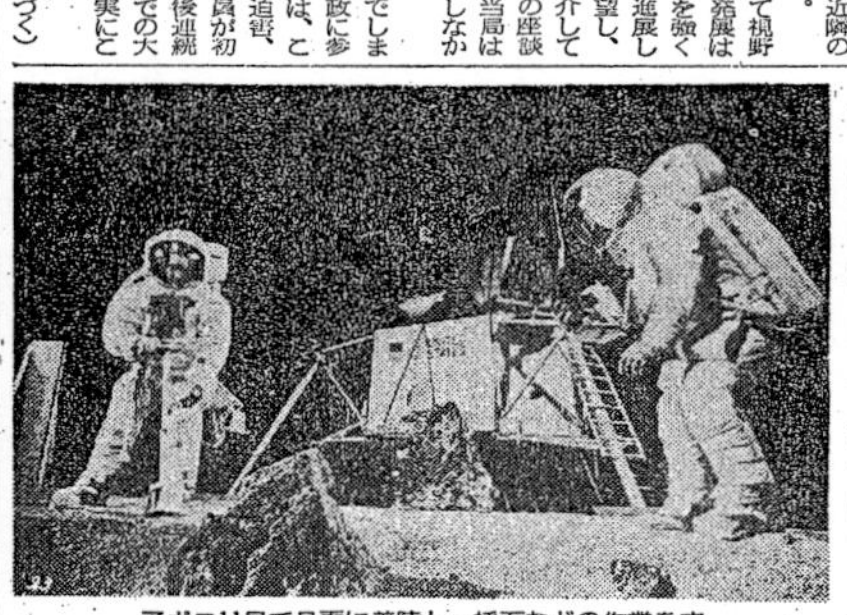

アポロ11号で月面に着陸し、採石などの作業をするアームストロング、オルドリン両飛行士

日本4H新聞

4Hクラブ
農事研究会
生活改善クラブ
全国弘報紙

発行所
社団法人 日本4H協会
東京都市ケ谷家の光会館内
電話（269）1675 郵便番号162
編集発行人 玉井光
月3回・4の日発行
定価 1部 20円
一ヵ年700円（送料共）
振替口座東京 12055番

クラブの綱領

私達は実践を通じて自らを磨くとともに互いに力を合わせてよりよい農村、よりよい日本を創るため四つの信条をかかげます。一、私達は農業の改良と生活の改善に役立つ腕をみがきます。一、私達は科学的に物を考えることのできる頭の訓練をします。一、私達は誠実で友情に富む心をつちかいます。一、私達は楽しく暮し元気で働くための健康を増進します。

全協 初の専門委員会開く

理論統一へ踏出す

4Hの性格や活動を検討

全国4Hクラブ連絡協議会（会長、黒田保造）は、さる二十九日、東京・新宿区市ケ谷の家の光会館会議室で初の専門委員会を開き、日本における4Hクラブ活動のあり方（プロジェクトの取り上げ方、年令制限の問題、地域社会との結びつき、OBや指導者との関係、学習活動と生産活動の関係）などや、青年会議、技術交換大会、プロジェクト発表大会、つどいなど、農林省や全協が主催する行事について検討した。

この委員会は、日本における4Hクラブ理論の確立、組織の体系化と強化策について全面的に検討し、全協が今後の活動の指針とするため、農村青少年の育成指導に豊かな経験を持った専門家数名に依頼したもの。

この日は、中田正一（元海外技術協力事業団国際農業研修館長）芳賀惣典（茨城県普及教育課）湯浅甲子（栃木県普及教育課）新田健吉（日本4H協会事務局）の専門委員各氏のほか、大賀忠直（農林省普及教育課青少年班長）大沼一己（同、活動促進係長）金田三郎（全国農村青少年教育振興会事務局次長）の各氏、全協からは黒田会長、久野事務局長、石井同次長が出席した。

4Hクラブのあり方について真剣に協議する芳賀、湯浅、中田、新田、金田、大沼、大賀の各氏（左から）＝家の光会館会議室で

午後一時三十分、全員そろったところで、黒田会長が専門委員会を開いた主旨を説明し、出席された各氏に感謝のことばを述べ、協力をお願いしたあと「日本における4Hクラブ活動はいかにあるべきか」について話し合いに入った。

まず、4Hクラブの性格については、4Hクラブが態度養成という学習に重点をおくものとするか、または経営者のグループという生産に重点をおくかによって大きく異ってくる。

また、この性格をはっきりさせて、制限要素をクラブにもたせるかどうかで、各専門委員の間でも意見の違いがみられた。

クラブの性格、とくにその芯となるものをはっきりさせるべきであるという考え方は、芯がはっきりしていないと青年団みたいに無性格になり、その場、その場の都合だけで動くようになるという観方からでたもの。

一方、あまり制限しない方がよいという考え方は、インフォーマルなものが農村を若返らせる大事な役割を果すもので、フォーマルなものを強調すると活動は低滞するという観方である。

結論としては、基準をもうけておきながら、なお余裕をもたせるべきであるということになった。

これに関連して、クラブ員の年令制限についても考え方が分かれた。

4Hクラブを態度養成とみれば若い年令層でなければならない。だが、経営者だという考え方によれば幅を広げた方がよいし、農林省では近ごろ三十五歳まで認めることにしているということなどが話された。

つぎに、クラブ員のプロジェクトについては、科学的な頭や技術の問題が練れれば、テーマは何でもよく、内容の四段階が大切であるというアメリカの4Hクラブの考え方の意見と、日本ではもう実際に営農にたずさわっており、毎日の経営そのものがプロジェクトになっているという立場の意見がだされた。

ただ、現状から判断して、高校を卒業してクラブに入った人は、学校で一通りプロジェクト法を身につけてきているので、硬く考えず素直にやらせること、極端にいえば、プロジェクトの指導は簿記指導であることなどの意見が述べられた。

つぎに、OBの問題がでた。これまで、4Hクラブでは、OBが後進の指導をすることが少なかった。OBとなってクラブを出ても外から指導をすべきである。またクラブ員の方から働きかけることも大切であり、解決法の一つとして、クラブ員として内部に残って指導してもらうのがいいという年令制限をなくす法も述べられた。

これらの問題のほかに、最近、高校卒の同窓生だけの機能的なクラブができる傾向があるが、青年らしい若々しさが失われ、また同質集団の弊害も多いので好ましくない。地域社会との関連を密接にし、とくに広域化しているなかで部落とのつながりを強化しなければいけないなどの意見もでた。

これらの討議の傾向として、日本の4Hクラブ活動は時代の背景によって考え方も内容も変ってきており、最近では、アメリカのようなものは社会教育でやればよい。普及事業ではもっとせっぱつまった切実なものをやるべきであるという意見が多かった。

このあと、全協と農林省がこれまで話し合いが少なかったので、これから度々両者で話し合い、双方の立場をよく理解したうえで、協力していきたいということが話し合われ、具体的な行事についても協議を重ね、できるだけ協力していくことになった。

東南ア歴訪の途へ

275人の若人乗せて出航

青年の船

第三回「青年の船」さくら丸は、次代を担う若い日本の青年男女ら二百七十五人を乗せて、さる九月二十七日、大勢の関係者に見送られながら、東京・晴海ふ頭から東南アジア六ヵ国の訪問の途についた。今回の船には、全協から大鹿副会長ら七人が団員として選ばれたほか、約六十人の農村青年の仲間たちが乗船した。

この「青年の船」は、明治百年記念事業の一つとして、政府が昭和四十二年度から始めたもので、日本の青年を「青年の船」に乗船させ、船内で研修を行ないながら東南アジア諸国を巡航し、各地の視察・見学と各国の青年との交歓を行なわせることによって、わが国青年の国際的視野を広め、国際協力の精神を涵養し、青年に日本の姿を正しく理解させ、もって次代を担う中堅青年の育成を図ることを目的として行なわれるもの。

今回は、九月二十七日東京を出港してから十一月十八日に神戸に帰港するまでの五十三日間、タイ、インドネシア、マレイシア、シンガポール、ビルマ、中華民国を訪問する。

船内では、語学、各国事情、リーダー養成、体育、レクリエーションなどの研修やクラブ活動などを行ない、寄港地では、現地の施設や産業、文化などの視察・見学を行なうほか、その国の青年を船に招いて、日本文化、スポーツ、芸能などを紹介するとともに交歓会を開いて、国際親善を深める。

今回は、小玉正任管理官（総理府青少年対策本部参事官）勝部真長団長（お茶の水女子大教授）貞閑腐副団長（東京都教育委員会青少年教育課長）以下、総勢三百二十五人、うち一般団員は二百七十五人である。

このほか、今回は東南アジアの青年十一人も乗船した。これは訪問国から、それぞれ数名の青年を招き日本各地を視察させ、日本青年と交歓し、この船でそれぞれの国に送りとどけることになり、この企画に応じた人たちである。

なお、今回の船には、つぎの団員が全協から推せんされて乗船した。

大鹿良夫(二七)埼玉県北葛飾郡栗橋町＝全協副会長、古川喜美子(二二)愛知県渥美郡渥美町、大島充利(二二)岐阜県恵那郡串原村、河東哲征(二三)山梨県甲府市西油川町、野川和久(二三)神奈川県平塚市二吉沢、豊川民男(二三)青森県青森市大字諏訪、宮川四郎(二三)石川県鹿島郡鳥屋町、以上七名。なお、船には六十一人の農林漁業関係の仲間が乗船している。

涼風暖風

嫁ぐ日近し

和服姿のお嬢さんたちが、ところ狭しという格好で車にゆられ、前になったり後になったりして高速道路を突っ走る（といっても、さいきんの高速道路は混み過ぎて、部分的には低速道路となっているが）目的地は羽田空港の国際線。先日、帰国する中華民国（台湾）の4Hクラブ員を見送りに行ったときのことであるが、やはり彼女たちはハネムーンに行く友人を見送るためにかけつけたのであった。空港は、それらしき見送り人で賑わい、肩にバックを下げたそれらしきカップルが幾組みもみられた。

その後、気のせいか、街中でも「寿」の風呂敷に包んだ荷物を持った人を多く見かけるようになった。「秋来ぬと目にはさやかに見えねども、風の音にぞ驚かされぬる」という句があるが、いよいよ秋の結婚シーズン到来という感を深める。

私の身近かなところでも、数人の女子クラブ員と一人のOLが、十一月から十二月にかけて農家に嫁ぐ。年令は二十一、二歳で、ともに、クラブ活動では相当の活躍をした人たち。ゴールインまでの道程は恋愛や見合いなどさまざまである。恋愛で女性としての哀切を胸に受けたあと見合いをした人もいるが、OLの場合だけは恋愛。

さいきん、街に働きに出ている農家の娘さんを妻として迎える男子クラブ員がふえてきてはいるが、まだまだ数少ないケース。とくにこのOLの家庭もサラリーマン。農作業ができるかどうかと案ずる父や周囲の人たちを納得させて、単身で乗り込むのだから立派である。ある女子クラブ員が「農家に嫁ぎますか」と男性から問われて「私たちは職業と結婚するのではない」と抗議したことがあるが、まったく"愛は強し"である。

それにしても、クラブ員の多くが結婚問題で直面するのは、長男と長女の出合いである。お互いが好きになっても一緒になれないという運命的な悲恋がそこにある。弟や妹がいる場合はなんとかなることもあるが、それがない場合のよい解決策はなかなか見当らない。農業経営を自分一代で終っても娘を農家に嫁がせるという割り切った考え方をもつ人はほとんどいない。

事実、このような問題で悩んでいるクラブ員が自分の周囲にも多い。ムコとりの女子クラブ員の"声なき声"でもある。このような問題の相談に、多くの人たちはどんな解決策を与えているのだろうか。そして、この問題にメスを入れることは、余りにも残酷すぎることだろうか。全国クラブ員の知恵を借していただきたいと思う。

録音から NHKの

これは、さる九月十一日、鹿児島県農村センターで行なわれた「第四回九州地域農村振興親子会議」において講演されたものを、NHKが収録したものです。

農林省農業総合研究所 並木正吉（なみき まさよし）

これからの農業者像

千俵取りをめざす青年

さまざまな型の経営者たち

これからの農業者像ということで、みなさん方と一緒に考えていこうと思うのであります。

第一に大切なことは、これからの農業者の態度といいますか資格ということを考えてみますと、さまざまなものがあり得るということであります。

つまり、これという決まったタイプの農業者像がこれから大切なのではなくて、さまざまのタイプの農業者が生まれ得るということ、これが第一に大切なことだと私は思います。

なぜそうなるかと申しますと、これまでの農業はものを作るということが中心でありましたけれども、これからはいかに作るか、そしてものを作ることを経営的にいかに有利に進めていくか、つまり、生産よりも経営というものが大切な時代に入ってきたからです。

そういう時代になればなるほど、創意工夫が大切になる。その創意工夫の結果、さまざまのタイプの経営者が生まれてくるわけですが、もう一つの条件は、農業が考えなければならない対象といいますか、消費者の方の需要の変化というものが多様化してくる。さまざまの形の需要が農業に対して生まれてくる。それをうまくつかんで、経営として有利な形にもっていくわけでありますから、そこにはさまざまのタイプの経営者が生まれてよいはずであります。

そういう意味で、これからの農業者像ということで、私がお話いたしますのは、いろいろ考えられるタイプの経営者、あるいは農業者像のなかから、一つの、そして比較的共通な面をもつと考えられるものを、ご参考までにみなさんにお話をするという主旨だということを、まず最初におことわりします。

家族労働だけで千俵取りを

つまり、これからの農業者像、経営者というものは、私がこれから申しあげるようなものでなければならないのだというふうに決めてかかっては、実は間違いだということであります。

これからの農業者像のひとつの参考にしていただく、そういう意味でお汲み取りいただきたいと思うわけであります。

そういう主旨でありますので、まずはじめに、私が非常に親しくつきあっておりますある農業者の話から始めたいと思います。

彼は、愛知県の刈谷市というところにおります。

数年前に私のところに訪ねてまいりまして「自分はこれから、家族労働力だけで千俵取りをやってみたいと思う。ついてはいろいろ相談にのってもらいたい。手助けをしてもらいたい」ということでみえたわけであります。

私は、最初の話があまりにも大きいので、一瞬、ボカンとしたわけですけれども、いろいろ聞いているうちにだんだんはっきりしてまいりました。

千俵取りというのは、お米の千俵取りということであります。お米千俵といいますと、反当り、あるいは十アール当り十俵取れるといたしますと、十ヘクタールの面積が必要あります。

十ヘクタールの米作経営を家族労働力だけでどうしてやろうとしておるのか、その話をいろいろ聞いたわけでありますが、これまでの実績から判断して、だいたい次のような努力をしてきているようであります。

技術の革新をたくみに利用

第一の条件は、彼のやっております水田の場所が明治用水のかかわりのあるところ、用水を利用できるところで、比較的自由に、個人個人が水利を調整できるという利点があります。

そういう意味で、灌漑排水という面の基盤が整備されておるという条件に恵まれているという点が、第一にあります。

次には、技術的な変化、技術革新をきわめて巧みに利用しているという点があります。

具体的にどういうことかといいますと、耕耘過程につきましては動力耕耘機、二十馬力程度のトラクターを十分に使うようになってきております。

また、二十馬力程度のトラクターですと、三、四人が共同で買うというやり方もやっておるわけです。

刈り取りの方については、どういうことをこれまでやってきたかと申しますと、昨年の暮れでありましたが、あるメーカーの開発いたしました自脱型のコンバインを使いまして、二十ヘクタールの賃刈りをやるという実績をまずつくっております。

一アール当り五千円の賃刈り料をもらっておりますから、二十ヘクタールやりますと百万円の水上げ、収入ということになります。

その機械は五十二万円で手に入る機械でありますから、一年間で元をとってしまっておる。

そのメーカーの設計によりますと、一つのシーズンでは最大限八ヘクタールまではやれるだろうという設計をしていたわけですけれどもその機械で二十ヘクタールもこなしてしまった。

それだけで満足しないで自分の田圃の中に小さな農作業小屋を作って、そこに乾燥機を四台据え付けて、生乾燥したモミをそこで本乾燥し、供出まで引き受ける。もう一度もうけさせてもらっているわけです。

「ずい分、考えたなあ」と私がいいましたら「ええ、先生、これが農民的ライスセンターです」ということをいっておりました。

それから、田植え機械のところは一体どうかということを聞いてみますと、まあ、田植え作業のところですが、「これは自分たちの仲間では戦争終って十五年以上も、田植えをどうしようかということで直播組と田植え機械組に分かれて、いままでいろいろと競争をしてきた。結局、田植え機械の方に軍配が上って、いい機械が使えるようになった。来年からは本格的な普及段階に入るでしょう。自分たちもそれをやるつもりだ」と、こういうことをいっていたわけであります。

そういうことで、技術的な条件からいえば、大体、十ヘクタールはすでにやれるようになりました。こういうことをいっております。（つづく）

中国クラブ員帰国

多くのことがらを学んで

大勢の関係者に見送られて、乗船する「青年の船」団員たち、その入口に全協旗がひるがえっていた＝東京・晴海ふ頭で

国際農村青年交換計画に基づいて日本4H協会（松下宗之助会長）と全国農村青少年教育振興会（東畑精一会長）が招いていた中華民国（台湾）の4Hクラブ員代表、李政徳君(二〇)と洪玉女さん(一九)の二人は、二ヵ月間にわたる実習を終わり、さる二十九日午後六時三十分、4H協会職員らに見送られながら、キャセイ航空機で羽田空港から帰国した。

4H協会では、二人の帰国にさきだち、二十六日午後一時から東京・新宿区市ケ谷の家の光会館役員会議室で、大賀班長（農林省普及教育課）三宅常務理事（振興会・4H協会）ら関係者を招いて滞日報告会を行なった。

まず、新田局長から二人の中国代表の日程の説明があり、つづいて、二人がそれぞれの体験や感想を述べ、そのあとは質疑応答を行なった。

二人の日本での日程は、さる七月二十一日、来日し、日本の農業や4Hクラブ活動などについて二日間のオリエンテーションを受けたあと、二十七日から鳥取で行なわれた第五回全国4Hクラブ員のつどいに参加し、多くの日本のクラブ員と交歓した。

このあと、二人は岡山県の農家に滞在。八月二十六日、岡山のクラブ員と高知県へ行き、全国農村青少年技術交換大会に参加した。

この大会にひきつづいて、高知県の農家にさる二十二日まで滞在し、農家生活や実習した。

日本での生活について、李君はつぎのように話した。

岡山では、朝五時頃ぶどうの収穫にいき、朝食後それを選別した。毎日同じ仕事で、肥料など学びたくてもよくわからなかった。それで本を買って調べた。

高知では、毎日仕事で、休みの日がなかった。ここではアメリカへ行った息子がいたが話相手になってくれずさみしかった。

また、洪さんは、岡山では奥さんと一緒に食事の用意や観葉植物の手入れをした。中国料理をしてあげて喜ばれた。親切にしてもらったので別れるときは悲しかった。高知でも、主人からその娘のようなもてなしを受けた。

二人とも、食事や生活には問題はなかったと述べた。

また、よかったこととして、李君は温室栽培の勉強ができたことで、帰国したらぜひ取り入れたいといい、洪さんは日本料理を習ったことだと答えた。

鳥取と高知の大会については、演示発表などプログラムは大変よかったということであった。

日本の青年をどう思ったかという質問には、農村青年は責任感をもって仕事をし、女の子は恥かしがらず活発である、会議や仕事のとき協力の精神をもっているということである。

この交換事業には、期間を四ヵ月ぐらいに長くして、地区のクラブ員たちと交歓できるようにしてもらいたいと希望を述べた。

さいごに新田局長が「日本の青年と友だちもできたと思う。これからも両国の青年で手をとって、アジアの発展につくしてください」とあいさつを述べた。

心頭技健

鼓笛バンドが高らかにマーチを演奏し、五色のテープが乱れ飛び交うなかを、床次総務長官ら政府関係者をはじめ、第一、二回の団員や友人、家族など大勢の人たちに見送られながら、さくら丸は三百二十五人の団員を乗せて、さる二十七日午後二時、東京・晴海ふ頭から一路南へ向かって東南アジア六ヵ国訪問の途についた▼出航を見送ったあと、昨年度の団員は横浜港に集い、海に浮かぶユースホステル氷川丸で同窓会を開いた。北は北海道、南は鹿児島から、この夜氷川丸に集まった同窓生は百二十余名、全同窓生の三人に一人は出席したわけである。船上では、さくら丸の航路の平安と団員の健康を祈って全員で黙祷したあと、夜の更けるのも忘れて、想い出やその後の活動状況や消息などの話に花を咲かせた▼この「青年の船」の同窓会は、全国各都道府県に支部が結成され、おりにふれ例会をもち、少しでも有意義な活動をしようと頑張っている。中央の同窓会からは一月おきに会報が送られてくる。また、同窓生同士の交流もきわめて活発で、全国の仲間の動静がまたたく間に伝わってくる。こんどの同窓会にしても、日本全国各地から百二十余名も集ってきたということは、その結びつきの固さを示したものであろう▼いま巷間をみわたすとき、大学生はいうに及ばず、高校生までもゲバ棒を持って暴れている。これは現代の世相と教育制度、とりわけ入試競争の弊害によるものといわれている。全寮制の旧制高校が廃止されたとき、最も理想的な学校が失われたといって嘆いた校長がいた▼わずか二ヵ月の共同生活であっても、寝食をともにして、はだかになって話し合うことがいかに大きな友情と信頼を築きあげるかを示したのがこの「青年の船」であった。教育の危機が叫ばれ、朝野をあげてその解決の道を探しているとき、この「青年の船」事業は、一つの解決の糸口を示唆しているのではあるまいか。

47年度は北海道で

第八回4Hクラブ員のつどい開催地

道連の三役・評議員会で決る

【北海道＝赤松宏連絡報道員発】北海道4Hクラブ連絡協議会（会長、泉一男君）ではさる九月三日から五日までの三日間、札幌市において、第四回三役・評議員会議を開いた。

まず、泉会長のあいさつにつづき、奥村書記長が議題を説明したあと審議に入り、つぎの事項を決め、執行に移すことにした。

昭和四十五年度プロジェクトレコードブックは六千部、クラブレコードブックは八百部を発行することに決めた。

このあと、全協から要請のあった「全国4Hクラブ員のつどい」開催について協議した結果、道連としては四十七年度を目標にして開催するよう、これから準備をすすめるようにした。近日中に準備委員会を発足させ業務に当る決議をした。

自主財源確保と4H新聞購読数の増加の件と4H会館建設の協力については、4H新聞を増加させ、4H協会からの助成費を使ってほしい。この件で道4Hクラブとしては"4H月間"の設置に併せて一千部購読運動をすすめているので、その件を再確認した。また4H会館については、全協として四十五年度設立をすすめるということに対し、道4Hクラブとして募金運動を展開するとともに、建設に最大限協力することを約束した。

青少年団体の代表者
佐藤総理と語る
悩みや希望を訴える
"栄作おじさん"と呼ばれるように

佐藤総理

佐藤総理と中央青少年団体連絡協議会に加盟する青少年団体代表者との懇談会が、さる九月十八日午後三時から東京・千代田区永田町の総理官邸大食堂で開かれ、全国4Hクラブ連絡協議会から単田保会長が出席した。

同日は佐藤総理のほか政府側から保利内閣官房長官、床次総理府総務長官（青少年対策副本部長）、鯨岡同総務副長官、今村青少年対策本部次長ら、また青少年団体からは各代表者二十余名が出席し、約一時間にわたって懇談した。

この懇談では、各団体の代表から「現在は物質的には豊かになっているが、心の豊かさがなくなってきているので、もっと精神面の充実を図る必要がある」「子どもたちがのびのびと遊べる場、青少年が自由に利用できる場がほしい」「万博のあと、その施設を青少年の集う場に利用させてほしい」「団体を伸ばすのにはリーダーが必要なので、リーダー養成の場、施設や指導者がほしい。青少年関係の予算を削らないようにしてもらいたい」「アジアの開発など国際協力の面からも青少年対策を考えてほしい。国際的な青少年の交流を盛んにして"栄作おじさん"と言われるようになって下さい」「義務教育の欠かんを団体活動で補っていくように努力してほしい。青少年問題審議会をもっと重要視し、現場の声が施策面に反映するように努力してほしい」などの希望や意見が述べられた。

これに対し、佐藤総理は「青少年問題は重要であるので真剣に取り組んでいる。青少年の間にある不平を建設の方向へむかうよう努力したい。現在、物質文明が発達している。反面、精神文明は非常に悪い。そして社会の連帯感がなく、マイホーム主義が強い。社会の連帯感がなければ社会の発展はない。政府としては、予算の許す範囲で要望をかなえるように努力するが、しかし場所や施設があっても、自分の意欲がなければそれを十分に活用できないので、多くの人たちが意欲を高めるようにしてほしい。社会を直そうとする雰囲気が強まれば社会もよくなるので、今後ますます努力してほしい」という旨のあいさつと抱負を述べられ、予算面については床次総務長官に指示された。

アジアに目を広げよ
佐藤総理　「青年の船」団員を激励

いまや教訓と波瀾に満ちた明治百年を終えて、新しい時代に向って第一歩を踏み出したわが国は、多くの分野で転換期を迎えつつありますが、人間の尊厳と自由を守りつつ、国民のすべてが繁栄し、さらに国際的信頼に応え、もって世界の平和と文化に独自の貢献をすることができるような国家建設がなければならないと信じます。

そのような見地から、現在の物質的な豊かさで裏打ちされた新たな精神文明を確立する必要を感じます。

私は国政を担当して以来、青少年の健全な育成に意を注いでまいりましたが、青少年諸君が高い知性と豊かな情操、また、たくましい精神力と広い視野をもって祖国を愛する日本人として成長されることを願うものであり、政府が青年の船事業を行なっている理由もここにあります。

諸君がこれから訪問する東南アジアの諸国の多くは、それぞれ新興の意気に燃えて開発に励んでいます。これらの国には平和と建設の気運が盛り上がっており、近年とみに国力の充実したわが国を国際的に大きな期待をもってみつめています。

私は、これら東南アジア諸国の自助の気概と努力に敬意を払いつつ、その建設にできるだけの協力と援助を行なうことが、わが国の使命であると思うのであります。

諸君は、これら東南アジア諸国の事情をつぶさに視察見学し、アジアの隣邦に対する認識と友好の気持を深めるとともに、わが国の立場とその果すべき役割について十分考えていただきたいと思います。

ともあれ、諸君はこれからの海外旅行中、健康に留意し、礼節を守り、協調の精神を欠くことなく団体生活の規律に従いつつ、わが国の青年の代表として衿持をもって行動されることを望みます。

奈良県大和郡山市の農業試験場のロータリーベンチ温室を見学する福島県郡山市の4Hクラブ員たち

姉妹クラブが交歓訪問
実習など通じ心結ぶ
福島と奈良の両郡山市4Hクラブ

【奈良】福島県郡山市の郡山4Hクラブ（会長、秋川一二君）のクラブ員九名は、このほど姉妹クラブの奈良県大和郡山市の大和郡山4Hクラブ（会長、森本宗和君）を訪問、三日間にわたって交歓した。

奈良を訪ずれた福島のクラブ員たちは、奈良のクラブ員の案内でさっそく薬師寺や東大寺の大仏を見学。

夜は二ヵ所に分かれて交歓会を行なった。むかし話やこれからのことなど、にぎやかに夜のふけるまで話し合い、クラブ員の家に分宿した。

翌日の午前中は、各家庭で実習。奈良はちょうどイチゴの移植で忙しい時期であったが、これは奈良のクラブ員たちの現状を見るとともに仕事を手伝うことによって苦しみを分ち合い、心の結びつきを願って行なったもの。

午後から、金魚の養殖場、青少年センター、農業試験場の回転温室などを見学した。

この夜は、普及所で、これからの姉妹クラブの活動をどのように進めるかについて話し合った。

その結果、❶姉妹クラブの足どりを残しておく❷クラブ交歓会を多くもつ❸日常活動として経営や技術の交換を行なう❹各種の大会のなかでの交歓会❺交歓会での植樹❻福島の発表会に奈良の人の発表を入れる――などのことを決めた。

このあとの話し合いでは、現在の農政のその場かぎりの施策に強い批判がでた。そして、いくら苦しくとも、われわれの仕事は農業一筋である。お互い頑張ろうという意見がだされた。

翌日の朝、実り多い姉妹クラブとの交歓を終えて、福島の4Hクラブ一行は奈良をあとにした。

ブラジル88村巡行 ＜19＞
日本政府派遣農村青少年指導専門家　湯浅甲子

パウルの4Hリーダー講習会は、夕方の四時に終った。乾期に入ったブラジルの奥地は、スカーッとした晴天で、空は黒いぐらいに澄んでいる。夕焼が大陸の自然を包みこんでくるころ私と移志指導者石井一也さんらの乗った車は、矢のように西進していく。

一路、ポンペイヤに

百二十キロのアスファルト舗装路を真直線に、夕焼けに燃える地平線をこしていく。全くの直線である。赤い西の地平線上に、たった一本立っている木がシルエットで浮き上ってくる。ああブラジル大陸の自然美は、雄大壮麗で壮厳の極である。

私たちの車は、エンジンの音を高めてはいるが、静止しているような乗り心地である。暗くなって、ポンペイヤにつく。

五月は、日系人農家の多いパウリスタ線、ノルエステ線沿線へ入った。この地方は、サンパウロ州内でも日系コロニヤ活動の活発なところである。

ポンペイアには二百七[illegible]の日系人が住んでいるが[illegible]中でも「瑞穂村」と呼ん[illegible]一区は、まさに日本村で[illegible]そして、青年たちが非常[illegible]な研究をやっている。汎[illegible]スタ農事研究会というの[illegible]の地方にあるそうだ。[illegible]ズワルド・クルースでは[illegible]ジェクト発表会や、講習[illegible]ポーツ大会などが華やか[illegible]れているという。その[illegible]なっている人が、瑞穂村[illegible]鹿島技師である。

二本立ての技術指導

彼は、ブラジルの農科大学をでた若手の二世で、現在、スールブラジル産組の指導員をやっているが、青年たちの信頼を一身にあつめて、活動の原動力になっている。いま、サンパウロの農業は、この人たちの肩によって支えられているといえるかもしれない。

ピラシカーバの農科大学には、日系青年が大勢入っているが、その殆んどが奥地の農家の出身である。卒業すると、農務省系の指導機関か、日系産業組合の指導員になっている。

日系農家の農業技術の指導は、大きくは、二本の系列で行なっているといえる。その一つは、カーザ・デ・ラボーラという農業技術普及所の流れと、もう一つは、この日系産業組合の指導部隊である。この他には、特定なものについて、アメリカ系の商社が、飼肥料の売りこみにあわせてやる指導である。

これらの指導は、受ける立場の農家側からいわせると、一長一短があるらしい。例えば、カーザ・デ・ラボーラの技術指導については、日系農家は余り信頼していないみたいである。ある農家では、彼らが播いて指導した野菜は殆んど失敗していると、なかなか手きびしい。しかし、私の奥地行脚の経験では、その実績を高く評価されている所もあった。

どうも、この問題は、日本人の先入観がある程度あることと、彼らは、野菜や果物に関する指導は不得意であるらしい。そのかわり、カフェーや棉、肉牛の指導は優れていて産組技術陣など歯がたたないようである。

二本立ての指導
日系農家に広がらぬ技術　指導員が疑問抱く

ポンペイヤの鹿島技師（向って右端眼鏡の人）と日系二世の青年たち（前列左から二人目が筆者）

疑問いだく指導員

また、カーザ・デ・ラボーラのある熱心な普及員の一人は、私の指導を見た後で、わざわざ私のところへきて、こう質問をかけてきた。

「わたしたち、カーザ・デ・ラボーラの優秀な指導員たちは、足しげく日系農家へ指導に入っている。そして若手の日系青少年に、熱心に技術を教えています。青少年もまた、よく勉強をしてくれるが、どうしても理解できないことが一つあるのです。それは、いくら青少年たちに指導をしても、日系部落全体に、その技術がちっとも広がっていかないということです。これは一体どうしてなのでしょうか。湯浅先生はこれをどう考えますか」というのです。

なかなか面白い質問です。彼らは日系農家をいくら指導しても、全体的には効果が上らないとみているようなのです。

さて、そのわけはどう考えるかという質問なのだが、私は、残念ながら普及員たちの現場指導を一度も見るチャンスがもてなかった。だから、彼らの指導方法に、物いいをつける裏付けがない。従って日系農家側の条件だけで判断せざるをえないが、そうなると、私は日系側に問題があるように思うのである。というのは、日系農家の農業技術の主導権は、まだまだ親たちにあって、青少年たちの意見は、すなおに通らないようなのである。

日系に強い家長権

このことは、農業技術にとどまらず、家庭の中での家長の権威はきわめて強いのである。ブラジルで、この家長という言葉をなん度も聞いた。初めのうちはどうも耳馴れなかったが、あまりひんぱんに聞くので、しまいには抵抗感がなくなってしまった。それはどこように、あらゆることが、家長の権限でとりしきられているのである。

それが日系家庭にかぎってそうなのだから、二世の青少年たちにとっては、複雑な心境である。まして、日系外の人たちからみれば、理解のできない家庭だということになるのであろう。カーザ・テ・ラボーラの普及員の疑問点も、その原因は、このへんにあるのではないだろうか。

〈栃木県普及教育課・特別専門技術員〉

リレー・クラブ紹介　われらのクラブ
鮒越4Hクラブ　佐賀
井上利幸君記

水田とみかんの複合経営が行なわれている山間の農村地帯、そこが私たちが住んでいる佐賀県鹿島市古枝町舟越という部落です。

近くには、九州はもとより日本の津々浦々まで"鎮西日光"として知られている祐徳稲荷神社があり、年間約四百万人の客があるといわれます。

私たちのクラブが発足したのは、さる四十一年の二月でした。それまでは青年団が組織されていて、一般教養やレクリエーションを中心として学習してきましたが、楽しい農村生活を築き上げるには、もっと勉強し研修して農業に対する知識を学び、明るく住みよい暮しをしたいということから、4Hクラブを結成したわけです。

当時、青年団員で農業に従事している人たち二十名で出発しました。

各農家から空ビンを集めて、それを売った代金をもとに、農業改良普及所、農協、公民館の各関係者や地区連役員の人たちに出席していただいて盛大に発会式を行ないました。

そのとき、来賓のあいさつの中で、普及所の方から「クラブ活動の中心は、何といっても個人プロジェクトである」といわれました。

そこで、各クラブ員一人ひとりがプロジェクトをもって、農業日誌の記帳やプロジェクトについての研究会を開くなどをして活動を行なってきています。

また、共同プロジェクトとしては、水稲の肥料比較試験や品種比較試験を行ない、これらのプロジェクトの成果についてクラブや地区の各段階において発表もしています。

クラブ年令は若いが活発
プロジェクト中心に活動
こんごは親睦や研修などに力を注ぐ

私たちのクラブは、県内でももっとも新しいクラブですが、いままで四年間あまり全国大会に十人もの参加者が出ている優秀なクラブでもあり、また、現在では、青年団よりも4Hクラブの方が充実しているといわれています。そして、ことしは、NHKから放送利用としてラジオ農業学校の指導を受け、各クラブ員が積極的に学習に取り組んでいます。

しかし、私たちのクラブにとって問題点がないわけではありません。

その主なものとしては、農業青年該当者の全員加入が達成されていないこと、指導者（リーダー）格が少ないことなどでこれらはこん後の課題とされています。

クラブの活動資金は、自己資金と市からの補助五千円でまかなっています。

クラブのこん後の目標としては、❶交歓会などを行ない他クラブとの密接な連絡を図る❷クラブ員の和を図る❸クラブ員の友情と協力❹生産技術の研修と実践などで、この四つの目標に向ってクラブ員がお互いに努力していくつもりです。

毎月十日に定例会を開き、十五日にはラジオ農業学校についての学習会をもっていますが、学習は全部夜間に行なっています。

なお、クラブ員の構成、クラブ歴、個人プロジェクト、今年度の行事計画などは別表のとおりです。

今年度の行事計画

月	行事計画	学習内容
4	新入者歓迎会	研究会（プロジェクトについて）
5	学習会	苗代の作り方と管理　みかんの花芽分化について
6		みかんの葉ダニ防除について
7	青年の家研修会　摘果推進運動	稲の生理について　摘果講習
8	夏祭り　交歓会	稲の病虫害防除について　みかんの袋かけ
9	視察旅行	肥料の成分および土壌について
10		みかん園の防寒対策
11	学習会【坪切り】	麦の省力栽培について
12	農産物品評会	みかんの色と味の研究　稲の品質について
1	新年会　ぜんざい会	農業経営について
2	剪定講習	みかんの剪定理論と実際
3	反省会	

クラブ員構成とプロジェクト

役務	氏名	年令	クラブ歴	プロジェクト名
地区連事務局長	井上　利幸	22	4	みかん　スイカ　水稲
	平　勝則	22	4	みかん
クラブ長	釘尾　博	20	3	みかん　養鶏
	井上　繁己	20	3	みかん
クラブ会計	瀬戸　則行	20	3	みかん　スイカ　水稲
	野本　文幸	20	3	みかん
	小池　正人	19	2	みかん　スイカ　水稲
	釘尾　正則	19	2	みかん　水稲
	小野原繁次	19	2	みかん　スイカ
副クラブ長	平　夕起子	20	2	みかん　生活改善
	松尾ヤスヨ	20	2	みかん　生活改善
クラブ書記	釘尾アヤ子	19	2	みかん　洋裁
	井上みつ子	19	2	みかん　洋裁
地区女子会長	釘尾　澄子	19	2	キク作り　料理　みかん
	松尾ツネ子	19	2	花作り　料理
	井上　晋勇	20	2	肥育牛　みかん　水稲
地区新聞部長	中西　恭子	21	4	みかん、〔スイカ、料理、生活改善〕
	瀬戸　久代	21	4	みかん　料理　水稲

好天で一月前より二%上昇
9月15日現在の水稲作柄

農林省はこのほど、四十四年産の水陸稲作付面積と去る九月十五日現在の作柄概況を発表した。その主なものは次のとおり。

▽作付面積

四十四年産の水稲作付面積は、三百十七万三千㌶で、前年に比べて二千㌶ふえた。陸稲の作付面積は、十万一千三百㌶で、前年に比べて七千五百㌶とかなり（六・九%）減った。

水稲は、前年にひき続いて、北海道、東北、北陸でふえたが、増加の程度はどの地域も前年より低下した。また、前年ふえた九州などいずれも減少の程度は前年をやや上回った。

▽作柄概況

九月十五日現在における全国の作柄は、作況指数で水稲一〇四、陸稲一〇七である。

水稲は、前回調査時（八月十五日）以降も、全国的には好天候に恵まれたので、作柄は前回より二%上昇した。

なお、前記作付面積と作況指数で、収穫量を試算すると、水稲一千三百九十六万㌧、陸稲二十一万㌧、水陸稲合計一千四百十七万㌧となる。

プロジェクトの取り組み方

北海道農業学園教育におけるプロジェクト指導

実践活動領域のプロジェクト指導

北海道専門技術員　三輪　勲

普通科における指導内容

プロの進め方の学習　普通科の学園生は、はじめてプロジェクトを行なう者が大部分である。したがって、男子は「農業経営」女子は「家庭経営」の科目に関連して、プロジェクトの基本について履修することになっている。そこで、実践活動領域の「プロジェクト活動」では、具体的な実践方法について指導することになる。

学習指導要領には「プロジェクト法そのものについては、『農業経営』または『家庭経営』の科目で履修させることとし、この領域によるプロジェクトの実施について行ない、相互に重複しないように留意することがたいせつである」と述べている。（指導計画作成および指導上の留意事項の五）、

個人プロジェクトの実施

技能補助プロジェクト　プロジェクト法の理解に基づきいよいよ実際に実践させる。この場合、学園生の関心や興味の強い課題について学習を中心としたプロジェクトを実施させるとよい。しかがって短期間で終了する技能補助プロジェクトが適当である。

改良プロジェクト　技能補助プロジェクトによって実際の経験を得たうえで、改良プロジェクトの実施指導を行なうとよい。この場合、短期間に終了できること、学習中心のものであること、興味と関心の強いものであることなど、課題選定に留意して指導する必要がある。

小中規模の生産プロジェクト　これは、第二学年において実施させる。できるだけ自家の農業や生活における問題解決に関連した課題について行なうことが望ましいが、重点は学習において指導するとよい。あまり大規模な生産プロジェクトは学園生の過重負担となるので避けるようにする。

共同プロジェクトの実施　普通科学園生の共同プロジェクトは、個人プロジェクトが実施困難な場合に行なわせるとよい。

この場合の課題は学習中心のものが適当である。共同プロジェクトをとおしてプロジェクト活動の理解が進んだときは、個人プロジェクトに方向づけることが望ましい。また、個人プロジェクトと共同プロジェクトの相互切り替えは同一学年の期間に行なうことを避け、できるだけ学年替わりに行なうとよい。

なお、個人プロジェクトに合わせて共同プロジェクトを実施するのは望ましいことであるが、学園生の負担が過重になるように考えなければならない。

プロジェクト促進活動　学園生の所属する地域の農村青少年グループによって異なるが、プロジェクト研究会・研修会・視察旅行・展示品展示会・研究発表・プロジェクト発表など、プロジェクトの促進をはかる諸行事の実施について指導する。普通科の学園生は年少者であるから、レクリエーションを組み合わせて行なうなど、行事参加への興味や意欲の向上をはかることがたいせつである。

高等科における指導内容

個人プロジェクト

技能補助・改良プロジェクト　自家の農業や生活の問題解決をはかるプロジェクトを行なわせる。技能補助や改良プロジェクトの場合は、実施に要する期間も比較的短いので、学園生の能力に応じて年間二～三課題を組み合わせて実施するように指導することが望ましい。

大規模の生産プロジェクト　自家の農業経営における問題を解決する生産プロジェクトを実施させる。この場合、関連する技能補助・改良プロジェクトを合わせて行なうように指導するとよい。

経営のプロジェクト　自家の農業経営の一部門または経営の全領域について、問題点の解決をはかるプロジェクトを実施させる。これは第二学年において指導するとよい。この場合のプロジェクトは、生産・改良・技能補助の有機的な組み合わせに留意する。

共同プロジェクト　高等科学園生の共同プロジェクトは、学習中心のものよりも地域の農業や生活の問題解決に直結する課題について行なうことが望ましい。また、共同プロジェクトに関連して、できるだけ個人プロジェクトを合わせて実施させるように配慮する。

また、プロジェクトを促進するのに必要な行事等の活動は普通科の場合に準じて指導する。

第二回フェンガー賞　技術交換大会

私たちの考案した自動乳缶洗浄機

各集乳所でも好評

細菌数—手洗いの二分の一

長野県下伊那郡高森町　高森4Hクラブ　北原章子　古林信嗣

私の住む高森町は、下伊那郡一の酪農地帯で現在搾乳牛飼育頭数約千百頭を数えています。将来においても頭数増加の傾向にありながら搾乳は機械化されたものの、乳缶の洗浄方法は従来通りの手作業で行なって来ました。

市乳供給源に対処

私の家でも私が洗浄していますが、女性にとってはたいへんな作業です。また、多頭化の傾向をたどる現在、乳缶の本数が増え、洗浄すると衣服が汚れたり、冬の洗浄は冷たく、乳缶の洗浄はたいへんな仕事になりました。

まず、乳缶を水洗いして乳の汚れを落とし、次に洗剤で洗い、もう一度水洗いするという三回の洗浄を繰り返さなければなりません。それに手洗では、洗い方にむらがあり、これらが細菌数増加の原因にもなるのです。さらに、中央流の開通により、都市への市乳の供給地帯となるため、とくに細菌数の問題が重要視されて来ました。

そこで私たちの4Hクラブでは、このような現状を見過すことができない事態を重視し、クラブのプロジェクトとして取り上げ、乳缶の洗浄機を考えてきました。その結果、私たち女性でも手軽に使え、しかも早く衛生的に洗浄できる洗浄機を考案したのでここで発表します。

乳缶のすみずみまで

それでは乳缶洗浄機の構造とその特徴を説明いたします。

まず第一に、この洗浄機は自動的に洗えるということです。構造は、用水ポンプ用モーターの四分の一馬力を使用し、ポンプにブラシを連結して、自動的に洗浄できるようにしました。このポンプの吸水能力は毎分一五リットルです。つぎに水および洗剤の吸排水についてですが、ポンプの吸水口を二ケ所取りつけて水と洗剤の使用の切り換えができるようにしました。また、排水口も二ケ所取りつけ、一方では洗剤が戻り、もう一方では排水します。

さらに、吸水と排水コックを連動させ、自動的に切り換えができるようにし、これにより手作業の場合の水および洗剤のあけかえ作業は、レバー一つで操作できるようになりました。

第二に作業がしやすいということです。洗浄機の外形は、台の高さが五十センチ、横幅、縦幅とも一メートルで、回転ブラシの高さは六十五センチにしてあります。ブラシの先端には水が出るように穴をあけ、ここから出て洗浄に使用された水および洗剤は受け皿を経て、ホースより洗剤は戻り、水は排水されます。

第三に衛生的に洗浄できるということです。これはブラシの直径が四十センチあり、この割り出し方は、いちばん大きな乳缶の直径が三十センチであるので両方に五センチずつ幅を持たせ、洗浄部分にしてあります。ブラシの材質はビニロン繊維を使用してあるので耐久性もあり、遠心力によってブラシが広がるため、乳缶のすみずみまで洗浄でき、たいへん衛生的に洗浄ができます。

製作費

鉄枠	1,200円	ベアリング	1,500円
ポンプ	2,000	プーリー	1,300
防虫網（ブラシ）	500	切換用コック	2,300
よりもどし	650	加工賃	6,000
モーター（中古）	500	合計	15,950円

牛乳輸送缶の細菌検査結果（飯田保健所）

	大腸菌数	一般生菌数	備考
本機	1,800ヶ	160万ヶ	洗浄機10秒洗浄（水洗3秒 洗剤4秒 水洗3秒）
本機	1,300ヶ	75万ヶ	洗浄機15秒洗浄（水洗5秒 洗剤5秒 水洗5秒）
本機	760ヶ	41万ヶ	洗浄機20秒洗浄（水洗5秒 洗剤7秒 水洗8秒）
手洗い	1,300ヶ	94万ヶ	手洗60秒～80秒（水洗い 洗剤洗い ゆすぎ）

注、使用した牛乳　アルコール検査　陽性　一般生菌数　6,400万ヶ

断面図　（単位cm）

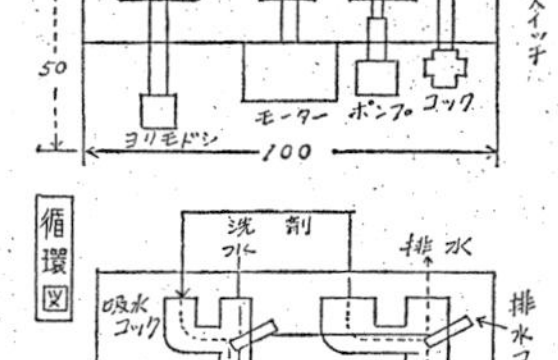

循環図

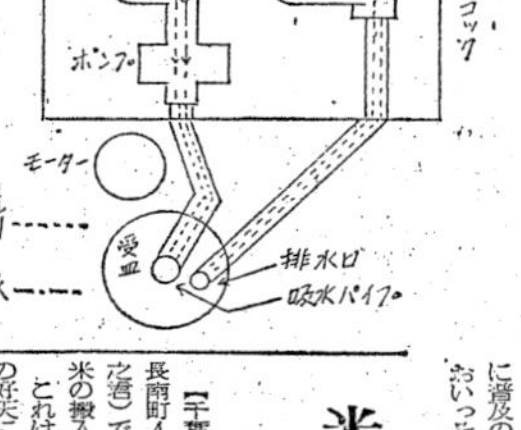

細菌検査でも好評

この洗浄機の使用結果は牛乳輸送缶の細菌学的検査を比較してみますと、使用牛乳はアルコール検査陽性で一般生菌数六千四百万個の物を使用しました。まず、本機の場合、洗浄時間を数段階に分けて調査した結果、二十秒の場合は、大腸菌数七百六十個、一般生菌数四十一万個という結果が出、時間的にも細菌数の面からも最適でした。

つぎに、従来通りの手洗いでは六十～八十秒の洗浄時間を必要とし、大腸菌数千三百個、一般生菌数九十四万個という比較結果が現われました。

また、本機と手洗いの洗浄時間を比較してみますと、手洗いで六十～八十秒に対し、本機では二十秒で三分の一～四分の一に時間が短縮され、大腸菌、一般生菌数とも手洗いの場合の二分の一以下に減少するというよい結果を得ました。

また、改善点としては、いまのブラシでも十分使用に耐えますが、さらにもう少し材質のよいものを研究して使用していきたいと思います。

中央のブラシがモーターによって回り乳缶のすみずみまできれいに洗浄される

私たちは、この洗浄機を使用してみて、洗浄時間が短くなった、衛生的に洗えて細菌数が減った、という非常によい結果が得られ、これを各集乳所で使用した結果も好評でしたので、現在集乳所でとに普及の段階に入っています。なおいっそうの改良を加えて普及させていきたいと思います。

自主流通米に紙袋を

普及目標（一億万袋）突破か

穀用紙袋　経済的で包装荷造りが簡単

ことしの稲作は史上三番目の収穫が予想され、はやくも新米の出荷が行なわれている。茨城、千葉の早場米地帯と北海道を除き、ややよいという作柄であるが、ことし話題を呼んだものに、米価据え置きと自主流通米の二つがある。

とくに、米価据え置きについては、米作農家の期待を裏切るものがあったが、これらの問題はさらに検討されて総合農政の面で生かされるものと思われる。また、自主流通米制度については、政府は八月からこの制度を発足させているが、これは、政府が決めた一定の条件の中で行なわれる制度で、その大筋はつぎの五点にまとめられる。

❶生産者は、いままでと同じように単協、県連、全販連を通じて政府に予約申込みを行ない、予約概算金の支払いを受ける。

❷全販連は、政府の指定する卸売販売業者および実需者から自主流通米の注文をとりまとめ、生産者が予約申込みしたものの中から、注文にあうものを選び出して、自主流通計画をつくる。

❸全販連は、この計画について農林大臣の承認をうけ、これにしたがい政府の定めた販売先に対し販売する。

❹自主流通米に向ける数量については、生産者の政府への売渡義務が解除される。

❺自主流通米も政府の配給計画の中に組み入れられる。

したがって、自主流通米は、食管制度にもとづき政府が公認した制度—である。

このようにして、はやくも新米の出荷がはじまっているが、農家の労働力が不足をきたしているおりから、容器についても従来の複式俵や叺（かます）から紙袋へと利用度が移行してきている。

これは、紙袋が三十キロ詰めという手軽さのため、婦女子でも簡単に扱えるという利点があり、また他の容器に比べて経済的（複式俵の約二分の一）、包装荷造り、輸送が簡単であることから紙袋の利用者が増加の途をたどっているゆえんであるともいえる。

ことし、穀用紙袋の普及目標は一億万袋とされていたが、すでに七月末で七千万袋、八月の一カ月間で一千万袋が増加し、これからみても自主流通米に紙袋の使用が顕著に現われ、九月に入って九百十万袋ふえ、あと目標をわずかに残すのみとなり、十月の出荷最盛期には一億万袋の目標を軽く突破するものと思われる。（資料提供＝全国穀用紙袋協会）

紙袋に入った"自主流通米"第一号の到着

米の搬入を手伝い

報酬はユニホームの購入

【千葉】千葉県長生郡長南町の長南町4Hクラブ（会長、太田彦之君）では、さる五日から農協の米の搬入を手伝っている。

これは、ことし水稲の生育時期の好天に恵まれ例年より豊作で、出荷量も多く、農協関係者も搬入に人手が不足してあわてていたところで、クラブ員の手伝いはおお[illegible]のとして、毎回五名を派遣して頑張っている。

クラブ員たちは、日頃の農作業で鍛えた体力にものをいわせて、はじめてのことだというので心配する人もあったが、みんなやりとげた。

クラブでは、この報酬をユニホームの購入と来月行なう県北地方の[illegible]費に当てる計画である。（千葉県長生郡長南町今泉[illegible]）

農業簿記

京都大学名誉教授　大槻正男

<自計式農家経営簿記>

財産台帳と年度始め記入

固定資産台帳……建物

年度始めにおいて、年度始め現在の所有建物のいっさいを、母屋・離れ・倉庫・土蔵・納屋・畜舎・鶏舎・推肥舎・サイロ・井戸・暗渠排水設備などの順序で一件ごとに実査して記入する。その評価方法は、新築価額（または新築見積り額）から新築後現在までの償却累計額を差し引いて算出するところの使用価評価法による。

年度始め価額＝新築価額−償却額×経過年数

その減価償却額の算出方法は

$$\text{償却額}=\frac{\text{新築価額}-\text{廃棄価}}{\text{総耐用見込年数}}$$

ただし、

総耐用見込年数＝将来耐用見込年数＋経過年数

(注)　廃棄価とは、その建物が耐用年数が終り、廃棄処分に付される際、なお残存している価額をいう。例えば、建物の場合、古材木などとしての見積り価額から、とりこわし費用見積り額を差し引いた価値額をいう。廃棄率は建物新築価額の一割ないしそれ以下とするのを適当とする。なおサイロ・井戸・排水設備などの構築物については見積らない。

新築原価ならびに新築数年後における現在価額算出法は次のおりである。

用材購入代	67,000円
かわらその他購入材料代	52,000円
たたみ・建具代	22,000円
大工・左官・人夫労賃	98,000円
自給用材見積り額	100,000円
上棟祝い費用	8,200円
計（新築原価）	347,700円

この建物の耐用年数を60年、廃棄価を新築原価の10％と見積るときは

$$\text{償却額}=\frac{347{,}700\text{円}-34{,}770\text{円}}{60\text{年}}=5{,}216\text{円}$$

かりに20ヵ年を経過した場合には

年度始め価額＝347,000円−(5,216円×20年)＝243,380円

翌年度始め（年度末）価額＝243,380円−5,216円＝238,164円

木造のかんがい排水溝および暗渠排水設備のような減耗性の地下建造物は、土地から切り離して評価し、地下建造物として取り扱い記入する。そして、その価額の見積りや償却額の出し方は地上建造物の場合と同様に行なう。

「摘要」欄には、新築価額・新築した年・建築材料・建て方および用途（自家用か貸家か）および家計使用割合などを記入しておく。また、償却額計算の式を「総耐用見込年数分の新築価額−廃棄価」の形で記入する。

建物（記入例）

種目	摘要	昭和30年度 年度始め 数量	価額	償却額	増殖額	財産的取引による増・減	昭和　年度 年度始め 数量	価額	償却額
母屋	平屋・かわら・家計使用割合0.95 (672,000−67,200)/60＝10,080 将来耐用見込年数20年	24	369,600						
離れ	平屋・かわら・家計使用割合1.0 (336,000−33,600)/60＝5,040 〃 55年	12	310,800						
土蔵	二階・かわら・家計使用割合0.8 (200,000−20,000)/60＝3,000 〃 20年	4	80,000						
納屋	平屋・かわら (234,000−23,400)/50＝4,212 〃 25年	13	128,700						
畜舎	平屋・かわら (81,000−8,100)/40＝1,823 〃 10年	6	26,310						

NHK農事番組（10月11日～20日）

テレビ

明るい農村　6・30～7・00総合

11日　農業新時代　収穫機械化（新潟県巻町）

13日　村の記録　閉ざされた山（青森県三厩町他）

14日　きょうの話題　農地価格

15日　産物往来　うずら

16日　話題の広場　開拓地の共同農場（栃木県今市市）　クロレラ養産（埼玉県秩父市）

17日　村をむすぶ

18日　農業新時代　パイロット・フォレスト（北海道標茶町）

20日　村の記録　二つの農協（埼玉県花園村）

農業教室　7・30～8・00　教育

11日　新しい養鶏技術

13～15日　東北の稲作

16～18日　九州の稲作

20日　契約生産

あすの村づくり

日　7・00～8・00　教育

12日　これからの農業と青年の役割＝ラジオ農業学校十周年記念大会から＝（新潟市）

19日　消費との結びつきを考える（大阪市立大学教授）硲正夫氏

ラジオ

早起き鳥　5・05～6・00　❶

11日　村のポスト

12日　話題の窓　でんぷんとコンスターチ　ルポ（千葉県ほか）

13日　現地報告　経営改善ととりくむ4Hクラブ（宮城県栗田町）

14日　人と話題　過疎と文化遺産（兵庫県高砂市）西谷勝也氏

15日　通信員の手帳から

16日　産地訪問　抑制トマト（岡山県備中町）

17日　現地報告　豚価をにぎる小屋制度（茨城県猿島郡）

18日　村のポスト

19日　話題の窓　自主流通米その後—食糧庁長官

20日　現地報告　町ぐるみでうまいりんご作り（青森県浪岡町）

ラジオ農業学校

月～土　6・40～7・00　❷

日　6・30～7・00　❷

12日　経営手帳　▽収穫機械化のかんどころ（日本農業機械化協会）渡辺波夫氏▽農薬の微粒散布の効果（農業機械化研究所）武長孝氏

19日　優秀農家に学ぶ　▽第十一回NHK優秀農家中国代表（岡山県笠岡市相生）笠岡審氏

あしたの青春

一ノ瀬綾　え　多賀愛子

<6>

仲間達（六）

「オーイ、集まれや……」

気の早い連中が、もうソフトボールの仕度を始めた。

「ようし、今行くぞ」

新一は皆より早く腰をあげる。ゆっくり周囲を片づけているすみ江の前に、圭次が立ち止まった。

「どうだい、仲間に入ってみたら」

「バレーボールの方なら……」

「じゃ、[illegible]にするか」

汗くさい体臭を残して、圭次はすみ江に背を向けた。ハイティーンの若者達は、バットを振り廻したり、女の子にボールを投げつけたりして、ふざけ合っている。すみ江はふと、自分にも、あんな時代があったことを思い返し、今の自分が、分別臭い大人の、眠な重みを身につけてしまっているのに気がつき、白けた気持に落ちこんだ。振りはらうつもりで立ち上がると、一人で草原の斜面を登って行った。空はどこまでも蒼く高かった。高山植物が咲き乱れる広大な平原は、ハイカーの群を白い蝶のようにちりばめて、果てもなく続いていた。どこからともなく霧が湧いて流れ、蒼空の中へ、雲が激しく動いて消える。

無制限な　おほどかな　荒っぽくて
新鮮なこの風景の情緒は　ただ
身にしみるように本原的で
尋常の尺度にはまるで桁が外れている

秋が　雲の砲煙をどんどん上げて
空は詩と白との眼もさめるだんだら

暗誦している「美ヶ原熔岩台地」の詩句が、あざやかな現実の風光と重なり合って、ひとりでに、すみ江の唇にのぼってくる。

歩きながらすみ江は、新一の言葉を思い出していた。

「本ばかり読んでいるのは、現実からの逃避だぞ……」

ひまを見つけては、本を開く姉をからかった弟の文句であったが、なぜか今、すみ江はその言葉に引っかかる。

「町の暮しは、そんなにいいかい……」

圭次の怒ったような口吻も思い出される。自分は現実から逃げていたのだろうか……そうだとも思えたし、人並なやり方だという反発も湧く。やがては村から出て、サラリーマンの妻になるかも知れない自分に取って、今の我が家の生活も、村のあり方も、やがては縁がなくなるのだから……そう思いながらすみ江は、まだ出張先に居るであろう、津村栄吉のおもかげを強く記憶に甦らせてみた。今度逢ったら、一度家へ連れてこようと思い決めたが、なぜか気持がはずまなかった。遠くへ来すぎたことに気がついて、すみ江が急ぎ足にキャンプ場にもどってみると、みんなはまだ熱心に、ソフト・ボールに興じていた。

「それ、そこだ、打って、打って！」

圭次が中腰になって叫んでいる。他の青年も二人、引きこまれたように見入っていた。

「駄目だ、まっと、早くとべや。廻りこむのがおそいぞ」

「タイミングを、はずさねえように」

外へ大きく飛んだ球が、近ずいて行くすみ江の方にころがってきた。走り寄ろうとした時、圭次がすっとんで来て、球をつかむと仲間の方に投げてやった。すみ江を振り返りもせず、チームに駆けもどると声を張った。

「もう一ぺんやるか！」

「やるー」

たくましい若者達の背や、胸や、脚が、高原の光る風の中でのびやかに躍動する。

声をかけそびれて、すみ江は立ちつくす。妙に淋しい、腹のたつ思いで、圭次の汗にまみれた白いシャツ姿を、じっと見つめていた。

農村雑感

折原 仮二郎

所有と使用

自動車、テレビ、ラジオその他家具類など、いわゆる耐久消費財の普及は、日本のあらゆる家庭の中に、猛烈な勢いで普及している。経済の一般理論からみると、人間が直接に消費するもの、即ち、耐久消費財の伸びは、景気が良い場合に限られるといわれている。

農村における自動車の普及、テレビ（今では白黒からカラーに変りつつあり）の普及は、都市以上であるといわれているが、これは農村の景気が決して悪いものでないことを意味しているのではなかろうか。もし、それが事実であるとすれば大変よろこばしいことといえる。

事実、どの農家をみても、十年前より悪くなっているという農家はほとんどみあたらない。日本経済が高度に伸びていると同様、農家経済も大きく伸びているといえる。しかし、問題は、農業と他産業との比較をした場合に、その伸び率に差があり、他産業より農業の伸び率がはるかに低いといわれる点であろう。そうはいわれても農家の生活水準は相当上っており、これからも生産水準の向上が続けられることも事実である。

ところで、耐久消費財を先にとり出して述べたが、私の云いたいことは、耐久生産財のことである。耐久生産財とはみんなが知っているように、他の生産物の生産のために消費するものを云いますが、農業関係では、その代表的なものが農業機械であり、その具体的なものといえば、ティラーとかバインダーなどである。

或る人からこんな話を聞いたことがある。ドイツ人は、すべて合理的に物事を考える国民である。ドイツの農村を巡ったとき、農家に寄って、あなたの家にどのような農業機械があるかと聞いたところ、私の家というより、隣の家と共同してトラクターが一台ある。その付属機械も共同所有であるということであった。その理由は、経営面積から割り出して考えてみると、個人でもつことは不経済であるからということで、こうした所有形態は、この付近の農家のほとんどであるという。ついでに洗濯機も隣の家と共同であるという。また、収穫期には組合にあるコンバインを借りることにしているということである。

日本の農家の場合ではなかなかこのようにはいかない。隣りが買ったから家でもという考え方は、基本的にはなくなったと称しても、その考え方は消え失せていない。まだ買えるだけ余裕があるからよいといえるかも知れない。しかし、一人で買えないから二人で買おうという考えまでに至っていない。こうした考え方であれば、余裕があるから買うという考え方もおかしい。

このように考えてくると、所有すれば満足するという考えにも連なっている。しかし、耐久生産財は、この考え方の中では意味をもたない。耐久消費財と異なる点であることを忘れてならない。耐久消費財は所有することで満足して差支えないが、耐久生産財は使用することで満足しなければならない。

（農林省・農業者大学校）

リーダーの知恵
ある地区連会長の場合

佐賀県連組織委員会委員長 森 武則

佐賀県連に組織委員会がある。これは、クラブ員がクラブ活動に専念し、十分活躍できるような環境づくりをしようというものであるが、この委員会のメンバーでもあり、抜群の活躍をしている小城地区4Hクラブ連絡協議会々長の福田和夫君を紹介してみよう。

小城地区連は彼が組織し、現在、クラブ員の資質の向上と組織拡大に余念がない。彼は自分で鉄筆を握ってカリを切り、クラブ員はもちろん農村青年に対して4Hクラブの説明を続けている。

そこで、その中のあるプリントを紹介してみたい。なぜなら、苦しみ悩むリーダーの知恵として、汗と涙の結晶として感嘆するほどで、そして読んでいて楽しいからである。

たとえば次のごとくである。

【例】

○頭 がよくなくちゃあ彼女にもてないもんな……頭の訓練をしよう。

○適切、俺の心は友情を彼女の心に培っていたんだ……今はハートがドキリン

○腕（技術）を磨いて、早く一人前になろう……だって彼女のためだもん。

○彼女と楽しく暮すためにも、生活のためにも、健康を増進しよう……ウィシィシィ

次に、プロジェクトについて!（計画・実行・記録・反省のことをいう）

【例】

○僕が彼女に会うために、ある日、あるとき
計画を立てたんだ（それはないしょ）

○そして、その計画通り、いつもの道の曲り角で
実行したんだ（クックックッ）

○それを一つ一つ記録したんだっけ
（いま想い出してもゾクゾク）

○そして記録したものを
反省したんだ。あれは、とても月のきれいな夜だった。

そして、さらにこの四段階を最初からやり直したんだ。何回も何回も、本当に苦しかった。失望もした。しかし、最後に笑うものは俺だ。私だ。ハハハ ホッホホ

4Hクラブとはざっとこんなもの。最終目的として良い人となるため。ただし、実践を通してみれば、苦しまんばよかとたなかばい。

お互いに仲間になり、未来のために頑張ろう。―という具合である。

地区連会長は、存在として県連の事業を左右する理事であり、同時に県連の依頼（連絡、集金、資料配布、原稿集めなど）を受け責任を果たさねばならない。そして、地区連活動の最高責任者であるから非常に忙しい。

また、次期県連リーダーであり、4Hクラブ活動の要（かなめ）であるようだ。地区連役員の人たちが会長に思い切って働けるように協力することが、とりも直さず、理事会に熱気が入り、さらに人員集め、連絡の徹底などが完全化に近づき、新しいアイデアを生み、県連、地区連がよくなり、4Hクラブがよくなっていくと思われる。

そういう外部の条件が彼にそろえば、まだまだいろいろなアイデアが生まれ、活躍ができると思うのである。

☆

クラブ員がクラブ活動に専念して、十分活躍できる環境整備に目を移してもムダなことではない。親との対話によって作業を分担し、また、個人負担を軽くしてやるという資金獲得（援助）など、現在、立派なクラブ活動をやっていても、分析してみるとまだまだ研究の余地が残っている。とくにOBの体験談を聞くことは非常に学ぶ点が多い。もう一度われわれの4Hクラブを解剖するために、佐賀県の組織委員会が存在しているのだが、主観と客観の議論が同時に論じられるのである。

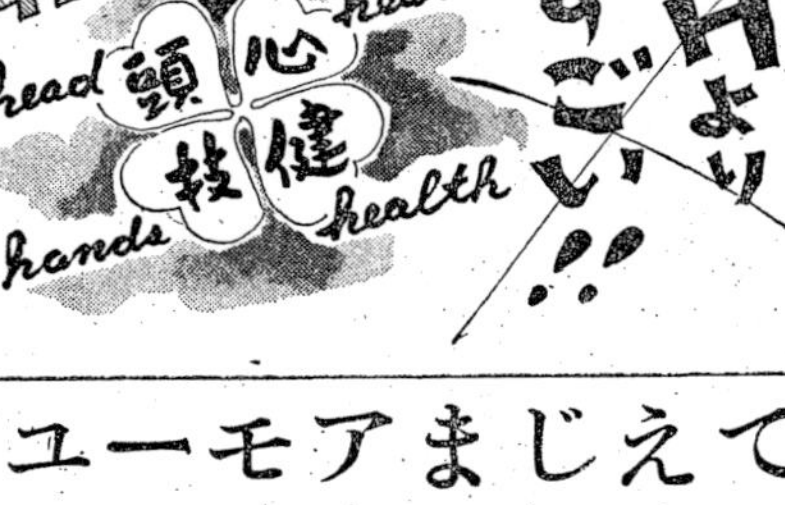

ユーモアまじえて
楽しい"4H"紹介のガリ刷り

私の青年運動 つどいの発表

茨城県稲敷郡東村々長（篤志指導者） 根本久夫

>下<

新鮮な感覚と実力を
現状からの脱皮は青年の理想

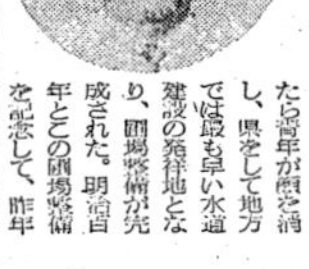

当時の会員たちは、現在では部落、そして村の中堅人物として自からの営農も他の模範になるまで成長し、安定した家庭経済を守ってはいるが、ただこの事実を反省するとき、当時としてはそうするより仕方がなかったのかも知れない。しかし内容が極端に同志的であるがゆえに後続がないということがあげられます。最近ではそんなことはありませんが、第一に場所がない、講師がない、金がないの"三ない"であった。

しかしながら、このささやかな活動の中から生れたものに、ぐうたら青年が顔を消し、県をして地方では最も早い水道建設の発祥地となり、団場整備が完成された。明治百年との団場整備を記念して、昨年結婚式場、婦人研修室、子供遊園地など念願であった子供たちから老人までが集会して楽しめる、部落として豪華で中央公民館に匹敵する記念会館の建設をみたことは当時の青年たちが役員となって夢を果したためであり、その大きな原動力になった事実は特筆に価いするものです。

その後しばらくして、4Hクラブの発足をみた。私は、往年の体験から双手をあげて賛同し、農村青年に心の寄りどころと夢を持たせる意味においても、また村発展につながるものとして、できるだけの協力を惜しみません。

現に、4Hクラブ活動の中で、相互間の信頼、研修はもちろんのことながら、村をして中央公民館建設の大きな原動力となった議会としても、義務教育施設に対しては寛容であるが、こと社会教育に関しては二の次ぎに考えるようなかたちがないでもなかった。その中にあって、婦人会、指導者階級、議会などに積極的に啓もう、働きかけをして、長い間待望していた中央公民館が建設されたことは、各種団体のご協力はもちろんであるが、とくに、4Hクラブ員諸君の原案が実現されたと申し上げて過言でありません。

私の一人っ子が、昨年、県立農業大学に入学いたしましたが、都合のつくときだけでも参加するということで、すすんでクラブに入ったということは、東村の稲穂サークル4Hクラブが魅力のあるまでに発展したからであると申せましょう。

私は4Hクラブの全国大会にも二度ほど全日程参加いたしましたが、整然と規律正しく自主的に運営されていることを見ていても、非常にすがすがしさを感じます。

このように組織化され、しっかりした思想、目的のもとに参集し永続性のある結合体でないと真の青年運動はできないでしょう。

私は教育者ではありませんので社会教育の実績がどのへんにあるのか分りませんが、青年会、婦人会などの活動も最も重要な問題であります。しかし運営の面で多少漠然とした面がないでもありません。

その点からみて4Hクラブのあり方は、一歩前進し突込んだ活動ができる訳けで、とくに農村に住む青年の組織としては最も当を得たものと賛意を表するものであります。

現状の生活から脱皮して、新しい時代に即応した文化生活を展開するのは、農村に住む者の願いであり、とくに、青年の理想も常にそこになければならないと思います。

世の中へ出て一番みじめなことは、自分に実力のないことです。自分自身の幸をつくり出すにも、他人や社会のために活躍するのも実力です。実力のない人生は不安の連続でしょう。

大いに研修し、新鮮な感覚、豊かな感情、徹底した実行力をもってご奮闘されますことを心からお祈り致します。

（おわり）

青い目の"草の根大使"
有意義だった鳥取滞在

山本哲嗣

=下=

手真似で救い求める
家族の留守に牛が逃亡

また、マイケル君もいろいろの体験があるが、彼には赤碕町で次のようなエピソードがある。

それは、赤碕町に入ってまだ間もない頃、受入れの家族が急用で留守となり、マイケル君が一人で留守番をしていたことがあった。

それは夜であったが、外で変な音がするので出てみると、畜舎の戸が開いたままになっているのである。中に入ると、乳牛がいない。さあ、困った。マイケル君はどうしようかと思った。

しかしすぐに彼はすぐとなりの人を呼びに行った。だが、まったく言葉がダメ。マイケル君は、一生懸命ウシの鳴き声を出したり、手を使って走るゼスチャーをしたのである。

しかし、これまで外国の人とは話したこともない人たちはマイケル君がなにを言おうとしているのかわからない。ただ彼が、異常にあわてているのをさとって、とにかく彼のあとについていったという。ということで、平気で他所の田んぼを歩いている牛をようやくつかまえたというわけ。

▼茨城から鳥取へ来て以来、まだ県庁を訪問していない二人は、県知事にあいさつに行った。しかしマイケル君は、おりから盆の帰省者の車でなかなか思うように進めず、予定の時間を大きくオーバーしてしまって、県職員もヒヤヒヤしながら到着をまっていたが知事とは会うことができずガックリ。

しかし、高崎県総務部長に、待っていたマーガレットさんと共にあいさつ。県から"ジャンシャン傘おどりの傘"をプレゼントされ大いにごきげん。そのあと鳥取大砂丘と、鳥取県でもっとも大きい祭りの一つで前日から開かれていた"ジャンシャン祭り"を見学。盛んに"ベリー・ナイス"を連発し、十五万人の人出にビックリしていた。

また当日は、鳥取県連広報部の主催による紙上座談会に応じ、多くの人たちからの質問に答えた。例えば、宇宙開発はみんなで進めなければならないし、アポロ11号の成功によろこんでいる。しかし、すべての国も、また、とりわけアメリカでは、黒人問題など多くの問題をかかえているが、もっとそちらの方に目をむけてみることも大切なことではなかろうかとも話していた。

▼"つどい"の現地交歓訪問で六月に大きな成果をおさめた西伯郡農村青年会議連絡協議会が、せっかく外国から4Hクラブ員が来ているのだからこの機会にアメリカのことなどを勉強しよう、と二人を招いて郡連協の会合を開いた。

最初、二人が彼らの農場や4Hクラブ活動をスライドによって紹介したあとで、二人のアメリカクラブ員を囲んで話しあいが進められた。この地区は、日ごろから活発な活動を続けている青年たちが多いだけあって次からつぎへと質問が出された。

例えば、アメリカの農家の主婦は主人から最上の家庭の管理者としての条件を希望されているので外での仕事よりも、炊事や育児の勉強の方に重点をおいている—ことなどを聞いて熱心にメモをとる光景もみられ、また、最後にマイケル君と地区のクラブ員と"ウデズモウ"をやったりして、なごやかなうちにその目的を十分果たし記念写真をとって終わった。

以上、二人のアメリカからの草の根大使、一ヵ月間の鳥取滞在中の活躍を少しだけあげてみた。言葉はまだまだ十分ではなかったが彼らなりにつとめて体験することによって一つでも多くのものをアメリカの人たちにもち帰ろうとする意欲が十分にうかがわれた。そして、多くの農村青年や婦人の会合で、また新聞などでアメリカの様子を示し、日本の印象、さらに今後私たち青年のあるべき姿などを述べ、本来の目的である日米間の理解もさらに深めることのできた本県での生活であった。

彼らは鳥取に来て、本当に楽しい生活だった。「私たちは、鳥取できれいな山や、海を十分楽しんだ。さらに本当に多くの友だちもできた。できることならもう少しでもここに滞在したい」と別れをおしんでくれたが、彼らが去った今でも、あちこちでマイケル君、マーガレットさんのその後をなつかしく話すのをよく聞くが、本当にそれほどすばらしい二人の鳥取滞在であった。

なお二人は、鳥取から高知県にむかった。そして現在長崎県に滞在中である。二人はこのあと、大阪、福井、群馬に滞在のあと、十二月初めアメリカに東京から帰る予定である。

（四十三年度派米クラブ員）

（おわり）

プロジェクトから共通点みつけて 仲間づくりを
平和を築く原動力に

全協推せん青年の船派遣団員（神奈川） 野川和久

青年の船

私の住む平塚は、今日では団地やハイウェイの波におされ、農地は年々減少し離農あるいは兼業農家が増大し、これから農業を志す者はまれに見るような状態になってきました。

このような環境の中で、過去において、私たちの湖の巣クラブでは、共同プロジェクト水田裏作利用のキャベツ栽培などを通して自発的な活動意識を高め、地域の仲間づくりを積極的に進めてきました。しかし、この一年間は共同プロジェクトの活動に見るべきものもなく、その結果、その後の諸活動が停滞してしまい、現在に至りましたが、やはり、これからは共に働く仲間たちと手をつなぎ、栽培に関するプロジェクトを通して組織化をはかり、自分自身あるいはクラブ員自身クラブに何を求めるべきか、何を行なうべきか話し合いによって目的意識を明確にし、その目的達成のために一歩一歩地道な活動をしていかなければならないし、その活動に自から積極的に参加しなければならないと思います。

これからの活動は、個人プロジェクトを主体としながらも、その中にクラブ員の共通点を見つけて学習に励み、実践していくなかで仲間作り、組織作りが強化され、ひいては、それが全国4Hクラブの向上につながり、日本の農業の責任者としての素質が培われるのではないでしょうか。

現在の社会機構は、日ごとに複雑化し、農業を行なうにも、これまでとは異ったいろいろな困難に直面するでしょうが、それだけにやりがいのある職業ではないでしょうか。私としても初心を貫き、最後までクラブ員との協力によって、これらの困難な問題解決に努力していきたいと思います。

都市化の進む中での私たち農業者の生きる道は、個人にとってたしかに生やさしいことではありません。そこで、協力、協同の精神の上に立ったクラブ活動などが重要になってくると思います。たとえ、クラブ員は減少しても地域社会のリーダーとなり、農業を真剣に見つめ、信念とほこりを持って農業ができるように積極的に資的改善をしていかなければならないと思います。

一般青年団体への影響力を盛んにし、影響力を行使していくことも重要なことと思います。こん後は、農業者だけが団結しても良き社会を作ることができません。それには、全国の青少年が力を合わせて、平和な良き社会を創造することがわれわれ若者に課せられた大きな課題であるでしょう。「青年の船」は、私にとって良き研修の場であり、機会でもあると思います。

全国の多くの青年と経験を共にし、新興の意気に燃える各国の青年と交歓し、知識を広めて自分自身、あるいは私たちのクラブ活動の反省の具にしていきたいと思います。また遠く異国の地からあらためて自分の住む日本をじっくり見つめることも大きな成果になると思います。

確かに、私たちの訪れる東南アジアの各国の農業、文化、教育などはあらゆる面で立ちおくれていることは事実でしょうが、各国の青年たちは未来の祖国を築くためにいろいろな努力をしていると思います。その努力、あるいは情熱といったものは、世界一すばらしいかもしれません。そういうものを肌で感じてこれることを期待し、また私たちに共通する青年時代の考え方を話し合って平和な世界を築く原動力になりたいと思います。

生活の知りコーナー
体温などのはなし

十月十日は「体育の日」。秋たけなわのこの日の前後は美しい日本晴れが続き、スポーツは花ざかりというところ。しかしこの時期に限らず平素から体位の向上には心がけたいもの。

今回は、体育の日にちなんで人間のからだについての基礎知識を紹介しましょう。

体温 標準体温は、わきの下で三六度二、三分から同六、七分で、日差は一度以下です。個人差はありますが、だいたい朝は低く夕方が高いのがふつうで、その差を日差といいます。体温を計るときには、わきの下をよくぬぐい乾かしてから体温計をはさみます。

脈拍 腕首の動脈部を軽くおさえ、一分間の脈数を計ります。標準脈拍数は次のとおりです。

初生児一四〇～一三〇、乳児一二〇、二歳～五歳一〇〇～九〇、五歳～十歳九〇、十歳～十五歳七八～七〇、十五歳～五十歳七〇、五十歳～八十歳七四～八〇（初生児とは生後一週間程度をいい、乳児とは離乳するまでの満一ヵ年程度をいう）。

呼吸 胸または腹に、てのひらをあて、手ごたえによって一分間にする呼吸を数えます。標準呼吸数は脈拍の三分の一から四分の一で次のとおりです。

初生児四〇、乳児四〇～三五、五歳～十歳二六、大人一八～一六。

血圧 高血圧は、心臓肥大、動脈硬化、じん臓障害のためである場合がほとんどです。血圧計によって測定します。普通の場合、血圧というのは最高をいうので、正常の血圧は、大人男子が一一五～一二五ミリ水銀圧、大人女子が一〇五～一一五ミリ水銀圧。

だいたい年齢に九〇を加えたぐらいが最高血圧です。これ以上の血圧は一応血圧の高い人であり、一八〇ミリ水銀圧以上は常時警戒を要します。最低血圧は八〇～九〇ミリ水銀圧です。これはあまり変動がありません。

（貯蓄増強中央委員会発行の「奥様便利帖」より）

日本4H新聞

4Hクラブ
農事研究会
生活改善クラブ
全国弘報紙

発行所
社団法人 日本4H協会
東京都市ケ谷家の光会館内
電話(269)1675郵便番号162
編集発行人　玉井　光
月3回・4の日発行
定価　1部　20円
一ヵ年700円（送料共）
振替口座東京　12055番

クラブの綱領

私達は実践を通じて自らを磨くとともに互いに力を合せてよりよい農村、よりよい日本を創るため四つの信条をかかげます。一、私達は農業の改良と生活の改善に役立つ腕をみがきます。一、私達は科学的に物を考えることのできる頭の訓練をします。一、私達は誠実で友情に富む心をつちかいます。一、私達は楽しく暮し元気で働くための健康を増進します。

昭和45年度
草の根大使を募集　日本4H協会
米国、中華民国派遣の4H代表
応募の締切りは12月10日

社団法人日本4H協会（松下幸之助会長）は、国際農村青年交換（IFYE）計画に基づいて、昭和四十五年度に米国および中華民国（台湾）に派遣する日本代表の4Hクラブ員を近日中に募集する。この交換事業は、日米、日中それぞれの4Hクラブ員を相互に代表として派遣し、受入れた方では農村の数戸の家庭にその子弟の一員として迎え入れ、その間、農業技術や農家生活、4Hクラブ活動などを学ばせるとともに、4Hクラブ員を中心とする農村の人々と交歓し、相互理解と国際親善に貢献させ、帰国後はクラブリーダーとして活躍させようという目的で毎年行なわれているものである。今回の募集は、米国、中華民国とも男女各一名、総計四名で、しめ切りは来る十二月十日である。

募集要領

1、派遣の目的
わが国の4Hクラブ員を米国および中華民国にそれぞれ派遣し、両国の農業、農家生活、クラブ活動を実地に体験させ、わが国と両国の相互理解と親善を深めるとともに、帰国後のクラブ活動に役立たせることを目的とする。

2、実施機関
米国の場合
日本側　社団法人日本4H協会
米国側　米国4Hクラブ財団
中華民国の場合
日本側　社団法人日本4H協会
中華民国側　中華民国四健会協会

3、派遣員数
米国　男女各一名　計二名
中華民国　男女各一名　計二名

4、派遣の時期および期間
米国　昭和四十五年四月中旬から約六カ月間の予定
中華民国　昭和四十五年十二月中旬から約三カ月間の予定

5、派遣中の行動概要
当初数日間のオリエンテーションを経て、数戸の受入れ農家に滞在し、その農家の子弟として、農業および農家生活の実際を体験するほか、地域のクラブ行事に参加したり、学校、教会などの集りに出席して、日本事情の紹介などを行なう。

この間、米国では例年八月に開催される中間会議に出席して、数十カ国の4Hクラブ員代表と交歓の機会をもち、また、中華民国では全国大会に出席する。

両国とも、期間中に自由時間があり、各地の見学旅行をすることになっている。

6、派遣される者の資格
❶現在、4Hクラブ員であって、プロジェクト活動の実績をもつ者❷年令は、昭和四十五年四月一日現在、満二十歳以上二十三歳までの者で未婚者であること❸健康で人柄などがこの計画にふさわしい者❹中学校卒業程度の英語を修得している者（米国の場合）❺帰国後、クラブのリーダーとして活動できる者。

7、派遣に要する経費
❶往復の旅費は日本4H協会で負担する❷滞在中の経費は個人的経費（自由時間の見学費、土産物購入費など）を除き、いっさい米国または中華民国で負担する❸出発前の研修、諸手数料などで若干の経費を徴収する。

8、派遣される者の選び方
派遣される者は、第一次、第二次の審査を経て決定する。
❶第一次審査（十二月中旬）
第一次審査は書類審査とする。審査を受ける者は、これに必要な次の書類を提出すること。

㋑履歴書（本人自筆のもの）㋺戸籍謄本㋩健康診断書㊁写真（三ヵ月以内に撮影した無帽、正面上半身の縦横五㌢で背景白、無台紙のもの）㋭両親、またはこれに代る者の同意書㋬クラブ歴の明細書㋣プロジェクト活動実績の報告書㋠知事の推せん状㋷希望国名とその理由（八百字以内）以上、写真は二葉、他は各一通。
❷第二次審査（一月中旬）
第二次審査は、作文および面接審査とする（派米の場合は面接審査に英語を含む）

9、出発前の研修
派遣される者に対しては、出発前五日間の事前研修を行なう。

10、関係書類の提出期限
昭和四十四年十二月十日

岩崎氏欧米視察へ

全協初代会長で、現静岡県清水市議会議員の岩崎茂氏は、去る十月五日午後九時三十分、羽田発の日航機で、二十六日間の欧米視察旅行に出発した。

この旅行は、同氏が清水市長の随員として、米国ストックトン市で行なわれる姉妹都市の記念式典に参列したあと、欧米の都市開発などを視察するもの。

涼風暖風
おコメの問題

昨年の秋から約一年間にわたり、総合農政推進のための基本的事項について審議してきた農政審議会の答申がこのほどまとまり、佐藤総理に答申された。

この答申は、生産性の高い近代的農業を育成するため、農産物の価格政策の是正や輸入の調整、離農の促進と援助などについて意見を述べているが、その中心となるものは稲作と米価の問題である。

すなわち、米の過剰生産は国民経済として放置できない重大問題であり、これの解決は農政の緊急課題である―として、稲作の転換・休耕、政府買入れ価格の調整、買い入れ制限などの政策をあげている。

この答申を受けて、佐藤総理は、内閣の総力をあげ、あらゆる困難を乗り切って、近代的な農業と新しい農村社会の建設を実現し、次代を担う優秀な後継者が希望と自信をもって、安心して営農にいそしめる基礎を築きあげる決意であると述べ、政府はどのように施策化するか、具体的に検討しているところである。

とはいえ、古米五百六十万トンが余っても、米価引き下げや買入れ制限ということは、稲作農民にとって死活問題である。

これまでの日本の政治は、救済すべきような問題については、どうしようもない窮地に追込まれ、世論に叩かれて、はじめて腰をあげてきた感がある。国家的な観点に立つ為政者にしてみれば国家全体の利益を考慮してみたうえで、それは仕方のないことであったのかも知れない。

したがって、大多数の国民は満足しても、弱い立場や環境の人のなかには救われないでいる人もある。そのうちには、貧農といわれる人たちもいる。

これまでの農政は貧農を切り捨てながら、豊かな農民を育てようとしてきたし、これからも、その施政は変るまい。すべての農民を農民として救うことができないとすれば、一部の農民、すなわち限界農民に見切りをつけるのは当然かも知れない。政治とは、そういう冷たい一面をもっている。

これから将来も、稲作だけに頼っていくには、四、五㌶の田畑が必要だといわれている。

それにつけても、おコメの問題ほど、いろいろなことを考えさせるものはない。

国民の大多数は、戦後の、あの痛ましいばかり食べ物に飢えた記憶をもっているはずである。また、インドでは現在でも何百万人という飢えた人々がいる。その一方では、アメリカや日本のように主食が余って困っているところもあるのである。

全協と緊密化図る
関東ブロック推進会議開く

【栃木県＝石沢真一連絡報道員発】全国4Hクラブ連絡協議会（会長、黒田保君）関東ブロック農村青少年（4H）クラブ連絡協議会（会長、高山勝利君）栃木県農村青少年クラブ連絡協議会（会長、和気隆君）の三者共催による関東ブロック・4Hクラブ推進会議が、さる九月十八日から四日間栃木県日光市の中宮祠ユースパレスで開かれた。

この会議には、全協役員四名、同ブロック役員八名のほか、埼玉、神奈川、千葉、茨城、群馬、長野、山梨、静岡の各県連代表四十一名、地元栃木県連から二十六名と同県担当官ら関係者九名が参加した。

一日目は、開会式につづいて、「農村青少年クラブの組織の強化について」と題して、栃木県農務部参事、菅忠義氏の講演が行なわれた。

このなかで菅氏は、氏の長年にわたる青少年教育者としての経験を基にして、日本に4Hクラブが普及事業の一環として導入された当時から、日本独自の4Hクラブとして一人立ちしようとしている現在までを、外国の例と比較しながら述べられ、この日本独自の4Hクラブということについてはクラブ員自身も大いに検討していくよう切望された。

つづいて、各県連の事業や予算などについて検討し合う情報交換の会議に入ったが、開会式が遅れたため、時間が少なくなってしまい、充分な話し合いができなかった。この点については、こん後、各県連が、資料を持ち寄って、再び検討し合うことを、役員会で決定した。

つぎに、高山会長が、この関東ブロック農村青少年（4H）クラブ連絡協議会がいかにして結成されて現在に至ったか、そしてこん後どう進めていくかを説明した。

夜の日程は、自由交歓であったが、全協の黒田会長の都合で予定が変更され、同会長を囲んで、4Hクラブ活動について夜の更けるのも忘れて議論が交わされた。

二日目は、清々しい朝日の注ぐ中禅寺湖畔で朝の集いを行なったあと朝食をとり、分科会に入った。

分科会では、前日の講演を基にして、クラブ活動の本質から進め方まで熱心に討議がなされた。十一時から、分科会のまとめとして全体討議が行なわれた。

午後は、記念撮影のあと、全協の小原副会長、石井事務局次長が出席して、全協の問題について話し合いを行なった。

前夜、黒田会長と充分に話し合えなかった細かい全協事業について、また、現在大きな問題となっている4H会館建設について、約三時間話し合いが行なわれた。

全協との話し合いが終ると、初秋の気配を感じる日光中禅寺湖に浮ぶ船内で凝った肩をほぐし、菖蒲ガ浜でバーベキュー大会を行なった。

大分県連で"集い"
新営農者の激励をかねて

「明るく楽しい農村を築くために」というテーマでパネルデスカッションを行なう大分県のクラブ員たち

【大分県＝梶原厚美・中山真智子両連絡報道員発】大分県農村青年連絡協議会（会長、児玉前君）は、県と県農業振興運動協議会（会長、木下知事兼任）と共催し、さる九月二十六、二十七の両日、大分県湯布院町湯無田高原の国立青少年スポーツセンターで「明日をつくる大分県農村青年の集い」を開いた。

この集いは、これまで行なわれてきた「県農村青年の集い」と「新営農者激励大会」を合同し、ことし学校を卒業した新営農者と以前から農業に取り組んでいた青年が一堂に集い、日頃研究実践している知識や技術を交換し合うとともに、話し合いやレクリエーションを通して、若人の団結と友情を深め、これからの農村を担っていく自信と誇りを養う目的で開かれたもの。

大会には「心と技をみがき合い若さで築こう豊かな農村」のスローガンのもと、新営農者、一般クラブ員、農業実践大学校生、県担当官や市町村職員、農業団体職員など八百人が参加した。

第一日目は、九時から受付、十一時から十二時まで、新営農者激励の会が開かれた。

まず、木下知事が、これからの厳しい農業を克服していくには気概と勇気が必要である、と激励。児玉県連会長は、私たち若者の力で夢のある農村をつくろう、と歓迎のあいさつを述べたほか、県議会議長、県農協中央会など、多数の来賓から激励のことばが述べられ、スローガンを斉唱し、激励大会を終えた。

午後からは「農業青年の発言」と題してパネルディスカッションを行なった。

テーマは「明るく楽しい農村を築くために」ここでは、まず三つの問題が取り上げられた。

はじめに、親子の対話がたりないということが取り上げられ、お互いにもっと話し合いをすることによって家庭内の問題点も打開できるはずである。つぎに、これからの農業を進めていくためには、共同化や協業によって企業的な経営へと進まなくてはならない。それには互いに協調の精神がなければできないことなので、これからの農村を背負って立つわれわれ青年が、クラブ活動を通してよりよい社会人になることが必要である。それから、お互いの結婚の問題で、結婚の簡素化、合理化などを、われわれ青年がもっと勇気をもって取り組んでいかなければ、かけ声だけで終る―などということが討議された。

夕食後、六時三十分からキャンプファイヤー。のど自慢や郷土芸能などを楽しんだ。

二日目は、六時起床。六時三十分からラジオ体操をしたあと朝食。

八時三十分から、仲間づくりスポーツ大会で、ゲームや体力づくりのほか、各地区の対抗リレーや男女対抗綱引きなどで楽しくにぎやかに過したり「ブンブン会議」を行ない、農村青少年が農村生活を営むなかで、農村社会における疑問点や家庭内における問題点を率直に打ち明け合い、仲間意識を深めながら農村生活の改善や農業振興に取り組む意識と自信を培った。

青少年に希望を
山口県連で激励大会

これからの農業に取り組むには、まず体力づくりから＝山口県の農村青少年激励大会の体力テスト

【山口県＝松尾耕助連絡報道員発】山口県農村青少年クラブ連絡協議会（会長、福島保昭君）は、県および県下市町村と共催、さる九月三十日から二日間、山口市の大内小学校体育館と県体育館で、農村青少年激励大会を開いた。

この大会は、今春、農林業に就業した二十五歳以下の青少年男女の門出を祝福するとともに、これらの青少年に農林業に取り組む希望と意欲をもたせ、併せて仲間づくりを行なうというもの。

この日、山口農高バンドの演奏する中を、県下から約百八十人の新規就農青少年が入場。

まず、橋本知事、つづいて福島県連会長が、それぞれ激励のことばをおくった。

つぎに、県農林部長を囲み「新規農村青少年にのぞむ」と題して農業問題など約五十分にわたりパネル討議が行なわれた。

さいごに、新規就農青年代表のあいさつが行なわれた。

午後は、県農業試験場で開かれていた展示会を参観したあと、県体育館へ移動。体力テストとレクリエーションを行なった。

二日目は、宿舎別に活発な話し合いを行なった。

録音から NHK

これは、さる九月十一日、鹿児島県農村センターで行なわれた「第四回九州地域農村振興親子会議」において講演されたものを、NHKが収録したものです。

農林省農業総合研究所　並本正吉（なみき まさよし）

これからの農業者像 ②
千俵取りをめざす青年

大学の先生よりも多い所得

この話をずーっと聞きながら、一体どうして千俵取りということを考えるようになったのか、千俵取りという目標はどうして決めたのかということを聞いてみますと、それは、自分たちと一緒に勉強した仲間たちが、いろいろな会社、工場に入って、そしてやがては課長になり、部長になっていくだろう。そのときに一体どれくらいの給料を取るだろう、それに負けないような所得を自分たちは取りたい。そういうことを考えると、さしあたって、千俵というのはどうしても必要。こういう考え方であります。

そういう点がまず第一点でありますが、そこで現在、彼は一体どの位の経営をやっておるかといいますと、現在すでに四・五㌶の経営をやっております。朝は牛乳配達をやっております。そのほか、繁殖豚を数頭飼っております。

そういうことで、現在すでに年間でならしますと、一万㌦位の所得はあげておる経営であります。

もう結構いいじゃないかという話を、実は私が大学の先生方と一緒にお訪ねしたときに、いったことがありますが、彼は即座にこういいました。

「大学の先生と所得を比較されては割りが合わない。大学の先生は頭はいいかも知れないが、大学の先生が使っているのは頭とせいぜい右手ぐらいのもの。まあ、原稿をいろいろ書いたりして、そういう意味で、右手を使うぐらいのもの。私は、頭と体と手足と資本と土地をみんな使っている。これだけたくさん使って、頭と手しか使わない先生と比較されたんでは割りが合わない。それは多いのは当り前ですよ」というんです。

これには大学の先生方も、一本参った、といって笑ったんですが、実はこういう考え方です。所得均衡という考え方を、きっと考えているのです。

つぎつぎに先進農家を視察

私は彼とのつきあいのなかで、いろいろ有益な話を聞かせてもらったわけですが、そこで、こういう話をしているうちに、実はここにはこういう経営があるといういくつかの話をしました。

例えば、高知県に行けば、高知市の中では岡崎さんという山地酪農で非常にいい成績をあげている人がある、また、富山県には堀越農産というのがあるわけですが、これは一種の共同経営ですけれども、兼業地帯でだんだん兼業農家がふえてきたという条件を利用して、耕地面積をふやそうとした型であります。一軒一軒聞いてたのではまるっこしいというので、新聞にチラシを入れて、これこれの条件で引き受けますがどうか、ということでなかなかいい成績をあげている。そういう例の話もしました。

また、熊本県には早坂農場という水田と酪農について非常に立派な成績をあげておられる農場もある。

そういう話を、おりにふれてしたわけです。私がびっくりいたしましたのは、その次に会いましたときには、私のいった経営を彼はすでに見てきているということであります。

高知県の例についていいますと、近くの酪農をやっております仲間と飛行機で往復して、高知市を見てきておる。さらに熊本県にも来ておる。これも飛行機を利用して来ておる。富山県に来ったときには、ちょうど立山に登ろうという、これは山登りの好きな男でありますが、これを利用して見て来ておるわけです。

そして、その結果いいものはさっそく利用している。ことしの正月、さっそく新聞のなかにチラシを入れて、私はそのチラシを見せてもらいましたが「かあちゃんを重労働から解放しましょう」というキャッチ・フレーズが書いてある。「そのためにはどうぞ田畑を私のところに預けてください。これだけ安く引き受けます」ということが、非常にいいトラクターの写真入りで書いてある。なかなか、抜け目がないわけであります。

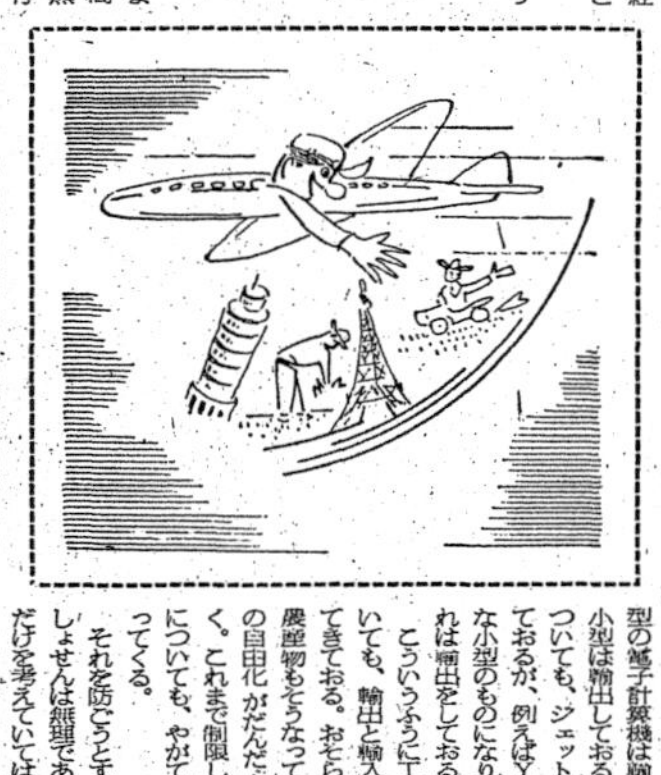

ねらいはヨーロッパの市場

私はそういう彼とつきあっていたわけですが、実は一ヵ月ほど前でありますけれども、私のところへやってまいりまして「先生、これから、アラブ連合から招待を受けたので、一ヵ月ぐらいヨーロッパへ行ってまいります」「アラブ連合へ行くのにヨーロッパと何の関係があるのか」と聞きますと「いや、ヨーロッパというのは、日本の農産物のなかで十年先に何が輸出できるか、市場調査をやってきたい。自分の目で何が売れるかを判断してきたい」

私は、これは非常にいい着眼点だといって、どうしてそういうことを思いついたのかと聞いてみますに、実は自分の周囲には自動車産業が興きてきておる。その自動車産業が興きておるときには、自動車はとてもアメリカにはかなわないという意見が圧倒的であった。ところが現在はどうかといえば、大型の自動車はアメリカから輸出しておるけれども、小型の自動車は日本からアメリカへ輸出するものの方が多くなっておる。そして、いろいろ調べてみると、大型の電子計算機は輸入をして、小型は輸出しておる。飛行機についても、ジェット機は輸入しておるが、例えばYS11のような小型のものになりますと、これは輸出をしておる。

こういうふうに工業製品についても、輸出と輸入が入り乱れてきておる。おそらく将来は、農産物もそうなっていく。貿易の自由化がだんだん進んでいく。これまで制限しているものについても、やがては日本に入ってくる。

それを防ごうとするだけではしょせんは無理であって、防ぐだけを考えていてはじり貧だから、何を、逆に輸出できるかを考えなければ日本の農業の発展はない。それを自分がやらなければいけないと思って、いまの考え方をしてきているんだといっておりました。

そこで、私はあらためて感心したわけであります。（つづく）

心頭技健

去る十日は体育の日、祝祭日であった。久しぶりの好天に恵まれ、早朝から運動会でもあるのか打上げ花火の音が乾いた秋空にはじけていた。所用のため商店街から住宅街に出てみると、軒先にチラホラと国旗がひるがえっているのが見えた▼いつの祝祭日にも見る光景であるが、日本国民の祝祭日であるにもかかわらず、国民がこぞって祝い、まして国旗を掲揚する家庭はごく稀である。この風潮も日本の敗戦から発して、一時は国旗掲揚の禁示、その後許されはしたが、これが軍国主義、国家権力、戦争につながるとして一部の人たちから非難を浴びてる▼確かにかつての日本は、日の丸の国旗のもとに一億一心、米英と戦い、幾百万の同胞の貴い血を流して無残にも敗戦した。そうした忌わしい戦争という国旗にまつわる歴史があるにせよ、日本人は敗戦によって、日本を象徴する国旗を崇めそれを支える日本人のこころまでも失ってしまったかのようだ。とまれ、秋空にひるがえる"日の丸"は、特別に美しかった▼話を本論に移し、4Hクラブの象徴"4Hクラブ旗"について考えてみよう。承知のとおり4Hクラブ旗は、白地に緑の四ツ葉のクローバー、その中に心頭技健のHを描いたものであるが、これは単に美しいとか恰好がよいから、4Hクラブを象徴する旗としたものでなく、それ相当の意味があり、4Hクラブだけに通じる精神と願いがこの旗にこめられているのである▼それだけに、この旗のもとにつどう人は、その願いと精神が完全に理解されていなければならない。ということは、単に農村青少年のグループだからといって4Hの旗を掲げ、バッチを胸につけるというのでは、なんの意味もない。グループの名称にしてもしかりで、名は体を表わすというが、名称にもそれだけの意味があり、その中に精神が宿るのである▼この精神にもとづいて4Hクラブの思想と誇りが生まれ、その精神に近づくために活動が営まれるのである。したがって、象徴の旗も名称もどうでもよいということはその精神も眠づいていないと同じで、他人の名を騙り、他国の国旗を掲げているようなものではあるまいか。

各県に高等農業研修施設
農林省で構想

地域の中核者を養成
「通信教育」制度も実施へ

農林省は、近代農業の担い手となる青少年を育成するため、これまであった各種の青少年研修教育施設を統合するとともに拡充強化した「農業教育センター」の構想をたて、その中核として来年度から五年がかりで高等農業教育施設を全国四十ヵ所に建設することを計画、その予算を大蔵省に要求している。また、学習意欲の旺盛な就農青少年が働きながら農業についての専門的な知識などを学べるようにと、四十六年度から通信教育(四ヵ年制)を実施する計画をたて同じく予算要求している。

高等教育施設 五年計画で40ヵ所に

高等農業教育施設は、農業の近代化に対応して、就農青少年に対して農業に関する高度で専門的な知識、技術や経営能力を身につけさせ、地域の中核的経営担当者を育成しようとするもので、高卒者を対象としている。

農林省は、これまで新規学卒就農者に対して、中卒就農者を対象とした経営伝習農場などで研修してきた。しかし、さいきんの農業の高度化や、高卒就農者の増加などからこれらの教育施設では不十分になってきた。このため四十年度から高卒就農者を対象とした「地域営農研修施設」を設置してきたが、それでもなお急速な高卒就農率の上昇や農業の近代化の進展などからみて、今後の農業経営者の養成確保の要請に応えられなくなってきた。

そこで、これまでに設置した各種の青少年研修教育施設を統合するとともに、高卒者を対象とした施設教育の拡充強化を図ることになり、総合的な教育体系として「農業教育センター」を設置する構想をたて、そのセンターの中核として高等農業教育施設の設置を計画したもの。この高等教育施設は教室、実験室、展示図書室などの教育施設と宿泊、近代的生産実習施設を設ける予定である。

この高等教育施設は、地域営農研修施設より規模などの面でかなり大型化する見込みであるが、この地域研修施設を含めて、四十九年度までに、各県一個の割合いで四十個を設置する考えで、四十五年度は、そのうちまず八ヵ所に設置する。四十六年度に同じく八ヵ所、四十七年度に七ヵ所、四十八、四十九年度各五ヵ所という計画(地域研修施設はこれまで岩手、栃木、滋賀、愛知、熊本、宮崎、鹿児島の七県に設置されているので、これから設置する県は三十三県となる)。

また、この施設は、地域の中核的経営担当者を育成するため、地域の農業と密着した研修をすることになっていて、その生産実習施設は、地域農業の動向や今後の見通しから設置部門を選定することになっている。

農林省の案によると、経営部門別では、酪農九(北海道一、東北、関東各二、東海、中国各一、九州二)果樹七(東北二、関東、近畿、中国、四国、九州各一)野菜七(関東二、東海、近畿、中国、四国、九州各一)水田五(東北二、北陸、近畿、九州各一)養豚四(北海道、北陸、関東、九州各一)養鶏四(関東、東海、中国、四国各一)肉牛三(近畿、中国、九州各一)畑作一(北海道)となっていて酪農が最も多い。

同施設の予算は、経営実習施設費四千二百万円、教育宿泊施設五千四百万円の九千六百万円で、この半額の四千八百万円を農林省が補助する。

なお、ここで研修する人たちは毎年四十人を見込んでいる。

部門別・年次別設置計画

経営部門別	目標設置数	既設置数	要設置数	45年	46年	47年	48年	49年
水田経営施設	5	1(滋賀)	4	1	1	1	1	
畑作	1		1					1
野菜	7	1(栃木)	6	2	1	1	1	1
果樹	7		7	1	2	2	1	1
酪農	9	3(岩手・熊本・宮崎)	6	1	2	1	1	1
肉牛	3	1(鹿児島)	2	1			1	
養豚	4		4	1	1	1		1
養鶏	4	1(愛知)	3	1	1	1		
合計または(平均)	40	7	33	8	8	7	5	5

(注) 既設置数は地域営農研修施設数である。

地域別設置計画

	水田	畑作	野菜園芸	果樹園芸	酪農	肉牛	養豚	養鶏	計
北海道		1			1		1		3
東北	2			2	2(1)				6(1)
北陸	1						1		2
関東			2(1)	1	2		1	1	7(1)
東海			1		1			1(1)	3(1)
近畿	1(1)		1	1		1			4(1)
中国			1	1	1	1		1	5
四国			1	1				1	3
九州	1		1	1	2(2)	1(1)	1		7(3)
計	5(1)		1	7	9(1)	3(1)	4	4(1)	40(7)

カッコ内は既設置の地域営農研修施設である。

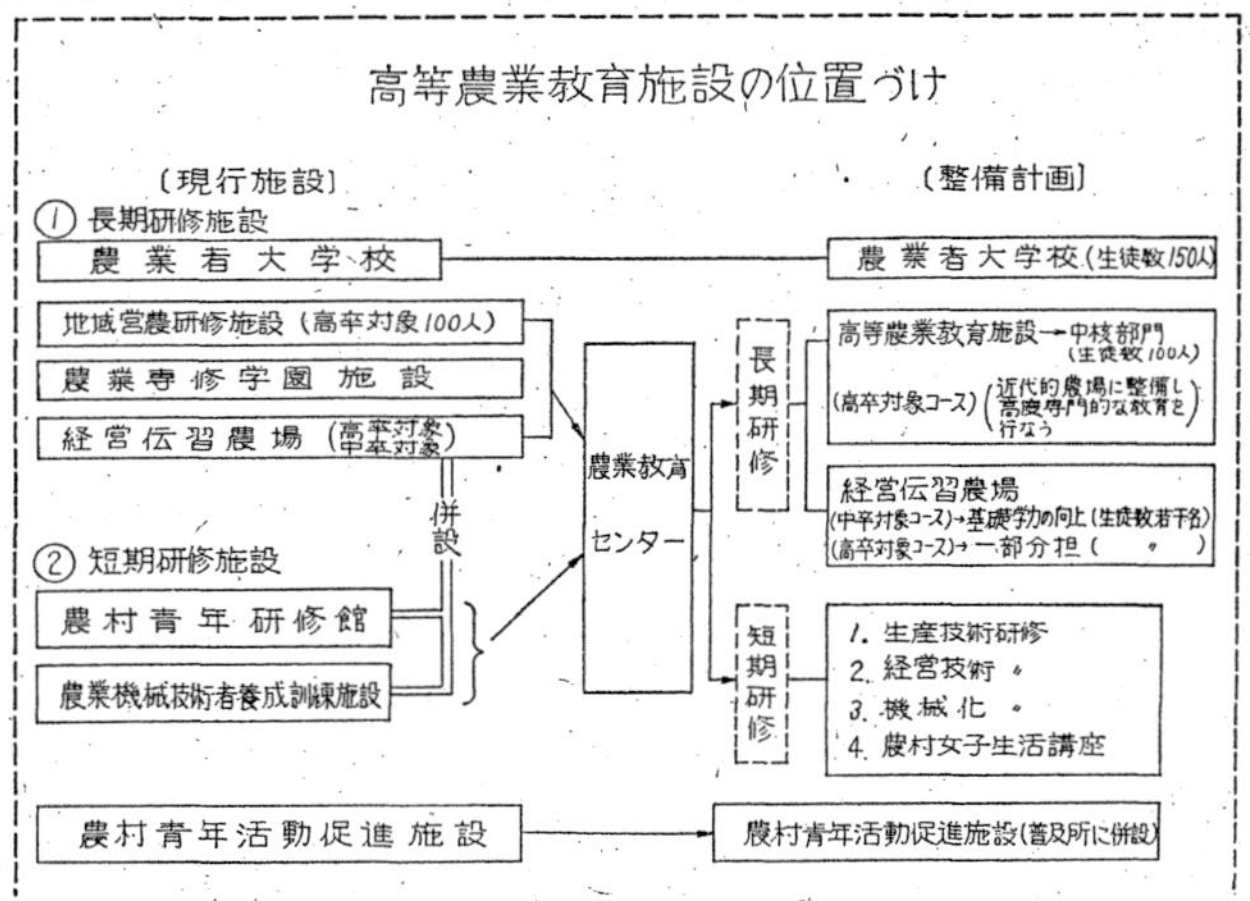

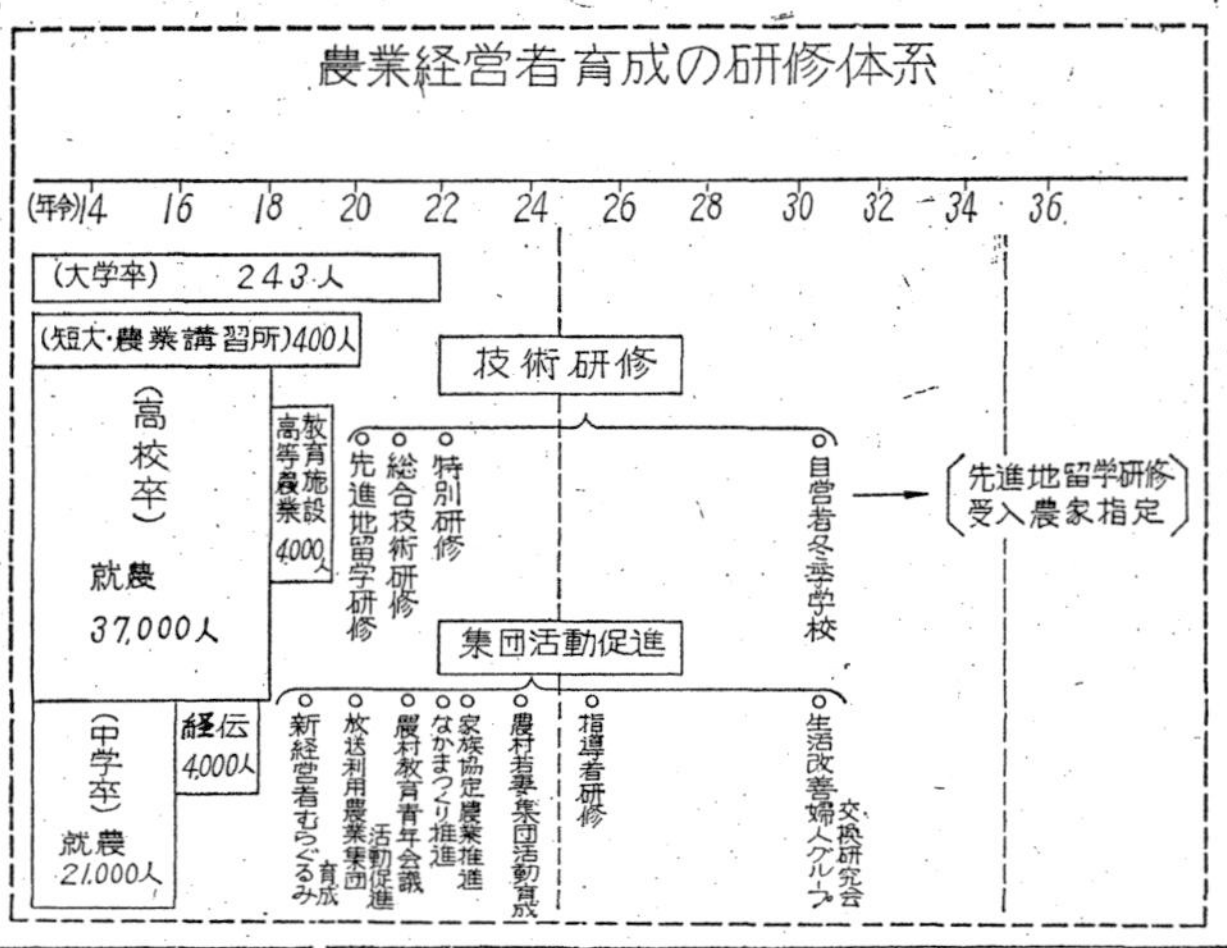

46年度からスタート
通信教育 働きながら学ぶ機会を

通信教育は、学習意欲にもえる就農青少年に"働きながら学ぶ"機会を与えて、農業に関する専門的な知識と幅広い視野を身につけさせ、地域の中核的農業者を育成することをねらいとしたもので、四か年制。とりあえず百名を対象に四十六年度からスタートする計画である。四十五年度はその準備として通信教育企画委員会を設け、通信教育の具体的な計画とカリキュラムを編成することになっている。

農林省の構想によると、通信教育の教課目は、経営、経済、作物、畜産などの専門的なもののほか社会、人文、教育などの一般教養まで含まれており、第一学年はその基礎的知識、二学年は基礎と応用、各論、三学年では応用、各論と課題論文、四年目はレポート提出や特別研修として先進地留学などを予定している。また、通信教育に欠くことのできないスクーリングは毎年一、二回(三、八月、一回十日間前後)東京都下南多摩郡多摩町の畜産試験場内にある農林省の農業者大学校で実施することにしている。

教科内容は高卒程度で、受講者の選考(各県二名の割合い)を行なう。通信教育の対象は百名だけなので少ないように思われるが、印刷物やスクーリングなどの関係から、これが限度であると担当課ではみている。

通信教育企画委員会は、教育機関五人(うち地方二人)試験研究機関三人(同一人)民間団体二、本省二人の十二人で構成する考え。

なお、この通信教育の実施に当って四十五年度は、企画委員会の開催やテキスト作成、資料印刷、資料図書購入、資料整備、会議、広報資料などの費用として三百七十一万三千円を大蔵省に要求している。

この通信教育は、勉学の精神に燃えながらその機会に恵まれない人たちにとって、その道が開かれるわけであるが、さらに多くの人たちに窓口が開かれることが期待される。

通信教育計画

科目	月	第1学年	第2学年	第3学年		第4学年
経営・経済	4〜5	(基礎)	(基礎・応用)	(応用)	4月	レポート
作物	6〜7	(〃)	(各論)	(各論)	5	
畜産	8〜9	(〃)	(〃)	(〃)	6	
社会	10〜11	(〃)	(基礎・応用)	(応用)	7	
人文	12				9	
教育	1〜2		(基礎)	(応用)	10	特別研修(先進地留学など)
スクーリング	8・3				8	
				課題論文	11〜12	
				総括	3	

農林省 主な研修事業

農村の近代化と農村生活環境の整備をはかるため、生産性の高い自立経営や協業経営の助長、農業の構造改善をすすめるとともに、とくに新しい事業、農村を担う人的能力の開発、向上が喫緊の急務である。したがって最近の農村青少年の動向に対応しながら、新たに農業経営を担う青少年の育成指導を積極的に推進強化する。

事業概要

(1) 農村青少年の研修教育事業

事業計画

(ア) 農業教育センター職員の研修

農村青少年の研修教育を担当する職員の資質向上をはかるため、ひきつづいて都道府県農業教育センターの職員に対して、研修人員の増加と研修の強化を図る。

(イ) 農村青少年活動の運営指導

農村青少年の自主的な集団活動を促進するため、農村青少年の活動促進の企画運営に関する指導講習などの講師、指導員の派遣および指導資料の整備を図る。

(ウ) 農村青少年の通信教育事業

学習意欲の高い就農青少年に対し、通信教育によって、働きながら農業に関する専門的な知識と幅広い視野をもたせるため、四十六年度から農村青少年の通信教育事業を実施することとし、四十五年度はそのための具体的な教育計画とカリキュラムの編成を行なう。(補助金)

(ア) 農村青少年研修教育施設の整備

農業の高度化、専門化に対応して就農する青少年に対し、専門的で高水準の技術と高度な経営能力を身につけさせ、近代化した農業経営の中核的な農業者を育成するため、地域農業に適応した基幹的経営部門を設定して、高度な近代的農業教育施設を重点的に整備強化する。

このため、前年度までの経営伝習農場施設整備の一部と、農業専修学園施設および地域営農研修施設の整備費を統合し、地域農業の展開に対応した基幹的経営部門について高度な近代的農業教育施設を重点的に整備する。

また、在村青少年の自主的集団活動を積極的に促進し、さらに新技術の開発と農業構造の改善を促進するための現地における各種研修の強化をはかるため、農村青年活動促進施設を拡充設置する。

(イ) 農村青少年活動の促進事業

農村青少年を対象として、地域の実情に即して各種青少年の施策を有機的、体系的に推進するため総合助成する必要がある。このため、従来の事業を継続して実施するほか、昭和四十五年度には、農村青少年の特別研修事業について、農業者大学校(三年生)三十九名分の増額および社団法人全国農村青少年教育振興会が行なう農村青少年など先進地留学研究事業の拡充を図るものとする。

農村青少年研修教育施設整備

施設 (年度)	39	40	41	42	43	44
地域営農研修施設		1	1	2	2	1
経伝						
建物増改築	12	6	13			
新設 生産教育近代化施設	4	6	7	23	16	16
農業専修学園施設	0	5	5	3	3	1
農村青年活動促進施設			12	12	18	21

農政にこの対策を
▼審議会の答申から >1<

農政審議会(小倉武一会長)は、昨年十一月二十日に佐藤総理から諮問のあった「最近における農業の動向にかんがみ農政推進上留意すべき基本的事項」について、このほど答申した。同答申は、一、基本法農政下の農業の発展、二、厳しい農業状勢、三、農政推進上の基本的事項、四、むすびーからなり、さらに「三」では❶米の需給調整❷食料の安定的供給❸価格政策の是正❹流通加工の近代化と市場の開発❺輸入の調整❻離農の援助、促進❼近代的農業の育成❽農村の整備・開発ーに細分して、農政推進に当って留意すべき事項について述べている。とくに今日の農業問題は、財政、労働、社会保障、貿易、地域開発などと関連するところが多いので、関係政府機関の積極的な協力をと要望しているが、この答申の内容は、農業のすすむべき道を示唆しているといえる。そこで、さいきん全国の4Hクラブ員が農業の動向に大きな関心を寄せていることもあり、この答申の内容を連載して紹介することにしました(編集部)

むしろ拡大の方向へ 都市との所得格差
農産物 需要と供給にギャップ

基本法農政下の農業の発展

昭和三十六年に農業基本法が制定されて以来、わが国の農業は、国民経済の高度成長の過程で種々の困難な問題に直面しつつも、生産性を高めながら発展し、食料の供給、他産業への労働力と土地との供給、国内市場の拡大などに寄与して、国民経済の発展と国民生活の向上に重要な役割を果たしてきた。

昭和三十五年から四十二年までに農業従事者は二割弱減り、農業総生産は三割弱ふえたので農業従事者一人当たりの生産(物的生産性)の伸びはきわめて高く(三十五年〜四十二年間六〇%、年率七・〇%)驚異的な成長を示した製造業のそれ(同期間九〇%、年率九・六%増)と比較してもそれほどそん色はなかったし、また、欧米主要先進国の農業のそれとも十分匹敵するものであった。

農業の物的生産性の伸びに加えて農産物価格が相当に上昇した(同期間七四%、年率八・三%の上昇)ため、農業従事者と他産業従事者との間の所得・生活水準の格差は大幅に改善された。すなわち、農業の製造業に対する比較生産性(従事者一人当たりの付加価値額の比較)は、同右の期間に約四分の一から三分の一強に改善され、農業と製造業との生産性の格差は縮まった。

一日当たりの農業所得も、平均にみて、製造業の一日当たり賃金所得の約六割から九割近い水準まで上昇した。また、農業所得の増加に加えて農外収入も著しくふえたため、農家の生活水準は、世帯員一人当たりの生計費でみる限り、人口五万人未満の市町村に在住する勤労者の水準とおおむね均衡するようになった。

さらに、農業生産の選択的拡大も相当すすんだ。同期間の農業総生産の伸びは三割弱であったが、畜産は二倍以上に、果実は一・五倍近くに拡大した。

このような農業の発展は、基本的には農業者の創意と努力とによるものであるが、高度経済成長に伴う農産物需要の増加、他産業での就労機会の増加や米価を中心とする農産物価格の上昇などによるところが少なくなかった。

高度経済成長は、このように農業の発展に対して明るい光を投げかけたが、他面暗い影を宿している。すなわち、農業従事者が若年層を中心に激しく流出したため、農業従事者の大部分は中高年令層となった。また、地域によっては無秩序な農地かい廃が進行し、さらに地価の高騰とこれに基づく農地の資産的保有意識の増大などによって農地の流動化がすすまず、経営面積の規模拡大が十分には行なわれなかった。

厳しい農業状勢

基本法農政下の農業は、経済の高度成長のもとにおいて、それなりの発展を示してはいるが、最近の状勢をみると、新しい深刻な事態に直面することとなった。

(1) 米は、わが国農業の基幹作物であるが、従来の農政が稲作に片寄っていたこともあって、米の生産は伸長が著しく、他面消費は停滞から減少に転じ、過剰在庫が大量に累積している。

これは、農業の面からばかりでなく国民経済的にみても大きなロスである。米の生産は、需要に見合って緊急に縮少されなければならない事態となっている。

(2) 農業生産は、ひきつづき増大しようが、需要の強い大豆、飼料穀物のほか麦類などの生産が減少傾向にあることもあって、総体としては、需要と生産の間に若干のギャップが生ずる見込みである。

また、食用農産物の自給率は若干低下するものとみられる。このような需給事情のもとで、米以外でも品目によっては過剰のおそれのある農産物のあることに注意しなければならない。

(3) 農業就業人口は、特段の施策を講じなければ、今後とも従来程度の減少率にとどまろう。また、農家戸数の減少は世代交替期を迎えながら、後継者のいない農家が急増すると見込まれる五十年代までは、あまり期待できないであろう。

農地価格の上昇は、全般的には今後も続くものと思われる。このようにみてくれば今後の農政に強く要請される経営面積の規模拡大は容易なことでない。

(4) 農産物価格の上昇は従来農家所得の向上に大きく貢献してきたが、今後の農産物価格は、米の過剰、その他農産物の需給の緩和、物価安定への要請、また輸入増大に対する内外の要請などからみて、水準として停滞的に推移せざるをえないであろう。したがって、価格面から農業所得の大幅な増大を期待することはむずかしい。

(5) 農業の国際競争力は、戦後しだいに低下してきたが、他面、経済の国際化は今後とも進展することが確実であり、これに対応して、農業に対しては国の内外から輸入制限、関税などの輸入障壁の緩和ないし撤廃がますます強く要請されるであろう。

(6) 国際収支が好転したこと、物価問題の深刻化などから農業に対して近代化、合理化の要請がしだいに強まっている。

農業は、製造業と異なり、経済外的要素に支配される面が多く、しかも職業転換が困難な中高年令就業者を多数かかえているので、急速に合理化をすすめることは困難であるが、健全な国民経済の一環として、漸次、近代化、合理化をすすめる必要がある。

(7) 今後の農業所得は、前述したような米の生産縮小、農産物価格の停滞傾向などを考慮すれば、全体として従来のような大幅な上昇を期待することはむずかしい。

一方、わが国の経済が成長を続けるなかで、他産業従事者の所得はひきつづき急速に上昇する状勢にある。したがって、国の施策が強力に展開されない限り、農業従事者と他産業従事者との所得・生活水準の格差は、縮小するよりも、むしろ拡大する方向にあるといわざるをえない。(つづく)

プロジェクトの取り組み方

北海道専門技術員　三輪　勲

実践活動領域のプロジェクト指導

北海道農業学園教育におけるプロジェクト指導

指導計画作成および指導上の留意事項　学園生のプロジェクト活動の具体的な指導に関しては、農業学園学習指導要領において普通科・高等科それぞれの指導計画作成および指導上の留意事項が示されている。

普通・高等科共通の留意事項　基本的な事項　「学園生の自発的な活動を助長することがたてまえであるが、常に講師、教務担当者などの適切な指導が必要である。

なお、学園生と一般農村青少年の混成による農村青少年グループの場合には、指導に混乱が生じないように適切な配慮を行なう必要がある」

この事項では、学園生個人に対する指導とそのグループ活動に対する指導とに分けて述べてある。前者については、学園生の自動性を尊重するあまり放置することなく、学園生のプロジェクト活動が効果的に進められるように助言する必要がある。これによって、学園生との接触をもとに実態理解が進み指導上の貴重な資ともなろう。

後者については、農村青少年グループのプロジェクト指導を担当している改良普及員と十分に連けいを行なうことが重要である。上掲の学習指導要領の中で「適切な配慮」というのは、例えば学園生と一般農村青少年グループ員とに応じて指導内容を検討するというように、その青少年グループ活動の指導が混乱しないように配慮すべきことの意味である。グループの行事に関しては同一指導でよいが、学園生と一般青少年グループ員とのプロジェクト経験差が大きい場合などは、とくにこうした配慮が必要である。

指導計画の作成　「指導計画の作成に当たっては、教科・科目作業班活動、学園行事との関連に留意することが重要である。

なお、指導は、学園生の家庭を巡回して行なうほか、必要に応じて専門教科・科目の履修時間の六分の一以内を全体指導に充当してもよい」

この項では、プロジェクト活動の指導計画作成の一般的なことを取り扱っている。プロジェクト活動と他の指導領域との関連づけがとくに強調されている。専門教科（農業・家庭）・科目との関連では、その履修時間の六分の一以上をプロジェクトについて学園生全体に対する指導に充当することが認められている。これは前にも述べたとおり・科目の学習成果を実生活に役だてることにねらいがある。

次の作業班活動との関連では、地域における郷土建設作業や実習作業などの機会を活用してプロジェクト活動を促進し、また学園行事との関連では、技術競技・演示発表・プロジェクト実績発表などをとおして、学園生のプロジェクト活動を発展させるなどの配慮が必要である。

学園生に対するプロジェクト巡回指導の回数は、学園生の能力やプロジェクトの内容によって異なるが、通常、年四回程度は必要である。この場合、講師は農業や生活の専門的な技術面から、教務担当者は青年教育やプロジェクト学習の面から、それぞれ巡回指導上の機能的分担を行なうとよい。

巡回指導に対する改良普及員などの協力　「各講師・教務担当者は、常に密接な連けいをはかるとともに巡回指導に当たっては、改良普及員や篤志指導者の協力を得るように配慮する必要がある」

ここでは、留意事項の（1）と関連し、とくに巡回指導については改良普及員などとの協力について述べている。学園生のプロジェクト活動に対する巡回指導は、科目担当の講師と教務担当者とによって行なわれるが、この場合、改良普及員や篤志指導者による青少年グループ員のプロジェクト巡回指導と、学園生に対する巡回指導とは重複することが多いので、指導の効率化をはかるために連けい協力が必要なことを強調している。

なお、高等科の学習指導要領では、前掲の留意事項と同じ趣旨であるが、「……常に密接な連絡をとるとともに」「改良普及員や篤志指導者との連けいをはかるように留意する」という文章表現の若干の違いがある。これは、普通科（市町村農業学園）と高等科（支庁農業学園）の設置者が異なる理由によるもので、特別な意味はない。

私のプロジェクト

私のみかん栽培の歩み

近く百万ドル収入も　歓びの中に反省求めて

和歌山県東牟婁郡古座川町
九重4Hクラブ　後口正人

私は和歌山県古座川町の高国郷開拓団の一員として〝みかん園〟の造成に従事しております。

私たちのみかん園は、海岸から曲りくねった道を十二キロほど登りつめた標高百五十メートルの地点で、山の中腹を切り開いたものです。かつてこの地に入植したのは昭和二十三年の終戦直後の食糧難の時、五家族二十五人で国有地を買い受けて入植し、夜を日につぐ開墾作業に取り組みました。

そのころの食生活は、少しばかりの水田から穫る米と、イモ類、とうもろこし、そばなどでそれこそ現在の食生活からは想像もできないものだったと父母から聞いております。

換金作物にみかん

この開墾した畑にみかん栽培をはじめた動機は、いつまでも自給自足の生活では将来の見込みがなく、何か換金作物を取り入れなければと考えはじめた昭和三十二年の春からでした。

このころにはみかんの消費ものびはじめ、将来についての見通しも明るく、当地の気候や土質がみかん栽培に適していることも分り、みんなで協力して集団みかん園を造成すれば、輸送などの不便も解決できるとの判断から、みかん栽培にふみきったわけです。

三人で力を試めす

その後、二十アールから三十アールを一区画とした、みかん園を開くことに専念しましたが、私たちの栽培技術の幼稚さなどから計画どおりの増植ができず、そのうち将来のことを心配した二家族が仲間から離れて町に出ていく始末でした。

一時は私たちも開墾に見切りをつけて町に出ようかと話し合ったこともありましたが、父母たちが汗と涙で開いた、この土地で、もう一度私たち三人で力を試してみようと誓い合いました。また、これほどまで私たち三人の決意を促したものに、普及員さん方の強い支援があったことも忘れてはならないことです。

私たち三人の協力によって開墾はすすみ、開墾第一年目の昭和三十七年には、三ヘクタールの畑、二千五百本の温州みかんの植付がはじまりました。当時はみかん園の管理作業に追われるかたわら、開墾に要する資金百五十万円を山林労務などで集めなければならないという生活がつづきました。

運転資金に融資

限られたへき地内で、ありとあらゆる仕事をして三年目には、ある程度の資金に余裕ができたといっても、二ヘクタールも開墾すれば、植付けまで資金が回らぬありさまです。運転資金の伴わない計画は、計画のみが先走るばかりで、この方法では事業がすすまないことが分りそこで農地事務所や普及所の方たちと相談して、はじめて開畑資金を七十万円と、これに対する補助金四十万円を借り入れることができました。

この資金で四年目には、温州みかん千四百本の増植ができました。このころから幼樹の生長も順調にすすみましたが、定置配管の工事や管理作業、肥料の運搬などの作業が多忙になり、それらに伴なっての支出が増加するばかりでした。そこで、こうした支出を補うために、さらに第二次振興資金百八十万円の融資を受け、五年目には農協から八十万円を借り入れ、それに自己資金七十万円を加え、増植のために買い受けた国有地十ヘクタールのうち、二ヘクタールの開墾を行ないました。

この自己資金七十万円は、みかん農家として歩みはじめて六年目に、やっとの思いで売り上げた粗収入であり、あふれくる歓びの中にも、きびしい反省を求めながら私たちはしっかりと手を握り合ったものでした。

明けて四十三年、七年目の計画として、さらに百九十二万円の開畑および植栽資金九十八万円に、みかん売却収入の百万円を加えて前年に開墾していた二ヘクタールと合わせて四ヘクタールに二千八百本の植付けを行ないました。六ヵ年で十一ヘクタールの畑に九千本のみかんを植付ける当初の計画は、資金その他の面で二年余り延びてしまいましたが、私たちとしては、この期間にかつて味わったことのない尊い体験を身につけることができました。

総合的検討加える

本年はようやく当初の目標に達することができましたが、単に面積の拡大のみを行なっていたのでは、経営面のプラスにはならないので、消費の動向や販売方法の検討、全園定置配管、栽培管理の省力化など、総合的な検討を加えながら、よりいっそう努力を積み重ねていく覚悟です。

私たちがこの計画を実践するために現在まで要した、開墾や植付けその他で使用した資金の合計は一千百九十五万円で、その内訳は次の通りになっております。

収入としては……

▽自己資金＝三百七十万円　▽各融資金＝六百十四万円　▽補助金＝二百十一万円

支出としては……

▽開墾費＝五百八十五万円　▽苗木代＝百三十九万円　▽植付け費＝二百七十万円　▽定置配管・肥料代・その他＝百七十六万円　▽土地代＝二十五万円

以上のようになっております。

なお、植付けたみかんの品種別本数は▽宮川早生＝二千五百本　▽向山系＝二千四百本　▽林系＝二千百本　▽ハッサク＝二千本の合計九千本です。

私たち三人は、幾多の苦難の道ではありましたが、八年前からはじめたみかん栽培により、農業によって生きる自信がわいてきました。これで私たちが夢を見つづけてきた百万ドル農業も、近い将来夢ではなくなるでしょう。こん後は開拓団の中だけでなく、一般農家の中においても優良な農家となるための努力をつづけていきたいと思います。

菊の栽培に取り組む　親子協定で労力の配分

香川県坂出市青海町
白峯4Hクラブ　森田宏和

私が高校在学中に、全国的なみかんブームが訪れ、私の地方も山という山は、すべて開墾されてみかん畑一色に変りました。私の家でも父が毎年少しずつ開墾したみかん園が成・幼木を含めて、約三ヘクタールになっていました。

私は昭和四十一年、高校卒業と同時に、みかん経営に取り組んできましたが、クラブ員と話し合い、みかん栽培の閑な時期を利用して何か水田に取り入れたいと考えていました。たまたま隣接の丸亀市が、菊の大産地として有名になっていましたので見学にいき、その経営と技術を十分に検討した結果ハウスによる菊栽培を四人の仲間と部門経営に取り入れました。

施設園芸は、集約的な経営の必要があるため、親子協定を結び、労力の配分や栽培技術の不足を考えて促成菊を三百九十六平方メートルに植付け、三月中旬から四月上旬に出荷するように計画し、粗収入二十五万円を目標にしました。この資金は、後継者資金を借り受け、施設費、経営費に当てました。

とくに栽培技術は未熟であったため、産地に出向き、教えをこいながら管理しましたので、まずまずのできばえで計画どおりだと期待をしていたところ、はからずも六十年来の大雪に見舞われ、ハウスがつぶれてしまい、夢は無残にも消えてしまいました。

こうして第一年目は失敗に終りましたが、みかん栽培面積は現状維持とし、こん後菊栽培を千平方メートルまで殖し、また、みかん園が観光地として変りつつある現在、観光みかん園として、収穫労力の節減をはかり、労力配分に無理のない範囲で菊の二毛作を確立していきたいと思います。

一方、これらの経営に必要な建物、施設、農機具などは現在満されていますが、とくにみかんの所得率が四十％と低いので、これを将来六十％以上に引き上げるよう簿記の記帳をけい続して、こん後の経営に役立てていきたいと思います。

農業簿記

京都大学名誉教授
大槻正男

＜自計式農家経済簿記＞

財産台帳と年度始め記入
固定資産台帳……大動物

羊・豚以上の家畜を牛・馬・羊・豚の順序で一頭ずつ記入する。年度始め「価額」欄には市価を基礎とした評価額を記入する。ただし、前年度に購入した大動物に対しては、それが育成期または肥育期にあれば、購入価に購入後の育成または肥育に原因した増殖額を見積り加算して評定する。

また、用役期にある役牛馬・乳牛などであれば、購入価から償却額を見積り差し引いて評定する。例えば、前年二月に子牛一頭を二万五千円で購入し、これを育成して二年後に七万円で売却できるものであるとすれば、増殖額および年度始め価額は次式で示される。ただし、分母の数字は購入してから売却するまでの見込年数である。

$$増殖額＝\frac{70,000円－25,000円}{3　年}＝15,000円$$

年度始め価額＝25,000円＋15,000円＝40,000円

用役期にある役牛馬および乳牛などについては、農家の実際についてみると、購入後数ヵ年使用して自家の使用に適しないようになると売却するか、または年令の若い同様のものと、追い分をうって交換する。この場合には、購入価額と数ヵ年の使用の後における予想売却価額との差額（または交換の場合には打ち歩金）を予想使用年数で除して年償却額を算出する。

例えば、前年四月に満三歳の役牛一頭を六万円で購入し、将来三ヵ年使役して四万円で売却できるものとすれば、償却額および年度始め価額は次式で計算される。

$$償却額＝\frac{60,000円－40,000円}{4　年}＝5,000円$$

年度始め価額＝60,000円－5,000円＝55,00円

最後に使役・肥育兼用牛の場合には、肥育は一般に数ヵ年の使役の後、最終年に行なわれるのであるから、肥育後の売却見込価格から、肥育のために特別に要した肥育費用一主として肥育濃厚飼料一だけを内輪に見積って控除し、その残額と購入価格との差額を飼養年数で除して一ヵ年の減価償却額を算出するとともに、肥育のための特別費用を最終年の増殖額とする。

例えば六万円で購入し、三ヵ年の使役の後三ヵ年目の終りに肥育し、七万円で売れる見込みとし、濃厚飼料その他の肥育費用に二万五千円を要すれば、次のような計算になる。

$$減価償却額\frac{60,000円－(70,000円－25,000円)}{3　年}$$
＝5,000円

購入年度末（第二年度始め）価額＝60,000円－5,000円＝55,000円

第二年度末（第三年度始め）＝60,000円－5,000円×2＝50,000円

第三年度末価額＝60,000円－6,000円×3＋25,000＝70,000円

使役・肥育兼用であっても、主要目的が肥育であるような短期飼育のものに対しては、肥育牛として増殖計算だけを行なう簡便法を採用するのが適当である。

大　動　物（記入例）

種目	摘　要	昭和30年度 年度始め 数量	昭和30年度 年度始め 価額	償却額	増殖額	財産的取引による増　減	昭和 年度始め 数量	昭和 年度始め 価額	償却額
			円	円	円	円		円	円
和　牛	牝5才　農耕・肥育用	1	75,000						
乳　牛	ホルスタイン種　将来耐用見込年数5年 $\left(\frac{165,000-33,000}{6}=22,000\right)$	1	143,000						
ヤ　ギ	牝6才　将来耐用見込年数2年 $\left(\frac{5,000-500}{5}=900\right)$	1	2,300						
計	（大動物）		220,300						

（注）式の分母の数字は、購入してから売却するまでの見込年数を表わす。

NHK農事番組（10月21日～31日）

テレビ

明るい農村　6・30～6・55総合
21日　きょうの話題　集落再編成
22日　産物往来　りんご
23日　話題の広場　▽うんかの発生源を探る＝九州農試　▽杉の子会の娘たち（熊本県中央村）
24日　村をむすぶ　フイルム・リレー
25日　農業新時代　和牛産地をめざして（山形県川西町）
27日　村の記録　畑作作戦（大阪市、鹿児島県柳脇町）
28日　きょうの話題　農業者年金
29日　産物往来　まつたけ
30日　話題の広場　▽ペレット・ハウス（農試研）
31日　村をむすぶ　フイルム・リレー

農業教室　7・30～8・00　教育
21～22日　契約生産（東京農業大学講師）竹中久二郎氏
23～25日　肉牛の一貫協会（全国肉用牛経営）大川忠男氏
27～29日　野菜作経営の課題（農業技術研究所）加賀爪宏氏
30～31日　食糧需給を考える（農業総合研究所）唯是康彦氏

あすの村づくり
日　7・00～8・00教育
伸ばす山間地農業（徳島県三好郡井上町・愛媛4Hクラブ▽仲間とともに＝産炭地農業にかける（福岡県直方地区放送利用農業集団）▽ある青年像＝米山山夫（神奈川県小田原市）

ラジオ

早起き鳥　5・05～6・00　❶
21日　人と話題　農林金庫理事長　片柳真吉氏
22日　通信員の手帳
23日　産地訪問　ハッカ（北見市）
24日　現地報告　構造改善事業を現地にみる（久留米市宮ノ陣）
25日　村のポスト
26日　話題の窓　稲作報告
27日　現地報告　完成した肉牛センター（北海道幌泉町）
28日　人と話題　公害と農作物（千葉県農試）宇田川理氏
29日　通信員の手帳から
30日　産地訪問　くり（茨城県千代田村）
31日　現地報告　実をむすぶ嫁さがし運動（秋田県仙北町ほか）

ラジオ農業学校
月～土　6・40～7・00　❷
日　6・30～7・00　❷
26日　農業講演会　講師・武蔵野美術大学教授　宮本栄一（新潟県ラジオ農業学校十周年記念大会で収録）

現代のカウボーイ　馬の代りにオートバイ

広々とした緑の牧草地。右や左に追われている、肥えてツヤのよい牛馬の群。

その中から、時ならぬオートバイの排気音があたりにひびいてくる。せいかんな眼つきの若者が、白いヘルメットを秋の日にかがやかせながらみえかくれする。いわば、現代のカウボーイは、ニューマシンにまたがって牛や馬の群を追っている。

ここは北海道の最北端・宗谷岬にほど近い宗谷郡猿払（さるふつ）村にある道営猿払牧場――。五十ヘクタールの広莫とした牧地に千頭近い牛馬が放牧されている。

春、雪解けのころ、全道のあちこちからあつまり、その年の冬まで自然放牧されるという、いわば家畜の保育園のようなところ。その数は、毎年ウナギ昇りにふえ、いまのままでは、まもなく狭くなるという現象が起きそうだという。

牧地は、いくつもの区画に分かれ、ほぼ牧草の食いつくされる一週間ぐらいで次の区画に移動させていくのがカウボーイの仕事。以前は、十数人の若者が馬にまたがって駆けまわっていたのだが、ここ猿払も、他の過疎地帯と同じように、人口流出のあおりで、田口喜久夫管理長以下わずか二人しかいない。

そこで、この人手不足を解消する方法としてとったのが、馬の代りにオートバイ（ホンダ・ドリームCL七二）をとり入れることにした。この方法は、オーストラリアをはじめ、海外では早くからとり入れられていたオートバイのカーボーイだが、この地方特有の湿地帯が、それを阻んでいた。

しかし、牧場の近代化につ[illegible]

[illegible]で思いのまま走りまわれるし、大へん経済的――」と、いいのこして田口さんは若者ように走り去る。

秋――。シベリヤおろしが吹き渡るころ、丹精こめて育てあげた牛馬たちに別れを告げるときが近づく。

キラキラ光るオートバイを従横に駆けめぐらせるカウボーイたちにとって、残り少ない秋の日々は、仕上げに忙しい、しかし楽しい毎日のようだ――。

あしたの青春

一ノ瀬　綾
え・多賀愛子
＜7＞

変　動（一）

高原行きが終って、[illegible]

「新一、起きろってば[illegible]

昨夜クラブの会合で[illegible]

は、母親に布団をめく[illegible]

「もうすこし、寝かし[illegible]

枕を抱えこんだ新一[illegible]

た。

「朝寝してるどころ[illegible]

ニュースで言ったぞ[illegible]

はね起きた新一の[illegible]

った。

「ふんとか?」

「父さんに聞いてみ[illegible]

母親を突きのけて、[illegible]

間へ出て行った。ま[illegible]

ュースの時間は終って[illegible]

うやら、昨年並の価格[illegible]

た。新一は、ウソだ[illegible]

「父さん、農業ニュー[illegible]

もう野良仕度で、[illegible]

きく声をかけた。

「キロ当り、二割近[illegible]

新一はその場に釘[illegible]

立てた幾つかの[illegible]

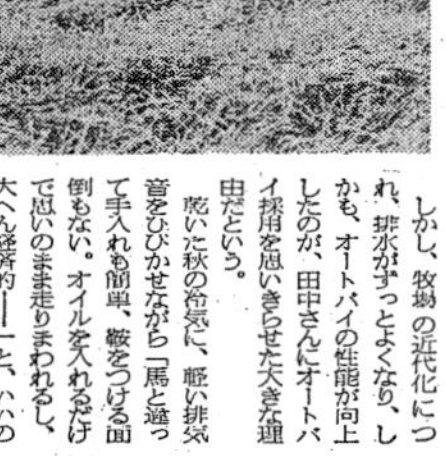

とび散っていく。

（キロ二割の値さ[illegible]

い畑に、今収穫を待[illegible]

粗収入二十万円を見[illegible]

も回復せず値さが[illegible]

ない。新一は、足先[illegible]

ずあたりを歩きまわ[illegible]

「なに頼みてえにウ[illegible]

ははじめから見込ん[illegible]

久治が食卓の前に[illegible]

大柄な父親は、それ[illegible]

なった。「仕方がね[illegible]

だから」

「だから安心できる[illegible]

だ。夏蚕を飼ってい[illegible]

を」

「ま、そうガミガミ[illegible]

（かわいそう）だに[illegible]

「なにも、まるでバ[illegible]

いじゃねえか―」

新一は、やり切れ[illegible]

痛かった。いいかげ[illegible]

ん価格の変動も覚悟[illegible]

これから先が不安で[illegible]

「どうしたの」

すみ江が、奥の間[illegible]

「キャベツの値さが[illegible]

母親の言葉に、ハ[illegible]

「圭次さんに相談し[illegible]

「相談したって、し[illegible]

「4Hクラブもいい[illegible]

ねえこんだな」

姉弟を睨んだ父親[illegible]

た。すみ江が出た。

「今夜、生産者組合[illegible]

新一より早く久治[illegible]

「よし、今夜は、お[illegible]

農村雑感

折原俊二郎

駅弁大学とか、またはいろいろな云い方をして、大学の多くなったことと、学生の質が低下していることをあわせて、悪口をいう材料をみつけ出しているのが、今日の状態である。

高校進学率が七〇パーセントを越し、義務教育にしたら良いのではないかなどといわれるようになると、それに伴なって大学の数も増加していくのが当然であり、また、大学教育も多くの人が受けられることになればそれだけ国民の質の向上と連がることになり、大変よろこばしいことであるはずである。農業も他産業と同じものであるとすれば、就農者は当然のこととして大学卒の学力（学歴ではない）を有する人でなければならない。そうしてこそ、本当の農業が営まれ、立派な職業として成立するといえよう。

ところで、高校卒の農村青年と話をしていた時のこと、〝遊びとは何か〟ということに話題が発展したことがある。

私は、大学に行ってきた人は本当の遊びを知っているが、大学に行かない人は、この本当の遊びを知る機会が少ないのではないか、大学卒者にコンプレックスを感ずるとすれば、どうもこの遊びの良さについて味わうことが出来ないことであろう。他の専門的な技術などについては自分で学ぼうとすれば、決して負けないし、むしろ、大学卒者以上の実力を持った人も非常に多いのではないか。学力というのはそういうものであろう。しかし、実社会に出た人は、日々多忙であり、また、大学生という一つの社会を結成している中で得られる遊び、その遊びの経験は、実社会にいる人はどうしても出来ない。それが大きな問題ではないかといったことがある。

遊び

ところが、その青年は、私は遊ぶことに関しては誰にも負けたことがない、時には、時計から背広の上衣までおいて、大いにのんで遊び廻ったことが何回もある。また、ボーリングにもパチンコにも暇をみつけて行っている。経済的には大学生よりはるかに恵まれているから、遊びと比較しても負けないという返事であった。

都市近郊の豊かな農村の青年たちは、確かに経済的に恵まれ、酒場に行っても、誰よりももてるそうであるが、どうも、遊びという概念について、私と青年との間に差があるようである。

私の云っているのは、一般的に云われる飲み、食い……などという遊びばかりではない。人生経験として、自分を豊かにする遊びということで、もっともっと広く、しかも、高いところに焦点をおいているのであるが、どうも、この点については十分理解してもらえないようであった。

スクエアダンスが健康的で教育的な遊びだと決めつけているのではない。ソウシャルダンスでも、スクエアダンスと何等差別しているのではなく、そのものの中に流れる人間性という根本問題をどうとらえるかに焦点があるので、これはどの遊びにも共通して、考えるべきであると思う。そうした意味から、遊びの本質をもっと深く考えてみる必要があるように思えるのですが、如何なものでしょうか。

（農林省・農業者大学校）

青春と仲間

リーダーの重要性について 青春と農業の道

相手の気持考えよう みんなが4HのPR精神を

岐阜県大垣市簗野町・大垣4Hクラブ　山中鈴子

（上）

大きい麦ワラ帽子、ブカブカの長靴、田圃の中で働いている私を、道を通る人は、何か変ったものでも見るように立ち止まります。農業をする若者がいなくなって老齢化しつつある農村に、ちょっぴり魅力を感じはじめたころの私はまだあどけない娘でした。

☆☆☆ 4HのPR精神を

4Hクラブに入会した動機はといいますと、多くの人たちと同じように、ふとしたきっかけで4Hクラブ員と友だちになり、いろいろと話を聞いているうちに魅力を感じたためです。それから、早くも一年余になりました。一年という、長いようで短い時間でありましたが、私にとっては思い出深いときの流れでした。そして、どれだけ自分自身が成長したか興味があります。

私たちの大垣4Hクラブは、現在二十二名の会員がいますが、農業に意欲を燃やしている仲間が、こんなにも沢山いることを知ってなによりも心強く、また嬉しく思っています。そして、早くも二年目を迎えましたが、ともに学び、遊び、楽しみ合った一年間は、意義の深いことばかりでした。また今年も、クラブ員のみなさんの協力を得ながら県下の4Hクラブ活動のため励んでいます。

私の家は、現在、縫製を職業としている兼業農家です。ですから農業という職業とは違った観点からも、ものごとを見ることができる幅の広い視野をもつことができました。

さて、農村青少年のグループ活動について、さいきん農業に就職する青年が少なくなったことは、今さら申し上げるまでもありませんが、その少ない中にも、農業や農村について真剣に考え、それに取り組んでいる人が多いことは大変嬉ばしいことです。

ところで、その人たちのすべてがグループに入って活動をしているかは疑問です。農業技術、農村生活の問題などを学習の中心としている4Hクラブがあることすら知らない人が多いのではないでしょうか。このことを考えるとき、どんな所にいても、いつでも、クラブ員一人ひとりのPR精神が大切です。それでこそ農業近代化の糸口になると思います。

☆☆☆ 4Hクラブに思う

4Hクラブは〝ある目標をもちそれに共鳴する仲間が自由の形で参加してつくったもの〟といってもよいと思います。この4Hクラブを、正しく活動させ、発展させていくには、多くの人がリーダーの心構え（リーダー研修会などに参加して養うようにする）目標のたて方など活動の仕方を身につける必要があると思います。

もし、あなたが今年の四月からリーダー格になって、どうやってよいかわからないといった、この重大な責任を自分が果たせるかという心配、またその反面、リーダーになって一生懸命やっているがみんなが協力してくれないといった悩み、中には反対の意見などをもつような人が少なくありません。少なくとも、その人ひとりではありません。全国で新役員になられた多くの人たちも同じおもいだと思います。

ある本の中にありましたのですが、私たちは「二人の人間になりましょう」ということも大事だと思います。あると　分　外の人間として、自分が考えているように相手の気持を考えてあげる、クラブ員一人ひとりの気持を汲みとり、また意見を聞いてあげる人間になりましょう。このことは地味ですが、心と心の確実な発展だと思います。

☆☆☆ 苦労は共にしよう

私のクラブでは、毎月一回定例会がありますが、六月と十一月は農繁期のためありません。それだけに、みんなと会い話し合う機会も少なくなります。ちょっぴり低下気味のクラブ活動。そこで、昨年九月からカキ園を借りて共同プロジェクトをするようになりました。もちろん、これは共同作業によって親ぼくを深めることを大きな目的としていますが、この共同プロジェクトのほか、農業以外の人たちとの交歓会も行なっています。

とくに交歓会の場合、リーダーの良さというか、会の持ち方の上手な交歓会は今でも思い出深く残っています。しかし、中には特定の人だけの意見、またリーダーの自分勝手な言葉とか、感情的になる人たちとかいろいろですが、こういうリーダーがいる会合には、まとまる話もまとまらず、会の空気も陰気になりがちになります。

私の経験でも、こんな会に出会うときがありましたが、これでは発展がないと思います。そんなときリーダーの心構えは、常にみんなと同じ立場にたって、苦労をともにすることが必要であると思います。

（つづく）

スカンジナビア館

テーマ……自然の保護
敷地面積……3,299㎡
出展費用……約6億円

ノルウエー、スウェーデン、フィンランド、デンマーク、アイスランドの北欧5カ国の共同出展で、地上1階、地下1階の展示館は、夜空に浮かび上がってみえるよう壁面には照明器具が装置されます。

展示は〝自然の保護〟をテーマに、人間が自然に対して行なってきた、また、自然から人間が受けているプラスの要素（建設的な面）とマイナスの要素（破壊的な面）とが、スライドなどで対比的に展開されます。

館内の左右の壁面には写真がはられ、天井からはいろいろなスライドが投写されます。観客は入口で渡された白い扇形のプラスチックの板で、このスライドを受けとめ、ながめながら進んでいくわけです。

右によれば建設的な面が、左に動けば破壊的な面がつぎつぎに描き出され、床に備えつけられた発声装置が解説を加えてくれます。写真や絵は、北欧や日本のものを使う予定。

また、館内にはバイキング料理などが楽しめる大レストランも設けられます。

＜日本万国博覧会展示館の紹介＞

「青年の船」から第一便（4Hクラブ員）

〝さくら会〟（農業青年の会）結成へ

古川さんらタイでテレビ出演予定

さる九月二十七日、東京・晴海ふ頭から東南アジア諸国訪問の旅に出発した「青年の船」さくら丸に乗船している全協推せんの4Hクラブ員から、このほどその第一報が届いた。

それによると、大鹿全協副会長以下七人全員が元気で、早くも農業者の会〝さくら会〟を結成して活発に活動しようと積極的な意欲をみせており、また、諸国への訪問に大きな夢をはせているようである。第一報は大鹿全協副会長はじめ、大島光利全協評議員（本紙岐阜県連絡報道員）古川喜美子さん（本紙前年度愛知県連絡報道員）らから寄せられたが、以下は、古川さんの手紙の主な内容である。

古川さんの手紙

先日はお見送り、どうもありがとうございました。私たちの「青年の船」さくら丸は、あと二日でバンコックに入港します。全員元気で、楽しい船の旅を過しておりますので、他事ながらご安心ください。

さる二十七日、盛大な出航式のあと、みなさまのお励しとお見送りをうけ、4Hクラブ員の代表であるということを再認識し、新たなファイトを燃やして乗船いたしました。

東京港を離れ、次第にみなさんの姿が小さくなってしまったとき白地にグリーンの四ッ葉のマークの全協旗がくっきりと浮かび上がり、少々おセンチになっていた私を力づけてくれました。

船の生活もきょうで、はや七日を過ごし、その生活にも慣れ、余裕が出てきました。

班員はそれぞれに個性を生かして生活を楽しんでおり、また、午前中三時間の学課と午後の班別研修やクラブ活動などにもファイトを燃やしております。

毎日、毎日、広い海の中にさくら丸だけが浮んでいるという環境ですので、班別の研修やクラブ活動などでおおいに若さを発散させ楽しまなければ、精神的にまいってしまいますから……。

全協推薦のクラブ員たちも、また他の4Hクラブ員たちもみんな元気に各々一生懸命にやっております。班が異りますので活動を一緒にする機会は少ないのですが、特別研修のテーマに農業を選んでおりますので、その時間は一緒になります。

また、昨日のこの時間に、前から話しておりました4Hクラブ員が中心になって農業青年の会を持つことをみんなで協議した結果、第一回、第二回と同じく「さくら会」の名称で今後も手を結んで行くことになります。

これまでに分ったところ、農業関係の団員は約六十人おります。インドネシアでは、特別視察で、この人たちとともに農村を見学できることになっています。

いまは、団員一同、二日後にせまった寄港地でのデモンストレーションの練習に一生懸命頑張っており、午後には、あちらこちらから歌や踊りの音楽が流れてきます。

私は二組の六班に属しておりますが、最初の訪問国タイで、テレビ出演することになっており、男女ともそろいの万博ゆかたで、「万博音頭」の練習や着物を着て「さくらさくら」などを踊っています。

日本の青年の代表として恥しくないように、船内研修、寄港地活動など、ベストをつくして頑張るつもりです。

生活の知りコーナー

頭をよくする食品

平素から、バランスのとれた豊富な栄養をとり、基礎体力をつけることはもちろんですが、発育ざかりの人体に、ことに必要なのが動物性食品です。

世間では、グルタミ酸ナトリュウムをとると頭がよくなるといわれていますが、現在のところ知能指数が非常に低い人以外には効果が証明されていません。

したがって、持って生れた脳を十二分に働かすために、でんぷんや砂糖からでるブドウが大量に必要なのですが、その働きを効率よくするために、ビタミンBがきわめて大切です。そうでなくても、ビタミンBは日本食に不足しがちですから、とくに気をつけて毎日とるように心がけましょう。

体力、知力を強化するために、役立つ日常の食品は、強化米、小麦粉や大豆とその加工品、牛乳、卵、肝臓類、豚肉、鯨肉、ハム、さけ、いわし、魚肉ソーセージなど。

観葉植物の冬越し

観葉植物は、ほとんどが、熱帯性のものですから、わが国の冬は寒すぎ、管理が悪いと枯れてしまいます。しかし、ゴムの木、フェニックス、サンスベリヤ、アナナスなどのように、少しの注意でうまく冬越しできるものも少なくありません。冬の管理では次の点に注意します。

水やりは控え目に　秋が深まるにつれ鉢の中は乾き気味に、水やりは暖かい日の午前中にします。サンスベリヤは秋から春まで水やりは中止します。

昼夜の温度差を少なく　昼間はガラス越しの日光に当てますが、部屋の温度は低めに保ち、夜はコタツの上など暖かいところに置きます。夜間は頭から新聞紙をスッポリとかぶせておくと、寒さの害から守れます。

肥料はやらない　冬は成長が止まっていますので、むりに肥料を施すと根がいたみます。

（貯蓄増強中央委員会編「奥様便利帳」から）

ブラジル88村巡行 ＜20＞

日本政府派遣農村青少年指導専門家　湯浅甲子

日系農家の技術指導は大別して二つの流れがあるといった。その一つの、カーザ・デ・ラボーラに対する日系人の評価はきびしい。

農家に遠い指導陣

それならば、日系農業組合が抱えている技術指導陣に対する見方はどうであろうか。農家側の意向は、頼りたくても、月に一度はおろか、年に一度きてくれるのがやっとでは、いかにも遠すぎるというのである。なるほど、組合の主力は、サンパウロ市内に集まっている。ここから出動するのでは、州境まで一千キロの道のりは、容易ではない。指導員たちの指導プランは、殆んど二週間から半月ぐらい連続での宿泊出張であるが、大変であろう。

サンパウロ州は丁度、日本国土ぐらいの広さがあるから、日本で例えるならば、日本中の農家の指導を東京にある組合から派遣される技術者によって行なうことにひとしく、これでは、農家側が待ちきれないのが当り前である。

もっとも、コチア産組とスールブラジル産組は、このことを考慮して、単協制―（単協といっても日本のように一市町村一つの農協ではなく、州内を大きく四つに区分した中に一つずつおいた農協「コチアー」）や、地方駐在指導員制（スールブラジル）をとりつつあるが、これとて受持ち地域は広大である。前回紹介の鹿島技師も、実はこの地方駐在指導員なのだが、その行動範囲は、パウリスタ沿線、ノルエステ沿線全線であり、およそ一五、〇〇〇平方キロにわたるのである。これでは、指導員もやりきれまい。

頼れない指導陣 農家から

〝若手の二世指導員に立場を〟

カーザ・デ・ラボーラの立派な農業普及所

技術者に二色の違い

このような状況から判断すれば、農家の人たちが、あまりアテにしていないのは無理のない話である。もう一つ、私が感じとった日系産組技術指導陣の問題がある。それは技術者に二色あって、日本人技術者と二世技術者が農家指導に微妙なちがいをもたらしているということである。

日本から移住した技術者も若手が多い。そして、いずれも優秀である。ところが、これらの人たちの技術指導は、レベルが高くて、専門語が多く、もちろん日本語中心なので、農家の二世青少年には難解なのである。だから当然、親たちが指導の対象になってしまうようだ。これでは、次代の農業の後継者は育てられないであろう。もっとも全部が全部そうだとはいわない。中には、自由にブラジル語を使って、力強い指導をする日本人指導者もいるが、まずその数は少ないといえるであろう。

悩む二世の指導者

次に、二世指導者である。

私の本心は、この人たちに最大の期待をかけているといいきれよう。何といっても、ブラジル農業は、この人たちによって育てあげられるべきである。ところが、数多く知ったこの仲間たちの殆んどが、組合指導員の仕事に矛盾を感じているようであった。悩んでいるのである。コチヤの松野技師は「理事が私たちの仕事で理解してくれない」とマユをよせて語ってくれたし、スールの鹿島技師は「担当地域が広いために思うような活動ができない」といっていた。

また、コチヤ本部の若手二世の技術者たちは、しばしば所属を変えられるので落ちついて仕事ができないといっていた。また北パラナで半月行動を共にした、ルミ早川（生活指導員）は、上司や同僚の動ようの中で苦しんでいて「わたし、農務省の指導員になろうかしら」と真剣な顔でいっていた。

これらの秀れた若手二世指導員を何んとかしてやらなければならない。彼らが、心の中にもっている情熱を燃やし切れるような、立場を与えてやってほしいのである。それは単に、彼らの身分保障ではなく、ブラジル農業の近代化のためにである。そして、日系コロニヤ農業の脱皮のためにである。

どうも話が少々脱線模様で申し訳ないが、とにかく、農家側からすれば、指導陣は余り頼ることができないというのが、サンパウロの現実であろう。

〝組合の一体化〟を

ところで、もう一つ、実地指導をしながら気づいたことに、組合の勢力争いの激しいことである。このパウリスタ・ノルエステ沿線には、スールブラジル系、コチア系、中央会系の三つの組合が、入り乱れて入っているのである。

私の案内係は、組合の境目にくると、サッと車も人も全部入れ替るのである。一戸の農家でも、親はコチア系、息子はスールブラジル系につながって出荷を別にしているという家があった。こうなると、綱張り争いも泥試合である。お互いに我をとおしているのだろうが、みんながやりづらい思いをしているのは確かである。

これでは、日系農業の将来が心配だ。どうにかもっと手をとりあって広域の共同生産体制をとってもらいたいと思う。奥地の個々の農家の人たちは、口をそろえて、協力一体化をいっているように受けとれるのである。それなのに、何故、それができないのだろうか。

（栃木県普及教育課・特別専門技術員）

日本4H新聞
4Hクラブ 農事研究会 生活改善クラブ 全国弘報紙
発行所 社団法人 日本4H協会
東京都市ケ谷家の光会館内
電話(269)1675郵便番号162
編集発行人 玉井光
月3回・4の日発行
定価 1部 20円
一ヵ年700円(送料共)
振替口座東京 12055番

中央推進会議日程決る
京都で全協執行部会開く

全国4Hクラブ連絡協議会（会長、黒田保君）は、さる十四、十五の両日、京都市のいろは旅館で執行部会を開き、来る十二月八日から静岡県御殿場市の国立中央青年の家で開く「全国4Hクラブ中央推進会議」の開催要領を中心に、沖縄交歓訪問の打合せ、来春東京で開催予定の「全国4Hクラブ・プロジェクト実績発表大会」などについて協議した。

十二月八日から四泊五日で

この執行部会で詳細にわたり検討された「全国4Hクラブ中央推進会議」は、4Hクラブの使命と精神の高揚を図る全協事業の一環で、4Hクラブのリーダー養成の最高の場としての性格をもち、各県連会長や次期リーダーが出席しリーダーとして必要な4Hクラブの本質や運営、組織強化、リーダーのあり方などについて研修を行うもので、期間は来る十二月八日から十二日まで四泊五日の予定。

今回の推進会議でとくに注目されるのは、女子クラブ員の研修をとり入れたこと、県連会長会議を開くこと、同じくOBによる専門委員会を併行して開くこと―などである。

各県からの参加者は❶県連会長または代理❷4H会館建設委員❸来年度県連役員候補者男子二名、女子二名（過去において中央推進会議に未参加のクラブ員）以上六名。

会議の主な内容は❶全協活動方針の説明❷本質とリーダーについて❸組織について❹プロジェクトのすすめ方について❺日本4H会館建設について❻海外派遣4Hクラブ員帰国報告❼県連会長会議❽4H会館建設推進委員会議❾レクリエーション❿キャンドルサービス⓫女子クラブ員研修⓬OBによる専門委員会―などである。

なお、OBの専門委員には、岩崎茂（静岡）、沢野悦雄（山口）、浅野俊雄（島根）、小川重雄（埼玉）、内田一（栃木）、麻生浩一（大分）、長田清吉（静岡）、丸山勉（福岡）、太田正紀（山梨）、飯田喜代視（奈良）の全協―歴代執行部役員に依頼する。

盛大に4H祭開催
技術交換会と体育会かねて
愛知県連

【愛知県＝二宮直子連絡報道員発】愛知県4Hクラブ連絡協議会（会長、飯田雅美君）は、さる十月一日から三日間、渥美半島の南端の伊良湖国民休暇村で、愛知県4H祭を開催した。

この4H祭は、4Hクラブ員が日頃の実践活動を通して身につけた知識や技術を交換し合うとともに、体力づくり運動を通して健康の増進を図ることによって、次代を担う農業者としての自信と友情とたくましい身体を養うことを目的とし、これまで開かれてきた農村青少年技術交換大会と体育大会を発展的に統合し、4Hクラブ員が自ら企画運営したもので、大会には県下各地から約三百人の4Hクラブ員と関係者が参加し、盛大に行なわれた。

一日目　前夜から降りつづいた雨も止み、ときどき雲の間から陽光がもれて、伊良湖の松林の緑と紺碧の海を照らしていた。

受付、オリエンテーションのあと、堂々と入場行進、つづいて開会式が行なわれた。

富永・西尾地区連会長の力強い開会宣言、山田県青少年指導係長のあいさつのあと、飯田県連会長が「この三日間を通して、技術を交換し合い、友情を深め合って、みのり多い大会にしていただきたい」と激励した。

つぎに、来賓のあいさつがあり、4Hクラブの綱領、4Hクラブの歌を斉唱して開会式を閉じた。

つづいて、事務局と運営委員の紹介をして昼食。

午後は、演示発表が行なわれた。

発表は、作物、そ菜、花卉、果樹、畜産、生活、その他の各部門に分け、松の木陰に陣どり、発表者と参観者が一体となって熱心に学習した。

第一夜は、鈴木県連副会長の司会で〝懇親の夕べ〟が行なわれた。

まず、久野全協事務局長から、日本4H会館について、クラブ員の募金協力の要請があったあと、「農耕の歴史」という映画を鑑賞した。

つぎに、アトラクションに移り、クラブ員によるギター演奏やコーラス、フルート演奏などが行なわれて会場は若さではちきれんばかり。

いよいよ期待のファッション・ショウが、男子クラブ員の盛んな声援のなかで始まった。女子クラブ員が丹精こめて作った衣裳を着て現れた。この日、出品されたものは、作業衣から和服、式服までおよそ二十点、県下の女子クラブ員の心意気を示すのにふさわしいショウであった。

コーラスやギター演奏がこれにつづき、楽しい懇親の夕べを閉じた。

二日目　秋晴れの青空のもと朝のつどいを行ない、朝食をとったあと、休暇村のグラウンドで、技術競技を行なった。

さいごに、各部門の専門技術員によって懇切な解説が行なわれた。

午後は、体育、レクリエーション大会で、体操をしたり、童心にかえって、ドッチボールをしてあばれ回ったり、フォーク・ダンスを楽しんだ。

夕食後はキャンプファイヤー。暗やみの中にフルートの優しい音色が流れ、元火が入場、4Hクラブの綱領を述べたあと点火。激しく赤々と炎が燃えあがり、その一つの火を囲んで、寸劇を楽しんだり、歌やゲームに時の経つのも忘れてうち興じた。

三日目　朝のハイキング。島崎藤村が「名も知らぬ遠き島より、流れ寄るやしの実ひとつ」とうたった伊良湖岬の恋路が浜まで約四キロを、友と話したり、歌をうたったりしながら歩き、現地に到着して朝食、そしてすぐに話し合いに移った。

テーマは「青春と遊び」であったが、時間的に無理があったのか深くほり下げて考えることができなかったようにみえた。

午後は、体験発表が行なわれ、盛んな拍手を浴びた。

このあと、アンケート調査をしてから閉会式。

技術競技の成績優秀者に賞品、また大会期間中開かれた「文化活動紹介展」に協力した人たちに参加賞が贈られた。

この「4Hクラブ員の文化活動紹介展」は、絵画、書道、写真、手芸、生け花、ファッション、コレクション、クラブ活動（機関誌）の八種目に分かれ、出品作品一九二点、参加者一一四名で4H祭に色どりを添えた。

『青春と遊び』というテーマで話し合いをする愛知のクラブ員たち＝伊良湖岬で

涼風暖風
死んでも本を読む

読書の秋である。

私は週刊誌をほとんど読まない。例外として、週刊朝日だけを定期購読している。新聞の補完として、時の流れのキャッチもれを防ぐためである。

ところが、昨春大学を卒業した新進の長谷川君は、週刊朝日を読んでるなんて、ずいぶん古典的インテリですね、とのたまわった。彼は、週刊誌として、朝日ジャーナルと平凡パンチを読んでいるという。ジャーナルとパンチとは、これはまた、余りにも両極端なのに驚いた。現代の若者かたぎなのだろうか。

週刊誌は別として、私は読書が趣味のようである。身上書などの趣味欄に「読書」と書くのはキザッポイから書かないことにしているが、私から読書をうばったら何も残らないだろう。

読む本は雑多である。手あたり次第に読みまくっている。そんな関係からか、書評をよく頼まれる。今も幾つかの雑誌の書評欄を担当し、月に五～六冊の書評を書いている。あんたは、マージャンも強いし、酒も好きだし、喫茶店で真夜中まで議論もしているし、第一、いつ本を読んでるんかね、と友人にひやかされる始末。だから、書評のサインは本名のほかに、九十九村（つくもむら）とか、妙義九十九（たえよしつくも）とか、いろんなペンネームをつかうことにしている。九十九村というのは妙義山の麓にあるわがふるさとの村の名である。町村合併によって、今はその名もない。

本を沢山読んでいると、本の読み方が変ってくるのに気づく。仏教学者の渡辺照宏師が書いているように、「本の内容はどうでもよいので、未知の表現や事柄の、軽い抵抗を感じながら本と遊ぶのが楽しかった」という心境になることも少なくない。ただ、活字を読まないとものを考えなくなる、というように教育者ぶる程私は硬直していない。考える人間は、どんな状況下にあっても考えるのだから。といって、マクルーハンがいうように、今日はグーテンベルク時代とけつ別した時代だ、という程新鮮でもない。そこに本があるから私は読む。

ところで、毎日三十分間読書するとして一年間で約一万分である。人間は一分間に四百～五百字を読むから、この計算でいくと、一頁六百字の本、ちょうど新書版の本で一年間に七千五百頁は読める。この種の本は一冊二百五十頁くらいだから、年間三十冊は読めるわけである。それにしても、洪水のように出版されている書籍の山をみれば、余りにも微々たるものでしかない。

読書の秋をむかえ、とにかく私は本を読み続ける。

（文部省　伊藤）

今後の活動を検討
中・四国ブロック会議開く

【山口県＝松尾耕助連絡報道員発】全国4Hクラブ連絡協議会（会長、黒田保君）は、中・四国ブロック各県連と共催して、さる十月一、二の両日、山口県防府市牟礼の県経営伝習農場新生館において、中・四国ブロック・4Hクラブ推進会議を開催した。

この会議には、全協や各県から約七十名が出席し、一日午後一時から開会式、つづいて全体会議に入り、まず、全協活動方針の説明が行なわれた。

つぎに、各県連の活動状況の報告、日本4H会館建設やクラブ組織などについて説明や討議が行なわれた。

このあと、四つの分科会に分かれて討議を行なった。第一分科会が県連会長会議、他の三分科会は、これからのクラブ活動をつづけていくうえでの問題点や農村における諸問題など、活発な意見を交わした。

夜は自由交歓の時間。ファイヤーを囲んでバーベキューを食べながら話をはずませ、各県自慢の民謡なども出て、夜の更けるのも忘れて盛りあがりをみせた。

翌日は、朝食前に当会場の経営伝習農場を視察。朝食後、バスに乗り込み、県育成牧場や秋芳洞、秋吉台を見学した。

これからの4Hクラブ活動のすすめ方について熱心に討議する中・四国ブロックのクラブ員たち

録音から NHKの
これからの農業者像
千俵取りをめざす青年　③

農林省農業総合研究所　並木正吉（なみき　まさよし）

これは、さる九月十一日、鹿児島県農村センターで行なわれた「第四回九州地域農村振興親子会議」において講演されたものを、NHKが収録したものです。

農業者に必要な四つの条件

ところで、彼はヨーロッパに行く前に私を訪ねて、こういう話をしたわけであります。

「先生、実は、この前から千俵取りという話をしておりましたけれども、あれは止めました」という。

そこで私は、感違いしたわけでありますが、どうして止めたんだろう、だらしない奴だなと思い「あれだけ一生懸命やっておったのに、どうしていまやめたのか」と聞きましたら、「いや、千俵取りではとてもだめです。私は二千俵にいたしました」と、こういって「つまり、目標を二千俵に上げました。その自信が実はいまつきました」ということをいって、ヨーロッパの農産物市場調査を兼ねて、彼は出かけたわけです。

もう最近、帰ってくるわけですが、それが一つのこれからの農業者のタイプだというふうに、私は思うわけであります。

そして、彼のやり方をみておりますと、そこから四つの条件といいますか、四つの特徴が浮び出るわけです。

自主的に己の経営に取組む

第一の条件は、自主的に自分の経営に取り組んでいこうという態度です。つまり、政府には任せてはおらないという態度です。

私は、あるとき、あなたは政府の農政に何を期待するか、と、いうことを端的に聞いてみたことがあります。

すると、農家がひとりでどれだけ頑張ってもできない、例えば、道路の整備だとか、あるいは灌漑排水という仕事だとか、そういう土地基盤、あるいは外回りの道路条件整備とか、ちょうど、工業にとってみれば、環境の整備、公共投資の部門に入る、そういうことは農家個人でいくら頑張ってもできないから政府の施策はそれに集中してもらいたい。そのあと、こまかな補助金で、あれもやれ、これもやれというのは百害あって一利なしだ、それはもうやめてもらいたい、政府は、政府でなければできないものだけをやってもらえばそれで結構だ、ということをいっておりました。

そういうことからも判りますように、自主的に、経営者というのは自分で判断してやらなければいけないものだ、ということを貫いておるということです。これが第一点であります。

世の中の変化には順適応で

第二点といたしましては、世の中の変化、環境の変化に対しまして、順転化、あるいは順適応をしておるということであります。

この順というのは、順序の順ということです。

ふつう、世の中が変化してまいりますと、対応するのに三つの型があります。

一つは、黙殺するということです。それをぜんぜん受け入れないということです。もう一つは、頑固に拒否をするといいますか、後向きに適応する。世の中が変っているのに「いや、昔の方がよい」という。むしろ歴史を逆に廻すように適応する。そういう考え方です。

それから、もう一つは、歴史の流れにそって自分を適応させていくという適応の仕方があります。

およそ、その三つのタイプがありますが、彼の場合は明らかに前向きに適応しておるわけであります。

例えば、高度成長ということを一つ考えてみますと、経済が高度成長しましたために、他産業従事者の所得水準というのがどんどん上っていきます。どんどん上れば上るほど、農業所得だけで他産業なみの所得を獲得するということは難しくなってくる。兼業農家がふえてくるということになる。

これは、ある意味では、農業にとってはおもしろくないことであります。

しかし、彼はその状態に対してどう適応したかといいますと、兼業農家がふえていけばいくほど、むしろそのときこそは、水田についての規模の拡大条件が生れるときだという判断をしておる。もっと正確にいいますと、温室経営をやる、花をやる、そして、米づくりには兼業で、できるだけ労力を抜いてやっていこうというふうに進んでおります。

そういう環境をみて、この環境はほんとうに水田経営、水田を拡大しようという立場からみれば、むしろプラスの条件、兼業農家がふえていくということこそ、自分の場合には水田の拡大に利用しよう、という態度で取り組んでおるわけであります。

また、貿易の自由化という問題についても、外国の農産物が入ってくるのにそれを防ごうというのでなく、向うが入れてくるならこちらも出してやろうという、そういう考え方で取り組んでいる。

これは、世の中の変化に対して、いわば前向きの適応だ、というふうにいえると私は思います。

（つづく）

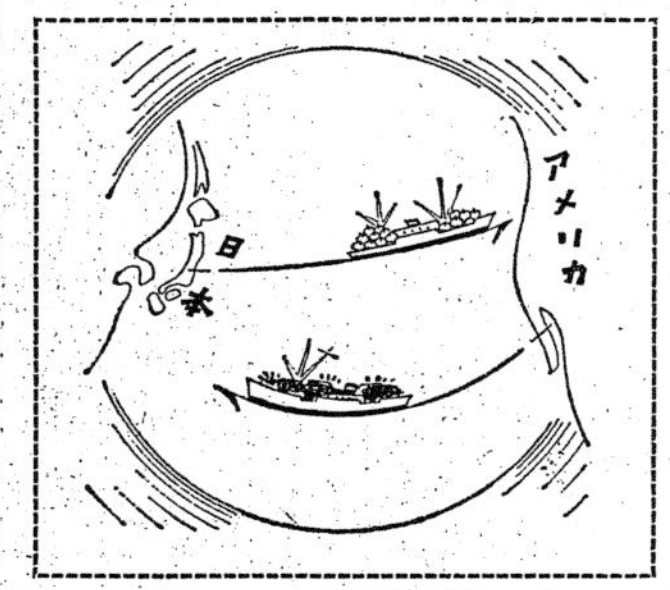

体験を基に討議
静岡（西部地区連）のリーダー研修会

【静岡県＝鈴木政美連絡報道員発】静岡県西部地域農村青少年クラブ連絡協議会（会長、鈴木政美君）は、さる九月二十三、二十四の両日、浜松市の市立青少年の家でリーダー研修会を開いた。

この研修会は、ただ単に観念的な発言や理論を求めるのではなく、青少年自らが肌で取り組んだクラブ活動やプロジェクト活動の体験、生活のなかの悩みを生の姿で出し合い、講師を交えて話し合って問題解決の糸口を求め、明日からの営農や生活の指針を求めることをねらいとして行なったもので地区連下の三十クラブから五十人のクラブ員が参加した。

一日目は、午前中に開会式を行ない、午後から「静岡県の農業の展望」というテーマで、県の中山課長の講義が行なわれた。

つぎに、県専門技術員を囲んでグループ活動の進め方などを話し合った。

夕食後は、4Hクラブの仲間づくりについて、分科会にわかれ、時間の過ぎるのも忘れて活発に意見を交わした。

二日目は、午前中「リーダーの役割」と「プロジェクト活動」について、担当官の講義を聞いた。

午後から全体討議を行ない、二日間にわたる研修のまとめをした。

また、この研修中に4H会館建設に対するクラブ員の意識が盛り上がり、募金が行なわれ大きな成果を上げた。

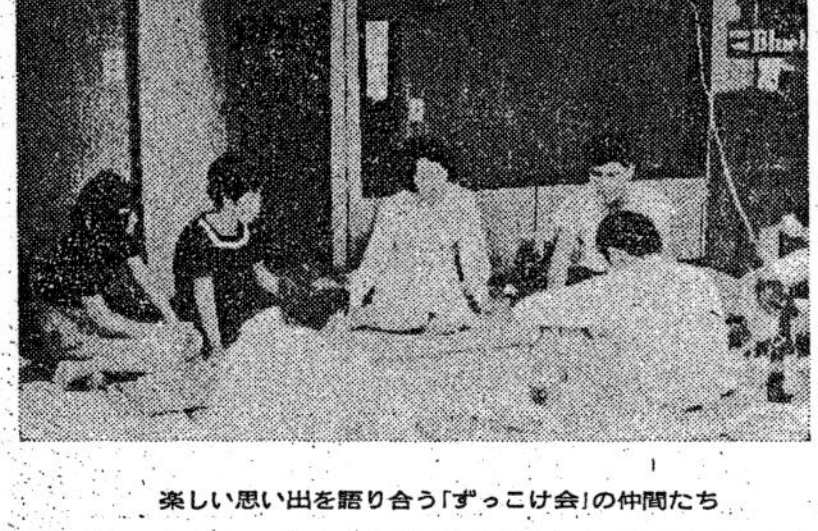

楽しい思い出を語り合う「ずっこけ会」の仲間たち

結婚祝いに寄せ書贈る
福岡・「ずっこけ会」の例会

【福岡県＝権藤秀彦連絡報道員発】昨年度、山形県で行なわれた第八回全国農村青少年技術交換大会に県代表として参加した十二名のクラブ員で結成した「ずっこけ会」では、このほど三井郡小郡町の会員宅で例会を行なった。

この会は、毎年二回、春期、秋期に定期的に集まり、大会の想い出話をしたり、地域の優秀農家となるよう研さんを積もうというもの。

この日は、午前中、町内の主幹作目の視察、午後は話し合いを行なった。

なお、近日結婚する二人の会員に、全員でお祝いの寄せ書きを贈り、来春の会合を楽しみに解散した。

心頭技健

全協は、このほど京都で開いた執行部会で、来る十二月八日から四泊五日間にわたって、静岡県御殿場市の国立中央青年の家で開く「全国4Hクラブ中央推進会議」の日程と内容を決定した。それによると、今回は期間中に県連会長会議やOBによる専門委員会が開かれ、女子クラブの研修も予定されている▼本来、この中央推進会議は、全国の4Hクラブのリーダー研修の場であって、以前は中央研修会といい、主として学習に重点を置いていたものである。ところが近年、行政機関などにおいて4Hクラブの育成の仕方が変わり、4Hクラブの理念や名称、プロジェクトなどについての指導があまりなされないようになった▼そこで、このままでは日本の4Hクラブは衰退する、ひとつ、われわれ青年自らが4Hクラブを守らねばならない、という緊迫感がクラブ員の間に高まってきた。このような状況に際して、全協は「全国4Hクラブ員のつどい」を発足させ、「中央推進会議」という学習だけでなく、ひとつの運動の起点という性格をこの研修会に持たせたのであった▼したがって、この推進会議に出席するものは、全協執行部役員、各県の連会長またはその代理、4H会館建設委員、それに来年度の役員候補者など、現在または一、二年後には県連役員として活躍が見込まれるリーダーたちである。そして、この会議のすべての成果は、すぐに全国各県連の活動に反映されることになっている▼また、中央と応呼して、地方の各ブロックでは、全協とブロック内の各県連の共催でブロック・4Hクラブ推進会議を開催し、全国的、かつ徹底的に4Hクラブ活動の推進を図ろうとしている。このように、中央推進会議は、全協活動のなかでも大きな役割りを果すもので、その成否は直接に今後の4Hクラブの盛衰につながっているものである▼4Hクラブ活動を進めていくには、まだまだ研究すべき多くの問題がある。この推進会議に出席する人たちは、いまから、この会議に臨む準備をして、誰れのものでもない、自分たち自身の4Hクラブの発展のために尽力してもらいたいものである。

十五周年を祝う
奈良県連で記念大会

【奈良】奈良県4Hクラブ連絡協議会（会長、中津甚之丞君）は、さる三日、県庁大会議室および県公会堂で「奈良県4Hクラブ十五周年記念大会」を開催した。

これは、同県連が昭和二十九年に発足以来、つねに今日の農業基盤建設の一端を担い、その活動は意義深いものがあったので、十五周年目にあたり、過去の成果を顧みるとともに広く披露し、これからの当面する問題の打開と日本農業の推進力としてのクラブ員各自の意気高揚と組織の充実を図ることをねらいとして行なったもの。

当日は、県庁前パレド、記念式典、シンポジューム「明日の農業を築くために」講演「4H活動のあり方」記念パーティなどが行なわれた。

なお、この大会の席上、優良クラブ員として、藤野紀夫（御所市）松石啓晃（大和郡山市）別所達彦（天理市）の三人に日本4H協会会長賞が贈られた。

沖縄を訪問するクラブ員

全国4Hクラブ連絡協議会（会長、黒田保吉）は、沖縄の4Hクラブ員と緊密化を図るため、来月十六日から五日間の予定で交歓訪問することになり、その参加者を全国から広く募集していたが、三十名近くのクラブ員から応募があった。応募の条件として市町村長の推せん状と作文があったが、その作文を紹介することにしました。

技術の消化は青年が最適
家族から支援される活動を

◇新潟県・中条地区4Hクラブ緑友会　平野庄一◇

家族と地域社会に理解され、支援される4Hクラブ活動をするには——

科学技術の発達は、日本海の荒波のようにとどまるところを知らず、ついには農村社会の末端にまでおよんだ今日、この波に乗ろうとする期待と、乗せまいとする不安が、たえず頭の中で交錯する。

農業機械も大型化し、新技術の開発が進み農業の進歩は著しく、三C時代のように、日常生活も都会のそれをしのぐ文化生活が要求されている。こうした反面、現金支出の増加は、明日の農業を考えるよりも現実の生活をより考えなければならないようになり、兼業農家が日増しに多くなる傾向があり、ついには離農につながる悲惨な道をたどらなければならない。

新しい技術を消化して自分のものとし、これを農業経営の中に活用するためには、おそらくわれわれ青年が最も適任とされるだろう。つまり、新政策に最も関心をいだく必要は、青年にこそある。地域の特色を、より以上に進展と繁栄させるために、あるいは親の意志を受け継ぐ農業から、時代にマッチした農業へと脱皮するために「逞しい肉体」と「旺盛な研究心」を持った者の集団が要求されるだろう。

これが青少年グループ、いわゆる4Hクラブの誕生である。私がここに取り上げるクラブとは、日ごろ農業の研究や生活改善の実践活動を推進しつつある者のクラブであって、農家の母体をなすものと、日常生活の中からおこりうる問題点、つまり農業経営と、今日のつかれをいやし明日への活力を作り出すための農家生活などについて、研究・改善するために設立されたクラブのことを言うが、この中に地域農業の振興と一般教養的学習が含まれていることは今さらいうまでもない。

プロジェクトから得た技術を、あるいは名前のわからない病害虫を集会のある時に持ち寄って研究し、討議して自分のものにすることはより以上の経営を望む上で非常に大切であり、クラブの目的からいっても当然であろう。

話しが前後するかも知れませんが、プロジェクトや農業クラブという言葉は、農業高校出身者であれば、耳にして来たはずです。たしかホームプロジェクトを学校農業クラブの名称で呼ばれていたかと記憶に残っています。それによると、ホームプロジェクトは自分で計画をたて、これを遂行していくのであるから個人的経済的活動といえる。これに対して学校農業クラブは、集団的社会的な活動であり、クラブ活動を通じて、社会性を身につけることができる。

このようにホームプロジェクトと学校農業クラブはそれぞれ特性をもち、いずれもあすの農業者としてたいせつなものである。

これらの基礎学習を身につけた血気盛んな若者が、毎年四月にクラブ員としてスタートする。まったく頼もしいかぎりであるが、足元に山積みされている諸問題を置きざりにして、大飛躍をしようとする気があまりにも多い。

この傾向は、新入会員にかぎらず、ベテランクラブ員にも言えることであるが、クラブの本質をはき違えているように思える。

4Hクラブとは、ホームプロジェクトと学校農業クラブの延長であり、それぞれに肉をつけ、衣を着せたものといっても過言ではない。

まず、クラブ活動を通じて、話し方、聞き方をよく学んでいただきたい。クラブ員によく言うことがある。

「最終的には、クラブ員個々の経営安定化、農業所得の向上と指導者として地域農業の発展に努力することであるが、最初は集会のつど何かを得てほしい。たとえばクラブ活動を通じ、自分の考えや思っていることをどうしたら率直に話しができ、相手が正しく理解してくれるか、また相手が何を言わんとするのか、それから信頼できる友達を作りなさい…………」と。

これは、幾多の農業問題に比較すると、微々たることではありますが、激しく変動する世の中で、新しい農村に生きるために重要なことだと考えます。農村では話し合いの場が少ないと、しばしば耳にすることがありますが、私も同感である。話し合えるチャンスがないからクラブ活動を正しく理解してくれないのだろう。家族にクラブの目的やメンバー構成、指導者名をはっきり言い伝え、行事計画を立てる際も関係団体の人々と家族を一部まじえ協力していただくことが必要でしょう。

ずい分本題から外れましたが新しい農村を築くために、クラブ活動は楽しい話し合いの場でもあってほしい。

地域の人々から理解していただくために、また己れのためにクラブ員がクラブの本質を十二分に弁えなおす必要がある。リーダーとして活躍している人々の中でも、このことについてよく知らない人が多く見受けられるのは残念である。

近代的な花卉農園を熱心に見学する宇佐4Hクラブ員(大分)

全国農村青少年教育振興会　クラブ研究会開く
楽じゃない普及員さん
"自主性と指導の噛み合わせを巧く"

全国農村青少年教育振興会（東畑精一会長）主催の「農村青少年クラブ活動の現状と今後の指導に関する研究会」が、さる十六日、東京・千代田区紀尾井町の日本農業研究所一階会議室で開かれた。

当日の出席者は、県側から黒野武四郎（埼玉）湯浅申子（栃木）中村成二（神奈川）伊藤利己（岩手）永井秀夫（新潟）竹内博（三重）、中央から中田正一（農村青少年教育者）新田健吉（日本4H協会）井上勝英（農民厚生協会）の各氏、農林省・青少年班から大賀班長、大沼、福田両係長、それに教育振興会から三宅事務局長（日本4H協会常務理事）金田同次長らで、三宅氏の司会によって、まずクラブ活動の現状についてそれぞれ報告が行なわれたあと意見をかわした。

現状報告の中で指摘された主な点は次のとおり。

一、農業青少年の中で高校卒業者の占める割合はますます高まってきている。

一、全体的に農村青少年の減少とともにクラブ員数も減ってきているが、しっかりした人がふえてきている。しかし、その反面、どうにもならない意識の低い人もいて、青少年の分化が目立っている。

一、農業技術や所得だけを追求するためか、自分だけがよければよいという考え方の青少年がふえて、村のために役立つとか、封建性の打破などの連帯意識が弱まってきている。いわゆる自分だけのカラに閉じこもり、人間的にも小さくなってきた面もみられる。

一、都市近郊では、クラブ活動が地域を離れ、経営内容別（目的集団）のほかに、最近は同窓会（学校単位）的な活動がふえる傾向にある。従来の農村の部落構造が崩壊されてきている。

このような点を考えた場合、都市計画と青少年活動とをいかに結びつけるかは大きな問題であり、また末端クラブの指導を困難にしている。

一、現在行なわれている全国大会（青年会議や技術交換大会など）は、末端クラブでの準備から地区、県など各段階にも同じものがダブルため、クラブ員から不平が出ている。青少年自身のアイデアを生かしながらエネルギーを発散させるようにすべきである。

一、行政的に研修施設をふやしているが、その施設を使う人間のことを本気で考えているかは疑問である。現在の青少年指導が"人をつくる"ことを考えているかどうか。

一、このような状態の中で、青少担当の普及員は苦労し、困惑している。青少年が要求している今後の農業の方向、目標がしっかりとつかみにくいなどの点もある。

また、クラブ員との接触は、昼夜、日曜、祝祭日の区別がなく、個人出費も多いので息切れする普及員もいる。一方で技術的な進歩があり、それに追いつくのも大変で、中途半端な技術になってしまう。事業消化に追われ、実際のクラブ指導は手薄になるなどの問題がある。

熱心に話し合う出席者

一、中学では農業教育をしないので、農業高校の三年間でそれをするのは至難のわざである。高校では、やる気になった段階であり学力と実力に差がある。学力を実力とするためには、学校と普及所の関係をもっと密接にする必要がある。また親たちには子供教育、農業教育の熱意が足りず、普及所におぶさっている状態にある。もっと家ぐるみの体制が必要である。これと関連して篤志指導者の体制も強化すべきである。さらに自治体の青少年指導体制も弱体であるが、郷土の人づくりなどの点からも、その指導体制を強める必要がある。そこに地域農業の中での位置づけなど社会連帯感が養われる。また母親を通しての青少年教育という点から、生活改良普及員にも青少年教育を担当してもらうなど総合的で一貫した普及計画をたてるべきである。

一、クラブ員が農産物育成に失敗する原因として、技術的に困ったのではなく、その技術をどう使うかの判断、分析を誤った場合が多い。それを正しく判断できる実力を養うためには、グループ活動におけるプロジェクトが最もよく、若いうちに、知識を交流するチャンスを与え、視野の幅広い経営者としての能力を高めるように指導するのがよい。そのためにも4H活動がよい。

このあと4Hクラブ活動や普及事業、青年育成に関する農林省の試案などについて意見が述べられたが、その主な内容は次のとおり。

一、昭和三十年代後半から後継者対策の問題が出てきて、施設は作ったが、グループ活動という骨の折れる仕事は手薄になった。四十年代は後継者温存という傾向であるが、かえって分離、分解という逆の方向に進んでいる。

一、農業は土地問題など深刻さをまし、将来どうなるかという不安がある。いま、その決断を迫られてきているが、このような中での青少年育成指導は大変難しくなってきている。しかし、青少年育成がしっかりしないと普及事業は骨抜きになる。

一、青少年教育は技術教育だけでなく、もっと人間教育を重視していくべきであり、そのためにも指導者訓練もその意義や信念を確立していく必要がある。

一、青少年やクラブ活動にもっと自主性を認め、それを伸ばすようにすべきである。青少年に対して放任でも過保護でもいけない。その青少年の自主性と指導のかみ合いをうまく行くように努力すべきである。

一、現在、クラブの性格があいまいになっているのも、指導者にその理念や思想が欠けてきているためである。4Hクラブについて長期研修した人も少なくなって4Hの指導力が弱体化してきている。さいきん青少年担当普及員の研修がないが、それを行なうべきである。また、普及員の新任者研修では技術的なものばかりでなく、クラブ活動に関して具体的なものを示すべきである。

地域背負う意欲燃す
大分県・宇佐4Hクラブで先進地視察　協調の精神も痛感

【大分県＝中山真智子連絡報道員発】大分県宇佐市の宇佐4Hクラブ（会長、恵良富行君）は、さる九月二十三日、三十五名のクラブ員が参加して先進地視察を行なった。

これは、日頃、お互いのプロジェクトを通じて技術の研さんに努めているが、先進地を視察することによって、ますますその意欲と技術の向上に努めようというねらいで行なわれたもの。

当日は、宇佐市の四日市文化センター前をバスで出発。

日田市の立花養豚場、つづいて、花卉の栽培園を視察、県立淡水魚センターを訪ずれ、コイなどを眺めながら昼食をとった。

午後は、中央牧場を視察したあと、蜂の巣城で有名になった松原のダムを見学。

三時から、日田郡大山町役場で、同町が進めている梅と栗を中心とした農業構造改善事業について説明を聞いた。

視察の成果について　この研修では、共同養豚、酪農などを視察したが、これからの農業が大規模で、しかも企業的な経営でなくてはならないと感じた。

現在、私たちの宇佐市は、大分県の穀倉地帯として、米麦に余りにも頼りすぎていたために、農業の構造改善が非常に遅れていたが、昨年から米作に不安をもつようになり、急に遅れていた農業改善事業や近代化が叫ばれ始めた。

そしていざ、それらを進めようとしたところ、近代化に対する意欲や協調の精神がうすく、思うように進まないという状況であった。

ところが、今回視察した共同養豚や酪農などでは、実にうまくそれらの問題を乗り越えて大きな実績を上げているのを実地に見て、私たちも、地域に残された現在の問題を積極的に打開するよう取り組まなければいけないと、クラブ員一同痛切に感じた。

そのためには、4Hクラブ活動によって、日頃から協調の精神を十分養うことが、私たちクラブ員に課せられた大きな課題である。

恵良会長は「この研修で、私たち4Hクラブ員が、これからの宇佐市の農業を背負って立たねばならないという意欲を強めたことは、大きな成果であった。これからもクラブ交歓や先進地視察などを行なうことによって見聞を広めるとともに、真の農業人になるためのクラブ活動を積極的に進めるようクラブ員が互いに力を合わせ、これからのクラブ活動に努力し、頑張りたい」と語っていた。

農政にこの対策を
▼審議会の答申から　>2<
米の調整が緊急の課題
作付転換や休耕も止むを得ぬ

三、農政推進上の基本的事項

このような厳しい現実に直面して農業をどのように方向づけるかはむずかしい問題である。一部には、この厳しい現実を素直に肯定して、日本農業の衰退はやむをえないものとし、農政は農業の後退作戦をとるべきとの意見もある。

しかし、やがて人口が一億二千万人に達しようとするわが国において、食料の供給を主として海外に仰ぐこととするのは、国民生活の恒久的安定と向上を希求する政府のとるべき政策の方向とはなりにくいであろう。

また、自然と生物を対象とし、しかも多数の人々の生活を支えている農業が、産業の一部門として発展するのは、経済的にも社会的にも安定的要素として望ましいにちがいない。したがって、これらのことに留意しながら、国民に良質な食料を安定した価格で豊富に供給するとともに、農業従事者の所得と生活水準の向上を図るという農政の基本的目標を達成するため、政府は新たな決意のもとに農政を強力にすすめなければならない。

その際の基本的事項は、

（1）米の需給均衡を図るため、需給調整を緊急に行なうこと。

（2）食料の安定的供給を図るため、需要の強い畜産物、飼料作物、園芸作物などの効率的増産を図るとともに、農業団体などによる生産と出荷の調整体制の整備をすすめること。

（3）従来、とかく問題のあった米価政策をはじめ農産物価格政策を改善すること。

（4）農業所得の安定的増大を図るとともに、国民食生活の多様化、高級化に対応し、さらに農産物の需要の拡大を図るため、流通加工の近代化と市場の開発をすすめること。

（5）経済の国際化に対応して農産物輸入の調整を図ること。

（6）農業近代化の前提条件として、離農を援助、促進すること。

（7）農業の近代化を実現するための必須条件として、規模が大きく生産性の高い近代的農業を育成すること。

（8）生活環境などの面で立ちおくれている農村の整備・開発を積極的にすすめることの八点である。

これらの事項のほか、農業金融問題、農業災害問題、農業団体問題など重要な問題があるがこれらについてはひきつづき検討することとし、さし当たり、右記の事項について農政の基本的方向を明らかにすれば次のとおりである。

（1）米の需給調整

ア、米の需給は、生産の増加と消費の減退によって過剰状態にあり、本年十月末の政府の古米持越量は約五百六十万㌧という膨大な数量に達するものと見込まれる。

さらに、本年産米については平年作を前提としても、生産は一千三百七十万㌧弱であり、需要は、最近の実績からみて一千二百四十万㌧を多少下回ると見込まれる。したがって、米の過剰在庫はさらに累増を余儀なくされる状勢にある。

このような米の過剰在庫については、飼料化、工業原料向けを含めて、古米処理の方策について早急に検討をすすめ、適切な対策を講ずべきものであるが今後の米の過剰生産は国民経済として放置できない重大な問題である。その速やかな解決は今日の農政に課された緊急の課題である。

政府は、すでに、昭和四十四年度において稲作転換対策に着手したが、その実施状況をみると、計画一万㌶に対し、その半ばをやや上回る程度の実績が見込まれるにすぎない。

イ、このような状勢に対処するためには、米の需要の拡大につとめる必要があるが、その可能性には著しい限界があるのでこの際、政府は、地方公共団体および農業団体の協力をえて、有効かつ適切な米の生産調整のための施策に真剣に取り組み、きたるべき稲作の開始前に実施に着手しなければならない。その施策としては、次のようないくつかの方向が考えられる。

（ア）まず第一は、稲作の転換ないし休耕の奨励である。

政府は、稲作の転換ないし休耕について、農業者や農業団体の自主的な協力をえて、次のような各般の措置を講ずべきである。

（Ⅰ）稲から他作物への作付転換（造林を含む）の誘導を図ることはもとよりである。この場合、稲作農家の所得減ないし作付転換のために要する新規の投資を考えると作付転換の円滑な推進を図るためには一定期間、所得の補てんまたは作付転換の奨励措置を講ずることが必要である。

（Ⅱ）農業所得、生産技術、土地条件および農産物の需給事情などを考えると、当面、作付転換には多くを期待できない。したがって、牧草栽培による地力保全などについて配慮しながら、非常緊急の措置として休耕による生産抑制もやむをえない。

また、とくに水稲単作地帯などについて、は場整備事業の通年施行による休耕をすすめることも考えられよう。

これらの場合、休耕に伴って必要となる所得の補てん措置を、一定期間、講ずる必要がある。このような休耕措置を講ずるに当たっては、休耕地の維持管理などの問題を考え、後述する公的機関などに休耕地を管理させることが考えられる。

（Ⅲ）以上のほか、米の生産調整措置に関連して、公的機関などによる水田の買上げ、または借上げ措置を講ずることも一つの有効な方法である。

この措置によって買い上げまたは借り上げられた水田は他作物の作付けによる経営合理化を志向する農家へ貸し付けられるか、または経営面積の規模拡大に資するための土地ファンドとして保有されることが望ましい。

（Ⅳ）開田については一層の抑制措置が講ぜられなければならない。

（Ⅴ）このような生産調整措置が有効に行なわれるためには、作付転換ないし、休耕を要する面積が多く、それは急を要するので、各種の誘導措置とともに、これを裏付ける生産調整のための法的基礎を考える必要があろう。

4Hク中央推進会議の日程

全国4Hクラブ連絡協議会と日本4H協会共催の今年度の「全国4Hクラブ中央推進会議」は、来る十二月八日から十二日まで四泊五日の日程によって静岡県御殿場市の国立中央青年の家で開催されるが、その日程は次のとおり。

一日目（12月8日）▽受付＝11・00～13・00 ▽オリエンテーション・開会式＝13・00～15・30 ▽4H会館建設推進会議＝15・30～16・20 ▽夕べのつどい＝16・30～17・00 ▽夕食・入浴＝17・00～19・00 ▽懇親会＝19・00～20・40 ▽フリータイム＝20・40～21・40 ▽消灯＝22・00

二日目（9日）▽起床朝のつどい・朝食＝6・30～8・30 ▽全協活動説明＝8・30～10・00 ▽分科会（全協活動について）＝10・00～11・00 ▽全体会議（同）＝11・00～12・00 ▽夕食＝12・00～13・00 ▽講義（4Hクラブの本質とリーダーについて）＝13・00～15・00 ▽分科会（同上）15・00～16・20 ▽夕べのつどい＝16・30～17・00 ▽夕食・入浴＝17・00～19・00 ▽全体会議（本質とリーダー）＝19・00～20・40 ▽フリータイム＝20・40～21・40 ▽OBによる専門委員会＝19・00～21・40 ▽消灯＝22・00

三日目（10日）▽起床、朝のつどい・朝食＝6・30～8・30 ▽女子クラブ員研修（4Hクラブにおける女子の役割）・レクリエーション（男子）＝8・30～12・00 ▽昼食＝12・00～13・00 ▽プロジェクトについて（パネルディスカッション）＝13・00～14・30 ▽全体会議（プロジェクトについて）＝14・30～15・30 ▽講義（同上）＝15・30～16・20 ▽夕べのつどい＝16・30～17・00 ▽夕食・入浴＝17・00～19・00 ▽県連会長会議・海外派遣クラブ員報告＝19・00～20・40 ▽フリータイム＝20・40～21・40 ▽消灯＝22・00

四日目（11日）▽起床・朝のつどい・朝食＝6・30～8・30 ▽4Hクラブの組織について＝8・30～10・30 ▽全体会議（同上）＝10・30～12・00 ▽昼食＝12・00～13・00 ▽講義（4Hクラブの組織について）＝13・00～14・30 ▽4H会館建設について＝14・30～16・20 ▽夕べのつどい＝16・30～17・00 ▽夕食・入浴＝17・00～19・00 ▽キャンドルサービス＝19・00～20・40 ▽フリータイム＝20・40～21・40 ▽消灯＝22・00

五日目（12日）▽起床・朝のつどい・朝食＝6・30～8・30 ▽分科会（4H会館建設について）＝8・30～10・00 ▽閉会式＝10・00～11・00 ▽解散＝11・00

畑作経営に畜産部門を

私のプロジェクト

北海道虻田郡豊浦町桜　桜4Hクラブ　三沢敏男

機械の共同利用も　収支のバランス考えて

従来私の家の経営は、畑作中心の経営を行なってきましたが、こん後の経営基盤は畑作専門で自立するには多くの問題があり、さらに北海道の厳しい気象条件は、農業経営にもいっそう不安定にさせています。

このような中にあって規模拡大、労力配分、地力増進などの改善による、安定した長期営農計画を目指して、私は高校在学中に地域の4Hクラブに加入し、プロジェクト活動を行ない、養豚部門を研究し、技術、経済性などを検討し、生活様式の変化に伴ない消費の増加する食肉生産を、私の家の経営内に一部門として取り入れました。

軽種馬育成に着眼

この養豚部門は、三ヵ年で当初の目標は達成されましたが、次の段階の経営改善として、一般畑作物では利用できない傾斜地、未利用地の高度利用が課題となってきました。一般に悪条件の土地を利用するには、草地化による酪農、または肉牛導入が考えられますが、私の経営はすでに二部門の組み合わせになっていますので、この考え方は営農に労働過重をきたし、運営困難となります。

私はそこで、軽種馬協会との技術提携を行ない、労働力が少なく、しかも軽労働で行なえる軽種馬育成を、畜産部門の一部門として導入することに決定し、当面の営農体系を確立しました。

現在の経営内容は、畑作換金作物四㌶、肥育豚・年間百頭出荷、軽種繁殖馬四頭を飼養する経営を行なっています。

市場の確保を目標

この決定に従い、部門経営の計画立案と資金の調達につきましては、一〜二年間の所得目標を百五十万〜百七十万円とし、その収入の比率は、畑作四十％、養豚四十％、育成馬二十％を目標にしました。ちなみに、現在は目標の八十％の段階にありますが、さらに数年後の所得を二百五十〜三百万円に向上させるために、昨年度の営農実績の反省から基礎技術の習得のほか、畑作物においては単位収量の安定増収、労働力軽減とその配分などが考えられます。

また、養豚部門につきましては、自給飼料利用による短期肥育、生産費の節減、肉質改善と計画的な出荷などがあります。また、現在行なっています育成馬部門につきましては、事故防止と馬体の改良に努め、市場の確保を目標にしています。

これらの営農改善に必要な資金につきましては、従来は近代化資金を中心にして利用してきましたが、さらにこん後は、土地取得資金、近代化資金、農協短期資金、さらに自己資金を加えて、これを効果的に投入し、資金投資と収入のバランスを重視して、目標を達成するよう努めています。

機械化の可能性を

このような目標に対して着々実績を重ねるかたわら、将来私の家の経営設計を描いてみますと、年間所得目標を二百五十万〜三百万円とし、これの収入比率は畑作部門二十％、養豚部門四〇％、育成馬四十％とし、加えて土地の拡大を図る。養豚、育成馬部門につきましては、草地造成により自給率を高め、土と結びついた加工農業を中心として、農業経営の安定を図りたいと考えています。

これらの具体的な営農につきましては、作業の分担を行ない、父母、私にそれぞれ適した労働配置を行ない、労働配分の合理化・専門化を図り、あわせて経営全体の方向として、機械化の可能性を高めることを考えています。

この機械化につきましては、機械を経済的に駆使できる経営形態ではないため、その構造改善を図りつつも、機械の共同利用による方法を採用しなければならない現状です。また、労働力の減少と経営規模拡大の傾向は、私たちの地域にも大きく現われてきており、機械の共同利用方式につきましては、私たち青年や経営主の間でも課題の中心になっており、実施段階に入っているグループがかなりふえております。

プロジェクトの取り組み方

北海道専門技術員　三輪勲

実践活動領域のプロジェクト指導

北海道農業学園教育におけるプロジェクト指導

普通科の留意事項

プロジェクト法の理解　「第一学年の場合には、プロジェクト法を十分理解させることに重点をおき、プロジェクト課題選定のための共同調査や共同学習を通して問題意識をもたせる」

普通科第一学年では、プロジェクト法の理解と問題意識の向上が重点となっている。プロジェクトの基礎指導は「農業経営」または「家庭経営」の科目履修で行ない、具体的な実施指導はその課題に関連する諸科目の履修で行なうことになっているので、この領域では、実際の課題選定を糸口として個人ごとにプロジェクトの具体的な実践方法を理解させることがたいせつである。これは問題意識が前提となるので、実態調査・話し合い・視察見学・映画やスライドの視聴など、効果的な方法によって指導するとよい。

プロジェクトの実践　「第一学年後半から第二学年にわたり、講師の指導によってプロジェクトを行なわせ、課題選定・計画・実践・記録・評価など一貫した活動が、自主的にすすめられるように指導する」

プロジェクト法の理解は、第一学年の前半で行ない、後半ではいよいよプロジェクトを実践させることになる。この段階ではまだ問題意識が十分ではないので、講師の厳密的な指導が必要である。学習指導要領では、これらの留意事項を四つに細分化して次のとおり述べている。

「❶課題設定の指導については、共同調査や共同学習を通して学園生が認識した問題点のうちから、両親や講師の意見を参考にして選定させる」

「❷実践・記録の指導については、学園生の家庭を巡回しまたは学園生を集合させて、適切な助言を行なう必要がある。なお、この場合には、実践経過に応じた計画変更および実践経過の記帳などについて特に指導する」

「❸評価の指導については、実績の評価と実践経過に関する評価を学園生自ら行なわせるように指導する。なお、評価は適正かつ客観的に行なわれるようにする」

以上の留意事項のうち❶については学園生の興味や関心の強い課題を優先的に考慮するとよい。この場合、教科・科目の履修においても問題点を示唆するような指導が必要である。❷については、青少年グループにおける話し合いをとおして相互に検討させることが効果的である。❸については、巡回指導が主体となるがプロジェクトの実践中に当初の計画の不備を発見したり、実態にそわない計画となるなど、計画変更の必要が生ずる場合が多いので、この点については集合指導も加えた具体的な指導がたいせつである。

また、実践中の記録方法の指導は、記録の指導とともに行なうと効果的である。❹については、結果の成否よりも経過中において生じた問題の処理・失敗例の検討などの反省に重点をおいて指導する必要がある。この場合、反省事項を取りまとめて記録させるようにする。

プロジェクトの長期計画　「第二学年修了までに、学園生の能力に応じたプロジェクトの長期計画を作成させるように指導する」

普通科修了後は、二カ年の農業または生活の実務を経て高等科の課程に進学できる。そこで普通科修了後、引き続き農村青少年グループにおいてプロジェクト活動を実践させるため、普通科修了までに、将来のプロジェクトについておよその計画を立てさせる必要がある。このプロジェクト長期計画は、二〜三ヵ年で本格的な生産プロジェクトが実施できるように目標を立てることが望ましい。

指導の項目順序　「個人・共同プロジェクトとも、学園生の興味や関心などを考慮し、適切なものに重点をおいて指導することが望ましい」

個人プロジェクトの一般的な指導順序は、技能補助—改良—小・中規模の生産プロジェクトというように学習指導要領で示されているが、学園生の性別・能力・興味や関心によっては必ずしもこの順序でなくてもよいということである。場合によっては共同プロジェクトがまず実施され、その後個人プロジェクトに進むこともあるわけである。また、いくつものプロジェクトを実施して一つも達成できないよりは、少数でもよいから完全に達成するように指導することが必要である。この留意事項で「適切なものに重点をおいて」とあるのは、こうした意味が含まれている。

米の契約栽培で自信

山形県米沢市小菅　米沢農研クラブ　白石藤次

夢は4・5ヘクタールの規模を

私の家は、市の中心部から北西に約十キロの純稲作地帯にあり、十アール当りの収穫も七百二十キロ平均はあげられます。本年から基盤整備も実施され、稲作を基幹とする地域らしい形態に姿を変え、稲作経営の前進も可能となりました。ところが作目転換、自主流通米などと聞いたこともない政策が唱えられ、それに輪をかけたように、水田では四〜五㌶の経営規模が口にされる傾向がみられ、そこで私たちは、グループ全員で一㌶の水稲の契約栽培に踏み切りました。

この契約栽培は、自家労力をこれ以上削ることは不可能であるという切実な問題を、会員十四名で見事に解消し、初年度で十アール当り六百六十キロの平均収穫を得ることができました。これは、昨年一月から農繁期まで数回におよぶ会員の調和と共同精神に基づく仲間意識が救ってくれた成果であります。

また、資金の調達に対しても、市をはじめとした関係指導機関と農協の呼吸の合った力ぞえによって、予想した苦労も少なく実現できたことは、自信を深め、組織の重要性を再認識しました。この経験により自らの人間性を高め、仕事に対する意欲も高揚されていることを考えても、何と素晴しい仲間たちなんだろうということを感じさせられました。

この契約栽培で自信を得た私たちは、専業農家として自立するために、規模拡大を夢みていますので、私としてもこの完全共同によって規模拡大にかってない希望をかけているのです。現在の経営を将来は四〜五㌶平均の耕作規模にもっていき、労力の合理的配分、完全に機械化された営農、そのための青写真づくりに余念がありません。

純稲作地帯であるため、こん後の米の消費など問題はありますが品質の優れた米の生産を第一に、しかも、大衆性のある安価な米を生産することは、決して夢ではないと確信しています。

そのためにも、仲間たちが協力して、水稲の契約栽培という新しい営農法を、技術的にも経営的にも学んでいきたいと思います。

農業簿記

京都大学名誉教授　大槻正男

＜自計式農家経済簿記＞

財産台帳と年度始め記入

流動資産台帳

流動資産台帳は下図のような形式の用紙からできている。

このような用紙に、流動資産を準現物と現物とに分類し、さらに準現物を小植物と小機具とに、現物を未販売現物と購入現物と中間生産物とに小分けして、各別にそれらに属する品目の年度始め現在のあり高を記帳開始にあたって詳細に実査たな卸しして記入する。

準現物

小植物　年度始めにおいて圃場にある麦・ナタネなどの立毛類をよく調べて記入する。立毛類の価額は評価時（年度始め）までに投された費用の合計額によって見積る。

種子	5K（1K当り　200円）	1,000円
肥料（硫安）	100K（1K当り　30円）	3,000
畜役	1日（1日当り1,500円）	1,500
労働	6日（1日当り1,000円）	6,000
合計		11,500円

小動物　家鶏・家兎・ミツバチ・コイなどの、年度始めにある小家畜類を実査して記入する。これらの家畜に対しても、厳密に購入（または生産）原価を基礎とし、育成・肥育用の小動物に対しては、その後の増殖額を見積って、採卵または種用に供せられる小家畜に対しては、その後の減耗額を見積って評価すべきものである。しかし、販売用の小家畜に対しては販売市価を基礎とし、これを販売するに要する諸費用を差し引いて評価する簡便法を採用するのもよかろう。

自家において生産する小家畜に対しては、生産原価評価を行なうのを本則とするが、少数の小家畜を生産する場合には、その費用の計算を行なうことは事実上不可能であるから、市価を基礎として控えめに評価するのが適当である。

小機具　足踏み脱穀機よりも小さい小農具および兼業用具を「耕うん作付用器具（くわ・すき・移植ごて…）」「養畜用器具（飼料おけ・ホーク・育雛器…）」「養蚕用器具（蚕架・蚕箔・蚕網…）」「施肥・かん水・除害用器具（肥おけ・じょうろ…）」「収穫調製用器具（普通がま・のこぎりがま・み・ふるい・むしろ…）」「加工用器具（わら打ちつち・こも編み台…）」「衡量用器具（はかり・かます…）」「雑器具（剪定ばさみ・おの…）」の順序で記入する。

年度始め「価額」欄には、現在の評価額を記入するのではなく、新旧を問わず一応全部小機具の新調価額を記入する。いいかえれば、古い小機具も時日の経過や使用によって生じた減耗をなんらしんしゃくせずに、新品とまったく同様にその新調価額を記入するのである。その代り、末尾において小機具の「新調価額」計を算出し、それに0.5を乗じて新調価額の半額を小機具現在価額とみなすしくみなっている。

流動資産台帳形式

種目	昭和　年度 摘要	年度始め 数量	年度始め 価額	増減額	備考	昭和 摘要	年度始め 数量	年度始め 価額
			円	円				円

男っぽさが魅力

好ましい無造作な感じ

おしゃれコーナー

若い人たちが、冬のコートは厚手の生地で、という常識を打ち破って、活動的な綿コートを着て冬の街をさっそうと歩くようになってから久しくなるが、ますます彼女らのおしゃれも洗練されて、ことしは一段と冴えたデザイン、工夫が期待できそうだ。

もめんのコートの中でも、コットン・デニム、コットン・スエードが、どことなく男っぽさが漂っているので、やはり人気のトップをいくが、綿コーデュロイや綿ベルベットも、無造作な感じが好まれている。

今シーズン流行すると思われるコートの中から、恰好よいもめんのコートをあなたに紹介する。

ことしの冬は、このコートを着て、さっそうと街へくりだそう。

【写真】コットンのスエードの赤とレンガ色のコート。西部の男が着る、あのタップリした上着をそのまま拝借したようなラフなデザインが魅力的——。

NHK農事番組

テレビ

明るい農村　6・30〜6・55総合

1日　農業新時代　カントリーエレベーター（長野県大町市農協）
3日　村の記録　文化の日特集＝伊那谷に生きる（長野県大鹿村）
4日　きょうの話題　米輸出は可能か＝東南アジア視察団帰る
5日　産物往来　みかん
6日　話題の広場　草づくり日本一（北海道旭川市神居町）　農民絵画教室（亀田郡七飯町）
7日　村をむすぶ　フィルム・リレー
8日　農業新時代　高原の育成牧場（北海道上川郡美幌町）
10日　村の記録　牛飼い工場（兵庫県和田山町）

農業教室　7・30〜8・00　教育

1日　食糧需給を考える（農業総合研究所）唯是康彦氏
3〜5日　米の品質を考える（宇都宮大学教授）菅原友太氏
6〜8日　乳牛の生理と管理（全購連農業技術センター）三田雅彦氏
9日　経営手帳＝養鶏経営における規模拡大のポイント
10日　輸送花きの生産と経理（愛知県農総試）岡秀樹氏

あすの村づくり
日　7・00〜8・00教育
再　土　13・00〜14・00教育

2日　▽グループだより▽ある青年像（内容は別掲）
9日　▽グループだより＝柿づくりにかける▽仲間とともに＝経営者めざす女性たち▽先覚と語る＝甘夏ミカン栽培にかける

ラジオ

早起き鳥　5・05〜6・00 ❶

1日　村のポスト
2日　話題の窓　過剰米時代の干拓営農
3日　文化の日特集「農村改造」吉田明氏
4日　人と話題（静岡県富士市）
5日　通信員の手帳から
6日　産地訪問　ホットマム（愛知県渥美町）
7日　現地報告　畜産公害の防止
8日　村のポスト
9日　話題の窓　米麦のこん後
10日　現地報告　離農者のゆくえ（北海道帯広市ほか）

ラジオ農業学校
日　6・30〜7・00 ❷

2日　グループの集い＝先進地留学の報告

番組紹介

11月2月　▽グループだより「都市化の中の農業を守る」＝福岡県築上郡築城町4Hクラブ

北九州市という大消費地を控えて築城町一帯の都市化現象は著しい。米やみかんの過剰が伝えられる昨今、こうしたところで農業をやっていくには、従来のような農業経営ではだめなのではないかとグループ全員が畜産、果樹、園芸まで幅広く取り組んでいる。

また、会員が大学出（一部は夜間大学在学中）であることもこのグループの特徴である。都市化の中で積極的に前向きの姿勢で農業と取り組む青年たちを紹介する。

▽ある青年像「ブロイラーセンター建設をめざして」前原真由美（群馬県新田郡薮塚本町）

前原さんは昭和三十九年女子高校卒業後、OL生活に入る。しかし、四十一年十月ブロイラー経営に転出、四千羽飼育でスタートを切った。以後経営拡大をめざして頑張っている。また、町の農村青年会議の女子部リーダーとしても活躍。こん後は姉さんとともに町にブロイラーの直販センター建設を目標に努力をつづけている。

あしたの青春

一ノ瀬綾　え　多賀愛子

＜8＞

変動（二）

村の野菜生産者組合には、幾つかの部門があった。半分以上の耕地を山の斜面にしめられている村では、これを主体に、と強力に押せる作物がなくて、生産者はいつも迷っていた。その中でトマトとキャベツは、どうにか安定性を保ってきた品目である。キャベツの生産者は、五百戸近い農家の中で一割弱であった。会合には、ほとんどの組合員が真剣な表情でつめかけてきた。

「出荷を目の前にして、なんてこんだ」

「指導者はなにをしていた……」

「これ以上値くずれしたら、どうしてくれる」

出席していた農協関係者や、担当職員に喰ってかかる者も出る始末で、会合ははじめから激しい口論が続いた。

「値くずれの主な原因は、一口に言って豊作貧乏と言えるが、直接の原因は、去年の安定した市況に味をしめた段々の見込みが、甘かったということですなあ」

一人の職員が説明すると、すぐ反撥する。「ばか言ったらいけねえ。それじゃあ、おれ達はなにを目安に百姓すればいいだよ。なんでも世間とあべこべに作りゃいいのかい」

「それに、県内や近県の生産情報の的確なキャッチがおくれたうらみがあります。出荷時期をずらせる為の作付期のやりくりにも、皆さんの強い協力が欲しかったのですが……」

「キャベツ作りだけの為に、家中の仕事のやりくりを、よその県や、国の動きに合わせろというのか」

一人がやり返した。新一は会場の一隅で、このやり取りを聞きながら、なんとも腹の立つ、やり切れなさを咬みしめていた。今日迄は黙ってまかせてくれた父親が、肩をいからせて組合員の中に座っていることも、新一にとってはつらい口惜しさをさそうのである。「おい、新ちゃん」

肩を小突かれて振り返ると、圭次が立っていた。圭次はキャベツを作っていない。不審顔の新一の横に圭次は割りこんできた。

「えらいことになりそうだな。おれも今朝知ってびっくりしただ。今夜早く来て、新ちゃんと話そうと思ったが急用でおそくなって」

一気に話して圭次は、新一にたばこをすすめ、自分も火を点じた。

「新一君がキャベツを選定した時、おれは賛成した。だから、責任を感じてるんだ」

「気にすんな。価格の変動は向うからやってきたんだ。今のおれ達には、どうしょうもねえことさ」

「どうしょうもねえか……おれは今度という今度、つくづく日本農業の仕組について考えたな……人は今更と笑うだろうが」

ふうと、煙を吐いて圭次は深く顔を伏せた。話し合いはなかなか進展しなかった。

「このままの値段で押し切れる見込みがあるだかね」

「断言できないですな。なにしろ、隣の県では高冷地物が出るし、押さえのきかないキャベツのこんですから……」

「わかった。いよいよ駄目だら、畑で腐らせりゃいいずら」

半ばヤケ気味の声を前に、担当者達は頭をかかえこんでいた。

「新ちゃん、けえろうや。ラチのあく話じゃあねえし、それにおやじさんも来てるだろ」

「よく知ってるな」

「夕方道端ですみ江さんに逢ったんだ。姉さん心配していたぞ」

「まだ二割の値さがりだ。早く出してえな」

「そうだ。出荷場へ運ぶ時、おれの車を使えよ。あけておくから」

二人は連れ立って会場を出た。外は涼しく、星の降るような夜空であった。

台湾の"草の根大使"と交歓

鵜飼見物など心残り
日本語の上達ぶりに驚く

岐阜市4Hクラブ事務局長　西垣宗雄

私たち岐阜市4Hクラブ(会長、古田寛君・クラブ員三十四名)は、さる九月二十二、二十三の両日、"草の根大使として"来日していた台湾代表の4Hクラブ員=李政徳君(二〇)洪玉女さん(二七)=二人と岐阜市椿洞の市畜産センターで交歓会を行ないました。

同草の根大使とは、鳥取県で開かれた第五回全国4Hクラブ員のつどいで親しくなり、その後、副会長の小塩登子さんが彼らと文通をしていたところ"二十二日、四国から東京へ向けて出発するので、岐阜へ行きたい"という嬉しい希望があった。そこで、すぐにクラブ員に連絡をとって、小塩さんと同じくつどいに参加していた早川君(副会長)の二人が京都駅まで出迎えた。

当日は、午後五時半から市畜産センターを会場として、女子クラブ員が主体となって料理を作り、食事をしながら交歓会に入った。古田会長のあいさつに続いて李君と洪さんに自己紹介してもらったが、二人とも日本語がうまくなっていてみんなが驚くほどだった。われわれ参加者の紹介がすむと自由交歓にうつり、台湾について質問したが、ことばが伝わらないときには、ていねいな標準語で話したり、動作を交じえたりで、やっと納得がいくと笑顔で"わかります"と言って、こちらもほっとした裏僑をして次の話題へと進めていた。

つどいに参加した五人を除いてあとは初対面のクラブ員でしたがなごやかな交歓会となり、また、センターには宿泊施設も整っているので、クラブ員と一緒に朝を迎えました。

二日目は、みんなでクラブ員の車に分乗して同じくクラブ員宅の梨園を見学し梨狩りをさせてもらいました。李さんは、日本の梨を自国で栽培したいとのことで、接木用に枝をもらって大事に持って行きました。種類は二十世紀、菊水などです。そのあと、観葉植物を栽培している温室内を見せてもらい、次に岐阜農林高校農場を見学ました。

半数以上のクラブ員の母校でもある岐農高には、近代的な豚舎、乳牛舎、そして給餌、採卵、糞の処理まで自動的に行なえる鶏舎、温室、トマトのビニールハウス、県下でも数少ないぶどうのビニールハウスがありますが、それらを見てもらいました。各県を見て回ってきた彼らにとって別段目新しいことではなかったと思いますが、クラブ員がどんな環境で農業技術を学んでいるかを知ってもらうためでした。

昼食は農場内でおにぎりをほおばりました。午後からは、足を伸ばして三重県長島町の熱帯植物園に行きました。しかし、われわれにとって広い園内の植物は珍しいのですが、彼らにとっては、自分の家の庭に生えている植物であると聞き、ぜんぜん気付かなかった自分たちもうかつだったと反省したしだいです。

また、夕方、岐阜の名物"長良川の鵜飼"見物に行ったのですが、時間が変更されていて残念ながら見物できず、再び手抜かりがあり申し訳なく思っています。

夕食は、女子クラブ員たちに料理してもらいましたが、彼らにもビーフンを塩と油でいためた料理を作ってもらうなど予定外の楽しい夕食にすることができました。

翌朝、畜産センター内を説明しながら種豚育成や、省力化をめざした和牛、乳牛の放牧飼育、同じく省力化の採卵鶏の平飼を見たあと、みんなで後片付けをして名古屋駅へ着くと、ひかりで東京へ向け出発したのです。

ふり返えって反省してみますと彼らにとっては、期待薄い二日間ではなかったかと思います。できれば、岐阜市内にある歴史に残る神社、寺などを見てもらった方がよかったと考え反省しています。

李君

洪さん

河津君、菅原さん 29日に台湾へ

なお、李君と洪さんは、日本4H協会が国際農村青年交換計画に基づいて招いたもので、今年の七月下旬に来日し、約二ヵ月間にわたって岡山、高知両県の4Hクラブ員宅で生活しながら農業技術の勉強とともに4Hクラブ員たちと交歓しました。

また、その間、鳥取県で開かれた"第五回全国4Hクラブ員のつどい"や高知県で開かれた全国技術交換大会などにも出席、草の根の大使として相互理解と親ぜんの役目も果し、さる九月二十九日、羽田から帰国しました。

また、日本4H協会から台湾に派遣される"草の根大使"(4Hクラブ代表)二人=河津健君(大分県)と菅原敏さん(岩手県)は、来る二十九日、羽田から出発することになりました。台湾滞在は同じく二ヵ月間で、同国4Hクラブ員の全国大会などに出席する予定になっています。

青春と仲間

青春と農業の道
リーダーの重要性について

積極的な行動力を
みんなの能力や特長を生かそう

岐阜県大垣市熊野町・大垣4Hクラブ　山中鈴子（下）

☆☆☆みんなの手で運営

クラブ員には、年令の差があります。私のクラブも五〜六歳くらいです。むずかしい話のときは、高年令と低年令とに分かれてしまいますが、どうしようもない、そんなとき立派なリーダーが必要となる。

みんなから信頼されるリーダーをみて共通している条件は、実行力です。あるクラブのリーダーのことですが、とっても話がうまく立派なことを言っても、肝心の行動力がないので、逆に信用されなくなり、何もかも本気にされなくなって、行動すら進まず、活動が低下したという話でした。余り言葉が上手でなくとも、とにかくみんなの先頭にたって良く行動することが大切です。

ところで、リーダー格の人にも仕事があります。農業は自然を相手にした大事業ですから、クラブ活動ばかりに力を入れたのでは、本職の農業の方が大変な打撃を受けます。農業をやりながら活動をリードして行くには難しいことです。でも、自からの手によって運営しなければならない。

しかし、手のとどかないところは沢山あります。そこで普及所などの援助や助言を積極的に受けるようにするとともに、関係機関の行事などをうまく利用しながら、クラブ行事を進めるようにすることが大切です。また、グループ活動を盛んにするためには、常にリーダーの心構えと家族の協力や理解が必要であり、そして地域の人々の信用があってこそ盛り上がるものと思います。

☆☆☆各人の特長生かせ

定例会、共同作業、交歓会などの活動は、けして満足すべきものではなく、まあまあ五十点というところがよいとこ、そして、リーダーとみんなの心と心が別になったとき、つまり協力性がなくなったときなど、リーダーの積極性がほしい。

ある二つの集団をみると、十人十色といったように、実にさまざまであり、その人たちが同じ気持で活動できるようになるということは、考え方によって大変難しい。中には、リーダーの人のやり方に反発するような人が現われてきます。また、知恵のまわる人もいるものです。そういう人に役を任せたりして責任をもって仕事をしてもらうことなど、その人の特長をつかむこと、すべての人の価値を認め、その人の持てる力を十分発揮させるというグループ活動の根本的な考え方を、人々の集まりに当てはめてみれば、当然のことと言えることです。

どんな人でも、何かの能力、特長があります。それに、集団の中でそれを生かすことができたら、その人自身の喜びであり、生きがいになります。たとえ、リーダーと言われる人が自分の才能に任せて、何から何まで自分一人にうけおってしまっては、一時はうまく行きますが、長続きしません。そして、そのことが多くの友だちに味わうことのできる喜び、生きがいを一人で横取りしてしまうようです。

ですから、集団の中に、できるだけ多くの人の役割を受け持ち、手を分けて行なう方が良い結果が得られる。一つの集団の中には、いつも陰の方にいるような、いわゆる、目立たない人があり、うっかり忘れられてしまう。そういう人は、案外、素晴しい能力の発揮することもあり、リーダーは、どんな人でも大切にすると、当り前で案外忘れられているが、もし、これらのことを忘れたら、リーダーとしての重要性を再認識していただきたい。

私の一年間をふりかえって感じたまたを書いてみましたが、今年から、リーダー格になった人は、リーダーの重要性を忘れず、この一年間、努力して、もっともっと幅広い視野の持ち主となり、より大きく成長して立派な農業指導者になろうではありませんか。（おわり）

男女クラブ員が仲良く2人3脚
農村建設、平和な家庭づくりも男女が力を合わせてと全参加者混合で行なわれ、秋空に歓声をこだまさせた

秋空の下で体力競う　鳥取県の東・西伯両地区連で交歓運動会

手に汗握る熱戦展開

総合一位に名和町　若い農業者の意気上る

さる九月二十八日、鳥取県東伯部西部地区連(赤碕グリーンクラブ、東伯町農業青年会議)と、西伯郡東部地区連(中山町、名和町、大山町農村青年会議)米子市農村青年会議の共催による農村青年交歓秋季大運動会が、西伯郡中山町立中山中学校校庭で開かれた。

他には例をみない農村青年だけのこの運動会は、一昨年から、農村に生きる青年同士の親ぼくと友情を深めるとともに、健全な精神と肉体をつくることを目的として催されるようになったもので、今年で三回目。そして、一昨年以来仲間意識をいっそう高めるのに大きな役割りを果してきており、この農村青年たちの自主運営による運動会は関係機関など各方面に大きな話題をなげかけた。

当日は、各クラブから約百名が参加し、午前九時から入場行進、開会式で始まった。開会式では、田中西伯地区連会長(中山町)のあいさつなどがあったが、この日、県連を代表して招かれた安住鳥取県連会長は、あいさつの中で「このような運動会を通じて団結をはかり、意識の統一をさらに強力に推し進めようとする意欲は本当にすばらしいことである。いろいろと変動の多い農業ではあるが明日からさらに新しい気持ちでそれに取り組むために、今日はどうぞ元気で頑張って下さい」と励ました。

ついで、合同体操で体をほぐしたあと十七種目の競技(うち得点競技七種目)に入り、技を競いあった。

午前中の競技は、まず百米競争から始まり、ピストルがなるたびに、走る方向を変えてゴールインする"あまのじゃく"、風船をふくらまし、オシリでやぶる"ゲッツ断力"など八種目が行なわれた。

中でも、当日一番の見ものであるマラソンは、中山中学校グラウンドから北へおり返し十六キロの間で、手に汗をにぎる熱戦がくりひろげられた。そして、汗だくでゴールに近づいた走者が見えると、ふだんは誠にしとやかな女子クラブ員たち(?)も、黄色い歓声をはりあげて応援。走者もそれにニッコリとこたえながら力走するほほえましい場面もみられた。そして、この頃、すでに運動会の盛りあがりは最高潮に達した。

午後も、フォークダンスや、借物競争が行なわれたが、"食欲の秋"では、味のまったくない玉うどん、ラムネなど苦しそうに、それでいて元気でたいらげる頼もしい青年農業者たちの姿が通行人たちを立ちどまらせた。

このあと、午後四時半頃、とどこおりなく競技を終って閉会式に入り、総合得点の入賞チームとマラソンの優秀走者を表彰したりして解散した。

この日は、百名の参加者の大半が"鳥取のつどい"のとき着用した4Hクラブの帽子、赤い県連マークの入ったユニフォーム、といったいでたちで参加。その統一されたスタイルで、きびきびと動きまわる姿は、みていて本当に気持ちよく、若い農業者の意欲が十分うかがわれた—とある通行人は話していた。

また、さる七月には、本県で第五回全国4Hクラブ員のつどいが開催され、当時から、すべてのクラブ員の意欲によって開催誘致にこぎつけた鳥取県連の今後の活動にかける期待は大きいものがあった。

そういった意味から"つどい"以後、県連にさきがけて、このような例をみない盛大な農村青年の運動会を、自らの手で、一昨年、昨年以上に成功をおさめたことは、"つどい"以後の新しい鳥取県連の動きとして期待され、注目されるべきものであるようだ。

そして、この競技のあいまには"つどい"の想い出話などをまじえて、おたがいのクラブ員同士がなごやかに交歓する姿もみうけられたが、今後さらに手を取りあって農業に取り組んでいくことが大いに期待される農村青年の秋季大運動会であった。

なお、この運動会の総合得点の順位は次の通りである。

▽一位　名和町農村青年会議▽二位　東伯町農業青年会議▽三位　米子市農村青年会議

以下、赤碕、大山、中山町各農村青年会議であった。

(鳥取県本紙連絡報道員、山本哲嗣君記)

農村雑感

新原佼二郎

U氏は戦後満州から引揚げてきた人であるが、開拓地に入るまでの約二ヵ年間は、あらゆる本を買い求め、読みあさった。まるで本につかれた人といってもよいほどである。そうした経過をたどって開拓農業をはじめたわけであるが、勿論数年間は苦難の年月であった。

しかし、その間でも、夜は少しの時間もおしんで読書にふけったということです。その内容は農業技術に関するもののみが主でなく、むしろ経済、社会といった面の方が多かったという。これが、氏の考え方を決定していったといえましょう。即ち、物の見方、考え方をどのようにするか、その根底が出来たといえよう。

現在、氏は農業経営者としては極めて優れ、社会的にも多くの人から認められている。その間の年月は、実に二十数年という長年月である。

生活意欲

過日、山陰のT君から手紙が来た。彼は、五年前東京の大学を出て、自家の経営を継ぐために郷里に帰ったわけであるが、郷里に帰る前に、田舎に引込んでも社会の動き、経済の動向を常には握しておくことが大切である。そのためには常に勉強しなければならない。僕はそれをやっていくつもりであると、当時、張切って帰ったわけです。

しかし、今回の手紙によると、最近は新聞に目を通す時間さえないし、また、社会の動き、経済の変動など大きい事柄があっても、特に感激したり、困ったことだという。そういう心の変化がなくなりつつある。どうも、一日の作業を終えて帰るとテレビをみるのが精一杯で、ニュースからはじまり、娯楽番組を通してみて、そのまま寝てしまうことが多いという。まったく自分であきれ、どうにかしなければならないと思っているが何かよい刺激はないものだろうかということであった。彼は、親から引き継いで大きな経営をやっており、収入も多く、経営者としても成功しているといえる。

さて、二人の事例を簡単に述べましたが、この二人を比較してもわかるように、日常生活に対する張りあいというか、意気込みが大きくちがっていることがわかります。

目的は、大きくもっているが、それに到達するための手段がU氏は着々とき求めているが、T君の方は求める方法が得られず、迷っている状態である。

二人とも日常生活においては余裕ある時間は持ちあわせていない。そのことは同じであるが、その余裕のない中にあって、勉学にあてる時間を生み出しているか否かの差であり、それが、ひいては生活全体への意気込みに大きく影響しているといえよう。

学歴は問題でないかも知れない。しかし、いかに学ぶかという方法を教えてくれるのが学校であるとすれば、やはり、学歴ということでなく、学校に入り学んだ方がよい。しかし、切角、高校なり大学に入ったにしても、それが最終であると考えてはならないことである。

社会生活の中での一日一日が実は本当の勉学の場である。この勉学ができるかどうか、その心がまえこそ、その人の人生航路を決め、人生としての成功者になりうるか否かの境目になるのではないだろうか。

(農林省・農業者大学校)

ビルマ館

敷地面積…2,000 m²

展示館は、地下1階(倉庫・事務室など)地上1階(展示室)のメーン展示館と付属館(レストラン・売店)の2つに分かれています。

建物は、ビルマの北部のインレー湖に伝わる『ニヤン・シュエの祭り』に使われる鳥頭のついた船2せきを並べ、その上に、伝統的なカラウエ様式とよばれるビルマ王宮建築の建物を組み合わせたもの。

周囲は水にかこまれ、舟が川に浮んでいるようた見えます。

展示は、ビルマの原産物が中心で、たとえば、竹、チーク材、各種鉱石、芸術品、民芸品など、農・林・鉱業のすべてを展示。

とくに力を入れているのは、世界的産物として知られている宝貨石類で、これらは売店で売られます。また、レストランでは、ビルマ料理を味わうことができます。

<「日本万博「展示館の紹介>

静岡

4H関係から七名
産業青年の海外派遣員に

【静岡県=鈴木政奨連絡報道員発】次代の静岡県を担う産業青年を海外に派遣し、国際的視野を広めさせ、職場や地域のリーダーとして活躍してもらおう—という静岡県(後継者育成課=中山原次課長)主催の第一回静岡県産業青年ヨーロッパ視察団の団員に、4H関係から松浦幸浩同県連会長以下七名のクラブ員が選ばれた。

今回の団員は、産業青年三十名、指導者十名で、来る十一月十日結団式を行ない、十三日羽田空港から出発、オランダの干拓農業や流通加工センター、西ドイツの信用協同組合や林業、フランスの中央市場などを視察したり、スイスではユングフラウに登頂するなど、多くのスケジュールがおり込まれており、帰国は十一月二十六日の予定。

4H関係の団員の氏名はつぎの通り。松村幸浩(掛川市)真田勝(小山町)鈴木政奨(浜北市)滝川岩男(浜松市)鈴木栄(浜松市)鈴木敏子(静岡市)田山ふさよ(藤枝市)以上。

おことわり　日本政府派遣農村青少年指導専門家として、昨年、ブラジルで農村青少年の教育指導に当たられた栃木県普及教育課・特別専門技術員、湯浅甲子氏執筆の「ブラジル八十八村巡行」は、都合により今号は休ませていただきます。

◀投稿案内▶

本紙は、みなさん方の新聞として、全国のクラブ員に利用して戴きたいと考えています。それでクラブの催しや個人のプロジェクト、詩、短歌、随筆、写真、悩みや意見、村の話題、伝説、行事その他なんでも原稿にして送って下さい。

お願い　❶長さや形式は自由です　❷できるだけ記事に関連した写真をそえて下さい　❸送り先　郵便番号162　東京都新宿区市ヶ谷船河原町11　日本4H新聞編集部

日本4H新聞
4Hクラブ
農事研究会
生活改善クラブ
全国弘報紙
発行所
社団法人 日本4H協会
東京都市ケ谷家の光会館内
電話(269)1675郵便番号162
編集発行人　玉井光
月3回・4の日発行
定価　1部　20円
一ヵ年700円（送料共）
振替口座東京　12055番

クラブの綱領

私達は実践を通じて自らを磨くとともに互いに力を合わせてよりよい農村、よりよい日本を創るため四つの信条をかかげます。一、私達は農業の改良と生活の改善に役立つ腕をみがきます。一、私達は科学的に物を考えることのできる頭の訓練をします。一、私達は誠実で友情に富む心をつちかいます。一、私達は楽しく暮し元気で働くための健康を増進します。

全協、農林省と懇談会開く

協調態勢へと前進

互いの立場を認めて

全国4Hクラブ連絡協議会（会長、黒田保君）は、さる十月二十五日午前十時から、農林省農政局普及部長室で、農林省の田所普及部長ら普及教育課の関係者と話し合いを行なった。

議題につどいや夏の大会も

これは、農林省と全協で開催している二つの全国大会の関連や、プロジェクト、年令問題など4Hクラブ活動について協議するために、同普及教育課の呼びかけによって開かれたもので、このように農林省と全協が正式に話し合ったのは久しぶりのことである。

これによって、両者間に四、五年前から閉ざされていた話し合いの糸口が開かれたわけで、こん後、さらに全協の意志が行政に反映されることが期待されるとともに、両者間の協調態勢が強く打ち出されるものと予想される。

当日は、農林省から田所普及部長はじめ普及教育課の矢野課長、大賀青少年班長、大沼、福田同班両係長、全協から黒田会長、小原副会長、久野事務局長、それにオブザーバーとして4H協会の新田事務局長、全国農村青少年教育振興会の金田事務局次長が出席した。

話合いの主な点は、毎年夏に開かれている農林省、振興会、県（持ち回り）主催の技術交換大会と、全協、県連（持ち回り）4H協会主催の「4Hクラブ員のつどい」、また、農林省、振興会主催の春の青年会議と、全協と4H協会が開催を計画している「プロジェクト実績発表大会」についての相互関連である。

これについては、全協が開いている全国大会が農林省のそれに対抗しているように誤解されている面もあるので、それぞれの大会について理論づけをして性格を明確にし、将来は分担的に実施する方向に進める一方、相互に協調可能な面については協力するという含みのある意見が述べられた。この点については、こん後、同じような会合をもち、もう一度考え直しながら有意義な大会を開くよう努力するとしている。

また、黒田全協会長らは、現在研修の場などが恵まれていて、悪条件の中で創意工夫するという意欲がクラブ員に欠けてきていること、これは、技術交換大会や青年会議がいろいろの面で整えられていることにも通じる点を強調。また、農村地域における人間関係、部落意識がしだいに崩れ、地域の連帯感が薄れている傾向があるがこれはクラブにも表われ、仲間意識が弱まってきているので、クラブが中心になって失なわれていく人間関係のきずなを強めて、現在の状態から脱皮していきたいとの希望意見を述べ、普及教育の行政にもそれらの点について打ち出していってほしいと要望した。

屋良首席を表敬

沖縄交歓訪問の日程決る

全協

全国4Hクラブ連絡協議会（会長、黒田保君）は、来る十六日から四泊五日の日程で沖縄の4Hクラブに交歓訪問団を送る計画をすすめてきたが、このほど、沖縄でのスケジュールが現地との接渉の結果決定した。

これまで、全協と全琉4Hクラブとの交流は、さる三十九年に、全琉4Hクラブ（現会長、大城正幸君）が全協に加盟し、これに対して、四十一年、全協から当時の長田会長と岩崎初代会長が同地を訪問、全琉4Hクラブ旗を贈って交流を図ったが、その後、渡航の規制などから、全協が催す行事に沖縄のクラブ員が出席できない状態にあった。

このため、全協では沖縄の4Hクラブ員と相互に交流し、緊密化を図るため一般クラブ員による今回の交歓訪問に踏み切ったもの。

今回の訪問には、全国から応募したクラブ員のほか、全協から黒田会長、久野事務局長、石井同次長らが参加し、総勢二十五名の予定である。

沖縄交歓の日程は、つぎのとおり。

十一月十五日　午後一時、大阪市東区粉川町三丁目、谷町荘（電話、七六二―〇五〇六）に集合、事前研修会を開く。

同十六日　大阪の宿舎で研修のあと、午後三時、大阪・伊丹空港から、日航九一一便で沖縄へ向って出発。同五時、沖縄・那覇空港着、ただちに宿舎の共済会館に向う。同会館で沖縄4Hクラブの代表と会見。

同十七日　屋良首席、はじめ農林局長、市長らを表敬訪問したあと、中部と南部地方の農業と戦跡を視察。

同十八日　北部の名護町の青年の家で行なわれる全琉の4Hクラブ技術交換大会に参加。

同十九日　同大会参加、午後四時閉会式のあと、那覇へ向い、夜は那覇市内見学。

同二十日　フリータイムのあと、午後四時三十五分、那覇空港からノースウェスト八便で大阪へ向って発つ、同午後六時二十五分大阪伊丹空港着、宿舎の大阪市東区松阪屋横、大阪旅行会館（電話、九四二―一四〇一）に向う。

同二十一日　反省会のあと、解散。

なお、この交歓訪問には、現地でも歓迎の意向を示し、全琉4Hクラブの技術交換大会の日程も、全協の訪問団のスケジュールに合わせて決められたものである。

クラブ活動の強化　研究会開く

来る五・六の両日、東京で

振興会

全国農村青少年教育振興会（東畑精一会長）は、来る五、六の両日、東京・新宿区霞丘町の日本青年館で、県連会長二十三名の出席を求めて「農村青少年クラブ活動の強化に関する研究会」を開く。

同振興会では、さきに、農村青少年クラブ活動の現状と今後の指導に関する研究会を開き、農林省の関係者の出席のもとに県の青少年担当者や、中央の農村青年育成の民間団体代表者から意見を聞いたが、こんどは、被指導者側の農村青少年の代表者から意見を聞くことになったもの。

出席する県連会長は、来春開催する「第九回青年農業者会議」に運営委員を派遣する当番県連で、同日は農林省と4H協会など振興会各関係者が同席する予定。

話し合いのテーマは、農村青少年クラブの組織、農村青少年活動の援助、第九回青年会議の運営、その他農村青少年育成対策などについてである。

なお、旅費は各県連で負担することになっている。

全国のクラブ員の代表として、重い責任を負って台湾へ向った河津君と菅原さん
（羽田空港国際線のゲイトで）

日・中間親善の途へ

河野君、菅原さん台湾へ出発

国際農村青年交換（IFYE）計画に基いて、社団法人日本4H協会（松下幸之助会長）が中華民国（台湾）へ派遣する本年度日本代表の4Hクラブ員、河津紘君（二二）大分県・大山青年農業研究会と菅原敏さん（二三）岩手県・水沢市農業青年クラブ＝の二人は、さる十月二十九日午前九時三十分、肉親や日本4H協会職員らに見送られて、東京・羽田空港から台湾に向って出発した。

この4Hクラブ員の交換は、日本4H協会が中国の4健会協会との間に、国際農村青年交換計画に基づいて毎年実施しているもので中国からはさる七月二十一日、李政徳君（二二）と洪玉女さん（二二）の二人が来日、岡山や高知の受入れ農家で二ヵ月間にわたり日本の農業やクラブ活動を学んで、さる十月二十九日すでに帰国した。

また、二人は滞日中、鳥取で行なわれた全国4Hクラブ員のつどいや、高知で行なわれた全国農村青少年技術交換大会にも出席し、日本の多くのクラブ員と交歓した。

今回、日本代表として中国へ派遣された河津君と菅原さんは、農業高校卒業後、農業に従事しながら4Hクラブ活動をつづけ、ともに県連役員として活躍しており、中国の農業と4Hクラブ活動に深い関心を寄せている。

なお、二人の滞在期間は二ヵ月の予定である。

河津君談　〝草の根大使〟といわれるこの大役に、責任と誇りを感じています。台湾では、中国の農民になった気持で両国の親善に尽してきたいと思います。

菅原さん談　幸運な機会に恵まれましたが、それに甘えることなく、自分を磨くとともに、一緒に行けなかったクラブ員のためにも大いに頑張ってきて、帰ってからその成果をみなさんに伝えたいと思います。

富山県連・二十周年記念式典を開く

4日から実績展示会も

【富山県＝老川早苗連絡報道員発】富山県4Hクラブ連絡協議会（会長、横井弘三君）は、本月四日から三日間にわたり、富山市の県民会館において、第十八回富山県4Hクラブ実績展示会を催すとともに、最終日の六日には、富山県4Hクラブ発足二十周年記念式典を盛大に開催する。

涼風暖風

シャツもももひき

先日、本屋から私あてに郵便がきた。分厚い大型封筒なので何だろうと思いながら開封すると、百科辞典の宣伝パンフレットと共に「〇〇音楽全集」の予約案内が出てきた。近ごろの宣伝はずいぶん盛んなものだと感じたが、別に気にもとめず、くずかごにすてた。

それから二、三日あとだったと思うが、日曜日、中心街の本屋へ仕事上の参考書を買いに行った。求める本が見当たらないまま店内をブラブラ歩いていると、例の「〇〇音楽全集」の何巻目かが書架にあるではないか。宣伝中だとみえて、大型の本ケースのきれいな表紙が目立つように置いてあり、そばにも、これ見よがしに中を開いて飾り並べてある。

私も、つい手にとって見ると、音楽家の紹介記事や鑑賞の解説記事だけでなく、LPレコード二枚がジャケットに入れて綴じ込んである。これには、ちょっとびっくりした。いや、びっくりしたのがおそ過ぎたわけで、この種の本（レコードが入っていようとも本屋で売っているのだから本だろう）は、かなり前からあるらしい。

本とレコードの組み合わせとは、つまり、「読む」機能と「聞く」機能との複合体といえよう。考えてみると私たちのまわりにはこのような例がずいぶん多い。大型水田の収穫に威力を発揮しているコンバインは、刈取機と脱穀機との組み合わせだし、「農薬肥料」の出現もそうだ。石油化学工業にみるコンビナートは巨大な複合体、アポロ11号の成功は膨大な要素の科学的組み合わせが基礎であるらしい。これだけではない。日付と曜日表示の時計やフィルター付のたばこなど、数えだしたら切りがないほどだ。

近ごろ「システム」という用語がひんぱんに使われている。二つ以上の要素の組み合わせによって新しい価値を生み出す創造とでもいうか。要素をバラバラにして組み替えるとか、ある要素を加えたり、除いたりしてみる。この思考は農業経営にも通ずる。土地・資本・労働の組み合わせ、作業の手順、いずれもシステム研究が重要と思う。科学的思考は創造へとつながり、創造は生活をいっそう豊かなものにするに違いない。

組み合わせといえば、私は子供のころ、「シャツ」と「ももひき」とが一つになった下着（コンビネーション）を着るのが大嫌いで、母親を手こずらせたことを思い出した。

（北海道　三輪）

OB招いて研修

次期リーダーの育成図る

神奈川県連

【神奈川県＝石井忠輝連絡報道員発】神奈川県農村青少年クラブ連絡協議会（会長、中野正義君）は、さきごろ、二日間にわたって県立湘南青少年の家で、リーダー研修会を開いた。

この研修会は、これからの神奈川農業の担い手となる青少年が、激しく変りゆく社会情勢のなかで、農村青少年のあり方などを真剣に話し合って、視野を広め、クラブ活動の中堅的役割を積極的に果す次期リーダーを養成することを目的として開いたもので、県下の各地区連から約六十人のクラブ員が参加した。

まず、第一日目は「県連、地区連の情報交換」つぎに、四人のOBによる「体験発表」二日目は「クラブ活動と青年の生き方」「これからのクラブ活動のあり方＝全体会議」などが行なわれた。

このうち、OBの体験発表では、▽クラブ活動は少人数でもできる▽青春の一時期に感激の場面があってもよい▽他産業の女性との交歓によって、クラブ活動を活発にすることができた。これなど現在のクラブ活動において考えることだと思う―など、いろいろ参考になる意見がだされた。

また「クラブ活動と青年の生き方」「クラブ活動のあり方」では、▽クラブ員に対して行事の出席、欠席を明確にして、少しでもクラブ員の自覚をはかる▽クラブ員の積極性がほしい。クラブ員が意見をいえるようにする。個人個人が自覚をする▽つねに、クラブは体験活動であり、その成果は、その場では得られることではなくほんとうに人間的成長がなされたとき、はじめてその意義を知るのではないか―など、の意見が述べられた。

4Hで審査競技

静岡・浜北市連合協議会

市と畜産共進会を共催

【静岡県＝鈴木政美連絡報道員発】静岡県浜北市の浜北市連合協議会（会長・鈴木守君）は、市と共催して、さる十月十五日、第七回浜北市畜産共進会を開催した。

この共進会は、家畜の経済性を高めるため、技術、飼育管理の模範を示すことによって、時代に応じた家畜の改良の進展を察知し、改良の促進に寄与するとともに、畜産の重要性を周知させ、同市の畜産業の発展を図るために催されたもの。

当日は、朝早くから参加者が訪ずれ、市内の優秀な乳牛や豚、山羊が出品され、鶏卵、ハチミツの展示即売も行なわれた。

また、市内のクラブ員に経済性の高い乳牛、豚の飼養管理の適否を審査する技術を習得し、畜産農業後継者の養成に資するため、この共進会のなかで、4Hクラブ員が、畜産後継者の審査競技大会を行なった。

この共進会に参加したクラブ員たちは、こん後も市の農業発展のため、また、4Hクラブの仲間づくりのため頑張ろうと誓い合い、夜は反省会を開き、いろいろな問題を討議した。

また、当日は、4H会館建設募金を働きかけ、多くのクラブ員が協力した。

録音から　NHK 9

これからの農業者像　④

千俵取りをめざす青年

農林省農業総合研究所　並木正吉（なみき・まさよし）

これは、さる九月十一日、鹿児島県農村センターで行なわれた「第四回九州地域農村振興親子会議」において講演されたものを、NHKが収録したものです。

きわめて貪欲な情報の収集

そして第三点は、情報を収集するのにきわめて貪欲であり、かつ行動半径が広いという点があげられるように思います。

まえに述べたように、全国的に、こういう農家があるということ、その翌月、あるいはその次に会うときには、もうすでに見てきておる。自分の目でみて自分で判断しておる。そういう行動半径の広さというか、機敏さというものがある。

そのほかにもう一つ、彼について特長がありますのは、できるだけ農業関係者以外の人とつき合おうとしていることです。

農業関係者の人とだけつき合っておれば、どうしても、自分たちの仲間の中でしか通用しない理屈でものを考えるようになる。

そういうことになったのでは世の中の変化におくれるから、できるだけ農業外の人ともつき合おう、その人たちの意見もなるべく聞こうという態度を、彼はとっているわけであります。

そういうふうに、情報の範囲というものが、彼についていいますと、農業の中だけでなくて農業外にわたっている。そういう点が彼の特長の一つであります。

自分の力だけを過信せずに

さらに第四点は、自分の力だけを過信しないという態度をとっております。

これはさきに述べた話の中には充分あらわれていません。彼は、私があるときに、フランスで農業構造改善が進んだのはフランスの全国青年農業者連盟という組織があって、その組織が農業の構造政策を進めなければだめだといって、農業団体を動かし、政府を動かしたということが、フランスの構造政策を変えてくるのに非常に役に立っておるという話をしたことがあります。

彼は、ある青年団体に入っておりました。そして、年に二回とか三回とか、研修会を開く。その世話役を実によくやっておりました。

そして、その際、呼ぶ講師については平生のこういう関係を利用して、農業関係者だけではなく、できるだけ農業外の人を講師に招いて知識を広めようという努力をしております。

そうして、自分だけが良くなるのではなくて、みんなが良くなろうではないかということをやっておるわけです。

自ら組織作りに立ち上がる

私が申しましたフランスの全国青年農業者連盟を聞いて、その次から、日本についてもそういう組織をつくりたいということで、さきに述べました全国で見廻ってきた農村の立派な人たちと語らって、そういう組織をつくろうとしておる。そしてその会員になる人たちの資格として、四つぐらいを考えたといっております。

一つは、年間一万から三万円の会費を納めること。ただで話を聞こうとか、ただで何かやってもらおうとかいう気持ではだめだ。自分で金を出しながら考えるようにしなければいけないということで、まず、会費を自分で出そうということです。

そして、第二番目に、一年に一回、一泊で東京に集って、全部で研修会を開く。話し合いをする。それに出てこれるということ。また、それに出てくる熱意のあるということを条件に考えています。

そして、第三番目に、例えば農業政策について、経済の論理を余り無視する政策は主張しない。もっと端的にいいますと、何が何んでも食管制度の根幹は維持するというかたくなな考え方では発展的にいけない。そういう問題についてはもっと弾力的に考える。そういうことを第三の資格にした。

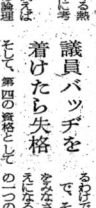

議員バッヂを着けたら失格

そして、第四の資格としては、そういう青年の組織に政治が入ってはいけないから、町会議員、市会議員、県会議員、国会議員、議員族のバッヂをつけたら資格を失う。

この四ヵ条で、自分の考えている組織をつくりたい、と彼はいっていたわけであります。

そういうことに表われていますように、彼はいま述べました四つの条件は、彼のやっているところから浮かび上ってくるわけであります。

自立的に、自主的にやるという経営者としてどうしても必要な態度、それから、世の中の変化に対して前向きに適応していくという姿勢、さらに、情報については積極的に広く集めていくという姿勢、そして、自分だけではなくて、仲間が手をとり合っていこうという姿勢、その四つを彼は実践しておるわけであります。

私は、そういう資格をもった者がこれからの農業者の一つのタイプだというふうに思っておるわけであります。

で、そういう点で、いまの点をみなさん方のこれからのお考えになる、これからの農業者像の一つのタイプということで考えていただければ、私は非常に幸いだと思っているわけであります。（完）

バスで県外研修会開く

徳島・井川町農業後継者クラブ

【徳島県＝近藤吉正連絡報道員発】徳島県三好郡井川町の井川町農業後継者クラブ（会長、近藤武十郎君）は、さる十月十一、十二の両日、香川、岡山へ県外研修に出かけた。

まず、五十三人のクラブ員がバスを借切って、自分たちの町とよく似た香川県塩江町を訪ずれ、そ菜栽培を視察、熱心に質問を繰り返した。

つぎに、フェリーで岡山に渡り、津高町のマスカットの温室栽培を見学、そこで津高町の農業後継者クラブと交歓会を開き、クラブ活動や営農について話し合った。

夜は、長いバスの旅の疲れも忘れて、岡山県内の勤労青年の人たちと混ってキャンプ・ファイヤーを楽しんだ。

翌日は、朝早く出発し、池田牧場の視察をさいごに、研修から開放され、後楽園、わしゅう山の見学を楽しんだ。

心頭技健

さる十月二十五日全協の黒田会長と小原副会長　久野事務局長は、農林省に招かれ、普及部長室において、田所部長、矢野普及教育課長、大沼同活動促進係長ら関係者と、全協の立場、考え方、つどいやプロジェクト実績発表大会などの行事について話し合いをした▼農林省が全協と虚心坦懐に話し合うということは、これまでほとんど行なわれておらず、画期的なことである。これまで農林省は、全協に対してどちらかといえば、批判的な態度を示してきた。もちろん、各県連に対しても同様である。聞くところによると、このことは全協が結成された当時からのことである▼それは、4Hクラブが、他の多くの青少年団体と異なり、国の行政の一環、すなわち、農業改良普及事業の三つの柱の一つとして、農林省自らの手で育成されたという、きわめて特殊な事情によるところが大きい。当然ながら、育成にあたった農林省には、農林省としての4Hクラブに対する育成体系と指導方針があったのである▼したがって、育成、指導される側の青少年自身で、単位クラブのうえに、上部組織らしきものをつくることは、認めることができなかったのである。それとそういう地区連、県連、全協という組織ができると、行政機関に対して圧力団体になるおそれもある、とみられたのである。育成者の側からみれば、もっともなことであった▼また、自分たちの組織をつくりたいという青年の側にも、それなりの根拠と、何にもまして、若い情熱があった。これからの厳しい農業に立ち向うには農民自身の自主性が大事だというではないか。それには、青年のうちから自主性を伸すよう、自分たちのことはまず、自分たちに任せてもらいたいというのであった。こうして青年自らの手で、全協、県連、地区連という組織ができ、今日にいたったのである▼その間、農林省も全協と大会を共催したこともあり、つどいや推進会議に後援をしてきた。とはいえ、最近まで、両者の関係は緊密であったとはいい難い。全国のクラブ員のためにも、今回の懇談が両者の緊密化につながるよう望みたい。それには、農林省に全協の立場と考え方を認めてもらうことである。全協の方では、その性格と存在理由を正しくPRしなければならない。

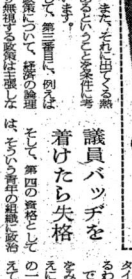

明日はわれらのもの

北海道4Hクラブ員の座談会開く

日本農業の先駆者に

大会の感想 4Hクラブを知った

本紙北海道地区連絡報道員・赤松宏君は、さきに中川郡本別町仙美里の丘で開かれた道農村青少年技術交換大会の期間中、同大会の参加者によびかけて「明日はわれらのもの」と題する座談会を開き、道4Hクラブ連絡協議会会長の泉一男君をまじえて、同大会についての感想、農業経営の悩みや喜び、単位クラブ活動の状況、4H会館の建設、十年後のビジョンなどについて語ってもらった。以下その内容である。＝赤松宏北海道連絡報道員発

司会 みなさんは、全道農村青少年技術交換大会に、はじめて参加されたわけですが、この大会でどのようなことを感じたでしょうか。

斎 市町村からあつまった、みんな意欲のある青年たちばかりで圧倒されてしまいました。

宮本 何も知らずにやってきたが、今日までみんなとすごしてとっても楽しいです。仲間もできましたしね。

湯本 参加できてうれしい。この講習所を修了すると、自分の家で農業をすることになるが、その時グループに入り、活動ができると思う。また、仲間づくり交歓会や夕食の時など、4Hクラブの楽しい大会の良さを知りましたし先輩たちの考え方の深さに感心した。それらのことが私に農業をやっていく上で希望が与えられた気がします。

沢井 全道大会に出席できると思ってもいなかったんです。この大会に出て参加者、先輩たちみんなが大きな農業への夢を持ち、それを着実に実現しようと一生懸命なんです。私も、みんなの姿をみてがんばらなくてはと思いました。

司会 今年学校を卒業された方は、四ヵ月が過ぎたわけですが、その期間、農業をどう感じ、また受けとめていますか。

島田 実際にわが家に農業者として入ってみて、昔の封建的なところや技術面、また、農民感情がまざまざとわたしたちの周囲に現われてきます。しかし、親たちの協力とわたしたちの学んだ事柄を生かしていく時に、新しいものができてくるように思います。

大沢 農業をするという気持は高校時代と同じような気持、感じです。卒業してからは農業一心にすすめますし、父や家族との協力が一層まし、意欲が大きくなってきました。

司会 学校を卒業して二〜三年ですが、この間、いろいろ経験したこと、苦しんだ悩んだことなどを話してください。

東海林 卒業して三年目になります。4Hクラブ経験は七年目です。苦労や悩みというより高校時代はかなりの希望をもっていた。しかし、実際に入ってみるとその希望がはずれていくのです。現在の社会情勢からいっても不安です。資金の面など酪農では乳価など不安な面が幾多とあります。

大内 やはり、学校時代はいま考えると空想のような夢をもっていました。夢が大きいだけにつまづきも大きいわけです。そんな時話しのできるクラブ員の友がいた。そんな仲間と語らううちに現実的な夢をもてる自分になっているような気がします。こんなことを考えてみると、グループの重要性をとくに感じています。

斎 ぼくが農業をはじめたころは、農村の嫁不足や農業をやっても駄目だなどといわれていました。そんな声を聞き意欲を燃したものです。若いわれわれがやらないと、誰が日本農業をやるのかと考えた時、誰もやらないものなら私が先頭切ってでも絶対のり切って他産業に負けない農業をと思っていままでやってきたんです。この頃だと他産業に負けないくらいの近代化とか経営面で安定してきていると思うんですよ。

管 講習所にきて、酪農、畑作を中心に一生懸命勉強していきたいと思っています。また、わが家へ帰ってからは、多頭化をおしすすめ、良い牛をどしどし入れたいと思います。

司会 つぎにこの道十年のベテランの会長ですが、会長が、いままでの生活、また、いろいろな面で悩んだこととか、その時はどうしたか、昨年度、道の中堅青年海外派遣でアメリカへ行ったことなどの体験を聞かせて下さい。

泉 私もこの道九年ですが、最初の三年は試練の年であったと思います。これは、三年の間に十頭の搾乳牛をという目標で、その頃は、これくらいで中堅クラスだったわけです。そんなことで三年間たって十頭の牛を飼うようになりました。そして、周囲をみた時一人ぼっちになり、仲間がいなかった。その時、地域に似たような経営を作らなければと考え、仲間づくり運動を始めました。

次の三年目は、酪農青年研究会を結成し、十名の若人が集い研究してきた。それが今の4Hクラブの前身なんです。そこで三年間黙々と頑張った結果、仲間がこぞって十頭以上の経営になった。六年目にしてその成果を道大会へ出て発表しました。それが認められ、全国大会へ行けということになったんです。その時、道連の役につかされ、それから三年間、合計九年と歳月がすぎようとしています。

それが認められたか昨年、道主催の「青年ジェット機」の中堅青年海外派遣団の一員として一ヵ月間アメリカへ派遣されました。アメリカの4Hクラブ、家庭生活、酪農、農業を一応見てきた。アメリカの経済が大きい中で農業も大規模であって、アメリカ経済におけるアメリカ農業と日本経済における日本農業の地位にはそう差はないようだ。しかし、家庭生活においては格段の差がある。こん後経営の進展と併行して、家庭生活の合理化を進めていかなければならないと思います。そこで、みなさん方にもおおいに頑張って、4Hクラブもますます発展させてもらいたい。日本的な北海道的な4Hクラブを打ち立ててほしい。

スローガンより実行へ

司会 ではここで、単位クラブに話をもどしてみたいと思います。単位クラブでこんなことに不満がある。こんなこともしてみたいということを出せてほしいんですが。

長内 昨年クラブが発足したばかりなので、いまはクラブ員が、先進地などいろいろな所へ行って学んでいる段階です。

大沢 例えば、会議のあつまりなどなかなか時間が守られなかったり、また、出席率が悪いなどあります。良い点としては、仲間同志が仲良く親睦を深めることができる。このことなどは何ともいえない良さだと思います。それに、単位クラブ員を全道や全国段階の大会に出席させ、クラブを全道、全国大会出席者のレベルにもって行けたらと思っています。

沢井 昨年までホームプロジェクトをやってきました。4Hクラブへ入ってもこういうものをもてることを知って入ったんです。町にも4Hクラブがありますが、比較してみますと、何か問題点の抽出のしかたが小さいように感じている。こんな点を帰って考えてみたい。

大内 卒業してからも学校プロジェクトを生かそうと同級生十名でグループを結成したんです。少人数のため順調に活動はすすみました。そのせいか、それからいまでは三十名にまでふくれあがっています。私たちは組織運営という面では未熟なんです。それでそれらの面を修得するため、おおいに勉強する覚悟でいます。

東海林 今年で発足してから九年になります。このごろでは経営に対し、深い考えとか悩みとかが話される場になり、一般情勢なんかが特に話されるようになってきた。そんなことでプロジェクトの進め方も非常に難しく途中で投げ出すことが多くなった。このことは考えなくてはならないと思う。

前田 グループではスロガンの中に、「各種研修会にはすすんで参加しょう」などとうたっていながら、実際には余り参加しないのが現実です。もっとみんながすすんで参加するようにし、広い意味での仲間作り運動を展開したいものだと思っています。

四つ葉のクローバーをかかげ、稲穂を手にする北海道農村青少年の像の前で熱心に語り合う出席者

出席者

北見市	宮本 陽子
上川郡	長内 譲
標津郡	斎 宏司
千歳郡	大内 純一
稚内市	島田 誠司
虻田郡	沢井 貞子
勇払郡	石井 典子
中川郡	前田 友司
川上郡	東海林一行
空知郡	大沢 博美
道立農業講習所	湯本 要
同	管 一
道連会長	泉 一男
司会	赤松 宏

（文中敬称略）

会館建設に若い力を

将来のビジョン 思い出を妻と共に

司会 私がかねて「4H会館」や「4H新聞」の件でいろいろ申しあげてきましたが、これらのことでみなさんに意見を聞かせて頂きたいのですが「4H会館建設」の件からおきかせ下さい。

宮本 「4H会館」とはクラブに入っている人たちが学んだり、活動の中心となるものだと思うんです。それを考えるとぜひとも建ててほしいと思う。私もできることなら協力したい。

斎 4H会館を建てるということは良いことです。われわれの希望を語ったり、集まって大会などのできる場でありたい。また、青年の若い力を会館建設にぶつけたい。こんな場をつくるためにも会協の役員にも頑張ってもらいたい。

司会 つぎに「4H新聞」についてお聞かせください。

湯本 余り見たことがないが、これらについてや4H会館建設については、4Hクラブに入会してから考えることにします。

石井 これを機会に目を通してみたい。

司会 「4H新聞」があると知っていた方、一言、内容について聞かせてください。

大沢 北海道の記事が少ないです。手にした瞬間、また、他府県の記事かということになってしまいます。チョットお話しありました、北海道版をもうけてほしく思います。まず第一に、みじかに感じさせる新聞にすることが先決だと思います。

司会 時間も残り少なくなりましたので、最後にみなさんの十年後の姿やビジョンを一言ずつ語って下さい。

宮本 町のサラリーマンなどに、農業の良さを知ってもらい、農業を見直してもらえるようにしたい。

湯本 自分の実力を発揮し、ぼくたちのところは酪農なんですが大規模経営にして、どっしりと動かないものにしていきたい。アメリカのように大規模に。

管 誰にも負けない酪農家。そして、町や北海道を背負ってたつ人になりたい。

長内 日本の農業の酪農であれ水稲であれ、畑作であれ、近代的な外国に負けない、安定した軌道にのせることを考えて、十年後にのぞみたい。

大内 自分の夢を早く実現することです。水稲三〇ヘクタールくらいまでもって行きたい。

斉 アメリカ酪農、カナダ酪農は、相当大きな規模だが、北海道の酪農もそれに負けないくらい大規模経営をやり、他産業の人に、酪農とはああいうものか、これは負けてはならないという気持にならせるくらいになりたい。

島田 農業をやっている人たちみんなで、自分たちが本当に信じあえる仲間であるといえる農業マンになりたい。

東海林 安定した経営の確立、充実した生活、そんなものを作って行きたい。

大沢 十年前の4Hクラブを思い出して、奥さんと一緒に語れる生活でありたい。

沢井 私の夢は、立派な農家としてやっていける、良い奥さんになりたい。

石井 農家の主婦の労働時間をもう少し短縮し、家の中を合理的に、楽しい生活が出来ればと思っています。

前田 村ぐるみ協力しあって、日本一の酪農地帯にしていきたい。

司会 最後に会長、この座談会に参加した人たちと膝を交えて話し合いましたが、その感想を一言……

泉 昨年、北海道が提唱した、「風雪百年、輝く未来」これにに匹敵するような若い力がみなぎっています。

司会 みなさん、今日はどうもご苦労さまでした。また郷土に帰っていろいろな面でご健闘され、前途が素晴しいものであるよう祈ります。ありがとうございました。

ブラジル88村巡行

日本政府派遣農村青少年指導専門家 湯浅甲子

<21>

移民地の雄 バストス市

五月二日 日中は暑い。日本人移民地の雄、バストスへ入る。

誇り高いバストス

この町は、日本人が拓いた町でなかなか活気がある。在伯六ヵ月のうちで、バストス市の話を一番多く聞いたように思う。全日系人が誇りをもって語る町であるようだ。州や国の中央で活躍している大物の中にも、このバストス出身者は多い。私も半年の指導旅行中に、このバストスの印象を幾度となく引出して話したものである。

八月であったか、移民六十周年、明治百年、市制四十周年記念の祭典が行われたが、まずその盛大さは他の比ではなかったようで、遥か四百キロも離れたサンパウロからも、臨時バスを何回も仕立て、サンパウロにいるバストス出身者を招待するといった盛勢なものであった。私も是非といわれたが、スケジュール満杯で失礼したのが残念であった。

作物稔らない奥地

バストスを移民先輩はよくこんな風に話してくれるのである。

ブラジルに対する日本人の認識は違っていることが多い。広大な土地は、極めて肥沃で、無肥料、粗放で何年作っても減収しないと宣伝されている。しかし、そんなものではない。なる程、広いし、肥沃な土地も多い。しかしだからといって、粗放な農業は安定しない。農業は土地との戦いである。

バストス市をごらん下さい。あそこは、ブラジルを知る人は人も住めない荒りょうとした痩せ地で、だれも見向きもしなかった所だ。そこへ四十年前に日本人移民が入った。人々は笑っただろう。いまにダメになって四散してしまうと。そして矢張りそうなってしまった。鍬のある人、あせっている人、野望のはげしい人、他によい土地を見つけた人と、だんだんバストスを離れていった。

土地支える光が…

そして、最後に、この土地に残った人は、ここに住む他に途のない人ばかりだったのだ。その人たちは、作物の稔らない奥地の孤島バストスで、どうやったら生活できるかという、ぎりぎりの線上を、いきつ、戻りつして苦しんだに違いない。いろいろなことをやったらしい。みんなダメだった。

その苦難の中で、たった一つ、この土地を支える光があった。それは、この土地に永住をきめた人々の信頼と努力のきづなの強さである。つまりは、人材がいたということであろうか、ブラジル移民の父として、多くの青年移民に親まれ、生涯をこの道に投じておしまなかった山中弘氏も、この土地の人であった。

〝移民の父〟山中氏

山中さんは、私がブラジルについたばかりの四月のある日、日本からくる青年移民を、サントスの港に出迎えるため、移民青年から寄贈された自家用車に乗って出かけたが、移民船のつく埠頭に近いサントス市内で急死されたのであった。移住青年たちの心からの贈り物であった自家用車の中で、ねむるように他界されたという。全く劇的な生涯であった。私は、ふ任間もない日であったので、多忙にまぎれ、ついに生前の山中さんにおあい出来ないでしまったが、幸いにしてこのサントスを訪ねることになったので、山中さんの実家をたずね焼香する機会がもてた。そして、はからずも一晩ごやっかいになることになり生前の山中さんのお話しを伺うことができて大変有意義な時をすごした。遺族は山中三郎さんという方で、養鶏を中心にやっておられる。また町の有力者であるらしく五月二日は、私の休養日だったが、町の名士との懇談会を計画したというのでよろこんで受けることにした。

難しい青少年指導

名士十六人との懇談の中で、この町の人々は、青少年育成に大変苦労していることを知った。日伯文化協会の前山会長さんは、こんなことをいっていた。

「若いものが、野球をやりたいといえば、道具一揃えを買って与えたし、ピンポンがやりたいといえば、それを揃えるという具合いに、若いものの要求には、たいがい応えてきたが、初めは、それで大変よろこんでやっているが、すぐあきてしまう。いまじゃ、スポーツは殆んどやっていないようだ。若いものの気持ちはわからない」というのである。そして、「青少年指導は、むづかしいものだ。指導できる人はそうはいないだろう」というのが、多くの意向であった。

私も「青少年育成はたやすいことだとはいえないが、特定な人が完全な指導をしようとしても果たせるものではありません。もっと、多くの人たちが少しづつでも知恵を出しあって、青年のために協力する体制をつくってほしいものです」と話した。

みなさんも全くそのとおりで今後は、身近かな人たちの中からリーダーをみつけだし、青少年育成に努力しようと申し合わせたのだった。前山会長は、最後に言葉を強めて、なんとか一元融合した青少年対策協議会をつくりたいと述べていた。

一日も早くその日の近いことを祈って懇談会の皆さんと別れたのであった。

〈栃木県普及教育課・特別専門技術員〉

一元融合した「青少年対策協」を

日系人一世、二世の青少年指導者たちとくつろぐ筆者（左側から4H指導者、永田久氏、中央会職員の山田和孝氏、筆者、コチヤ生活指導員のルミ早川さん、コチヤ生活指導員のジョン江越さん）

「松下賞」を授与

ブラジル4H協会

城島前ブラジル4H協会理事長から渡される松下賞

社団法人日本4H協会の松下幸之助会長（松下電器産業㈱会長）は、ブラジルの4Hクラブ発展のために、毎年、同国4H協会（宮本邦弘理事長）を通じて4Hクラブに「松下賞」（毎年十万円）を贈っているが、同4H協会主催によるその第五回目の授賞式が、さる九月二十一日午後三時半からサンパウロ市のブラジル日本文化協会貴賓室で州農務長官（代理）サンパウロ日本総領事（同）日本文化協会長などの来賓の参列のもとに盛大に行なわれた。

今回「松下賞」を受賞したのは団体としてウライ農協4Hクラブ（パラナ州・津木直人代表）個人（優良篤志指導員）として石井一也、鈴木秀吉両氏（サンパウロ州ポンペイア郡ミヅホ＝瑞穂4Hクラブを指導）である。

私のプロジェクト

私の養豚経営

山形県天童市大字藤内新田　耕新会　大石景子

将来は種豚生産へ
人工授精師の免許も取得

私の住んでいる天童市は、山形県のほぼ中心に位し、県都山形市と隣接する田園都市であります。天童市の西部には急流で名高い最上川が流れ、そこに私の住む寺津地区があります。

この地区の農家戸数は三百十三戸、耕地面積は三百三十タで、一戸当り一タの耕作規模をもち、経営規模はあまり大きくありません。また、山形市に近いために、兼業農家が多く、最近は専業で農業経営をするものが少なくなってきたのが現状です。

作付されている作物の主なものは、県内一をほこる水稲、桃、桜桃栽培などをはじめ、畜産では、自給飼料でまかなえる酪農経営が主体で、養豚経営農家はあまり多くありません。

このような状況の中にあって、私は農業を志すことになりましたが、その方向はなにがよいかと考えた末、私の父が以前から繁殖豚を数頭飼っており、繁殖豚は婦女子の特性を生かせられ、あまり重労働でもない部門であり、両親と話し合いの結果、私の卒業と同時に私が繁殖豚部門を受持つことにし、家の経営を部門担当制にして力を入れていくことにしました。

私の家の経営内容と家族構成は父母、私、妹二人、祖母の六人で、耕地面積は水田八十五アール、果樹園三十アール、飼料畑五アールの百二十アールです。また、家畜は繁殖豚十五頭（成豚十二頭、育成豚三頭）を飼養し、豚舎は百八十三平方メートル（十六豚房用）があり、繁殖豚の品種は、大ヨーク五頭、中ヨーク三頭、ランドレース二頭、FI（LW）五頭です。

私が繁殖豚部門を受けもちましてから、現在までの経過につきましては、昭和四十一年に鉄骨豚舎（十一豚房）の建設、繁殖豚七頭。昭和四十二年には繁殖豚八頭。昭和四十三年に豚舎五豚房を増築し、繁殖豚十一頭（成豚八頭、育成三頭）。昭和四十四年に繁殖豚十五頭（成豚十二頭、育成三頭）と順調に経営の拡大を行なってきました。

また、昭和四十三年には桜桃を倒して飼料畑に転用したほか、経営拡大のため、近代化資金の導入を行ないました。

しかし、このように毎年少しずつ拡大してきました経営の中にも次のような問題が生まれてきました。その問題点と解決策について述べてみますと、次のようなものがあります。

一、繁殖豚経営をはじめた当時、家族の畜産に対する知識が少なく失敗が多かった。そのため、私は農業高校の畜産科に学び技術の習得につとめました。

二、仔豚の販売方法については、これまで地元を対照にして販売をしておりましたが、価格とか精神的な面のいろいろな問題があり、市場での一元販売に切りかえました。市場ですと正当な価格で取り引きされます。

三、良質の仔豚が望まれているこん日、優良仔豚を生産することが必要です。しかし、これまでの行なってきた自然交配ですと思うような優良仔豚が生産されません。そこで人工授精をもちいますと、遠距離からでも優良な種豚の精液を手に入れることができます。したがって良質な仔豚の生産が容易にできますので、昨年人工授精師の資格をとり、現在、私の家で技術を生かしており、それにより、仔豚も比較的高価で販売されるようになりました。

四、母豚の運動不足が起り、一部に繁殖障害などがみられました。そこで濃厚飼料の添加剤としてビタミン、ミネナルなどで栄養補給を行ない、毎日緑餌などを与えております。

昭和43年度収支決算（単位円）

科目	金額	備考
収入の部		
仔豚販売代金	2,072,085	168頭販売
支出の部		
飼料代	954,835	母豚、仔豚飼料
償却費	35,200	農具、建物
水道光熱費	27,872	
衛生・消毒費	42,925	消毒薬、その他
販売費	63,935	農協手数料、運賃
動物費	110,780	母豚償却費、授精料
借入金返済費	82,603	利子含
その他	69,771	小農具、マットなど
合計	1,387,921	

差引収益……684,164円（母豚一頭当り85,520円）

次に、昭和四十三年の実績により、繁殖豚部門の収支決算を行なってみますと別表のような結果となりました。

以上のような結果から、反省と技術の向上により経営面にプラスになりました。また、人工授精師の免許取得により、授精料の節約と優良仔豚の生産ができるようになったことの二つがあります。

こん後の希望としましては、私は専門的な繁殖豚経営を目標にして単に肉豚用仔豚の生産だけでなく、種豚用仔豚の生産を組み合わせて行ないたいと考えています。それにより、三年後には繁殖豚部門によって年間収入百六十万円を目標にしたいと思います。

また、肉豚の肥育と違って、技術と経験が大きく物をいう繁殖豚経営の方がやりがいのある仕事のように思います。こん後、この経営を拡大し充実させるためにも、私の能力を十分発揮し、技術と知識の向上をはかり、積極的に取り組んでいきたいと思います。

農政にこの対策を
▼審議会の答申から　＞3＜

（イ）第二は、政府買入れ価格についての調整措置である。

これは、稲作農家の所得確保の面で生産者米価水準を据え置くと同じ効果をもたせながら、しかも生産抑制的効果を米価に期待するための調整措置である。

米の需給事情を考えると、水稲の作付面積は相当減少されなければならないので、実効のある米の生産調整を期するためには、米と他作物との相対価格関係を是正することが必要である。

現在の政府買入れ価格は、稲から他作物への作付転換の価格による誘導を阻害している。生産者米価水準を据え置いて、稲に代わるべき他作物の価格水準が上昇することによって、相対価格関係の是正を図ることが考えられるにしても、その効果の発現には時間を要しよう。

したがって、当面の異常な事態を回避するためには、政府買入れ価格を引き下げることが筋道である。

しかし、米価が農業所得の形成に果している現実の役割を考え、政府買入れ価格の据え置きと同様の稲作農家の所得を確保するため、新しい米価水準と現行米価水準との差額を補給金として支払うことが考えられる。

この場合、販売実績のあるものを対象として補給金を支払い、他の措置とあわせて、米の生産調整、稲から他作物への作付転換に資することが考えられよう。

（ウ）第三は、政府買入れ価格を据え置いて米の買入れ価格を行なう方法である。

このためには、米穀管理制度の改正を行なうか、あるいは臨時の特別立法を行なうことが必要となると考えられる。いずれによるかは別として、買入れ制限は、買入れ数量の割当てを行ない、買入れ対象外に相当する米の生産の抑制をねらうものである。この場合にも、買入れ制限の主旨の実効を期すには、買入れ制限とともに、これとあわせて、第一の方法をとる必要があろう。

（エ）以上の三つの方法のうち、いずれの方法に重点をおいて生産調整を行なうべきかは、なお検討を要するであろうが、緊急に有効な米の生産調整を行なうためには、以上三つの方法を比較勘案したうえで、総合的な施策を実施せざるをえないのではないかと考える。

未開発地利用の促進を
農地法撤廃は適当でない

（オ）米の生産調整を関連して、農地法を撤廃せよとの意見がある。

農地法を撤廃し、農地の移動、転用を自由にすれば、農地に対する不動産業者の投資が全国的に無秩序に行なわれるだけでなく、非農業者、零細農も、資産保持の手段として農地の取得につとめるであろう。

これによって多少の米生産の抑制は行なわれるであろうが、農地の無秩序なたい廃がすすんで、農業生産の基盤が破壊され、また、経営面積の規模拡大のために農地が移動することはかえって困難になろう。

また、農地法を撤廃すれば、耕作権が弱化し、農業経営の安定に著しい支障をきたすことはいうまでもない。

すでに、政府においても、新都市計画法に基づく市街化区域に含まれる農地の転用は許可を要しないこととするなど、社会経済事情の変化に対応してその運用の改善を図ることとしており、また、農地法の改正を行なって経営面積の規模拡大に役立てることを考えているので、この際、農地法を撤廃することは適当でないと考える。

（2）食料の安定的供給

ア　食用農産物の自給率は、こん後若干は低下せざるをえない見込みであるが、自給率が大幅に低下することは、一億をこえる人口をもち、しかも一人当たり食料需要がなお相当増大すると見込まれるわが国において、国民経済の安定的成長にとって決して望ましいことではない。

したがって、自給率が現状の八〇%程度から著しく低下することのないよう、需給の強い畜産物、飼料作物、園芸作物などを中心として、生産の拡大を図らなければならない。この場合でも、単に機械的に自給率を高めるのではなく、生産性の向上を基本として、近代的農業によって相当程度の自給率を確保することが必要である。このことは同時に農業者の農業所得の確保という観点からも重要である。

イ　畜産については、生産性の高い畜産経営の育成確保と、これらの経営による畜産物の安定的供給を図る必要がある。

このためには、家畜飼養規模の拡大、新しい畜産経営技術の開発普及さらには流通機構および関連産業の近代化、合理化を含め、畜産振興のための体制の整備を図ることが緊要である。

畜産振興上とくに重要なのは国内における飼料生産の問題である。

このため、既耕地のほか、広域未開発地域での未利用地および国有林野を含む林野の畜産的利用を促進する必要がある。

さらに、水田に飼料作物の導入を行なっている先進的農家も各地にみられるので、米の生産調整に関連し、田畑輪換を含め既耕地における飼料作物の導入を積極的にすすめるために財政措置を含め適切な対策を講ずべきであろう。畜産の健全な発展と農業生産の維持増強を図るには、需要が強い飼料穀物の生産をすすめることが重要であると考えられるので、この面の対策について検討すべきであろう。

また、大家畜については、立地条件、経営・技術条件などに対応して、相互に有機的関連を図りながら育成と搾乳ないし肥育の機能の分化についても考慮すべきであろう。

とくに肉用牛については、繁殖、育成、肥育の各部門について適切な措置を講ずるとともに、価格の安定、処理加工、流通の改善をも含めた一貫した対策を打ち出すべきである。

おしゃれコーナー
個性的なコート
スラックスと組み合わせ

IRC国際レインウェア協会がこのほど発表した「レイン・オア・シャイン・コットンズ・70」のコレクションにおけるコートの傾向が伝えられてきた。これによるとトレンチ型のレインコートらしいコートは、ほとんど姿を消してしまい、衿、ボタン、ポケットなどに、いままでにない新らしい工夫を凝らした、しゃれた感覚のものが多いことが注目される。

とくに目立つのが、スラックスと組み合わせたスポーティなコートで、全体的に、ラインは身体に沿っており、ウエストや胸を思いきりフィットさせたものもある。大きなラペルのついた衿やメタルボタンが、月なみになってしまいがちなコート・ファッションの重要なアクセントになっている。

また、素材に使われているコットンは、その天然のエヤ・コンディショニング性と、生地の豊富さで、着る人にこの上ない満足感を与えている。

【写真】＝あんず色の地にグリーンの糸が紬風にとんでいるコットン。格好よく配置されたメタルボタンが、落ち着いた雰囲気をかもし出している＝（フィンランド製品）

農業簿記

京都大学名誉教授　大槻正男

＜自計式農家経済簿記＞

財産台帳と年度始め記入

流通資産台帳

流通資産とは「現金および準現金」すなわち現金・組合貯金・郵便貯金・銀行預金・貸付金・未収金・講および保険金・組合出資金・株券・公社債券などをいうのであって、これらを記録する流通資産台帳の用紙形式は、流動資産台帳の形式と同じものである。

現金は年度始めにおける手持ち現金全部を、貯金および預金は、年度始めあり高をよく通帳によって調べて記入する。また、前年度に掛売りにしてまだその売掛金を受け取っていないものがあれば、未収入金のところにそれぞれ記入しなければならない。

講および保険金は、割戻金または配当金を差し引いて支払われた実資の払込み金合計額ではなく、契約上の掛込金（割戻金または配当金を差し引かないところの）合計額を「価額」欄に記入しなければならない。

組合出資金も払込み済み合計額を記入する。また、払込み未済のもので、その後配当金が配当されずに出資金に振り込まれているものについては、それをも加算した額でなければならない。

株券・公社債券などの有価証券額は、原則として購入原価（購入価額に購入手数料などを加算した額）を記入し、一度価額を記入したならば、特別な経済上の変動のない限り、年々同一価額を次年度始めにもちこすことにする。

「摘要」欄には、準現金について名義・契約の相手・契約条件（期間・利率・一回の払込みまたは掛込み金額）・払込みまたは掛込み済み回数および同金額などを参考事項を記入しておく。

負債台帳

農家が年度始め現在において有するいっさいの負債を借入金・未払金に分けて記入する。借入金のうちで、年賦償還契約のものは償還未済の元金額のみを「価額」欄に記入するのであって、利子部分を付加計上してはならない。また、頼母子講からの掛け（掛戻し）の場合も、掛込み未済分の掛金額、すなわち掛戻し金額を記入するのである。

前年度に掛買いして、まだその買掛金を支払っていないものがあるときは、年度始めにおいて未払金として商店別に記入する。負債はその相手方ならびに種類の異なるにしたがって個別的に記入する。「摘要」欄には、負債の原因、負債の条件、例えば負債期限とか、負債利率とか担保物件の有無などをくわしく記入しておく。

財産台帳集計表の年度始め記入

財産台帳の年度始め記入を終り、各種資産および負債の「計」をそれぞれ各帳じりに集計記入したあと、最後にそれらの帳じり「計」を「財産台帳集計表」に転記集収するのである。

そうしたあとで「固定資産」「流動資産」「流通資産」の各「計」を求め、これら三者を合計することによって、農家の「資産」を見いだすことができる。この資産から負債を差し引くことによって、農家の年度始めにおける正味の「財産」額を算出することができる。

財産台帳集計表（記入例）

科目			昭和30年度 年度始め価額	固定財償却額および流動財減少額	固定財増殖額および流動財増加額	財産的取引による増減	昭　年度始め価額
固定資産	1）土地		295,339円	円	円	円	円
固定資産	2）建物		944,360				
固定資産	3）大植物		247,000				
固定資産	4）大動物		220,300				
固定資産	5）大農具		57,760				
固定資産	計（固定資産）		1,764,759	（固定資産償却額）	（固定資産増殖額）		
流動資産	6）準現物	イ）小植物	51,387		増加した場合＋ 減少した場合−		
流動資産	6）準現物	ロ）小動物	9,900		増加した場合＋ 減少した場合−		
流動資産	6）準現物	ハ）小農具	33,430	減少した場合＋ 増加した場合−			
流動資産	7）現物	イ）未販売現物	97,480		増加した場合＋ 減少した場合−		
流動資産	7）現物	ロ）購入現物	9,155	減少した場合＋ 増加した場合−			
流動資産	7）現物	ハ）中間生産物（繰越費物）	50,733	減少合計額＋	増加合計額＋		
流動資産	計（流動資産）		252,085	＋− （流動資産減少額）	＋− （流動資産増加額）		
8）現金および準現金	現金		7,524				
8）現金および準現金	準現金		328,042				
8）現金および準現金	計（現金および準現金）		335,566				
合計（資産）			2,352,410				
9）負債			18,000				
差引（財産）			2,334,410				

NHK農事番組（11月11日～20日）

テレビ

明るい農村　6・30～6・55総合
11日　きょうの話題　自由化秋の陣
12日　産物往来　くり
13日　話題の広場　▽臭いの出ない鶏糞処理（岐阜県大垣市）▽暗きょ排水の新型バス（静岡県大井川町）
14日　村をむすぶ　フィルム・リレー
15日　農業新時代　米作転換をめざして（石川県能美郡根上町）
17日　村の記録　トイレット村長（茨城県伊奈村）
18日　きょうの話題　農地法改正
19日　産物往来　りんご
20日　話題の広場　天皇杯の顔―ことしの入賞者の紹介

農業教室　7・30～8・00　教育
11～12日　輸送花きの生産と経理（愛知県農総試）岡秀樹氏
13～15日　経営拡大と金融（農村漁業金融公庫）吉田六順氏
17～19日　りんご生産の課題（岩手県園試場長）渋川潤一氏
20日　みかん生産の課題（愛媛県果樹試場長）薬師寺清司氏

あすの村づくり　日　7・00～8・00教育　再　土　13・00～14・00教育
16日　▽豊かなくらしをめざして＝青年の村の生活時間調査から（島根県簸川郡斐川町）▽先輩と語る＝私の農民教育論（茨城県新利根開拓農協組合）上野満氏

趣味の園芸　10・30～11・00総合
12日　くだものの鉢づくり（大阪府立園芸高校）西良祐氏
19日　園芸相談「花木を中心に」（東京教育大学教授）藤井利重氏

ラジオ

早起き鳥　5・05～6・00 ❶
11日　人と話題　草地コンクール日本一（岩手県水沢市）吉田精夫氏
12日　通信員の手帳から
13日　産地訪問　なめこ（福島県山都町）
14日　現地報告　構造改善を現地にみる（広島県神石郡三和町）
15日　村のポスト
16日　話題の窓　米と農協　高勝朝男氏
17日　現地報告　とれすぎたじゃがいも（北海道斜里町）
18日　人と話題　百農協をたずねて（大分県竹田市農協・宮辻年部）広瀬達夫氏
19日　通信員の手帳から
20日　産地訪問　肉牛（三重県上野市）

ラジオ農業学校　月～土　6・40～7・00 ❷　日　6・30～7・00 ❷　再　月～土　19・00～19・15 ❷
16日　優秀農家に学ぶ＝第十一回NHK優秀農家栃木県代表＝長島国市氏（四九）水稲・ソ菜の複合経営、生活改善（週休制）の推進

ひるのいこい　12・15～12・34 ❶
13日　乳牛の里がえり（北海道日高郡）
15日　フグ漁さかん（福岡県西之浦）
20日　ささげもち大会（徳島県阿南市）

番組紹介

11月16日　あすの村づくり
▽特集「豊かなくらしをめざして」＝斐川町は島根県内でもとくに農業後継者が多い町である。現在八十人の青年が農林改良青年会議に加わっているが、女性会員が一昨年から生活改良普及員の指導のもとに生活時間実態調査を行なってきた。番組では会員の代表十数人をスタジオに招いて、いくつかの農家の生活実態を話し合いの材料にしながら合理的な経営と農村の生活について考えてみたい。
▽先輩と語る「私の農民教育論」上野さんは若いころ、武者小路実篤氏の「新しき村」運動に参加、人間生活の基本的なあり方について学ぶ。昭和十三年（二七才）に渡満、昭和二十二年に引き揚げる。そして直ちに開拓組合を結成、利根河畔の沼の原野を切り開く。共同化による実験農場は見事に成功、これまでの功績により吉川英治賞も受賞された上野さんに体験的農民教育論をきく。

あしたの青春

一ノ瀬綾　え　多賀愛子　＜9＞

変動（三）

八月に入ったら早々に出荷する予定であったキャベツを、新一は月末に出してしまおうと思いたった。久治も「それがいい」と強気であったが、いざ組合に交渉してみると、そんな勝手はなかなか通らない。

「お宅だけじゃあねえ。みんながそんなこと言い出して、困ってるんだ。こっちの身にもなってくれよ」

職員は、手を振って聞き入れない。一人で騒いでもどうにもならないと悟った新一は、その足で、生産物の集荷場へ廻ってみた。農協の倉庫を改造した内部は幾つかの作業場に別れていて、それぞれ、アルバイトの主婦や若い娘達が働いていた。一番活気のあるのは、トマトの選果場であった。

（おれも、トマトを作ればよかったのかな）

ふと、悔にも似た思いが新一の胸をよぎる。出荷場の庭には、農協や経済連のトラックが、資材の運搬や、出荷物の積込みに当っていた。その中に、新車の軽四輪車が一台、乗り捨てになっている。持ち主は事務所にでもいるのか、ドアーが開け放しになっていた。

吊られたように新一はその車に近づいて行った。

「トヨタだな……ちきしょう！」

思わず声に出した。真昼の炎天下を忘れ、新一はその車のまわりをめぐり歩く。キャベツの代金で手に入れようと思いえがいていた車が、目の前にあるのだ。今は、その夢も、霧の中からすべり出して、つかまえどころがなくなっている。

「買いたい」と一言声をかければ、月賦販売のセールスマンが大喜びでかけつけて来るのは知っていたが、新一は、そんな手で、車をもらう父親と争いたくはないのだ。

キャベツの代金だって、それだけで足りるとは思っていないし、自分一人の働きだとも思ってはいない。それでも、農業に腰をすえてはじめて、自分の計画で生み出した金なら、胸を張って父親に車を買わせることが出来る、新一はそう思っていた。

「よう新一君じゃあないか」

事務所から出て来たのは、小学生時代の級友であった。

「黒木か……これ、おめえの車か」

「ああ、買いたてのホヤホヤさ」

ここ三、四年、一度も逢っていない相手であった。町のデパートの事務員になったと聞いていたくらいの間柄である。

「家へ帰るなら乗れや。途中で降ろしてやるぜ」

「バイクがあるんだ」

「そんなもん、後へ放り込めよ」

ちょっとしゃくに障ったが、新一はバイクを荷台に押し上げて、自分は助手席にもぐりこんだ。しばらくして新一が聞いた。

「百姓やってんのか」

「ああ、やり手がねえから仕方なしさ。その代り、こいつを買わしたんだ」

「月賦か」

「借金だとさ。そのうちに乗用車だ」

他人事のような調子であった。

「新一君はまだか。買わせろよ、おやじに」

窓から吹き込む熱い風に顔をさらして、新一は聞こえない振りをしていたが、久し振りの級友の得意顔が不快であった。自分は女みたいに家の事情なんか口にするもんか、と新一は意地みたいに黙っていた。

「また逢おうや」

途中で降りると新一は、級友の車が見えなくなるまでそこに立っていた。急にムカムカと腹が立ってきて、新一は足元の石ころを思い切り強く蹴とばして吐き捨てた。

「クソッたれ！」

誰に対して、何に向って言ったのか、新一にもわからない激しい気持であった。

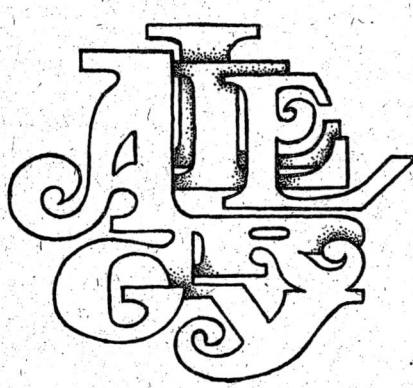

沖縄を訪問するクラブ員

"若さ"をぶつけ合おう

自主的な4Hクラブ活動を

中川 倫子

自主的な4Hクラブ活動と組織の強化について

戦中、戦後に生まれた私たちは青年としての生き方の一歩として各種のクラブやサークル活動に加入して、いろいろと体験することは大きな意義があると思う。

二度と来ない"青春"時代を悔いのないように過ごしたい。そして意義のあるものにしたいと考えるのは誰れしも同じであると思う。

何かに全力を注ぐ、たとえば、その方向を文学面に求める人、スポーツ面に求める人などさまざまである。学生時代はクラブ活動がありましたが、社会人となると、現実に実生活、家族、そして地域社会に即したクラブ、サークルを求めていく必要があると思う。

しかし、社会人となると、このようなクラブに参加したくてもチャンスがなかったり、自分自身の生活に追われて時間の余裕がなかったり、また、気軽に参加できるサークル、グループが身近かになく、自然に遠ざかっていくのが現状であります。

また近年、工業がたいへん発達し、他国にもみられるように農業の占める位置が小さくなりながら大きな変化を起こしています。

とくに、農業県の富山に住む私たちの周りにも、ほとんど私たちの両親の年配の人たちが農業に従事し、若い年代の人たちは少なくなっています。青少年工業労働者の増加にともない、農業本来の純粋な創造、計画が求められなくなりつつあるのが現状であります。

折から貿易の自由化ということで各国産物の流通はスムーズになりつつあり、農業の苦境は極めて深刻な中で、ややもすると劣等産業の感をいだき、古びた農業精神が後進性をもたらしています。

こうしたいろいろの条件の中で私たち農村の後継者は、明るく自主的に地についた活動を行なう必要があります。そして、次代の仲間と共に、悩み苦しみ、この4Hクラブの中で各員一人ひとりが確固たる思想をもち合い、お互いに助け合って活動を行なっています。幸にも、私もいま、この良き4Hクラブに加入し、未熟ながら多くのことを学んでおります。

ところで、4Hクラブがあるからクラブ員がいるのではなく、私たちがいるから4Hクラブがあるのですが、必要性のあるこの組織をいかにして強化していくべきかについて、具体的に問題点をあげ良い方法を考えてみたい。

一、組織強化の具体的方法

農村の最近の都市化にともなう勤労青年の実態の徹底的把握と認識、生活状況について調査する必要があり、これによって名簿を作成する。このことによってクラブ員は何を要求しているかを把握することができるとともに、クラブの目標やプログラム活動もきまり事業計画を明らかにすることができる。

二、交流座談会による啓蒙

クラブ行事の日が日曜とか女子にとって時間的に家族の方に理解してもらうことが必要です。この問題については、職場の各種サークルとか、部落の婦人会の方々との交流座談会を深め、4Hクラブを知ってもらい、母親や仲間の意見を聞いてこん後の対策を建て直す必要があり、現在の状態から部落青年との交流によって勧誘をして働きかけることをはからねばならない。

三、行事の開放と参加

クラブを知りながら、加入へのチャンスを得ることがあまりないようです。そこで、スポーツ、レクリエーションなどの行事に参加することによって、楽しみながら仲間をつくるように努める必要があります。

四、広報活動による勧誘

機関紙、壁新聞、有線放送などによって活動を報告したり、次の行事などを案内する。このことによって家族の人たちへの理解と徹底した連絡体制をとることができます。

五、助言者、協力者、とくにOBの支援体制の充実

良き指導者の存在とOBの協力体制、あるいは町教育委員会、公民館などによって活動を継続的、系統的に進めることができる。しかしこれは、あくまで"クラブ員のやる気"が必要である。

六、宿泊研修会の利用

遠く地元を離れて外から自分たちの住んでいる町村を眺め、それと同時に自分自身を反省してみる。そして、共同研修によって「共同の力」を感じ、お互いに助け合い個人成長の実現につながる活動を推進してゆきたい。

以上の点から、こん後の活動を推進していく観点を明らかにし、私たち青年の本当の生き方を求め、本当の意義のある楽しく若さをぶつけ合えるような、自主的な4Hクラブ活動を行なうために私は努力して行きたい。

（富山県東砺波郡城端町野田、南砺4Hクラブ）

青春と仲間

親との対談を終って

くい違い目立つ

親（現状維持）と子（新分野開拓）

松岡 弘

天理市は、関西の大都市、大阪や京都から一時間あまりのところにある。名阪国道が通り、年々都市化の波に洗われて、農業青少年も近年減ってきている中で、天理市Hクラブの七十二名のクラブ員は、現在それぞれ農業と真剣に取り組んでいる。

農地は、山間部から平坦地まで広がり、果樹、ソ菜、林業などが経営の主なものであるが、近年はイチゴが中心になってきている。天理市4Hクラブは、五つの支部からなり、これらの地域でそれぞれ特色ある支部活動が続けられている。

しかし、これまで行なってきた支部活動中心の行事では、仲間づくりに力を入れていくうえで欠けるところが多かった。このため、市全体の行事を行なうことによって技術を交換できる機会が多くなり、ともに技術的にも進み、よりよい農村をつくることができるーということで、ことしは市の行事を一つにまとめ、月に一つのテーマを決めて会員で研究し合うことにした。

そこで四、五の両月、クラブ員の農場に出かけて"作物の生育や肥料、管理などを見て廻ると同時に、問題点などをクラブ員で出し合い、普及員の人たちをまじえて話し合うという現地研修会を行なったところ、出席者は予定の約三分の一に過ぎなかった。支部活動では多くの人たちが参加していたのであるが、このように新しく市の行事として実施したため、なじみがなかったのか残念であった。

このため、役員会を重ねていろいろ検討を加えた結果、部門別に分かれて、それぞれ経営別に進んでいけば多くの参加者を期待できるという結論に達した。そして、この活動を進めるうえでも、親たちにも、クラブの信条や目的、また、なぜクラブが必要かを説く一方、農業やクラブについて家族の人たちに意見を聞こう、さらに親とクラブ員がともに農業に励んでいるのが現状ではないかーということで親との対談を行なったものである。

少しひまな時期に、夜を利用してわれわれが出かけて行き、一時間あまりの短い時間であるが、何かをつかめるだろう、またクラブについて知ってもらおうと七月中旬から八月中旬にかけての約一月間実施した。

はじめに、私たちは、クラブの信条や目的などを説明して話合った。

そして、まず気づいたことは、家族の中でも、4H活動について知らず、どういう活動をしているか関心がなかったことである。

話合いの中で、いろいろな問題が出てきた。拾ってみると、果樹専業農家では「みかんや柿だけでなく、もっと別な品種を取り入れたい」また、果樹とソ菜の農家では「こん後、そ菜を重点にもって行き、これから伸びる野菜や新しい技術をクラブの中で見づけてほしい。そして農業を新しい方向にリードしてほしい」という希望が多く、「消費者が好む品種、価格のデーターもとってもらいたい。」また、初歩的なクラブの運営が良くいっていない」という声もあった。

そして、もっと大きな問題が出てきた。親とクラブ員との進む方向が違い、親は現状のままでよいが、クラブ員は、新しい施設園芸に進んで行きたいと思っている。しかし、親の反対で実行できないということである。

また、二、三年すると子供に経営を譲りたいということであり、クラブ員が親にあまえているのが多かった。

この問題については、これからの農業に多く出てくることであろうし、真剣に取り組まねばならないと思う。また、どうして解決するかは、こん後の課題で部門別や全体討議で取り上げて解決し、早く立派な農業者になるための行事を進めて行きたいと思います。

対談を終ってから二回目の部門別研修会をもったところ、多くの参加者があり、名前だけであったクラブ員も数多く出席し、多くの意見も出て活動にも盛り上りが出てきた。

多くの参加者があったことは、対談を通じて、家族の人たちにも、クラブについて良く理解していただいたものと感じているしだいです。

また、対談を通じて出てきた意見を一つ一つ取り上げ、われわれの思っていることも合わせて行事に取り入れて解決して行きたいと思っています。

われわれの活動は、一般社会からみれば、地道な活動であるため知られていないが、地道な活動とともに農村だけでなく、社会に役立つ活動を合わせて進め、より多くの人々に4Hクラブを知ってもらう大きな活動を行ないたいと思っています。

（奈良県天理市 天理市4Hクラブ）

農村雑感

仲間

折原假二郎

今から六年前、私は東京を離れて九州・熊本に転勤したが、仕事の関係で年二回ほど上京した。それまで、十二年ほど東京に住んでおり大いに飲みあるき、東京はまるで自分の庭の場でもあるかのように思っていた。

東京は人の波である。その波の中で一人ひとりが水滴であり互いに寄りあって、それが大きな波となって動いており、それを構成しているのが自分であるようにさえ思っていた。それだけに、町の中を歩いていても、知らない他人が自分と何等かの関連のあるものとし、小さいながら、親近感を抱いていたわけです。

ところが、九州から二度目に上京したとき、夕方、仕事を終え、一人で宿舎に帰るために新橋駅のホームに立ったとき、フッと心の片隅をかすめて通った孤独感が、みるみるうちに大きくなり、心のおきどころがなくなるまでにやり切れない気持にさいなまれてしまった。

そばを通る多くの人は、まるで他人であり、私自身なんかに関心を示すものは一人もいない。まるで、私自身が多くの人の中に見捨てられた石ころのような存在であるように思えた。私はたまらなくなり、急いで改札口を出て一杯飲み屋に入り、酒を注文したが、そのときの酒の味は少しも甘くなく、水のようでもあり、にがくも感じられた。

仲間がほしい、人間の一人歩きほど不安で、しかも弱いものはないということをつくづく知らされた私には生れ故郷がある。山形の田舎の古い大きな家と父と母の顔も浮んできた。また熊本の官舎には家族がおり、出張のお土産を楽しみに、帰りを指折り数えている子供の顔も思い出された。さらに、学生時代の仲の良い友達の一人ひとりのことも考えてみた。

しかし、そのどれもが私の気持を安定させてくれない。ほしいのは、今ここで一緒に盃を交す一人の仲間、雑談で笑いとばす友達がほしいのである。それがないところでの酒は、とうてい味えるものではない。酒はのめばのむほど私の孤独感を深めるだけで、やり切れなさを増してくるばかりであった。

こうした経験は、あとにも先にも一度しかないが、今でもその時の状態が忘れられず、思い出せば鮮明に心に浮んでくる。

このことを或るとき、農村の青年に話をしたことがある。その青年は、私の話をどのように受けとめたか、深くは知るよしもないが、ただ一言「僕も孤独なんだ、仲間はおっても、それは本当の仲間だろうかと、時々疑問を感ずるときがある。僕が悪いのか、仲間はそこまで考えていないのか。いずれにしても、本当の仲間がないと、これからの農業はうまくいかないのではないだろうか」と。

私の感じた孤独感と、この青年が思っている孤独感との間には大きな差がある。しかし、求めているのは、内容に差があっても仲間である。仲間とは自分に力を与えてくれるものであるということには間違いがなさそうである。また、一人の人間ほど弱いものはないともいえるのではなかろうか。

（農林省・農業者大学校）

中国へ"4Hの使者"

☆☆ さる二十九日、今年度の派中クラブ員（草の根大使）に選ばれた菅原敏さん（岩手県）と河津健君（大分）が、中華民国（台湾）へ向けて出発した。これは、国際農村青年交換計画に基づいて日本4H協会から4Hクラブ代表として派遣されたもので、同国で約二ヵ月間生活するが、出発に先き立ち、二人にその抱負を聞いてみた。☆☆

精神的な面で比較を

岩手県 菅原 敏さん

本当のことをいうと、出発を目の前に控えたいまでさえ、自分が"草の根大使"として中華民国へ行くんだという実感が湧いてこないのです。というのも、私がこれまで余りにも恵まれ、すべてがスムーズにいっているからでしょう。

しかしだからといって、日本と中華民国の交換交流なんだという漠然とした気持で、これからの貴重な二ヵ月間を過ごしたくありません。もちろん、交歓を通じて同国クラブ員と多く接することが一番の目的ではあると思いますが、私はそのほかに、いくつかの目的をもって一日一日を価値のある日として暮したいのです。

その一つは、農業社会についてです。日本の農家と比べて、農業をするものの考えがどう違うか、文化的な面ではなく、精神的な面での気持を知りたいのです。

二つめは、若い人たちの考えです。やはり年齢差による考え方の断層などがあるのでしょうか。夢も希望もなく、ただ時代に適応して働いているのか、また、若い男女が一緒に集まったらどんな話をするのでしょう。

あくまでも、日本と中華民国を比較するのではなく、いつの場合でも農業をしているものが共通する何かを見つけ出し、それについて学んできたいと思います。

三つめには、自分自身を磨くとともに、大使としての任務をしっかりと果したいと思います。

この中国派遣は、誰れにでも体験できるというものではありません。私たちは幸運にもこの機会をつくっていただいたのです。だからこそ、これに甘えてばかりいるのではなく、自分自身を磨き、みんなのために少しでも役立ちたいと思うのです。

帰ってから体験を報告したことが、一緒に行けなかったクラブ員の人たちに自分の一でも、いつかどこかで参考になれば、はじめて私たちも任務を無事にすませたという安堵につながるからです。

自分を顧るよい機会

大分県 河野 健君

まず私は、草の根大使とも言われるこの交流に4Hクラブ員の代表として参加できたことを幸運に思い、幸せ者であると思っています。それだけにまた、重大な責任と誇りを感じています。

中華民国での二ヵ月間は、農家の一員として家族の人たちと生活を共にするわけですが、"草の根"のように、同国の農民になった気持で過ごしてきたいと思っています。そうすることが、日・中両国の4Hクラブを親密にすることになり、この交換計画の目的に多少なりとも寄与することができると思っています。

私にとって、家を離れて遠い異国の空の下で過ごすことは、この世に生を受けてから初めてのことでありますが、自分を見直し磨くうえでよい機会であり、この計画の有意義なことを強く感じています。いまいるところから離れることによって初めて気づくことが案外多いものです。

こんどの訪問によって、私自身と家庭、あるいは自分の住んでいる町、また日本の長所や短所が違った角度から見るのに良い機会だと思っています。とにかく、同国の農家生活や4Hクラブ活動などを肌で感じとって帰国後4Hクラブの活動に少しでも役立て、また私個人の成長へのチャンスにしたいと思っています。楽しく頑張ってきます。

歯の痛み耐えて

頑張る"大使"麻生さん（アメリカ）

驚くほど容貌は変った

前列左側が麻生さん＝最後のボストンレイクの受入れ家庭の人と一緒に

国際農村青年交換計画に基づいて今年度、日本4H協会から米国に派遣された4Hクラブ員代表（草の根大使）＝麻生すみ子さん（佐賀県）と大竹忠幸君（福島）＝の二人は、残すところ少なくなった同国での生活（滞在期間六カ月）を惜しみながら頑張っているが、このほど届いた手紙（写真）によると、麻生さんの容貌は別人のように変っていて驚くほどである。

実のところ麻生さんからの便りは、久しく途絶えていた。というのも、麻生さんは二ヵ月ほど前から歯の痛みがひどく、毎日のように彼女を悩ませていたからである。それがもとで、頭痛やはき気と気分のすぐれない日が多く、アスピリンを飲んで頑張り、ホストファミリー（受入れ家庭）を不愉快にさせないことや一日を終ることに懸命だった。

麻生さんは、最後の大切な時期になってこのような状態で過ごしたことや自分自身に対してくやしささえ感じているが、最後の家庭にきて、とうとうがまんできず歯医者に行って抜いてもらい、いまやっと健康のすばらしさを味わっているという。

このような苦闘と努力が彼女の容貌を変えたのかも知れない。これらの日々の中で、彼女は草の根大使としての大役を果すとともに農業の勉強などに励んでいるが、出発前に比べていちだんと成長していることであろう。

麻生さんからの手紙

あの美しかった色とりどりの木々…紅葉が落ちはじめて、早くも冬が近づいてきているかのような今日このごろです。

みなさんお元気でしょうか？ー私の方は、あと残りわずかになったアメリカの生活の中で、忙しく動き回っています。あと二ヵ月、一ヵ月と数えていましたら、もう日本の地を踏むのも、そこにきてしまいました。近ごろは、いろんな意味で、もっと長くとどまりたい気持です（中略）

ニューヨーク州スカイゼルのホストを移るときに…その日の夜、4Hリーダーのミィティングがあり、新しいホストや、四年前に同じく派米クラブ員が訪ずれたホストとも会うことができましたが、「彼はすばらしい（ワンダフル）ボーイでした」と聞き、先輩の力を、開拓をとてもうれしく思いました。わが子のように誇らしげに今もなお語る婦人の顔を見るとき、IFYE（農村青年交換）のすばらしさをみたような気がします。

私は、そこで、踊りを紹介しました。七十人ばかり集まった4Hリーダー一人ひとりに、4Hエィジェント（支部）から、リーダーに対して感謝状が送られ、二年生のリーダーから、十七年…二十二年と若いリーダー、年とったリーダーと、アメリカの歴史をもつ4H、家族中で…または大人もが4Hに協力し、応援している姿をみることができました。（後略）

白菜の品評会開く

富山県 杉原中学校4Hクラブ

【富山】全国でも数少い中学校の4Hクラブをもつ富山県婦負郡八尾町の杉原中学校では、本月下旬、ホームプロジェクトとして取り入れている秋どり白菜の品評会を開催する。

この品評会には、全校生徒が出品するが、その計画、準備、処理いっさいは、4Hクラブ（会長、毛利浩二君）が、つぎのようにして責任をもってすすめている。

一、4Hクラブの野菜部員が学校の圃場で種まき、育苗し、九月中旬その苗を全校生徒に配分した。

二、各生徒は、苗を家庭に持ち帰り、科学的な観察調査をねらいとして栽培し、記録簿に記入している。

三、肥料も適時、その都度学校で配布している。

四、栽培期間中には、必ず一回、実地巡回指導をした。

五、品評会には、成熟度をみて二株ずつ出品する。

六、品評会の審査は農業改良普及員に依嘱する。

現在、白菜の生育状況は順調で、クラブ員はもちろん、全生徒が開催日を楽しみに待っている。

海外派遣団員に選ばれて

西欧の青年を知る

静岡県北浜市内野 浜名4Hクラブ 鈴木政美君

静岡県の産業青年海外派遣団員の一員に選ばれて、近くヨーロッパ四ヵ国を視察研修してきますので、少し私の抱負などを述べさせていただきます。

私が応募した目的は、西欧諸国の産業、経済、文化、政治などを肌で体験して国際的な視野を広め、とくに目まぐるしい社会情勢の中にあって各国の青年がどんな考えをもって活躍しているかを知りたいためである。

私は、企業的な農業を夢みておりますが、あまり他産業の人たちと話合いをすることがありません。今回の研修は他産業の人たちと行動をともにしますので、いろいろなことを学んできたいと思います。また、他の青年と共同生活をしながら、よいところを吸収し、こんどの活動に生かしたい。

現在、県では"青少年の仲間づくり"と騒がれていますが、西欧諸国の青年たちはどのようにサークル活動をしているか、また、各国が青少年問題についてどのような教育方法、制度を行なっているか、さらに、青少年たちが国に対してどのようなことを訴えているかを期待したいと思います。オランダと西ドイツでは同国の青年たちと交歓会を開きますので、私は私なりに青年のナマの声を聞きたい。

いま、私は青年団と4Hクラブで、一応、私は私なりにリーダーとして活動しているつもりでいますが、まだ、考え方も行動も未熟ですので、他国の青年や他産業の人たちと一緒に勉強し、より自分を成長させたいと考えています。

私は数回、国内の先進地留学生として、四国、中国地方の農家へ実習に出かけ、新しい技術や経営などを勉強してきましたが、本国の農業をより深く理解するためにも、西欧諸国の農業を勉強することが大切ではないかと思う。そして、二度とこない、この機会、青春時代において学習することが必要だと思います。この青春時代の思い出をアルバムの一ページに残したい。

帰国後は、西欧諸国で学んだことがらを地域の団体活動に役立てるため努力し、4Hクラブの研修会で学んだことを多くの人たちに報告しようと思っています。そして、クラブ員一人ひとりが4Hクラブの活動家になってもらいたいと願うとともに、こん後リーダーとして地域の農業建設、社会建設のために一生懸命頑張りたいと思います。

この青年ヨーロッパ視察には、4H関係から松浦幸治県連会長ら七名のクラブ員が選ばれ（団員は産業青年三十名、指導者十名）来る十三日に羽田から出発し、オランダ、西ドイツ、フランス、スイスなど西欧諸国をまわって二十六日に帰国の予定。

（本紙静岡県連絡報道員）

日本4H新聞
4Hクラブ
農事研究会
生活改善クラブ
全国弘報紙
発行所
社団法人 日本4H協会
東京都市ケ谷家の光会館内
電話(269)1675郵便番号162
編集発行人 玉井光
月3回・4の日発行
定価 1部 20円
一ヵ年700円(送料共)
振替口座東京 12055番

クラブの綱領

私達は実践を通じて自らを磨くとともに互いに力を合わせてよりよい農村、よりよい日本を創るため四つの信条をかかげます。一、私達は農業の改良と生活の改善に役立つ腕をみがきます。一、私達は科学的に物を考えることのできる頭の訓練をします。一、私達は誠実で友情に富む心をつちかいます。一、私達は楽しく暮し元気で働くための健康を増進します。

全協、春の全国会議の主催者に

運営は青年の手で

農林省、全協の要望認める

全国4Hクラブ連絡協議会（会長、黒田保君）は、さる十日、農林省普及部長室において、来春、東京で開かれる第九回全国青年農業者会議について農林省側と懇談し、全協の立場と主張がほぼ全面的に認められたので、これまで全協が計画していた全国4Hクラブ・プロジェクト実績発表大会の内容を農業者会議の中に盛り込み、全協も主催の一員となることを決定した。この決定にともない、全協は、農業者会議の開催に総力をあげて取り組むことになった。

会議議長には青少年代表を

この日の懇談は、来春の青年農業者会議の開催計画をすすめている農林省が、全協が計画しているプロジェクト実績発表大会と農業者会議を一つにまとめたいという意向で、全協を招いて協力を要請したもので、農林省から普及教育課の大賀青少年班長、大沼、福田両係長、全協から黒田会長、久野事務局長、石井同次長、それに全国農村青少年教育振興会の金田事務局次長、日本4H協会の新田事務局長も同席した。

はじめに、大賀班長から来春の青年農業者会議は青年自身の会議として、また青年の自主性を伸す意味からも、その運営のすべてを青年に任せたい、そして主催者側で構成する事務局は運営委員会の指図によって動き、青年たちが運営するのを手伝うことに専念する、という農林省の基本的な態度を述べ、さる五、六の両日、東京で開いた運営委員を派遣する二十三県連の代表たちとの協議の結果、各県連会長から全協を運営委員に加えてもらいたいとの要望があったことを伝えた。

つづけて、大賀班長は、全協も来春、プロジェクト実績発表を開く計画をすすめているが、できるなら全協の要望を青年農業者会議に取り入れて一本化を図りたい、そして、全協はたんに運営委員会に協力するということでなく、会議そのものにも積極的に参加してもらいたい、と参加を呼びかけた。

これに対して、全協の黒田会長は「このことについて連絡を受けたので、執行部会を開いて全協としての態度を決めてきたので、全協の立場と主張を認めてもらいたい」と述べ、4Hクラブ活動にとってプロジェクトは中心をなすもので、来春の実績発表大会は全協総会で機関決定されたものである。したがって、大会を一本化するにはこれに相当するものを取り入れてもらいたい—などの要望を出し、全員で協議した。

この話し合いの結果❶全協を主催に入れる❷運営委員は全協が担当県連を通して招集し、農林省は❸予算的措置として県へ依頼する❸運営委員の資格は二十五歳以下であれば県連役員であってもよい❹会議は運営委員会の決議により運営する❺会議を代表する議長は運営委員の互選した運営委員長をあてる❻会議の内容などについては来る十二月二日、東京で開く第一回運営委員会で最終決定する——などが確認された。

なお、全協はこの懇談会に先だって、東京・市ケ谷の同会事務局で執行部会を開き、農林省から打診のあったこの問題について検討し、全協としての考え方をまとめて農林省を訪ずれたもの。

この懇談のあと、全協は再び執行部会を開き、懇談の結果を全員了承した。

このほか、執行部会では、4H会館建設のすすめ方について遠藤同会館建設委会事務局長を囲んで話し合いを行ない、来る二十八日からオルグ団を数県に派遣し、会館建設の推進を図ることになった。

全国会議など検討

振興会・県連会長と研究会

社団法人全国農村青少年教育振興会（東畑精一会長）は、来春、東京で開く第九回全国青年農業者会議に運営委員を派遣する岩手県など二十三の担当県の県連会長（出席者十五人）を招いて、さる五、六の両日、東京・新宿区の日本青年館において、農村青少年クラブ活動の強化に関する研究会を開催した。

この研究会は、従来、学識経験者および育成指導者を委員に委嘱し、実施されてきたが、現下における農村青少年クラブ活動には、とりまく情勢の急激な変化により単位クラブ組織の広域化、年令幅のひろがりおよびプロジェクト活動の衰退などの問題があり、これらの問題を解決し、農村青少年のクラブ活動を活発にするとともに、来春開催予定の第九回青年農業者会議の運営などについて話し合うため、現場で直接クラブ活動を実践している各県連会長の出席を得て開かれたもの。

今回の研究会には、伊藤岐阜県4Hクラブ連絡協議会々長ら各県連の会長や役員十五人のほか、主催者の全国農村青少年教育振興会から三宅常務理事、金田事務局次長、農林省普及教育課の大賀班長、大沼係長、福田係長、日本4H協会の新田事務局長、全国4Hクラブ連絡協議会の黒田会長らが出席した。

初日午前十時三十分、予定された人たちがそろったところで、まず、主催者を代表して、三宅常務理事が「今後、後継者の対策は大切な問題である。そこで県連役員のみなさん方に集ってもらい、現場のリーダーの意見を聞いて、今後の指導の参考にしたい。また来春の青年農業者会議の運営のすすめ方についてもご相談したい」とあいさつ。

つづいて、自己紹介のあと、大賀班長が「農業の近代化に即応し、将来の農業経営を担当する優秀な農村青少年を育成、確保することはきわめて重要である。最近、発表された農政審議会の答申や自由民主党の政策のなかにも、このことが強調されている。農業改良普及事業は、農業改良、生活改善、青少年育成の三本の柱からなっており、青少年育成をおろそかにしているところは普及所ではなく、及ばざる不及所である。農業基本法には「自主性を助長せよ」という条文があるが、物だけに頼っていたこれまでの農業政策が今日の混乱のもとをなしている。農林省も専任の青少年班をおいてみなさん方の活動をお手伝いしているので、ご意見や要望があればどしどしお聞せ願いたい」と「農村青少年活動促進事業」「農村青少年クラブ活動推進指導要領」「農業経営者育成体系と施策」「農政推進上留意すべき基本的事項についての答申」「農村青少年活動促進の視点」などの資料をもとに、農林省の考え方やこの研究会の主旨を、約一時間にわたって説明した。

昼食のあと、午後一時から六時まで、大賀班長の司会で各県連の組織や活動内容、問題点などについて話し合った。

午後六時から会場を広間に移して、懇親会を開いた。

翌六日午前九時から、前日各県連から出された問題について、全体討議を行なった。

県連会長の研究会であいさつを述べる三宅常務理事（日本青年館会議室で）

ゲリラ戦術に学べ

この全体討議で話し合われた組織やクラブ活動の主な問題点とそのすすめ方は、およそ次のような内容であった。

リーダーの問題 ▽リーダーは行事をこなすタイプの人でなく、理想を追う人が望ましい▽結婚したらやめる人が多く、また、自分の経営のことだけを考えてリーダーをやらない人があるが、現リーダーは、後継者である次期リーダーを研修会などに積極的に参加させるなどして、自分がやめるまでに養成しておくべきである。

クラブ活動の問題 クラブ活動は、単位クラブが活発になることが大切であるので地区連、県連、全協という組織は、全国の単位クラブの活発化に努める▽クラブにおいては、みんなが平等に発言するような活動がほんとうにいい活動で、会長だけが目立つような活動ではいけない▽女子クラブ員のためには女子クラブ研修などを行う▽プロジェクト活動は、そのプロセスが大切である。

意識向上の問題 ▽まず、クラブ活動とは何か、どうやるべきかをよく話し合う▽クラブ活動が生産向上につながらないなど、利益がないとクラブに入らない▽山間地と都市近郊では利害が異なり、意見が一致しない▽他産業従事者に比べて、農村青年は甘やかされている▽似たようなグループが多く、おとなの近代化集団の中に埋没しているところもある▽県に依存せず、自主性を伸ばすようにする。

組織の問題 単位クラブでやれるものは単位クラブに任せる▽地区連と県連とのつながりを強くする▽組織率が低いところは、県連でオルグを派遣し、地区連や単位クラブの活動を活発化する▽学卒者には、卒業前にクラブ加入について勧誘する。

このほか、資金や年令制限についても話し合ったが、結論に達しなかった。

また、農林省に対して、近代化資金の貸出に弾力性をもたせてほしい—などの要望がだされた。

このあと、オブザーバーとして出席していた元普及教育課課長補佐の中田正一氏から、クラブ活動は地域住民の信用と支持を得たゲリラ活動のようなものであるべきだというたとえでもって、クラブ活動についての非常に示唆に富んだ話があった。

さいごに、来春、東京で開かれる第九回青年農業者会議の運営について話し合いをした。

まず、これまで問題になった運営委員の位置づけについては、運営はすべて青少年の手に任せるという、きわめて思い切った方針が主催者から出されたほか、つぎのようなことが協議の結果、決まった。

一、これまで事務局の中におかれた運営委員会を、運営の中心として独立させ、運営委員長を会議議長にする。

一、運営委員は、二十三の担当県から推された青少年を中心に、全協、および主催者代表数名をあてる。

一、運営委員会を青少年と経営者の二つに分け、それぞれ独立させ開会式など共通なものについては双方の代表で話し合ってすすめる。

一、これまで、主催者代表が、会議の会長や議長に就任していたが、今回から顧問や参与という資格になってもらい、会議は青年の自主的な運営に任せる。

一、運営委員会を青少年と経営者の二つに分け、それぞれ役割りと責任を分担する。

一、来る十二月二日に、運営委員を招集し、運営委員長を選任するとともに、会議の運営の一切について協議をする。

およそ、このようなことが全員で決められ、これまでと異なり、青少年の会議を青少年の手に任せるという基本的な考え方が全面的に打出された。

このことは、来年の大阪における夏の全国農村青少年技術交換大会の運営についても同様だという発言が農林省側からあり、夏の大会には、地元青少年の組織である大阪府連を主催者に加え、運営を同府連の手に任せるということが述べられた。

盛大に20周年祝う

実績発表会と併行して

富山県連

【富山県＝老川早苗連絡報道員発】富山県4Hクラブ連絡協議会（会長、横井弘三君）では、農業改良普及事業の一環として県4Hクラブが誕生してから二十周年を迎えて、菊薫るさる六日午前十時から富山市の県民会館大ホールで県4Hクラブ発足二十周年記念式典を盛大に開催した。これには、県内の4Hクラブ員をはじめとして、クラブOB、農改普及所、協賛団体、農業学校、農業関係者など約千二百名が出席、先輩たちが築いた輝く歴史の上に、さらに力を合わせて4Hクラブを発展させ、明日の農業と農村の建設に努力することを誓い合った。

式典は三部に分かれ、まず第一部、記念式典は、県連女子部長の開会宣言で幕をあけた。国歌斉唱のあと横井県連会長のあいさつに続いて二十周年の経過情勢報告があり、ついで功労者として県連歴代会長十五名の表彰、また、歴代会長から県連旗の贈呈が行なわれた。このあと来賓の祝辞と激励のことばで、祝電披露があり、最後に4Hクラブの歌を声高く合唱して厳じゅくのうちに終了した。

続いて第二部として体験発表が午後一時から開かれ、クラブ員代表の男女各一名ずつが、いままで学んだことや考えていることについて、日ごろのプロジェクト活動の体験を通じて発表し、参加者の関心を集めた。

また、第三部は記念講演として検事から弁護士に転向、現在、推理作家として活躍している佐賀潜氏の「農村における法律の重要性」（法律よもやま話）と題して講演が行なわれた。

同氏の持ち前の軽妙な口調で、終始リラックスムードで話しが進められ、会場からはたびたび笑いのうずが巻き起っていた。また講演のあと、法律問題などに関して同氏と参加者の質疑応答の時間が設けられ、会場と同氏とが一体となって、最近にない盛り上りをみせた講演となった。

また、当日、二十周年を記念して発行した機関誌「はたち」を配ったが、内容は歴代県連会長の座談会、海外派遣報告、大会参加記、クラブ員の声など豊富な内容で編集部の苦労のあとがうかがえ、クラブ員からも好評であった。

クラブ員たちは「われわれ富山県4Hクラブは、この意義ある二十周年を迎えて、第二のスタートラインに立った。さらに飛躍するために、こんご農業や生活の改善に新たな気持で取りくみ、4H精神を追求していきたい」と一人ひとりが自覚を新たにし、努力することを誓い合った。

売行き好調で 嬉しい悲鳴

また、同県連では、県と共催で、さる四、五、六の三日間、富山市の県民会館を会場として第十八回県4Hクラブ実績展示会を華々しく開催した。

これは、4Hクラブ員たちが日ごろのプロジェクトによって得た成果を一堂に集めて展示し、お互いの技術、知識の向上をはかるとともに広く一般にも公開することを目的としたもので、県4Hクラブ発足二十周年記念式典にあわせて開かれた。

会場は、実績（教育、工夫、写真、衣）一般特産、参考、特別の各展示に分けられて農産物が出品されたが、その中でも、一般展示はクラブ員の出品数が多く、農産物の外観、品質ともに優秀さを競う農産物品評会であった。

穀類、葉菜、根菜、芋、果実、卵などのほか生活改善、加工品、写真、その他に分類し、非売品を除いて全品即売するというわけで、毎年、消費者や主婦たちからも喜ばれているが、今回も、連日朝早くから人気をあつめていた。

また、昨年好評だった大販売コーナーもひき続いて開かれ、新鮮な野菜、くだものの大即売のほか鉢物のコーナーも設け、シクラメン、ポットマムなど型破り大販売し、消費者への奉仕など大会ムードの盛り上げをはかった。

そのほか、腕だめしコーナーでは、参観者のうち希望者に、農業と生活に関する全般にわたって実物をみて解答する問題を提示し、成績優秀な人には賞品を送ったが日ごろ農業とは関係のない人たちも頭をひねっている姿に、なにか親しみが感じられた。

また相談コーナーでは、農業と生活に関する技術について疑問のある人たちが、水稲、そ菜、畜産、花卉、果樹、生活など県農業専技員の方に相談していただき、こんご農業経営の向上の一助にするという趣向であり、クラブ員や一般農家の人たちにも好評だった。

全般を通じ、クラブ員の出品点数は約千五百点で、最近のクラブ員減少とは反比例して年々出品点数が増えてきていることは喜ばしいかぎりである。

五日は、あいにくのしぐれ模様で参観者の出足がにぶったが、それでも午後になると、昼休みを利用した。近くの事務員や主婦たちが、あちこちで野菜や果物を求める姿でいっぱいになり、係のクラブ員もてんてこまいの大忙しでうれしい悲鳴をあげていた。

また今年は、出品点数が多いだけではなく、品質やクラブ員の技術の向上がのび、受賞者選考もむずかしく、甲乙つけがたいといった場合が多かった。

4Hクラブ員が丹精こめて作った新鮮な野菜や果物の即売会に人気が集まった（富山県民会館で）

「4H」の理解深める

茨城・竜ヶ崎地区連 第二回クラブ大会開く

【茨城県＝村上文雄連絡報道員発】茨城県竜ケ崎地区4Hクラブ連絡協議会（会長、大沢俊一君）は、このほど同地区農業改良普及所と共催で、稲敷郡河内村青年研修所において、第二回竜ケ崎地区農村青少年クラブ大会を開催した。

この大会には、同地区内の各クラブから六十人の代表が参加し、利根川の河原に放牧された乳牛の鳴き声が聞こえるのどかななかで、まずオリエンテーション、つづいて開会式が行なわれた。

「最近、クラブ活動のなかで、4Hクラブの意義や目的を理解していないクラブ員が多いので、この大会のなかで充分学びとってもらいたい」との大沢会長のあいさつにつづいて、普及所長や県連役員もそれぞれ激励のあいさつを述べた。

開会式を終え、昼食をとったあと、東村の稲穂サークル4Hクラブ出身で、現在全協会長をしている黒田保君を迎えて「4Hクラブ活動のすすめ方」について話を聞いた。

このなかで、黒田会長はクラブ活動十年の体験をもとにして、クラブ員やリーダーのあり方、プロジェクト活動のすすめ方などを中心に、農村青少年にとって4Hクラブ活動はなくてはならないものであることを強調した。

つぎに、黒田会長の話をもとにして、分科会にわかれて、4Hクラブ活動の問題点を話し合った。

夜は、クラブOBの指導で、秋の夜長をキャンドル・サービスで心ゆくまで楽んだ。

二日目は、前日各分科会で話し合ったものを全体会議にかけ、質疑応答を行ない、そのなかから、自分たちなりに、4Hクラブ活動のあり方をまとめた。

さいごに、近くの中学校の校庭を借りてレクリエーション、日頃はカマやクワを持つ手に球やバットを持ってバレーボールやソフトボールに興じた。

涼風暖風

部落（社会）のあとつぎ

ある部落の研究会を訪れて、予期以外の拾いものをした。

Aさんとこのaちゃん（長男）は、この頃農業をやる気をなくしちゃったようだ。学校を出てから、まじめに農業をやっていたのに、この頃、車を買いたいといいだしたら、Aさんは、ピシャリと、やめろといってしまった。

Aさんは、勤めで外から金をとってくるんだし、弟のbちゃんは、セールスマンで車を持っているんだから、農業であがった金の一部分ぐらいaちゃんの自由にさせてやればいいのに、それもさせない。

いざこざのあげく、bちゃんのすすめもあって、Aさんは、金を出してやるということになったが、今さらいいよ、といってaちゃんは車をまだ買っていない。Aさんも口出ししないで、aちゃんのやりたいようにさせてやればいいのに。おとなしいaちゃんだから、農業をやっているけれど、普通の人なら、とび出しちゃうよ。いつかAさんにいってやんなくちゃなんねえ。

ちょっと聞くと、部落の悪い習慣の、噂話や隣近所のことの現われを見聞したようだが、ちがった見方をすると、貴重な地域社会のつながりではないかと思った。

自分たちが、楽しい生活をするためには自分たちの住んでいる村を住みよい所にしなくちゃならない。そのためには、みんながよくならなくちゃという気持の現われとみた。aちゃんに、立派ないい農業者になってほしいという願いは、Aさん一家だけの問題じゃなくて、この部落全体の問題だという心配である。

後継者対策ということが行政でとり上げられているが、部落のあとつぎのことは部落が心配する、部落の指導者は部落が育てる、ということがあるようだが、あとつぎもそうだという現実をみた。

ここで大切なのは、この部落には、そういう「場」があるということだ。この部落の研究会を訪れ、代表の人から話を聞いたのは、この研究会が、約五十戸の部落の中で、十九戸で構成され、会員は三十八名、年少は二十二歳から年長は四十四歳まで、夫婦が参加して、地域（部落）の農業や生活の問題と取組んでいるということに関心を持ったからだった。

この十九戸が部落全体を動かしている。共同田植から耕地整理、部落公民館の建設、今度は稚蚕共同飼育所の建設だといっていた。十九戸、三十八名は、六部に分かれて、全体で一回、各部で一回、月に二回ずつ集っている。

（茨城・芳賀）

新年号原稿を募集

早くも年賀状が売り出され、冬の訪ずれを告げる便りが届くころとなり、いよいよ年の瀬が迫ってきました。

本紙の発行も年末まで四回となりました。新年号は、十二月二十四日号と来年一月四日号を合併して増頁のうえ企画も新たに、みなさんのご協力によって新年の門出にふさわしい記事で飾り、愛読者のお手もとにお届けしようと計画しています。

つきましては、次の要領で新年号の原稿を募集いたしますので、どうぞ、ふるってご応募下さい。

〈応募要領〉

【原稿の内容】新年への抱負、年頭初感、雑感、意見、詩、俳句、随筆など新春にふさわしいもので、建設的なものであれば内容は自由です。

【原稿の長さ】四百字詰め原稿用紙五枚（二千字）以内 なおできるだけ、顔写真や関係写真、絵図などを添えて下さい

【応募資格】4Hクラブ員（農村青少年）OB、農業高校生（中学生）篤志指導者、育成指導者など

【原稿のしめ切り日】十二月十五日

【送り先】東京都新宿区市ケ谷船河原町十一、家の光会館内 日本4H新聞新年特集係（郵便番号一六二）

※なお、掲載分には謝礼または粗品をおくります。

日本4H新聞編集部

心頭技健

最近、農林省は「農村青少年の自主性」ということを強調するようになってきた。これは以前に比べ、きわめて顕著なことである。これまで農林省は、どちらかといえば、青少年の自主性など無視してきた感があった。たとえば、青少年が何か新しいことをやろうとすると疑いの目でみるという傾向すらみられたのは事実である▼とくに、全協や県連という組織に対しては、積極的にそれら認めようとはしなかった。ところが、来春、東京で開催する全国青年農業者会議の準備にあたって、農林省は青少年を積極的に前面にたてることを決定し、さる五、六の両日、運営委員を派遣する二十三の担当県の県連会長を東京に招き、また、十日には全協を農林省に招いて、農林省の基本的な態度を説明するとともに協力を求めた▼こんどの農業者会議の運営は実質的に青少年の手に任せましょう。会議を代表する議長は、農林大臣や主催者代表でなく青少年代表の運営委員長をあてましょう。全協は運営委員を出すだけでなく、主催として迎えましょう。そして、われわれ主催のおとなたちは、事務局で、運営委員会の指図によって動きましょう——というのである▼これだけ青少年の立場を認めた提案に対して、全協はなお自らの立場といくつかの要望を述べたが、それらもあっさり認められた。こうして全協は、青少年の自主性を尊重しようという農林省の意をくんで、来春予定していたプロジェクト実績発表会を農業者会議の中に組み入れることで、主催者の一員として総力をあげて会議の開催にあたることになった。▼信頼されると感激するのが青年である。この農林省の態度に全協役員たちは自らの責任を深く感じたと述懐していた。こんどの決定にあたっては、農林省も相当の覚悟をして、まず、青少年を信じようということになったものだと察せられる▼青年たちがかって叫んだ「青年の、青年による、青年のための会議」が開かれようとしている。この会議に参加する青少年一人ひとりが、この会議は自分たちのものだという認識のもとに、会議を盛りあげ、この好意ある措置をとった農林省の期待に応えてもらいたいものである。

「草の根大使」を募る

昭和45年度・米国、中華民国派遣の4H代表

両国に男女各一名

締切りは12月10日

社団法人日本4H協会（松下幸之助会長）は、国際農村青年交換（IFYE）計画に基づいて来年度も米国と中華民国（台湾）にそれぞれ男女各一名の4Hクラブ員代表を派遣することになり、次の要領でその希望者をさがしている。この交換事業によって派遣されるクラブ員は、別名〝草の根大使〟ともいわれ、米国は約六ヵ月間、中華民国は約三ヵ月間滞在し、農業や4Hクラブ活動の勉強とともに、わが国と両国の相互理解と親善の役を果し、帰国後はクラブリーダーとして活躍してもらおうというもの。

募集要領

【派遣の目的】

国際農村青年交換（IFYE）計画に基づいて、わが国の4Hクラブ員を米国と中華民国（台湾）にそれぞれ派遣し、両国の農業や農家生活、クラブ活動などを実地に体験させ、わが国と両国の相互理解と親善を深めるとともに、帰国後、クラブ活動や地域農業の振興に役立たせることを目的とする。

【実施機関】

◇米国の場合
▽日本側 社団法人日本4H協会
▽米国側 米国4Hクラブ財団

◇中華民国の場合
▽日本側 社団法人日本4H協会
▽中華民国側 中華民国四健会協会

【派遣人数】

▽米国 男女各一名 計二名
▽中華民国 米国と同じ

【派遣の時期と期間】

▽米国 昭和四十五年四月中旬から約六ヵ月間の予定
▽中華民国 昭和四十五年十二月中旬から約三ヵ月の予定

【派遣中と行動概要】

はじめ数日間のオリエンテーションを経て、数戸の受入れ農家に滞在し、その家庭の子弟として、農業や農家生活を体験するほか、地域のクラブ行事に参加したり、学校、協会などの集まりに出席して、日本事情の紹介などを行なう。

この間、米国では、例年八月に開催される中間会議に出席して世界数十ヵ国の4Hクラブ員代表と交歓の機会をもち、一方、中華民国では全国大会に出席する。

両国とも、期間中に自由時間があり、各地の見学旅行をすることになっている。

【派遣される者の資格】

（1）現在、4Hクラブ員であって、プロジェクト活動の実績をもつ者（2）年令は、昭和四十五年四月一日現在、満二十歳以上～二十三歳までの者で未婚者であること（3）健康で人柄などがこの計画にふさわしい者（4）中学校卒業程度の英語を修得している者（米国の場合）（5）帰国後、クラブのリーダーとして活躍できる者。

【派遣に要する経費】

（1）往復の旅費は、日本4H協会で負担する（2）滞在中の経費は、個人的経費（自由時間の見学費、土産物購入費など）を除き、いっさい米国または中華民国で負担する（3）出発前の研修、諸手数料などで若干の経費を徴収する。

【派遣される者の選び方】

派遣者は、第一次、第二次の審査を経て決定する。

（1）第一次審査（十二月中旬）

第一次審査は書類審査とする。審査を受けるものは、これに必要な次の書類各一通を提出すること。

❶履歴書（本人自筆のもの）❷戸籍謄本 ❸健康診断書 ❹写真（最近三ヵ月以内に撮影した無帽、無台紙のもの二葉）❺両親、またはこれに代る者の同意書❻クラブ歴の明細書❼プロジェクト活動実績の報告書❽知事の推せん状❾派遣希望国とその理由文（八百字以内）

（2）第二次審査（一月中旬）

第二次審査は、作文および面接審査とする（米国の場合は面接審査に英語を含む）

【出発前の研修】

派遣される者に対しては、出発前約五日間の事前研修を行なう。

【関係書類の提出期限】

昭和四十四年十二月十日

【申し込み先】

各道府県農業改良主務課

社団法人 日本4H協会

「青年の船」からの便り

インドネシア 経済開発の中心は農業 生活向上に意気盛ん

山梨県 河東哲征君

青年の船の4H関係団員一同元気で頑張っております。すでに、タイ、インドネシア、マレーシアの寄港地活動を終えてビルマからシンガポールに向っています。

インドネシアは、青年の船も初めての訪問ですので、以下インドネシアの現地事情を記してみたいと思います。

主都ジャカルタに着いた夜、ジャカルタ市長の表敬とインドネシア青年との交歓のために、市长ホールと文化センターへ出かけました。

ジャワ島にはインドネシアの総人口一億七百八十万人の約七〇%が集中しており、人口密度は世界でもっとも過密なところとして有名です。夜のジャカルタ市内は、昼間の暑さから目がさめたかのように人々が群をなし、日本の夜店のような小さな店舗がならび、どんよりとにごった国へやってきたという印象です。

教育については、産業の発展の基礎となるもので五カ年計画の中に専門学校の設置などが含まれており、教育の普及に熱意があるように感じられたが、現実には設備も整っておらず、二部制、三部制を実施している。また、教師の給料は低く、小学校の先生が二〇〇〇ルピア（約二千円）で、このほかに米と塩が支給されるだけ。このため彼らの多くは教育に専念することができず、アルバイトに精を出しているのが現状のようだ。

経済事情を一口でいうと、停滞した経済、慢性的インフレに悩む経済、輸出不振、経済援助によって埋められた輸入、国際収支の赤字、海外債務の累積など暗い面のみが指摘される。このような経済事情から立ち上るために、本年四月から経済開発五カ年計画を実施している。その中でもっとも重点をおいているのが農業であり、米を中心とする食糧の増産計画である。

これは、施肥、病虫害防除など生産技術の向上、品種改良、かんがい用水、二期作の実施などがあり、また、農民には若干の経営資金を融資し、農民の生活水準を上げ、購買力をつけて工業までも伸ばしていこうという計画である。

ジャワ島の農民は、島の総面積の六割近くを耕用地としており、その六割が水田となっている。平均耕作面積は五十ｱｰﾙ以下で貧困な農民や土地を持たない農業労働者が多い。市内で売られている米は白米一ｷﾛ特等米が四十五円であった。周囲の島々は人口密度がうすく、耕地も広いので原始的な焼畑農業が行なわれている。

スカルノ政権時代に経済の繁栄を目標に造り上げた高速道路は、想像していた以上に立派なものであり、自動車はバラエテーに富み一、九二七年度製のものも走っていた。交通量は少なく、まだゆとりがある。ところが、支線道路は狭く、雨期に入ると通行不可能になる道路が多い。

輸送機関の未発達なために、物価の流通も悪く、とくに農産物においては、都市部と農村部で四十%の違いがある。また、電灯の普及率はジャカルタ市内は三十%、全国平均は四%であるといわれる。現にボゴールの農家をみたがランプの生活であった。

経済の八十%は華僑がにぎり、国民総生産は十億ドルである。こういったものから判断できることは、政府の政策と一般国民との間に大きなギャップがあり、こん後の方向にも多くの難点を感じる。

しかし、現在経済活動が活発になりつつあり、一般国民の生活向上に力が注がれ、つねに問題意識を持つ政策が立てられ、意気盛んな点は、この国の将来に明るい見通しがあるのではないかと思う。

以上おおまかですが、短い滞在から得たものです。船内の生活も非常に忙しく、思うままに伝えることができませんが、残された数少ない日々を有意義に精力的に多くのものを吸収し、帰ってから4Hクラブの中に生かしたい。

農政にこの対策を ▼審議会の答申から >4<

価格の安定に強力な手を

生産と出荷の調整図る必要

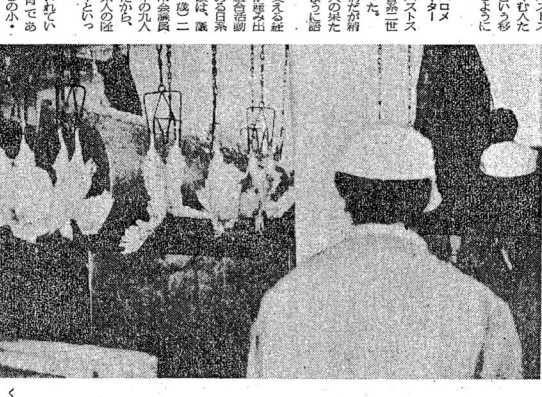

ウ、園芸など畑作農業については、地域、作目に応じて近代的生産流通施設の導入などを行ない、主産地の形成をすすめる必要がある。

とくに、果実、野菜などについては、広域な営農集団の組織化をすすめ、生産と出荷の調整体制を整備する必要があろう。

さらに、果実については、果汁など加工品による供給の増大を図り、野菜については過度の価格変動を防止するため価格安定措置の強化を図ることについて特段の配慮を加える必要がある。また、果実、野菜については、とくに流通面の改善を図ることが緊要である。

なお、需要が大きいにもかかわらず、生産が急速に減っている大豆、麦類などの畑作物については、生産合理化の可能性のある生産地を中心として、合理的輪作体系の確立と機械化栽培の普及などによる生産増強の方途について検討すべきである。

エ、米その他農産物のこん後の需給事情を考えると、需要に見合った農業生産の推進が緊要となっている。

国と地方公共団体は、農業団体とじゅう分協議を行ない、ガイド・ポストとして、主要な農産物について、例えば、都道府県単位、さらには都道府県内の農業地帯について生産の地域分担を明らかにし、農業団体などによる生産と出荷の調整体制の整備につとめる必要がある。政府は、この点について法的措置を含めて具体的施策を早急に検討すべきである。

（3）価格政策の是正

ア、農業基本法の制定以来、主要な農産物について各種の価格制度が創設あるいは整備され政府の関与する農産物は、産出額でみて全体の約七割におよび農産物の安定的な供給の確保と農業者の所得の維持向上に価格政策が相当な役割を果たしてきた。

しかしながら、他方、米価政策に象徴されるように価格政策が米に偏し、さらに、価格の安定よりも価格の引き上げに傾斜して運用されたこと、および価格政策と他の生産政策、構造政策などの関連が必ずしも明確に考慮されなかったことが指摘される。

その結果、全体としてはかなりの財政支出をともないながらも、なお生鮮食料品などの価格が不安定にさらされている反面米価の高水準によって農産物の相対価格関係にひずみを生じ、土地や労働力などの資源の円滑な移動をさまたげ、農業生産の合理化、農業構造の改善および農産物需給の調整などの面に困難な問題を生ずるに至っている。

また、農産物の国際価格のなかには、ダンピングや輸出奨励金などの問題もあるものの、一般的には、わが国の農産物価格と国際価格との間に傾向的なかい離がみられ、国内物価についても、農産物がその上昇に大きな比重を占めていたなどの問題がある。

イ、このような問題に対処するため、価格政策をするに当たっては、生産政策、構造政策などの諸施策との関係に留意し、農業の生産条件、交易条件などに関する不利を補正する施策の一環として、その位置づけを行なうことが重要である。

いうまでもなく、価格政策の目的とするところは、農産物価格の過度の変動を防止するとともに、農業生産の選択的拡大に寄与し、農業所得の確保を図り、国民消費生活の安定に資することにあり、こん後は総合的観点からその運用を行なう必要があるが、とくに次の事項について留意すべきである。

（ア）価格水準としては、基本的には、生産者および消費者を含め国民的合意のえられる安定的で適正な水準でなければならない。

わが国の農産物は、国際的にみて相当割高になっているので、こん後は長期的にみて国際価格と国内価格との動向が相反することのないよう留意する必要があり、また物価の安定も阻害するような引き上げが行なわれることは避けるべきである。

（イ）個別農産物に対する価格政策の運用に当たっては、農産物の相対価格関係の中心となる米価のあり方を米の生産調整の一環として検討すべきである。その際、良質米の生産を促進するため米の銘柄格差の形成につとめるとともに米の自主流通の一層の推進を図るべきであろう。

（ウ）米以外の農産物についても、需給事情を十分反映しないうらみのあった価格政策の運用を改め、こん後の価格政策は、需給の実勢を反映した価格の形成と過度の季節的周期的変動などを防止する意味での価格の安定に重点を移すとともに、価格の需給調整機能をいかす方向で考えなければならない。この意味での価格の安定については、価格政策の対象範囲の拡大につとめるなどこれを強力に推進すべきである。

また、行政価格の決定に当たって考慮すべき事項についての考え方を統一する方向で検討すべきであるが、これを含め農業基本法に基づく「農産物価格政策の総合的検討」を早急に行ない、こん後の価格政策の運用に資すべきである。

ウ、さらに、これらと関連して、農業者の交易条件で不利におちいらないよう配慮し、その所得の向上に役立てるため、技術進歩や農業経営の発展に即応して、農業生産資材が低い価格で豊富に供給されることが重要である。

とくに、農業機械の品質の向上と価格の低下が望まれる。このため、関係企業の近代化、合理化および技術水準の向上などを通じ、製品の性能の向上、コストの引下げを図るとともに、流通の合理化を図ることが必要である。（つづく）

ブラジル88村巡行

日本政府派遣農村青少年指導専門家 湯浅甲子

<22>

日系人の隆盛語る

バストスは、養鶏王国である。日系人で養鶏をやる人は他地域にも多いが、ここほど養鶏団地としてまとまって栄えているところは他にあるまい。そうなったのも、もとは作物が育たない痩せ地を相手に、石にかじりついても離れまいとする移民根性が、生活のキリキリのところで手に入れた窮余の一策であったようである。

土地は恵まれているばかりが成功の要因ではなく、それにとりくむ人たちの姿勢が大切であるという移民の教訓を如実に物語るように思われる。

日系人隆盛のバロメーター

さて、日系人の町、バストスを代表する市長は、日系二世の、歴富昧セイジ氏だった。

四十五歳の市長は小柄だが精悍な顔立ちの方で、日系人の果たす役割の重要性を次のように語ってくれた。

「いまのバストスを支える経済力の九五%は日系人が産み出している。七つの産業組合活動は、人口の六〇%を占める日系人の農業を推進し、市政は、議長の松原正晴氏（三十一歳）二世を中心に、十一人の市会議員がいるが、この市議の中の九人までが日系人である。だから、バストスの隆盛は、日系人の隆盛と信頼のバロメーターといってもよいだろう。

いま、私が一番力をいれているのは、地方都市の教育である。バストスには、七つの小・中学校があるが、州立小学校の教師の監督権は市長にない。農村のために、農業の学問を強め農村で生かすような方策がとられなければならない。日系人家庭は教育熱心なので、子弟教育のためサンパウロへ出してしまう。そうするとその子供は、もう町へ帰ってこない。都会はなんでもかでもよいという考え方が強くて困る。バストスでは、町の中の生活者よりも、農家の生活者のほうが、生活レベルがずっと高いし、町うちから、村へ嫁にゆく娘がふえている状況である。私は税収入の二〇%以上を教育費に投じ、ブラジル第一の農村都市づくりをやりたい」

市長さんは、そんなことをいって、ファイト満々といったところだった。

鶏60万羽(月産)屠殺場

青年たちと話しあったとき、「バストスは、ブラジルで一番本を買う土地だ。その本は農家の青年がほとんど読んでいる」ということを聞いた。こんなところにもバストス人の心意気が感じられる。

養鶏の土地だけに、コチヤ組合立の鶏の屠殺場がある。百十名の従業員は、日本人の工場長のもとで、月産六十万羽の処理販売をやっている。この屠殺場のすぐ前に志田茂氏の個人経営による鶏屠殺場が建っている。月産十四万羽の屠殺で、缶詰加工をし毎月三十五ﾄﾝもサンパウロへ出荷するという。個人経営の規模では、ブラジル随一であるとか。解体室では、電気シャワーでショック死した鶏を、金髪のブラジル娘や主婦が、手際よく作業をしている。

屠殺場は、ブラジル女性の職場だが、ここ製糸工場は、日系二世娘の働き場であるようだ。ブラ拓製糸株式会社工場である。

取引先農家は六百五十家族、年間七十五万キログラムを収繭し紡糸を造っている。近年、コーヒーや棉を、養蚕に切り換える農家が増えているとかで、今年（一九六八年）は昨年より二〇%も生産が増え、仕事がまにあわないといっている。バストス周辺は、鶏についで養蚕が盛んなところでもある。

昼食は森川のフェジョワーダー

アルモッソとは、昼食のことだ。ブラジル人は、朝食をとらない。軽くコーヒーとパン少々をたべるだけだから、昼食にはコッテリしたものをとるようだ。私のバストスでの昼食は、森川のフェジョワーダーである。

フェジョワーダーというのはブラジルの代表的な食べもので素焼のナベ（いや、日本のカマメシの釜に似たもの）に、豚のシッポやみづら、耳、足などをブツ切りにして入れ、それをうす塩味の豆（うずら豆のようなもの）で、グツグツ煮つめたものである。テーブルの上へもってきても、ブツブツと煮えたぎっている。見た目はまことに悪いが、喰べるとなかなかうまい。

もっとも、うまいという旅行者は百人に一人いるかいないかだそうだが、私はその百人の中の一人であった。しかも、この森川やというのが、名物だそうで、フェジョワーダーのうまさは、州内に知れわたっているとか。

好み合うブラジル食

店員に、おっそろしく日本語のうまいブラジル女性がいて、人気者である。裏に座敷が二つ三つ（久し振りに登らしいものに坐ったが）あって、客がたえない。フェジョワーダーは、食べる日が習慣的にきまっているとかで、毎週、火曜と木曜（チョットあいるまいになったが）の二回あるらしい。その他は、トマトで色づけした油でいためたお米のごはんがでた。これもまたうまい。私は、どうもブラジル食には生来、合う好みであるらしい。

〈栃木県普及教育導課・特別専門技術員〉

養鶏と養蚕が盛んなバストス

流れ作業で鶏屠殺をするバストスの志田工場

地域の条件生かして

私はこうして　酪農経営に取り組んだ

計画を実行する醍醐味が　所得は都市勤労者なみに

千葉県館山市竹原　館山４Ｈクラブ　押元正行

私のプロジェクト

私の住む館山市は気象条件にもっとも恵まれた房州であります。市とはいえ純農村地帯で、都市化や工業化におくれる農業地帯と比較して、将来性のある地帯ではないかと私は思っています。

地域の農家は水稲を中心として生花、みかん、酪農を取り入れた複合経営の農家がほとんどです。私の家でも以前は水稲百五十アール、生花三十アール、しいたけ、家庭用野菜を栽培している一般の農家でした。労働力は父母と私の三人であります。私が農業に従事して以来所得の向上、農業の将来性、労働力の節減、新しい部門の導入などの経営の合理化が必要であることが、現状から分って参りました。

変ぼうする日本農業の中にあって、自立経営をいかにして確立するか、また、それに伴なう農民としての教養を身につけければと考え、千葉県農村中堅青年養成所へ入所しました。

そこで勉強に励むかたわら、将来の自立経営をめざすため、いろいろと考えましたが、地域的な条件、自家の経営面積、収入の面、私が好きになれそうなものの条件から、酪農がもっとも適しているし、有利であると考えたのであります。

そして酪農を経営の中心とするには経営学、広い視野、また技術の習得のため、県内の開拓農家に二ヵ月間研修に行きました。

また、養成所に入所中、卒業後も同じ目標を持つ仲間同士で、見学や学習を促し、これによりいっそう酪農経営に取り組む自信と意欲と希望を持つことができました。それにも増して養成所の教育により、計画樹立の重要性を深く知り、目標に近い経営設計をたてました。

しかし、酪農経営の技術を勉強したとはいえ、多少の不安がありましたので、いままでの水稲を中心にした酪農という複合経営を考え、まず、五年後のビジョンを描きました。一応の目標とは、年間所得を都市勤労者なみ、その他の条件から約百五十万円と定め、百五十アールの水稲、搾乳牛八頭を飼育したものを計画しました。そこでこの計画をもとに家庭内で十分話し合いを行ない、父母の理解と協力を得られました。

さっそくこの計画に従い実行に着手しましたが、四十二年十月に自己資金に加えて後継者育成資金を五十万円借入し、十二月に一頭四十三年一月に一頭、二月に一頭とそれぞれ初産牛を導入しました。

その後三月と五月に二頭のめす牛が産れ、五頭の子飼いになったわけであります。畜舎は自己資金により、納屋を改造して造ったものであり、尿ポンプ、ミルカー、ウオーターカップなどをつづいて購入しました。

また、飼料の自給生産にも力を入れ、飼料作物は畑十五アールにデントコーン、カブ、エンバクなど、水田裏作にイタリアン、アルサイクローバーを栽培して、粗飼料の確保につとめました。つづいて家畜共済保険にも加入し、乳房炎、下痢などの治療などで獣医さんに、そのほかの管理方法などで普及所の指導を受けました。また、労働力の機械化を考えて土地の交換分合を十五アール、農道の整備をわずかですが行ないました。

以上のようにして着々目標に近ずいていますが、こん後の計画としては、飼料の自給を高めるために、県の畜産振興による補助を受け、地域の酪農家と共同で百六十アールの草地造成をすることになり、予定地の下刈りに精を出しています。また、安定した酪農経営の基礎は、やはり優秀な技術を身につけなければならないと痛感し、これを研究、検討するグループ学習に、いっそう努力したいと思っています。

酪農経営をはじめて、わずかの期間ですが、自分のたてた計画にそって実行していくことが、いかに充実したものであるかが分りました。それは、計画——実行——成功につながる醍醐味があると思うからです。

こん後も理想の酪農経営を確立し、これにより社会に貢献できるように頑張るつもりです。

プロジェクトの取り組み方

実践活動領域のプロジェクト指導

北海道専門技術員　三輪　勲

高等科の留意事項

プロジェクトの継続実施　普通科修了後、学園生が引き続き実施するプロジェクトの総合的長期計画に基づいて、その効果的な継続実施をはかるようにする。

北海道農業学園教育におけるプロジェクト指導

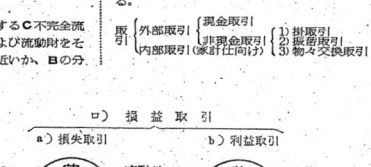

なお、必要に応じて普通科における「農業経営」「家庭経営」の科目について、プロジェクトに関する事項を復習させることが望ましい。

高等科学園生のプロジェクト活動は、普通科における成果と修了後二ヵ年の実際的な活動を基礎として発展させることが重要である。とくに、自家の農業経営や生活上の問題解決をはかる一項とした内容のプロジェクトが望ましい。また、普通科の課程を経ないで高等科に入学した学園生は、中学校卒業者と高等学校卒業者とがいるが、前者の場合、プロジェクトの経験が少ないか、あるいは皆無のこともあるので、普通科の履修に相当するプロジェクトの基本指導を行なって学習を補強する必要がある。

また、後者においても高等学校在学中にホームプロジェクトの経験がない場合には、同様の補習指導がたいせつである。

総合的長期計画の指導　「学年ごとに、プロジェクト総合的長期計画を再検討させて、学園生の能力と経営および生活の実態に応じ、その計画の改善をはかるように指導する」

プロジェクトの総合的長期計画は、普通科修了者と農業高等学校卒業者の場合、それぞれ在学中に立案することになっているが、十分とはいえないので、高等科においては、その計画を教科・科目の履修や実際の経営や生活の発展などに応じて補正させる必要がある。

もちろんはじめて計画を立てる場合は十分な指導が必要なことはいうまでもない。留意事項のうち「学年ごとに」とあるのは、経営診断・設計に併なう問題解決のプロジェクトへ方向づける立場から、毎年、実績との対照による計画の検討修正を行なう必要があるためである。

実践過程の指導　プロジェクトの実践過程に関する指導上の留意事項については、高等科の場合、次の三事項が示されている。これ以外の一般的な留意事項については、普通科の学習指導要領に準拠するとよい。

(1) 実施計画の作成に必要な共同学習をさせ、合理的な計画をたてさせる。

(2) 学園生の家庭を巡回し、または集合させ、実施の細部について助言し、適切なプロジェクトの記帳をさせる。

(3) 実績とその過程について、適正かつ客観的な評価をせる。

これら三事項は、問題解決に重点をおいたプロジェクト指導についての留意事項である。

(1)では、めんみつな実施の計画をたてさせるための方法として、青少年グループにおける共同学習を強調している。また、(2)については、巡回指導によって実践中における問題点の合理的な処理を行なわせることが必要である。「適切なプロジェクトの記帳をさせる」とあるのは、プロジェクトレコードブックのほか農業簿記や家計簿などの記帳をさしている。

(3)については(2)の記帳とも関連して十分な反省評価を行なわせることが重要である。反省評価は、プロジェクト結果に集中されやすいが、実践過程の反省を十分に行なって問題解決能力を高めさせるように留意することがたいせつである。

プロジェクトの発展　高等科修了までに、学園生の家の農業経営設計との関連により経営のうちの一部門をプロジェクトとし、さらに経営全体をプロジェクトとして取り上げるように、学園生の能力に応じて発展をはかる必要がある。

この留意事項は、高等科学園生のプロジェクトの発展方向を示したものと解してよい。指導内容では経営プロジェクトが示されているが、これを充実発展させて、経営の一部門から全部門にプロジェクトの領域を広げられるように指導する。この場合、学園生自ら経営設計をすることのできる能力養成と、プロジェクトの総合的長期計画の拡大についての助言指導が適要である。

指導項目の順序　この内容の順序は、必ずしも指導の順序を示すものではない。従って学園生の実態を考慮して重点的に指導することが望ましい。

農業簿記

京都大学名誉教授　大槻正男

＜自計式農家経済簿記＞

現金現物日記帳とその記入

現金現物日記帳は、農家経済の日々の生活過程が、その財産の上に与える影響（増減変化）をその日その日に把握（記録計算）する帳簿組織である。この影響をもっとも客観的に把握する手掛りとなるものは、他人（または他の個別経済）との間に行なわれる財（または用役）と財との交換（取引）である。

この取引を、その性質によって合目的に分類して記録計算することによって、日々の生活過程が農家の財産の上に与える影響を、動態的に把握することができる。かかる把握方法の帳簿組織が、とりも直さず現金現物日記帳であるがゆえに、これを理解会得するためには、まず取引の吟味からはじめなければならない。

取引の分類と記入方法

取引の対象となる各種の財および用役を、その価値の流動性に関して分類すれば次のとおりである。

A　絶対不動性のもの（1）土地（2）流通財（現金および準現金）（3）負債

B　完全流動性のもの（1）用役

C　不完全流動のもの（1）固定財（土地を除く）（2）流動財

仮りに、中間的な性質を有するC不完全流動性の固定財（土地を除く）および流動財をその性質がより多くAの分類に近いか、Bの分類に近いかにしたがって、A・B両分類のいずれかに分類にしつくさねばならない場合には、次の分類のように、固定財はA分類に、流動財はB分類に分類するのが適当である。

A　不流動性のもの（1）固定財（土地を含む）（2）流通財（3）負債

B　流動性のもの（1）流動財（2）用役

以上のように、いっさいの取引対象を不流動性のものか、または流動性のものか、その両者のいずれかに属するものとして取り扱う場合には、いっさいの取引は不流動性財相互間の交換であるか、または不流動性財と流動性財との交換であるかによって、交換取引と損益取引とに分けることができる。

取引　イ）交換取引……不流動性財と不流動性財との交換（または財産的取引ともいう）

ロ）損益取引……a）損失取引……不流動性財をやって流動性財を受けとる交換　b）利益取引……流動性財をやって不流動性財を受けとる交換

以上を図解すれば下表のとおりである。また取引は、他の個別経済との取引であるかによって、外部取引であるか、または自家経済内部に設定される計算単位間の擬制上の取引と内部取引とに分類することができるのであろう。外部取引はさらに、取引を構成する両側面の一面側が現金であるか、または両側面とも非現金であるかによって、現金取引と非現金取引とに分けることを便宜とする。

また、非現金取引は、掛取引・振替取引および物々交換取引に分けることができる。

これを一覧的に表示すれば次のとおりである。

取引 ｛外部取引 ｛現金取引、非現金取引 ｛1) 掛取引　2) 振替取引　3) 物々交換取引｝｝、内部取引（家計仕向け）｝

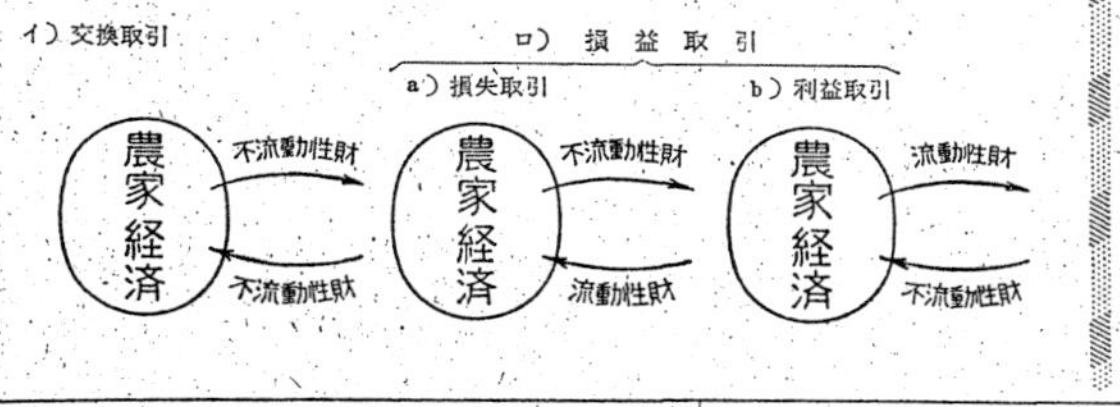

山の大自然が相手

除伐と間伐で優良木生産

京都府綾部市於与岐町　綾部農業青年クラブ　野瀬井石夫

私の住む綾部市は、京都府の中央部から北寄りにあり、市街地から十六キロ北東、村の中を流れる川は日本海の舞鶴湾へそそいでいます。地形は急傾斜で、田畑は段々になり、地すべりや山崩れがときどき起り、冬は積雪もかなりあります。しかし、日頃は自然美に恵まれた山村です。

こうした立地条件に制約を受けているため、兼業農家が大半でありますが、私はこのような立地条件を、その特色を活用すれば十分に有利な経営が成り立つと思い、山の大自然を相手にした林業経営者になりました。

私の経営概況は、山林三十ヘクタール、水田八十五アール、畑十五アール、栗十二アール、しいたけ千本、畜産（若令肥育牛三頭）を労力二・三人で行なっています。

一年間の林業への労働力投下は約二百人で、このうち一〇〇人を雇傭に求め、毎年きまった人に傭ってもらっています。私が林業経営に取り組んでからは、年々規模の拡大に努めながら、祖先から引継いだ林地も手を加えることによって立派になり、とくに人工林は当初の四倍以上になり、さらに将来は雑木林を改植して針葉樹化を図るように計画しています。

また雑木林のクヌギ、栗材を利用し、毎年現金収入のあがるしいたけと栗栽培を行ない、さらに伐採作業を請負い、ここから得られた収益を林業の機械化、薬剤などの購入にあて作業の省力化をすすめ、余剰労力を初期の目的にあてようと考えています。

私の村の自然条件はきびしく、とくに積雪による樹木の被害が多いため、春先きの雪起し作業が大きな仕事になります。この地域で林業を成功させるためには、第一に考えなければならないことは、雪に負けない丈夫な苗木を育てることです。そこで私は苗木一本一本に竹を用いて支柱を立てて、成長するにつれ"なわ・針金"を利用して誘引してやっています。そうすることによって、根曲りも少なく、その上根本が太く枝張りのしっかりした木になり、成育は順調にしていきます。

また、せっかくよい苗木を植えても最初の数年間の下刈りを完全に行なわないと、根と下枝の発育が悪く、雪に弱い木になってしまいますので、下刈期はとくに注意して、適期に丁寧に下刈りを実行することにしています。このようによい苗を植えて十分な下刈りを行なえば、霜害に耐え雪起し作業もほとんど手を省くことができます。

また、下枝が発達してしまいますと、かえって雪に引張られて雪害が大きいように思われますが、枝打ちを早くするとかえって雪に弱い木になってしまいます。そのため植付は後十〜十三年過ぎるまで下枝を打たないようにします。

植付け本数は、一ヘクタール当り四千本から四千三百本を標準にしますので、除伐と間伐を行なえば優良木だけが残ることになります。もう一つの特色は、間伐を三〜五回に分けて行ない、皆伐の時期を遅らせることによって生産材の幅をもたせるとともに毎年収入を上げることができます。最終的には一ヘクタール当り、千二百〜千五百本ほどの優良木材を育てるように計画しています。

現在、五十〜六十年の樹令材もありますが、まだ生長が期待できますので皆伐しておりません。このように高令林でもおう盛に生長するのは、年間を通じて多くの雨量があり、林層地がたいへん肥えているからです。

最後に古風的ではありますが私は、土台は栗、柱は桧、天井は杉の本間張り、床は欅、押入れはクス、広縁は欅、梨材を利用した住居を構えることを夢みて、この実現のため山を愛し、山に生きることの歓びを味わいながら、全山林山の改植をめざし、合理的な山林経営の確立に励みたいと思います。

写真"フローラ"FA2500型・アルミフレームと曲面ガラスの取り合せはデラックス

NHK農事番組

（11月21日〜30日）

テレビ

明るい農村　6・30〜6・55総合

21日　村をむすぶ　フィルム・リレー

22日　農業新時代　和牛の改良（鳥取県東伯郡）

24日　村の記録　豚とコンピューター（北海道北見市端野町）

25日　きょうの話題　米代金と農村消費

26日　産物往来　のり

27日　話題の広場　嫁捜し特殊部隊（埼玉県共済連）　新しい米の利用法（食糧研究所）

28日　村をむすぶ　フィルム・リレー

29日　農業新時代　新しいリンゴ産地（秋田県横手市）

農業教室　7・30〜8・00　教育

21〜22日　みかん生産の課題

24〜26日　機械化作業体系の問題点

27〜29日　豚肉需給を考える

あすの村づくり

日　7・00〜8・00教育

再　土　13・00〜14・00教育

23日　勤労感謝の日特集　▽明るい村のリーダーたち

30日　あすをになう農業クラブ　▽第二十回日本学校農業クラブ全国大会から

ラジオ

早起き鳥　5・05〜6・00①

21日　現地報告　山村開発総合センターの一年（山形県小国町）

22日　村のポスト

23日　勤労感謝の日特集　▽米に生きる　▽あすの農業をめざす

24日　現地報告　成果をあげる牧草の契約栽培（鳥取県大山町）

25日　第二十回日本学校農業クラブ全国大会から

26日　通信員の手帳から

27日　産地訪問　シクラメン（東京・練馬）

28日　現地報告　北限のみかん栽培（京都府舞鶴市）

29日　村のポスト

30日　話題の窓　多元　操作以後

ラジオ農業学校

月〜土　6・40〜7・00②

23日　農業講演会　▽科学農業　講師・協同組合経営研究所　築地文太郎氏（中国・四国若い農業者のつどい）で収録

30日　農業ゼミナール　▽輸送革命と農業　助言者・協同組合研究所　築地文太郎氏（中国・四国若い農業者のつどい）で収録

家庭用アルミ温室

㈱興人で発売

株式会社興人グループの一員であるアルミ温室工業㈱は、このほど家庭用アルミ温室を開発し、㈱興人を発売元として、アルミ温室"フローラ"（花の女神の意）の名称でさる六日販売を開始した。

アルミ温室は、従来の木造や鉄製の温室と異り、耐腐性、気密性、採光性に優れ、しかも軽量でプレハブ化、窓開閉装置の自動化に便利であり、外観も美しいなど多くの利点をもち、温度としては、正に理想的なものとされている。

園芸が発展するレジャー産業のきわめて有望な分野であるなど、こん後は生活の向上とともに家庭用温室の需要は増大するものと思われる。

家庭用アルミ温室"フローラ"の特長　▽プレハブ性……簡単に組み立てられる　▽耐腐性……耐腐アルミ合金にアルマイト処理　▽機能性……採光も気密ともに優秀

仕様　FA—二五〇〇型▽間口二、五二三ミリ▽奥行二、六七五ミリ▽棟高二、一一五ミリ▽面積六、七五平方メートル—なお同仕様で連増ができる。

価格　FA二五〇〇型（両屋根曲面ガラス）▽部材一式（含曲面樹脂ガラス）十三万円　▽完成品（部材一式ほか基礎組立、ガラス工事約五万円）約一八万円。

あしたの青春

一ノ瀬綾　え　多賀愛子

＜10＞

変動（四）

出荷がはじまると、更に値下がりはひどくなった。生産者達は焦ったが、集荷場の方は一日に予定した数量を変更しようとはしなかった。

新一は、最初の出荷日の早朝、圭次の家まで車を借りに出かけて行った。

圭次の家は、一ヘクタールの果樹園と同じくらいの田畑を耕作し、山林も持っている村では五指に入る資産家である。車も軽四輪車の他に、普通トラックと中古ながら乗用車もあった。

「よう、満タンにしておいたぞ」

圭次は、車を庭先に廻して待っていた。クラブの指導者という立場を越えた、親身な好意の示し方であった。

「なるべく早く終らせるで、半日だけたのむよ」

気のおけない仲の圭次の前でも、やっぱり新一は他人の車を借りることに少なからぬ引目を感じる。父の頑固さに改めて腹が立った。

「今日は一日あけておいた。ゆっくり使えよ。早いとこ全部出してしまうんだな。さっぱりするぞ……。まだ親父さん、怒っているかい」

「へ、おれは気にしてねえ。誰がやったって同じ結果になったんだからな……姉の方が参ってしまってる」

「すみ江さんか……やさしい人だからな」

急に圭次は眩しそうに視線をそらした。そしてしばらく間を置いてから、突然思いついた口調で言った。

「どうだい、お盆に気の合った連中四、五人で、ドライブに行かねえか。ポンコツでよけりゃおれん家の車が使えるしな」

「お盆なら、誰だって行きたがるぜ」

「すみ江さんも誘っておいてくれや。女性が欠けちゃあ淋しいからな」

（なんだ……姉が目当てかい）軽く冷かそうとして、ふと新一は言葉を呑んだ。冗談にあしらいかねるなにか本気なものが、圭次の態度に感じられたからである。

「ああ……聞いておくよ」

それきりに新一は車を乗り出した。畑へ回る道すがら、新一は圭次と姉の二人を並べて想像しながら、にんまりとふくみ笑いをしていた。最近の圭次の好意のかげに、姉の姿があったのかと思うと、新一は自分の立場が、なんとなく滑稽にみえてくるのだ。

姉に好きな相手がいるらしいことを知っている新一は、圭次が気の毒にもなってくる。姉はおそらく、町の生活を選ぶだろうと思ってみた。

（その方がいいんだ。今の百姓なんて、がっかりすることのくり返しなんだから……圭次さん家だって、大きいだけに苦しみも多いし、大変だろう）

半値近くに下落してしまったキャベツの価格を思い、新一はニヒルな気分で姉の結婚問題をながめていた。

村の山裾に続く農道は、でこぼこ道だ。ハンドルを取られそうになって新一は舌打ちをした。ここ数日雨が降らないので、乾いた赤土道からは砂ほこりが舞いたつ。

早朝の桑切りであろうか、桑の束を満載した小型車がすれちがった。顔見知りの運転である。耕うん機も行きちがう。山の畑へ行くのに歩いている人影はほとんど見当らない。

今朝、父親になんにも告げずに家を出て来たのが、新一の気持に引っかかっていた。一言話して同乗してくれれば良かった、という悔いが湧く。大きくカーブを切った土手のかげに畑がある。入口に麦藁帽子の人影があった。

「なんだい、来てたのか」

「意地張ったって、一人では埒があくめえ」

にこりともせずに、久治が言った。

青春と仲間

もっと意欲を示せ
共同プロジェクトで連帯感

小倉洋子

自主的な4Hクラブ活動と組織の強化について

4Hクラブを構成するクラブ員が、クラブの信条をよく理解して実践活動に努めれば、自ら問題点が解決されていくのでしょうが、現実は、音楽や文章のように簡単に整理できないのです。

自主的なクラブ活動と組織の強化は、ともに一本の線でつながれているのですが、場合によっては別の考え方、あるいは分類して対処しなければならないこともあります。

このようなことから、クラブ員の考え方、実践や関連性は別として、自主的な活動を(1)組織の強化を(2)、その(1)と(2)のつながりを(3)として、大垣農業青年クラブを実例として考えてみたいと思います。

(1) 自主的な4Hクラブ活動

大垣市の農家戸数五四〇〇戸のなかで、ただ一つの複合クラブであり、正会員は二十名、うち男子十六名、女子四名、準会員(OB)四名で構成されています。

クラブ活動は、他のクラブと同じように専門研修会、クラブ員宅訪問、クラブ交歓会、先進地視察、クラブ機関誌発行を軸に、共同プロジェクトとして柿園四十アールを借り受けてこの管理を行なっています。柿園でみんなが一緒に仕事をすることによって何か自分たちの物だという実感がわいてきます。

問題は、クラブ運営が自主的であるか否かでありますが、これを全体的にみて数字で表現することはとっても困難です。

クラブ員それぞれが計画性をもち、自主的意欲も高く、行事の運営や実践力も強いのですが、その反面、何か問題に突きあたると、自分たちで解決しようとしないで農業改良普及所の普及員さんの助言を心まちにしている場合が非常に多いことです。また、事務関係の仕事も普及員さんにまかせきりのときもありました。

次に、市からの資金援助を受けているため、農政課の人たちと話し合いの中から、4Hクラブ活動を知っていただこうと話し合いの場を設けるのですが、その中に打算的な考えがまま入り、表面的な発言や方法がとられることもあります。

現時点での問題としては、クラブ員それぞれが積極性に欠けることで、話し合いや活動の中で、もう少しの意欲や発言、行動を積極化するように心がけることだと思います。

(2) 組織の強化

単位クラブの組織の強化とは、クラブ員がクラブの目標に向ってお互いに自らを磨き合う型をどういう方法で行なうか、この型のあり方を指すものだと思います。

私たちのクラブの個人プロジェクトは、乳牛五名、園芸八名、和牛一名、養鶏一名、家庭管理四名、プロジェクトのはっきりしていないもの一名となっていますが、このような複合クラブでは、専門的な技術研修は、普及員さんの助言を得ています。

そして、クラブのあり方として、いろいろの行事や話し合いの中で、ものの見方、考え方、解決の手段方法、あるいは社会人としてのあり方などについて研鑽しているのですが、前者の技術を三、後者を七ぐらいの割合いに考えています。しかし、なかなかクラブ員同志の腹を割った話し合いはできず、後者の判定は十分とはいえません。

このことは(1)にも関連しますが、やはり、クラブ員としての自覚、研鑽の度合いの差によって自分の考えや行動が、まだまだうまく表現できない人が半数以上みえることにあると思います。

(3) (1)と(2)のつながり

クラブは、クラブ員によって構成されているのだから当然、それぞれのクラブ員の目的が達成される方法、手段が優先することはもちろん、これらは、クラブ員自身によってつちかわなければならないのです。

自主的な活動の推進も、組織の強化も、クラブ員の考え方や実践力によって、良くもなり悪くもなるのですから、必然的に個々のクラブ員の考え方に、対処できるしくみを重点にすべきだと思います。

このように、私たち複合クラブにおける自主的活動と組織についてのべましたが、複合クラブにおける共同プロジェクトの必要性はいうまでもありませんが、問題は共同プロジェクトの種類と運営方法にあるかと思います。

(岐阜県大垣市・大垣農業青年クラブ)

沖縄を訪問するクラブ員

親子が話合う場を
4HのPRは積極的に

城戸修

家族と地域社会から理解され、支援される4H活動を進めるには――

私は、昨年からクラブの副会長を務めさせていただいておりますが、クラブ活動を通じて、執行部側の一人として行動の中で身にふりかかったことについて、私なりに意見を述べてみたいと思います。

■家族ぐるみの4H活動

私たちのクラブは、現在、男子四十五名、女子十五名の計六十名で構成され、全体行事や部門活動を行なっています。執行部のついやす日は、週三回、多いときで四回(夜間部)、一般クラブ員は、月最低三回出席しなくてはなりません。

あまり回数が多いと、そこには当然、父兄の批判があります。仕事が計画的に進まず、そのうえ夜が遅いときなどは、父兄に呼ばれて説教されたこともあります。

定例会を開いても、クラブ員の出席が悪く、意義ある活動と思ってみても効果が上らないときもありました。

そこで、4H活動の意義、目的を浸透させ、それを達成するには家族ぐるみで理解してもらうこと、これが先決だと思う。そこで四十三年度のスローガンに「家族ぐるみのクラブ活動」を打ち出したのです。

その第一回目として、昨年の四月三十日"親子座談会"を催しました。結果は、父兄の出席者が少なく反省する点がありましたので第二回目に期待をかけました。そして今年の九月十三日、第二回目の親子座談会を開いたのです。

第一回を基礎資料として、講演(農業関係大学教授)や助言者をまじえての親子の話し合い(分科会)、クラブ員が作った農産物展示と試食会を計画し、とくに、分科会における司会の仕方、進め方を事前に打合せ内容の濃いものにしました。また総会から今までの全体、部門活動報告、プロジェクト発表、意見発表を行ない、父兄、家族に本当のクラブ活動を理解してもらおうとクラブ員全員で盛り上げました。

昼休みを利用して、レクリエーション(フォークダンス)を父兄、来賓、クラブ員など全員で行ない、家族、指導者、後継者が手と手をとり合って力強い輪を作り、この会合に花をそえました。この会で父兄の出席率が上々の五〇%を示し、クラブへの理解、家族とのつながりが、手近かになってきました。

このとき父兄のアンケートをとりましたが、その中から例を上げますと、❶父兄の出席率について、どうか!❷4H新聞を全員購読実施しているが、どうか!❸親子座談会に出席し、4Hクラブの理解度は!などでしたが、これらの出た答えについて考え、親と子の話し合う場の必要性を知り家族ぐるみのクラブ活動を押し進めてゆきたい、と考えました。

■4HのPR積極的に

次に、地域社会に理解されるためには、クラブ活動の実績と積極的な4HのPRが必要であると思う。実績は、行事内容の充実化、記録として残らなければなりません。そこには、良きクラブ員リーダーの必要性を感じます。

リーダー育成については、県連での行事、全国大会への参加などがありますが、昨年はのべ四十余名がこれらの会合に出席、今年は鳥取、高知県で開かれた全国のつどいや大会へ十名出席しました。

このように参加した全員が4Hクラブの本当の姿を見て、積極的で責任感を強め自主的になって帰ってこられ、活動がいっそう実績あるものに盛り伸びています(全国大会参加は一人一回)。

そこで、各部落に入っても、その成果を発揮し、地域社会に理解されるようお互いに努力しています。

次にPRです。行事のあるときにはハガキを出すとともに有線放送を使って各部長が電話連絡し、反送でも行事内容を流します。これは一般農家にもクラブの認識をしてもらうためでもありますが、地域社会への理解へと続くと思う。

また、関係機関と密接にして協力するのもひとつ。会合を開く会場は市公民館を利用していますが、そこに出入りのある青年団体、婦人団体との交流も自然に生まれ、地域社会の理解の場となっています。

■一躍、県内でも注目

クラブ実績と家族との和、社会への理解浸透などの実績にもとづき、昨年から関係機関からの助成金も二倍強となり、一躍、県内の重要クラブに育ちました。そして今年の三月十七日、県下で初めての「単位クラブ会長会議とクラブ員の集い」を一泊二日間(一泊は民宿)の日程で当クラブで行ないました。県を動かすこの行事も家族と地域社会に理解され支援されてこそ成功したものと思います。

実績が仲間をつくり、四十三年には県から「筑後市4Hクラブ仲間づくり推進」の指定を受けて、各種スポーツ、レクリエーションの備品をそなえることもでき、また、今年三月一日には「模範農業研究集団」として農林大臣賞を受けました。これも、クラブ員個人の和、団体の和、これらの統一によって築き上げられた最高位と感じていますが、これに恥じない「家族と地域社会に理解され、支援される4H活動」に一段と磨き上げたいと思います。

以上のような実践的活動を通じ私なりに体験してきたわけです。これも、4Hクラブの綱領に一歩でも近づきたいためです。そしてクラブ活動は「経営あってのクラブ活動」であってほしいのです。これが、クラブ活動が伸びるか伸びないかの条件ではないでしょうか。

■次期リーダー育成を

また、リーダーは、次期リーダーをつくること。私も、先輩の力添えがあってこそ、今の私があるのです。私も次期リーダーのために自分にできる限り力を尽すつもりでいます。

私は考えるのですが、クラブをやめる大部分の先輩は、活動しておられたころのあの考え、あの若さ、あのファイトはどこにいったのでしょう。これは意外と大きな問題だと思います。私はその一人になりたくありません。離れても活動を延長してこそ、五年後、十年後への激変する農業社会の中で生残る農業者ではないかと思います。

最後に、世界的な視野を持ちたい。これが私の夢であり、青年時におけるプロジェクトでもあるわけです。

(福岡県・筑後市4Hクラブ)

派中クラブ員から第一報

「4HC」は世界共進
係員に気を使わぬように気を使う

国際農村青年交換(IFYE)計画によって社団法人日本4H協会から今年度の派中クラブ員(草の根大使)に選ばれた、河津誠君(大分県)と菅原敏さん(岩手県)の二人は、さる十月二十九日、中華民国へ向けて羽田から出発したが、このほど同国における生活を伝える第一報が寄せられた。それによると二人とも元気で、好調なスタートを切ったようである。以下は菅原さんと河津君の便りの主な内容である。

(文面が重複するところは、河津君の方で略させていただきましたのでご了承下さい)

菅原さんの便り

私たちの日ごろの行ないがいいということとも重なって、台湾に着いてから、まだ一日も雨にあいません。例年なら十月、十一月は雨量が多いということですが……。

台湾に着いた日、空港には、去年のIFYEで日本を訪ずれた李(義郎さん)と台湾大学教授の呂学儀さん、四健会協会(日本の4H協会と同じ)の幹事さんら四人が出迎えてくれました。その午後、台北市郊外の指南宮という所を案内していただきました。

翌日は、台湾大学に行き、教授のとりはからいで農業陳列館をみせていただき、ここで台湾の現在の農業というものを少々学びました。そしてさる一日から三日間嘉義で開かれた四健会(日本の4Hクラブと同じ)の大会に参加させていただきました。

一日目は、遠足みたいに二時間も歩く運動をしました。嘉義の推広課の課長さんや係長さんは、私たちにいろいろ気をつかってくれ「大丈夫ですか、バイクの後に乗りなさい」と声をかけて下さいましたが「私も嘉義のクラブ員ですから気を使わないで下さい」と言ってみんなと一緒に歩きました。かえって私たちの方が係の方へ気を使わせないように気を使います。若い人とは言葉は通じませんが、夜になると紙に書いて話し合いを十二時ごろまでしたりします。

二日目に李政徳さん(今年度の来日クラブ員)がわざわざ来て下さったにもかかわらず、放ったらかしにして、運動会の応援が忙しく、チャイヨチュイヨ(頑張れ)なんて大声を出し、後で恥かしくなりました。河津さんは、李さんの家に宿泊するそうですが、羨ましい。なぜかって、それは毎日おいしいみかんとバナナが食べられるから。私の行く新港は野菜とお米だけです。

しかし、4Hクラブというものは世界共通なので、どこへ行っても気軽にみんなが話しかけてくれます。羽田では日航の係の人が、台湾大学では学生が、商店では十六歳くらいの女の人が、また、五十歳くらいの店主が「オオ4Hクラブ!」「オオースーチェンホェン!」などと。そのたびに私たちは、日本の4Hクラブ員であることが嬉しく感じられます。

この一週間、台湾で暮していろいろなことを考えてきました。なかでも興味深く感じたのは、4Hクラブの大会の中にあった歌合戦です。みんな堂々と、しかも歌手顔負けの歌いっぷり。舞台衣装まで考えて。それを教育関係の方々が採点し、順位をつけるのです。若い人たちのどのような姿を親たちはどう思って見ているのか、何らかの考えの相違があるのではないかと。これからやる民泊にテーマがふえた気がします。

河津君の便り

台湾での第一印象は、素直に言って、あまり外国に来たという気持ちになれないということです。これは、日本製の品物があまり多いからではないかと思います。それから、言葉はまったくといってよいほど現在のところ困ってはいません。ただ、やはり食事については、少々まだ慣れるまでには苦労しそうです。

しかし、台湾の人たちが大変親切にしてくれますので、これからの活動も楽しくやれそうだとファイトを燃やしています。

思い出のアメリカ実習記 (上)

素朴で親切な人たち アイオワ州
さすが大きなスケール

埼玉県大里郡花園村・花園4Hクラブ 持田源次郎

埼玉県大里郡花園村の花園4Hクラブ員、持田源次郎君(二〇)は、昨年から今年にかけて、国際農友会が実施している海外派遣実習生としてアメリカで生活してきました。これはその生活をまとめたものです。なお、持田君は現在、桑園一六〇アール、水田九〇アール、普通畑二〇アールのほかに養豚を経営していますが、将来は養豚に力を入れていきたいそうです。以下は同君の実習記。

羽田を出発してから八時間余、朝やけ空の下にサンフランシスコが見えてきた。私にとって初めて見るアメリカである。

整然と区画された街、そしてその中を走るハイウェー、緑の美しい樹木と高い建物がひときわ目立っている。三月二十八日のサンフランシスコの朝である。日本では、初夏を思わせるような気候で、道行く人々は、みんな夏の服装であった。とくに若い女性のミニスカートが多かったように感じた。名物の金門橋や路面電車なども見物し、夜は日本人街へ行き日本料理を食べたことが楽しかった。

私は、配属農家がアイオワ州なので、サンフランシスコから三昼夜バスに乗り続けて行かなければならなかった。

三十一日、グレイフォンドバスはサンフランシスコを出発し、一路アイオワの主都デモインへ向った。ネバダ州、ユタ州、ワイオミング州、ネバラスカ州とバスは走り、四月二日デモインへ到着した。

アイオワについての第一印象は、素朴そして人間が親切であったことである。ファームビューローの歓迎会のあと、私は、配属農家であるコロムブスジャンクションにあるジョン・モリス農場に着いた。

家族は、夫婦だけで二〇〇エーカー(八〇ha)の土地に千六百頭を飼育している養豚農家であった。アイオワでは中農家に当たる。

この日から一年間、家族の一員としての実習生活が始まった。食事はもちろんのこと、家の中の様子、私に与えられた部屋など最初は何もかも夢中であった。それも、すべて英語なくしては言葉が通じないのにも困りはてた。英語も、こちらから話しかけるのは、相互にわかるのだが、困るのは相手側から話しかけられた場合である。とにかく最初は、ポケットの中にいつも辞書を入れて生活する毎日が続いた。

トラクターで飼料を運ぶ筆者(モリス農場で)

食事は、朝はトースター、ベーコン、ジュースなどの軽食であり、昼食がハムなどの肉類、そしてポテト、夜はスープなどが多く、ライスも週二～三回は食べることができた。食事は日本の美食に対して栄養食である。私の場合は食事にはあまり困らなかった。

この農場は、養豚を専門に行なっており、子豚の生産から肉豚の出荷まで経営は一貫していた。豚舎は、分娩豚舎から子豚育成、肉豚仕上げ、繁殖豚用もすべて整っており、病気予防のため豚舎に入るごとに、すべて靴を取りかえるという注意深さであった。

仕事の内容は、給餌、分娩時の母豚の観察、離乳、豚舎の水洗い、豚の移動などが主であった。また、この農場では、豚舎が全部すのこになっていることが特色である。アメリカ全体でも一%に過ぎないとのことであった。このため、糞尿処理がきわめて簡単にすることができた。豚の品種は、ハンプシャーがほとんどであり、アイオワの寒さに応じたものである。

二〇〇エーカーの畑には全部トウモロコシが栽培される。そして、これを収穫し豚の餌にするのである。畑に石灰を施すのも、すべてダンプカーの後に大きなファンをつけて散らすといったようにスケールは実に大きかった。

五月のアイオワは、朝早くから夜遅くまでトラクターの音が響きわたる。トウモロコシの播種期なのである。傾斜のあるアイオワ独特の広い土地の中を色も鮮かなトラクターがゆっくり進んでいく光景は、アメリカならではのものである。言うまでもなく、アイオワは世界のトウモロコシ栽培の中心地である。

六月に入ってからは、毎日暑い日が続くようになる。学校も六月一日から八月三十日までの三カ月間は夏休みとなり、多くの学生はバイトを始める。大陸性気候なので湿度が少なく乾いているので、温度が高い割合に涼しく過ごすことができる。

夏は、日本(関東)より生活しやすいように感じた。この頃になると、トウモロコシもだいぶ成長して、すべての畑が緑一色になる。日曜日ごとに教会へ行くが、農場の周囲をまわってトウモロコシを見るのが常であった。

(つづく)

農村雑感

開拓農民の考え方

折原俊二郎

青森県下北半島、この名前を聞くと未開の地で、陸の孤島といった感を抱く人が多いかも知れないが、この地を訪ねる機会があった。まさしく、この地に足をふみ入れたときは、自然の美しさが目にしみるようであった。

なだらかな丘陵の起伏が続きその中に、ポツリポツリと農家が散在し、まるで北海道の平野の中に立ったようであり、本州各地では味わえない自然の雄大に、身も心も洗される思いであった。海岸沿いに北に伸びる舗装道路の背黒い線も、自然に調和して実に美しかった。

私のたずねた農家は、上北郡六ヶ所村庄内開拓農業協同組合に加入している酪農家である。この部落は、名前からもわかるように、山形庄内地方の農家が戦前満州開拓で渡満し、終戦と共に昭和二十二年五月に引き揚げ、第二の開拓地として、当時米四斗だけをもって入植したという。

与えられた山林を人力で開墾し、血の出るような努力を重ねて、昭和二十七年秋までに一戸平均四・三ヘクタールを開墾し終え、畑作経営が軌道にのりかかったとき、昭和二十九年から三年連続の大冷害が襲来した。これを契機として、畑作経営から酪農経営に移行しはじめ、現在一戸当り一七・五頭の乳牛を飼育するまでに成長してきた。その粗収入は、二百万円から三百万円となったが、その目標は大きく、昭和四十六年までに一戸平均二四頭飼育の大規模経営までにのばそうと努力中である。

こうした経営の拡大と着実な成果は、世人の注目の的となり昭和二十四年に優良開拓地として農林大臣賞授賞、三十九年朝日農業賞授賞、翌四十年に戦後開拓二十周年記念に際し、優良開拓農協として農林大臣および青森県知事から表彰を受けるなど、数々の功績が証明されている。

さて、この開拓農協の専務理事であり、現に酪農経営を行なっている土田氏は次のような考え方をもっている旨語ってくれた。

「農業は、自分の可能性の限界をみきわめる職業としては、最も良いものといえる。全智全能を傾けてやった仕事は、成果として直接に現われてくる。こうした面白味をもつ職業は他にないはずである。農業の中では経済性をどのように追求するか、とことんまで突込んでやることが出来る楽しみは他では求めることができない。また、これと共に人間性の問題、即ち、人間が人間として生きていくために豊かな情操を養っていく、その追求も自然を相手とする農業である。こうした経済性と人間性の二面を追求し、可能性の限界を追求するところに、人間としての生きがいがある、それは農業の中でのみ可能である」

というようなことを云われた。農業に対する限りない情熱、ひたむきな努力、それはどこから生れるのだろうか。いや、そうした考え方とそれからの農業者には必要なのではなかろうか。

(農林省・農業者大学校)

日本4H新聞
4Hクラブ 農事研究会 生活改善クラブ
全国弘報紙
発行所 社団法人 日本4H協会
東京都市ケ谷家の光会館内 電話(269)1675 郵便番号162
編集発行人 玉井光
月3回・4の日発行
定価 1部 20円
一ヵ年700円(送料共)
振替口座東京 12055番

全協 交歓訪問団、沖縄へ出発
親善の途へ23代表

全国4Hクラブ連絡協議会（会長、黒田保君）主催の沖縄交歓訪問団の一行二十三名は、さる十五日、大阪の宿舎「谷町荘」に集合、さっそく班編成と事前研修を行ない、翌十六日午後三時、大阪国際空港から日航機で、秋雨あがりの青空の中を、一路南をめざして飛び発った。なお、沖縄では二十日まで、技術交換大会などに参加する予定である。

大阪国際空港に勢揃いした全協の沖縄親善交歓訪問団のメンバー

大阪で班編成と事前研修

出発前日の十五日午後、大阪の公務員宿舎「谷町荘」に集まったクラブ員たちは、みんな宿舎を捜すのに苦労したようす、なかには遅れてくれ人もあったが、夕方までには全員が揃った。

この間、すでに、車座になって談笑が始まり、夕食時には乾杯、祝電披露が行なわれ、和気あいあいのうちに事前研修に移った。

まず、自己紹介をしたあと、渡航や現地での注意や説明が行なわれた。

つぎに、班編成とレポート提出の案が出された。

班を編成するのは、統制、規律仕事分担などからで、三人ずつ六班を編成、そのなかで班長、生活、学習の各責任者を設けた。

第一班は女性三人、第二班は日本4H新聞連絡部員の三人で報道担当。そして、十六日から一日ごとに第二班を除いて第六班までその日の行動をまとめることになった。

これはレポート提出になるのであるが、レポートは個人と日程に従った班別のものとを提出することになった。全協ではレポートをまとめて印刷、配布する予定。

このあと、クラブ員の間から座長がでて、自分たちの訪問にあたっていろいろ協議した結果、4Hクラブ員としての自覚をもって行動しよう、集団活動に徹しよう、4H代表として正しい行動をしようーなど、意思統一を図った。

十六日は、朝食のあと準備を整え十一時半ごろ、大阪国際空港に到着した。

この日は、前日の雨もあがり、陽がさして、訪問団の前途を象徴しているかのようであった。

午後三時、訪問団一行を乗せた日本航空機は一路沖縄へ向って飛び発った。

なお、今回の訪問団員の氏名は次の通り。

黒田保（全協会長＝茨城）久野知英（同事務局長＝愛知）石井一雄（同事務局次長＝神奈川）鈴木正男（茨城）坂本充（同）根本実（同）村山文雄（同）飯塚幸一（同）石沢慎一（栃木県連会長＝栃木）坂圭正（同）小川和男（同）中川倫子（富山）吉田雅満（新潟）平野庄一（同）伊沢絹代（神奈川）畑信裕（同）西山勲（同）小倉洋子（岐阜）城戸修（福岡）浦田健（佐賀）町田正憲（兵庫）太田正紀（元全協副会長＝山梨）渡辺慶四郎（日本4H新聞編集長＝東京）以上、二十三名。

城戸君の壮行パーティ開く
沖縄交歓訪問の前途を祝して

【福岡県＝楢藤秀彦連絡報道員発】福岡県筑後市4Hクラブ（会長、坂井勝記君）は、さる十三日午後四時から、市民会館でダンスパーティを開いた。

これは、このたびの全協主催の沖縄交歓訪問に、同クラブの城戸修君が参加したので、資金カンパをかねて行なったもの。

会場には、県下から二百余名のクラブ員がかけつけ、城戸君を励まし、楽しいひとときを過した。

さいごに、城戸君が、お礼と、返還を間近にした沖縄に自分の肌で直接ふれ勉強してきますと、力強くあいさつを行なった。

春の全国会議
実施要領まとまる

来春三月、東京で開かれる予定の第九回全国青年農業者会議の実施要領が、さる十四日、同会議を共催する農林省など六団体の打合せ会で検討され、ほぼ原案がまとまった。

この会議は、従来、青少年を対象とした全国農村教育青年会議と農村の中堅となっている若い農業者を対象とした全国農業者研究集会を、昨年度から発展的に統合したもので、今回は統合してから二回目にあたる。

この日の打合せは、午後一時十分から、東京・港区西新橋の共栄火災海上保険相互会社（会長、宮城孝治日本4H協会副会長）の役員会議室で、この会議を共催する農林省、NHK、全国農村青少年教育振興会（東畑精一会長）、全国農業改良普及協会（徳安健太郎会長）、全国4Hクラブ連絡協議会（黒田保会長）、日本4H協会（松下幸之助会長）など、関係六団体の事務局段階で行なわれた。

とくに今回の特徴は、会議の内容を青少年部会と農業経営者部会に分け、運営もそれぞれの部会ごとに責任を分担し、青少年部会の運営は各県連から選ばれてきた青少年を中心とする運営委員会にすべて任せ、事務局は運営委員会の決定によって動くというようにしたことである。

このことは、この打合せ会でも中心議題として協議され、確認された。

打合せ会は、大賀農林省普及教育課長補佐（同青少年班々長）の司会で、開催要領案にそって一項目ずつ検討され、この結果は各県に連絡されるとともに、来る十二月二、三日東京で開かれる第一回運営委員会に提出されることになった。

なお、青少年部会については、前日午後一時三十分から、東京・港区西新橋の全国農村青少年教育振興会事務局において関係者で打合せ会を開き、日本4H協会の共催加入問題などを含め、この実施要領のうち青少年部会関係の事項について、前もって意思統一を図っていた。

（第九回全国青年農業者会議の日程や実施要領については次号に掲載予定）

第九回全国青年農業者会議の実施要領について協議する主催者代表（共栄火災役員会議室で）

成果あげた青年の船
東南ア六ヵ国を歴訪して

第三回「青年の船」さくら丸は、次代を担う若い日本の青年男女二百七十五人を乗せて、五十三日間にわたる東南アジア六ヵ国の訪問の旅を終え、さる十八日神戸港へ帰ってきた。

この「青年の船」は、日本の青年を乗船させ、船内で研修を行ないながら東南アジア諸国を巡航し各地の視察・見学と各国青年との交歓を行なわせることによって、わが国青年の国際視野を広め、もって次代を担う中堅青年の育成を図るため政府が派遣するもの。

とくに今回は、団員に自主研修のテーマを持たせて学習させたこと、東南アジアの青年十一人を乗せ、特別のカリキュラムを組み、団員たちに各国の実情を学ばせて効果をあげた。

また、全協からは大関副会長はじめ七人の推せん者が乗船した。

今回の「青年の船」さくら丸は、さる九月二十七日東京港を出港、船内で研修を行ないながら、タイ、インドネシア、マレイシア、ビルマ、シンガポール、中華民国を訪問し、多大の成果を納めて帰国した。

まず、タイではバンコックの町や古いアユタヤの遺跡を視察したり、特別講演で農業などを学んだ。つぎのインドネシアでは、農業青年がバスで四つのコースを視察、大臣に会見したり、青年と交歓、また、農業試験場なども見学した。マレイシアでは、農業・協同組合省や農業大学を訪問した。

ビルマでは、国賓なみの接待を受け、民族舞踊を見たり、ラングーンを中心に見学をした。また、ユースキャンプで交歓会をもった。シンガポールでは若い国づくりを見せてもらい、中華民国では、戦時体制下に国を興している国民の生活を見てきた。

クラブの綱領

私達は実践を通じて自らを磨くとともに互いに力を合わせてよりよい農村、よりよい日本を創るため四つの信条をかかげます。一、私達は農業の改良と生活の改善に役立つ腕をみがきます。一、私達は科学的に物を考えることのできる頭の訓練をします。一、私達は誠実で友情に富む心をつちかいます。一、私達は楽しく暮し元気で働くための健康を増進します。

涼風暖風

そろそろ、読者の弟妹の方々のうち、来春高校を卒業される人は、進学や就職の最終決定をせまられる時期をむかえる。

最近は、高校卒業後、大学へ進学する人たちが増加する傾向にあり、昭和四十四年三月の高校卒業者の進学率は二三・二％になった。

金がかかる大学生

しかし、大学生活も結構金がかかるようだ。昭和四十三年度の学生生活調査によると、大学昼間部で一人当り年間二八万一九〇〇円かかるといわれている。この金額は、授業料などの学費と、食費や下宿代などの生活費の合計であって、自宅通学と下宿しているものでは、やはり大きな差がみられる。たとえば、自宅通学者は、年間二三万円の金をつかっているのに対して、下宿している学生は、三十万円もかかっているというわけ。

この金額はあくまで平均であるので、実際にはもっと沢山の金をつかっている学生も多いはずである。弟妹を大学へやるのも大変なこと、というのが実感ではないだろうか。

こんなに金がかかるということになると家庭の支送りも金額というわけにもいかなくなる。家からの送金はゼロで、全てアルバイトと奨学金でまかなっているというつわものも少なくないが、平均すると、学生生活費の八割を家庭から送って貰っているのが実情である。あとの五％を奨学金にたより、アルバイトで、年間平均三万七千円を稼ぎ出して間に合せている、というところ。

家庭から出して貰う金は、国立大学の学生で年間約一四万円、私立大学で約二七万円やっぱり私立大学のほうが高い。家庭からの金が最も高い率を占めているのは、私立短大の学生の九四％になる。ただし、私立短大の学生の九割近くは女子である、ということからすれば、この率もうなづけよう。

ともあれ、大学生が家族の中に一人でもいると、何やかや出費が多い。自宅から通学できないとすれば、十二～三万円余計にかかるわけで、次男、三男がいい気になって大学生活を送っている裏には、誰かが苦しんでいる家庭も少なくないだろう。

こんな苦労しているのに、勉強もしないで遊んでばかりいるとしたら、兄貴もしゃくにさわるだろうし、ろくな就職もできずに卒業後も借金をおふくろにつくらせたり遺産相続でゴネられたりしたら、土地が資本の長男族はアタマにくるに違いない。

大学時代に投資した資本を回収し、文化的にも、経済的にも高利潤が生み出せるように、進学する弟妹たちにはがんばって貰いたいものである。（文部省 伊藤）

麻生さんら（派米クラブ員）帰国
民間外交の大任を果して

社団法人日本4H協会（松下幸之助会長）が、国際農村青年交換（IFYE）計画に基づいて、米国に派遣していた日本代表4Hクラブ員、麻生すみ子さん（二二）佐賀県・半田4Hクラブと大竹忠幸君（二二）福島県・自営者クラブ＝の二人は、約六カ月間にわたる米国での草の根大使としての大役を果して、さる十一日午後七時三十分、羽田着の日航機で帰国した。

麻生さんらの帰国は、飛行機の欠航などで予定が度たび変り、関係者や出迎えの家族を心配させたが、十一日無事帰国、その夜は肉親と語り明かした。

翌十二日朝、4H協会を訪ずれ、帰国の報告をしたあと、午後農林省はじめ関係筋にあいさつに出向いた。

二人の話によると、さる四日夕方、それぞれ米国でのさいごの農家での実習を終えて、ワシントンの4H財団に集まり、報告会に出席したり、レポートをまとめたり、帰国後の活動について話し合いをしたあと、八日同地を発ち、ハワイで一日休みをとって帰国したとのこと。

4H協会を訪れた二人は、六ヵ月間にわたる旅の疲れもなく、黒く陽焼けした顔で、アメリカでの生活について、およそ次のような感想を述べた。

一般にアメリカでは、主人が一人で農作業をするワンマンシステムで、日本では女性も働いているというと抵抗をうけたということである。

アメリカでは、農業技術は4Hクラブと大学で学んで技術は完全であるが、若い人は農業を嫌う傾向があり、親たちよりも州政府が心配していた。

女の人は自分を磨く時間が多く、子供のしつけは厳しく、独立心を尊んでいる。食生活は、経済的で、炊事は女の仕事という感じはなくて遅れても平気でいる。

また、アメリカの農家の人たちは日本をほとんど知らなくて、日本はどこにあるのか、牛馬で耕作しているのか、テレビがあるか、着物を毎日着ているか、親が選んだ見合い結婚などはもってのほかであるなど、誤解や認識不足がはなはだしいのに驚かされた。

さいごに、この交換実習を終えて最大の収穫となったものについて、麻生さんは「日本のよさ、アメリカのよさが判った。歴史や文化、作法、建物など日本のよさで、アメリカ人の心の広さを学んだ」といい、大竹君は「アメリカ農業における機械力の偉大さ、めまぐるしく変る経済の流動性は、日本もこれから機械化、集約化をすすめていかなければならないということを教えた」といっていた。

農林省を訪ずれ、帰国の報告をする草の根大使（左から、田所部長、麻生さん、大竹君、大賀班長＝普及部長室で）

神奈川で「つどい」
来る三日、約八百人が参加

【神奈川】神奈川県農村青少年クラブ連絡協議会（会長、中野正鶴君）は、来る十二月三日、平塚市見附台体育館と県営公民館を会場に、第一回神奈川県農村青少年クラブ員のつどいを開催する。

このつどいは、神奈川農業の担い手として未来に夢をたくし、農業の改良と生活の改善を推進するため、日頃、実践活動に励むクラブ員が、自主的に企画運営し、豊かな人間性と自主性の高揚を図るとともに、クラブ活動の意義を深め、活動意欲の向上を図るために開くもの。

主なスケジュールは、九時受付、九時三十分開会式、十時生産部門別の話し合い、正午昼食、一時レクリエーション、四時福引き、五時閉会式。

なお、このつどいの参加者は、県内の4Hクラブ員、クラブOB、二宮園芸試験場生、農業講習所生、畜産試験場生、研修場生、農高生、指導者、講座生など、約八百人が見込まれている。

ハイタレント時代（1）

福岡県立築上農業高校教諭 森本勝

農業は誰にもできて誰にでもできない

プロジェクトを基に新経営

農業高校を卒業して三年になるT君から、一通の手紙がとどいた。その内容は、次の通りである。

「拝啓、水稲の収穫も一段落して、私もひと安心というこの頃、先生にはいかがおすごしですか。学校の刈取りも無事終了のことと存じ、学校がなつかしく思い出されます。私も二、三日休んでから、年末出荷をめざして電照菊の最後の手入れや、水田裏作の作付準備にかかります。

それにつけても、つねに先生は「農業は誰にもでき、誰にもできない」といわれていましたが、この意味が、実際に農業にたずさわれてみて、はじめてわかりました。

農業経営はよくても悪くてもすべて自分の責任において行わなければなりません。生産から販売、資材の購入、資金の心配に至るまで、すべて一身に担い、頭を使わなければならないことが多く、心配ごとが絶えません。これは到底サラリーマンのおよぶところではないと思い、それだけにやりがいのある仕事だと思っています。

おかげさまで、私の菊づくりは順調にいっています。これも三年生の時の菊のホーム・プロジェクトが成功したからだと、感謝しています。プロジェクトを進めてゆくなかで得た知識と技術、そして記録がどんなに役立っているか知れません。

したがって、生意気なようですが、在校生は一日も早く農業に従事することを決心し、二年生になったらホームプロジェクトを経験することだと思います。失敗を乗り越えて最後までやり通すように、在校生のご指導をお願いいたします。

このほか、いろいろと痛感することもありますが、いま一番困っているのは資金が不足していることです。また、先生にお会いしてゆっくりお話しをしたいと思います。

では、今日はこれで失礼致します。先生も益々ご自愛下さるようお祈り致します」

農業の難しさが分ったT君

この手紙をよこしたT君は、昭和四十一年農業高校を卒業すると、直ちに農業自営につき、現在、水田一・六㌶、電照菊三〇〇平方㍍を経営しているが、昭和四十一年には県の菊の品評会に入賞して自信をつけ、将来は菊栽培による規模拡大を計画している後継者である。

ところで、私が長ながとT君の手紙の内容を紹介したのは、「農業は誰にもでもでき、誰にでもできない」ということ、つまりむつかしさがわかってきたということである。農業が難かしいということがわかってきたということは、大変な進歩で、農業の難かしい事が解らない人があまりにも多いからである。

というのは、農業は誰でもできる、農業は頭がわるくてもやれる、頭のわるい人がやるのだという風潮は、長い間、万人の心にひそんでおり、農家の親も、頭のよい子どもは大学へ進学させるか、あるいは他のよい職業につかせたい、頭のわるい子どもに農業を継がせるという気持ちが多分にあったからである。

また、中学校の先生の進路指導も、「君は成績がよくないから農業高校へ」ということが平気でいわれ、本人も頭がよくないから、しかたなしに農業をやるという考え方が根づよかった。

次表は、某農業高校の調査であるが、このことをはっきり示している。

(問)農業や農村生活がいやになるような言葉は何か

❶、農業は馬鹿でもできる（三六・二％）
❷農業ほどきつい仕事はない（二三・二％）
❸農業をしている限りいつまでも貧乏ぐらしだ（一九・四％）
❹勉強したくないものは農業をしなければならない（一八・一％）
❺その他（三・一％）

そして、子どもに能力さえあれば、他のよい職業につかせたい、と回答した親が過半数を占めていた。

ホームプロジェクトの成功をもとに始めたT君の電照菊

心のなかから劣等感を追放

したがってこのような長い間の農業の劣性、劣等観が、農民の心にこびりついて、農業近代化の障害の一要因となってきたことも事実である。

これは一面からみると、農業は他の職業のように、特別専門の知識や技術がなくても、野菜や花を作ったり、または鶏を飼うこともできるし、趣味としても立派にできるからかもしれない。

また、今までの農家のように小面積に野菜をつくったり、鶏を数百羽飼うような、いわゆる副業的農業では、大した知識、技術がなくても失敗も少なく、自分の労働評価をしないような経営では、それでもよかった。

しかし、農業を職業とし、これで生計を立てて行く今後の専業農家では、事情はまったく変ってくる。それが米作にたよれなくなったからである。

千葉県連で球技大会開く

【千葉県＝成田正雄連絡報道員発】千葉県農村青少年クラブ連合会（会長、白井新治君）は、さる六日、県スポーツセンターで球技大会を開いた。

この大会は、これまで県連では県と共催で行う行事ばかりであったので、県連の自主性を図るために県連独自で主催したもの。

この日は晴天に恵まれ、県下各地から選抜された十一チームのトーナメントによって、バレーボールとソフトボールの熱戦が展開され、楽しい交流のうちに幕を閉じた。結果は次の通り。

バレーボールの部 一位 香取、二位 安房
ソフトボールの部 一位 東葛飾A 二位 山武の各チーム。

心頭技健

さる十九日の佐藤・ニクソン会談で、いよいよ沖縄が日本に返還されることが決まった。戦後二十五年、日本人でありながら、日本人としての身分も権利も主張できず、ただ苦しみに耐えながら、本土復帰の日を待った百万同胞の喜びは、はかりしれないほどであろう。「沖縄返還なくして日本の戦後は終らない」といった佐藤さんの言葉が思い出される▼それにしても、日本の一部にこの交渉に反対や異議をとなえる人がいるのは残念なことである。戦後の日本の首相としてはじめて沖縄を訪ね、涙を流して本土復帰を誓った佐藤さんが、決意をもって交渉に臨もうとしているのに、暴力で阻止しようとしたり、言論でもってそれをやジるような日本人がいる。社会や政治というものを観念的にしか把えることができない学生が、おのれの未熟な論理をふりかざすならもってのほかの沙汰である▼伝えられるところによると、ニクソン大統領も日本国民の核に対する特別な感情を考慮して、日本側の主張する「核抜き、本土なみ、七二年度返還」に原則的に同意したというではないか。これは米側にとってみれば大きな譲歩である。国際交渉は双方の理解がなければ成立しない。少しは、米側の立場にたってものを考えてみる必要もあろう。そうして、双方が互いに相手の立場を理解してこそ、歩み寄りも、信頼も生れてくるものである▼ところで、この返還でわき立つ沖縄へ、全協の親善訪問団が飛び立った。これは、全協に加盟している現地の4Hクラブとこれまで十分に交渉できない状態であったので、全国のクラブ員の中から希望者を募り、現地に出向いて道を同じくする同志として友情を深めようというもので、現地からも絶大な歓迎を受けたものである。この連絡を受けた沖縄では、さっそく、全琉4Hクラブ技術交換大会のスケジュールをこの訪問に合わせて組むなど、受入れ準備をすすめた▼まだ、電話で聞いたところであるが、全協の訪問団は現地で大いに交歓の成果をあげたということである。本土と沖縄、距離は遠くても、同じ日本人として、これからは手をつないで行けるようになったことは、このうえない喜びである。

リーダー研修会開く

山口県連　クラブ活動の躍進図る

【山口県＝松尾耕助連絡報道員発】山口県農村青少年クラブ連絡協議会（会長、福島保昭君）は、さる十二日から三日間、県立光青年の家でリーダー研修会を開催した。この研修会は、農業の近代化を図るため自主的に組織し、自ら地域の課題解決に取り組んでいるクラブ員の活動を促進するために、組織の中核になって活動するリーダーの養成をねらいとしたもので、県下各地区連から約四十名のリーダーが参加した。

第一日目は、午後一時から開会式、オリエンテーション。

つづいて、4Hクラブの本質を認識し、これからの4Hクラブ活動の方向づけをするため「4Hクラブの本質」というテーマで、県普及教育課、浜野専技の講義を聞き、つぎに講師を囲んで話し合いをした。

夕食後「他己紹介」で、ユーモアをまじえた紹介に、会場は笑いがおこり、はじめて参加した人たちもなごやかな雰囲気につつまれつぎの話し合いに入った。

話し合いでは、各自の所属しているクラブの状況や、県連についての希望などを話し合った。

また、さきごろ、ヨーロッパ農業を視察してきたクラブ員の話もでて、時のたつのも忘れて真剣に話し合った。

二日目は、午前中「クラブ活動とリーダーのあり方」というテーマで、大きく変化している4Hクラブ活動をこれからどうすすめればよいか、リーダーとしての心得、プロジェクト活動の意義などについて、県普及教育課、井上係長の講義を聞いた。

このあと、三つの分科会に分かれて、井上係長の問題提起をもとに討議した。

各分科会とも討議する時間がなく、充分な話し合いができなかったが、単位クラブリーダーと地区クラブリーダーの結びつき、地区連の運営問題、次期リーダーとしてどういうことに重点を置きたいかーなどが話し合われた。

このあとの全体討議では、各分科会討議の内容が発表されたが、主な点として❶指導的立場で何事も進んでやる❷レクリエーションリーダーもある方がよい❸リーダーとしての目標と責任をもつ❹クラブ員の意見を尊重する❺共同プロジェクトを取り入れる❻魅力あるリーダーになるーなどの意見が述べられた。

午後からは、レクリエーションの理論と実際。同青年の家の好川主事から、レクリエーションリーダーのあり方、レクリエーションの意義などの話を聞いたあと、ゲーム、歌、フォークダンスの実技指導を受けた。

これは、たんにレクリエーションを楽しむだけでなく、クラブ活動の中に取り入れ、活動を円滑にするため、リーダーがその知識と実習を体得することをねらいとしたもの。

夕食後は、現在、地区のリーダーとして活躍している二人の先輩クラブ員をまねき、体験発表を聞いた。

三日目は、県の農村青少年対策について、井上係長の話を聞き、つづいて反省会、閉会式を行なった。

〝全国〟大会は引受けた

大阪府連、来夏に備え研修

【大阪＝松浪賢一連絡報道員発】大阪府農業生活研究クラブ4H部（部長、原田正夫君）は、さる十月十五、十六の両日、豊能郡能勢町の大阪府青少年野外活動センターで、体力づくりリーダー研修会を開催した。

この研修会は、来年の夏、同センターを中心に開かれる予定の第十回全国農村青少年技術交換大会の運営を担当する同府連が、結束を強めるとともにリーダーの育成を図るために開いたもの。

当日は、府庁担当官や普及員二十余名、青少年五十余名が参加した。

第一日目は、分科会にわかれ、（大会では行事部、総務部、生活部の三部に分け、相互の協力によって運営にあたり、青少年の運営委員は百名を予定）大会の基本的な構想についての検討を行なった。

つぎに、同センターの概要、団体生活、リーダーシップについてセンター職員の話を聞いた。

二日目は、センター内を見学、実際に野外活動センターで大会を行なった場合のセンター利用の方法などを検討した。

全体討議において青少年の意見交換、それについての助言者の意見を聞いた。

千二百名を収容する大キャンプ場で行なう大会を成功させるためには、府下の全4Hクラブ員の自主的なクラブ活動と団結が必要だということを、この研修に参加したクラブすべてが認識を新にして、別れていった。

大会が結んだ交歓会

高知のクラブ員が福岡を訪問

【福岡県＝椎藤秀彦連絡報道員発】福岡県朝倉郡夜須町の夜須4Hクラブ（会長、中野正文君）では、このほど、夏の大会で知り合った高知県の八人のクラブ員の訪問をうけ、交歓会を開いた。

当日、中央公民館で交歓したあと、地元クラブ員のプロジェクトを視察、つづいて、大会の思い出に花を咲かせたり、レクリェーションを楽しんだ。

夕食は、女子クラブ員が日頃磨いた自慢の腕でつくった料理をごちそうになった。夕食後は、三つのグループに分かれ、分科会を開き、夜の更けるのも忘れ楽しく話し合った。

その夜は、クラブ員の家に分宿した。また、両クラブ員が知り合った夏の大会では、夜須4Hクラブの武藤はつ代さんと長沼すみえさんが晴れのフェーンガー賞を受賞している。

なお、高知のクラブ員たちは、先進地視察で九州地方の果樹を研究に来た途中、夜須町を訪ずれたもの。

つどいの成果を確認

鳥取県連で役員会開く

【鳥取県＝山本哲嗣連絡報道員発】鳥取県農村青年会議連絡協議会（会長、安住秀雄君）は、さる十月二十九日午後一時から、県自治会館で、県連役員会を開いた。

まず、安住会長が「全国4Hクラブ員のつどいもとどこおりなく本県で終え、県下のクラブ員の積極的な態度が目につくようになった。今後ますます県連活動を前進させていくため、みなさんのいっそうの尽力を希望する」とあいさつを述べた。

ついで、来る十二月上旬開く予定の県農村青少年指導研修会について協議した。

〝つどい〟からすでに三ヵ月余りたって、県下のクラブ員に、自主的交歓会や夏の全国大会での活躍など、積極的な姿勢がでてきたところで行なわれるこの研修会は、昨年までの受け身的なものでなく多くの積極的な面がうち出された。

まず、日程が一日のびて二泊三日になり、レクリエーション指導や実習、分科会、県連執行部との話し合いなど、アメリカ4Hクラブでのサマースクル的な考え方を取り入れられた。

また、県広報部では、役員会にさきだち編集会議を開き〝つどい〟と、草の根大使を囲んでの座談会を特集した会報の編集をきめた。

山梨でつどい開く

さる23日、県営グラウンドで

【山梨】山梨県4Hクラブ連絡協議会（会長、塩島栄喜君）は、さる二十三日、甲府市和田町の県営総合グラウンドで、第六回山梨県4Hクラブ員のつどいを開催した。

このつどいは、日頃、県下の各地域において、活発な活動を展開している4Hクラブ員が一堂に集まり、スポーツを通して、明るい農村建設のため健康な体力づくりをするとともに、仲間意識の高揚を図るために開いたもの。

つどいのプログラムは、つぎの通り。

午前 八時～九時、受付。九時～十時入場行進と開会式。

開会式の次第は❶開会の辞❷国旗、県旗、県連旗掲揚❸4Hクラブの歌❹会長あいさつ❺来賓祝辞❻スローガン「心と体 鍛えあい その手をつなごう 明日のため」の斉唱❼閉式の辞。

十時～十二時、競技。競技は❶はじめの体操（全員）❷体力テスト（全員）❸リレー予選（地区別）❹嫁さがし（女子）

正午～一時三十分、昼食とフォークダンス。

一時三十分～四時、❶仮装競争（地区別）❷パン食い障害物競争（有志）❸川中島の決戦（全員）❹リレー決勝（地区別）❺おわりの体操（全員）

新年号原稿を募集

いよいよ冬の訪ずれを告げる便りが届くころとなり、年の瀬が迫ってきました。

本紙の発行も年末まで二回となりました。新年号は、十二月二十四日号と来年一月四日号を合併して増頁のうえ企画も新たに、みなさんのご協力によって新年の門出にふさわしい紙面を飾り、愛読者のお手もとにお届けしようと計画しています。

つきましては、次の要領で新年号の原稿を募集いたしますので、どうぞ、ふるってご応募下さい。

〈応募要領〉

【原稿の内容】新年への抱負、年頭所感、雑感、意見、詩、俳句、随筆など新春にふさわしいもので、建設的なものであれば内容は自由です。

【原稿の長さ】四百字詰め原稿用紙五枚（二千字）以内なおできるだけ、顔写真や関係写真、絵図などを添えて下さい

【応募資格】4Hクラブ員（農村青少年）OB、農業高校生（中学生）篤志指導者、育成指導者など

【原稿のしめ切り日】十二月十五日

【送り先】東京都新宿区市ケ谷船河原町十一、家の光会館内 日本4H新聞新年特集号係（郵便番号一六二）

※なお、掲載分には謝礼または粗品をおくります。

日本4H新聞編集部

農業機械技術競技大会開く　徳島

【徳島県＝近藤吉正連絡報道員発】徳島県三好郡井川町の井川町農業後継者クラブ（会長、近藤武十郎君）は、さる九日、農業機械技術競技大会を行なった。

これは、近年人手不足のため、山間地である井川町にも農業機械が大いに普及しつつあるが、反面故障や事故もふえており、それに対処するため、機械についての知識を深め、十分使いこなすようになることをねらいとして開いたもの。

午前中は、機械工具、部品、農薬、肥料などの実物鑑定と農機具の正しい使い方を学び、午後から機械を使って実際にスキ作業、揚土作業を行なった。

全国4Hクラブ員の殿堂

会館建設に若い力を

日本4H会館建設委員会・全協

……〈23〉……

成否は親子の仲で

印象に残った日系農民たち

ブラジル半年間の行脚で、私の接した日系農民は延八千人にものぼるが、その約半分は青年で、残り半分は大人だった。それは、成功している人、いまも苦難の道を歩く人と、千差万別であったが、その中には、いつまでも強く印象に残る立派な農民も多くあった。その一人に豊島亮一さんがある。

成功者豊島さんの例

豊島さんは、パストス郊外で二三〇アルケール（五五二ヘクタール）を経営する大経営者である。豊島さんは北海道出身で一九二四年にブラジルへ移民した、つまり、パストス初代の人たちになるわけだ。

当時、二〇アルケール（四八ヘクタール）から、みんなと一緒に開拓を始めた彼は、前述したように、荒りようとした痩地パストスで苦しみ抜いたのだった。そのためか、豊島さんは、病身となり、きびしいブラジル農業からハジキ出されそうになったのだった。

ここまでは、日本移民の誰れでもが大なり小なり体験させられる試練である。そして、それが転地するか、転業するか、落伍するかの分岐点になるようである。さて豊島さんのえらんだ道は、何だったろうか。

三つのタイプの経営

話は、ちょっと離れるが、ブラジルで成功している日系農家には大別して、三つのタイプがある。その一つは奥地型単一大規模経営、その二つは奥地型複合大規模経営、そして三つ目が近郊園芸小規模経営である。つまり、カフェーと肉牛、あるいは、そのどちらか一つの単一型と、いろいろの作目を組みあわせる型が、奥地農業の特長である。

ところで、カフェーと肉牛という型は、よほど広大な土地を有しないと、その利益率が低いために成り立っていかないらしく、日系人がこの型で大成している人は、ほんのわずかである。

そこへいくと、複合大規模経営は、経営上安定性が高く、何よりも、日本人的、経営の妙味が、ふんだんに味わえるので、いわば日本人向の経営タイプといってよいだろう。

ただ、ここで問題なのは、広い土地でいろいろと手のこんだ農業をやるのには、どうしても企業的センスで、経営の分業責任制をとっていかなければならないわけである。それを、日本移民がやるとしたら、まず家族経営以外にないであろう。気心のしれた、親兄弟が仕事を分担して、総体的に経営を高める方法である。

厳しい環境を克服

ブラジルは、市場と流通が未開発である。だから、いつ、いかなるときに、生産と消費に亀裂が入るかわからない。そのうえに、大陸の自然の猛威は、想像を超えて酷しい。

こういう不安定要素の中での農業は、一年一作とか、単一作物栽培は、とうていできる相談ではない。だから、一つの部門がうまくいかなくとも、他の部門で補うような経営が必要なのである。この点で、家族の協業は、最も安全、かつ、合理的だといえるだろう。

豊島さんは、子どもたちが成人するまで、病身を抱えて死斗を続けた。そして、四十年たった今日は、長男は、総体的経営と外交、経理を受持ち、三男は、現地人日雇（カマラダという）の監督、四男は、農外就職、亮一さんは総務分担という、家族協業体制をかためた（次男の方は失念、あるいは死亡だったかもしれない）。

とくに三男坊受持のカマラダ監督は、移民農業の大切な仕事のようである。日本から移住した人たちには、言葉のちがい、生活の違い、人間関係の弱さから、カマラダ監督力は充分でない。そこへいくと、二世は、生まれながらのブラジル人感覚で人を使うのだから、一世の比ではないようだ。豊島さんの農場には、十一家族もカマラダがいるが、みんな喜んで働き、やめる人がないという。

日本人は、畜産が下手だというが、豊島さんの話では、畜産が不得意なのではなく、畜産を中心にやっているブラジル人の中に、日本人は入っていけないのだという。だから、二世の力でやれば、日系人の畜産も成功するというのである。

親子の協力で楽園に

豊島さんの経営は、畜産重点の複合型である。鶏が成鶏一三、〇〇〇羽、中雛四、〇〇〇羽。そして豚が五〇〇頭。

これらの施設が、住宅の近くに展がっている。その外側に、肉牛二五〇頭の放牧場がとりまいていて、その外側を、カフェーが青々と緑のベルトになってとり囲んでいる。また、住居の北側、日あたりのよい傾斜地には、ポンカン、アバカテといった果実が、美事に実のっている。

なにか農場というより楽園といった方がピッタリするような眺めであった。そして、毎朝六時には、親兄弟の経営会議が、豪壮な応接室でひらかれる。

「どうだろう。一アルケール（二・四㌶）で肉牛を五～六頭飼えるようにはできないか」「そうだなあ、一アルケール一～二頭がこの地方の常識だが、ウチでは、やれるかもしれないね」と、真剣な検討が毎朝行なわれている。

私は思うのだが、ブラジルで成功する最大の要決は、一世の親と、二世の子が、どこまで深く話しあえるかにかかっているということだ。豊島さんのように。

〈栃木県普及教育課・特別専門技術員〉

コーヒーの稔る農場

農政にこの対策を

▼審議会の答申から　>5<

流通市場を近代化

消費者の好みにも対応して

（4）流通加工の近代化と市場の開発。

ア、国民所得の向上にともない、食料需要は、高度化、多様化しながら拡大するものと考えられる。

消費者に対し、その選好に応じ、生鮮食料品をはじめ加工食品、し好品などを安定的に供給することは、国民食生活の向上にとってきわめて重要である。

さらに、このことは、農産物市場の安定と拡大をもたらすこととになり、農業の健全な発展と農業所得の向上に資することになろう。

（ア）以上の観点に立って、まず、産地から消費地に至る全流通過程を通ずる農産物および加工食品の大量、かつ能率的流通の実現を図る必要がある。

このため、産地における生産から出荷にわたる組織化を図るとともに、卸売市場などの整備、コールドチェーン・システムなど新しい流通技術の導入、規格・包装の標準化、流通部門の近代化による流通コストの低下、さらには情報処理の円滑化などを積極的に推進する必要があろう。

（イ）また、最近における食品加工技術、利用技術の発展に対応し、食品工業の近代化を促進するとともに、加工面における新技術の導入とあわせて、新しい加工食品の形態での農産物の新規途の開発をすすめる必要がある。

（ウ）農産物の加工に関連し、農業所得向上の見地から、農業協同組合の資本進出、原料の特約栽培の推進などについて検討をすすめるべきであろう。

（エ）消費者に対して農産物の円滑な供給を図るためには、流通加工の合理化、近代化の推進に加え、生活水準の向上と消費者意識の向上に対応して、品質・規格の向上、表示の適正化など適切な消費者保護対策を講ずる必要がある。

イ、およそ一国の農業が農産物の輸出に関心を示さず、輸入防あつのみを考えるものであれば、長期的な発展は期待できない。

現状においては、農産物輸出に多くを期待することは困難であろうが、政府としては、競争力のある農産物について広く輸出マインドの喚起につとめ、輸出市場の開拓や輸出体制の整備など各般の面にわたって、輸出の促進に積極的に取り組む必要がある。

今後、近代的農業の展開により、生産費の引き下げが行なわれ、また、輸送技術の革新により、海外への迅速かつ大量の輸送が可能となれば、農産物の輸出の拡大は期待されよう。

（5）輸入の調整

ア、経済の国際化の進展とともに、農業も輸入制限などの国境保護措置の軽減、撤廃を内外から強く要請されている。

わが国の農業は、経営規模が零細で生産性の低い多数の農家から構成されており、経営面積の規模拡大など、農業構造の改善が緊急の課題であるうえに、米の生産調整などの困難な問題をもっているので、このような内外の要請ににわかに応ずることは、きわめて困難な実情にある。

このような農業の困難な立場は、今後とも貿易政策の展開において十分尊重されるべきであるが、農政としても、国民経済の成長を図るためには貿易の拡大が必修の条件であるというわが国の基本的立場を認識し、可能な限り、貿易政策に協力すべきである。

現在輸入制限のもとにある農産物を品目別にみると、輸入制限を続けるのに説得力の弱いものがあり、また輸入制限を撤廃しても適切な輸入調整措置をとれば、農業者保護の目的を達しうる品目もあるであろうと考えられる。

イ、政府としては、農産物の輸入制限品目について早急に全面的検討を行ない、国際競争力および農業生産と雇用に対する影響度などを考慮して、今後自由化をすすめるもの、一定の条件が確保されれば自由化して差し支えないもの、輸入制限を継続すべきものを明確にし、漸次輸入制限の撤廃を行なうことが必要である。

その際、自由化の態勢を考慮し、国内生産を維持、増強すべきものについては、速やかに生産の合理化と流通加工の改善をすすめ、あわせて関税率の調整、輸入課徴金などの措置を講ずることを検討すべきである。

また、今後輸入制限を継続せざるをえない農産物についても国内生産の合理化をすすめるとともに、消費者物価安定の見地から輸入枠の拡大など輸入制限の弾力的運用に配慮する必要がある。

ウ、東南アジア諸国を中心とする発展途上国との貿易関係改善対策の一環として、農産物の開発輸入の促進が要請されている。

また、農政上の問題としても輸入に依存せざるをえない農産物については、その安定供給を図るために、輸入源の多角化が望ましいといえる。

したがって、国内農業への影響に十分配慮しつつ、国内供給が増大する需要に対応できない産品の開発輸入をすすめる必要がある。（つづく）

私のプロジェクト

酪農に夢託す若者たち
大阪府富田林市　徳山酪農

都市化には負けぬ
両親を説きふせて見習い

大阪府富田林市の西部に伏山という部落がある。総農家戸数は四十四戸で、その内訳は、専業農家二十二戸、第一種兼業農家五戸、第二種兼業農家十七戸で構成されている。伏山部落はとくに酪農が盛んで、現在十戸がこれを営なんでおり、また蔬菜栽培農家も多く、最近、府からの補助金施策によって、大鉄骨ガラス温室も完成し、共同体による砂耕栽培（みつば、きくな、かいわれ大根、ほうれん草）に踏み切るなど、とくに農業に熱心な地域である。反面、部落内を南北に南海電鉄高野線が走っている関係から、最近は都市化の波が除々に押しよせてきている。ここで、これに負けじと、明日の農業に自信をもって夢を実現させようと頑張っている意気のよい三人の4Hクラブ員　徳山博一君(二〇)熊田敏治君(一九)堀正広君(一九)を紹介しよう。

〈大阪府富田林市農業共済係・武本宥世さん記〉

徳山酪農は博一君の父、徳山旭男さんが永らく経営を担当してきたが、市の酪農組合長など数々の役員を持つ、その手腕を買われ、最近、農協の専務理事の重責を任された。

そういう関係から、府立農芸高校畜産課を卒業して一年余りの若い博一君が、この徳山酪農の後継者として経営に取り組んだ。

徳山君は高校時代、野球部活動の経験を味わっただけに、その根性は人一倍強く、将来の夢は「機械化酪農」「多頭化酪農」「登録牛を殖やす」の三点をあげている。

徳山酪農の経営主、徳山博一君と見習いの熊田敏治君、堀正広君の三人

つぎに、熊田敏治君は、これがまた、もって生れた牛好きの若者である。経営主の徳山君とは、高校時代の同窓生で、三年間の勉学をともにしたというだけあって、意気投合した大親友で、根っからの動物好き、将来は大酪農家になりたいという希望のもとに、徳山酪農へ見習いに飛びこんだもの。

家は堺市で、父親は裁判所勤めをしており、農業にはまったく縁のない家庭に育ったが、両親も熊田君の一本気な性格にはとうとう同調したようである。

堀正広君も同じく酪農に夢を託す若者の一人である。幼い頃から動物に関心を抱き、将来は酪農家になるのを夢みて、府立農林技術センターに研修生として入学したが、実際の飼養管理の必要性を痛感し、同センターを退所して、徳山酪農へ見習いに飛び込んだそうである。

堀君の自宅は河南町で、両親は現在特産のなす栽培に意欲的に取り組む専業農家であるが、熊田君と同じく両親が本人の熱意に同調してしまい、酪農経営を許可したという話である。

彼ら三人の生活は、寝食をともにし、新聞配達のバイクの音のする朝五時頃に起床する。午前五時といえば夜明け前、育ち盛りの三人にはねむ気が十分残っているはず。しかし、彼ら若者は、そんなねむ気などに屈してはいない。元気よく牛舎へとかけ込む。

忙しい時間が過ぎて九時頃までに搾乳、飼料給与などの管理作業が終る。それから三時頃までの間は、ほっと一息つける時間があるようだが、また四時頃から夕方の飼料給与、掃除などの作業があり、一日の作業が終了するのは、七時頃になる。

酪農家は、日曜、祭日といっても、自由に休めない商売のため、そのへんが若い彼らにとっては苦痛のようである。でも、仕事の能率を上げてはドライブなどを兼ねた見学などのレジャーも実行するなど、知識や技術の習得にも積極的で、この大酪農経営を夢みる気の合った三人のクラブ員の共同作業風景をながめていると、何かたのもしい気持が、全身に満ちあふれているように思える。

プロジェクトの取り組み方
プロジェクト活動の限界

北海道専門技術員　三輪　勲

プロジェクト活動の限界と補完

プロジェクト活動は、第一章で述べたように「実践を通じて学ぶ」ところにその特質があるが、プロジェクトメソドには学習指導上の限界があることに留意しなければならない。

その限界の第一は、知識・技術の体系的な習得の困難性であり、第二は、青少年の自発性の弱い場合は単なる作業になりやすいこと、そして第三には、技術偏重の学習になりやすいことである。

系統学習の問題　プロジェクトメソドの特質は、実際の農業経営や生活における問題の解決をとおして知識や技術を身につけることである。しかし、実際生活上の問題は種々雑多であり、さらに取り上げる時期も順序も個人によって一定していないため、取り上げた問題に関する知識や技術は確実に習得できる可能性は大きいが、反面、取り上げられなかった問題についての知識・技術は習得の機会がないということになる。

また、その習得するであろう知識・技術は、簡単なものから複雑なものへ、低次から高次へというように系統化されていないことから、問題場面が変化すると基礎的・系統的な学習の積み重ねがないので応用ができないことが少なくない。

プロジェクトメソドは、問題解決の過程をとおして観察力・批判力・注意力・判断力・創意性・協力性・努力心など、実生活における知識と技術の効果的な活用能力を養い、その実践の積極的な態度を養うことに重点がおかれているが、こうした能力や態度は、科学の進歩を体系的に習得することによって発展するものといえよう。

たとえば、電流や電圧の基礎的な理解が不十分のために、農業電化のプロジェクトが行きづまったり、物質の化学変化の認識が欠けているため、肥料の効果を半減したり、計算法が未熟なために、経営設計に誤りを生ずるなど、せっかく実生活に結びついた問題解決の活動であっても、基礎的な知識・技術の不足のために中絶してしまう例が多い。

プロジェクトメソドの問題点の一つは、こうした系統的な学習には弱さをもっていることを否定できないことにある。

自主性・自発性の問題　プロジェクトは、青少年の自主性を尊重し、自発性を基幹とする活動であるところに、その特質がある。ところが、プロジェクトを実践する青少年自体が、自主的・自発的な問題意識のもとに興味をもって問題解決の活動を行なっている場合はよいが、いったん興味を失い自発性が後退すれば、学習施設的な環境条件もないままに、そのプロジェクトは単なる作業かあるいは「ごっこ的学習」に停滞し、やがて活動を放棄することが少なくない。

つまり、プロジェクト活動は自主性・自発性に基づく永続的努力が必要となるわけである。しかも、小規模の農業経営においては、危険度の多い青少年のプロジェクトとしてまかせることの不可能な分野は、著しく制限されるのが普通であり、プロジェクトとして両親から許容される範囲も小規模で生産物の処理も青少年自身のものとするには経営に支障をきたすことなど青少年の自主性・自発性には制限が多い状態である。

こうした意味で、プロジェクト効果を十分に発揮しがたい体制上の問題が考えられる。また、プロジェクト指導に当っても青少年の自主性・自発性による実践を重視することから青少年の欲求する領域にかぎっての学習指導に集中し、広い視野からの系統的な学習は緊急性が薄いまま副次的になる。

こうしたことから、自主性・自発性の強い青少年は限りなく学習が発展するが、そうでない青少年の実践力は低い状態にとどまるなど、自主性・自発性の強弱による実践力の較差が増大するという問題が起きてくる。

技術学習の偏重問題　農村青少年のプロジェクト活動は、各自の農業経営や生活についての問題解決をねらいとしている。これは農村青少年の実生活をとおした活動に焦点を合わせたわけであるが、取り上げられる内容は栽培・飼育・経営・生活などその分野が異なっていても技術の問題が主体となっている。

もちろん農業や生活の改善向上には技術面が重要な要素となるが、その技術を効果的に生かすことのできる社会的・経済的・経営的な条件整備が前提として重要である。例えば、耕地整理・大規模の土地改良・出荷体制・生産物の流通など生産技術だけでは解決が困難な問題がそれである。

プロジェクトの実践過程から生ずるこうした問題になると、技術を中心とする学習や実践ではまに合わなくなる。農業経営の立場から経済や社会の分野に広がる幅広い学習が要請されるのは、こうした理由が大きい。

プロジェクト活動は、実生活を根府とする特質から、狭い視野における技術学習に偏向しやすいことは否定できない。

農業簿記

京都大学名誉教授　大槻正男

〈自計式農家経済簿記〉

現金現物日記帳とその記入帳簿形式

本簿記においては後述する方法によって、非現金取引（掛取引・振替取引および物々交換取引）は、すべてこれを二現金取引に分解して記入する関係から、現金現物日記帳は、いっさいの外部取引を記入する「現金取引」欄と、内部取引（家計仕向け）を記入する「生産物家計仕向け」欄との二大主要欄からなっている。

「現金取引」欄の記入方法

「現金取引」欄は、「収入」「支出」「残金」の三欄に分かれており、さらに「収入」欄は「種目」欄を別にして「所得的収入」「財産的収入」の二欄に分かれ、いっさいの収入はこの二種の収入のどれか一つに仕訳けして記入される。「種目」欄にはそれらの種目名の略称を記入しておく。

「財産的収入」欄には、収入金のうち、前述の交換取引（財産的取引収入）、すなわち不流動性財の処分収入を記入するのであって土地・建物・大植物・大動物・大機具などの固定財の売却収入および組合貯金・郵便貯金・銀行預金などの引出収入、貸付金・未収入金（売掛金）の返済受け収入、頼母子講の落札収入、生命保険の払戻し収入、組合出資金の譲渡収入、有価証券（株券・公社債券）売却収入ならびに借金収入などである。

これらの収入は、収入であっても、土地とか有価証券とかいう財産が現金という財産に変わるだけであって、一方には現金が増加するが、他方にはその金額だけの土地や有価証券が減少して、差引、財産の形が現金形態に変わるだけで、なんらもうけにならない収入という意味で、この簿記では財産形態交替的収入、略して財産的収入というのである。下表の図解と記入例にみるように記入する。

1）4月10日　水田二反佐藤氏へ売却（反当り150,000円）代金300,000円受取る

2）5月17日　農協から当座貯金5,000円引出し。

3）8月20日　栗原氏から10,000円借入れ。

「所得的収入」というのは、利益的取引収入すなわち流動財および用役の販売収入を、農家の私経済の立場からみてこういうのであって、農業および兼業生産物などの流動財販売収入（米麦・雑穀・蔬菜・果実・特用作物・蚕繭・畜産物・林産物・加工品）をはじめ、用役販売収入（貸付金利子・小作料・牛馬賃貸料・有価証券の利子・配当・労賃・俸給）肥料古袋・古小機具および家具家財・古新聞・古雑誌などの販売による雑収入がある。これらは農家にとってもうけになる、すなわち所得になる収入であるという意味で所得的収入というのである。

(1)　(2)　(3)

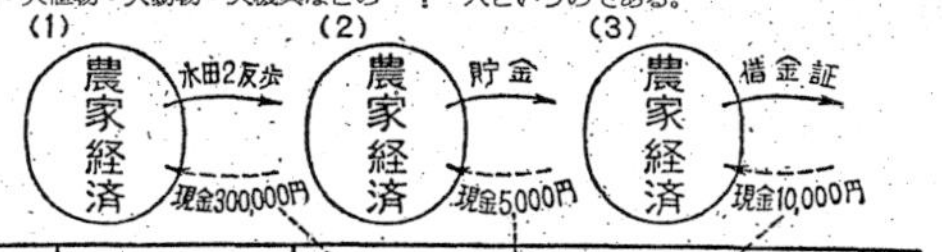

月日	摘要	現金取引 収入 種目	所得的収入	財産的収入	支出 種目	所得的支出	家計支出	財産的支出	残金
4.10	水田2反歩佐藤貞夫氏へ売却（反当り150,000円）	土	円	円 300,000		円	円	円	円
5.17	農協当座貯金引出し	組貯		5,000					
8.20	栗原清氏から借入れ	借		10,000					

養鶏で経営の拡大
ブロイラー直売を計画

岐阜県本巣郡糸貫町三橋・糸貫町後継者クラブ　大野正行

私の住む糸貫町は、岐阜市の西端に接し、岐阜市の中心部まで車で二十分、名古屋へは一時間で行ける都市近郊で、カキ、タマネギの特産地として古くから全国に知られています。

さらに近年は、養鶏が盛んになり、十万羽が飼育される産地となりました。また、イチゴ、キュウリ、メロンなどの施設園芸が急速に増加しつつあり、県内屈指の近郊農業地帯として発展しています。

私の家は、水田八十五アール、カキ三十アール、桃一五アールの面積で、両親がこの経営を担当してきました。

しかし、浅耕土の河川敷に果樹が栽培され、毎年のように干害を受けるため、収穫が不安定になります。

そこで安心して経営をつづけるためにはと、その方法を考えてきましたが、これ以上経営を拡大するには比較的農地を必要としない養鶏しかないことに気づき、昭和三十九年、高校を卒業すると同時に、水稲、果樹を両親にまかせて、私は桃畑の中に鶏舎を一棟建設し、千五百羽を飼育してブロイラーによる自立経営をめざして出発しました。

それからは毎年一棟ずつ建増しして現在では五棟の鶏舎になり、毎月の出荷量は三千羽から四千羽出荷できるように計画をたて、常時七千五百羽から八千五百羽を飼育しています。

私が経営するブロイラー養鶏の鶏舎は半円筒形で平飼い、多数羽飼育法を行ない、労働力の省力を図るため、最近機械器具を導入しました。飼料は、バラ飼料を購入し、良いヒナの導入が有利な経営に結びつけるための条件ですが、ブロイラーをより有利に販売するため、契約出荷によって、生産費の低減と収入の増加に努めています。また、病虫害が発生して失敗に終らないように、病害虫対策にはとくに注意し、正確な記帳によって経営の分析を行ない、経営の改善に努力しています。

なお新しい試みとして、私の親せきの人や糸貫町のクラブ員たちの会合などで、私の鶏でバーベキュー料理を作り食べていただきましたところ「これはうまい。これは店のものよりいいぞ。大政（私の愛称）バーベキューをやらんか」と、みんなの意見があり、ブロイラー処理を、現在のところ処理場に頼っているので、思うように消費できないことと、新鮮でおいしいし、しかも安価のブロイラー肉を消費者が食べられるよう、生産者は生産だけで終ることなく自らブロイラーの専門店をつくり、生産と消費を結びつけたいというのが私の念願でしたので、その方向にすすめるよう計画しました。

また経営上からも、労力、土地などの関係から、これ以上の羽数の増加が不可能なので、ブロイラーの店を開店し、消費者と結びついた生産を行なっています。こん後は、処理場の建設や直売店を作り、完全に生産から販売までの一貫した経営を確立していきたいと計画しています。

このように、私はブロイラーによって、都市で働く会社の重役なみの所得をあげる経営者になりたいという念願のもとに、都市近郊という立地条件を十分活用し、自らの手で経営を改善、拡大していきたいと思います。

現状では、労力不足、設備、資金などについて、いろいろな問題が山積しておりますが、一つひとつ解決して、私の理想に向って努力して行きたいと思います。

おしゃれコーナー
若々しい冬の装い

最近はどこへ行っても若い人たちの服装は、デザインが豊富で色は鮮やか。彼らの服装は一見非常に無頓着にみえるが、デザイン面、素材面で常に機能性を留意して選んでいる。いかにも若者らしいおしゃれの仕方だ。

ことしの冬、昨年までと比べてとくに目立っているのは、コットンの外衣がかなり多くなりそれを着た若者がふえて、コットン風のカジュアルな服装が冬の装いとして一つの分野を形成したことだ。

例えば、綿デニムやコーデュロイの上下が、サイクリングやドライブに汚れやしわが気にならないどころか、かえって魅力的だということでうけている。

【写真】ジャンパースーツ、胸からつづいた大きなポケット、背中のプリーツが若さの象徴。

NHK農事番組

（12月1日～10日）

テレビ

明るい農村　6・30～7・00総合

1日　村の記録　みかん戦争（愛媛県吉田町）

2日　きょうの話題　自主調整は可能か

3日　産物往来　つけもの

4日　話題の広場　出稼ぎ防止の村（山形県湯田川農協）

5日　村をむすぶ　フイルム・リレー

6日　農業新時代　機械化稲作

8日　村の記録　牛乳過剰

9日　きょうの話題　現地報告　災害地その後

10日　産物往来　とり肉

農業教室　7・30～8・00　教育

1～3日　水田の土地改良（東北農試場長）城下強氏

4～6日　ブロイラーの生産と販売（農林省家畜改良課）掘切充雄氏

8～10日　根菜づくりの課題（千葉県農業改良課）福田俊夫氏

あすの村づくり（詳細は別掲）

日　7・00～8・00教育・再　土　13・00～14・00教育

7日　グループだより▽水田共同作業に取り組む（青森県津軽郡逢田村）阿弥陀4Hクラブ、青年の像▽「青年の船」から得たもの（愛知県渥美町）会務推せん団員＝古川喜美子

ラジオ

早起き鳥　5・05～6・00　①

1日　現地報告　[illegible]する結婚相談所

2日　人と話題　野菜利用で鯉の養殖（福井県勝山市）石塚博氏

3日　通信員の手帳から

4日　産地訪問　干柿（塩山市）

5日　現地報告　すすむ畑作台地の開発（岡山県勝央町）

6日　村のポスト

7日　話題の窓　みかん過剰対策（日園連会長）塚口勇作氏

8日　現地報告　農協の貸家建設ブーム（静岡県浜松市）

9日　人と話題　杉苗木の催熱育苗（島根県柿木村）斎藤隆行氏

10日　通信員の手帳から

番組紹介

あすの村づくり

▽グループだより＝逢田村は青森県内でも開田のすすんでいる地域。開田面積は、昨年から今年にかけて二倍に達している。阿弥陀4Hクラブ員は、この水田地帯で共同作業の可能性を追求しており、いくつかの調査も実際に手がけている。稲作転換の波が押しよせる中で、クラブ員のこん後の活動を占ってみる。

▽ある青年像　第三回「青年の船」は九月二十七日出発。本月十八日帰国。東南アジア六ヵ国を巡航し交歓親善した。愛知県渥美郡渥美町で電照菊を栽培している古川喜美子さんも三百二十五人のメンバーの一員として乗船した。ご存じ「青年の船」の帰国報告を中心に古川さんのグループ活動の体験談を聞く。（古川さんは全国4Hクラブ連絡協議会からの推せん団員の一人で、このほか多数の4Hクラブ員が乗船していた。）

桜の名所を　市民に呼びかけ
富山県魚津4H

桜の名所をつくろう—と、富山県魚津市4Hクラブでは、創立十周年を記念して市民に呼びかけたが、これが市民総ぐるみの緑化運動に発展。さる一日、市内の高台には市長はじめ地元関係者らの手で、サクラの木八百本が植えられた「来春には、花を咲かせたい」とクラブ員は意気ごんでいる。

あしたの青春

一ノ瀬綾　え　多賀愛子

〈11〉

変動（五）

キャベツ畑の土は、しっとりと湿っていた。びっしりと不揃を重ね合わせた、薄みどり色の玉の行列は、まだあちこちに朝露をためて、ふれればぱりぱりと音を立てんばかりに新鮮であった。

新一は用心していった鎌を手元に引きよせて、しばらくはそのまま、足を踏ん張って立ちつくした。

（なぜ、値下がりしたのだろう……）そのことだけが、ぐるぐるととめどもなく、頭の中を駆けめぐるのだ。

自分の技術不足や災害で、収穫がだめになったのであれば諦めるすべもある。次回に対してのファイトのかき立てようもある。だが、これだけ見事に作りあげた成果が、その豊作のゆえに安値に見まわれるというのは、どう考えても馬鹿げていた。

「今日はどのくれえ出荷するんだ」

若い息子の感傷など、かまってはいられないといったふうに久治はもう鎌を振って構えていた。

「三分の一だ」

「まごまごしてると、このまま畑で腐らせるハメになるぞ」

「そんなこと……させるもんか」

「それだから、若い者は甘いというんだ。今迄の例をみてみろ。なまものは、投機と同じこんだ。たまに当てることはあっても、はずれれば、とことん駄目になる。それが相場というもんだ」

「本当の野菜作り はそんなんじゃあねえ。投機ものに扱うのは間ちがっている。流通機構の問題なんだ……それはおれ達が」

「理屈を振りまわしていてなにになる！」

反発の声を呑んで新一は、足元のキャベツの根本に、思い切り鋭く鎌の刃を当てた。そえた左手に、たしかな手答えで、重い結球体がころがり落ちる。新語にされる時は、Lサイズに入る上玉であった。

このキャベツの育苗をはじめたのは、三月の中旬である。普及指導員の助言や、仲間達の語らいにはげまされて、新一は夢中だった。まだ学校生活が残っていたが朝夕の苗床にいる時間が一番楽しくて、育苗日誌のページは、いつもぎっしりと細いペン字で埋まっていた。

無事に定植を終った時のよろこびや、施肥や、消毒の前後に味わった不安や安堵の記憶が、次々と新一の胸をよぎった。

（まるでバーになってしまったわけではないんだから……）

自分に言い聞かせながらも、鎌を握る手元に、自制できない力がこもる。びんと張り切ったキャベツの頭上に、ぐさりと鎌のきっ先を突き立てたい衝動が弱く、なにもかもほうり出して、この場に大の字でひっくり返りたい思いであった。

「場所によっては、直接業者が買いつけに来る産地もあるそうだぞ」

久治が言った。どんな話も、今となっては間に合わない。都市のような大きな消費地をひかえた地帯とちがって、トラックの長距離輸送にたよらねばならない山間部であった。新一は、自分の作ったキャベツが運ばれて行く先の光影を目に描いた。山積みされたまま、ダンボールの中でぶすぶすと腐り果てるのか、市場や店頭で、一山いくらと買いたたかれるのか、どちらにしてもやり切れない想像であった。

「どっかが、なにかが、まちがってるんだ」

切り落としたキャベツを、籠につめながら新一はつぶやいた。昇りきった太陽が、背中にやけついて、流れる汗が目にしみる。畑の背後にせまった山の斜面に並ぶ杉木立から、降るような蝉時雨があがっていた。

記録で豊な生活を

青春と仲間

就農五年目に自信

簿記の基本もマスター

栃木県那須郡湯津上村ポプラ4Hクラブ　坂　主　正

私は五年前、地元の普通高校を卒業後就農した。もともと農業をやろうと思っていた私でしたが、親たちの経営をみて、労働を苦にしない強い忍耐力には頭が下がるものがあるが、なぜか親たちの経営には、いささかも魅力が感じられませんでした。

就農して、一～二年は、技術的な未熟さや、他職業に就職した仲間たちのカッコ良さを見るにつけ農業としての農業、いま自分で取り組んでいる仕事が、なぜか見すぼらしいものに見えて、なさけなく感じたことが何度かありました。

体験通して4Hを理解

しかし、そのような悩みはあった反面、卒業と同時に結成した4Hクラブ活動に積極的に参加した。初めのうちは、クラブ活動はもちろん、プロジェクトの意味さえもわからないままに、会議や研修会には必ず出席するように努め、自分の悩み、考え方を誰彼の区別なくぶつけて見た。ときには夜通し語り明して、朝方あわてて家路についたこともあった。

そのうちに、一年たち二年たって、やっと体験を通して4H活動の意味、プロジェクト活動の重要性が理解できた。そうだ、これこそ旧態依然たる農業経営を変えることの出きる唯一の方法であると。さっそくその日から自分の経営の問題点を探り、それを理解すべく努力してきた。

つまり近くに川があり、河川敷などの未利用原野がある。しかも土地に制約のある私の経営では、酪農を取入れて経営の安定を計って行くべきであると考え、まず、酪農の基本である乳牛の育成を経済的に、しかも立派に育てることを課題とした。さっそく父からあずけられた二頭の子牛を対象にして、それに関する会計のことを記帳することを計画した。

頭の回転は少々のろい私ではあるが、くいついたら離れない根性は、自他ともに認めていたので、最後まで記帳しつづけ、年度末に行われたプロジェクト実績発表会では村、地区（郡部）県の各大会で代表発表をさせてもらった。

その時、自分のやったことが多少なりとも認められたので気分が良かった。そんなことが契機となって、再び農業に夢を持ち短かい青春をぶつけてみようという気持になってきた私でした。

数字で経営の分析

一つのことをやり遂げてしまうと、後のことは比較的簡単にできてしまうものです。父の経営（俗にいえるドンブリ勘定）に強い反発を感じていた私ですので、こんどは数字による経営の把握、つまり簿記による経営の分析、発展を思いついたわけです。これもまた基本からということで「北海道酪農短期大学経営研究講座」というまことに長ったらしい通信教育を受け、簿記をマスターしたわけです。

簿記の方は高校の時、いく分商業簿記をかじっていましたので、原理についてはわりとスムースに理解でき、記帳をはじめてみました。実際に記帳をはじめてみますと、見ると聞くのとはおお違い、問題点だらけで（もっとも私の頭に問題があったのかも知れませんが）最初から一時停止の連続で、参考書をめくってみたり、先生に見てもらったり、またたく間に二年が過ぎてしまいました。

しかしその間、どんな小さな取引でも、仕訳して保管していたのが結果的には良かったのかも知れません。三年目になり、一年間の集計をして、損益計算書、貸借対照表を何日も何日もかかってやっと完成してみると、まる二年間、難かしい難かしいと思っていたことが、スッキリとまではいきませんが、なんとか理解できるのですから、人間の気持などおかしなものです。そんなことで、就農以来五年目にして、私もやっと、経営者の卵になったとひそかに自信を深めた次第です。

人間らしく生きたい

私は思います。何の職業にしてもそうだろうと思いますが、将来の方向を決めるとき、過ぎてきた過去のこと、過去の記録が最も重要な要素になるのではないか！。記録することが、農業を少しでも他職業に近ずける道であり、より豊な生活を送る基本になると思います。また反面、経済的に恵まれることは豊な生活の第一歩ですが、それと並行して、精神的な面も、より人間らしい人間として生きるために養っていきたいと思います。田舎には都会には無い生き喜びが、空にも大地にも息づいているはずですから。

（全協、沖縄親善交歓訪問4Hクラブ員）

農村雑感

折原俊二郎

盗む技術

徒弟制度という言葉は、近代の資本主義社会において、すでに消滅したように思われますが、果して完全になくなったといえるであろうか。

この徒弟制度は中世のヨーロッパの各都市で、商業や手工業部門で行なわれたもので、それぞれの職業ごとに、技術の独占と徒弟の維持とを目的としてなされたもので、その組織は、親方、職人、徒弟の三ツの階層からなっている。職業につこうとするときは、若いときに弟子として親方の家に住み込み、親方から人格的教育、職業技術を習い、一定の年季がきたら親方のもとからはなれ、渡り職人として各地を歩き、さらに技術を磨き、そして一人前の親方になるという制度であったわけです。

日本においてもこの徒弟制度が発達しましたが、ヨーロッパとちがう点は、日本は家制度によって支えられてきたところに特色があるといえます。

例えば年季奉公を終えた弟子は別家と称して、その家の系図の一員として入る形をとってきたものです。

しかし、戦後における日本の資本主義の展開に対応して、新しい経営方式が採用されるとともに、他方において労働法とか職業訓練法が制定され、適正な労働と新しい技術習得の方法についての途が講ぜられてきましたが、さらに、その後の急激な経済変動（経済の高度成長ともいえますが）は、もはや、かつての苛酷な年少労働の温床といわれた徒弟制度の残存は許されなくなってきたといえましょう。

ところで農業の現状をみると、たしかに徒弟制度の形はみられなくなってきている。しかし、制度としては消滅したが、その思想までが完全に消え去ったのだろうか。資本主義下の高度な経済成長は、あらゆる面で農業に大きな影響を与え、農業も資本主義体制の中で成立せざるを得ない状態にたちいたっている。しかし、近代産業の中に肩を並べて資本主義体制の確立を図ることは、農業という立場からみると、諸条件が他産業とは大幅に異なっている。いや、他産業と比肩しうる立場に進むための諸条件の改革が、個人ではあまりにも障害が大きすぎるのかもわかりません。

このような諸条件下にあって、新たな立場に脱皮することが要請される今日の農業では、矛盾もまた多く存在する。その一つとして、新しい技術の習得および人格的教育をどこで得るのか。そのための職業訓練の場が農業にはない、というのは、農業という職業は、分野が広範にわたるという点にある。このため職業訓練という場でなく、もっと広い立場、即ち、人格形成と、激しい変動に対応できる応用能力を付与する場を提供するのが拡大といえる。このため、完全な職業訓練の場は、優れた実際の農家の圃場にしかないようにも思える。ここでは、だまっていても教えてくれるものではなく、自から求める者に、与えられるという形態しかなく、さらに、その奥にある基本的な技術を自分から探し出して求める以外にはないと思う。

それを総称して"盗む技術"といってはまちがいだろうか。徒弟制度下での盗む技術とは異なっても、こちら側の対応の仕方は、それに近い考え方をもっていないと、完全な技術の習得はむづかしいと考えるからである。

（農林省　農業者大学校）

思い出のアメリカ実習記（下）

埼玉県大里郡花園村・花園4Hクラブ　持田源次郎

一年間頑張り通して自信

実労働が実に十六時間

八月頃になると、夕方、ミシシッピー川へよく出かけた。雄大な流れの中をモーターボートで疾走ったり、水上スキーをしたり、泳いだりした忘れられない思い出が残っている。

また、八月には旅行もあり、実習生同士で会えて自分の農場のことなどを語り会ったり、州立大学での講義など数日間行なわれ、のんびりと過すことができた。

九月の上旬には、アイオワ州は雨が多い。そして下旬にもなると年間を通じて最も多忙な時期がやってくる。トウモロコシの収穫が始まるのである。これは十月の末までの一ヵ月間ぐらいつづくが、朝六時から、夜十二時までの労働である。実労働が十六時間を下ることはほとんどない、という重労働である。さいわい、トウモロコシの成育もよかったので収益も多かった。

この忙しいトウモロコシの収穫が終ると、二回目の旅行がある。この旅行ではネバラスカ州のオマハへも行き、世界一のストックヤードなども見ることができる。

ファームビューローの総会などにも参加することができ、そこではアイオワ農民とも接する機会があった。十一月上旬にもなれば初雪があり、アイオワは長い冬の訪れとなる。積雪の少ない地域であるが、とにかく寒い。農作業はできなくなり、仕事はほとんど豚舎内で行なうようになる。

十二月に入れば、もうどこへでも聞えてくるのが、クリスマスの音楽である。何回となくクリスマスパーティーに参加したが、中でも最も印象に残っているのは、イリノイ州のモリーンで行なわれたインターナショナルクリスマスパーティーであった。

世界各国から集った若者たちで催したものであり、歌、ダンスなどで楽しい一時を過すことができた。

一月になるとアイオワの寒さは一段と深まる。氷点下三十度となり、日本に住んでいては想像もできなかった温度に降る。ハイウェーの路面が凍ってしまい交通がストップしてしまうことも、しばしばあった。庭などもすべて凍ってしまうので通路には、毎朝、塩を撒いて歩くのが常であった。

この頃になって、地域の4Hクラブなどの集会にも出席できるようになってきた。

4Hクラブ員の年齢が十九歳までなので、そのほとんどが、中・高校生であった。メンバーの団結力があり、よくまとまっていることが分った。

二月に入ると寒さも幾分やわらいでくるようになり、しのぎやすくなった。

私のモリス農場での実習は、三月十日で終った。思えば数多くのトラブルや楽しかったことも、苦しかったこともあった生活であった。

この農場を離れる日は、一年間頑張り通した勇気と自信とで、胸がいっぱいになった。それと同時に、一年間にわたってお世話して下さったモリス夫妻に心から感謝した。私は二人に見送られてバスに乗り、デモインへと向った。十一日にデモインを出発して十三日にサンフランシスコに到着した。

ここには実習生が全部集合して、楽しい最後の旅行へと移った。

サンフランシスコを出発して、ネバダ州のラスベガス、そしてアリゾナ州のグランドキャニオン、また、カリフォルニア州のサンジエゴ、ロスアンゼルス、ディズニーランドと旅行がつづき、再びサンフランシスコへ戻った。一生忘れられない思い出のある旅行であった。

このアメリカ実習の一年間をふりかえってみると、さまざまなできごとが浮びあがってくる。

どれ一つをとりあげてみても、すべて輝かしい人生の一ページに値するものである。そんなことを考えながら、オークランドの飛行場の椅子に腰をかけ、飛行機の出発を待っていた。それは、三月二十六日の夜であった。

（おわり）

交通安全宣言

茨城・江戸崎4Hクで

【茨城県＝村山文雄連絡報道員発】茨城県稲敷郡江戸崎町の江戸崎4クラブ（会長、大野陽一君）は、さる四月から「交通安全4Hクラブ宣言」を行ない、交通安全運動をすすめた。

これは、同クラブのある江戸崎町を走る国道一二五線や県道が鹿島港開発、新東京国際空港建設にともなう資材搬入道路に指定され交通量の増加につれ、交通事故が続出、またクラブ員たちも市場へ野菜の出荷、クラブの会合などに車を利用しているので、われわれ関係者から交通違反、事故の撲滅、地域社会の安全運動をすすめようと安全宣言したもの。

これまでの運動として、六月に警察署、教育委員会の協力で、交通安全運動教室の開催、八月には道路にはみ出している草や枝払いや道路標識の整備をした。

人間の限界を試す

悪戦苦闘一日五百キロ

大阪府南河内郡河南町　武本安弘君

ポンコツ車で日本一周

全国各地で会った人のサインがされている軽三輪のポンコツ車

武本安弘君は、単独で異例の日本一周をやり遂げた。武本君は、府立農芸高校を卒業後、蔬菜専業の経営者として熱心に取り組んでいる青年で、現在南河内郡4Hクラブ連絡協議会々長、河南町4Hクラブ会長を兼任し、日夜大活躍している。

武本君は、冒険することが一つの趣味で、昭和四十一年には五人で軽三輪車を使って紀伊半島を五日間で一周、つづいて四十二年には四人で、同じく軽三輪車で伊豆半島から富士周辺を六日間で突走った。

さらに四十三年には二人で、これまたポンコツの軽三輪車でもって、東日本一周（北海道を含む）をわずか七日間でやり遂げたという経験をもっている。

この異例の日本一周冒険旅行を遍ってみると、日本一周とペンキで書かれたポンコツ車は十月十六日朝九時三十分大阪を出発して一路北陸へ、十七日朝新潟県に到着して日本海に沿って突走る。十八日朝青函連絡船上を経て北海道へと入る。十九日午前一時、北海道の最北端稚内に到着して右回りに一周、二十日朝知床半島、二十一日朝阿寒湖、二十二日朝襟裳岬などを通過して一路本土へと向った。

太平洋岸に沿って表日本を走り二十四日東京着、二十五日京都、山陰の日本海側へ、二十六日関門トンネルを通過、九州を右回りで一周、二十七日鹿児島県、山なみハイウエーを通過して二十八日熊本県、再び関門トンネルを通り本土へ、二十九日広島県に到着した。

フェリーで四国の香川県へ、四国を右回りで一周し三十日再び香川県にもどり、淡路島を過ぎて大阪、和歌山に入り、三十日午後八時無事に大阪へと帰った。

以上書いてみれば簡単だが、要した日数十五日間、走行距離八四四四キロ、経費約十万円。その目的は人間の限界と軽三輪車の限界を試すためにやったもので、完全に遊びとわりきって実行したそうである。

この実行にあたっては、もちろん一年前から計画したもので、地理、交通、気候などにわたって慎重に考慮し、車の構造、修理なども勉強するとともに、さらに部品同様の軽三輪車を購入し、それを自ら分解修理して、一応完璧に近い車に組み立て、稲刈りなどの農作業も平年よりも早めに終らせるなど万全な計画のもとに実行した。

しかし、何といっても一人で短い日数、ポンコツ車という悪条件のもとでの実行であるため、その苦労は、とても口ではいい表わせないものがあろう。また、それが彼を日本一周に旅立たせるための動機になったのかもしれない。

その悪戦苦闘の一例を上げてみると、一日平均五百キロの走行、すい眠は車の座席で一日平均四時間、食事は半分が自炊、車の修理は専門店で二回、自らの修理点検は三十回、パンク一回、走行中前輪がはずれること一回、濃霧のためにエンジン内に水滴がたまりエンジンの不調など、孤独と疲労に耐えて体重が三キロほど減った。

しかし一方、他車からのさし入れ物、出合った人からの激励や各県において車にサインをしてもらうなどそのたびに希望が湧く。北海道の北東部の紅葉の美しい印象、東洋工業の自動車工場（使用車の会社）の見学など数多い思い出はつきないが、いろいろな人から元気づけられて一応この冒険は無事終えることができた。

帰宅した時の感想を武本君は、「青春が一度に終ったような気がした」とふり返り、また、将来こん度以上の冒険を試みたいと夢は捨てしないようである。

老人ホームに花壇

四季の草花も植える

【岐阜】岐阜県恵那市の恵那4Hクラブ員二十七人は、このほど同市に完成した老人ホーム恵光園の庭に花壇づくりの奉仕をした。

この老人ホームは完成したばかりで、施設は立派だが、殺風景なので、お年寄りを慰めるために行なったもの。

同園には、小型トラック三台分の土やコンクリートブロックが運ばれ、三十平方㍍と二十五平方㍍の立派な花壇ができた。

花壇には、クラブ員たちの手で四季の花を植えた。

生活の知りコーナー

暖かい住居の工夫

経済的で効果もよい暖房をするには、スキ間風を防ぎ、あたためられた空気を逃がさないように工夫することが第一です。

床下　和室の部屋は大掃除のときなど畳との間に新聞紙を三～四枚重ねて余分に敷くか、建築材料店で売っている黒い厚紙を敷くと、畳の敷き合わせからくる風を防ぐことができます。

壁・柱　幅広のセロファンテープをはることですが、少していさいをよくするには新聞紙を細かくちぎって練ったものや石膏やパテなどをすり込んで、その上からポスターカラーのような絵具で同じ色に塗っておきます。壁と床との境もセロファンテープなり、壁紙や布で腰張りしておきます。

天井　スキ間にはやはりセロファンテープを張るのが簡単です。最近出はじめた熱を通さない断熱性のボードを打ちつけると熱の逃げぐあいが違います。

建具　建付けの悪いものは前もって直しておくこと。柱との間のわずかなスキ間ならベニヤ板の寄せ木を打つとかフェルトのような裁ち布をあてて防ぎます。ガラス戸の重なりは戸締まり用の金具がしっかりしていないと、よけい風が入ってくる。そのほか、カーテンを上手に利用するのも一方です。

ネクタイの手入れ

家庭で簡単にできる洗たく方法として、まず用意するものは、ベンジンと液体の中性洗剤、それにぬるま湯、歯ブラシとコップなどです。

まず、コップに液体の中性洗剤を二～三滴と、ぬるま湯を茶さじ一杯、それにベンジンを三〇cc入れてよくかき混ぜ、乳液のような液をつくります。

ネクタイをタオルの上にのせ、柔らかい毛の歯ブラシにこの液をつけて軽く叩くような気持で汚れの部分をふいていきます。力を入れたり、こすりすぎると布地が毛ばたったり、のびたりしますので軽く叩くのがコツです。

よごれをふいたら別のタオルで叩くようにして液をふきとり、きれいな歯ブラシにベンジンだけ含ませ、もういちどよごれの部分をやはり軽く叩くようにしてふきます。最後のベンジンをしみこませたガーゼで裏から全体を叩くような気持でふきますと、きれいになります。

仕上げは新聞紙をネクタイの幅に斜めに折ってネクタイの両側から中にさし込み、乾いたタオルをのせてアイロンを軽く横にかけます。結び目の部分がシワになっているときには上から霧をふいて仕上げます。

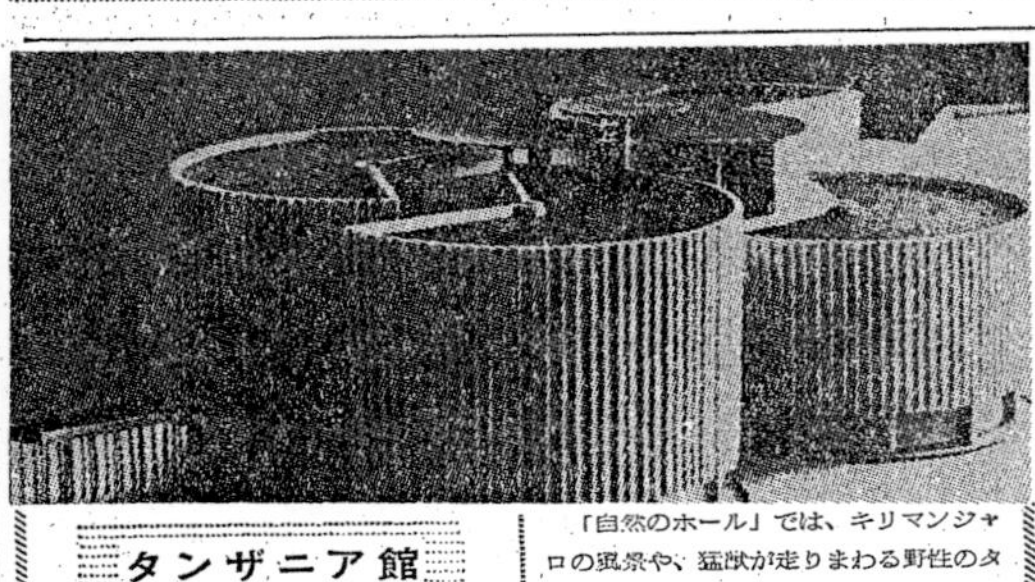

タンザニア館

展示館は、円筒扇形の建物四つが、まるく並んだ形で高さは約10m。ヤシの木を中心につくられるタンザニアの伝統的な村を思わせます。

展示は、日本万国博のテーマと四つのサブテーマにそって、タンザニアの"自然""人々""文化""進歩"の四部門に分けられます。

「自然のホール」では、キリマンジャロの風景や、猛獣が走りまわる野性のタンザニアを紹介。

「人々のホール」では、最初の人といわれるジンジァントロプス（人類猿）の頭ガイ骨の模型などを展示。

「文化のホール」では、民族舞踊や音楽、美術を展示。

「進歩のホール」では、開発されるタンザニアの現状と将来が紹介されます。

＜「日本万国」展示館の紹介＞

日本4H新聞
4Hクラブ
農事研究会
生活改善クラブ
全国弘報紙
発行所
社団法人 日本4H協会
東京都市ケ谷家の光会館内
電話（269）1675郵便番号162
編集発行人　玉井光
月3回・4の日発行
定価　1部　20円
一ヵ年700円（送料共）
振替口座東京　12055番

クラブの綱領

私達は実践を通じて自らを磨くとともに互いに力を合わせてよりよい農村、よりよい日本を創るため四つの信条をかかげます。一、私達は農業の改良と生活の改善に役立つ腕をみがきます。一、私達は科学的に物を考えることのできる頭の訓練をします。一、私達は誠実で友情に富む心をつちかいます。一、私達は楽しく暮し元気で働くための健康を増進します。

親密を深めて帰国
全協の沖縄親善交歓訪問団

那覇空港であいさつする黒田会長（正面右側）

意欲秘める沖縄の同志

さる十一月十六日、大阪の伊丹国際空港から沖縄へ向けて親善交歓訪問の旅に出発した全国4Hクラブ連絡協議会（会長、黒田保君）主催の沖縄親善交歓訪問団一行二十三名は、沖縄の4Hクラブ員との交歓や沖縄農業の研修などを終えて、二十日午後六時半過ぎ、ノースウエスト航空機で小雨降る大阪空港に全員元気で帰着した。

今回の交歓訪問によって、両クラブ員間の相互理解と親密化を図ることができたばかりでなく、一行二十三名は、同志としての仲間意識を強めるとともに、すべての初体験や研修を通じて成長するなど予期以上の成果をあげた。

一行二十三名は、十六日午後五時、雲が低くたれこめる那覇空港に到着、沖縄の4Hクラブ員と琉球政府農業改良課関係者の歓迎を受けた。

琉球政府の安里農業課長らの歓迎のことば、黒田協会長の訪問のあいさつなどがかわされたあと、宿舎へ。夜は、大浜係長、上原青少年担当官ら農業改良課の関係者と、全沖縄4Hクラブ連絡協議会長大城君らの紹介があった。

翌十七日、一行二十三名は琉球政府を訪問、翁長林農林局長はじめ関係機関の関係者にあいさつ。このあと県専門技術員の案内で沖縄南部と中部を視察研修し、ひめゆりの塔など戦跡を訪ねて英霊に花束をささげた。

十八日は、宿舎から車で約二時間、前日から沖縄農村青少年技術交換会が開かれている国立名護青年の家に到着し、さっそく講堂で沖縄の4Hクラブ員約五十名とともに、黒田会長の訪問のあいさつ、大城全沖縄連協会長の歓迎のことばのあと自己紹介を行ない、黒田会長が全協、県連、日本4H協会からの贈り物をおくった。

昼食後、技術交換会が開かれ、翁長林農林局長の激励のあいさつ、つづいて五名のクラブ員代表による体験発表が行なわれた。レクリエーションについで沖縄と本土クラブ員との交歓討議会が開かれ、組織の問題をはじめとして本土復帰後の沖縄農業の方向、本土の政府貸付資金の現状など沖縄のクラブ員が直面している数多い問題点などについて活発に意見がかわされたが、沖縄のクラブ員は悩み多い中にもたくましい意欲と研究心をもやしているように感じられた。

夜は、体育館でキャンドルサービスを行ない、蛇皮線による琉球舞踊の披露など両クラブ員が寸劇を出し合って交歓した。

十九日、朝のつどいのあと講堂で技術競技が行なわれ、本土クラブ員は途中からパイナップル栽培など北部の農業見学をした。

二十日、市内見学のあと午後四時五十分、大勢の沖縄クラブ員に見送られて那覇空港を出発した。（訪問記を新年号に掲載します）

涼風暖風
ひめゆりの塔

全協主催の全国4Hクラブ員沖縄親善交歓訪問団一行二十三名は、沖縄到着の翌日、南部戦跡に足をのばし、英霊に花束を捧げた。

これは、交歓訪問の主旨から少しはずれているようであるが、沖縄の地理や産業（農業）を知り、沖縄の人たちの心の奥深くをのぞくためにも意義があった。

もちろん、今回の訪問団員の多くは戦後に生まれた人たちであり、戦前に生まれた人たちでも、戦争中はまだ幼く、戦争の実情を知るよしもない人たちばかりであるが〝ひめゆりの塔〟を知らない人はいない。

バスガイドの哀愁をおびた説明においかぶされるようにして、みんなが心を痛め、犠牲者の霊に対して頭を下げた。

この南部地区には、ひめゆりの塔をはじめとして、健児之塔、魂魄の塔、黎明之塔、白梅之塔、島守之塔などの戦跡がある。いずれも特志看護婦として従軍していた高等女学校の生徒が自決した洞窟や、軍の作戦に参加していた師範学校の生徒が斬込み、あるいは自決した壕頭などに建てられたもので、いまもその姿をとどめる洞窟にクラブ員たちはしばし足をとどめていた。

しかし、クラブ員たちは、そこで何回かその気持を破られてしまった。というのもはじめ塔に向うとき花束を売っていた二、三人が、こんど帰るときには五、六人にふえて、一行に立ちはだかるようにしてみやげ物を売りつけている姿に対してであった。また、ある個所では、花束を買い金を払ってよく見たら一度に三つの花束をつかまされていた。さらに、ガムをかみかみ、トランジスターを鳴らしながらミニスカート姿の婦人をつれた外人にもクラブ員たちは、異和感を感じていた。

これらは、単純な受けとり方かも知れないが、純粋なクラブ員たちの目に映ったことは否定できない。そして、これから訪ずれる多くの本土の人たち、クラブ員も同じ気持を抱かないとは限らない。

いま、ここで〝ひめゆり〟とは何か、と問うまでもないだろう。観光は、沖縄の収入の中で、基地やサトウキビ、パイナップルについで大きなウエイトを占めていることを考えると、この戦跡の観光化も止むを得ないかも知れまいが、こんど訪問した4Hクラブ員と同じ気持を抱かされる人が少ないことを期待せずにはおれない。

4Hの一大飛躍を図る
来る八日から中央推進会議

全国4Hクラブ連絡協議会（会長、黒田保君）、社団法人日本4H協会（松下幸之助会長）共催の「全国4Hクラブ中央推進会議」は、いよいよ来る八日から五日間、静岡県御殿場市の国立中央青年の家で開催される。

この会議は、全協執行部役員、同評議員、各県連会長、同4H会館建設推進員、同次期リーダーなど百数十名が出席して、4Hクラブ活動の推進をはかるため、プロジェクト活動を基盤とした4Hクラブの本質、運営、組織強化、リーダーシップなどについて研修を行ない、併せて、意識の高揚と資質の向上を図るため開くもの。

とくに今回の会議においては、本会議に併行して全協OBによる専門委員会を開き、これからの4Hクラブ活動のすすめ方と全協の活動と組織について検討してもらい、その成果を今後の全協の活動と運営の指針として取り入れる意向である。

つぎに、女子クラブ員のために特別に女子研修を行ない、低滞しがちな女子のクラブ活動の盛り上がりを図っている。また、懸案の日本4H会館建設推進のため、これを議題に取りあげるとともに、各県の推進員を集め、推進員会議を開く予定である。

なお、今回の講師陣には、宮城日本4H協会副会長、新田同事務局長、大賀農林省普及教育課青少年班長、湯浅栃木県特別専門技術員の諸氏を予定している。

県連の再編祝う
宮城県連　大会や市内パレード

1200名のクラブ員が集まった宮城県連の大会

【宮城県＝関場勝広連絡報道員発】宮城県農村青少年クラブ連絡協議会（会長、浅野喜一君）は、さる十一月十一日、仙台市レジャーセンターに千二百名のクラブ員を集め、結成記念大会を開催した。

この大会は、日頃グループ活動を推進している県下の農村青少年が、近代的農業経営ならびに農家生活実現を目ざして新しい組織を結成したので、これを広く内外に明示するため開いたもの。

大会は、地区連旗の入場で始まり、4Hクラブの歌斉唱、知事や来賓の祝辞、県連活動方針の説明「手をつなぎ、伸ばせ農業、心と技で」のスローガンの採択をした。

つぎに、記念パレードに移り、千二百名のクラブ員は揃いのクリーム色の帽子、各地区の郷土色をとり入れた花やかな十七台のデコレーションカーで市中をパレードした。

県庁前には、4Hゼッケンをつけた運転手による二十台のトラクターを先頭に、知事の観閲を受けた。次代の農業を担うふさわしい堂々としたパレードであり、盛大なうちに幕を閉じた。

青年の情熱に感銘
米クラブ員帰国報告会開く

マイケル君

マーガレットさん

社団法人日本4H協会（松下幸之助会長）が、社団法人全国農村青少年教育振興会（東畑精一会長）と共催し、国際農村青年交換（IFYE）計画に基づいて米国から招いたマイケル・ウェングリン君（二〇）とマーガレット・マローンさん（二〇）は、五ヵ月間にわたる日本での農家生活を終え、このほど帰国した。二人の離日にさきだち、さる二十四日東京で報告会が開かれ、日本滞在の成果が報告された。

この4Hクラブ員の交換は、単なる農業実習と異なり、受入れ農家の一子弟として、その家族とすべての生活を共にするもので、農作業はもちろん家事や炊事の仕事も、家族の一員として分担し、その生活を通して相互に理解を深め両国の親善と世界平和に貢献しようというもので、別名「草の根大使」と呼ばれるように民間外交の一役を果すものである。

マイケル君とマーガレットさんの二人は、さる六月二十二日来日、東京で日本の農業や農家生活、4Hクラブ活動についてオリエンテーションを受けたあと、千葉県農村中堅青年養成所で研修を受け、その後、茨城、高知、愛媛、長崎、福井、群馬の各県で日本の農家生活を体験した。

この間、鳥取県で開かれた「全国4Hクラブ員のつどい」や、高知県で開かれた「全国農村青少年技術交換大会」に参加し、全国から集った多くのクラブ員と交歓したり、各受入れ農家滞在中は地元のクラブの会合に出席し、日米両国の理解と親善に尽した。

こうして大きな成果をあげて、マーガレットさんはさる二十七日午後六時三十分、バンコック、カルカッタ経由で、マイケル君は二十九日午前八時三十分、マニラ経由で、それぞれ帰国した。

この帰国にさきだち、日本4H協会では、さる二十四日午後一時三十分から東京・港区西新橋の共栄火災海上保険相互会社会議室に関係者を招いて、帰国報告会を開いた。

報告会では、まず、新田4H協会事務局長のあいさつ、つづいて自己紹介と日程説明のあと、二人はおよそ次のようなことを述べた。

はじめに日本の農業は、アメリカで本で読んでいたものより実際は進んでいた。とくにトラクターやバインダーを共同で購入して共同作業をしているのなどは大変よいと思った。

教育を受けたクラブ員たちが、農業の近代化、機械化、規模拡大などに熱心に取り組んでいる情熱が感じられたが、親たちは保守的で息子たちとの間に意見の対立があった。もっと、おとなたちの教育をやる必要があるのではないか。

生活改善の面でも、努力がつづけられていた。しかし、主婦は忙しいので普及員に相談したり、研修を受けたりする暇がないようである。驚いたことに若い女性は料理を知らない。母親もそれを教えていない。お嫁に行ってから姑さんに教わるということらしい。

もう一つ驚いたことは、日本の農家では、長男だけが家の農業を手伝っており、他の弟や姉妹たちは手伝わないのはどうしてか。

日本の主婦は、食事の味付はすばらしいが、栄養とバラエティについては関心が薄い。

このほか、家族の人間関係、日米の4Hクラブの違い、鳥取や高知の全国大会、農政、この交換計画などについて、それぞれ意見や感想を述べた。

さいごに、農林省普及教育課の大賀班長が「米国へ帰ったら、正しい日本の姿を伝え、両国の親善が深まるようお願いしたい」とあいさつをして、閉会した。

楽しく親睦を図る
大阪府連で女子のつどい
ハイキングや研修など

【大阪府＝松浪亘一連絡報道員発】大阪府農業生活研究クラブ連絡協議会4H部（部長、原田正夫君）は、さる十一月九日、箕面市の箕面公園で恒例の「女子4Hクラブ員の集い」を開催した。

この集いは、府下の女子クラブ相互に親睦を深めるとともに、クラブ員としての自覚を深めるために毎年行なっているもの。

当日は晴天に恵まれ、紅葉が色づきはじめる箕面公園ハイキングコースを散策し、河原で昼食をとり、全員で歌やゲームを楽しみ、また戯とたわむれ、自然の美しさに心をうばわれた。

このあと「4Hクラブにおける女子の立場」「恋愛について」のテーマで話し合いを行なった。この日特別参加した男子クラブ員もまじえ、楽しい雰囲気のなかにも真剣に討論をした。

技術研修会開く
岐阜・益田郡4Hクラブ連

【岐阜】岐阜県益田郡の益田郡4Hクラブ連絡協議会（会長、野中樹一君）は、さる十一月九日、馬瀬村の県花木試験場で、技術研修会を行なった。

この日、同クラブ員十余名が、同試験場を訪ずれ、試験場の目的や現状の説明を聞き、今後地域農業の発展に貢献するものであることを教わり、多くの関心を集めた。

このあと、金山町で肉用牛の多頭飼育（22頭）をすすめている4HクラブOBの放牧場で、普及員から肉用牛の素牛の選定方法や省力多頭飼育法について説明をうけた。

参加したクラブ員には、すでに肉用牛を経営にとり入れている者も多く、熱心な質疑応答が行なわれた。

この現地での優良事例を見ながら研修をうけることは、技術向上に役立つので、同クラブではこれを機会に、今後は各部門にわたって現地研修を続ける予定である。

ハイタレント時代（2）

福岡県立築上農業高校教諭　森本　勝

農業も実力の時代
必要な各般にわたる知識

自由競争の原理に合わせて

一般に稲作は畑作に比べて、水管理によって生育の調節もでき、作柄が比較的安定し、技術の規格もできていて、最も安定した作物であり、専門的な知識技術がなくても、隣りの農家のまねをしても、あるいは、技術員の指導の通りに行なっても、一定の収量が得られ、販売にも心配はなく、まったく特別な農産物であった。

ところが、米の過剰から、今後は価格の上昇は望めないし、他作目の規模拡大を図らなければならない。例えば、少なくともビニールハウス一、二〇〇平方㍍、ミカン園の三㌶、鶏三〇〇〇羽以上の規模でなければ専業として生計をたててゆくことはできない。

それに、経営と技術と経済、そして政治の全般にわたる知識や計画性が必要となり、資本主義経済下にふさわしい考え方と経営が要求される。そして、商品生産の競争はますます激しくなり、農家の知識と技術と資本をいかに集中できるか、経営改善の一つのカギとなる。

しかも、月旅行のように、最大限に科学を応用し、計算づくめで、人間の思う通りのことがなし遂げられるのと異なり、農業には不確定要素が多く、人工的コントロールも完全にできなく、科学のうちで最もその応用が困難であるのが農業である。

そして、もともと技術は普遍的なものであり、経営は個別的なものであり、しかもなお技術と経営は一体であり、経営者は技術と経営を一身に背負ってなり立っているもので、農業を真剣に経験した人ほど、農業のむずかしさを知っている。

それで、農業のむずかしさが分かるということは、大変な進歩であり、一人前の経営者ということができる。前にのべたI君が若くしてこのことを体得したことは、彼がいかに真剣に農業にとり組んでいるかを示すものである。

何でも知っている？初心者

それにつけても、アメリカでは次のことがいわれている。

初心者…何でも知っているように思う。

半解者…何も知らないことを知らなくなる（最も危険で生意気なとき）

完解者…知っていることを知っている。

到達者…知っていることを知らなくなる。

これにみるように、農業のことなら何でも知っていると思うのは初心者で、農業を始めて二、三年たつと、少し農業のことが分わってきて、農業くみやすしと感じ、失敗をまねく場合が多い。そして、一通り経営がわかるのに少なくとも五年はかかる。

さらに、農業のむずかしさが本当にわかるには、少なくとも十年はかかり、これで一人前の農業経営者になったということができよう。

筆者は、前に稲作は技術の規格化ができ、比較的安定した作物であると述べたが、実は本年こういうことがあった。

稲作で失敗したOさんの例

Oさん（四十五歳）は、農業をついで約二十五年、稲作にはかなりの自信を持ち、筆者の時折話す稲の生理学的な説明にも耳をかさない態度を示していた。

ところが、本年のOさんの稲作は半作の作柄となり「先生にはあわす顔がない」と訴えてきた。というのは、本年は例年より七〜八月の雨量が少なかったにもかかわらず、Oさんの水田は常に無理をして我田引水して湛水して豊作を図った。ところが常に湛水するので、夏の水温が四〇度にも上昇し、稲は高温障害を起し、九月中旬頃から葉が淡緑色となりはじめたので、筆者が根を調べてみると、根は黒々と黒ずんで、根腐れ現象を起していることが明らかになった。

しかし、こうなっては十分の処置もできず、隣りの水稲は大豊作というのに半作に終った。

そして、今まで稲作はたいしたことはない。生理学的な知識は必要ではないと思っていたが、稲作のむずかしさがわかったと述懐した。

それで筆者は「稲は誰でも栽培できるが、本当に稲作を極め、稲と話しができるようになるには大変むずかしい。それには基礎的な知識をまず勉強することが大切で、稲作のむずかしさがわかれば一人前ですよ。二十五年稲作をやったといっても二十五回しか田植をしてはいないではないか。それも、天候、土壌、品種、肥料、病虫害も同じ条件の年は二度とない。それこそ毎年新しい環境のもとで栽培するのと同じである。これからが本当の稲作りになりますよ」といってなぐさめた。

北九州近郊のみかんの新植園

これはほんの一例であるが、農業は誰でもできると考えている人が少なくなく、失敗すると農業はもうからないとなげく人がいる。これが園芸、畜産になると、さらに事情は複雑で、広い知識と能力がなくてはよい成果をあげ得なく、農業は大変むずかしく、頭のいる職業であるということである。

能力ある者は大きく伸びる

今後の農業は、うまく経営することは大変難しいということおよび経営者の知識、能力が経営の成果を大きく左右することを述べてきた。しかし、これは一面、能力のある者は大きく伸びることであり、楽しみもあるということができる。その変化はすでにはじまっている。

例えば、昨年は、温州ミカンは生産過剰ぎみで、キロ四〇円台の安価で大さわぎをした。それでも農家によってはキロ六〇円平均で販売しており、経営者間の差がはっきり表れている。

徳島県から移住してきたO君（二十六歳、普通高校卒）は、北九州近郊で、四十四年の春五㌶のミカンを新植した。

筆者は、将来ミカンは過剰ぎみであるが、あえて北九州近郊を狙った理由をたずねた。（つづく）

心頭技健

アメリカの4Hクラブ員の代表として来日していたマーガレットさんは、過日の報告会で「驚いたことに、日本の若い農家の娘さんたちは、ほとんど料理を知らない」とあきれていた。また、母親の方は、料理の味付けは上手であるが、栄養のバランスや内容のバラエティについては関心がすくない、ということである▼聞くところによると、アメリカの4Hクラブでは、料理や家事は女の子のプロジェクトとして取り上げられ、十七、八歳ぐらいになると、もう母親に代って何でもできるようになるそうで、いうなれば女子クラブ活動が非常に盛んなのである。これがアメリカの4Hクラブの評価を高め、日本とは対照的に、男子より女子のクラブ員が多いことにつながっている▼よくいわれることであるが、クラブを盛んにするには、まずクラブに女の子を勧誘することが早道である。そうして、女の子に入ってもらったからには彼女らの期待に応えるようなクラブ活動をしなければなるまい。また、そうすることによって、クラブ活動そのものが盛んになってくるものである。まさにクラブの盛衰は女性の出方にかかっているといえよう▼とはいえ、クラブの人数がふえ、賑やかになるのは結構であるが、その活動内容と意識が問題である。ただ大勢で騒いだり、レクばかりでは意味がない。また、マンネリ化して、決った行事をただ消化していくというようなことではいけない。4Hクラブにおける女子の立場と役割ということがいわれるが、これはみんなが真剣に考えるべき大きなテーマである▼全協も、こんどの中央推進会議に、はじめて女子研修を行なうことにした。これにはいきさつがあった。昨年、全協副会長を勤めた沼田俊子さんが、任期が終るさいごの執行部会で「あなた方は、この一年間女子クラブ員のために何をしてくださいましたか。女子はアクセサリーだとお考えですか」と語気鋭くつめよった。そのとき役員たちは返す言葉もなく、反省を強いられた、ということである▼このように、女子活動を盛んにするには、男性が理解を示し、正しい女子活動の認識をもつことが先決である。こんどの会議における女子研修が、大きな成果をあげ、全国に波及するよう願いたいものである。

第9回全国青年農業者会議
開催要領案まとまる
青少年と経営者集う
3月3日から4日間、東京で開催

第九回全国青年農業者会議は農林省など七団体の共催によって来春三月、東京・渋谷区代々木のオリンピックの記念青少年総合センターで開催されるが、このほどまとまった実施要領案は次のとおり。

一、共催

農林省、NHK、全国農村青少年教育振興会、全国農業改良普及協会、全国農業研究会連絡協議会、日本4H協会、全国4Hクラブ連絡協議会

二、開催期日

昭和四十五年三月三日（火）〜六日（金）

三、開催場所

オリンピック記念青少年総合センターおよびNHKホール

四、参加者

各都道府県は、つぎのとおり参加者を選出するものとする。

なお、参加者は❷のエを除くほか、全員発表概要（レポート）をかならず提出するものとする。

❶正式参加者の資格と員数

ア、農村青年

（ア）おおむね二十五才以下で、現在自主的な農業研究集団活動に参加しており、本年度、都道府県段階で開催された農村教育青年会議、プロジェクト実績発表会、放送利用農業集団大会およびその他農村青少年を対象とする大会または研究会などのいずれかに参加し都道府県の代表として選出された者とする。

なお、代表者の選出にあたっては、農業後継者育成資金の借受者または部門経営をはじめている者を積極的に参加させることが望ましい。

（注）本年度から、夏の技術交換大会と春の青年農業者会議の視点を、次のように明確にして開催する考えである。

❶夏の技術交換大会は、20歳以下の青少年を主たる対象とし、プロジェクトや技術競技およびなかまつくりを内容とする。

❷春の青年農業者会議は、25歳以下の青年と、35歳以下の農業経営者を主たる対象として、実地に体験した農業や生活の知識や技術について交流・交換を行ない、近代的農業および農村の担い手としての資質の向上をはかる。

（イ）一県（都道府）男4名、女4名、計8名

イ、農業経営者夫婦

（ア）おおむね35歳未満の研究心が旺盛で実行力のある新進の農業者であって、原則として自営者冬季学校（農業部門）に参加した者とする。

（イ）一県（都道府）夫婦2〜3組（必ず夫婦共であること）

❷特別参加者

ア、青少年クラブリーダー

イ、農事研究会などのリーダー

ウ、農村青少年担当普及員および青少年研修教育施設職員

エ、都道府県担当職員（普及・青少年）および専門技術員

特別参加者の員数は、一県（都道府）6名以内とする。

五、会議

❶部会の設置

会議の部会は、農村青年および農業経営者の二部会とする。

❷農村青年部会

ア、会議の課題

会議の課題は、選択課題と共通課題とする。

（ア）選択課題

水稲作、野菜作（露地）、野菜作（施設園芸）、果樹（落葉）、果樹（常緑）、酪農（和牛を含む）、養豚、養鶏、健康と労働、農家生活の経営、農家生活と生活の環境、クラブ活動

（注）従来のプロジェクト実績発表大会は、今回から本会議の中において行なうこととしたので、選択課題の発表や研究討議は、プロジェクトとして実践してきた農業や農家生活に直接関連のあるものを中心とする。

また、今回は特に放送利用の課題を設けないので、放送を活用して実践した事例を発表し、討議する。

（イ）共通課題

「わたしたちがきづく十年後の農業」

（注）青年たちとして十年後の農業経営や農家生活の構想をどう描くのか、またそれを実現してゆくための青年の役割はどうかなどについて、グループで討議したことがらを発表し、討議する。

イ、会議の方法および運営

（ア）会議は、参加者のとりくんだ農業経営または農村環境あるいは、農家生活の改善などの実践活動（いわゆるプロジェクト活動）の課題に応じて、上記アの（ア）の選択課題別の分科会に分れて行なう。

（イ）分科会においては、参加者があらかじめ提出した発表概要を中心に発表し、研究・討議する。

（ウ）分科会は、参加者のなかから座長および書記を選び、進行および記録を行なう。

ウ、発表概要

発表概要（選択課題のいずれか一つと、共通課題）は、別に定める実施細目により記述し、提出する。

❸農業経営者部会

ア、会議の課題

（ア）選択課題

水稲作（東日本）、水稲作（西日本）、普通作および野菜作（露地）、野菜作（施設園芸）、果樹作（落葉）、果樹作（常緑）、酪農（和牛を含む）、養豚、養鶏

（イ）共通課題

「わたしたちがきづく十年後の農業」

（注）農業者として、十年後の農業経営や農家生活の構想は、どのようなものか、またこれらを実現するための農業者の役割はどのようなものかについて発表し、討議する。

イ、会議の方法および運営

青少年部会に準じて行なう。

ウ、発表概要

発表概要（選択課題のいずれか一つと共通課題）は、別に定める実施項目により記述し、提出する。

❹特別参加者会議

ア、会議の課題

「農村青少年クラブ活動の強化について」

❺農村青年と農業経営者交換討議

❻代表討議

六、合宿

前年通り参加者全員オリンピック記念青少年総合センターに合宿する。なお、農業経営者夫婦で幼児連れなど、合宿に支障があるものについては、都道府県が認めた宿舎に宿泊すること。

七、会議の運営

❶全国青年農業者会議運営委員会

会議全般の運営を円滑にするため、各都道府県から選出された農村青年および農業経営者ならびに主催者によって「全国青年農業者会議運営委員会」を設置する。

運営委員会に農村青年部会と農業経営者部会の二つを設ける。

❷全国青年農業者会議事務局

会議の運営を円滑にするため、主催者をもって「全国青年農業者会議事務局」を設置する。

八、表彰

別に定める要領による。

新年号原稿を募集

いよいよ冬の訪ずれを告げる便りが届くころとなり、年の瀬が迫ってきました。

本紙の発行も年末まで一回となりました。新年号は、十二月二十四日号と来年一月四日号を合併して増頁のうえ企画も新たに、みなさんのご協力によって新年の門出にふさわしい記事で飾り、愛読者のお手もとにお届けしようと計画しています。

つきましては、次の要領で新年号の原稿を募集いたしますので、どうぞ、ふるってご応募下さい。

〈応募要領〉

【原稿の内容】新年への抱負、年頭所感、雑感、意見、詩、俳句、随筆など新春にふさわしいもので、建設的なものであれば内容は自由です。

なおできるだけ、顔写真や関係写真、絵図などを添えて下さい

【原稿の長さ】四百字詰め原稿用紙五枚（二千字）以内

【応募資格】4Hクラブ員（農村青少年）OB、農業高校生（中学生）篤志指導者、育成指導者など

【原稿のしめ切り日】十二月十五日

【送り先】東京都新宿区市ケ谷船河原町十一、家の光会館内日本4H新聞新年特集号係（郵便番号一六二）

※なお、掲載分には謝礼または粗品をおくります。

日本4H新聞編集部

〈24〉

模範的な大家族
服部一族
結婚、職業選択は若者の意志で

アダマンチナは、バストスから約五〇キロほど奥へ入った所にあるサンパウロ州西部の中心地である。早速、コチヤ産組西農協の技術員松野カルロス氏の案内で農家訪問を始めた。この辺は奥地農業の中心地で、コーヒーを大面積栽培している人や、肉牛を飼っている人などが多い。

日系農家の成功者

私は、ここで日系農家の成功者で代表的な方を訪問することができた。その人は、服部金四郎さんという。経営は五〇アルケールというから、一二〇町歩で、コーヒー、落花生・メロン・チリメンカボチャ、玉葱、コショー、豚といった複合型だが、経営のしかたが他の人とちがうのである。

前にも述べたと思うが、ブラジルで移住者農業を成功させる秘訣は、大家族農業になることである。この服部さんの一族は、その点で全く立派である。

服部本家は、親子嫁で十人、その分家ともいえる親せきの家族は、全部で七十人になるという。そのうちの四家族四十人は、本家の近所で、いずれも農業を立派にやっている。そして一族の人々が、常に農業や生活、教育、人生問題にいたるまで力をあわせて、問題解決をやっている姿はうらやましいほどである。

大会も開く大家族

二十三年前に金四郎さんの父親が他界されたときから、毎年父の命日には、服部一族みんなが仏前に集まって、家族の話し合いに花を咲かせるのだった。はじめは法事のついでにやっていたよも山話だったが、家族が増えるにつれて、話題も豊富になり、むづかしいことも多くなった。また、子供たちが多くなるにつれて、たのしさも加わって、かくし芸大会になったりして家族レクリエーションの役割も果たすようになった。家族対抗柔道大会もできるというから、大した家族である。

一九五五年からは、服部一族の作文集が発行され始めた。その中で、家族の人たちは、のびのびと自分の考えを将来述べるのであった。こういう雰囲気は、その中心にある、金四郎さんの人柄が大きく影響しているのはもちろんである。

金四郎さんの人柄がよく現われている言葉にこういうのがあった。息子の結婚に対して金四郎さんは、「お前らが好きになった女性なら、親のわたしが好きになれないはずがない。だから、お前らのえらんだ人は、はやく親にあわせてほしい。一緒に、たのしくあそぼうではないか」というのである。

国際結婚にも理解

こういう話は、話のわかる親なら誰れでもこうだといえるのかもしれないが、実際に親の立場になると、なかなかいえない言葉ではないだろうか。まして、ブラジルでの結婚は、日本国内のように単純ではない。民族のちがい、生活習慣のちがい、考え方のちがい、言葉のちがいは想像以上に異質なものである。その異質のカベを破って結婚をするということは、若い二人の愛だけでは守りきれない苦しいものがあるのである。そういう特殊な移住者の世界で、金四郎さんのようにいい切れる方はそうはいないのである。

一般的にいって、国際結婚といわれる民族間結婚には、日本人一世の親たちは反対か不安をもっている人が多い。このこと自体は、いろいろな問題をもっているが、しかし青年たちにとっては、レッキとしたブラジル人であるし、広いブラジル人の中には、立派な人も多いはずであるから親たちのいう国際結婚といった見方は青年たちには通用しないのである。だから、金四郎さんのような考えの親をもつ子供たちは幸せというべきでしょう。

職業選択は話合いで

もう一つ金四郎さんらしい話がある。若い者は、十六歳くらいになると誰れでも町へいきたくなるという。そういうとき金四郎さんは、ムキにならない。農業は人だと考える。だから、町のよさ、村のよさ、わが家の農業、苦しさを率直に話してやり、わが家の将来の構想もうっかり話すのだそうだ。

そして「さあ、俺がお前に話すことは、これでみんな話をした。あとは、お前が、町へいくか、家で農業をするか判断するのだよ」といって考えさせるそうである。そして自分の決断で、農業についた若者は、実にしっかりとしているという。どうも、日本でもこの話はイミシンであるようだ。息子に対して、あととりとしてもらいたさにオドオドして、息子を我侭にし放題にしている世の親にとっては耳のいたい話である。

自由な家族の生活

いま、服部さんの家は、両親と長男夫婦、二男、三男が経営の中心になっている。

そこで各々仕事を分担し、別々に経理し、収入は別々に銀行口座へ預金されている。父の金四郎さんは、その総括をしているが、息子たちが使う金は自由に引き出しをさせているのである。だから、大家族であっても、家族一人ひとりの生活はのびのびしていて自由である。その自由を充分味わうために、一族は、今日もあしたも、一生懸命に働いているのである。まさしく、愉しい働きがいのある生活である。

研究発表する服部さんの息子（二男）＝リカー講習会にて

農政にこの対策を
▼審議会の答申から〈6〉
離農の手取けを図れ
農業と産業の両面から対策を

⑹ 離農の援助、促進

ア、農業の生産性の向上および経営面積の規模拡大を図るためには、中高年令層を多数かかえた就業構造の改善を図らねばならない。

このためには、新しい農業のすぐれた担い手を確保することも必要であるが、経営面積の規模拡大など農業構造の改善に資する方向で農業従事者が引退または転職によって離農することを援助、促進する対策に本格的に取り組むことが重要である。

もとより、農業従事者が農業にとどまるか、引退または転職によって農業を離脱するかは、農業従事者自らの意志にまつべきものであるが、離農の援助、促進を図ることによって、農業就業人口の減少を経営面積の規模拡大など農業構造の改善に導くよう積極的な施策を行なうべき段階に至ったものと考えられる。

農業従事者は、自らの設計にしたがい、自然を相手として他人に拘束されずに働くものであるから、職業の転換は容易なことではない。とくに、中高年令層が農業から転職によって離脱するには、他産業における賃金・雇用条件のほか住宅問題など困難な問題が山積している。したがって、政府は、中高年令層が有利で、さらに円滑に引退または転職によって離農しやすい条件を整備することについて特段の配慮をすべきである。この場合、転職による離農をすすめるに当たっては、農業従事者が父祖伝来の土地を離れ、都市に居住することは決して容易ではないという事実および都市の過密化防止の必要性を考えると、住居を移転せずに通勤形態による他産業への就業を促進することも十分考慮すべきことである。

イ、多数の中高年令層をかかえた就業構造を改善するためには、高年令者の農業からの引退が果たす役割が大きいので、それを促進する必要がある。したがって、老後の生活を保障し、経営の移譲を促進することをあわせて考えると、農業者年金制度の果たす役割を重視すべきである。

この場合、年金的手法をとるとすれば、その効果発現までには相当の期間を要するので、高年令者について経過措置として別途必要な措置を講ずるべきであろう。

ウ、転職による離農を援助・促進するためには、農業側と他産業側の両面からの対策が必要である。

（ア）農業側においては、経営面積の規模拡大など農業構造の改善に資する場合、離農しようとする者が保有する農地について、例えば、公的機関による買取り、離農のための農地担保金融、長期の賃借権を設定する場合の小作料の前払いなどを行ない、さらに財産整理の円滑化を図るための措置を講ずるなど離農を容易にする条件の整備が必要であろう。

（イ）前述した農業従事者の就労の特殊性を考えて、とくに農業従事者に適した職業訓練、職業紹介などを強化すべきである。

（ウ）企業側においても、賃金・雇用条件の改善を図ることが望ましいが、政府においては、住宅の確保を図るとともに地元雇用機会の創出と増大のため、地方の中小都市への工場立地を積極的に促進することが必要であり、このため離農者の雇用促進に貢献するような農地の計画的転用、立地企業に対する指導助成などを図る必要がある。

また、道路交通網および通信網の整備などを図るべきである。この場合、就業構造の改善が急がれる東北、南九州などの地域についての整備を早急にすすめる必要があると考える。

エ、以上の施策によって離農しやすい条件を整備するとしても、現実には、なお農業で自立しがたい相当数の農家が広はんに残ることとなろう。

これらの農家については、その所得と生活水準を維持向上させるためには、地域の特性を考慮しながら安定した兼業機会の創出と増大を図る必要がある。

この場合、兼業農家の農地が農業で自立しようとする農家へ漸次集積するようにするなど農業構造の改善に資するために、兼業所得の安定、増大と離農しやすい条件の整備についても配慮すべきである。

オ、以上の施策をすすめるとしても、水稲単作地帯に多い出稼を早急に解消することは困難であると見込まれる。

したがって、出稼者については、就職経路の正常化、就労条件の明確化および改善を図り、また、出稼先での住宅、宿舎の確保など受入れ体制の整備を図るとともに、留守家族の農業生産、留守宅との連絡などについても適切な措置を講ずるほか、出稼者が不安なく他産業に転職できる条件の整備につとめるべきである。

カ、以上の諸措置の実施に当たっては、関係機関の連絡協調につとめるとともに、これらの措置が総合的な効果を発揮するよう政府全体として特段の配慮が望まれる。

（つづく）

"草の根大使"募集
申し込みの締切り日迫る

社団法人日本4H協会（松下幸之助会長）は、国際農村青年交換（IFYE）計画に基づいて来年度も米国と中華民国（台湾）にそれぞれ男女各一名（合計四名）の4Hクラブ員代表を派遣することになり、全国から希望者を募集していますが、締切り日（十二月十日）がせまってきました。

この交換事業によって派遣されるクラブ員は、別名"草の根大使"ともいわれ、米国は約六カ月、中華民国は約三カ月間滞在し、それぞれ農家の一員として生活しながら農業や農家生活、クラブ活動などを実施に体験するかたわら、わが国と両国の相互理解と親善を深めるとともに、帰国後、クラブ活動や地域農業の振興に努力してもらおうというものです。

派遣される人の資格は①4Hクラブ員であって、プロジェクト活動の実績をもつ人②年令は、昭和四十五年四月一日現在、満二十歳以上〜二十三歳までの人で未婚者であること③健康で人柄などがこの計画にふさわしい人④米国の場合、中学校卒業程度の英語を修得している人⑤帰国後、クラブリーダーとして活躍できる人などです。

希望者は、各道府県農業改良主務課へ申し込んで下さい。

福島県連で4Hのつどい
実績発表や交歓訪問など

【福島】福島県農村青少年クラブ連絡協議会（会長、[illegible]、佐藤公伯君）は、さる三日から三日間にわたって、喜多方市厚生会館を主会場に「農村青少年4Hのつどい」を開催している。

この4Hのつどいは、クラブ員が、クラブ活動を通して実践している農業や生活についての技術や意見を交換し、クラブ員の家に民泊して家族をまじえて話し合い、またクラブ交歓を行なうことによって、クラブ活動や地域農業への理解を深め、農業や農家生活の向上を図ることをねらいとして開かれているもの。

主な内容は、プロジェクト発表、クラブ交歓、講演、シンポジューム「私の農業経営と今後の方向」などである。

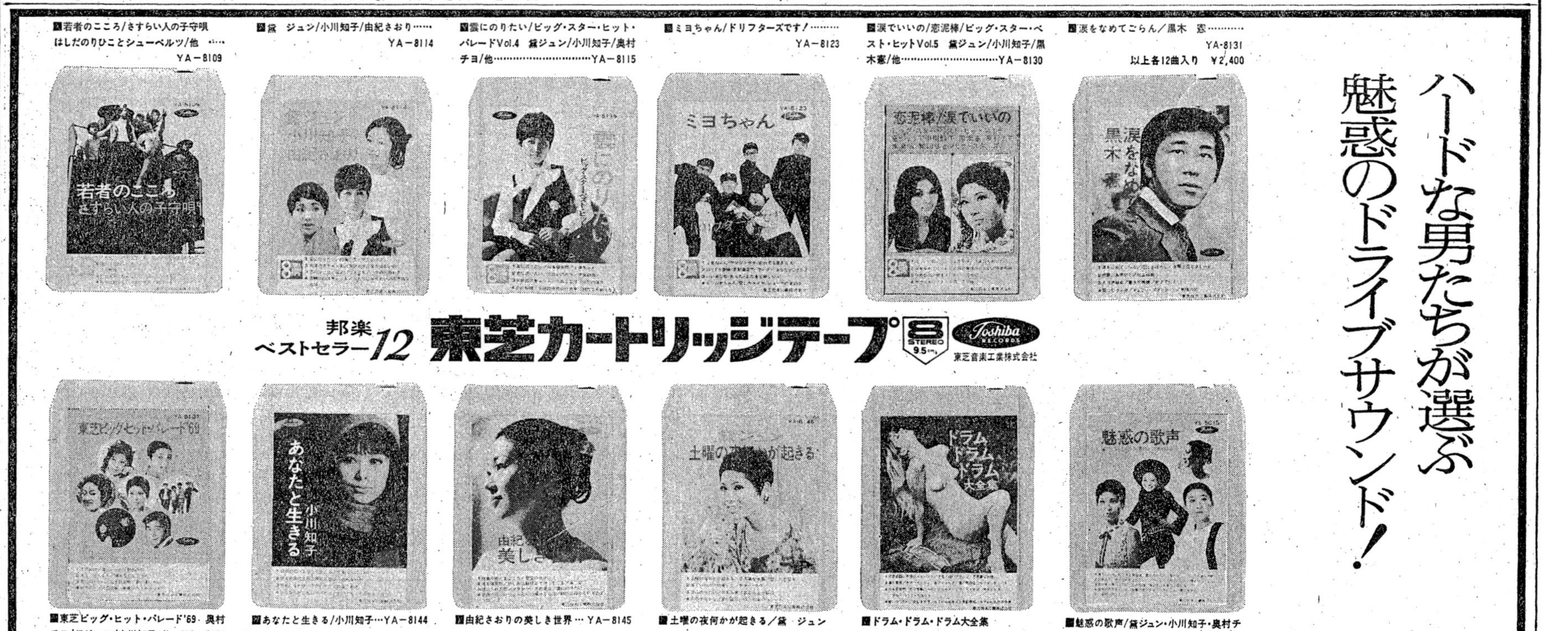

私の複合（畜産・果樹）経営

30歳、年収八ケタ目標
青春かけ悔いない経営を

山梨県韮崎市韮崎町上の山
上栄4Hクラブ　岩下克雄

養蚕不況に直面して

七年前、病弱の父親に代り、米麦、養蚕中心の農業の担い手となった私ですが、まゆ価格の暴落と蚕作が悪かったという養蚕不況に直面し、この打開と安定した生活を営むためにも、こん後の経営の方向について真剣に考えました。

複合経営に踏きる

著しい他産業の進展と、人口の増加に伴ない伸びる消費、改善されていく食生活。そんな社会情勢の中で私は農業を営む者として一体どんな方向に目を向け、その役目を担うべきなのか?。

安定した農業経営、年間を通して平均された作業量と収入、食生活（消費者）と直結した部門経営、限られた労力でより多くの収入を得る方法、風土や気候的条件に合い私の青春をかけても悔いのない経営――。そんな考えに胸をふくらませながら、私は果樹と畜産による複合経営にふみ切ったのです。

畑地転換にも着手

この果樹と畜産の部門経営の計画立案と資金の調達にあたって、ます、土地の集団化を図るために多少の犠牲を覚悟で計画的な畑地転換に着手し、三年計画で桑園をぶどう園に転換しました。その間成園になるまでの間作に馬鈴薯を作付し、養豚の飼料として利用し転換期の収入の減収をカバーしました。

この結果、現在の経営は当時の計画のもとに、七十アールのぶどうの成園と豚舎を新改築し、常時百頭の肥育を行なっています。

この経営内容においても、農繁期における労働力の常時確保には限りがあり、問題点となっておりますが、とくにぶどうは四品種を導入し、収穫期のピークをくずすことによって若干ですが労働力の調整を図りました。

また、資金については、さる三十七年に農協から近代化資金二十五万円と、昨年、農業後継者育成資金五十万円を借り受け、それを仔豚の購入、豚舎の増築、ぶどう苗木の購入、棚掛け資材の購入資金などに充当しました。

養豚部門は順調に

その結果、本年度の経営実績をふりかえってみますと、とくに天候の不順が原因となり、五十アールにわたるデラウェアーの無なしぶどうは晩腐病の発生、また、出荷期の雨にたたられ玉割れなどが発生して、防除するすべもなく、無ざんな結果をまねいてしまいました。

また、米作にいたっては結実の発生で、六分作という作柄でした。そんな中で、養豚経営については空前の高値により順調に伸びて、農業収入の目標額は一応達成できました。

失敗はよい教訓に

これらの結果から反省を加えてみますと、ぶどうの場合は、被害を最少限度に防ぐための迅速な処置を行なえるような労働力の重要性、また品質向上の管理のためにも、必要な時に必要な労力を確保することなどの対策に重点をおくべきであると痛感しました。

この打撃は非常に大きくもあり悲痛な姿はよい教訓として、次年度に必ず生かしていきたいと思います。

これらの経験から、将来の私の家の経営設計といたしましては、私が農業に従事した当時の目標として、二十五歳で年収五百万円、三十歳で一千万円の収入を得る農業経営者になりたいと大きな夢を描きました。

これは、現在の耕地を十分活用したならば、けして夢ではないという強い確信のもとにスタートしたのです。

そのためには、将来の労力を考慮しながら、機械化、規模の拡大などの経営の合理化を図りながら、ぶどうの成園一ha、肥育豚の出荷を年間五百頭を当初の目標として三十歳で八ケタ収入の農業経営の方向に進んでいる現在です。

全国普及員大会開かる
東京・日本青年館で

全国農業改良普及職員協議会と全国改良普及事業協議会では、さる十一月二十四、二十五日の二日間にわたり、第十八回全国農業・生活改良普及職員研修大会を東京の日本青年館で開催した。

この研修大会には、全国の農業・生活改良普及員約一千名が参加し特別講演、寺山義雄氏（共同通信社論説委員）の「総合農政の行方と問題点」を受講したあと、それぞれ四分科会に分れて、普及事業のあり方、総合農政などについて討議した。二日目は、分科会報告と全体討議、つづいて功労賞、感謝状の贈呈、普及活動のスローガンの発表などがあり閉会した。

酪農
失敗は許されない
"夏山冬里"方式で解決

秋田県由利郡由利町[illegible]　村上菊夫

日本海に面した人口八千人の小さな農業の町は、雄大な鳥海山、由利高原の五〇〇ヘクタールの草地に、酪農振興が施行された。乳牛四七〇頭酪農家数九七戸から形成されている。乳の流れる町へとイメージチェンジされた若く新しい町です。

もうからない農業、遅れがちな農村の社会環境の中で、新たに酪農に対する夢をもたせ、土に生きることを私に教えてくれたのは、高校三年の夏休みの北海道酪農実習でした。

「開拓」のランプ生活の灯が酪農を灯し、楽しい生活を灯し、歴史の中に人間が何を求めて仕事に精出し、創り出していくことが一番大切かを知らされたのです。高校卒業後の一年間、北海道で酪農実習生として学び、フロンティア精神を持ち帰ったのが三十九年の春でした。

資本金のない私は、生まれてはじめての借金をし、酪農への生命をかけたのです。その年五月にサイロを作りはじめ、自分の手でブロックを積みあげ、コンクリートを流しこむ作業は約一ヵ月を要したのです。

直径四メートル、高さ八メートルの容量六〇トンの大型サイロができあがった喜びは、酪農へ生命をかけ、牛好きになった人間でなければ味合うことのできないものです。サイロのできあがりと同時に冬期間の飼料を確保し、その年の七月から九月まで急ピッチで牛舎を建設し、九月に北海道から乳牛七頭を導入したのです。

水田一五〇アールの単作農家の私の家に、周年サイレージ給与の水田酪農計画を作成したのです。

しかし、草地が牛舎から六キロほど離れた海抜二四〇メートルに位置する高原で、乳牛の増加とともに大きな問題が起きてきたのです。第一に田植時期とサイレージ調整期間の労力の競合です。第二に草地に堆肥、牛尿などの有機質肥料を使用できないこと、第三には良質の安い草を生産する必要性があることです。

この解決策として、四十一年十月に秋田県畜産コンサルタント協会コンサルティションを受け、水田酪農から自立酪農を目指し、夏期には牛を山に移動する計画を作成したのです。四十二年には、夏山冬里研究グループ（乳牛を夏は山に移動し、冬は畜舎へ移す）を結成し、五人の仲間とともにこれまで体験したさまざまな問題を集団の力で解決へと方向づけたのです。

山の中に丸太で平屋根牛舎一二〇平方メートルを仲間の手を借りて造り出していくグループの力の中に、改めて失敗の許されない厳しさを知りました。草地も町から借り受け輪換放牧を計画したのです。

四十二年の六月から牛を山に移動し、待望の酪農の夢が一歩前進したのです。昨年まで二年間の実績の中から、飼料購入費は収入の三〇パーセント、一頭当り四五〇〇キロの牛乳生産量に達することができました。

現在二十頭の乳牛とともに、酪農をはじめて四歳の酪農家の幼児は立派に成人するときまで、酪農が発展するところに真の先進国が生まれでることを信じ、酪農人も稲作人も豚を飼育する人も互いの立場になり、みんなの問題として「見て、考え」仲間たちの会話の中から明日の農村建設のために前進したいと思います。

品評会と即売会
手芸品などに人気上々

三重県松阪地区農村青少年クラブ協議会主催の第一回農業祭が、さる十二日、同市公会堂で開催された。これは同クラブ員たちが出品した農畜産物のほか、女子クラブ員の作った手芸品などの品評会と即売会で人気上々であった。

NHK農事番組（12月11～20日）

テレビ

明るい農村　6・30～7・00総合
- 11日　話題の広場　わさびで稼ぐ一千万円
- 12日　村をむすぶ　フイルム・リレー
- 13日　農業新時代　新らしいリンゴ産地
- 15日　村の記録　過疎打開（高知県芸西村）
- 16日　きょうの話題　小さな卸売市場
- 17日　産物往来　あらまき鮭
- 18日　話題の広場　四ヶ国養蚕（埼玉県秩父市）佐藤清氏、農協住宅（東京都町田市）
- 19日　村をむすぶ　フイルム・リレー
- 20日　農業新時代　大型ビニールハウス

農業教室　7・30～8・00　教育
- 11～13日　農民の健康管理（農林省生活改善課長）矢口光子氏
- 15～17日　新興みかん産地の課題（九州大学助教授）長憲次氏
- 18～20日　近郊花きの生産と経営（東京教育大学助教授）岡田正順氏

あすの村づくり
日　7・30～8・00教育
再　土　13・00～14・00教育
- 14日　▽特集「山をいかした畜産経営」＝第三回広島県若き畜産経営者のつどいから

ラジオ

早起き鳥　5・05～6・00　❶
- 11日　産地訪問　ハス（茨城県土浦市）
- 12日　現地報告　構造改善事業を現地にみる（山形県大蔵村）
- 31日　村のポスト
- 14日　話題の窓　こん後の開拓行政
- 15日　現地報告　災害地その後（福島県金山町）
- 16日　人と話題　全国農協婦人大会から
- 17日　通信員の手帳から
- 18日　産地訪問　三浦ダイコン（神奈川県三浦市）
- 19日　未定
- 20日　村のポスト

ラジオ農業学校
月～土　6・40～7・00　❷
日　6・30～7・00　❷

番組紹介

14日　あすの村づくり　▽特集＝「山をいかした畜産経営」広島県内で畜産に従事する青年たちがつどう「若き畜産経営者のつどい」ことしは三回目にあたる。

中国山地のハンデを克服して畜産経営を拡大していくために、青年たちが活発な話し合いをくり広げる。

番組では、参加者の意見を紹介しながら、山地の畜産経営の方向をさぐる。

14日　経営手帳　▽牛乳需要のこん後（全国酪農協会）秋山正文氏、▽鶏のマレック病（農林省畜産局衛生課長）信藤謙蔵氏

私のプロジェクト
話し合いの習慣を
主婦は太陽のような心で

愛知県知多郡阿久比町
阿久比4Hクラブ　山本順子

私の村では十年ほど前から「嫁と姑の会」が年一回行なわれています。

しかし近年、この会に参加する人が減ってきているのが現状のようです。

昔から農家の嫁と姑の間のことが話題になり、明るい農家づくりにふみ出す一歩として、こうした会が発足したのに、年を追うごとに参加者が減少していくのは、何が原因しているのでしょうか。

私たちの町にも宅地化の波がおし寄せ、兼業農家が多くなって、農家の主婦までも働きに出かけるようになったことが、大きな原因の一つになっていると考えられます。このように、農家の主婦が他の産業へ働きに出かけるため、ややもすると家庭の中心となるべき、家庭生活のことが忘れられてはいないでしょうか。

働きに出ることによって、現金収入はふえ物質的に恵まれたとしても、家庭の中に暖かい団らんの場がなくなっては、ほんとうの明るい家庭は生まれません。

また、農業の後継者減少が切実な問題となっておりますが、このこともこの親たちの出稼ぎに関連があり、反面、両親が農業に対して積極的な姿勢で取り組み、希望を持って経営している家庭には、後継者不足の悩みはありません。またあるはずがないと思います。

でも現状は、宅地化の波がおし寄せて、昔のようにのんびりと米作りだけに頼って生きていかれる農業でなくなったからと浮き足だってしまっている私たちの村なのです。

みんなで改善していかなくてはならない問題が山積されていてもだれがやるだろうと利己主義な人が多くなっては、いまよりもっと住みにくい農村になってしまいます。

それに対しては、若い私たちがまず、家庭生活の中に話し合いの場をつくり、それを習慣づけたらよいと思うのです。農家の主婦は農作業に従事することばかりでなく、一家団らんの場をつくるよう心がけ、最初は、むづかしく考えず、みんなでテレビを見ることからはじめるのです。そしてただ見るだけでなく、感じたことや内容について話し合ってみるのです。

それが習慣となって、自然に話し合いの雰囲気ができ家庭生活が話し合いを中心に展開するようになると思います。

話し合いができる家族の関柄の中に、争いはない。私はそう信じています。

そして、若い農家の主婦も、姑さんになった人も、社会の空気に積極的にふれるように努めて小さく固まらず、いつまでも暖かい日ざしを注ぐ太陽のような心を持ちつづけられたらと思います。

明るい家庭は、やがて明るい農村に育っていくことを信じて、私たちが常に前向きの姿勢で、小さな問題を一つひとつ解決していかなくてはならないと思います。

プロジェクトの取り組み方

北海道専門技術員　三輪勲

問題解決学習と系統学習　プロジェクトは問題解決学習の一つである。プロジェクト活動の補完を考える場合には、この問題解決学習の特徴を明らかにしなければならない。問題解決学習とは、生活経験における題材（問題）を取り上げ、その問題につながる知識や技術をもとにして生産的・創造的な思考によって解決していく学習の過程をいう。

これには、実際的な行動による問題解決と理論的な原因を解明する問題解決とがある。前者の学習指導がプロジェクトメソドであり、後者の学習指導は前者と区別してプロブレムメソド（問題法）と呼ばれている。

実際的問題解決の経過中にはしばしば理論的な問題解決の必要が生じてくる。また、この理論的問題解決によっていっそう実際的な問題解決が促進される。つまり、この両者の関連によって学習が高められるわけであり、さらにこの効果を上げるために理論的問題解決は独立した形態で行なわれるようになる。この場合、基幹となっていた実際的問題解決から独立した形で行なう学習が、いわゆる基礎学習である。

プロジェクト活動の補完

基礎学習は、青少年の発達段階に応じて教材を配列し体系化したものであるから系統学習といわれる。一定の知識・技術を原理から応用へ、要素から複合へ、単純から複雑へと配列された教材の順序に従って系統的に習得していくことになる。

しかし、系統学習は、膨大な文化遺産の詰め込み的な学習になりやすく生活に活用されず、興味のないまま、ただ記憶することに精力が集中されるという学習上の障害が見出される。

そこで、問題解決学習つまりプロジェクトと系統学習とは、相互的に補完する必要が考えられることになる。これは前に述べたプロジェクト活動の限界に対処することにもなろう。

プロジェクト・共同学習・基礎学習の相互関係　問題解決学習との関係は、プロジェクト指導においても十分に留意しなければならない。それは、プロジェクト・共同学習・基礎学習の結びつきである。かりに「鶏の多数羽飼育を行なって所得をふやそう」という目的で、多数羽養鶏の課題をプロジェクトに選定した場合、その実施に関連して「生産費を下げるにはどうするか」の問題をめぐって青少年グループで話し合う。

そこでは「このような方法でこの点に注意して行なえば、労力が節減でき、経費が少なくてすみ、生産も上げられるだろう」というように、技術・経営・市況などいろいろな角度からの検討が行なわれる。

またこれとは反対に、青少年グループの話し合いが糸口となって「最も少ない労力で、養鶏収入を高めることができないだろうか」という疑問が出され、全国で調査・討議など共同学習の結果「鶏の多数羽飼育」が必要なことを確認してプロジェクトがはじまる場合もある。

この場合の共同学習で取り上げる問題は、青少年の日常における生活経験、つまり農業や生活に密着したものでなければならない。プロジェクトは、こうした青少年の問題意識の向上によって促進されるが、その問題意識は共同学習によって養われる。

さて「鶏の多数羽飼育」のプロジェクト実践中には各種の問題点が生ずる。「産卵率が急に低下したがなぜだろう」とか「実さと産卵とは何かの関係があるのではないか」などの具体的な疑問が発生する。青年はこの解明のために、参考書で調べたり養鶏技術研修会に出かけたり改良普及員に質問することになる。

この場合の学習指導は、解明に急を要する問題以外に養鶏に関する知識・技術の系統的な学習が必要であろう。基礎学習が十分に積み重ねられていれば、状況の変化にもすぐ対応できる能力が高められるわけである。こうした基礎的な学習を常日ごろから十分に習得させることによってプロジェクトは促進されるし、学習によって得た知識・技術はまた新しい問題意識を生み出すことにもなる。ラジオ農業学校・農業学園・青年学級はこうした意味で重要な役割を果たしている。

以上のように、プロジェクト・共同学習・基礎学習は別個のものでなく、互いに補い合う関係にやくことがたいせつである。この関係を学習指導の立場から、単元（生活経験のまとまり）に当てはめてみると、プロジェクトは生活単元、共同学習は問題単元、基礎学習は研究・教材単元にそれぞれ相当（図参照）する。

問題解決能力の開発のためには、この三単元の有機的なつながりのもとに単元内容を設定することが必要である。

プロジェクト活動の指導において、農業改良普及事業における青少年教育と学校教育および社会教育との連けいが必要な基本的理由はこうしたところにある。（おわり）

プロジェクト・共同学習・基礎学習の関係

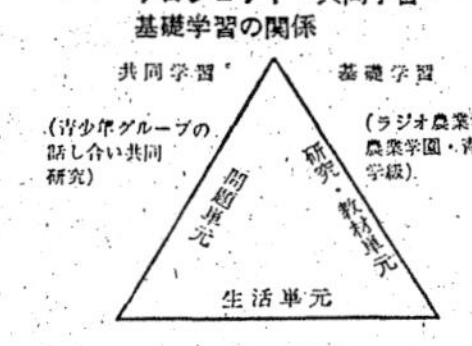

農業簿記

京都大学名誉教授
大槻正男

＜自計式農家経済簿記＞

現金現物日記帳とその記入
帳簿形式

「支出」欄は「種目」欄を別にして「所得的支出」と「家計支出」「財産的支出」の三欄に分かれており、いっさいの支出はこの三種の支出のいずれか一つに仕訳けして記入し、それらの支出種目名略称を「種目」欄に記入しておく。

「財産的支出」欄には、前述した交換取引支出、すなわち不流動性財の調達支出を記入する。例えば土地・建物・大植物・大動物・大機具などの固定財ならびに株券・公社債券の購入支出・組合貯金・郵便貯金・銀行預金・貸付金の支出・売掛け貸し支出・頼母子講の掛込み支出・生命保険・組合出資金の払込み支出ならびに借金返済支出であって、これらはいずれも農家にとって支出であっても、ただ現金が他の財産に変わるだけであって、損にならない支出という意味で財産形態交替的支出、略称して財産的支出という。

財産的支出以外の支出、すなわち損失取引支出は「所得的支出」と「家計支出」とに仕訳けて、所得的支出は「所得的支出」欄に、家計支出は「家計支出」欄に記入する。

「所得的支出」は「家計支出」と同様に、農家経済にとって損失になる取引であるが、「家計支出」が家族の生活のための直接的な消費的支出をいうのに対し、農家が所得を得るための生産的支出であって、例えば肥料・飼料・種苗・苗木・小動物・小機具・作業用被服・加工原料・諸材料などの流動財を購入するための支出および、諸種の用役を購入するための支出（例えば、労賃・負債利子、租税公課などの支出）をいうのである。

租税公課は、所得税・固定資産税・住民税・部落協議費・市町村経費特別負担・水利地益税および兼業関係の組合費など、農家の所得および財産に賦課されるいっさいの租税公課をいうのであって、農家の私経済的立場からの所得的支出として取り扱われる。しかし、消費税に準ずる通勤用自動車税などは消費支出としての家計支出として取り扱う。

建物の新築・改造および大修繕のために要するいっさいの支出（材木・板・かわら・大工・左官への支払い労賃にいたるまで）は、すべて財産的支出であることは前述した。また、建物の小修繕または維持のための支出は、例え家計専用の維持修繕であっても、一応所得的支出として取り扱う。

それは農家の建物を全部所得経済部面の資産として取り扱い、そうしたあとで家計経済は、所得経済部面から「建物用役」の仕向けを受けて、それを住居用に使用するという取り扱いをした当然の帰結である。

「建物宅地用役家計仕向け額」は、全建物宅地のうち、家計経済で使用される部分を計算したものであって、所得経済部面から家計経済部面へ仕向けた建物宅地の用役価額である。

「家計支出」というのは、家族の消費生活のために要したいっさいの支出、例えば副食物・調味料・嗜好品・被服および身回り品。家具および家財などの購入支出・家計用光熱費・保健衛生費・交際費などの支出をいう。

あしたの青春

一ノ瀬綾
え　多賀愛子

＜12＞

変動（六）

出荷をすませて帰宅すると、ふく代が待ちかねた様子で新一の顔をのぞいた。

「どうだったや、思ったより多かっただろ」

「目方がいくらあっても、金にならねば、無駄ごとというもんだ」

息子の代りに久治が、吐き捨てるように言った。もしかすると、生産費を割る最悪の事態になるかもしれないと、取り沙汰されていた出荷場の雰囲気が、久治の憤懣を改めてかきたてたようであった。

「まさか、まるで口になるような、そんなばかなこと、あるめえよ。な、新一」

取りなそうと気をもむ母親に背を向けて、新一は水道の蛇口に頭をさらした。汗まみれの上半身から首筋に水のしぶきを当てながら、両親の会話に耳をふさいだ。

聞きたくも話したくもない、土の中にめり込んでいくような重い気持を抱いて、新一は自分の部屋へひきあげた。裏庭に面したその部屋は、真夏でも汗の引く涼気がある。どさりと音を立てて新一は畳の上にひっくり返った。寝ころんだまま、足指で机の上の小型テレビのスイッチをひねる。

オカッパ頭の、女のような若者が五人、マイクを囲んで歌っていた。ふくらんだブラウスの袖を振り、身をもんで絶叫するグループサウンズ……いつもはすぐそのリズムに乗せられる新一だが、今日は聞く気も起こらない。（面白くもねえや―）

すぐひねり消すと、目をとじた。蝉の声だけが部屋に満ちてくる。

「野菜作りは何年も続けなければ駄目なんだよ。一度や二度の失敗で、結果を出すのは早計だよ」

今日会場で逢った普及指導員は、そう言って新一の肩をたたいた。学校の先生も、それに似た話を何度もしてくれた。理屈は納得できたし、今迄はそれを信じてきた新一である。だがもし、生産費だけが持ち出しだというようなみじめな結果になったら、今後の計画にどう取り組めばいいだろう……。

なにを、いつ、どうやって作れば、確実に金になるのか。今世間でさわがれている米など、作りたくても土地が無い。余剰米の五俵や十俵では、米価の変動など他人事でしかなかった。父母が只一つのたよりにしている養蚕も、新一にとっては決して魅力のある仕事ではなかった。やがて結婚して自分の時代になったら、蚕と寝起きをするような農業だけはしたくない、少年の頃から新一はひそかにそう思っていた。

養蚕も、専門誌などを見ると、飼育技術の上で思ってもいない新しい試みがされているが、それとて資本が先決であった。

（一ヘクタールに足りない農地か……）

「ああ……」

新一は声に出して深い吐息をした。自分の身体を取りまいている壁の厚さが、はっきり見えてきた思いで、なにか大声で喚きたくなってくるのであった。

「新一、手紙がきているぞ」

母親の声で目をあげると、頭上に大型の茶封筒が差し出されていた。

「誰からだ……友達かい」

ふく代は心配そうに息子を見つめたが、新一が黙っているのでそのまま引き返して行った。手にした手紙には、東京品川の住所と覚えのない男名前が書かれている。新一は封を切った。文面は簡単で、美ヶ原高原での、行きずりの交友を想いだした礼状であった。

「なんだ、あいつ等か……今頃」

新一は苦笑しながら、同封されてきたパンフレットを手にした。そこには、目を見張るような新型の自動車が、あざやかなカラー写真で並んでいた。

農村雑感

マラソン

折原仮二郎

人々は長い人生を送るに際しその行路を一つの道と考えると、その道のうえを一生かかって走っているようなものといえる。

これと同じように、農業も商業も工業も国の発展という歴史のうえを走っているといえる。

日本の資本主義が本格的にスタートしたのは、明治のはじめとすれば、それから今日まで約一〇〇年余の年月を走りつづけていることになる。これも一つのマラソンといえる。しかもゴールのない永遠のマラソンともいえよう。

農業をやっている人は、農業というコースを走りつづけているわけですが、明治維新を基準にして、商業も工業も同じスタートから走り出したとすれば、当然のこととして、農業のコース以外の他産業の各コースの様子と比較したくなる。

過去一〇〇年間走りつづけてきた状態を考えてみると、当初は繭の生産を基にして生糸の輸出が行なわれ、この財源が国家の財政を支えてきたといえる。

しかし、その期間も長いものではなく、やがて、こうした農業の時代から商・工業部門にとって代る時代になってきた。このときから、マラソンコースのうえでは、農業が商・工業に先をゆずったものといえる。生糸の輸出といっても、その部門を担当した農業がコースのうえを元気に走っていたものとはいえない。むしろ息切れする一歩手前といった方がよかったかも知れない。

さらに、現在の状況を考えてみると、戦前の農業に比べれば、幾分体力もついてきている。しかし、他産業に比べれば、走っているコース上では、農業は大分後の方であるかも知れない。そして息切れしそうな状態かも知れない。

しかし、こん後永久に他産業と肩を並べてマラソンコースを走らなければならないとすれば、ここでさらに水をあけられたり息切れして自ら脱落していくようでは困る。むしろ、他産業に追いつき、追い抜く、その体力と情熱がなければならない。それには、農業を支える一人ひとりの農業者の体力と情熱の結集しかないといえよう。

一人ひとりの農業者の体力と情熱はどこから生れ、どう育つのであろうか。農業者としての体力とは、それは能力といってもよい。技術的、経営的な問題、設定された条件の問題などを解決しながら、それを自己のものとしていく、それこそ能力を高めるための栄養源といえよう。

しかし、それは他から与えられたもののみであってはならない。健康を害したとき、注射は一時的に効力を発揮するが、本来は自分で食べ、消化し、血とし肉としていくところに力が出るものである。そうした意味からも農業者一人ひとりの能力の向上が絶対的に必要であるといえる。しかも、栄養を血とし肉とし得る効果的な年代は、何といっても若いときであろう。

そのためにも、幅広く考え、深い洞察力をもって対処し得るだけの知識と技術を身につけておくことは忘れてはならないことである。

そのうえにたって、農業に対する不屈の斗志と人間的な興深い情操を養うことである。この二つの面を兼ね備えた農業者によって構成された農業という職業になれば、他産業とのマラソン競争に負けることはない。先に走っている相手を追いこす力、息切れしない能力、それを求められるのは、今が最大のときであろう。

（農林省・農業者大学校）

4Hクラブの旗のもとに

時代の進歩に先んじて努力を

沖縄・勝連村、南風原4Hクラブ　勝連盛義

私たちの南風原区は、沖縄本島中部の東海岸に突き出た与勝半島の南部にあります。北は与那城村、西は新興具志川市に隣接していて、戸数三百九十一戸、人口一千二百一人の農村です。

私たちの部落の耕地面積は一三・六五九㌶で、農家戸数が二百五十二戸なので一戸平均耕地面積も五四㌃と小規模農業です。しかし土質は泥灰岩土壌、沖縄土壌、国頭礫層土壌からなり、耕地のほとんどが平野ですので、農業をしていくうえで恵まれた条件がそろっています。

そういう環境のなかで、一つの若者のつどい〝4Hクラブ〟活動があります。現在のクラブは昨年の八月に七名の会員によって発足したもので、ことしで一年と三カ月になります。

以前は、さる三十七年の十月に会員十二名で4Hクラブが結成され、活発に活動が続けられていました。当時、朝起共同作業、共同耕作の作業、全会員による本土の農業視察研修（自費）などの活動が盛んでありましたが、会員の他産業への転職でクラブ員が減少したことや、4Hクラブ員を中心として部落内の蔬菜農家に呼びかけて軍出荷の清浄蔬菜地の指定を受け、園芸組合を組織して共同出荷体制をつくりあげたため、4Hクラブ活動と園芸組合の両立はできないということで、自然に4Hクラブが解散する状態となりました。

だが、その後園芸組合も軌道にのる一方、農村の若者だけの話し合いの場、技術の交換の場が必要となり、再び4Hクラブを結成することになったのです。以前のクラブ員も半数以上いましたので、活動面においては、以前のクラブの良かった点や悪かった点を比較しながら進めていきました。

現在、農作業も人力から機械力に変わり、年々農業技術の進歩はとどまることなく進んでいます。

時代の進歩に伴い、4Hクラブも時代にマッチした農業技術を得る必要がありますが、それらのために南風原4Hクラブは次のような活動に力を入れてきました。

一つは、施設園芸の研修会であり、村の営農指導員、農業改良普及員、農業試験場の技術員を招いて研修しています。

次に、他市町村の農業視察や技術交換会などを行なっています。また、村内の離島に行って一泊二日間のキャンプ研修をやりました。近くには与勝海上公園もありますので、キャンプには最適です。

このほか秋の体育祭では4Hクラブでバザーもやりました。そして4Hクラブのユニホームも作りました。

以上が私たちの南風原4Hクラブの活動のあらましです。農業をしていくうえでいろいろな困難にもぶつかりますが、それらのあらゆる困難と試練をのりこえてこそ若さとしての魅力があり、われわれ若者の力であると思います。

いま、多くの4Hクラブ員が悩んでいる問題は、土地の区画整理が行なわれていないことです。各市町村には整備ずみのところもありますが、沖縄全般的にはまだまだであると思います。人力を省くためにも機械力の導入の必要性はよく耳にしますが、それ以前に、土地の整備をすれば機械化により高まるものと思います。

次に、営農資金の問題があります。

若者が農業をやるには、まとまった資金、施設、機械力などを必要としますが、それにはどうしても営農資金が必要です。各市町村に若干はあろうかと思いますが、本格的に農業をやろうとする者には長期で低利の貸付けなどの方法があると思います。

そのほかいろいろの問題が、農村から若者を離脱させる大きな原因であると思います。また、私たちのクラブの問題は全琉農村の若者の問題であると思います。

それらの問題が、近い将来解決できるものと信じて、クラブ員七名は4Hクラブの旗のもとにつどい、努力し、今日より明日、明日より未来へと夢と希望をもって毎日楽しく活動しています。

ラジオ農業学習と私たちクラブの歩んだ道

徳島県三好郡井川町・愛慶4Hクラブ　近藤吉正

灌水、機械化など収穫
部落への普及もわれらの任務

長男でなく農業後継者

徳島市から徳島本線を西に八〇キロ、四国のほぼ中央に私たちの町、井川町があります。

煙たなびく工業地帯とはうって変って、青く澄みわたった空、山の緑、小鳥のさえずりとまったくの田舎町の緑濃く、山々に囲まれていますが、天をつく山の頂上近くまで耕やされた田畑に働く人々の心も純心で素朴で親切という田舎の人間の特徴そのものです。

私たちのクラブもそんな町中の小さな一部落にあり、さる二十九年男子十二名、女子五名の農業後継者によって愛慶4Hクラブとして発足し現在に至っています。

いまも農業後継者の都市流出は山村、平地をとわず都市へ都市へと流れ続いています。私たちの町も山間僻地のため、農業後継者の都市流出は目にあまるものがあります。

しかし、現在私たちのクラブには、男子十九名の後継者がいます。そして皆の農家の長男でなく事実上の農業後継者一同です。というのは、長男だから農業をやるというのではなくて、土に親しみ農業に自分の生きる道を築こうと努力し明るい農村づくり、町の発展、また個人個人がラジオ農業学習に取り組んで、進歩に努めています。

ラジオ農業学校に取り組んで

私たちクラブ員、農業後継者に一番必要な勉学の場が思うように取れぬことが大きな悩みとなっていました。サラリーマンは午後五時に終え、時間的にも余裕があり、また社会的にも昇ること、即ちことによって大きく成長できるが、農業後継者は時間的に恵まれないなどのハンディキャップをもっていることは事実だと思います。

しかし、県農業改良課、NHK、町産業課などが私たち農業後継者に勉学の場を与えて下さるとともにいろいろ便宜を図ってくれています。

NHKのラジオ農業学校は、山間僻地のため、交通の便など不便なことが非常に多い私たち地区の農業後継者にとって大変貴重な勉学の時間となっています。私たちのクラブは、数年前まで、ラジオ農業学校のテキストを購入し勉強を進めてきましたが、最近はテキストを無償配布してくれますので農業をやる地区、また個人の経営にどれほど役立っているか言葉に言い表わすことができません。

ラジオ農業学校の意義と効果

昔ながらの農業も時代に押され明日をも危ぶむこととなり、ぜがひでも新しい農業経営方法に着手する必要に迫られてきており、私たちがそれに気づき最初に始めたのが、適地適作という農業経営にとって基本となる作目の選択だったのです。

この時から、私たちクラブ員はラジオ農業学校の利用を思いつき自分たちの町で経営可能な果樹、酪農、そ菜、肥育牛などを重点に勉強を始めました。それぞれの分の現地研修で問題点を討議、反省しました。

また、会場での話し合いだけでなく、果樹園に、畜舎に足を運びその樹、その牛に手を触れ、またラジオを聞き、テキストを利用して実のある研究方法をとっていました。数年の間、失敗も幾度か経験しましたが、くじけず努力しました。

最初の収穫は、何をやっていくにしても水が必要であることを痛感し、地元の人、町の人に協力をいただき、畑地かんがいの施設の施行をこころみたのです。部落から水源地へ三㌔、地区内約十二㌔にポリホースを埋設、その全長約一万五千㍍におよび、畑、水田に、また飲料水、畜舎にと豊富な水を蓄めることができました。水がなくてしかたなく畑にしていた所も、水田に変り、バケツで運んでいた年寄もウォーターカップにと早変りしていったのです。

農協においても、普及員と研究を重ね、傾斜地にむく機械をクラブで選んで最初五台の小型テイラーを試験購入し、整地管理作業を行なった結果、現在テイラーの普及はめざましく、三年あまりで七〜八割近くの農家で軽やかにエンジンの始動を始めたのです。

機械だけでなく、作目においてもしだいに変化し、果樹の導入への固定化、酪農と肥育との運営体制が確立しつつあり、現在、固定しないのは価格の安定しない、白菜、キャベツ、人参などの野菜だけとなりました。しかし、私たちのクラブでラジオ農業学校を始め、煙草作りを酪農、肥育、三菜などに切りかり、町全体がその動きとなったことをほこりに思うとともに責任感を覚えるようになりました。

私たちの抱負

現在、私たちのクラブの仕事はこのそ菜安定と取り組み、ラジオ農業学校のテキストの中からレタス栽培などのそ菜栽培を選び出しました。

高冷地のため十月〜十一月取りと七〜八月取りをやるように計画し、クラブ員各自が五〜七㌃の小面積ではありますが、育苗、肥培、予防と管理全般にわたって共同作業で消化してまいりました。市場調査によって、より高い市場へ向けて出荷し、レタスが安定した経営ができる作目であることをしめし、地区の人々に普及し地区発展に尽くすことが、私たちクラブ員に課せられた任務であると思っています。

私たちのラジオ農業学校から始まったひとつのきっかけが、いま大きく燃えたぎろうとし、放送利用から山間僻地にも新しい農業ができつつある今日ですが、現在ラジオは、完全にテレビに変っております。

NHKにおいてもテレビを重点に、勉強のできにくい農業後継者に明日の農業を進歩拡大させる発火点にしていただきたいものです。それによって一だんと進んだ農家、新しい農業に進んで行くことでしょう。

青春と仲間

恋いしいみそ汁の味
◆派中クラブ員（草の根大使）からの便り◆

国際農村青年交換（IFYE）計画によって今年度、社団法人日本4H協会から中華民国に派遣された4Hクラブ員〝草の根大使〟＝河窪健君（大分県）と菅原敏さん（岩手県）の二人は、いま同国で実習と交歓親善の生活を送っているが、このほど河窪君から次のような内容の便りが届いた。

私の最初の受入れ農家は、ことし日本を訪問した李政徳君の家です。政徳君のお父さんは日本語が大変じょうずですが、政徳君も日本語がうまくなっているのにびっくりしました。

稲刈りを手伝いましたが、台湾のそれは、日本とはちょっと違うので、最初はうまくやれませんでしたが、やっているうちに慣れました。

台湾の四健会（4Hクラブ）の活動は、嘉義県の中埔郷でしかまだ見ていませんが、地域の人々と深いつながりを持っているように感じました。

作業（プロジェクト）会議では話し合いがすんだあとレクリエーションがあったのですが、村の人たち数人が会員と一緒に楽しくゲームをやっていました。

生活にもだいぶ慣れましたが、やはり気候に慣れないせいか、最近、かぜをひいてしまいました。

それに、食べ物に慣れたとはいえ、油っこい物ばかり食べているので、いま、日本のみそ汁とつけ物がすごく恋いしいです。

台湾は、まだ日本のように工業化が進んでいないみたいですが、それだけに農業人口も多く、四健会の活動も活発なようです。

四健会の会員の中には、女子会員が多く、また、農業をしていない娘さんもいます。

これからのわが家の経営
望しい専門、大型化

茨城県稲敷郡東村市崎　稲穂サークル4Hクラブ　飯塚幸一

自主経営によって豊かな生活をするには……

これまでの農業は、政府の手厚い保護を受け、とくに稲作などは、価格支持政策によって米価は安定し、毎年下ることを知りませんでした。

しかし、ここ一、二年、米生産は過剰ぎみとなり、今年はとうとう今まで続いてきた支持政策を曲げ、米価据置きということになりました。据置きイコール値下げとなり、それに、今年は減収と重なり農家にとっては厳しい年となった。

このように米価据置き、また今年より新たに自主流通米制度もあらわれ、今までの保護過剰ぎみといわれてきた政策を次第に変えつつあります。

このような情勢下では、これからの農業は、あまり稲作一本に頼って行くことが不安となってきました。これまでの農業政策を急激に変えるようなことはないにしろ、大きく変化して行くことは確かでしょう。が、それがどのような方向に変わって行くかということは、農民一人ひとりはっきりと理解できないのが実情であろう。

よく言われる「総合農政」あるいは「作付け転換」というものから、ただ漠然とわかっているような気がしているのではないだろうか。周囲の者のことばからだけで本当に理解したという人がまだまだ少ないのは、指導の面にまだそれほど力が入っていないからなのかもしれない。

この「総合農政」「作付け転換」のいうこれらの農政の方向とは、これまでの米作、米価偏重の農業政策から、米以外の作目を重視する農業政策への転換ということである。よく最近目や耳にするプラスアルファ経営というのがある。〝米以外の作目を重視する農業政策への転換〟とはこのアルファ部門のことではなかろうか。

しかし、多くの農家は、価格変動の激しい他の作物に移ることをためらっている。

私の考えではこれからの農業はある程度専門的経営になって行くことが望ましいように思える。例えば、畜産家ならばそれ専門に、また園芸なら園芸専門にという型に移っていくべきだと思う。そのことが、生産組織の充実をはかり、市場に対して強くなれるのではなかろうか。

だから、これから本当にお金をもうけようとするならば、何か一つを大規模に進めて経営することが必要だと思う。大規模経営になれば、大型機械の導入など、そして労働時間の安定ということも考えられる。そこにはじめて、時間に余裕のある豊かな生活ということができるのではないだろうか。

ただ、そこまで経営を規模拡大するにしても、多くの難題がでてくることも考えられますが、生産性の安定をはかり、労働時間の短縮、安定ということは、案外その問題も克服してくれると思う。生産性の安定をどのようにするかということが大切になってくる。

私の家の場合、山林有り、田畑有りで、そのうえ養豚をやっているので、これを一つにまとめるということはちょっと困難である。

山林、畑は、豚と結びつけられるが、田圃はちょっと結ぶことはできない。そこで養豚と水稲の組合せの型で、労働力の省力化をはかって行かねばならないし、またその型で今まで以上の収益を上げていかねばならない。

現在の養豚数を増やすとなれば当然飼料のことが問題となってくる。全部を購入飼料でまかなうことは、どうみても不利となる。そこで、自給ということになれば、山林の利用が大きくなってくる。完全自給は多少無理な点があるので、せめて三分の一くらいは自給できるようにもって行きたい。

だから、これから私の家で本当に豊かな生活をしようと考える場合、必ず山林の使用のいかんにかかってくるだろう。まだまだその利用法は考えるべき点が多いのは現在の私としてはしかたないと思っている。

地域条件や気象関係もあり、それぞれの土地に合った方法で、それぞれ各人が豊かな生活ができるように努力することが、その農家の生活を楽にさせ、人間としてもゆとりある生活ができるようにする。だから、それぞれのあたえられた条件を十二分に検討してみなければならないと思う。

出稼ぎ農業の功罪

収入増の陰に混乱招く
農業への決意が先決

宮城県亘理町長瀞4Hクラブ　渥美孝一

「出稼ぎ農業」―こんなに簡単にいえることばであるが、現代社会における農村問題の屈指に数えられることは誰れもが否定できないであろう。

そして、この出稼ぎ農業が近年になってクローズアップされ、行政のまずさが指摘されるようになったのは、この問題がより深刻化していることを意味しているものと思います。

また、この出稼ぎ問題が、私たちの身近かにせまり、若い後継者に不安を与え、日本農業の発展を妨げている事実を私たちはどのように考え、どのように対処しなければならないのでしょうか。

出稼ぎの直接的原因は、農業収入が少なく、出費が重なるからです。しかし、ただ農業収入が少ないということで片づけてしまうのには、あまりにも大きな問題ではないでしょうか。

確かに、もっと農業収入が多ければある程度出稼ぎは少なくなるでしょう。しかし、それだけでは出稼ぎが少なくなるとは思いません。

私は、こういうことを聞いたことがあります。

「出稼ぎするのは、農業の機械化、省力化が進み、余剰労働の消化なので喜ぶべきである」

私は、このような考えには反対はしません。しかし、もしその人が農業により深い愛着心、親しみを持っているのなら、労力の消化を図るのに、高度の集約的農業への方向へ進むのではないでしょうか。つまり心の問題と思うのです。

収入を高めようとすると、土地も資本も、そして心配もいらない出稼ぎにひかれるのは当然でしょう。しかし、そのように目先きだけのことを考えず、その出稼ぎがどのような問題を含んでいるかということも一歩進んで考えるべきではないでしょうか。

「経済的うるおいを与える」のが出稼ぎであるのなら、家庭の不和を招いたり、子供の教育に悪影響を及ぼし、自らの破滅を招き、日本農業の発展を妨げ、村や部落の組織力を弱くしているのも出稼ぎであることを忘れてはならないと思います。

そして、このような問題一つひとつをトコトン考え、解決策を見い出し、自分がどの道に生きるかを考えるべきです。

「出稼ぎ」という現在の困難な問題からの逃避ではなく、それに真向こうから対立して農業で生きて行けないのなら、離農して、日本農業の発展に寄与すべきであるし、農業で生きてゆく決心したなら、最後までそれに尽力すべきではないでしょうか。

そして、それらを助長する意味においても、こん後、指導機関の活躍を希望するとともに、政府のよりよき行政が要求されてくると思います。

日本4H新聞
4・Hクラブ 農事研究会 生活改善クラブ
全国弘報紙
発行所 社団法人 日本4H協会
東京都市ケ谷家の光会館内
電話(269)1675郵便番号162
編集発行人 玉井光
月3回・4の日発行
定価 1部 20円
一ヵ年700円(送料共)
振替口座東京 12055番

クラブの綱領

私達は実践を通じて自らを磨くとともに互いに力を合わせてよりよい農村、よりよい日本を創るため四つの信条をかかげます。一、私達は農業の改良と生活の改善に役立つ腕をみがきます。一、私達は科学的に物を考えることのできる頭の訓練をします。一、私達は誠実で友情に富む心をつちかいます。一、私達は楽しく暮し元気で働くための健康を増進します。

春の青年会議、日程決る

初の運営委開かる

日程や行事内容など協議

農林省など関係七省共催による第九回全国青年農業者会議は、来春三月三日から四日間にわたって、東京・渋谷のオリンピック記念青少年総合センターを主会場に盛大に開催されるが、その第一回の運営委員会が、さる二、三の両日、東京で開かれ、日程や開催要領、運営委員の役割とその分担などを協議し、それぞれ決定した。これまでの共催者側の話し合いで、今回の会議は運営委員会の決定によってすすめることにしているので、この運営委員会の協議によって、事実上の運営細則が決ったことになる。

来春、三月三日から四日間

会議は、二日午前十時三十分、東京・渋谷区のNHK放送センター大会議室に、共催七団体の代表と当番県から推薦された運営委員が集まり開かれた。

まず、三宅全国農村青少年教育振興会常務理事、矢野農林省普及教育課長が、これまでの経過と今回の特徴である青少年に運営を任せる旨のあいさつを行ない、全員自己紹介したあと正午まで、大賀農林省普及課青少年班長が、開催要領案を説明した。

午後は、会場のオリンピック記念青少年総合センターとNHKを視察したあと、午前に説明のあった開催要領案について協議した。

翌三日は、会場を千代田区の日本農業研究所に移し、運営委員および事務局の事業内容の説明、運営委員の役割分担および代表者の選出を行ない、昼食をとったあと解散した。

来春の全国会議について、話し合う運営委員たち
(東京・千代田区の日本農業研究所会議室で)

二日間の会議で、とくに青少年側の運営委員の主な意見や決定事項は❶参加人数をもっと増加できないか—現在のところ予算や会場の都合でできない❷レポートは三枚で、その中に共通課題も入れる—発表の参考にする程度❸分科会の座長、書記はその場できめる❹選択課題に(酪農・和牛)を(酪農)と(肉牛)に、(花卉・花木)を入れる❺助言者は分科会ごとに三名とし、進行、記録、作物内容に分担する❻プレゼント交換は二百円程度の郷土品で形として残るものが好ましい—などである。

最後に、運営委員の代表団に青少年代表 長井健一君(群馬)梶谷敏子(京都)さん、経営者代表 人見謙寿(栃木)氏の三名を選んだ。

この運営委員会で決定した日程のうち、主な行事をあげると、次の通りである。

第一日(三月三日=火)

午後 受付(一、〇〇〜三、〇〇)

前夜のつどい(七、〇〇〜八、三〇)

会議の成功と、参加者の親睦と友情を深め、旅のつかれをいやすため、音楽とフォークダンスなどを行なう

第二日(三月四日=水)

午前 開会式(一〇、三〇〜一一、〇〇)

午後 分科会研究討議(一、〇〇〜四、四〇)

課題は、選択課題と共通課題とし、選択課題を水稲、露地野菜、施設園芸、花卉・花木、落葉果樹、常緑果樹、酪農、肉牛、養豚、養鶏、家庭経営、健康・労働、農家生活と環境、クラブ活動に分け、共通課題のテーマは「わたしたちがきづく十年後の農業」とする。

自由交歓会(七、〇〇〜八、三〇)

各部屋ごとに参加者同士の自由交歓を行ない、友情を深め、親睦をはかる。

第三日(三月五日=木)

午前 分科会研究討議(八、三〇〜一二、〇〇)

午後 分科会研究討議(一、〇〇〜四、三〇)

前日にひきつづいて、研究討議を行なう。

村のはなし(七、〇〇〜八、三〇)

わが村や町に伝わる民話や民謡、伝説、歴史、地理などを語り合い、あわせて村のよもやま話を通して、村の文化の伝承と発展に寄与する。このとき、郷土色豊かなプレゼント交換を行なう。

農業経営懇談会(七、〇〇〜八、三〇)

農村青年および農業経営者の部会代表と農林大臣および農林省行政担当官とにおいて、両部会の共通課題をもとにして懇談する。代表者の員数は、農村青年部会八名、農業経営者部会四組(夫婦)計十六名とする。

第四日(三月六日=金)

午前 両部会交換討議(八、三〇〜一二、〇〇)

前日までに研究、討議された内容を、農村青年と農業経営者の両部会間において交換討議を行なう。これは同一課題をもつ分科会が合同して行なう。

ただし、農村青年部会の家庭管理、健康、労働、農家生活の経営、農家生活と生活の環境の交換討議は、青年部会のみにおいて、これら課題の分科会を合同して行なう。

また、クラブ活動の交換討議は青年部会のクラブ活動課題の分科会参加者と特別参加者の青少年クラブリーダーなどにより行なう。

午後 両部会代表討議(一、〇〇〜三、〇〇)

両部会代表および司会者、助言者を加え、両部会の共通課題をもとにして農村青年および農業経営者の各々が果すべき役割についてパネル討議により行なう。

代表者の員数は、青年部会四名経営者部会二組(夫婦)計八名とする。

表彰式・閉会式(三、〇〇〜四、〇〇)

張り切る愛知県連

先進地視察や女子講座など

【愛知県＝二宮直子連絡報道員発】愛知県4Hクラブ連絡協議会(会長、飯田雅美君)は、さる十一月十日から三日間にわたって、農業企業化先進地視察研修を実施し、大きな成果をあげた。

この視察研修は、日頃実践活動に専念しているクラブ員が、すぐれた先進地農業の実態を自分の眼と頭と体でじかに学び、より広い視野を開き、明日の農業に役立てようと—同県連の中心的行事の一つとして毎年実施しているもの。

今回の視察は、そ菜一班が関東地区の都市近郊地帯の野菜経営、そ菜二班が静岡・山梨両県の洋菜類と準山間地帯の露地そ菜、花卉班は香川県の菊の生産地、みかん班は香川・愛媛両県、落葉果樹班は和歌山・奈良両県の水稲プラス柿の栽培地、酪農班は千葉・埼玉両県で、引率者をふくめて八十余名が参加した。

参加者は、事前に予備研修を受け、各々が視察目的を明確につかんだうえでこの視察に参加したため、みんな熱心に取り組んだ。

また、訪問先きでは、現地のクラブ員との交歓会などもあわせて行ない、親睦を深めた。

なお、県連では、この視察報告を一月の県青年農業者会議のなかで行なう予定である。

また、同県連では、さる九月から来年三月まで毎月二回、名古屋市東区の中電ビルを主会場に、県下の女子クラブ員五十人を対象として「4Hクラブ女子教養講座」を開いている。

この講座は、女子クラブ員が、将来家庭の主婦として豊かな明るい家庭を築いていくために必要な知識を深め、生活技術の基礎的訓練をするとともに、創意工夫する態度と高い教養を身につけ、また女子クラブ員相互の友情を深めることを目的として、昨年に引き続いて開いているもの。

さる九月の第一回目には、「青春時代の女性の生き方」十一月「主婦としての役割り」「夜服の色彩を考える」十二月「結婚のウォーミング・アップ」「暮しに生かすあんま」「電気器具の上手な使い方」「うそつき食品の見分け方」一月「上手な話し方のコツ」「上手な買い物の仕方」二月「結婚のウォーミング・アップ」の二回目、「色彩を考えた室内装飾」三月 体験発表「よりよい生活への努力」「料理実習」「結婚のウォーミング・アップ」の三回目と懇談会—などである。

ハイタレント時代 (3)

福岡県立築上農業高校教諭 森本 勝

高めたい応用能力

不断の学習努力を続けて

恵まれ過ぎていたミカン園

今春、新しいみかん経営をめざして徳島から北九州近郊へ進出してきたO君は、その動機について、

「ミカン栽培は、いままで恵まれ過ぎていた。一日当り労働報酬が四、〇〇〇円以上にもなり、最も儲けの多い作物であった。

それで、われもわれもと、ミカンの新植をやったので、将来ミカンの過剰生産が深刻な問題になることが心配されている。

しかし、私は、ミカン経営はこれからと思う。価格が下落すると、弱小経営の農家は脱落し優良ミカン園は生き伸びて、規模拡大と合理化の好機である。ミカン経営者の実力は、これからはっきり現われる。

徳島では急傾斜地で、規模拡大も、省力化の余地も少ない。そのため、私は北九州の大消費地に近く、しかも安く入手できる丘陵地を求めた」と述べ、つづけて、その見通しについて、

「私は、生産者の手取りが〆当り三〇円でも成り立つミカン経営にしたい。それには、いまミカン一〇アール当りの平均生産費が一〇・七万円であるが、〆当り手取り価格三〇円とすると、一〇アール当り、三五七〆以上の収量をあげねばならない。それで一〇アール当り生産費を一〇万円とし、四、〇〇〇〆の収量をあげれば、〆当り生産費は二五円になるので、三〇円では、〆当り五円の純益があるわけである。

そのためには、生産量をできるだけあげることだ、肥料、農薬、労賃などの直接生産費を節減する方法を調査、研究中である。

とくに土壌も徳島と異なり、とくに晩春のボタ雪の害を防ぐ整枝も調査中である。そして、とくに味のよいミカンで勝負してみたい」と、ひとみを輝かせて話してくれた。

このことはO君に限らず、静岡県のAさん(二十六歳、大学卒)二七㌶、愛媛県のWさん(四十二歳、農業高校卒)一一・五㌶、Oさん(二十二歳、農業高校卒)三㌶、久留米のKさん(二十六歳、農業高校卒)五㌶—など、新植を続けている。

秘められている大きな可能性

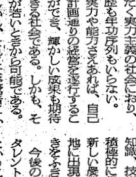

また、N君(二十六歳)は、農業高校卒業後、三ヵ年間、種苗会社に勤務したが、会社の将来に不安を感じ、現在は花卉栽培を行なっている次第である。

彼は、近くの花卉栽培の篤農家を訪ね、ユリ栽培について尋ねたところ「ユリ栽培はここでは大変むずかしい。自分も失敗したので、栽培しない方が安全だろう」といわれた。

しかし、N君は、栽培が困難であれば、ユリ栽培家も少なかろうし、かえってユリの値段も高かろう。おれは成功してみせよう、と決心した。

それで、失敗した農家を訪ねて回り、二ヵ年間、懸命の勉強をかさねた。

そして現在では、ビニールハウス一、〇〇〇平方メートルにユリを栽培し、別府、北九州に出荷しているが、つねに、他のものより二〇パーセント高値であるという。

それは、水揚げがとくによいことで信用を得たからである。将来とも、水揚げをよくするように、土壌の管理、肥料、灌水などの研究を続けたい、と話してくれた。

また、B市の抑制キウリの生産費調査の事例では、一〇〇キロ当りの生産費、家族労働報酬などが、農家によって大きな差があることがうかがわれる。すなわち、十件の例のうち、生産費は三千〜四千円五件、九千〜一万五千円五件、家族一日当りの労働報酬は赤字または二百円未満五件、九百〜千八百円五件であった。

以上、二、三の例をあげたが、農業も普通にやったのではたいしたことはないが、考えて経営すれば、大きな成果が期待できる可能性をもっているもので、それが新しい知識、技術を駆使すると、目覚しい成績をあげていて、いま、農業は実力時代—ハイタレントの時代がきた、ということができる。

それで今後は、農業を経営する能力のない人、農業のきらいな人が都会に出ていくようになり、残る人は、一生農業をやろう、そして自分の能力をためしてみよう、という決意をひめた青年が多くなる。また、その意欲がなければ、農業経営では成功しないものと痛感される。

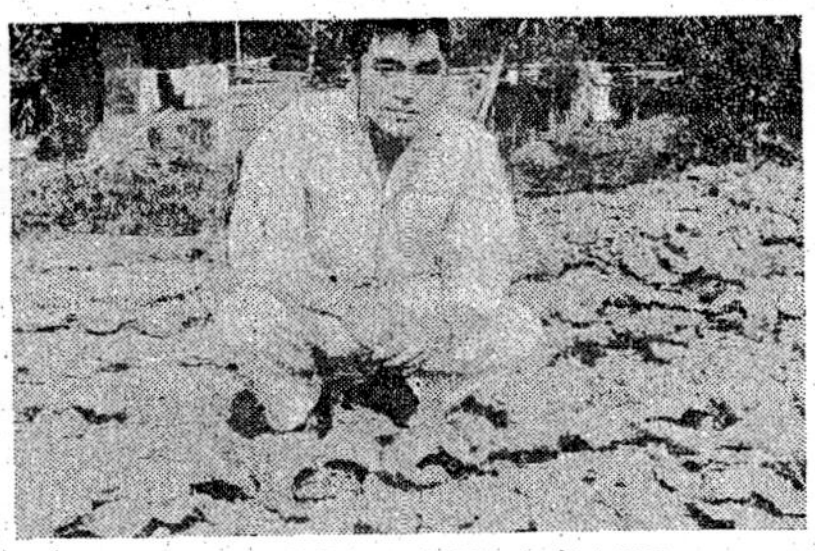

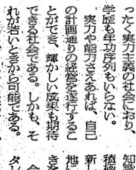

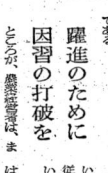

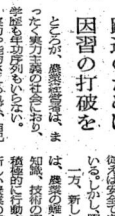

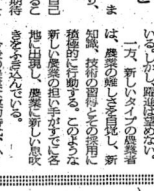

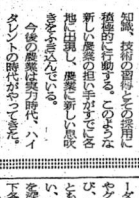

難かしいユリ栽培に取り組み、成功したN君

ところで、実力主義とか、能力主義という言葉は、最近、企業会社でも強く叫ばれている。

企業では積極的な人材登用

「サラリーマンは気楽な稼業」の時代は終り、いまは資本の自由化、技術革新、人手不足など激しい経済環境の変化に対応し、経済革新の時代に即応する新しいタイプのサラリーマンが要求され、モーレツ社員養成に厳しい訓練が行なわれている。

そして、企業の求める人材観も激しく変り、この春、各企業が打ち出した人材観を約二百社の資料でみると、第一位は積極性またはファイト、第二位心身健全で、第三位は行動性、ついで根性、創造性、明朗、協調性で、学業成績優秀は十三番目になっている。

そして、例えば、九州松下電器では、四十一年に佐賀工場を新設するとき、工場長に三千人の従業員の中から当時三十二歳の村井氏を登用した。高校卒の現場主任から、副長、課長代理、課長の職制をとび越えて任命するという思いきった実力主義をつらぬき、佐賀工場は初年度から黒字であるといわれている。

しかし、一般には未だ学歴や年功序列の会社が多いのが現状である。

躍進のために因習の打破を

ところが、農業経営者は、まったく実力主義の社会におり、学歴も年功序列もいらない。

実力や能力さえあれば、自己の計画通りの経営を遂行することができ、輝かしい成果も期待できる社会である。しかも、それが若いときから可能である。

しかし、それには経営者にふさわしい実力を養成するよう、ふだんの学習を積まなければならない。とくに農業は、多面的能力と知識を必要とし、しかも応用の能力が要求される職業であるので、自己研修をする努力を怠ってはならない。

というのは、企業の場合は、社内教育を一貫して行なっている。また、農業は企業の職場のように、上司があり、規律があり、直接競争者がいるという人間的環境の中に毎日いるのと異なるので、なおさら自己を研修する意欲をもち、努力しなければならない。

とかく長い間、過去の習慣と惰性でできてきた人は、しばしばその境遇に安住し過ぎてしまい、創造的な活力を失なってしまうものである。

古いタイプの農業者は、新しい技術は危険をともない慣習に従えば安全であることを知っている。しかし、躍進は望めない。

一方、新しいタイプの農業者は、農業の難しさを自覚し、新知識、技術の習得とその採用に積極的に行動する。このような新しい農業の担い手がすでに各地に出現し、農業に新しい息吹きをふき込んでいる。

今後の農業は実力時代、ハイタレントの時代がやってきた。ということができる。(完)

涼風暖風

集まりがほしい

普及員の研修で、ある部落の調査を行った。

五三戸の部落、都市から一五キロの近郊ではあるが、一・五㌶平均の耕地を持ち、田畑半々、大きい農家もないかわり、小さい農家も少なく、兼業農家も割合多くて、出稼ぎは比較的少ない。

過去、割合のんびりした普通作中心の経営をしてきたが、数年前、農業の曲り角がさわがれた頃、各戸が思い思いの新しい部門をとり入れた。酪農が七戸、施設園芸が三戸、養鶏が三戸、肥育牛三戸、菊が二戸、果樹四〜五戸、たばこ六戸、養蚕三戸、と一つの部落にしては、珍しいぐらい、いろいろなものが入っていた。しかも、それぞれに百万円に近い所得をあげている。

経営主、主婦、青少年各層の代表にインタビューして、部落の歴史から血縁関係、親分子分関係や各人の生活、農業経営、あとつぎについて、現況、どう考えているか、どうしたいか、その理由などを聞き、その部落の個々の農家像、部落像、その人間模様をうかび上らせて、それに対する普及活動のすすめ方を検討した。

その時の公民館における部落座談会で、予期しなかったことだが、三〇歳前後の人たちから「月に一回ぐらいは、集って、部落のことについて話し合いたい」という声が出された。出荷組合や生産組合、農協などに参加しているのだから、その必要はないと思っていたのに。

そういう部落で、経営主は、広域の各部門別集団組織に参加している。主婦は、地域婦人会と、別に生活改善グループを結成して、生活改善の技術研修にはげんでいた。青少年は、青年団と表裏一体だが、Mクラブを結成し、先輩から引継いだ部落共有田を耕作し、その収益で旅行をしている。

部落常会は、必要なときに区長が招集して開かれているが、全戸の集りで、必要なことと雑談しかない。今後とも、農業で、この部落で生きて行こうとする者が、情報を交換したり、一緒に考えたりする、部落の農業や生活発展のための推進力グループがほしいということだと受けとった。

青少年の学習グループだ、年が違っては話が合わない、などといっている時代ではないような気がする。何とかしたい、よりよくなりたいという人たちが集って一緒に考える。考えたことを、地域の人たちみんなで実践せねばならない時代だと考える。

部落という共同体は、こわすべきものじゃなくて、育てるべきものと考える。人間は、社会は、すべて歴史を背負っている。(いばらぎ・はが)

女子の活動を推進

茨城県連で女子研修会

自信と積極性を高める

【茨城県＝村上文雄連絡報道員発】茨城県農業研究クラブ連絡協議会(会長、小幡正一君)は、さる一日から三日間、県立青少年の村の一角にある道園山ユースセンターで、県農村青少年クラブ女子リーダー研修会を開催した。

農村青少年クラブ活動は地域農業の振興に重要な存在であるが、女子クラブ活動の活発化はさらに青少年クラブ活動をより良くするものである。これは、このため、女子クラブ員の役割を認識し、自信と積極性を高めよう—というねらいで開かれたもので、県内4Hクラブの女子リーダー六十名が参加した。

一日目は、受付、昼食会後、農村生活の夢と題して、四つの分科会に分かれて討議が行なわれた。これまでの男女混合の研修会と異なり女子クラブ員ならではの活発な討議がなされた。

夜は、男子県連役員やセンターの職員を交え、女性からみた農村生活、男性からみた農村生活ということで、農家生活から農村社会問題まで、時間のたつのも忘れて楽しく話し合いをすすめた。

二日目は、農家へ嫁いだ三名の先輩を囲んで、農家の若妻と娘という互いの立場で農家における嫁の仕事、育児などについて座談会を行なった。

午後は、プロジェクト活動のすすめ方について分科会討議、夜はキャンドルサービスで歌やゲームなどにハッスルした。

最終日は、初日、二日目と行なわれた分科会でまとめたものを、全体会議にかけた。さいごに反省会、閉会式を行なって終了した。

福島で農村青年の主張大会

【福島】福島県農村青年の主張発表大会が、さる十一月二十八日二本松市民会館で開かれた。

当日は、木村知事はじめ多数の来賓をふくむ約八百人が出席し、県内七区、百二十人の予選から選ばれた七人の代表が「明るい農村と豊かな農業をめざして」と題して、米作問題や出かせぎ、後継者、今後のビジョンなどについて、日ごろの意見や勉強の成果を発表し盛んな拍手を浴びた。

リーダー養成図る

静岡県連で研修会開く

【静岡県＝鈴木政美連絡報道員発】静岡県農村青少年クラブ連絡協議会(会長・松浦幸治君)は、県と共催して、さる十一月十八、十九の両日、清水市日本平馬走の日本平ロッジで第一回リーダー研修会を開催した。

この研修会は、県下のクラブリーダーを対象に、リーダーシップやグループ活動のすすめ方を学び、地域リーダーの養成を図るとともに県連事業についても話し合い、県連と地域リーダーとの連携を深めるために開いたもので、県下各地から五十人が参加した。

一日目十一時、後継者養成施策について、県後継者養成課の田中課長補佐の説明。午後はグループ活動のすすめ方、定例会のもち方、夕食後は県連事業のすすめ方、部落別座談会が行なわれた。

二日目は八時から、図表の書き方、ビデオコーダーを利用しての放送利用法、リーダーの基本的な姿勢などについて研修が行なわれた。

参加したリーダは、平均十九歳の若さで、この研修を機会に地域のクラブ活動やプロジェクト活動に一生懸命頑張ろうといって分れていった。

15周年を祝う

栃木県連・さる11月28日

【栃木】栃木農村青少年クラブ連絡協議会(会長、和気盛晋君)は、さる十一月二十八日、栃木会館小ホールで、結成十五周年記念大会を開いた。

当日は、県普及教育課の菅課長ら多くの来賓と約四百名のクラブ員が出席して、式典と意見および体験発表などが盛大に行なわれた。

心頭技健

ジングルベルの陽気なメロディに乗って、年の瀬の町は賑やかである。本欄もいよいよことし最後の稿になった。何かいい話題を取り上げてみたいものであるが、どうも、師走という月は殺ばつなことばかりが耳に入る。とくに、捨て子や殺しなどがつづいている。いずれも非道なことであるが、なかには、わが子をゴミ箱に捨てた母親もいた▼また、ある母親は、捨てた子どもが拾われてきたのに、育てたくないと拒み、その子たちは施設に引きとられたという。こんな女たちには、母性本能すらもないようである。働かねば食えないために育児ができないのであれば、それなりに相談するところも施設もあるのだから、彼女らにははじめからわが子を育てようという意識も責任感もないのだ。腹が立つとともに、このような世の風潮を憂れわずにはおれない▼ところがこれに劣らぬ残酷なことが起った。千葉県下で青年団員たちが酒に酔ってけんかをはじめ、三人を殺したという事件である。これは、地元の青年団が開いた会合に誘われてきた隣町の青年が、酒を飲み交わしているうちに「言葉使いが悪い」ということからけんかになったものらしい。報道によると、この地方はかつては4Hクラブのもとに明るい活動が行なわれていたという▼ところが、近年の工場進出などで、農家の青年も労賃かせぎに出るようになり、結束も薄らぎ、情緒が不安定になっていたのも、見逃せない背景だという。とはいえ、いかに激しく都市化の波がゆさぶりをかけたとて、それに負けて血迷うとは何事かといいたい。この事件は青年団員同士の間で起きたものであるが、あらためて、青少年グループ活動のあり方について考えさせられた▼わが4Hクラブ活動についても、最近、技術優先の傾向がみられるが、クラブ員は「私たちは誠実で友情に富む心をつちかいます」というクラブの信条をいつも念頭において、誇りと自信に満ちた行動をしてもらいたいものである。そして来る七十年代の日本の大躍進に、農業の面からだけでなく、モラルの面からも大いに貢献していただきたいものである。

「組織の認識」向上を

プロジェクトは沖縄が活発

全国4Hクラブ連絡協議会（会長、黒田保吉）は、このほど全国のクラブ員に呼びかけて、先月中旬、沖縄を訪問したが、その沖縄親善交歓訪問団一行二十三名は、十八日、沖縄・名護市にある国立名護青年の家で、沖縄の農村青少年技術交換大会に参加した沖縄の4Hクラブ員、琉球政府農業改良普及課の関係者全員と交歓討議を行なった。話し合いは、同農業改良課の専門技術員の司会によって進められたが、本土復帰を二年後にひかえた沖縄のクラブ員たちがどのような状態にあり、そして何を望み何を訴えようとしているか、などを知るとともに、組織問題などを考えるうえで大いに参考になると思われるため、討議の内容を連載して紹介することにしました。

気温の差で違う事情

沖縄A みなさんのご意見をお聞きしたいと思います。私は、いま首里の土地で、野菜、きび、それから養豚などを経営している者ですが、将来は施設園芸に切り替えたいと思っています。施設園芸になりますと、日本本土の技術が沖縄よりずっと進んでいますので、本土の方で施設園芸をやっておられる方がございましたら、ご意見をおうかがいしたいと思います。

石沢（栃木） 私が施設園芸をやっているわけですけど、いまトマトの二回目のか植をどうやるかということが一番心配だったのですが、クラブ員に託してきました。それに、親父に頼んでやっているわけです。

それで、どんな栽培をやっているかと、いまここで急に聞かれても分らないですね。一番問題は、家の方とこちらの気温が全然違うということですね。家の方の場合は、一番寒いときで、一月から一月下旬、二月上旬にかけてで、気温が下るわけでなんですが、マイナス十四・五度というのが一番寒かった年です。そういう中でやっているハウス栽培と、ここでやっているハウス栽培は実際どうやってよいか分らないのです。もし肥料のことなどについてでしたら別の機会にお話したいと思います。

沖縄・青少年担当者 私がお聞きしたいことは、このように本土から二十三名の方に来ていただいておりますが、来ていただくのに、これまでまとめるのに何かと大変ではなかったかと思います。また、みなさんが全協として、いろいろ活動していらっしゃるわけが、このように全国にまたがって、どのような方法でまとめていらっしゃるか、さらに、これまで、こちらに来られるまでの経過といいますか、そういうことをちょっと聞かせていただきたいと思います。

と申し上げますのは、沖縄にも五地区あります。この五地区のうち三地区は本島でありますけども、あとの二地区は宮古、八重山という離島です。この小さい沖縄でさえ五地区ありまして、この五地区の人たちが一堂に集まるということはなかなか容易ではありません。一年に一度か二度です。こういう中で、本土の広い範囲からこうしてまとめていらっしゃったということに対して大変敬意を感じているわけです。そのついでといいますか、そこら辺を教えていただきたいと思います。

黒田全協会長 では、こちらの方から申し上げます。

全協としても、いろいろな行事や大会を行なっていますが、しょせん、農村の青少年が何かの大会をやろうとすれば、私たち、あるいはそれにたずさわっている人たちというのはプロではありませんので、家で百姓やっていて、その合間に東京へ出て事務をとったりしているものですから、立派な大会はなかなかできないのが実情です。ですから、昨年はこういうところが悪かったからこういうふうにしていこうと一つの段階的な解決といいますか、プロジェクト的な考え方ですけれども、そういった方法でやっていくことが、われわれ青少年のできる範囲の仕事、行事ではないかということですね。そういうものとして、"つどい"を一つもっているわけです。

それから、もう一つ、われわれが4Hクラブ員であるといいながら、とかく4Hクラブの理念とかそうしたものについておろそかにしがちだと思うのです。

まず一つとり上げますと、今日全国の会長という立場で沖縄クラブ員のみなさんの体験発表を聞いて恥しい思いをしたわけなのですが、本土に帰ってみてみますとプロジェクトということについて忘れられているわけなのです。そういう中で、私たちは、こちらへお邪魔して、一番最初に自分の耳に入ったのは、プロジェクトの発表なのです。これはいかんと、私たちは何か教わりに来たのではないかと痛切に感じたわけです。それで、もっとやらなければならないという念を抱いたわけです。そういったことをもっともっと深く突っ込んでいかなければならないということで、中央で行なわれます全国4Hクラブ推進会議というものを静岡県御殿場の国立中央青年の家でもっています。ことしは十二月八日から開きますが、この中で「4Hクラブとは何ぞや」そして、プロジェクトとはどういうものかということ、さらに、これからの日本農業に4Hクラブ員という立場でどう対処していったらよいかといったことを、みんなで話し合おうということなんです。

また、各ブロックでブロック推進会議というものが行なわれているわけです。これらを全協活動の柱として進んでいるわけです。

それから全協として現在、一番問題となっておりますのは、4H会館であります。やはり中央に、われわれの殿堂として、われわれの憩いの場として、心の安らぐ場として4H会館を建てようということで、四十五年を目標として進めているわけです。

それから、組織的に全協の方法ということについて、いまご質問ありましたが、やはり、基本的に一人ひとりが組織人であるという考えをもたなければ、組織活動というものは成り立たないのではないかという基本的な考えをもっているわけです。

やはり、一人の人間がいてその個人が何人か集まることによってクラブを結成し、そのクラブがいくつか集まることによって地区連を形成しその地区連が集まることによって県連を結成し、その県連の集合体が全協であるという形で組織が形成されているわけですがそういった中で、とかく個人というものが先行して、組織というものが無視されることが多々あると思うのです。少なくとも組織を運営し、組織を伸ばしていくためには、やはり個人個人が組織をもっと考えなければならないということですが、これも残念ながらわれわれが考え、理想とする段階まではまだ行っていません。

しかしながら、そういったものに努力する、そのこと自体、青少年の一つの勉強ではないかと思うわけです。そういった中で、いろいろ問題はありますが、やはりわれわれは何回も会う回数を重ねることによって、組織の強化というものを図っていこうではないかということなのです。

あわてた訪問の時期

久野全協事務局長 4Hクラブの基本な連絡、全協活動の本年度の行事などについては会長から報告されましたが、やはりこの沖縄派遣も、本年度活動の基本的なものの一つとして組んだわけです。

この沖縄親善交歓訪問のことは本年度実現はしましたが、以前は考えていなかったかというと、決してそういうわけではありません。しかしながら、いかんせん非常に遠いということ、それから会長が先ほど言いましたように、いろいろの事情があって今日まで実現できず、五年間、いま流行（はやり）の言葉で言いますと"断絶"といいますか、断絶というと少し大げさかも知れませんが、そのような時代が続いたわけです。

そこで、ともかく今年度はどうしても沖縄交歓訪問をやろうということで、総会にはその問題は出されませんでしたが、六月の評議員会、いわゆる各県連の会長さんのお集まりのところで、黒田会長がそのことを話したわけです。そうしましたら、ぜひ、やらなければならないということで、こちらとして早急に計画を組んだわけです。その計画を組んだ時点において、私たちは、こちらの事情をよく分らないために、じゃ一月ごろが一番よいのではないかということで、自分たちが勝手に決めていたわけです。

それで、いよいよ沖縄訪問に入ろうということで、こちらの方にお電話をいたしました。そうしたら、この沖縄は十二月の中・下旬から一月にかけて非常に忙しい農繁期に入るということを知ったわけです。農繁期にうかがっては、クラブ員の方に却って迷惑をかけるのではないかということになりまして、お聞きしたところ十一月の中旬ごろには技術交換大会があるので、そのときにかねて来てほしいということもありましたので急きょ予定を変更して、十一月の中旬に出発ということで日本4H新聞紙上に発表して募集したわけです。

それで、私たちは、その選考の方法として各人にレポートを提出していただいて、その中の優秀な人たちに参加してもらうという形をとったわけです。

ただ急だったものですから、私たちがすぐに北海道や九州などへ行くような具合にはいかず、旅券申請、その他いろいろの事情がありまして、ようやく期日までに間に合ったというような状態でありますが、なにしろ、ともかくここに来て、沖縄交歓訪問が実現できたことを本当に嬉しく思っています。

私が事務局を担当しておりますが、先ほど黒田会長が言いまいしたように同じく百姓をやっている一クラブ員であります。ですから事務の方も常勤というわけにもまいりません。ここに事務局次長の石井君もおりますが、大体月に三度程度しか東京に事務を執りに行くことができませんので、沖縄の政府の方、クラブ員の方には、いろいろとご迷惑をおかけいたしましたが、その点は何とぞお許し下さい。

沖縄のクラブ員と語る （上）

全員がまじって熱心に意見を交換する沖縄と本土のクラブ員

意欲培う対策が必要

沖縄 予算のバックアップも

黒田会長 全協が全琉4Hクラブに対して何をすべきかということです。それからまた、全琉4Hクラブとして何をすべきかということで、そういった中でこれからの日本農業をどうしていったらよいかということをこの場でなくとも結構ですから雑談的にでもみなさんで話し合っていただきたいと思うのです。そうした中に、一つの組織体の中で、やはり組織として、あるいは個人として日本の農業というものをどうしていくんだということが成り立つと思うんです。

ですから、一つ、全琉の方々は全協よ、本土のクラブ員よ、お前たちは、われわれのためにこういうことをやれ、また、こちらから参加した人たちは、こちらのクラブ員に対して、あなた方は同じ組織体として、同じクラブ員としてこういったことをやりなさいよとその中で日本の農業というものを考えていこうではないかと、話し合っていただきたいと思います。

大城全琉会長 全琉それから全国の連けいですが、これについてお聞きしたいと思います。

いま、沖縄の方では、この4Hクラブ自体が、各地域に帰えられましたらみんなによく理解されていないわけです。そういうために各市町村で、こっちで「何々4Hクラブ」を結成しようとしたら、4Hクラブというものとはどういうものか、単なる青少年が集まる場ではないかということで非常に問題になっているわけです。

そして、現在のところ、やはり沖縄の場合には、全琉をみまして三十六のクラブが組織されているわけでございますが、実際に活動しているのは少ないわけです。本当にそういうところは悲しい次第です。

それでまた全琉といたしましても、実際に本土のようにある程度予算が沢山確保されていれば、活動の面においてもうまい具合にできると思うのですけど、ここ沖縄では予算というものは一ドルも計上されておりません。

また、全琉の全国大会などに一応派遣されていますけれども、どちらかといえば、あれも一つの予算になるわけですけれども、実際に組織の方には流れないでいるわけでございます。

ですから、こん後の問題として、クラブ員たちはみんなファイトをもっていられるのですけど、肝心の中央が、会の進め方ですか、それ自体もあやふやになってしまって、みんなに迷惑をかけているわけでございます。

そして先日、南部地区の役員会がありましたけれども、向うでこういうことが会議から要望があったわけです。「いったい私たちは、このクラブは、どこに反映させればよいのだろうか」と。そのときに会長として、もう穴があったら入りたいほどの恥しい思いをしたわけです。

やはり、それにも、一つの大きなポイントは、予算だと思うのです。ですから、今日は先生方も大勢いらっしゃってるし、やはり本当に沖縄の農村青少年が、これから農業はじめあらゆる面にもっともっと活発にさせようという気持がもしあられましたら、こん後の予算ですか、そういうものも、沢山とってもらいまして、もっと沖縄の青年が本当に楽しく、自信をもって農業に働けるようないろいろの対策を考えていただきたいと思います。 ―（つづく）

「ブラジル八十八村巡行」終る

さる四月四日号から二十四回わたって本紙に連載した栃木県農務部普及教育課、特別専門技術員（青少年担当）湯浅甲子氏の執筆による「ブラジル八十八村巡行」は、都合により、前号をもって終了させていただくことになりました。

湯浅氏は、ブラジル・サンパウロ州農務長官の招きで、昨年三月から約六ヵ月間、日本政府派遣農村青少年指導専門家として同地の農村青少年の育成指導に当たられましたが、この「ブラジル八十八村巡行」は、その半年間に、同氏が巡回したサンパウロ・パラナ両州の全域（日本国土の約二倍）八十八ヵ所の日系植民地と、約八千人の日系農民と青少年を対象として育成指導された体験をまとめられたものでした。

内容は、出発から、初めて見るブラジル国の感動、宿命的難題に直面し曲り角に立つブラジル農業、"旱天の慈雨"的大役を経営者に期待する関係者、巡回指導、活躍する日系人と二世への期待、危機感にゆれるコチヤ産業組合、熱心なクラブ員とその歓迎、奥地巡回、開発進むサンパウロ・パラナ両州、誇り高い"4Hクラブ"、普及機構「アビカール」、プロジェクト資金の融資内容、「農村青少年指導協議会」の結成とその背景、世代の断絶感、難航する技術向上と共同生産体制、問題多い社会教育、二本立ての技術指導、農家から頼られない技術指導、移民地の雄「バストス市」、成功した日系農民―などでしたが、ブラジル農業のかかえた問題やクラブ指導など、クラブ員や関係者にとって大いに参考になったと確信されます。

「新卒クラブ員の12ヵ月」連載

企画も新たに新年号から湯浅氏（栃木県・専門技術員）の執筆で

また、四十五年元旦号から、同じく同氏に執筆をお願いして「新卒クラブ員の十二ヵ月」（仮称）を連載する計画をたてています。

これは、新しく入ったクラブ員の変化や進歩について、一年間にわたって追い続け、月別に、その育成指導方法のお手本を示そうというものです。

例えば、一月は、新しく学校を卒業する農村青少年に対する学校との連けい、二、三月は、クラブの受け入れ準備、受け入れ方について紹介するように考えています。これも全国のクラブ員ばかりでなく関係者にとって大いに参考になるものと思われますので、どうぞご期待下さい。（編集部）

農政にこの対策を

▼審議会の答申から >7<

近代的農業の育成を

農業所得 52年で2百万円が必要

近代的産業の育成

ア、規模が大きく生産性の高い高能率の農業経営ないしは農作業単位をできるだけ広はんに育成することが、重要な農政の課題である。

（ア） 近年、農家ないし農業経営が諸展、分化するなかで、農業生産の有力な担い手として自立経営農家がしだいに育ちつつある。

自立経営農家を他産業従事者と均衡のとれた所得を農業からあげうる家族経営とすれば、こん後の経済成長、資金の上昇を見込むと、昭和五十二年時点では、少なくとも二百万円程度の農業所得（四十二年価格）を必要としよう。

このような農家を想定すれば、立地条件などによって異なろうが、例えば、水稲単作経営（内地）では少なくとも四～五ha程度、酪農経営（内地）では少なくとも搾乳牛二十頭程度が必要と考える。

自立経営農家が農業の中核的担い手として着実に発展し農業生産のかなりの部分を占めることとなるよう、農家の経営努力とあいまって、政府としても必要な施策を総合的かつ強力に展開しなければならない。その際、自立経営農家育成の目標ないしは自立経営農家の農業生産に占めるシェアの目標を明らかにすることを検討すべきである。

（イ） 農業の実績からみると、五百万戸をこえる農家のすべてが農業で自立することは到底望みがたい。

兼業農家が広はんに存在することを考えると、自立経営農家を中核として、これら兼業農家を含めるなど各種の集団的生産組織を育成することが必要である。

また、大型高能率の機械施設の導入など技術の進歩、普及にともない、自立経営農家もその保有する家族労働力ですべての農作業を行なうことなく、漸次大型機械などによる農作業については、機械などの共同利用を行なうか、外部へ委託することとなろう。

したがって、地域、作目によって形態は多様であろうが個別経営の経営面積の規模拡大の道とならんで、集団的生産組織の助長が積極的にすすめられなくてはならない。この集団的生産組織の発展過程において、技術条件の成熟と離農条件の整備にともなって中核的農家への農地の集積がすすみ、経営面積の規模拡大の道が展望されるのである。

（ウ） 農家が、土地、技術、資本などを提供しあって一つの経営単位となる協業経営の育成を図るとともに、兼業農家などのために、地域の実情に応じて農協による農業経営の受託をすすめることも必要である。

（エ） こん後の農業を展望すると、作目に応じ、相当広はんな地域において、自立経営農家や協業など集団的生産組織を含め地域のすべての農業者を包摂し、生産段階から加工流通段階まで一貫した組織化が必要と考えられる。

これらの動きは、稲作、果樹、養鶏などにおいて、すでに萌芽的にみられるところである。

この組織（仮称「広域営農集団」）は、企業的感覚を備えた指導者の指導、管理のもとで、生産から集出荷、さらに販売、加工の各段階の運営が大型高能率の機械・施設を利用して最適の規模で行なわれ、市場の動向に応じて統一された品質、規格のものが適期に出荷されるように組織化されるものである。

前述した農業生産の地域分担に応じて、需要に見合った農業生産の推進と農産物の生産と出荷の調整体制の整備をすすめるに当たっても、この広域営農集団が主要な作目について広はんに形成されることが必要なのである。

このため、政府は、農業者と農業団体の意欲の高まりを期待しながら、その形成が促進されるよう条件整備につとめる必要がある。（つづく）

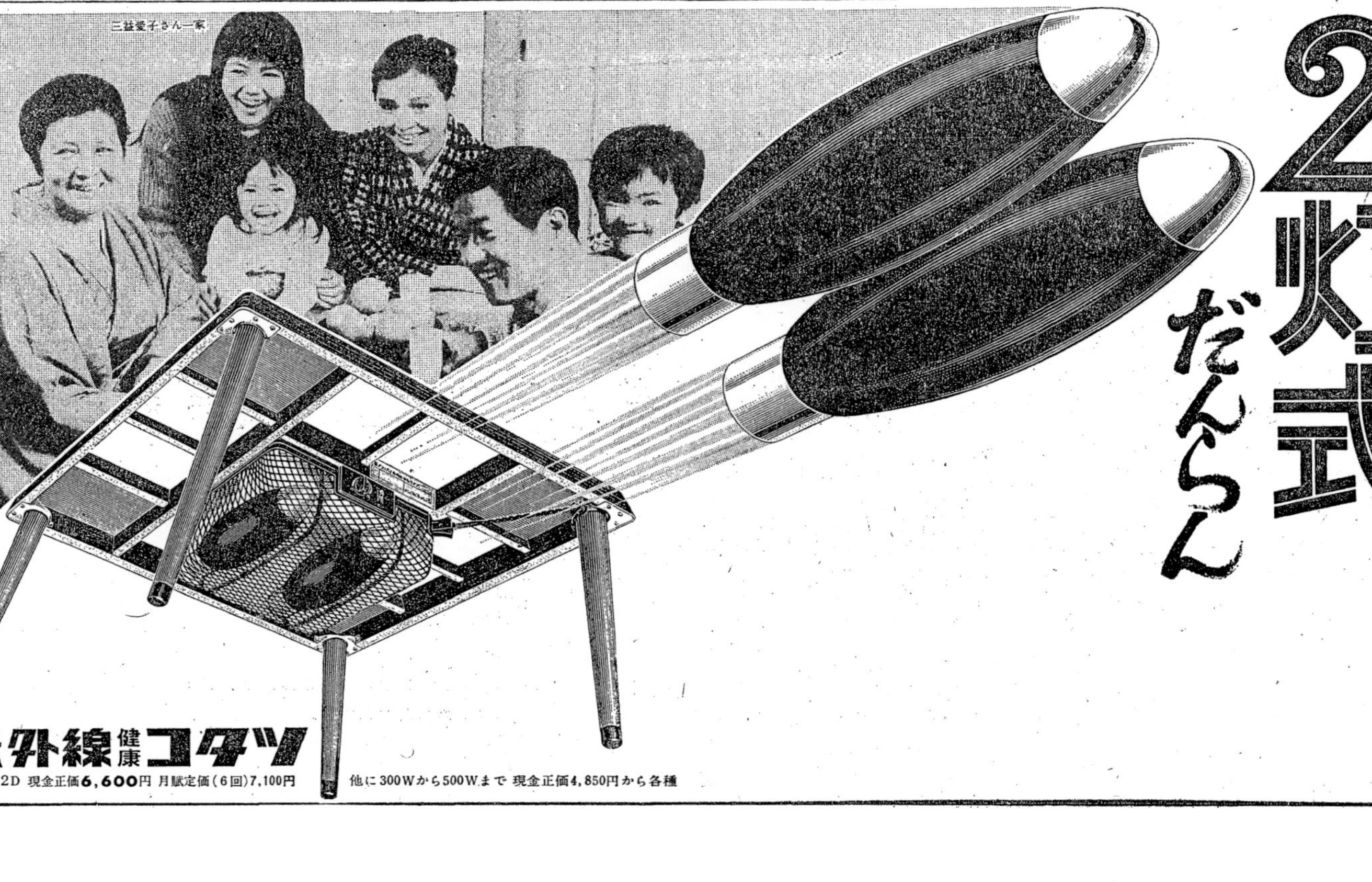

私のキウリ・ハウス栽培
修得した周年栽培の技術

沖縄上本部村北里 上本部4Hクラブ 具志清和

沖縄におけるキウリ栽培は、年々増加の一途をたどっています。

最近では、ビニールハウス、カンレイシャなどの保温、遮光資材が普及し、それに優良品種が出回り、また、一般農家の栽培技術が向上してきたため、促成栽培や半促成栽培による方法で、年間を通して栽培されるようになりました。

ビニール栽培は冬の低温期に、高温性の作物を生産するためにつくられた生産様式であります。したがって露地栽培で生産されない時期に、限られた面積を活用して最も多収を上げる栽培法で肥培管理を行なわなくてはなりません。

現在沖縄で栽培されているキュウリの品種は数多くありますが、最も安定した品種は、長日落合二号と久留米落合H型です。

私は、高温長日下でも雌花がよく着く長日落合二号を使いました。

ハウス栽培は、冬のキュウリの少ない時期をねらって出荷しますので、これから逆算して播種の時期を決定します。とくに、一月～二月を目標にの時期を決定します。私は十月二十五日に、ビニール鉢に二～三粒づつ播種しましたが、どうしたことかあまりよい発芽をしませんでした。

播種方法は、播種床を作って二センチ×五センチ間隔に播き、双葉が開く七～十日位で鉢に移植した方が、苗の発育がよく揃います。長日落合二号は十月播きでも雌花がよくつきますが、高温すぎたため、病害が多発し、急激に樹勢が衰え失敗に終ってしまいました。

やはり十月播は抑制ものとして露地栽培にし、ハウスものは十一月上旬から中旬にかけて播種した方がよい成績が上がると思います。

種子は播種前に催芽し、二～三ミリ位芽が白く出てから播きますが前もってウスプルンの八〇〇倍～一、〇〇〇倍液に三十分位浸漬消毒しておきます。

植付については、本畑はあらかじめ各畦ごとに石灰窒素三袋、堆肥千キロ、配合肥料百キロのほか鶏糞をすきこんで、クロールピクリンで土壌消毒し、一週間後にガスぬきを行ないます。ハウス栽培は収穫期間が長いので、肥切れするおそれのないよう元肥を十分施こすことがたいせつです。

(写真) キウリ栽培は、多くの資材と労力を要するが、他の野菜より需要も多く、単価も高い—という具志君のプロジェクト実績発表。

気をつけた換気と病害虫の駆除

ビニール張りは、十一月十日を中心に台風の危険性がないのを確認し、ビニールを張り、冬でも日中は四〇度近くまで温度が上がりますので、換気には十分気をつけなければなりません。植付は十二月中旬に行ないましたが、その時期には、本葉が七～八枚も出て、鉢の外部に根がはびこり、定植のとき多少根いたみがありました。

管理については、温度管理と潅水が最もたいせつです。キウリの生育適温は一八～二九度の範囲でありますが、前にも述べたように冬でも日中は四〇度近くまで上がるので、ハウス内の温度が三〇度を越えないように換気を十分に行なわなければなりません。また、キウリは約九〇％が水分なので、充分潅水をすることです。

また、黒のポリエチレンビニールを使ってマルチングすることによって地中の温度を高め、病害虫の発生を予防することができます。

とにかくキュウリの特性というか特質をよく理解した上で管理に当ることが大切です。

病気としては、露地栽培と同様に、ベト病、タンソ病、ウドンコ病、エキ病などが発生しますが、これらはマンネブダイセンの散布を続ければ防除できます。

露地栽培ではほとんど発生しないで、ハウス内で発生し、大きな被害を与える病害に、菌核、灰色カビ病、白絹病などがあります。これらの病害は主として果実や茎に発生し、一端発生すると防除がむづかしいです。このほか虫害としては、ウリバエ、アブラ虫などがありますが、マラソン乳剤、エンドリン乳剤、DDVPを用いて防除しています。

とくに、ウイルス病は、アブラ虫によって媒介されるため早目に駆除しなければなりません。また、ウイルス病は、育苗期間中に感染する場合が多いので、この予防には床土を完全に消毒し、アブラ虫から苗をまもることです。

収穫適期は、果皮が固くならない内に早目に収穫します。節成種は、開花後七～十日前後で収穫します。その方が草の勢いもおとろえず収穫期間をのばすことになり、これが増収のポイントです。

キュウリ栽培は多くの資材と労力を必要とし、多肥栽培を行なわなければなりませんので、多くの経費がかかりますが、他の野菜類に比較して単価が高く、需要者も多いので、こん後とも栽培面積を拡大され、施設園芸が盛んになると思いますが、蔓の誘引や一般管理の工夫によって省力化、灌がい施設の充実など、いかにすれば省力栽培ができるかということを目標に研究に取り組んでいきたいと思います。

(この具志君のプロジェクト実績は、先月、全国4Hクラブ沖縄親善交歓訪問団を迎えて、名護市で開かれた全琉4Hクラブ技術交換大会において発表されたものです—編集部)

私のプロジェクト
成功した複合経営
シイタケ栽培を取り入れて

群馬県甘楽郡下仁田町南野牧乙 西牧4Hクラブ 黛 富夫

部門経営をはじめた動機

私の家は群馬県の西北に位置し標高五〇〇メートルの山間急傾斜地帯で耕地は約六〇アールの零細な農業経営でした。

私が中学校を卒業した頃は、コンニャク、サツマイモ、養蚕、麦などを作り、現金収入は少なく、苦しい経営でした。

なんとか現金収入を増したいと思い、ウドの軟化栽培を行なってみましたが、栽培技術や出荷方法も充分でなく、叩かれてしまいました。

ちょうどそのころ、シイタケ栽培を親類の家で始めたので見学をしたり、研究した結果、これは立地条件にも適しており、部落内にも希望者があったので、五人で始めました。

また、コンニャク栽培はむかしから行なっており、この地方では最も有利な作目であるので、二〇アールほど小作して、コンニャク部門の充実を図り、シイタケ栽培との複合経営に切り替えました。

部門経営の計画立案と資金の調達

コンニャク部門は、これまで約三〇アールに、新しく二〇アールの畑を借り受けて五〇アールにしました。しかし、生子一五〇キロを購入したほかは、自家生産の種子球で補いました。

シイタケ部門は、年間六千キロの出荷を目標として、周年栽培を行ないたいと考え、ほだ木八万本に種子駒の接種を目標にし、現在四万本まで増してきました。

それに、五〇平方メートルのフレームを建設し、四・五×一×一メートルの水槽を一基作りました。

これには約三三万円の経費がかかりましたが、林業構造改善事業で実施したために七割の助成があったので、自己負担は九万円ほどで済みました。

また、ほだ木には、近代化資金二五万円を借りました。

本年度の経営をかえりみて

コンニャク部門は、ことしは低温異常気象であったことと急に面積を増したため充分な栽培管理ができず、葉枯病の多発をみたが、前年より生玉で約三千キロの増収を得ました。

シイタケ部門は、五月中旬から八月下旬まで出荷を休んだが、その他の月は出荷することができ、年間二千五百キロ、約八七万五千円の収入を得た。経費は、ほだ木、種子駒、借入金の返済、出荷経費などで約四〇万円差し引き、四七万五千円の所得をあげることができました。

将来のわが家の経営設計

コンニャクは、現状維持で単位面積当りの増収と品質の改善、栽培の省力化を進め、面積の拡大をしないシイタケは、ほだ木の常時八万本を管理して周年栽培を行ない、六千キロを収穫して、コンニャクで約六〇万円、シイタケで二四〇万円、合計三〇〇万円の粗収入をあげ、所得一六〇万円、月収一〇万円とし、ボーナス四五万円が出せるようにしたい。

これが、将来のわが家の経営の目標です。

経営改善に放送をこう利用していきたい

私たちの4Hクラブは、農業放送利用団体であります。農協の有線放送に協力してもらい、重要と思われるものはみんな録音しておき、クラブの集会で全員で聞き討議を重ねたり、必要に応じて農業改良普及員や営農指導員の指導を受けて実のあるものにしています。

NHK農業番組
(12月21日～31日)

テレビ

明るい農村 6・30～6・55総合
22日 村の記録 米とり合戦
23日 きょうの話題 米商人
24日 産物往来 青春牧場
25日 話題の広場 商社畜産
26日 村をむすぶ フィルム・リレー
27日 農業新時代 ある廃村
29日 村の記録 湯治場日記(新潟県六日町)
30日 「特集」農政この一年 団野信夫氏、石川英夫氏ほか
31日 「特集」群像 河合静明氏

農業教室 7・30～8・00 教育
22～24日 経営の記録と診断(京大教授)菊地泰次氏、頼平氏、貝原基介氏
25～27日 果実の貯蔵と加工(農林省園試場長)森英男氏
29～31日 農業技術の発展方向(東大教授)松尾孝嶺氏、鍋木豪夫氏

あすの村づくり
日 7・00～8・00教育
再 土 13・00～14・00教育
21日 ▽山間地に生きる(兵庫県養父郡関宮町)農村青年会議、▽クラブ活動を診断する(北海道上川郡新得町)居足地区青年会▽ヨーロッパ農業に学ぶ(長野県農業改良課)西川哲雄氏(長野県農業士協会々長)茅野武久氏
28日 「特集」▽わがまちの農業後継者対策

ラジオ

早起き鳥 5・05～6・00 ❶
21日 話題の窓 出稼ぎ対策(労働基準局長)和田勝美氏
22日 現地報告 ふえる玉ねぎの作付け(北海道北見市)
23日 人と話題 全国農協青年大会から—
24日 通信員の手帳から
25日 産地訪問 シクラメン(奈良県下)
26日 現地報告 五人で築く養豚団地(千葉県多古町)
27日 村のポスト
28日 話題の窓 来年度の農林予算
29日 現地報告 すすむ田園都市計画(茨城県石下町)
30日 人と話題 八百坪の野菜団地づくり(群馬県嬬恋村村長)
31日 「特集」農村この一年

ラジオ農業学校
月～土 6・40～7・00 ❷
日 6・30～7・00 ❷
21日 優秀農家に学ぶ ▽一万二千羽の企業養鶏(兵庫県宍粟郡一宮町)松本義吉氏=第十一回NHK優秀農家・兵庫県代表
28日 農業講演会 ▽ハイウェイ時代の近郊(大阪府立大学教授)御園喜博氏

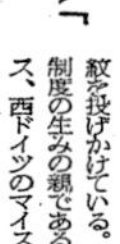

番組紹介

21日 あすの村づくり ▽山間地に生きる=兵庫県養父郡関宮町・農村青年会議=但馬地方は水田プラス養蚕、それに冬の出稼ぎが一般的であるが、最近クラブ員の中には、畜産や花など新しい経営に取り組み成果をあげている人がある。いままでは、クラブ員の半数は出稼ぎ不要の経営を確立している。山間地の農業確立に努力する青年の姿を描く。

▽仲間とともに=クラブ活動を診断する=北海道上川郡新得町・居足青年会=居足地区は、酪農のさかんな十勝地方では珍しく水田、そ菜が入っている。居足青年会は、会員三十四人で活動しているが、冬期間は出稼ぎ者が多く活動も停滞がちである。こん後のクラブ活動のあり方をめぐって会員の話し合いを紹介する。

▽先進と語る=西川哲雄氏 茅野武久氏=昭和四十二年度、長野県で「農業士制度」が全国にさきがけてスタートした。短時日であるが、地域にさまざまな刺激と波紋を投げかけている。このたび、制度の生みの親である両氏がスイス、西ドイツのマイスター制度の視さつに出かけられた。先進国の制度との対比、さらにはこん後の農業士制度の方向づけ、ヨーロッパの農業のなど広く話題を提供してもらう。

28日 あすの村づくり 「特集」▽わがまちの農業後継者対策=国・県で講ずる農業後継者対策とは異なる次元で、各市町村単位のきめ細い対策が展開されており、中にはユニークな内容を盛り込み活発なグループ活動がみられる市町村もある。代表的市町村長と地域の青年たちを一堂に集め、地域の農業後継者対策のあり方、国・県の施策に対する注文などを出し合ってもらう。

プロジェクトの取り組み方
最終回

北海道専門技術員 三輪 勲

プロジェクトに関する主要参考文献

本稿では、プロジェクト指導の基本的な事項について概説したが、さらに深く研究しようという場合の手びきとして、本書の章の順に従ってプロジェクトに関する著書や論文のうちから主要なものを例示する。

一、プロジェクトに関する総合的な著書・論文

❶「ホームプロジェクト」 厩沢留次郎・文教書院
❷「プロジェクト活動の理論と実践」 薬本宮幸・昭32・東京第一図書
❸「H・PとF・H・Jを指導するために」 仙波千代・昭38・家政教育社
❹「農村青少年クラブのプロジェクト」 岸田益雄・昭27・北海道農業改良普及協会
❺「青年の生産活動」 梶田利治・昭31・東京第一図書
❻「プロジェクト活動の意義と実際」 藤井正弘<青少年クラブ活動の理念と実際>所内・昭29・長野県農村文化協会

二、プロジェクトの概念・種類に関するもの

プロジェクトの理念を取り扱った総合的な著作については、前項に例示したとおりであるが、次の専門書がある。

❶「問題解決学習」 梅根悟・昭29・誠文堂新光社
❷「普及方法の原理」 浜田陽太郎・昭40・全国農業改良普及協会
❸「新しい農村教育」 高橋、厚沢、野村・昭27・文教書院
❹「アメリカ4Hクラブのおいたちと現況」 近藤亮一<集団活動第三号>所収・昭38・文教書院
❺「カナダの普及事業と4Hクラブ」 城田和人<集団活動第四号>所収・昭38・文教書院
❻「アジア農村青少年交流会議報告」 星野武四郎<集団活動第四号>所収

三、プロジェクトとの展開に関するもの

プロジェクトの課題選定に伴う問題点の把握については、次の調査に関する専門書がある。

❶「部落基本調査のやり方」 農林省振興局・昭34
❷「社会調査の方法」 福武直編・昭29・有斐閣
❸「プロジェクト主題の決定とその展開に関する試論」 梶田利治<集団活動第一号>所収・昭33・東京第一出版
❹「プロジェクトの計画とその進め方」 石丸美春<農業教育と農民教育第四号>所収・昭30・文教書院

北海道の農村青少年に広く利用されているプロジェクト記録簿には、次の二種がある。いずれも、毎年発行されている。❺は農業高校生向きで❻は農村青少年向きである。

❺「プロジェクト・レコードブック」 北海道農業改良課監修、北海道4Hクラブ連絡協議会発行
❻「畜大式レコードブック」(農産・畜産・生活の各編) 帯広畜産大学農村教育研究室発行
❼「演示の手引集 第一集 第二集」 農村青少年クラブ研究会編・昭30・文教書院
❽「農村青少年の演示とその問題点」 三輪勲<改良普及員資料第四巻第六号>所収・昭30・北海道農業改良課

四、共同プロジェクトの実施に関するもの

❶「共同プロジェクトの展開構造」 三輪勲<集団活動第三号>所収
❷「青年の手による協業経営」 中田正一監修・昭36・文教書院

五、プロジェクトの促進に関するもの

❶「低年次クラブのプロジェクト指導」 飯塚節夫<農業教育と農民教育第五集>所収・昭30・文教書院
❷「女子4Hクラブのプロジェクトの考え方と進め方」 葛原四津男<農業教育と農民教育第四集>
❸「4Hクラブ行事のやり方」 野村春二・昭27・長野県農村文化協会
❹「農村の仲間づくりはどう動いているか」 中田正一<農民>所収・昭34・昭文堂

六、プロジェクト指導の組織と運用に関するもの

❶「生徒指導の手びき」 文部省・昭40
❷「ホーム・プロジェクトの巡回指導」 江部乙高校<総合農学研究会報26号>所収・昭34・北海道地区総合農学研究会
❸「中学校の農芸クラブと4Hクラブ」 厚沢留次郎、中田正一・昭30・文教書院
❹「農業教育と普及事業との連けい実験活動報告」<農業技術普及資料一巻二号>所収・昭32・北海道農業改良課

七、プロジェクト活動の限界と補完に関するもの

❶「日本農業のあととりたち」 久保田辰雄<農業技術普及資料六巻五号>所収・昭38・北海道農業改良課
❷「問題解決学習過程の再評価」<現代教育科学No.82>昭39・明治図書
❸「農村青少年の指導においてプロジェクト法の効用と限界」 牧野忠明<集団活動第三号>所収

農業簿記

京都大学名誉教授 大槻正男

<自計式農家経済簿記>

現金現物日記帳とその記入

「生産物家計仕向け」欄の記入方法

農家が自家で生産した米、麦、雑穀、果実、そ菜、鶏卵、薪炭などの生産物を、所得経済部面から家計経済部面へ仕向けた場合に、その数量と評価額を「生産物家計仕向け」欄に記入する。

米のように相当な金目のものは、記入もれをすると計算結果に大きな影響を与えるから自家飯用に精白したつど、精白されただけ玄米を家計に仕向けたものとして、その日の日付で、その玄米の数量と価額を「生産物家計仕向け」欄に記入する方法をとる。

しかしながら、そ菜、鶏卵、薪炭などをはじめ、これらの大部分の品目は、家計へ仕向けたつどいちいち記入するのは繁雑であるから、毎月末において一ヵ月分の仕向け額を、各品目別にそれらの「数量」と「価額」を見積って記入する簡便法を採用するのがよい。

自家醸造のみそやつけ物などについては、醸造またはつけ込みをするときに、それらの原料(こうじ用米、麦、ダイズまたはダイコンなど)を、家計に仕向けたものとして、それらを「生産物家計仕向け」欄へ記入する。

したがって、できあがったみそ、しょうゆおよびたくあんづけなどを後日に実際消費したときには生産物家計仕向け欄に記入してはならない。それはすでにそれらの原料が「生産物家計仕向け」欄に記入してあるから、さらにみそ、しょうゆの消費額を「生産物計仕向け」欄に記入すると二重記入となって不当に家計仕向額けを増大させるからである。

なお、自家生産の鶏卵などを進物として他人に贈与した場合には、この数量、価額を、自家で食用とした鶏卵の数量、価額とは別行に記入しなければならない。なぜかといえば、両者は共に家計仕向けであることには変わりないが、後述するように、年度末において、家計費目別にどのようになっているかを知るために、主食物、副食物、調味料、間食物、嗜好品、被服および身回り品、交際費などに分類してみる場合に、進物にしたものは「交際費」に、自家食用にしたものは「副食物」にする関係からである

「建物宅地用役」に関して、この簿記においては、農家の建物宅地の全部を所得経済資産として取り扱っているので、家計経済は所得経済から建物宅地用役使用の一部を家計経済に仕向けているとみて、その家計仕向け用役を評価して、雑穀、薪炭などの家計仕向けと全く同様に毎月末の最終記入として(生産物家計仕向け)欄に記入するのである。一種の擬制的取り扱いである。

建物宅地用役は、建物の年々の減価償却額、維持修繕費、建物宅地の負担する租税公課および資本利子など、家賃を構成するすべての項目が明らかな場合には、次のように算出される。

(1) 建物用役価額　(2) 宅地用役価額
減価償却額
維持修善費
建物負担租税公課　宅地負担租税公課
建物資本利子　宅地資本利子
計(建物費)　計(宅地費)
建物費×家計使用率＝家計負担建物費❶
宅地費×家計使用率＝家計負担宅地費❷
(3) 建物宅地用役価額
1ヵ年の建物宅地用役価額＝❶＋❷
＝家計負担建物費＋家計負担宅地費
(したがって、1ヵ月の家賃は、この12分の1)

なお、その地方において借家が一般的にある場合には、類似建物の借家賃を基礎として、その建物の家賃を類推し、それに家計使用率を乗じて算出するのがよい。

1月	摘要	現金取引								生産物家計仕向け	
		収入			支出				残金		
		種目	所得的収入	財産的収入	種目	所得的支出	家計支出	財産的支出		数量	価額
日			円	円		円	円	円	円		円
3	鶏2羽家計仕向け(1羽300円)									畜副 2羽	600

あしたの青春
一ノ瀬綾 え 多賀愛子

<13>

揺れて(一)

夏の日足は長い。一日の勤務が終って事務所を出る頃になっても、街の家並にはぎらぎらした陽光がからみついていた。

すみ江は今朝栄吉と帰りに逢う約束をしておいたので、早めに一人で会社を出た。町の商店街は、鳴物入りの中元売出しの最中であった。もうすぐ盂蘭盆がくるのだ。

「今年のお盆は、つまらねえなあ」

すみ江は、つぶやいていた母親の浮かない表情を目前に思い起こした。

キャベツの精算が、噂通りの結果になって、手間代だけが持ち出しとはっきりわかったのは二、三日前のことである。生産者の中には、畑でそのままにしておく者や、耕耘機でひっくり返してしまった者もあった。

すみ江の家でも、新一がぶっつりと口をきかなくなり、父も母も暗い顔を見合わせている状態に落ちこんでいた。

衣料品店の前ですみ江は足を止めた。母親には浴衣か、新一にはポロシャツの一枚も買ってやろうかと思いついたのだ。家族の気分をなんとかしなければ、とそんな焦りにも似た気持がすみ江に、自分の財布の軽さを忘れさせていた。

「なにぼんやりしてんだよ」

栄吉に肩をたたかれて、すみ江は我に返った。いつもの喫茶店で二人は向い合った。冷房のきいた店内は客が多く、若いアベックが顔をよせて話しこんでいる。栄吉が、馴れた手つきで女店員を呼んだ。注文する栄吉の横顔をながめて、すみ江はふと、圭次の陽焼けした首筋を思った。きれいになでつけられた頭髪やプレスのきいた白い半袖シャツの上に、汗にまみれた野良シャツを重ねてみた。すみ江はそんな自分に気がついて、あわてて打ち消すと、栄吉に話しかけた。

「なにか、お話があると言ったけど……急用なの」

「いや、別に急ぐことじゃない。実はね、おれん家で、秋迄にアパートを建てることになったんだよ」

「まあ、景気のいい話ね」

「土地が売れたんだよ。星印工場の敷地続きに、家の畑があって、それが拡張工事の為に売れたのさ」

運ばれてきたレモンスカッシュに口をつけながら、栄吉は、すみ江をうかがうように眺めた。栄吉の家が、最近急激に発展をはじめた町の郊外にあることは知っていたすみ江も、それがアパートの建築に結びつくとは、思ったこともなかった。

「運が良かったのね」

「なあに、ごねていればもっと値が上がったんだ。親父のやつ、おれの結婚資金にするからってすぐ手放しやがった。その金でアパートを建てるというわけさ」

「いいお話じゃないの」

「すみ江さんも、喜んでくれるかい」

栄吉は身を乗り出してきた。二人の関係については、今迄一度も具体的な話をしたことのない栄吉にしては、思いがけない積極的な口調であった。

「だって、家が建つなんて、おめでたいお話じゃないの。わたしには関係ないけど」

「じゃあ聞こう。すみ江さんはおれがきらいかい」

「好きだわ。だからこうしているでしょ」

「それなら、結婚してくれるかい」

厭とは言わないだろうと言いたげな、栄吉の表情であった。すみ江はなぜか、すぐ返事がでてこなかった。こんな言葉を、いつか栄吉の口から[illegible]くだろうと予想はしていたし、期待もしていた筈であった[illegible]ったような、突然思いがけないことを聞いたような、妙に[illegible]はぐで落ちつかない気持であった。

私の好きな言葉

安細隆之

希望を失ったとき　若い命は枯れる
4Hクラブの　青春は二度とない
若さを常に発揮しよう　希望をもって前進しよう
心の美人になれ　〝天に星〟〝地に花〟そして〝人に愛〟
何ごとも努力！　自由と正義
そして　大自然を愛する人間になろう

（宮城県亘理町・阿武隈4Hクラブ）

わが大奮闘記

みかんに青春を賭ける
ランプ生活を忍んで
孤独との戦い続ける

大道二久

四季を知らぬ静かな海。その中に夢のように浮かんでは切れ、切れては浮かぶ数知れない大小の島々。その島々の中の小さな一つの島—ここが私の住所である。

この島は、まったくのみかん島で、農家戸数約八百といわれ、歴史は古く、明治からみかんが栽培されている。そして耕作面積が限定されているため、標高四四八メートルの国立公園である一峯寺山の山頂付近まで開墾、栽培されている。私はこのような所で育ち、成長していった。

さる四十年に、国内留学生として静岡県へ派遣され、農業人として第一歩を踏んだ。翌四十一年にも、県外派遣で大分県へ研修生として学んだ。そして、こん後農業をプロとしていくには、自分の家みたいな零細規模経営（約八五アール）では成りたっていかない。そのうえ、老木園が多いために生産量は減少し、品質は悪化、低下していく現状では、将来の道はまったくないと、痛切に肌で感じとったのである。

こん後、農業を行なうためには新開地を得て規模拡大を図ることが、まず第一条件であると考え、その土地を探し求めた。あるときには、麦わら帽を頭上に、また長靴を足にして歩いたあげく、本州である竹原市忠海町にその土地を見つけ、十二月に農地取得資金を借り入れて約八〇アールの荒畑を買い入れた。そして、出張農園としてスタートすると同時に自営独立精神を持って励みだしたのである。

さて、農地拡大（約一六〇アール）に成功したものの、運営が困るので、運転資金として後継者育成資金も借り入れて、開墾、貯水漕、園内道の整備、定置配管などを設置し、各農作業の省力化を図るとともに、生産費の低下を狙った。生産部門の方では、その年に、普通温州（二年生）約百五十本を植えつけ、四十三年には普通温州二百本、早生温州三百本を植えつけた。それでもまだ不足気味なので、ことし早生温州三百五十本の植えつけを行ない、計画密植栽培法を用いて、少しでも早く多くの金銭を得ようと心がけている。

ところで、形として、島から本州へ出張農園という型をとって行なっている。もちろん、交通機関はフェリーボートを利用している。そして、第一に住家が必要なので、そこに小屋を建てて寝起きをしている。

電気、水道はなく、ランプ、井戸水利用で非文化的な生活であり、同時に、自炊、洗たくなどすべて自分自身で行ない、自主独立精神を持って孤独との戦いを続けている。

が、一たん自分が選んだ無限で男性的な職業、厳しい自然に恵まれた環境の中で比較的自由なこの農業という職業——私は、歯をくいしばって日夜開墾った。あるときは鼻血を出しながら、また、あるときは月の明りで除草をしてみたり——。

しかし、四十二年の大災害は忘れることができない。七月の集中豪雨によって、汗水を流してやっと開墾した畑が土壌侵食を受けて流亡し、そのうえ、こん度は大干害をこうむった。同じ年に自然的災害に二度もあい、泣くにも泣けず、寄せくる経済の中でさまようような状態であった。

これからどうすればよいのだろうか、こんなにまで努力しているのに、なぜ、私はこんな目にあわなくてはいけないのだと神、仏をはじめすべてを憎しみ、一週間ぐらい寝ころんでしまった。そのとき、農業を捨てて他の職業にとも思った。が、ここで農業を捨てると、過去の私の歴史がムダになると思い、気持を新たにして、再度スタートからやり直した。

それでも、まだまだ零細なので適当な農地はないものだろうかと思案していたところ、隣町である竹原市小吹町というところでパイロット開墾を実施するというので入植（約三五〇アール）させていただいた。

現在、開墾を進行中であるが、再度壁にぶつかり悩んでいる今日である。というもの、みかん専業栽培農家としてこん後人生を進んで行こうと思っていたところ、新聞紙上をはじめテレビ、ラジオ、また専門書などには、盛んに「みかん生産過剰」とさけばれている。

プロのために農業を選択（それ以外もあるが）したが、みかん以外に良いものがあれば、定められた農地、人員でフルに活用でき、多収入を得られるものはと考え悩んでいる昨今である。

もっと責任ある政府の農政を願ってやまない。何しろ生存競争の激しい異社会で、自分の選んだ職業で生き抜こうと思えば、私みたいな零細規模農家で、無学、無知な者は、つらく苦しくてかなわない。が、しかし、立派な農業人として世のために少しでも役に立ちたいと思う。

私がこれまで歩んだ反省として次のことがらがあげられる。

一、人間的に農業人として誇りを持ちたい
二、現金収入である果実の価格の不安定であり、流通改善を強くのぞむ
三、災害に対しての恐しさ
四、資金借入れ手続きのスピード化
五、自分で初めて収穫したときの気持、喜び、感無量とはこういう時だということを知る
六、農業のための農政をわれわれの手で作成したい
七、経営面積を約八〇アールから五〇〇アールにする。

（広島県豊田郡提町大長・オレンジ会、23歳）

クラブ活動への提言

佐賀県鹿島市古枝　鮒越4Hクラブ　井上利幸

組織守って前進を
〝休養〟は明日へのエネルギー

私が4Hクラブに加入して四年目になります。私たちのクラブの会員数は百三十名で、男女の比率は三対二の割合で男子が多い。

クラブ員百三十名といえば、佐賀県の中では、決して少ない方ではないと思います。これだけ多数のクラブ員がいたならばクラブ活動も計画的に行なっていけると言えますが、百三十名いてもクラブ活動が思うままにならないのは、今日のクラブ活動はややもすると停滞しているようにも感じます。なぜ、現在のクラブ活動が停滞しているのか、その原因はいろいろあると思いますが、4Hクラブに対する若人の意欲が足りないなどがあげられましょう。

◎◎◎

魅力あるクラブに

また、少ないクラブ員の中から農閑期には、季節労働など出稼ぎに行くので、各種の行事に参加するクラブ員はさらに少なくなるのです。クラブ活動の向上など到底望めません。

私は、ある集会のときに、一人の新入クラブ員に、こん後のクラブ活動に何を望みますかと、聞いてみました。そしたら、その人は「チームワークを図り、クラブ員が喜んで参加できるクラブにしてもらいたい」ということと「意義ある活動をやってもらいたい」と言ってくれました。

このように、こん後のクラブ活動に望まれる点はあるのですが、前にも述べたように、季節労働へと資金稼ぎに出て行く若い人が多いことや、クラブ員そのものが無関心であるため、クラブ活動の盛り上がりがないように感じさせられるのです。現在停滞しているクラブ活動を魅力あるものにし、前進させることが私たちクラブ員に課せられた使命ではないでしょうか。この条件をもとに、私のささやかな知識と体験を述べさせていただきます。

◎◎◎

系統発生的な前進

われわれ人間とその生活にも、生物学上の個体発生は系統発生を繰り返すという、事実を適用できると思います。胎児が原始生物的な形態を経て人間になるまでのその過程は、原始社会から現代社会までの生活の系統的経験を意味しているのではないでしょうか。

また、自分と母だけの世界にあった幼児が学校へ社会へと生活の範囲を拡げて行くように、家族単位から始まる人間社会も国家へと進化発達してきております。このことをクラブ活動とその組織に適用して考えてみました。

新入会員が、単位クラブから、地区連協、県協へと進む過程、それは組織が生まれた当初、軟弱で漠然としたものであったものが、明確な目標を持ち、指導者を生み、伝統を育てて、従来の緊密な連携のとれた強力な組織となって、以前の単位クラブ、地区連協という発展をたどると思います。

以前のような強力さが今日の組織にみられないということです。

◎◎◎

組織守るのは責任

事実、今日の組織の弱体化は、もちろん私たち青年だけの責任だけでもなく、社会的条件ごとに所得倍増のキャッチフレーズのもと高度経済成長政策による、農村青年の都市への流出、所得格差からくる出稼ぎの結果、時間的ゆとりのなくなったことが考えられます。消費ムード、バカンス、レジャーとの享楽ムードなどから活動の困難性、意識の低下を招いていることも起因していると思います。

しかし、このように悪条件によって、弱体化した組織であっても今日の組織は、明日の組織の盛衰を決定すると思います。引き継いだ組織を明日の後輩に譲る時、一層進化したものとなるようにしたいと考えております。生物に死があるように、進化を続けてきたクラブ組織の弱体化が必ずしも消滅につながるとは思えませんが、今日の状態が明日の前進のための休養であってほしいと思います。

私たちが学窓から社会へ出たとき、規制的なすべてのものがなくなったという解放感、それがやがて空虚なものとなり、一種の欲求不満の状態に陥りつつあったとき大きな力で私たちを引き入れ、以前に入っていた組織とは全く異質のすべてが、自主的に運営されている組織の一員として迎えられ、何かしら大きな安心感と漠然とした夢を与えてくれたのは、いま、私たちが受けついで運営に当っているクラブ組織でした。やがて、学窓を巣立つ多くの青年を、かつて私たちの安心感と夢を与えることのできた意義深い組織として迎えてやりたいものです。

この二〜三年来、時間的、精神的にも自分を相当放棄しての組織への奉仕は、私たちが社会の一員として、組織の一部として生きて行く以上、社会の発展の中で大きく報いられることと思うのです。私たち同系の組織にある人たちとともに連絡を密にして、組織を守り、一歩前進させるべく協力し合う義務があるでしょうか。

農村雑感

折原俊二郎

ブラジル青年の目

ブラジルは、日本の裏側に当る遠い国のように思っていたが、月の表面に人間が到達できる今日では、決して遠い夢の国にあるものではなくなった。

今や世界は狭くなったといえる。このブラジルは、コーヒーと日本からの移民地としても、有名なところである。もちろん移民して新しい土地を開拓し、何十年という苦難の時を過ごし今日では一応成功者といわれる人でも、その苦労は想像するだけでも頭の下る思いがする。その移民家族の中には、二世が農業の経営権を受けつぐ時代になりつつある。

これら二世の青年五人が今年の三月に来日し、農家に入り農業実習をしながら、日本の農業や農村を体験を通していろいろと学んでいるが、この青年と話しあう機会があった。

これらの青年たちの経営は、何百町歩という広い耕地を持って行なっている。中に、一人だけ七ヘクタールという小さい経営面積だったので、親近感を抱いて経営内容を聞いてみると、トマトを中心とする野菜ということで、私は再び驚いてしまった。これほど条件がちがう国から来て、日本で何を学ぼうとするのだろうか。この疑問は当然のこととして起こってくる。

彼らのおじいさんに当る人は、日本で育ち、大きくなってからブラジルに渡ったのであるから、日本に対する郷愁と、日本の良さが頭の中から離れない。その祖国を孫に見せたいという念願から、日本に出してよこしたものと思う。このため、日本の本当の姿を見て知ってもらうためには、普通の観光客の形では目的が達せられない。体験を通して見、聞き、学ぶところは学ぶというところに本質があると思う。

三月から現在まで、農家に入り、実習を通して体験してきたが、この八カ月間に日本の農村からどんな印象を受けたか聞いてみたところ、特徴的なものとして次の三つをあげてくれた。

第一は、日本の農村では、農家の個々が相協力して物事に対処し、解決していこうとする熱意が極めて少ないということである。日本の農村は集落形態をとっているので、一つの部落が一丸となって事に処するという連帯感が強くてもよいと思われるが、これが、極めて少ないことにびっくりしたというのである。

第二は、労働の内容をみると規則正しく、しかも効率的な作業をやっていないという。

例えば、食事の時間が、その日その日によりまちまちであり、また時には食後長時間休む日があるかと思うと、その翌日は休む暇もない有様だったりする。さらに、途中の休み時間がでたらめに入っており、これがため作業の目標達成がたてられない。朝に星をいただき、夕べに星をいただくほど働くといっても、内容的には不効率に思えてならないということであった。

第三は、日本の農村の女の人は働きすぎるということで非常に感心したが、他方、家庭の中のことや子供の教育のことを考えると果してこれでよいだろうかという疑問をもったということである。男は外で十分働き、家のことは女の人にまかせる。そういう分業形態があってこそ本当に楽しい農家の生活が生れるのではないのだろうかということであった。

ブラジルの若い青年の目は、短かい滞在期間中に、日本農業農村の欠点を正しくとらえたと思う。それとともに、これから、日本の農業、農村ではどうしても解決していかなければならない大きな課題でもあると思う。

（農林省・農業者大学校）

いつも目的を失なわず……
ファイトの持ち主に

山口県・美東町4Hクラブ　楠成雄

人ならば目的を持つべきだ。いや、持っているはずである。その目的のために邁進する。これがいきがい。

その目的に達するまでに、いくつかの壁が必ずある。これを乗り越えるだけのファイト、このファイトこそ、その人の価値を決めるものだ。われら若者は何者にも負けない強いものを持とう。

女性には目的を持たない人が比較的多い。その人たちに聞けば、目的を持っても結婚でどうせだめになるという。ならば現在の仕事は満足か。いや面白くない、ただ惰性で生きているという。これでは、ルンペンより少しましな生活をしているだけのように私には思える。

女性であっても、それなりに目的があって欲しい。結婚するまでの目的、それからの目的と違ってもいい。とにかく短かい一生を有意義なものにしたい。そのためにも目的を持ち、強烈なファイトを持つべきだ。家庭、地域社会、日本を左右するのも半分は女性の力だ。

4Hクラブ員を勧誘するにはどうしたらよいかを話し合った。その話しの中で「いかなる説得にも応じてくれない人に接するのがいやだ」といったそうである。しかし、人に接することを拒むようでは、目的を持ち、いかに強いファイトを持っていても、十分な勉強もできず、やがてはガラスのように小石がぶつかっても砕けるであろう。こういう人こそ人生の敗北者となる。多くの人に接するよう努力する必要があるのではなかろうか。

多くの人に接していろいろな意見を聞き、また自分の意見をいって豊かな人間となり、より強いファイトの持ち主となろうではないか、われわれ若者は……。

青春と仲間

「享保猪垣始末期」が受賞
家の光の「第17回地上文学賞」

社団法人家の光協会（宮部一郎会長）では、第十七回の地上文学賞を募集していたが、このほど応募作品の中から次のとおり受賞作を決めた。

▽受賞作＝「享保猪垣始末記」（「地上」四十四年四月号掲載）

▽受賞者＝長崎県西彼杵郡西海町七釜郷二七九五、木之下晶治氏

この受賞作は、いまなお長崎県佐世保市外にそのおもかげを残す猪垣の建設を背景に、農政に振りまわされる農民の姿を浮き彫りした力作。筆者の木之下氏は、新聞記者などを経て、現在、西海村七釜農協組合長を勤めている。

この「地上文学賞」は、農村の現実をテーマにした作品を広く募集するもので、さる二十八年から設けられている。

なお、同協会では「第十八回地上文学賞」の作品を次の要領で募集している。

▽内容　題材は自由▽枚数　四百字詰原稿用紙三十枚から四十枚まで。住所、氏名、年令、略歴付記のこと▽締め切り　昭和四十五年四月二十日▽送り先　東京都牛込局区内、家の光協会「地上文学賞」係（〒一六二）▽賞金　地上文学賞一編　正賞＝賞状、副賞＝十万円、秀作四編　各三万円ずつ、佳作五編　各一万円ずつ

生活 もの知りコーナー

冬の下着もかっこよく

☆冬の洗たく

寒いときの洗濯は、なかなか乾きが悪いものです。短かい冬の日を十分に利用することが大切ですから、朝の食事のあと片づけや、掃除をすませてから洗ったのでは、物によってはどうしてもその日のうちに乾きません。

そこで、前の日に洗っておき、あとはよく水を切り、バスタオルに包んでおきます。とくに寒い夜は凍ることもあるので、お風呂場などのあたたかい場所においておきましょう。

翌朝はなるべく早めに干してください。冬はロープに干すより、竹ざおのほうが風通しがよく、乾きもずっと早くなります。

厚手のものは、高いところに、薄手のものは低いところに干すのが早く乾かすコツです。また、色ものは下に、白いものは上の方に干すようにしましょう。

☆冬の紳士もの下着

厚いものを一枚着るより、薄手のものを二枚重ねるほうがずっと暖かで見ばえもよい。ワイシャツの袖口からはみ出したり、衿からのぞいたり、靴下の中にズボン下が丸まっているのは見苦しいものです。

シャツは七分そで、ズボン下は八分だけのものにするとその心配はありません。

肌着はもめんを着てから、合繊のシャツを重ねるとよいでしょう。合繊はよごれやすいですが、暖かで洗たくも簡単です。とくに寒い地方ではネットシャツを肌着がわりに着ると、約三ミリ厚さの空気の層ができて、背広一着分くらいの効果があります。しかし、最近は暖房も整ってきていますので、上で調節できるような着方を心掛けましょう。

象牙海岸館

敷地面積…2,011㎡
出展費用…約1億5千万円

展示館は、高さ8〜35ｍの三つの円筒形の建物（近代館）とそれを取り巻くように建つモルタル造りの建物（歴史館）から構成されています。

近代館は、鉄骨造り、外壁がカラー鉄板で象牙を象徴したデザイン。歴史館は、同国の伝統的な民家を象徴した土壁のイメージに仕上げられます。

展示は、大きく二つに分けられ、近代館では、躍進を続ける現代と無限の可能性を秘めた未来が、農業製品、工業製品、教育関係の展示によって繰り広げられます。

歴史館では、植民地時代から独立するまでの過去の姿が映画や民族舞踊などによって表現されます。また、展示の演出には、プロジェクターがふんだんに使われ、ダイナミックな展開が行なわれます。

<日本万国博覧会展示館の紹介>

１９７０年（第５９４号〜第６２８号）

日本4H新聞

４Ｈクラブ
農事研究会
生活改善クラブ
全国弘報紙

発行所
社団法人 日本４Ｈ協会
東京都市ケ谷家の光会館内
電話（269）1675郵便番号162
編集発行人　玉井　光
月３回・４の日発行
定価　１部　20円
一ヵ年700円（送料共）
振替口座東京　12055番

クラブ綱領

私達は、実践を通じて自らを磨くとともに、互いに力を合わせて、よりよい農村、よりよい日本を創るため、四つの信条をかかげます。一、私達は農業の改良と生活の改善に役立つ腕をみがきます。一、私達は科学的に物を考えることのできる頭の訓練をします。一、私達は誠実で友情に富む心をつちかいます。一、私達は楽しく暮し元気で働くための健康を増進します。

新年特集号

12月24日号と1月4日号を合併、増頁して特集号としました

躍動する若い力

白雪をいただく富士を背に、朝の冷気をついて力強く駈けるクラブ員たち。希望にかがやく一九七〇年代の夜明けを迎えた。だが、この激動の時代を乗りきるには、磨かれた頭と腕、何をもやりぬく情熱、そして何にもまして丈夫な体力を必要とする。健康は４Ｈのモットーである。

（御殿場市の国立中央青年の家における全国４Ｈクラブ推進会議で）

希望の七〇年代

苦痛に克（か）って創造の喜びを

林房雄

一九七〇年代がいよいよ始まる。私はこの年代に希望と期待をかける。私自身はこの十年間の終りまで生きているとは思えない。にもかかわらず、日本人がおのれ自身を取りかえす時、日本民族の自己回復がすでに始まりつつあるという強い予感を持つ。

六〇年代は日本にとっては、たしかに混乱と衰弱の年であった。未曽有の経済成長にもかかわらず、ローマ帝国の末期にも似た頽廃と混迷と国内抗争が泥沼の瘴気（しょうき）のように立ちのぼり立ちこめていた。誇張して言えば、人間はすべて動物に還元して、野獣群の叫びと嚙み合いと無秩序と放縦が支配しているように見えた。

だが、静かにふりかえってみれば、それらは表皮現象であり、いずれは流れ去るただの風俗にすぎない。一億の日本国民を根こそぎに洗い流す大洪水ではなかった。数字であらわせば、末期的な世相と風俗の害毒に骨までむしばまれた者は国民の〇・〇一％にも当るまい。再起は可能なのである。一億国民の大多数は皮膚病に似た頽廃と衰弱に無縁であったか、または、一時は病気におかされても、それによってかえって抵抗力を増して強くなった。

「日本人は世界にも珍しい勤勉性と豊かな創造力にめぐまれた民族であるから自分はその将来に希望をかけている」

これは明治大正昭和三代を生きぬいた思想家長谷川如是閑が死の床で残した言葉である。私も彼よりややおくれて三代の日本をながめて来た者の一人として心から同感する。特に、敗戦後の二十数年間は日本人の忍耐力、勤勉性、創造力のこの上ない実証であった。歴史の常識に従えば、よほどすぐれた民族でも、あの大敗戦のその日に崩壊し、解体し、奴隷化され、たとえ滅亡しないまでも復興して歴史の舞台に再登場するまでには数世紀の年月を必要としたはずである。だが、日本は滅亡しなかった。わずか四半世紀で世界の奇蹟と言われるまでに回復した。まだ完全とは言えないとしても力強い復興への途上にある。

まだ傷と後遺症は残っている。敗戦による混迷と頽廃は治癒（ちゆ）したわけではない。敗戦後遺症は日本全体に及び、農村だけが健康で都会だけが不健康だなどとは言えない。都市、農村の間の断絶は急速に消滅しつつある。同じことが年令についても言える。老人の精神だけが健全で青年だけが頽廃しているとか、青年だけが健全で老人はもう新時代に適応できないとか、そんな「地域と世代の断絶論」はドラッカーの「断絶の時代」を読みちがえたジャーナリズムの嘘（うそ）である。

ドラッカーの説は〝第二の産業革命〟とも呼ぶべき経済と社会構成の大変革が進行中であるから、都会人も農村人も老人も青年も、経済人も政治家も、この際大いに勉強して頭を切りかえなければ、新時代に適応できなくなるぞという警告にすぎない。彼の著書の中には「世代の断絶」や「伝統の断絶」、まして「左翼思想の勝利」などを暗示する所論は一行もないのだ。大変革はたしかに進行している。そして、この変革に適応できずに廃物となる最初のものは左翼思想・マルクス主義という〝幻想と怨恨のイデオロギー〟であろう。

新時代と新環境への適応は、老人にとっても青年にとっても等しく大努力を必要とする苦痛である。この苦痛を努力によって克服するところに創造の喜びがある。人間の生き甲斐がある。

七〇年代は全国民に苦痛を乗り越える努力を要請している。故に、私はこの年代を日本民族にとって「創造の喜びを真に味わせてくれる輝かしい年代」と呼び、諸君と共に大きな希望をかけたいのである。

（終）

〝未来の担い手〟青少年に期待

内閣総理大臣 佐藤栄作

昨年は、人類がはじめて月に到着し、沖縄の本土復帰の見通しが確定した記念すべき年でありましたが、いま、ここに新に、一九七〇年代の最初の年を迎え、皆さんとともに、新春を寿ぐにあたり、あらためて二十一世紀が真近いことを思い、新しい時代の息吹を感じます。

わが国は、近年めざましい経済の発展をとげ、自由主義諸国家の中で第二の経済力をもつにいたりました。これは、戦後日本人が一体となって努力してきた賜物であり、すばらしいことであります。しかしながら、この経済繁栄の中にあって、最近では、人間疎外とか人間性喪失とかが論議されています。そもそも経済は人間のためにあるはずなのに、経済の急激な発展のために人間性が疎外されているとすれば、考え直さなければなりません。かりに日本人の心が貧しくなりつつあるとすれば、これは由々しいことです。

わたくしは、物質的な豊かさは、これが心の豊かさに結びついてはじめて尊く、国は、平和に徹し国際社会に対して共同責任を負いえてはじめて優れていると信じます。種々の面でわが国が転換期に際しているといわれるこんにち、われわれはあらためて、人間の正しいあり方について哲学してみる必要を感じます。人間は、尊厳な独自の個性をもつと同時に、相互に社会連帯の意識によって結ばれており、それぞれかけがえのない民族や国家の歴史や伝統をもっており、そして、それらに根ざしながら未来をつくっていくものです。

このことを正しく理解した上で、時代の流れを的確につかみ、各自のとるべき態度を決定することがたいせつだと思います。波瀾と教訓に富んだ明治百年と戦後二十五年の貴重な経験を基礎にしながら、わが国の青少年が社会連帯の意識をより強くし、進歩する社会にふさわしい倫理感を基軸として、わが国特有の精神文明を確立し、世界の平和と文化に独自の貢献をすることができることを期待します。なぜなら、それは、未来を担う青少年にのみ期待できることだからです。

そのためには、一人ひとりの青少年は具体的に何をすべきであるか。年頭にあたり、わが国の青少年が二十一世紀の担い手としてそれぞれの人生の展望をもたれることを、強く希望し、新年のご挨拶とします。

新春によせて

創意と実践力を

農林大臣 長谷川四郎

明けましておめでとうございます。

わが国経済は引き続き拡大基調をつづけており、今やその規模で自由世界第二位の地位を占めるに至っております。このような経済の発展に農業が食糧の供給、労働力の供給、国内市場の拡大などの面で果たしてきた役割は決して忘れてはならないと考えるのであります。

農業が経済社会の一環として健全な発展をとげ、産業として確立されることなくして、わが国経済社会の均衡のとれた成長発展は期待しえないと信ずるのであります。

最近の農村をみますと、生産面においては機械化が進み、経営の近代化も進展していくとともに、生活面においても農家の所得は向上し、生活水準も改善をみているなどかなり明るい面がみられるのであります。

しかしながら、その反面、わが国農業をめぐる諸情勢の変化は著しく、種々困難な問題が生じております。

申すまでもなく農政の基本的目標は、国民に良質な食料を安定した価格で豊富に供給するとともに、農家の所得と生活水準の向上を図ることにあります。この農政の基本的目標を達成するため、私としては当面する諸問題に対処して新たな決意を持って農政の強力な展開に努めてまいる考えであります。

近年、国民の食生活は、所得の向上に伴い、穀類中心から畜産物、野菜、果実類等を豊富に摂取する形態へと変わってきており、このような食生活の動向を考えますと、需要に即応した農業生産をすすめることが緊要となっております。中でも米につきましては、今や過剰状態にあり、その解決は農政の緊急の課題でありますので、需要の増進に努めるとともに、農家および農業関係者のご協力を得ながらその生産調整に取り組んでまいる考えであります。

また、今後農産物価格水準は、停滞的に推移すると見込まれますので、生産性の向上を通じて農業所得の増大を図ることを基本として生産性の高い高能率の農業を育成していくため、構造政策の一層の充実を図ってまいりたいと考えております。

このため、農地法の改正をはじめとする構造政策関連諸法案の成立を図るとともに、第二次農業構造改善事業の本格的実施、農業者年金制度の創設など各般の面にわたって施策の一層の充実を図ってまいる考えであります。

一方、近代的農業が成立するためにはこれを支える新しい農業のすぐれた担い手の育成確保が必要であります。このためには、後継者対策を含め、農業者または新たに農業を職業としようとする者に対する教育、研修体制の刷新を各般の面にわたって図ってまいりたいと考えております。

また、農産物価格の安定および流通加工の近代化についても力を入れてまいりたいと考えております。このため、出荷体制の整備、流通機構の改善合理化を進めるとともに、価格安定措置の円滑な実施を図ってまいるつもりであります。

さらに、農村地域における道路等の生活環境の整備は都市にくらべ立ち遅れが目立っておりますので、都市と比肩し得る農村をつくるための諸施策の充実にも力を入れてまいりたいと考えております。同時に農村地域における他産業への就業機会の拡大を図るため、農村から通勤可能な地域に工場の立地を進めてまいりたいと考えております。

以上のような考え方に立って総合農政の強力な展開を進めてまいることといたしましておりますが、今日の農業問題は農政固有の分野にとどまらず、広く各般の政策分野にわたって適切な対策を必要としております。このため政府一体となって農政の展開を図ることといたしております。

私といたしましては、近代的農業の育成を図り、環境が整備された明るく将来に希望のもてる農村をつくりあげていくために、最善の努力をしてまいりたいと考えております。

農業施策は、その性格から一朝一夕にしてその効果があらわれるものではありません。それだけに、政府はじめ、関係者のたゆまざる努力が必要なのであります。特に、自らの農業経営や農家生活の改善合理化に情熱をもち、清新な創意と旺盛な実践力をもった青年の一層の精進とご活躍を心から期待し、新春に当っての私のごあいさつといたします。

「和」の心で建設へ

日本4H協会会長 松下幸之助

全国の4Hクラブ員の皆さま、明けましておめでとうございます。ご機嫌うるわしく新春を迎えられましたことを心からおよろこび申しあげます。新年のすがすがしい気分の中で「今年こそは」と大きな希望を胸一杯ふくらませておられることと思います。私も新しい年を迎えるたびに、やはり心に何か新たなものを感じ、今年もまた、しっかりしなければという気持がわいてまいります。

このように、年があらたまったのを機会に気分を一新して新たな目標にむかって、一層の前進を誓い合うことは、誠に意義深いことでありまして、昔から「一年の計は、元旦にあり」と申していますのも、このことを言っているのだと思います。

そこで、昭和四十五年を迎えたのを機会に、昨今、私が強く感じております「和」ということについて申しあげ、そして皆さまとともに考え合って、その実践に微力を尽してまいりたいと思います。

皆さまもご承知の通り、ここ数年の日本は、世界中が驚くほどの驚異的な経済成長を遂げ、あらゆる物が豊かに産み出され、一見すると華やかな繁栄ある社会様相を呈しております。ところが、一方では、社会の各面にわたって物情騒然とでも申してよいような非常に好ましくない事態が、余りにも多く起こっており、もはや人びとの心の支えとなるような精神的なよりどころをどこに求めたらよいのか、わからないといった状態になりつつあります。

それではなぜ、このように両極端とも思えるような社会情勢になったのでしょうか。考えてみれば、私たち日本人は、戦後二十余年間、物の面の復興発展にのみ心を奪われて、最も大切な精神のあり方、とりわけ、人と人との「和」ということの重要性を見失っていたと思います。そのうえ、民主主義を誤って解釈し、それが広く日本人の間に浸透し、自己本位の他を顧えりみようとしない風潮が強まったためだと思います。

そのために、現在では政治や社会の各方面に、さまざまの対立や争いが生じ、いわば世をあげて混乱の時代といっても決していい過ぎでないような気がいたします。このままの状態を続けておりますと、争いが争いを生み、ついには、とり返しのつかない混乱と混迷の社会情勢に陥ってゆく恐れすらあり、もはや一刻の猶予も許されない時にきていると思います。だからこそ、新しい年の門出に当たり、人と人との「和」の必要性を強調し、これをすみずみまで浸透させることにより、日本人の一人ひとりが相助けていくという、いわゆる自他相愛の心をもってこの困難を乗りきるようにいたしたいものだと思います。

もともと、「和」の心は、古くから日本精神の根底をなすものでありまして、聖徳太子の十七条憲法の第一条にも「和をもって貴しとなす」としるされており戦時二十余年の空白はあったとしても、今こそ是が非でも、この精神を真にとりもどさなければならない時機になっていると思うのであります。また、本当の「和」の精神は、征服や抑圧によっては決してもたらされるものではなく、人と人とが、お互いにその人格と立場を正しく認めあうことによってのみ生まれるものので、これを民主主義の正しい姿であると申せましょう。従って、今私たちが「和」の精神をとりもどすことは、とりもなおさず正しい民主主義の考え方というものを理解と実践することに通じると思うのであります。

都会の青少年がややもすると物質的なものに関心を寄せ過ぎ、軽佻浮薄に流れ易いのに比べて、幸にして4Hクラブ員の皆さまには、物を生み出す大地に足をつけ、プロジェクト活動を通してみずからを磨くとともに、お互いに力を合せてよりよい農村、よりよい日本をつくるために日頃から着実な活動を続けておられます。それだけに皆さまの考え方というものは堅実で、物の生産だけでなく、精神の面においても、これからの日本の力強い担い手となっていかれる人だと信じておりますし、またそうあらねばならないと思います。このような意味からも、本年は4Hクラブ員の皆さまにも、「和」の精神というものを更に理解していただき、よりよき日本を再建するための先覚者としての役割をつとめていただきたいと思います。

最後に、全国の4Hクラブ員の皆さまの御多幸と健全なクラブ活動の推進を祈念して、年頭のごあいさつとさせていただきます。

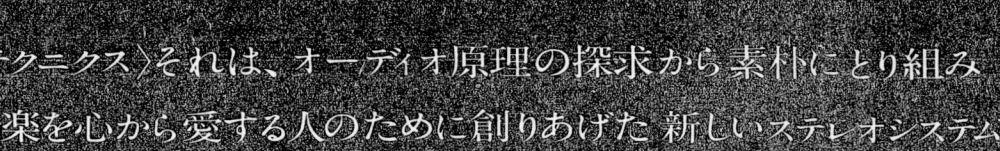

もう一つの月

文部省・社会教育局長　福原匡彦

新年おめでとうございます。

昨年は人類がはじめて月面に足跡を印した記念すべき年でした。月着陸を見事に実現したこのアポロ計画の偉業は、どんなに讃えても、讃えすぎることはありません。地球から月への三十八万四千キロメートルの飛行は、実に危難に満ちたものであります。しかし、それを全部計画しつくして、複雑な装置・機器がつくり上げられました。その精緻をきわめた現代の科学技術が、宇宙飛行士たちを安全に月に送りとどけ、また安全に地球に連れもどしたといっていいでしょう。ここには、新らしい科学の成果が端的に象徴されています。

アポロの成功によって、月は姿を変えてしまいました。これまで月は、われわれ人類にとって、夜の空に浮ぶ詩であり、夢でありました。夜、静かに思いを澄ますとき、月は人間の心を抱きとってくれました。事実、日本の詩人も、それから西洋の詩人も、一様に月をうたっています。月を主題にした詩がどんなに多いことでしょう。月は、いってみれば、美の象徴であったわけです。そして、その美の象徴が、いまや科学の象徴に転化してしまったのです。

現代における科学技術の進歩は、本当に著しいものがあります。私どもの生活は、それによって恩恵を受け、寿命は延びるし、余暇はふえるし、生活そのものもどんどん豊かになっていきます。特にここ十数年の生活の変化には、目をみはらせるものがあります。

しかし、私はときどき、この急速な生活の変化をこわいと思うことがあります。というのは、このような生活の変化にもかかわらず、人間自身があまり変らないからです。変らないどころか、人間の心はむしろ貧しくなりつつありはしないでしょうか。テレビが普及しました。しかし、そのために人びとは物事を深く考えなくなっていきます。自動車が普及しました。しかし、そのために人びとの心にうるおいを与えてくれる自然はつぎつぎと破壊されています。都市化が進みました。しかし、そのために人びとは心の連帯を失ない、孤独化していきます。物質的繁栄のかげで、精神はいよいよ貧困になっていくような気がするのです。

ちょうど一人の人間にとって、肉体的な成長に精神的な成長が伴なうことが欠くことのできないように、物質的な豊かさというものも、それとうまくバランスのとれた精神的な豊かさを必要とするのではないでしょうか。そのためには、生活の変化をただ追いかける人間になるのではなく、生活の変化を統御できる主体性をもった人間になるよう努めるべきではないのでしょうか。

科学のつかまえた月が大事であることは、いうまでもありません。ただ、私がいいたいのは、人間の心に呼びかけ、人間の心をつつんでくれたこれまでの月も大事にしなければいけないということなのです。さっき月が美の象徴から科学の象徴に転化してしまったというような言い方をしましたが、本当は転化させたくないのです。科学の象徴であると同時に、美の象徴としてもありつづけてほしいと思うのです。

いいかえるならば、月はアポロの月であるばかりではなく、もう一つの月でもあるということを思いたいのです。それは、人麿呂の月でもあり、李白の月でもあり、ゲーテの月でもあるでしょう。いまや月は都市のビルの合い間にスモッグにさえぎられてぼんやりと浮んでいたりします。しかし、その月に感動する心は、人間としての豊かな精神につながり、ともすれば失なわれがちの人間性を回復するものにつながるにちがいありません。

迎春

連帯感と感謝を

全国4Hクラブ連絡協議会会長　黒田保

全国のクラブ員のみなさん、明けましておめでとうございます。

今年は、いろいろな面で意義深い七十年代を迎えたわけですが、みなさん方も気分を新たに、自分たちの目標に向って努力する決意を強め、また、これからの構想を描かれていることでしょう。

全国協議会といたしましても、今年は、結成してから十五周年を迎えるわけですが、決意を新たにして、先輩たちが築き上げてくれた礎えの上に、さらに全国のクラブ員が一丸となって諸問題と取と組み、実績を積み上げていくことがわれわれの責任であると考えます。

しかし、現実をみますと、われわれは多くの問題をかかえており、組織という基本的な問題から掘り下げて、みんなで真剣に考え直していく必要があるように思います

組織において、構成員の総意によって決定した事項は、組織そのものはもちろん、構成員一人ひとりが忠実に実行していく義務があり、その責任を果してこそ組織が円滑に運営されていくことは、今さら言うまでもありませんが、この初歩的な法則さえ守られないようでは、組織活動そのものが鈍ることはご承知のとおりです。

これは、単位クラブ、地区連、県連、全協の各段階において同じであると思いますが、現実をみますと、その関連がややもすると密接さを欠き、クラブ員はクラブを、地区連は県連をというように下からのつき上げだけが強調されているような感じを受けます。

しかし組織は、最終的には個人を伸ばすことにあるわけですが、個人が自分のことだけを考えるというように余りにも片寄っていては、組織は伸びないし、それから自分に返えってくるものも少なくなると思います。もっと単位クラブから全協までの組織の連帯意識を強めることが必要です。

次に、現在推進している4H会館の建設問題ですが、昨年の暮、全国4Hクラブ中央推進会議の中で開いた県連会議でもムードが盛り上り、全国的にやろうとい気運はさらに強まってきています。

私は、この4H会館は、それを造ることに意義があるというよりむしろ、建設への過程に、より意義があるように考えています。その過程において、全国のクラブ員と、OBの連帯感が強まり、組織、4H精神などがより理解できると思います。

クラブ員から、よくその利用度について問われますが、自分たちが余り利用できなくとも〝自分たちが現在あるのも、OBが努力してやってきたからである〟というように〝われわれがいるから会館ができるのだ〟と大局的に、後輩のことも考えていく必要があると思います。

さらに、プロジェクトの問題ですが、4Hクラブ活動には欠くことのできないものであります。これは、いわば課題解決の活動、その訓練によって科学的で適正な問題解決の判断能力などを養なうものです。

しかし現実には、この基本的な態度、その積み重ねがおろそかにされて、目先きのことだけに走る傾向があることは、本人にとってもまた、クラブ、社会のためにも非常に残念です。

現在、総体的にみて、農村青年は、研修施設や事業など、すごく恵まれていると思います。それだけに、与えられたものにだけついていくという感謝が自然に強まり自分たちが考え、創意工夫し、創造しようとする努力が欠けてきていると思います。これはまた、創意工夫やアイデアから成長する個人やクラブを停滞させ、自分たちからやろうとする積極的な意欲を失なわせるばかりでなく、目的を達成させるまでの過程を大事にするという意識さえ弱める結果となります。

このプロジェクトについても、みんなで真剣に取り組んでいく必要があると思います。

最初に、七十年代といいましたが、七十年代の4H活動は、組織を全面的に押し出した年代になるのではないかと考えます。

そこで、何が大事かという理論的統一を図るため、全協では、今年度、学識者や各県専門技術員などによる専門委員会で検討していますが、4Hクラブの理念を確立し、組織の強化を図る考えで進めています。みんなのための組織、一人ひとりが伸びるような組織運動体の強化—これが七十年代はクローズアップされてくるのではないかと思います。

これには、クラブ員から全協までの意志疎通を図る必要がありますが、そのパイプ役として、日本4H新聞の読者拡張をお願いいたします。

年の初めにあたり、所感を述べさせていただきましたが、全国クラブ員のご健闘を祈念して新年のあいさつといたします。

「あの道」

大塚誠一（農業高校生）

遠い道から　やって来た希望
それは　僕に夢をくれた

僕ときみとの　幸せに
ほんの短い時だったけれど
〝愛〟の灯を　ともしてくれた

〝逢うは別れの始めなり〟
こんな言葉があるように
見始まった　この夢も
終りがあるとわかってた

僕はこれから　この道を
行くあてもなく　進んでみよう
どこかで道が　交わるように

この道を進んで行けば
夢をくれた　あの道に
きっとどこかで　交わるだろう
幸福をくれた　希望の道に!!

（栃木県下都賀郡都賀町）

農村雑感

折原俊二郎

タコツボ化からの脱却

農村社会は、他の地域社会と異なって、隣人同士が固い結合のもとに営まれている共同社会であり、その社会生活の中では美しい友情が生れ、ほほえましい情景をえがき出した例は数多くある。

しかし、こうした美しい面をもつ地域社会でありながら、他の地域社会ではみられない醜い一面をもっている。農村社会における隣人関係の強い結合は表面的なもので、実際には「隣の家に倉が建つと腹がたち、隣の家が焼けるとお祝いしたい」というのが農民の本音であると酷評した人もある。

また、農機具の購入にしても、隣りが買ったから、自分の家でも買わなければならないというように、経営の実態にあわせた設備投資というより、社会的な体面とか見栄のために買うということになり、共同体的意識はどこにも出てこない。

一体、農村社会とは美徳の結合体だろうか、あるいは美徳とは外面的な装飾で、実際は醜い姿をオブラートで包んだ偽装結合社会なのだろうか。

数年前のこと、米が今日のようにだぶつくというより、不足気味で増産が強く叫ばれていた頃、田植え時期の天候が悪いため、東北地方は冷害で騒がれたときがあった。一夜で苗が枯れ、田植えができなくなり、これを悲観して自殺する人まで出たことがあった。こうした中にあって、比較的生育の良い苗代に油とか農薬を投げこみ、一夜にして苗を枯らしてしまうという事件が起ったことがあった。これは、まさしく農村社会の悪い一面を如実に現したものといえる。

かつて「日本の思想」という本で、近代市民社会が発達するにしたがって、機能集団が多元的に分化していくことは世界的な傾向であり、日本の社会も同様である。しかし、日本の場合は、機能集団の多元的な分化が起っても、分化される集団や組織が、別の次元で人間をつなぐ他の集団や組織がないために、近代的な組織体や集団はそれぞれ閉鎖的となり、タコツボ化している、という意味のことが書かれていた。こうした見方からすれば、農村社会は一種のタコツボ化されたものといえそうである。

長い年月にわたり農村社会に温存されてきた因習、その因習をもとにして生きてきた小さな部落共同体、実はその部落共同体が小さなタコツボと化し、そのタコツボの中から一歩も出られず、タコツボの中で生活してきたものといえる。

農村社会—部落共同体—家父長制家族という一連の姿、それがあまりにもタコツボ化した中での生活であっては、これからの農村は近代化しないだろう。自然的なまたは社会的、経済的な試練に遭遇した場合、もっと広い視野にたって事に処する考えをもたなければ、今後の農業に対応していけなくなることと思われる。

新年に当り、年間の計画をたてる場合、目前の経営、技術のみでなく、こうした根本的なことにまで視点をのばして、その対策をたてていくことも考えてほしいものである。

（農林省・農業者大学校）

新しい方向にむかって

栃木県連会長　和気　ノ肇

新しい農村建設ということが、少なくとも農業青年に課せられた使命であると思う。新しい農村とは何か? 民主的で、豊かで、住み良い環境にある農村ということか。民主的とは如何なることなのか、豊かな生活とは具体的にどういう生活なのか、そして、それらの総合が住み良いということなのか?

僕は民主的ということについては、他の人にその個人生活について干渉せず干渉されないということを、また豊かな、ということについては、今から四年前アメリカで体験した一年間の農家生活を思い浮べないわけにはいかない。

人間的なことはもちろんであるが、具体的にどういうことか二、三あげてみたい。

まず、力強いあすの労働をうむ栄養豊富な食生活である。僕は、この体で三千㌍をゆうに越す食事をとっていた。そして、三度の食事が楽しかった。次いで、今、日本の各家庭のどこででも自由に水が使用できるほどに、お湯が使える生活である。三つ目は、冷暖房される生活である。日本の農家も近い将来そうであるべきであるし、そうせねばならないと思う。

さて、将来とも、農業という職業をとおして人生を全うしようとする若者は、ある任意の地域内に相当数いて、皆それぞれに努力しているが、やはり、一人っきりということではいろいろと不都合であると思う。人間は生来一人っきりでは生きられぬということが根本的なことだが、農業という共通のバックボーンの中で、共通の方向に向っているわれわれが、その地域内にあって共通の問題をとらえ共通の目的達成のために、共通の方法をもって行うということは重要なことであり意義深いことだ。そういうことを通して、その地域内の青年が一つにまとまり、やがては新しい農村建設の原動力たり得ることができると思うのである。

単位4Hクラブこそが最も機能的にそれをなしうると思う。

4Hクラブは、形の上で単位—町—地区—県—全国という具合になっているのが大半と思うが、町や地区や県や全国の段階においてその段階なりに、単位クラブの力をひき出す方向を見い出し、新しい農村建設の原動力たり得るようにお互いに作用し合うことが大切だと思う。

僕は、今まで県の協議会々長として、自分なりの方法で協議会を行なってきたが、あとわずかの責務を終えても、自分なりに4Hクラブ活動を行なっていきたいと考えている。その第一歩は、将来とも農業を行ない、農村に生きていく者として最も身近にいる仲間とどれだけ親密に有機的に手をとり合えるかということに何にもまして意を配っていくことだ。そしてその中から新しい方向が芽生えてくるだろう。

五年後、僕は和牛の肥育に関して一人前になるであろう。その時冷暖房も、お湯の出る生活も仲間とともに実現しているに違いない。

七十年代の農業と

重大な青年の使命

日本農業の位置づけを

希望と期待に輝く一九七〇年代の幕がいよいよ切って落されました。これからの十年間に日本の社会情勢はどう展開されていくのでしょうか。ここに大きな期待が寄せられています。国の内外を問わず大きく揺れ動くことが予想されます。この年代に生きる青少年にとって自らも成長し、発展する社会に貢献しなければならないという重責が課せられています。ことに、日本農業の明日を担う4Hクラブ員にとって、こん後の日本農業の姿に深い関心を示さずにはおれません。とくに、貿易の自由化を迎えた中での日本農業のあり方を考えるとき、日本の零細農業はどう対処すべきなのか。また高度経済成長社会の中での農業のあり方は…。そしてこれらに対処しなければならない青少年のあり方はと、みんなで広く考えて一つの方策を打ち立てなくてはなりません。そして一九七〇年代社会の中における日本農業の位置づけを行ない、そのために青少年は、4Hクラブ員として何を考え、何を行なわなければならないかを決めて実践に移していかなければなりません。また4Hクラブも日本の農村に足をおろして二十年余、一つの転換期に来ていると思われます。本紙では、これらのことを総合して「七十年代における日本農業と4Hクラブの役割」と題して座談会を開き、指導的な立場の人たちとクラブ員に話し合っていただきました。こん後クラブ活動の指針になれば幸いです。

（編集部）

新春座談会

左ページ…左から柳田全中常務理事、田所農林省普及部長、宮城日本4H協会副会長、新田同事務局長
右ページ…左から黒田全協会長、久野同事務局長、山本さん（茨城）綱川君（埼玉）

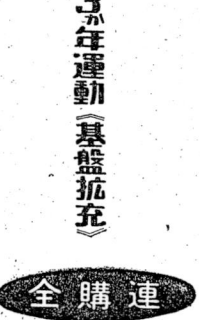

司会　本日の座談会は、日頃ご指導願っております方々と、実際にクラブ活動に取り組んでいる人たちから、七十年代における農業と4Hクラブの役割りということについてお話いただきたいと思います。はじめに田所普及部長さんから。

田所　七十年代の農業はどうなるだろうかという問題は、その背景を考えないと、こんごの青少年の教育ということは語れないと思います。

最近の農業の問題点を上げてみると、農村における労働力の減少と老齢化、あるいは婦女子化、青少年の他産業への流出に伴う労働力問題が一つあります。農林省の見通しによりますと、現在農業就業人口が年率四・一％、農家は一・八％づつ減っていますが、この通りいくとしたならば、十年先きの昭和五十五年には農村の労働人口は約五百九十万人、農家戸数四百九十万戸ということになります。中卒、高卒青少年の就農数が年間五万人です。そういうことでいった場合、農村を受けもつ方々はどういうことになるのだろうかというと、他産業の雇傭率というのはますます旺盛になっていきますから、現在の経営主の年代をみてみますと昭和四十年の統計ですが五十才以上の経営主というのが五百五十万農家のうち約三百十万戸と、六十才以上が百六十万、後継者のいない農家が二百八十万戸という数字になっております。年率の減り方とこのような状況を考えてみますと、もっと減るということが予想されます。

年間五万人の青少年が農村に残っているということの多いか少ないかという問題は、これは一人の労働年限を三十年と考えますと五万人づつ残っておると百五十万人になりますね。この百五十万人の農業者がおり、全国六百万㌶農地を担りますと一人当り四㌶になります。百五十万農家で日本農業を担っていけると私は思います。そういう面から、こん後労働力の問題は大きいと思います。

つぎは食生活がどう変るかでこん後の農業の形が変ると思います。需要の問題でどう農業の形をつくっていかなければならないかということがあります。三つ目は農業事情の変化と申しますか、最近の農業は資本を使うようになってきており、その中でも機械が非常な勢いで入ってきております。昭和三十六年に農業基本法ができて選択的拡大とかいわれて、畜産とか蔬菜、果樹などが増加していますが、需要に足りないということで、そちらの方向に農業が転換しつつあることがいえると思います。もう一つは農業の経営にしましても兼業農家が増えまして、同時に企業的農家も芽生えつつあります。昔と違って協業とか集団栽培とかいう形態の農業も増加しております。農業の経営が多様化になってきております。

国際農業として貿易の自由化に、日本の農業がどう対抗していくということです。日本の農業のこん後の形としては、規模の拡大、近代化を図らなえればならないといっても、さして大きな規模になる余地は少ないわけです。しかし、価格その他の面において競争力をつけなければならない、そこで低コスト農業という問題を考えて進めなければならない。現在の農業自体が必ずしも機械化なり、その他の面において十分な形になっておりませんから、これからますます機械化、労働の問題などにからみまして労賃の問題が進むであろうと思いますけれど、やはりこん後の日本農業というのは、昔の農業より質、味の農業というのをやっていかなければいけないと思います。

質がよいとか味がよいとかいうことは、価格農業において有利になれるということです。やはり諸外国の低コスト農業に対抗するためには、味と品質という問題もこんご農業の中で考えていかなければならないと思います。日本の農家はそういう技術を持っていると思います。そういうような農業が七十年代において育っていくべきだと考えます。

それに対しまして、4Hクラブ員が七十年代の農業を担うということで、農業の構造政策を積極的に進めて企業的な感覚を持つ青少年が育っていかなければ、日本の農業の発展する道はないと思います。そういう点を4Hクラブで方向を定めて、近代的農業を背負う素質、意欲を持っていただきたいと思います。

それからこん度の答申にもあったように農村のレジャー問題ですね。あれをみて最近のレジャーは、何か享楽的なことがレジャーだというような観を受けます。私はほんとうの意味でのレジャというのは、いかに自然に親しむかということではないかと思います。そうなると農村というのは人間回復のための最高の場なのですね。やはりこん後のレジャーについての国民の考えを考えなおさないといけないですね

司会　就農青年が年間五万人というのは男女合わせてですか。

田所　そうです。全部で五万人です。問題はこん後の農業の形というのが、機械化され、農業の女と男の仕事の分担というのが考えられなければならない。いま主婦の農業労働が六割を占めていますね。それが生活に圧迫をかけるような形で主婦の背にかかってきている。こういうことは当然機械化なり、合理化なりによって改善されるべきであって、やはり生活と生産は分離すると同時に調和されなければならない。

司会　ただいま部長さんから、七十年代の農業の向うべき方向についてお話いただきましたが、これに関連して青少年はどうあるべきかについて、農協の立場から柳田さんどうですか。

柳田　農協の立場で固定して考えるわけでもないですが七十年代の農業についての話は、まず六十年代がどうであったかということを考えてみるわけです。六十年代というのは、農業といえども日本経済の中での農業であって、独立してあるわけでなく、六十年代の日本の経済というのは、世界でもたいへん驚異的な躍進をした年でしたね。貿易の伸びをみてみますと世界の伸びの倍の率で伸びているのですね。それがこん日の経済成長がそういう姿、内容で現われていくか。

これをふり返ってみますと、物量的な政策がたいへんな進歩をしている。したがって農業以外の自由化工業というのが躍進をしたわけです。それが逆に高度成長が公害問題とか、人間阻害のひずみを起している。したがって政治の中で農業のウエイトが下がって考慮とか配慮というのが薄くなってきていますね。農業に対する疎んじた考えがでてきています。このままでいったら次の時代は、農業なんて産業として扱ってもらえるかどうかわからないような農業に対する軽視の傾向が心配されます。そういうわれわれが考えている問題が七十年代にどうなるかということを考えてみなければなりません。

政府が七十年代に考えている政策とか経済計画をみますと七十年代の終りにはたいへんな経済成長率になり、これに伴って国民の生活水準も向上し、現在は世界第二位の国民生産だといっているけど国民一人当たりの所得をみれば二十二位これでは世界の三流ですよ。政府のこれからの計画をきくと、七十年代には、国民の生活水準は米国なみになるという話ですな。そういうことに農業が平行していけるような政治が行なわれるのかどうか、また、われわれ自身も努力しなければならない。そういう問題をどうつきつめて考えていくことが基本問題だと思います。

もう一つは最近、公害問題がでているように、人間阻害の状況が非常に強くなっています。これは経済というか物量生産にほとんどの主力を取られてしまって、この中で農業の尊さということをわれわれはかみしめているわけですよ。人間らしい姿、人間らしい生活の環境というものは農業を除いてあり得ない。少なくとも田園的な環境の中で生活しなくては、人間の生活はだめになってしまいますね。そういう課題を七十年代に考えていかなくてはならんと思います。その中で教育とか生活のあり方の問題を考えなくてはならないのです。

そういうように七十年代は経済の成長があるように、貿易の問題というのが、だいじなウエイトをしめ、その貿易の問題が経済の国際価格となると、ますます農産物の輸入がだいじな国策となってきますね。輸出もしなければならないから輸入もしなければならない。そうすると安い食糧を輸入するということです。その中で日本農業の重要性が軽視されるような傾向になるわけです。そこでわれわれは考えなくてはなりませんね。ですから人間の生活のあり方として日本農業をしっかり位置づけをして、それを土台に人間的な生活のあり方を考えなくてはならない。へたをすると経済の繁栄と逆になるような人間の生活になってしまいます。

農業には哲学がない

青年が残る環境育てよ

これに関連して教育のあり方の問題があると思いますが、いま大きな教育の問題がでていますが物質的な生産の拡大ということだけが教育を引きずってきて、それだけでは教育が間違ったんじゃないかというのが大学の問題ですね。いわゆる重化学工業に役立つ青年の教育ですね。これでは、ほんとうの人間の教育に対処できません。こういう問題こそ、自然、田園そういった4Hクラブの理想の中にひそんでいるような人間らしい生活をめざしていく、それも抽象的なことでなく、物をいたわり、物を生産していくという日常の生活の中から、次の世代の教育を育てていく、そういうことから私は農村の背景こそほんとうの教育をする土台として必要ではないかと思いますね。改めて認識しなおされなければならない問題ですね。そう意味で4Hクラブの考え方というのを、いっそうかみしめていかなければならない。

農協に結びつけての問題ですが、農協の方も農協青年組織協議会というのがありまして、これは四十歳くらいの青年というのが入っており、二十五歳以下の青年が全体の十％くらいなのですよ。そこで組織の中自体にも批判が起っておりまして、青年運動自体にどうも年代が広がりすぎています。そういう年代ですから問題の取り上げ方が政治的になってしまい、自分の足もとをみるという問題がないのです。青年の運動というのは、ある一段階を経て次の青年に移るということでなければ、青年の問題とか、青年運動のあり方を失っていくのではないかと思いますね。そう意味において4Hクラブは二十五歳までの青年を対象に考えているわけですが、これを農協青年組織との関連をこん後考えていかなければならないと思います。

田所　たゞいま柳田さんがいわれた農業の位置づけの問題は重要なことであると思います。やはり物的な産業の育成に片寄りますと、そういう産業の中に農業が埋没するのではないかという気がします。とくに農林行政自身も戦後食料増産という施策が強かったわけです。そこで、物量的教育が強く進められてきたのです。そこには農業哲学というのがなく、戦前は農本主義とかいろいろありまして、農業の位置づけについて精神的なものを持っていたわけですが、どうも農業が経済原則の中だけで論じられていることは非常に危険だと私は思います。こういう時代になればなるだけに、農村なり農業の位置づけを哲学的に出すべきだと思いますね。

柳田　さらに農業こそは自分が主人公で生産して生活できるんですね。それをみなさんは誇りに思って、それのみならず自然の素晴しい生活環境があるのですからね。また、昔は農業は馬鹿がやるのだといわれましたが、むしろ農業にこそ優秀な人間が残るべきだと思いますね。そういう環境をこん後の農業の中に育っていかなければならないですね。

司会　たゞいまのお話に関連して青年の立場からいかゞですか。

黒田　私も農業をはじめまして十年になりますが、その過程の中で六十年代のはじめがちょうど私が農業に就いた年です。この間、農業の方向が国や県から示され、農民自身が考えた問題がいくつかあると思います。その中で選択的拡大、農業基本法とか、主産地形成、第一、第二構造改善がありますが、それを受止めて生かすだけの農民自身の能力といいますか、それが少なかったのではないかと思います。もう一つは受け止め方が個人プレー的なものがあったと思います。七十年代の農業というのは集団的、組織的な農業経営を考えていかなければ、自然農業は取り残されていくのではないかと思います。

また、現在第二次構造改善事業というのが打ち出されていますが、どう展開されていくか、私の村の場合を考えてみますと、どう農民がそれを生かすかによって村の農業が変ってくるのではないかと思いますが、なかなかムードが上らない。この原因を調べてみますと、いままで農民が誤魔化されているわけです。これをやれば五割の補助だから得だということからやった。こん度はコンバイン、ライスセンター、大型トラクターの順でやったら再度の借金で家の経済は成立ないと、それなら出稼で一日二千円もらった方が実際問題として経済は楽なんだということです。そういう人が多いのです。その中でこん後の農業を考えた場合、やはり集団の中で考えていかなければ、個人個人ではどうにもならないのです。

柳田　いまのお話よく分るのですが施策を進められる過程において、受ける農家が何のためにやるのかという検討が十分されないで、やること自体が目標のようになるとまずい。地域環境を整えるというビジョンですね。こん後の農政というのは、単に事業をやったり、反収を上げるということでなく、自分の村を地域をどうするかとかいう地域ぐるみの目標を持った中で、みんなが考え進めていくようなものがほしいですね。

黒田　そういうものができませんといけないですね。一つの目標を前提とした場合には、自分たちが失敗することは村全体がマイナスになるんだという連帯意識がでてくるんですね、そういうものがいままで欠けていたと思います。

田所　そういう場合、青年の役割というのは、普及事業はその一端を担うのですが、二十年の歴史がたっていますでは村づくりというより、食糧増産が先に立って物質増産という技術指導が先行して、米が余ってくるとどうするんだというような議論がでてくるのです。普及事業というのは、地域をどうするんだというような高い次元にたって目標を定め、農家を指導することがたいせつだと思います。

疑問持たない農民

組織活動の体験生かせ

柳田　部長さんのお話に対してですが、4Hクラブは政府が指導した段階から卒業してもよいのではないですか。そして自発的に出てくるようなものを育てることですね。

田所　普及事業というのは上から押しつける方法ではないのです。下から盛り上がる力をつけるのが普及事業です。

宮城　4H協会というのはなんだということですが、各地にある4Hクラブを県や国の指導と連携しながら、4Hクラブの組織を奨励したり、活動がスムースにいくようお手伝いするという、啓蒙運動をするのが4H協会の仕事です。

田所　日本の普及事業は、上から押しつけることは考えていないのです。基本は考える農民、考える農家を育てることにあるのです。それに必要な資料なり農家の希望によって情報を提供してあげましょう、というのが本来の仕事です。

黒田　農民の大きな欠点として疑問を持たないということです。これは私たち農民として米価なりにクエスチョンをつけて考えをしないのです。農民自身どうすればよいかをもっと真剣に考える必要があると思います。4Hクラブの活動の中でもクエスチョンをつけて、組織をどうすればよいか、という形で物ごとを判断することが、他産業の青年に比べて少ないのではないかと思います。

田所　先ほどお話に出ました4Hクラブから先のことも問題ですね。やはり4Hクラブを強化するためには、一つの方向としてOB組織を強くしないと4Hクラブ自身も強くならないと思います。

宮城　私も日頃から考え、いったりしていますが、必要なことですね。

柳田　OB組織をどうつくるかということをみんなで考えるべき問題です。

黒田　全協の組織と連携のないOB組織は意味がないと思いますね。全協の中でも話し合っています。その中で組織の強化とか4Hクラブに対する役割がはっきりしてくると思います。

4Hクラブの役割

課題を通して訓練を

4Hクラブを家庭の中へ

司会　誠に重要な問題ですが、話題を変えていきまして、実際に末端クラブ員に疑問点を解明する態度が少ないという話がありましたがいかがですか。

綱川　私の加入しているクラブは、埼玉県の北部の人口一万五千人くらいの純農村にありまして、一戸当り耕作面積一町歩で、クラブ員数が九十一名、うち女性が二十名です。私が考えて後継者が少ないとは思いません。経営形態も県の方から施設のキュウリとナスの産地指定を受けてクラブ員が一人の経営主となり、その中での4Hクラブ活動ということで時間的制約の問題を抱えています。

昼間は経営主、余暇を4H活動にあてています。年令的には十六才から二十四才まででちょうどよいと思っています。一応恵まれている4Hクラブであると思います。また問題としては、いかに学ぶかということですが、これらについても機会と場所が備えられており、この面でも恵まれています。

柳田　農業以外の青年は4Hクラブに入っていませんか。

綱川　現に入っております。これは、兼業農家が増えまして、長男長女でも地方行政に携わっているため、その人たちが入っています。

司会　君たちが問題を発見して解決に取り組むわけだが、その方法は。

綱川　大きく分けて技術と一般教養の修得です。

柳田　4Hクラブのプロジェクトの問題ですけれどもね。4Hクラブの活動にプロジェクトの占めるウエイトは大きいと思いますが、プロジェクトの内容についてどう検討して、どういうものが内容になっているかで、疑問を持たないという問題点と活動の考え方というのが分かるのではないかと思いますね。

久野　比較的生産性のあるプロジェクトを持っている人が少ないと思います。そこで、全協としてプロジェクトの必要性を再認識しようといろいろ行事の中で主張しています。プロジェクトの記帳というのがたいせつになってきますが、いきおい物を生産する場合、頭の中ではすじ道が計画されていても、結果的に記帳されていないと後の評価、反省の中で業績の積み重ねができないわけです。

田所　久野君のいったことはプロジェクトは生産技術的なことが中心で、例えば、いまの農業の置かれている位置の中での農業ではそれでよいとしても、これから激動する社会での農業の場合、村づくりをどうするかという問題もプロジェクトの課題となるのではないかと思いますね。そういうように今後プロジェクトの種類なり、内容がもう少し4Hクラブの中で検討して、幅広い問題と取り組んでいくべきですね。

黒田　部長さんのいわれるようなプロジェクトも成り立つと思います。しかしながら、自分の小さなものをつかむこともできない人が、村です地域ですということを考えること自体無理だと思います。まず若いうちに小さな課題を通して訓練するそういう課程をふまえた上で、大きな課題に取り組むという若いうちに地道な問題に取り組むプロジェクト活動がないと、大きな問題解決はできないと思います。この態度が現在のクラブ員に欠けている問題ではないかと思います。

それにプロジェクトをよく理解して指導してくれる人が少ないことです。その中で4Hクラブ活動の主体をなすプロジェクトをどうあるべきか、また人間として一つの段階を踏んだ活動をしていった中で大きな問題が生じた場合、どう対処すべきかという姿勢を養うためにプロジェクトが必要なんだという考え方が少なくとも4Hクラブ員には持ってもらいたいと思います。そういう普及、学習が指導者の中に少ないのは残念です。地域の問題を解決するために、どうしたらよいかについてプロジェクトの中で学んでいただきたいと思います。

もう一つ農民の弱いものとして数学的でない、データーがないということです。ことばでは科学的な農業といわれますが、ではその数字はどこからでてくるかといいますと、結局はプロジェクト的な考え方で取り組んでいかなければ、数字やデーターはでてこないのです。

司会　山本さんはプロジェクトに何を持っていますか。

山本　私は食生活の面についてと平促成のいちごを取り上げています。

司会　これからの農村というのは、物量の生産だけではいけない。人間らしい生活が問題になっていますが、農家における家庭づくりを真剣に考えなければなりませんが、将来農村の主婦としてどう考え取り組んでいきたいですか。

山本　農業経営の基盤というのはやはり家庭生活が一番基礎であると思います。主婦になった場合を考えてみると、家庭管理がたいせつだと思います。そこで家族の健康に留意することはもちろん、育児とか子供の教育の場であると思います。みんなで楽しく話合える家庭を築きたいと考えています。それが役割りだと思うとクラブ活動で体験したことをもっと家庭の中に取り入れ、生かしていかなければと思います。

司会　家庭に取り入れるためにどうしたらよいと思いますか。

山本　クラブ員自体の活動だけでなく、家族とか地域の人たちに理解されるよう努めなければいけないと思います。

綱川　私たちの地域では農休日がないというので4Hクラブが先に立って、地域に普及したところがあります。

出席者

農林省農政局普及部長　田所　萠氏
全国農協中央会常務理事　柳田　久氏
社団法人日本4H協会副会長　宮城孝治氏
全国4Hクラブ連絡協議会々長　黒田　保君
同　事務局長　久野　知英君
茨城県・千代田4Hクラブ　山本光枝さん
埼玉県・騎西町4Hクラブ　綱川　信夫君
司会　日本4H協会事務局長　新田健吉
（文中・敬称略）

日本青年の理想像

「百年の計」をたて人を養なえ

黒田　私たちのクラブでは、家庭集会というのを行なっています。これはクラブ員を六人単位に分けまして夜の七時か九時まで各家庭を廻り、一つのテーマを決めて家族を混えて話合うのです。このはじまりは、女子のクラブ員の活動を家族の人に理解してもらおうとはじめたのですが非常によい結果が現われています。

もう一つはこれから行なうことですが村政モニターの制度を村でつくるため、4Hクラブ員の中からこれに参加し、村をどうするかなどについて意見を述べるようにしたいと思います。

宮城　親父さんと息子さんで断絶しておる時代ですが、各家庭の中に入って4Hクラブ活動を行なうのは非常によいですね。

よく話をするのですが、アメリカの4Hクラブの会合というのはね、父兄がたくさんきているのですよ。そして会合中はただ見ているだけですが会合が終るとコーヒーを入れたりお菓子を出したりサービスをするのです。アメリカでは家族が積極的にクラブに参加していますね。

黒田　これは笑い話になりますが、クラブで家庭集会をはじめてから、親父さんと晩杓ができるようになり、料理を作りながら母親と話合えるようになった例もあります。また、村の公民館も4Hクラブが中心となって運動して出来たのです。その中に若い人たちが集って話合う場を作ろうと4Hクラブ専用の部屋を一つ設けてもらい活用しています。

柳田　4Hクラブ員は最近増加の傾向にあるのですか。また、積極的な加入の方法を取っているのですか。

黒田　あまり強い方法は取りませんが、農高卒業者に対して各県で就農者のつどいとか激励会を開き出席して、4HクラブのPRと加入の呼びかけは行なっています。

司会　これまで日本農業と4Hクラブに対する反省がありましたが、これから七十年代に対しましていかなる方法で進んでいくか、みなさんのお考えをお聞かせ下さい。

宮城　それの導入口として、日本の次代を担う青少年という問題をとらえてみると、いまの日本の農業と他産業を比較してみて、日本の経済成長の中における位置づけが決って青年の労働人口が減っていく、農村でも同じに減っていきます。ことし生れた人が生産力になるには二十年近くかかるわけですよ。その先の人口というものを考えてみると、労働力の面から農村に影響してくるわけです。したがって、青少年に対する考え方は非常にたいせつなものですが、先日青年の船に乗った人の話になるほどと思うのですが、青少年を分類してみると勤労青年と学生に分けた場合、一番自主性がなくて馬鹿なのが学生だといっていいますよ。これは親がかりが原因で考え方と行動が逆転しているというのですね。これを〝ごっこ〟的だというのですね。

ところが勤労青年をみると、その中でさらに農村青年が一番自主性があるというのです。それは何かといえば、自分はいま親を面倒していて、いまどうなっているか心配だとかね、責任感が非常に強いというのですね。その生産と生産にかけた自分自身の責任感があるというのだ。農村の青年というのは日本の将来を担って立つ青年の理想像じゃないか。つまり自覚を持っているのですね。そこで政府は農村に残る青年に強い力をかけなければいけない、教育とかイメージもさることながら、残る企業農業の青年に対する強力な指導体制をしいて、それにそれを受けて立つ組織を育てたら私はよいと思いますね。

田所　青少年問題は、日本の将来のために一番重要な問題ではないかと思います。なんといっても百年の計を立てるなら人を養なえということばがありますからね。その意味からいっても人間を育てるということはたいせつなことです。それとといまの青年に一番欠乏してしておるのは、社会の連帯性というものの重大さですね。個人主義ないしは利己主義で、権利だけは主張するが義務は考えない。ですが農村の青年は自分の責任というのは自覚しておる。この上連帯性を養づけるなり、裏づけなりしていくと非常に大きな力になると思います。

ですから、4Hクラブはそれにかなっていると思うのですよ。

黒田　いま4Hクラブで一番欠乏しているのは何かといえば、連帯感というもの、それと一人ひとりの感謝の気持というか、そういうものがないと思います。個人個人の主張は強く、また、クラブの中での自分というものは考えているようですが、仲間の中での連帯意識は薄いのではないかと思います。

また、連帯意識についてよい例が、後継者資金についてですが、これを借りる場合クラブ活動を行なっていることが有利なわけです。ところがこれを借りてしまうとクラブをやめてしまい後輩に対しての指導をするということで還元しないのです。これが原因でクラブの発展や組織の強化ができないという要素もあるわけです。そこに連帯意識をもたせたらもっとよいと思います。そういう連帯意識の少なさが個人プレーに走ると思いますが。

綱川　他の青年は村を去って、残るのは農業後継者ですよね。この4Hクラブ員が村を明るくするこれ一つですよ。この人たちがみんな利己的なことをやっていたら、いつになっても村は明るくならないわけですよ。そういう意味で自らの盛り上がりによって村を興そうという力が私たちになくてはいけないと思います。

司会　山本さん行政や指導機関に対してこういう点をやってもらいたいということはないですか。

山本　単位クラブをはじめとして、地区や県連の事業かなにか指導機関からおぜんだてされていすぎるような気がします。これを自分たちでやらなくてはならないように指導してほしいです。

綱川　それと関連して指導者が机の上の指導でなくして、心の指導をしてほしいと思います。これを青年は望んでいるのです。

4H精神をもとに

社会の期待に応えよう

司会　ということはクラブの組織を強化しなくてはということですか。

久野　強化だけではなく、お互いが協力していくことだと思います。

宮城　組織の問題はね、いろいろ考えますが、いま黒田君のいったことが、実際に即した強化方針だと思いますね。ただ人員をふやすとかいうことでなく、ほんとうに加入してきた人をどういうふうにやるかということが基本問題ですね。日常活動でも疑問の上に立ったプロジェクト活動、たえず問題意識をもって対処する力というのは、若い時代に鍛えられなければいけませんね。その積み重ねがたいせつな基礎となるのですね。

そういうものを疎かにしておいて、農政問題だ、将来の農業はどうなるんだという問題にだけ走ってしまうと足が地につかないし、生活姿勢としても将来問題が残ってしまうんだと黒田君の考え方に教えられることがありましたね。そういうように指導していくことが大切だ。組織を強化するというのは、あるワクをはめて頭から押えていくというやり方でなく、結果として組織が強化されるんだというのでなくては、主客転倒になりますね。

4Hクラブの存在は誰しも否定しない非常によい組織だといわれていますね。ですからこの社会的期待にそむかないように関係者は努めなくてはいけませんよ。

司会　指導する立場として大いに4Hクラブが伸びていくようにしなくてはと考えています。

農協青年部と4Hクラブの関連ですがこの際検討されまして、農協青年部以上に4Hクラブ育成に力を借していただきたいのですがいかがでしょうか。

柳田　先ほどの宮城副会長や黒田君のお考えは結構だと思い敬服しています。しかしながら、4Hクラブをただちに農協青年部に結びつけようと意識しない方がよいのではないかと思います。かえって農協青年組織の方を考えなくてはならんと思います。現在、移ってこられても4Hクラブ時代に養成された人生なり、生産に対する態度というものが、自然に受け止められるような農協青年の方を基盤整備しなくてはですね。そういうことで問題はむしろ、私たちの方に投げかけられたように思います。

黒田　六十年代のクラブ活動というのは、いろいろな面で曲ったり、くねったりしてきたと思います。プロジェクトを一つ例に上げても、プロジェクトは必要でないというような風潮もあったと思います。そういう中からプロジェクトの再認識がされたこと、全協に対しても連絡協調の場であるといままでいわれてきましたが、先の中央推進会議の県連会長会議で強く組織というものが前面に押し出されたのです。組織というものは強くならなければいかんと、組織は一度決めたこと、やろうとしたことを一丸となってやらなければいけないんだと、そうした組織の中で決められたことを実行できないようでは組織ではないんだと痛切に感じました。

そういった組織の連がりは七十年代において強くなると思います。組織的なまとまりの中から日本の農業をどうしようという動きが出てくると思います。

宮城　余談になりますがね。全協の執行部というのは一年交代ですが、話すこと考えることが毎年同じなんですね、百八〇度回転することなどないんです。これは下から積み重ねられた何かがあるのではないですか。

柳田　私は4Hクラブの綱領を最初読んだときに、抽象的でなく具体的な事例が述べられているので、そこからお話のような態度が養なわれるのではないですか。

司会　ここでみなさんから農林省の普及部に対して、何かお願いがありましたら話して下さい。

綱川　先ほど部長さんから、普及指導は上からの押しつけではなく、下からの盛り上りだといわれましたが。

田所　普及事業というのは教育事業なのですよ。これは対象である青少年にものを判断したり考えたり、そういうことを助言するというのが普及事業のあり方で、その中から何を自分が取り上げるかそれを選択するのはみなさんですよ。

私は普及事業の重点というのは、構造政策と後継者育成と生活改善の問題の三つの柱を十分やらなくてはならないと思っています。

山本　現在の労働力は主婦が六割を占めるということと生活と生産の場を分離した方がよいといわれましたが、将来企業的な農業になっていくにあたって、主婦がどれだけ農作業と家庭をやっていったらよいかということが、女子研修会の席で出ましたが、意見が二つに分れたのです。女の人は家庭管理の面を重点的にやるべきだということと、もう一つは女性でも責任をもった仕事をやることによって魅力がでてきて、結婚してからも共通の話題があるというのです。

田所　農業というのは、生活の場と生産の場を完全に分離するわけにはいかないのですね。ですから主婦が完全に足を洗うわけにはいきませんね。しかし夫は出稼にいって主婦が全部引受るという姿は問題だと思います。

それに主婦が農業簿記をつけるべきだと思いますよ。ですからそういう面の勉強をやってほしいですね。

司会　指導者側に対して、全協として特別なお願いがありましたらどうぞ。

黒田　4H協会に対してお願いですが、一つは4H会館建設に対しての土地の問題ですが、各県連として募金などかなりのムードが上っていますが、全協自体には国有地など買ったりする法的なものがありませんので、この土地問題を4H協会で考えていただきたいと思います。

司会　最後に部長さんからまとめを述べて下さい。

田所　今日のみなさんのご意見を聞いて、心強く思っています。先ほどプロジェクトについて申ましたが、黒田会長のいわれるように小さい課題からやっていくということは当然でして、ただ連帯感の問題なり、責任の問題がでていましたので、そういうものを育てる意味において、そういう教育をプロジェクの中でお互いに練磨していくチャンスをつくってよいと思います。

つぎに組織の問題ですが、当然組織は強くしていかなくてはならないというのは基本ですが、やはり4Hクラブの活動というのはあまり農政に強くタッチすることは本質からいって好ましくないと思います。やはり自己研磨の場ですから。それから組織の場合、4H精神は非常によい精神ですが、そこで訓練された人々が社会に出ているのに、卒業生から4H精神的なものが結集されていないですね。やはり社会や先輩諸兄みんなが4Hを理解するためにはどうするかということが、組織を強化することであると思いますね。そういう意味を含んで今後の組織を考えたらどうかと思います。私は七十年代の農業を担う人は4Hクラブの出身者だと思います。と同時に4Hの精神を持った農村社会を打ち立っていくようにお願いします。

司会　お忙しいところをどうもありがとうございました。

（おわり）

沖縄を訪ねて
全国4Hクラブ員 沖縄親善交歓訪問記

昨年の暮、沖縄の本土並み七十二年返還が決定したが、これに先き立ち、全国4Hクラブ連絡協議会（会長、黒田保君）は、沖縄のクラブ員と交流を図るため、十一月中旬、全国から参加したクラブ員とOB二十三名によって沖縄を訪問し、同地の4Hクラブ員らと交歓、親ぼくを深めた。以下はその訪問記である。

23名が訪問の途へ

この沖縄親善交歓訪問は、さる三十九年、全琉4Hクラブ連絡協議会（現会長、大城正善君）が全協に加盟、これに対し全協では当時の役員が同地を訪問し、全琉旗（4H旗）を贈って交流を図ったが、そのご渡航の規制や経費の面などから沖縄の4Hクラブ員が全協でおこなう行事に殆んど参加できない状態が続いたため、相互の交流を求める声が高まってきたので行なわれたもの。

訪問の時期は、はじめ今年の一、二月が予定されていたが、この季節は沖縄でサトウキビの収穫期に当り、農繁期を迎えて同地のクラブ員に迷惑をかけないためと十一月中旬に全沖縄クラブ員の技術交換会が計画されているということから実施が早められたもの。

訪問は、自主参加、経費自己負担というかたちで行なわれ、本紙を通じて全国から参加者を募集した。市町村長の推せん状と作文の提出という条件。それでもクラブ員やOBなど三十名近い応募者があったが、そのご出発までの間に家庭の事情や病気などで参加できない人も出たため、結局、訪問者は二十三名となった。

この二十三名が、十一月十五日の午後、大阪の国家公務員共済組合連合会大阪宿所「谷町荘」に集合して沖縄親善交歓訪問団を結成し、事前研修を行なった。

全協執行部の提案によって班別行動をとることを決めた。一班を三人で構成し、その三人が班長、学習、生活のいずれかの役を受け持つ仕組み。

とかく大勢で行動するときは、なかなか規律が守られず、いろいろの問題が出易いが、この班別行動はそれを防ぐための一つの方法でもあった。何か問題が生じ、それを早急に解決する場合、また伝達するときなどよく班長が招集された。また、沖縄においての宿泊、外出もこれによって動き、各県を越えての交流にも役立った。

また、レポートを個人と班別に提出することを申し合わせ、この一般参加者の中から団長が出て、沖縄訪問に際してとるべき態度などについて夜遅くまで話し合った。その内容の中核をなすものは″4Hクラブ員としての自覚をもって″ということであった。

翌十六日、午前十一時ごろ大阪空港へ到着した。新築されて間もないだけに、羽田より美観があり、搭乗者の整理なども合理的に行なわれている。

前日の雨もあがり、みんなの出発を祝福するかのように、冷たくさえ感じられる秋の陽光がまぶしくふりそそいでした。

午後三時、日航機で、いよいよ出発、沖縄訪問の途についた。初めて乗る飛行機に胸をはずませながらも、やはり緊張感がおしよる。下界が箱庭のように見える。映画などで飛行機に乗った場面をみるが、あれと同じだ。しかし、やがて霧の中に入って視界が妨げられ、真綿のような雲海が足下に伸びて、青空まで続いていた。

同志の理解深める

午後五時五分前、灰色をおびた霧を押し分けるようとして、はるか眼下に沖縄が姿を見せ始めた。沖縄上空と空港での撮影禁止を知らせるスチュアデスのアナウンスが響く。

陸の色は、大阪を出発するとき見た色より、苛味がかり、海の色が実に美しい。油を流したようだ。海中のサンゴ礁が海水をエメラルドに染めているのが、まっ先きに目の中に飛び込んでくる。

それを追う十分の余裕もなく、五時、那覇空港に無事到着した。低空飛行の戦闘機、いまは、戦記物の映画やテレビでしか見ることのできない迷彩色にぬられた飛行機が並び、われわれの心をなりつめらせた。

しかし、空港に出迎えてくれた琉球政府農業改良課の関係者と4Hクラブ員がわれわれの不安を消してくれた。「歓迎、全国4Hクラブ沖縄親善交歓訪問団」と書いた横断幕が空港の送迎用ゲートをおおうようにして、夕空に鮮やかに映え、その上から大勢のクラブ員たちが手を振って歓迎してくれた。やはり第一印象として、このときの感激はクラブ員の心深く彫み込まれたに違いない。

十一月の中旬といえば、本土では秋の終り。しかし沖縄は気温が高く、むしろ暑いくらい。一月を除いて年中冷房が必要だという話しにも納得できるような気がした。

税関での手続きを終えたあと、空港前で一行二十三名は、政府農業改良課の関係者や4Hクラブ員の歓迎を受け、また、黒田全協会長が訪問のあいさつをして車で宿舎へと向った。

まず、期待と好奇心に胸をときめかすわれわれの目に異和感として映ったのは、道路交通が米式に右側通行で、車のハンドルが左側についていることであった。また車が走るにつれ、左右に巨体を横づけする軍艦や補給タンク、軍需物資があらわにその姿を露呈し、沖縄の中の基地、基地の中の沖縄がまざまざと見せつけられた。

幅の広い軍用道路が真直ぐに伸び、その両側に並ぶ三、四階建てのビルの看板は横文字で書かれている。しかし、那覇市内の民家は平屋が多い。台風のせいもあろう。″佐藤訪米阻止″″反戦デモ行進″などのビラがときたま目に入る。

沖縄は交通機関として、汽車や電車がないだけに、自動車の数が多く、本土と同じく、モータリーゼーション、マイカーの時代を迎えているという。タクシーの値だんも本土より安い。

夜は、われわれの荷物を運んでくれた全琉4Hの大城会長や政府関係者の紹介や打ち合わせを行ない、部屋別に分かれて明日からの準備をととのえた。夕食で初めて加州米、いわゆるカルフォニア産の外米を口にした。自分たちが作ったうまい米を食べているクラブ員も、鼻につんとくるにおいもものかわ腹の中につめ込んだ。しかし、お茶の中に入っているじゃ香にはみんなが困惑していたようであった。

★

十七日は、関係機関への表敬あいさつのあと、南部・中部の視察研修と戦跡を訪問する。

佐藤首相が沖縄返還問題などで協議するため訪米するのも同日であった。本土出発前、4Hクラブ員の沖縄訪問が、佐藤首相の訪米と何か関係があるかとある報道機関から問われ、また、機動隊のものものしい警戒の中を汽車で出発してきたわれわれであったが、その焦点の沖縄の中でこの日を迎えたわけである。

そのために、訪問団員が表敬あいさつをする予定である屋良主席は、今日は姿を見せないだろうということが前夜耳に入っていた。

午前九時宿舎を出発、琉球政府を訪ずねて、翁長林農林局長や安里農業改良課長らに全員が訪問のあいさつをした。局長は、本当の沖縄、農業を知り、これを機会にクラブ員と交流を深めて下さいとあいさつ、交歓訪問に強い関心を示されていた。

このあと、農業改良課の富田専門技術員の案内でバスを利用して視察に出かけた。

市内のにぎわいから遠ざかるにつれて、道の両側にサトウキビ畑が広がってくる。沖縄産物の基幹であり基地収入に次ぐ沖縄財源のドル箱である。政府から保護を受けている。キビの花は、ちょっと見るとすすきの花に似ている。本土から訪れる殆んどの人が間違えるそうで、農業には明るいクラブ員たちも同じミスをしてにが笑い。民家は白っぽいカワラぶきで、台風にもガンとして動かないような格好をしている。そのカワラ屋根の上には、厄除けのししが前方をにらんでいる。比較的さいきん建てられたと思われる家の屋根には、きまったように四本の柱が突き出ていて、いつでもその上に二階を建てられるようになっている。また、あるところでは、カワラ屋根に砂を入れた肥料袋や自動車のタイヤなどが積み上げられていたが、台風のすさまじさを感じとれた。ときたま、頭に荷物を乗せた年寄の婦人を見かける。

ガイド嬢のユーモアをまじえた糸満に伝わる民話などの説明を聞きながら戦跡へと足を運んだ。

野戦看護婦として従軍し、洞窟の中で悲惨な最後をとげた女学校生徒の霊を合祀した″ひめゆりの塔″はじめ、沖縄師範学校の職員と生徒の英霊をまつり、平和・友情・師弟愛の平和像が立つ″健児の塔″、また一番の激戦地でありここに追いつめられて敵弾に倒れた軍人や住民の納骨堂があり、各県出身者の英霊をまつった″魂魄の塔″そして司令官牛島中将の最後の地である″黎明の塔″などをまわり、花束を捧げて霊をとむらった。魂魄の塔では、それぞれ各県の碑に手を合わせるクラブ員の姿が印象的だった。

心理的に近まった本土との距離

守礼の門を通り普天間からコザへ。コザは戦後栄えたところで白人街と黒人街に分かれていて、店の看板も横文字が多く、夜の街だという。

守礼の門は俗に「うえのとり」といわれ、尚清王（一五二七〜一五五三）の時代に、当時の首都、「首里」を飾るため、琉球の王城であった首里城の門に建てられたもの。琉球文化の代表的建築として国宝に指定されている。戦争で焼けたものを復元したのであるが沖縄のシンボルとして名高い。この前に琉球大学があり、学生たちがスクラムを組んで佐藤訪米に反対して気勢をあげていた。

知花、嘉手納へと進むにつれて米軍基地が目に入ってくる。爆薬庫、飛行場などが広大な面積を占め、B52の黒々とした尾翼が無気味だ。この嘉手納町の八八％が基地で、鉄網の外の小さな畑でさつまいもを収穫する農民の姿にクラブ員たちは同情を寄せていた。

牧港には発電所としての役割を果している大きな船が浮かび、ここから沖縄全土に送電している。

★

十八日、いよいよ訪問団員が待望していた沖縄青年との交歓に入る。

那覇から車にゆられること二時間余、前日から沖縄農村青少年技術交換会が開かれている名護町の東シナ海をのぞむ国立名護青年の家に着いた。

途中、青々として、サンゴ礁によってエメラルド色に輝く海の色に魅せられ、また、ところどころに見える二期作の水田やパイナップル畑に目を奪われた。

しかし、米の生産量は九千トンで沖縄全体の年間消費量の一割に過ぎない。また、南部の土壌はアルカリ性でキビの生産に適するが、この中部から北部にかけては酸性であるためパインの生育に適している。名護の農業試験場、同農業改良普及所に立ち寄り、青年の家に着いた。沖縄の青年たち五十余名が二列に並び、その間を一人ひとりが拍手で迎えられた。

休む間もなく、講堂で黒田全協会長の訪問のあいさつに続いて、相互に自己紹介を行ない、そのあと全協、各県連、4H協会から寄せられた記念品などを贈った。

茶菓子を前に反省会をひらく

昼食のあと、再び講堂で技術交換会のクラブ員の体験発表に入ります、翁長林農林局長が、本土からの訪問者に歓迎のことばを述べるとともに「明日の沖縄農業は若い人たちの双肩にかかっている。心と心をつないで新しい農業と取り組み、若人の意気で親たちを改善の方向へ動かしていってほしい。また、本土復帰をめざして一日も早く基地依存の経済から脱皮して、第一産業（農業）を基盤とする平和産業を築き上げなければならないが、4Hクラブ活動を通じて大いに奮起してほしい」と激励し、沖縄の青年たちの心をふるいたたせた。

続いて、五名の沖縄青年代表による体験発表が行なわれたが、本土やハワイ研修などに出かけて懸命に努力し、プロジェクト活動を盛んに行なっている姿がうかがえ、訪問団員たちも、苦しい環境の中で努力している彼らに胸を打たれ「自分たちは甘え過ぎているかも知れない。もっと頑張らなくては……」と奮起をうながされていた。

軽いレクリエーションとして、夜のキャンプファイヤーにそなえて歌の練習などをしたあと、こんどは全員が入り混って沖縄と本土クラブ員の交歓討議会が、政府農業改良課専門技術員の司会で進められた。話し合いでは、殆んど本土クラブ員に質問の矢が向けられ組織から単位クラブ活動、改良資金、経営の問題など、現在、沖縄のクラブ員が直面している問題点について矢次ぎ早やに出された。中には、本土復帰後の米価など、ちょっと面喰う場面もあったが、悩み多い中で、努力しようとしている沖縄青年のたくましい意欲が話し合いの中ににじみ出ていて、ここでも本土クラブ員に、その力強さを感じさせた。

夕のつどい、夕食などのあと、会場を体育館に移してキャンドルサービスをくりひろげた。型通り四つのHの点火式のあと、歌をはさんで、沖縄、本土クラブ員、政府農業改良課関係者がそれぞれ出し物を競い合った。宮古、八重山からの農業改良普及員とクラブ員も参加している。沖縄特有の蛇味線、指を口にくわえて口笛を吹き鳴らしながら情熱的な琉球舞踊を披露するクラブ員、その彼らから沖縄の暗さはみじんも感じられない。そして、やや興奮気味にうたう「沖縄を帰えせ」の歌―この歌声がワシントンまで届くようにと誰かが叫んだ。ちょうどそのころニクソン米大統領と佐藤首相が同じ問題を語っていたのかも知れない。

燃え上る団員の情熱

十九日、午前六時半チャイムとともに起床し、朝のつどい、朝食のあと八時半から本土クラブ員も参加して技術競技が行なわれた。

問題はやはり、サトウキビなど沖縄の特産に関するものが多く、また、土壌が違うために、本土のクラブ員にとっては初めて見る肥料もあり少々面喰っていた。農業機械や生活改善の問題もあったが、本土のクラブ員たちは途中から北部の農業の見学に出かけた。

この間、政府農業改良課の大浜係長、黒田全協会長、久野同事務局長、大城全琉4H会長らと沖縄、本土クラブ員十余名が本紙主催の座談会に出席して技術競技に参加できなかったため座談会終了後、沖縄のクラブ員の好意でパイナップル畑や缶詰工場を見学した。

小高い山までブルドーザーで整地されてパイナップルが栽培されている。その殆んどが名護缶詰工場で缶詰にされて本土に移入されているが、あたり全体が甘ずっぱいにおいに包まれているよう。

午後は、同技術交換会の反省会が講堂で開かれた。茶菓子と牛乳を前にして、開催時期や各単位クラブとの連けい、参加人員、全琉クラブ旗の問題、また本土クラブ員の民泊、本紙への沖縄4Hクラブ活動状況の紹介、本土クラブ員の参加の問題などが熱心に話し合われた。また、沖縄クラブ員がサインした4H旗やおみやげが本土クラブ員に贈られた。

このあと閉会式を最後に、記念撮影して、沖縄のクラブ員に見送られて青年の家をあとにした。

また、この交歓会を長く記憶にとどめ、さらに沖縄と本土クラブ員の親密が深まることを願って、訪問団員は、青年の家そばの林の中に記念植樹した。

二十日、出発準備のあと、市内を見学し、午後五時、沖縄のクラブ員たちに見送られて、ノースウエスト機で那覇空港を出発した。

午後九時前、小雨けぶる大阪空港に到着、美しいネオンの夜景に目を奪われながら宿舎の大阪旅行会館へ向い、訪問の事後研修として反省会を開いた。

期間も短かく、技術交換会の中での沖縄クラブ員との交歓であったため、本当の沖縄農業などを知ることができなかったことは心残りであったが、全員がこの交歓訪問が意義深いものであることを述べ、毎年続くことを希望した。

それは、沖縄クラブ員の力強さに接しての感激、注目の沖縄を自分の目で見、肌でふれた実感もさることながら、この訪問を通じてクラブ員との心のふれ合い、視野の拡大など貴重な体験を積んだことであり、明日からの活動に向ける情熱がみんなの心の中でさらに赤々と燃え上ったのである。

最後に、今回の交歓訪問に際してお世話になった琉球政府の関係者と沖縄のクラブ員はじめ関係者に対し、この紙上を借りてお礼申し上げます。

（上左）訪問のあいさつをする黒田全協会長
（同右）″健児の塔″に手を合わせるクラブ員
（下左）屋根の上に厄除けのししがある民家
（同右）パイナップルを手にして悦にいる団員

4H会館建設に40ドル
沖縄のクラブ員が募金

沖縄の4Hクラブ員は、技術交換大会の中で、自主的に全国クラブ員が推進している4H会館の建設に募金し、四十余ドル（約一万五千円）を全協執行部に手渡した。利用度では、本土クラブ員よりはるかに低いと思われ、また、悩み多い環境の中で農業に取り組んでいる沖縄の4Hクラブ員たちが、同志意識のもとにこのように積極的に募金されたことは大きな価値があるといえる。

沖縄4Hクラブ訪問記

戦跡に目頭あつく 72年に私たちのもとへ

佐賀県伊万里市南波多町高瀬　浦田健

今だに第二次大戦のしこりを残して、B52の恐怖にさらされている沖縄。その中で、私たちとともに4Hクラブ活動をしている農業青年は何を求め、考え取り組んでいるのだろうかー。そういう疑問と期待を乗せて、濃い灰色の雲におおわれた那覇空港に着く。クラブ員の出迎えに近親感を覚え、何かホッと安心する。

晩秋に入った本土は、霜が降り冷えていたが、沖縄は異常に思うほどに暖く、むしろ暑くさえ感じ、ハイビスカスの花を見るとハワイに来たように思えた。

沖縄では、余りにも多く見聞したが、その中で二、三にしぼって感じたことを述べてみたい。

やはり、沖縄は沖縄、外地だという感じを強くした。渡航するにも、外国に行くのと変りない手続きを要し、お金もドルしか通用しない。車は右側を走り、ハンドルは、われわれの車とは反対側にくっついている。そして商店の看板は、横文字が目立つ。

日本人が日本語で話し、日本式の生活をしていて、周りは外国並み。大いにとまどいを覚える。何よりも空港に着く時から異常に感じたのは、暑さのせいでも、車が右側を走るからでもなく、空気が緊迫しているみたいで異常だったからである。

空港の大部分を占めて、カモフラージュした米軍ジェット戦闘機が整然と並び、海港には、星条旗がひるがえる軍艦がところ狭しと停泊している。ベトナムへ送る軍備品、使い果してひどく痛んだトラックなどが山と積まれている。それを横目で見ながらホテルに着いた。

訪問団員一人ひとりの見たものは同じでも、感じたものは違ったろう。しかし、後になれば、なお一層米軍の基地の広大さを見ることができた。離着陸するB52も、尾翼だけを無気味に高く見せて並ぶ姿も加手納で幾らも見られた。今でも、鉄網の外で、狭い畑でイモを掘っていた老人の姿が心の底に、何かを感じさせ、それが今も残っている。

名護に行く道は、どこにでも基地ばかりという感じだった。各種の施設が建っている。現在の米軍が沖縄で果している基地の役割とその重要性は私もよく理解しているつもりである。しかし、低く飛びかう黒いB52の姿、現地の人々から聞く米軍からの圧力を知ると、感情的に何か腹立たしさを覚える。

「沖縄を返えせ」の歌を実感として受けとめながら合唱した。軽い興奮を覚えながら……。

今まで、私は「沖縄は戦争に敗れ、占領された土地であるので、基地があるのは当然だ」と、他人ごとみたいに思っていたが、なぜ感情的な高ぶりを覚えたかというと、南部戦跡を見学したからでもあった。

良く知られている〝ひめゆりの塔〟〝魂魄の塔〟など二十何年か前に十数万の人々が激戦し戦死した地である。

ややもすると、カメラをぶらさげ、観光で本土から行く人は、どこかの名所にでも行く気で物見的に訪ずれる南部戦跡。実は、私にもそんな気が、ひめゆりの塔まで足を踏み入れるまではあった。

傷ついた兵士を日夜看護した純真な彼女たちが、叫び苦しみ、そして涙しながら自害した〝ごう〟を見て説明を聞いていると、なぜかしら胸にこみあげてくるものがあり、目頭があつくなり、物見的だった自分が恥しく申し訳けなかった。この地は、映画ではなく、実際にわれわれより若い青年たちが国防のために戦い、戦火に苦しみあえぎながら死んで行ったところだ。

私は、私なりに戦争の恐怖を理解しているつもりだったが、やはり知らなかった。ここに立って初めて実感として肌で知った。そして、二度とこんなことがあってはならない。起こしてはならないーそう願いながら手を合せた。そしていま、ベトナムへこの地からB52が飛んでいるのである。

このようなことがない沖縄ならば、常夏の天国と言えるよう。

今でも熱帯のハイビスカスがいたる所に咲き、温室でしか見たことのない植物が、自然にどこの庭にも美しく咲き狂っている。

海の色は、何色にも映り、島影が美しい。道路ぞいに自生する蘇鉄やパイプの原生に似た木々も珍しい。

沖縄の農業で感じたことは、農業地帯を大きく分け、南部は野菜、北部はキビとパインが多い。

その規模は小さく、平均耕作面積六〇アール、年間農家所得三十数万円、専業三割で七割が兼業農家だそうである。

パインは、二年に一度の収穫で、キビが三年に一度しか収穫できないそうである。そんな状態であるので、若者はどんどん農村部から流失し、後に残るのは老人が多い。畑では若者の姿は見当らなかった。

しかし、技術交換会に出席していた4Hクラブ員は、おせじ抜きに、われわれより、取り組み方は驚くほど熱心に見えた。環境が彼らをそうさせるのだと思う。

沖縄の農業を取りまく現在の状況は、余り恵まれてもいないし、厳しい。そしてまた、七十二年に復帰したあとの姿は、流通、制度組織など全く一変してしまう。

その中で、農業に取り組む青年は、4H活動を通しながら時代の動きを大局的に見つめながらクワを握っていた。

農業技術、資金制度のことなどと本土の現状を熱心に問いかけられとまどうほどであったが、知っている限り教え、教えられ、意見交換も熱をこめて、青年の家のあらゆる所で、あらゆる時間に行なったことは忘れられない。しかし、まだまだ話し足りなかったと思う。七十二年には、私たちのもとに帰ってくる彼らなのだから、少しでも多く知ってもらいたいし、私たちも理解したかったから。

現在、沖縄は農業をはじめ多くの問題をかかえている。そのどれひとつを取りあげてみても、なかなか難かしい問題である。

戦後二十五年、基地に依存した経済は、本土復帰とともにどうなるであろうと心配するのは、現地の人たちだけではない。われわれ日本人すべてが、真剣にこの問題に取り組まなければならない。

（本紙連絡報道員）

沖縄青年に期待

神奈川県藤沢市石川　伊沢絹代

出発前の不安も忘れて、いまはあの楽しく過ぎ去った十一月十五日から二十一日までの一週間を思い浮かべています。

沖縄滞在期間四日間のうちで、最初に思い出されるのは、4Hの大きな旗を風になびかせて、本土4Hクラブ員を心からあたたかく迎えてくれた沖縄4Hクラブ員の日焼けした元気な姿です。

十八日からの技術交換会では、沖縄農村青少年の活動や悩みを知りました。その中で、ある女性は会員四十八余りのグループのリーダーで、個人主義的なクラブ員を一つのグループにまとめることがむずかしく、これから先のクラブ活動をどの方向にもっていこうかと真剣に考えていました。

私には直接関係のないことでしたが、高校時代の経験を思い出しながら一緒にそれぞれの考えをぶつけ合って話してみました。

また、自分のクラブのリーダーがこのことで頭をひねっているとしたら、私として、どういう態度を示せばよいのか考えてみましたが、両方とも結論が出ず話を終りにしてしまった。普及員の方にアドバイスをしていただいたが、結局は、自分がしっかりしなければいけないのだと再確認しました。

体験発表の中で、南風原区の方がクラブの活動状況を述べておられました。この若者たちは、クラブ員の転業、園芸組合の結成によって一度解散したクラブを農業青少年だけの話し合いの場、技術交換の場を必要として、七人の仲間が集り再結成したということです。この仲間の熱心さに非常に感心させられました。

現在の沖縄では、土地の区画整理、機械化を必要とはしていても営農資金制度が確立していない現状では、活動も思うように出来ないということです。沖縄青少年がこの問題をどのように解決していくか期待したいと思います。本土では過ぎ去った問題かも知れない。しかし、この問題はたんに沖縄の問題としてではなく、われわれと同じ4Hクラブ仲間の課題として一緒になって真剣に考えなければならないと思います。

一口に、沖縄青少年とは？と聞かれたら、私なりに「4Hクラブを大切にし、クラブ活動の向上のため一生懸命努力している若者だ」と答えるでしょう。あたりまえかも知れない。しかし、全般的にみて、本土のクラブ員も一生懸命活動していますが、それ以上に沖縄クラブ員たちも懸命に努力しているように感じました。

私も交歓訪問をもとに仲間と単位クラブの向上を目標によりよい4Hクラブを築くため努力したいと思います。本土の参加者との対話の中でも私に大きな刺激と夢を与えてくれました。この訪問で私の心は一段と大きくなったように感じます。

すき透るブルーの海、パイン畑、とうきび畑の雄大さ、それに本土参加者二十三名は、私の小さな脳から一生涯離れることなく残っているでしょう。いろいろの面で沖縄交歓訪問に参加してよかったと思います。

正月・酒・わたくし

文部省・青少年課　伊藤俊夫

新しい年を迎えて、日頃ご無沙汰している父や兄弟たちと、あるいは旧友たちと盃をかたむけながら語り合うのは、何といっても楽しいものだ。

正月といえば、私が成人式をむかえた年の元旦、父がだまって盃をさし出し、酒をなみなみとついでくれたのを思い出す。父は、息子と一緒に呑む日を待ち望んでいたのかも知れない。何故なら、そばで、母がニヤニヤ笑っていたのだから。

オオッピラで酒が呑める。これは、大人として、一人前として認められた証拠で、こんな愉快なことはない。ところが、父とはじめて酒を呑んだ日、味もわからず、そのこわさも知らずに、調子にのって呑みすぎ、完全にダウンさせられてしまった。待ちこがれた一人前扱いの日、何ともあわれな姿であった。

その後も、父に何度かダウンさせられた。父が酒の呑み方を訓練してくれているのだなと気づいたのは、だいぶたってからである。父は、私が酒好きの素質であることを見抜いていたようだ。それだけに酒は呑んでも、酒には呑まれないようにと心配して特訓してくれたのだろう。

たしかに、酒は大人へのパスポートである。それだけに、自分の行動に対して、経済的にも、社会的にも法律的にも責任がもてるということが大人であって、酒をコントロールする力のない者は酒を呑んではいけない、ということにもなろう。

私も、年をとるごとに酒に親しむようになり、旅行しても、その土地の呑み屋を訪れるのが楽しみになった。呑み屋といっても、居酒屋専門であるが。

安くてうまい昼めしを食いたいなら、オフィスレディのたてこんでいる店をねらえ、といわれている。同様に、旅先でうまい地酒と気のきいた酒のサカナを安く楽しみたかったら、市役所の職員が沢山出入りしている店を選ぶと間違いがない。土地の人情にふれることのできるのも、こんな店が多い。

外国へ出かけたときもこの方式で押し通した。おかげで、うまい酒、珍しいサカナを堪能できたし、それぞれのお国がらをかい間みることもできた。

ドイツのビヤホールで呑んでいると、まわりの人たちが寄ってきて、君は日本人かと尋ねる。そうだ、と答えると、私は日本が好きだとかいって、ビールをおごってくれる。人なつこいその振るまいに異国の淋しさもふっとんでしまった。

フランスでは、集った人たちがミフネがどうの、クロサワがどうの、とワイワイ、ガヤガヤにぎやかなこと。最後は「割りかん」。イタリヤの場末の呑み屋では、日本の友よ、俺のカンツオーネを聞いてくれ、と、豊かな声量と素人ばなれした節まわしでイタリヤ民謡を歌いまくる。見事だ、というと、ちゃビールをおごってくれ、とくる。たかられても、その陽気さに心もなごむ。

イギリスへいったときは、おきまりのパブ（居酒屋）に足を運んだ。パブのうち、サロンと呼ばれる若干高級な呑み処は、赤いじゅうたんなどを敷いたシックな雰囲気をもっていて、ジョニ赤の水割りが一杯百円相当。どの客もツンとすまして、とっつきようがない。いずれのパブもそんな調子で他人のことには我れ関せずといったところで、老成した感じをいだかせられた。

アメリカも、どちらかといえばイギリス的な感じをもったが、街のいたるところにアル中患者が寝そべっているのにはへきえきした。冷たそうな石の道路上に、いじきたなく横たわっている姿をみると、もう酒は呑むまいと思ったのだが。

各国とも、酒の呑み方にはお国ぶりがあらわれているようだ。ヨーロッパの国々は、酒類を飲料水がわりに飲んだり、にぎやかに痛飲するタイプ、イギリスやアメリカは、合理的かつ節度ある飲み方というべきか。

国税庁の調べによると、日本人一人当りのアルコール消費量を一〇〇とすると、米国一〇五、英国一〇〇で、フランス五一七、イタリヤ二二九、西独二二五になるという。この数字でいくと、日本も節度ある呑み方になるが、果してそうだろうか。

酒は、日頃のカミシモをぬいで歓談できるところによさがある。カミシモとは、いうなれば理性のフィルターである。このフィルターは、年をとるごとに、あるいは職業によって強くなる。

例えば、警察官や学校の先生の呑みっぷりが話題になるのも、この種の職業の人たちは、常日頃はお役目がら強いフィルターを通して自己を表現しているからに外ならない、ということだろう。

ところで、理性のフィルターとは、別のみ方をすれば、注意力や判断力でもある。うっかりすると酒に呑まれてしまって〈酒の上でのあやまち〉をおかしたり、友だちと気まずい思いをしたりする。注意力や判断力が弱くなっていくのだから、訓練されていない酒呑みは危険でしょうがない。だから、酒を呑んでの自動車の運転なんて言語道断である。

今年の正月も、せめて土地からお国ぶりをあらわせる程度になるため、父から酒の特訓が受けられることを感謝したい。人にきらわれる人がらを発揮するような酒呑みになってはすくいがないから。

万国博いよいよ開幕

貴賓席に天皇、皇后両陛下を迎え、参加七十八ヵ国の国旗入場、新しい時代の到来を告げる「21世紀のファンファーレ」が高らかに鳴りひびき、待ちに待った日本万国博の幕は切っておとされる。ときに、一九七〇年三月十四日、午前十一時。

そして、祝砲がとどろき、大天井のフラッシュライトとロボットのライトがいっせいに点滅を開始、天井に取りつけられた大きなクス玉が割れ、その中から、そして天井全体から、香りのある紙吹雪と千羽鶴が舞い降りてくる。割れたクス玉は、大きな万国博マークとなって天井を飾る。

池の噴水はこぞって水煙をあげ、会場内の各展示館からは数万個の風船が空に舞いあがり、真昼の空に花火が打ち上げられる。

場内は一転して、静まりかえった巨大な空間を圧するかのようにNHK交響楽団による華やかにして荘厳な「祝典序曲」が流れ、場内をよろこびと感動で包み、開会式はいよいよクライマックスに達する。

電光提案内板には、アニメーションの絵から文字になった「世界はひとつー人類の進歩と調和」のことばが輝く。

そして、この開会式に参加したすべての人びとの心に深くしみとおる平和の鐘が鳴りわたる。こうして、百八十三日にわたる日本万国博の幕は切っておとされる。

一九六六年五月十一日、パリの博覧会理事会で承認されてから四年の歳月と一兆円の金を投じて、三百三十万平方㍍の大阪千里ヶ丘に、いま世紀の祭典、日本万国博は最後の準備を急いでいる。

（写真は、人類の夢と希望を盛り込んで、五千万のお客を待つ万博会場）

時代の流れに対処

静岡でリーダー養成研究会開く

【静岡県＝鈴木政美連絡報道員発】第二回静岡県新しい時代を創る青年リーダー養成研究集会が、静岡県御殿場市・東山荘で去る十二月五日から二泊三日間の日程で開催された。主催は静岡県新青年協会、県教育委員会で、県内の青少年代表六十名（うち4Hクラブ員五名）の人たちが参加した。

この研究集会の目的は、今日の技術革新による時代の流れで、青少年たちの生活をも大きく揺れ動いてしまった。そんな中で青少年たちは驚き、歓び、とまどいながらも、その流れに乗り遅れまいと一生けんめい頑張ってきた。しかし、流れは厳しく生き方を見失うもの、仲間の絆をたち切るものも多かった。だが時代の流れは、今日も明日も流れるのである。そこで、この流れにただ流されるのではなく、その流れを動かす青少年をつくろうと、ここにまったく新しい観点に立ってこの研究集会を開催することになったもの。

研究集会の内容は、参加者の集団適応性テスト、社会生活と青年心理について東京教育大学名誉教授・杉靖三郎氏の講義を聞いた。講義の内容は、脳の構造について、資本家と労働者、人間は自然にもどれ、などについてであった。

夜は、言論科学研究所常任理事の鈴木康之先生から、話し方の個人指導が行なわれた。これは❶リーダーとしての条件❷人に近ずく❸関心❹与える❺決める──など、話し方の能力向上に役立つ指導が行なわれた。

二日目は、京都大学助教授・加藤秀俊先生から、二十一世紀への人間開発、組織のつくり変えについて講義があり、才能は先天的か、情報産業時代への対応、生きがいの問題、フロンティア精神、能力主義がもたらすものなどについて長時間にわたって話された。午後は各グループに別れての分科会では〝俺たちは何を求めてここに来たのか〟のテーマについて話し合い活発な意見が交わされた。三日目は反省会を行ない、午後レポートの作成、お別れパーティーなどがあり、二泊三日間の短い研修であったが内容は充実したものがあり、有意義であった。

こん後、この研究集会の参加者は、それぞれの地域に帰り、青少年活動の中核となって立派に役割を果すはずである。

クラブ活動を推進

福岡県連でリーダー研修会

組織のあり方など学ぶ

【福岡県＝星野道子連絡報道員発】福岡県農村青少年クラブ連絡協議会（会長、荒波宏君）では、去る十二月八日、九日の両日、第二回リーダー研修会を宗像郡津屋崎町農協ホールと国民宿舎「津屋崎」を会場として開いた。

この研修会には、県下の各単位クラブ員百名が参加し、農業改良、農家生活の改善についての研究、また、自主的な実践活動を推進しつつある農村青少年クラブの内部リーダーに対して、クラブ活動を促進するために必要な知識や技術の修得についての研修を行ない、農村青少年クラブの育成を図ることを目的とし、併せて優れた次期リーダーの養成に積極的に取り組んでいる姿勢がうかがえた。

一日目は、〝県内における農業後継者育成対策事業〟と〝グループ活動とリーダーシップ〟の二つの講義を聞いたあと〝田代青年学級の放送利用学習〟についての実績発表があり、五つの分科会に分かれて〝農村青少年のあり方〟について討議を行なった。

また、県連役員から、第一回訪中4Hクラブ使節団の説明、機関誌、教育会議、県4Hクラブ員のつどいなどについての連絡事項が行なわれた。

第二日目は、甘木、田主丸の両クラブから、クラブ活動内容の発表があり全体会議が開かれた。この後〝働く青年の仲間づくり〟の講義が行なわれ、次期リーダーの心構えなどを修得した研修会を無事終了した。

期間中、参加者は寝る時間も惜しんで自由交歓会を開き、熱意のほどが見受けられたが、その内容は豊富で、身近かな結婚問題から、経営面まで話し合われた。

〝歳末たすけあい〟と4H会館建設の募金に

徳島県連でダンスパーティ開く

【徳島県＝近藤言正連絡報道員発】徳島県農村青少年クラブ連絡協議会（会長、田所恵一君）では去る十二月二十日午後六時から徳島市体育館でダンスパーティーを開催した。

このパーティーは、4H会館建設基金と歳末たすけあい基金の捻出をかねたもので、とくに県連が進めている、4H会館建設募金運動の意義を県下のクラブ員に広く認識してもらうことを目的に、その利益金をもって会館建設や歳末たすけ合い運動に協力したもの。

このダンスパーティーには、実行委員会が設けられ、三千枚の入場券をクラブ員が一生けんめい売りさばき、師走のあわただしい一夜、ジングルベルの音もにぎやかに盛会に終了した。県連では、これを機会に4H会館建設募金運動に意欲を燃している。

花開くモータリゼーション

最近、わが国の自動車の普及はめざましく、車は十人に一台、免許は二人に一人といわれています。とくに普及率がいちばん伸びているのは、農村だそうで、そういわれてみれば、クラブ員のほとんどが車を持っており、また、深い関心を寄せています。そこで、このすばらしい成長をみせる日本の自動車産業など、車について話題をあつめてみました。

マツダ　ファミリア　ロータリークーペ　（写真上）夢のロータリーエンジン車1000ＣＣ、100馬力、最高速度180km

ニッサン　フェアレディZ　（写真）下モーターショウの人気を集めた新鋭スポーツカー。2000ＣＣ、160馬力、最高速度210km／h

盛況をきわめたモーターショウ

モーターファンなら、必ず一度は行きたいと思うのが「東京モーターショウ」である。

昨年秋に開かれたこのショウには、日本のメーカー十四社から乗用車二百台を含む七百台の各種車両が出品され、十四日間の期間に全国から約百五十万人のファンが集まるという凄い人気であった。

日曜や祭日には、一日で三十万人以上の観客がつめかけ、ゲート前に七万人の列ができ、六千台収容の駐車場は九時過ぎには早くも満車となり、地元の警察や消防署ではパトカーや白バイ、消防車を常時待機させ、七百人の陣容で雑踏警備にあたった。

展示場では、各社自慢のニューモデルやスポーツカーなどが人気を集めるとともに、各用途に応じて造られた"変り種"のキャンピングカー、ボートトレーラ、雪原を駆けるスノーラなどレジャーカーや各種の専用商用車などが並び、観客の話題にのぼった。

また、このショウでは百八十三台の二輪車も展示され、こちらはジュニアの人気を集めた。

成長つづける日本の自動車産業

つぎに、このようなファンに支えられて成長をつづける日本の自動車産業をみてみよう。

日本の自動車生産台数がアメリカについで世界第二位に進出したのは一昨年のことだが、それまでの五年間の成長をみると、生産三・二倍、輸出六・二倍、保有三・三倍と、いずれも三倍以上の成長率で伸びてきている。

そして、機械工業の中で占める地位は生産額約三兆円で一位、輸出額一一億ドルで船舶についで二位である。

そして、総生産台数四〇九万台はアメリカの一、〇八二万台につぐが、トラック、バスでは二〇三万台でアメリカの一九七万台を抜いて一位、乗用では二〇六万台で、アメリカの八八五万台、西ドイツの二八六万台についで三位を占めている。

これを輸出と国内向けに分けてみた場合、輸出は六一万台で、西ドイツの一九一万台にはもちろん、フランス、イギリス、カナダより少なく、その輸出が比率も一五％と少く、圧倒的に国内向けが多い。このことは、わが国の自動車産業を世界第二までに成長させたのは、好調をつづける海外への輸出よりも、根強い国内の顧客であったといえよう。

トヨタ　クラウン　ハードトップ　（写真上）風格ある日本の代表的高級車。２０００ＣＣ、１１０馬力、最高速度１６０km

三菱　コルト　ギャラン　（写真下）三菱が社運をかけて世に問う新型乗用車。１５００ＣＣ、６７馬力、最高速度１５０km１ℓ

自動車にかけられた期待と課題

ところで、乗り手の自由意志で個別に自由に動き回われる自動車は、将来も国民生活に欠かせないというより、豊かな人間性の開花を保証するものとして迎えられ、そうして、より速く、より安全に、より快適にという要請に応えていくものと考えられる。

その一つとして環境の面では、かなりハイウェイ網が整備され、かなりの成果をあげるだろう。

一方、技術の面では、人間の側御能力をカバーする操縦の容易性の追求が徹底的に行なわれなければならない。

それから、タイヤの問題がある。いまは、およそ二〇〇キロが限度で、その解決は高速化の達成につながる大きな課題である。

三つ目の問題は、エンジンの刷新である。体積当りの出力の向上、有害ガスを出さないエンジン、快適な乗り心地を与えドライブが楽しいようなエンジンの開発が望まれている。

現在、開発されたものにロータリーエンジン、ガスタービンエンジン、パッテリーを搭載した電気自動車などがある。

このうち、ローターエンジンは、日本の東洋工業で開発され実用化されている画期的なものである。これは、回転がなめらかで、形も小さいという特長をもっているものである。

ガスタービンはアメリカで試作中で、小型軽量、回転力特性が優れているので変速機が不要になり寿命が長く、振動も少なく、排気ガスは清浄で無害、そのうえ取扱いが簡単という非常に優れた特長をもち、現在でも航空機では、もっぱらこれが普及している。

電気自動車については、バッテリーの開発に成否がかけられている。これが解決されれば自動車として、これほど最適のものはない。

アタックページェント　彼と彼女の相性判断

個性と相性

人間には、それぞれ、もって生まれた個性というものがあり、その人特有の性質から、それぞれの歩く道は違っております。

食べものの好き嫌いはまだしも、趣味、考え方、また行動において根本から異っているのが人間といえるのかもしれません。

同じ職場で同じ仕事をし、同じ計画のもとに働いていたとしても、目標となると個々の言い分は全くちがう場合が多くあります。

したがって、恋愛問題になったり、人間関係が強くものをいう商取引の接渉となると、直面する人間自身の問題が大きくクローズ・アップされてくるのです。

たとえば、恋愛中の彼と彼女の場合、食べものの点でも、彼は辛党であって彼女は甘党とすれば、恋愛中という限定された枠内にいるうちは、互いに遠慮があり、どちらかが、一方の主張をのむ型になりがちですが、この二人が結婚して家庭を持てば、遠慮はなくなり、互いに自分の主張を通し、争いまでするようになる。果ては、性格不一致云々まで発展するかもしれません。

これが趣味とか、考え方、もっと大きくいうと、生き方となれば喰いちがいで笑ってはいられなくなるでしょう。

ましてや、人間関係が大きくものを言う商取引になりますと、相手方に対する印象で成功云々となる場合がおおく、インスピレーションがそのポイントとなって浮びあがってくるようです。したがって、相性を直視し、その相手にむく人を出場させることも営業上好手とされているのです。

それでは相性について、四つの判断法をとりあげてみましょう。

食べもの判断

前にも記しましたように男性が辛党、彼女が甘党の場合、一見あわないようですが実は心配ありません。問題は家庭に入ってからの味つけですが、お互いのゆずりあいから新しい味つけ法を考えればいいので、むしろ同型の方が性はあわないのです。また男女が逆に男が甘党、女が辛党の方が危険性は充分あります。

辛党の代表としてウィスキー、お酒などのアルコールが問題にされ、これを欲求する肉体は、多分に精神面から入ってゆく場合が多く、アルコールが体内に入ると、一種の倒錯作用が血液を通り脳の中枢神経に作用するので、いろいろな奇行を個別に表わすようになります。人によってですが、大部分は、日常表面に出していない行為をしたり、潜在意識下にある欲望が頭をもたげたりします。サラリーマンなど、日頃腹のなかにおさめていたものが一度に爆発したり、ドライバーが慎重さを欠いて暴走させたり、小心者が大きな気持ちになったりします。

甘党の場合は食べものによって精神の変化をみるということはありません。性格はどうしても辛党の方が激しくなり、甘党の方がのんびり型になります。電気のプラス・マイナス同様、陰陽の合体論が成立して性格一致をみるのに容易です。

色調判断

三原色、つまり絵の具でいえば赤・黄・青であるが、これを好む点から分析すると次の様になります。

赤色＝社交に秀いで、派手な性質、実行力があり意志は強いが、うわすべりする人が多い。

黄色＝交際上手、自分の主調は突き通すが、相手にはだまって、まっている。調子もの。

青色＝消極的な面が多く、平穏。金銭面は信用できるが、発展力に乏しい。人と和合できる。

三原色判断で赤を好む人でも例外は多い。というのは、紫・ピンクなどの中間色を好む人がいるからですが、その場合はむしろかけあわした色彩の少ない方に性格は近いのです。

色彩判断による相性は、自分から見て、赤は青とよく、青は黄によく、黄は両方どちらにもよいのです。

タイプ判断

背の高い人は低い人を好み、太った人はほっそりとした人を好みます。この好み方は、いずれも相性タイプとされています。

自分にないものを求めるという人間本来の性格を物語っているようです。その見地からいえば明らかに相性になるのです。

小男が関取りと仲がよかったり、激しい気性の人が気の弱い人と都合良く行く場合の方が非常に多いのもその理由があるからです。

また、積極肌の人とやはり猪突猛進型の人とでは、意見は早く一致しますが、別れる場合も非常に早く簡単です。これは互いに同じ性格からで、よい場合もありますが、相性的に行けば本当はあわないのです。

このほか、趣味が似ていて話題も共通している人がいますが、それは上部のことで、内心は相手の話に惚れることはなく、むしろはんぱつしている面があり、相性学上は完べきではありません。

気候判断

夏生まれだから夏好き、冬生まれだから冬が好きというのは、本来あり得ないことで、湿度と人間関係は調べてみますと、その人の性格から生きている事が多く見られます。

では、四季にわたって、好むシーズンでの性格判定をしてみましょう。

春型＝陽気な一面、人情家で、人に利用され易い。また、グループのリーダーになりたがる。

夏型＝活発で発展家、行動力はばつぐんだがへこたれる場合も多い。流行に非常な敏感度をもつ。

秋型＝性格が弱く、慎重派、学術的で孤独を愛する。そっと寄附などすることもある。

冬型＝慎重派であるが熱血闘士型。労働意欲は大いにかえる。貯蓄能力あり。

以上四つにわけてとりあげてみました。

あなたの相手をこの判断法でためして見て下さい。自分と正反対ではなく、努力次第でどうにでもなるのです。同型で苦労するよりむしろ反対型で幸福をかちとってほしいものです。

縦の木は残った

NHK・新大型歴史ドラマ

NHKは、日曜夜のお茶の間の人気をさらった大型歴史ドラマ「天と地と」につづいて、ことしは1月4日から山本周五郎原作「縦の木は残った」を放送する。このドラマは、江戸時代初期に起った伊達騒動に題材をとり、主人公原田甲斐が、徳川幕府の大藩とりつぶし政策による圧力をしりぞけ、藩内の陰謀とたたかい、誤った非難や中傷に耐えて、仙台藩の安泰を守りぬく姿を描いたカラー作品。

題材は伊達騒動

藩を救った男の忠心

この作品は、山本周五郎の同名の小説をドラマに仕立てたものだが、山本文学は心理描写が多くて劇化は非常に難かしく、これまで劇化されたうち、わずかに「赤ひげ」のみが成功したといわれている。

この「縦の木は残った」についても、すでに他社で一度ドラマとして放送されており、それらのことを承知でNHKがあえて取り上げたからには、相当の自信があったようである。初め十三回は原作にない部分を創作して加えたもので、ドラマの背景となる当時の徳川幕府の大藩とりつぶしの状況や、原田甲斐の性格形成を描いている。

担当の吉田チーフディレクターは、この番組のねらいについて、「江戸時代、最大のお家騒動といわれたのが伊達騒動ですが、これには幕府の大藩とりつぶし策がからまっていました。たんなる家督争いの内ゲバだけれたのです。なぜか……。このドラマは、この"なぜか"を解き明かします」と語っている。

主人公の原田甲斐を演ずる平幹二郎も、この大作に意欲を燃やし大いに張切っている。

甲斐をめぐる女性たち。左から香川京子（くみ）田中絹代（津多）平幹二朗（甲斐）吉永小百合（宇乃）栗原小巻（たよ）佐藤友美（みや）

「あらすじ」

伊達家の家老となる家柄、原田家に生まれた弁之助は、四、五歳（元和八年＝一六二二年）の頃から、館を抜け出しては女中たちに心配をかける手に負えない腕白者であった。

しかし、一方では、早く死にわかれた父の臨終の言葉「人にはそれぞれ自分の持って生まれた勤めがある。士農工商の上に立つ武士の勤めを忘れてはならない」という言葉を、いつまでも胸に残している多感な少年でもあった。

母津多（田中絹代）のきびしい訓育で、屈強な青年武士に成長した弁之助改め甲斐（平幹二郎）は二十三歳。館内で狩をしている時、純真な美しい娘たよ（栗原小巻）と知りあい、恋におちる。

たよは下僕与五兵衛の娘、身分違いの恋は、二人の気持だけでは成就しなかった。

政事見習いのため江戸に発った甲斐は、途中、お国替えになった会津藩の武士や民百姓の苦しみを目のあたりに見たり、さまざまな体験をして、一年後、船岡に帰ってきたが、たよは心痛のあまり狂ってしまっていた。

甲斐はたよを与五兵衛に任わせたが、そこで猟足となのる猟師風の男と六十歳ぐらいの隠者（芥川比呂志）と知り合う。そして、その隠者からヨーロッパの話を聞いた甲斐は、はじめて海外へと目を開くのだった。

万治三年（一六六〇年）七月十八日、老中酒井雅楽頭は、出頭した伊達兵部（佐藤慶）、茂庭周防、片倉小十郎、原田甲斐ら伊達一門に、彼らの主君伊達陸奥守をひっ籠させることを申し渡した。

翌日、陸奥守の側近の武士が数名暗殺された。その一人畑与右衛門の娘宇乃（吉永小百合）と弟は、原田甲斐にかくまわれる。

時に原田甲斐四十二歳。この日から、彼の孤独な長い闘いがはじまる。仙台藩をわが物にしようとして、酒井雅楽頭と組んだ伊達兵部一派の暗躍に対抗し、伊達安芸、茂庭周防らと、お家安泰のために千々に心を砕く日日が続く。

弁之助（甲斐の幼名・永久勲雄）は五歳のとき、父民部（宮口精二）と死に別れ、母津多（田中絹代）の手で育てられる

愛読者に日記帳贈る

愛読者のみなさん、あけましておめでとうございます。本会では日本4H新聞新年号のふろくとして年間購読者にワーク・ダイアリーを贈りましたのでご愛用下さい。

この日記帳は、日記のほかに、プロジェクト、気象温度、田畑と家畜名、作物と作業、労働時間、農機具や畜力などが記入できるようになっていて、利用価値の高いものです。

どうぞ、ことしもお友だちをお誘いのうえ、本紙をご購読下さいますようお願いします。

（社団法人日本4H協会）

成果あげた中央推進会議

女子研修など多彩に
"4H推進"を誓い合う

全国4Hクラブ連絡協議会（会長、黒田保君）と社団法人日本4H協会（松下幸之助会長）の共催による「第十二回全国4Hクラブ中央推進会議」は、昨年十二月八日から十二日までの五日間、農林省、全国農村青少年教育振興会などの後援をえて、白雪を頂いた秀峰富士の裾野、静岡県御殿場市中畑の国立中央青年の家で開催された。

この全国4Hクラブ中央推進会議は、4Hクラブ活動を推進させるため、プロジェクト活動を基盤とした4Hクラブの本質、組織強化、リーダーのあり方などについて学ぶとともに次期リーダーの養成と資質の向上をはかることをねらいとして開かれたもの。

会議には、全協役員をはじめ、北は北海道から、南は鹿児島にいたる各県から約百五十名が参加した。とくに今回は、日本4H協会が国際農村青年交換計画に基づいて米国へ派遣した二名の"草の根大使"や、青年の船派遣団員、また全協が行なった沖縄親善交歓訪問団員らが、全協の特別な要請によって参加し、行動をともにした。

今回の会議の特色としては、以前から女子クラブ員の間で要望の強かった女子クラブ員研修、県連会長（または代理）会議における第六回全国4Hクラブ員のつどい開催地の確認、各県連4H会館建設推進会議などがもたれたことでそれぞれの問題について意欲的な検討がなされた。

会議の内容としては、全協活動状況の説明、4H会館推進員会議、4Hクラブの本質とリーダー、組織活動について、プロジェクトのすすめ方などについての講義とその内容をもとにした分科会・全体会議、レクリエーション、女子クラブ員研修、海外派遣報告、キャンドルサービスなど、もりだくさんなプログラムであったが、意欲的な態度で取り組むクラブ員の姿が印象的であった。

とくに今回の分科会は、共通の立場から話し合おうという目的で班の編成に当っては、参加者を経営部門別、職別に分けたが、この配慮は好評をはくしていた。また、全協役員OBの参加を求めて助言を受けるなど全協執行部の積極的な姿がうかがわれた。

中央推進会議の開会式であいさつする黒田全協会長（中央正面）

岩手開催を再確認
県連会長会議　第六回全国4Hのつどい

全協は、昨年の暮、国立中央青年の家で開催した中央推進会議の期間中、県連会長会議を開き、今年度に計画している「第六回全国4Hクラブ員のつどい」を岩手県で開催することを再確認した。

会長会議は、「第六回全国4Hクラブ員のつどい」開催地の問題を中心に経過と現状について話し合われた。

これに対し、宝木岩手県連会長から開催地として引受けかねるという発言があったが、各県連会長から全協の総会で決定しているので開催を引受けてほしい旨の発言があり、全員一致で岩手県で開催することを前提に両者の間で調整を図ることを決議した。

クラブ活動12ヵ月
新しいクラブ員を中心に　(1)

栃木県・普及教育課　湯浅甲子

新会員の方向づけを
先輩は後輩に応えよう

はじめに

わたしは、クラブ活動で一番大切な時期は、学校卒業後の最初の一年間だと思う。

新規就農者のみなさんにとっては学校生活から社会生活への第一歩であると同時に、農業者としてプロジェクトの道を歩みだす時である。日一日と責任の度合いは増していくし、第二の人生、結婚問題も急速に身近かになってくる。これからの4H時代はあなたの一生を大きく左右する大切な時期であり、しかもその期間は、ホンの一つかの間といってよい、短かく、せわしない時である。

この短かい持ち時間を、どのように使うべきか、それは他の誰れも立ち入ることのできない個人の自由に帰属するものではあるが、余りにも個人差がありすぎる。それも十人十色で仕方がないのかもしれないが、少くとも4H精神のもとに集う4Hクラブのみなさんについては、ムダのない、有意義な、しかも、生涯忘れられないすばらしい思い出を印（しる）すような悔いのないひと時を過してもらいたいと思うのである。

このように考えてみると、卒業後、クラブでの最初の一年はまさに、あなたの人生にとって命運かけた第一石であるともいえよう。

また、この時期は新規就農青年をうけとめる先輩クラブ員の活動も、重大な意味をもってくるのである。いかに新規就農者が、懸命な努力を続けても、まわりの先輩が、それに応えてくれなくては、彼らの努力は徒労に終り、彼らの落胆は先輩への不信へと広がり、ひいては、自分自身の足元を崩す危険に陥入らしめてしまうのである。朱にまじわれば赤くなるの例のように、新規就農者の方向づけは、先輩クラブ員の行動一つにかかっているといえるのである。

わたしは、日頃、よく考えることだが、人が人を導くのに、先輩、後輩のつながりほど、効果的であり、自然であり、完全なものはないだろうと思うのである。それが他産業では企業内教育といった型でとりあげられているし、技術職業の部門では、洗濯屋さんの家に年期を入れて洗濯屋さんができ、床やさんの家で長年実習して床やさんが生まれていくのである。医師は、インターン制によってきびしい試練をうけて、初めて医師としての独立が可能になるものである。

これらは、一見、商売がたきを、自ら育てることになるのだが、職業に対する誇りが、敢えてその矛盾をのりこえて先輩が後輩に指導の手をさしのべているわけである。

こういうキズナの強い職業ほど、激しい競争の中でも、お互いに発展していくためのスクラムは増々強固になっていく傾向がみられるのである。ひるがえって農業の中をのぞいてみれば、最近、先進農家留学制度など、かなりその方面が充実してきたとはいえ、多くの農業青年が、確信をもって農業に対決できるための職業の伝承が、どの程度までシッカリ行なわれているだろうか。その点で先輩は、どのような場で、どのように先輩の責任を果たしているだろうか。

わたしは、こういう時こそ、クラブの果たす役割は大きいと思うのである。クラブは、組織の力で社会の先輩から、いろいろな指導を受けとめることができるし、またひと足先を歩く先輩が同じ組織の中で後輩と共に手をとりあって、難関に対処するとき、肉親の情以上の同志の契が固く結ばれて、先輩、後輩ともども、価値ある青年期を過ごすことができると思うのである。

思えば、4Hクラブという器の中で、クラブを、青年の利器に使うも、鈍器にしてしまうもかかって、先輩がクラブの中にいかなる結びつきをもつかにあるのである。しかも、その結びつきの最初の出あいが、新規就農者にとっては、最初の一年であり、先輩にとっては、毎年くり返えす新入クラブ員に対する対応活動である。

今度、みなさんと共に考えてみようとする「クラブ活動十二ヵ月」は、この大事な一年間の新規就農者のクラブ活動のあり方を中心に、それをうけとめる先輩クラブ員の活動を加えて、単位クラブという土俵で、月ごとに整理をしてみようとする試みである。

従って、以前に連載した「クラブリーダーのために」の月別版的な性格もあるから、内容的には、可成り重複があるだろうと思うが、できるだけ現地のクラブ活動に即時役に立つように考えながら筆を進めていくことにしよう。

いよいよ、新しい卒業者を迎える時期になってきた。次回からは、卒業を待つ青年たちと、4Hクラブとの関係から話を始めることにする。

「クラブリーダーのために」に倍して、全国のクラブ員のご鞭撻を切望いたします。

著者の紹介　湯浅甲子は、栃木県農務部普及教育課の特別専門技術員（青少年担当）です。一昨年は、ブラジル・サンパウロで、約六ヵ月間、日本政府派遣農村青少年指導専門家として同地の農村青少年の育成に当たられました。その体験を本紙に「ブラジル八十八村巡行」と題して、昨年四月から十二月まで執筆連載していただきました。また、四年前から約二年間にわたって、本紙に「4Hクラブリーダーのために」と題して、現場指導の体験をもとにクラブ活動のあり方を執筆していただき、全国のクラブ員と関係者から大きな反響を呼びましたが、これは4H協会から一冊の本として出版されています。全国4Hクラブ連絡協議会などが毎年、静岡県御殿場の国立中央青年の家で開催している「全国4Hクラブ中央推進会議」の講師でもあり、また、全協が開いている専門委員会の委員の一人として活躍していただいております。

涼風暖風

見合い

昨年の八月、私がアメリカに行った時のことである。ナイアガラ滝にほど近いナイヤガラ・フォールスという町に滞在した。

その町では、建築技術者の家庭に宿泊させてもらった。五人家族の明るい雰囲気の家庭である。大学生と高校生の息子が二人いるが、快活な好青年である。学習のあいまに近所の家の芝生刈りのアルバイトにも精を出す。

あれは、たしかに日曜日の夜だったと思うが、夕食もそこそこに、二人の息子がそれぞれデートに出かける準備をはじめた。ワイシャツのカフスボタンを選んだり、オーデコロンをすり込んだり、なかなか忙しい。そのうちに母親が割り込んできて、そのネクタイはにあわないとか、髪が乱れているとか、いちいち点検する。

一方、父親は父親で、新しい方の乗用車（これは父親専用だ）を使えと、息子にすすめる。もっとも、息子の車はかなりポンコツだ。デートのある息子よりもデートのない親のほうが真剣なのには驚いた。

見合いの習慣がないアメリカでは、結婚相手は自分で見つけなければならないから、異性と会う約束、つまりデートは良き相手を互いに探し出す意味で大切な機会であるにちがいない。デートする相手もいないとしたら、親はわが子の不運を嘆くか、激励してなんとかデートに進ませるか、二つのうち一つを選ばざるを得ないであろう。

その点、日本の「見合い」という習慣は考えてみると極めて合理的でさえある。仲人つまり公正な第三者の立場において、青年のあるいは娘さんのことを考え、数多い中から最適な人を選び出し、これなら良い家庭が生まれると判断して、相互に写真を交換させ見合いをさせるというわけである。むろん、どちらかが気に入らなければ、仲人は再び組み合わせをやりなおすことになる。

アメリカでは「見合い」に近代合理性を見出して研究をすすめている教授がいるというが、「最適な組み合わせ」と第三者の「客観的判断」とに、科学的管理法の原型でも再認識したのであろうか。二人の息子がデートに出かけたあと、夫妻に日本の見合いのことを話したら、それは全くうらやましいことだと何度もうなずいた。

私は、結婚祝賀会の案内状をいただくたびに、デートを励ますアメリカの親を考えずにはいられない。（北海道　三輪）

心頭技健

おやじさんも息子さんも"断絶、断絶"というから、息子さんの悪口を云ったら怒るんですよとある食堂のおかみさんが嘆いている。あたりまえのことを嘆いたように云っているのだから、こちらも驚きである▼昨年は、断絶ということばが好まれて使われたが"対話"と同じく、ことばを選ばずにやたらと用いると、こっけいでもあり、危険でもある。いま言われている"七十年代"も、六十年代との断絶ではなく、六十年代からの連続であり、八十年代、二十一世紀へと続くものである。また、今日、われわれがあるのも、先祖代々の努力のうえに育ち、いまの世代は未来を築くものだ▼また立派な大人を育てるためには、幼児、青少年からの教育、育成が大きな要素となり、大きな実績も小さな実績の積み重ねであることは常識である。しかし、ややもすると見先きだけの時点、現象にだけ目を奪われて、その過程の貴さを見失ってしまうことが多い。社会をよくしようと思えば、青少年の育成、教育が大事であり4Hクラブ員にとって、将来、経営実績を上げようとすれば、今日の一つ一つの活動、プロジェクト活動がいかに大切であるか、また、農業全体を向上させ農村を発展させるためには、有能な農業人を育てることがいかに重要であるか、いまさらいうまでもない▼日常生活において断絶と断絶の間に、それをつなぐものがなかったならば、とんでもない方向に進む危険をはらんでいる。今日、人間と人間の間に信頼感を欠き、潤いがなくなってきていることは、日本の将来にとっても不幸なことである。いま、安保問題も大切であるが、この信頼感、潤いをわれわれの手に取り戻す方が、より大事だといわれる。これは社会連帯感にも連がるが、思想的にではなく、自分たちの幸福のためにそれが必要だと思う▼4Hクラブがわが国に芽生えてから二十二年目になり、全国4Hクラブ連絡協議会も発足十五周年を迎えるが、日常のプロジェクト活動を大切にするとともに、連帯意識を強めて、七十年代の農業、社会のために、若い力を大いに発揮させていこうではありませんか。

あしたの青春　<14>

一ノ瀬綾
え　多賀愛子

揺れて（二）

「小さいアパートだが、その一室はおれ達のものになる。親父とおふくろが管理人としていっしょに暮すが、年だからそのうちに片がつく。それ迄の辛抱だからいい条件だと思うがなあ」

栄吉は、目を細めて笑った。先々迄の計算をすませた商人のように、小ずるくて鋭い目の色であった。

「わたしのこと、家の人達に話したの」

「返事を聞いてからにするつもりだったさ」

たばこを咥えて栄吉は身体を反らせた。自信に満ちたその顔を見つめて、すみ江は気持を落ちつけようと、テーブルにのせた両手をじっと握りしめた。胸が苦しくなっていた。

「しばらく考えさせてくれない」

すみ江はゆっくり顔をあげた。栄吉の表情に見る間に不満の色が広がっていく。一も二もなく承諾するものと思いこんでいた男の、失望と不機嫌がむき出しになっていた。

「今更、なにを考えるんだい。二人が愛し合っていて、受入れ態勢ができたというのに……なにが不満なんだい」

「不満なんかじゃないの。今、わたしは少し心配ごとがあるのよ」

そう答えてからすみ江は、自分が今素直に喜べないのは本当に胸中にこだわりがある為だろうと思ってみた。

「今、家は少し大変なの。弟がキャベツ作りに失敗して参っているし、父も母も、そんな弟をどうしていいかわからず困っている……わたしのことなんか持ち出せないわ」

「なに言ってんだい。かえって親は安心する筈だ。式なんかいつだっていい。今　あんたがイエスか、ノーか、それだけだよ」

じれったそうに栄吉は膝をゆすった。理屈はそうであったが、すみ江にとっては、ここ数日言葉を交していない新一の暗く沈んだ表情が気がかりでならないのだ。もう少し早い時期に結婚の話があったなら、自分はためらわずに栄吉の胸にとびこんでいけただろうと思っていた。

「ごめんなさい。でもわたしは、なんの気がかりもない明るい気持の時に、ありがとうって、お受けしたいのよ」

「おれに申し込ませておいて、ひどい人だなあ。今返事をしたって、家の人達に黙っていたらいいじゃないか」

栄吉は苦笑しながら強気にねばっている。申しこんだ手前、引っこみがつかないとでも思っている様子であった。

「自分の気がすまないの。お盆でも終ったらわたしの方から御返事するわ。それ迄、栄吉さんもよく考えて欲しいの」

「手数のかかる人だ」

栄吉はようやくすみ江の真意がのみこめたらしく、うなずいたが、すぐ思い直した口調で、アパート経営の面白さや、むずかしさについて説明を始めた。

「長期間居すわられないようにするのがコツさ。いろいろ条件をつけて、回転をよくしなければ儲からないんだよ」

相手をしながら、すみ江は、どうして栄吉は自分の心配している問題にふれてはくれないだろうと考えていた。家族のこと。キャベツの話、これからの農業の問題と話したいことが幾らもあるのに、ふれてこようとはしない。もともと栄吉は商人気質の持ち主であった。今の職場の中で、それは大事な男の能力であり、すみ江もそんな栄吉に大いに引かれてきた筈であった。

「なんだか、気のない返事だなあ」

「土地が高く売れたってこと考えたの。山の百姓ではどうしようもないわね」

答えをそらしながら、すみ江は、自分の心の中に小さなひび割れが走っていくのを感じていた。

日本4H新聞
4Hクラブ 農事研究会 生活改善クラブ 全国弘報紙
発行所 社団法人 日本4H協会
東京都市ケ谷家の光会館内
電話(269)1675郵便番号162
編集発行人 玉井 光
月3回・4の日発行
定価 1部 20円
一ヵ年700円（送料共）
振替口座東京 12055番

クラブ綱領

私達は、実践を通じて自らを磨くとともに、互いに力を合わせて、よりよい農村、よりよい日本を創るため、四つの信条をかかげます。一、私達は農業の改良と生活の改善に役立つ腕をみがきます。一、私達は科学的に物を考えることのできる頭の訓練をします。一、私達は誠実で友情に富む心をつちかいます。一、私達は楽しく暮し元気で働くための健康を増進します。

盛況しめす女子活動

全国各地で研修会
女性の地位向上めざして

豊かで、明るく健康的な農家生活を営むには、家庭内の仕事を受けもつ主婦の手腕に負うところが大きい。4Hクラブにおいても、女子は将来優れた一家の主婦となるための活動をつづけているが、これまでいろいろ批判もあった。ところが最近、女子クラブ員の意識の高まりとともに、女子活動を活発にするため、女子クラブ員の要望を取り入れた研修会やつどいが催されるようになり、大きな成果を収めるようになってきた。以下は、全国4Hクラブ連絡協議会（会長、黒田保君）、富山、福島、千葉の各県連がさいきん行なった女子研修会をまとめたものである。

熱心な眼差しで研修を受ける女子クラブ員たち
（御殿場市の国立中央青年の家における全国4Hクラブ中央推進会議で）

深刻な結婚問題
全国4Hクラブ中央推進会議

全国4Hクラブ中央推進会議において、女子クラブ員の会議で「女子クラブ活動をどう進めればよいか」のテーマで第三日目の午前中開かれ、助言者として新田事務局長、黒田会長、久野事務局長が出席した。

研修は久野事務局長の進行によってはじまり、自己紹介、つづいて問題提起のため各参加者から現状報告があり、五つの問題点をあげ、その解決策について話し合った。

この女子研修は、初の試みであったが熱心な話し合いがくりひろげられ好評であった。問題点と解決策についてはつぎの通り。

女子クラブ員研修のあり方 この研修は、すでに各地で開催しているところもあり、愛知県連で実施した女子教養講座の実例が紹介されたが①生活に密着した内容（料理・室内装飾・家族計画・農家簿記）などを取り入れる②一般教養は県連主催で、単位クラブでは専門的な内容をもりこむーなど各地の事例について説明があった。

女子クラブ員加入対策 各地の大きな問題として女子クラブ員の加入者が少ないという悩みが強く関心の強い問題であるだけに対策について活発な発言があった。とくに女性は年令と結婚などの関係から加入して二～三年目でクラブを退会する傾向が強いだけに、クラブ活動に対する認識が薄いということもあるようだ。

このため①生活部会を設け、勤めている人も加入して共通点を話し合う場にしている②親や地域からの理解を得るため、婦人会などと話合いをもつ③活動内容を家族の人に知らせる④地域社会に対して奉仕的事業を行なう⑤男子クラブ員や婚約者の理解が必要⑥活動内容の検討⑦役員任務の分担ーなどがあげられたが、結婚してからも4H精神を生かしていきたいと目を輝かせていた。

出席率について 一般的に出席率はよくなく、このため三回以上欠席の場合は脱会するという規約まで定めているクラブもあるようだ。この原因は男子の場合と異なり、人間関係にあり、同性同士の問題がひそんでいるようだ。また、結婚によってクラブ活動と断絶してしまうなど女性特有の問題がある。このため、役員をやめた後の後輩の指導の重要性などが指摘された。

活動資金について 一般的に資金の少ないと口ではいっていてもそれぞれの収入の方法を求め、やりくりをしている。原則として年間千円くらいの会費、補助金をあてているようだが①共同ほ場からの収入②育苗代金③クラブ員宅の仕事の手伝い賃金ーなどがあるが自己負担をするという気運がもり上がっているようだ。

結婚問題 この話合いに最も関心が寄せられたが主に長女という立場から結婚話を中心に展開された。とくに跡取りという立場から深刻な問題で、クラブ活動に参加しても長男ばかりでつまらないという意見もあるほどで、将来農業をつづけたくても、結婚する相手次第で経営内容も変えなくてはならないというように、クラブ員の中に次男、三男がいないということに大きな悩みを抱えているようだ。

これに対し、いまは農家の生れでない青年の中に将来農業を経営したいという人も多い、あまり心配しなくてもよいのではないか、という助言があった。

これら全般的な話合いから①自分たちで積極的に活動を展開していけば後輩は後をついてくる②集合時間に遅れがち、気をつけたい③クラブ活動を通して人間として立派に成長したい④お互い同士心と心のふれ合いを大切にしたい、など各自の反省があり、意義深い女子クラブ員研修であった。

女子の立場を検討
富山県で女子のつどい開く

【富山県＝老川早苗連絡報道員発】富山県4Hクラブ連絡協議会（会長、横井弘三君）は、さきごろ一泊二日の日程で女子クラブ員のつどいを開催した。

これは、昨年の女子放談会が非常に好評だったのにつづいて、県下の女子クラブ員の知識の向上と親睦を図り、よりよい農村女性の地位を獲得するため行なったもので、開催にあたって、県連女子部では、あらかじめ地区連女子部長会議を開き"自らの手で実践を"の合言葉に綿密な計画を練った。

当日、会場の銀嶺荘には、県内の女子クラブ員約六十名が参加。話し合い、講演、レクリエーション、映写会、討論会、美容講習、沖縄交歓訪問の参加報告など、盛りだくさんの内容が二日間にわたって、女子の会合にふさわしく終始なごやかに行なわれた。

はじめに、話し合いでは「女子クラブ員の必要性」「農村男性に訴える」「女子クラブ員と結婚問題」をテーマに、班別に話し合った。

まず「女子クラブ員の必要性」では、最近、クラブ員の減少がみられるなかにあって、女子の立場はどうあるべきか、また、女子クラブ員の新規加入のためのPRはどのようにして行なうかーなどについて真剣に討議された。

つぎに、「農村男性に訴える」では、「女性を甘くみすぎる」「農業だけではなく、もっと広い分野にも目を向けてほしい」「もっと、積極的にリードしてほしい」「経営面で話し合わない」など、手きびしい意見がでたが、そこはやはり女性、将来、家事労働を理解してもらうために女子の料理などの実習にも積極的に参加し、相互の協調性を養いたいと意気盛かん。

また「女子クラブ員と結婚問題」では、まず、希望として①自分の仕事に意欲的に取り組んでいる人②やさしくて頼りがいのある男らしい人③年間労働の一定している家④二人で農業がやれる家ーなどで、また、後継ぎである場合の問題として①長男との恋愛は不可能（クラブ員同志）②条件範囲がせまい③農村の封建性がまだ残っているーなどが指摘された。

現在、総合農政についてうるさく言われているが、話し合いもこの問題にふれ、余っているといわれる米の食べ方の工夫、加工法に重点をおき、PRする必要があるーなどの活発な意見が出された。

話し合いのあと、料理学校の横関校長の講演で、ヨーロッパと日本の生活の違い、合理的な食生活、料理の秘訣、接待の仕方などについての話を聞いた。

夕食後のレクリエーションは、これまでになかった立食いパーティ形式で、一人ひとりがレクリエーション指導者になったつもりで楽しくゲームやフォークダンス、自作品の交換などを行ない、音楽で盛り上がった雰囲気に時間のたつのも忘れて楽しく過した。

翌日は、映写会から始まり「赤ちゃんと血液型」「ことばと態度」「婚前教育のすすめ」を鑑賞し、女性としての知識を深めた。

このほか、美容講習、さきごろ会協主催で行なわれた沖縄交歓訪問に参加した中川愉子さんの参加報告を聞き、つどいの幕を閉じた。

また、県連女子部では、開催中に参加者からアンケートをとり、女子の活動を盛んにする今後の参考資料として活用したいと意気込んでいる。

日・中両国の親善に寄与
河津君ら（草の根大使）帰国
福岡では訪中使節団を派遣

河津健君

菅原敏さん

社団法人日本4H協会（松下幸之助会長）が、国際農村青年交換（IFYE）計画に基づいて、中華民国（台湾）へ派遣していた昭和四十四年度日本代表の4Hクラブ員、河津健君（二三）＝大分県・大山青年農業研究会と菅原敏さん（二三）＝岩手県・水沢市農業青年クラブ＝の二人は、二ヵ月間にわたる同地での実習を終え、多大の成果を収めて、先月二十七日帰国した。また、福岡県農村青少年クラブ連絡協議会（会長、荒渡宏君）は、この草の根大使とは別に「訪中4Hクラブ使節団」を独自に編成、来る二十四日、福岡から五泊六日の日程で台湾クラブを訪問する。なお、来る十九日知事を迎えて結団式を行なう。

この国際農村青年交換計画に基づく4Hクラブ員の交換は、日本4H協会が中国の四健会協会との間で毎年実施しているもので、中国からはさる七月、李政徳君（二二）と洪玉女さん（二一）の二人が来日、岡山や高知の受入れ農家で二ヵ月間、日本の農業や農家生活、4Hクラブ活動を学んで、さる十月すでに帰国した。

今回帰国した河津君と菅原さんも、さる十月二十九日台湾を訪れてから、現地の農家にその家の子弟として受入れられ、農業に従事するとともに、4Hクラブの会合に出席して日本の実情を紹介するなど、民間外交官としても大いに両国の親善につくした。

菅原さんの話 私の見てきた台湾の4Hクラブは、プロジェクトに取り組み、毎月作業会議を開いて熱心な活動をしていました。日本のクラブ活動に比べて、そう変っていませんが、考えさせられたことは、どの会合でも、必ず出席をとり、4Hクラブの信条を読み合い、けじめをつけていることです。それに、若人はみんな4Hクラブ員でした。

来る24日出発（福岡）

【福岡県＝梶原秀彦連絡報道員発】福岡県連は、来る二十四日、県下の4Hクラブ員五十名で編成した「訪中4Hクラブ使節団」を中華民国（台湾）に派遣することにし、さる五日、打合せ会を開き渡航の準備をすすめている。

これは同県連が、日中の草の根大使交換の第十回の代表を自費で派遣させるなど、これまでも両国の親善に協力してきたが、草の根大使は双方男女各一名の交換で希望者が多くても代表に選ばれて訪問する機会が少ないので、新しい企画のもとに訪中使節団を派遣することにしたもの。

同県連で、スケジュールをたて、広く県下のクラブ員に呼びかけたところ、定員の五十名に達したので、さる五日、第一回の打合せ会を開き、日中の国際親善を深めるという主旨を全員に認識させ使節団員としての心の準備とともに、旅券申請、予防接種などを行なった。

訪問の日程は次の通り。

一月二十四日（土）福岡国際空港出発。

同二十五（日）～二十八日（水）中国四健会協会の計画によって4Hクラブの交歓訪問などの行事に参加。

同二十九日（木）中国訪問を終り、Aコース班は帰国、Bコース班は台北から香港に飛び、香港島やマカオを観光

同三十一日（土）Bコース班帰国

大きな成果をあげる
福島の女子リーダー研修

農家生活と農業経営についてシンポジュームを行なう福島の女子クラブ員たち

【福島県＝阿部邦芳連絡報道員発】福島県農村青少年クラブ連絡協議会（会長、佐藤公伯君）では、このほど県農業試験場で女子リーダー研修会を開催した。

この研修会は、豊かな農家生活を築くために、女性の果す役割が期待されているおりから、クラブ活動のなかで女子クラブ員が将来の農村主婦としての優れた能力と人間性を培うため開かれたもの。

この研修会には、五十余名の女子クラブ員が参加、一日目は開会式、オリエンテーションにつづいて"農村生活に果す女性の役割"と題した農業試験場・児玉場長の講義があり、このあと加藤和信・広子さん、小沼弘・智子さん両ご夫妻のOBクラブ員を招いて"私の農業経営と家庭生活"と題したシンポジュームが行なわれ農業経営の内容、婿・嫁の立場、農家生活についての発表があった。

これに基づいて参加者から①経営者のよき協力者になるにはどうこころがければよいか②嫁と姑の問題③農作業と家事の関連④小遣い銭⑤農家に嫁いでの心境についてーなど現実に直面した問題について熱の入った討議が交わされた。

また、見合い結婚ですか、恋愛結婚ですか、将来の家庭生活の設計はーなどのイジワルな質問に、夫婦でノロケを語り合うなど仲のよいところを当つけられ、参加者側から興奮する者が出るなどの一場面があった。夜はキャンドルサービスが行なわれ、4Hクラブの意識の高揚を図った。

二日目は、日本4H協会から草の根大使として米国に派遣された大竹忠雄君から「米国の農家生活」についての報告があり、つづいて前日の講義とシンポジュームの内容を基にして、農村における女性の立場、女子クラブ員の活動のあり方について分科会と全体討議が行なわれた。

最後に、参加者のなかから男子クラブ員の前で話せない内容も、この研修会で堂々と話すこともでき、多くの友だちができたので、こん後とも続けてもらいたいなどの意見があり、初めての女子研修会は、大きな成果のもとに幕をとじた。

京風暖風
創造

変革の年といわれる七〇年代のはじめに、今年は創造の年でもあらしめるべく、この題目をとり上げた。

昨年の末に、女子クラブリーダー研修会が行なわれた。女子クラブ員の活動は如何にあるべきか、ということについては、かねてから問題になりつつも、ハッキリしたものもなくて、いつもの生活技能や生活の調査や、あるいは男子にぶらさがったような活動しかしてこなかった。

たまたま、この研修会を実施するにあたり、この際、われわれで、それを創り出そうじゃないかということになった。

農村生活の夢（目標）にはどんなことがあるだろうか。女子プロジェクトのすすめ方として農村生活の夢を実現するには、どうすればいいか。どうあればいいか。クラブ活動のすすめ方はどうあればいいか。この三つを柱にして、分科会討議、全体討議がくりかえされ、次のようなことが考え出され、創り出された。

農村生活の夢では、①自分で作り出す生産（それは農業生産だけではない）のよろこびを持つこと。責任をもった、やりがいのある自分の仕事がほしい②労働と休養の適切な配分をもつこと。快適な労働というのは能率も上がるし健康も保てる③夫婦共働きであること。共通の話題が豊富にもてる。ただし、家庭（農家）における女性（主婦）の役割を、女性の特性にもとづいて明確にしたい④家族そろっての楽しみをもつこと⑤先立って物事をすすめる人になること（リーダーシップ）⑥新しい部落環境づくり。民主的な人間関係を部落のなかにつくりだすこと⑦生活の智恵をできるだけ多く知り、またそれを創り出すことー以上のようなことが上げられた。

プロジェクト活動のすすめ方では、それぞれ自分たちの活動事例が報告され、それらはみな農村生活の夢につながることを確認した。ただ、調査が多くて、それが次の問題解決につながらないことを反省しあった。

クラブ活動のすすめ方では、定例会がまず基本であること、その時の話題が非常に大切で、あらかじめ考えておき、集まったら、みんなで一緒に考えること、年令差ということを克服しなければならないこと、クラブ活動と地域社会とのつながりをもつと考えねばならないことーなどが体験事例から出された。

重複があったり、幼稚なあたりまえのことが出されたりしたが、一生懸命に考え、レクリエーションしたので、夜のレクリエーションは、本当に楽しく、印象深いものだった。

（いばらぎ・はが）

クラブ活動を活発化
千葉県連で合同研修会
男子は視察、女子は講習

【千葉県＝成田正雄連絡報道員発】千葉県農村青少年クラブ連合会（会長、白井新治君）は、このほど県青少年会館で先進地農業視察研修会と女子クラブ員研修会を開いた。

この研修会は、毎年行なわれている男子の視察研修と女子研修を昨年から組み合わせて行ない、クラブ活動を活発にし、クラブ員相互の交流を図かるとともに、女子クラブ員に対しては、その活動に必要な知識を習得させ、男子クラブ員には県内の先進農業の実態を見せて新しい農業経営の指針とする目的で行なったもの。

第一日目は、開会式のあと、県農業改良課の中村氏が「農村における家庭医学」というテーマで、体の清潔、歯、胃かいようの予防などについて講義をした。夜はグループ別の話し合いが遅くまで行なわれた。

第二日目は、朝のつどい、朝食のあと、この研修会の特徴である男女別研修が行なわれた。

男子は、成田市にある農家組合法人・北総酪農組合と成田パパイヤ・ガーデンを視察した。

北総酪農組合は、十戸の農家が協業でやっているもので、水田二〇余㌶、乳牛の成牛約一〇〇頭、同じく育成牛三〇余頭の規模で、第一次農業構造改善のモデル地区として行なわれたという。

パパイヤ・ガーデンは、成田市内に出る天然ガスを利用して北総の寒地で、みごとに熱帯植物であるパパイヤを栽培していた。

クラブ員たちは、これらを視察したあと、同地の普及所を訪ね、成田市の近郊農業の実態について話し合いをした。

一方、女子は会館に残り、午前中は「現代女性の生き方」の講義を聞き、午後は「新しい手芸」というテーマで、リボンフラワーなどの作り方を教わった。

夜は、レクリエーションで、歌やゲーム、フォークダンスなどを行ない、なごやかなうちに親睦を深めた。

第三日目は新都市計画法、農振法について県の農業改良課長が、県農業の現状と動向、日本農業に占める千葉県農業の位置について農林部長がそれぞれ講義を行なった。

午後から閉会式を行ない、参加したクラブ員たちは今後の農業と農村の発展のため、以上に難問を解決していくことを誓いながらそれぞれの家路についた。

三重県松坂地区連
好評うけた展示即売会

【三重】三重県松坂地区農村青少年クラブ連絡協議会は、さきごろ松阪市公会堂で、農産物展示即売会を開いた。

この展示会には、九十名の参加者から約百五十点の多種多様の農産物が出品され、好評をうけた。

会場は、第一、第二、第三と三つに分かれ、第一会場では農産物の展示と女子部の手芸品の展示即売が行なわれ、クラブ員の丹精こめた出品物でみごとな出来ばえであった。

第二会場では、開会式が行なわれたあと、山と積まれた野菜、果実、茶、しいたけなど、新鮮さと安価さが受けて、生産者から消費者へまたたく間に直行、売切れの盛況であった。

第三会場では、午前九時から正午まで、消費者と生産者との対談会が行なわれ、有益な話し合いがなされた。

心頭技健

流動した一九六〇年代から激動が予想される一九七〇年代への移行は、何かとてつもない新しい時代を迎えるという予感を抱かせる。はたして、どのように変化していくのか皆目推測もつきかねるが、ただひとついえることは、人間自身の考え方や行動が変っていくことである▼当然予想されるケースとして、人間生活と科学との結びつきがいっそう強くなり、職業、日常生活を問わず科学万能の生活は、現在より一段と深まるであろう。ここで過ぎた十年間をふり返ってみることも、これから先の十年間がどのように展開されていくかを解くひとつのカギにもなるかもしれない▼この十年間に日本を襲った大きな現象として、高度経済成長とそれに伴う都市公害や交通、教育問題などを頂点とした社会問題の現われであろう。また、親と子をはじめとする人間同士の断絶、人間疎外の風潮の現われである。これらの社会の歪みを是正しないまま迎えた七〇年代だけに多くの問題を含んでいる▼よくも悪くも、これらの風潮に馴染んでしまうのが日本人の特徴であるが、人間を疎んじた社会の是正こそ、急いで解決しなければならない問題である。人間の生活で何が幸で、何が不幸であるか。また、何が善で、何が悪か、これらについてあまりにも軽んじていたように思えてならない▼これらの人間生活にとって、最低条件である諸問題が未解決のまま、いくら新しい時代を迎えたといっても、それは人間にとって不幸この上もないことである。最近になってやっと、人間らしい生活とは何か、という問いが高まってきたが、これは人間として当然なことで社会や経済の開発以上に叫ばれなければならない問題である▼これは、ややもすると国や自治体が政治の上で解決すべきだという人も多いが、もちろん当然すぎる考えで、それ以上に国民一人ひとりが真剣に考えて取り組まなければならない重大なことである▼人間の平和な生活は人と自然を愛することにはじまる。その意味でまだ田園の生活には、人を人と思う心の温かさが残っている。現在、都市と農村の一本化が進む中で、この人間性だけは大きく育てて、一都市へ逆流させていきたいものである。

4Hのマークと共に
クラブ活動用品の案内

（単価）

品名	単価
4Hバッチ	50円
レコード盤（4Hクラブの歌・4H音頭）	150円
クラブ旗 大（72cm×97cm）	350円
クラブ旗 小（33cm×40cm）	200円
手拭	100円
ハンカチ	50円
ネクタイピン	200円
女子用ブローチ	200円
クラブ員専用便箋	100円
〃 封筒	70円

◎荷造り送料代百円です。
◎ご注文は代金を振替口座へお払込みを願います。代金着次第ご送品致します。

社団法人 日4H協会代理部
東京都千代田区外神田6丁目15～11の705号
振替口座 東京 72082番

70年代へ意欲
福島で"4Hのつどい" 4H協会会長賞も

【福島県＝阿部邦芳連絡報道員発】福島県農村青少年クラブ連絡協議会(会長、佐藤公伯君)は、さきごろ喜多方市厚生会館と会津坂下町体育館を会場として「福島県農村青少年4Hのつどい」を開いた。

一日目は、喜多方市厚生会館に市長や関係機関の部課長を迎えて開会式が行なわれた。この中で、佐藤県連会長は「現在の農政は助長しており、農業を営む私たちにとって不安である。そのため、フルイから振り落されて離農する者とさらに規模を拡大する者に分れようとしている今日、振い落されないために、このつどいの趣旨を理解され、意義のある4Hのつどいにしてほしい」と呼びかけた。

式のあと、クラブ活動の中心であるプロジェクトの実績発表が行なわれ、丹治秀雄君(あだたら4Hクラブ)佐浦春男君(西袋4Hクラブ)宮城洋子さん(北会津農協クラブ)の三名が、晴れの日本4H協会長賞を獲得した。

夜は、クラブ員の家に分宿し、家族を交えて遅くまで話し合いをした。

二日目は、会場を会津坂下町体育館に移して、まず「農村のくらしに放送を生かそう」と題して新潟県立荒井高校々長、藤井正弘氏の講演、つづいて、昭和四十四年度国際農村青年交換(IFYE)の日本代表として渡米した大竹忠幸君(喜多方市自営者クラブ)の帰国報告会が行なわれ、大竹君はスライドを使いながら、六ヵ月間にわたる滞米の体験と成果を発表した。

午後は、民泊によるクラブ交歓会で、その方法は受入れクラブに一任された。

三日目は、ふたたび会場を喜多方市厚生会館に移し、「私の農業経営と今後の方向」と題して、シンポジュームを行なった。

このシンポジュームには、田部正義、順子(喜多方市)一条洋市、麗子(湯川村)の二組のOB夫婦が招かれ、司会者をしりぞけるほど熱の入った質疑応答がなされ、明日(七〇年代)の農業は私たちの手で担うのだという意欲がうかがわれた。

また「お二人のなれそめは?」「将来の家庭生活は?」などのイジワル質問がでると、おのろけや仲の良いところを見せられ、会場に大きな笑い声が起きるなど、ユーモアの中にも有意義なデスカッションが行なわれた。

さいごに、若桑県連監事の音頭で万歳三唱、短かい期間ではあったが数々の思い出を胸におさめ、さらにクラブ活動に力を入れようと誓い合いながら各地区へと別れていった。

沖縄のクラブ員と語る (中)
まず話し、聞く勉強
地域ぐるみで4H活動を

全国4Hクラブ連絡協議会(会長、黒田保君)は、昨年十一月、沖縄へ親善交歓訪問しましたが、これは、そのとき、全沖縄農村青少年技術交換大会に参加したクラブ員たちと行なった沖縄・本土のクラブ員と関係者による交歓討議会のもようです。

全沖縄農村青少年技術交換大会に出席した4Hクラブ員のサインで染めた4Hの旗

司会 全協として、沖縄4Hクラブに対してどのようなことをなせばいいかという面があります。これについて一つ要望事項がありましたら、みなさんの中から出して下さい。

沖縄・B 本土の方に質問したいのですけど……、われわれクラブを結成してまだ日も浅く、[illegible]なので、こん後単位クラブを発展させようと、こう考えているのですが、本土の単位クラブのクラブ員数や年令層などについてお聞きしたいと思います。

城戸(福岡) 私たちの筑後市4Hクラブのクラブ員数は六十三名です。そして年令は平均二十一歳くらいですね。男女の比率は男子が四十五名、女子が十五名になっています。

会費として年に三千円をとっています。その中には、4H新聞の全員購読の形として入っています。そして、資金源の方は、農協、市、また農協あたりから経営コンサルタントとして農協の仕事を4Hクラブで受け持っていますので、農協側から手数料が入りますが、それらを資金面にまわしています。私たちは農協の青年部にも入っています。

主な活動内容は、全体行事と部門活動に分かれています。部門別活動は、部門の部長さんの権限があって、その部門内での活動、全体の行事は、全体執行部の三役で進めています。

まあ四月の総会をはじめとして、五月の交歓会、田植えが終ってから七月に球技大会、八月に仲間づくりでキャンプ、九月に親子座談会を行ない、十月に市民体育祭などに参加しています。そして十二月はプロジェクト発表を全員一研究という形で行なっています。二月に阿蘇青年の家で一年間の反省と新年度の計画をねるような計画を立てています。

沖縄・大城会長 福岡の方ですか、六十三名の会員が実際にいるということですけれど、役所とか、また普及員さんですか、それと農協などというところの連けいですね、結局、そういう肝心のところがうまい具合に働いているからこそ、農業の構成者も、自分の地畑で留っていると思うわけです。ですから、この引っぱる方法、会員を集めるよいアイデアがありましたらお聞かせ願いたいと思います。

といいますのも、農村の若い人たちがなかなか大会などに参加しないからです。先日も、この大会があるということで、ある人に話したわけです。普及員さんの力も借りまして一応私たちで説得したわけですが、いざとなると、こんな大勢の中で、こわくて恥かしいと、だからもう何んとか次の機会に行きますということで、残念ながら今日参加してないわけです。

平野(新潟) 町ぐるみのクラブといいますか、町全体に五十名近くいますけれども、対象はまあ高校卒業以上ということで、要するに十八歳以上ですね、そういうことでやっています。

まず最初は、技術の習得というよりも、いろいろな人とつき合ってみて、自分の考えを聞いてもらい、また、相手の考えも聞いて、それでまず団体生活といいますか、そういうことを身につけ、また話しの仕方、聞き方が、これから何十年か一生を通じまして、それが第一根本になるのではないかと思うのです。だからそういうことで、いろいろの目的もありますけれども、土台になるものを最初に確立しておいた方がよいのではないかと思います。(つづく)

クラブ活動12ヵ月
新しいクラブ員を中心に (2)

栃木県・普及教育課　湯浅甲子

「指導作戦計画」の月
新卒者のリストアップなど　クラブ員も行動開始を

一月に入ると、普及所はにわかに忙しくなる。それは、年が明けたからということよりも、年度末の四半期なので、仕事のケジメをつけなければならないからだ。仕事のケジメといっても、「まとめ」ということばかりではない。次の問題にとりくむ姿勢をつくることの方がむしろ大変である。とくに今年は、総合農政を基幹として農業上の重大判断を迫られる年なので、普及所のこれに対応する活動をどのようにするかは、例年にない重要問題である。

また、市町村はいま予算編成期に入っている。その中には、新しい農政に対処する事業も数多いことだろう。それらをふまえて、普及員の来年度一ヵ年間の活動の路線を引くのが、この月である。

クラブ員の諸君は、普及所にある農業改良普及計画書というものを見たことがあるか。おそらく、全く初耳の人も多いことだろうが、この計画書こそ、普及員の一年間の、いや、十年後のその地帯の農業を見通しての行動計画を、つぶさに、科学的に、具体的に書かれた、いわば農業指導作戦計画なのである。この作戦計画を樹立するのが、全国、概ね、この一月とみていいだろう。

そこで、クラブ員の役割だが、この作戦計画に4Hクラブ育成がどのように取り扱われているかを知らなければならない。

普及計画は、普及員の行動計画であることに間違いはないが、その根源は、対象の農家の人々が、農業や生活をどうしたらよりよいものにすることができるかという、農家側の真意がくみとられていなければならないものなのである。従って、クラブ員の諸君が、日頃、クラブ活動を通じて肌に感じている問題がそのまま、普及計画にとりあげられているかどうかは、クラブ員にとって、極めて重要な関心があってしかるべきであろう。

ましてや、近く新卒新規就農者を迎え入れる先輩クラブ員としては、是が非でも、普及所の先生方と、クラブ員のみなさんが、同じ問題観をもって、4H育成にとりくむ姿勢が望ましいと考えるのである。その意味で、普及計画、とくにその中のクラブ育成計画には、クラブ員の積極的な参画が必要である。そうすることが、新規卒業者にとまどいと落胆をさせない先輩の道と思うのである。

一方、学校側に対してもクラブ員は行動をおこす月でもある。市町村協議会(時には地区協議会)はこの三月卒業就農するはずの青年たちをまず一人残さずリストアップすべきである。とかく、こういうことは、普及所や役場の仕事だと思いこみ勝ちだが、そうではないのだ。

もしあなたが卒業する立場にもう一度たって考えて見給え。役場や、普及所から型どおりの通知文をもらうことよりも、自分の地元の4Hクラブ員から、卒業していく俺のことを、みんなが待っていてくれるんだという、先輩のあたたかい手のさしのべを感じる方が、よっぽど有難いではないか。

「どこの誰れさんが、どこの学校へ入っていて、今度卒業して農業をやるそうだ」—これだけの情報を集めることが、市町村協議会のまず今年最初の仕事である。先輩後輩のつながりのある農業高校などは、比較的簡単な作業だが、県境近い農村では、他県高校へも進学しているから漏れないようにすることだ。

とくに女性の場合は、いまだに普通科高校卒業者が多いので、この中から、リストアップすることは、意外とむずかしい。しかし、最近ある普通科高校職業指導の先生の会をひらいたときこんな話をきいたことがある。

「娘さんの中には、とくに農家の方は、卒業後家事につくとか、習いものに入るなど、在家希望者が大変多い。これらの人々に、卒業後の在村活動組織や、農業研修施設などの情報を流してやれると、職業指導担当としても大変有難いのですが、その方面の話は殆んど耳に入りません。だから結局、工員募集などの印刷物などをわたしてしまいます。普通高校の私たち関係教育者にも、どんどん農業部門の情報をいただきたいものですね…」といっていました。

これは、一つの盲点ですから、手をまわしてみて下さい。

もう一つ、意外にむずかしいのが、中学校です。時代の推移から、中卒農業者は、激減の一途をたどってはいますが、地方によっては、まだまだ対象者はいるのです。ただ数多い中学校を、一つ一つチェックするのは容易ではありません。この方面は、役場などに依頼して、文書で調査してもらった方がいい場合もあるでしょう。

高校、中学のほかに各県の農業研修施設の卒業者がいます。この人たちは、完全就農者ですから、確実に把握しておいて下さい。

以上の新卒就農者のリストアップの調査は、もちろん、普及所や役場の機能を利用することも結構ですが、主体者は、あなた方クラブ員であることを忘れずに、一月いっぱいかけて、綿密にすすめて下さい。

4Hの手引き「創造の世代」を発売　日本4H協会
クラブ活動に強くなる関係者必携の本

このほど発売されることになった4Hクラブの手引き「創造の世代」

社団法人日本4H協会は、このほど、4Hクラブ活動の指針となる4Hクラブの手引き「創造の世代」を発売することになりました。

この「創造の世代」は、本紙に六十回にわたって連載、全国のクラブ員と関係者から反響を呼んだ栃木県・特別専門技術員湯浅甲子氏執筆の「4Hクラブリーダーのために」と、4H協会の新田健吉事務局長執筆の「4Hクラブの本質」などを収録したもので、クラブ活動を進めていくうえでお手本となります。早くから多くのクラブ員からこの本の発行を強く要望されてきましたが、それに応えて、いよいよ発売することになりました。

内容は、序論「4Hクラブの本質」と本論「4Hクラブリーダーのために」からなり、序論は▽4Hクラブは青少年の教育の場である▽4Hクラブの教育は具体的である▽4Hクラブの誓い▽4Hクラブの教育方法▽名称▽クラブは誰のものか▽4Hクラブはきびしいものであるーなどです。

本論は、前編「4Hクラブ員になるまで」、中編「組織とリーダー」、後編「活動とリーダー」に分かれ、前編では▽青年の抵抗▽惰性の動物▽現実から目をそらせるな▽希望の灯▽青年農業に期待する▽4Hクラブの発年ーなど。

中編は▽リーダーの心構え▽4Hクラブの性格▽リーダーの意味▽組織の構成▽他団体との関連▽七十五の問(困っていること、知りたいこと)など。また後編では▽4Hクラブ活動とは▽プロジェクトとは▽4Hクラブ活動の考え方▽クラブ活動のとりくみ方▽クラブ診断ーなど各項目別に紹介されています。

クラブ活動を進めていくうえで大いに参考になりますので、どうぞご利用下さい。

B5版、百三頁、横書き。定価は二百円(送料を除く)です。

申し込みは、東京都新宿区市ケ谷船河原町十一、家の光会館内、日本4H協会(〒一六二)

塚田一甫氏逝去

社団法人日本4H協会理事、塚田一甫氏(つかだ・いっぽ、財団法人富民協会理事長)は、さる六日午後六時二十五分、心筋コウソクのため東京・杉並区清水三の一一の三の自宅で逝去された。享年七十三歳。

葬儀は九日午後一時から新宿区南元町一九の千日公会堂で富民協会葬、同二時から三時まで告別式がしめやかにとり行なわれた。

故人は、松本市出身、早大卒。大正十二年毎日新聞社に入社し経済、政経両部長、業務局長などを経て昭和二十年同社取締役と日本放送協会理事、日本映画社取締役を兼任、二十二年毎日新聞社代表取締役で退社。現在、農家読記協会常務理事、別府社会開発協会副会長。とくに4H協会に関しては、創設以来役員として4Hクラブのけいもう育成に尽力されてこられた。

農政にこの対策を
▼審議会の答申から >8<

優れた"担い手"養成を
企業的経営管理能力が必要

イ、このように農業構造の改善をすすめ、近代的農業の育成を図るためには、次のような方向で施策の充実を図ることが必要である。

(ア)農業者および農業団体などに、経営ないし事業運営上の指針を与えるため、立地条件、作目などに応じ、自立経営農家の経営類型と協業など集団的生産組織および広域営農集団の指導方針を策定し、これに即応して施策の集中化、重点化が図られなくてはならない。

(イ)自立経営農家の育成を図るには、なによりも農地の流動化を図ることが重要である。この場合、所有権の移動による経営面積の規模拡大を図ることが必要であるが、当面の諸状勢を考えると、賃借権の取得による経営面積の規模拡大について積極的な措置を講ずる必要がある。

また、農地の移動が規模拡大に役立つよう方向づけられなくてはならない。すなわち規模拡大を志向する者が農地を取得し、または利用しやすいようにするとともに、これらの者に対して、農業を廃止し、または縮小しようとする者が、農地を譲渡し、または貸付けしやすいように、農地移動の方向づけを行なう必要がある。

このため、現行農地制度の速やかな改正を行ない、農地の流動化の促進と農地移動の方向づけを行なう公的機関を設置するとともに、その業務の円滑な推進を図るための援助を行なうなど、必要な措置を講ずる必要がある。

なお、この場合、前述したように離農の援助、促進措置および米の生産調整措置との関連づけについて配慮することが必要であろう。

(ウ)現行農地制度および農業協同組合制度の速やかな改正を行ない、農事組合法人、農業生産法人の育成につとめるとともに、農業協同組合による農業経営の委託の道をひらき、これらの組織の育成奨励を図るための援助措置を講ずる必要がある。

さらに、広域営農集団の形成をすすめるため、指導者の養成、施設の設置、道路網の整備などを推進するほか、これに対応する農業協同組合の体制整備が図られなければならない。

(エ)近代的農業が成立するためには、これを支える新しい農業のすぐれた担い手を必要とする。

この農業の担い手は、単に生産面にとどまらず、加工、販売面についても十分な知識をもち、企業的経営管理能力を備えたものでなければならない。

このような担い手を養成確保するためには、後継者対策を含め、農業者または新たに農業を職業としようとする者に対する各般の面にわたった教育、研修の刷新を図る必要がある。この場合、農業の組織化に対応して、組織の管理・運営能力をもったリーダーとなりうる者の養成にも特段の配慮が必要であろう。

(オ)近代的農業の育成を図るためには、生産から加工、流通にわたる新技術の開発を含め、規模の利益を実現できる高度の技術の開発と普及が図られなくてはならない。また高度の技術が十分に駆使されるよう土地および水条件が整備されなくてはならない。

このため、試験研究体制の刷新と普及体制の整備をすすめるとともに、用排水の完全制御を可能とする水利施設の整備、機械化を容易とするほ場区画の拡大、畑地かんがい施設の充実と農村道路網の整備、さらには、畜産飼料基盤としての草地の改良造成などを計画的に推進する必要がある。

(カ)農地価格については、農産物価格の上昇がこれまでほどでなくとも、高度経済成長が続く限り、なお上昇基調を続けると見込まれるので、農業側においても、農業振興地域の整備などを通じて農地価格の安定につとめる必要があるが、これと同時に、政府全体の課題として、関係省庁あげて地価対策に真剣に取り組むことを強く要望する。(つづく)

稲の多収穫めざして

穂肥失敗に苦しむ
稲の生育状態に応じて

滋賀県東浅井地区農業後継者クラブ 豊田忠臣

私の住んでいるところは、滋賀県の東北部にあり、主に水田単作地帯です。経営内容は一戸当り一三〇㌃の水田で、反当り収量は約九俵前後です。私の地区は、いまから三年前に農業構造改善地区の指定を受ける話がもち上りました。

その内容は、主として基盤整備をし、大型農機具による省力と規模の拡大をめざすということで、とくに、この地帯は積雪が多いため、主幹作物が米の単作ということが原因となったようです。このような現状の中で私たちは、いままでのように平凡な米作りを改めて考え直し、どうすればより多くの収量を上げることができるかについて、真剣に考えるようになりました。

ちょうどそのころ、同じ部落の友人から稲の多収穫について一つの理論を教えられました。それは主として、密植、穂肥、実肥の農法らしいといわれたのです。そこで、私たち二人はこれを実行してみようということになり、三〇㌃×一〇・五㌃で三・三平方㍍当り一〇三株植の稲を共同で作り、それぞれ試験田をはじめました。

その後、農協の増収研究グループ、県の五石とり稲作研究会にも入れてもらい、山形県の片倉権次郎氏の米作り法や松島理論について教えてもらう機会も多くなりました。

こうして一昨年は、五月九日に田植をし、成育初期は順調に進みましたが、何分にもいままでより五割も密植であることと、はじめのうちに肥料を多く施しておいたために、六月中旬から早くも色ぬけを始め、茎数も徐々に減少を始めたのです。そのうえ、農協や普及所から穂肥を多く施せといわれても、穂肥を施した経験の少ない悲しさ、あまり施さなかったため、一時は二十本以上もあった茎数が刈取時には、十三本くらいになり、一穂の籾数も平均六十五粒になってしまいました。そして結果的には一般の水田とあまり収量差のないままに終ってしまいました。

そこで昨年は、冬の間に前年の反省と今年の計画を立てました。まず、収量構成要素について考えてみました。収量構成要素とは単位面積の穂数×一穂籾数×登熟歩合×千粒重＝単位面積収量といわれています。私はこれをもう少しくだいて目標収量の五石をとるのに必要な一株精籾数を出し、これが千百三粒。さらに登熟歩合、一株穂数、一穂籾数を計算してみました。そしてどれくらいの穂でどれくらいの穂数があれば五石の収量が穫れるかを計算してみました。その結果、これなら出来るだろうという目標が穂数十六、登熟歩合九〇％、一穂七十七粒です。

また、肥料についても前年のことを考えて、元肥と追肥で九・五㌔にしました。こうして昨年は五月十日に田植をしましたが、耕種概要は別表の通りです。その成育は、はじめは順調に茎数もふえていったのですが、六月十五日を境に除々に減少し始めたのです。これでは、昨年の二の舞になってしまう。しかし、これを防止する方法がない。困ったとあれこれ思案の末、第一回の穂肥を当初の計画の出穂前十八日をまたずに、出穂前二十五日に施すことにしたのです。

そして第一回の穂肥を七月五日に施しました。しかし、これは後で分ったことですが、七月五日は出穂前二十五日と思っていたのは間違いで、まだ出穂前三十日だったのです。この第一回の穂肥で、茎数の減少は防止できましたが、肝心の稲の姿勢である短稈にするという目的は大きくはずれ、これを境にとんでもない姿に変ってしまいました。

そして、八月に入ると部落の農家の人から「この水田はいかにも出来すぎだ、これではきっと倒伏する」といわれるほどになり、事実、自分でもあきらめてしまい、もうその田を見るのもいやなくらいに稲の姿勢がくずれてしまいました。そして「稲はなんと正直なものだろう。計画より十日ほど早く肥料を施しただけで、こんなにも変ってしまうし」などと変なことを感心したりしていました。その後は、計画していた実肥もやれず、ただ一日でも遅くまで倒れないように祈るだけでした。

しかし、こんな姿勢の悪い稲も昨年は台風もなく、雨も八月に三回、九月に三回くらいの一時的な雨であったため、九月二十二日の刈取まではなんとかもちこたえ、全面倒伏をまぬがれ、反当約七〇六㌔の収量が得られました。さいわいに好天のため、かなりの収量を上げることができましたが、決してよろこんでよい作柄ではなく、例年ならば、確実に倒伏して七～八俵作であったと思います。

以上のような結果を反省してみますと―

一、稲の生育段階の状態をはっきり把握する。とくに、出穂前三十日から出穂までの期間をしっかりつかむこと、これは葉耳間の長さによってでも、葉令指数、あるいは幼穂長によってでもよい。

二、必要以上の密植は意味がなく、坪当り七五～八〇株くらいがよい。

三、あまり早く茎数をつけると減少のため弱るので早すぎるのはよくない。

四、水田の土質や稲の品種に合った栽培管理を行なう。

―というような四点の改善があげられます。とにかく一年でも早く、クラブ員の手によって目標収量の五石を上げられるよう努力していきたいと思います。

（右の表は、耕種概要と収量構成要素を示す）

耕種概要

品種……マンリョウ
本田……田植期 5月10日
栽植密度 30cm×10.5cm二本植
肥料……珪カル・150Kg、過燐酸石灰・50Kg、オール18・35Kg、NK号246Kg、燐加安44号・2Kg
成分量……N・14.0Kg、P・14.6Kg、K・14.0Kg
水管理……5月10日～6月15日 浅水
6月15日～7月20日 中干
7月21日～9月4日 間断、灌漑
防除……二化めい虫、いもち病、ウンカ、ヨコバエなど六回
中耕除草……5月20日・除草剤カリロン粒2Kg散布、5月19日・6月15日・手取り
収穫期……9月22日
収量調査……乾燥籾重・872.3Kg（水分14.5％）
籾摺歩合・80.8％、玄米重・706Kg

収量構成要素

収量と各構成要素の関係
収量＝単位面積の穂数（植株数×一株穂数）×一穂籾数×登熟歩合×千粒重
実収と各収量構成要素（結果）
31.000株（10a株数）×17.8本（一株穂数）×79.6粒（一株籾数）×78.2％（登熟歩合）×20.6g（千粒重）＝706Kg（反当収量）

私のプロジェクト

第八回農業祭 天皇杯受賞者の経営 ～1～

昨年十一月二十三日「勤労感謝の日」に、第八回全国農業祭が東京で開催されましたが、その席上、栄誉ある"天皇賞"を授与されました方々の優れた経営内容をすい時この紙面で紹介していきます。（編集部）

畜産の部＝牧野

開拓放棄地を造成
豆科率も適度な多種混播

北海道旭川市神居町富良 北村愛作氏

北村氏は北海道の道央で、経営面積二十五㌶、乳牛四十八頭を飼養する酪農家である。北村氏は、農家の六男として生まれ、昭和七年二十歳のとき、乳牛一頭のほかはほとんど無一物で開拓に身を投じて以来、日雇い人夫として働き、牛は路傍の草で飼いつなぎ、幾多の辛酸をなめ苦闘の末、昭和十二年漸く重粘土の瘠地四㌶を借り受け、草地酪農に踏み出した。

以来、戦時中は出征のため頭数を減らしたこともあるが、漸次経営を拡大し、こん日、飼養頭数四八頭におよび、搾乳牛三五頭の年間平均乳量は六・四七〇㌔余、うち高等登録牛二〇頭、年間乳量八・〇〇〇㌔を越える高能力牛六頭を数え、年間所得一、一六一万円、支出七四四万円、差引純所得四一六万円の見事な酪農経営を確立した。

この北村さんの優れた経営を支える基盤は、昭和四十三年度全国草地コンクールにおいて最高位賞を獲得して、今回受賞の契機となった優れた集約牧野である。この草地は根株など障害物除去もされないまま放置されていた地味瘠薄な開拓放棄地を入手し、優れた草地造成管理技術によって見事な草地を作りあげ、道央の寒冷積雪地にあって、播種後七年にしてなお十㌃当り一〇・六㌧余を記録したのである。

この草地の造成管理上の技術的な特長は、豆科率適度な多種混播と牛尿の効率的な利用にあるが、とくに、早春追肥により春の萌芽を促進し、晩秋追肥によって、貯蔵養分を確保して越冬に備えるほか石灰は牛舎内に散布して消毒とすべり止めに用いて、敷草や尿とともに草地へ投入するなど冬期の長い積雪地帯にあって、肥培管理上合理的な配慮がなされている。

また、草地の管理作業は、機械化一貫作業によって省力的に運営され、生産牧草は時期に応じて、生草、ザイレージ、乾草など集約的に利用されている。

このため、この草地は多収性のみならず、草地の均一性、永年性を具備した優れた集約牧草であって、その飼養牛も高い能力を示すだけでなく、繁殖成績も極めて良好で事故も少なく、こん後のわが国草地酪農の模範である。

出品財の概要

この草地は標高一五〇㍍の十三度内外の山ろく傾斜地にあるが、最低月の気温は一月のマイナス八・九度、積雪期間は十一月中旬から四月上旬にわたり、特有のガスも発生するという厳しい気象の下にある。

昭和三十七年春、地味瘠薄な開拓放棄地を入手し、根株の除去、耕起、施肥して、オーチャードグラス、チモシー、メドーフェスキュ、イタリアンライグラス、アルファルファ、ラジノクローバ、赤クローバの七種を混播した。今回の出品財は、このようにして造成された六㌶のうちの一㌶であるが、六㌶は全体にして植生は均一で密度も良好である。

この牧野の利用七年目の昭和四十三年における収量調査の結果は、反当り合計生草一〇・六四七㌧の生産をあげ、豆科率もほぼ適正であった。追肥としては、四月に反当り推肥四㌧、草地化成三〇㌔、六・七・十月に牛尿二㌧ずつを施用した。

農業簿記

京都大学名誉教授 大槻正男

＜自計式農家経済簿記＞

現金現物日記帳とその記入
特殊取引の記入方法

非現金取引

この簿記においては、記録計算を簡易化するために、取引の両側面とも現金でないところの非現金取引もすべてこれを現金取引に分解し、いっさいの外部取引を現金取引に一元化する取扱いを採用する。

掛売買取引

掛売り（貸金売り） 掛売り取引は、そのままの形では生産物などと売掛金（売掛未収入金）という債権との交換取引であるが、いったん販売収入をあげ、即時収入金を一時相手方に貸金支出したものとみなして下図のように二現金取引に分解し、同一額を一方においては「売り収入」として「収入」欄に、他方においては「貸金支出」として「支出」欄にそれぞれ記入するのである。

掛買い（借金買い） 掛買取引は、そのままの形では、購入物と買掛金（買掛未払い金）という債権との交換取引であるが、購入に先立って相手方から借金収入をし、その収入金で購入支出したものとみなして、二現金取引に分解することができる。同一額を、一方においては「借金収入」欄として「収入」欄に、他方においいは「買い収出」として「支出」欄にそれぞれ記入する。

振替売買取引

振替売り（貯金売り） 生産物などを組合に、または組合を通じて販売し、その売上げ収入を組合から受け取らずに貯金に繰り入れてもらう取引であって、貯金売りともいわれるものである。振替売りは、そのままの形では、単に物と貯金との交換取引であるが、いったん販売収入をあげ、即座にその収入金を貯金支出としたものとみなして、二現金取引に分解して記入するのである。

そして同一額を、一方には「売り収入」として「収入」欄に、他方には「貯金支出」として「支出」欄に記入する。

振替買い（貯金買い） 組合から肥料その他を購入した場合に、現金で支払わずに、組合に持っている貯金から差し引いてもらう取引であって、貯金買いともいわれるものである。振替買いは、そのままの形では、単に物と貯金との交換であるが、いったん貯金を引き出し、即座にその金で代金を支払ったものとして取扱い「貯金引出し収入」と「買い支出」という二現金取引に分解して記入するのである。

物々交換取引

現物労賃の受入れ 現物労賃受け入れ取引は、雇い主へ労働を提供し、物で労賃を受け入れる取引であって労働と物との交換であり、一種の物々交換取引である。労賃として受け取った物の代価だけの現金を受け取り、その収入金でその物を購入したと考えて「現金労賃受け収入」と「物の現金買い支出」との二つの現金取引に分解して記入する。

現物労賃の支払い 現物労賃支払い取引は、被傭者を雇い入れ、労賃として物を支払う取引であって、雇い主はその物を現金売りし、その金を被傭者に支払ったと考えて「物の売り収入」と「現金労賃支出」という二つの現金取引に分解して記入する。

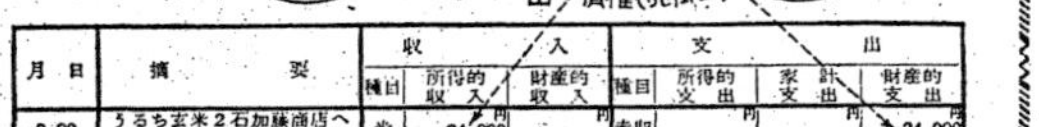

月日	摘要	収入 種目	収入 所得的収入	収入 財産的収入	支出 種目	支出 所得的支出	支出 家計支出	支出 財産的支出
3.20	うるち玄米2石加藤商店へ掛売り（石当り12,000円）	米	24,000円	円	未収	円	円	24,000円
6.5	同上売掛金受領	未収		24,000				

おしゃれコーナー

若さの表現に変化
ウールやボアで裏打ち

最近は、レインコートと呼ばれ、雨よけ用に着る、きまりきった型のコートはほとんど無くなって、そのかわり、おしゃれの要素の多いコートを着る傾向が強くなってきています。

冬に入ってからも若い人たちの間では、ぶ厚い表地の、いわゆる「オーバー」なるものは、野暮ったいという風潮が一般的になって、たとえばコットン・スエードや綿ギャバジンなどに、ウールやボアを裏打ちしたものが好んで着られるようになりました。

ここ数年の暖冬とあいまって、若さの表現の仕方にも大きな変化が生じていることを強く感じさせられます。

【写真】コットンって好きよ。下に何枚着こんでもほっそり見えるから。ぐっと、スマートに仕立てたラクダ色のコート。通勤・通学に最適です。

農業、われらの天職

長崎県「しらくさ会」 功労賞にかがやく

【長崎】長崎県平戸市の農業後継者クラブ・しらくさ会（会長、岩村孫信君）では、このほど全国農業新聞情報農協が開催した農業後継者功労賞の準優秀賞に入賞した。

この賞は、各県推せんの全国三十二候補グループの中から選ばれたもので、表彰状、楯などが同クラブに贈られた。

晴れの表彰を受けた"しらくさ会"は、さる三十九年六月に誕生したもので、全国的な農業青少年の都市流出が多い中で、平戸市でも例外なくひどく、それが市内の農業の発展をはばむ原因ともなっており、それが、まだわずかに残村している農業青年にとって、話し相手が少ない、孤独になりがちなど、農業青少年活動にも影響していた。そこでお互いに話し合う機会をつくり市内農業の発展に寄与しようということで、この若い農業後継者クラブ"しらくさ会"が生れたもの。

会の目的は、互いに手を握り励まし合って、近代農業への道を切り開こうということで、このため会の名称も"しらくさ"と名づけた。この"しらくさ"とは、踏まれても切られても根強く土に生き残る同地方の代表的な雑草の名である。

会員は、畜産、かんきつ、花キの三グループに分かれて、実践活動を行なっているが、この結果、一会員一頭飼育であった和牛肥育は、現在では平均三頭にふえた。また、平戸市ではじめての本格的な花キのハウス栽培も会員の手ではじめられるなど、新しい営農に取り組んでいる。この活発な活動に対して功労賞が授与されたものだが、会員たちは「農業はわれわれの天職。これからも頑張ります」と張り切っている。

NHK農事番組（1月21日～31日）

テレビ

明るい農村 6・30～6・55 総合
21日 産物往来 人参
22日 話題の広場／落花生のマルチ栽培、シーダー農法
23日 村をむすぶ フイルム・リレー
24日 農業新時代 果樹の省力栽培
26日 村の記録 普及員作家（東京都町田市）神井清
27日 きょうの話題 満足した農業公社
28日 産物往来 チーズ
29日 話題の広場 メネギで二万円、新しい添加飼料
30日 村をむすぶ フイルム・リレー
31日 農業新時代 石垣いちごと観光農業

農業教室 7・30～8・00 教育
21日 果樹園の管理（千葉大学教授）永沢勝雄氏
22～24日 肉牛肥育経営の課題（京大教授）上坂章次氏ほか
26日 土壌診断のかんどころ 出井嘉光氏
27日 新肥料の性質と使い方 早瀬達郎氏
28日 水田土壌の診断と施肥設計 出井嘉光氏
29日 牧草地土壌の診断と施肥設計 尾形保氏
30日 果樹園土壌の診断と施肥設計 関谷宏三氏
31日 ハウス土壌の診断と施肥設計

あすの村づくり 日 7・00～8・00 教育 再 土 13・00～14・00 教育
25日 ▽グループだより＝たくあんからハウスへ（三重県度会郡）小俣町青少年クラブ ▽仲間とともに＝黒ボクに生きる（鳥取県東伯郡赤碕町）グリーンクラブ

ラジオ

早起き鳥 5・05～6・00 ❶
21日 通信員の手帳から
22日 産地訪問 ラッキョウ（鳥取県福部村）
23日 現地報告 梅園改善を現地にみる
24日 村のポスト
25日 話題の窓 いもでんぷんのゆくえ
26日 現地報告 流通センター一年（埼玉県戸田市）
27日 人と話題 位田藤久太郎氏（三重大学農学部）
28日 通信員の手帳から
29日 産地訪問 スイセン（福井県越廼村）
30日 現地報告 注目されるぶどうの貯蔵実験（山梨県勝沼町）
31日 村のポスト

ラジオ農業学校 月～土 6・40～7・00 ❷ 日 6・30～7・00 ❷ 再月～土 19・00～19・15 ❷
25日 ▽農業講演会「近代農村と青年の役割」（作家）丸山義二氏

番組紹介

あすの村づくり
25日 ▽グループだより＝「たくあんからハウスへ」＝三重県度会郡小俣町青少年クラブ

古くから伊勢たくあんの生産地として知られている度会郡小俣町も、しかし、最近は土地のイヤ地化が進み、加えてチクロ・ショックも手伝いたくあん生産地はピンチに立っている。昭和四十年に発足した小俣町青少年クラブのメンバー二十一人は、苦境打開のため後継者成資金を導入して、ハウス園芸への転換をはかっている。伝統的なたくあん生産から、新しい園芸産地づくりをめざす青年たちの活動を紹介する。

▽仲間とともに「黒ボクに生きる」＝鳥取県東伯郡赤碕町グリーンクラブ

東伯郡赤碕町は大山山ろくのいわゆる"黒ボク地帯"、作目といえば米だけで、しかも収量は低かったが、梨を取り入れることにより経営は向上し、生活も豊かになってきた。グリーンクラブは先輩たちの努力の跡をたどりながら、さらに豊かな村づくりをめざして頑張っている。この黒ボクのハンデを克服して進む青年たちの姿を紹介する。

あしたの青春 <15>

一ノ瀬綾
え 多賀愛子

揺れて（三）

その夜、すみ江が帰宅したのは八時過ぎであった。電話連絡をしておいたのに、久治とふく代はまだ夕食のすまないテーブルに、ぽつねんと向い合っていた。

「なにさ、先に食べればいいのに。会社の友達と食べてきちゃっただよ」

「ああ……そう思ったがな、父さん腹がすかねえと言うし、二人だけじゃあ食べる気も起こらねえだよ」

大儀そうにふく代は座を立った。久治は新聞に見入ったまま顔をあげようともしない。「新一は、どうしたの」

「夕方、プイと出て行ったきり電話もねえよ。圭次さんとこでも行ったかな」 ふく代は台所から汁むぎを運びながら、気がかりそうに言った。

「だまって、行っちゃったの」

すみ江は眉をよせた。新一は子供の頃からどんな外出にも家族に声をかけて行く習慣があった。小さな不安がすみ江の胸に湧いた。

「4Hクラブかしら」

一人言をした途端、久治が新聞をかなぐり捨てて、食卓に向き直った。

「まったく、しょうのねえ奴だ。いつまでキャベツのことなぞ気に病んでいるだか。4Hクラブなんか行くことはねえ。やめるがいいだ……甘やかすと癖になる」

荒々しく箸を取ったが口ほどにもなく、すみ江に向けた表情は弱々しかった。

「気にしているのは、父さんの方だ。あの子が話しかけてもろくに返事もしてやらずにさ……もし間ちがいでもあったら、どうするつもりだね」「間ちがい……子供でもあるめえに！」

久治とふく代は、自分達の投げ合った言葉に怯えたように、口をつぐんだ。

黙然と汁むぎをすする両親を見ながら、すみ江は自分の心中で、小さな不安が次第に手足をのばして、拡がっていくのを押さえることができなかった。むずかしい年頃である。ここ数日口をきかない新一が、今なにを考え、どんな行動をしようとしているのか、改めてふり返ると、見当がつかなかった。

わかっていると思いこんでいた弟の身体も、心も、不意に手の届かない遠くへはなれていったようなもどかしさと、焦立ちがすみ江を落付かなくしてしまった。

「圭次さんに、電話をしてみる」

立ち上がったすみ江を、久治もふく代も、食事の手を止めてじっと見つめていた。

「ああ……すみ江さんかい。電話をくれるなんて、めずらしいね」

受話器の向うで、明るい圭次の声がした。「新一が、おじゃましていませんか」

「いや、来てねえよ。おれん家へ来ると言ったのかい」

「いい……黙って出たもんで」

「そう言えば、この前の会合にも欠席しているしな……なにかあったのかい」

すみ江は言葉を失った。二、三日前、新一はたしか、クラブの会合に行くと言って家を出ている。どこへ行っていたのであろう。

「もしもし……どうしたんです。おれも新一君に用がある。逢いたいんだ。帰ったら、電話をくれって言ってくださいよ」

圭次の心配気な声に、すみ江はなにか親身な感情を受けて気持がなごんだ。一度ゆっくり新一のことを相談してみようと心が動いた。受話器を置いて振り返ると、母親が背後に立っていた。

「どうだったや……行っていただかい」

すみ江は黙って首を振った。父親が音をたてて箸を投出すのを見ながら、すみ江はそのまま自分の部屋へ引きあげた。

全国4Hクラブ 中央推進会議に参加して

リーダーは"プロ（フエショナル）"だ

多くの友を得てファイトわく

人間成長に大きな役割果す

関口みち子

真白に雪をかぶった美しい富士の姿を目の前にして、大きく広がる裾野に立つ国立中央青年の家で全国4Hクラブの中央推進会議が開かれた。

吹きおろす風は身を刺すほどに冷たく、そびえたつ富士の姿は美しい限りであった。まるで、その風は、私たちが進み歩んで行く社会の中を吹きぬけて行く風のようで、それに打ち勝つ力を私たち若者は養って行かなければならないと思った。しかし、赤い夕日を冬の空に残し、濃紺の闇が迫ってくるころ、全国から集まった百五十名近い仲間とともに語り合い、腕を組む姿は、どんなにか素晴しいものであったかと感じるのでした。

若い力を役げ出して

私自身、この研修に参加するとき、友を得たいと思った。また、私たちの地区にない何らかのことがらを取り入れてきたいと思った。まして、今までの私は、自己の満足だけを求めてきたような気がする。

誰しも、自らが幸福でして成長することを望む。しかし、そこに他人のいることを忘れてしまったように感じられる。でも今こうして、また相模原の小さな一角で父の後について日々を送っている自分にも同じ仲間のいることを本当に知り、この日本の農業が少しでも発展するよう努力している友がおり、この人々とこうして触れ合うことができたことはどんなにか心強く思えたことでしょう。

そしてまた、私たち若者が近代的な農業社会が築かれるよう一歩一歩進んで行く中には、苦しみ、悲しみそして悩み、考えていることが数限りなくあり、四泊五日という期間、遠い北海道そして鹿児島から集まった人々と机を並べて討論し合い、自分たちが考えている意見を述べ合ったことは本当に素晴しく、こうして一つの方向へと若い力を投げだしていることにうれしく、同時に自らも今以上に頑張らなければならないと思いました。

リーダーの意義知る

とくに、今回の研修においては組織の強化とリーダーの本質、役割などが論ぜられてきたが、ここに集まった人々は、もうリーダー歴も長く大いに活躍されており、そうした中で起こる悩みを背負いながら討論し合うところには、二十五名たらずの地区委員にすぎない私には、どこか問題が大きすぎ、かけ離れた存在となってしまうこともあった。

しかし、こうしてやってきた中で教えられた一つに「リーダーはプロフェショナルでなければならない?」ということでした。同じクラブ員として、同じように悩み考えて進んで行く中にありながら、常にリーダーはその立場を忘れてはならぬということ。その立場によってなすべきことも必然的に異ってきて、人間的魅力のある人、行動力のある人などと言われるように、上に立つ者にとっては大切なことが数多くある。だからこそ、そこにはプロでなければならぬ意識が必要なのではないでしょうか。

"青年期の活動機関"

そして、そうしてやって行く中で、どんなにか人間の成長にとっても大きな役割をなすかを教えてくれるような気がする。つまり、クラブ活動は、この自らの中にある力を投げ出してみることのできる場であり、同時にきたえるところでもあろう。そして、自らを切磋琢磨することが、これから歩んで行く私たち若者にとって、どんなにか必要なことではないかと思います。私もまた、クラブ活動を始めて二年たらずではあるが、近頃、その活動の意義がわかりかけてきたような気がします。

また、4Hクラブの本質は「自分が立派な生活者となり、同時に社会の発展の力となるための青年期の活動機関」であると教えてくれた。本当にそうであろう。

私たち若者がいつか、この社会を動かす一社会人となったとき、こうして互いに活動し合ってきたクラブが意義あるものであったことを初めて知るのではないでしょうか。そして、それは私の歩んで行く人生の一過程となるであろう。

数多くの友を得る

こうして今まで知ることもなかった数多くの友をこの研修に参加することで得たことは、この私にとってどんなにか素晴しいことだと思い、自ら学び吸収していこうとする自主性こそ、本当に大切なものであることを痛切に感じてくるのでした。

そして、青い空に浮ぶ白い雲、冬の太陽に明るく輝く美しい富士の姿が、今もこの胸に残り、四泊五日ともに研修し合った友が懐しくなり、一人ひとり各地で自ら学び取ったことに努されておられるかと思うと、私の心にもやらなければならぬ気持が湧いてきて、将来、明るい農家生活を築いて行くためにも、現在行なっている自分を大切にして頑張っていかなければならないと思うのです。

（神奈川県相模原市・みのり会）

落葉によせて

松永文男

海の向うに赤い夕日が沈んだら
私の心は、悲しみの湖
やがて、冷たい北風がふき始めると
私はあなたのもとをはなれ
遠い遠い、果てしない悲しみに向って
流されて行かなければなりません
あなたの腕にはぐくまれ
小鳥の歌を空に聞きながら
春風のささやきに幸せな夢をみました
嵐の日も、焼けつくような真夏の太陽の下も
あなたと共に生きぬいてきた今日まで
私は幸せでした……でも、もうだめ
怖い北風に、私はさらわれていくの
木枯しにいじめられ、地上に落ちて
やがて、私の体の上に
白く冷たい雪がつもっても
私は、あなたを忘れはしない
だからヒューヒューとなかないで
モズが笑っているじゃないの
だから、なかないで
お別れに、私の一生で一番美しい絵で
あなたを飾ってあげる
これがせめてもの恩がえし
またいつか赤い夕日が海の向うに
沈む頃
思い出してね　この紅葉を……

（山口県長門大津麗村青年クラブ機関紙「友愛」より）

オランダ国を訪ねて

静岡県産業青年海外研修 ＝上＝

鈴木政美

電算機使うセリ場

欧州最大の花キ産地市場

◇昨年十一月、静岡県主催の第一回静岡県産業青年ヨーロッパ視察が行なわれました。これは、次代の静岡県を担う産業青年を海外に派遣し、国際的視野を広めさせ、職場や地域のリーダーとして活躍してもらおうというもので、産業青年三十名と指導者十名が参加しました。4H関係からは松浦幸治同県連会長はじめ本紙連絡報道員の鈴木政美（浜名4Hクラブ）真田勝（小山町、前年度本紙連絡報道員）滝川岩男（浜松市）鈴木紫（同）君と鈴木敏子（静岡市）田山ふさよ（藤枝市）さんが参加しました。以下は鈴木君のオランダ国研修報告です。◇

昨年十一月十四日午前七時四十五分、羽田を出発してから十七時間の飛行を終えて無事アムステルダム空港に到着した。アムスはまだ暗く雨であった。

昨年二月からオランダのアールスメアーの農場に留学生として研修している私の友、深田君が空港に迎えにきてくれたが、大変懐しく感じた。

オランダ第一の研修地、アールスメールの花市場に向った。まず驚いたことは住宅がきれいなことであった。オランダは雲が多いので家の中を明るくするために窓が大きい。

ヨーロッパ諸国では主婦は外では働かず家事の仕事をしており、バスの中から主婦が窓などをそうじしている風景がみられる。窓ぎわには、バラ、チューリップ、シクラメンなどが飾られ、すごくきれいである。オランダで家と花を大事にすることはあまりにも有名である。

同国の面積は三・七万平方㌔で、日本の九州くらいである。山がなく平たん地ばかりで、国土の九四％が土地利用可能である。人口が一・二五四万人、人口密度一平方㌔当り三百六十五人で世界最高である（日本は二百五十七人）。

政体は立憲君主制で、オレンジ・ナッサウ家のユリアナ女王である。

産業の特色は、戦後の工業化政策によって農業国から工業国に急速に脱皮した。完全雇用の状態にあって賃金、物価の安定に努力している。また、貿易依存度が高くEEC諸国、とくに西ドイツとの経済的関係が深い。

では同国の農業について、花キ園芸から紹介したいと思います。

国土の七〇％近くが農地で、耕地面積は八十八万㌶、農家戸数は十七万戸、園芸用施設が十三万㌶で五㌶未満のいわゆる小農が三六％を占めている。

土地が海より低いこの国の国土の三分の二は干拓地で、もし堤防がなかったなら国土の三八％は水没するという。だから、海と水への絶えざる戦いによって国土づくりに精出するのは至極あたりまえである。山のないオランダでは、日本のように山を崩して埋め立てをして国土をふやすというわけにはいかない。干拓一本やりである大干拓土木事業は、国土省を中心に各省が協力して行なわれている。そこには、日本のような役所同士のナワバリ争いなんかはない。

ネーデルランドというのは「低い土地」という意味である。オランダ人は「われわれの国は神がつくったのではない、われわれがつくったのだ」という自負心がある。

一見、刑務所のへいを思わせる高いカベの建て物がアールスメヤー地区の花キ市場、ヨーロッパ最大の花キ産地市場である。さっそく中に入ってみる。

赤、黄、ピンクなどいろとりどりの切り花がトロリーにのせられセリ場への入場を待っている。人気者の小輪のクロリパンダローズをはじめ、中輪咲きのバラ、チューリップ、フリージャーなど種類は多い。市場の広さにくらべて人影は少ない。

階段を上がって、ガラス越しに下のセリ場を背後から見学した。向って正面セリ場の真中に巨大な直径三㍍くらいの価格表示板がある。その前は、大学の階段教室のような買参人席。すでに二万本単位で行なう輸出用のセリが終ったあとの国内向けのセリで、終りに近いのか人影も三十人くらいで少ない。表示板の向って斜め左前方にガラス室のバルコニーがあり、この中に競売人と助手二人が座っている。

セリは、機械セリによるセリ下げ方式、トロリーにのせられた花が運ばれてくる。競売人は、生産者の名前と花の質を買参人に知らせる。そのあとで生産者代表の立場にたった競売人が、販売希望価格（基準価格）をセリ機で指針する。

間髪を入れず各買参人たちは机の下のヒザの前にあるボタンを押して自分の希望取り引き価格を競売人に知らせる。なるほど、これなら周囲に気取られる心配もない。指針は、表示盤の価格目盛りの上をゆれ動き、最後に基準価格に一番近いところで止まる。これが落札価格だ。同時に、落札者の登録番号が指示され、電気セリ機と直結した電算機で仕切り書きがつくられるという仕組み。まさに能率的なやりである。

セリ終った花が退場したあと、次の新しい花が運び込まれる。とにかく早いし、静かだ。まるでテンポの早いパントマイムをみている感じである。築地市場などのドスのきいた競売人の声、セリ上げの上がり調子の興奮とはまったく別の趣である。競売人はもとより経験豊かなベテラン、生産者代表の立場をとるとはいいながらも、市況を無視した希望価格をつけるようなことはない。

（つづく）

OECD館

テーマ…OECDを通ずる国際協力
敷地面積…1,121㎡
出展費用…約5,600万円（建築費だけ）

展示館は、ピロティ（高床）方式の2階建の建物で、OECD（経済協力開発機構）に加盟している世界21ヵ国（イギリス、フランス、西ドイツ、日本など）の共同出展館です。

1階は、鉄筋コンクリート造り、2階は鉄骨・コンクリートの打放しで、彫面仕上げ。英文の"OECD"仏文の"OCDE"日本文の"経済協力開発機構"が浮き彫りにされます。

敷地の南と北には、それぞれ280㎡のプールがつくられ、その底には、OECD加盟国の国旗が模様のように敷かれ、夜になると、照明の効果で浮かび上がって見えるように工夫されています。

ピロティ（高床）部分の1階は、玄関の広場として利用。2階は展示場で、"OECDを通ずる国際協力"をテーマに、経済を中心とした国際協力の必要性や、開発援助などについて展示されます。

このほか、講演、映画のためのホール（座席数約80）も設けられています。

＜日本万国博覧会展示館の紹介＞

農村雑感

あきめくら

祈原俊二郎

白い紙にマルとバツの二つの印を十五センチほどはなして書き、それを手に持って前に出し、片方の目を閉ぢ、開いている他方の目でマルの方をジッと見ると、バツの方までやはり見える。

この紙を少しずつ手前に寄せてくると、目と紙の間が三十センチほどになったとき、急にバツの方が見えなくなります。しかしさらに、目に近づけると再びバツの印が見えはじめます。このバツの印が見えなくなったとき、その人の目が盲点に入ったといいます。どの人間でもみられる不思議な現象の一つです。

私の学校に入ってきている学生は、高等学校卒業後農業経営の実務歴が二ヵ年以上ある者に限って入っているが、学校に入る前までは、自分の農業経営に対しては大きな自信をもっていたというが、三ヵ月、四ヵ月そして半年もたつと、農業経営に対する不安がでてくる。これが一年近くなると、これからどのように自分の家の経営を進めていけばよいか大いになやむようになってきます。このなやみをいつ、どんな状態で解決するかそれは個人の努力に待つほかないわけであるが、解決の素材を多く与えていくのが学校の役目だと考えている。

この二つの事例の間には関連はないが、ただ、どちらも完全に目を開いて物事を見ていたがある時点で見えなかったということである。前者は、目から紙までの距離が三十センチ内外の距離にあったとき、後者は、農業経営に対する考え方が、学校に入る前に自信があったといい、自分の経営をながめていたつもりでも、本当の意味では見ておらなかったのではないかということです。

目を開いていても見えないことを"あきめくら"といいますが、実はあきめくらほどこわいものはないといえるかも知れません。剣の上達者は、剣の恐ろしさをよく知っているものであるとよく云われます。本当にその中味を知れば、それには無限の深みがあり、その奥底ははかり知れないといえましょう。

農業は、今でもあらゆる点で保護されている面が多いといわれています。しかし、社会経済の急激な変化の中にたたされている今日では、それが徐々にはずされていかざるを得ないのではなかろうか。何故ならば、世界はせまくなりつつあるからとも言えるし、日本の農業はいやだといっても世界の農業の一員に加えられつつあるからです。

農業を見る目は、今こそはっきりと農業者自身がもたれなければならないときである。今現実の農業を、あきめくらにしていたベールがとれつつあるが、本当の姿を見て喘ぎつつあるのが現状で、この喘ぎを越えて、次に自分自身の力によって解決していかなければならないと思うし、それに対する正しい判断を始めなければならないと考えます。

一九七〇年は、一九六九年から一年すぎて七〇年になったというだけでなく、実は日本の農業、新しい農村を築きあげるための第一歩の年であると思います。そうした意味からも、農業者はあきめくらでなく、本当の意味のめあきになってほしいものだと思います。

（農林省・農業者大学校）

三周年の記念大会

宮城・深谷4Hクラブ

【宮城】宮城県志田郡鹿島台町の深谷4Hクラブ（会員十七名）は、昨年の暮、クラブ結成三周年記念大会を開いた。

大会はプロジェクト実績発表もかねたもので、宍戸事務局長の「農学に取り組んで」の意見や多くの研究成果の発表が行なわれた。

生活もの知りコーナー

室内の温度は24〜28度に

☆牛乳を暖めるには

牛乳を暖めると、表面にうすい膜ができます。この被膜が気持ち悪いといって、すくい出して捨ててしまう方がありますが、この膜はカルシューム、タンパク質、脂肪などから成っているので、膜を捨ててしまうのは牛乳の栄養を捨ててしまうのにひとしいことです。

もし、どうしても煮沸しないと気がすまない場合は、強い火でかきまわしながら早く沸とうさせるようにします。ただ、暖かくして飲みたいというならば、湯せんにして、六〇〜七〇度ぐらいに暖める程度にしておけば、煮沸するよりもビタミンの破壊を除くことができます。

☆室内の保温と湿度

寒くなると室内で火鉢、こたつなどを使うことが多く、毎年一酸化炭素による中毒事故が頻発しています。とくにしめきった部屋では、ガス中毒の危険が多いので換気には十分注意する必要があります。室内の保温と湿度については次の点に注意しましょう。

①人体に適する温度は二四〜二八度、湿度は五〇〜六〇％が最も快適です②空気が乾きすぎると呼吸器系統の病気の原因になったり、家具がくるったりすることがあります③ガスストーブ、石油ストーブは燃焼するとき水分を発生しますが、電気ストーブは空気を乾燥させますから、必ず水を入れた容器をのせるなどして、蒸気をたたせる工夫が必要です。

☆みかんの皮の利用法

みかんの皮には、実よりも多くのビタミンCが含まれているほかカロチン、ペクチン類などが入っていますから利用しましょう。

①乾して粉にすれば、そばやなべものの薬味になります②生のまま細かく刻んでつけものに入れると風味があります③細く刻んでアルコールをひたひたくらいに注ぎこみ、何日かおくとペクチンや精油がしみ出るので、この液に二倍の蒸溜水と少量のグリセリンを加え、化粧水やヒビ薬として使うと効きめがあります。

【貯蓄増強中央委員会・農林便利帳から】

日本4H新聞

4Hクラブ　農事研究会　生活改善クラブ　全国弘報紙

発行所　社団法人 日本4H協会
東京都市ケ谷家の光会館内
電話(269)1675郵便番号162
編集発行人　玉井　光
月3回・4の日発行
定価　1部　20円
一ヵ年700円（送料共）
振替口座東京 12055番

クラブ綱領

私達は、実践を通じて自らを磨くとともに、互いに力を合わせて、よりよい農村、よりよい日本を創るため、四つの信条をかかげます。一、私達は農業の改良と生活の改善に役立つ腕をみがきます。一、私達は科学的に物を考えることのできる頭の訓練をします。一、私達は誠実で友情に富む心をつちかいます。一、私達は楽しく暮し元気で働くための健康を増進します。

全国 青年会議の事務局発足

着々進む準備体制

担当者の役務分担決る

来る二月三日から四日間にわたって、東京・渋谷のオリンピック記念青少年総合センターを主会場に盛大に開催される第九回全国青年農業者会議の事務局が、さる十七日、東京・港区西新橋一丁目五番地十二号佐野ビルの全国農村青少年教育振興会事務所内に開設された。ひきつづき、事務局では役務分担などをとりきめ、今後の事務局運営について協議した。

第九回全国青年農業者会議の事務局運営について話し合う関係者（東京・港区西新橋の新事務所で）

二月十二日に事務局の総会

この会議は、発展してゆく日本農業の中核者として、実践活動を推進している農村青年と農業経営者たちが、農業や農村生活の技術や経営について実地において体験した成果を発表し、これについて当面する問題、あるいは将来の方向などについて研究討議し、知識や技術の交換、交流を図り、近代的農業および農村の建設に資することをねらいとして、例年開かれているもの。

とくに今回は、主催者の一員に青少年の代表として全国4Hクラブ連絡協議会（会長、黒田保君）を迎えるとともに、会議の内容も青少年部会と農業経営者部会に分け、運営もそれぞれの部会ごとに責任をもってあたり、青少年部会の運営は各県連から選ばれてきた青少年を中心とする運営委員会にすべて任せ、事務局は運営委員会の決定によって働くというようにしている。

この日午前十一時から、大会を共催する農林省、NHK、全国農村青少年教育振興会、全国農業研究会協議会、全国農業改良普及協会、全国4Hクラブ連絡協議会、日本4H協会の各事務局担当者が集まり、正式に事務局を開設、各担当者の役務分担などについて話し合った。

まず、農林省普及教育課青少年班の大賀課長補佐が、青年農業者会議の事務局を本日から発足させ、万全を期して会議の準備にあたり、大会を成功させるよう全員で協力したい旨を述べた。

つぎに、事務局員の役務を分け、それぞれの担当者を決定した。

このあと、各県から事務局へ問い合わせが来ている二つの問題について協議した。

一つは、会議における選択課題と共通課題を別々に取り上げるか、それとも同時に取り上げるかということで、協議の結果、これら二つの課題は一応切りはなして討議するが、選択課題のなかで各自の将来について話す場合、共通課題のテーマ「わたくしが築く十年後の農業」に関連してくるのは仕方がないもの―とした。

つぎは、各県からの参加者を一～二名ふやしてもらいたいという要望で、これは、会場や宿舎を考慮して、その程度の人数なら認めよう―ということになった。

それから、分科会の助言者を各団体ごとに二十一日までに推薦すること、事務局の各分担ごとに担当者会議を近日中に開き、準備にとりかかること、来月十二日に事務局の総会を開くことを決めた。

各地で県大会開く

全国大会にさきがけ、いま全国各地で県大会が続々と開かれているが、以下はその一部である。

愛知県青年農業者会議（1月27～29日＝名古屋ユースホステル）

岐阜県4Hクラブ大会（2月13日＝県庁大会議室）

新潟県農村青少年実績発表大会（2月4～6日＝村上市瀬波大観荘）

熊本県農村教育青年会議（2月3～5日＝国立阿蘇青年の家）

埼玉県で記念大会

来る三十一日、20周年祝い

【埼玉】埼玉県農業研究団体連合会（会長・飯田隆男氏、4H部長、小沢賢一君）は、県およびNHK浦和放送局と共催して、来る三十一日、浦和市の埼玉会館大ホールで「埼玉県4Hクラブ二十周年記念大会」を開く。

これは、4Hクラブが同県に誕生してから満二十年を迎えたのを記念し、4Hクラブ活動の意義と使命をあらためて認識するとともに、これまでの経過をかえりみて今後の発展に資するために開催するもの。

大会の主なプログラムは、つぎの通り。

一、記念式典（10時～11時10分）

二、記念講演（11時10分～12時）「成功した経営者の共通点」―農業も企業である―　日本経済新聞論説委員　鈴木幸夫氏

三、シンポジューム（13時～14時40分）「農業の近代化と青年の役割り」
意見発表者　4Hクラブ員三人、4HクラブOB 二人
助言者　日本経済調査協議会調査部長　神谷克己氏
農林省農業総合研究所雇用調査室長・並木正吉氏
司会　NHKアナウンサー　鈴木泰雄氏

四、アトラクション（15時～16時）
コーラス　高山佳子とロキャルナイツ
バンド　結城久とアンサンブルミューゼット

なお、このシンポジュームは、二月八日（日）朝七時からNHK教育テレビ「あすの村づくり」で放送される予定。

青年に期待する（上）

農林省普及教育課課長補佐　大賀忠直

農業は三つの型へ

忘れられていた人づくり

労働集約から資本の集約へ

はじめに、おことわりしておきますが、私は農林省に入って二十年になりますが、青少年担当になったのは初めてです。したがって、青少年問題については素人（しろうと）といってもいいだろうと変な自負をしています。

ですから、素人が話をするということで、いちおう聞いていただきたいと思います。

まず最初に、これからの農業が―というより、これからの日本が、といった方が適切かも知れませんが―みなさんに期待するものを申しあげる前に、私なりに、少し日本農業の展望というものを申し述べてみたいと思います。

一つは、これ本集約的な農業になるだろう、ということです。

いままでは、零細な、労働集約的な農業であったわけですけれども、これからは資本集約的な農業にならざるをえないだろう。また、そういう農業でなければ、農業としてはとても立ち行かないだろう。いまのような五段や六段持って野菜を作ったり、あるいは果樹を作ったりというようなことでは、農業とはいえないのではなかろうか。

非常にこまかい、こんな経営をやっていては、それは農業でなくて、自家の菜園のような性格のものとして評価するに止まるだろうと思います。

したがって、非常に資本集約的な農業が、これからの農業として必要になってくるだろうということです。

商業的大規模農業へと進展

それから二番目には、商業的な農業、農業といっていいのか商業といっていいのか分からないような、そういう農業がでてくるだろうと思います。

もちろん、そのことはハウス野菜園芸、あるいは果樹園芸というものがそういう色彩を帯びてくるだろうと思いますが、そういう商業的な農業というものでなければ、農業としての資格を失うといいますか、立って行かないと思います。

みなさんも、クラブ活動その他で、そうした話をお聞きになっていると思いますが、私なりに考えますと、いま申した二つに、もう一ついまの零細規模から大規模農業に変って行くだろうということです。

こうした農業は、酪農や肉牛経営、稲作、こういうような経営は、大規模な農業でなければ立って行かなくなるだろうと思います。

すなわち、経営単位、個別経営の単位が十ｈａから二十ｈａ、あるいは四、五十ｈａという規模になっていくだろうと思います。

そうしなければ、日本の農業が他の産業と比較をして遜色のないものとはならないと思いますし、諸外国の農業と競争して勝てる農業にはならないと思います。

要求される深い知識と能力

先般、西ドイツから帰って来られた長野の専技の人がいわれていましたが、外国でもこうした傾向がでているそうです。

また、EECでは、マンスホルト・プランが発表されておりますが、農業を大規模化しないとEEC諸国の農業というのは破滅するだろうという問題を提起しながら、農業改善の計画が出されております。

これをみても、さきほど申しました三つのタイプにはなるだろうと思いますけれども、そのタイプにあてはまる農業こそ、これからの農業の資格をもつことができるといえます。

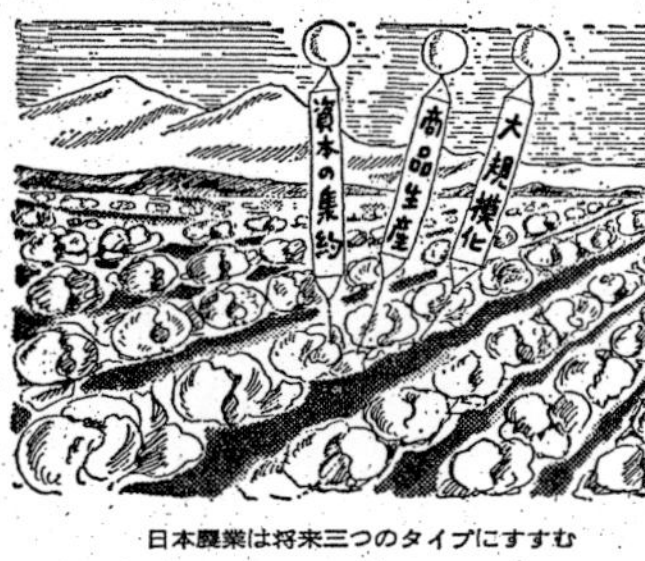

日本農業は将来三つのタイプにすすむ

となりますと、これからの農業者には非常に深い知識と能力というものが要求されるようになってまいります。

質的変化を青年の創造力で

このような農業は、端的に申しますと、いまの農業経営者ではとうてい実現はできません。

まあ、なかにはやっておられる人がわずかにありますが、一般的には、いま申しあげたような農業をつくりあげる能力は、ないだろうと思います。

こういうと経営者の方からしかられるかも知れませんが、事実はそうですから、これはやむをえません。何人かおられるし、あるいはそういうことを考えて逐次その方向に計画的にすすんでおられる方もあります。

しかし、全体でみますと、ひとにぎりの数でしかありません。そうしますと、これからの農業を創り出すのはみなさんに期待されるわけであります。

最近よく、ビジョンということばが使われます。日本農業についても、財界だとか、あるいは学識経験者の人たちが、いろいろなビジョンを発表しております。

どうして人づくりをするか

私は、そうした、発表されたビジョンがビジョンでないとは申しませんけれども、少くともいま私が申しました三つのタイプを、だいたい財界の人でも、いわゆる農業関係以外の人でも、学識経験者の人でもいっているようです。

となりますと、やはり、これからの農業はいま申したような形になっていくだろうと、それが十年先きか、あるいは二十年先きか、もっと早く、そうした時代がくるか、いろいろな問題があろうかと思いますが、いずれにしても、遅かれ早かれ、あるいは一日でも早く、この三つの形に変っていった、質的に変っていったところの農業というものが創りあげられねばならない、というふうに思うわけであります。

したがって、それを創るみなさん方が、それを創り得る知識と能力をもってもらわねばならない。

ことしの九月の二十九日に、農政審議会から答申が出されました。新聞紙上にもその概要が出ておりましたけれども、重要なことを忘れて、要訳した内容が出されておりました。

この答申の要点は、米の生産調整もいっております。農業の構造を改善しなければいけないということもいっております。また、需要に合った生産調整ということも米の生産調整に合わせていっております。また野菜や果物も、これからは消費を考えた生産ということがいわれています。あるいは、構造改善をやったうえで近代的な農業を創りあげていくということもいっております。生産性の非常に高い農業を創らねばいけないということです。

また、非常に近代化された農村環境を創らねばならないということもいっております。

ところが、忘れてならないのは、それらをやっていく人たちをどうしてつくるかということで、新聞はそれについて一つもふれておりません。どの新聞もまったくふれておりません。（談）

凉風暖風

自家用車時代を考える

ことしも、正月は実家へ帰ってむかえた。私の実家は、草深い山村。バスも一日に四往復位しか通っていない。だから、どの家にも自動車がある。自動車は、無くてはならない生活必需品になっているわけだ。

元日には、兄弟や従兄弟たちが集ってきた。みんな自家用車で一ぱいになる。車をもっていないのは私だけ。

年老いた両親は、集った車に息子夫婦の家族を適当にミックスして乗せ、二十粁ばかり離れた妙義神社へ初詣でするのを楽しみにしている。三十余人の連中が車を連ねての初詣では、けだし壮観。毎年のことながら、神社の宮司さんは、目をパチクリしている。

車をつかっての初詣では、年老いた両親の満ちたりた心をかきたてるばかりでなく、一族郎党のきずなを強めることに役立っているようでもある。

ところで、自動車がこのように、人びとの心にも多くの影響を与えているようだ。私の家の、元日恒例の初詣でにしても、自由に行き先が選べて、かつ、走る個室の中で気がねなくワイワイ、ガヤガヤできる自動車が使えるからこそ、一族の連帯を強めることができるのかも知れない。

公けの場にありながら、自動車の中は、世間から隔離された私的な社会を形成しているわけである。外国では、このような状態を、Private Room on Public Road と呼んでいる。また、一方の交通手段であるバス、汽車、旅客機などのマス・メディアは、個人の途中での意志は無視されるため、求められるのは、その結果、つまり行き先や所要時間でしかない。ところが、ポータブル・メディアとしての自動車は、結果よりも、そのプロセスが重視される。

そんなことからして、自家用車の普及は人びとの思考形式に少なからざる影響を与えているはずだ。

訓練されていない若い男女が、ドライブによって問題を起すのも新しい時代の到来を知らないからだろう。親たちにしても、若い二人が、離れにとじこもっていたら気をもむくせに、ドライブには、それ程心配しないというのは片手落ち、というもの。

若い人たちが、自動車によって、"イエ"からの解放を知ったのを、親たちは気づいていない。自動車による、家族づれのレジャーが流行しているが、これは地域社会からの逃避であって、地域連帯感を弱めていることを誰が真剣に分析しているのだろうか。あるいは、走る個室の出現によって、自己中心、マイホーム志向に拍車をかけているようにも感じるが。

ともあれ、私のように車をもたない人間にとっては、自動車による初詣でが楽しく、その印象が強烈であっただけに、自家用車時代の在り方について、いろいろ考えさせられた正月であった。

（文部省　伊藤）

"冬のつどい"開く

鳥取県連で来る三日から

【鳥取県＝山本省嗣連絡報道員発】鳥取県農村青年会議連絡協議会（会長・安住秀雄君）は、このほど、東伯郡関金町の県立営農研修館で、県農村青少年リーダー研修会を開くとともに、来る二月三日から、東伯郡三朝町の温泉会館で開催予定の「県農村青少年冬のつどい」について打合せを行ない運営の中心となる県連事業部案を確認した。

この日の打合せは、中島事業部長を中心にして協議がすすめられ、あらまし次のような内容が決定した。

開催期日　二月三、四日。

場所　東伯郡三朝町「三朝温泉会館」

参加者　農村青少年、指導者、OBなど二百名

日程

第一日　農村青少年の発言

分科会　稲作、そ菜、果樹、中小家畜、大家畜、特用作物、生活改善の七分科会に分け、プロジェクト発表をもとに討議する。

懇親の夕べ、プレゼント交換を行なう。

第二日目　分科会報告、プロジェクト発表、講演、パネル討議

日程と内容は以上の通りであるが、このつどいは、さる昨年七月の全国大会以来、初の全県的なクラブ員のつどいであり、その後、プロジェクトへの意欲的な取り組み方がみえだしているので、同県連では積極的な発表がされるものと期待している。

県連と連けい図る

山口県で地区連会長会議

【山口県＝松尾耕助連絡報道員発】山口県農村青少年クラブ連絡協議会（会長、福島保昭君）は、さる十二、十三の両日、防府市牟礼の経営伝習農場新生館で、本年度第二回目の地区連会長会議を開催した。

会議には、県下十七地区連の会長や県連理事など約三十名が参加し、県連行事のすすめ方や地区での活動のすすめ方、県連と地区連との連けいなどについて熱心な協議がなされた。

第一日目は、まず、県連事業の経過報告と各地区の活動状況や問題などを話し合い、解決の糸口をつかんで今後の活動をどうすすめていくかを検討した。つぎに、来月十二、十三の両日県立光青年の家で開催される県農村青年会議の日程と内容について話し合った。

つぎに、4H会館建設募金について、その方法などについて協議した。県連として本年度は、県下十七地区連に募金箱を設けてクラブ員の募金を図ることに、OBクラブ員に対しても協力を呼びかけることにした。

このあと、県普及教育課の井上係長から、資金導入や国内研修制度について話があり、夜は懇親会を開いて夜の更けるのも忘れて語り合った。

二日目は、来年度の夏の技術交換大会について話し合い、下関地区で開くことなどを決定した。

さいごに、地区連と県連の体制について協議し、県連への要望など意見交換を行ない、正午に閉会した。

益金を4H会館へ

徳島県連でダンスパーティ

徳島県農村青少年クラブ連絡協議会（会長、田所恵一君）は、昨年暮れの二十日午後六時から、徳島市体育館でダンスパーティーを開催し、益金のうち二万円を、このほど日本4H会館建設に寄贈した。

このダンスパーティは、4H会館建設基金と歳末たすけあい基金のねん出をかねたもので、とくに4H会館建設募金運動の意義を県下のクラブ員に広く認識してもらうことを目的に、その利益金をもって会館建設や歳末たすけあい運動に協力したもの。

このパーティには、実行委員会が設けられ、クラブ員が入場券を売りさばいた結果、当夜は約六百人の大盛会になった。

県連では、利益金のうち、二万円を4H会館に贈ったほか、歳末たすけあい運動の一環として児童ホームへも寄贈し、残りは県連事業費にあてた。

「当初は、赤字になりはしないかと心配していたが、クラブ員たちの努力で成功を収めることができました。パーティのあと、4H会館に対する認識が深まるとともに、県連のまとまりがよくなりました」と県の山崎担当官も喜んでいる。

新規就農者を激励

奈良県連で青年会議かねて

近代農業の推進誓う

【奈良】奈良県4Hクラブ連絡協議会（会長、中津彰之丞君）は、県と共催して、さる十六日午前十時から県庁大会議室で、今春から農業に従事する新規学卒青少年を励ます会を開いた。

同県で今春卒業の自営農業志望者は高卒、経伝卒、農業講習所卒合わせて百二十人。

この日は、関係者の励ましの言葉、先輩の4Hクラブ員の「私はこんな農業をしている」の実績発表が行なわれたあと、この会を終了、ただちに農村教育青年会議に切りかえ、体験発表や意見、希望を語り合って近代奈良農業の担い手になろうと誓い合った。

このあと、ドリームランドセンターに会場を移し、希望者は4Hクラブ員と泊りこみ「地域と農業」「わたくしたちが築く十年後の農業」などをテーマに語り合った。

同県ではも農業後継者不足のきざしが強いだけに、新就農者に対し少数精鋭主義で大切に育てていく方針である。

心頭技健

NHKの調査によると、戦前から戦後にかけてもっとも余暇時間のふえたのは農民と主婦だそうである。一日のうち、農民は、戦前、わずか二時間半ぐらいしか余暇時間がなかったが、三十五年には五時間以上と二倍にふえている。最近ではもっとふえているのはいうまでもない▼かつては、朝暗いうちから、夜おそくまで働いていた農民も、このごろは機械の導入など省力化をはかるとともに、クラブ員などが率先して農休日を定めたりした結果、都市のサラリーマンや労務者と同じ程度の余暇時間をもてるようになったのである。このことは、農民の所得水準があがって、生活に余裕ができたことと関連しており、まことに結構なことである▼ところで、問題はこの余った時間をどう使っているかということであろう。最近の都市近郊では住宅建設のため土地が異常に値上がりし、田畑の一部を売って大金を握ったまではよかったが残念ながらそんな大金の使い方を知らず、酒やバクチで使い果してしまったという話をいたるところで聞く。時間もお金も上手に使いたいものである。だいいち、粗末に使ってはもったいない▼このごろでは、人々の生活に対する考え方が、昔のように勤勉に働くだけではなく、むしろ働くときは大いに働き、遊ぶときは大いに遊んで生活を楽しもうという考え方に変ってきている。レジャー・ブームといわれだしてから久しいが、レジャー・ブームが本格化するのはこれからだという人もいる。レジャーの内容がアメリカより三十年はどおくれているからだそうである▼余暇をレジャーに使うとすれば、このレジャーなるものの内容が問題である。現在わが国では、読書やテレビを視ることに大部分の余暇が使われているそうである。農村ではテレビの視聴が最も多いのではないかと推察される。読書といってもマンガだけという人もあろう。お年寄りにはテレビだけという人も多い▼とにかく、マンガもテレビもいいが、それだけというのはいけない。とくに若い人たちは、激しく変転する社会におくれないよう常に努力を怠ってはいけない。それから、レジャーもまた、明日の仕事の活力を養うものでありたいものである。

根本は仲間と共に
地域に密着した活動が大切

これは、昨年の暮、全国4Hクラブ連絡協議会（会長、黒田保君）が実施した沖縄親善交歓訪問のとき、全沖縄農村青少年技術交換大会に参加したクラブ員と行なった沖縄―本土のクラブ員と関係者による交歓討議会のもようです。（文中・敬称略）

沖縄のクラブ員と語る（下）

浦田（佐賀）　私たちの4Hクラブはクラブ員が六十名近くいます。町全体六百戸くらいの中での六十名ですから、割合私たちの市内では多いのですが、果してクラブ員、農業後継者が残るのがよいかどうかということは、農業者を減らそうという状態の中でどうかということを考えますけれども、一応、よそにみられないだけわが単位クラブでは残ったという成果をみますと、やはり単位クラブ、家族ぐるみで認められたというか、地域社会に理解してもらったということがあると思うのです。

大世帯になったわれわれの単位クラブは、まず技術を学ぼうという、4Hの一つでありますが、まずやらなければならないのは、激動する農業情勢の中で、仲間とともに進もうといいますか、同じ志の者がお互いに勇気づけて友と進もうと仲間づくりということを主眼において、気の合った者ばかり五、六名ずつがまとまってグループをいくつもつくらせたわけです。

やはり、そういった中で仲間と話し、意見を述べ合い、農業を語りながら、単位グループの中で農業論とか人生論とかいったものを話し合う中に4Hクラブのよさ、仲間とともに盃をかわしながら、そういった中に魅力を感じているわけではないかと思います。

そういったつき合いの中で、技術を学ぶ仲間と語りながら、もっと高度の技術を身につけなければならないとか、先進地を見に行きたいとか、やはり根本になるのは、仲間とともにということだと思っています。

沖縄・C　4Hクラブと農協青年部に入っていて、農協青年部に出て4Hに出席しないクラブ員がいたので口論したことがありますが、彼は、こういっているのですよ。

4Hクラブの活動や行事は、忙しいときに組まれているが、農協青年部はヒマなときに組まれているので、自分はヒマなときに参加するのだと言っていましたけれども、そういうようなクラブ員、リーダーを4Hクラブの中に導くよい方法がありましたら教えていただきたいと思います。

沖縄・D　私がお聞きしたいことは、農産物の流通機構ですね。それから各県、あるいは市町村が単位の4Hクラブにどのようなバックアップをしているか、また、農協と農家の関連性、さらに現在農村で実権を握っている中堅層、年寄りの方たちが4Hクラブなどについてどのように考えているかなどです。

太田（山梨）　行政機関と4Hクラブという自主集団のつながりの問題については、私そういう面に関係しているものですからお伝えするのですが、私たちの町にも三十四名のクラブがあります。町の中でクラブは一つだけです。

経営も果樹と養蚕と水稲という比較的に農家の形態が似ていますから、わりとクラブ員の農業に対する意識、考え方というものも大体同じような人たちがそろっています。

それでは、行政的にどういうテコ入れをしているかというと、むしろテコ入れではなくて、逆に4Hクラブ員から出たのですけれども、町に対する働きかけで、われわれはこういうことをやり、これからこういうことをやりたいと考えているのだけれども、われわれは未熟で、金銭的にも余裕がないので、なんとか町の方でももう少し面倒をみてほしい、という働きかけがありまして、補助金を出すようになりました。

金銭だけについて申しますと、クラブでは年間十万円を越すような活動をしていますが、うちの方の町では規定によりますと年間活動費の三割ぐらいまでは補助金としてさし上げましょう、それ以上は、やはりあなたたちは自主的な集団なので、自主的な金銭であるべきだという意向があります。

それから、質問からちょっとはずれるかもしれませんが、もう一件、さき程から誰も答えを出していないようですから私なりの考えを申しますと、つまり仲間づくりの問題だろうと思うのです。

クラブに会員がなかなか入ってこない、あるいは話してもうちとけてきずらいという問題についてとくに、組織、自主集団の中で考えなければならない会員獲得という問題は、当然、組織としての意識づけをお互いに持たなければならないけれども、それ以前に、やはり人間的なつながりを持たなければならんと思います。

男でも女でもみんな悩みを持っていると思います、そんな中で真剣に聞いてやれる相談相手となってやるということがまず第一に組織にとって必要で、人間対人間関係をよくつくり上げるということが会員にならせる一つのポイントではなかろうかと思うのです。表面的に美辞麗句を並べるよりも、その立場にたって、恋愛で悩んでいたら、自分には経験はないが、ぼくならこうすると考えてやる仲間が欲しいのではないかと思う。人間関係を広域クラブの中につくればつくるほど、よき指導者にもなれるし、よき集団にもなれると思うんです。そういうことについて、私は男性の方はダメだったけれども女性の方に自信があるつもりです。

小川（栃木）　私たちの地区には八つの4Hクラブがありますが、それは4Hクラブと青年団が一緒になった変則的な組織なのです。

さきほど予算や活動などいろいろの問題がありましたけれども、私たちの単位クラブというのは町から予算、あるいは部落の人たちからも補助をもらっています。一戸当り百円ですか、全部で百何軒ありますが、それはなぜ出してくれるか、その辺は、ぼくたちの組織が地域に密着しているからということがあると思うんです。

それは、たとえば、ぼくたちの地域に台風がきた、あるいは霜が降ったというときに、ぼくたちがどこどこで、これだけの被害があったと町の産業者の方に連絡するんです。部落単位で調査員が二人ずついるわけですが、クラブ員がいち早く知らせてやることによってすぐに被害状況がわかります。そういうことで、クラブ員がみずから進んでそういったことをやり、ただ貰うということだけでなく相手に与え、協力してやるという、そういう精神が地域に密着して、楽に予算を獲得できると思います。

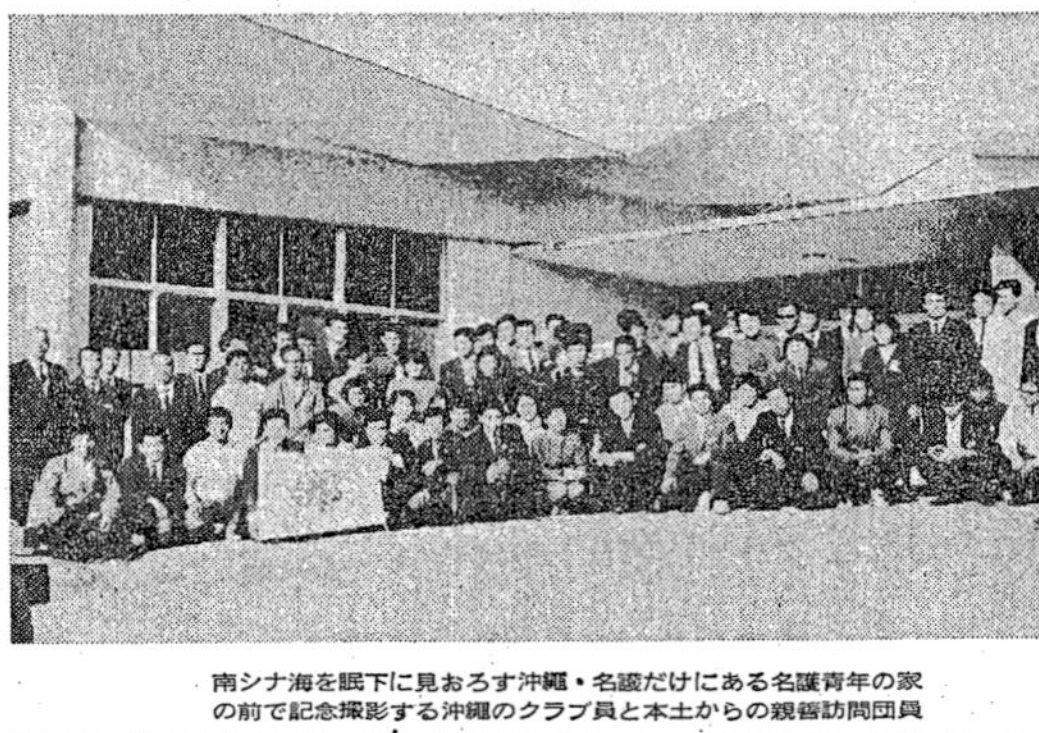

南シナ海を眼下に見おろす沖縄・名護だけにある名護青年の家の前で記念撮影する沖縄のクラブ員と本土からの親善訪問団員

うまい米で勝負する

沖縄・E　本土の方にお聞きしたいと思います。

米のことですが、いま本土では法律で保護されていて、農民から高い値で買い上げ、それを安い値だんで売っているわけですね。それがいつまで続くかということと、また、本土には沖縄で十年、二十年かけても食い切れないほどの大量の米が現に倉庫に入っているわけですが、本土復帰後、それと沖縄との競争関係など、どのようになるかという考えです。いま、沖縄のサトウキビは、本土の米と似ているのですが、それでお聞きしたいと思います。

黒田全協会長　その問題については、私たちが答えるには余りにも大き過ぎますが、ただ、こういうことは言えると思います。米は確かに余っています。しかしながらやはり日本国民の主食である米は余るくらいなければいかんということです。何か突発的にあった場合などに備えておかなければなりません。その量はいまあるくらい必要かどうか私には分りませんけれども。しかしながら私たちのクラブで話しているのですが、これからの米というのは、取れる、取ろうという時期はもう過ぎたのではないか、これからは食味の時代だということです。いかに農民がおいしい米を作って自分たちの生活がより豊かになるように努力するかということは、こん後農民に課せられた一つの課題であると思います。

そこで、うまい米とまずい米をはっきりと統計としてではなく農民として把握する必要があると思います。

そのため自分たちのクラブではこれからすぐにそれにとりかかるわけですが、約三十俵の米を用意して、東京に食味モニターをつくるということでいま動いているわけです。八十人近くクラブ員がいますが、クラブ員が約三升ずつ持ち寄り、農協関係から最低二俵を寄付してもらうことになっています。それに、われわれクラブ員は村行政からよく理解されておりまして年間四十五万円くらいの予算をもらっていますが、われわれが何かをやろうとした場合、役場、農業委員会、農協など村全体でバックアップしてくれますから、そういうことを一度やって、自分たち農民としてうまい米とまずい米を区分して、村の品種のこん後の方向づけをわれわれでやっていこうということで話し合っているわけです。

琉球政府・上原青少年担当官　沖縄でこれまで食べてきたお米の全部が合州米です。そして、年間、沖縄百万県民がいくら食べるかという米の消費量の概算ができましたら、琉球政府の立場でこれを契約して、何回に買うんだという予約を向こうに出すわけですね。そしていつ送ってくれと、また直接の取り引きは業者とやるわけですが、買いつけは政府がやるわけです。

こんども新聞にありましたように、本土ではおいしくない古米があるといっても、われわれが食べている合州米よりもおいしい米なんです。

しかし、本土復帰しますと、アメリカの行政権力が関与しなくなるのです。そこで、黒田会長さんがおっしゃったように、おいしい米がどんどん研究され、開発されることになるわけですから、おいしい米をお互いが平等に食べられることができると思います。

家族制度で違う女性の立場

中川（富山）　私、沖縄の女性の方にお聞きしたいと思います。

私たちは、ふだん、クラブ活動の中で、仲間づくりや、こん後部落の中で腕をつき合わせていくためにも、青年時代から協調性とか郷土性などを養っているわけですが、その点でもクラブ活動は長い人生にとってよいことだと思っています。といっても、女性の場合はクラブ活動の期間も短く、はたちを過ぎると、どこかよその地区へ行ったり結婚しますので余り活動できませんが、仲間づくりということを目的に私たちはやっています。

女性の場合、家庭環境の中で長女という人が多いのです。その点について、さきほど沖縄の女性の方に聞いたのですけれども、なにか沖縄では女性一人でも、三人いても、家の面積とか農業をやっていく必要がなかったらお嫁に行くと簡単に言っておられたのです。クラブの中での女性の立場は微妙なのですが、沖縄の女性のクラブ員はどのようであるかちょっとお聞きしたいと思います。

沖縄・F　正直なところ、それは進んでいる方の意見ですね。だけれども、家族制度の中に問題があるのではないかと思うのです。沖縄の家族制度のものの見方と、本土で残っている家族制度という問題がサークルづくり、農村における活動の方で支障をきたしているのではないかと思うんです。

沖縄の場合、本当に農業をする若い女の人が、部落内に残っているかということですが、北部ではほとんどいないのではないかと思うのですよ。役所に事務職として残っているか、そうでなかったら生活改善グループとか婦人会に入っていますね。

やはり大きな問題は、沖縄の農業をやっている現状と、本土の農業、そういうところから問題がきているのではないかと思います。

女性のクラブ活動はもやはり婦人の立場、婦人はどうあるべきかということに最終的なものにつながるのではないかと思います。

沖縄・H　今回、本土から二十三名の方がいらっしゃいましたが、こういう大会は毎年催されておりますので、全協の方では一人でも二人でもよいですから来てもらって、全協の活動はどのようなやり方でやっているんだと紹介してもらうような問題も、この機会を利用して話し合わせていただきたいと思います。

司会　まだまだ、みなさんが考えておられること、ご意見ご聞きしたいことがあると思いますがこの辺で終らせていただきます。どうもありがとうございました。

（おわり）

クラブ活動12ヵ月
新しいクラブ員を中心に

栃木県・普及教育課　湯浅甲子

（3）

就農予定者のカード作成へ

新卒就農者のリストアップはできただろうか。一人ももらさず、新卒者の名簿をつくる仕事は、大変だが、組織づくりの第一歩である。しっかりとまとめてほしい。

さて、今年の新卒就農者の傾向はどうだろうか。例年とちがった点がみられないか。地方によって違うだろうが、農業後継者対策がやかましくいわれ始めて、農業高校の充実が叫ばれ、施設の強化がなされた。その成果が卒業生の質や量で現われてくるころである。

しかし一方、社会の変動は、予想以上に激しく、卒業生中就農希望者のすべてが、必ずしも就農するとは限らない時代になってきた。在学中に農業をとりまく条件は急転したのである。米の生産調整、市街化地域と調整地域の区分線びき、農業地帯の旬土宣言といわれる農業振興計画の推進、そしてこれに若年労働力の激減など、学窓からながめる農業条件の変転は、理解し難いものの連続であったに違いない。だから、今春の就農予定者の心境は、例年になく複雑であるようである。

ぜひ戸別訪問を
親の真意を知るためにも

そこで、諸君たちに次にやってもらいたいものは、就農予定者の、個人カードの作成である。普及所へいくと、就農青少年カードとか、4Hクラブ員カードとか、呼び名は違うが、就農青少年一人ひとりの台帖的カードがあるはずである。

このカードは、普及員の指導用につくられてあるが、諸君からみれば、仲間の個人台帖であるので、このカードの整備は、普及所に一任する性質のものではない。むしろこの際、普及所とはかって、前記の新規就農青少年についてはクラブ員が積極的に整備することがよいと考える。

台帖といえば、大体想像できるような様式が多い。例えば、本人の氏名、性別、生年月日、住所、家族の状況、経営の状況といったところ。ところが、今年、諸君たちに特にやってもらいたいことがあるのだ。それは、親たちの農業に対する真意と、息子と卒業直後の扱い方の真意を、戸別訪問してきいてほしいのである。

この仕事は、普及員や指導者がやるよりも諸君たちの方がいい。なんとなれば、腹の底がわかるからだ。もちろん、諸君たちは、ただの聞き手だけではいけない。青年として、農業者としての意見もいうべきだ。そういうやりとり中で相手の親たちの考え方を知ることは、諸君らにもプラスだし、後継をうけとめる際にも大変役に立つのである。

諸君らは、もう既によく知っているように、4Hクラブは、就農するすべての青年を抱きこまなければならないグループではないのである。真に農業をやろうとする農家の4H活動をやろうとする青年たちによってつくられるグループなのである。

だから、諸君らは、農業から計画的に転進しようとする人まで組織に入れることはないのである。そういう意味からも、卒業直前の家庭訪問は、極めて重要な意味をもつのである。個人別カードの作成は、カードが出来上がることよりも、カードづくりのための個別訪問が重要であることを忘れないではしいのである。

立場をかえて、卒業生を持つ家庭の親の立場で考えてみると、親が真剣に農業にとりくんでいる人ほど、卒業後の息子の将来については、大きな期待と不安があるのである。とくに、友達からうける影響の大きさは、どの親もわかりすぎるほど知っているので、卒業後の息子の生活のさせ方には、ひとかたならぬ不安があるのである。

こういうときに、一番親の不安をとりのぞくよい方法は、身近かにいる、農業をやっている先輩青年の熱意と友情である。

そういう意味からも、卒業前に、後継者のことについて親を訪問する諸君たちの、一途な友情と農業に対する情熱に触れた親たちは、おそらく十人が十人、救われたような気持で、息子を諸君たちにまかせてくれるに違いないのである。

また、農業から転向を内心考えている親であっても、我が子にはいえないが、諸君たちにはいい出してみて、諸君たちの反応を確かめたい気持があるものである。そのときこそ、親としての心が定まるときであるかも知れないのである。

ところで、諸君の中には、こんな疑問をもつ人があるかもしれない。4Hクラブは、青年本人の集まりなのだから、青年本人の意向さえわかれば、なにも親の意見などそんなに重要視しなくてもよいのではないか……と。しかし、そうではないのである。

新卒者は、社会人としてはまだ未熟である。世の中の動向や、わが家の経済、地域の農業の方向と、わが家の農業との関連性など、まだまだ読みが浅い。この新卒者のために杖とも柱ともなるのは、親の意見と先輩諸君らの誠実な農業への情熱である。そういう意味から、ぜひとも、卒業前に、あなた方と親たちとの心の交流が必要と思うのである。この橋渡しの仕事が、新卒者個人別カード作成のための個別訪問なのである。

農政にこの対策を
▼審議会の答申から

>9<

快適な農村生活環境を
国民の緑といこいの場にも

(8) 農村の整備・開発

ア、農業従事者の所得・生活水準を向上させるためには、地域開発政策との関連を考え、農業が営まれる場としての農村地域について生活および生産基盤の総合的整備をすすめることがますます重要となってきている。

さらにまた、地方の中核都市における生活中枢機能の強化と雇用吸収力の増大を図るとともに、農村とこれらの都市との結びつきの強化をすすめ、都市と農村との交流を通じて豊かで健康な農村をつくりあげていくことが必要であろう。

イ、農村は、大都会と異なりスモッグもなく、農業者は通勤に混雑した交通機関を利用することもないが、道路、住宅、上下水道など農村の生活環境は一般に都市に比較して著しく立ちおくれている。

とくに近年、生活水準の向上、生活欲求の多様化および農業の新たな展開に対応して、その整備が早急に望まれている。

したがって、近代的農業の展開のために必要な諸条件および農業経営の担い手たるべき者が快適な農村生活を享受できる諸条件を総合的で計画的に整備する必要がある。このため、農村における土地利用区分の明確化を図り、道路その他の生活環境施設の整備を積極的に推進すべきである。

また、これらの整備をすすめるに当たっては、近年におけるモータリゼーションの進展など生活圏域の拡大に対応して農村と地方中核都市との道路交通網および通信網の整備を図り、農村の居住者が、これらの都市における文化、教育、医療などの都市の便益を享受することができるよう、とくに配慮する必要がある。

ウ、近年、一部農山村地域において、人口の急激な減少によって過疎現象が生じている。これは、経済の高度成長に伴う都市への人口流出などの結果ではあるが、地域住民の福祉の向上と国土の有効利用の観点から、その対策を早急に講ずる必要がある。したがって、これらの地域の実情に即し、林業、畜産、観光などの施策を充実するとともに、住民の意向に即応した集落整備その他の生活環境条件の総合的な整備をすすめる必要があろう。

エ、農村地域は、ともすれば破壊されがちな自然を積極的に保護保全し、国土を災害から守る役割をもつとともに増大する国民の自然への渇望とレクリエーションに対する需要に即応して、自然のなかで緑といこいを与える場として、ますます重要になるものと考えられる。

したがって、農村地域における土地、水などの資源の開発保全、道路などの環境整備をすすめるに当たっては、自然の保護につとめるとともに、これらが国民のレクリエーションにも役立つことに配慮を加えることが望まれる。

また、農家が個別にまたは共同でレクリエーション施設を設置運営し、これによって、所得をえようとする場合に、これを助長することも考慮すべきであろう。さらに、離農の援助、促進を図るとしても、なお農村中小高年令層は相当とどまるものと考えられるので、当面、これらの農業者のための老後の生きがいとしての農業についても配慮する必要があろう。

このように、農村を農業が営まれる場であると同時に、国民の緑といこいの場として考える場合、生活環境と営農条件が十分整備された美しい田園風景が望まれることを留意する必要がある。

むすび

今日の農業問題に対処するのは、農業者にとっては決して容易な道ではないし、政府としても英断を要することである。

よって、政府は、農業者を含む国民一般の理解と協力をうるようにつとめつつ、さきにのべたところにしたがって、諸般の施策を速やかに整備しなければならない。その際、今日の農業問題は以前にもまして、財政、労働、社会保障、貿易、地域開発などにかかわるところが多いので、とくに、関係政府機関の積極的な協力が要望される。

（おわり）

農業の道を選んで
4Hを建て直そう
本土研修の成果を経営に

沖縄宮良4Hクラブ　当　銘　　修

◆めざましい技術革新◆

誰れもがしあわせを求め、そのしあわせが末長くありたいと願うのは、すべての人が考え求めるものだと思います。私もその一人として大いなる理想をもって農業に生甲斐を感じ、農業を通して生活しております。申すまでもなく進みゆく農村社会にあって、青年であるわれわれに学習が必要なことは、いろいろな場所でいろいろの人によって指摘されていますし、また、私自身も最近のように技術革新のテンポが激しい中にあって、自らを導く学習の重要性を強く感じております。

農業は現在、基盤整備によって一区画の圃場は大きくなり、耕地面積も拡大され、作業体系は機械化による一貫作業で、これを自由に使いこなせる能力、体力、高度な技術が要求されています。例えば、一つの技術をとってみた場合昨日の技術はきょうは役立たず、きょうの技術は明日の農業に通用しないほどのめざましい技術革新が行なわれています。しかし、昨日の技術のマスターがあればこそきょうの技術が生まれ、それを十分発揮し、体験してこそ明日の技術の開発があるわけです。

私は農家の長男として生まれ、将来よき後継者であるために目標を定めて勉強することがたいせつであり、生甲斐をみい出すのは、自分自身の日々の努力の積み重ねの中にあると思います。農家の長男であるから、しかたなく家に残って農業を継がなければならないとか、人に勧められたからやってみようとか、失敗したから転職しようなどと考えている人がいるとすれば、その人は農業に生甲斐をみい出すことはできません。

私たちは農業の経営者です。自分の計画通りの経営ができて、しかも方法によってはサラリーマン以上の所得を上げることができ、新しい仕事も計画通りできます。こういう意味から、私は一番好きな農業の道を選んだのでした。

◆農業に社会的理解を◆

現在農業は、貿易の自由化に伴なって合理化がさけばれている中で、産業として農業は斜陽化し、あらゆる面で問題が山積しておりますが、その中に生甲斐と充実感を抱き、使命感に徹したとき、こんなに素晴らしい職業はほかにないと思います。こん後、農業を取りまく数々の問題に対し、若いわれわれが積極的に社会に対して訴え農業の社会的理解を深めていかなければなりません。

ややもすると、いつまでも井の中の蛙のごとく、農業という劣等感から脱皮できませんが、一人ひとりが自覚し、農業に生きることに誇りを持って、ともに語り合っていかなければなりません。

以上のような考えに立って、私は高校卒業と同時に農業に従事してきました。

◆従来の経営への疑問◆

この間、経営面に対しいろいろと創意工夫をしてきましたが、農業があらゆる面で変動している今日、これまでの農業経営のあり方について考えてみると疑問を生ずることが幾多ありました。私には語り合う友人も少なく、日夜迷っていましたが、ふとした友人の話の中から、先輩たちの築いた4Hクラブを再び建て直そうと相談し計画をたててきました。

その結果、先進地の農家に住み込んで農業経営を実際に学び、こん後の計画をたて直そうと考えている矢先、普及員から本土の農業への留学研修があることを聞き、両親と相談のすえ、私は決意を固め、一昨年の十一月から昨年の四月まで琉球政府の指導によって本土の農家留学研修を無事終了して帰りました。

本土の受入れ農家は、静岡県磐田郡竜洋町で、研修内容は、黒毛和牛の肥育でした。この農家の経営規模は、水田八五㌃、畑八十㌃、肉牛二十二頭、温室五棟、家族は八人で各自が分業で担当していました。この地帯は肉牛の生産団地になっており、八名が家畜管理、予防業務、飼料購入を分業で行っています。

この六ヵ月間にわたる留学研修は、私にとって非常にプラスになり、帰郷後は自らの経営に役立つことができました。

◆困る資金と流通問題◆

現在、私の家の家族構成と経営内容は次の通りです。

家族構成と稼労率
父 1.0(農業)母 0.8(農業)
本人 1.0(農業)次男(学生)
長女 0(学生)三男(学生)
次女(学生)

経営内容
研修前
キビ・二〇〇㌃、パイン・一五〇㌃、荒蕪地・二〇〇㌃
研修後
キビ・二〇〇㌃、パイン・二五〇㌃、放牧地・二〇〇㌃、休閑地・二〇〇㌃、繁殖牛・二頭、肥育牛・一頭、トラクター・一台

このように留学研修後は、経営内容が変りましたが、いろいろな問題が生じ、一番困るのは経営資金と流通問題です。これからの農業者は単なる生産者でなく、積極的に経営を企業化していかなければなりません。いくら生産者が増産しても政府当局がこれらの農業問題を積極的に取り上げて解決してくれなくては、われわれの力だけではどうにもならない問題があります。

◆環境生かして畜産を◆

最近、畜産業の振興がとなえられ、現在、政府からの貸付牛や農連の行なっている貸付牛などもありますが、これらはごく一部の農家にだけしかゆきわたらず、意欲にもえている農村青年の希望をかなえることができない実情であります。

私の郷土にある八重山は、畜産業に最も適した環境条件に恵まれています。近く本土への復帰を迎え、日本経済確立の一環として、わが沖縄農業の将来のビジョンが畜産業に重点がおかれている時にあたり、関係当局の深い理解と指導をもとに私はこん後、パインとキビ栽培、ほかに、大きく畜産部門の規模拡大をはかり、現在は夢のような希望ですが、千五百㌦農家をめざして努力していきたいと思います。

全沖縄4Hクラブ連絡協議会の技術交換大会で発表する当銘君

私のプロジェクト
精神的な明るさを
農業を嫌う人は少ない

群馬県甘楽郡南牧村塩沢　南牧4Hクラブ　神　戸　恵　子

私は小さい時から土に触れて育ったせいか何の抵抗もなく、高校時代にささやかな農村婦人としての夢を抱くようになりました。とはいっても、友人と同じように都会に憧れたこともありました。しかし、家の状態を考えると、それは口に出せませんでした。

それよりも、青空の下で働けるのは農業以外にないと思ったからです。真っ青に澄んだ空が私は大好きです。悲しくなって青空を見上げるとき、苦しさをみんな忘れてしまいます。また、つくづくしあわせだなあと感じるのです。そして積極的に農村婦人として生きようと決意しました。

農村が好きといっても家に残るだけではありません。両親の手伝いとしての農業見習いの一年生です。卒業と同時に4Hクラブを同志と結成し、農村青年のグループ活動をはじめました。農業といっても私の住む地方は、山間の急傾斜地のため耕うん機すら利用できない、手労働に頼る悪環境下にあります。毎日の畑仕事は、とても夢を見るようなわけにはいきません。もっと、条件のよい地域の農村でさえ嫌われている現在、農村以外から、好んで農家に嫁が来るなど夢のような話だと感じられます。

しかし、こんなとき、誰れかが農業をやるんだというファイトと、明るい農村建設のために――。農業が嫌われる原因はいろいろありましょうが、女性としてより多くの農村の実態を知ろうと、グループ活動の一環として、女子クラブ員と父兄に対してアンケート調査を実施しました。

このアンケートに対する結果としましてクラブ員たちの回答は、公共の施設がほしい、農村の風習や労働時間、農休日などの改善。家庭生活につきましては、家計のあり方、育児と教育などの人間らしい生活、とくに、女子クラブ員として生活改善を希望しておることが分りました。また、以外に農業を嫌う人の少なかったのにも心を打たれました。

父兄の回答の中で、農業は重労働だから、自分の娘を農家の嫁にさせたくないという意見が十パーセントもあったのには考えさせられました。また、家計のきりまわしや生活設計の面で女性の位置づけの薄いことが分りました。

4Hクラブ活動は、私たちが成長するための修養課程であると同時に、若さを売り物としての建設的な実践活動にあります。男子クラブ員は部門別に将来の設計のもとに一歩いっぽ前進しています。が、女子は家庭生活を中心とした修養の場にしなければならないと思います。

アンケートでも分りましたが、まだまだ、農村は封建性が強く、精神的な明るさが少なすぎます。これは小さな地域社会のみにとらわれず、十分な情報を通じ、視野の広い話題を家庭の中に取り込み、明るい家族関係を確立することが、こん後、農村に残る私たちの義務であると思います。これを各自の家庭から部落、さらに地域社会へ普及させていくため、どんな小さなことでもよい、一つずつプロジェクトを通して解決していきたいと思います。

第八回農業祭 天皇杯受賞者の経営 ～2～

蚕糸部門　養蚕

埼玉県大里郡花園村小前田1499の2　田中　和一氏

蚕作安定に重点を
能率的な作業体系確立
桑園は用途別に設定

田中和一氏は、埼玉県北西部の荒川流域の平坦畑作地帯にあって、養蚕を主幹とし、養豚を有機的に組み合わせた専業農家である。

家族は八人、農業従事者は本人夫妻と長男夫婦の四人で、桑園一一七㌃、普通畑五三㌃、陸稲三三㌃を耕作し、種豚一〇頭を飼育している。昭和四十三年度の農業粗収入は四三九万円、うち繭収入は二六一万円(上繭二、一九六㌔)で六〇%を占めている。桑園十㌃当たりの粗収益は三二万三千円で、一日当たりの家族労働報酬四千円という優れた経営内容である。

桑園は平坦の腐植質火山灰土壌で、桑品種は一の瀬、改良鼠返しで樹齢は若く、樹勢は適切な肥培管理により極めておう盛で、用途別に桑園を設定している。稚蚕桑園は一五㌃、壮蚕用桑園は春秋兼用桑園が六七㌃、夏秋専用桑園三五㌃を設けている。桑園管理は耕うん機を全面使用し、除草は機械と除草剤を併用し、病害虫の防除は徹底して行なわれている。また、土地の生産性を高めるため最も力を入れているのが土作りで、十㌃当たりの施肥量は、壮蚕用桑園では有機物として豚厩肥三、〇〇〇㌔、蚕沙蚕条二、〇〇〇㌔、無機質肥料は丸桑肥料など成分換算で窒素三六・二㌔、りん酸一九㌔、カリ二二・七㌔を施し理想的な多肥栽培を行ない、立派な省力多収穫桑園を造成している。

蚕の飼育回数は、四十二年から夏蚕を導入し、現在は年五回で一段桑育である。蚕作の安定には細心の注意を払い、徹底した消毒を励行している。

桑園作業から育蚕作業に至るまで、あらゆる作業手順は、柔道の動作の原理を応用し、迅速に楽に正確に行なわれている。給桑作業は、あらかじめ桑束を所定の場所に配っておき、桑束を抱えながら蚕座の片側から後退しながら一方ずつ給桑する方法をとり、条桑の長さは蚕座の幅に合致するよう前年の晩秋蚕期の中間代採の際、考慮して切るなど動作は全く無駄がなく、一般の給桑方法に比べ二～三倍の能率をあげている。

また、上蔟は四十年に自ら考案した条払い台を利用して、極めて能率的な上蔟作業を行なうなど、蚕作の安定に最重点を置き、省力化のため、給桑、採桑、上蔟に至る養蚕作業の一作業、一動作が理に合った作業体系をあみ出し、作業の単純化と効率化を図っている。

このように、あらゆる面で合理性を追求し、たゆまぬ努力と積極的な新技術の導入、また、創意工夫とおう盛な研究心により、生産性は最高水準にまで達し、現在最も養蚕農家が渇望している省力作業手順を独自の着想であみ出し、四十三年の上繭一㌔当たり労働時間は、一・二九時間、一日当たりの家族労働報酬四、〇〇〇円に達し、一方、土地生産性についても十㌃当たり上繭一三九㌔(四十四年は二五七㌔)と、全国平均の約三倍の能率をあげ、生産性の極めて高い合理化された養蚕経営の成果が、今回の受賞となったのである。

結婚相手がいない
佐世保クラブでアンケート

【長崎県】佐世保市農村青少年クラブ連絡協議会(会長、竹下和徳君)は、農業近代化をめざすための基礎資料として、クラブ員を対象にアンケートをとったが、このほど、この結果がまとまった。これによると、男女とも約八割が農業が好きだといい、女子の八割が農家にとつぐ決意をしていることがわかった。さらに「クラブ員の中に結婚相手として考えられる人がいるか」の問には、女子の七割が、男子は九割が「いない」といっている。

農業簿記

京都大学名誉教授　大槻正男

<自計式農家経済簿記>
現金現物日記帳とその記入
非現金取引以外の特殊取引

委託販売　生産物、例えば玄米・小麦などを協同組合を通して委託販売した場合には、出荷(販売の委託)に際して仮受金(仮渡金)を受け取り、委託玄米・小麦が実際に販売されたあとで、その販売代金から、仮受金・販売手数料および保管料など、さらに仮受金に対する利子が差し引かれて清算され、その残額を清算金として農家が受け取って決済されるのが普通である。

このような場合には、仮受金の受け取りを、委託生産物を担保とした組合からの借入金とみなし、財産的収入としていったん記入し、代金を受けたときにはじめて販売取引が成立したものとする。この場合、受け取った清算金額そのままを記入しないで、清算金を――

清算金額＝販売代金－(仮受金＋販売手数料および保管料など)

――という式によって分解して、その日の日付で販売付金の全額を所得的収入とし、他方において、それから差し引かれる仮受金・手数料などをその収入金でもって支払ったものとし、仮受金の返済を財産的支出として、また販売手数料・保管料ならびに仮受金に対する利子などの支払いを所得的支出として記入するのである。

特殊販売　繭の特約販売においては、繭の出荷に際して仮受金(内渡金)を受け、あとで糸量検定の上で決定されるその繭代金の中から仮受金が差し引かれて、その残金額を農家は実際に受け取る。この場合においても、前の委託販売の場合と同様に、仮受金の受け取りは財産的収入として取り扱い、繭代金が清算されたときはじめて販売取引が成立したものと認めて、受け取った清算金額をそのまま記入しないで――

清算金額＝販売代金－仮受金

――という式によって分解して、一方においてはその日の日付で販売代金の全額を所得的収入として、他方においては、その収入金の中から仮受金を返済したものとして、これを財産的支出として記入する。

また、組合製糸へ供繭する場合にも同様の取り扱いをするものとする。この場合には、晩秋蚕繭の清算の多くは次年度になるから、年度末には晩秋蚕繭の評価額を、財産台帳の「未販売現物」の年度末欄に記入することを忘れてはならない。

予約売買　これは将来における物の売買を契約し、その証拠金として予約金(手付金・申込金・打ち金)を授受する取引をいう。販売することを契約し、その契約実行のための証拠金として手付金を受けておき、あとになって実際に物を売り渡したときに、その販売代金の中から手付金を差し引いて残金のみを受け取る場合と、反対に買い取ることを契約して手付金を打っておき、あとになって実際に物を買い取ったときに、その購入代金の一部を手付金と差し引いて残金だけを支払う場合とがある。

どちらも分割受けまたは分割払いとは全く性質を異にする取引であって、手付金の授受は一種の単なる現金貸借と認められてよいものである。そして、その取扱い方法は手付金を受ける場合は、委託販売または特約取引における仮受金と同様に、財産的収入に記入し、手付金を打つ場合にも同様の理によって、財産的支出に記入する。あとで生産物を手渡し清算金を受け取ったときに――

受け取り清算金＝販売代金－予約金

――という式によって、また、予約購入品を受け取り、購入清算金を支払ったときに――

支払清算金＝購入代金－予約金

――の式によってそれぞれ分解記入する。

養蚕農家が繭を特約取り引によって販売する場合には、同一会社から蚕種を予約取り引によって購入するものが多い。この場合には蚕種の配給を受けたときに、蚕種代金を直ちに清算して支払わないで、収繭して特約売りした繭代金の清算のときに、その代金と差引して清算するのが普通である。

NHK農事番組
(2月1日～10日)

テレビ

明るい農村　6・30～6・55 総合
6日　村の記録　診療不能(島根県鹿足郡日原村)
3日　きょうの話題　ことしの農村予算(農林次官)桧垣徳太郎氏
4日　産物往来　たまご
5日　話題の広場　お母さんのマンドリンクラブ(山梨県清里村)
6日　村をむすぶ　フィルム・リレー
7日　農業新時代　みかんの電化栽培(福岡県糸島郡前原町)
9日　村の記録　大阪農法(大阪市淀川区)
10日　きょうの話題　出かせぎ激増(協同組合短期大学)美土路達雄氏

農業教室　7・00～8・00 教育
2日　酪農経営近代化の目標(北海道専門技術員)遠藤清司氏
3日　育成牧場のあり方　同右
4日　多頭飼育の乳牛舎施設(北大教授)広瀬可恒氏
5日　草地利用と維持管理　同右
6日　原料乳質の改善　同右
7日　集送乳事業の合理化(北海道酪農草地課)和田晴氏
9日　もうける林業経営(農林省林業試験場)野村勇氏
10日　量から質へに再認識　同右

あすの村づくり
日　7・00～8・00 教育
再土　13・00～14・00 教育
1日　▽グループだより＝水仙栽培に取り組む(福井県丹生郡越前町)水仙クラブ　▽仲間とともに＝こう生かした農業資金　▽青年像＝酪農自立への道(群馬県37会会長)荒木重安
8日　▽近代化の中の青年像(公開パネル)埼玉県4Hクラブ二十周年記念大会

ラジオ

早起き鳥　5・05～6・00 ①
1日　話題の窓　広がる移住農業
2日　現地報告　構造改善を現地にみる(宮城県色麻村)
3日　人と話題　山にのぼった酪農一家(愛知県設楽町)成田実氏
4日　通信員の手帳から
5日　産地訪問　マキ(千葉県長生村)
6日　現地報告　町ぐるみのごはん給食(北海道当麻町)
7日　村のポスト
8日　話題の窓　総合農政と農林予算
9日　現地報告　団結するりんご産地(青森県弘前市)
10日　人と話題　ヨーロッパ、アメリカのオレンジ生産(愛媛県青果連)菅正二郎氏

ラジオ農業学校
月～土　6・40～7・00 ②
日　6・30～7・00 ②
再月～土　19・00～19・15 ②
1日　▽グループのつどい＝「米づくりを考える」(宮城県遠田郡小牛田町)彫堂4Hクラブ員
8日　▽経営手帳「みかんの[illegible]欠乏症はなぜ起る」(農林省園芸試験場)石原正義氏「規模拡大のための資金」(全国農業会議所農政部)中村広次氏

番組紹介

あすの村づくり

1日　▽グループだより＝水仙栽培と取り組む＝福井県丹生郡越前町水仙クラブ　越前町は日本有数の水仙産地である。抑制、促成さまざまな形で水仙栽培が行なわれている。水仙クラブ十四人のメンバーは地域の水仙栽培の担い手として活躍している。

▽仲間とともに＝こう生かした農業資金＝農閑期は経営設計をたてる重要な時期である。今年の資金計画はどうしたらよいだろうか。

福岡県下の青年の中から資金導入をして規模拡大をはかった結果、成功したケース、失敗したケースをそれぞれ持ちより農業資金利用について考えてみる。

8日　特集「近代化の中の青年像」＝埼玉県4Hクラブ二十周年記念大会＝埼玉県に4Hクラブが誕生してから早くも満二十年を経過した。この間すべて4Hクラブを巣立ち、農村の中堅として活躍している人は三万人にも及んでいる。

番組では、大会に参加した4Hクラブ員、OBクラブ員、それに助言者として日本経済調査協議会・神谷克己氏、農業総合研究所・並木正吉氏を招き、七十年代の農業の担い手となる農村青年の要素をさまざまな角度から検討してみる。

あしたの青春　<16>

一ノ瀬綾　え　多賀愛子

揺れて(四)

一人になるとなんにも手につかなくて、すみ江はぼんやりとその場に坐りこんでしまった。しきりに新一の行き先が気になる。町で栄吉と食事をして、帰りのバスに乗った頃は、もし家族が明るいふんいきでくつろいでいるようなら、栄吉の申し出を話してみようかとまで気持のうごいていたすみ江であった。悪い条件ではなかったし、自分が嫁ぐときまれば、案外新一の気分も落ちつくのではないかとも思ってみたのだ。

これまでにたびたびあった縁談には、久治もふく代も「当人まかせですから……」とすみ江の気持を第一にしていたから、栄吉の申し出にすみ江が承知となれば、喜びこそすれ反対するとは思われなかった。

(長く返事を待たせたら、彼の心が変るかもしれない)

高校時代、町の級友の家庭をのぞき、午後になると湯道具を抱えて、銭湯に出かける女達の生活をうらやましくながめたことがあった。今栄吉と結婚すれば、気楽な生活だけは保証されている。「はい」と言えばすむことであった。すみ江は自分の気持がゆらめくのを感じた。弟は弟だ。なんとか自分なりの苦境を乗り切っていくだろうと、投げやりな意地の悪い思いも湧いてくる。

柱時計が大きく十一時を告げた。久治もふく代も奥の間へ引込んだ様子で、家の中は静かであった。いつもの年なら今頃、上蔟した蚕が家の大半を占領していて、すみ江は新一と二人で玄関脇の小部屋に追いやられている筈であった。夏蚕をやめたので、家の内はきれいに片ずいて広々しているが、他人の家のようですみ江には馴染めなかった。

布団をしいて横になったが、戸外の気配が気になって眠れない。弟の声を聞いたような錯覚を起こしてすみ江は時々頭をもたげた。(十二万円駄目にしたなあ……)つぶやいていた母親の顔(それだけではねえぞ、キャベツの生産費を入れてみろ、大損だ)父の声が浮ぶ。今年中の結婚は無理かもしれないとすみ江は思った。

会社にある積立て貯金の数字も心細いものであったし、まだ嫁入道具らしいものはなに一つ用意してなかった。

(新一が落ちついてくれないことには、やっぱり持ち出せないなあ……)

あれこれ、思い迷っているうちに、うとうとしたらしい。

玄関の大戸を開ける音にはっと目が覚めた。半身を起こしたすみ江の耳に、突然母親の大声がひびいてきた。

「新一、おめえ……酒飲んできたのかい」

「いつまで子供扱いする気だよ……どいてくれよ……おれは寝るんだから」

始めて聞く新一の、荒れた太々しい言葉であった。二言、三言低めた母親の声が続いて、やがて新一は大きな足音をたてて家の内へ入った様子である。すみ江が出て行ってみると、新一は上り端に大の字になってひっくり返っていた。酒の饐えた臭いが鼻を突く。

白いシャツの袖はもぎれ、ズボンも足も泥だらけであった。

「バイクなんか、どこかへ置いてくればいいのに……怪我でもしたらどうするだよ」

ふく代は安どの後の怒りと嘆きで、顔を青くして新一の手足をさすった。

「父さんが出てくると面倒だから、後はまかせて。母さん早く寝なよ」

すみ江は母親を寝床へ追いやった。この上のごたごたをさけたかった。台所から塩水を作って持ってくると、新一は、姉の手からコップを引ったくってうめくように言った。

「おれにかまうのはやめろ……バカ野郎」

青春と仲間

私がみた台湾の4H活動

四十四年度派中クラブ員（岩手県）　菅原　敏

昨年十月、国際農村青年交換（IFYE）計画に基づいて、社団法人日本4H協会から"草の根大使"（派中クラブ員）として中華民国（台湾）に派遣された菅原敏さん（二三）＝岩手県・水沢市農業青年クラブ＝は、二ヵ月間にわたる同国での実習と、4Hクラブ員との交歓を中心とした両国間の相互理解と親善の大役を果して先月二十七日帰国しましたが、以下は、菅原さんのみた同国の4Hクラブ（四健会）活動です。

興味深い作業会議
農業のリバイバルに一考を

一口に台湾の4H活動は？と問われたら、日本とそう変わりありません、と答えざるを得ません。キャンプ大会では、HP発表会、実物鑑定競技やレクリエーションをします。そんな中で、私が一番考えさせられた作業会議というものを紹介してみたいと思います。

同会議は、それぞれの専門部に分かれ、こまかく養鶏、水稲、あひるの各組とか野菜組などがあり一ヵ月に一回は、定期集会を開きます。

会のはじめには、必ず出席をとり、四健会の信条が読みあげられます。かたい内容の中で会は進められていき、それぞれ自分の悩みや喜びを語ります。こんなこと、こんな小さなことを話ったら笑われるかもしれない―そんな感じはどこにも見あたりません。こんな討論みたいなことを一時間くらいしたあと、次は、スライドや講師による学習です。一見して別にどうという活動ではありません。

しかし、出席をとる、信条を読み合う、喜びや悩みについて話し合う、こんな組み合わせで運営しあうこのクラブが、私はとても貴重に、価値あるものに思えるのです。

けじめをはっきりつけるということは、会を長年保っていくうえで常に新鮮味があり、いいと思うのです。

また、台湾では、学校時代からでも四健会に加入してかまいません。こういう〇〇組専門分会には中学生、高校生の姿も多くみられます。農業を現在やっている人ばかりでなく、若い人たちはみんな4Hクラブ員です。4Hの本質からいえば、本来は、これが本当の姿であり理想なのです。

ところで、脱線した話しをもとに戻すと、その学習がすんだあとは、ちゃんと楽しみのレクリエーションが待っています。女子クラブ員の作ったドーナツを食べながら歌ったり、ゲームをしたりします。

台湾では、リーダーとか会長さんというものはありません。4Hの指導は、義務指導員（農業での学識経験者）と農会の4H指導員があたっています。実にこの人たちはうまくクラブ員をひきい、司会ならこの人、歌ならこの人、おのことならこの人とそれぞれの持つよさをさりげなく伸ばしてやっているのです。

台湾という国は、ちょうど日本の七～八年後を歩んでいるという感じです。農村の若者がどんどん都会へ流出しつつあり、4Hクラブ員も指導員のみの力に頼ったりしています。日本と比べたらとても幼い感じがするかもしれません。だけど日本の後だと決めつけてしまわないで、よくみてみたいと思います。

私たち日本のクラブでマンネリ化したクラブ、中だるみしているクラブ、漠然としたテーマをかかげ、議論をぶっつけあってばかりいますが、案外こんな小さく、簡単なことができずにわめいているのかもしれません。

七〇年代に先がけて流行を追うことばかり考えず、農業のリバイバルへも装いを新たにしてみる必要もあるのではないかと、思うように言葉も通じないクラブ員と気持を一つにして考えた私でした。

（水沢市姉体町字野中四二ノ二）

台湾特有の笠をかぶって農作業を手伝う菅原さん（左側）

農村の先頭に立って
"出稼ぎ"なくすのもわれらの使命

茨城県稲敷郡東村　稲穂サークル4H　根本　実

茨城県の県南、霞ケ浦と利根川とにはさまれた、いわゆる水郷地帯―ここが私の住む東村である。水稲の単作地帯である。

このところ、農村では農作業の省力化がさけばれているが、わが東村でも一昨年までに村内全域約四千㌶に水田の基盤整備が完成し、いままでは夢であった大型機械の導入、水稲には欠くことのできない揚水、排水設備、すなわちパイプライン（水道方式）の施設であるが、これによって私たちの農作業は極端に省力化され、秋の刈り取りも昨年から今年にかけて完成したライスセンター、大型コンバインによって短時間で終るようになった。

最も労働力を必要とし重労働でもあった秋も、何だかいままでと違った感じを受け、家族みんなで気が抜けたようだと苦笑しているような状態である。

私たちの4Hクラブは、発足当時の八年前は数えるほどのクラブ員であったそうだが、現在は約六十余名にふえ、ますます意気盛んである。

毎年、全国大会や地区大会の行事には必ず参加し、クラブとしては月に一、二度の定例会をもっているが、昨年の六月からは家庭集会がスタートした。この家庭集会は、家族にクラブのあり方を理解してもらい、同時にクラブ員相互の交流、親睦を深めようというものである。

しかし私たちのクラブやクラブ員に問題点がないわけではない。卒直にいうと、第一に定刻が守られていないということである。私もいくつかの他のクラブを見ているが、どこも同じように「時間にルーズである」という印象をうける。もうこのような習慣に馴れきった一般村民ならともかく、秒進分歩といわれる現代社会において自主性を重んずるクラブ活動であるべき4Hクラブ員が時間的にルーズであってよいのだろうか。

もちろん、定例会などは一年中を通して行なわれるものであるから、ときには農作業の忙しい時期もあるだろうし、急用ができることもあろう。しかし、何日も続くものでもないし、事前に通知があって行なわれるものであるので、出席できない人はともかく、出席する人は定刻通りに集会できるはずである。

個人個人の行動なら、とくに何の問題もないかもしれないが、4Hクラブという集団の中での行動である以上、もっと自主性をもって行動したらどうだろうと思う。一人ひとりが、自分なりに自主性をもって行動すれば、他の人に迷惑もかけないし、気持よく次の予定された日程に入れるだろうし、また、クラブを運営していくうえで非常にプラスになることはいまさらいうまでもなく、また、これは集団活動の基本でもあると思う。

次に、クラブ員の出席率が、農繁期には良く、農閑期には悪いということである。

私たちの地域は、さきにも述べたように水稲単作地帯なので、農繁期は三月下旬～九月上旬となり九月下旬～来春三月上旬までは農閑期となり、村内の青年たちはこの期間を利用して、こずかい稼ぎをする。俗にいう"出稼ぎ"である。

東村の農家の生活水準は、出稼ぎをしなければ生活できないような状態ではないと思うが、農閑期になると、いつの間にか若者たち、年寄り、また婦人たちまでが出稼ぎに行くのである。

家にいて、出稼ぎなみの確実な現金収入の道があればとみんなが考え、何も好んで家を離れて働きに行く必要もないのであるが、米作だけの農業経営にはそれがない。村内には、酪農、園芸を取り入れて立派な複合経営をしている人もあるが、全体として、まだ低調である。このため、近くに手近かな働き場所があれば、すぐ現金になる他産業へと行ってしまう。そこで、いろいろと精神的な面でも問題がはじめている状態である。

だが、日本の現状では、農村の労働力がなくては、経済発展は望めないかも知れない。そこで、さいきんわれわれの地域でも米プラスアルファーの農業経営形態を始めている。このアルファーとしては、土地条件や将来の需要などからみて、畜産とそ菜・園芸が望ましいように思う。

東村の一戸当たり平均の水田面積を三町歩とすると、収穫量は、豊作年で一反当り約四八〇～五四〇㌔、昨年のような不作時では三〇〇～三六〇㌔である。粗収入は、六〇㌔当り八千円としても豊作年で百九十二万～二百十六万円、不作時では百二十万～百四十四万円となり、機械購入費や肥料、労賃など諸経費を差引くと、百六十万から百八十万円、また八十万から百万円となる。

これでは、豊作年には何とかなるが、不作時には生活を維持する収入が足りないことになり、出稼ぎという問題が起こるのは当然かも知れない。

自立経営によって、時代に即応した豊かな生活をしようと思うならば、昨年のような不作時でも、出稼ぎに行かなくても生活できるような農業経営を作り出すべきであり、その先頭に立つのが、われわれ農村青年の使命であり、とくに4Hクラブの本当の意味での活動であると思う。

農村雑感
三者三様

折原　俊二郎

「この頃の若い者は、自分の権利ばかり主張して困る。やれ所得はどの位になるとか、労働時間はどの位でなければならないとか、そして最後には経済合理性から考えて農業は成立しないこんなつま味のない農業はないといって自分の職業である農業をけなしている。いったいどう考えているのだろうか。こんなことでは本当の農業はやれるものではない。もっと農業をやる者は農業をやるだけの根性がなければ立派な農業者にはなれない」といって、若い人に対する不満を云っている人をみたことがあります。

たしかに、農業に対する見方、農業に取り組む姿勢は、昔とは変ってきましたが、この見方なり姿勢が果して間違っているといえるでしょうか。農業があらゆる面で保護され、問題が起きれば農業政策では、これらの問題を農業者に至る前にとり除くように努めてきました。このため、農業は日本の農業、いや、狭い地域の農業、そして一家の農業経営の中のみですごし得たのだと思います。

しかし、こうした狭い見方の中での農業は、今日では成立させようとしても無理な形となりました。もっと広い視野にたって自分の農業を考えなければならなくなってきたのです。若い農業者は、そうした世の中の動きを敏感に受けとめています。

新しい形での農業はどうあらねばならないか、それに対してどのように対応していかなければならないか、実は、その方向が具体的につかめないというのが実情のようです。

悪口をいえば、国の保護政策という温室の中に育ったものがいきなり世界の農業という外気にさらされて、上衣を一枚多く着ればよいのか、火をたいて暖をとればよいのか、または、苦労しても立派な家をこれから建てなければならないのか迷っているのではないでしょうか。

A青年は、農業政策はもっともっとしっかりやって、補助政策を徹底してもらわなければ、これから世界の農業者としてやっていける自信がない。その自信を農業者に与えないことはけしからんといいます。

B青年は、今になって何もさわぎたてなくてもよい。私はそのようなことを考えることはいやだ。いずれ、農業政策は、農業者のためになるよい方に考えてくれると思うといいます。

C青年は、今までの農業政策は、われわれの目をふさいできた。そして、今でもなるべく見る目をふさごうとしている。しかし、いくら目かくしをしようとしても、きびしい日本の農業の姿は見ざるを得ない立場にあるのではないか。いっそ、本当の農業の姿を十分見せてほしい。そのきびしさにどう対処するかは、他人にたよってはいけないのではないか。自分のことは自分でやる、そうした気概がなければ、これからの農業はやっていけないといっています。

三者三様の見方なり考え方が、今の農村の青年たちの中にあります。どれが正しい考え方なのか。この点については、徹底して論議し、その中から方向を見出さなければなりません。今は、その時期に来ているのではないでしょうか。今の若い者は、どうのこうのという人はあるかも知れませんが、考えてみれば、そうした批判はマトはずれともいえます。しかし、若い青年たちにも、マトはずれではないというだけの確固たる方向と実践力は未だうまれていないことも事実のようです。

（農林省・農業者大学校）

感謝される愛の"献血運動"

静岡県・浜西4Hクラブ

【静岡県＝鈴木政美連絡報道員発】静岡県浜松市の浜西4Hクラブ（会長、須山昇治君）では、さる四十三年十月から毎月、クラブ全員で献血を行ない、市民から感謝されている。

この献血は、クラブ員の一人の父親が病気になり、血液が不足したため、みんなで協力したことから始めたもので、現在は他のクラブにも働きかけ、広く献血運動をすすめている。

この目まぐるしく変る社会情勢のなかにあって、二度とない青春時代を悔いのない青少年活動に励げもうと、平均年令二十歳のこのクラブでは、社会奉仕活動の一つとして、クラブ全員で毎月一回献血を行ない、県内各地のクラブからも注目されている。

オランダ国を訪ねて
静岡県産業青年海外研修　＝下＝

鈴　木　政　美

セリ市で、希望価格の七割以下にセリ下がった場合は、そこで売り止めとなり、その花はトラックで廃棄される。そして、そのためには、生産者がこうむった損害に対しては、生産者のつくったセリ協会で設けている基金から補償金が支払われる。セリ終った花は、直ちに空港に運ばれ、その日のうちにヨーロッパ各国、アメリカの家庭の部屋に届けられる。目下、この市場の最大の得意先はアメリカである。販売期間を延長するための冷凍施設もあり、二十四時間は保たせるという。

オランダ園芸を振興させたヒミツは、このセリ方式にある。

最初のセリ組織は、十九世紀末にできたというから歴史も古い。現在、生産者が協力出資して組織した生産市場としてのセリ機構は全国で百二十。一市場は、通常、生産者五百～千人で組織されている。全園芸生産物は、ここでセリにかけられて輸出されるが、大都市の消費市場に向けられる。

オランダの施設園芸はガラスハウスである。これは、日光が少ないためで、最近は丈たけも高く、さらに大きい新型ハウスにどんどんイメージチェンジだ。建設コストも三・三平方㍍当たり五[illegible]円程度だという。

この園芸は、国をあげての教育と研究の組織体制でガッチリ守られている。技術改良も自動温度調節、自動換気、自動施肥から炭酸ガス供給装置など相当なものである。

オランダの園芸作物の約六〇％は輸出されている。そして、総輸出額の二五％を占めるオランダ農業をとりまく国際情勢は、近年きびしさを増しているが、輸出競争力を強化するための企業経営としての規模拡大と合理化への努力は国をあげての国家的な園芸研究の機能と介入のもとに進められている。美しくて利益の高い施設園芸に関するかぎり、国家と農業者との対話は、長い伝統のもとに完全に統一されている。

三分の二が干拓
ほとんど農地に利用する
石材は輸入で

干拓事業について

干拓は国の事業で、国土の三分の二が干拓によって造られている。

干拓は一九二〇～一九八〇年の六十年計画で、ワイセル湖の干拓である。ドクターレデーによって考えられ、六十年間、国民（一二四六万人）一人当たり八百円（総額九十億円）で、現在は最終場面へときている。

干拓によってできた土地は、主に農地として利用されてきたが、近年オランダも工業の発展が著しいので、その方面へも利用されている。そして、干拓へは国民を入植させる。それには、買う（国から入植者に売り渡す）のと借りるという二つの方法がとられている。買う場合は、およそ一㌃当たり二十五万円するが、それを個人が全額そろえなくとも、本人が四分の一を負担すれば、銀行から四分の一を借りられる証明、また二分の一を親せきから借りられる証明があると政府から貰い受けることができる。しかし、この農地は、農業以外に使用してはならないことになっている。

干拓の方法は、日本とは違い、湾に堤防をつくって中の水をくみ上げる方法である。

まず、湾内に堤防を作って潮の流れを止める。石で海に二本の堤防を作り、その中に海中からとった粘土を入れて水を止める。石は国内にないので、西ドイツやベルギーから一個六十円くらいで輸入する。堤防の土が風によって吹き飛ばされないように草を生えさせる。そして、この堤防の上に道路をつくる。最初は沈降するので、レンガを敷く。また、海水と土地の塩分をなくすために、ライン川から真水を入れる。片方からポンプで海水をくみ出す。こうして土から塩分がなくなる。

飛行機によってあしの種をまいて土の水分を取る。作物をつくるまでに八年から十年間が必要であり、この事業がすべて終ってから農民に入植させる。

入植者の条件は、中等以上の農業学校を卒業したもので、二十六～五十六歳で資金のある者、放牧地、ジャガイモ、ビート、小麦などに主に利用されている。干拓地は、すべてが国の計画によって行なわれるので、そこには整った都市計画の青写真ができてから入植させるため、国土が有効に利用されているようである。

オランダにおいて、酪農のウエイトは大変大きいようである。とくに酪農で、バターやチーズは輸出されている。EEC諸国はもちろん世界各国が乳製品の過剰にあるとき、これからの干拓地利用は、農業以外にも利用されることが当然必要だと思われる。

日本の十一分の一の国土、この国がより発展するためには、干拓によって国土を広げ、現在の農業生産を維持させることによって工業への発展があると思う。国民は自由を求めて国外へ出てバカンス旅行を楽しむと話してくれた。

この研修で一番期待していたのは、青少年活動ですが、ヨーロッパ諸国には、青少年活動、グループ活動が全然なく、地域によっては集会場があり、そこで日曜日などレジャー（ダンス、バレーなど）を楽しんでいた。私たちは、オランダの青年といろいろな場所で話し合いをしたが、サークル活動がなくとも集会場などがあるからそう不便を感じないと語っていた。しかし、国は青少年の非行問題、学校・社会教育問題など国をあげて真剣に考えている。また、夜研修を終えてレストランへ行くと、青少年たちが楽しくダンスをしたり、ビールを飲んでいたりしてなごやかに話し合いをしている姿がみられ、全体的にみると、若い人たちから老人までユーモアに営んだ国民だと思う。私たちが行くと彼らは大歓迎をしてくれたが大変嬉しく思った。

私たちが一番悩んだことは、病気をして薬を買う場合に現地の医者の証明書が必要となることだった。オランダは、一人当たりの所得の〇・五％は税金で、医者に診察してもらっても無料の制度になっている。

国会議員の任期は四年で、市、町、村長は日本と違って国から任命される。国民はあまり政治、経済に関心がなく、政府の方針通り問題なく解決される。一番印象に残ったことは、国に徴兵制度があることで、学校教育を終えて十八歳で入隊し、二年間みっちり教育を受ける。

日本でも、もっと人間づくりをしなければならないと思う。いま問題になっている大学問題、青少年の非行問題など沢山の青少年の問題を真剣に考えなければならないと思うし、幼児教育についてもオランダでは三歳から五歳ごろまでのしつけは厳しく、夏休みなどそれぞれがよその家庭と交換して育てるようにしていることには驚いた。

以上、私の日記から思いついたことを記しましたが、この目まぐるしい社会情勢の中にあって、私たちは国際的な視野を広め、国づくりのために一生懸命頑張らなければならないし、この二度とこない青春時代において、大いに学習することが大切ではないかと思う。本当に思い出に残ることばかりで大変嬉しく思っている。こん後この海外研修を機会に、地域の社会建設、農業建設に一生懸命頑張る覚悟でおります。

（おわり）

ケベック館

カナダ…モントリオール市のある州
敷地面積…2,300㎡
出展費用…約11億円

展示館は、鋼鉄製の4本の柱で空間に突き出さた<巨大なプリズム形>の建物で、地上3階、地下1階、高さ29・4㍍。

これは、伝統的なケベックの建築様式である切妻風を生かしたもので、ケベックの精神・生命力があらわれています。

メーン・フロアは、鉱山、水力、森林など、天然資源が中心の展示で、ケベックの町、湖、森、工業地帯などが一目でわかる大規模な立体地図を設置。また、8台の映写機によるマルチプルスクリーンを使って、モントリオール万国博の状況、ケベックの産業、最新の技術開発、製品のかずかずを紹介。

さらに、四季それぞれの楽しい生活ぶり、とくに冬の屋外での雪まつりやスキーモーター・スキー、トボガンそりなどの行事やスポーツも、つぎつぎに映し出し、今日のケベックの姿を知らせてくれます。

地階には、スナック・バー、映画、講演、音楽や美術、工芸の展示などに使用される多目的劇場があり、サロンの壁面には、セント・ローレンス河がデザイン化されています。また、日本の文字をケベックの伝統的な技術で織り上げた、すばらしいタペスリーどん帳も展示されます。

<日本万国博覧会展示館の紹介>

日本4H新聞

4Hクラブ
農事研究会
生活改善クラブ
全国弘報紙

発行所
社団法人 日本4H協会
東京都市ケ谷家の光会館内
電話(269)1675郵便番号162
編集発行人 玉井光
月3回・4の日発行
定価 1部 20円
一ヵ年700円（送料共）
振替口座東京 12055番

クラブ綱領

私達は、実践を通じて自らを磨くとともに、互いに力を合わせて、よりよい農村、よりよい日本を創るため、四つの信条をかかげます。一、私達は農業の改良と生活の改善に役立つ腕をみがきます。一、私達は科学的に物を考えることのできる頭の訓練をします。一、私達は誠実で友情に富む心をつちかいます。一、私達は楽しく暮し元気で働くための健康を増進します。

近畿ブロックで推進会議
4Hの推進を図る
今後の活動など話し合う

全国4Hクラブ連絡協議会（会長、黒田保君）と近畿農村青少年クラブ連絡協議会（会長、天羽竜文君）共催の「近畿農村青少年クラブ推進会議」がさる二十、二十一の両日、大阪府枚方市の松下電器社員研修所で開かれた。

これは、農村青少年が農業や生活に対する知識、技術を習得し、近代的農業の担い手としての素地を築くためには、4Hクラブなどのクラブ活動がきわめて有効であるが、これらクラブの活動についての研さんを行なうとともに積極的なクラブ活動の推進を図ることを目的として開かれたもの。

この推進会議には、全協から大鹿副会長、坂井事務局次長が出席したほか、近畿ブロックから各府県連会長はじめ、約百三十名のクラブ員が出席した。

第一日目、午後一時からオリエンテーションと開会式―

つづいて「農村青少年クラブの本質」というテーマでパネル討議を行なった。

まず、次の人たちから事例紹介が行なわれた。

「部門別におけるクラブ活動」＝前野伝男（滋賀県甲賀地区農業後継者クラブ）

「新都市計画法と取り組む私のクラブ」＝豊田喜治（京都市農業クラブ連絡協議会）

「クラブのマンネリ化と取り組んで」＝宮多茂（大阪府4Hクラブ）

「女子クラブ員の勧誘に成功した私のクラブ」＝入江登代子（兵庫県西神戸農業青年クラブ）

「プロジェクト活動でクラブの充実をはかった私のクラブ」＝本多信広（奈良県大和郡山4Hクラブ）

「ハートで行なうクラブ活動」＝土山信夫（和歌山県大津4Hクラブ）

これらの発表をもとに、問題提起を行なった。

夕食後、レクリエーションを楽しんだあと、自由交歓をした。

第二日目、まず、朝のつどい、朝食のあと、会場を提供している松下電器社員研修所の浅地所長の「企業の人づくり」という講演を聞いた。

つぎに、分科会に分かれ「これからの農村青少年クラブ活動はどうあるべきか」について、話し合った。

午後は、全協の活動方針と経過報告を大鹿全協副会長が行なったあと全体討議で、分科会で話し合ったことをみんなでまとめた。

さいごに、反省会を開き、閉会した。

なお、分科会では、第一～五班までは農業について話し合ったが第六班は、この夏、大阪で開催される第十回全国農村青少年技術交換大会に近畿六県から出る運営委員たちで、大会の開催概要と運営について協議した。

新たにOB会を結成
奈良県の4HクラブOBで

このほど、奈良県連の発足十五周年を契機として、同県連のOBクラブ員たちでOB会である「奈良県4つ葉会」を結成し、同じ道を進む同志として連帯を強めるとともに、後輩の相談相手として4Hクラブ活動を援助していくことにした。

県でも、新しい感覚の農業者として、大いに活動することを期待している。同会の役員つぎの通り。

▽会長＝浜田耕作▽事務局長＝飯田喜代視

佐賀県でも近く発足

佐賀県連のOBの間でも、歴代会長を中心にOB会結成の準備がすすめられ、近日中に発足のはこびとなった。

このほど開いた準備打合せ会では、来る九、十日、佐賀市で開く県の青年大会までに発足することを決めた。

草の根大使を選考
日本4H協会 五日に面接試験

社団法人日本4H協会（松下幸之助会長）は、国際農村青年交換（IFYE）計画に基づいて、昭和四十五年度に米国と中華民国（台湾）に派遣する日本代表の4Hクラブ員を全国から募集、応募してきた多数の候補者について、このほど第一次の書類審査を行ない、それぞれ合否を通知するとともに、来る五日、第二次の面接試験を行なう。

四十五年度の派遣は、米国、中国とも男女各一名ずつ、合計四名で、第一次審査で各二名ずつにしぼり、五日の試験は午前中、作文、午後は面接を行なう。このさい、米国派遣の候補者については簡単な英語の試験をあわせて行なう。

なお、審査は、第一次、第二次とも、農林省、全国農村青少年教育振興会、日本4H協会が中心になって行なう。

県連15周年祝う
佐賀で来る九、十日大会開く

【佐賀県＝浦田健連絡報道員発】佐賀県4Hクラブ連絡協議会（会長、江口和彦君）は県と共催して、来る九、十の両日、佐賀市民会館と同市立図書館で、県連創立十五周年記念農村青年大会を開催する。

昭和二十九年、同県連が組織化されてから、農業をとりまく諸情勢も激しく変動し、それにつれ県連十五年のあゆみも大きく変ってきた。県連ではこの大会を通して、そうした組織のあゆみをここで顧みて、当面する問題や将来の方向への糸口をつかもうとしている。

当日は県下から、4Hクラブ員を中心とする農業青年、4HOBクラブ員、農業高校生、農業研修学園生、県育成指導担当官、篤志指導者など、約千名が参加し、十時三十分から、記念式典が行なわれ、県知事あいさつ、歴代会長への感謝状贈呈、優秀クラブの表彰、来賓祝辞などが予定されている。

午後からは、日本4H協会副会長、宮城孝治氏の「産業経済の動向と農業」という講演、つづいて「青年がきづく五年後の農業」というテーマで、パネル討議を行なう。

当夜は、神崎、佐賀中部、小城の三地区に四百名が民泊し、家族を交えて話し合いをする。

翌日は、会場を県立図書館に移し、プロジェクトとクラブ活動実績発表、つづいて意見発表を行なう。さいごに「4Hクラブ活動を強化するために」のテーマで全体討議を行なって閉会する。

涼風暖風
しばれる

暦のうえではもう立春である。それにしても、今冬は例年にない大寒波が日本列島を襲ったものだ。

冬の北海道では、温度計を読むのにいちいち零下といわないのが普通で、三度といっても二五度といってもそれは氷点下を意味することになる。それほど寒い毎日だったわけだ。

零下二五度くらいになると、外を歩くと顔がヒリヒリするほどの痛みを覚え、耳は真赤になってちぎれるかと思うくらいに痛い。まるで、冷たいことと痛いことが同じように感ずる。吐く息は蒸気のように白いし、鼻毛が息で凍るから三、四本が束になってくっついてしまい、その息がこんどは眉毛をぬらして凍りつくしまつだ。

このような寒い朝は、小学校の始業時刻をおくらせる合い図のサイレンを鳴らす村もある。窓ガラスの内側は三ミリほどの厚さに結氷する。すき間風が入る住居なら、前夜の使い残したヤカンの湯まで凍っているし、ふとんのえりは、吐く息が凍って霜がつき、万年筆の中のインキが凍って破裂するなど、さして珍しいことではない。水道管の水も凍っていれば、ガス管だって凍る。ガス中に含む水分の結霜が厚さを増して管をふさぐわけである。雪の少ない地方では、地下一〇〇センチ以上も凍ってしまうから配管は相当の深さに施工する。

寒い日は、雪道を歩くとキュッキュッと音がするし、凍りついた金属に素手で触れると指が吸い着いた感じがする。オホーツク海沿岸に流氷が押し寄せるころになると、北海道の人たちは「今日は、シバレますねぇ」などと、行き合う人にあいさつする。「しばれる」とは「凍える」意味の方言である。

ところで、こうした寒さに吹雪でも加わると、北海道は本格的な冬姿となる。横なぐりに吹きつける雪は、二メートル以上の吹きだまりを作るし、雪煙りが立つと自動車のヘッドライトを点灯しても視界ゼロのごとさえある。ドカ雪、粉雪、ベタ雪、猛吹雪、数えあげるとキリがない。

だが、住宅は防寒設備が整っているので室内はポカポカと暖い。いくら外は寒いといっても、子供たちは寒風にほほを真赤にしながら遊び、若者たちは、牛乳カンを運び、冬山造材に汗を流し、たい肥を積み上げる。北国にも春は間近いのだ。

（北海道・三輪）

青年に期待する（下）
重要な人材の育成
「物」による施策から脱皮を

農林省普及教育課課長補佐　大賀忠直

人づくりを強調した審議会

ところで、農政審議会の答申には人づくりのことがちゃんとでております。

これからの新しい農業、近代的な農業をつくるのは、これからの農業者である。それは学者でもなければ、農林省でもありません。農業者である。

その農業者を、近代的農業ができるというか、農業者自らが近代的農業を創り得る、そういうものにしていかねばならない。そのための措置を政府は積極的にやりなさい、というようなことをいっております。

これは非常に重要なことだと思います。

私も、いままでですと、新聞を見ましても、そういったことはあまり気にしないで読んでおったわけであります。

ところがいまは、普及教育課の青少年班担当ですから、農業者養成を担当しなければなりません。農村の青少年活動を活発化しなければならない。こういう役目を負わされた関係で、気をつけて見ますと、そういうことが新聞には、一つも出ていない。

端的にいいますと、どうも、「物」というものだけに捉われて、「人」というものを一つも考えていない。

〝人〟を忘れた構造改善事業

三十六年に、ご承知の農業基本法が制定されて、その後、農業政策というものが曲りなりにもすすめられてきました。

みなさんの村や町でも、構造改善事業とか、あるいはいろいろな構造改善に関連した事業がすすめられておると思います。

しかし、多くの構造改善事業は、それぞれの村でその全部が十分な目的を果しているとはいえないわけです。

構造改善をやったところで、目的とした改善が期待どおりにすすんでいないという事例があります。

私は、改善効果を期待するには、その技術をほんとうに農民のものとしていたかどうか、対応できる能力の農業者をつくらなかったことが問題だと思います。

いわゆる人づくりが、されていなかったから問題を残しているわけです。

私は、このさい、たんに「物」による施策だけではなく「人をつくる」いわゆる近代的な農業をやり得る人をあわせてつくれば、おのずから農業の近代化はすすむと考えております。

したがって「物」だけの政策から「農業者」をつくっていく、あるいは、上向きの発展を指向する農業者を援助していく、そういうもに変っていかなければならないだろうと思います。

要は青年自身で能力開発を

みなさん方が日常、単位クラブで、あるいは県連の段階などで、それぞれクラブ活動をやっておられます。その活動も、私はいま申しあげましたような、これからの農業をつくっていく人たちがそれをつくり得る能力を自らもつという、そのための活動でなければならないだろうと思います。

農林省も、答申にも出てまいりましたので、そうした活動の援助、あるいは、その活動をみなさんと一緒にやっていくような姿勢で現在取り組んできております。

まだまだ、足らないところがあろうかと思います。ご意見はご意見で、素直に聞かせていただきたいと思います。

それから、私どもも、こうあって欲しいということは、どしどしみなさんに申しあげるつもりです。

ですけれども、要はみなさん自身が、自らが勉強され、自分がこれからの農業を背負って立つ、そういう能力をもっていただかなければならないと思います。

これからは経営管理能力を

あの答申の中にもいっていっておりますけれども、これからの農業者は生産だけの専門的な知識、技術をもっているだけでは、これからの、農業者とはいわないといっております。

では、これからの農業者は何かというと、そういう知識はもちろん、さらに加工の問題、あるいは販売、流通までの知識をもった、もっと端的にいうと、経営管理能力をもったものが、はじめて、これからの農業者といえるだろう。

まあ、そういういい方をしています。これからの農業者はそういうものでなければならないといっております。生産と流通の知識までもなければいけない。非常に高い知識をもったものが、これからの農業者だといっております。

そのことを特に、みなさん方にお願いをしておきたいと思います。

期待される指導とその能力

いま、農林省の四十三年の統計をみますと、全国では五十五万人の二十四歳以下の青少年が就業していることになっています。

しかし、そのなかでみなさんのように組織されて、いわば恵まれたというと失礼かも知れませんが、自からをみがき、これからの農業を担当するものとしてその能力を自ら開発されている方は十万人とみております。

そうなりますと、六人に一人しかおりません

したがって、みなさんがクラブ員一人ひとりが、組織されていない人たち六人の者を指導してやる能力を、一方ではもってもらわねばならないと思います。

それがみなさんに最も期待される要件です。その期待に応えていただきたいと思います。（談）

組織活動を学ぶ
宮城県連で幹部研修会

【宮城県＝関場勝広連絡報道員発】宮城県農村青少年連絡協議会（会長、浅野喜一君）は、さる一月十二日から三日間、日本三景の一つ、松島を会場に農村青少年幹部研修会を開催した。

この研修会には、県下各地区から次代を担うクラブ員百余名が参加し、リーダーシップの習得に励んだ。

一日目は、開会式、講演「現代青年の使命」、県連活動報告、夕べの集い、二日目はラジオ体操につづいて、朝の散歩、講演「組織活動とリーダー」「県政と農業」、テレビ視聴、レクリエーションの理論と実技、分科会、キャンドルサービス、三日目は分科会、全体討議、午後閉会式―といった、ビッシリつまった日程ではあったが、リーダークラブ員の研修にふさわしく、規律ある行動で終了した。

また、クラブ員たちはこの研修会を通して、早朝の松島、日の出の松島、昼間の松島、夜の松島を眺めて楽しんだ。

楽しく交歓会
つどいが結んだ友情

このほど、静岡県浜松市の浜西4Hクラブの七人のクラブ員たちは、鳥取から研修に来ていた二人のクラブ員を引佐町農協に招いて交歓会を開いた。

これは昨年七月、鳥取で開かれた全国4Hクラブ員のつどいで知り合ったクラブ員同士の友情が縁になったもの。当日は、まず簡単な自己紹介から始まり写真や機関紙を交換、つどいの思い出やその後の様子などに花を咲かせた。さいごに「ことしもまた、岩手のつどいで会いましょう」と、約束して別れた。

（浜松市西山町一九四、鈴木良吉君より）

意見や体験を発表
生活改善なども話し合う
静岡県浜北市4H連協

【静岡県＝鈴木政美連絡報道員発】静岡県浜松市4Hクラブ連絡協議会（会長、鈴木守君）は、さる一月十四日、市役所第一会議室で、クラブ員の意見、体験発表会を行なった。

この発表会は例年行なっているもので、今回は浜名、北浜、中瀬、麁玉の各4Hクラブから約五十名のクラブ員が参加した。

当日は午前十時開会。まず、七名のクラブ員が、日常の4Hクラブ活動のなかから得た意見と体験を発表した。

つぎに、昨年十一月、産業青年海外研修団員としてヨーロッパを視察・見学してきた浜名4Hクラブの鈴木政美君が視察の内容を報告した。

午後は、生活改善グループの婦人を交え「明るい家庭を築くには」のテーマで分科会討議を行なった。

分科会は三つに分かれ、農業後継者の問題や、親と子はどうしたらうまくいくか、この目まぐるしい社会情勢のなかにあって時代に合った農業をするにはどうしたらよいか―など活発な意見が出された。なお、この席上、4H会館建設資金の募金運動も行なわれた。

京都でも〝つどい〟
府連再建5周年を記念して

【京都】京都府農村青少年クラブ連絡協議会（会長、田宮薫君）は、二月四日、京都府農協会館で府連再建五周年を記念してクラブ員のつどいを開催する。

これは、農業に生きるクラブ員が、ふるさとを愛し、農業の改良に努め、明るい農家と地域社会の建設を推進してきた五年間の府連活動を顧みるとともに、今後の活動に資するために開くもの。

参加者は、クラブ員、4HOBクラブ員をはじめ、このつどいに賛同する人は誰れでも歓迎ということで、府連では二百五十名を予定している。

当日の日程はつぎの通り。

▽受付（9時30分～10時30分）

▽開会式（10時30分～11時）

▽プロジェクト発表（11時～12時）

プロジェクト活動を通じて自分で体得したものを演示の形で発表する。一人20分で四人を予定、発表者については努力をたたえて、主催者から賞をおくる。

▽意見発表（12時30分～1時30分）

クラブ活動はどうあるべきか、建設的な意見を発表する。発表時間は一人20分とし、そのうち5分を質問にあてる。また、最優秀者一名を表彰する。

▽講演（1時30分～2時30分）

農業青年活動に意欲を持って取りくんだクラブリーダーの体験から、今後の新たな組織活動について話す。

▽パネル討議（2時30分～4時30分）

「クラブ活動の生い立ちと未来」というテーマで、単位クラブ活動に功績のあった歴代の府連会長を囲み、クラブ活動や組織について総合討議を行なう。

▽閉会式（4時30分～5時）

なお、このつどいが終ると同時に、府主催の農業青年研究集会に参加し、生産者組合のリーダーと生活改善クラブの婦人をともに、これからの農業はどうあるべきかについて話し合う。

民泊し友情深める
福島の若宮・あおむき両クラブ

【福島】福島県河沼郡会津坂下町の若宮4Hクラブ（会長、荒井安孝君、会員三十六人）は、先月十七日から三日間、若宮公民館で同県東白川郡古殿町のあおむき4Hクラブと農業青年大学生を招いて交換会を開き、これからの農業経営やクラブ活動を語り合い、クラブ員の家に民泊し、若者同士の友情を深めた。

両町のクラブ員たちは、一昨年開かれた県の農業者のつどいで知り合ったもの。

今年も富士登山
北駿4Hク、会長に勝又君

【静岡】静岡県御殿場市の北駿4Hクラブでは、先月二十日、普及所で総会を開き、今年も、全国のクラブ員に呼びかけて富士登山を行なうことなどを決め、新会長に勝又造吉を選出した。

心頭技健

このごろ、東京では野菜の値上がりが激しく、台所をあずかる家庭の奥さんたちを悩ませている。

なにしろ、ダイコン一本百五十円、ホウレン草一束九十円というのだから、ちょっと手が出せない。朝の味噌汁も菜ッ葉気がなくなって、ワカメだとか、シジミだとかばかりお目にかかるようになった▼これは、五十数日間もつづく晴天のために空気が異常乾燥し、東京近郊の野菜が育たないから、必然的に値段が高くなったものである。気象庁は異常乾燥注意報を出し、消防署は火災注意を呼びかけている。このように空気が乾けば、土の中の水分も蒸発してしまい、畑に野菜の種を播いてもほとんど発芽しない。発芽したものでも、成育不良になる。とくに葉面積の広いホウレン草などの緑葉野菜や、多くの水分を吸収するダイコンなどは育たなくなる▼こう野菜が高くなると、消費者は買いひかえるから、その分だけ金が残るかも知れないが、生産者の方はひどい痛手をうけることになる。そのうえ、ダイコン一本百五十円などといえば、消費者側からは暴利で荒稼ぎでもしているかのようにみえるものである。冬の晴天つづきは関東地方特有のもので、それだけについていえば結構なものである。外務省あたりでは、寒晴れの富士などを大いに宣伝し、日本のイメージアップに努めている▼だが、野菜も育たなくなると、生産者にとっても消費者にとっても困ったものである。「花より団子」のたとえもある。この問題は、農民はもちろん、関係者や研究機関などでも熱を入れて取り組まなければ解決しないだろう。ある農業研究者の話によると、日本では米作だけは世界一の技術を開発し、広く普及しているが、野菜などはこれから研究に取りかかる段階だということである▼また、ホウレン草をいかにうまく作るかということにより、乾燥した土地に育つ新しい野菜の品種を創り出すことが前向きの対策である。これから機械化による省力作業などが必然的に要求されるようになると、これまでの品種に合った機械を開発するより、機械化に向く品種の開発がキメ手であると思われるがどうだろうか。

「仲間ヤーイ」に応えて（本紙掲載）

全国から友情の応援

ハートのよさ抜群

神奈川県小田原市　みかんもぎに同志11人

「仲間ヤーイ」―都市近郊で人手不足に悩む神奈川県小田原市の農業改良クラブ（会長、飯塚芳正君）が、みかん収穫期の十一月から十二月にかけて、みかんもぎを手伝いに来て下さい―と昨年の九月、本紙（十四日号掲載）を通じて全国のクラブ員に呼びかけた。その結果、これに応えて、関東近県はじめ岡山、宮城県などから十一名のクラブ員がかけつけて応援してくれた。はじめて呼びかけた一昨年は六名だったので倍近くふえたわけだが、今回も前回に続いて、4Hのハートや技術を生かして懸命に働いたクラブ員たちはなかなか評判がよいようだ。同クラブでは、これを「みかんもぎ交歓実習」と名づけて毎年続けていきたいと張り切っている。なお、昨年の交歓実習のもようが、このほど同クラブから次のように寄せられてきました。

みかんの木の上と下で、黄色く色づいたみかんもぎに精を出す応援クラブ員

一般農家からも感心される

全国の4Hクラブ員のみなさまには、よいお正月を過ごされたと思いますが、いかがでしょうか。

当小田原地方では、このところ温暖な気候が続き、富士、箱根方面を仰いで新年のよろこびを満喫し、ことしも一回元気でやる意気です。

このたびは、小田原農業クラブの催しました第二回目のみかんもぎ交歓実習に、全国から十一名のクラブ員のみなさんが参加下さいまして、おかげさまで無事みかんの取り入れができました。この紙上をお借りして厚くお礼申し上げます。

参加者は、関東近県がほとんどでしたが、遠く岡山、宮城県から駆けつけてくれた方もおり、当クラブ員一同を感激させました。

まず、到着当日の十一月二十五日に歓迎会を催しました。これからの交歓会、みかんのもぎ方、映写機による神奈川県の紹介など、なごやかに過ごしました。みんなが“やる気十分”でした。その意気込みによって毎日の行動は、一般農家からも感心されました。

参加者全員に仕事をよく手伝っていただいたことはいうまでもありませんが、それよりも、気持のよさが第一によい点であったと思います。私どものクラブ員も気持の持ち方をよくしていくように語り合っています。

十二月三日は休日として、神奈川県内4Hクラブの元締めであります県農村青少年クラブ連絡協議会（会長、中野正義君）の主催する「農村青少年の集い」に参加し神奈川の現況を知っていただきました。

次の十五日は、みんなが待望していたドライブ旅行でした。小田原のシンボルである小田原城に集合、記念撮影のあと、昨年開通しみんなが初めてという東名高速道路を通り箱根に入りました。

箱根連山と、その上にせまって見える富士、その大自然の中に私たち一行がいました。結ばれた小さな心がありました。小田原農業クラブのために駆けつけてくれたクラブ員のみなさん。自然と心が触れ合ったような感じで、私たちは忘れられない記念撮影をしました。その日は、芦ノ湖を遊覧船で廻り、熱海におりてボーリングを楽しみ、無事帰路につきました。

天気といい、みんなの顔といい、神奈川にきているという現実に、そして、その友情に私たちは感激しました。

最後に、十九日、お別れの会を催しました。その席で、参加したみなさんからは「特別な肉体的労働ではないが、多少は気をつかった」など精神面で苦労したこともちょっぴりもらされましたが、またいつか再会することを誓い合い別れていきました。

仕事も、まだ終っていないクラブ員宅をお互いに応援の手伝いをしていただき終了することができました。

4Hクラブの本質は、自分自身を肉体的、精神的に、また勉学によって訓練し、鍛えることであると思います。そして、その中で、自分で解決できないことを、みんなで解決することがよいと思います。

どうぞ、その意味で、大勢のクラブ員の方々が私たちへの手助けと自己練磨のために、小田原地方に来られるのを望みます。

参加者のみなさんには、重ねてお礼申し上げます。

（神奈川県足柄上郡松田町惣領一〇六一、松田農業改良普及所内）

―◇―

なお、同クラブでは、今年からこの全国クラブ員によるみかんもぎの手伝いを「みかんもぎ交歓実習」と名づけて、毎年行事として継続して実施していきたいと意気込んでいます。また、同クラブの年間行事の一つとして行なっている県外実習もすでに四回をかぞえますので、クラブ員たち自身も鍛える覚悟でこん後ともよろしくご支援下さるようお願いします、と語っています。

みかんもぎもいちだんらくして秀峰・富士を背景に記念撮影

紅梅匂う新年の集い

神奈川・戸塚4Hク連協　晴れ着姿、花が咲いたよう

【神奈川県＝石井忠雄連絡報道員発】戸塚地区4Hクラブ連絡協議会（会長、横山耕一君）では、さる一月六日午前十時から南農協大正支所で新年の集いをひらいた。これは、大正4Hクラブ（会長、川戸吉晴君）に委託して行なったもので、当日は、あでやかな晴れ着姿の女子クラブ員を含めて六十余名が集まった。

昼食をとりながら、自己紹介などをしてお互いに気持がほぐれてきたところでゲームなどに興じた。はじめ、着物姿で集まった女性たちは、おしとやかにすましていたが、ゲームも進んでいくうちに、やはり今までのクラブ員らしさ、女性らしさが出てきて男性たちをはっとさせ、お互いに一日を楽しく過ごした。

なお、今回の集まりを記念して紅梅を参加者に一本ずつ贈った。

（写真は、女子クラブ員の花が咲いたような晴れ着姿に色彩られて、参加者全員すましての撮影）

一石二鳥の共同プロ

静岡・北浜4Hクラブ　仲間意識や技術を向上

【静岡県＝鈴木政美連絡報道員発】静岡県浜北市北浜4Hクラブ（会長、市川勝彦君）は、クラブ活動の中心に共同プロジェクト（水田一八アール）を持って活動している。北浜4Hクラブは会員十二名で、酪農、園芸、養豚部門に分かれてそれぞれ特色ある部門活動をしているが、三年前から共同プロジェクトを取り入れた。

このプロジェクトの管理は、二班に分かれて担当し、作業内容は毎年、年度はじめに計画をたて、五月に水田の耕運、六月田植、八～九月は防除と除草、十月に刈り取り調整などを行なっている。

この地方は、とくに、メロン、キュウリ、セロリ、レタスの特産地であり、市では農業後継者の育成については深い関心を示している。

現在、クラブ員の仲間づくりの問題がクローズアップされているが、北浜4Hクラブのように共同プロジェクトの実践を通しての仲間づくりや技術の向上をはかっていると、自然に仲間意識が盛り上り、クラブの集会や行事には全員の出席が得られるようになり、共同プロジェクトで一石二鳥の効果をあげている。

この共同プロジェクトの収入は、クラブ員の県外産業視察の補助金として支出し、また、他のクラブとの交歓ソフトボール大会費用、福祉施設、歳末助け合い運動などに寄付している。

こん後、北浜4Hクラブでは、共同プロジェクトを活動の中心に、クラブ員の仲間づくり、地域の社会建設に頑張っていきたいといっている。

施設の園児たちとゲーム

茨城・江戸崎4Hクラブで養護施設を慰問

【茨城県＝村山文雄連絡報道員発】江戸崎4Hクラブ（会長、大野勝一君）では、昨年の暮、クラブ員各自がもち米を持ち寄り、土浦市にある養護施設慈愛園を訪れて餅つき慰問＝写真＝をした。

当日は、園児たちと一緒になって、餅つきやゲームなどをして、一日中“4Hのお兄さん、お姉さん”となつかれ、帰るのも忘れて暮の一日を楽しく、また有意義に過ごした。

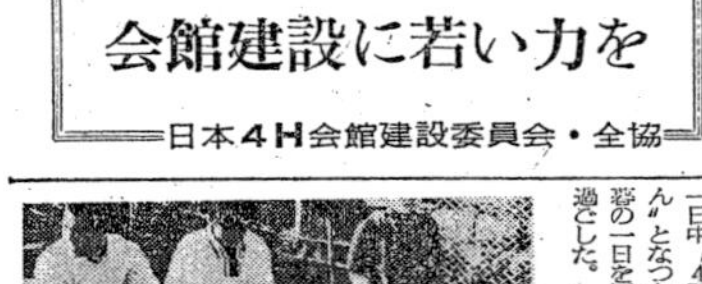

クラブ活動12ヵ月 (4)

新しいクラブ員を中心に

栃木県・普及教育課　湯浅甲子

大事な仕事　総会の準備

2月

一月の活動で、クラブ員は、春卒業の農業に就く青年たちの掌握ができるわけだ。ここで、新入クラブ員を迎えるための行動にうつる前に、もう一つ大事な仕事がある。それは、総会の準備である。

総会は、どこでも二月か三月に開かれるのが通例だから、新規就農者を迎え入れる前に開かれることが多いだろう。だから一見、新卒者と関係がなさそうに思えるが、そうではないのである。4Hクラブの総会は、単なる役員改選と、決算、予算を審議する形式的なものであってはならないのである。

総会とは、一年間の4H活動の総しめくくりであると同時に次年度活動の計画検討である。従って、この機に、クラブ活動が総ざらいされ、検討され、顕彰されて、自分に対しても、社会に対しても、クラブ活動を再認識するときなのである。言葉を換えるならば、次年度に対して、姿勢を正すときであるわけで、とりもなおさず、新入クラブ員に対する先輩としての自覚をするチャンスでもあるわけである。だから、過去一ケ年にわたるクラブ活動のすべてについて充分な反省検討がなされなければならないのである。

次年度へ姿勢正す

プロジェクトや地域への役割など　一年間のしめくくり

ところが、えてして、従来のクラブ総会の内容をみると、まことに形式的であり、社会通念的であるといわざるをえない。

例えば、議長選出から経過報告、議事といった総会次第は、まったく一般団体のそれと同じである。中でも、決算報告なるものをみると、四月・新入クラブ員と交歓花見会、五月・農繁期のため事業なし、六月・地区技術交換、七月・キャンプ…といった調子である。

これは、事業の報告とその決算にすぎないのだ。即ち、大ぜいのクラブ員が参加して行なう断片的な行事を羅列したものにすぎないのである。忙しいクラブ員の中には、不幸にして、この行事に参加していない人も多いだろうに、総会では、得々として、行事報告をもってクラブ活動の年間のしめくくりをやっているのである。これでは、新入クラブ員のクラブ理解は、行事イコールクラブとならざるをえないのではないか。

4Hクラブのみなさんは、このところに疑問をもったことはないだろうか。クラブ活動の根本は、個人プロジェクト活動にあるはず。だから、過去一ケ年間にわたるクラブ活動のしめくくりは、まず第一に、クラブ員一人ひとりが、この一ケ年間にどのようなプロジェクト活動をやったかが、しめくくられていなければならないのである。

また、地域社会や地域農業の発展のために、わが4Hクラブは、いかなる役割を果たすことができたかが、明らかにならなければならないのではないだろうか。

こういう見方で、諸君たちの総会を考えてみると、かなり反省すべき点が多いだろうと思うし、年に一度の総会を意義あらしめるためにも、総会には、クラブ員全員の活動の総しめくくりがなされなければならないと思うのである。

このことは、単に、しめくくりの意味ばかりではなく、新たに迎え入れるクラブ員に対する先輩として、なさねばならない受け入れ準備である。新入クラブ員の、新入一ケ年間の活動は、ややもすれば、先輩の動きに追随するものである。いわば、クラブ員としてのしっかりした活動軌道に乗れない期間である。それだけに、先輩の活動には大きな影響をうけるし、しかも、この時期に、クラブに対する本人の評価が固まるようであるから、後輩の道しるべとしても、先輩の活動は、つぶさにとりまとめられていなければならないと思うのである。

この総会の活動報告が、新入クラブ員の手に渡るようにするならば、新入クラブ員は、安心して、クラブ活動に望みを託せるものといえよう。総会とは、そういう意味からも大切なものなのである。

総会で、もう一つ、充分注意しなければならないことは、次年度活動の計画が、前年度の役員によってたてられるという常識である。これそのものは、4H理論からみれば、大変な矛盾である。

4H的考え方でいうならば、その年に行なうべきものは、その年の役員が、新人クラブ員の実状をふまえて、立案すべきものなのである。それなのに、大かたの役員が改選されるのがわかっているのに、その人たちによって、次年度の活動が立案されるとなれば、この立案のしかたが、非常に重要になってくるはずであるし、案に対する総会での審議のしかたが大切であるといわざるをえない。

この辺に、少なくとも4Hらしい、キメのこまかい事前準備なり方策なりがとられていなければ、近く迎える新入クラブ員に対する万全の受け入れ態勢が整ったとはいえないのではないだろうか。

低毒性の薬剤使用を

農林省が指示　牛乳の農薬残留問題

農林省は、現在問題となっている牛乳の農薬残留について、一般消費者に対する不安の解消につとめるとともに生乳の取引などに無用の混乱を起こさないため、昨年十二月、畜産局長通達によってその指導に十分注意するよう各関係者に指示したが、このほど再び同問題について通達を出した。

同省がその後行なってきた調査結果によると、牧草または飼料作物を主体に給与している場合や、BHCの使用を稲作の初期または中期までにとどめた稲わらを給与している場合には、牛乳へのBHCの残留は少なかった。しかし、稲作の後期までBHCを使った稲わらを多量に与えた場合には、生乳への残留はやや多かった。

これらの調査結果からみても、現在の生乳中のBHC残留に健康上有害でないという点については前の通達に示したとおりであるが保健食品としての牛乳の性格を考えて、牛乳中のBHC残留量をこん後できる限り漸減させて、より安全な牛乳を供給することが必要であるとしている。このため、酪農関係者に十分周知徹底させ、その指導に手ぬかりがないようにしてほしいと、つぎの事項について通達を出したもの。

記

BHCおよびDDTの国内向け製造は、すでに中止されているので、こん後汚染は漸減すると思われるが、それまでの経過的措置として、つぎの事項を厳守すること。

一、牧草、飼料作物に対して、または畜舎内においては、現在までもBHCおよびDDTはほとんど使用されていないが、こん後は一切使用しないこと。

二、家畜に発生するダニの駆除のため、牧草地などに一部BHCが使用されているが、こん後は低毒性有機燐剤などに切りかえること。

三、四十四年産の稲作において、栽培の後期にウンカなどの防除のため、BHCおよびDDTを含む農薬を散布した稲わらを乳牛に与えないこと。

BHCなど殺虫剤でも指示

農林省はこのほど、農作物の残留農薬対策に関し、有機塩素系殺虫剤（DDT、BHC、アルドリン、ディルドリン、エンドリン）の使用について、農政局長名で次のように関係方面に指示した。

記

一、乳牛の飼料に用いる作物には使用しないこと。

二、いねについては、BHC剤、DDT剤の稲ばらみ期以後には使用しないこと。アルドリン剤、ディルドリン剤とエンドリン剤は使用しないこと。

三、農薬残留に関する安全使用基準の定まっている十二作物（なつみかん、日本なし、ぶどう、もも、りんご、いちご、キャベツ、きゅうり、トマト、ほうれんそう、ばれいしょ、茶）については安全使用基準にしたがって使用すること。安全使用基準の定まっていない果樹、野菜などについては、安全使用基準の定まった作物に準じて安全使用を行なうこと。

なお、同省では、BHC製剤について、こん後できるだけリンデンを用いて製造するように業者を指導している。

再認識した桃の袋掛け

山梨県山梨郡春日居村 甲斐4Hクラブ　古屋始芳

除袋方法に工夫
有袋は被害果が少ない

――責任ある出荷体制――

私の住む春日居村は、山梨県の中心甲府市の東方十キロにあり、数年前から温泉が発見され、隣りの石和（いさわ）温泉郷とともに、新しい観光地として脚光をあびてきました。また、桃栽培は全国的にも品質がよい点で知られ「日本一」の折紙がつけられています。

土質は、笛吹川沿りの砂壌土からなり、山地は地七に属しています。年間降雨量は千百ミリで比較的雨は少なく、平均気温は一三・八度で、果樹栽培に適し、深根性の果樹栽培では山梨県唯一の早場地帯です。

村の農家戸数は七百十一戸で、総耕地面積は三五九㌶余あり、この内訳は、桃八五・五、ぶどう八五・一三、柿九・九㌶で、とくに桃は早生種の布目、砂子、倉方が四〇・〇五㌶。中生種は白鳳、大久保、山根白桃、西野白桃が三八・六四㌶。晩生種の御七白桃五・九一㌶植えられています。ぶどうは主に、デラウェアが五三・九㌶、ネオマスカットが三一・二三㌶栽培されています。

果実を出荷する場合、各生産者個人の責任を消費者に明確にするため、出荷ケースに個人のナンバーを打ち、誰れがどこへ出荷したか、また、小売店から消費者に渡った場合、もし不良品があったときは、ケースのナンバーで生産者が分るようになっています。

――無袋栽培に強敵が――

私の家の耕地面積は九〇㌃で、この内訳は、桃四五、ぶどう二五、水田一〇、その他一〇㌃あります。家族は七人ですが、労働の主体は私と父で、忙しいときは臨時に年間二十人くらい雇います。なお、私のプロジェクト園場として、桃（白鳳）一〇㌃が含まれています。

春日居村における桃の栽培は、早生種から晩生種まで、全部が有袋で栽培されていますが、桃栽培の省力化には、無袋栽培の方が有利ではないかと、数年前に栽培者の間で検討され、山梨県下でも無袋栽培は比較的大きな面積に普及されています。しかし、最近桃の強敵である灰星病の異状発生がみられ、とくに、天候の悪かった一昨年は、壊滅的打撃を受けた地域もあり、防除の徹底を図っていますが、その結果、野菜や果物に農薬の毒物が残留し、消費者の間で問題になっています。

これに対して生産者側は、最近の病害虫の多発によっていっそう農薬の使用量を増加させていますが、残留性毒物を最少減に保ち、消費者が安心して食べられる果物を栽培することが、もっとも重要なことだと思います。また、村でもとくに、この点を重視していますが、しかし、袋掛けの労力は、一般に摘果労力よりも三割くらい多く必要とし、除袋の労力も馬鹿になりません。そこで私は袋の除去、病害虫防除などについて実した点をまとめ、これらの欠点を補なう技術対策をプロジェクトとして取り上げることにしました。

――樹間の空間を広く――

桃の栽培については、すでに整枝、剪定の過程の中に将来の収穫量および諸作業の効率化が決まるといわれています。整枝方法についての私の考えは、管理上からいえば二本主枝がよいと思い若木はこの方法で育てています。成木は三本主枝が多く、樹体の栄養が地下部と地上部とのバランスがとれるように、誘引などを行なって、樹間に空間を広くもたせ、しかも徒長枝の発生が少ないように配慮しています。また、できるだけ密植をさけ、十㌃当り二十五本植ぐらいにしています。

――思い切って摘蕾を――

剪定後の作業は、三月下旬に摘蕾を早目に行ないます。とくに、白鳳のように花粉を多くもつ品種では、思い切って摘蕾をするとあとの摘花、摘果が非常にらくにできます。また、砂子、倉方などの花粉の少ないものは人工授粉を行ないます。いままでは、花粉の多い白鳳の枝をもって砂子の花群を軽く叩くとか、筆で一つひとつの花に花粉をつけていく方法が一般的に行なわれていますが、私の場合、普及所の指導のもとに、花（四〇㌘）澱粉（十㌘）の割合で混合でふるった粉をミスト機に入れて散布し、十㌃当り七分から十分で人工授粉を行なうことに成功しました。

――除袋は快晴の日に――

袋掛けは、作業をしやすくするために、止金を各袋につけておかねばならないので、冬期の農閑期にこの仕事を終え、袋掛けのときは、前かけに袋が二百枚くらい入るように袋をつけておき、作業しますので非常に能率的です。

収穫前の作業について、袋掛けは摘果労力と比較して三割くらい少ないですが、袋除去はもっとも果樹栽培の労力の集中するときであります。とくに、ネオマスカット種の摘粒、早生種、デラウェアの収穫などの多忙で、袋の除去は、雨の降ったときに除去すると容易でありますが、灰星病の多発のときには人間の手から果実へ伝染させる場合があるので、かえって病気を蔓延させてしまいます。そこで、快晴の日に作業するようにしていますが袋が乾いていると袋が破れず、落果させる心配がありません。

そこでいろいろと考えた結果、ミシンを使って袋の五分の二くらいのところへ、横にミシン針の穴をあけて袋を破りやすくしました。

この結果、慣行袋と改良袋との除袋所要労力は別表の通りで、除袋労力は、はるかに省力化されました。

慣行袋と改良袋の除袋労力比

区分 項目	除袋100枚	キャタツ移動	キャタツに登る	除袋10アール	備考
ミシン改良型	10分	25～30秒	15～20秒	20時間	除袋10アール12,000枚に換算して算出
慣行	25分	25～30秒	15～20秒	56時間	

改良型ミシンの除袋

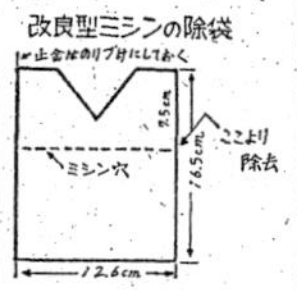

――病害虫に強い有袋――

桃の病害虫防除の中でもっとも重要なのは、灰星病の防除です。とくに、無袋の場合はその労力も大きく、有袋でも除袋後の防除は徹底的に行なわなくてはなりません。

私は効果的な防除を行なうためスクレックスの六〇〇倍液を散布した場合の有袋と無袋の病菌の発生状況を観察しましたが、散布二日後には有袋、無袋とも発病しませんでした。七日目になると無袋では、ホモプシス二個、黒カビ一個が発見され、さらに十日後には有袋で、黒カビ一個、ホモプシス一個に対して、無袋では黒カビ三個、ホモプシス四個がみられ、灰星病はスクレックスを十分に散布すると防げるが、その他の病気に対しては、有袋がはるかに有利であることが分かりました。

昨年は四月十七日に降雹、五月二十六日に突風があり、奇形果や傷害果が多く出た中で、私の有袋のものは比較的被害果が少なくてすみました。この結果、桃の袋掛けについて総合的に考えた場合、現状では残留毒物、果実の汚染や傷害果を少なくする上で、有袋を進めていく必要があると思います。

さらに、こん後の桃栽培では、灰星病などの伝染しやすい病菌の防除のためにも袋掛けを行なうと同時に、袋そのものに、灰星病菌をよせつけない何かの工夫が望まれ、また、袋掛けの機械化が研究されていくのではないかと思います。

私のプロジェクト園場である白鳳十アールの昨年の出荷量は二・四七〇㌔ですが、このような収量をあげ得たのは、天候不良であったのにもかかわらず、有袋のため果実にロスが少なかったためであります。

私はこのように「商品としての桃栽培」を発展させることで、消費者に安心して買ってもらえることを第一条件に考え、有袋栽培をプロジェクトとして取り上げましたが、こん後さらに桃栽培の合理化と安定のために努力して行きます。

私のプロジェクト

乳牛にかけた情熱
頭数増加より高能力牛を

富山県黒部市若栗 黒部市4Hクラブ　柳田利雄

私の部落は、昭和二十一年ころから乳牛が導入され、水田酪農地帯として知られている。私の家もそうであった。牛のいる環境で育ったせいか牛がとても好きであった。中学を卒業と同時に農業高校へ進んだ。さいわい学校には、県下一の大規模酪農施設が整っており、全寮制という環境で酪農部門を選択して懸命に学んだ。

私の乳牛に対する関心は高まり、学校での勉強はもとより県内の優良酪農家そして畜産試験場での実習などを通して、私のファイトを一層かきたて、酪農に取り組むべく心を固めた。

高校入学当時の経営は、乳牛七頭、水田一㌶の複合経営で、計画でも十～十二頭の飼育計画をたてていたが、私の熱意と牛にかける情熱に、父は計画を拡大し、水田酪農から脱皮して、酪農プラス水稲の形態をとり、所得の増大を図る経営方針を固め、私の卒業を待ちこがれた。

私が三年生のとき、農業後継者資金の借入が可能となり、後継者資金によって新しく十五頭入りの牛舎を新築した。当時は、牛の頭数をそろえることに力を注ぎ、牛の系統について軽視していた私は、畜産試験場で種付、牛の見方などを学び、乳牛の改良は種雄牛の影響が大きいことを認識した。家には以前から高能力牛を飼育していたので、この牛を中に自家で牛の改良をめざした。

種雄牛の選定にはとくに気を配り、高能力牛の改良と生産に心がけた。さらに、凍結精液の利用により基礎牛の作出を進めた。現在は、搾乳牛十六頭、未経産牛三頭、育成牛七頭の二十六頭を飼養しており、改良採草地二・三㌶、飼料作物専用畑六十㌃、裏作飼料畑六十㌃、水稲六十五㌃の経営規模です。飼料畑の面積が決っているため、こん後、粗飼料確保の頭打ちを考えていかなくてはならない。ただ、こん後の方策として、多頭化ばかりに走っては、当然粗飼料の不足をきたすことはいうまでもない。不足した場合、牛体への障害も目立つようになり、産乳量の減少はもとより、牛自体を痛めてしまうだろう。このため、牛の保健と粗飼料確保の可能量を考えて飼育規模を決定していきたい。この頭数の限度内において牛乳の生産量を増し、所得の増大を図るには、乳牛の頭数より能力の必要性が大きい。

いま反省してみると、牛の育成中の管理の良否がとくに問題になり、仔牛のいつの時期をとっても重要なときにあたり、一時の栄養状態の不良が乳牛の産乳力はもとより、一生に影響があることが分った。

このことから乳牛の健康と酪農収入を高めるための粗飼料の確保を第一の主眼に、冬期間の約四ヵ月間給与に必要な粗飼料の季節的な変化をなくすため、飼料作物を青刈主体から貯蔵主体に改めたい。つぎに牛の系統や能力の改良に気を配り繁殖していきたい。また、きめ細かい日常の管理、経営の改善の基礎となる簿記の記帳をさらに明確に行ないたい。以上のことを目標にしていきたいと思います。

第八回農業祭 天皇杯受賞者の経営 ～3～
画期的な完全協業体
園芸部門　メロン

静岡県浜松市大柳2、185　農業法人・芳松園

農事組合法人「芳松園」は、組合員十二名で昭和四十一年六月に発足したが、組合員の所有する水田五・八㌶、畑二㌶、温室敷地二・二㌶の耕作権はすべて芳松園に移管し幾多の困難な問題と真剣に取り組みつつ、たゆまぬ努力をつづけながら、従来の稲作は機械化による一貫作業により省力化し、経営の重点を温室メロン栽培において、きわめて合理的、画期的な経営形態と運営成績をあげている完全協業体である。

温室の大型化、新施設の開発、施設の近代化、労務管理など工場方式の採用により、温室メロン栽培の規模を拡大し、毎日連続して良質のメロンを東西市場に出荷し、つねに一級品として高い評価を得ている。

地域の環境は、浜松市の南部天竜川河口の沖積湿田地帯で、経営形態は、近郊野菜と水稲体と複合経営が多く、自立経営の多くは温室を組み合わせている。

芳松園設立当初は、組合員一人当りの出資金は二十万円の平等出資であったが、昭和四十三年には四十万円に倍増出資を行ない、現在は四八〇万円の資本金で、温室関係の投資総額は、約八、四〇〇万円となっている。

役員は、組合長理事、副組合長理事二名（販売担当・会計担当）、理事二名（労務担当・資材担当）に分かれて業務を担当している。

芳松園の組合員と家族のみなさん

経営内容は、稲作の機械化一貫作業により省力を図るとともに、畑には花木を植えて粗放管理を行なっているが、経営の中心は温室五十六棟（七、二〇〇平方㍍）による温室メロンの栽培である。温室管理にあたっては、従来から労力的に問題となっていた保温のためのコモ掛け作業を容易にするため、試作試験の積み重ねの末、押しボタン方式による自動コモ掛け装置を開発することに成功した。

年間通じて平均出荷
自動コモ掛け装置を開発

一方加温方法は五十六棟を二基のボイラーで運転し、全温室の夜間温度を均一に制御することができる完全自動制御加温方式を採用するなど施設の近代化を推進し、その結果、従来のスリーコーター八五平方㍍のガラス室の常識を破り、一棟のガラス室規模を一三三平方㍍に大型化して、作業効率を高め規模拡大を図っている。

また、メロンの品質に大きい影響を与える水管理を容易にするため、金網を床上十㌢の高さに張り、少量のワラを敷いて土をのせる金網式床を考案するとともに、栽培管理作業は、メロンの生育段階により、十の作業区分を設け、それぞれの作業段階を組合員が責任をもって分担管理する方法を採用し、良質のメロンの安定した生産を図り、年間を通じて平均的生産出荷を行なっている。

勤務はタイムカードで厳密に記録し、一日の実務時間は十時間となっているが、組合員は年間二十四日の有給休暇と月三日の定休日が与えられている。このように、芳松園は、きわめて合理的な経営を実施しているが、こん後は温室生産部門のよりいっそうの機械化、省力化を推進し、組合員の所得増大を図り、施設園芸の道しるべとなるべく、一段の努力を傾注している。

この結果、昭和四十三年度の総収入は四、七七〇万円をあげており、組合員の給料や減価償却費九三〇万円のほか、諸経費を差引いてもなお五〇〇万円の利益金をあげ、現在の組合員の農業粗収入は、協業前にくらべて一戸当り二〇〇㌫の伸長率をみせている。

このように芳松園は、相互の信頼と協力のもとに経営の向上に努力しているばかりでなく、家族間の協力、団結も強固で、計画的な衣食住の改善も着々行なわれている。

NHK農事番組（2月11日～20日）

テレビ

明るい農村　6・30～6・55　総合
11日　産物往来　人造肉
12日　話題の広場　ただいま集団見合中（埼玉県共済連）
13日　村をむすぶ
14日　農業新時代　大型共同養鶏（山梨県川西町）
16日　村の記録　養鶏課長奮斗記（北海道北見市訓子府）松本榮治氏
17日　きょうの話題　大詰めの新都市計画法＝（農事番組担当者座談会）
18日　産物往来　温室野菜
19日　話題の広場　移住農業（千葉県下）人工牧草（神奈川県）
20日　村をむすぶ

農業教室　月～土　7・30～8・00　教育
11日　良材生産をねらう経営のすすめかた
12日　適地適産業の考えかた
13日　しいたけ生産と経営の発展
14日　価値にみあう販売
16～18日　新しい農村住宅
19～20日　鶏の病気と対策

あすの村づくり　日　7・00～8・00　教育
15日　▽グループだより＝竹の子と青年クラブ（京都府乙訓郡長岡町）農業青年クラブ▽青年像＝山の青春（福島県耶麻郡北塩原村大塩）五十嵐寿美子

ラジオ

早起き鳥　5・05～6・00　❶
11日　通信員の手帳から
12日　産地訪問　フキ
13日　現地報告　肉牛の越冬放牧
14日　村のポスト
15日　話題の窓　生産調整を現地にみる
16日　現地報告　山地にのりこむ観光資本（岡山県久米南町）
17日　人と話題（兵庫県農試宝塚分場）稲田技師
18日　通信員の手帳から
19日　産地訪問　ミツバ（愛知県平和町）
20日　現地報告　一五〇万羽をめざすブロイラー団地（徳島県）

ラジオ農業学校　日　6・30～7・00　❷
15日　優秀農家に学ぶ

農業簿記

京都大学名誉教授　大槻正男

＜自計式農家経済簿記＞

現金現物日記帳とその記入
非現金取引以外の特殊取引

分割払い受け販売と分割払い購入　分割払い受け販売とは、販売代金の一部を契約成立と同時に受け取り、残金は売掛け未収金とし、後日になって受け取るような取引をいい、これに対して分割払い購入とは、購入代金の一部を契約成立と同時に支払い、残金は買い掛け未払金として、後日になって支払うような取引をいう。

これらの取引は、売買取引と貸借取引とからなる複合取引である。農村の実際においては、前の予約取引における証拠金である手付金も、これらの取引における代金の一部分割払い受け現金および分割払い現金もともに「うちきん」と総称されているが、予約取引における手付金は単なる貸借取引という点でその性質を全く異にするものである。したがって、この場合の「うちきん」は、内受け金または内払い金の略称としての「内金」であるのに対して、予約取引における「うちきん」は手付金を打つという意味における「打ち金」である。両者は厳格に区別されなければならない。

分割払い受け取引においては、受取金額をそのまま記入しないで――

受取金＝販売代金－未収金

――という式によって、分解して販売した物の代金の全額をいったん現金で受け取り、そうしたあとでそれから内受け金を差し引いた残金額を相手方に一時貸したものとして、この売掛け未収金を財産的支出として取り扱う。したがって、この未収残金額を受け取る場合には財産的収入となるのである。

分割払い取引においても、支払った内払い金をそのまま記入しないで――

支払い金＝購入代金＝未払金

――という式によって分解して、購入した物の代金の全額をいったん現金払いし、そうしてあとで内払い金を差し引いた残金額を相手方から一時借りるものとして、この買掛け未払金を財産的収入として取り扱う。したがって、後日になって未払残金額を支払う場合には財産的支出となるのである。

追い金付交換　例えば、役牛を交換するに際し、相手方に渡す牛が受け取る牛よりも安い場合に、その差額を追い金または差し金といって相手方に支払い、また、肥育牛を素牛（もと牛）と交換する場合には、相手方に渡す肥育牛が受け取る素牛より高い額だけを、相手方から追い金として受け取るが、このような取引を追い金（差し金）付交換取引という。追い金の支払いは、その支払う側からみて、とくに「追い金を打つ」といわれている。

この取引において、両当事者の間において手渡すものの売り値と受け取るものの買い値とが折れ合い、現実には買い価額との差額だけが追い金額として支払われるが、この場合にも現実に授受する追い金をそのまま記入せずに――

追い金＝購入代金－販売代金

――という式によって、それぞれ二つの現金取引に分解して記入するのである。

あしたの青春

一ノ瀬綾　え 多賀愛子

＜17＞

揺れて（五）

翌日は日曜日であった。昨夜床につくのがおそかったのに、すみ江はいつもより早く目が覚めた。起きぬけに弟の部屋をのぞきに行くと、新一は昨夜の身仕度のまま、頭から毛布をかぶって眠っていた。

もともとアルコールに弱い体質である。どこでどれだけ飲んだのか、かなり体にこたえている様子であった。

「男の子というものは、むずかしいもんだな……いやになるよ、ほんとに」

すみ江を見るなり、ふく代が言った。眠れなかったのか、目が赤くはれぼったい。

「男の子だなんて……新一は大人だよ、一人前だと他人に認めてもらいたくて、荒れているだから気をつけた方がいいに」

「いやいや、気持はまだ子供だ。なにをやらかすか見当がつかねえよ」

庭先から久治が、手を拭きながら入って来た。

「バイクをどこかでぶつけたらしいな……よくも怪我をしなかったもんだ」

憮然とつぶやいた。怒るより先に、息子の無事だったことに胸を撫でおろしているらしい父親を見て、すみ江は提案した。

「ねえ、新一に車を買ってやったらどうなの父さん。あんなに欲しがっていたんだから」

「クルマ?」一瞬、久治の目が光った。すみ江の言葉にふく代は身を乗り出してきた。

「そうだな……キャベツが駄目になっただけでなく、新一は二重にがっかりしたわけだ。このままでは、これから先が心配だよ」

「なにも新車でなくとも……中古なら十万円足らずで、いくらもあるそうじゃないの」

「そのくれえのこと、とっくから知っていたぞ……金の問題じゃあねえ！」

頭ごなしにはねつけられない事態に腹をたてたのか、久治はすみ江を睨んだ。

「事故を気にしたらなんにも出来ないよ。車ぐらい、どこの家だってあるのに……使う度に他人の車を借りる新一の身にもなって」

姉として、弟にしてやれるのは、父親に車を買わせる説得役ぐらいかと、すみ江は少々なさけない思いであった。久治は深く腕組をしたまま、買うとも買わぬとも口に出さず、のっそりと戸外へ出て行った。

陽が高く昇って、新一は起きてこなかった。圭次がたずねて来たのはひる近い頃である。お盆の用意にと、すみ江が障子の張り替えを始めた縁先に、ひょっこりと姿を現して「新一君いるかい」と声をかけた。

「それがね、大変なんですよ」苦笑しながらすみ江は昨夜のさわぎを圭次に伝えた。圭次は愉快そうに笑いだした。

「新一君も、なかなかやるね」

「手に負えないという感じよ」

涼しい居間の方へ圭次を招じ入れてから、すみ江は新一を起こしに行った。眠っているのかと思った新一は、ぼんやりと目をあけて窓の外を眺めていた。

「圭次さんが来ているよ、話があるって」

「知ってたさ……どうせドライブの話だ」

「そんなのん気なことじゃなさそうだよ」

「おれは今、ドライブどころじゃねえ……行ってやれよ、目当てはおめえなんだから。ああ……ちきしょう頭が痛てえなあ」

両手で頭髪をかきむしると、新一はくるりと背を向けた。すみ江はなぜかギクリとして息を飲んだ。言葉にも態度にも見知らぬ他人のような冷ややかさがあり、丸めた背中には誰もよせつけないかたくなさと淋しさが漂っていた。どこからも次の言葉のかけようがない思いで、すみ江はそこに立っていた。

第十六回NHK青年の主張全国コンクール全国大会・最優秀賞

第十六回NHK青年の主張全国コンクール全国大会が、さる十五日の成人の日に東京・渋谷区のNHKホールで各地方代表の十人によって行なわれましたが、九州代表の農業青年、阿部加津恵さん(二二)は、最優秀賞(三人)の一人に選ばれました。その発表内容は、多くの聴視者に大きな感激と感動をよび起こし、クラブ員にも反響をよびましたので、NHKの好意によって、発表の全文を紹介することにしました。また、農業からは、阿部さんのほかに、関東甲信越地方代表として選ばれた小松崎京子さん(茨城)が出場しましたので、その発表内容も次号で紹介したいと思います。

わたしの青春

お金より大切な人の心
豚とともに生きる

福岡県嘉穂郡稲波町　阿部加津恵 (22)

私は、いつもタオルを首にまき、ジーパンをはいて軽四輪を運転しています。たまに、男の子に間違えられることがありますが、これでも二十二歳の女の子です。

豚臭い、残飯臭い、といわれながらも、養豚に私の青春をかけています。私は、朝六時から夜七時まで、雨の日も、風の日も一年三百六十五日、豚の餌とりをしています。石油カンで七十カン、一四〇〇ℓの残飯を飯塚市の食堂やレストランをまわって集めています。

よく「若い娘さんがどうして」といわれます。そんなとき私は「これしかなかったのです」とだけ答えます。しかし、実をいえば私の暗い過去を話さなければわかってもらえないのです。

昭和三十三年九月、炭鉱閉山のあおりを受けて、父はギャンブルに手を出し、飯塚市で開いていたおもちゃ屋を倒産させてしまったのです。私が、中学二年生のときでした。

私たち親子五人は、夜逃げ同然の格好で母の実家に転がり込みました。父は、やけ酒をのんでは「俺は公賃じゃない」といって、母が頭を下げて貰ってきた米を投げつけたり、気にくわぬことがあると、一日中布団をかぶって働こうとはしませんでした。そのうち、民生委員の方の世話で私たち一家は生活保護を受けるようになりました。

そんなある日、小学校に入学した弟が、カバンと服を泥だらけにして帰ってくるなり、「父ちゃんの嘘つき、このカバンも洋服も役場からもろたとやろが、皆なが僕をもらいばっちと言うた」と張りさけんばかりに泣き出したのです。私たちはハッとして顔を見合ったのです。

父は責任を感じて、その日のうちに生活保護を打ち切ったのです。私もきっぱりと高校進学を断念しました。自分の青春を豚にかけようと、お金を節約して一頭の子豚を手に入れました。

この日から私の残飯取りが始まったのです。友だちに逢わないようにと祈りながら、餌集めに精を出しました。それから三月ほどしたある日、友人たちと道でバッタリ出会ったのです。

私はハッとして立ちどまり、体中がカッカと真赤に燃えるようなはずかしさを覚えました。

友人たちは、私の頭のてっぺんから足のつま先きまでみつめていました。私は、笑顔をつくって何か言おうとしましたが、友人たちは誰からともなく黙って道をあけ、すり抜けるようにして通り過ぎました。その間の長かったこと、私は一時間も二時間も友人の前につったっているような気持でした。実は、ほんの数秒間の出来事だったのです。

いま、私が自分の歩いてきた七年間を、静かに振り返って思うことは、豚と人との戦いではなく、自分の心との戦いだったと思います。

もしあのとき、弟が地団駄を踏んでくれなかったら、私の青春を豚にかけていたでしょうか。三百六十五日、一日も休むことなくてここまでやり抜いてきたことは、高校や大学に行って学ぶことより勉強になりました。自分の手を汚して体験し、つら抜いてきたという事実は、お金で得ることのできない信用となって、現在の私を支えてくれています。

私は声を大にして叫びたい。どんな仕事でも信念を持ってやろうと思えば誰にでもできる。お金より大切なのは、人の心だと思います。本当の幸福は、人から与えられるものではなく、自分の手によって作り出し、生み出すことにあるのだと思います。

私はいまもハンドルを握り、豚とともに青春を精いっぱい生きています。

◇　◇

青春と仲間

自主性ある農業者に
あひるの心理から抜け出せ

新潟県北蒲原郡加治川村・加治愛農4Hクラブ　吉田雅衛

農村も、今だから、どこの家にもテレビや電気洗濯機が入り、また台所をはじめとしていろいろな設備がそなえられて、家庭内も民主的になってきたが、村の中ではまだ風習や世間態などを気にするところがある。

先日「青少年クラブ活動の理念と実際」という本を読んだが、ここで農村にあるいくつかの問題を考えてみたいと思います。

農は人まね、農民はあひるの心理…とはよく言ったもの。ある魚屋がこんなことを言っていた。

「農家に魚を売るにはコツがある。それは、隣も買ったし、その隣も買ったといえば、たいがい買ってくれる…」と。

また親が子どもを叱る言葉に、こんなことも聞かれる。

「どこの世間にそんなことをする者があるか」—と。

こんな親の常用文句によって、子どもは幼いころから世間態や恥、村の風習をいつとはなく重んじるようになって、恥をかかないように、笑われないように育てられてきたのではないだろうか。

こんなことでは、農村の自主性をうかがうことができるというもの。われわれ一人ひとりがもっと自主性をもった個人となって、一日も早く"あひるの心理"的集団(自覚のともなわない盲目)から抜け出さなければならない。批判とは、自主性のあるところからだけ生まれるものと思う。農作業にしても、田の草取りは手取りで何回やらなければならないとか、田植え二十日間は畜田に入るな……ということで一番除草をおくらせて、その後の除草に苦しんでいる。

これらが昔からくりかえされて今では慣行農法として固定されたものになっている。年々新しい技術が確立されている中で、なんの疑いも持たない者には、問題を発見することができないし、進歩もない。

義理と人情、知性を忘れない感情の生活、精神の働きを、知、情、意の三つに分けると、情は温かいもの、美しいもの。また感情、意志は、人を動かす実践力の源であっても、それに知性がともなわなければ、この美しさ、温かさ、強さは健全に発揮できない。

朝に霜をふんで、夕に星をいただいて帰る勤労ぶりには感心させられるが、健康を害してまでの勤労は、けっしてほめた姿ではない。

身につけた教養が乏しかったり栽培飼育の仕事が常に慣習をともなっていること、また、お互いに知りつくされた狭い社会に生活していることなどが、村において感情が支配的になったのだろう。

もう一つつけ加えるならば、狭い閉ざされた家庭王国社会にあっては、おたがいにすきとおるほど知りつくされ、家柄がどうの、人間がどうの、さては、隣の嫁さんのもっている着物の数までいい当てる…こうした対人関係において、先立つものは、やはり感情であろう。「百姓はバカでもできる」と、よく村の年寄りは言っている。近所の人が行なっているのを真似してやっていればよいという考え方であろう。

ほかに「神だのみでの迷信、俗信のとりつく生活」や「ゆとりのない、ぎりぎりいっぱいの考え方による賢用一点張りの生活」それに「自由平等の芽生えをはばむ身分関係」など農村にある問題はまだいくつもある。

最初に取り上げた自立性のない農村生活については、前にものべた通り一人ひとりの自覚で自主性をもった個人となって、あひるの心理といわれる農村を作り変えなければならない。

今日の農業情勢が新しい深刻な事態に直面していることは、私たち農業者はみんな知っているはずである。私たちはクラブ活動で農村社会について、封建性などについて話し合ってきたはずであるが、ここでもう一度話し合い、新しい感覚、合理的なものの考え方がゆるまないうちに村の生活や家の姿を考えてみたいものと思う。

農業経営の近代化がいっそうさけばれるようになった今日、農業経営の安定確立と並行して、家庭の民主化、村の民主化を一緒にやらなければならない。若い僕らに、クラブ活動に与えられた一つの課題ではないだろうか。

病床に寄せる友情のうた

早く元気を出して
中山さん 4Hの一つ"健康"を痛感

病床に伏す大分県の宇佐4Hクラブ員、中山眞澄子さん(別府市大字鶴見四三三)に仲間たちから寄せられた激励の詩や短歌—一日も早く元気を出してと友情をかなでる…中山さんは、本紙の通信報道員として活躍していただいておりますが、昨年の十一月にからだの調子を悪くして入院しました。いま、健康で働けるときの幸福を痛感し、4Hの信条の一つでも欠かせないと訴えています。そして、自分が役目を果せない責任を感じながら、そのかわりに、お友だちからお見舞いとしてもらった詩を—と、次のような文をしたためて本紙に寄せて下さいました。全国のクラブ員のみなさんとともに、中山さんの一日も早い全快を祈りたいと思います。

昨年、鳥取県で開かれた「第六回4Hクラブ員のつどい」で

良いお年をお迎えしたことと存じます。

ずい分長い間ご無沙汰いたして申しわけありませんでした。実は私も去年の十一月、からだの調子を悪くして、ただいま入院中ですが、やっと気も落ちついたのでペンをとった次第です。

この間いろいろのクラブ活動や行事がありましたが、責任も果せず、すまないと思っております。

4H新聞を見ると、みんながとても元気で楽しそう、本当に淋しく自分が情けなく感じます。でも決して病気には負けていません。人間、健康で仕事のできるとき、それが一番幸福なときだと思います。病気をして初めて健康の有難さが分りました。

4Hの信条の一つが欠けたら、みんなが役立たないような感じ、4Hの信条、人間誰れにも必要なことが大いに分ります。

ところで、何の役にも立たず、何のニュースもありません—私が友からお見舞いとしてもらった詩や短歌をお送りしますので、これでお許し下さいませ。

では、みなさん方の御健康と御多幸をお祈りしながらペンを置きます。乱文乱筆をお許し下さいませ。

(鶴見病院二一四号室)

自由詩

窓の外には何が見える?
そう 青い空と
それは 寒さにも負けず
ツンとすました 若々しい木々ね
だからあなたも
元気良く背伸びして
私の所へ とんで来て

お部屋には何があるの?
そう
かわいいお花と花瓶ね
赤いガーベラに 白い菊
それかなピンクのシクラメンが
こんにちわをしている
だからあなたも元気を出して
私と歌でもうたいましょう

今夜のおかずは何かしら?
そう
焼き魚に大根おろし
それとも卵豆腐かな
小さなおつけものにスープ
ほら 沢山食べて
元気に私と並んで歩きましょう

スズメ

スズメ スズメよ羽ある鳥よ
遠い遠い あの人を
元気でいるか みてきておくれ
スズメ スズメよ親鳥愛鳥
ペットの私が歌う この歌
あの人のお窓に とどけておくれ
スズメよスズメ 高く高く飛べ
ふたたび 春が来る頃には
きっと 元気になると伝えておくれ

短歌

大いなる 朝日に向きて 思うかな 命尊し 我身愛しも
風に舞い 病葉一つ 部屋はいる 冬は長しも じっと寝ている
先生に 診察受けて いるさなか 丈夫であった時を思いぬ
この冬 我れによく効く 良薬と そう思いつつ 今日も手にとる

徳島で農業後継者の激励大会ひらく
20日、徳島市内で

【徳島】徳島県の農業後継者激励大会が、来る二十日、徳島市昭和町の歯科医師会館で開かれる。当日は、東京教育大学助教授、浜田陽太郎氏の講演が予定されている。

オンタリオ州館

敷地面積　二、九〇〇㎡
出展費用　約8億円

展示館は、鉄骨造りの2階建。外壁は青色、柱と大ばりは白色。簡潔で印象的な美しさと洗練された近代的技術とをうまくミックスさせた建物です。

展示は、1時間2,000人を収容する劇場が中心で、高さ11m、幅27.5mの大スクリーンに豪華な多映像カラー映画を上映。ナイアガラの滝のあるオンタリオ州の人びとの生活が"フェスティバル"を中心に描かれます。

このほか、自動操作でコントロールされる22台の幻灯機が、オンタリオ州のいろいろな生活面を30mのスクリーンに投写し、観客が歩きながら楽しめるように仕組んだモジュール・コミュニケーション・ビークルという装置などもあります。

<日本万博展示館の紹介>

農村雑感
迷い

折原俊二郎

九州のU君からの便りの中で次のようなことが出いてありました。

「私は農業をやるつもりで、高校を出ると、直ちに親から農業経営の実権をゆずってもらい今日までやってきました。これまでの数年間は、少しずつ収入の方はあがってきましたが、これから何年か先のことを考えるとこれでよいのか、いや、現在の経営面積だけでやっていけるかどうか不安でたまりません。土地をもっと買ってふやそうと思って近くの農家に当ってみましたが、誰もゆずってくれるという人がありません。もちろん私が当った農家というのは兼業農家で一家の主人はサラリーマンで、主婦が農業をやっているという家で、将来とも農業をやるという見込みの少ない農家です。ただ一軒のみ、小さい経営をやっている農家が、条件によってはゆずってやってもよいがというので、いろいろ相談しましたが、ゆずり渡すという価格は、べらぼうに高く、これではとても手も足も出ません。あとで他の人から聞いたのですが、その家では働く人がいなくなっても土地は売りたくないといっていたとのことです。そして、どうしても手ばなさなければならない頃には、この辺も住宅地となるだろうから、そのときは一坪いくらという価格になるからといっていたそうです。私はまったくこうした実情も知らずただ、ゆずってくれるものと思って、一生懸命になったのですが、結果としては、馬鹿をみたということになるかも知れません。

役場の農業担当者とも話をしましたが、町長も農協の組合長も、今では何の施策をやってよいか見当がつかないといい、国や県が方向を出すまで仕方がないといって、今では役場の中でも、農業のことについては十分話しあい、議論をすることをやめているともいっていました。

同じ年令に近い友人はきわめて少なく、あっちに一人、こっちに一人という状態ですが、この仲間たちと相談してみたいと思い走りまわりましたが、誰一人として本当にこれからの農業について真剣に考えてみようというのがおりません。本当にがっかりしました。そこで三十歳以上で、立派な経営をやっている人のところに行ってみましたがこれらの人たちのいうことは自分だけがたよりだから、他人のことはかまっておられない。また、そうした考えでなければ立派な経営はできないといいます。

私は、一人で最初やろうと思い、そのために自分の家の経営を拡大しようとしました。しかし、一人ではとてもむずかしいことがわかり、役場なら何らかの方向を示してくれると思ってみましたが、ここでも失望したので、それでは、若い者同志と考えたのです。しかし、皆は大変だといいながら、一緒になって打開しようという考えはもっていません。そこで、立派な経営をやっている中堅的な人たちをたずねたのですが、ここでも自分本位しかないということがわかりました。

これからの農業は、地域が一つの組織となってやらなければならないといわれています。しかし、誰れもその考え方にとり組もうとしていないのです。指導する側でも、そこまで考えているのかどうか疑問です。もうこの地方から引きあげて、新しい土地を求めていきたいと思いますが、適当な場所などさがしようもありません。それでも農業をやろうとする私の考えはまちがいでしょうか」という内容でした。

私は、この手紙に返事の書きようがありません。適切な助言を教えてくれる人はないものでしょうか。

(農林省・農業者大学校)

◀投稿案内▶

本紙は、みなさん方の新聞として、全国のクラブ員に利用して戴きたいと考えています。それでクラブの催しや個人のプロジェクト、詩、短歌、随筆、写真、悩みや意見、村の話題、伝説、行事その他なんでも原稿にして送って下さい。

お願い　❶長さや形式は自由です　❷できるだけ記事に関連した写真をそえて下さい　❸送り先　郵便番号162　東京都新宿区市ヶ谷船河原町11　日本4H新聞編集部

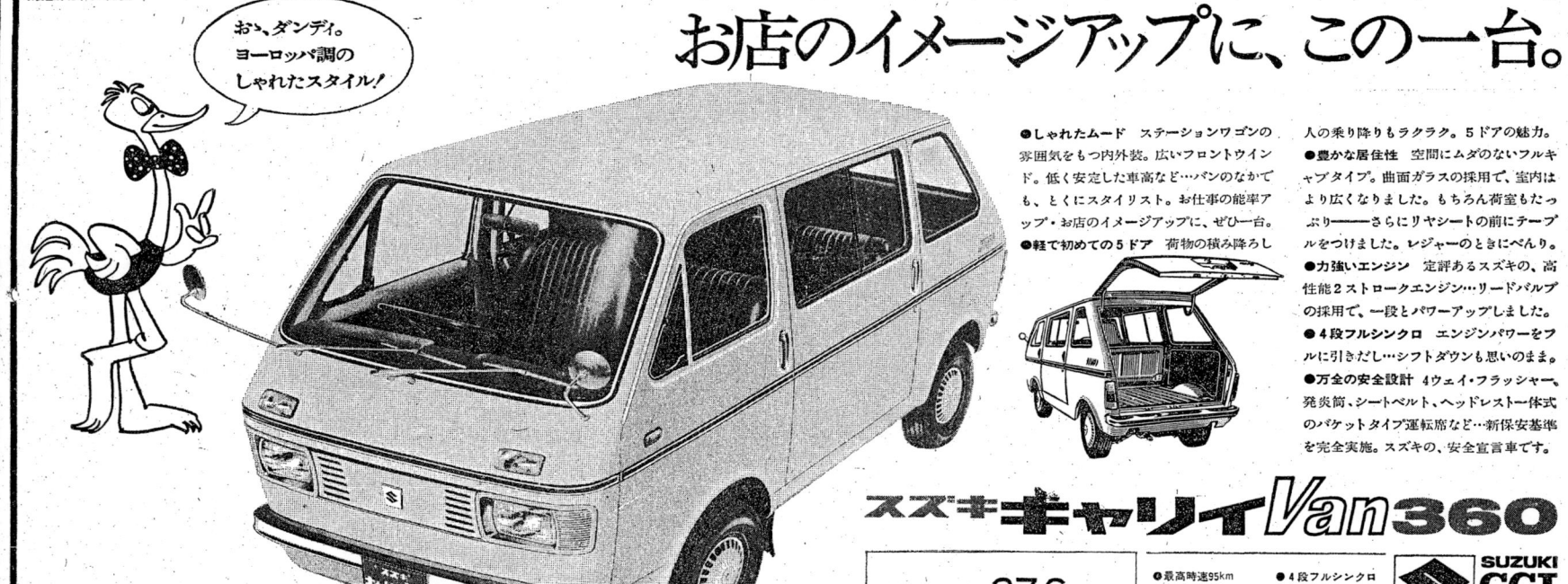

4Hのマークと共に
クラブ活動用品の案内

品目	(単価)
4Hバッチ	50円
レコード盤(4Hクラブの歌・4H音頭)	150円
クラブ旗 大(72cm×97cm)	360円
クラブ旗 小(33cm×40cm)	200円
手拭	100円
ハンカチ	50円
ネクタイピン	200円
女子用ブローチ	200円
クラブ員専用便箋	100円
〃 封筒	70円

◎荷造り送料代百円です。
◎ご注文は代金を振替口座へお払込みを願います。代金着次第ご送品致します。

社団法人　日4H協会代理部
東京都千代田区外神田6丁目15〜11の705号
振替口座　東京72082番

日本4H新聞

4Hクラブ 農事研究会 生活改善クラブ 全国弘報紙

発行所 社団法人 日本4H協会 東京都市ケ谷家の光会館内 電話(269)1675 郵便番号162 編集発行人 王井光 月3回・4の日発行 定価1部20円 一ヵ年700円(送料共) 振替口座東京12055番

クラブ綱領

一、私達は、実践を通して自らを磨くとともに、互いに力をあわせて、農村、よりよい日本を創るため、四つのHの信条をかかげます。一、私達は農業の改良と生活の改善に役立つ腕をみがきます。一、私達は科学的に物を考えることのできる頭の訓練をします。一、私達は誠実で友情に富む心をつちかいます。一、私達は楽しく暮し元気で働くための健康を増進します。

輝く4Hの伝統と業績

埼玉県連

盛大に20周年祝う

千六百名出席し記念式典

【埼玉】埼玉県農業研究団体連合会(会長、飯田藤男氏、4H部長、小沢堅一君)は、県およびNHK浦和放送局と共催し、先月三十一日、浦和市の埼玉会館大ホールで、埼玉県4Hクラブ二十周年記念大会を開いた。当日は県下から約千六百名のクラブ員が出席し、盛大に記念式典や講演、シンポジューム、アトラクションなどがくりひろげられた。

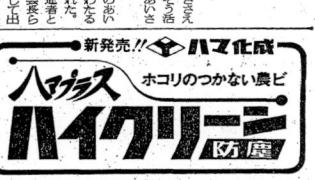

1600人のクラブ員が出席して、盛大に開かれた埼玉県4Hクラブ20周年記念大会(壇上は、祝辞を述べる田中県会議長=埼玉会館大ホールで)

この大会は、4Hクラブが同県に誕生してから満二十年を迎えたのを記念し、4Hクラブ活動の意義と使命をあらためて認識するとともに、これまでの経過をかえりみて、今後の発展に資するために開いたもの。

大会の前日は、日本中を吹き荒れた台湾坊主が関東地方を通過、乾ききっていた田畑に慈みの雨を降らせたが、一夜明けた当日は、晴天に恵まれ関係者を喜ばせた。

近代建築の美を誇る会場の埼玉会館には、早朝からクラブ員たちがつめかけ、談笑する姿がみられた。開会までには、貸切りバス二十余台などで集まったクラブ員千六百名、さしもの会館大ホールも満席になった。

十時三十分、壇上に栗原知事はじめ多くの来賓を迎えて開会。まず、四つ葉のマークもあざやかに地区連旗の入場、浦和を先頭に久喜まで十四地区連旗が入場すると一斉に拍手が起こり、マイクを通してそれぞれの地区の特徴が解説されていく。

つづいて、全員で県4Hクラブの歌を斉唱。

つぎに主催者を代表し飯田会長が「わが埼玉4Hクラブが二十周年を迎え、このような大会を開くことができたことは、みなさんとともに喜びにたえない。この二十年の歳月、4Hクラブを育ててきた県、普及所、先輩の方々に深く感謝の意を表します。

いまや、農業を取りまく環境は厳しいが、われわれは若い力とたゆまざる創造力で明日の農業を拓いていこう。

この大会は、一昨年から準備がすすめられ、クラブの全員が資金のすべてを出し合って開いた、意義ある大会である」と述べた。

NHKで全国放送

つづいて栗原知事は、「本日、このように盛大な大会が開かれるのは意義深いことである。

ことしは一九七〇年、七〇年代の始まりであるが、問題は経済成長と人間精神の闘いである。これからも科学はどれだけ発達するか判らない。そこで、人間精神がどれだけすすむかが問題なのである。

4Hクラブの四つのHは、どんなに科学や物質文明がすすんでも変らない、必要なものである。4Hクラブ二十年の歴史でも、4Hの綱領は変らなかった。そこには調和のとれた人間、人類の発展がうたわれている。

みなさん方は、同志をふやし、農業だけでなく、日本の、世界の発展につくしてもらいたい」と激励した。

つぎに、黒沢副会長が、およそ別項(二面掲載)のような埼玉4Hクラブ二十年の歩みを報告し、また現在の厳しい情勢に対処し、また未来に向って大きく躍進するため今後なお、活動内容や活動方法について研究していきたい、と述べた。

つづいて、来賓として出席した田中県会議長が「四つ葉のクローバで象徴される4Hの信条はすばらしい、私は、食糧増産など、4Hクラブが過去二十年間に残してきた業績に感銘している。グループの力は可能性を秘めたものである。みなさんの団結と前進を期待する」

また、河野町村長会会長は「農業に真剣に取り組む若い諸君が大好きである。町村長たちも、諸君にできる限りの力を貸したいので相談にきてほしい」と激励した。

新田4H協会事務局長は「天の利、地の利、人の利というが、昨夜は慈みの雨、本日はすばらしい晴天、すばらしい会場、熱意と愛情でみなさん方を育て導いてきた先生方を迎え晴れの記念大会を心からお祝い申しあげる。これからの農業は自分たち自らで発展させるもの。大いに頑張ってもらいたい」

元埼玉県連会長であった大邑全協副会長は「4Hクラブ活動の中心をなすものはプロジェクト活動である。この大会も、みなさんのプロジェクトの一つが成功したものだと思う」と、それぞれお祝いの言葉を述べた。

このあと、祝電の披露、4Hクラブの綱領を宣誓して、記念式典を閉じた。

式典のあと、十一時二十分から「財界」誌編集長、山口比呂志氏の「成功した経営者の共通点—農業も企業である—」と題した記念講演が行なわれた。

氏はこの講演で、財界で名を成した経営者たちの隠れたエピソードを語りながら、これから農業経営者として大成するための示唆に富んだ話をされた。

昼食のあと「近代化のなかの青年像」というテーマで、シンポジュームが行なわれた。これは、さる八日、NHK教育テレビ「あすの村づくり」で全国放送されたもので、司会はNHKの鈴木アナウンサー。

意見発表者は、山岡昌治(川口市神根4Hクラブ)猪鼻文明(比企郡川島村三保谷4Hクラブ)神尾幸江(大里郡岡部町本郷4Hクラブ)以上現役クラブ員三名と、元県連会長の清水彪氏(児玉郡美里村)元同副会長の内野定子さん(入間郡富士見町)のOB二名。それに、神谷克己(日本経済調査協議会調査部長)並木正吉(農林省農業総合研究所雇用研究室長)の三氏が助言者として出席された。

シンポジュームは、はじめ、六人の発表者にそれぞれの経営と現在かかえている問題を述べてもらい、つぎに会場からも二、三名に意見を出してもらった。

これらの問題について、助言者の並木氏は、「みなさんが出された、他産業との較差や周囲の環境の変化にどう対処するかという問題など、一つひとつが日本農業の問題そのものである」と、また神谷氏は「環境条件の変化を鋭敏に受けとめ、企業家意識がみられる。農林省の普及事業より先をいっている感じである」と意見を述べられた。

さいごに、アトラクションとして、コーラスの「高山佳子とロイヤルナイツ」バンドの「結城久とアンサンブルミューゼット」を楽しんで、記念大会の幕を閉じた。

凉風暖風

シンク・タンク

集団的生産組織活動育成事業というのが一昨年から行なわれている。内容として、いろんなことがあるが、特に重要なこととして、中核者研修というのが行なわれている。過日、梨栽培組織の中核者研修が行なわれた。それに参加したある梨組合のリーダーが、次のような発表をしていた。

八十余人の組合で、共同出荷をしているが、どうも品質がそろわない。講習会を開いたりして、大学や試験場の先生の話を聞いたり、長年の栽培体験から、技術的に低い人はいないはずなのに、市場単価が低い。そこで、よく調べてみたら、そろっていると思っていた技術水準にかなりの差があることがわかった。

例えば、梨の品質に影響する間伐(木が大きくなってきたら、間を抜くこと)にしても、実をとりたいために、わかっていても抜かない人がいる。この、知っていてもやらない人に、組織としてやらせるにはどうすればいいか、ということが組合の幹部の中で問題になった。

そこで部落間の競争と、組合の指導部の活動を強化することで、技術水準を高めた結果、いまは県内でも、高い単価を保持している—とのことだった。

この指導部というのは、組合を構成している八つの、各部落から一～二名の部員を選出し、十五名で月に一回の定例会を開き組合のかかえている問題を究明したり、率先して新しい技術の導入、実証などをしている。さきの単価が低い原因の究明や部落間の競争も、指導部が中心になって行なったという。

近頃、新聞の経済欄に時々、「シンク・タンク」ということばが出ている。「頭脳集団」と訳しているようだが、直訳すると「考える槽」ということになる。

大企業や行政庁が仕事を進めるうえで、現状の分析や将来の方向、目標を決めるのに、それに専門的に取組む集団組織の事である。アメリカあたりでは、そういう会社ができているという事だし、日本でもそういうものを作ろうという動きがあるようである。

さて、日本の農業の「シンク・タンク」は何だろうか。指導部、あるいは研究部、大きな強力な組織のためのシンク・タンク。昔の農事研究会は、殆んどなくなったけれど、青少年の集まりが、学習のためのものであればシンク・タンクの候補集団、それが生産活動にも取組んでいるとすればそれ自体が、村の、部落の、組織のシンク・タンクとしての活動をしなければならないのではないだろうか。(いばらぎ・はが)

会長に古郡君

栃木県足利地区連で

【栃木】栃木県足利市内の青少年クラブ連絡協議会は、[illegible]市庁舎で定期総会を開き、[illegible]度の役員や新事業計画を決[illegible]。新役員つぎの通り。▽会長[illegible]郡長三郎(久野)▽副会長[illegible]欽一(御厨)同 斉藤マサ[illegible]野)▽事務局長、小花一美[illegible]

心頭技健

きらめきふる[illegible] 草のつゆ 朝は[illegible]たり武蔵野に[illegible]ましきこゆる[illegible] われら埼玉[illegible] —これは、埼玉[illegible]地に、4Hクラブが誕生[illegible]十余年間、志しを同じく[illegible]者が、若き情熱を傾け、将[illegible]豊かな農村建設と自己の人[illegible]の完成に夢を託し、ここか[illegible]で口ずさんだ埼玉4Hクラ[illegible]歌である▼一月三十一日、[illegible]県が誇る近代建築の粋を集[illegible]埼玉会館に県下の4Hクラ[illegible]千六百余名が、貸切バス二[illegible]台をつらねての乗り込み、埼[illegible]4Hクラブ二十周年記念の[illegible]が華々しく開催された。埼[illegible]の4Hクラブは、昭和二十[illegible]九月、山ふところの吉田町[illegible]々の声をあげた。長い間、[illegible]社会に閉ざされていた若い[illegible]が、4Hクラブの出現によ[illegible]せきを切って躍動しはじめ[illegible]である▼以来二十余年間、[illegible]の民主化、農業の改良、生[illegible]改善と4Hクラブが果した[illegible]は非常に大きく、青春を4[illegible]ラブ活動に賭けたかっての[illegible]たちは、いまや地域の中堅[illegible]の先輩たちが、汗と涙で築[illegible]歴史と伝統が、いま脈々と[illegible]つがれ、いまや4Hクラブ[illegible]の手に受けつがれ、さらに[illegible]しい一ページを加えようと[illegible]四百名のクラブ員が一丸と[illegible]て活躍している▼埼玉県連[illegible]この由緒ある4Hクラブの[illegible]周年を記念し、さらに、ク[illegible]員の自主性と意欲的な活動[illegible]すため、一昨年から記念式[illegible]開催を計画していた。その[illegible]実行委員会が中心となって[illegible]に入ったが、クラブ員の[illegible]に小人数ではと—。し[illegible]題で困惑したようだ。広[illegible]当日の参加者は、予定を[illegible]に上回る人数で県連創立以[illegible]盛況であった。これは、[illegible]当局の指導、協力体制が[illegible]たというだけでなく、原[illegible]ほかにあるように感える[illegible]は何か、聞くところによ[illegible]クラブ員に主体をもたせ[illegible]と、とくに式典の必要経[illegible]半を、参加者自らが支払[illegible]いうところに一因がある[illegible]ないか。参加者は、この[illegible]通して、自分のことは自[illegible]任をもつという尊い体験[illegible]だことになる。また、[illegible]し、自らの人生を拓いて[illegible]ないが明日のクラブ活[illegible]えに、かけがえのない出[illegible]り、成人を迎えた4Hク[illegible]ふさわしい記念式典であ[illegible]

茨城でも記念大会

江戸崎地区連の創立五周年

【茨城県=村上文雄連絡報道員発】茨城県稲敷郡江戸崎地区4Hクラブ連絡協議会は、江戸崎普及所と共催して、このほど、新利根中央公民館で、同地区4Hクラブ創立五周年記念大会を開いた。

この大会は、同地区連が結成されてから五周年を迎えたので、これを記念し、五年の歩みをふりかえるとともに、日頃のクラブ活動を通して研さんされた豊かな体験を交流し、地域社会の発展に寄与できる近代的な農業者として意識の高揚と組織の強化をはかることをねらいとして開かれたもの。

当日は、地区のクラブ員はじめOB、指導機関の関係者や来賓など多数が出席、4Hクラブの歌斉唱で記念式典の幕を開いた。

まず、諸岡地区連会長が「先輩たちが築いた多くの実績をささえとして、これを機会にいっそう活動を推進したい」と力強くあいさつ。

つづいて、石井普及所長のあいさつのあと、過去五年間にわたる数々の実績や成果が報告された。

つぎに、地区連活動の推進者として功労のあった坂本初代会長らに感謝状が贈られ、来賓として出席した県議会議員や農林事務所長から祝辞が述べられ、黒田全協会長からの祝電が披露され、式典を閉じた。

記念式典のあと、茨城大学の稲戸教授による「青年心理の特徴」という講演が行なわれ、青年期の生き方を心理学の面から学んだ。

昼食のあと、日頃の4Hクラブ活動や農業経営について、稲穂サークル4Hクラブの香取一美君ら四名の意見、体験発表が行なわれた。

つづいて、地区連として、これから4Hクラブをどうすすめていくかについて全体討議をし、活発な意見が述べられた。

「さいごに「われわれは、過去五年間のすばらしい実績を基にし4H精神にのっとり、近代的農業者になり得る心と技の練磨に努めます」と副会長が誓いのことばを述べ、先輩たちの激励のあいさつのあと、会員で4Hクラブの歌を斉唱して、五周年記念大会の幕を閉じた。

江戸崎地区連創立5周年記念大会で意見発表をするクラブ員(新利根中央公民館で)

各地で青年会議開く

実績発表や講演など

いよいよ来月三日から、農村青少年の誓の全国大会「全国青年農業者会議」が、東京で開催される。この全国大会に先だって、各地で県大会が開かれ、参加したクラブ員たちは、晴れの県代表に選ばれて全国大会の出場権を手にしようと熱心に日頃の成果を発表している。以下はその一部である。

意見の交換を図る

優れたプロジェクト発表 高知

【高知県=堀見とし連絡報道員発】高知県農村青少年連絡協議会(会長、川村雅士君)は県と共催して、先月二十七日から三日間、県立青少年センターで、県青年農業者会議を開催した。

「若い力で七〇年代の農業を創造しよう」「手を結び、明るい郷土を建設しよう」のスローガンのもと、大会には県下から百五十人のクラブ員と六組の夫婦が参加した。

初日は午後三時から開会式。山本農林部長の「総合農政とこれからの農業」と題する講演があり、つづいて、日頃農業や農家生活を通して実践してきたプロジェクトの実績発表が十人の代表によって行なわれ、会場からも熱心な質問がだされた。

夜は、NHKテレビのビデオ、「私たちが築く十年後の農業」を見たあと、小グループに分かれ、意見交換をした。

さいごに、昨年青年の船で東南アジア諸国を回ってきた三名のクラブ員が、スライドを使って、外国の農業事情などを報告した。

翌日は、午前中、プロジェクトの実績発表が行なわれ、クラブ活動を通して農業の改良や生活改善のための日頃実践した成果が発表された。

午後は、九分科会に分かれ、米の生産調整の問題、流通機構、経営規模の拡大、十年後の農業、農家生活性と課題別に意見交換が行なわれた。

夜は、県連のあり方、クラブと普及員との関係、クラブ活動などについて熱心にパネル討議がされた。

三日目は、これからの農業について、農業経営者夫婦二組と未婚青年男女各二名でパネル討議が行なわれた。

わずか三日間であったが、出席したクラブ員たちは、同世代の体験と意見、先輩たちのすばらしい生活設計を聞き、新たな希望を燃して、それぞれの地域に帰っていった。

熱入った米作問題

全国大会の代表者決る 大分

【大分県=梶原厚実連絡報道員発】大分県農村青少年クラブ連絡協議会(会長、児玉前君)は、県および県農業振興運動協議会、NHKと共催して、先月二十八、二十九の両日、別府市の城島観光ホテルで、県農村教育青年会議を開催した。

会議には、県内十二地区から選ばれた青少年代表ら百十名が参加し、日頃のクラブ活動やプロジェクト活動の成果や問題点を話し合った。

第一日目は、分科会討議が中心に行なわれ、選択課題と共通課題について活発な発表や質疑応答がなされた。稲作の部会では、水田減反など大きな問題をひかえ、討議に一段と熱が入っていた。

第二日目は、分科会の代表発表と全体討議。鹿児島大学の梶井教授による「最近の農業事情と今後の課題」という講演が行なわれた。

なお、三月、東京で開かれる全国大会に、分科会で優秀な発表をしたつぎの七名が代表として派遣されることになった。

安藤元良(稲作)藤原秀喜(野菜)野口洋一(果樹)野中満蔵(畜産)安藤豊作(畜産)東久美子(生活)広池峰子(生活)

米作問題などについて真剣な討議が行なわれた大分県の青年会議(城島観光ホテルで)

将来の農業考える

パネルで先輩の意見聞く 山口

【山口】山口県農村青少年クラブ連絡協議会(会長、福島保昭君)は、県および県林業研究グループ連絡協議会、県放送利用農業集団推進協議会と共催して、さる十二、十三の両日、光市の県立光青年の家で、山口県農村青年会議を開いた。

主な内容は、つぎのとおり。

第一日目、開会式(午後1時)

講話(2時)「これからの農業を考える」山口県農協中央会農政部長 吉松梅人氏

レクリエーション(4時)

分科会(6時30分) 作目別に六分科会に分かれ、プロジェクトや経営、抱負などについて発表した。

第二日目、全体会議(8時)各分科会の協議内容をまとめて発表し討議した。

シンポジューム(10時)「これまでの農業とこれからの農業」

農林業の中で活躍している二十代、三十代、四十代の三組の先輩夫婦を囲み、先輩の歩いてきた道と将来の計画について先輩からの発表を聞き、その後パネル討議によって話し合った。

青年の役割話合う

ボーリングで親睦深める 山口県下関

【山口県=松尾耕助連絡報道員発】下関農村青年グループ連絡協議会(会長、大元敬司君)は、先月三十日、下関市幸町の下関ボーリングセンターで、親善ボーリング大会を開き、親睦を図るとともに、同日午後から市農政課主催の農村青年技術研修会に参加し、学習に励んだ。

まず、九時三十分から、地区のクラブや県連理事など約七十名が参加してボーリングに興じ、楽しいひとときを過した。

午後からは、下関総合庁舎で開かれた市農政課主催の下関農村青年技術研修会に参加した。

この研修会は、農村青年が将来地域社会における自立経営農家の経営主、またはその主婦となり得る能力を習得させるとともに、近代的な人間形成を図ることを目的としたもの。

はじめに「人間の再評価」と題して、中国新聞山口支社長、那部氏、つづいて「維新の青年像」について、山口新聞編集局長、古川氏がそれぞれ講演した。

このあと、総合農政という大きな問題をかかえている現状、地域の農業をみつめて「ゆれ動いている農業の中で、われわれ青年の果す役割」はいったい何だろうか—と、四つの分科会に分かれて話し合った。

さいごの全体討議では、都市近郊における土地、作目選択などの問題を、クラブ員全員が団結して解決にあたり、若者らしく農業にも前向きの姿勢で取り組もう—など、盛んな意見がでた。

埼玉県4Hクラブ 20年の足あと

埼玉県の4Hクラブ二十周年記念式典は、さる一月三十一日、浦和市の埼玉会館に県内の4Hクラブ員とOBなど約千六百名を集めて盛大に開かれたが、その伝統と業績に輝く同県4Hクラブの足あとを、二十周年記念誌の中から紹介してみよう。

〈昭和24〜26年〉

昭和24年9月、埼玉県最初の4Hクラブが、秩父の山村吉田町に誕生し、その後つぎつぎと県下各地に4Hクラブが生れていった。

過去長い間、閉されていた農村社会のなかに埋設していた若い生命が、この4Hクラブの出現によって、せきを切って躍動しはじめた。

当時、発足したばかりの農業改良普及事業において、主要食糧の増産と並行して指導に最も重点がおかれたのが、4Hクラブの結成指導であった。しかしながら、当初の結成段階では、地域青年団あるいは青年学級など既存組織との競合、周囲の4Hクラブに対する理解度の低さ、さらには、はじめて、このような指導に直接従事する改良普及員の知識経験の不足もあって、4Hクラブ結成には苦しい指導体験の連続であった。

だが、クラブ員の生産活動は、新しい方式であるプロジェクト法が広く採用されていった。

〈昭和27〜29年〉

4Hクラブ活動はいちじるしく活発となり、普及事業におけるクラブ育成指導は、いぜんとして統き、昭和二十九年四月には、クラブ数二六六、クラブ員は六千人を越えたが、だいたいにおいて、クラブでは、個々のクラブ活動の充実に処する時期であった。

また、病虫害の防除や展示ほ経営、共同調査、優良種子の交換、農機具の実習などの生産活動が行なわれ、新しい技術は4Hクラブの実験や試作を経て、地域へ波及していった。昭和二十七年七月には、県段階の連絡協議組織が結成され、4Hクラブ活動はますます強固なものとなった。

〈昭和30〜34年〉

4Hクラブでは、経済の高度成長による社会経済情勢の変化に対応した生産活動が活発となった。すなわち、クラブ員のプロジェクトに、そ菜、畜産などの新しい部門がとり入れられていった。

クラブ員の活動内容では、単純な技術から脱皮して、経営[illegible]の組み立てを考えたプロジェクト構成が、新作目、施設の導入、経営設計を通じてなされている。

〈昭和35〜39年〉

農村青少年の他産業への流動が激しく、クラブ員の減少、専業、兼業者の混在といった現象を呈して、4Hクラブやクラブ員の動揺が複雑で、活動目標や実体が把握しにくくて、4H活動上最も困難の多い時期であった。

しかし、昭和三十八年県下の農[illegible]「4Hクラブ、農研、生活改善クラブ」が、互いに手をとり合って、県農業研究団体連合会が創立され、従来の県4Hクラブ連絡協議会は、新しい連合会の4H部として生れかわった。

この組織の改変もあって、クラブ員の声は、農林行政へも強く反映されるようになり、4Hクラブの社会的な地位も高めた。

〈昭和40〜44年〉

優れた青少年の農業への定着が目立ち、農業志向者とそうでない者とが判然と区別されるようになってきた。したがって、4Hクラブ員は最盛期に比較して減少したが、農村に残る精鋭がその中核となり、クラブ員の資質は高くなって、その活動は専門化、高度化にむかう一方、広域的な活動ができる組織体制になってきている。

現在、4Hクラブ数一四一、クラブ員は六四六六人（男子二七〇八人、女子七五八人）である。

誕生する高等農業教育施設
来年度、六カ所に設置
農林省 「農業教育センター」の構想が現実化

近代農業の担い手となる青少年を育成するため、農林省が来年度から五年計画で全国四十ヵ所に建設を予定している高等農業教育施設は、来年度まず全国六ヵ所に設置されることになった。

同省では、さいきん急激にふえてきた高卒就農者や農業の近代化の進展などに対応するため、これまであった各種の青少年教育施設を統合するとともに、拡充強化を図ることになり、それらの総合的な教育体系として「農業教育センター」の構想をたて、その中核としてこの高等教育施設を設置することにしたもの。

四十九年度までに、各県一個の割合いで全国に四十個（既存の地域営農施設七個を含めて）を設置する考えで、四十五年は、そのうちまず八ヵ所に建設する計画をたてて大蔵省に予算要求していたが六ヵ所だけが認められた。

建設費は、一個当り九千六百万円（経営実習施設四千二百万円、教育宿泊施設五千四百万円）の要求に対し、九千万円（半額を農林省で補助）が認められた。

これによって事実上、「農業教育センター」の構想が具体化するわけである。

また、予定より減った個数については、全体の四十個という数字はくずさずに、最終年度あたりに予定よりふやしたいと青少年班ではいっている。来年度の設置場所については、まず地方農政局ごとに各県の要望をまとめ、それを三月下旬ごろ農林省が事情聴取して最終的に決定することにしている。

なお、この施設は、地域の中核的経営担当者を育成するため、地域の農業と密着した研修をすることになっていて、その生産実習施設は、地域農業の動向やこん後の見通しから設置部門を選定することになっている。

農村女性の姿話合う
神奈川県連 女子のつどい開く

【神奈川県＝石井忠輝連絡報道員発】神奈川県農村青少年クラブ連絡協議会（会長、中野正義君）は、さきごろ、高座郡海老名町の県立農業経営研修場で、女子クラブ員のつどいを開催した。

当日は、都市化されて行く中で農業に夢をもつ女性ばかり多数が参加、農村女性のあり方などについて熱心に話し合いをした。

まず、分科会では、クラブの問題を中心に話し合い、また、農村の若妻四人を招いて「若い主婦の生活」をテーマに意見交換会を開いた。

このつどいは、ことしで二回目で、女性の資質を向上させ、これからの女子クラブ活動を推進させるためにもぜひ必要だということで開かれたもので、内容はまだまだといったところだが、集まったクラブ員たちの熱意で、一泊二日にわたる有意義な研修が行なわれた。

結婚と人間関係など学ぶ
三重県連 女子クラブ員の研修会開く

【三重】三重県農村青少年クラブ連絡協議会（会長、中林正悦君）は、さる一月二十四、二十五の両日、県農業経営研修所で女子クラブ員研修会を開催した。

研修会には、県下から約五十名の女子クラブ員が参加し、およそ次のような内容の学習をした。

○結婚と人間関係＝講演
○ヨーロッパ諸国の生活＝映画と講演
○レクリエーション＝実習
○農村生活と結婚＝分科会討議
○リボンフラワー＝演習
○今後の女子クラブ活動＝全体討議

これらの中で、幸せになるためには「健康・長寿」「自分の本分を自覚し、相手の立場を理解する人づきあい」「仕事への生きがい」の三つが必要であるーという内容の講演が好評であった。

（写真は、熱心に意見交換する女子クラブ員）

クラブ活動12ヵ月 (5)
新しいクラブ員を中心に

栃木県・普及教育課　湯浅甲子

就農予定者との交歓会開け ―2月

仲間意識の交流を
各クラブ行事への招待も

一月という月は、クラブ発表が案外多い。農村青年会議とかクラブ活動実績発表会など、一年間のしめくくりの意味で大行事がある。

こういう行事の定石は、クラブ員だけが集まって発表をするという型である。クラブ員以外の人といえば、開会式か、閉会式に来賓として、お偉方が、ちょっと顔を出してあいさつをして、そそくさと帰ってしまうか、助言者が、つまり指導の立場の人がついているぐらいである。

ということは、いわば内輪だけの行事ということになる。このところを何とか、工夫ができないものだろうか。実際的なクラブのPR法はないだろうか。

私の県では、農業教育センターの学生、生徒や農業短期大学校の学生を出席させているが、それだけにとどまらないで、農業高校など今春卒業して農業につこうとする就農予定者を招待してみてはどうだろう。

それには、もちろん、学校側と事前に充分な検討が必要であるし、招く以上は、ただ、聴衆の一員として聞いているだけにしないで、終了後、学校で事後の感想交換会などを催せば、なお効果は高まることと思う。

第一に、4H活動の理解を深める。第二に、卒業後にも大勢の仲間がいるという安心感がもてる。それから、もう一つ、学校の先生方にも、4H活動を認識してもらえるチャンスでもあるわけである。大変失礼な言分だが、農業高校の先生といえども、諸君たちの4Hクラブのことを、どのくらい知っているかいささか疑問である。みなさんの学校時代にどのくらい、就農青少年のグループ活動のことを聞いたか、思い浮かべればわかるはずだ。

とにかく、こういう行事に就農予定者を招くことと考えてみてほしいのである。

さて、次に、この辺で、クラブ員と、新就農予定者との交歓会を企画すべきときである。学年末の試験に影響しない時期をねらって、普及所、役場、農協、学校のご協力を願い、ぜひ、クラブ員との交歓会を開いてほしい。

そこで、その開き方について考えてみることにしよう。

在校生を相手にするわけだから、クラブ側も、組織団体として交渉しなければならない。従って、そのやり方は、充分、クラブ内での検討が必要だろう。

もちろん、普及所なり、役場なりの公的機関にうごいてもらえれば好都合だ。ただ、そういう指導機関にひきまわされるような動き方にならないよう、主人公は、農村青年であるという自覚と責任をわきまえて行動してほしいものだ。そして、なんのためにやるのか、やるためには、必ず、こういうような効果を上げるのだという、ハッキリした交歓会のねらいと内容を持たなければならない。

交歓会そのものは、わずかな時間で終ってしまうものなのだから、むしろ、交歓会後に、大きな期待がかけられることを忘れずに、今後の、つまり、卒業直後におけるクラブ員と、卒業生とのつながりまでを、はっきりつけなければ、意味がないのである。

そういう意味を理解するならば、おのずから、交歓会の準備姿勢はどうあるべきかが、わかってくるはずである。

交歓会のねらいは、むずかしい農業問題を論じる会ではない。また、卒業生の抱負をきく会でもない。ましてや、クラブ員側が、先輩として、後輩を、ある意味で、シゴク会でもないのである。中には、普及所や役場側が、得々と、いい聞かせているところもあるようだが、これもピントはずれである。

一番大切なことは、諸君たちの懐の中へ、彼らを抱きこんでやることなのである。歯のうくような美辞麗句や接待よりも、同じ仲間としての感情の交流が大切である。

今年になって、もう既に交歓会をやっている所があると思うが、私の知った範囲だと、どうも交歓会の雰囲気がギゴチなくていけない。卒業生側がおどしているみたいにみえる。それもそのはずで、広い会場に四角に机を列べ、真中をガランとあけてある。

やおら、会長や所長が、あいさつに立ちあがる。やがて、はじから自己紹介が味もそっけもなく長々とつづく。机の上のお茶菓子を食べることもできない。そして、査問戦のような、戸籍しらべのようなやりとりが散発する。

そのうち、クラブ員の中から突然、「そんなにかたくなんねえでサア」と、ギョットするようなデカイ声がかかって、「みんなは、卒業したら米を作るんかい、それとも出稼ぎ？」テナなぐり込みをかけるような調子の質問がとぶ。こうなっては、新卒者の口は、つぐんでしまう一方である。まあ、かろうじて口を開いたとしても、その内容は大したことではない（聞き手がわるいから、答え手も悪いという意味）。

ところが、あとになってクラブ員にきいてみると、「今年の卒業生の考えは、チットもシンがないナ、何を考えているんだろう」ーなんてのたまう。こういうことが交歓会だと思ってはとんだ間違いである。

農民の健康
第11回「農民の健康会議」から ＞1＜

〝健康〟は、4HクラブのHの一つ。とくに農村の健康管理や体位向上は都市に比べて遅れをとっているが、さいきんは、農業中毒、機械化による災害、疲労、家畜からの人体への伝染病などの問題が起こってきている。そこで、さる一月二十九日、東京・大手町の農協ホールで開かれた全国厚生農協連合会、同農協中央会、日本農村医学会、朝日新聞東京厚生文化事業など主催の第十一回「農民の健康会議」から医師六人の研究発表を逐次紹介することにした。なお、今回は「農村医学の今日的課題」をテーマに、昨年の秋、国内外の関係者約五百人を集めて東京で開かれた第四回国際農村医学会議をふりかえりながら話し合われた。

農村の健康管理

長野県・佐久総合病院健康管理部長　松島松翠

〝予防は治療にまさる〟
問題化してきた婦人の貧血

一、はじめに
―健康管理の必要性は高まっている―

農薬中毒や耕うん機災害・ハウス病などの新しい農業病がふえているが、それに加えて、昔ながらの、いわゆる農村病の多発が、依然として大きな問題として残っている。

村のいっせい検診の結果でももっとも多い病気は、やはり高血圧、心臓病、動脈硬化（循環器疾患）であり、胃かいよう、慢性胃炎（消化器疾患）であり、神経痛、リウマチ（運動器疾患）などの成人病なのである。

最近ではとくに、婦人の貧血が大きな問題となってきている。これらは、農民の過重な労働、気がね、気苦労、不衛生な住居生活（とくに寒冷）、栄養の悪い食習慣など―農村の生活環境が大きく影響していると考えられるので、農村病（または農家病）と呼ばれている。そして、それらの前ぶれと考えられる「農夫症」は、機械化で勤めに出ている主人は、若干減少の傾向にあるが、〝主婦農業〟で零細な農業経営を一人で背負い過労になっている主婦では、逆に増加している。

以上のような点から、農民の健康管理が早急に必要であることは論をまたない。

二、諸外国の実情
―国際会議の討議の中から―

いずれの国においても、農村は大きな困難に直面している。すなわち、若者たちは、やはり都会へ集まり、あるいは工業に走り、多かれ少なかれ農村人口は過疎化、老令化の傾向がみられるからである。これは健康問題にも大きな影響をもたらすことになる。東独でも、ここ数年、農民の疾病がその他の者にくらべてふえつつあるという。

しかし、その健康管理の実施面についてみると、ソヴェイト、チェコスロヴァキア、東独など社会主義国においては、農業と工業の間にとくに差はない。すなわち集団農場や国営農場においては他の職場と同じように、定期的健康診断が、国の責任で国の費用によってきちんと行なわれている。

また、日常の農業労働においても、婦人はとくに保護されている。チェコでは、婦人はあまり重労働をさせないという。婦人は、トラクターや農業機械や農薬を使うことは許されていないし、また出産前一ヵ月、産後五ヵ月は労働させない。しかも、それらはすべて有給である。

一方、東南アジアやアフリカなど、開発途上にある国々では、事情がだいぶ異なっている。インドネシアの農村では、高血圧や心臓病よりも、伝染病や肺炎で死ぬものが主であるという。そして健康管理の仕事は、病院でなく、政府の機関、保健局がやっているという。ケニア（アフリカ）の病院では、一人の患者を一分間で診察しなければならないほど患者が多いし、また医師が不足している。

農村の健康管理を実施していくためには、まず医師の確保が必要であるが、ソヴェイトでもチェコでも、若い医師は都会に出たがる傾向にある。そこで、ソヴェトでは、医科大学を卒業すると、三年間は必ず農村で働かねばならないことになっているという。中には農村に腰をおろす医者も出てくるので、今のところ医師不足はないそうである。

三、わが国農村の管理
―八千穂村全村健康管理を中心に―

こん度の会議では、日本からは胃検診、高血圧検診などの集団検診をはじめとして、乳幼児健康管理、全村健康管理など、さまざまな問題が報告された。とくに、農村に多い成人病（高血圧・胃ガンなど）を中心とした集団検診は各地で行なわれており、若干の問題点はかかえているにしても、それなりの成果をあげつつある。

ここでは、すでに十年間続けられている八千穂村の全村健康管理の概略について述べたい。この健康管理が始まったのは、昭和三十四年であるが、十五歳以上の全村民約二千八百名がその対象であり、年に一回の健康診断の結果は、健康台帳（病院に保管）と健康手帳（個人が所有）に記録される。

検診費は一人四百円で、個人負担は百円である。

このため、村は毎年、一般会計から八十万円を支出している。村には保健委員会があり、役場議会、婦人会、農協の代表者によって組織され、この健康管理の仕事や方針が審議される。

実際の健康管理の仕事は、病院を主体とし、それに村の衛生係、国保係、保健婦、部落衛生指導員、衛生部長たちが、これを助ける形で行なわれる。

この十年間の結果をまとめてみると、伝染病、寄生虫など感染性の病気は減っているが、高血圧、胃疾患など慢性の病気は、必ずしも減っていない。しかし、農夫症や婦人病（医者にかからず、がまんしたり、ほったらかしにしておく疾病）は、かなり減ったり、脳卒中を起こすものは、中年層では減り高年層へ移行した。

もう一つ、〝手おくれ〟の患者、とくに手術の際に時期を失したと思われるような患者の数がことに減っている。また、村の総医療費額（国民健康保険）は、健康管理を始めた一、二年はかえって増大した。しかし、その後は、〝手おくれ〟の減少もあって減り、村民一人当りの医療費は、他町村とくらべて、かえって低くなってきた。すなわち〝予防は治療にまさる〟ということがはっきりした。

これと同じ方式の健康管理が、長野県木島平村で、昭和四十年から北信総合病院によって続けられているが、やはり同様な結果が出ている。

四、今後の方向と問題点
―健康管理の仕事をどのように拡げていくか―

健康管理の仕事は、大きく分けて、つぎの二つが根幹であろう。すなわち、一つは年に一回の健康診断を定期的に実施していくことであり、もう一つは、健康生活をうちたてるための生活改善運動、予防医学啓もう生活を積極的にすすめていくことである。

年に一回の健康診断は、働く農民にとってぜひとも必要なことである。工場労働者は労働基準法によって、年一回の健康診断が義務づけられ、しかも自己負担なしに行なえるので、農民にはそれがないというのは小経営主であるという立場上の違いはあるにしても、おかしなことではないか。

健康診断を進めるに当って、農村病院としてまず問題なのは、検診スタッフと運営費の問題である。とくに後者が問題であろう。八千穂村では、年間一人当り四百円でまかなっているが、実際は少なくとも一千円はかかっている。村々へ出張して行なう検診活動や予防医学活動は、意外と金のかかる仕事なのである。そうかといって、採算がとれるだけの検診料や予防活動費を、零細な農民から全額とるというわけにはとてもいかない。結局、病院が犠牲になるということになる。

これでは、現在、治療部門だけで、多くの病院が相当な赤字を続けているという現状のなかで、まして金のかかる予防活動を広範囲に拡げていくことはむずかしい。ぜひとも、この運営費に対して、国あるいは全農協組織の積極的な財政援助が必要ではあるまいか。

もう一つ、検診をうける側の農民としては、検診料の問題がある。本来ならば、年一回の健康診断の費用は国でだすべきだが、それがすぐには無理だとすれば、その前段階として、国民健康保険に予防給付を認めることであろう（この要望は、毎年の全国農協婦人部大会で決議されている）。また、その費用の一部を市町村や農協に負担してもらうことも、考えなければならない。

健康管理の仕事の第二点である生活や労働面での改善運動は、広い意味での疾病の予防活動として大事なことである。健康をはばんでいるさまざまな因子を根本的に改善していかなくては、疾病も減らないし、真の意味の健康生活は打ち立てられない。生活を守っていくという意味では、これは農協としては当然の仕事であり、全農協組織が一致してこれに取り組む必要があろう。そして、その運動の中で、農民の健康管理に対する自発的意志を盛り上げていくことが大切である。

私のプロジェクト

酪農3ヵ年計画の成果

福島県郡山市中田町 中田4Hクラブ　橋本好男

従来のわが家の経営は、水稲とコンニャクを主体とした農業粗収入百万円にも満たない零細規模の経営で、一部の収入を木材や雑木の販売に頼っていました。そこで私は高校時代から地理的条件、また、自分が乳牛を好きだということもあって、将来は豊富な山野を草地化しての専業的酪農経営をめざしておりました。

三ヵ年計画を樹立

さいわいにして、当時中田町は構造改善事業により、酪農は飛躍的な発展をしておりました。そこで私もこの地域は酪農以外にないという固い信念のもとに、高校卒業と同時に酪農を取り入れた経営三ヵ年計画を立てました。父との話し合いでこの酪農部門については、独立採算性をとり、全面的に私が担当することを約束し、農協には父とは別に口座を作ってもらいました。

三ヵ年計画の概要は別表の通りですが、まず、飼養管理、飼料作物の栽培の技術を習得することに重点をおき、水稲と酪農の労力を調節するため、コンニャク栽培を中止して、酪農粗収入を百万円にするという目標です。

記念の日の訪ずれ

乳牛は、在学中から私が育成していたA牛一頭がおりました。技術的にも不慣れなため、育成からはじめようと思い、白河市の乳牛セリ市からB牛を導入し、昭和四十二年には二頭の乳牛が揃いました。

翌年、私にとって記念すべき日が訪ずれたのです。それは、待ちにまったA牛の分娩だったのです。産れた仔牛は雄でしたが、歓びに興奮した私の姿を今でも思い出します。以後、やること、なすことがみな初めてなので、とまどうことばかりでした。

このことがあった前年、三ヵ年計画を達成するための資金として農業後継者育成資金を借り受けました。その資金を活用して七十アールの草地の造成と一頭の初妊牛を導入したのです。私の牛の買い方は、牛をよくぎん味し、少しくらい価格が高くてもよいものを購入するようにしました。これは、牛の能力の高低が酪農経営のカギを握ると思っていたからです。もう一つのカギを握るものに、分娩した牛を一日も早く受胎させることが必要です。

分娩後受胎を早く
経営のカギは牛の能力に

人工授精師の受験

そのため昭和四十三年十二月、C牛の分娩予定日になっていたにもかかわらず、人工授精師の国家試験を受けるために、二週間ほど家をあけたのです。その後、次つぎにB牛、A牛と分娩し、一応目標の搾乳牛頭数は揃いました。こうして私の酪農三ヵ年計画の達成が築かれていきました。また、三ヵ年間の収入概算は別表の通りですが、二年目は牛乳の販売がなく、粗収入は育成増殖額を算定したものです。全体にみて購入飼料費が多いのにもかかわらず、高い産乳量に支えられて収益があがっています。

省力と生産費低減

一頭当りの労働時間は、三年目は二年目の半分以下になっていますが、これは手搾りからミルカーに切り換えたのと、一頭でも三頭でも牧草の運搬作業や牛乳の出荷所要労力は変わらないためです。いいかえれば、多頭化によって省力ができ生産費の低減に結びつくことができたことです。生産費のうち、一位をしめているのが飼料費で全体の半分にもおよんでいます。また、これを二年目と三年目で比較しますと三年目が非常に多くなっています。これは三年目の飼料対策がうまくいかず、購入飼料を多く利用したことです。

つぎに多いのが乳牛償却費で、これは耐用年数を七年にみて、耐用年数を長くして償却費を少なくしたいと考えています。また、機械費は年々増化していますが、これは逆に労働時間の低減へと結びついています。四十四年に設備費が多くなっているのは、従来の追込み牛舎をストールバーンに改造したためです。また、分娩間隔の問題ですが、A・B牛は十二ヵ月と順調なのにもかかわらず、C牛が受胎三ヵ月目で流産してしまいました。

今年で三ヵ年計画が終了し、技術的にも自信が持てるようになり、当初の予定通り、コンニャクの栽培も今年で中止し、今年からは酪農を中心にした経営に取り組んでいきます。

頭当りの乳量高く

三ヵ年計画の結果から、私の酪農経営の特徴がはっきりできました。それは、小頭数の牛から多くの乳を搾るということです。現在、福島県の一頭当りの平均産乳量は四千キロといわれていますが、かりに私が五千キロの産乳であったとしますと、乳代が一頭当り十万円少なくなり、飼料代が約三万円少なくなります。他の生産費は同じくらいですから、収益の差は七千キロ搾乳の場合、十～十二万円上げているが、五千キロの場合は三～五万円ぐらいにしかならない計算になります。これが私なりの結論でいいますと、もうかる酪農とは、一頭当りの産乳量を高めることにあると思います。

今私は、つぎのような目標に向って進んでいます。それは米作を転換して専業酪農経営にふみきることです。

そして第二次三ヵ年計画ではもっと畜産経営拡大資金を導入して二万キロの粗収益を上げようというものです。その計画のうち草地造成は補助事業のため、昨年一ヘクタールを造成し播種しましたので、今春は刈取りができます。

飼料対策は、牧草などの通年貯蔵を行ない、労力の平均化を図るとともに、非人間的な雨の日の刈取りをやめよう計画しています。

各地で農業問題が議論されていますが、私は若いエネルギーを酪農一筋に傾けて、数多くの問題を解決していきたいと思います。そう努力することによって、自ずから明るい将来の道がひらけると信じています。

第一次三ヵ年計画概要

経営目標	
粗収入	1,000,000万円
牛乳生産量	21,000キロ
成牛頭数	3頭
育成牛頭数	1頭
牧草地	70アール
ミルカー	1台
サイロ	3基
技術目標	
一頭当り年間産乳量	7,000キロ
〃　粗飼料給与量	20,000キロ
平均分娩間隔	13ヵ月以内
10アール当り牧草収量	8,000キロ
飼料自給率	60%
乳飼率	40%

3ヵ年の実績

項目＼年度	昭42	昭43	昭44
総収入Ⓐ	240,000円	494,255円	1,183,000円
経営費Ⓑ	72,000円	251,545円	764,320円
所得Ⓐ−Ⓑ	168,000円	242,710円	418,680円
1頭当り所得	84,000円	121,000円	104,000円
年間総乳量		7,344キロ	22,300キロ
1頭当り産乳量		7,344キロ	7,433キロ
牛乳100キロ当り生産費		380円	342円
育成増殖費	240,000円	160,000円	137,000円
平均分娩間隔		12.5ヵ月	14.3ヵ月
乳飼率		32.9%	40%
1頭当り労働時間	720時間	946時間	447時間

経営費の割合（%）

種目＼年度	昭43	昭44
飼料費	43%	52%
乳牛償却費	14	14
肥料費	12	5.4
機械費	8	10.4
共済掛金	7	
設備費	2	6.5
繁殖衛生費		5.9
種苗費	6	1.3
雑費	8	4.5

第八回農業祭 天皇杯受賞者の経営 ～4～

農産部門 ビール麦

土地の利用率高く
種子・金肥・堆肥の合せ播き

栃木県真岡市東沼　橋本惣兵衛氏

橋本氏は、栃木県の東南部、茨城県境に近い火山灰質沖積土平坦水田地帯で、水田二四十アール、畑六十アールを経営し、この水田裏作にビール麦一三十アールを栽培して、その全刈による十アール当り収量五二〇キロときわめて高い収量をあげたばかりか、その総出荷数量六、七五〇キロの全部が、一・二等の上位等級で、しかも、その七六％が一等品という稀にみる高級質で、昭和四十三年度栃木県ビール大麦品質生産確保共進会において第一位となった人である。

橋本氏は、当地のビール麦栽培の草分けとなった父惣一さんの代からのビール麦栽培農家であり、氏は旧制真岡中学卒業後家業を継ぎ、稲とビール麦を基幹とする農業経営に積励し、昭和二十六年当地区に、ビール麦耕作組合が設立されるとともに副会長（会長は農協組合長が就任することになっているので実質的には会長）となる。

以後約二十年間、地区麦作改善に貢献してきた功績はきわめて大きく、とくに氏が農林大臣賞受賞の昭和四十三年には、その属する山前地区耕作組合およびその属する芳賀地区麦耕連がいずれも組合として、連合会としての一等賞を獲得したことは、氏の影響力と指導力の大きさを物語るものである。

高収量の要因

推厩肥の増施による地力増強を主眼に、恒常的に約五十頭の豚肥育を行ない、敷料類を豚に踏ませ厩肥とし、毎年十アール当り一五〇〇キロ程度も施用している。

播種については、狭い畦幅、広い播幅による土地利用率の向上につとめ、畦幅五十センチ、播幅二十センチと土地利用率を高くしている。また、播種方法は、種子と推肥、金肥との合せ播き。推肥の集中利用、促効性などの効果があるとして、氏自身は、これを増収原因として強調している。

施肥にあっては合理化を図り、金肥は窒素を少なく、加里を多く与え、ビール麦化成肥料七五キロ、硫酸加里一・二五キロを施用し、さらに倒伏防止のため、三月中旬に培土を行なっている。

商品質の要因

適期刈取りを第一に、できるだけ立毛で穀粒中の水分の低下を図り、脱穀時の障害を少なくしている。また、脱穀、調製にはとくに留意し、脱穀機の回転数をおとし、発芽歩合の低下を防ぎ、脱穀後、粒選機によって調整を行なっている。

脱穀粒選後は、入念な乾燥を行ない、静置式火力乾燥機を利用しているが、送風温度に留意し、さらに仕上げはムシロ干しによって行なっている。なおみおとせないものに施肥の合理化、倒伏の防止など、商品質の重要な要因となっている。

また、こうした耕種技術を可能にしているものは、機械利用の合理的な組み合わせと、除草剤の合理的な利用であり、農地の区画整理、交換分合による基盤整備とあいまって、十アール当り所要時間二十一・四時間と著しい省力化にも成功している。

NHK農事番組（2月21日～28日）

テレビ

明るい農村　6・30～6・55　総合
- 21日　農業新時代　人工気象室（北海道農業試験場）
- 23日　村の記録　かけつけ消防（福島県相馬郡小高町）
- 24日　きょうの話題　米どころの営農
- 25日　産物往来　夏みかん
- 26日　話題の広場　農家の作った不動産組合（千葉県松戸市）
- 27日　村をむすぶ　フォルム・リレー
- 28日　農業新時代　オートメ温室（岐阜県農業試験場）

農業教室　月～土　7・30～8・00　教育
- 21日　鶏の病気と対策（農林省岡崎種畜牧場）関令二氏
- 23～25日　野菜の養液栽培（東京教育大学教授）山崎肯哉氏
- 26～28日　大規模養豚の課題
- 26日　経営の動向と問題点（農林省農業技術研究所）新井盛氏
- 27日　飼育技術のポイント（神奈川県畜産試験場）佐藤安弘氏
- 28日　経営管理のポイント（農林省農業技術研究所）新井盛氏

あすの村づくり　日　7・00～8・00　教育　再土　13・00～14・00　教育
- 22日　▽グループだより　青年の森を育てる（鳥取県八頭郡佐治村・農村青年会議）▽仲間とともに　ぼくらの酪農修業（北海道勇払郡早来町・遠浅地区青年グループ）▽先輩と語る　七十年の酪農観（北海道勇払郡早来町）山田哲

ラジオ

早起き鳥　5・50～6・00　❶
- 21日　村のポスト
- 22日　話題の窓　残留農薬
- 23日　現地報告　開発と農民～臨海工業地帯の場合～
- 24日　人と話題　十万頭をこえた乳牛
- 25日　通信員の手帳から
- 26日　産地訪問　キヌサヤエンドウ（東京都大島町）
- 27日　現地報告　みなおされる麦作（埼玉県行田市）
- 28日　村のポスト

ラジオ農業学校　月～土　6・40～7・00　❷　日　6・30～7・10　❷　再月～土　19・00～19・15　❷
- 22日　農業講演会　▽農村の家族生活（東京学芸大学助教授）進見哲彦～昭和四十四年放送利用農業集団・岐阜県大会から～

番組紹介

あすの村づくり
22日　▽グループだより「青年の森を育てる」（鳥取県八頭郡佐治村）農村青年会議　佐治村は、人口流出に悩む中国山地の一山村である。ここの農村青年会議のメンバー二十人が村有地を借り受けて桜の名所をつくろうと桜の苗木を植えることになった。さらに村内の未墾地四十ヘクタールをきり開いて、青年の森をつくろうと張切っている。林業で過疎化の波に挑戦する青年たちの姿を紹介。

▽仲間とともに「ぼくらの酪農修業」（北海道勇払郡早来町）早来町は、北海道の酪農先進地である。昭和初期に入植した酪農家は、すでに立派な基盤を確立している。先進地の酪農経営を学ぶため、毎日全国から実習生がやってくる。彼らは夏だけの短期実習から一～三年とさまざまである。彼らは実習で得たものを各地に持ち帰って、どのように定着させようとしているのだろうか。実習生の素朴な話し合いを紹介する。

▽先輩と語る「七十年の酪農観」（北海道勇払郡早来町）山田哲氏は、火山灰土の早来町に酪農を導入、みごと酪農郷を築き上げた。信念に燃えて酪農郷建設を説く山田氏のことばは、地元の青年や実習生たちにも大きな影響力を与えている。氏独特の酪農観に耳を傾けてみたい。

畜産と結びつけて果樹園の土づくり

山梨県・四ッ葉4Hクラブ

【山梨】山梨県韮崎市上今井地区四ツ葉4Hクラブ（会長、猪股盛数君）では、果樹と畜産を結びつけて、果樹園の土づくりに意欲的に取り組むことになった。

同クラブでは、ブドウ栽培などのプロジェクトを行なっているが果樹と畜産を有機的に結びつけるため、このほど土壌測定を行ない農土分析のデーターを集め、畜産の導入により堆厩肥など効果的に投入して、果樹園土壌の改良を図りたいとして、その効果などくわしく調査するといっている。

春は梅の香にのって

今年の冬は、東京で五十三日間という異常の早天がつづき、空気は乾燥し、連日火災警報が発令され、まさに東京の街は、砂ばくと化した様相であった。一方、農村地帯においても同様に、昨年暮から乾燥つづきで、農作物などの生育が遅れ、とくに冬野菜に被害が大きく、計画出荷に支障をきたした。

このため、市場価格はわずかに上昇したが、収量があがらず、農家にとってもありがたくない乾燥であった反面、北陸を中心とした裏日本一帯には積雪が多く、太陽の恩恵にあずかる日が少なかった。

しかし、今年もはや立春の声をきくと、すぐそこに春がかけ足で近ずいて来ていることがわかる。あい変らず朝晩の寒気が厳しい中にも、日中の太陽のひざしは、ほんのりと温たかく、池のほとりの土手に若草のみどりが芽ばえ、春のいぶきを感じさせる。

春のあし音

「東風吹かば　匂いおこせよ梅の花　あるじなしとて　春な忘れそ」寒い北風にたえて、幼い蕾を育てきた梅の木も、小さな蕾をふっくらと開かせて、芳香をただよわせている。

大自然の万物が活気づき、えい気がよみがえる春のあし音が、そぐそこに聞こえる。—春は梅の香にのって—

【写真】厳しい寒さにうち勝って芳香をはなつ梅の花

農業簿記

京都大学名誉教授　大槻正男

＜自計式農家経済簿記＞

現金現物日記帳とその記入

現金取引以外の特殊取引

転売　転売とは、自家経営用のために購入した肥料・飼料などの一部または全部を他家へ販売するような場合をいう。このような場合には、それらの肥料・飼料などを購入した日にさかのぼって、その購入支出を転売した額だけ減少して訂正記入する方法がある。しかし、それは多くの場合めんどうであり、かつ誤記などをひき起しやすいから、そのまま販売収入として記入する。例えば、肥料・飼料などの転売収入の場合には、これらは流動財販売収入であるから所得的収入として記入するのである。

家具・家財その他の家計用品を売却した場合には、一応家計収入のように考えられるが、この簿記においては、家記は厳密な意味における純消費経済として取り扱われ、かつ家計用品はことごとく購入と同時に消耗し尽くす完全消費材として取り扱われる原則からいって家計収入なるものはありえない。消耗し尽くして無価値に帰した家具・家財などを利用して、所得行為によって収入を得たとみて、所得的収入として取り扱うのである。

現物納租税公課と現物　租税・公課および進これに準ずるものを現物で納めた場合には現物労賃の支払いの場合と同様に、いったんそのものを現金売りして、その販売収入で租税・公課を現金納したものとして取り扱う。例えば、玄米で区費や水利組合費を納めた場合には、玄米販売収入を所得的収入とし、他方、その販売収入金での現金納を所得的支出とするのである。

これに対し、生産物を他へ進物として贈与した場合には、これを現金取引に分解しないで、家計への仕向けとして生産物家計仕向け欄に記入する。家計において進物として消費したとみなされるものであって、飯米などの仕向けと同様に内部取引に属する。

どれだけの範囲までを外部取引としての現物納公課として取り扱い、どれだけの範囲までを家計仕向けとしての進物として取り扱うかについては、原則として一般強制的に賦課されるものは公課に準ずるものとして取り扱い、これに対し、まったく任意的・自発的なものは進物として取り扱うという標準を設けるのが適当であろう。同じ社寺へさし上げる米であっても、斎米（ときまい）として納めた場合は、公課に準ずるものであって、外部取引諸負担として取り扱い、単に任意にそのときどきの御布施としてさし上げた場合には、進物に準ずるものとして家計仕向けとして取り扱うのが適当であろう。

賦役　部落で道路などを修理する場合に、部落民各戸に出役させる労務を賦役という。この賦役は農家経済の側からみると、部落費納入の代わりに部落に労働を提供するものであって、一種の現物納税とみることができるであろう。このような場合には、いったん労賃収入をあげ、その収入金を即座に部落費として納入したものとして、労賃収入と部落費納入との二現金取引に分解し「所得的収入」と「所得的支出」との両欄に同一金額を記入する。そしてその評価額は、出役しない場合に徴収される金額を基準として決定するのである。

賦役の場合の記入例

8月20日　道路修理のため賦役に出る（ただし出ない場合は1,000円納付）

月日	摘要	収入 種目	収入 所得的収入	収入 財産的収入	支出 種目	支出 所得的支出	支出 家計支出	支出 財産的支出
8.20	道路修理の賦役	労収	1,000円	円	税	1,000円	円	円

あしたの青春

一ノ瀬綾　作　え　多賀愛子

揺れて（六）＜18＞

「新一ったら、起きようともしないんだから……どうかしてるわ、ほんとに」

すみ江は、わざわざ訪ねてくれた圭次にすまない思いであった。

「二日酔いのつらさは、飲まない人にはわからねえよ。そっとしておいてやりな。夕方には直っているさ」

振り向けた圭次の笑顔には、こだわりが無かった。そこへふく代が、冷えた麦茶にせんべいをそえて運んで来た。

「なあ圭次さん、あんたは若い者等を指導していなさるで、うちの新一みたいに失敗してヤケ酒飲むような者も、たまには相手にされることもあるずらね」

そのままふく代は、すみ江の傍へぺったりと坐りこんだ。圭次は苦笑をもらした。

「誰だって同じですよ。一本気で熱心に取り組んだ者ほど反動が大きい。投げ出したまま村を出て行く若い人を、おれは怒ったり責めたりする気持にはなれないですよ。今の農業の置かれた立場を見れば、無理がないとさえ言えますからね……」

圭次は声を落した。時々、油気のない頭髪の下から、強い目差しがすみ江に向けられる。ふく代は不満そうであった。

「そんな……圭次さんのような人が、弱気じゃ困るでないかい。なんとか新一の気持を引きもどしてやっておくれな、頼みやすよ」

「かあさん、無理言わないで。新一は自分の力で立ち直るべきだよ。クラブ活動や、圭次さんにそんな期待をするなんて、筋ちがいもいいとこだわ」

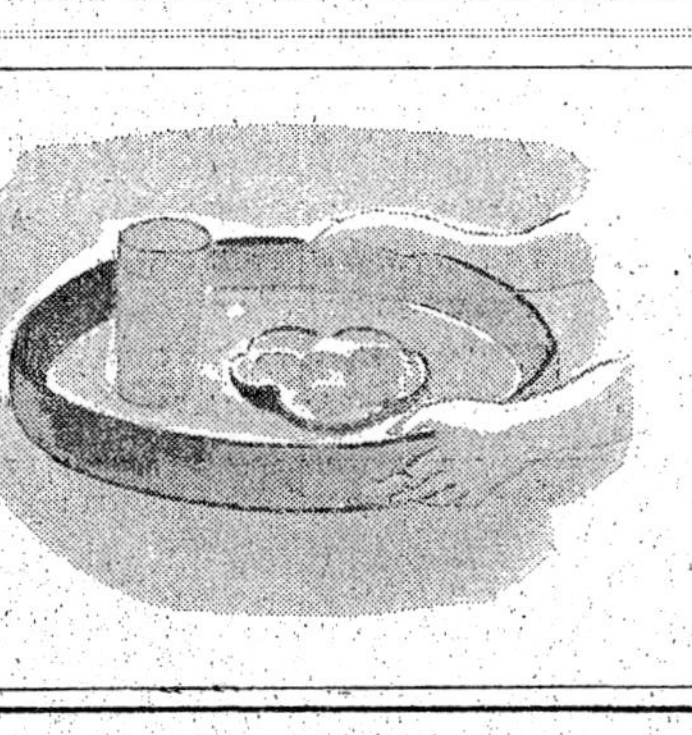

母親の身勝手さに、すみ江は赤面していた。なにか問題がおきると、すぐ指導者のせいにしたがる考え方は、父親の久治も同じである。すみ江は自分も内心圭次の力を当てにしていることを忘れ、母親をたしなめた。

「大丈夫だよ。新一君は後で話し合えばわかってくれる。それより少しでも早く以前のような積極的な気持にもどれるように家の人達にも手を打ってもらいたいとこですな」

半分はすみ江に、後はふく代に向けて圭次は口調を改めて言った。

「むずかしい時勢になったもんだよ。親が子供の顔色のぞいて、年中ハラハラしていなけりゃならねえなんて……いっそのこと、町へ勤めに出したら、どんなにさっぱりするだらずな」

「かあさん、本当にそうなったらどうするつもり。若い者が二度と農業にもどると思うの……せっかくここまで新一がやってきたのに。ね、やっぱり車を買ってやるべきよ」

すみ江は母親に向き直った。交通事故の後遺症で、無理のきかないふく代の体質を眺めながら、すみ江は、自分と新一が脱け出してしまった後の我が家を胸にえがいて、一瞬息をつまらせた。圭次が遠慮がちに言葉をはさんだ。「車もいいが、もっと根本的なことが先じゃないかと思うがね」

「でも新一の希望は車だったわ」

「そりゃあそうだ。だが車だって本気で農業やっていく上に必要なんで、これから先に希望を持てる足がかりが大切だと、おれは思うんだがねえ」

ふく代が顔をあげた。

「なにかいい方法があるだかね」

「これからの農業は専門家にならねば駄目だ。新一君の今のスランプを救う為に、県の研修所で勉強したらどうかと思うがね」

新一が高校を終る時にも一度、そんな話が出たことがある。今日圭次の訪ねた目的は案外そこにあったのではないか、とすみ江は思いめぐらしていた。

「費用なら役場にも、おれの手元にも用意してあるで、新一君にも話しておいて下さいよ」

わが4H活動の総決算

幅広い人間性を

クラブ活動充実のカギ 握る農業に対する熱意

宮崎怡宣

私は、六年間、4Hクラブ員として各種の活動に参加してきました。そこで、今までの自分の活動を振り返えり、この六年間の4Hクラブ活動の総決算として、クラブ活動をより活発に活動するためにはどうしたらよいか―など、現在のクラブ活動に少しでも参考になればと思い、私なりの考えをここにまとめてみました。

□□必要性高まる組織

現在、社会は急テンポで進んでいます。私たちの地方でも、大都市名古屋から三十五キロ近く離れていますが、すぐ近くまで海は埋め立てられてきました。また、われわれの知多半島の中央には準ハイウェーとしての道路も新しくでき、名古屋に近い所では、みるみるうちに鉄筋コンクリートの住宅団地ができ上がっていきます。このように日に日に早いテンポで周りの環境はぬり変えられていきます。

このような環境の変化と、新聞、テレビ、ラジオで報道されている米の過剰問題、また、野菜など作物の暴落など、農業を取りまく厳しい環境の中で、農業を自分の職業としていくには今まで以上に組織の必要性が強調されてくると思います。

私たちには、立派な目的をもった4Hクラブという組織があります。サークル活動の必要な時代に4Hクラブというサークルに入っている私たちは幸せであると思います。

しかし、入っているだけで満足してはいけません。クラブの活動は、そこに入っている者にとって常に明日への活力を与えるものでなくてはいけません。この大切なクラブ活動は現在どんな活動をしているでしょうか。私には、何か4Hクラブとして大切なものを忘れているように思います。

□□無気力表すレク歓迎

一つのテーマについての話し合いにおいても、各クラブ員の意見には何か気力がないように思われます。一応、年間行事予定にそって活動はしているのですが、各行事と真剣に取り組むというのではなく、毎月の行事を追っているというように受けとれます。

活動そのものも、クラブ員全員でクラブのあり方を話し合うことや、クラブ員をとりまく身近かな問題を掘り下げるということが少なく、レクリエーション的な行事が大きなウェイトを占めてきている例が多くあります。

レクリエーションは、楽しさの中においてクラブ員相互のきずなを強め、クラブの団結を強くするのに大きく役立っていますが、このようなレクリエーション的な行事が主になってくると、4H本来の活動ではなくなってくると思います。

このようなレクリエーション的行事が多く取り入れられるようになった原因の一つには、クラブ員が社会の急速に進むテンポについて行けないことがある。だから話し合いにおいても「4Hクラブで話し合っても、自分たちではどうすることもできないんだ」という無気力な気持が各行事を低調にさせ、そのためにレクリエーション的な行事のウェイトが高くなってきているのではないかと私は思います。

しかし、このような状態のクラブの中にレクリエーションを取り入れても無意味です。このような考えは一番危険だと思います。農業を取りまく多くの問題にも無関心になり、社会の流れに流されてしまうのではないでしょうか。このようなクラブの現状から、社会の変化に対応しながら、クラブ活をより活発に盛り上げていくにはどうしたらいいのだろうか。

□□農業への熱意がカギ

私は、4Hクラブの性質上どうしてもクラブ員の農業に対する熱意の強弱によって、クラブ活動が充実するかしないかが大きく左右されると思います。

ですから、なにをさしおいてもクラブ員が厳しい環境におかれても農業をやっていくんだという強い気持が、現在のクラブを活発にする第一条件だと思います。このような気持を持つことによって、われわれはクラブの綱領に基づく活動ができるのではないでしょうか。こういう気持の上に各行事が組まれなければならないと思います。そうすれば、前に述べた無気力な気持もどうしてこうなったのだろうと、一つの切実な問題として各クラブ員の中に取り入れることができ、問題として意識できれば、クラブの中において一つの話し合いのテーマとして取り上げることができると思います。

一クラブ員の身から生まれた切実な問題であれば、話し合いも自然に熱が入り、時間を忘れて問題を掘り下げることができ、充実した活動ができると思います。

また、各クラブ員は、いま一度客観的に第三者的な立場で自分を観ることも必要ではないでしょうか。

私たちが4Hクラブに入っていなかったら、現在、自分はどんな気持で毎日農業に取り組み、送っているだろうか、ということを考え、無意識に参加していた各行事を拾い上げ、その活動の参加によって得られた多くの恩恵を考えてみたらどうでしょう。参加することによって他の人の物の見方、考え方がわかり、どんな気持で農業に取り組んでいるかということもわかり、勇気づけられ、励まされたこともあると思います。

また、なんでもない話し合いによって自然に生まれてくる友だち関係、心の触れ合い、視野の広さなどあげればきりがありません。

このように各クラブ員が考えたことをクラブの中で話し合ってみたらどうでしょう。そうすれば、4Hクラブの存在の大きさが改めて認識できると思います。このような恩恵は県連、全協の技術交換大会、青年会議その他の行事に参加した者はよりいっそう強く感じることと思います。そうすることによって、クラブ員のクラブに対する認識が高くなり、活動がさらに盛り上がることと思います。

□□団結強める共同プロ

次に、単位クラブにおいて、三カ月、あるいは半年、一年を通じて同じ問題について活動する共同プロジェクトがほしいと思います。これは、クラブの団結を図るうえで、レクリエーション以上に効果があると思います。

私のところの単位クラブでは、三年ほど前に自分たちの地区の水田をクラブ員による委託いっせい防除を行ない、のべ面積一八〇㌶とかなりの面積をこなしました。これによって、地区の農家からも喜ばれたばかりでなくクラブ員の団結がいっそう強くなりました。

また、県内のあるクラブでは、地域の農業の動向調査をして、将来自分たちの地方では、どのような農業経営が営まれるかというような調査した例もあります。

このような活動によって団結が強くなるとともに興味深く活動できると思います。

農業もいままでは、社会や経済の変化にも敏感になってきました。ですから、私たちクラブ員も、この社会経済、地域の変化にも目を離さないようにしなければなりません。これからの農業にはいままで以上に幅広い視野が必要になってきます。私たち4Hクラブでも社会の変化をガッチリ受け止めなければなりません。

とくに、さきに施行された「新都市計画法」など4Hクラブで大いに勉強して、自分たちの地域の農業にどんな影響を与えるかを考えて行きたいものです。

□□記録し問題意識もて

さらに、私たちは一年が経ってみて、その年々で思い出に残るようなことを記録し、そして、その一年一年をふり返ってみることも大切です。また、これはプロジェクトとも関連してきます。

われわれクラブ員であれば、誰れでも農業一本で生活できる自立経営（共同も含めて）を目標にして頑張っていると思います。その目標達成にも4Hクラブを大いに利用していかなければならないと思います。そしてそれは、一つ一つのプロジェクトの積み重ねによって達成できるのではないかと考えます。

ですから、私たちはどんな小さなことでもよいからプロジェクトの四つの段階を無意識のうちに過ごしてしまうのではなく、記録という目に見えるように表わして、自分以外のクラブ員などの意見を聞きながら、その中で評価反省し、そこから生まれる新しい問題意識と取り組み、経営の改善を図るよう4Hクラブを大いに役立たせて行かなければならないと思います。そのためにも、各クラブ員のプロジェクト検討会をもっとやるべきではないかと思います。

私たちは、クラブによって、今から十年、二十年先の三十代、四十代、いやそれ以上になっても常に自分の周囲に対して問題意識を持ち、われわれの職業である農業また生活、社会をよりいっそう高めていく、そのような人間になれるようなクラブ活動でありたい。このような人間になること、これが4Hクラブの最終目的ではないかと思います。

最後に、私たち4Hクラブ員は一国民であり、国民に食料を供給する農業部門の担い手として農業に誇りを持ちながら農業の近代化と発展に努力し、サークルの特徴を生かし、幅広い人間性を4Hクラブで養っていこうではありませんか。

（愛知県知多郡美浜町古布宇石田・河和4Hクラブ）

青春と仲間

第16回NHK青年の主張全国コンクール全国大会

関東甲信越地方代表

農業へ決意誓う

こんな仕事に一生をささげたい

茨城県石岡市井関八木 小松崎京子（20）

あたり一面が夕陽に包まれて、体中を流れた汗がひんやりと肩を刺す秋の夕暮れを家路にと向かいます。

普通高校を卒業して三年、専業農家の長女であるということで、何のためらいもなく、紺の制服を脱ぎ、パンタロンスーツとはいうものの流行とはほど遠い木綿のかすりを身につけて汗にまみれての農作業も、すっかり板につきました。畑に実る豆よりも大きなマメを手のひらいっぱいにつくりました。

高等学校卒業後一年間の職業欄は、洋裁生の三つの文字でうめ、二年目は小さく農業、そして三年目の現在、大きく農業と書いています。お仕事は?と聞かれ、マメだらけの手をひろげ誇りをもって農業と答えられるのです。ある会員名簿に家事手伝いとあり、私の職業は農業なんだと反発したことがあります。

「よくおうちの手伝いをしますね」

「手伝いなんかじゃありません。私の仕事なんです、農業は」

何度、何人の人とこの会話をかわしたことか、数えたらきりがありません。

「改良普及所の者ですが、農業後継者の調査に参りました」一秋の収穫作業も一段落ついたある日の午後、私はひとりの訪問を受けました。そして、営農方針や農業団体についての質問をあびせられ、農業二年生の私には、何ひとつ胸を張って答えることができなかったのです。

数少ない農業後継者であるということで、世間からも、両親からさえも貴重がられ、あまやかされていたのです。農業に関する専門的な知識を何ひとつ身についていないのに、誇りをもって「農業」と答えられることが大きな成長と喜んでいた自分が情けなくなってしまいました。あんなに張り切っていた農業への意欲も、すっかりしぼんでしまったのです。

しぼんでしまった意欲を再び大きくふくらませてくれたのは朝早くの農村番組でした。九州のある地方でミカン栽培に切り替え、農村対策をはじめたのです。後継者を、一度農業から離れた者に求めたのです。

彼らには、土を離れた十年間ものブランクがあるのです。それでも、新しい職業に夢と情熱でいっぱいの笑顔で、仲間と築一歩からの学習にとり組み出したのです。彼らにくらべ、私に何のハンディーがあるでしょう。土地もあります。道具もそろっています。指導者仲間もいます。そして、何よりも土に接した二年間の経験があるのです。すべて、おぜん立てはできました。あとは私の意欲だけです。

生産物の流通や需要などの変化によって問題点は多くなるばかりですが、大粒の汗が体中のほこりをさっぱりと流すとき、仲間とスクラム組んで歌をうたうとき、ひざをまじえ夜のふけるのも忘れて話すとき、やるぞ!と武者ぶるいするのです。

惰性から選んだ職業ながら、今年は農業三年生、後継者対策など、世間にあまえません。自らの手で問題点のひとつひとつをくだいてゆきます。笑顔の絶えない農村は、私たちの手でつくり育おってゆくのだと、あしたの天気を約束してくれる夕日に誓うのです。

農村雑感

自己表現

析原 俊二郎

自分のこと、自分が考えていることを相手に認めさせるためには、第一に言葉を使うことである。言葉の次には文章を使うことです。即ち、考えていることを文字にたくして意志を表現することです。第三には、言葉や文字ではなく、自らの行動によって意志を表現する方法である。

人間の生活では、この三つの表現方法をたくみに組合せ、どの手段で表現すれば、相手に効率的に意志が通ずるかをたえず考えて実行しているものといえよう。人間が他の動物と異っているのは、この三つの表現方法を身につけ、それを組合せてうまく自己表現を果しているところに特徴があり、人間の進歩があるといえる。

かつて農村では、物を言えば損をするというケースがあった。今では物をいって損をするというより、何もいわないために損をする傾向が多くなったといえよう。それでも、農村の老人など話をすると、やはり思う存分いってくれない。

その理由には、いくつかの要素があることだろうが、農村では出しゃばるものは軽蔑されるという風習があり、寡黙と控え目な態度は美徳とさえいわれた時代が、長い年月支配してきたため、今日のような自己表現が自由になった時代でも、やはり、その新しい波にのり切れない心のしこりが残っているためであろう。

また、話をする場合、同じところに住んでいる人以外の人と話をするときは、標準語でなければならないと思いこんでいる点にも原因があるようである。標準語、とくにアクセントの問題になると、これを自由に自分のものとするには容易なことではない。頭ではわかっているが音声となって出るには相当の訓練が必要である。まるで、英語と日本語との差と同じようなものである。しかも、その標準語に対する劣等感はそう簡単にすて去ることができないようである。

この方言に対する劣等感は、標準語の中で育った人にはとうていわからないもので、それは深刻なものである。私自身、二十年前はじめて田舎から東京に出てき、最初の質問に答えたがそれが相手にどうしても通じないため、鉛筆で書いて答えたことがある。その時の気持は、今になっていくら話をしてみてもわかってはもらえそうにない。

無口な人間を雄弁にさせるには、酒が一番良い。心の窓が酔と共に開かれるからである。しかし、無口の人はどんな場合も無口では決してない。無口なのは、じっと自分の意志表示を抑えに抑えているにすぎない。これがため、一たん解放されるととどまるところを知らない状態となる。しかも、止まるところを知らないというのは、がむしゃらな自己表現のみにとどまってしまうことである。これでは本当の自己表現ではない。自己顕示にすぎない。かつて村の会合で酒席の話はこうした形が多かった。

さて、こうした過去の問題は今日では少なくなったといえよう。いや新しい青年たちは、そうした自己表現をしていないということをよく聞くが、果してどうだろうか。大阪の人は、大阪弁に対する劣等感はもっていない。それと同じように方言であっても、意味がわかれば、天下晴れて通用する。そうした考え方にたって、自己表現をしていくことが大切である。

（農林省・農業者大学校）

二つの命

今井喜代子

心と心の触れ合いは
人間だけに与えられた尊い真実

二人の愛は木の芽のようにふくらみ
お互いに身体の一部に感じるまでに育った
それなのに……あまりにも惨い
砂山の砂は波に崩されるかも知れない
木の葉は秋が来れば散るかも知れない
だからと言って……
二人の愛に破局が来るなどとは……

現在の世の中に
吹く風に任せて四方を飛び廻れる自由
なにも恐れることなく生きられる平等
静かな時の歩みを願う平和があるというのに

長男、長女に与えられた自由とは……
私は祈る 平等に与えられた星空の下で
農家に根強く残る風習が 一日も早くなくなることを

（埼玉県・笠原4Hクラブ）

支援される4H活動を

茨城 鈴木正男

ここ数年、世界は日進月歩をしのぐハイスピードで、しかも複雑に変化している。昨年は、アメリカがついに人類初の月着陸をなし遂げ、人類の夢である宇宙旅行も現実への道を早いテンポで進んでいる。

このように目まぐるしく進展している現在われわれの農村も大きくゆれ動いている。機械化されつつある農村社会にあって、欠くことができず、こん後ますます必要になってくるのは相互の協調であると思う。

4Hクラブ活動をより盛んにし地域社会と家族に理解され、支援されるには、個々の単位クラブの活動はもちろん、地区、または郡や市などの協議会の活動を活発にすることが必要である。そして、各単位クラブの力強さ、若さ、団結力こそ協議会活動の原動力となると思う。各単位クラブのクラブ員全員が参加して行事に取り組むことによって「この地域を担うのはわれらだ」と、誇りをもつのではないだろうか。

地区、郡における行事にも家族の人たちに参加してもらい、クラブ活動やプロジェクトの発表会などの席で大いに討論することによってより理解されると考えます。

それぞれの行事だけでなく、各単位クラブ内でも、家庭集会という名で、月に数回、あるいは一週間に一回なりに、各クラブ員の家庭で集会を開き、家族の人たちをまじえて、クラブについての話し合いだけでなく、家族の希望や意見を聞いたり討論したりする意見交換の場とし、相互に理解することも大切だと思います。また新しくクラブへ加入したクラブ員の家で集会をもつことも、家族の理解を深めるためにも、ぜひ必要ではないだろうか。

各クラブ員がクラブ内だけでなく、その地域はもちろん、もっと広く活躍し、またクラブ自体も地域に貢献することによって、家族や地域の協力、支援をも得られると思う。

（稲敷郡東村大字幸田・稲穂サークル4Hクラブ）

日本館

テーマ…日本と日本人
敷地面積…約三万七千平米
出展費用…約六十一億円

日本館は、万国博マークを形どった五つの円形建物からなる会場一の大展示館。

ひとつの建物は直径約五十八㍍、高さ約二十七㍍、地下から六・五㍍浮き上がった高床式で中心には高さ九十㍍のポールが立てられます。

展示は、〃むかし〃〃いま〃〃あす〃の部門に分かれ、日本と日本人の過去・現在・未来のすべてが、経済、社会、文化などの各面にわたって総合的に展示されます。

一号館では、〃むかし〃をテーマに、古墳やはにわの素朴な時代から、東西文化を受け入れながら発展してきた日本の姿が、とくに文化面から立体写真や建物の模型、遺産などによって展開されます。

二号館では、〃いま〃をテーマに、三十万トンタンカーの船尾を形どった大きな鋼鉄の壁などによって、世界をリードする日本の重工業の姿を展開。また、この壁の中は、スクリーンになっていて、職業のちがう五人の日本人の一日の生活ぶりを紹介する映画が上映されます。

三号館でも〃いま〃をテーマに日本の国土や農林業の姿をあらわすいろいろなデータが、百四十四個のスクリーンを使っておもしろく紹介されます。また深さ四・五㍍の人工海を利用して電気をおこす実験なども行なわれます。

四号館と五号館のテーマは〃あす〃。四号館には、中から映像を映す球形スクリーンとなる直径三十㍍の地球儀が設置され、世界二十カ所の同時刻の人びとの生活ぶりが、宇宙中継やビデオでうつしだされます。

ほかに、鏡を利用した〃錯覚の道〃、発明コンクール作品の展示、エレクトロニクス製品の展示など。

五号館では、二十一世紀の日本と日本人の生活ぶりを展示。また、約一千人を収容できる大ホールでは、八つのスクリーンをもつ大画面映画などによってあすの世界に対する暗示を展開し、人びとに未来への希望と楽しさを感じさせます。

〈日本万博展示館の紹介〉

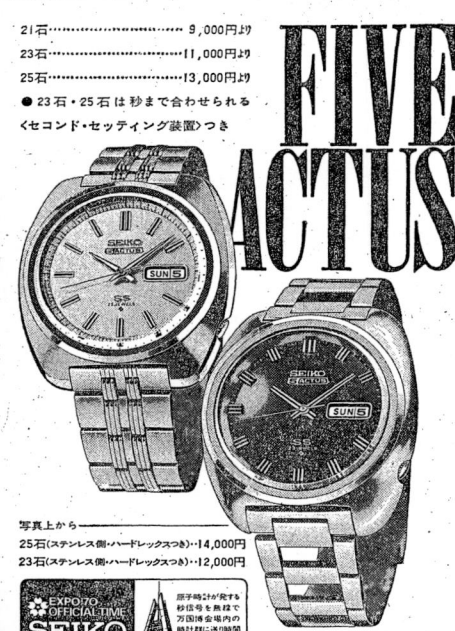

日本4H新聞
4Hクラブ 農事研究会 生活改善グラブ 全国弘報紙
発行所 社団法人 日本4H協会
東京都市ケ谷家の光会館内
電話(269)1675郵便番号162
編集発行人 玉井 光
月3回・4の日発行
定価 1部 20円
一ヵ年700円（送料共）
振替口座東京 12055番

クラブ綱領

私達は、実践を通じて自らを磨くとともに、互いに力を合わせて、よりよい農村、よりよい日本を創るため、四つの信条をかかげます。一、私達は農業の改良と生活の改善に役立つ腕をみがきます。一、私達は科学的に物を考えることのできる頭の訓練をします。一、私達は誠実で友情に富む心をつちかいます。一、私達は楽しく暮し元気で働くための健康を増進します。

春は北から、北海道連で総会開く

全国4Hクラブ員のつどい 47年度に誘致図る

新年度事業、予算を決定

【北海道＝赤松宏連絡報道員発】北海道4Hクラブ連絡協議会（会長、泉一男君）は、さる一月三十、三十一の両日、道庁会議室で昭和四十五年度の定期総会を開き、四十四年度の事業経過と決算報告を承認、四十五年度の事業計画と予算案、新年度執行部役員、四十七年の全国4Hクラブ員のつどいを北海道で開催するよう誘致することなどを決定した。

新会長に奥村君を選出

奥村新会長

総会は、4Hクラブの綱領朗唱にはじまり、泉会長のあいさつ、つづいて来賓の北海道農業学園の納田指導主事、全協の黒田会長、元道連会長の世戸氏がそれぞれあいさつ。

議長に、斉藤君（根室）を選出し、議事審議に入った。

まず①四十四年度事業経過報告②全協活動状況の報告③四十四年度収支決算報告（特別会計を含む）④監査報告、以上を満場一致で承認した。

つづいて①四十五年度事業計画②四十五年度収支予算が審議され、つぎのように決定した。

一、事業計画

活動基本方針＝北海道二世紀、道連設立十五周年の意義ある年を経て、輝かしい歴史のもとに新たな決意と「豊かな農村建設」を担う使命を深く自覚しなければならない。そのために、農業ならびに生活改善の実践活動を全道一万三千余名のクラブ員と二千余のクラブ組織を通じて、よりいっそう強力な推進を図るため、つぎの事業を行なう。

（一）4Hクラブ活動の充実強化

①4Hクラブ活動の実態調査

四十四年度に引きつづき、継続事業として実態調査を道と協力して行なう。

②農村教育青年会議および農村青少年技術交換大会の開催

農村青少年の実践活動とその成果について発表しあうとともに、研究協議や技術と意見の交換を行ない、今後の実践活動を助長するため、道と共催して効果的な運営を図る。

③レコードブックの発行

内容を充実するとともに、プロジェクト活動の助長を図るため、レコードブックの普及を道内外に行なう。

④リーダー研修会の開催

支庁連クラブリーダーを対象として、4Hクラブ活動推進に必要な知識、技術の修得と研究協議を行なう。

⑤全道4Hクラブ活動記録写真展の開催

クラブ活動の紹介と啓発を図るため、写真展を農村教育青年会議に併せて行なう。

⑥優良参考図書の紹介

活動促進に寄与する優良図書を機関紙などを通じて紹介する。

⑦海外クラブ員派遣

第二回北海道中堅青年海外派遣にクラブ員を推せんする。

（二）4Hクラブ相互の連携

①クラブ便りの発行

通信員制度をいっそう強化し、クラブ活動事例紹介、情報交換などを中心に編集し、年四回（一回一万部）を発行する。

②北海道4Hバッチの普及

バッチの普及、着用を図り、4Hクラブ員の意識の高揚を助長する。

③クラブ員の交歓、研修に対する協力

クラブ員の道内外研修、交歓、青少年海外派遣、海外4H代表との交換などについて積極的に協力する。

④支庁連活動集の発行

各支庁連の活動状況を把握し、支庁連相互の連携を図るため、各支庁ごとに活動集を発行する。

（三）全国4Hクラブ員のつどい誘致

四十七年度開催を目標に、調査委員会を設置し、調査する。

（四）会議の開催

（五）その他の活動

①クラブ活動の啓蒙

②日本4H会館と北海道青少年会館建設運動を積極的に推進する。

二、収支予算

収入金額 一、二四九、五二七円

支出金額 一、二四九、五二七円

このあと規約改正と役員改選を行ない、新年度の会長に選任された奥村秀宏君が、新役員を代表して力強くあいさつし、道連活動は四十五年に向ってスタートした。

昭和四十五年度、北海道4Hクラブ連絡協議会執行部役員は、つぎのとおり。

会長	奥村 秀宏	（日高）
副会長	榊原 常人	（上川）
同	堀井 信子	（留萌）
事務局長	赤松 宏	（後志）
書記局長	中山 寿雄	（網走）
広報局長	小栗 力	（石狩）
事務局次長	大脇健二郎	（桧山）
評議員	斉藤 豊	（根室）
同	仲西 信之	（空知）
同	米田 和子	（後志）
同	浅川志津子	（日高）
督事	小玉 孝市	（十勝）
監事	高橋 幹雄	（上川）

活発に意見を交換

大阪府連で青年農業者会議

今後の農業は個人でやるよりも、協業化すべきだという意見が多かった大阪府連の青年会議の話し合い（松下電器社員研修所で）

【大阪府＝松浪賢一連絡報道員発】大阪府農業・生活研究クラブ連絡協議会（4H部長、原田正夫君）は府と共催して、さる一月十九、二十の両日、枚方市の松下電気社員研修所で府青年農業者会議を開いた。

この会議は、毎年、府下七地区連の持回りで運営を担当しており、今回は北河内地区連（会長・井上宗一君）が運営に当たった。

第一日目は、十時からオリエンテーションをはじめ、開会式では高橋農研連会長のあいさつ、枚方市長の激励などが行なわれた。

開会式のあと、全員が、畜産、果樹、そ菜、花き、生活の各分科会に分かれて、プロジェクト発表や本年度の共通テーマ「私たちが築く十年後の農業」などについて活発に意見交換をした。

つぎに、ペーパーテストによって、自分の実力を試してみる技術競技が行なわれ、各人、自分の実力のほどを発揮した。

夕食後は、女子クラブ員をまじえて、楽しく情報交換会が催された。

二日目は、朝六時半起床。眠い目をこすりながら体操、所内一周マラソン。

朝食のあと、前日につづいて分科会、十時から全体討議を行なった。

これらの討議では、いろいろな意見がだされ、青年たちの農業にかける希望には絶大なものがあったが、主なものとしては、今後の農業は個人でやるよりも、協業、共同でやるべきだ、そのために青年の組織が必要であるという意見が多かった。

また、なかには少しではあるが大阪では、農業はもう続けていけないという意見もあり、参加者にショックを与えていたものもあった。この全体討議で、すべての日程を終り、閉会した。

涼風暖風

一席ぶってイイ気持

私は役人で、仕事は青少年が対象であり、生きている人間が相手である。だから、仕事の上で、思いつきや実験は許されないし、評論家きどりになることは厳にいましめられるべきことである。ただひたすらに青少年の将来を考え、全体的な見通しにたち現実とのかね合いの中で、可能性のある施策を推し進めていくことが、至上命令であるといえようか。

そこで、自戒すべきことは、ややもすると現実に妥協し、慣習だけを重んじて随性のみの発展性のないお役人仕事におちいり易いことである。このため、私はビジョンの構築を助けるため、議論したり、本を読んだり、人の話に耳をかたむけたりしているわけ。

ビジョンの構築といえば、最も効果的な方法は、ものを書いたり、人に話したりということだろうか。そんな関係で、私は本もだいぶ書いた。自分の著者が、本屋にならんでいるのをみると妙な気持ちになるが。

本を書くのと同時に、頼まれて講演にも出かけた。本の場合は、その売れゆきがバロメーターになるが、これに比べると、講演はその反応が早い。聴衆がその場で反応してくれるからである。ところが、回を重ねる毎に、聴衆の現象的な反応に媚びている自分をそこに発見して、私はがく然としてしまった。

〝ウケ〟のみを計算して講演を組みたてていたわけで、評論家のモザイクがそこにあった。そんなモザイクをふりかざし、指導者意識に酔ってるなんて、そもそもナンセンスである。

日本の社会の仕くみは、情報を最も早くキャッチしているのは役所であり、情報を最も多く、かつ正確に保有しているのは役所である、という具合になっている。それだから、講師先生とチヤホヤされるが、一たん職を離れ、情報源から離れたらみじめなもの。肩書きに頭を下げていることを忘れたらみじめ。

そんなわけで、講演技術には自信がないわけではないが、私は講演はおことわりすることにしている。本職のマイナスになるようなことは、やめたほうがいいからである。自分の仕事に評論するような役人ぞ、国民は高い税金を払ってやとっておく気持はさらさらないと考える。

プロとしての役人になるために、例年通りから脱却し、絶えざるビジョンの新営につとめる手段としては、せいぜいものを書く程度にとどめて、あとは話し合い、議論し合う相手をみつけることに全力をかたむけたい。

さて、この小文は一人称で書いたが、この文の中の役人ということばを、青少年団体の役職員と読み替えたらどうなるだろう。

（文部省 伊藤）

鳥取県連で冬のつどい

青年会議かね実績発表

【鳥取県＝山本哲嗣連絡報道員発】鳥取県農村青年会議連絡協議会（会長、安住秀雄君）は、県およびNHK鳥取放送局と共催して、さる二、三の両日、東伯郡三朝町の三朝温泉会館で「県農村青年会議冬のつどい」を盛大に開催した。この「冬のつどい」も第九回目を迎えたが、回を重ねるごとに内容も充実してきており、今回は県下から約二百名のクラブ員、農業経営大学生、農高生、県や普及所の担当官などが参加し、新しく二組の若夫婦を招いてのパネル討議「若さを語る」などの試みを取り入れたり、分科会などでは、米の問題などについて熱の入った意見がだされ、これまでにない盛り上がりをみせていた。参加者のなかからも、昨年の全国4Hクラブ員のつどい開催の成果が少しずつ現われだしたのではないか―という声が多く聞かれた。（関連記事二面に）

がぜん、米作問題に議論わく

第一日目、ことしの鳥取地方は十六年ぶりの大雪で、なんとなくうっとうしい日が続いたが、この日はそれを一気に払うかのようにすっかりと晴れあがった。

そして、十時ごろからは県内各地から参加するクラブ員たちがつめかけ、開会式前に会場の大ホールは約二百名の仲間たちでふくれあがった。

今回のつどいには、これらの若い仲間たちのほかに、これまでになく、多くの夫婦での参加が目立った。気高郡青谷町からのあるオシドリ参加者は「妻も積極的に参加を希望したし、二人で多くの仲間たちと意見を交わしたい」と話していた。また、昨年の全国4Hクラブ員のつどいのとき、鳥取県内に民泊した佐賀県の4Hクラブ員二人も、とくに参加した。

正午からいよいよ開会式。主催者を代表して、金田県農林部長、杉岡NHK鳥取放送局長、安住県連会長らがあいさつをのべた。

このなかで、金田部長は「日本の経済の伸びにはめざましいものがあるが、まだまだ問題が多く、とくにわれわれの第一次産業においては困難な条件が多い。そんな難しい農業であるが、これを切り拓いていくのは君たちの若い力である。このように同志が集まり、話し合うのはきわめて有意義である。農業は、今後国際的な広い視野に立って取り組むことが大切である。それをよくわきまえて、鳥取県農業の発展の軸となるべく精進を望む」と激励された。

また、安住会長は「全国4Hクラブ員のつどいから、はや半年経った。当時のみなさんのご協力に感謝している。日本の農業は、稲作に代表されているように非常に困難に当面している。私たちは、4Hクラブの活動の基本であるプロジェクトの実践を通して、各々の意見や悩みを打ち明け合い、励まし合って頑張ろう」と呼びかけた。

そしてさいごに、4Hクラブの歌を全員で力強くうたって開会式を閉じた。

このあとオリエンテーションにつづいて「農村青少年の発言」に入った。

これは、発表するテーマはとくに定めないで、プロジェクトとして実践してきた農業や農家生活の改善に関するものを中心に、未来に対する夢や希望、抱負を主張、発言するもので、各普及所、経営大学校から代表十一人が発表した。

全般に、とかく不安定な農政への批判や実際の体験を通しての諸問題が発表されたが、なかでも、大山町の山根公昭君が「わかってください、お父さん、お母さん」という発表は、盛んな拍手を受けていた。

山根君は「私たちは長男だから家を継いだのではない。みんな農業という職業が好きでこの道に飛び込んだのだ。大地で汗、泥にまみれて働くことが好きなのだ。失敗したって、借金したって夢はもっている。そうして強くたくましい人間に成長したいのだ。私たちが親に要望するのは、小言ではなく、苦境に立ったときの暖かい励ましなのだ。わかってください、お父さん、お母さん」としんみりと、そして力強く発表した。

鳥取県連の冬のつどいで、あいさつを述べる安住県連会長（三朝温泉会館大ホールで）

このあと午後三時から、稲作、大家畜、生活改善など七つの分科会に分かれて討論に入った。

参加者が、それぞれ取り組んでいるプロジェクトを通しての技術的な問題や悩みが話し合いの中心となったが、このうち稲作部会ではみんな興奮した面持ちで、将来の米作についての展望、減反を強いられているとき、われわれはいかに生きるべきか―などが活発に話し合われた。

生活改善の部会では、他の分科会ではみられない雰囲気の中で、意欲的に取り組もうとする男性を後押しするための結婚問題などについて話し合われた。

この分科会で、日南町の池田千里さんは、過疎に悩む当地の二十五名の青年男女に対して「農村青年の結婚観について」アンケートをとり、その結果を発表した。それによると、

一、ほとんどの人たちが、恋愛結婚を望んでいる。

二、結婚式は簡単にしたい。

三、結婚後も青年活動をやりたい。

四、結婚後、自分の配偶者の立場に立って、姑と対決する勇気がある。

そして、マスコミなどによる非常に悲観的な見方に対して、農村青年たちは、堅実で、明るい希望をもってることが判明した―という報告が大きな話題になった。

夕食のあとは「懇親の夕べ」で〝地蔵送り〟などのゲームをタメゴロウに扮した審査員とともに楽しみ、参加者たちは夜の更けるのも忘れてなごやかに交歓した。

第二日目は、午前七時半から、前日の分科会での優秀発表者によるプロジェクトの実績発表と、分科会報告が行なわれた。

つぎに、NHK教育テレビ「明日の村づくり」でおなじみの鈴木泰雄アナウンサーの「みなさんの中には、こういう人がいる」という講演が行なわれた。

この中で、鈴木氏は「いろいろと難しいことがいわれている農業にあって、みなさんは、単に農業技術や知識のみにとどまらず、あらゆることにたゆまぬ研究が必要である」と強調された。

午後は最後の日程であるパネル討議が行なわれた。

発表者に、三浦幹雄前県連会長ら二組の夫婦を中心に、田中久恵さんら四名の独身クラブ員、助言者に西岡、成瀬両専技が加わって、NHK鳥取放送局の加藤アナウンサーの司会で進められた。

結婚後も県連会長などをつとめて、妻にも苦労をかけたから、今後はもっと生活設計を中心に農業経営を考えたいという三浦夫妻、4Hクラブのキャンプで知り合い、熱烈な恋愛の末に結婚、がむしゃらに和牛、養蚕と取り組んだという小椋夫妻とが、対照的な立場から結婚観、生活観などを話したが、結論として、十年先を考えるよりも十年前を考えて、真の自立経営者をめざしたい。仕事に家事の調節の工夫や経営費と生活費のはっきりした区別をすることによって、農業と生活の分離と調和を図りたい―ということが、熱っぽい雰囲気の中でまとめられた。

会場の仲間たちにとって一番の関心事であるだけに、みんな興味深く話し合いを見守っていたが、二組の夫婦の容赦のないオノロケにすっかり酔ってしまったような観があった。

このあと、二時四十五分から閉会式。審査講評、青少年の発言とプロジェクト発表の優秀者表彰が行なわれて閉会した。

なお、来月三日から東京で開かれる全国青年農業者会議に参加する鳥取県代表に、土井悦子さんら八名のクラブ員と、小椋文康・あや子夫妻が選ばれた。

新就農者を激励

茨城県で「はばたくつどい」

【茨城県＝村山文雄連絡報道員発】新しく農業に従事しようとする新規学卒者を励ます「第六回茨城県はばたくつどい」が、県と県教育委員会主催、県農業研究クラブ連絡協議会の後援で、このほど県民文化センターで開かれた。

このつどいは、新規就農者に、農業近代化の推進者としての誇りと希望をもたせるとともに、互いに励まし合い仲間意識を高めさせようと、例年行なわれているもの。

これまでは、各農林事務所管内ごとに行なわれていたが、本年から県で一つにまとめて開くことになり、当日は、県内の農業高校を卒業する農業後継者たちをはじめ、関係者など約千五百人が出席し、盛大に行なわれた。

つどいは、主催者あいさつ、来資祝辞のあと、新卒者を代表して石岡一高の梨一郎君が「この道に生きる 多頭飼養をめざして」、笠間高校の川俣桂子さんが「私の農村生活」と題して、農村に生きる夢と希望を発表した。

また、先輩クラブ員を代表して大子町の細引秀孝君と石岡市の小松崎京子さんが体験発表をした。

つづいて、県担当官が、4Hクラブなど農村青少年活動について説明をした。

午後は、アトラクションが行なわれたあと、岩上知事が「誇りと希望をもって、本県農業発展のために励んでもらいたい」と激励のことばを述べ、つづいて、若い根っ子の会会長の加藤日出男氏の記念講演が行なわれた。

さいごに、県学校農業クラブ連盟会長、飯村慶二君の誓いのことばで、つどいの幕を閉じた。

新規就農者を励ます茨城県の「はばたくつどい」で、将来の夢と希望を述べる新学卒者代表（茨城県民文化センターで）

青年の手で運営

徳島県の青年農業者会議

【徳島県＝近藤吉正連絡報道員発】徳島県農村青少年クラブ（会長、田所恵一君）は県と共催して、さる一月二十三、二十四の両日、安楽寺で県青年農業者会議を開いた。

会議には、県下のクラブ員ら百余名が参加し、クラブ員の手で自主的運営をかかげてすべての行事はクラブ員の意見に基づいて運営され、クラブ員たちは農業技術に加えて自主性、責任感を学んだ。

心頭技健

ことしもやっと〝春一番〟がやってきた。暖かい風とともに、容赦なく砂塵をまきあげ、翌日には、乾燥しきった大地に春雨をもたらした。いま梅の名所、水戸の偕楽園では〝梅まつり〟が開かれているが、「梅一輪、一輪ほどの暖かさ」とは、まさに、今日このごろの季節を言い表わしたもの。三寒四温をくりかえしながら、しだいに春の足音を早めていく。土手っ淵の青さも、心なしか日ごとに濃さを増しているようで、土の匂いをかげるのも間近い▼このように、なま暖かい風が吹き、梅の花の季節を迎えると、いつになっても思い出されるのは、学校の卒業式や苦労させられた受験である。そして今朝も、梅の花咲く天神様の境内で合格を祈念する女子学生の姿がちらほら見られた▼ことしも、約五万人の人たちが、新しく農業に就職する。今春学校を卒業して就農する人たちの数は、まだはっきりと掴めていないようであるが、文部省の統計によると、昨年は、中学卒が一万五千四百二人（全就職者数三十二万四千二百六十七人）高校卒三万六千五百二十二人（同八十六万二千三百四十九人）大学卒五百五十人（同十五万八千九百人）である。いわば、これらの人たちは、農業の新鋭隊でもあり、また4Hクラブへの新加入者たちである▼農業や人生に大きな希望を抱き、学生時代に描いた夢を実現しようと、体当たりする。しかし、学生時代にプロジェクトをやり、クラブ活動を経験した人たちも多いが、どちらかといえば4Hクラブに対しては白紙だ。また、農業も彼らが学んできた知識がすぐに役立ったり、描いてきた夢が曲折なしに実現するほど容易ではない▼それだけに、彼らを迎え入れる4Hクラブ員、同志の力添えが大事だ。先輩として彼らに、4Hクラブでは何か、と問われたら、それに正しく答えられるだけの認識と自信をつけておくべきであろう▼ことし新たにクラブの事業計画をたてる際にも、もう一度、4Hクラブとは何かを問い、そして、今春新しく就農する彼らを温かく迎えようではないか。それが先輩としての役目でもある。

こんにちは大阪です

大阪府連4H部長　原田正夫

東京につぐわが国第二のマンモス都市・大阪。その郊外"千里丘陵は、いま、あと一ヵ月後に迫った世界のまつり、万国博の開幕を待っています。

附近一帯、雑木林だった面影はブルドーザーによって姿を消し、科学、文化の駆使によって未来都市を出現させました。

三百五十万平方㍍の広大な会場、百を越える展示館、シンボルゾーンに聳え立つ太陽の塔。ここに三月十五日から百八十三日間、五千万人の人びとがやってくるとコンピューターははじき出したとか。ただでさえ、狭苦しい大阪は、間もなく万博ムードに塗りつぶされていくでしょう。

そして、東の国から西の国から、世界の人びとが彩る郷土大阪に、私たちは全国の津々浦々から農業に取り組む仲間たちを迎えようとしています。

第十回全国農村青少年技術交換大会。これまで、昨年の大会をみごとに成し遂げた高知県に至るまで、いわゆる農業県で行なわれてきた本大会が、いかに土地生産性で一、二位を競う都市近郊農業の先進地とはいえ、そのイメージが農業と結びつき難い大阪で開催されるのです。これは、とりもなおさず、万博がとりもつ縁といえましょう。

私は、いま府連の仲間とともに郷土大阪に全国の未知の友を温かく迎え、楽しく充実した意義ある数日を過してもらおう、そして、それがまた汽車にゆられて郷里の畑や田ん圃に戻るとき、多くの友情と思い出と、自信をみやげに持って帰ってもらえるように、と、大会の真の成功を目指して努力を続けています。

昨年の暮、ようやく私たち青年が主催者の一角に名を連ね、企画、運営に大手を振って参加できることが認められました。

近年、各地で叫ばれ、ときには闇に消されていた青年の主体性が認められたものと解釈していますが…喜ぶべきことです。

しかし、私たちには、当然のことながら重大な使命と責任がのしかかってきました。権利を主張するだけでは、何にもなりません。大会を、青年の、青年による、青年のためのものにするため、幾多の苦難にぶつかっている現在、確かに苦しい。けれども、私はこの苦しみを乗り越えて全国の未知の友を迎えるために繰り返す努力は、きっと、いつの日にか血肉となって生きてくると信じています。

一致団結して準備をすすめていくとき、私には仲間とともに歩んでいけるという、いい知れぬ喜びと楽しさを味うことができるのです。私たちの郷土大阪に全国の未知の友を迎える機会を与えてくれたすべての人びとに感謝します。

全国技術交換大会の会場となる大阪府総合青少年野外活動センター、第3キャンプ場ロッヂ群

青年の大会へ苦難と闘う
全国の友、歓迎に努力
"EXPO"ムードもいっぱい

さて、第十回全国農村青少年技術交換大会は、八月十七日から二十日の三泊四日間、大阪府最北端、剣尾山の府総合青少年野外活動センターで開催されることになりました。

ここは東洋一の規模と自然の美しさをたたえたキャンプ場で、府県を越えた雑居家族的なグループを編成し、期間中、一部を除いて、これまでの一県一部屋というような枠を一掃します。

そして、すべての行事や生活を通じて、宿舎間のキャンプ村間の競争と協力、創造性を尊重し、仲間づくりを促進するために全員が共同生活の中から何かをつかんでもらいたいと、目下細部を検討中です。

そして、閉会の日の八月二十日は、万博会場の中央、お祭り広場の万博ホールで幕を閉じ、心ゆくまで万博を見学してもらう予定です。

今後、未熟なために、いっそうの努力を惜しまないことはもちろんのこと、全国の優れた友と顔を合わせ、肩を並べて決して劣ることのない"たくましい体""強くて豊かな心""優れた技術"を磨くため、毎日の農作業とクラブ活動にいっそうの精進を続けることを誓います。大会の真の成功と、明日の農業を目指して……。

私たち大阪の青年には、激しく迫ってくる都市化の波をはねのけて、都市近郊農業の位置を確立しようというファイトと情熱があります。

大阪が生んだ「王将」の勝負師坂田三吉、そして、なにわ商人に代表される"ど根性"があります。いまこそ、全国十数万の仲間に、大阪青年農業者の"ど根性"を見せるときであると張り切っているのです。

夏八月、みなさんの来阪を心待ちにしております。とはいえ全国各都道府県代表として参加できるのは千数百名です。できれば、仲間の全員を迎えたいものですが…。

しかし、せめて万博だけでもおいでください。一報あればご案内しましょう。

"おいでやす、待ってまっせ"

—◇—

この全国農村青少年技術交換大会は、日ごろプロジェクト活動を通じて農業の改良や生活の改善、また地域への貢献などについて研究、実践している4Hクラブ員を中心に、約千五百名の全国の仲間と青少年育成関係者が一堂につどい、その成果を交換するとともに、悩みや喜びなどを語り合い、明日への努力を誓い合うものです。

焼失した仲間の家 再建に
高鳴る友情のつち音
徳島　4Hクラブ員が手弁当で応援

【徳島】4Hクラブ員たちが、火災で焼失した仲間の家の再建に手弁当で応援にかけつけ、今月末までに入居できるようにしようと頑張っている—これは、県内にさいた友情（ハート）あるふれる美談。

美馬郡脇町助松緑の星4Hクラブ員、田所恵一君（徳島県農村青少年クラブ連絡協議会長）の家が先月十三日未明、おも屋や納屋、十蔵など計七むね四百六十六平方㍍を全焼した。

田所君の家族は、とりあえず近くの集会所を借りて生活しているが、まず居宅の復帰からはじめることにして、高松市内に改築日ため取りこわす民家を買い取って移築することになった。しかし、いざ取りこわしや運搬となると、人手が必要。ところが、助松地区に青年は田所君のほかに二人いるだけなので思案していた。

そこへ、ちょうど火事見舞いにきた前県連会長の河崎嘉宏君（本紙通信報道員）らがこのことを知り、困っている仲間を助けよう—と相談、さっそく他のクラブ員にも呼びかけて復旧の仕事にとりかかった。

県連前幹事の広瀬武君（洛東4Hクラブ）はじめ、鳴門市の西端淳一前鳴門市クラブ会長、美馬郡美馬町の佐藤信正同クラブ会長らに、地元の脇町青年団も協力して自家用車やオートバイに弁当を積んで、高松市にとんでいき、わずか四日間で家をとり壊してもち帰った。

それから毎日、4Hクラブ員が十二、三人ずつ手伝いにつめかけ心配されていた危険な作業も次々とかたづけて、このほどむね上げを終えた。これからも連日数人が手を貸し、月末までには入居できるようにするという。

こうした4Hクラブ員たちの友情にささえられ、田所君の家族は仮住まいの集会所から新居に引っ越す日も間近いが、田所君のお父さん、即明さんは「一時はどうしたらよいかと心配したが、4Hクラブ員たちのご協力でこんなに早く復旧の目途がついた。ことばでいい表わせないくらいうれしい」と感謝している。また、4Hクラブ員たちは「仲間を援助するのは当然のこと—」と、4Hのハートやハンドで今日も復旧のつち音を[illegible]に響かせている。

なお、このほど二日間にわたって安楽寺で開かれた県連と県共催の県青年農業者会議でも、自分たちの仲間を救おうと友情の義援金が集められ、田所君宅に贈られた。

安住鳥取県連会長と宿泊所前で記念撮影する佐賀県の池田さん(左)と香田さん

雪の寒さ感じないワ
佐賀の女子クラブ員　鳥取で交歓と勉強

【鳥取県＝山本哲嗣連絡報道員発】第九回鳥取県農村青年会議"冬のつどい"は、さる二月三、四日の二日間、鳥取県三朝町で開かれたが、このつどいには県外からも二人の女子クラブ員が参加した。

この二人は、佐賀県大和町、大和4Hクラブの池田初子さんと香田友子さんで、クラブ活動の参考に県外のクラブ活動を取り入れていきたいというのが、こんど参加した目的。クラブで行き先きを決定するとき、池田さんが昨年、鳥取県で開かれた全国4Hクラブ員のつどいに参加した際、現地交歓訪問で民宿した東伯郡赤碕町にと意向を示したために、同地が選ばれたもの。

二人は、さる一日に佐賀を発ち、翌二日に赤碕町に到着、同町の赤碕グリーンクラブ（会長、泰野正志君）の仲間に迎えられ、役場などにあいさつのあと、その夜はグリーンクラブ員宅に民宿、そしてこの"つどい"に参加した。

佐賀県と違って雪のパラつく鳥取地方だが、二人はすこぶる元気で「鳥取の冬って、雪があるから寒そうだけど、私、そんなに感じないワ」と、鳥取のクラブ員の仲間に入り、さっそく友だちもできて、話し合い、レクリエーションに励むなど、地元で二人を待つクラブ員のために熱心に学んでいた。

なお、二人は五日に同町クラブ員と交歓のあと、同日夜、米子駅から佐賀に向った。

発表に、努力する姿
第20回の新潟県・クラブ実績発表研究大会開く　恋の芽生えも

【新潟県＝田村英雄連絡報道員発】第二十回新潟県農村青少年クラブ実績発表研究大会が、さる四日から三日間、日本海からの季節風が強い瀬波温泉で盛大に開催された。

大会の行事は①実績発表②話し合い③座談会④パネル討議⑤記念講演⑥レクリエーションなど盛りだくさんの内容であった。

一日目は、受付けのあと開会式、つづいて実績発表が水稲、園芸、畜産、林業、生活改善、集団活動など六部門に分かれて行なわれた。参加者は、それぞれ関心の深い部門の会場で熱心に聞き入っていたが、それぞれの立場、環境の中で精いっぱい努力している姿が、発表の中から感じられた。

話し合いは「農業青年として、生きがいを何に求めるか」と題して意見交換が行なわれた。この話し合いからは、青年はそれぞれ悩みを持ちながらも、自分の目標に向って努力をしており、その中から生きがいを積極的に求める純真な青年の姿がうかがわれた。

二日目の夜は、キャンドルサービスで楽しい一夜を過ごした。

三日目は、新生活事業センター理事長、安積得也先生の「人生は泣き笑い」と題した講演が行なわれた。

参加者は三日間の学習によって豊かな社会性を身につけ、恋もめばえるなどのほほえましい光景もあり、一人ひとりの胸の中に楽しい思い出として刻みこまれた大会であった。

なお、今年は記念すべき二十回目を迎えたわけであるがこの大会が先輩に与えた影響は大きいものがある。

クラブ活動12ヵ月　(6)
新しいクラブ員を中心に

栃木県・普及教育課　湯浅甲子

新規就農者との交換会　——2月

大切な雰囲気づくり
近い者同志が確認しあおう

クラブ員と新規就農者との交換会

会場の雰囲気づくりが大切である。固くなるような配置は避けてほしい。卒業見込み者の着席位置は、当人たちがオドオドするような扱いはしなことである。

例えば、真正面に日の丸の旗の下に席をおいたり、所長、校長など長のつく人の両わきに列べたり、直射日光が一面にあたる側にすわらせるなど、いずれも落ちつきが悪いものである。

また、プログラムによっては途中で会場の配置を変えるのも気分が変ってよい。従って、机は、できれば使わない方が自由な動きがとれてよい。もし、お茶、お菓子をだす場合には、パーティー式に立ってやるようにすれば、茶菓子は、会場内の二、三ヵ所に分けておくことができる。クラブ旗や、4Hの歌詞も忘れずに準備すべきだが、主賓は、卒業見込み者なので、主賓からよく見えるように配置することである。

また、クラブ員と卒業見込み者の名ぼも住所をつけて全員に配布できるように準備をしてほしい。

さて、この交換会のもち方を考えてみよう。一番大切なことは、クラブ員を卒業見込み者の近い者同志が確認しあうことである。集団の交換会ではなくて、「諸君は、私の家から近くなんだな、彼の家の家へ行くには、こういけばいいんだな」という、実感を持ちあうことが大切なのである。

だから、会の進行中に必ず近いものが話しをかわす機会をつくらなければいけない。できるかぎり、新卒者をうけとめる単位クラブごとの小グループをつくって話しあえるようにするとよいと思う。

その次に、農業改良普及所というものの内容をわかりやすく紹介してほしい。そのときは、普及員全員が出席できるように普及所へお願いをしておくことで、とくに、農村青少年対象の仕事については、少々説明しておいてもらった方がよいと思う。案外、普及所とは、技術を指導してくれるところだ、ぐらいにしか知っていないものである。

次に、4H活動の内容を紹介するわけだが、これも、余りクドクドとやらないで、卒業したら、まずナニから……といった調子で、伸びのびとした気分で参加できるように話してほしいものである。

以上の中で最も大切なことは新卒者をうけとめる身近なクラブ員がいるということである。せっかく、新卒者がきているのに、その地区のクラブから誰れもきていないというようなことは絶対あってはならない。要すれば、新卒者一人ひとりについて、先輩クラブ員の受け持ち分担を事前にきめておくぐらいの気配りが必要である。

司会は、クラブの中から上手な人にやってもらうことで、普及員のやる役ではない。では、交換会プログラムの例をあげておこう。

開会……クラブ代表が型破りに（わたしは、いまでも学年末テストの悪夢を見ます。いくつになっても、あれはいやなもんです。みなさんは間もなく、それから開放されるわけでおめでとう）

あいさつ……クラブ員の中からタイプのちがう二〜三人をえらび、愉快にやってしまう。

紹介……クラブ員、新卒者以外の出席者を紹介する。

新卒者紹介……「わたしは、○○部落の大樺の下で、××といいます」といった具合。

レクリエーション……ここで、歌を一つ二つ入れる。

普及所紹介……普及所の仕事の内容をわかりやすく話してもらう。

体型変え……近所のもの同志が集まる。

自己紹介……ここで、近所のもの同志や、受け入れ単位クラブ員の自己紹介をしあう。もちろん、新卒者も、先輩をよく知るように、積極的にとけこむ。この時間が一番大切である。先輩としては、このときに後継の家を訪ねる約束などをかわしたいものである。

クラブ活動紹介……近所のもの同志の話し合いの中で、地区協議会や、市町村協議会そして単位クラブや、個人のクラブ活動などを例をあげて話してほしい。あまり4H理念だとか、プロジェクトとは何か、なんていうような話し方ではない方がよいと思う。

ゲーム……みんなで、歌をうたい、ゲームの一つ二つを入れて、お互いが何らかの型で体が触れあうような方法をとる（フォークダンスをやるのも一つの方法）

閉会……クラブ会長が、一だん高い台の上に立って、大声で、感情をこめて閉会をつげる（今日は愉快でした。なんといっても、仲間がふえることは愉快なものです。4Hクラブはみなさんを待っています。では以上で、交換会を終りにいたします）

農民の健康
第11回「農民の健康会議」から　>2<

農村生活の健康への影響
農村でも注目すべき症患の一つ、糖尿病

愛知県・愛北病院長　伊藤恭平

「農村生活とその健康に及ぼす影響」とは、第四回国際農村医学会議における学術テーマの一つである。

ところで、このテーマに対して出題された演題数は四十一で、その内訳は国内二十一、国外二十題である。

これらの演題を国の内外で分類してみると、傾向のちがっているのに気づくが、それは「農村医学」と「農業医学」の差ともいえよう。

すなわち、国外の演題は、公衆衛生、産業衛生的なニュアンスが強いといえよう。これに対して国内のそれは、「高血圧」「胃の集団検診」「婦人の貧血」「農夫症」「母子衛生」をはじめとしてすでに日本農村医学会での主要テーマであったものが多い。

高度経済成長のもとで、農村の変動はきわめて激しいものがあるが、現在もなお農村における健康上の問題点の多くは、十分に解決されつつあるということができないことを、これらの演題が物語っているようである。

ただし、これら主要テーマの多くは、なお、こん後につながる重要な問題であるが、すでに日本農村医学会のもとで改善への方法や敬もう運動が強力に押し進められている。

そこで、さいきんの農村の変貌、とくに農村の老令化、主婦労働化あるいは消費生活向上とか、農業経営の近代化などにつれて、農村において増加し、発見率がきわめて大きくなった「糖尿病」を、今日的な課題としてとりあげてみることとする。

しかしながら、全世界での糖尿病の増加とともに、農林漁家における糖尿病の実態が注目されるようになったわけで、とくに、糖尿病は血管障害を併発しやすく、脳卒中、心筋梗塞（そく）、腎臓不全などをひきおこすことが多く、心臓病、脳卒中などの成人病における基礎的疾患として重視されるべき疾病といえる。すなわち、糖尿病の早期発見、適切な管理または治療は、農山村に多い高血圧、脳卒中の予防に際しても無視できない要素といえるのである。

わたくしどもの病院における十数年このかた集めた「農村における糖尿病観察」のデータをもとに糖尿病対策の重要性を訴えたい。

一、病院における糖尿病の発見率は、十年前にくらべて約八倍となっている。糖尿病は都会人だけの疾病ではない。

二、集団検診の成績では、糖尿病四・八七%、疑糖尿病一・五四%と、高い発見率が示されている。

三、農村における糖尿病も、老人層、とくに男性に多く、しかも潜在性、無自覚、未知で軽症の多いことが特色といえよう。

四、女性には、重症糖尿病の傾向が認められる。また、合併症として高血圧、腎臓、網膜、神経障害の発現率はきわめて高く、しかも脳卒中、心臓障害をおこす可能性が強い。こうした傾向は男性に著しい。

五、糖尿病は、「遺伝的素因」に生活環境とくに食生活、年令、肥満、妊娠、ある種の薬物使用、精神的ストレスなどの「後天的原因」が加わって発病するとされており、環境の改善も発病防止に重要な問題である。

六、軽症患者では、適当な食事、検査の励行など、管理の適切さによって、正常人とかわりなくなるのであって、早期発見、早期管理の大切なことが理解できよう。

七、こん後糖尿病検診の推進とともに、一般の理解と関心の増大が糖尿病対策上きわめて大切であるといえる。

なお、糖尿病とともに、かつて帝王病といわれた「痛風」も、農村地帯でふえつつあるようで、こん後の増長が注目されよう。

マスカットの品質と収量の向上

岡山県御津郡御津町吉尾五七一　武田祥一

ぶどうの主産地に

私の住む部落は農業的にみて、進取の気性に富む部落といえると思います。かつてはツグネイモの産地として県下に名声をはくし、さらに、マスカットを基幹作物とする第一次農業構造改善事業を実施し、将来の自立経営を目標に部落が一体となって取り組んできました。

このような環境の中で育った私は、何の危ぐの念も持たず、極めて自然な心情で農業を営んでいく気持になっていました。したがって、私にはわが家の農業の貧困さを口にするという悲壮なことはなく、つぎのような動機でこのプロジェクトの課題を選定しました。

現在、私の家の農業経営は、水稲四十㌃、樹園地四十㌃、硝子室ぶどう（マスカット・オブ・アレキサンドリヤ）一七五五平方㍍（うち加温一三〇〇平方㍍）、洋ラン（シンビジューム）が経営の中心です。

技術のカベ破る

当時（昭和四十年）基幹作物であるはずのマスカットの収量は、三・三平方㍍当り四・五㌔と少なく、単価も六五〇円で、三・三平方㍍当りの粗収入は一九二五円でした。この数字は、地区の平均であり、マスカット栽培は、技術度の差異が顕著に表われる作物であるため、私はこの技術のカベを打ち破ろうと考え、さらにこのような結果はつぎのような原因によるものであることを分析して分りました。

一、硝子室は昭和二十三年に建てられたもので、したがって樹勢の衰弱がはなはだしい。

二、植栽当初の有機物質、土壌改良剤の投入が少なかった。

三、既成硝子室であるため、土壌の悪化がはなはだしい。

原因は有機質不足

このような分析の結果を、普及所、農協に相談したところ、土壌の改善からはじめるのがよいのではないかと助言され、さっそく土壌調査を行ないました。ところが、腐植で第一層二・六二㌫、第二層一・七㌫、第三層〇・九㌫であり、またPHにしても、第一層七・四度、第二層六・九度、第三層六・五度でありました。

土壌の改善はかる
初期成育も非常に良好
地域の栽培者にも普及

そこで普及所で処方箋をたててもらったところ、腐植一㌫あげるためには、堆肥三七五〇㌔を投入しなければならないといわれ、私の家で投入していた量は、この半分ていどであることが分り、その必要量を計算して、夏ごろから堆肥の準備をはじめ、山林の下刈りを行ないましたが、この不足分はワラで補うことにして堆肥を作り、元肥と同時に堆肥を三・三平方㍍当り一〇㌔を投入し、土壌改良剤の投入の時期も検討して翌年の状況をみることにしました。

その後の硝子室ぶどうの生育状況を他家のものと比較してみますと、初期の成育も非常に良好で、葉色や枝の伸長もよく、また、果実についても品質がよかったために、かなりの収入を得ることができました。

堆肥の増施を普及

そこで、硝子室のぶどう栽培は、よい土壌を作ればよいのだという確信が得られましたので、この普及を思いたち、地域内のぶどう栽培者に声をかけたところ、全員の賛成が得られましたので、各自の硝子室の土壌を採集し、PHの測定や腐植などについて分析したところ、以前の私と同様の結果が現われました。そこで、栽培者の研究会で、みんなに堆肥の増施を推進するとともに、私も前年同様に施肥しました。

また、地上部の管理も重要ですので、結果枝数、結果量についても研究しましたところ、三・三平方㍍当たり、結果枝数十二本、結果量六・〇㌔というのが結果もよく、品質も上級で単価も良好でした。

三年目についても前年同様行ないましたが、私のものと吉尾地区の結果を比較しましたところつぎのようなものになりました。

出荷量（㌔）	昭四十四年
吉尾地区	二五・〇六八
わが家	三・六〇〇

洋ラン栽培に着手

この地区は、第一次構造改善事業により、ぶどうの硝子室を建設し、そのほか水田の基盤整備を行ないましたが、ここ一〜二年前から、吉備高原開発事業により、吉屋地区の山林六十㌶を開墾して、露地ぶどう、硝子室ぶどう栽培が計画され、すでに開発事業に参加して、昭和四十七年度までに六〇〇〇平方㍍の硝子室が建設される予定になっております。

現在の家族労働力では、時期により余剰労力があるため、二年前からビニール温室四九五平方㍍を建設して、洋ラン（シンビジューム）を導入し、四十六年度から一年間に、鉢物を二千五百鉢、切り花を二千本から一万本を出荷する計画をたてています。

硝子室ぶどうにつきましては、現在一七〇〇平方㍍（うち加温一三〇〇平方㍍）で、収量は三・三平方㍍当り六㌔でありますが、将来の目標として七・五㌔ほどの収量にあげたいと思います。また、ぶどうの既成産地であるために、病害虫防除（とくにダニ）について再確認し、薬剤、散布量、潅水量およびその方法も再検討する必要があり、こん後の課題に取り上げていきたいと思います。また、硝子室の加温栽培が、ほとんどしめているため、加温初期の温度管理について検討する必要があります。

私のプロジェクト

観賞樹の集約栽培
苗木の自給生産に主力を

大阪府豊能郡東能勢村　東能勢４Hクラブ　久保勇

動機　私の経営内容は、観賞樹部門を取り入れる以前、水田一㌶、畑二十㌃、山林三㌶の経営で、地理的にみて、私の家から二十分以内に、全国的に有名な植木の産地として知られる池田市へ行くことができます。以前から耕地の少ない私は、集約栽培で利益を上げられる観賞樹の栽培を取り入れました。

計画　最初はどのような苗木がよいかと思い接木やさし木でできる樹種を選び、短期間に販売できるような計画をたてました。

資金　資金作りとしては、農協や普及所に相談し、後継者育成資金の借受手続をとり、昭和四十二年に五十万円借入れ、自己資金を合わせて実施に移りました。

実績　昭和四十三年度の実績については、栽培面積三五㌃で、そのうち十㌃ほどを出荷しました。秋になって貝塚の六尺物、サザンカの出荷を行ない、その後はクリスマス用のモミの木を市場に出荷しました。市場では最初よく販売できましたが、途中から暴落があり、わずかですが赤字を出してしまいました。この点、需要時期のきまっている種類を栽培すると一時的に出荷しなければならないため、価格の変動が激しく、多量に栽培しない方が安全であると反省しています。

反省　現在は二五㌃ほど植栽していますが、苗木を購入して植付けたのでは収益が少ないため、苗木の自給生産に主力を注ぎ生産コストを下げていきたいと思います。

このため、現在、五葉松に関しては自給体制を行なっており、椿なども出引を行なっています。また出荷した後地に、どのような花木を栽培したらよいか研究課題のひとつになっています。

将来は植木の種類を少なくし、それぞれ特色のある経営内容に改善していきたい。そのために、畑地においては五葉松、ヒバなどの中木、貸鉢、生垣用樹など用途の広いもの。水田においては主に苗木の生垣用樹など二〜三種類に限定し、適地適作を行ないたいと思います。こんどますます、観賞樹の需要も伸びると思いますが、消費者の好みや市場調査などを適格に行なって、栽培計画、販売計画をたてるとともに、全国各地の主産地の現状を把握しながら、観賞樹経営の方向をみきわめて、経営の改善を図りたいと思います。

第八回農業祭 天皇杯受賞者の経営 ＝5＝

林産部門　林業

路網整備を重点に
天然生育林のよさ生かす

北海道中川郡本別町南一丁目　石井賀孝氏

石井氏は昭和四年、福島県立安積中学卒業後、先代の経営する北海道中川郡本別町の石井組に参加して、製炭、造林ならびに土木請負に従事した。昭和九年から二十年まで兵役に服し、終戦直後、再び石井組に復帰、事業を継承（このとき石井林業と改める）するとともに自己山林の経営にも熱意を示して取り組んだ。

昭和三十四年十一月石井林業株式会社を組織し、同社の社長となったが、こと山林経営に関する限り石井氏の意図の下に行なわれている。

本山林は大正十年に、先代が林業経営の目的をもって購入したもので、戦後の未墾地買収などを経て現在三一四㌶余と経営面積は拡大されている。先代購入当時の状況は、大径良木の択伐の繰り返えされた跡地であった。直ちに不良林分を皆伐してカラマツを植栽したが、野ネズミの害がはなはだしかったため、その後は、萌芽と天然下種による自然生育に放置した。

その後、昭和五年から七年にかけての不況時に、従事労務者を製炭事業に吸収し、労務雇用の危機を脱するなど、事業の安全弁としての役割を果たしてきた。

したがって、山林を本格的に林業経営の対象としたのは、当主石井氏その人といわねばならない。同氏は天然生林木の良さを生かしながら植栽を進め、保続経営を目標として、生産力の増強に努めた。そして、管理経営の基本は、路網の充実にあるとの着想のもとに、濃密路網を骨子とした大型機械化と集約作業の実施に努めた。

まず、昭和三十年カラマツ造林をはじめとし、その後、逐次造林を進め、現在までに約二〇一㌶（カラマツ・六〇㌶、トドマツ・三四㌶、ストローブマツ・六㌶）とし、造林面積六四㌫を占めるにいたった。

つぎに路網の状況であるが、昭和三十一年度から作業路を、三十四年度からは幹線林道を開設し、現在幹線一九・四八五㌔、作業路三七・五一五㌔を完成した。その事業費は、融資三一㌫、自己資金六九㌫で賄なわれた。

また、このような濃密路網により、立木価格を高め、跡地更新を容易にした。これら濃密路網を基軸とした林業経営の近代化により北海道林業の在り方にモデルを提供している。

これらモデル的経営を支えている技術的、経営的な要因としては①林分施業法を経営の支柱的基幹としている②濃密路網と大型機械導入による省力林業経営の展開③諸機械の能率的使用④森林施業計画による計画的経営など。

以上により、充実した森林構成に近づけようとしている。しかも、このような改良過程にもかかわらず、収支計算において黒字を続けており、将来はさらに高収益を予想できることは、経営の健実さを物語っている。

また、労務の問題では、石井氏自身の山林経営従事日数は、年間二百五十日というし、造林伐採、林道の各作業に雇用する労務に対しては、石井林業株式会社との密接な連けいにより、通年雇用を可能にするとともに彼らを定着させるため、労災保険加入はもちろん、住宅などの厚生施設の充実にも努めている。

三寒〜四温
花もチラホラと

立春もすぎ、二月も下旬になると、太陽が身近かに感じられ、ほのかに早春の気配がただよいはじまる。

北風の吹かない日中は、黒ぐろと湿り気を帯びた庭先の土から、かげろうが萌えたつ。暖かい陽だまりには、凍りついた冬の悪夢からめざめた春の草が芽ぶき、緑の季節が訪ずれる。暖かい地方からの花だよりも、このころから聞かれるようになる。

〜◆〜◆〜

はな―花は、見る人、愛する人の心に安らぎと一刻の憩いを与えてくれる。道ばたに咲く名も知らぬ花、丹精こめた花壇の花、部屋の片隅に生けられた一輪の花、花はそれぞれ色や形は異っていても、あるときは愛らしく、あるときは激しく語りかけてくれる。

荒れはてた自然に緑を蘇みがえらせて、色とりどりの花を咲かせる。その手、その心に真の人間愛が生まれる。自然の美しさは花のあるところにあり、人間の心に家庭に美しい花を咲かせよう。三寒四温、花咲く春はすぐそこに―。

【写真＝緑もあざやかに、チラホラ花を開かせて、鉢上げを待っているパンジー】

NHK農事番組（3月1日〜10日）

テレビ

明るい農村　6・30〜6・55　総合
2日　村の記録　農協工場（兵庫県揖保郡町北浜農協）
3日　きょうの話題　わたしたちの提言（全国青年会議から）
4日　産物往来　たらと
5日　話題の広場　優秀農家にきく（北海道代表）
6日　優秀農家にきく（東北代表）
7日　優秀農家にきく（関東甲信越代表）
9日　優秀農家にきく（近畿代表）
10日　優秀農家にきく（中国代表）

農業教室　7・30〜8・00　教育
2〜4日　田植機の利用と効果（農林水産技術会議）仮谷桂氏
5〜7日　家族労働の再検討（労研）大橋一夫氏
9〜10日　ビニールハウスを生かした経営（東京教育大学教授）横水清太郎氏

あすの村づくり　日　7・00〜8・00　教育
1日　▽"つちぶう"のように　▽単作地帯の滅反を考える▽農村に巣立つ
8日　▽七十年代の農業の課題（全国青年農業者会議から）

特別番組　14・10〜15・30　総合
7日　わたくしたちが築く十年後の農業（第九回全国青年農業者会議から）

ラジオ

早起き鳥　5・05〜6・00　❶
1日　話題の窓　米の生産調整を現地にみる
2日　現地報告　豚の平均払い制度（山形市）
3日　人と話題　大型酪農をめざして（静岡県富士宮市）高梨平治氏
4日　通信員の手帳から
5〜7日　優秀農家にきく
8日　全国青年農業者会議から
9〜10日　優秀農家にきく

ラジオ農業学校
月〜土　6・40〜7・00　❷
日　6・30〜7・00　❷
1日　▽グループの集い「明るい豊かな農村社会をつくるには」（北海道南地区放送利用グループの集いから）
8日　▽経営手帳「経営改善この一年」（第九回全国青年農業者会議プロジェクト発表から）

特別番組　15・05〜15・58　❶
8日　わたしたちが築く十年後の農業（第九回全国青年農業者会議から）

番組紹介

あすの村づくり
1日　▽グループだより「"つちぶう"のように」（大分県鶴崎つちぶう会）つちぶうとは、黄金虫の一種、七転八起の名をもつ虫の名である。つちぶう会はメンバー十五人、臨海工業地帯の中で、野菜作りに励む仲間の集りである。

▽仲間とともに「農村に巣立つ」（高知県立幡多農場生と山場丈実場長）高知市から南へ七十㌔海抜三百㍍の縄川台地の中央に県立幡多農場がある。約百人の農業後継者があすの農業をめざして実習に励んでいる。

8日　特集「七十年代の農業課題」三月三日から四日間にわたって、東京都渋谷区のオリンピック記念青少年総合センターを中心に第九回全国青年農業者会議が開かれる。会議の共通課題「わたくしたちが築く十年後の農業」について語り合った青年たちが、この会議でどのような収穫を得ただろうか。番組では、会議出席の数人に集まってもらい「七十年代の農業の課題」について討論してみる。

農業簿記

京都大学名誉教授　大槻正男

（自計式農家経済簿記）

現金現物日記帳とその記入

現金取引以外の特殊取引

労働交換　労働交換を行なった場合には、相手方から来てもらった時に労働を借りたとみなし、その日の日付でその評価額を「財産的収入」と「所得的支出」との両欄に記入する。そうして、相手方へ労働に行った時に労働を返済したとみて、その日の日付でその評価額を「財産的支出」と「所得的収入」との両欄に記入する。いうまでもなく、両者の評価額は一致しなければならない。これに対し加勢または手伝い労働と一般にいわれる無償的な労働にあっては、行った場合も受けた場合もともに記入しないのを原則とする。

積立金　小学児童の修学旅行積立金などは一種の預け金であるから、その積立の度ごとに財産的支出として記入しておき、受け取ったときに財産的収入として記入する。修学旅行積立金の場合には、旅行に実際に参加して積立金が旅費に充てられたときに、積立金をいったん受け取って、その金を旅費に支出したものとして、財産的収入と家計支出とに記入する。

この種の積立金に対しては、簡便法としてそのつど直ちに家計支出としてもよいが、旅行に参加しないような場合が起ったときに、払い戻された金の取扱いに困るから、なるべく上述の取扱いをするがよい。

年賦償還　年賦償還はいうまでもなく、負債元金の済し崩し部分と負債元金に対する利子部分とからなる。したがって、その支払は負債元金の部分払いと利子払いとの混合取引であって、財産的取引と損失取引とに分解して記入しなければならない。

保険　保険は、これを二種に区別することができる。広義の生命保険と災害保険とである。

生命保険　生命保険の保険料は貯金に準ずるものであって、財産的支出として取扱う。相互組織の保険会社の場合には、その年の利益配当額を保険料から差し引いた額が、払込額として請求されるから、実際の払込額をそのまま記入しないで――当期払込額＝当期保険料－当期配当額――という式によって分解し、保険料額を「財産的支出「欄に、配当額を「所得的収入」欄に記入する。保険金を受け取った場合には、保険料の払込み累計額だけを財産的収入とし、残額を所得的収入とする。

災害保険　災害保険料・家畜保険料・火災保険料などの災害保険料は、貯金のような性質をもっている生命保険の場合とはまったく異なり、保険期間の経過につれて消失する保険用役の単なる購入であって、明らかに所得的支出である。したがって、家畜の死亡・家屋の焼失などによって保険金を受け取った場合には全額が所得的収入となる。

設例　6月10日　役牛を家畜共済保険にかけ、保険料800円を支払う。
　　　9月5日　役牛死亡により家畜保険金30,000円を受け取る。

月日	摘要	収入 種目	収入 所得的収入	収入 財産的収入	支出 種目	支出 所得的支出	支出 家計支出	支出 財産的支出
6.10	家畜保険料を支払う		円	円	災保	円 800	円	円
9.5	役牛死亡により家畜保険金受け取る	雑収	30,000					

あしたの青春

一ノ瀬綾　え・多賀愛子

揺れて（七）

<19>

「でも……その研修所を出るには、金がかかるずらね」

ふく代は首をかしげて言った。すみ江は思わず母親の袖を引く。

「いやなかあさんだ。なんだって習いごとするにはお金がかかるにきまってる。それ相当の代償を払うのは当り前よ」

「そりゃわかってるさ。でもやっと農業高校出して、これからだと当てにしてたのさ」

普及員になれるわけでもないのだからと、久治とふく代は、学校から話のあった時も迷ったあげく断ったのである。すみ江は圭次の顔をちらりと見た。無理解な親だと笑われそうなのがはずかしかった。

「いろんなシステムがあって、一概には言えねえけれど、入所して一年位で済む所もあるから、あまり心配はいらねえですよ。その研修課程には、オランダのカール制度のようなやり方で、各地の優良農家に実習生として、住み込んで勉強する方法なんかあって、農業技術だけでなく、人間づくりに大変役立つこともあるんですがな」

圭次の説明には誠意がこもっていた。すみ江は今更のように圭次の指導者意識の強さと、人柄のあたたかさに内心目を見張る思いであった。

それと同時に、自分の農業への無知と無関心さが、ひどく気恥ずかしいものとして心の内側で疼いていた。

「圭次さんは、そんなむずかしい所を出なさったのかね」

ふく代が感心した目つきで圭次を眺めた。

「いや、特別な所を出たわけじゃねえ。ただ農業士の資格を持っているだけですよ」

圭次は軽く言ったが、すみ江は、はっと思い当っていた。

農業士制度というのは、県が全国にさきがけてはじめた、青年の専業農業経営者を育成する制度であった。プロの農業人であり、経営のパイロットとして、地域の教育的役割をも、自分の経営の向上と共に農業グループや実習青年達の指導をする……などの特徴がある……と、すみ江は新聞で読んだ記憶があった。

「ちっとも知らなかったわ……どうもお見それしてまして」

おどけたしぐさですみ江は圭次に頭をさげた。いつ有資格者になっていたのか、新一からも聞いた覚えはなかった。農業士になる為には、県が定めた幾つかの課程をパスしなければならないとも聞かされている。

「むずかしいんでしょう、資格を取るのは」

「いや、そんな目つきされると、弱いな。別にどうってことねえよ。只、自分の仕事に自信と誇りを持ちてえと思って、資格を取ったまでさ。おれだって新一君と同じ悩みに苦しんだよ……今だって、問題がでっかくなっただけで変りはねえなあ」

てれくさそうに、圭次はやたらに頭を掻いている。ふく代がひざを乗り出した。

「その農業士というのは、県あたりから手当てでもあるのかね」

「いや、そんな特典は無しです。新しい農業経営の為なら、優先的に便宜をはかってくれるし、協力もしてくれるが、一番肝じんなのは自分自身のプロ意識というか、農業開発の意欲と、仲間達の連帯感ですかな。それが持てなけりゃ、いい嫁さんも見つけられねえというわけです」

圭次はじょう談めかして笑った。

新一の意向をたしかめて欲しいと言い残して、圭次が帰って行ってからもすみ江は、いつまでもそこに座っていた。圭次の話に圧倒された感じである。

「新一の意見もだが、父さんの気持がどうなるかな」

母親の言葉に、すみ江は我に返って無言でうなずいた。

4Hクラブをつくって

人間的に大きく成長
八人の同志とともに

静岡県浜松市 都竜4Hクラブ　小出　康

高校卒業後早くも九ヵ月が過ぎてしまいました。

農家の長男として生まれた私は自然と農業に従事しましたが、家のあとを継ぐという考えになり、農業専門学校で学んで、いまはこうして農業をしています。農業をするということに対して別に不平不満は持っておらず、サラリーマンにあこがれたりすることはありません。それどころか農業ほどいい職業はないと思うようになりました。

学校で二年間農業について学んだのち、家に入って、それを実際に生かし始めたときに、あることに気がつきました。それは、私の地域に若い農業者の集まりがないということです。

そこで、一年先輩のひとりをまじえて、道を同じくする者八人が集まってグループを作りました。そして、どうせつくるのなら正式に、しかも広く通用するグループにしようと、農業改良普及所などを訪れて「都竜」という名前で4Hクラブ発足に至りました。こんなことをしている間にも、人間のつきあいの難しさ、というようなことを学びました。

結成当時に、いくつかの約束ごとを決めました。そのなかに『クラブ員は、学期が変わる四月までは、「やろう」といい合った八人で活動して、ほかに加入は認めない』ということがあります。このことについて、周囲から直接にではないけれどもいろいろと反響がありました。「若い者で農業をしているのはお前たちだけではない」とか「自分たちだけ目立とうとするな」というようなことが、なんとなく耳に入りました。このようなこともみんなで話し合い、結局は最初に決めた通りにしようということになりました。でも、その人たちとも別々になるようなことはしたくないので話し合いの機会をもつように計画しています。なぜ、クラブ員の加入を制限したかといいますと、それは、いま入会するとすれば、私たちより年上の人ばかりだからです。そうなると、最初に話し合った「私たちの考え方で、やりたいことをやろう」という志がどうしても実現できなくなります。こんなわけで制限しました。

そして、こん後入ってくる人々には、その人たちの考え方で活動できるように、上からの圧力というか指導のようなことは必要なときだけにして、私たちとの結びつきは、強く深くまとまりのあるグループにしていきたいと思っています。

次に、研究活動としては、みんなみかん専業なので、各自のみかん園視察や果実の品質検査、そのほかには販売実習もやりました。

以上のような単純な活動でも、4Hをつくってからは、人間が少しづつ大きくなってきたような気がします。

とくに、販売実習などは勉強になりました。人より下になってものを頼むということはいかに辛く大変なものであるかということを知りました。

私たちの4Hは、まだ玉子からかえったばかりのひよこです。今までがスムーズに進んだからといって喜んではいられません。こん後に起こるだろう、いくつかの障害を乗り切れるだけの足場を作っておかなければなりません。その一つがグループ作りだろうと思います。何が起きてもみんながまとまって考え、話し合わなければ解決できないと思います。

グループ作りをしようといくらみんなが思っても、顔を合わせる回数が少なかったらそれはできないことです。顔を合わせ、語り合ってこそできていくものです。だから、私たちは月に三回定例会を開いています。仕事のない夜を利用して集まり、毎日の仕事のようすや当面している農業の問題点、あるいは遊びの話、女の子の話と何回集まっても話はつきません。

いまは、こうして年令層もへだたりがなく、集まるのが待ち遠しいくらいうまくいっています。だけど、こん後四月に新しい人たちが入ってきてからが心配です。いまのようにうちとけて話ができるかどうか。しかし、これも回数をかさねれば解決するものと信じています。

私たちの4Hは前身がなく、昨年の半ば誕生したばかりなので、伝統とかしきたりは持っておらず、まったく新しい道ばかり歩み続けています。でも、それでいいと思っています。八人全員の個々の意見を尊重し、やりたいことをやり、あらゆるものを体験しようとしている者の集まりです。

私たちは、日本農業の先駆者にならなければなりません。そのために課せられた第一使命は、地域農業の改善にあると思います。一人では大したこともできませんけれども、こん後十人、二十人と集まって活動すれば大きな力になるに違いありません。これからの農業は、私たち若者が背負うべきものだと思います。

私たちみかん農家は、価格が安定すれば、そんなにいいことはないのです。だから、それを実現させればいいわけです。去年のくれから今年にかけて、みかんの値のいいのは、共同販売がうまくいっているからだといってもそのせいだけではないと思います。全国的にみて、不作で荷が少ないからそのせいである程度値がいいのだと思います。いまは農協ごとに競争して販売をしているわけです。これを県下全域をまとめて販売すれば、出荷単位が大きくなり荷の量も平均化して値も安定してくるのではないでしょうか。これは、一つの個人の意見ですけど、こん後私たちはこのようなことをやっていきたいわけです。

以上述べましたように、私たち若者八人は、仕事のほかにも意欲を燃やす場所を見つけ、地域農業の発展につとめ、みんなに喜んでもらえるグループになろうと頑張っています。

4H活動で結ばれて…

作業計画も二人で
明るい家庭めざす夫妻

茨城

現在の農業後継者対策の中で結婚問題が大きくクローズアップされ、社会問題となっている。

茨城県内でも、ご多分にもれず嫁不足となっているが、そうした中で、4Hクラブ活動を通じて結ばれ、近代的農業、明るい家庭を築いている人も少なくない。そこで、鹿島郡鉾田町の大貫政好、とみえさんの二人を紹介してみよう。

大貫君が、さる三十六年に経営伝習農場を終え、農業学園を出てから勉強にはげむ一方、みんなの中心になって4Hクラブを結成した。この4Hクラブの会長を三年間つとめた大貫君はクラブのよきリーダーとして力を尽してきた。また、鉾田地区4Hクラブ連絡協議会の会長としても、地区連活動が軌道にのるまでの二年間大いに活躍してきた。そして昨年は、大貫君にとって最良の年だった。

去年の二月十八日には、とみえさんと結婚式をあげ、十一月十三日の県民の日に「明日をつくる青少年のほう賞」を受賞した。

ところで、大貫君の経営は、サツマイモ、ムギなどの普通作を中心としたものであったが、4Hクラブ活動をするようになってからは、プリンスメロン、イチゴ、ミツバなどをとり入れたそ菜中心の経営に変え、現在では、作付計画や農作業計画は大貫君と、とみえさんの二人ですすめている。

これからの方針としては、いまのそさいを中心とした経営をすすめる予定だが、どんどん変り行く茨城、その中でも、とくに変化の激しい鹿島地帯に対応した農業をやっていくために、かつての4Hクラブの仲間で研究会をつくり、そのリーダーを務めながら研究を続けている。

これからは、月二回くらいは農作業の手を休めることができるような経営にして、その中でいままでの経営を反省し、それに基づいた計画を立てたり、家中でレクリエーションなども楽しみたいという。

大貫君の理想とする農業経営は、良妻とみえさんの協力によって実現する日も近いようである。

（本紙茨城県連絡報道員・村山文雄君より）

仲間づくり急ピッチ
駅伝を通じて親密に

静岡県・浜名4Hクラブ

駅伝競争でゴールインする4Hクラブ員

【静岡県＝鈴木政美連絡報道員発】いま、全国各地で駅伝大会が盛んに催され、4Hクラブ員もそれぞれ頑張っているようであるが浜北市の浜名4Hクラブ（会長、野末敏夫君）では、駅伝大会を通じて仲間づくりをしている。

この地方は、他の地区にくらべて陸上競技が盛んなところである。毎日、昼間は懸命に農作業に取り組んでいる数人のクラブ員は夜間を利用して寒さにも負けずに駅伝競争の準備に頑張っている。そして、練習のあとには4Hクラブや青年団活動に出席している。

彼らは、ことしに入ってからすでに県内各地の駅伝大会に三回、十マイルレースに参加しているが春から夏にかけても各競技大会に参加するように計画、青年同志の仲間づくりを目標に走っている。

走るのは苦しい。そして土根性を持ち、何ごとに対しても、とことんまでやり通す青年らしいファイトが必要ではないか—というスローガンをもとに、個人のプロジェクトに、クラブ活動にとファイトをもやしている浜名4Hクラブである。

農村改革のパワーに

埼玉県岩槻市・新和4Hクラブ　金子賢一

私の所属するクラブで、新入会員によく聞かれることであるが、「4Hクラブとは何をするクラブなんだ、何が目的なんだ……」と。この言葉は毎年変らない。そのたびに、先輩たちは年度初めの事業計画や規約をみればわかるだろうということでおさめてしまう。

しかし、いま私たちが考えなければならないことは、クラブ活動の中で、どのようにして人間関係を生み出していくか、そして、社会的な役割としてクラブをどんな立場に位置づけていくかということも大切ではないかということである。4Hクラブ活動は、いままで、とかく内部活動としての研究会、発表会などを開いてきました。しかし、これは大事なことであるが、それだけに終っているようにも思われる。

4H活動がクラブ員のための活動といっても、地域生活にもつながらなければならないと思う。そこで考えなければならないのは4Hクラブの位置づけをはっきりさせ、農村社会変革の原動力とならなければならないと思う。

一例として、県内の4Hクラブが進めている農休日の設定など社会のリーダーシップをとっている活動を高く評価したい。さらにこれらの活動を発展させ農業物価の問題や市場制度の問題などを追求し、その改革への一つのパワーを生み出してもよいのではないか。

そのときこそ、4Hクラブ活動の一つの方向性が生まれるのではないか。そして、これを足場として、経済社会の中に入っていくのである。そのためにも、県連自体が力をつける必要があると思う。

農村雑感
レクリエーション農場

折原俊二郎

静岡県伊豆半島の東側海岸に面したところで、ミカンを栽培しているH君が、こんな話をしてくれた。

「静岡県といっても、東京からの時間的距離が近くなったので自分の農場と隣りの二〜三軒が一緒になって、都会の人を相手にして、貸農場をやろうと思った。一〇〇坪単位に畑を区切って、その畑の中に一〇坪程のプレハブ住宅を建て、それを一つのセットにして年間何万円という形で貸しつけるということはどうだろうかということで相談した。借りた人は、土曜日から日曜日にかけて泊りがけで出て来、この住宅に一泊して、畑の手入れをやり、月曜日の朝にでも帰る。秋には、借りた畑のミカンは全部自分のものとなる。月曜日から金曜日までの畑の手入れは貸した側で管理する。もちろん、月額いくらの管理費はいただくとして、こうしたセットを一人五〜六〇持っていたら、相当の収入になるのではないか」ということであった。

しかし、最終的には、今のミカン園をこわしたくないし、五〜六戸のプレハブ住宅を建てる資金をどうして借りるのか。借り手が思うようにあるだろうか。いや、こうした事業をやるには今のミカン園を改造するのではなく、雑木林を開墾して新しく造成した方がよいのではないかということから、さらには、そのようにやるには、もうわれわれは農業をやらないことになるのではないか。それでは賛成しかねるということになって、とうとうこの案はこわれてしまった」ということです。しかしH君は、この考えに対しては大分未練があって忘れきれないようでした。

この話を一緒に聞いていたのが、東京の郊外に当る青梅に住んで農業をやっているU君ですが、U君は、目をきらりと光らせました。U君の考え方を聞いてみると次のようなことでした。

「面白い考え方ではないか。農業は農村の人しか出来ないというのはおかしい。本当の農業を知ってもらうためには、都会の人にも自由に農業をやれる機会を与えてやるのも必要だと思う。米国では大統領はじめ、要職についている人はほとんど農場を持っている。農業を職業としていない人で農場を持っているのは、一〇〇万人近くもおるという話も聞いたが、日本にだってそうしたことがあって然るべきではないだろうか。

ただ、本格的な農業をやるのは、専門家である農民に限られるが、それは、自然的、地理的に農業をやるために好条件の地帯に限られるが、それに隣接する地帯は、サラリーマンや商店経営者のためのレクリエーションとしての農場をつくってやるのもよいのではないか。そうしたレクリエーション農場は、農業者として一定年令以上の人、即ち老人に管理をまかせる方法はどうだろうか、この方法が実現すれば、老令年金制度より効果的かも知れない」ということでした。

（農林省・農業者大学校）

わが台湾での体験記

国際農村青年交換計画・44年度日本代表　菅原　敏（岩手）

【上】

余りにも似ている
台湾と日本は親類関係?

岩手県の水沢市農業クラブ員、菅原敏さん(二二)は、国際農村青年交換(IFYE)計画に基づいて、社団法人日本4H協会が中華民国(台湾)に派遣している四十四年度の全国4Hクラブ員代表として、昨年十月から約二ヵ月間、大分県・大山青年農業研究会員、河津健君(二三)とともに台湾で生活してきました。この間、同国の農業や社会について勉強するかたわら、4Hクラブ員を中心とする交歓を通じて両国の相互理解と親善につとめ、"草の根大使"としての大役を果たしました。その様子は、二人が帰国したときも本紙で紹介しましたが、思い出を新たに、このほど寄せられた菅原さんの体験記を紹介してみましょう。

菅原さんの立場	
○岩手県農村青年クラブ連絡協議会委員	
○水沢市農業クラブ員	
主な活動歴	
昭和41年3月〜9月	まで宮城県のそ菜専業農家で実習
42年7月9月	青年建設班で2カ月間合宿　うち10日間北海道江別市で農業実習
43年2月	第1回岩手県農業新世代の集いで意見発表
同　3月	第7回全国農業者青年会議に参加
同　12月	全国4Hクラブ中央推進会議に参加
44年7月	第5回「全国4Hクラブ員の集い」に参加

日本と似ている台湾

いくら飛行機で三時間の近さとはいえ、やはり"他国は他国"と思い、向うにいったら、こういうことを学びたい、知りたいという目標をもち、二ヵ月間の貴重な日々をむだにしたくないと、他国で生活する不安を、ファイトでカバーして日本を去ったのでした。

その目標というのは、①農業家庭における親子の考えの相違は、日本とどう差があるだろうか②農政というものに対する農民の考え方③台湾の4Hクラブ活動④その他—などでした。

飛行機も案外、乗ってみればどこを見ても雲ばかりで、無味乾燥なものなんだなあ、などと思っているうちに、遠方に、倒に低い山々、そして色あせたような緑の森林が見えてきた。そうしているうちに「あと十分ほどで台北に着きます。ベルトをおしめ下さい。お手元の時計を十一時四十五分にお合わせ下さい」というアナウンス。

「ああ今日からは台湾の人か、どんな二ヵ月だろう。ここから外へ出たらどんな姿の自分があるだろう」と、複雑な気持で第四次元の世界の自分を想像していた。

「向こうへ着いたら4Hの旗をふるのですよ」と4H協会の人に言われたことをすっかり忘れ、タラップを降りて行くと、台北飛行場の屋上から「スガワラサーン!」という声がするので思わず上を見たが、知っている人なんているはずがないと、その声を無視して外へ出た。とたんに、一瞬サァーと熱風が肌にふれてきた。それでも、南国だ、暑いなあという気持はあまりしなかった。

そこへ「こんにちわ、日本の河津さん、菅原さんですね。私たちは、こういう者です」ということで、そのまま台北の旅館へと車は動き出した。車の中でも、日本語で「日本は寒いですか?」「私は昨年日本へIFYE生で行った李義郎です」「私は農友会の○○です」と、みな日本語を話していた。

そして、さっきから台北の街に目を移していたけれども、街の外観、家のつくりも、そう日本と変わっていないし、ナショナル電気、公園、鈴木機車、おみやげの店、大千屋旅館、道行く人も、ミニスカートをはき、あまり陽にもやけていないきれいな女性、楽しそうに手をつないで歩く男女、自分の心に無理に"ここは台湾よ"といい聞かせても、どうしても日本を離れているとは思えなかった。こんなことで、日本をでるときのあの研修課題は、ファイトは小さくしぼみ"なるようになるさ"のなげやりの気持だった。

それに、文化というものは、世界中どこも同じであると私は考えていた。よくテレビで報じられる後進国とは、その国の一部の種族とばかり思っていたのに、国の政策ひとつで遅れてくるんだなと強く感じた。

日本はかなり先進国であり、日本に生まれ育った私は、幸福だった。違っているところはこんなことだろう。そのほかは、愛国心さながら日本人精神が多分にある。

いまから二十数年前、台湾は、昭和という年代が八年ほどあったそうだ。私たちは、小学校や中学校のころ、また高校でも社会科で台湾の国についてあまり耳にしたことがなかった。しかし現実は、とても近いところにあり身内になっている。親は知っているかも知れないが、子どもたちは、親類とはまったく夢にも思っていないのである。私はそこを訪れて、親類であると教えられてきた。

台湾の人は、みんな日本人と親しく友だちになりたがっているのである。若い人は、台湾にかぎらず、どこの国の人とだって、言葉や性格、環境が違っていても、すぐに溶けあうものだと思う。

私たちは、台湾のほかに、フィリッピン、タイ、韓国のIFYE生とも一緒に過ごしたこともあった。言葉こそ通じないが、ゼスチャーや歌で意気統合した。人と接する交流をするということは、大げさなことかも知れないが、世界平和につながるような気がした。それぞれの国々が自分の国だけという考えではなく、手を結んだらと思った。

（つづく）

地方自治体館では、わが国地方自治の過去および現在の姿と未来への展望がダイナミックに展開されます。

展示は三部で構成され、第一部は"地方自治のあゆみ"をテーマに総合展示が、第二部は"明けゆく日本列島"をテーマにブロック展示が、第三部は"ふるさとの広場"をテーマに、いこいの場として展開されます。

第一部（一号館）の総合展示場は、直径三〇㍍、高さ三〇㍍の円筒型の四階建。内部では地方自治のあゆみ、積極的に豊かな生活をめざす現在、そして明日の姿が、巨大なスクリーンや造形ディスプレイなどで表現されます。

第二部（二号館）のブロック展示場は、幅三〇㍍、長さ一〇〇㍍、高さ二五㍍の巨大な空間。日本列島の大模型が設けられ、壁面いっぱいスクリーンがはめ込まれるなど、立体的な演出で、開発が進む若々しい郷土の姿が感動的に展開されます。観覧には、宇宙線に乗って回る宇宙船コースと遊歩コースがあります。

第三部（三号館）のいこいの場は、ふるさとの味や香りが満喫できる食堂やブロックコーナー、催し物などの施設で構成されます。中央の広場では、お国自慢のお祭りや催し物が行なわれ、特設コーナーでは特産物の製作実演も行なわれます。〈万国展示館の紹介〉

地方自治体館

テーマ…躍進する地方自治—明けゆく日本列島—
敷地面積…九、六〇〇平方㍍
出展費用…約十五億円

日本4H新聞
4Hクラブ 農事研究会 生活改善クラブ 全国弘報紙
発行所 社団法人 日本4H協会
東京都市ケ谷家の光会館内 電話(269)1675 郵便番号162
編集発行人 玉井 光
月3回・4の日発行
定価 1部 20円
一ヵ年700円（送料共）
振替口座東京 12055番

クラブ綱領

私達は、実践を通じて自らを磨くとともに、互いに力を合わせて、よりよい農村、よりよい日本を創るため、四つの信条をかかげます。一、私達は農業の改良と生活の改善に役立つ腕をみがきます。一、私達は科学的に物を考えることのできる頭の訓練をします。一、私達は誠実で友情に富む心をつちかいます。一、私達は楽しく暮し元気で働くための健康を増進します。

日米・日中を結ぶ草の根大使

4Hクラブ員代表決る

出発は四月（訪米）と七月（訪中）の予定

社団法人日本4H協会（松下幸之助会長）は、国際農村青年交換（IFYE）計画に基づいて米国および中華民国（台湾）へそれぞれに派遣する本年度の日本代表の4Hクラブ員四人をこのほど決定した。晴れの代表に選ばれたのは、米国派遣が、古川みどりさん（二〇）岐阜県・小泉4Hクラブと、坂本重子さん（二二）山口県・岩国グリーン4Hクラブの女性二人、中華民国派遣が、橋本好男君（二〇）福島県・中田4Hクラブと広島春枝さん（二一）大分県・宇佐4Hクラブの二人で、ともに全国から応募してきた多くの候補者の中から、厳しい審査を経て選ばれたもの。

この4Hクラブ員の交換は、日本4H協会が米国4Hクラブ財団と中華民国四健会協会との間に、国際農村青年交換計画に基づいて毎年実施しているもので、日本からの派米は今回で十七回目、派中は四回目にあたる。

それぞれ代表となって訪問したクラブ員たちは、現地でオリエンテーションを受けたあと、受入れ農家に入り、その家族の一員として生活することになる。

期間は、アメリカが六ヵ月、台湾が三ヵ月で、出発はそれぞれ四月と七月頃の見込みである。受入れは一戸の農家に二、三週間前後で、その世話は州や県の4Hクラブ関係者がいっさい取り計らってくれる。

この間、訪問したクラブ員たちは、受入国の4Hクラブ活動や農業、家庭生活、風俗習慣などを学ぶとともに、日本のそれらについて紹介をする。

このように交換クラブ員は、農業技術の実習だけを目的とする研修生とは異なり、4Hクラブや村の会合、学校、そのほか多くの集りなどに出席し、あらゆる機会を通して多くの人たちに日本の正しい姿を伝え、両国間の相互理解と親善につくす民間外交の役を果すので、別名を"草の根大使"と呼ばれるものである。また、この日本側からの派遣と前後して、米中両国からも二名ずつの代表4Hクラブ員が日本を訪ずれる。

なお、今回の米国派遣代表は男女各一名を募集し、一次審査でそれぞれ二名を残し、このほど二次合格者を東京に呼び、農林省、全国農村青少年教育振興会、日本4H協会など関係機関の責任者によって二次審査をした結果、男性二人が失格したので、米国大使館を通して受入側の意向を打診し、女性二名を日本代表に決定した。

派米代表

古川みどりさん
岐阜県多治見市小泉町四ー二六、昭和二十四年生、県立加茂高校卒、先進地実習一年、小泉4Hクラブ所属、県連事務局次長、プロジェクト＝養鶏、特技と趣味＝食物、被服、簿記

坂本重子さん
山口県岩国市大字関戸四一八、昭和二十二年生、県立岩国高校卒、岩国グリーン4Hクラブ所属、山口県連理事、プロジェクト＝養鶏、特技と趣味＝食物学、珠算、手芸

派中代表

橋本好男君
福島県郡山市中田町中津川字町五三、昭和二十三年生、県立岩瀬農業高校卒、中田4Hクラブ所属、プロジェクト＝酪農、特技と趣味＝トラクター、家畜人工授精

広島春枝さん
大分県宇佐市大字吉松三二八、昭和二十三年生、県立四日市高校卒、県農業実践大学卒、宇佐4Hクラブ所属、プロジェクト＝生活改善、特技と趣味＝トラクター、読書、卓球、お茶、生け花。

応募の動機と抱負

古川みどりさん 養鶏……これだけが私の知っているもの。そして、この養鶏も今年でようやく二年目。「何も知りません」といった方が正直です。

しかし、私は決めた。私は普及員や指導員ではなく、実際家として生きるんだと。その希望が大きく広がり、養鶏をはじめ農業をより深く、より広く知りたいという気持が、こんどの米国行きの動機になりました。

私は、米国での体験を通して、農業のすすむ道、正しい食生活、人として生きる目標を見出して、帰国後はその体験を生かして、新しい農村の実現に努めたいと思います。

坂本重子さん 現在、世の中は大きな変革期にきているといわれています。その中で、農業経営は大変難しく、個人の力ではどうにもならない問題も生じ、それに対応するためには仲間意識の充実したクラブが絶対に必要です。そのための土台づくり、それがいまのクラブ員に最も必要なことだと私は思います。

私が県連の理事になって数ヵ月過ぎましたが、本当の意味での4Hクラブ、自主運営のあり方がつかめていません。その点、アメリカではどうなっているのか、あらゆる角度から見つめてみたいと思い、このたびの派米に期待しています。

橋本好男君 昨年の秋、ある機会に日本を訪ずれていたチェコの青年二人と草刈りをした。そのとき、彼らは私たちがこれまで考えてもみなかった角度から農業問題についての鋭い批判を浴せた。私はこのときはじめて、農業をもっと広い視野に立って見つめなければならないと痛感しました。

そして、機会があれば、外国から日本農業を見つめてみたいと常づね考えていました。欧米の大規模農業への対処と狭い耕地の高度利用は、日中両国がいま最も悩んでいる問題です。今回の中華民国派遣で、大いに勉強してきたいと思っています。

広島春枝さん 一昨年度の草の根大使として来日した台湾のクラブ員、黄貴英さんと荘秋忠さんを受け入れ、いろいろと台湾のことを聞きました。

日本は島国で陸続きの外国というものがなく、どうしても狭い日本の中にとじこもりがちです。といっても、世は情報化時代で、マスコミを通じて世界中のいろんな目新しい出来事を毎日知ることができますが「百聞は一見に如かず」という言葉があるように、自分の目で台湾という国を農業や農家生活はもちろん他の産業においても、実際に肌で感じてみたいと思います。

全国青年農業者会議幕開く

運営は全て青年の手で

第九回全国青年農業者会議は、農林省など関係七団体の共催によって、三月三日から東京・渋谷区のオリンピック記念青少年総合センターとNHKホールを会場に、全国各都道府県から選ばれてきた青年農業者の精鋭を一堂に集めて盛大に開催される。

とくに今回は、青年の自主性を尊重して、運営の一切を青年に任せたのが特徴である。

この会議は発展してゆく日本農業の中核者として、実践活動を推進している青年農業者たちが、実地で体験した農業や農家生活の技術や経営の成果を発表し合い、当面する問題や将来の方向などを研究討議し、知識や技術の交換、交流を図り、もって近代的農業と農村の建設に資することをねらいとして開かれるもので、その成果が期待されている。

会議の主な内容は次の通り。

第一日（三月三日＝火）
午後 受付（1・30〜3・00）
前夜のつどい（7・00〜8・30）会議の成功と、参加者の親睦と友情を深め、旅のつかれをいやすため、音楽とフォークダンスなどを行なう。

第二日（三月四日＝水）
午前 開会式（10・30〜11・00）
午後 分科会研究討議（1・00〜4・40）課題は、選択課題と共通課題に分かれ、共通課題のテーマは「わたしたちがきづく十年後の農業」
自由交歓会（7・00〜8・30）

第三日（三月五日＝木）
午前 分科会研究討議（8・30〜12・00）前日にひきつづいて、研究討議を行なう。
午後 分科会研究討議（1・00〜4・40）
村のはなし（7・00〜9・30）
農業経営懇談会（7・00〜9・30）農村青年および農業経営者の部会代表と農林大臣および農林省行政担当官とにおいて、両部会の共通課題をもとにして懇談する。

第四日（三月六日＝金）
午前 両部会交換討議（8・30〜11・00）前日までに研究討議された内容を、農村青年と農業経営者の両部会間において交換討議を行なう。これは同一課題をもつ分科会が合同して行なう。
午後 両部会代表討議（1・00〜3・00）両部会代表および司会者、助言者を加え、パネル討議により行なう。
表彰式・閉会式（3・00〜4・00）

第九回全国青年農業者会議関連 NHKテレビ・ラジオ放送番組

NHKでは、全国青年農業者会議の内容をテレビとラジオを通して、次の通り紹介します。

〈テレビ〉

「特別番組＝わたしたちが築く十年後の農業」三月七日（土）14時10分〜15時30分・総合テレビ。共通課題の代表発表とそれを中心とした青年相互のパネルディスカッション（NHKホールで収録）

「明るい農村＝わたしたちの提言〜七十年代の農業〜」三月三日（火）6時30分〜55分・総合テレビ。期待される青年農業者が、これからの日本農業の展開をどう進めるか、農村のあすを担う設計を語り合う。

「あすの村づくり＝七十年代農業の課題」三月八日（日）七時〜八時・教育テレビ。討議に参加した青年の代表者たちが目ざす農業者像、農業観とこれからの課題を実践体験を通じて考え合う。

〈ラジオ〉

「特別番組＝わたくしたちが築く十年後の農業」、三月八日（日）15時5分〜58分・第一放送。テレビ番組を編集して放送

「早起き鳥＝青年農業者会議から」三月八日（日）5時36分〜57分、第一放送、青年農業者会議の模様をもりこみながら青年たちが意見交換を通じて得たものなどを紹介する。

「ラジオ農業学校＝経営改善この一年」三月八日（日）6時30分〜7時、第二放送。選択課題の代表者が、とり組んだプロジェクト活動を通じて得られた成果を語り合い、今後の計画について研究討議する。

「ラジオ農業学校＝村のはなし」三月二十九日（日）6時30分〜7時、第二放送。夜の集いで話し合われる村のはなしの中から、よろこびや苦しみ、意気込み、悩みなどを記録して紹介する。

「つどい」を北海道へ

北海道連 47年目標に調査委を発足

【北海道＝赤松宏連絡報道員発】北海道4Hクラブ連絡協議会（会長、奥村秀宏君）は、さる二月十六、十七の両日、札幌市の道庁農務部農業改良課会議室で、役員会議を開き、第八回全国4Hクラブ員のつどいの誘致やリーダー研修会、各支庁4Hクラブ連絡協議会連絡調整会議、四十五年度のクラブ員実態調査の実施などについて協議し、全国4Hクラブ員のつどいについては、調査委員会を設置し、誘致運動を正式にスタートさせた。

このつどい誘致については、道連では昨年九月、全国4Hクラブ連絡協議会の黒田会長、小原副会長、久野事務局長、日本4H協会の山本総務部長を招いて説明を聞き、また、本年一月末に開いた定期総会にも再び、黒田会長、久野事務局長を迎え、新しい方向づけを行なってきた。

十七日に発足した道連の調査委員会の内容は、つぎの通り。

一、設立趣旨

昭和四十七年度、第八回全国4Hクラブ員のつどいを北海道で開催するための誘致活動をするとともに、種々の資料と情報を集めて準備委員会設立のための下地を整える。

二、本委員会に、つぎの役員を配置する。

委員長 奥村秀宏、副委員長 榊原常八、同 堀井信子、書記長 中山寿雄、事務局長 赤松宏、委員 大脇健二郎、同 小巣力、同 仲西信之、同 斉藤豊、同 米田和子、同 浅川忍洋子、顧問 高田実、同 泉一男、同 牧野勝頼、同 平野治郎

三、役員の任務

（イ）委員長は委員会を統理する。

（ロ）副委員長は委員長を補佐する。

（ハ）書記長は各種資料、情報の収集処理をする。

（ニ）事務局長は、調査事務および処理、会計経理業務にあたる。

（ホ）委員は委員会の運営にあたる。

四、事業

（イ）昭和四十五年度、全国4Hクラブ連絡協議会の総会において第八回つどいの開催地を北海道にするよう立候補。正式決定の方向へ導くための運動を行なう。

（ロ）今年一年間で準備委員会の草案をまとめ、四十六年度の道連総会に提出するとともに、北海道方式のつどい開催の諸案準備を行なう。

（ハ）第六回、第七回のつどいに役員および委員を派遣し、運営方法について事前に研修し、万全なつどい開催への方向づけを行なう。また、クラブ員のつどい参加を助長するよう運動もあわせて積極的にすすめる。

（ニ）各支庁4Hクラブ連絡協議会、OBクラブ員、北海道、関係機関との連絡調整を密にし、史上最大のつどいと予想されるこのつどいを北海道4Hクラブの進展の糧（かて）とする方向に導くよう努める活動を行なう。

五、会計

本会の運営費には、寄附金その他をあてる。また、特別会計を起し運用する。

六、申し合せ

この調査委員会は、準備委員会が総会の承認を得て発足するまでの期間（概ね今後一ヵ年間）とする。

親子で話し合い

大分県宇佐4Hクラブ 市長招き座談会も

市長を囲んで地域農業の問題について話し合う宇佐4Hクラブ員とその父兄たち

【大分県＝中山真知子連絡報道員発】大分県宇佐市の宇佐4Hクラブ（会長・恵良富行君、クラブ員四十五名）は、さる二月十六日午後一時から、宇佐市にある大分県農業技術センターに市長や父兄を招き、座談会と親子会議を開いた。

当日は、クラブ員三十五名と父兄十名が出席し、まず市長を囲んで座談会が開かれた。

この座談会は、大分県の穀倉地帯である宇佐地方の農業が、駅館川の総合開発と、周防灘の干拓によって大きく変ろうとしているとき、地域の農業を背負って立つクラブ員の声を市政に反映させてもらうとともに、クラブ員はどういう姿勢でこの問題に取り組まなければいけないかを知るために開いたもの。

はじめに、現在宇佐市で行なっている四五〇〇〇の大規模圃場整備事業と五〇〇〇〇のみかん園造成の問題や四十五年度の稲の作付減反の問題を中心に、市政方針を市長と農林水産課長が説明した。

この中で市長は「現在、市が行なっている大規模圃場整備やみかん園の造成は、新しい企業的な農業に取り組む意欲のない農家があるため、思うように工事が進まず困っている面もある。旧態依然とした考え方を打破しないかぎり、本当の近代的な農業人は生まれない。近代的な農業人が生まれないかぎりはいくら農業の構造改善をしても十分な成果はあがらない。これを成し遂げるのは、ここにいる4Hクラブ員以外にない。それは4Hクラブが、ただ技術だけの研さんではなく、心身ともによい人間になるのだという目的をもったものであるからである。君たちの活躍を、大いに期待している」と激励した。

また、クラブ員からは、現在構造改善事業が行なわれているが、これを実際に経営するのはわれわれ青年であるけれども、計画に対してはわれわれの声を聞き入れてもらうことができない。また話し合いの場がもたれても、行政で計画したものを了承してもらうにすぎない。これでは、われわれ青年も経営に意欲もわいてこないので、この計画の段階でわれわれ青年の声を市政に反映させてほしい」と要望した。

これに対して市長は、君たちの意見はよくわかったので、これからは構造改善事業の推進委員会に4Hクラブ員の代表を参加させよう、と約束した。

また、クラブ員から第二として、現在の農業経営を通じての出先機関や市、農協など関係機関の相互の連絡が充分でないにそれぞれの縄張りにとらわれすぎる点があるので、そのようなことのないようにして欲しいとの要望が出された。

つぎに、4Hクラブの活動目的や内容をクラブ員の親たちによく理解してもらおうという親子会議が開かれた。

話し合いは、クラブ員と父兄の双方から意見や不満などが述べられたが、結論としては、もう少し親と子の話し合い、クラブ員同士の話し合いをすることによって理解と信頼を深めていくことに意見が一致した。

そして親たちの意見として「いままで、子どもが4Hクラブの会合といって度たび家をあけていたが、何をしていることやらわからず、なかば遊びごとだろうとぐらいしか思っていなかったけれど、こんど出席してみて、ほんとうに真剣に農業と取り組もうとしているクラブ員に敬意を表したい。これからも、度たびこのような機会を持って欲しい」という喜びの意見が出された。

涼風暖風

いつものとおり

私は、毎日バスで通勤している。いつもの時刻に乗車し、窓側の二つ目か三つ目の席にすわり、見なれた路線を四十分走っていつもの時刻に終点に到着する。

バスを下車してから、たばこ屋の前を通り、生命保険会社のビルから左に折れ、交差点を横断して喫茶店の横をぬけ、いちょう並木にそってまっすぐ進む。この道順はよほどのことがないと変わることがない。途中食料品店ではライトバンからパンの箱を運び込んでいれば、隣の旅館では玄関のそうじをする女中さんの姿が見える。いつも同じ時に同じ道を通るわけだから、街のながめも同じだ。

車が急に飛びでることがあるのは、この横町だとか、この大通りの交通信号は点滅が長いとか、並木道の中ほどに時々水たまりがあるなど、いつものことなのでよく知っている。どのていどの速さで歩くと何分で勤務先に到着するかも知りつくしているから、この道順に関するかぎり、不安も心配も緊張もない。だが、まったく退屈で新鮮味がないのも事実だ。

ところが先日、所用があったので終点の二つ手前のバス停留所で下車した。いつもの町並みとは勝手がちがうので、交差点を渡るのも歩道を歩くのにも軽い緊張感を覚える。時間があまりないのでタクシーをさがそうとしたが、この道路は私の行先きとは反対方向に行く一方通行ではないか、気があせるので人波に押されてもイライラしてくる。しかし、見知らぬ街ではないのに商店の飾り窓やビルのたたずまいに目を見張り、地下鉄工事の大型機械に驚き、街かどから見上げた空の青さにさえ新鮮味を感ずる。

「いつものとおり」というのは、人の気持を安定させる不思議な力がある。行動の手順や経過のみとおしが可能だし、失敗の危険もない。いつものとおりにやってさえいれば安全だ。そのかわり、成功のよろこびもないし行動の意欲もわき上がらない。まして、発展なんぞ望むわけにはいかない。

農村青少年クラブの行事がマンネリ化して魅力がなくなったという声があるが、これを克服するには、不安を恐れぬ準備、創造の努力を続ける勇気、現状に満足しない向上心、そうした態度がだいじだと思う。「いつものとおり」を破るのは発展に通ずる道だ。

ちかごろ私は、通勤の道順をときどき変更しながら、ささやかな緊張感と新鮮味をあじわうことに楽しさを発見している。

（北海道・三輪）

心頭技健

いよいよ春の全国大会「第九回全国青年農業者会議」が始った。この会議にはプロジェクト活動を通して、日夜、農業の改良と生活の改善に努力している4Hクラブ員を中心とする農村青年と農業経営者のカップルが、各都道府県の会議で認められた実績をさげて、全国から一堂に集ってくる▼そうして、その優れた農業や農村生活の技術や経営内容を発表し合い、当面する問題や将来の方向などについて研究討議し、知識や技術を交換することにより近代的農業および農村の建設に役立てようというもので、会議の中心になるのは部門別の選択課題と十年後の農業を話し合う分科会討議である。このほか、農村青年と農業経営者の交換討議や代表討議などが行なわれる▼とくにこんどの会議で議論がわくと思われるのは、稲作問題である。これは稲作部会だけの問題ではなく、十年後の農業を描く場合もきわめて大事な論点となるもので、各分科会でも将来の方向について話し合うとき問題となろう。共通テーマ「わたしたちが築く十年後の農業も」この問題を避けて語れるものではない。なぜならば、この稲作問題にこれからの農業問題が包括されているからである▼七十年代の農業は、生産者と関係者の努力によって、皮肉なことに過剰生産という新たな問題に直面することは明かである。それに追打ちをかけるのが、農産物の輸入自由化の圧力である。また消費者からは、量より質で、うまいものが欲しいという要望がでてきている▼食管制度ひとつをとってみても、保護政策を厳しく批難する声が聞かれる。日本の農業はいま大きく飛躍するため体質改善をせまられている。この重大なときを迎え、この会議にかけられた期待は大きいといわねばならない。会議に参加した農業者たちは、みな地域農業を強力に推進している若い精鋭たちである▼この会議で自分の専門分野の知識や技術を高めるのはもちろんであるが、それにもまして大切なものは、自らの置かれている立場を正しく認識し、将来に向っての確かな見通しと農業に生きる強い自信を得ることであろう。

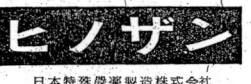

各県で青年会議ひらく

4Hクラブ員を中心とする全国農村の仲間と関係者が一堂に集まり、日ごろのプロジェクトの成果や、農業、農村についての夢などを語り合う「第九回全国青年農業者会議」は、いよいよ三日から四日間の日程で東京・渋谷のオリンピック記念青少年総合センターを主会場として開幕したが、これに先立ち、その県版ともいえる県会議がいっせいにひらかれた。各県とも、内容に趣向をこらして盛大に行なわれ、参加者は熱心に意見を交換し、農業やクラブ活動への意欲を新たに誓い合った。以下は、このほど、各県連の連絡報道員から伝えられてきた県会議のもようである。

「経営者の条件」討議
壁新聞や活動の紹介展も

愛知

【愛知県＝二宮直子連絡報道員発】愛知県4Hクラブ連絡協議会（会長、飯田雅美君）は、さる一月二十七日から三日間、名古屋市の県青年会館と名古屋ユースホステルで県青年農業者会議を開催した。

第一日目は、午前九時半から受付けたが、開会式までには県下各地区からクラブ員約百四十名、指導機関の関係者約二十名が出席した。

まず、オリエンテーションにつづいて開会式が行なわれた。

式では、飯田会長が「プロジェクトを行なっていると、いろんな問題点にぶつかったり、また悩んだりすることが多くある。この三日間を通してその解決の糸口を見つけていただきたい。われわれは青年である。大いに夢を語り合っていただきたい」と力強く呼びかけた。

午後からは、二つの会場で部門別、課題別に分かれて分科会を開いた。はじめに二十二名のプロジェクト発表、つづいて先進地視察の報告、つぎに各々提出したレポートの発表をして問題提起をした。

夕食のあと懇親の夕べを開いて歌をうたい、ゲームを楽しみ、十人ずつグループに分かれて自由懇談を行なった。どのグループでも話の中心はやはり年頃の男女だけあって、悩むことは似ているとみえて、恋愛や結婚についてであったようである。

第二日目は、午前七時半から分科会討議を行ない、夜は懇親の夕べを催し、会員が青年会館に集まって立食パーティで腹を満した。テーブルの上には、寿司やサンドウィッチ、オードブル、菓子、飲みものなどが置かれ、その中央にクラブ員が作ったランの花が飾られ、飲食のあとゲームを楽しみ最後に厳しゅくなキャンドルサービスを行なった。

第三日目は、NHKホールに会場を移して、午前九時三十分からプロジェクト実績の代表発表を行ない、各部門から一名ずつ七名が発表した。

このあと、分科会報告、つづいて、昨年、青年の船に乗って東南アジアを視察してきた4Hクラブ員、古川喜美子さんの報告があった。

お昼には、飛島4Hクラブ員によるバチェラーズ・ファイブのエレキギター演奏を聞きながら食事をとった。演奏は約十曲で、盛んな拍手を浴びていた。

午後は「これからの農業経営者の条件」というテーマでパネル討議が行なわれ、六名のクラブ員が意見を述べた。なお、東大の金沢夏樹教授がこれに助言をした。

つづいて、約一時間にわたって金沢教授の記念講演があり、このあと閉会した。

また、三日間を通して壁新聞や4Hクラブ活動紹介があり、参加者の目を楽しませた。

将来の方向など話合う
プロジェクトのあり方も研究

茨城

【茨城県＝村山文雄連絡報道員発】茨城県農業研究クラブ連絡協議会（会長、小橋止一君）は、県およびNHK水戸放送局と共催で、さる一月二十七日から三日間、県立中央青年の家で県農村教育青年会議とプロジェクト実績発表会を開催した。

これは、発展していく県農業の中核者として実践活動を推進している青年農業者が、日頃の体験を発表し、当面する問題について話し合い、互いに切磋琢磨しながら交流を深めて、近代的農業と農村建設に資することをねらいとして開かれたもので、県下各地区から4Hクラブ員のほか関係を含め百五十名が参加した。

一日目は、オリエンテーション、開会式のあと、園芸、生活など部門別に分かれてプロジェクト発表が行なわれ、クラブ員たちは、日頃の農業経営やクラブ活動の成果を披露した。

夜は、昼間のプロジェクト発表に対しての質疑応答が行なわれ、プロジェクト活動のあり方などを中心に研究がつづけられた。

二日目は、一日中、普通作、畜産など四つの部門に分かれ、各分科会とも部門経営を始めた動機や直面した問題点を話し合い、将来の農業経営について討議した。

夜はレクリエーションで心を一つにして楽しんだ。

三日目は、前日行なった部門別話し合いを全体討議にかけた。

つぎに県連執行部から、県連設立十五周年記念式典、伊豆の大島で行なう県農村青年クラブ記念大会の説明と、4H会館建設推進委員から、日本4H会館建設とその募金協力について話があり、三日間にわたる会議の幕を閉じた。

茨城県の青年会議と実績発表会で日ごろのプロジェクトの成果を発表するクラブ員

技術に終始した発表
先輩夫婦のロマンス話も

山口

【山口県＝松尾耕助連絡報道員発】山口県農村青少年クラブ連絡協議会（会長、福島保昭君）は、さる二月十二、十三の両日、光市の光青年の家で県農村青年会議を開催した。

一日目は、県下の4Hクラブ員や県、普及所など指導関係者百七十名が参加して、正午から受付けのあとオリエンテーション、開会式が行なわれた。

つづいて、山口県農協中央会、吉村農政部長の「これからの農業を考える」という講演が行なわれた。

内容は、これまでの農林業をふりかえり、変革を続ける現在の農林業を分析し、その問題点とこれからの方向、農村社会の移り変りと将来の姿について話され、講演のあと、作付転換、食管制度など現在もっとも問題になっている米作について盛んに意見と質問が出され、その応答に真剣に聞き入っていた。

つぎに、青年の家の好川主事の指導で、レクリエーション。参加者全員が親しさを増し、楽しい雰囲気の中で会議が進行するように日程の初めに行なったもので、歌ったり、ゲームで楽しいひとときを過ごした。

夕食のあとは、水稲、果樹、大家畜、中小家畜、花卉、林業など各作目別に七分科に分かれ、研究討議を行なった。

各分科会とも二人の発表者を出し、これからの抱負やこれまでの問題点を取り上げ、意見を交換し合い、夜の更けるまで話し合った。

二日目は、前日の各分科会で話し合ったことを全体討議にかけて発表した。全体的に技術的な話に終始したものが多く、将来の方向などについての話し合いが少なかったようである。

最後に、現在、農林業で活躍している二十代、三十代、四十代の三組の夫婦を囲んでシンポジュームが開かれた。

先輩たちの歩んできた道の苦労話や将来の計画、結婚当時のロマンスなどの話も出て、なごやかなうちに青年会議の日程を終了した。

なお、この会議には、県下の農業高校の生徒も出席し、将来の計画など先輩たちに負けない立派な発言をしてその意欲のほどがしのばれた。

「問題解決の糸口に」とあいさつする飯田県連会長（正面）＝愛知県青年会議の開会式で

静岡県の青年会議で意見を発表するクラブ員

「青年の役割」を追求
参加資格にレポート（プロジェクト実績）

静岡

【静岡県＝鈴木政美連絡報道員発】静岡県農村青少年クラブ連絡協議会（会長、松浦幸治君）は、さる一月一十七日から三日間、県焼津青少年の家で県農村教育青年会議を開催した。

この会議には県下から百十名のクラブ員が参加したが、県連では今回から事前に各参加者のプロジェクトを基にした実績のレポートを提出させ、提出しない者は会議に参加させないという厳しい方法をとった。

一日目は午後一時から開会。県下各地区から選ばれた九名による意見・体験発表が行なわれた。

夕食後は、水稲、茶、果樹、施設園芸、酪農、養豚などの各分科会に分かれ、二時間にわたってそれぞれプロジェクトとして取り組んできた農業経営や農家生活に直接関連した課題について発表とともに討議をした。

二日目は「私たちが築く十年後の農業」というテーマで、農業青年として十年後の農業経営や農家生活の構想をどう描くか、またそれを実現していくための青年の役割はなにかについて、分科会討議を行なった。

午後は、「私たちが歩んだ道」と題してシンポジュームが行なわれた。

かつて農村青少年クラブにおいて活動した先輩で、優れた農業経営者夫婦二組を迎えて発表と質疑応答が行なわれた。

夜は「交歓の夕べ」を開き、レクリエーションやゲームなどを楽しんだ。

三日目は全体討議を行ない、二日間にわたって分科会で話し合ったことをまとめて、各分科会ごとに発表された。

なお、この会議は県連役員と各地区連から選ばれた委員によってすべての運営が行なわれ、大きな成果を上げた。

岐阜でも

【岐阜】岐阜県4Hクラブ連絡協議会（会長、伊藤範雄君）は、さる十三日、県庁大会議室で県4Hクラブ大会を開いた。

この大会で最も異色のものは、「もし私が農林大臣なら」というテーマの意見発表で、洞戸4Hクラブの野村昭君ら九人が大きな構想を語り、出席の平野知事らも熱心に聞き入っていた。

クラブ活動12カ月 (7)
新しいクラブ員を中心に

栃木県・普及教育課　湯浅甲子

新入クラブ員の扱い方 ―3月
卒業後の心境知ろう
自信家、女性、学閥に留意を

いよいよ新しいクラブ員を迎え入れる月である。すでに、先輩クラブ員と新卒就農者とは何回かの交流があったはずだから気分的にはなんということもないだろうが、さて、実際に自分のクラブに新入生が入ってくるとなると、先輩として、リーダーとして、何かと気を使うことになるだろう。そこで、一口にいえば「新入クラブ員の扱い方」で、初めに留意すべきことを挙げてみることにする。

まず第一に、新入クラブ員の卒業後の心境を、仲のいい友人をとおして充分知ることが大切である。

私にこんな経験があった。ある青年は、卒業したら家の経営はお前にまかせるから、と在学中に親からいわれていたので、卒業後、さっそく自分の思う経営を始めようとしたら、親から待ったがかかった。「そんな考えでは農業はやっていけないぞ、そんな甘いもんではない。当分、親と一緒にやってみることだな」といわれ、ガックリしてしまった。

また、ある青年は、卒業後、間もなく、親、親せき立合いの中で、経営の実権を譲りうけ、その重い責任に、俺はどうしたらよいのかと、思案にくれてしまった青年の例など、卒業したとたんに、現実の中でとまどう青年たちがある。かと思うと、学校生活からの開放感で、少しは自由に遊ばなくては、とばかりに、自分の生活への姿勢が定まらないものなど、卒業直後とはかなり違った心境や環境の変化が、個々におきているものである。

それでも、以上のような挙例は、クラブの先輩として、まだ対処しやすいことかもしれない。もっと困ることは、次のような場合である。猛烈なファイトで卒業後の農業に取り組もうとする新クラブ員に対する接し方である。いまの農業高校教育は相当高度で専門的である。それだけに、かなりの自信を持って卒業してくる青年が多い。これは、まことに結構なことなのだが、こういう青年は、えてして他のことはおかまいなしのタイプが多くみられる。

クラブに入ってきても、自分勝手なクラブ論をもちだしたり先輩や、クラブ活動の年期のかかった「よさ」の発見を忘れて困っていることをほじくりだしては、「だから、クラブなんて意味がないよ」とうそぶくようなタイプの青年が、これまた少なくないことである。

こういう人の中には、親も同じようなタイプである場合が多く、親からの説得もきかない。そこで、先輩クラブ員の受けとめ方は、もちろん、普及所とも充分意見の交換をしてかかることが肝要だが、こういうタイプの青年を仲間になじませる方法は、クラブ員仲間の中で、卒業後三年ぐらい経ち、立派な経営をやっている青年と、当人の人間関係を深くするチャンスをつくることである。この場合、必ずしも、同じ単位クラブ内の先輩と限ったことではなく、要するに、自分の体験を通じて説得できる実績をもつ仲間に、ひと役買ってもらうことである。

もう一つ、扱いにくいものに女子クラブ員を一人ぽつんと受け入れる場合がある。この場合には、いろいろのケースがあるわけだが、ご当人が、しっかりした考えをもっている場合は余り問題がない。

例えば、むことりの一人娘などには、シンのあるおっとりした女性がよく見られるものである。もし、そうでない場合に、一人の女子クラブ員を迎え入れることは、女性側のクラブ加入に対する不安もさることながら男性クラブ員側の受け入れに対する低抗の方が問題としては先きなのである。

これは、正直なところ、男子クラブ員にとって、女性が入ってくることは、プラスばかりではないという気がかりが生ずるのである。従って、この気がかりを解決しておかなければならない。

例えば、他のクラブの女子クラブ員を活動上のつながりをもつようにするとか、普及所の生活改良普及員の濃密指導をうけられるような体制をとるとか、クラブ集会の会場を女子クラブ員の家で開くことを早い機会に実現して、家族ぐるみで理解をしてもらうとか、夜の集会に出席できないときは、翌日、朝食時にでも昨晩の様子を知らせにいってやるなど、細かい配慮が必要であろう。こうして、しばらく続けていけば、お互いにわかってくるので、自然にクラブになじみ、積極的に活動に参加してくるものである。

さて、次に、留意事項というより注意をしておきたいことが一つある。それは、クラブの性格と、先輩後輩のつながりを尊重するので、クラブ内にいつの間にか、学閥?みたいな人のつながりが生まれ勝ちであることである。まさかと思われるだろうが、稀に、チラッとそんな気配を感じとることがある。

これは、厳にいましめておきたいものだ。クラブに入ったら学歴ではないのである。努力こそ価値あるものなのだから、例え、自分の出身校ではない新入クラブ員であっても、そんなことにとらわれず、一日も早く、立派なクラブ員になるよう、手をとりあって進んでもらいたいものである。

農民の健康
第11回「農民の健康会議」から ＜3＞

農家主婦の疲労
静岡県ミカン耕作主婦の場合

静岡県・遠州総合病院副院長　松本光雄

姑と同居の方が疲労少ない

一、はじめに

現在、日本の農家では、若年生産年齢層の都会への流出や、農家の兼業家の傾向によって、主婦の農業と家事における負担がますます増大し、農業の近代化と機械化の傾向とは逆に、主婦の過労は重要な問題となってきた。

この傾向は、当静岡県でも同じで、私どももこの点に着目し、県内農家主婦、とくに本県特産のミカン農家主婦の疲労について調査をした。ちなみに、本県は農業所得は全国で第八位であるが、ミカンの収量は第一位である。

二、調査方法

調査対象として、ミカン耕作を主とする農家主婦五百八十一名、対象として非農家主婦三百七十四名、ほかに米作を主とする農家主婦三百六十八名について調査を行なった。調査時期は、農閑期としてさる四十三年二月と、農繁期として同年十一月の二回である。

調査方法はアンケート方式をとり、その内容は、生活の実態調査や健康調査で、健康調査のうち主なものは疲労調査と農夫症調査である。

三、調査結果

(1) 背景因子として、ミカン主婦と対象非農家主婦との間に、年齢分布、経済地帯別や姑との同居の無有に差の認められるのを除くと、労働時間、睡眠時間、電化器具の普及率などには明らかな差は認められなかった。

(2) 疲労

ミカン農家主婦の農繁期における疲労は、農閑期のそれに比べて明らかな差を認めることはできなかった。また、対象非農家主婦とくらべても明らかな差は認められなかった。

農繁期の疲労については、次のことが認められた。

(1) 経済地帯別では、疲労は平地農村が高く、農山村、都市近郊の順に低い。

(2) 加齢とともに疲労は高い。

(3) 耕地面積の狭いほど疲労は高い。

(4) 姑と同居していない主婦は、同居主婦より疲労が高い。

みかんの摘果と経済効果

品質向上と省力を
適正摘果を農家に普及

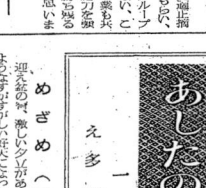

広島県豊田郡豊町沖友　藤知長武

私の住んでいる豊町沖友は、瀬戸内にうかぶ島で、広島県の最南端にあり、目の前に四国山脈を望み、風光明媚で気候に恵まれ、以前からみかんの産地として知られたところです。現在の農家戸数は百五十戸、みかんの栽培面積は百五十㌶であります。私たちの町には農業後継者クラブとして豊町オレンジ会があり、沖友支部としてクラブ員二十三名で活動を行なっております。

○●○● 量から質への時代

みかんの全国的な消費傾向は、生産量の増大に伴って、味のよい大きなみかんでないと販売が困難になり、国民の生活水準の向上により、消費者は品質のよいものを求めるようになりました。すなわち、量の時代から品質の時代へと変ってきたわけであります。

生産者としてこれに対処するためには、商品価値の高いものを、いかに安く、より多く生産するかが、今後の課題といえます。そこで、私たちクラブ員二十三名は、農業が好きで後継者になった以上、これからもみかん専業農家としてやっていく覚悟です。そのためには消費者から要求される品質の高いみかんを作ること、そして栽培規模の拡大を図ることが必要であります。また、現在、私たちの地域では、みかん採収時期の労力不足が悩みとなっており、これが規模拡大の妨げになっております。

これらの解決方法としていろいろありますが、クラブ員が話し合った結果、労働力配分と品質向上を図る手段として一番取り組みやすいのは摘果作業ではないかということになりました。この摘果は以前からいろいろな方法で行なわれていますが、まだ一般の農家では最適な方法が行なわれていません。そこで、私たちクラブ員が自分たちの手で労力面、経済面から考えて、この摘果の効果について研究し、一般農家に普及させるよう、この調査、研究に着手しました。

私のプロジェクト

○●○● 成績がよい摘果樹

摘果樹と無摘果樹の果実の発育差をみると次のような結果になりました。摘果樹は一果当り二十五枚に摘果したもので、樹令四十年生、品種は早生温州（宮川）で、七月十日に摘果を行ない、七月二十日から一ヵ月おきに果実の横径縦径および重量を測定いたしました。その結果、十月二十日の果実採収時点では、摘果樹の横径が六・八㌢、縦径が五・三㌢、重量が一二五㌘、無摘果樹の横径は五・八㌢、縦径が四・六㌢、重量が八五㌘という結果になりました。

また、摘果樹と無摘果樹の階級別割合は、摘果樹ではM以上が九三㌫とほとんどを占めているのに対して、無摘果樹では、M以上が五三㌫と摘果樹の約半分くらいの成績に終りました。

つぎに等級別割合は、摘果樹では秀が九二㌫、優が七・二%、良が〇・八㌫です。また無摘果樹では秀が四七・四㌫、優が四二・七㌫、良が九・九㌫です。

みかんの採収所要時間は、摘果樹で、収量が二五四㌔あり、所要時間は五時間四十二分かかったので、一時間当たりの採収量は四四・六㌔になるのに対して、無摘果樹では収量が二六六㌔あり、採収所要時間は八時間三十分かかり、時間当りの採収量は三〇・九㌔となりました。

○●○● 五人分労力を省力

このことから、摘果による採収労力の節減効果を地区全体について試算した結果をみますと、発育調査の結果から、一果平均重は摘果樹で一二五㌘、無摘果樹で八五㌘、選果場における平均が一〇〇㌘となっており、一時間当たりの採収量は採収時間の調査結果より、摘果樹で四四・六㌔、無摘果樹で三〇・九㌔、選果場における平均が三四・九㌔となっております。つぎに、十㌃当り二・五㌧の収量があると仮定した場合の採収労力は、摘果樹で七人、無摘果樹で十人、選果場平均で九人かかっております。これを地区全体の三・七㌧の採収労力についてみますと、全農家が適正摘果を行なった場合には十人、無摘果の場合には十五人、選果場平均の場合十三人かかることになり、無摘果のものを適正摘果で行なえば五人分も労力が省力できるわけです。

費用の点からみましても一人一千三百円の日当として、摘果樹では一万三千円、無摘果樹で一万九千五百円、選果場平均一万六千九百円となり、無摘果のものを適正摘果を行なえば六千五百円も少なくなることがわかりました。

つぎに、生産者手取価格実数と摘果による品質向上の増収試算をみると図表の通りになり、昭和四十一年の場合には、まだ生産量も少なかったために、一番価格のよい㌔当りLの八十四円に対して、一番安いTでも四十二円で、大玉果と小玉果の価格差が少ないのに、昭和四十三年度産のものでは生産量も多くなり、史上最高の二百万㌧をこえたため、市場への出荷量も多くなり、一番価格のよいLの六十六円に対し、安いTでは四分の一以下の十五円と価格差が大きくなっております。

また、昭和四十一年の場合、生産費が㌔当り三十五円で赤字になっている階級はありませんが、四十三年の場合は四十円となり、小玉みかんは一㌔作るごとに五円から二十五円の赤字になっております。

○●○● 収穫は採収適期に

以上の結果から、摘果を行なうことにより、早くから小玉果、奇型果、病虫害および風害による傷害果を取り除くため、玉肥りもよく、品質のよいみかんが生産できます。したがって収益もあがることになります。また、労力面からみた場合も従来までの摘果程度のものを適正適果を行なうことによって非常に省力できることとなります。

このことは、私たちの地区で一日一戸平均四人採収に従事するとして百五十戸ですので地区全体で六百人が採収に従事することになり、四・八日採収期間が短縮されることになります。温州みかんの採収適期は十一月二十五日から十二月五日ですので、収穫期を少しでも採収適期に近づけることができ、樹勢回復、品質向上の点からも有利になるとともに、労力費も少なくてすむということになります。

以上の諸点から摘果作業一つをとりましても目にみえない損失が非常に大きく、有利な経営を妨げている問題点であります。そこで、私たちはお互いにグループを編成し、共同摘果を行ない大きな成果をあげております。

今後、地区の人に対して適正摘果の効果を理解、納得してもらい、本年度からは地区全体でグループを組織して共同摘果を行ない、これを機会にその他の諸作業も共同化して、地域全体の団結力を強め、みかんの産地競争に勝ち残るよう努力していきたいと思います。

生産者手取価格

		等級	2L	L	M	S	2S	T
生産者手取価格	S.41年 1㎏当り	手取価格	76	84	82	73	54	42
		生産費	35	35	35	35	35	35
		差引き価格	44	49	47	38	16	7
	20㎏の手取価格		880	980	940	760	380	140
	S.43年 1㎏当り	手取価格	60	66	63	45	36	15
		生産費	40	40	40	40	40	40
		差引き価格	20	26	23	5	−5	−25
	20㎏の手取価格		400	520	460	100	−500	−500
	S43年10a当り2.5㌧の収量		5,900	11,765	17,533	3,325	−1,463	−500

第八回農業祭 天皇杯受賞者の経営 〜6〜

水産部門 小割網はまち養殖

沿岸漁業の振興に 相互扶助の精神で経営

愛媛県北宇和郡津島町　正栄生産組合

正栄生産組合が活躍している愛媛県西海岸は、過疎現象の著しい地帯であって、漁業も振わず、漁業に代った真珠母貝養殖業も真珠不況にあおられて、地元漁家の経済は、極端に窮迫していた。この建て直しには地理的条件に合った「はまち」小割網養殖しかないと考え、現組合長である山本猪氏が昭和三十五年から養殖に着手した。

この地で育った氏は、漁業でみじめなことをみているだけに、はまち養殖の利益を地元の人々に分ち合い、沿岸漁業の振興に役立ちたいと、相互扶助の精神で組合を結成して、辺地の不利を克服して経営に当っている。組合の経営する養殖場は、豊後水道下灘湾に面し、平均水深十五㍍、流速一・五ノット、底質砂礫で「はまち」養殖に恵まれた海域である。

組合では、県水産試験場の指導を受け、二二六立方㍍の小割網九台と九〇〇立方㍍の小割網五台で、年間六六㌧の水揚げで純益五百五十万円を挙げている。養殖網一立方㍍当り約六〇㌔を養殖しているにもかかわらず、一年魚で九七・一㌫、二年魚で九九・九㌫の歩留率は驚くほど高率であり、成長速度が高いのはきめ細い投餌と配合餌料の活用、徹底した管理のためである。

また、附近で採れる「かわはぎ」を混養し、網に附着しているものを食べさせて掃除役をさせ、そのうえ「はまち」の餌料の残りをなくす役割をさせている。「はまち」の稚魚についても山本氏は愛媛県での稚魚採捕漁場の開拓者でもあり、現在も自ら採捕し、病魚の出ないよう消毒を行なっている。

養魚経営全般については、組合長が総括管理し、専務理事が経理を担当し、その他の理事は専務を補佐することは当然であるが、組合員全員が相互扶助の精神から給料、利益金の配分、出動時間による点数制をとり、養魚管理は当番で当るので非常にいき届いている。このことが成績のよい要因である。組合員の出資金は当初二十四万円であったが、年々増資して現在は二百八十四万円余である。小企業であるので、養魚餌料、資材などの共同購入と、成品を活魚運搬船を活用して広島、九州、京阪神方面に有利に販売している。

所属組合である下灘漁協はもちろん、県漁信連などから餌料購入、金融を受けるなど、漁業共済にも加入し、万一の対策をとっているなど慎重な経営をしているため、毎年利益金は増加し、過去三ヵ年平均五百八十万円余をあげており沿岸漁業として模範となる堅実な経営ということができる。今後の沿岸漁業の一つは「つくる漁業」であるという信念で進んでいるので、今後は多くの魚種についての養殖をとり上げるよう研究を進めている。

以上のように養殖についての研究熱心と、組合員の協力体制とが、全国はまち養殖経営者選考会でも最高点を得て、今回の受賞に繋がったものである。

正栄生産組合員のみなさん

都市近郊で観光ブドウ園
一般消費者に開放

大阪府柏原市国分 国分4Hクラブ　安田安弘

私の住んでいる柏原市国分は、大阪市内から東南へ、車で三十分の近郊農村地帯であります。この地域の農業は、水稲とブドウ、スモモなどの果樹が栽培され、とくにぶどうは河内ブドウの名で全国に古くから知られ、非常に有名になっています。

私は自分の将来の仕事は農業だと決めて、学校を卒業するとすぐに農業に取り組みましたが、いろいろと農業のむずかしさに行き詰り、とくに私の考えていなかった急激な都市化と、地価の高騰、空気や水の汚染による公害などに苦労しています。

私の家の経営は、水田五十㌃、スモモ七十㌃を栽培していましたが、スモモは春先の気候に影響されやすく、経済的にも不安定ですので、種なしブドウの栽培に転換することを計画し、昭和四十二年に農業後継者育成資金を借入して水田二十㌃にブドウ栽培をはじめました。ところが四十三年一月、スモモ園二十㌃を住宅地に売らなければならない事情になり、このままの規模では農業経営ができなくなるので、替地として一㌔ほど離れた山林二・五㌶を購入し、そのうち二㌶を開墾してブドウを定植しました。

また、園内道路、その他の施設の整備は今後の作業として残っております。

昭和四十二年の秋、農業後継者資金の借入れによってはじめた二十㌃のブドウ栽培も、四十三年に開墾した二㌶についても収入はほとんど皆無であり、その上、肥料、棚資材、防除施設、農道など多くの費用がかかるため経営内容は苦しいですが、このブドウ栽培は将来に大きな希望を持つことができました。また、このような規模を拡大し、借入金も多くなってきますと、収入、支出を明確に把握しておかないと経営内容がどうなっているのか理解できませんので昨年から簿記の記帳を行なっています。

ブドウ栽培をはじめて、わずか数年間の経験にすぎませんが、今後、第一に必要な条件は、私自身のブドウ栽培技術を十分に向上させることだと思っています。また経営面については、園内道路、定置配管防除施設などを十分に整備することによって管理作業の労力を省力化し、また、都市近郊の地の利を十分活用して観光ブドウ園として一般消費者に開放して、収穫期の労力を省くような方法をとり、国道沿いなどを利用し、委託直売によって販売路を開拓し、価格安定を図り、ブドウ専業農家として所得の向上を目ざしたいと思います。

そのためには、優良品種の生産を第一とし、病害虫の防除を徹底的に実施し、肥培管理技術などに新しい方法をとり入れて、自らの経営を確立していきたいと思います。

農業簿記

京都大学名誉教授　大槻正男

〔自計式農家経済簿記〕

現金現物日記帳とその記入

現金取引以外の特殊取引

利子の繰入れ　貯金や預金の利子の支払いを直接受けないで、そのまま通帳に預入れをして振替記入の通知を受ける場合を、利子の元本（貯金または預金）への繰入れ、または振替記入という。この場合には利子をいったん受取り、その後、収入金を預・貯金したものとみなして、所得的収入と財産支的出との両欄にその日の日付で記入する。

貸付金の利子を、貸付証書を書き改めて貸付元金に繰入れた場合も同様であって、その日の日付で貸金利子の受取りを所得的収入として、貸付元金への繰入れを財産的支出として記入する。反対に、借入金の利子を借入証書を書き改めて借入元金を繰入れてもらった場合には、新たに利子額だけの借金をして、その収入金でその借金利子を支払ったものとして、「財産的収入」と「所得的支出」との両欄にその日の日付で記入するのである。

貸倒れと支払免除

貸倒れ　貸付金または売掛未収入金などがもしも回収不能に陥った場合には、必ずいったん受取ったものとして財産的収入に記入しそのあとで損失したものとして、貸倒れ損失として所得的支出に振替記入する手続をとらなければならない。

支払免除　反対に、借入金または買掛未払金の支払免除を受けた場合には、必ずいったん財産的支出として記入し、そのあとで支払免除を受けた利益として所得的収入に振替記入するのである。

奨励金　政府その他から受けた各種奨励金などは、つぎに述べる補助金の受取りと同様に、もらったので真の意味の所得ではないがひとまず「所得的収入」欄に記入する。

補助金と被贈現金　補助金として現金を無償で受けた場合は、経済上の取引、すなわち有償的収入となるものではない。したがって財産的収入にも所得的収入にも属する収入ではない。しかし、日記帳の「残金」欄と現金手もとあり高との照合上、一応「所得的収入」欄に記入しておく。香典その他の被贈現金の場合も同様である。これに対し、物の被贈を受けた場合には全然記入しないことにする。

上述のような取扱いをする関係上、厳密な意味の所得を算出するためには集計に際し、「所得的収入」欄から補助金と被贈現金収入を拾出集計して非経済的収入と名づけ、これを「所得的収入」欄計から控除しなければならない。しかし、この種の額は少額にとどまるのが普通であるから、所得額の申告の場合以外、普通の目的にはそのままの計算で大過ないであろう。

農業手形　農業手形制度によって、農家が出来秋の主要食糧販売代金（または災害の場合の農業共済金）を見返りとして、農業協同組合から肥料その他の生産財を掛買いした場合には、前述の掛買と同様に記入する。すなわち、農業手形借金を借り入れし（「財産的収入」欄へ記入）、その金で購入したものとして取り扱う。ただし、この制度では供出代金または共済金を掛売り主である協同組合が代わって受取り農家に対する掛売り代金と同利子を差し引いて、その残額を清算金として農家に手渡すことになっているから、農家はその受取った清算金をそのまま記入しないで——清算金＝販売代金または共済金）—（掛買い代金＋掛買い代金利子）——という式によって販売代金（または共済金）、掛買い代金および掛買い代金利子の三者に分解して記入するのである。

NHK農事番組（2月11日〜20日）

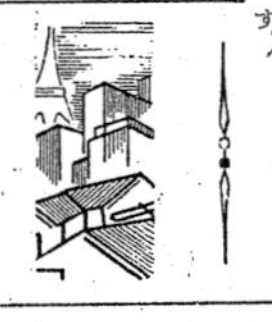

テレビ

明るい農村　6・30〜6・55総合
11〜13日　優秀農家にきく（11日・四国代表、12日・九州代表、13日・沖縄代表）
14日　農業新時代　野菜工場（高知市三重地区）
16日　村の記録　さとうきび農民（沖縄・石垣島）
17日　きょうの話題　パン（小麦）が高くなる
18日　産物往来　観葉植物
19日　話題の広場　企業化される無菌豚（農林省）、鉛筆と鍬（千葉県本納町）
20日　村をむすぶ　フィルム・リレー

農業教室　月〜土　7・30〜8・00　教育
11日　ビニールハウスを生かした経営（東京教育大学教授）横木清太郎氏
12〜14日　山村の開発（島根大学教授）安達生恒氏
16〜18日　輸送地帯の野菜生産（高知大学教授）小松剛氏
19〜20日　農家養鶏の方向（日本養鶏協会）木村唯一氏

あすの村づくり
日　7・00〜8・00　教育
再　土　13・00〜14・00　教育
15日　▽ヘルパー制度で資金つくり（千葉県香取郡多古町）▽近郊酪農自立への条件（金沢市ヤングクラブ）▽先進酪農に学ぶ（大分市上宗方）安東敏寛氏

ラジオ

早起き鳥　5・05〜6・00　❶
11〜14日　優秀農家にきく
15日　話題の窓　軌道にのるかコールドチェン
16日　現地報告　ダムから生れる新しい村（三重県藤原町）
17日　人と話題　きのこの短期栽培（京都大学食糧科学研究所）北本豊氏
18日　通信員の手帳から
19日　産地訪問　タマネギ（山口市）
20日　現地報告　構造改善を現地にみる（鹿児島県枕崎市）

ラジオ農業学校
月〜土　6・40〜7・10　❷
日　6・30〜7・00　❷
再月〜土　19・00〜19・15　❷
15日　優秀農家に学ぶ（福岡県三井郡小郡町）池末直喜氏

番組紹介

あすの村づくり
15日　▽グループだより＝酪農ヘルパー制度はわれらの手で（千葉県香取郡多古町第一酪農組合青年部）＝多古町は千葉県の酪農新興地帯。地元の酪農組合青年部は、ヘルパー制度を取り入れて、地域の酪農家に喜ばれている。ヘルパー制度を軸に酪農技術の向上に励む青年たちの姿を描く。

あしたの青春

一ノ瀬綾　え 多賀愛子

めざめ（一）

迎え盆の宵、激しい夕立があったので、翌日は洗いぬかれたようなすがすがしい好天になった。例年なら、上簇した蚕のために、仏壇のかざりも遠慮して片隅に置かれるのだが、今年は中座敷にテーブルを二台置いて、花模様を散らし、先祖代々の位牌を並べ、十ケ近い盆提灯もかざり付けられた。

「たまには、いいじゃないの」

「おじいさんの新盆の時のようだなあ」

母親と姉の会話を新一は、自分の部屋で聞いていた。家中が空っぽで、各部屋にたたみが敷き詰められている盂蘭盆などは新一の記憶にも数少ない。母親が交通事故にあった去年でさえ夏蚕の飼育はやめなかったのである。新一は、自分の心の深部がまた痛み出すのを、じっとこらえていた。

「新一、圭次さんから電話だよ」

「居ねえと言ってくれ」

「居ると言っちまったよ……なんだって居留守をなんか使うんだい」

すみ江は目をむいて睨んだ。新一は答えもせず読みさしの新聞に向き直った。自分でもどうして圭次を避けたいのか、うまく説明がつかないのだ。クラブの仲間とも、両親や姉とさえ言葉を交したくはないし、顔も合わせたくなかった。ほっておいて欲しいのだ。

「失礼だよ。自分で断ったらどう。なんだい甘ったれて……大の男が、挨拶もできないのかい、意気地なし！」

めずらしくすみ江は、本気で目を吊りあげて言い放つと、足音荒く部屋を出て行った。姉の激しい語気を、新一は苦笑で受け留めながら、自分に対する家族の最近の感情を思い返してみた。すまないという気持はあったが、なによりも煩わしかった。気を使われるほど背を向けたくなるし、逆らいたくもなる。

自分でも手に負えない、激しい思いが胸中にくすぶっていた。

「新一、居留守なんか使ってどうしたんだ……かあさんが圭次さんに謝っておいたぞ」

庭先から母親の声がした。

「よけいなことをするなっ」

「町へでも出かけてみろな。いい若者が、お盆だというのに家でぐずぐずしていることがあるか。金が無けりゃ都合するに……」

「そんなもん、いらねえ」

「そんなもんとはなんだ！勝手な文句ばかり並べて、ほんとに気の知れねえ子だ」

聞き流して新一は座を立った。手早く身仕度をすると、財布をポケットにねじ込んだ。町へ行こうと思い立ったのである。別に目的はなかった。家に居て母親のくり言を聞くよりましだと考えたので、バスの時刻表をたしかめてから玄関へ出て行くと、居間から父親の声がした。

「新一、ちょっくらここへこい」

「今出かけるところだ」

「大事な話だ。遊びに行くなら後にしろや」

逆らいきれずに新一は居間へ顔を出した。珍しく浴衣がけで、久治はテレビの前でくつろいでいた。

「おめえ、県の農業研修所へ行ってみる気持はねえか」

「……？」

「すみ江に聞かなかったか……圭次君の話によれば、やっぱりそういうルートで勉強した方が将来のためになるということだし……」

「そんなこと、学校に居る頃からわかったことじゃねえか」

今頃になって、なにを言出すのかといった気持で、新一は父親を眺めた。

「まあ落着いて、そこに座ったらどうだ」

久治は声を弱めて新一を見上げた。

〈20〉

雲

愛知県・上郷4Hクラブ　高村　朝子

詩

わたしは　いつも
青い空に悠然と生きている白い雲に
あこがれていた
悲しみに　耐えられないと思うとき
いつも
心の支えであり　なぐさめだった
知らず　知らず　その雄大さに
ねたみさえ感じていた

そして
あの日　わたしは
雲が持っている
もひとつの姿を知り
ますます
雲が好きになった

あのとき
わたしは　いつもより
すこしだけれど
天に近いところにいた
みどりの山の頂きが
すぐ目のまえにあり
それより高いところに
天は　ひろびろとまだ続いていた
彼らは動きを持たず
堂々と　自分の持ち場を守っていた

静かで
?!・・・
アハッ　アハハハ
わたしは　見た
下界から見ると　あんなにゆったりした
白い雲が
東の空から走ってくるのを

そう!
彼は
ゆっくり浮かんでなぞいなかった
単細胞のアメーバのように
あち　こちへ
手足を伸ばしながら
せかせかと走りすぎていったんだ
せかせかと

だけど
下からみると
あの白い雲
やっぱり
のんきそうに　ゆったりしている

青春と仲間

4Hと歩んだ六年間

思い出は胸底深く

☆　☆　☆　☆

心の支えと勉強の場に

宮城県仙台市 七郷4Hクラブ　高橋　昭一

学校を卒業して六年もの間、私は、農業の仕事と4Hクラブ活動を平行させながら過ごしてきた、といっても過言ではないと思う。それほど、4Hクラブが私にとって勉強の場であるとともに、心の支えになったものはない。

先輩たちと膝を並べ、時間のたつのも忘れてみんなと話し合った夜、キャンプファイヤーを囲んで歌い、飲み明かした友。また、一年間のプロジェクトの実績を発表し、仕事のアイデアを公表しあった仲間。それに、資金づくりとして、水田四〇アールほどを借りて種播きから供出までの一貫作業。この試験田を実施するようになってから、七郷4Hクラブは、一躍脚光を浴びるようになり、宮城県下で最優秀クラブとして農林大臣賞を受賞した。

このように、ふり返えってみると、数限りないほど心の奥底まで思い出がぎっしり積み込まれている。

だが、これまで七郷4Hクラブを押し上げた陰には、多くの先輩たちの並みなみならぬ苦労が秘められている。4Hクラブをつくる前までは、学校を卒業した者の集まる場がなかった。

その昔、七郷には、県下でも指折りの青年団があったらしい。青年団の運動会などは、部落ぐるみの応援で、会場は超満員の盛況ぶりだったとか。それが、いつの間にか自然消滅の形となり、そのままの状態が何年か続いた。そのころ卒業した若い人たちが、なんとかして集まる場をつくろうではないかと立ち上がったのが、今日の七郷4Hクラブの始まりである。

初めは、十人足らずの仲間で、組織づくり、行事計画や予算の獲得と、一年目は事業さえ何もできずに、まだ集まるのが精いっぱいであったが、二年、三年とときが立つにつれて会員もふえ、一つ一つ着実に実績を上げていったのである。

第一に、市のプロジェクト実績発表会に初めて参加して、全員入賞の輝やかしい第一歩を踏み出した。その後、毎年、市や県の実績発表大会では、常に入賞するようになり、天下の七郷4Hクラブとまで言われるようになったのである。

また、私たちのクラブでは、農業後継者だけを考えることなく、七郷全体の若い人たちとも手を取りあって進もうと、七郷青年学級「みつば会」を結成、発足させた。そして、4Hクラブと連けいを密にしながら幅の広い活動をくり広げ、市の青年団の運動会には初参加ながら総合優勝を遂げ、これを機会に若い男女の交友を深めて、常に仙台市の若者の中心として活躍しているわけである。このように、七郷4Hクラブの歩んだ道は数限りなく続いている。

このような活動を知った高校卒業、中学卒業の若者は、自立経営と団体行動を行なうために、4Hクラブに集まり、現在では約四十名もの会員にふくれ上がり、分科会を中心にしたクラブ活動をしている。

さて、このような活動の中で、自分自身はどうだったかと考えてみると、高校卒業後4Hクラブ発足当時から入会した一人である。

農業の「農」の字もわからず、先輩たちと話し合っていると、まるで親父と対話しているような感じで、さっくばらんに言葉を出せなかったのを第一に思い出す。

それが、今日のように人の中に入って話し合えるようになったのも、また、農業にいくらかの意欲を燃やし、現在経営している酪農を軌道に乗せ、「酪農」を「楽農」におき変えようと夢を見るようになった。さらに、現在、七郷で問題になっている土地基盤整備事業を早く実施させようと張り切るまでにいたったことも、4Hクラブで勉強したお陰であると感謝するものである。

この六年間、七郷4Hクラブに入会し、団体行動の良さを改めて認識し、これからは、いままでの活動を踏み台として自分の経営に専念しながら、こん後の七郷4Hクラブの活動を見守っていきたいと思う。

虹の塔

日本専売公社
テーマ…心の調和
敷地面積…三、九三二平方㍍
出展費用…約八億円

展示館は、弥生式時代の遺物、銅たくに似た、地上二階、地下一階、高さ七〇㍍のほぼ円錐形の塔。

"虹の塔"の名前のとおり、太陽光線あるいは見る角度によって色が変わり、塔の先端から水を霧状に噴出させ、天気の良い日には虹を空中にくっきりと描き出すほか、銅箔の表面には水を流して効果を出す仕掛けになっています。

館内は、三層に分かれていて一階は"休息の広場"。中二階はショーのステージへ観客を案内する円形台のフロア。二階では"煙のショー"と"映像のショー"が上演されます。"煙のショー"は、団伊玖磨氏作曲による音楽の中で幽幻の世界を創造。音楽にあわせて壁面からわき出す色とりどりの煙にライトをあて、たとえば、館いっぱいにひまわりのような大輪の煙の花が咲くなど、さまざまに変化する模様が描き出されます。

"映像のショー"では、三面スクリーンを使い、日本の自然と日本の伝統芸術によるリアルな世界を創造。壁面に映し出される画面の虚像の中へ、実際の人物が登場するという虚実をとりまぜた演出の見せ物もあります。〈日本万博展示館の紹介〉

クラブは誰れのものか

一年間、役員として体験したもの

静岡県磐田郡 豊岡4Hクラブ　鈴木　正英

私自身もそうであるが、この一年間を通じて感じたことは、若者というものは、常に、何かを求めているということである。

ほとんどの青年たちが「何かおもしろいことはないかナ」とか「何かイイことはないかナ」という。この言葉からもそれがわかる。

もちろん、このことは青年だけではなく、一部の大人の人たちにも通じることであるが、大人はともかく、私たち4Hクラブ員一人ひとりの問題なので、このことを考えながら、私が、この一年間、県連役員として体験したことがらについて述べてみたいと思う。

まず単位クラブの会合である。このときは、クラブ員が本当に興味を感じるものであることが一番必要であると思う。「せっかく集まったが、今回は共通の話題がないので、適当に別れよう」などと、こんなことがたびたび重なれば、クラブ員の出席率は悪くなる。

次に、4Hクラブにおいて、もっとも重要とされているプロジェクトについてである。はじめに、自分が取り組む課題などを決めて、その解決の目標や、それを達成する計画をたてて実践する。ここまでは良いのであるが、県連活動のそれも同様、このあとがしっかりしていないようである。

結果の反省、記録—それらがしっかりしておれば、現役員と次期役員との引き継ぎがスムーズにいくと思う。

単位クラブでそれらが確実になされておれば、当然、4Hの精神も養なわれるので、己れで己れを教育するという4Hの本質（基本的な考え方）にもそうようになる。

しかし、ここで大切なことは「4Hの組織とは、個人の活動に便なるようにつくられたものである」と言われる活動=実践↓組織ということである。もし大会など組織的な活動が、個人の活動にあまり邪魔になるならそのような行事は縮小しても良いように思う。

しかし、その大会において、何か一つの自信のようなものを得るならば、それだけに効果があり、その大会も生きてくる。

たとえば、体験発表、意見発表、演示などを行ない、たとえその規模が小さくても、そのことで自信をもち「これは俺の特許だ」ということをねらいとするなら話は別である。

それなのに、毎回、同じように関係機関の方々の点数かせぎのような方法—「割り当て人数」—人数主義を改めないと、役員や篤志指導者だけの苦労に終ってしまう。そこで、いざ集まったら、そのときは、だれのために何をやるのかを深く認識し、本質を軽く見る従来の傾向を反省し、人集めに多くの労力を避くことをやめるようにすべきである。

あくまで、人集めは手段であり、問題は事業や運動の中味である。よくいわれることだが「まんじゅうのあんがくさっておれば、まんじゅうではない」と同様に、中味がしっかりしておれば、その行事も充実し、有意義なものになって、クラブ員も責任をもって行動するようになると思う。そして、県連で行なうことがらに対して、各クラブ員の意識の薄さがうかがわれる場合があるが、このことからして、その中味をつくり変えるのも、組織活動を経験した私たちの責務であると思う。

そのような役員の中にも、ややもすると「いま、おまえのクラブはどうなっている?」と聞くと、「俺は、地域や県連が忙しくて、単位クラブの会長にまかせてあるから、そんなことまでは知らん」というようなことも聞くが、これはおかしい。リーダーたる者は、少なくとも、自分のクラブの空気を知らないことでは、地区連、県連と単位クラブの差は、ますます開いていく一方である。

行事を追うことよりも、前に述べたようなことがなされぬ限り、役員と関係機関の方々の一人相撲に終りかねない。それが本来の姿に戻ってなされるなら、しいて言えば、4Hクラブとは誰れのものであるか、ということを自覚させることになる。

最後に、年間計画をつくり、それを全部実行しなければというような気持、「俺はリーダーであるぞ」といったような"めんつ"は捨てて、第一に、クラブ員一人ひとりの考えを取り出し、いま、みんなは「何を一番求めているだろうか」ということを問い、みんなの意見を行事計画にうまく組み入れることにより、無理のない運営、長続きする活動にしたいものである。

だから、計画はあくまで計画であって、クラブ員のことを第一に考えた、無理のない、ゆうずう性のきく計画が必要であり、それなくして、後者への反省と記録なされないと思う。

これが、この一年間、県連の役員をさせていただいた私の体験とその反省である。

◇　◇

農村雑感

連帯感

祈原　俊二郎

農業総兼業論ということが最近聞かれるようになった。その理由としては、農業のみでは収益が少なくて、安定した生活が困難である。これからの自立経営農家としては、水稲では水田が四〜五㌶以上、乳牛では二〇頭以上の飼育でなければならないという。

しかし最近における土地の移動は硬直化し、土地を財産的な立場でみることと、土地の価格が上昇し容易に手に入らないことから、本当の自立経営農家としては成立しえないため、思い切って、全農家が兼業形態をとって進めば、他からの収益が得られ、農業収入とあわせれば安定した生活ができるのではないかという点にあるらしい。

考えようによっては、この方法は無難で、当面の生活安定上支障がなさそうに思われるが、兼業という形態が果して安定性があるかという問題である。勿論、この考え方の基本は、農業を経済合理性の面からのみ追求し、人間の生活上、また職業意識という面からみて、人間性を無視している点に大きな問題があることも事実である。

現状の日本経済は発展の一途をたどっており、その止まるところを知らないようにみえる。これに伴って、労働力の不足は極めて大きい。この日本経済という大きな歯車の中に農業が引きこまれ、そこからはじき出されてしまうのが、農業総兼業化になったときの農業の姿であろう。また、一たん日本経済に不況が生じたらどうなるだろうか。好況下にある場合は兼業化も成立するが、長い将来のことを考えた場合、現状の兼業化論のみで進んでおられないのではなかろうか。

さて、このような話を青年たちと語りあっていると、青年たちも同じようななやみをもっており、しかも、その対策については方法的にどのようにやればよいか見当がつかないという結論になった。ただ、問題処理の在り方として当面の打開の道は、共同経営を実施することが妥当ではないかということであった。

但し、共同といっても、ある一定レベル以上の青年で、気心の合った者数人という小グループで共同化する。その共同化にしても、作目によってどの手段をとればよいか、どの方法が効率的に進めうるかなどを考えると、その形態も千差万別であり、それだけの共同化のあり方についての検討が極めて大切である。

しかし、問題としては、そうした形態論よりも、もっと根本的な問題で、共同化を進めるうえでの意識がどうであるか、その意識なり意欲の欠如こそ、もっとも危険なことであり、さらに、意欲なり意識を形成する基盤となりうるには、相互の連帯感があるかないかという点である。民主主義という考え方にともない、教育が徹底してきたが、現状は個人の確立という点が強調され、それと共に、社会、経済の進展から生ずる人間性のひずみということについても忘れかけてきつつあり、それがもとになって、連帯感の欠除という面に至っている。

ことに農村青年のなかには大きく欠けているので、今こそ連帯感を確保することこそ大切であるという結論であった。農業の今後は、農業者のなかに連帯感が芽生え、どのように育っていくか、それがひいてはこれからの農業の方向を決定するといっても過言ではないように思う。

〈農林省・農業者大学校〉

生活 もの知りコーナー

☆洗たくものの干し方

洗たくものは、繊維や色によって干し方が違うのでそのものに応じて、次のように注意することが必要です。

▽日なたに干してよいもの　白地に木綿、麻、レーヨンなどの衣類は、直射日光にあてて手早く乾かします。染色の完全な色物も同じです。しかし、紫やピンクは色があせやすいので、こんな色物は、避けてください。

▽陰干しにしなければならないもの　白絹、白い毛糸や毛織物、白のナイロン、白のポリエステルなどは、繊維自身が黄変しやすいうえに、白く見せるために使ってある蛍光増白剤が日光にあたると黄変します。

〈品物別干し方〉

▽ワイシャツ　裾をロープにかけ渡してください。袖をさおに通すと背中がひっぱられ早くいたみます。

▽毛織物　とくにセーター類は、湯上がりタオルでじゅうぶん水気をとって、タテ、ヨコ、斜めによく引っ張ってから干すこと。

▽ナイロンのストッキング　洗たくばさみで爪先と上端をはさみます。洗たくばさみのかわりに待ち針をつかうと伝線する心配がありません。

世間で言う「糟糠（そうこう）の妻」とは?

☆糟糠の妻

世間のご主人方が、奥さんのことをよく「糟糠（そうこう）の妻でして……」などと紹介する場合がありますが、糟糠とはカスとヌカのことです。

といっても、一般に思われるように「糟糠の妻」とは、ヌカミソ臭い、いっこうにパッとしない妻という意味ではありません。貧乏で満足な食事もできずカスとヌカばかりのような粗食にも耐え、夫と労苦を共にしてきた妻ということで、夫から妻への暖かい感謝の意がこめられているのです。

（貯蓄増強中央委員会の発行「奥様便利帳」から）

わが台湾での体験記【下】

まず足場づくりを

4Hの綱領を肝に銘じて

国際農村青年交換計画・44年度日本代表　菅原　敏（岩手）

4Hクラブの綱領を・肝に命じて…

日本には、何万人の4Hクラブ員がいるか私にはわからないけれども、この何万人の中に4Hの信条を本当によく理解している人はどのくらいいるでしょうか。

一、私たちは農業の改良と生活の改善に役立つ腕を磨きます。

一、私たちは、科学的にものを考えることのできる頭の訓練をします。

一、私たちは、誠実で友情に富む心をつちかいます。

一、私たちは、楽しく暮し、元気で働くための健康を増進します。

この信条をあるいは正確に答えられても、表面的な理解だけに終ってはいないでしょうか。

しかし、信条とかスローガンとは、ただ単に表面のかっこうをつくるためにつくられた言葉ではないのです。それを心の支えとして頑張るために、自分たちでつくったものだと思います。それがいまの4H活動ではおき去りにされ、形式にはまった、形式を重んずる4H活動であるような気がしてならないのです。

自分たちが自分たちのためのクラブ活動をしていながら、何のためにそれをするのか?県の方針がこうだから、今日の大会の日程はこうなっているから参加するだけだというクラブ員になっていないだろうか?一人ひとりがこの信条を肝に命じてクラブ活動をしているなら、4Hクラブの大会だって、もっとその大会に重みのある空気が流れるはず。もっと味気のある4Hに進歩するのではないでしょうか。他人のための4Hではないはずです。私たちの問題なのです。

どうして、私がいまごろ、こんなことを言いはじめたのか。それは、台湾で、いつでも最初にこの信条を個人の心に言い聞かせていたからです。たったこれだけのことですが、そのクラブ活動にどんな役割を果すか、私は肌で教えられたような気がするのです。

私たち日本の農業は、他産業より遅れるとばかりあせって、先のことばかりを考え、つい足場をつくれないのではないかと思ったからです。

4Hのマークと共に

クラブ活動用品の案内

（単価）

4Hバッチ	50円
レコード盤（4Hクラブの歌・4H音頭）	150円
クラブ旗　大（72cm×97cm）	360円
クラブ旗　小（33cm×40cm）	200円
手拭	100円
ハンカチ	50円
ネクタイピン	200円
女子用ブローチ	200円
クラブ員専用便箋	100円
〃　封筒	70円

◎荷造り送料代百円です。

◎ご注文は代金を振替口座へお払込みを願います。代金着次第ご送品致します。

社団法人　日4H協会代理部
東京都千代田区外神田6丁目15〜11の705号
振替口座　東京72082番

急速に伸びる田植機

百年一日のごとく腰を曲げ、手足を真黒にしての田植えや稲刈り—短期間に集中する米作の重労働からの解放と能率の向上は、農民の長い間の念願であったが、いま、バインダー、自脱コンバインなどの収穫機や田植機などの出現によって、その夢が実現されようとしている。これは、米作の革命的な変化であるといってもよい。

とくにさいきんは、農家の人手不足がますます深刻になる一方、農業近代化の確立のための省力増収などから、これら農業機械に対する需要熱はいちだんと高まってきて、その普及度も目を見張るものがある。現在、これら田植機、収穫機、脱穀機は、農家における"三種の神器"とまで言われるようになった。とくに収穫機より一足遅れて世に出た田植機は、まだ改良の余地が残されているものもあるが、この一、二年間に急速に農家に広まり、一躍脚光をあびるようになってきた。能率は、慣行の手植えにくらべて十二倍から十五倍といわれ、収穫も慣行と同じか、むしろ増収している例が多い。しかも、慣行の作業概念を打破し、水稲機械化栽培の一大あい路となっていた田植作業の機械化を前進させた貢献は大きい。このため、同機に対する農家の関心は非常に高まっており、各農機具メーカーもその普及に強気で、一気に勝負に出ようという構えをみせているところもある。そこで、ことしも田植えシーズンを間近かに迎えて、この「田植機」について特集することにしました。なお、この特集に当っては農林省・農林水産技術会議の仮谷管理官はじめ同省農政局肥料機械課、日本農業機工業会の倉形常務、日本農業機械化協会の渡辺専務、農機具メーカーの各関係者から意見を聞くとともに、農業機械化研究所の資料、また、実際に田植機を導入して省力増収の成績をあげている4Hクラブ員の例をもとにまとめました。

省力増収に高い評価
多年の研究成果が花開く

田植機は、バインダーなどの収穫機より一足遅れて、いよいよ実用化の段階に入ったが、田植機開発の歴史はかなり古い。すでに明治二十九年に、宮崎県の河野英五郎氏がはじめて特許をとったといわれる。その後も、土にへばりついた重労働から農民を解放しようと、多くの篤農家によって発明考案が試みられてきた。

しかし、なにせ相手は、人間が作ったものでなく、まだ弱々しい生物。他の農機具と違って、どろ田の中に苗を植え込むという作業は難しく、ほとんどものにならなかったのが実情。

それが、現在の田植機と直結するのは戦後のことである。昭和二十八年ごろから同三十二、三年にかけて、民間をはじめとして国の試験研究機関や大学で研究が始められ、そして三十五年以降、労力の都市への流出にともなう農村の人手不足や作業の能率向上などから本格的に取り組むようになった。

この田植機の研究は、もともと育苗の研究から派生したものであるが、このような努力が積み重ねられた結果、三十八、九年ごろからポツポツその芽が出てきた。

このようにして、技術の芽、社会研究的な機運と一般農家の需要熱などが呼応して、田植機に対するムードが一気に盛りあがり、その後もそれぞれ研究が続けられて遂に製品として出現したもの。

この研究結果について、農林省では、技術会議が中心となって指導基準的なもの（指導要領）を作り、通達の形で各県へ流し、農業改良普及所が実際に技術指導に当ってきている。また、この指導基準の作成に当っては、一年でも早く研究結果の周知徹底を図るため当初はかなり大胆に行なわれたようで、一年目の試験成績に基づいて初年目から出されている。それだけに、内容的には少しきつくなっているが、二年目には、さらに内容のあるものが出されている。

しかし、農家に対する実際の技術指導は、はじめのうちは、田植機に関する知識の関係で、普及員よりも、むしろ独自に研究開発を進めてきた各農機具メーカーが直接当ってきたというのが実情のようである。だが、田植機の普及につれて、各メーカーの担当者がいちいち出かけて指導するのは大変で、やはり普及員に指導の比重が大きくかかってきている。

この技術指導に当っては、日本農業機械化協会でも、技術会議の指導要領とともに、各農機具メーカー製品についての使用方法の資料などをまとめた「田植機便覧」を作成し、適切な田植機利用の促進を図っている。

動力田植機、フロート式で稚苗使用のもの

Eメーカーの動力田植機の主な諸元

機体寸法	全長（cm）	180	
	全幅（cm）	80	
	全高（cm）	107	
	総重量（Kg）	90（乾燥）	
能力	植付能率（10アール当り）	1時間15分	
	植付速度（m／S）	0.55～0.82	
	走行後進速度（m／S）	0.42～0.63	
栽植密度	条数	2条並木植	
	条間（cm）	33（一定）	
	1株本数（本）	3～5（小株一定）	
	株間（cm）	15	18
	株数（3.3㎡当り）	67	56
	苗箱数（10アール当り）	17	15
苗条件	苗令（葉）	2.0～2.5	
	苗丈（cm）	10～15	
	耕深（cm）	12～18	
圃場条件	耕起回数	1	
	代かき回数	1～2	
	整地方法	慣行法に準ずる	
	水深（cm）	0～3	

手植えの12～15倍
能率十アール当り1～1.5時間

このような歴史的背景のもとに出現した田植機は、稲作栽培の機械化、稲作の近代化・大型化、省力増収などの面から高く評価されている。また、これまで何百年もの長い間抱かれてきた稲作に対するイメージをいっきょに変えようとしている。

稲作の機械化は、バインダーや自脱コンバインなど収穫機の出現によって、さいきん急速に進んできたが、慣行の田植作業は機械化の一大あい路となっていた。それが、ここにきてその機械化に貢献することになったわけである。いま、脱穀機、収穫機とこの田植機は、農業にとって"三種の神器"とまでいわれるようになったが、バインダーや自脱コンバインのあとを受けて、次にブームを起す本命機種は、なんといってもこの田植機であろう。

とくに、これまで人手不足から応援を求めていた田植えの雇用労働者の賃金が一日二千円から三千円とつり上げられる状態にあるばかりでなく、乗用車による送迎、昼食やおやつの待遇要求など、かなり厳しい状態にあること。また、その段、村の労働力さえ、さいきん、かなり減少してきていることなどから、この田植機に対する関心はますます高まってきている。

さらに、水稲と他の部門の複合経営の農家が多いが、米価の据え置きなどもあって省力増収が迫られていること、また、稲作の合理化によって、その労力を他の部門に注ぐ傾向が強まってきていることなどから、田植機への需要は強まる一途である。

現在、市販されている田植機は人力式、動力式、また、土付苗用、根洗苗用、さらに、ひもつき、バラ播き、そして、稚（ち）苗、成苗、中苗型などに大別されるが、作業能率は、動力で大体十アール当り一時間から一時間半といわれる。田植えだけでも慣行の約六倍以上、育苗や苗取りなどの時間を含めると、慣行の十二倍から十五倍の作業能率があるという。

しかも、指導要領に従えば、収量も手植えとほとんど変らず、むしろ、分けつが多いので、地域によっては、慣行より収量が上っている例も多い。

このように、田植機は、省力だけでなく増収効果もある。それだけに、一度、田植機を使用したらそれを止める農家はほとんどない。これまでやったことのない技術なので、農家の人たちにとっては、面どうがったり、不安を抱いたりしてなかなか手を出しにくいのが実情のようであるが、機械自体の性能がよくなってきて、操作もできるだけ簡単にできるように改善されてきていることもあって、一度利用すれば、やはりその価値を認識するわけである。

なお、現在田植機を出荷しているメーカーについて苗別に分けると次のとおり（五十音順）

▽稚苗＝キセキ、カンリウ、クボタ、サトウ造機、サトウ農機、マルマス、三菱

▽成苗＝芝浦、スター、マメトラ

▽中苗＝みのる、日[illegible]

価格は、大体、人力が七、八万円、動力が十五、六万円くらい。

こん後市場に出回ることが予想される専用機になると、さらに値だんが高くなるものとみられる。

生産台数 強気と慎重論と
農林省も補助金などで奨励

田植機の普及台数は、農林省の出荷状況調査によると四十二年十二月末までに動力田植機は二千九百台、人力が九千百台（計一万二千台）四十三年度は動力が九千台、人力一万六千台（同二万五千台）で、動力は前年の約三倍、人力も約一・八倍でしかも動力と人力の差は前年より短まっている。四十四年度の出荷台数はまだ集計されていないが、約三万七、八千台にのぼるものと推測されている。

また、四十六年度は、関係機関団体関係者の意見を総合すると、前年より大幅にふえて約六万台の出荷が見込まれている。各農機具メーカーの鼻息も相当荒く、一メーカーで、一万五千から二万台、一万台、五千台の生産見込みを出して、業界をリードしようという気構えをみせている。

しかし、一部のメーカーを含めて慎重な態度をとる関係者も少なくない。現在は「まだ問題点があり試験研究中なので、普及の段階ではない」というのが、その主な理由だ。これには、機械自体に問題がある場合と、機械には問題ないが、現在、行なわれている機械による栽培が果して全国的に適切かどうかまだはっきりせず、全国的な暗中模索の状態なので、全国的な試験研究の結論が出てから方向を決めた方がよい、という二つの見方があるようだ。

確かに、農家の人たちがこれまでやったことのない新しい技術を導入することに対しては、ちゅうちょもあるし、失敗がないとも限らない。さらに恐いのは、最初に出した機械が悪いと、ムがついた場合で、あとあとの信用にかかわるので慎重になるのも無理のないところ。それらに自信をもてないからというわけであるが、その結論も四十五年度には出るだろうというのが大方の見方である。

これに対し、機種的には、先行きは余り変らなくなり、モデルチェンジする段階にきている。指導要領に従えば機械による田植えに問題は少なくなってきた。最初のは、指導の通りやるので余り問題は起きないが、むしろ二年目が問題になると技術会議では語っている。

では、農林省の姿勢はどうかというと、代かき、施肥、薬剤防除などの問題が残されているものの、田植機は一応道が開かれたものとして、稲作の近代化、大型化のためにも、田植機の導入を奨励、その購入に便宜を図る方法をとっている。

第二次構造改善事業やパイロット事業に対しても、そのねらいを決め、田植機の購入を、構造改善事業や山村振興事業などの補助事業、また、技術導入資金、農業近代化資金、集団技術導入資金などの融資事業の対象にして、グループ活動や一般農家の稲作機械化のめんどうをみるようになった。

さらに、四十七年度からは、農業機械化促進法に基づいて田植機の一定基準を設け、検査してその基準に合格した製品にはマークをつけていく方針である。いますぐ実施しないのは、機械自体が固定化しないため。なお、バインダーなどの収穫期については四十五年度から実施する考えのようである。

将来は育苗センター設置へ
問題点は徐々に解決

しかし、田植機について問題がないわけではない。

いま、田植機による水稲栽培の過程を一通りみると、まずタネを選ぶことから始まり、それを消毒し、土の準備をする。弱酸性のものを選び乾燥させ、病害の防除にも注意する。タネをまいてから温度や灌水、追肥を適切にして育苗し、平均に伸びるようにする。

田の代かきは、できるだけていねいに行ない、平坦になるようにして、水の深さを同じくする。田植えでは、苗が痛まないようにする。植えつけは地温が十五度以上が適切。このあと水管理に注意し活着がうまくいくようにする（ち苗の場合、初期の成育は一般のものより遅く、ある日数がたてば、かえって成育が旺盛になる）追施や除草剤による雑草や薬害などに十分注意する—など、タネ選びから育苗、代かき、施肥、除草剤まで現段階でみるとなかなか大変で、問題もある。

技術会議でも、田植機による水稲栽培の大きな問題点や改善策として次のことがらをあげている。

一、まず、育苗方法について、もっと利用者が簡単にできるように容易にしてやる必要がある。

—そのためにも、分業化を図り、育苗の専門家をつくるような方向に進む考えがある。いわゆる農家は、育てられた苗の中から品種を選んで買うわけだ。

また、将来は育苗センターをつくる方向に進むことが予想される。

一、次に田植時の問題である。苗が強ければ冠水に強いが、現在の田植機では、プラス・マイナス五㍉が許容度なので、水管理に十分注意する必要がある。そのためにも、現在実施されている三十㌃区画では、ちょっと広過ぎるのではないか。

一、また、収穫期の問題で、倒伏に対する抵抗が不十分。このため、収穫前に土を固くするまでの処置が必要であろう。

一、このほか、除草剤の問題などもあるが、バインダーや自脱コンバインとの関連も考えなければならない。

農業機械化研究所が行なったモニター調査や日本農業機械化協会がまとめた田植機利用の実態でも多くの問題点が指摘され、その改善策が望まれている。

これからの田植機の普及も、これら機械そのものの改良と機械栽培技術の進歩によって、その度合を早めていくことは間違いないといってよい。

田植機で省力増収したクラブ員たち

省力増収の目標を達成
暗夜に一条の光明

大分県直入郡久住町都野 久住町農業後継者友の会　安藤元慶君

九州の屋根といわれる大分県久住連山の南側、豊肥線竹田駅からバスで約一時間のところに私たちの久住町があります。

さる昭和四十一年、県立三重農業高校を卒業と同時に、経営の機械化、合理化を進めてきました。

私の家の経営面積は、水田一・九㌶、肉用牛六頭、山林一〇㌶です。家族は、私と父母の三人ですが、父母はともに老令でからだが弱いため、実際の労働力は私一人です。たった一人で一・九㌶の水田と〇・三㌶の畑その他を耕作する苦労は、農業をやっている人には十分わかっていただけると思います。

卒業した最初の年は、雇用労働力をのべ四十人ほど入れてやりましたが、年々雇用労働力も少なくなり、労働者を見つけるのは大変苦労するようになりました。

そこで、中小型農業機械を導入し、省力栽培を進めました。四十二年度に動力刈取機を導入し、収穫作業は何とか乗り切ることができるようになりましたが、田植え時における労働のピークをいかにこなすかが、私の最大の課題でした。

まず、最初に五㌃程度で試験栽培をしたのですが、低温による発芽不揃いと雑草防除に失敗し、反当収量に計算すると四二〇㌔でした。そのときの私の部落の平均反収が六二〇㌔程度でしたので、みじめな感じでいっぱいでした。

そのほか、省力になると思えることはすべて頭をつっこんでみましたが、六百㍍の高冷地という自然条件の厳しさから失敗に終り、大きな壁につき当たってしまいました。

そのとき、大分県農業技術センター久住水稲栽培試験場の先生の田植機の講演は、暗夜の中に一条の光を見い出したような気持でした。

それから約半年間、遠く出かけて機械メーカーを見学したり、先達者をたずねて勉強した結果、思い切って導入すべきであるとの結論に達し、四十三年五月十二日から十四日の三日間に六〇㌃を植えつけました。

その結果は、初期育苗に失敗したのが最後までたたって平均反収四八〇㌔に終りました。そのとき私の部落の平均反収は六〇〇㌔程度でしたので、かなりの減収でした。久住町で田植機を導入したのは私が最初であり、失敗したことも加わって嘲笑的な目で見られ、何度もやめようと思いましたが、そこでもう一度試験場をたずねて失敗の原因を探究しました。

その結果、育苗と除草剤の使用に注意すれば何とかやれるのではないかという結論に達した。また先生に励まされて、よし"こんどこそは"という意気にもえて、四十四年度は、わが家の水田全部を田植機でやろうと決心しましたが、まったく"背水の陣"的な心境でした。

そして、全力をつぎこんで栽培した結果、育苗も順調にいき、また除草剤もMOを倍量使用することによって成功し、初期の省力増収という目標を達成することができました。

これからは、この技術を地域内の意欲的な農家に広めるとともに防除と田植機に適した品種の導入を図って、機械化を実施し、ういた労働力を高令地野菜の栽培につぎ込んで収入の増大をはかろうと思っています。

全面を機械植えに

群馬県邑楽郡千代田村・青葉4Hクラブ　栗原一雄君

いままでは、渡し田植えを中心とした稲作を行なっていましたが、最近は、私たちの地方でも労力不足がはなはだしくなって労賃も高く、労働条件の厳しさを考えると、経営的には、渡し田植えは好ましいことではありません。

田植期には、父はとても忙しくなんとかしてやりたいと前から考えていましたが、そこで思いついたのが田植機です。

計画では、はじめ一㌶ぐらいと考えていたのですが、育苗土の分析や苗箱の施肥量の実験をして、実際に植えつけた結果、活着などが良好でしたので、これからは全面機械植えすることに決めました。

収量面では、一〇㌃当りですと前年度より六〇㌔から九〇㌔多く収穫することができました（前年一九〇俵に対し、昨年は二百二十六俵）

共同田植えの気運も

〇昨年、田植機の導入とともに水田を広げ、田植えによる労力の大幅な省力を試みました。五〇㌃を任されて機械で植えつけましたが、成績は順調で、稲作栽培技術の自信を深めたのです。ことしは全部機械植えでやるつもりです。

この田植機の導入が成功したため、田植時は余った労力を他の部門に活用できるようになりました。周囲の人々もこの機械植えには異常な関心を示し、部落内における共同田植えの機運が高まってきました。もし、これが実現すれば稲作部門における全面共同も不可能ではないと思うのです（栃木県下都賀郡野木町赤塚・野木4Hクラブ、針谷正一君）

〇動力田植機は、手植えにくらべて十四時間も短縮でき、収量においても問題はなく、こん後期待できます（青森県三戸郡三戸町・武士沢4Hクラブ、沢山栄一君）

〇動力田植機を用いて、人手不足を解消した。収量的にも手植えと大差がなかった（山形県南陽市椚塚・拓進会、佐見東津子さん）

動力機、車輪式で成苗使用のもの

田植機利用の現状

均平機の開発を

機械所有は個人が圧倒的

農業機械研究所は昨年九月、田植機に関するモニター調査結果をまとめたが、その中からばっすいして田植機普及の背景について紹介してみよう。なお、モニターは各県から推せんされた百五十一名である。

昭和四十三年十二月現在の田植機普及台数は、全国で一六、三四二台である。そのうち、人力一条用が最も多く八九・一%を占め、土付苗型式と根洗苗型式の普及台数の割合は、土付が九九%を占めて圧倒的に多い。

普及台数の農業地域別構成比では、関東ブロックが最も多く全国計の二七・七%を占め、ついで中国一八・四%、近畿一六・四%、九州九・三%の順。この四ブロックだけで全国の七二%に達している。

ブロック別に普及機種の割合をみると、どのブロックでもやはり土付苗型式の人力一条用が圧倒的に多く、とくに関東、東北、北陸、東海、近畿、中国地方では全体の九〇%を占めて人気がある。これに比べて、北海道、東北、四国、九州地方でも同機種の占有率は最も多いが、前記の地方にくらべると低く、とくに四国地方では五二%で、他のブロックとの特異性が感じられる。

普及地区の背景

また、田植機が最も普及している地区の条件としては、次のようになっている。

（1）その地区の農家一戸当りの経営耕地面積は、平均一・〇〜一・五ha である。

（2）地区の水田面積は、水田率七〇%以上の田作地区である。

（3）地区内に専業農家が多く、いわば純農村といわれるところ。

（4）地区内の一戸当り主幹的農業従事者数が二人までの農家が割台多いところで、いわゆる主幹的農業従事者が一般に少ない地区。

（5）地区内での田植時の雇用賃金が、一人一日当り一千五百円から二千円程度と比較的高いところ。

（6）地区内の農家の経営状態は、個人経営が多い。

以上の結果だけで、田植機導入の盛んな地区を浮き彫りすることには危険があるが、田植機を必要とする地区の背景の一応の目安になろう。

所有農家の背景

では、田植機を導入した農家についてはどうかというと、まず第一に、同機の所有形態は、圧倒的に「個人所有農家」が多く、「共有農家」は少ない。「共有」の場合も五戸未満の場合が圧倒的に多いようである。

次に、経営主の年代別では「四十から五十代層」の農家が過半数を占めている。

経営組織別では「単一経営」より「複合経営」の農家が多く、しかも当然ながら「水稲を主在とする複合経営農家」が多い。

田植機への指摘

最後に、田植機に対する指摘や要望点として、次のようなことがあげられている。

現状では、人力一条用が他機種をリードし、圧倒的な普及性を示しているが、作業能率や肉体的疲労度の面から、いずれ二条用や動力化、また専用機へ移行するとみられながらも、人力用をはるかにしのぐ有利性がみられないことが指摘されている。つまり人力用に比べ、作業能率五割程度のアップということに問題がある。このことに関して、こん後の動力用・二条用機種の改良研究の成果如何が、将来の田植機の普及に、大いに関連してくる。

一方、機械の改良とともに、育苗方法、育苗施設が問題となってくる。二条用、動力用へ移行すれば大型育苗施設の実用化が急激になってくる。

また、機種、銘柄によって育苗法が異ることも重要な問題である。これが共同育苗、共同利用を遅らせる大きな要因となっている。

つぎに、機械、銘柄により、欠点や適応性の良否があり、気象条件や圃場条件による適、不適を具体的に明示する必要がある。

現段階では、田植機の構造の複雑性と泥田という作業場で用いるために、機械の耐用年数、保守整備に対する不安がある。

圃場の整地均平は、いずれの機種にも最重要な問題である。したがって、均平機の開発の声が多くの利用者から聞かれている。

とくに、乗用トラクターの普及とそれによる耕うん、代かきが急増している現在、適応圃場判定は大きな問題である。

これらの結果から、今後研究すべき問題をあげると、以下のようなものがある。

一、動力二条用機の作業性能の向上化

二、育苗の規格化、統一化を前提とした大型育苗施設の研究

三、育苗作業のうち、とくに均一播種可能な播種器の研究

四、積重ね可能な育苗箱の研究

五、育苗床土の研究と床土砕土方法の研究

六、動力均平機の開発

七、機種、銘柄適応条件の明示のための研究

八、耐用年数の策定と安全性の研究

九、圃場の夾雑物が、フロート前山に集積し、走行をさまたげるので、これを後へ逃すフロートの改良

十、人力用の圃場までの自走化または運搬具の開発

十一、植付間隔と、あとの防除作業、収穫作業用の機械との関連

十二、ピンセット方式の場合、苗の強化と苗の挟持保護、挟持力の研究

十三、育苗用資材料の低廉化のための研究

育苗作業については、とくに苗箱播種の均一化の困難に対応しての、播種器の開発と播出するときの苗箱の積重ね可能の要望がある。

ことに播種器への要望はかなり多く、しかも地域的な要素でなく普偏的である。

動力田植機、車輪式で稚苗使用のもの。2条植え

増収は約一割が多い

日本農業機械化協会でも、昨年、一般農家（回答数一千六十戸）を対象に実施した田植機利用の実態調査の結果をまとめたが、その中からいくつかを拾ってみた（主に人力機）

機械植えの作業能率　一日で最も多く機械植えした平均面積は、人力で二四アール、動力で二七アールである。一日の作業時間は、平均人力で七・四時間、動力六・六時間である。

機械能率の評価は、人力で、「満足」が二九・五%「まあまあ」が六二・七%、また、動力は「満足」が二一・九%「まあまあ」が六四・七%で、人力では九割以上、動力でも九割近くの人が合格点をつけている。

なお、不満足としている人の希望する能率は、一日当り人力で二〇〜三〇アール、動力で三〇〜五〇アールである。

水田の前作と土壌条件　前作があると植えつけ時期がおくれ整地などがむずかしくなるので「前作なし」の例が人力で約八割、動力では約六割ある。前作の種類については裏作が多い。

また土質は、壌土と砂壌土がほとんどで、耕深は、一五〜一六センチが多いが、二〇センチをこえるものもある。

機械植えの収益　昭和四十二年は米のとれた年であるが慣行と変らないという答えが人力、動力とも約四割で増収したという答は人力では約五割、動力では約三割である（この時点では動力用がまだ十分でなかったことによると思われる）

なお、増収の割合は、人力、動力とも一割くらいと答えているものが多い。

慣行の田植賃金　田植機を利用している農家での手植え賃金は、地区的にバラバラで、一日当り八百円から三千五百円まであるが、田植機利用との特別の関係はないように思われる。

品種　どの品種が機械利用に適当であるかについては、その地域で栽培されている品種についての幅広い回答であった。

嫁、姑の問題話合う

愛知県連　生改クと懇談会開く

【愛知県＝二宮直子連絡報道員発】愛知郡4Hクラブ連絡協議会（会長、福岡信久君）は、このほど晉掛農協で定例会を開き、午前中「クラブ活動をどのようにして活発にするか」というテーマで話し合い、午後は、地元の下高根生活改善グループとの懇談会を行なった。

午前十時半、地元のクラブ員十五名のほかに、愛日単連の川崎会長や普及所の担当者が出席し、単価クラブ行事の反省のあと、県連、単連への、意見や要望を提出した。

午後は、下高根生活改善グループ員十名と地元4HクラブOB三名、生活改善担当普及員四名が加わり❶親子の話し合いの場をどのように作るか❷嫁と姑の関係をどう改善すべきか❸娘を農家にとつがせるとしたらどんな農家がよいか、という三つのテーマで活発に話し合った。

話し合いの内容は、最初に個々の家庭の現状や問題点を出し検討しあったが、つぎのようにしめくくった。

親子は、世代の相違から完全に理解しあうのは困難であるが、お互いの立場を理解し、尊重しあうことによって"和"が生まれるのであるから、家庭で話し合う習慣をつくることが大切である。その時、自分が正しいと判断した意見は、堂々と親に向っていうべきだ。

つぎに嫁と姑の関係……について話し合ったが、主に生活改善グループのお母さんたちの経験を話してもらい、今後、どうしたらよいか考えた。

今までは"嫁いびり"がよく話題にとりあげられたが、今日では反対に姑の方が気がねしているケースが多いとか。いずれにしろ、遠慮や気がねをせずに話し合える雰囲気をつくり、また姑にも生甲斐（楽しみ）を与えてやるなど、これも夫の理解があってこそなしうる。

最後に、この懇談会でクラブ員にとって最も興味深い「もし自分の娘を嫁せるとしたら……」については、生産改善のグループ員の人から、

労動がはげしい、ゆとり（旅行などに出かける）がない、楽しみがないなどから、自分の娘は農家へやりたくないという意見が多く出され、男子クラブ員は大いにショックを受けた。

これに対し、男子クラグ員から農作業の合理化、機械の導入などで省力化し、農休日などをもうけてゆとりのある生活にしていきたいという意見が出され、女子クラグ員からも「お嫁に行くなら、ある程度、基盤が確立され、目標に向って努力している農家がいい、よきアシスタントとして仕事と家事を両立させたい」といっていた。

大いにはっぱをかけられた男子クラブ員は"乞うご期待"とでもいいたそうな、自信に満ちた表情をしていた。

テーブルマナー学ぶ

静岡・湖西4Hクラブ　市内のレストランで

【静岡県＝鈴木政美連絡報道員発】静岡県浜名郡湖西町4Hクラブ連絡協議会（会長、松野義明君）は、さる三日、浜松市内のレストランでテーブルマナー講習会を開いた。

この講習会は、今年度はじめての企画で、クラブ員二十六名が参加し、当日は午前中、浜松市にある西遠農業センターと浜北市の県種豚試験場を視察し、午後からクラブ員が期待しているテーブルマナーを約二時間にわたって、みっちりと真険に勉強した。

現在、農村青年も海外に旅行する機会が数多くあるため、一通り食事のマナーは必要だというクラブ員の要望から講習会を開いたもので、今後数回行なう予定をたてており、このテーブルマナーなどと、他クラブとの交流、個人プロジェクトの充実、4Hクラブ員の仲間づくりに役立てたいと松野会長はいっている。

次代担う役割を肝に

大分県連でリーダー研修会　クラブ活動など討議

【大分県＝梶原厚美連絡報道員発】大分県農村青少年クラブ連絡協議会（会長、児玉前君）では、このほど大分県と共催して昭和四十四年度第一回リーダー研修会を開催した。この研修会には、県内十二地区から選ばれたクラブ員六十名が参加し、次期リーダーの養成を目的に、分科会、全体討議などによって「クラブ活動の進め方」について学んだ。

また、農村青年の海外派遣報告が行なわれ、日本4H協会から中華民国（台湾）に派遣された河津健吾、日本青年海外派遣（ニュージランド・オーストラリヤ・フィリピン）の安東晴美君の二名からスライドを中心に、二人の体験や海外の実情を聞いた。

また「新時代と農村青年リーダーの役割」と題して、大分県社会教育課主幹・田村卓夫先生の講演が行なわれたが、参加者たちは、新しい次代を背負された自分たちの役役の重大さを痛感していたようである。

閉会式終了後、反省会が行なわれ、プログラムの組み方や内容について積極的な意見が出されたが、こん後も自主的な組織の確立をめざし、さらに、末端クラブ員のためになる県連絡協議会に育てるよう努力することを誓い合って解散した。

NKK農事番組（3月21日〜31日）

テレビ

明るい農村　月〜土　6・30〜6・55　総合

21日　特集　村からの報告

23日　村の記録　転機に立つ新生の大地（秋田県八郎潟）

24日　きょうの話題　大詰めにきた農地法改正

25日　産物往来　たまねぎ

26日　話題の広場　温泉熱でしいたけ栽培（長野県山ノ内町）

27日　村をむすぶ　フイルム・リレー

28日　農業新時代　夏みかん加工センター（山口県仁保）

30日　村の記録　最後の卒業生（広島県戸河内町）

31日　きょうの話題　農民年金と離農一時金

農業教室　月〜土　7・30〜8・00　教育

21日　農家養鶏の方向（日本養鶏協会）木村唯一氏

23〜25日　規模拡大の考え方（東大教授）金沢夏樹氏

26〜28日　近郊酪農の進路（日大教授）島津正氏

30〜31日　産地形成と共同出荷（農技研）小野誠志氏

あすの村づくり　日　7・00〜8・00　教育　再土　13・00〜14・00　教育

22日　放送で築く農村の未来

29日　▽演劇にたくす青年の夢（広島県豊田郡豊町）▽都市化の波とたたかう（京都市東山区山科）▽三人共同養豚（岩手県一関市）石川和喜ほか

ラジオ

早起き鳥　5・05〜6・00①

20日　放送記念日特集　内助の功を語る

22日　放送記念日特集　農村北から南から

23日　現地報告　開拓農民のゆくえ（苫小牧市）

24日　人と話題　親子契約で和牛経営（宮崎県小林市）斎藤悠夫

26日　通信員の手帳から

27日　現地報告　期待される農業開発公社（神奈川県下）

28日　村のポスト

29日　話題の窓　みかんの総決算

30日　現地報告　生れた四〇万羽養鶏（静岡県御殿場市）

31日　人と話題　新しい栽培実験（東京大学教授）川田信一郎

ラジオ農業学校

月〜土　6・40〜7・00②

日　6・30〜7・00②

再月〜土　19・00〜19・15②

22日　農業講演会　宮城県青年農業者会議から

29日　村のはなし　第九回全国青年農業者会議から

番組紹介

あすの村づくり

22日　▽特集「放送で築く農村の未来」放送記念日にあたり放送利用の実際（仙台市岩切カムリ会）をフィルムで紹介し、これを素材にして放送利用の実践者、指導者、青年が、農村の未来を築くための情報知識吸収の必要性について話し合う。そして将来放送利用をめざす人々への生きた手引きにあてたい。

29日　▽グループだより「労作唄と若者たち」広島県庄原市は、広島市から北へ九十キロの丘陵地帯にひろがる純農村。この地方に昔から唄い継がれてきた労作唄も生活の変化によっていつの間にか衰退の道をたどっている。庄原市青年会はこの労作唄をほりおこし、郷土の文化を守る活動を昨年から続けてきた。三十名のメンバーは手わけして、土地の古老を訪ね、労作唄を復元している。

▽仲間とともに「都市化の波とたたかう」（京都市東山区山科農クラブ）京都市東山区勧修寺には、二八・六ヘクタールの果樹園がある。ここは名神高速道路や浄水場建設で農地を失った農家五九戸が代替地として入植したもの。この地区の後継者の山科農クラブは、都市化の波をのりきって野菜に果樹にと積極的な姿勢を示している。彼らの意気ごみを伝える。

▽先輩と語る「三人の共同養豚」（岩手県一関市・石川和喜）"米はボーナス、豚は生計費"これが石川さんたち三人のめざす農業革命である。スタート以来十年間、年間出荷は五百頭にのぼる。将来のプランも自信満々。東北の山間部というハンデキャップを克服して、近代養豚に取り組む仲間の農業哲学をきく。

日本4H新聞
4Hクラブ
農事研究会
生活改善クラブ
全国弘報紙

発行所
社団法人 日本4H協会
東京都市ケ谷家の光会館内
電話(26ョ)1675郵便番号162
編集発行人　玉井　光
月3回・4の日発行
定価　1部　20円
一ヵ年700円（送料共）
振替口座東京　12055番

クラブ綱領

私達は、実践を通じて自らを磨くとともに、互いに力を合わせて、よりよい農村、よりよい日本を創るため、四つの信条をかかげます。一、私達は農業の改良と生活の改善に役立つ腕をみがきます。一、私達は科学的に物を考えることのできる頭の訓練をします。一、私達は誠実で友情に富む心をつちかいます。一、私達は楽しく暮し元気で働くための健康を増進します。

盛大に春の全国会議開く

第9回全国青年農業者会議

第九回全国青年農業者会議「特集」

↑開会式　青年の自主性を呼びかける東畑全国農村青少年教育振興会々長

70年代農業へ闘志

全国の仲間が心を結ぶ

農林省など七団体の共催による「第九回全国青年農業者会議」は、さる三日から六日までの四日間にわたって東京・渋谷区代々木のオリンピック記念青少年総合センターと千代田区内幸町のNHKホールを会場として盛大に開催された。この会議には、農村の中核者として、日ごろプロジェクトの実践を通じて農業技術の改良や経営、農村生活の向上に努力している4Hクラブ員を中心とする全国都道府県から選ばれた農村青年をはじめとして農業経営者（夫婦）、クラブリーダー、篤志指導者、農業改良普及員、青少年担当官など約一千名が参加、クラブ活動や農業経営についての実績や問題点、さらに将来の方向などについて真剣に研究討議し、近代的農業と農村の建設への決意を新たに「七〇年代の農業をわれらの手で」と誓い合った。また、会議の運営は、全国から選ばれた二十三名の青年を中心として進められた。この会議は、従来別個に開かれていた青年と経営者の大会が昨年から一つになり、今回、農林省、NHK（前田義徳会長）全国農村青少年教育振興会（東畑精一会長）全国4Hクラブ連絡協議会（黒田保会長）全国農業研究会協議会（大槻文男会長）全国農業改良普及協会（徳安健太郎会長）と日本4H協会（松下幸之助会長）の共催によって開かれたもので、一だんと規模が拡大し、運営などの面に青少年の声が反映された。

38分科会で真剣に討議

一日目　どんよりとした曇り空。さあ、やるぞーという運営委員の気迫にみちた中で、午後一時から受け付けが開始された。重そうな荷物を下げて各県ごとにまとまって入ってくる参加者たち。オリンピックセンターは、北は北海道から、南は沖縄までの全国の仲間で色めきだった。各部屋に腰を下ろしたあと、センターのオリエンテーション、夕べのつどいがあり、夕食をすませて七時から体育館で竹腰美代子女史の指導によって"前夜のつどい"がにぎやかにくりひろげられた。

つどい開会のことばは、長井運営委員代表（群馬）のあいさつにつづいて、運営委員全員が壇上から紹介され、参加者から拍手を浴びた。このあと、竹腰女史の巧妙な話術と指導によって、からだの柔軟性や筋力などのテストが場内爆笑のうちに進められ、また、NETテレビ番組「これが青春だ」の主役、竜雷太くんもまじえて歌やフォークダンス、ツイストなどで楽しみ、長旅の疲れをいやした。竹腰女史の夫、安田伸氏（クレイジーキャッツ）も愛嬌をふりまき、夫婦仲のよいところをみせていた。

二日目　夜半から降り出した雪がますますはげしくなり、会場一帯はすっかり雪化粧。南国からきた人たちを身ぶるいさせた。例年のように、この会議中に雪が降るが大雪にならずにすんだ。

いよいよ八時半から体育館で開会式。沖縄を先頭に各都道府県のプラカード、県旗、4Hのマークも鮮やかな県連旗の入場。各県の参加者を紹介する竹腰女史の声も参加者と壇上からおくる来賓の拍手で消されがち。花やかなうちに幕をあけた。

長井運営委員代表の開会のことば、国歌斉唱につづいて農林大臣を代行して渡辺美智雄農林政務次官、東畑精一全国農村青少年教育振興会長、黒田保全国4Hクラブ連絡協議会長からそれぞれ主催者あいさつがあり（内容二面に掲載）来賓の紹介、祝電披露のあと今会議のスローガン「若さと英知と情熱でわれらが創ろう未来の農業」を桃谷副運営委員代表の先導で斉唱、ついで竹腰女史の指導で「日本4Hクラブの歌」を全員で合唱し、閉式のことばで終了。オリエンテーションにつづいて、十時過ぎから各部屋に分かれて会議の中心となる分科会にはいった。

分科会は①農村青年部会（水稲などの経営部門、健康と労働、農家生活、クラブ活動など二十三分科会）②農業経営者部会（経営部門別に十分科会）と③特別参加者会議（クラブ・農研のリーダー、農改普及員、教育施設職員、篤志指導者など五分科会）の三十八にわかれて開かれ、それぞれ自己紹介のあと司会者や書記を選んで会議の進め方について話し合った。

昼食のあと午後一時から再び分科会にはいり、レポートにもとづいて農業技術の改良や農村生活の改善、クラブ活動など日ごろの体験をもとに悩みや問題点、また今後の抱負などについて発表、これに対し参加者や助言者から質問が出され、真剣に話し合った。今回は、青少年、経営者両部会の共通テーマとして「わたくしたちが築く十年後の農業」が出されていたが、七〇年代のスタートにふさわしく各参加者は活発に意見を交換。また、地方色豊かな方言やユーモアが飛び出し、笑いの中で心が結ばれた。経営者部会では、後継者の赤ちゃんたちも加わり、家族的雰囲気がいっぱいだった。

夜は、これら顔なじみとなった分科会出席者とともに各宿舎ごとに自由交歓を行なった。

民謡合戦、村のばなし

三日目　雪はあがり、ときたま雨が降ちる曇天。午前六時半に起床、洗面、朝のつどい、朝食のあと、八時半から前日にひきつづいて、午前と午後を通して名部屋で分科会ごとに研究討議を行なった。

前日のレポートに基づく参加者の発表の中から提起された問題点や課題などについて、助言者をまじえて熱心に研究討議した（まとめの内容を三面に掲載）

話し合いは、経営部門別では、技術、物価や流通機構などを含めた経営管理、さらに十年後の農業としてこん後のビジョンなど。またクラブ活動では、4Hクラブの本質やプロジェクト、リーダー、組織の問題などについて論じられたところが多かったが、都市近郊や純農村、山村地帯などの地域性、産地形成などの差、クラブでも盛んなところとそうでないところ、またクラブ歴などによって悩みや問題点に違いがみられたようだ。

夜は、村のはなし懇談会が各分科会ごとに、あるいは合同して各部屋で、用意された菓子とみかんを食べながらにぎやかに行なわれた。

それぞれ各部屋ごとにアイデアを生かし、郷土色豊かなプレゼントの交換をはさんで、村や町に伝わる民話、伝説、歴史や地理などについて紹介、また、自慢ののどをはりあげて民謡を披露するなど酒気ぬきの宴会が十時近くまでくりひろげられた。

一方、千代田区三番町の農林省分室では、分科会から選ばれた青年代表八名と経営者二夫妻が出席して、農林大臣と農業経営懇談会がもたれた。

四日目　いよいよ最終日。二、三日前とうって変って、からりとした日本晴れ。参加者は、部屋の整理のあと荷物を持ち身仕度をととのえ各会場へ。午前八時半からクラブ活動など内容の同じ分科会ごとに青年経営者、特別参加者部会の合同交換討議が各部屋で行なわれた。

このあと、各県ごとにバス（十六台）に分乗、センターをあとにしてNHKホールへ会場を移動。

午後一時からライトがまぶしく光る会場で「わたくしたちが築く十年後の農業」と題してパネル討議が行なわれた。出席者は、千葉県の増田節子さんら青年部会代表四人と経営者部会代表の三人、助言者として並木正吉（農林省農業総合研究所計画部雇用研究室長）神谷克己（日本経済調査協議会調査部長）の両氏で、鈴木泰雄アナウンサーの司会で進められた。

このあと三時過ぎから閉会式に入り、閉式のことばに続いて次のとおり表彰が行なわれた。

青森県のみのり4Hクラブなど三十三の農村青少年模範農業研究集団に農林大臣賞（宮崎政務次官が授与）、高知県の和田久勝氏ら指導者篤志三十四人に農政局長感謝状（天野農政局普及教育課長）鹿児島県の出水農業改良普及所など三十六の農村青少年農業研究集団育成機関に全国農村青少年教育振興会、日本4H協会両会長感謝状（宮城4H協会副会長）、広島県の三島斉氏ら十六人の放送利用農業集団育成功績者にNHK会長感謝状（西川NHK放送業務局長）松本市など三十の農業研究集団育成機関に全国農業改良普及協会長感謝状（徳安全国農業改良普及協会々長）。

つづいて宮崎農林政務次官から受賞者に対してお祝いのことばがおくられ、これに応えて受賞者代表の謝辞がのべられた。

ついで、NHK会長を代行して西川同放送業務局長、振興会・4H協会両会長を代行して宮城4H協会副会長（振興会監事）、徳安普及協会長から主催者あいさつとして、参加者を激励された。

来賓紹介、祝電披露のあと参加者を代表して北海道の中山寿雄君ら二人が"明日の農業への誓い"を力強くのべ、宮崎政務次官の音頭で万歳三唱、閉式のことばを最後に四日間にわたって開催された全国会議の幕を閉じた。

京風暖風

犬もあるけば……

先日、ある普及所を訪問したとき、ひる休みに「いちごを御馳走するから、ちょっと行って来る」と普及員が出かけたので、「ぼくも行ってみたい」と車上の人となった。

見事なハウスいちごである。カラー写真でお目にかけられないのが残念だが、通路の土の色、いちご果実の紅、果梗のうすみどり、薬袋の濃緑、絵筆でキャンバスに線をひいたようである。号令をかけたようだというのはこのことだろう。しかも品種名は「春の香」ときた。口に含むと、ねばりがあって、香りも高く、甘酸適度といったうまさ。外の風はつめたかったが、短かい時間に「早春賦」を満喫した。

その農家の人の話。「今までは福羽種を中心に作ってきたけれど、今年はじめて一棟だけ作ってみて、まあまあの成績のようです」「このあいだ、用があって○○市役所へ行ったので、帰りに××町から△△町まで（この間約六キロ）両側の八百屋、果物屋を一軒一軒のぞいて歩いてきました。〈福羽〉がだいぶ出ていて、〈春の香〉もあったけれど、値段は大体同じぐらいでしたね。病気に弱いと聞いていたけれど、それ程でもないし、収量も〈福羽〉より多いようですね」――

「犬も歩けば棒にあたる」というのは古来の名諺である。いろはかるたのトップに出てくるだけのことはある。特に情報化社会といわれる今日、いろんな情報が氾濫しているといわれながら、案外、必要な役に立つ情報はとらえられていないのじゃないだろうか。いや、とらえようとしていないのじゃないだろうか。犬も歩かなければ棒にあたらない。犬も歩いても、目をあけ、耳を立てていないと棒にあたらない。あたっても、その棒をくわえて持ち帰るか、そのまま捨ててしまうかは、その犬の問題意識と、判断の如何であろう。

農家のことばを聞いて、先に見た絵のような光景にも納得がいった。車のつっ走る道路をあっち側、こっち側とわたりながら六粁も歩いて果物屋をのぞく熱心さ、積極的な意欲、むずかしくいえば情報の蒐集ということだろうが、それが、いちごのすがたにも現われていた。一緒に行ったその若い専門技術員はハウス内の地面が平でないことを、そのすがたからみつけていたが、素人の私にはわからなかった。今回はそれにはふれない。

今年は、いぬ年。私の年賀状には、目を大きく見開いて、耳を立てて、棒にあたっている犬の版画に彫った。

（いばらぎ・はが）

心頭技健

三月三日、前夜のつどいで幕を開いた「第九回全国青年農業者会議」は、日本農業の中核者として実践活動をしている全国の農村青年と農業経営者（夫婦）など約一千名が参加し、当面する農業や生活の諸問題、あるいは将来の農業の方向などについて熱心に研究討議した。この会議の成果が、今後の実践活動の中に示されることを期待したい▼今年の会議は、激動する七十年代の時流を反映して、とくに分科会討議では、米作調整に関した諸問題に強い関心をよせ、これが論議の中心になっていた。また、今年は参加者の発言の中に"情報化時代"ということばがよく使われていたが、このいずれも農業者には新しい体験であり、当面する現実の問題として、真剣に考えなければならない▼しかし、この米作問題について、ある青年の発言には、同情にも似たあわれみを抱かせるものがあった。その発言を要約すると、近郊農業で野菜栽培を専業にしているが、米作転換が実施された場合、被害を被るのはおれたちだといっていることであった▼これは、米作転換者が手っとり早く転作できるのが野菜であるため、豊作貧乏の現象がおこり、現在の野菜栽培者が大きな打撃を受けるばかりでなく、お互いが共倒れになってしまう心配がある。だから米作調整には反対だーという発言であった。だからといって野菜への転作を拒むことは何人もできない。このへんにも米作調整を進める上で問題が多い▼しかし、現実の問題として起こった以上、反対だとばかりいってはいられない。自からも進んで対策を考えていかなければならない問題である。もっとも広い視野で日本農業の将来を考えた場合、世界の中の農業――貿易の自由化などもっと農業者の頭を痛めつける問題がめじろおしにせまっているのだ▼こん後の農業は、技術革新とあわせておそいくる問題解決の時代を迎えるのだ。そのためには、これに対処できる人間教育以外に方法はない。しかし、この会議の一部には、その場しのぎのレポートをひっさげての参加者もいたようである。また、こうしたきびしい社会情勢に対処するための農村青少年教育の方法として、これでよいのか一考を要する時代を迎えたのではないか。

農業の未来図を討議

宮城県連で農村青年会議　不安吹き飛ばす夢も

【宮城県＝関場勝広連絡報道員発】宮城県農村青少年クラブ連絡協議会（会長、浅野啓一君）は、さる二月二十四日から二泊三日にわたって宮城県泉ガ岳青年の家で、宮城県農村教育青年会議を開催した。同日は、県下のクラブ員百五十余名が参加した。

会議の内容は青年会議部会、発表部会、講演、全体討議、レクリエーションなどで、盛りだくさんの行事がスムースに行なわれた。

▽青年会議部会＝「わたくしたちが築く十年後の農業」これは、NHKがテレビ放送した番組をビディオテープによって視聴したもので、会議の課題は①わたくしたちが築く将来の農業はどうあるべきか②わたくしたちが築く将来の農家生活はどうあるべきか③農村青少年のなかまづくりをどう進めていくべきか。

以上の課題について六分科会にわかれ、約四時間にわたり熱心に討議しあった。

▽発表部会＝これは、作物、園芸、畜産、生活改善、経営、クラブ活動の各部門にわかれ、各地区代表者の発表があり、この後部門ごとに研究討議を行なった。

▽講演＝「青年の生き方」について約二時間半にわたって行なわれ、参加クラブ員たちは熱心に耳を傾けた。

▽全体討議＝これは、青年会議部会で討議された内容について、パネルデスカッション方式で行なわれ、代表者からの発表のあと、公開討議で行なわれた。全体討議においては、やはり、将来の農業に対する不安が多く、はたして、いつまで農業を営んでいくことができるか、との声もある反面、この不安をはねかえすような将来の夢を着実に実現をしていくという青年もおり、有意義で真剣に討議しあった。

広島県連の青年会議　米作に活発な論議

【広島県＝沖原賢治連絡報道員発】広島県農村青少年クラブ連絡協議会（会長、堀川隆夫君）は、広島県とNHK広島中央放送局の共催を得て、このほど二泊三日の日程で、県下の若い農業者百二十名が、海軍兵学校で全国に名高い江田島の国立江田島青年の家に参集のもとに、第九回広島県青年農業者会議を盛大に開催した。

会議の第一日目は、開会式のあと表彰式（青年の手による優秀経営）、入賞者体験発表、テレビジョン視聴（わたくしたちが築く十年後の農業）を行なった。

二日目は、京都大学教授・柏祐賢先生の講演「総合農政とこれからの農業」を聞く、つづいて分科会、レクリエーションの夕べを行ない楽しい一夜を過した。

三日目は、前日行なった分科会報告のあと、共同通信論説委員・寺山義夫先生の「新しい村づくり」と題した講演があり、ついで閉会式が行なわれ、三日間にわたった全日程が終了した。

今回の会議は「農村社会の変貌と青年の役割」を総合テーマにして、分科会を五つに分けて討議しあった。今日の農業は米作転換など極めてむずかしいときであるだけに、いずれの分科会も活発な意見が多く、終始熱のこもった話し合いがつづいた。とくに第二日目、三日目の講演は、新しい情報を取りいれた内容で、全員がメモを取りながら熱心に耳をかたむけていた。

七〇年代は情報化時代だといわれるだけに、分科会の全体発言の中にも、とくに情報化ということばがしきりに使われていた。

この会議は、国立青年の家を会場にしたために、農業に関した勉強だけでなく、時間や規律など、共同生活の面についても学ぶところが多く、また、他団体との交流なども深まり、広い面での研修ができたと参加者たちはよろこんでいた。

4Hの活動家が育つ

静岡県連でリーダー研修会　富士を背景に励む

【静岡県＝鈴木政美連絡報道員発】静岡県農村青少年クラブ連絡協議会（会長、松浦幸治君）は、さる二月二十五、六日の両日、清水市馬走の日本平ロッヂで、四十四年度二回目の県農村青少年リーダー研修会を開催した。

一回目の研修会は、昨年十一月に実施したが、今回は男女合同で行なわれたもの。この研修会には県内各地から4Hクラブ員七十名が参加し、雪を頂いた美しい富士山をバックに研修に励んだ。

今回の参加者は、次期役員の人たちが多く、年令的にも平均二十才と若く、ほとんどがクラブに入って二年目という人が多かった。

研修内容は、プロジェクト活動をどのように進めたらよいか、青少年の仲間づくりの問題などについて深くほり下げて話し合った。

また、分科会に分かれて、県連活動を活発にし組織の充実をはかるにはどうしたらよいかなどについても活発な意見が出された。

一泊二日の研修を終えたクラブ員は、一人でも多くの仲間をつくって、プロジェクト活動に励み、また、広い視野を求めて明日の農業建設のために頑張ってくれるものと思われる。また、4Hクラブの立派な活動家になるものと期待されている。

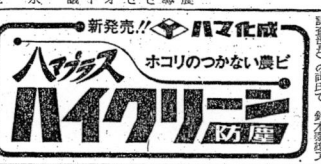

クラブ活動の進め方について研修に励む参加者＝静岡県連のリーダー研修会

春の全国会議 写真特集

写真説明

会場のオリンピック記念青少年総合センターでは、冷気の中での朝つどいが行なわれた……国旗の掲揚　②最後の日はセンターを後に、NHKホールへバスで移動した　③NHKホールで行なわれた閉会式……若き農業者を激励する宮崎政務次官　④青年と経営者両部会を合せて開かれた合同会議……双方の分科会の内容を互いに発表し、研究討議した　⑤閉会式に先立って行なわれた表彰式で授賞する育成機関代表者　⑥前夜のつどいで行なわれたレクリエーション……壇上で指導するのは竹腰美代子さん

春の全国会議によせて

農林大臣　倉石忠雄

この会議は、昨年から全国農村教育青年会議と全国農業改良研究集会を統合し実施してまいりましたが、本年はさらに農村青年や農業後継者の活動を援助している各種団体が一体となって、この会議を開催する運びとなりましたことは、誠によろこばしいことと考えております。

ご承知のとおり、現在のわが国農業は米の過剰問題をはじめとして、農産物輸入の自由化の問題など、いろいろと困難な問題に直面しております。

このような情勢に対応して政府といたしましては、農業者の理解と協力のもとに米の生産調整を強力に進めるほか、国民の食生活の多様化、高度化に即応して、畜産物、野菜果実などの安定的な供給を図るとともに、農業構造の改善のための施策を総合的に推進することにいたしております。

しかしながらなんと申しましても、これらの諸施策を実現して参りますためには、青年農業者、みなさん方のご努力に負うところ大なるものがあります。

とりわけ、今後の農業は、適地適産の方向を指向しながら大規模化、専門化するとみられますので、これの担い手は高度な専門的知識や技術をもち、企業的経営管理能力をそなえたものでなければなりません。

その意味において、本日からの三日間にわたるこの会議では、みなさんが実地に体験した成果を十分研究討議するとともに、その成果を持ち帰り、さらに研さんにつとめ、新しい農業の建設にいっそう力強く前進されますことを心から期待いたします。

農業を自主的に
政府に頼らず創意工夫で

全国農村青少年教育振興会長　東畑精一

全国各地から多くのみなさんをお迎えいたしまして、今日からこの会議を開くことになりましたことを、主催者の一人として大変喜んでいます。

毎回、私はこの会をみているのでありますけれど、はつらつたる目の輝いたみなさんに接することができ、個人としても非常にうれしいのであります。

自主的という言葉をよくいいますね。自主的とはどういうことか。自主的にやれ、やれといいますが、自主的にとはどういうことかを一口でいいますと、やはり、自らの創意工夫ということを発揮することです。それについても、責任をもつということが、自主的ということではないかと思います。

とくに、これを農業についてお願いしたいと思っているのであります。

日本の明治以来今日まで、一昨年は「明治百年」というのをお祝いしたのでありますが、百年間というのをいろいろ列挙してみますと、非常に注目すべき事態が一つあります。

それは、最初の二十五年間というものは、ちょうど日清戦争というのがありましたが、その十九世紀の末ごろまででありましたが、そのころまでは日本の明治維新以来、国はできたけれども諸般の組織、設備というものは十分できていません。農林省も、勧農局というのはありましたけれどもきわめてわずかの人数がおるという。地方の県庁へ行きましてもきわめて少数の人がおる。また、学校があるわけでも、農場があるわけでもありません。

そういう時期において、新しく明治になって世が開けて、日本の農業界で、やはり全国の谷地の篤農といいますか、在村の地主とでもいいますか、こういう人々が、非常な日本の農業の発展の力となりまして、全く自主的なのです。これは、団体をつくって、農談会というものもありますし、種子の交換会というのもありました。

明治の最初の二十五ヵ年間の日本の農業発展の新時代に向って、どうやるかという発展の原動力になっていました。

ところが二十五年も経ち、ちょうど二十世紀になる頃から、日本が一国としての統一がだんだんできてきまして、それとともに政府の役割というものがだんだんふえてきました。ふえてくるのは結構なことでありますが、ふえてくるとともに農村における、この「自主的」という観念がだんだん、だんだん弱くなってきました。どうも「政府に頼る」ということになってきました。そういう情勢を繰り返すこと、実に五十五年なのです。

大東亜戦争でそういう形勢というのは、くずれてしまったのです。

最後に四半世紀といいますか戦争以後この二十五年間というもの、もちろん政府はいろんなことをやっております。また、やってもらわねばなりませんが再び日本は明治維新のあとのように、全国の農村のあちらこちらに、自主的な努力といいますか、どういう農業をやっていくかということについての創意工夫というものが、民間の中からなくなって、きたということです。

さきほど、農林大臣の話の中にもありましたように、経営管理能力が大事なんだといいますが、こういうことはみなさんで承知のことと思います。こういう経営管理能力というものが、またそれを努めようというのが全国に非常に拡がりつつあると私は思います。

ことに農業の情勢は、ご承知のように楽な情勢ではないと思います。

だからこそ私は、民間の中にことに今後農業を担当していこう、背負っていこうというみなさんの中に、大いに自主的な研究と努力、これは経営管理能力ということに集中されるのでしょうが、あるいは米作であれ、畜産であれ、園芸であれ、何でもいいのですが、その地方、地方において自主的に、あるいは役所を引張っていくとでもいいますか、これが、本来の型なんです。

この場合に一つ大事なことは単独では、一人の力どうにもならないということです。農業はことに小さいですから、どうか協同という形で、明治の初めにはその協同というものはなかったのですが、今日は協同という形でみなさん方の自主的な能力新しい創意工夫というものを開発されて、日本農業を将来背負っていただきたいと思います。

そういう意味で、明治の初めの二十五年間と今日この二十五年間が全体として考えますと、日本農業が最も充実したときではないかと考えます。

農民が減ってきたということはありますが、それは農業にとってそれほど大きな問題ではありません。

どうか、その意気込みでご健闘を願いたいと思います。

充分な話し合いを
成果は地域の仲間たちに

全国4Hクラブ連絡協議会長　黒田保

全国のみなさん、ようこそおいでくださいました。

私自身この会議に、第一回に一般参加者として、第三回に運営委員という形でみなさん方のお世話をしたわけであります。

本年度、第九回を迎えた本日再び第三回のみなさんをお世話した感激と喜びをまた味えるということは、私は非常に仕合せな男だと考えるわけであります。

私たちのクラブ活動の根底をなすプロジェクトというものを私たち全国4Hクラブ連絡協議会として「プロジェクト実績発表会」として行う予定でありましたが、全国のみなさん方のいろいろなご希望、そしてまた、プロジェクト活動を伸すために農林省あるいは振興会の方々が推進されていますプロジェクトと併せて行うことがより意義のある、そして成果のあがるものと判断して、この会議に合同して行なうことにしたわけであります。

いま、私たち農業者は稲作の作付け一割減反という史上かつてない場面に直面しています。みなさん方も、これからの農業はどう進むのだろうかと不安に思われていることでしょう。

だがしかし、私たち青年には無限の可能性があります。燃える情熱とだれにも負けない実行力があります。

私たちはここで、七十年代の日本農業の発展のため、この可能性と情熱と実行力を発揮し、まず地域農業の発展に貢献しようではありませんか。そうすれば、ひいてはそれが日本農業全般の発展につながっていくことでしょう。

みなさん方は地域農業の担い手として、全国各都道府県から代表として選ばれてこの会議に参加されたわけであります。四日間の短い期間ではありますが全国から集った仲間たちと、現在かかえている問題や将来の方向などについて十分話し合いをされ、この会議で得られた成果を地域に帰って多くの仲間たちに伝えていただきたいと思います。

雪も降って寒くなりましたので健康には充分気をつけ、少しでも多くの成果をあげるようお願いします。

みなさん一人ひとりを、心から歓迎し、会議の成功に努めたいと思います。

優秀クラブに大臣賞
育成機関には感謝状を授与

全国会議最終日、NHKホールにおいて表彰式が行なわれ、優秀クラブに大臣賞が育成機関に全国農村青少年教育振興会長・日本4H協会長から感謝状が贈られた。

農林大臣賞授賞者

青森・みのり4Hクラブ、岩手・小梨酪農研究会、宮城・名取市熊野堂園芸クラブ、秋田・耕友会、山形・すぎな会、福島・長野農研クラブ、茨城・三友4Hクラブ、栃木・大宮4Hクラブ、群馬・谷地4Hクラブ、千葉・富津町青少年クラブ、神奈川・青空クラブ、山梨・四葉4Hクラブ、長野・高丘4Hクラブ、富山・氷見若葉クラブ、愛知・幸田町4Hクラブ、三重・伊賀町農村青少年クラブ、滋賀・会津町農業後継者クラブ、大阪・貝塚市岡近義4Hクラブ、兵庫・稲美宮農青年クラブ、奈良・桜井4Hクラブ、和歌山・若葉4Hクラブ、島根・斐川町農村改良青年会議、岡山・中央町緑友会、広島・世羅町農業研究クラブ、山口・福賀4Hクラブ、徳島・讃東4Hクラブ、香川・高瀬4Hクラブ、愛媛・わかば会、高知・羽根4Hクラブ、佐賀・兵庫町農村青少年クラブ、大分・土ぶら会、宮崎・通山酪農グループ、鹿児島・酪農ボーイズクラブ

振興会長、4H協会長賞授賞機関

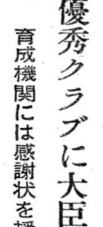

北海道・北見地区農業改良普及所、青森・三沢地区農業改良普及所、岩手・紫波農業改良普及所、宮城・石巻農業改良普及所、秋田・大館農業改良普及所、福島・岩瀬農業改良普及所、茨城・笠間地区農業改良普及所、栃木・矢板農業改良普及所、群馬・伊勢崎農業改良普及所、同・松井田町、埼玉・本庄農業改良普及所、千葉・安房支庁安房農業改良普及所、同・山武農業改良普及所松尾支所、山梨・北巨摩農業改良普及所、新潟・三条農業改良普及所、富山・高岡農業改良普及所、石川・高浜農業改良普及協議会、三重・紀州農業改良普及所、滋賀・高島地区農業改良普及所、兵庫・神戸市、島根・出雲農林改良普及所、岡山・津山農業改良普及所、広島・高野町、同・吉田農業改良普及所、山口・萩農業改良普及所阿武支所、香川・小豆島農業協同組合、高知・室戸農業改良普及所、福岡・穂波町公民館、佐賀・唐津市役所、熊本・滝北村公民館、同・蘇陽町、大分・竹田農業改良普及所、宮崎・川南町、鹿児島・出水農業改良普及所

第九回全国青年農業者会議
分科会（水稲部門）のまとめ

第九回全国青年農業者会議は、さる三日から四日間にわたって、東京・渋谷区のオリンピック記念青少年総合センターを主会場に、全国の各都道府県から代表として選ばれた若い農業者、育成指導関係者ら約千名を集めて盛大に開かれ、多くの成果を収めて閉会した。この会議の中心となったのは農村青年と農業経営者に分かれ、それぞれ日頃、実地に学んだ成果や問題を発表し合い、そのなかから、当面する問題、あるいは将来の方向などについて話し合った分科会討議である。分科会の編成は選択課題である水稲、野菜、花卉、果樹、酪農、肉牛、養豚、養鶏、健康と労働、農家生活と経営、クラブ活動などの作物別に十五名から二十名程度に分け、青年部会二十三班、農業経営者十班、それにクラブリーダーや指導者の部会五班を編成し、クラブリーダーと指導者の部会は「農村青少年クラブ活動の強化について」をテーマに、また農村青年と農業経営者の部会では、共通テーマとして「私たちが築く十年後の農業」についてそれぞれ発表討議をした。各分科会で話し合われた内容は、規模の拡大、資金、省力化、機械の導入、輸入の自由化、コストの引き下げ、過剰生産、販売流通、消費者の好みの変化と品質の向上、現在最も問題になっている稲作の作付け減反、農家生活の向上、婦人の役割、クラブ活動のあり方などで、多岐にわたって熱心に討議された。本紙ではこれらの討議のまとめを、逐次連載する予定であるが、今回は第一回目として水稲作のまとめを紹介することにした——編集部

分科会で熱心に討議するクラブ員たち　二日間にわたる分科会討議では、米の生産調整など、農業をとりまく多くの問題が話し合われた（オリンピック記念青少年総合センターで）

食管の行方に不安
人間関係を改善して協業へ

農村青年部会　第一分科会（水稲）

この分科会は関東から北の人が多く、男子十五名、女子二名で話し合った。

一、はじめに討議のなかから次のような共通する課題をだし合った。

❶品質の向上に目を向ける
❷水稲＋アルファの選定
❸田植機の高度利用
❹都市化の波にどう対処していくか
❺面積の拡大①請負い耕作②離農者の土地吸収
❻基盤整備の実施
❼省力化を図っていくの大型機械の利用②協業経営③除草剤の上手な使い方、これらにあわせて余剰労力を他の作目へ向ける
❽食管制度と流通機構などの問題と不安

これらの共通した課題について討議した。

つぎに共通課題「私たちが築く十年後の農業」について発表し、その共通点として❶基盤整備❷規模拡大❸技術と品質の向上❹他産業との対抗❺個別経営農家の確立❻共同、協業体系（企業システム）❼食管法にたよるか——以上の問題は、おのずから選択課題と共通しているので、その点について討議した。

一、基盤整備　農業を行なっていくもとは土地にある。大型機械を導入して、能率のあがる圃場にしなければいけない。

二、規模拡大　請負い耕作をする。または農業にやる気のない者に離農をすすめ、残った土地を吸収する。それに対しての具体策は今後の問題点とする。

三、技術、品質の向上　品種を統一し、良質の米を作り、収入の増加を図る。すなわち、米の商品価値をあげる。

四、他産業との対抗　品質の向上や販売の組織化をもって対抗する。

五、個別経営農家の確立　国の方針からみても、水田四～五ヘクタールにしなければいけない。そのためには請負い耕作、離農者の土地を取得して規模拡大をしなければいけない。

六、協同、協業体系（企業システム）　このために最も大切なことは人間関係であり、その他の土地や資本、技術、労力などの対策はその後からすすめる。共同体の方向として❶水稲＋アルファ❷専門化❸専門分担の三つの型がある。

七、食管法の問題　食管法はあくまでも堅持する。もし、これがくずれた場合は、農協などの位置づけをはっきりさせ、組織的に販売体制を整える。または共同体の中から販売する。

さいごに「人間味のある生活とは」の討議は問題点として後に残すということで、つまりは「俺たち若い者がやらねば誰れがやるとの観点に立ち、実行しようではないか」ということで終った。

機械導入で省力図る
余った労力を規模拡大へ

農村青年部会　第二分科会（水稲）

まず、稲作をする農業者は、稲作を中心に今後どう進めていくかという問題が出て、そのなかで企業的農業についての議論がなされた。

その結果、企業的経営に到達するためには協業化や請負いの方法があげられた。

協同化について　協同化を実現させるには非常な困難があるとされ、それは仲間の和、人間関係に多くの問題があり、人間関係を改善するためにどうすればいいのか議論がかわされた。また、他産業では協業化がすすんでいるのに、農業はなぜ取残されなければならないのか、なぜ成功しないのかという疑問がでた。

請負い耕作について　兼業をできるだけなくし、請負による自立農家の確立を図る。そして貸借関係、それに農地法をいま一度考え直す必要があるのではないか。

販売方法について　食管法の維持、継続を望む。しかし、販売においては、これまで、政府へのあまえがあったのではないか。農家は、国際競争に勝てるように、販売に対しても、いま一度自覚しなければならない。

これらの意見のほかに、米の質と量についても多くの意見が出され、今後は米の質、食味をよく研究して、米作りに頑張りたいという意見がだされた。

共同プロについて　地域の基盤整備と技術、品質の向上を図るとともにグループの団結をすすめる。

個人プロについて　機械の導入を図り、田植、収穫作業を省力化し、それによって得た労力は①現在の労力不足を補う②他の部門へ配分を行なう③請負耕作や新たに開拓して規模拡大を図る。栽培技術として、施肥の方法、時期、追肥について研究を重ねる。品質の向上と安定多収を図る。

共通課題「私たちが築く十年後の農業」についての討議は、経営規模の拡大を図り、省力化、機械化をすすめて農家生活の安定と向上をめざした発表が多かった。その共通した意見はつぎのようなものである。

「現代の日本農業は、国際経済の急激な変化の影響を強く受けてきた。例えば、日本の米価は国際価格の三倍である。そこで今後は経営規模の拡大を図り、生産性の高い農家を育てていかなければなるまい。

稲作では四～五ヘクタールの水田が必要であり、搾乳牛においては百頭以上は飼育しなければならないだろう。

農政上の最大の根本は、農家の自発的な力を求め、農家がやることを援助することが本当の姿であろう。

とにかく、資本主義の経済下で生き残るには、共同化や合併をして大企業に成長するか、中小企業にあってはとくにすぐれた頭脳と技術を開発する必要がある。

農業においては、構造改善事業を強力にすすめ、有能な仲間と集団を育成しなければならない。

そこで、構造改善事業をすすめるには、つぎのようにしなければいけないだろう。

まず、構造改善をやればどんな効果、例えば省力、増収、生産費軽減など、があるかを明確にし、必要な事業資金を正確に把握して事業反対者に対しては積極的に話し合う場をつくり、不安を解消すべきである」

これからの米作りは、消費者の好みに合わせて、量産より品質の向上を図らなければいけない

生産調整に賛否両論
難かしい農家の嫁の立場

生産調整は小規模農家の離農を促進する……賛成派の考え方

農業経営者部会　第一分科会（水稲）

まず、一人ずつレポートにもとづき発表した。それをまとめると以下の通りである。

一、経営の実態　経営面積は、五ヘクタール二人、三ヘクタール三人、一・五～二ヘクタール四人で、大部分の人は百～二百万円の所得である。

二、栽培技術改善　資本装備の充実を図って、安定省力をめざしている。

三、現在の問題点　①所得の伸び悩み②経営費が増大している③地価の関係などで、規模の拡大ができない④基盤整備ができていない。

四、これらについての対策　①経営規模の拡大②機械の導入③基盤の整備④集団化、共同化、協業化⑤良質米の生産⑥組織活動—集団的生産組織—など。

共通課題「私たちが築く十年後の農業」については、討議の結果つぎのような稲作農家の今後の方向が論じられた。

一、経営規模の拡大　五ヘクタールをめざすグループと十ヘクタールをめざすグループがあったが、どちらも年収目標は二百～三百万円程度で、問題点は、土地が高価で買入れるのが困難なことで、その対策として受託方式をとること。資本装備は中・小型トラクターで農協が主体となるように—ということ。

二、稲作＋アルファによる発展　五ヘクタールの人は山林、肉牛など補完的なもの、一～二ヘクタールの人はブドウ、養豚、キノコ、露地そ菜、酪農、ブロイラーなどを取り入たる。流通と生産組織に問題がある。

三、協業化、共同化、法人化　自立経営発展の手段として、または農事と兼業が結んだ形として、農協が主体となって行なう。

四、生産調整のうけとめ方　「規模拡大のためによい」という賛成派と、「一律実施は不可」という反対派がある。むしろ、米価切下げの方が合理化の励みになるという意見もあった。

五、生活と規模拡大の関係　①生活と生産の分離をしたい②作業上は二人が単位（機械利用）③婦人労働も場合によっては一人前である。（育児の観点から）④家計簿をつけることが出発点⑤姑の存在と嫁の立場については、嫁は農作業に出ないわけにはいかないし、また、夫の片腕となりたい。

論点の大要

現況には決して満足できず、いずれも所得の向上をめざし、技術の改善に励んでいる。

だが、米価の据置きと経済成長の増大、それに基盤整備のおくれはいちじるしくその目標達成を阻んでいる。ただ、目新しいものとして、集団的生産組織の再編成が述べられた。

規模の拡大については、高価な土地を求めて実現する余裕はないので、その前提としては協業形態をとることが好ましいし、プラス・アルファの点については、農協主導型の団地の姿が望ましい。協業についても、種々の形が検討されるが、機械利用による段階的発展が望まれる。

稲作農家にとって最大の打撃は米の過剰である。ただし、生産調整については、種々のうけとめ方があり、農家の離脱を促進して、自立農家が規模拡大できるなら賛成だとするものもあったが、大勢としては否定的であり、裏東北では農外収入の道がないことから反対の空気が強い。また、一律実施ということは農民の努力の余地を残さない、ということで反対のものもあった。

さらに、生活と経営については、婦人方の意見があり、簿記の記帳ぐらいはすべきだという声が強かった。ただし、姑が若い場合の嫁の立場はデリケートで、夫と野外作業をした方がよい、という意見がきかれた。

家計の実収を誰がもつかということも問題とされた。しかしながら、家庭に在って子どもを育て、働く家族の慰労をしたいという願いは共通のものであった。

さいごに、これほどまで熱心な農家層が意外なまで農協運動に冷淡なことである。農協がこれら農家に対していかなる役割を果たすべきかを、もっと真剣に討議すべきであった。

問題は土地取得に
技術改善の焦点は田植作業

農業経営者部会　第二分科会（水稲）

一、提起された主な問題　討議しようとする課題についてみんなの意見を求めた結果、つぎのような課題が提案された。

❶生産調整と稲作❷規模拡大と資金の手当❸機械の共同利用❹干拓分譲について❺集団栽培の育成❻都市化の自立経営❼農閑期の労働力燃焼❽転換作目について❾共同経営と自立経営❿水田経営における産業技術の改善

二、討議のまとめ　これらの課題のなかから、共通する問題ごとに討議し、以下のようにまとめた。

（一）生産調整と今後の稲作
ア、米価の据置きは、米作農家にとって、他の物価の上昇を考えると、むしろ値下げに等しいものである。
イ、減少することによって農業所得が低くなるので、農家にとって何らかの形で所得を補わなければならない。
ウ、これらのことによって、農家はむしろ経営拡大をしなければならなく、生産コストを下げ、労働生産性を高くしなければならない。その結果、十年後は他産業に負けないくらいの所得を上げなければ健康で明るい農家生活はできない。
エ、規模拡大するには、米価をもっと下げ、それに対応できない小規模農家は脱落し、それが規模拡大につながるのではないか。

（二）水稲を中心とした協業組織と自立経営
ア、自立経営をすすめるためには協業化が必要である。
イ、協業組織をつくれば、逆に兼業農家が離農しなく、むしろ農業をつづけるのではないか。
この二つの意見が出たが、結論的には、生産コストを下げるためには協業化は必要である。作業委託をすすめることにより、自立農家の作業規模が拡大され、兼業農家の脱落が促進されるのではないか。

（三）水稲経営における生産技術の改善
ア、米作りの生産技術改善の第一の焦点は田植作業の省力化であり、具体的には、田植機を使い、いかにこれを利用するか、また、直播栽培をいかにうまくとり入れるかについて討議がなされた。

（四）残された問題点について
土地に対する愛着心が強い現状において、いかに規模拡大をすすめるか、これについては例えば株式会社方式をとり入れるなど検討する必要があるのではなかろうか。

あしたの青春
一ノ瀬綾
え　多賀愛子
<21>

めざめ（二）

声を聴きつけたふく代が、居間に入ってくると、久治は同意を求めるように言葉をついだ。

「かあさんとも話したんだが、この際思い切って研修所へ行ってみたらどうだ、新一」

「一年ぐらいなら、家中でなんとかやりくりして、待っているでな、心配せずともさ」

ふく代は茶を入れながら口をそえたが、目差は不安気に息子の上にそそがれていた。

新一は仕方なく、そこへ座りこんだが、突然の両親の提案に不意を突かれたような戸惑いを感じていた。高校が終る時も一度は行きたいと思った研修所であったが、今改めて持ち出されてみると、当時のような心の気負いは湧いてこない。

研修所で新しい知識を学んだとして、それをどれだけ現実の我が家の経営に役立てられるのか、新一にはそこが疑問であり、不安でもあるのだ。

「大規模な経営技術を覚えて来たところで、おら家のような小さな農家に、どうやって当てはめろと言うんだい。無駄だと思うな」

新一は率直に父親を見つめた。キャベツの問題以来、はじめてまともに対し合った父と子である。

「研修所で習ったことが、そのまま役に立つとは父さんも思ってやしねえ。実習先の経営をすぐ真似ることもできねえ相談だ。だが、なんかの役には立つ筈だ。なんとかしようという気概だけでも身につくだろうよ」

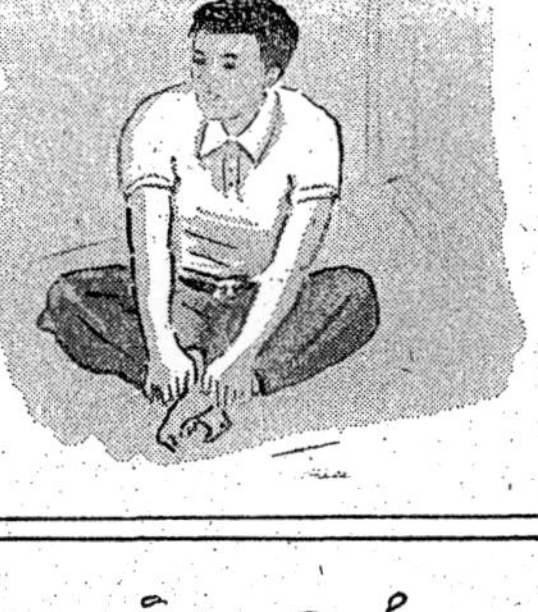

「なんとかしようなんて気持、なんになるんだい。キャベツがいい例だ。今の日本の農業は無策でお先真暗なんだよ。みんな、その場しのぎのごまかし農業じゃねえかい」

言っているうちに新一は、日頃のうつ憤が一度に自分の胸元に駆上がってくるのを、押さえることができなかった。酒を飲んでも、マージャンに熱中しても、意識の底にへばりついて離れない不安と憤りを自分の手で、むしり取りたい思いにかられていた。

「これから先、一町歩に足りねえ土地で、それも半分以上が畠だというのに、なにを、どうやって作ったら確実に金になるのか教えておくれや、え、父さん！」

たたみこむ新一の口調に久治は顔をゆがめた。

「そんなこと、おれにだってわかるか—どんなにお先真暗だって、なんとかしなけりゃ生きてゆけねえのが世の中だわな」

「新一、おとなしく話しておくれ……父さんだって無理に研修所へ行かせたがっているわけじゃねえんだから」

ふく代がオロオロと口をはさんだ。新一はそんな母親に目もくれず、なおも久治に喰いさがった。

「いくら新しい農業を、と喚いてみても、土地に限りがあればどうしようもねえ。せまい土地を利用したブロイラーだって、みんながやればすぐ底値だ。野菜も、畜産も、みんな出たとこ勝負。不安に追いかけられたその日暮しなんか、おらはごめんだ……どうやって見通しの立つ農業ができるんだい」

問いつめられた久治は、ただ唇をひくつかせて新一を眺めている。父親から満足できる答を得ようと思うわけではないのに、新一は言わずにいられないのであった。

「むずかしいことは、父さんだってわかりゃしねえんだよ……母さんは只、新一が以前のように明い素直な息子になってくれたら、なんにも言うことはねえんだよ」

ふく代は吐息をついた。事故以来、白髪のめっきり目立つ頭をたれて、肩を落した母親を、新一はしばらくじっと見つめていた。

「とにかく、曲りなりにも農業をやらっと思うなら、研修所行きも考えるがいいぞ」

4Hクラブ 親善使節団訪中(台湾)記

【福岡県＝権藤秀彦連絡報道員発】福岡県内の4Hクラブ員とOBで結成した「第一回4Hクラブ訪中使節団(団員五十三名)は、このほど中華民国（台湾）の招きを受けて、Aコースはさる一月二十四日から二十九日、Bコースは同月二十四日から三十一日にかけて同国を訪問、農業の視察や4Hクラブ員との交歓などを通じて両国の相互理解と親善に寄与し、多大の成果を収めて帰国した。そこで、この使節団が、こん後二回、三回とたび重ねて実現されることを願いながら、ここに「訪中記」として訪中使節団の活躍を紹介してみよう。

日の丸を先頭に入国

一日目（1月24日）

うるわしの国、台湾へ夢をはせて、午後六時、福岡国際空港待合室に集合。

パスポートの配布、USAドル交換のほかいろいろの注意を受けて、同九時十分、キャセイ航空機で出発、一路台湾をめざした（途中、時差があり、時計の針を一時間遅らせる）。

飛行時間二時間、いよいよ台湾上空である。十時十五分（現地時間）過ぎ台北空港に到着。国旗、日の丸を先頭に団員の行進。税関で入国手続きを終えて、地元四健会（日本の4Hクラブと同じ）クラブ員と政府関係者の歓迎の拍手の間をぬってロビーへ出て整列。クラブ員から、われわれ団員へレイが贈られた。地元新聞記者、カメラマンのフラッシュがしきりに光る。

団員一同記念撮影のあと、亀井福岡県知事のメッセージ朗読、四健会からの答辞などが行なわれたが、夜も遅いのにかかわらず多くの人たちの歓迎を受けて、われわれ一行は、驚きと感謝の気持を強く抱いた。

一行は、政府さし回しのバスに乗って宿舎（台北市内福寿大飯店）へ向い、異国での最初の夜を過ごした。

二日目（25日）

午前七時三十分に起床し、八時から外国での最初の食事、朝食をとったが、言葉が通じずにオーダーに手こずり、食堂の中はてんやわんやである。

九時三十分からいよいよ行事に入り、バスで台北市内の視察へ向った。

まず最初に目に映ったのは、車であった。日本とは違ってハンドルが左にあり、右側通行である。乗用車は日産ブルバード、貨物車は、いすず、トヨタが大半である。十年くらい前に、日本で走っていたダイハツの小型三輪車にエンジンとして日本製のヤンマーの発動機を積み込んだ車が走っていた。

十一時、最初の訪問地、アジア反共連盟を訪ずれ、谷理事長からアジアにおける台湾、日本の立場について解説があった。理事長主催の中食会に招待を受け、本場の中華料理に舌つづみを打った。

中食後、国立故宮博物館を視察した。創立四十三年の歴史を持ち、いまでは全世界の芸術愛好家の注目の的となっている。台湾の気候は、日本の春先、梅雨の時期に入ったころと同じくらいで、すでに桜もちらりほらり花が咲いていた。夜は、再び台北市内の宿舎で過ごした。

三日目（26日）

午前八時に台北を出発。バスで一路台中へ向って南下した。台中へ近づくにしたがって、南国の香りが高くなり、また、農村の風景が目についてくる。十二時三十分台中に到着。省農会（農林省）主催の中食会の招待を受けたあと、省農会理事長から農会の組織について説明があった。省農会は、日本の農協組織に非常によく似かよっている。

午後五時二十五分、南投県草屯農会へ移動、草屯四健会クラブ員の出迎えを受けて、拍手の中を会場へ。われわれ一行が待ち望んでいた初めてのクラブ員との接触である。

クラブ員の民族芸能などの披露によって、われわれ一行に対する歓迎の意が表された。また、フォークダンスが行なわれ、われわれも一緒に参加した。日・中クラブ員が、それぞれ手と手をしっかり取り合い、ここに両国親善の一端を担うように、みんながなごやかな雰囲気の中で時間のたつのも忘れて交歓しあった。そして、自己紹介を行ない、名残りを惜しんでクラブ員に別れを告げた。

楽しかった草屯農会の晩さん会、また、思い出に残る草屯の町とも別かれ、宿泊地である日月タンの教師会館へとバスは走った。

四日目（27日）

教師会館を午前七時に出発し、同十時、台中青果集荷場を見学。ここでは、日本向けバナナの集荷が行なわれていた。再びバスに乗り、車窓の左右にバナナ園を眺めながら移動し、今度はミカンの選果場を見学した。ミカンの選べつ（手作業）や包装作業を見たが、ここでは、団員たちの視線はクウニャン（中国娘）に対して流れていたようでもあった。

台中青果合作の招待中食会に招かれ、そのあと嘉義農業専門学校を視察した。同校は創立五十周年を迎えた伝統ある学校で五年制、クラス数が三十四、生徒数一千四百八十五人で、入学資格は日本での中学卒業程度である。同校を卒業すれば、日本での農業改良普及員の資格が得られるという。なお科目は、農芸、園芸、畜産、獣医科などである。校長先生の説明が一通り終るとこんどは校内見学。農場の植物園のバラが色とりどり咲き乱れていて大変美しかった。

四時三十分からバスで再び高雄県をめざして南下。車窓からバナナ園、ミカン園、煙草園や田植え準備中の田を眺めながら車にゆられること三時間半、午前八時に目的地の高雄県鳳山洲農会に到着した。同農会理事長から約三十分にわたって、農会の説明があり、同会職員の真心のこもった料理で晩さん会が催され、バスの疲れもふき飛んだ感じであった。

今夜は民宿するため、一行は二～三名づつに別かれ、九時から各民宿農家へ移動し、各農家で温かい歓迎を受けた。日本の若き青少年を迎え、日本について少しでも知ろうと農家の人たちは努めるので、クラブ員たちは日本農業の現状や実態などに関する質問に、答えるのが大変であった。

車窓の左右にバナナ園を眺めながらバスで移動した

バスに揺られ10時間

五日目（28日）

明けて二十八日、農会の集合を午前八時に計画していたが、日本から遠来のお客さんということで、もう少し話し合いたい、あそこもここも見せたいとわかれをおしみとうとう予定時刻より一時間も遅れてしまった。

九時十分、農会職員とわかれをおしみながら、今度はバスで台北へ向って一路北上するわけであるが、高雄－台北間の距離は、九州の鹿児島県から福岡を経由し、佐賀まで行く距離に等しく、バスにゆられること約十時間で大変なものであった。途中、嘉義で中食、台中ではデパートに寄り買物を行ない、再び車中の人となって北上した。午後九時にやっとの思いで台北市内の宿舎に到着。台湾最後の夜を迎えた。

六日目（29月）

いよいよ使節団最後のスケジュールである。台湾とも別れを告げなくてはならない。

午前八時三十分、台湾省政府へ行き、蒋経国閣下（蒋介石総統の子息で、中華民国で二番目に高位の人）を訪ねた。われわれ使節団から招待に対するお礼のことばを述べ、また、閣下からは「日本と台湾の交流が、さらに一層深まることを願う」と激励のおことばを受け、最後に閣下自ら団員一人ひとりに、また台湾へおいで下さいと握手を求められた。われわれ団員一同この上もない、一生忘れがたき光栄であると肝に命じたのであった。

九時三十分、台北市長招待の朝食会に招かれた。十時三十分からショッピング、郷里へのお土産を求める。

忘れがたい民宿の味

いよいよ台湾を出発となると、期間中、楽しかったことや、友だちになった人などを思い出して、何だかまだ台湾にいたいような寂しい感じがしてやるせなくなる。十二時四十分、Bコース組は香港へ向けて出発、Aコースも一時間遅れて、仲間が待つ祖国日本へと向った。

こんどの使節団訪問で、痛切に感じたことは、わずか六日の短期間であったけれども、台湾政府や同四健会関係諸氏の温かい歓迎とお世話を受け、その中において、われわれ使節団一行は、日本と台湾について知り、気候風土は違っていても、お互いに農業に努力していることを確認しあった。

ただ、スケジュールの面で残念に思ったことは、私たちが最初に考えていた農家への民宿がただ一泊だけで、あとはホテルに宿泊したことだった。しかしながら、高雄での農家への民宿は、忘れがたい思い出となり、農家の人たちの歓待ぶりに感激した。これも私たちが第一回目の催しなので、止むを得ないことかも知れない。こん後は民宿を多く取り入れて農家に半月くらいお世話になり、家族の人たちとともに農作業を行ない、話し合えるなら、よりいっそうの親ぼくを深めることができるものと思われる。台湾側でも第二回、三回と日本のクラブ員を招待したいとの計画なので、こん後、使節団派遣の機会があれば、多数の優秀なクラブ員の参加によって、私たち第一回の使節団が築いた交流の道でよりいっそうの親ぼくを深めてもらいたいものである。

青春と仲間

クラブ活動12カ月　新しいクラブ員を中心に（8）

栃木県・普及教育課　湯浅甲子

青年農業者手帳を配布 ——3月

活動記録は履歴書に　情報処理能力を高めよう

今年初めて、全国共通の青年農業者手帳が、国の手でつくられ、全国の今年あらたに農業につく青少年に贈られることになった。淡いグリーン布地カバーに、白字で「青年農業者手帳」と刻まれている素晴らしい手帳である。これは、これから農業をやる青少年たちの学習活動やクラブ活動の経過を記入していくもので、自分の反省や発展に役立たせるためのものである。もう既に各県へは届いているから、諸君たちの手に渡る日も近いだろう。

この手帳は、活かして使うもホゴにしてしまうのも、持ち主の諸君たちによってきまるものなのだ。使い方によっては、素晴らしいものになるはずである。ある人は、これこそ、農業者の免許証であるといっている。この手帳一つを見れば、本人の努力や生活の仕方が、手にとるようにわかるから、信頼のバロメーターとなるだろうし、資金の貸しつけ制定や、信用取り引きの判断に大きな力を発揮するに違いないというのである。

だから、自分が実施していたプロジェクトや、クラブ員と共に参加した、講習、研修会など、もらさずに書き入れ、指導者の認印をもらうものである。これからは、普及所をはじめとして各指導機関は、機会あるごとに手帳に目をとおし、内容の確認と助言をすることになるのである。こうして積み重ねたあなたの活動記録は、優れた農業経営者にふさわしい履歴書になるに違いない。

この手帳は、前記のように全国同一のものなので、県外留学など他出の際にも、忘れずに持参して、行先の指導機関に提出して下さい。そうすれば、その日から、その地元の農業青年と同じように、いろいろな行事に参加も可能だし、指導もうけられるわけだ。そうして、そこの指導者の認印をもらえば、全国共通の通用する信用となるわけである。

ひとはよく、こんなことをいう。農業者が、自分の家で農業をやるのに、そんな手帳記入だの、認印をもらうのだの必要ないではないかと。なるほど、それも理屈である。しかし、進歩の速いこんにち、何事もムダなく、ムラなく、ムリもなく効果的に前進しなければ、人におくれをとってしまうだろう。人生はモヤシの如く、ヒョロヒョロ伸びでは耐えてゆけない。青竹のように、ピシッ、ピシッとフシをつけて、つまり節度をつけて伸長すべきであると思う。

竹も、フシがあるからこそ丈夫なのだ。人の努力とは、このフシづくりのようなものである。このフシを必要なときに、必要なところで、最も効果的に作るにはどうしたらよいだろうか。また、いまやっているこのような進み方は、果してよいだろうか。そういう疑問に答えてくれるのが、この青年農業者手帳の記録と活用なのである。どうか、そういう意味で役に立つものにしてほしいものである。

さて、つぎに、情報に強くなってほしいということだ。いま社会は情報の氾濫状態である。よほどお互いにしっかりしないと、情報に押し流されてしまい、自分で自分がつかまえられなくなる。それほど、情報には巨大な力があるが、それは恐ろしい力でもあり、素晴らしい力でもあるのだ。破壊力にも創造力にもなる情報の持つ力量を、自分のため、地域社会のため、農業のために使いこなす力を、みなさんは持たなければならない。

これからの社会は、お金がモノをいうのではなく、情報がモノをいう社会になるだろうといわれている。農業の激動期をむかえた昨今、ひとしおその感を深くするのではないか。農産物をどのようにして有利に売るかを考えても、全く情報の読みとり方一つできまるのである。米は生産過剰になった。工業化は日増しに増大してくる。農業就業者数は、激減の一途を辿る。地価はあがる。土地は狭い。そういう条件下で、これからのおれたちの農業はどうなるのだろうか。大変重大な問題である。

この難問に勇敢に立ちむかうファイトは、ただ向う見ずの無鉄砲だけでは通じないのである。充分に周到に情報を計算して、理詰めで押していくほかないのである。こうなると、情報の扱い方はおろそかにできないことがわかる。衆知を集めて判断しなければ、読みを深めることができないのである。

経験の浅い青年農業者が、複雑で変化の激しい社会の中で、むずかしい農業に成功するには道はただ一つしかない。それは若い農業者が考えあうことである。

ここに、青年のグループ活動加入の意義がある。4H活動の真の意味も、農業をやれる人をつくるのではなくて、いつ、いかなることでも、正しく判断し実践できる人をつくることなのである。

つまり、あらゆる情報を適切に処理できる能力を身につけることが、4Hクラブ活動の終局のねらいであることを、この際あらためて再確認をしておきたいのである。ここでも、青年農業者手帳が、この情報処理能力を高めるために、一役かうような使用の仕方がされたならば全くいうことなしである。

農村雑感

折原 俊二郎

連帯感（その二）

去る二月三日から六日まで、東京のオリンピック記念青少年総合センターにおいて、全国青年農業者会議が開催され、全国の農村青年および農業経営者夫婦等多数の人が集まり、盛大に第九回大会が行なわれた。

この大会開催中に日本4H新聞が配ばられたが、その中に私が書いた「連帯感」という一文に対して、現地の青年はどう受けとっているのか、昼休みを利用して聞いてみた。

第一に、共同化という点であるが、青年の意見は「農村にはすでに残っている青年が極めて少なくなっている。ことに、ここ数年来の新卒者の就農者は減少の一途をたどったとおり、昨年の場合は、殊更に残る人が少なく、これで本当の農業が継続維持されるかどうか極めて不安でならない。また、後継ぎがないままでやっている農家についてみても、将来の見透しがつかないままにやっているため、経営を拡大しようとする意欲はみられない。私たちはこの状態を心配しているが、今では心配しているというより、むしろ、農村を離れる者は出来る丈早く離れてほしい、本当に農業をやる者だけで農業をやることでよいのではないか。

そのように考えてみるとこれからが経営拡大を行なう良い機会ではないか。規模拡大にまず目を向けるべきで、小さな経営者のみが土地や資本を持ちよって共同化するということでは本当の農業ができない。極端ないい方をすれば、農村から出るものは一時も早く出て行ってくれといいたい。ただ、地価が上昇する一方なので、この対策はないものだろうか」ということであった。連帯感というのは自己の経営が確立してからでもおそくはないというような考え方であった。さてこの点はどう考えたらよいだろうか。

第二は、稲作経営の青年からであるが、この青年は「米が今あまってきたため、その対策として休耕奨励金を出すということだが、このような対策は一時的なもので賛成し難い。休耕をやれといわれても私自身はやるつもりはない。むしろ、米価を一定額までやすくする、そうした思い切った対策をやるべきではないか。それで農業ができないというのであれば、その人は田畑を売って農業をやめていくべきである。米価をやすくしても食管制度は持続していってほしい」ということであった。

この二つの意見を聞いていると、連帯感というのはどこから生まれてくるのか。それでは農業者の連帯感は不必要かと問えば、いや農村で欠けているのは連帯感である。この連帯感を強めようとして、この大会にも参加してきたということであった。連帯感というのは、それを具体化するためには、まず条件が整わなければならないということかも知れない。いうことは簡単だが、いざ実際にはじめようということになると現実はきびしく、これをどのように具体化していくか。必要性をどこまで感じているのか、問題が多いが、解決しなければならない課題である。（農業者大学校）

農業簿記

京都大学名誉教授　大槻正男

<自計式農家経済簿記>

財産台帳の年度末記入

日記帳からの転記　年度末において、年度末の締切りを行なう直前に財産台帳の記入を行なう。財産台帳のうち、固定資産・準現金・負債の各項の年度末記入を完全に行なうためには、その準備として、まず「現金現物日記帳」の「財産的収入」ならびに「財産的支出」両欄の記入を、種目別に仕訳けて、集計用紙に転記し、財産的収入・支出種目別分類集計表を作製する。

財産的収入・支出別分類集計表ができ上がったならば、まず「固定資産」（土地・建物・大植物大動物・大農機具）の口座に集計された数字を、財産台帳の固定資産のそれぞれ該当種目の行の「財産的取引による増減」欄に記入する。つぎに準現金（貯金・預金・貸付金・未収入金・講・保険金・有価証券）および負債（借入金・未払金）については、各口座の収入・支出の集計数字の差額を該当種目の「増減額」欄に転記し備考欄にはその増減の理由をはっきり明記しておく。

そうしたあとで各財産を実査して、その年度末現在の数量と価額を、次年度始め「数量」「価額」欄に記入する——この台帳形式においては、ある年の年度末と次度始めとは事実上同一時点であるために、次の年の「年度始め」欄をその年の「年度末」欄に兼用している——と同時に、固定資産類にあっては「償却額」欄と「増殖額」欄の記入をも行なうのである。

いま、年度内にある種の財産的収入、支出があったものとする。そして、財産的収入・支出を種目別に日記帳から転記した場合、各種目（各口座）別の「計」を分類表示したのが別表の「財産的収入・支出種目別分類対照表」である。

財産的収入および支出種目別分類対照表

種目		財産的収入 数量	財産的収入 金額	財産的支出 数量	財産的支出 金額
固定資産	土地	売却	— 円	買入れ	— 円
	建物	売却	—	買入れ	28,390
	大植物	売却	56,000	買入れ	—
	大動物	売却	76,000	買入れ	60,000
	大農具	売却	—	買入れ	22,900
準現金	組合貯金	引出し	193,610	貯金	293,991
	郵便貯金	引出し	5,000	貯金	29,000
	銀行預金	引出し	155,500	預金	180,789
	貸付金	返済受け	10,200	貸付	12,200
	未収入金	受取り	28,555	売掛け	28,855
	頼母子講	落札	3,000	掛込み	1,000
	生命保険	受取り	—	払込み	8,640
	組合出資金	譲渡	—	払込み	—
	株券	売却	—	買入れ	5,000
	公社債券	売却または償還受け	—	買入れ	—
負債	借入金	借入れ	21,350	返済	22,350
	未払金	買掛け	48,740	支払い	56,740
計			597,955		749,855

日本4H新聞
4Hクラブ 農事研究会 生活改善クラブ 全国弘報紙
発行所 社団法人 日本4H協会
東京都市ケ谷家の光会館内 電話(269)1675 郵便番号162
編集発行人 玉井光
月3回・4の日発行
定価 1部 20円
一ヵ年700円（送料共）
振替口座東京 12055番

クラブ綱領

私達は、実践を通じて自らを磨くとともに、互いに力を合わせて、よりよい農村、よりよい日本を創るため、四つの信条をかかげます。一、私達は農業の改良と生活の改善に役立つ腕をみがきます。一、私達は科学的に物を考えることのできる頭の訓練をします。一、私達は誠実で友情に富む心をつちかいます。一、私達は楽しく暮し元気で働くための健康を増進します。

「働きがいある」90パーセント強

春の全国会議参加者アンケートの結果

企業的農業に発展を期待

八割が「将来も続ける」

社団法人全国農村青少年教育振興会（東畑精一会長）は、さる三日から東京・渋谷のオリンピック記念青少年総合センターで開かれた第九回全国青年農業者会議において、全参加者を対象に農業に関する意識などについてアンケート調査をしたが、このほどその結果をまとめた。それによると、農業は働きがいがあると答えた人が九〇%以上あり、他人に命令されず思うように仕事ができる、企業的農業に期待していることなどがわかった。青少年部会参加者のアンケート調査結果は次のとおり。

一、家の農業経営の内容

①専業と兼業
- 専業 男一五〇人 女八一人
- 兼業 男 四七人 女三四人

②経営類型
- 水稲 男一二〇人 女八〇人
- 果樹 男 四〇人 女一八人
- 茶 男 四人 女 三人
- 野菜 男 五七人 女二七人
- いも類 男 一人 女 二人
- 養蚕 男 八人 女 七人
- 養鶏 男 一〇人 女 八人
- 養豚 男 一七人 女 八人
- 酪農 男 二九人 女一八人
- 肉牛 男 二八人 女 五人

③経営粗収入額
- 一五〇万円以内 男 一八人 女 八人
- 一〇〇万～一五〇万円 男 二五人 女一一人
- 一五〇万～二〇〇万円 男 三五人 女 七人
- 二〇〇万～五〇〇万円 男一〇〇人 女三二人
- 五〇〇万円以上 男 二〇人 女一〇人

二、農業経営上の地位
- ①全部門を委せられている 男 四三% 女 七%
- ②一部門を委せられている 男 五一% 女三八%
- ③時々手伝う程度 男 二% 女四二%

三、農業の道を選んだ動機
- ①希望のもてる職業だから 男二四% 女一一%
- ②家の後継者だから 男三五% 女二二%
- ③農業が好きだから 男三一% 女四五%
- ④何とはなしに 男 四% 女 九%
- ⑤その他の理由によるもの 男 四% 女 八%

四、現在従事している農業は働き甲斐のある仕事だと考えるか
- ①働き甲斐がある 男九五% 女九一%
- ②働き甲斐がない 男二・三% 女 〇%

A、働き甲斐のあると思う人のその理由
- ①人に命令されず、自らが思うように計画的にやれる仕事だから 男三六% 女四六%
- ②これからのやり方によっては企業的発展が期待されるから 男三五% 女二三%
- ③所得が努力によって高められるから 男二〇% 女一七%
- ④働き場所の自然環境が都市よりよいから 男 六% 女一三%
- ⑤その他の理由によるもの 男 一% 女 一%

五、将来とも農家を続けるか、それとも他に就職の機会があったら転職するか
- ①将来とも続ける 男八五% 女七九%
- ②他に就職の機会があれば就職する 男二・五% 女一・五%
- ③わからない 男一〇% 女一六%

六、農業技術や農業経営についての知識の修得はどういう方法で行なっているか
- ①自分の家の農業経営を通じて両親から 男一〇・八% 女一三%
- ②ラジオや読書を通じて 男 七% 女七・八%
- ③先進農家への留学や視察 男二〇・六% 女二三%
- ④技術交換大会や仲間とのグループ活動を通じて 男二七% 女三一%
- ⑤普及所の行なう研修や講習会 男二六% 女二六%
- ⑥その他 男四・一% 女四・二%

七、これから自分の農業経営に従事するにあたって、最も希望している条件は何か
- ①自分の能力を発揮するように農業経営を委せてもらいたい 男二九% 女一五%
- ②報酬をもっと得たい 男三三% 女二二%
- ③農業技術や経営についてもっと専門的に勉強する機会を得たい 男七一% 女六三%
- ④レジャーが欲しい 男七% 女一三%
- ⑤仲間との交流がもっと欲しい 男二九% 女四三%

八、周囲の農業経営のやり方について、どうみているか
- ①あまりに自己の経営に執着しすぎる 男四三% 女 五%
- ②自発的な協調性がない 男四二% 女八三%

群馬県農村青少年クラブ員大会で講演に熱心に耳を傾けるクラブ員

和かな中に真剣さ

群馬県連 農村青少年クラブ大会

【群馬県＝福田普及連絡報道員発】北風が身を切るほどに冷たいさる二月二十六日、県農村青少年クラブ連絡協議会（会長、大山辨君）と渋川地区農村青少年クラブ連絡協議会（会長、田中修之君）共催の県農村青少年クラブ大会が午前十時から北群馬郡吉岡村の村立憩いの家で開かれた。

ことしは、例年より行事内容を少し変えて、はじめに県農業会の下田氏を招き、「これからの農業と青年の役割」と題する記念講演を聞いた。

話しは、国際情勢の中の日本農業と、これに対処する青年の役割から身近な問題にまでふれ、話し手、聞き手ともに大変熱が入っていた。このあと講師に質問がさっとうし、クラブ員の農業に対する真剣度がうかがえた。

午後は、県下から募集した代表者による意見発表。多数の応募者の中から選ばれた小川公子さんと蟲木恒彦君から、クラブについて日ごろ考えていることや、活動の反省と計画など優秀な意見が発表された。

また、会場の壁には、わさび、せり、なめこ、しいたけなど渋川地方の特産物の展示とその説明、状況など細かな表がはってあり、参加者の認識を高めた。

最後にレクリエーションに入り渋川地区の芸能発表がにぎやかに行なわれたあと、教育委員会主事・中沢氏の指導によって、みんなで楽しめるレクを習い、参加者全員でスキヤキゲームや、額と額での風船はこびなどで楽しいひとときを過ごした。

参加者数百余名のこのクラブ大会は、なごやかな中にも真剣さがみなぎり、また、会員が減少する現在のクラブ運営の中で、お互いがしっかりと肩を組んで励まし合わなければ―という態度がみられた。

涼風暖風

野球は、何故九人か

また、野球のシーズンがやってきた。野球といえば、自分でやるのならともかく、みんな飽きもせず、よくテレビにかじりついていられるものだ、と感心していたが、オープン戦のテレビをみて、これは異質だ、と思った。

野球は一チーム九人でやっているが、よくみると一試合を氽り活躍もしないで終ってしまう選手がいる。忙しいのは、投手とキャッチャー、それに打者位である。その辺のポイントを知らないと、なんとも間の抜けたスポーツだと早合点してしまいそうだ。ところが、テレビだと、見せ場をうまくクローズアップして、不必要な野手は画面に出てこない。それも選手の面白いプレーだけをダイジェストして、これを継ぎ合せいるのだから、テレビでみる野球の面白さは、チームプレーとしての野球の面白みとは違うものを提供しているわけである。

この点、同じチームゲームであるバレーボールやサッカーは、野球とは違って、選手全員が互いに機能し合い、一つのシンフォニーをかなでている感じがする。ただ、九人制バレーは、ポジションがやや固定的で、選手の役割に硬軟の差があるにはあるが。

柔道だとか、すもうだとか、あるいはテニスになると、個人技が先行して、見かた、楽しみかたもずいぶん違ってくる。ボーリングやゴルフも同様である。

ところで、チームでやるスポーツは、参加者がそれぞれもてる力を出し合い、補い合って、プラス・アルファーを生み出すところに、その真意がある。だから、特定の人に負担が片寄ったり、遊んでいる人間をつくることがないように、それぞれのスポーツが、実に合理的に人数をきめているのに驚く。野球が九人、バレボールが六人か九人、サッカーが十一人、バスケットボール五人、という具合。その人数は、それぞれのゲームの作業量と実にうまい相関をもってきめられている。

このような人数がきめられたということは、裏をかえせば、人が集団として行動するときの適正な大きさを、長い経験から割り出したものに外ならない。

人数の適正規模といえば、スポーツ以外の分野でも、同じような数を割り出している。例えば、ボーイスカウトの活動単位である班も、一班が六～八名である。ハプロンという学者は、実験の結果として、六人集団がもっともまとまりがよく、その生産性が高かったといっている。

青少年グループも、4Hクラブのプロジェクト・チームも、やっぱり、五～十人位の小グルプを一単位としているのも同じことと、グループのメンバーに仲間はずれができたときには、グループの人数と作業課題の関係を、もう一度検討してはどうだろう。

（文部省・伊藤）

早くも青年会議開く

埼玉 プロジェクトの実績発表も

【埼玉】全国青年農業者会議が終ったばかりであるが、早くも埼玉県の農村教育青年会議が、昨二十三日と今日二十四日の両日、埼玉県、NHK浦和放送局、同県農業研究団体連合会（飯田勝男会長、小沢堅一4H部長）の共催によって熊谷市の県福祉センターで開催されている。

二十三日は、プロジェクトの実績発表会が開かれ、二十四日は青年会議として参加者の意見発表が行なわれる。

実績発表は、九時半からの開会式につづいて行なわれた。そ菜園芸、花き園芸、畜産、生活、その他の各部門に分かれて一人十分以内で、それぞれ実践した生産技術の改良や農家生活の改善のプロジェクトについて、どのように地域社会にも貢献したかなどについて図表やレコードブックを用いて昼食をはさんで発表された。

このあと、これら発表を中心に部門ごとに討議して意見を述べあい、ついで、講評と成績の発表があり閉会。

また、意見発表も同じく、開会式につづいて各分科会に分かれて行なわれる。会議のテーマは、選択と共通に分かれ、選択課題として①「わたくしは、こうして部門経営にとりくみ、このように発展させてゆきたい」と②「わたくしは、農村環境や農家生活をこうしてゆきたい」の二つのうちどちらか一つ。共通課題は「豊かな農村を築くためには、放送をどのように活用したらいいか」。

会議は、テレビ・フォーラムの形式で進めらる。NHKのビデオ視聴と、あらかじめ提出していたレポートをもとに意見を発表し、その中から提供された問題点などについて午前と午後にわたって話し合う。最後に、これら研究討議に対する講評があり、閉会式で幕を閉じる。

新入クラブ員を迎える会

クラブ活動12ヵ月 新しいクラブ員を中心に （9）

栃木県・普及教育課 湯浅甲子

アイデア富む儀式を

複雑で長くならぬよう注意

新入クラブ員を迎える会のやり方を紹介しよう。

この会は、単位クラブでは新入クラブ員が少ないだろうから、市町村協議会段階以上の組織で行なうものとして参考にしてほしい。

〈は、キャンドル・サービスによる新入クラブ員を迎える会である。

事前準備

会場＝市町村の庁舎などを利用するのもよいが、クラブ員の人数に見合った広さの部屋を選んでほしい。体育館のようにガラーンと広い所に少数のクラブ員が集まってやるなどは避けた方がよい。むしろ、クラブ員がある地域にかたまっている場合などは、その地域の公民館などの方がかえってよいものである。

時間＝夕暮どきに開会できるように配慮してほしい。

うにしたい。この時間は人の心のなごむときである。自然の変化が人に微妙な影響を与えるときでもある。

ただし、気をつけてほしいことは、会場を国道へりや鉄道ぎわなどにとらないことだ。車の雑音で落ちついた雰囲気になれないからである。また、繁華街のど真ん中もよくない。要するに、夕暮どきの自然の美しい変化をたくみに利用

主催＝もちろん、クラブである。

用意するもの＝クラブ旗、市町村旗、ローソク（新入クラブ員分と会長の分のほかに五本）、4H綱領、クラブソング、クラブバッチ、燭台四本。

来賓＝市町村長、部落長、隣接市町村クラブ協議会長、普及所や農協その他の関係農業団体長など。

リハーサル＝開会直前に、4H綱領やクラブソング、式のプログラムなど事前に憶えておきたいものは、リハーサルしておく必要がある。この会は儀式的な盛り上がりが必ず大切であるからである。

会場配置＝正面に、クラブ旗と市町村旗を下げ、その前に左右二基ずつ、4Hの火の燭台を立てる。

新入クラブ員は、旗に向って中央より左側、クラブ員は右側に旗の方を向いて席をとる。

プログラム

一、全員着席＝新入クラブ員と会長は、手にローソクを持って着席（会場は消灯しておく）

二、ファーミング＝「遠き山に日は落ちて」の歌をファーミング

三、クラブの火入場＝クラブの火は、市町村のうちで何か歴史的に意味のある地点で、太陽熱からとるのがよいだろう。その火をローソクに移し、一人のクラブ員がそれを持って会場に入ってくる。

四、開会のことば＝クラブの火が旗の中央前にきて、クラブ員の方を向き、火を高くかかげる。そのとき、司会者が開会を宣する。

五、「4Hの火」点火＝司会者はつづいて「4Hの火に点火」という。クラブの火を持ったクラブ員は、その火を四つの燭台のローソクにうつし、自分の火は消す。

六、4Hの誓い＝会長は、4Hの火の一つから自分のローソクに火をとり、その火を新入クラブ員のローソクに一人ひとり移してゆきながら握手する。

それが終ったところで、4Hの綱領による「4Hの誓い」をする。誓いの仕方は、会長が前文を読みあげる。新入クラブ員は前文のあとにつづいて「一つ、私たちは…」とことばをもらう。「一つ、私たちは……」という具合に、四つの誓いの言葉を読みあげていく。

七、4Hバッチの贈呈＝副会長の手により、4Hバッチが新入クラブ員の胸につけられる。

八、4Hクラブの歌合唱＝歌い終ったところで、会場内の電灯をつけ、ローソクの火は各自が消す。

九、歓迎のことば＝男女クラブ員各一人ずつが、あまり硬くならずに、なごやかに話す。

十、激励のことば＝来賓、指導者、親たちなどから、簡単な励ましのことばをもらう。

十一、新入クラブ員の紹介＝新旧向い合う。会長が、新入クラブ員一人ひとりについて、ユーモアを交えて紹介する。

十二、歌＝司会者が、歌のリーダーによって、青年の歌や郷土の歌（市町村歌、県歌）などを二～三曲つづけて歌う。

十三、閉会のことば＝副会長のあいさつ。

十四、解散、または次の行事（例えば、レクリエーション）などに移る。

だいたい、このようなプログラムで、新入クラブ員を迎える会をやってみてはどうだろうか。

もちろん、この他に、諸君たちのアイディアを入れて工夫することは結構である。ただ、儀式は、あまり複雑にならぬように、そして長時間にならぬように注意してほしい。

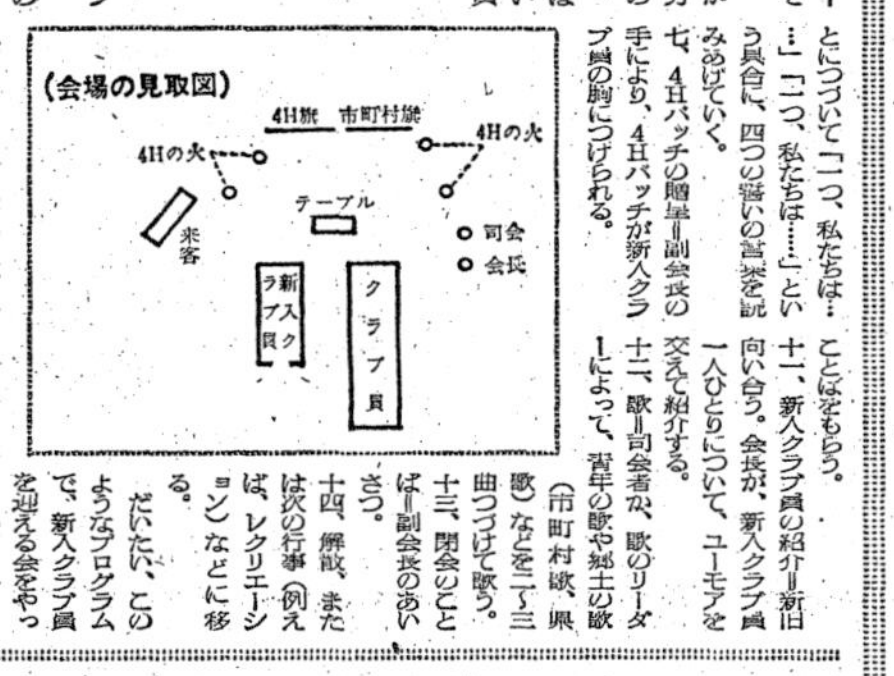

3 月

葛城地区連が発足

奈良 7市町村150名加盟 部会中心に活動強化へ

【奈良】葛城地区に、このほど農村青少年クラブ連絡協議会が発足した。

これは、西葛城、東葛城、御所の三地区4Hクラブの活動強化と部会活動の推進を図るために結成されたもので、七市町村百五十名のクラブ員が加盟した。この結成は、一年前から三地区の代表者会議によって検討されてきたもので、その総会がさる二月七日、地区内のクラブ員全員が参加して盛大に行なわれた。

総会のあと分科会にわかれて、こん後の4Hクラブ活動について話し合い、つづいてレクリエーションで楽しみ、クラブ員みんながクラブへの認識を新たにした。また、これからは、部会活動を中心に連絡協議会を発展させることになった。部会は、畜産、ソ菜、花キ、果樹、生活改善の五つ。

なお、初代役員として次の人たちが選ばれた。

▽会長 奥村富洋（新庄町）▽副会長 高谷道裕（香芝町）亀谷隆夫（御所市）米田徳弘（高田市）▽書記 吉村健治（同）山本育男（広陵町）▽会計 奥村富照（新庄町）▽監事 西川信芳（御所市）増田順彦（高田市）▽事務局 住野光男（新庄町）▽畜産部長 奥村富照▽ソ菜部長 吉村健治▽花キ部長 中川宥宏

（奈良県北葛城郡新庄町山田、住野光男君発）

静岡・西部地区連 リーダー研修会

【静岡県＝鈴木政美連絡報道員発】西部地区農村青少年クラブ連絡協議会（会長、鈴木政美君）は、さる十二、十三の両日、浜松市青年の家で西部地区リーダー研修会を開いた。

この研修会は、昨年九月につづいて今回で二回目（四十四年度）で、当日は、各クラブから四十名のクラブ員が参加した。とくに今回は、次期役員を対象に行なわれ、リーダーとしての役割、プロジェクト活動の進め方、また、クラブで一番問題になっているクラブ活動の進め方などについて、各講師の講義のあと、分科会を開いて講義の内容をもとに話し合いを行なった。各分科会とも活発な意見が数多く出され、時間のたつのも忘れて熱心に討議した。

さらに夜は、かつて農村青少年クラブで活躍した先輩で、すぐれた農業経営者二組を迎えて、それぞれ発表のあと質疑応答が行なわれた。中には、新婚当時のロマンス話しや、この七〇年代をどのように生きていくか、また、ヨーロッパのように、日本でも農家の主婦は家の外で働かないようになるかなど多くの意見が出された。

二日目は、一日目に行なわれた分科会で出た課題を全体会議にかけて研究討議した。

参加したクラブ員たちは、この研修会で学んだことを各地域に持ち帰り、クラブのリーダーとして大いに活躍するものと期待される。

花壇づくりの奉仕

佐賀・唐津4Hクラブ

【佐賀】佐賀県唐津4Hクラブ（会長、木上勝美君）では、このほど唐津市の青年の家の庭に、花壇づくりの奉仕を行なった。これは、殺風景な青年の家の庭を花で飾ろうと、クラブ員たちがブロックなどを持ち寄り、きれいに仕上げた。

新規就農者の歓迎会

宮城・黒川地区連で開く

【宮城】宮城県黒川郡農村青少年クラブ連絡協議会では、今年就農する六十三名を仲間に迎えるがこのほど歓迎会を催した。今後、新人を大事に育てていこうと、先輩の体験談、就農者たちの希望などを中心に話し合い、励ました。

八心頭技健

いま、農村では、儲かる農業、企業的農業と喚くさけばれ、その実現への道を歩み出しているが、その反面、一方の端では、徐々に農民の同志意識、農村の連帯感が弱まりつつあることを指摘する人がふえてきている▼これは、すでにだいぶ前から、しかも農村の内部から言われてきたことであるが、とくにことしに入って、この三月上旬に開かれた全国青年農業者会議や、また先日催された農山漁家生活改善大会などでもそのことが強く感じられた▼例えば、農業者会議におけるパネル討議でも「米作の一割減反は、弱小農家を倒すためにもよい機会だ」とか「これからは、少数者によるエリート農業で行く」という発言、また、生活改善大会の公開座談会における助言者のことばからもそれが受け取れる▼これらは、お互いに協力して切磋琢磨し、共同の力で前進しようとしている人たちにとっては不可解であり、もちろんこれに対して反論もあったが、この動きを否定することはできないようだ。クラブでも、部門別に活動しているところが多いが、その部門別の会合には出席するが全体の会合には出ないという人も少なくない。金にならないことには、見向きもしないという風潮である▼儲かる農業、企業的農業は、農林省はじめ、みんなが口をそろえてさけんでいるが、いまやエコノミックアニマル（経済的動物）は、農村の奥深くまで入ろうとしている。企業といえば、個人あるいは会社、産地間の激しい戦いであり、倒すか倒されるかだ。連帯感などは邪魔になるかも知れない▼しかし農業の特異性からこの原理が果して可能か、そしてこの考え方が、人間の基礎づくり期間でもある青少年の教育にまでそれがストレートに入ってきてよいかを十分考えなければならないと思う。この思想の裏には、他人の田畑に関心をまく危険性さえひそんでいる▼いま、農業者は、曲り角に立されている。このことは、農業者に限らず、日本の国民全体の知恵で日本農業の将来と、その在り方を考えなくてはならない時代が訪れていることを指摘している。

第九回全国青年農業者会議

分科会〔露地野菜〕のまとめ

共販体制の確立を 「作る」から「考える」時代へ

野菜作（露地）青年部会・第三分科会

一、野菜栽培における問題点 ビルディングの野菜作りか、平場の野菜作りか。

（一）土地の問題。地価の値上がりで規模拡大がむずかしい。

（二）水田との関係はどうするか。

①水田の依託での野菜経営②水稲を生かしながらの野菜経営③水稲を共同作業によって労力の軽減を図り、野菜経営をすすめていく③作業の分担を共同で行ない、野菜、水稲での増収を図る。

（三）何を作ったらいいのか ①適地適産②主産地の形成

（四）野菜作りに対する姿勢、焦点の捉え方

①近郊農業と輸送地域の野菜作りの違いを把握する②作る時代から売る時代への転換③企業経営としての考えをもつ。

二、販売面での問題

①共選、共販体制の確立②計画出荷体制の確立③産地作りの必要性④安値の時期に耐えることができる経営の確立⑤露地野菜の経営基盤を整える⑥需要との関係を把握する。需要に見合った生産体制の確立⑦市場の信頼を得る努力が必要。

三、農業と野菜作りについて

（一）食糧増産の時代から、商品生産の時代に変っている。

（二）環境に見合った野菜栽培の推進

①自然条件をいかに上手に利用するか②社会的条件との関係を考える。

（三）企業経営体制の確立が必要である。

四、農業青年としてのすすむべき道

（一）農業従業者という名のもとで雇われる時代から、一農業経営者としての信念のもとに生産活動に厳しく対処して行かねばならない。

（二）社会情勢の変化によって、消費者の嗜好の変化から、商品としての高級化を目指す必要がある。

（三）販売手段、販路の分析が必要である。情勢の把握によって、生産地域の農業に生かす努力が必要である。

常に情報をつかんで対処していく農業人としての厳しさが要求されてくる。

（四）確固たる主産地の形成、同志的組織づくりが望まれる。

土地を立体的利用 地域の特産物で勝負する

野菜作（露地）青年部会・第四分科会

一、規模拡大をはかるには、どうすればよいか。

（一）土地面積を拡大できるのは一部地域しかないので、こん後は施設の装備を高めることにむかうようにする。土地の平面的利用より立体的利用が大切である。とくに都市近郊においては、施設の拡大がこれからの課題である。

（二）施設の拡大の面で、資金が足りないが、長期低利の制度融資を国から借りたい。

しかし、露地野菜では、金を借りて経営していては高い所得があがらない。

（三）土地購入を計画している場合は、自己資本を高めておく必要がある。

二、望ましい販売体制を確立するには、どうしたらよいか。

（一）市場から期待される産地になること。それには、同じ質、型の品物をけい統的、計画的に出荷できる産地になること。

（二）地域特産にむすびついた品物をつくる。どこにでもできる品物でなく、その地域にしかできないという産地をつくること（適地適作）。

（三）こん後は、産地間競争の時代に入るので、各種の情報データーをもとに良い品物で競争するようにしたい。

三、労働力問題（労働の合理化、兼業、過疎など）をどうしたらよいか。

（一）労働を省力化する目的で機械が相当入っているが、効率的な機械利用がなされていない。過剰投資にならないよう考えるべきだ。

（二）農業生産だけで、高い生活ができないならば、兼業の経営を考えてもよいのではないか（農林省でもはっきり兼業を政策としてはじめてとりあげた）。

その場合、安定兼業、不安定兼業の二つのあり方を考えてみる。

（三）過疎問題については、流出者が土地を手離さないので、残った農業者の規模拡大にならないのが、問題である。

四、企業農業をどうして築くか。

（一）前項で話しあった三項目が達成できれば、企業農業に達成する。

（二）簿記をつける農業者になることが、企業経営者になる道である。大規模な経営をこなす経営管理能力を高める手はじめは簿記の記帳である。

（三）企業農業に達成するには、生産コストを下げること。これがこれからの重要な課題である。

一日一万円を目標に 経営に婦人の侵入好まぬ

野菜作（露地）経営者部会・第三分科会

一、米作転換による野菜類の影響

▽米作の転換によって野菜の影響はない（ほとんどが山林化の傾向があり、また技術的にもむずかしいと思われる）＝鹿児島県の場合

▽いままで水田を利用して、夏野菜の栽培をしており、米作転換を悪用することも考えられる。また、野菜への転換の可能性も少なく、あまり心配ない＝大阪

▽野菜作転換がふえるため、影響がある＝兵庫、奈良（全販に万国博の影響）

▽湿田のため、畑には変らない＝茨城、千葉

（一）経営内容を検討して良質の品を安く作り、増収を図る。

（二）生産基盤 他産地との対抗のため、自己の力をつけ、技術を身につける。より厳しく体質改善を図る。

（三）農業は将来の見通しがつけにくく、種類や質的な変化に対する需給のコントロールが困難なうえに、技術の進歩とともに、単純化される他産業に比較して農業はますます複雑化し人間臭さが強まる産業である。従って、こん後の状況を分析しながら自己のペースを忘れずに新技術を導入して改善を図るとともに、経営能力を高め、経営計画を樹立して、当面一人一日一万円所得に目標を置きたいと考える。

二、経営と生活

（一）妻の立場 夫からの要望として、心のささえ、働くときと家のいるときの姿（服装）にけじめをつけてほしい。経営主と主婦の役割を分化する必要はあるが、経営の企画、運営については、ある線までは、女性の侵入を好まない。

（二）いっしょに働けるためお互いに理解し、家族と楽しく仕事ができる（婦人の蒸発もなく家族同士の触合いができる）

（三）作業の機械化によって余暇が多くなるために、レジャーによって気分転換を図る必要もある。

（四）ともに農業が好きである（夫婦の和）

私たちが築く十年後の農業

一、基本的な考え

（一）農業者自身の心構え

①農業者自身の自覚②農家の体質の改善＝（ア）楽しくやれる農業（イ）明るい豊かな農家（ウ）人間関係の改善

（二）農業者の自己研修

（三）目標

①自立経営農家（ア）企業的農家（イ）農協組織の結束・出荷組織の確立（ウ）経営規模の拡大（エ）基盤の整備（オ）省力化（機械化）して残った労力で施設園芸を行なう（カ）八ケタ（収入）に増収＝一日の労働報酬が最高一人一万円

立派な農村は健康な家庭づくりから

第18回農山漁家生活改善実績発表大会開かる

「生活と生産の調和で家庭づくり村づくり」をスローガンに、農林省主催の第十八回農山漁家生活改善実績発表大会が、さる十六日から三日間、東京・千代田区の農林省とイイノホールの両会場で開かれた。出席者は、日ごろ農家生活の向上に努力している農山漁村の生活改善グループのお母さんと生活改良普及員さんたち約二百名で、農家の主婦の役割、健康づくり、食生活の改善、生活と農作業の区分、明るい家庭づくり、人間関係づくりなどについて熱心に話し合った。

生活と作業の区分を 主人にも炊事の苦労味わす

一日目は、午前九時半から農林省七階ホールで開会のあいさつがあったあと、十時から同省一階の共同会議室で五つの班にわかれて分科会討議に入った。

各分科会のテーマは▽第一分科会＝「家族の健康と体力増進の工夫」▽同第二＝「家事労働と農作業を調整する働き方の工夫」▽第三＝「家族の合意と協力による家庭づくりの工夫」▽第四＝家庭生活の改善を住みよい村づくりへと発展させる工夫」▽第五＝「近代的な漁家生活への工夫」

参加者は、それぞれの分科会にわかれて、レポートを中心に、日ごろの生活体験をもとに改善した成果や問題点などについて話し合った。

二日目も、午前中、前日にひきつづいて同所で研究分科会を再び開き、それぞれテーマにもとづいて話し合いを進め、熱心に意見を交換した。午後は、築地にある大洋漁業の冷凍施設を見学した。

三日目は、午前九時から同省七階ホールで、協議会とこの大会の協賛団体である生活改善実行グループ全国連絡研究会（西林佐余子会長）の総会がもたれたあと、午後から、会場をイイノホールに移して総合研究発表会が開かれた。

田所農林省・普及部長の開会のことば、農林大臣を代理して宮崎農林政務次官のあいさつにつづいて個別体験発表にうつり、和歌山県の高台かおるさん（三）兵庫県の八木和子さん（三）山口県の福田やすのさん（三）の三人がそれぞれ、「おしどりグループでとり組む働き方の改善」「農家の三世代がグループに入って」「村の子どもの安全を守るための遊び場をつくるまで」と題して発表した。

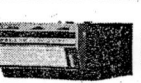

「おしどりグループでとり組む働き方の改善」と題して体験発表する高台さん（和歌山）＝生活改善実績発表大会で

高台さんは、自分の住む田良野町が、ちょうど五年前に健康管理特別事業地域に指定され、そのとき五十戸の農家を対象に行なった健康や生活状況についての調査で医者から危険な状態として「要注意」といわれた人が女子で四一％もいるという結果にびっくり。それからの二年間五～六戸くらいずつでグループを編成して、蓄積疲労のない生活の実現に努力してきたが、緑黄野菜の確保と、家事作業時間や自由時間の確保が大きな問題として残された。

そこで、これを解決するためには経営主とともに、農業と生活の両面から考える必要があるということになり、主人たちにさそいかけて、さる四十二年に若夫婦三十組の"おしどり"グループを誕生させた。

生活面の家事作業時間と自由時間を確保するためには①農作業時間を短縮して、家事作業時間にまわす②家事分担によって主婦の家事作業を能率的にする③農作業と家事作業の時間を上手に組み合わせるための農作業の計画をたてる—などを工夫していく。また、健康についても、緑黄野菜を確保するためにタネのあっせん、苗の交換などをすることにした。

そして、その手はじめとして、町に働きかけて草の通れる農道を畑の近くまでつけた。また一苦労だった農薬散布も、農協や果樹研究会の協力によって共同防除施設が完成して、大変楽になり、さらに、農作業もできるだけ省力化を図った。

つぎに、家事作業と農作業の時間の組み合わせについては、主婦の望ましい家事作業の時間帯を主人たちになかなか理解してもらえないので、一度主人たちに炊事をさせてみることにした。普及員さんにお願いして調理実習をしてもらったところ、やっと食事作りには時間がかかることを納得してもらうという一コマもあった。また農作業の配分面でも、婦人に向く仕事と男子のそれとをうまく組み合わせる工夫もしているという。

八木さんは、両親と兄妹だけの家庭に育ち、農業に経験のないまま、大家族の農家に嫁いだ。八十二歳の祖母から四歳までの子どもまでの三世代の中で大奮闘。グループ活動で話し合いの大切さを学び、家族関係の融和を図るとともに、家事の分担、共同田植の実施、子ども部屋、主婦のくつろげる部屋の建築など、複雑な家庭の中で明るく合理的な生活へと改善を図った。

また、福田さんは、漁家生活は「板子一枚海の下」といわれるように、その日の生活重点で暮す習慣があり、収入は多くても不定期でその支出も無計画な面が多いために、まずその改善から始めた。

定期的に集会をもって、みんなで改善策について話し合う、年間の収入と支出を知るなどであるが、最近はのり養殖漁業がふえたことや、耐久消費財の購入などから婦人も働くことが多い。このため、婦人の労働軽減のための共同施設の建設や、集団検診と農漁繁期の献立を中心とした食生活の改善などについて努力した。

さらに、夜間就業するために、日中寝なければならないので、子どもの養育や、老人のいこいの場を家庭から追い出すことが多かった。そこで町や漁協に協力してもらって遊び場をつくり、地域住民の連帯感を強めた—と改善の体験を発表していた。

このあと、「これからの家庭づくり、村づくり」と題してNHKの鈴木アナウンサーの司会で公開座談会に入り、まず各分科会の討議内容がそれぞれ分科会の代表者から報告された。

第一分科会の「健康と体力増進」では、蛋白質や冬期の緑黄色など栄養の不足、食事づくりの時間や作業計画がなく、長時間労働のため健康を害している例が多い。このため、共同炊事や幼児の共同保育、食品の共同購入、契約栽培など健康を守るための事例が発表された。主婦は家族の健康の責任者として、健康診断、定時検診を行なうように努力し健康の向上を図るなど、立派な農村を築くためには、健康な家庭生活づくりがまず大事であると強調。

家事労働と作業調整について討議した第二分科会では、農作業と家庭の両面に割りふりすることが大事である。"時は金なり"とゆったりした生活をしたくても、子どもの大学進学などで人手不足のため、そうもいかない。そこで、労働力の長期計画をたてる必要性が痛感される。米とこんにゃくなど手のかかるものとかからないものを栽培するように組み合わせることも一つの方法である。

また、機械化による省力を図ることが大事だが、女性の事故が多く、大型化に向って、男性が作業をするのが当然である。家庭は主婦の役割で、主人の理解のもとに生活時間の配分を考える、作業分担や能力、計画など上手に調整することが望ましい。さらに栄養の知識不足から貧血がふえているが、主婦は家庭の健康を守る必要があるなど—改善について発表された。

第三分科会の「家庭づくり」では、家族の話し合いで生活と作業の長期計画をたてる必要がある。青年期を迎えた子どもに対しては意見交換の機会を多くもち、その仲さいに主人に入ってもらうようにする。また、健康診断の実施、家計簿記帳による収入支出の明確化、多くの研修会にでていろいろ勉強する。豊かな生活を築くためには規模拡大が必要だが、労働力がないので省力化をはかり、老令年金を待たなくてもよいようにするなど、健康で楽しい生活をするための方法が報告された。

住みよい村づくりについて話し合った第四分科会でも、同じくまず主婦の健康管理について討議され、共同炊事、共同購入、環境の整備、人間関係の改善を図る必要があることが強調された。また共同による田植えから共同と連帯感が強まった事例なども発表され、生活と作業の区分をはっきりさせて、よい人づくり村づくりに努力することを話し合ったことなどが報告された。

このあと、農林省で行なったアンケート調査結果について、鈴木アナウンサーから報告され、会場の参加者とともに意見を交換した。（内容を次号掲載予定）

つづいて座談会が開かれた。出席者は、参加者の中から選ばれた生活改善グループ員五人と岐阜県・山岡町の西尾町長、宮城県・鹿島台町の渡辺助役、それに助言者として、生活問題研究家の山本松代さん（元農林省生活改善課長）NHK解説委員の三神茂氏。

この座談会でも、健康を維持向上するための食改善、家庭内での家事分担、スポーツをとり入れたレクリエーション、農作業の合い間に行なう農民体操、雇用労賃の高騰に対処し機械化による省力、保存食づくりから共同炊事へ、健康診断と体位の向上、ばっかり食から食生活の工夫などが論じ合われたが、とくに、山本さんから述べられた健康感度や、三神氏からこれからの方向として指摘された作業の中から婦人を押し出す力、地域連帯感の欠如などが注目された。また、もっと生活改良普及員をふやして、本当に農民のために役立ってほしいと強調した渡辺助役の発言には、会場からも盛んに拍手が起っていた。

最後に、記念章の授与と矢口生活改善課長の閉会のことばで幕を閉じた。

宅地化、米作など論議 茨城・土浦市サンクラブ 市長と農政懇談会

【茨城県＝村山文雄連絡報道員発】土浦市サンクラブ（会長、久松伸男君）では、このほど同市市役所で「これからの農業はどうあるべきか」と題して、細田市長と農政懇談会を開いた。

まず細田市長が「きびしい情勢の中にある農業を新しい感覚で、積極的に経営に取り組んでいるのを力強く思っている」と、同クラブの農業に対するひたむきな情熱に感謝のことばをのべたあと、四十五年度の市農政は①生産基盤整備として農道の改修を行ない、予算として、四十四年度の倍額の一千万円を計上した②桜川溢水防除土地改良事業を行ない、地域農業の改良をはかる③病虫害の防除を徹底的に行なうなどの方針を明らかにした。

つづいて、クラブ員側からは①毎年、農地が三十％も宅地化されているが、こん後の農業はどういう方向で進むべきか②米の作付転換の対策と農産物の流通問題など現在、農家がもっとも関心の高い点について質問が集中した。

これに対し、細田市長は「都市化が進むにつれて、土浦市内の農業は、施設園芸による高級野菜の栽培が有望で、これらを重点に指導していきたい。また、米の作付転換については、湿田ではそば、とうもろこし、桑、野菜、水田ではハス、イグサを転作の重点作物にしたい」とのべた。

しかし、湿田の転作で一番有望とみられているハスの種が不足気味で、十アール当たり六万円の種代が必要なことや、増産すると価格がくずれる心配があるなど、転作と流通問題で数多くの難点があることがうき彫りにされ、農政全般にわたって活発な意見がかわされていた。

記事活用の発表など 盛大に全国家の光大会開く

社団法人家の光協会（宮部一郎会長）主催の第十二回全国家の光大会が、さる十九日、東京の渋谷公会堂で盛大に開催された。

第12回全国家の光大会であいさつする宮部家の光協会々長（壇上正面）

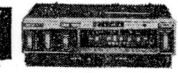

この大会は、同協会で発行している月刊雑誌「家の光」「地上」や単行本などに掲載された記事を実際に経営や生活に活用し、普及した体験発表を中心にして毎年開かれているもの。当日は、農協関係者や一般農業者など二千余名が会場を埋めつくし、農協運動の力強い前進とともに、家の光などの購読拡張、記事活用の徹底、農協組合員の教養の向上をさらに図ることなどを申し合わせた。

雑誌「家の光」は、今年度創刊四十五年を迎えたが、この大会でも、農家や農協とともに歩んできた家の光の歴史の重さと規模の大きさがうかがえ、また、情報化時代の到来によって、さらにその使命の重要性を高めてきていることが感じとれた。

大会は、午前十時過ぎから「家の光つどいの歌」の合唱ではじまり、宮部会長のあいさつにつづいて農林大臣を代理して宮崎農林政務次官はじめ農協中央会、大韓民国農協中央会、台湾省農会の各代表から来賓の祝辞と三輪全購連理事長から来賓の紹介があり、このあと、高橋専務理事から家の光事業の情勢が報告された。ついで家の光の部数をふやした農協などへの特別表彰、創刊四十五年を記念して実施した手芸コンクール入選者などの表彰、記事活用と普及の体験発表の経過報告があり、このあと、新宿区市ヶ谷の家の光会館で行なわれた予選の中から選ばれた六人の代表（女性五人、男性一人）によって発表が行なわれた。

わが家の養鶏 調査プロジェクト

岐阜県多治見市小泉町4―26
小泉4Hクラブ 古川みどり

将来は夫の片腕に

ウインドレス舎の有利性を立証

私のプロジェクト

私は一昨年、普通科高校を卒業後、幼ないときの夢を捨てきれず、横浜の養鶏場へ研修のため住み込みました。そして一年間、一応の研修成果を収め、昨年四月、実践に移すためにわが家へ帰りました。

私自身、養鶏の体験は浅く、養鶏への道に足を踏み出して間もないため「こう改善し、このような成果を収めた」というものは少なく、現在行なわれている私の家の養鶏の問題点を探り、将来の方向をみい出す。また、私の家の経営状態を理解し、将来、農家の立派な主婦候補生として客観的な立場に立って自分の技術や知識を得るという、この二点を昨年の生活目標として、このプロジェクトを実施しました。

プロジェクトの実施に先立ち、この計画に対してはつぎのような目標を立てました。

一、自分の仕事上の位置づけをはっきり決める。

二、広い視野に立ってものごとを判断するため多くの仲間をつくる（4Hクラブ活動への積極的な参加）

三、わが家の問題点を知る（つぎへの課題解決のため）――以上であります。

卵はスーパーで直売

私の家の経営概要は、水田二十五㌃（一年分の食料自給用）、山林三・五㌶（将来養鶏場拡大予定地）、養鶏地二十五㌃です。主な農機具は、耕うん機、脱穀機が各一台あります。

また、養鶏規模の概要としまして、その施設は、トラック、ライトバン各一台、鶏糞乾燥機一台、自動給餌機（ウインドレス舎用）四台、動力噴霧器一台が備えてあります。

鶏の飼育羽数は、成鶏・七千五百羽、大すう・一千羽、育すう・一千五百羽です。

また、各取り引きにつきましては、ひなの購入は、年一羽百二十五円の契約で発生日に二種をその時の状況に応じて入れ、飼料は二十㌔袋入りを二種類、卵の販売はスーパーマーケットで直売しています。鶏糞処理は乾燥機で処理し、飼料の空袋詰めの一袋を百円から百二十円で販売しています。

環境が悪いケージ舎

つぎに労務担当の配分についてみますと、昨年の六月、兄が二年間の計画で渡米したため、私が家に帰りましたが、当然労務の配分は変りました。父は経営全般、配達、給餌（ケージ舎）。母は鶏糞処理、家事、ウインドレス舎管理、私は簿記の記帳、卵整理、給餌（ケージ舎）と担当が分かれております。

鶏舎は、ケージ舎とウインドレス舎がありますが、とくに、ケージ舎は、二～三段になっており、換気、密飼い、無計画な増設などが原因して、環境が悪く不便です。このため、四年前、育すうの行きづまり解消のため、ウインドレス舎（平飼い、三・三平方㍍当り成鶏三十五羽飼い）を設置しました。

現在の飼育方法は、初生びなから約百三十日間ウインドレス鶏舎で育すうし、以後ケージ舎へ移動、八～十ヵ月間産卵させ、卵価が低下した時点で強制換羽させ、引きつづき卵価が上るまで飼います。

また、もう一つの方法ですが、初生びなから産卵開始後もウインドレス舎でそのまま飼い、卵価が下った時点で前と同様な方法をとります。

この結果、ケージ舎、ウインドレス舎とも百六十日令成鶏の産卵率と一羽当りの卵重を比較してみますとつぎのような結果が表われました。（図表を参考）

	産卵率	卵重
ウインドレス舎	84・8㌫	46・7g
ケージ舎	81・4㌫	32・6g

以上のような結果から、産卵率、卵重ともウインドレス舎の方が、はるかに成績がよく、今後、鶏舎の改築する場合にはウインドレスの方が明らかに、よいという方向がみい出されました。

週休、給料制を実施

また、私の家の労働条件として原則的には、毎日六時半起床、週休制、母と私に対しては給料制（月二万五千円、うち五千円は家計費に回す）を実施していますが、問題点として、家族労働のため、とくに両親の週休制はほとんど実行できないなどの改善すべきものがあり、今後は、家事と作業との分離を図る必要があります。また、労力の省力化と機械化の問題、都市化と公害などを考慮した経営設計を立て、兄の帰国後は、養鶏の専業化を図っていきたいと思います。

ウインドレス舎とケージ舎の成績表

	ウインドレス1号		ケージ舎	
発生日	1969. 4. 20		〃	
羽数	900		270	
8／10	50個	2.0Kg	153個	6.4Kg
15	134	5.8	153	7.[illegible]
20	268	11.6	165	7.4
25	331	15.6	189	8.5
30	426	21.1	183	8.7
9／5	594	28.0	182	8.5
10	633	30.1	189	8.8
15	741	36.5	204	10.1
20	736	36.2	174	8.4
25	762	41.8	172	8.4
30	763	42.0	175	8.8

9月30日の産卵率および一羽当り卵重

鶏舎	産卵率	一卵重量
ウインドレス	84.8%	46.7g
ケージ	81.4%	32.6g

成績がよいウインドレス鶏舎(写真左側)

数字的に経営を掴む

以上、一年間のプロジェクトを実践した中から、反省事項としてつぎのようなことがあげられます。

一、経営内容を把握し、収支をはっきりさせるため、簿記の記帳を行なったが、単式簿記であるため、はっきりとした数字が表われなかった。

二、労力については、実習時代と比較して、わが家での仕事に対する熱意（労働時間など）が少なく感じた。

三、4Hクラブ員をはじめ、多くの仲間と接し、農業へのファイトがわいた。しかし、農業の厳しさをも体験した。

四、はじめて調査プロジェクトを実施し、その結果、つぎのような新しい課題を発見した。

（1）簿記の記入は単式簿記から、複式簿記にきり替えて記入していく。

（2）ケージ舎をウインドレス舎に改造し、さらに記録の中から、数字的に経営の有利性を立証していきたい。

五、公害や防疫問題について再検討を加える。

生産と販売所を分離

一年間のプロジェクトを実施して、いろいろな困難な問題に突き当り、それを解決して現在に至りましたが、今度、日本4H協会から派遣され、草の根大使として六ヵ月間渡米することになりました。この機会に、さらに知識と技術の向上に努めたいと思います。

私が家を離れるのは、少々つらいこともありますが、それ以上の何かを得たいし、形だけの活動に追われて、本来の仕事を忘れないように努力したいと思います。

わが家の将来 私の住む多治見市は、名古屋市から三十五㌔の地点にあり「新都市計画法」の実施に伴ない、十年後には市街化されると予想されます。したがって、現在は山林であっても、この土地周辺で養鶏を営むことは困難になり、また、当然に公害や防疫問題なども起り、分場化の形で中部圏で生産し、販売は現在の地で行なうようになると思います。

女性として 私は女性の一人として、この転換期にある農業者として考えることは、将来結婚した場合に、勇気をもって経営に打ち込んでいく夫の一番のよき協力者となるため、ただ家事だけに従事しているだけでなく、実践を通して学んだ技術や知識を「いざ！」というときに発揮して、夫の片腕になれるよう実践力を身につけるようプロジェクトを通して努力していきたいと思います。

実績発表大会開く 福島田村郡4Hク入賞者を表彰

【福島】福島県田村郡4Hクラブ連絡協議会（会長、猪狩嘉一君）は、農業改良普及所と共催でプロジェクト実績発表会を催した。

発表は、各地区予選を勝ち抜いてきた六人が、それぞれの実績を発表、つづいて「地域の野さい振興」「米の調整問題」などの講話があり熱心に聞き入った。このあと、プロジェクト発表と昨年行なわれたヒエぼく滅運動コンクールの入賞者の表彰が行なわれた。

農業簿記

京都大学名誉教授
大槻正男

<自計式農家経済簿記>

財産台帳の年度末記入

固定資産台帳

土地 土地は不消耗性の財であるから年々減耗することがない。したがって「償却額」の記入がなく、そのために「償却額」欄は、実斜線をもって消されている。土地はまた、増殖もしないのが普通である。そのために「増殖額」欄は、点斜線をもって消されている。そして一度価額を決定したならば、特別な経済上の変動がない限り、年々同一価額を次年度へ持ち越こすとになる。

建物 建物は、大機具・役牛・役馬などとともに減耗性の固定供用財であるために「償却額」欄に、その年の減価償却額を各建物に対して個別的に算出して記入する。

「年度末」記入欄には、実査の上記入する。そうして、年度末価額は年度始め価額から、償却額を差し引いた額に等しくなければならない。

年度末価額＝年度始め価額－償却額

年内に焼失したような場合には、全額をその年の償却額として「償却額」欄に記入する。

「財産的取引による増減」欄に記入ある建物については、年度末価額は年度始め価額から、償却額を差し引き、それによる増加額を加えたものに等しい。

年度末価額＝年度始め価額－償却額
＋財産的取引による増加額

その年度に新築した建物に対しては、だいたい半期後に落成した場合には、その年の減価償却を計上せず、これに対し、半期前に落成した場合には、一ヵ年分の減価償却を計上する便法を採用するのがよいであろう。

「増殖額」欄には、普通新築または改築を行なわない場合には記入を必要としない。しかしながら、当該年度内にこれらの新築・改築および大修繕が行なわれた場合には、それに要した自家労賃見積り額と、左官・大工などに支給したまかない費などを見積って、この「増殖額」欄に記入するのである。この場合に自家労働に対しては控えめの評価を行なう。

年度末価額＝年度始め価額－償却額
＋増殖額＋財産的取引による増加額

わずかしか自家労働を用いない新築または改築の場合には、その価額の中に自家労賃見積り額を計上することを全然さし控え、したがって「増殖額」欄に記入を行なわない簡便法を採用しても大過はない。

大植物 大植物のうち、用役用に入った桑樹・果樹などの固定供用財に対しては、減価償却額を算出して「償却額」欄に記入し、これに対し、育成期にある桑樹・果樹および林木などの固定結果材に対しては、増殖額を計算して「増殖額」欄に記入する。

用役期にある大植物……年度末価額
＝年度始め価額－償却額

育成期にある大植物…年度末価額＝
年度始め価額＋増殖額

育成の失敗などによって年度末の実査上の評価額よりはるかに低い場合には、増殖額を減少または零にする。また、風害・獣害などによって樹勢が著しく弱った場合には、償却額を増大する。そして計算上の年度末評価額と実査上の年度末評価額とを常に一致させるのである。

桑園や果樹園を年々補植し、その農家の桑樹総体として、または果樹総体として、ほぼ増減のないような栽培法をとっている場合には、年度始め価額と年度末価額とを同一とみりし「償却額」も「増殖額」も零とする簡便法を採用する。また、普通農家の所有する雑木は、年々増殖するだけ伐採するものとみることができるから、増殖計画を行なわないで「年度始め価額」をそのまま「年度末価額」欄に移記する。

「財産的取引による増減」欄には、果樹園・山林を購入したり売却した場合に、その日付とともに、その数量と価額－土地付きの場合には、土地価額を差し引いて大植物だけの－を記入する。

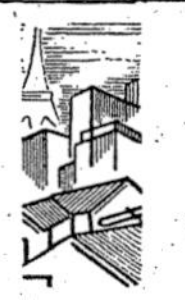

NHK農事番組（4月1日～10日）

テレビ

明るい農村 月～土 6・30～6・55 総合
1日 産物往来
2日 話題の広場
3日 村をむすぶ フイルム・リレー
4日 農村新地図
6日 村の記録 グレープフルーツとの対決（愛媛県保内町）二宮俊明氏
7日 きょうの話題 新しい農村地図（農林省農地局長）中野和人氏
8日 産物往来 いちご（栃木県足利市）
9日・話題の広場 ▽ウィルス防除（神奈川蚕試）森井鎌介氏▽組合運動五十年（東京都）内田秀五郎氏
10日 村をむすぶ フイルム・リレー

農業教室 月～土 7・30～8・00 教育
1日 産地形成と共同出荷（農技研）小野誠志氏
2～4日 機械利用の採算（農機）向井三雄氏
6～7日 これからの稲作と水利用（東京大学教授）金沢夏樹氏
9～10日 乳用雄子牛の肥育（中央畜産会）河合豊雄氏

あすの村づくり 日 7・00～8・00 教育 再土13・00～14・00 教育
5日「出かせぎを考える」▽グループだより▽出かせぎから帰って▽青年像

ラジオ

早起き鳥 5・05～6・00 ①
1日 通信員の手帳から
2日 人と話題 昆虫利用の授粉（岩手農試）小林森己氏
3日 現地報告 地場産業をささえる農民たち
4日 村のポスト
5日 話題の窓 農業者年金（農林省農政局長）池田俊也氏、（全国農業会議所）葛井定男氏
6日 現地報告 もめる畑地かんがい事業（鹿児島県指宿郡）ほか
7日 人と話題 干拓地の農地信託（滋賀県大中之湖農協）
8日 通信員の手帳から
9日 人と話題 離農調査（農林省農政課）中村徳雄氏
10日 現地報告 注目される農民乳業会社（北海道音更町）

ラジオ農業学校 月～土 6・40～7・00 ② 日 6・30～7・00 ② 再月～土 19・00～19・15 ②
5日 グループのつどい「わたくしたちの放送利用」（仙台市岩切かむり会ほか）

番組紹介

あすの村づくり
5日 特集「出稼ぎを考える」山形県西置賜郡白鷹町農業青年クラブ、富山県婦負郡山田村・山岸清志君、福島県安達郡東和町・高橋正弘君ほか。

春の農繁期を間近かに、都会で働いていた青年たちが、続々郷里に帰ってくる。

米価据え置きを背景に今年も多くの出稼ぎがみられた。出稼ぎを余儀なくされる東北の山間地帯の青年たちに出稼ぎについてナマの声で話し合ってもらう。

お願い

クラブ活動や日常の生活の中で、テレビやラジオの放送を、どのように活用しているか、その状況をお知らせ下さい。（日本4H新聞編集部）

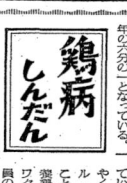

ND病「ニューカッスル」とその後の動向 1

農林省の発表によれば、昭和四十四年のニューカッスル病（ND）の発生羽数は、過去二ヵ年に比較して著しく減少し、四十二年の十三分の一、四十三年の六分の一となっている。

鶏病しんだん

一方、四十四年度のNC発生戸数は、四十二年の約四分の一、四十三年度の二分の一に減少している。

この数字は、野外のNDの発生が新しい局面を迎えたことを示しているものと思われる。つまり、日本の養鶏産業がNDウイルスに征服され、その猛威の前に大きな損害を余儀なくされていた数年前の状態から、ようやくNDウイルスをコントロール（抑制）できる状態になったことを示している。換言すれば養鶏者の防疫知識の向上と、生ワクチンの普及徹底、家畜防疫員の適切な措置などにより、野外のNDウイルスは、多くの増殖の場を失ない、追いつめられたNDウイルスがゲリラ活動に入った状態ということができる。

ゲリラ化したNDウイルス

タイプの異なるND

NDウイルスのゲリラ化の特徴として、最近の野外では従来の急性経過をとるアジア型のNDが減少し、アメリカ型に似た慢性の経過をとるNDの発生が多く認められる。これらは、ワクチン一回接種で免疫の不完全な鶏群、または再接種後、数ヵ月を経て免疫の弱まった鶏などに散発のNDウイルスの感染がおこった場合にしばしば非定型的な発病が認められる。

野外には、今だにゲリラ化したNDウイルスが広汎に残存し、防疫の手薄な鶏群をねらっては暗躍して、直接または間接の被害を鶏群に与えるのが最近の傾向になっている。

感染鶏の症状と病変

感染鶏は食欲不振、緑色下痢または軟便、ついで伝染性気管支炎に似た呼吸器症状が認められるのが特徴である。

産卵鶏では、下痢と同時に急激な産卵低下がおこり、一～一・五ヵ月も持続することがあり、発病の初期に軟卵、奇型卵を産み、重篤なものは五～七日またはそれ以上の経過で死亡する。発病後五～七日を経過すると多くは回復に向うが、この時期に脚、翼の麻痺、斜頸など神経症状が認められる。

日令の若いヒナほど症状が重く、一ヵ月未満のヒナでは五〇～八〇㌫、成鶏では五㌫の死亡率を示す。一般には病変が少なく、産卵鶏では卵巣に出血し、卵巣の変性などが認められる。日令の若いヒナは腸カタル、盲腸扁桃線の軽度の出血などが認められるが、いずれも特徴に乏しく、解部所見での診断は困難である。HI抗体も感染初期には、診断的に価値が乏しいので、ウイルスの分離が唯一の診断法である。（つづく）

あしたの青春

一ノ瀬綾 え 多賀愛子

めざめ（三） <22>

さすがに久治は立ち直った態度で口をきった。新一は黙っている。気持が動かないのだ。行ってどうなる。そんな反発が強かった。

「考えてみるよ」

それでもそう言わざるを得なかった。ふく代が顔をあげて「それがいいに……」ほっとした表情で言った。

久治も、やたらにたばこをふかしながら、しばらく思案していたが、思い切ったようすで、あぐらを組み直した。

「どうだや、研究所へ行くつもりなら、車を買ってもいいぞ」

「そりゃいいよ、父さん、ぜひ買ってやっておくれな。おらからもたのむわね」

ふく代が身を乗り出した。

「クルマ？」

新一は、おおむ返しに言ってから、突然笑い出した。研修所行きが条件とは、いかにも両親の考えつきそうなことだと、意地悪く胸にきたからであった。

「子供だましはやめてくれ」

「そうじゃねえよ。ずっと前からその気だったんだよ」

「ま、今迄不自由かけたすらが、やっぱり必要だからな」

あわてて言訳をする父母を眺めながら、新一は、自分が最近車のことを忘れきっていたことに、はじめて気がついた。まるで湊気で喉が乾くように、いつも車にやきついていた執着心が、つきものでも落ちたかのようにさっぱりと、なくなっている。自分でも不思議であった。

買ってやると言われても、他人事のようで気持がゆれない。欲しくないのである。

「無理しなくもいいよ。無くったって困りゃしねえから……」

冷淡な新一の返事に、久治とふく代は顔を見合わせた。二人の瞳に不安な影が走った。

「自動車が欲しくねえのかい新一……あんなに欲しがっていた車を、父さんが買おうというのに、笑顔のひとつも見せられないのか」

ふく代は、自分の言葉で怯えてでもしたように、声をつまらせて、家族が新一一人の為にどれだけ心配しているのかを、あれこれとあげつらった。

「よくわかってるさ。おれが百姓放り出して、勤め人になりたいとでも言出さねえかと、みんながハラハラしている気持はよく知ってるつもりだ。急に車を買おうという意味もわかってる……だが、おれは今車なんか欲しくはねえんだ」

「いったい、どうすりゃ気が済むんだ」

単純で気の短い久治は、息子の手答えのむずかしさに腹を立てたらしく、声を荒げて新一を睨んだ。

「子供だましはやめて、しばらく黙って見ていて欲しいな。車だって、先の希望が持てるようになれば、きっと欲しくなる。必要だからな……それ迄は」

「それじゃなにか、今、おめえは家の百姓はする気が無えというのか。放り出す気か」

久治は、顔色を変えて座り直した。新一は一時おさまっていた胸の中の激情が、再びむくむく頭をもたげてくるのを知った。

「研修所だ、車だと、圭次さんあたりにおだてられたって、その気になるわけにはいかねえよ。あそこらあたりは土地持ちだ。おれの苦労なんかなにが解るかい。これから先、この家で百姓やるのはおれなんだ。自分で納得いかなきゃ、仕方がねえだろ」

「なんだと、キャベツの失敗ぐれえで、一人前の口をたたくな。なにを苦労したと言うんだ、馬鹿野郎！」

ふく代が腰を浮かせた時にはもう、新一は立ち上がっていた。はずみがついてそのまま、玄関へとび出した。

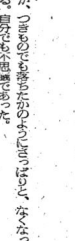

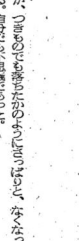

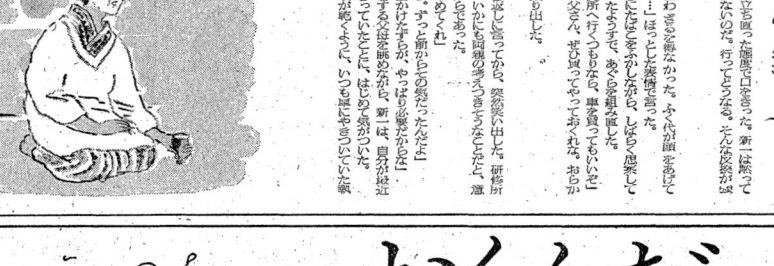

農業こそ私の道

徳島県小松島市立江町棕ノ木一一〇 白鷺4Hクラブ　藤枝義則

青春仲間と

今日の幸せよりも＝明日の幸せを求めて

厳しい農業の現実
激変の中で事業に生きる

私の住む立江町は、小松島市の南端にあたり、四国巡礼八十八個所のうち十九番霊所・立江寺とともに、農業を中心として発展してきた静かな町です。

私が農業高校を卒業して農業に打ち込んでもう五年目、農業も経済成長とともに、今日厳しい多くの問題を含みながら大きく移り変っております。

また一方、生活水準の向上には所得増加の欲求を強め、兼業農家の増加と農村青少年の他産業への流出という現象になって現われ、しかも他産業従事者と、成長過度のにぶい農業に従事する者との所得の格差はますます広がっていく傾向にあります。

より幸福に生きたい、より豊かな生活がしたい、悔いのない充実した青春を送りたい、これはすべての人に共通した願いであり、欲求であります。

こういった現代農業社会の中で私が4Hクラブを知ったのは高校卒業まぢかの頃でした。それは、農業後継者を対象に四泊五日の日程で、県が主催した農村青少年指導者研修会に参加したときです。そして卒業の年、いまの白鷺4Hクラブに入会しました。

私は、中学一年のとき父を亡くし、水田二・二反、山林一反を耕作する専業農家だったので、自分のすすむべき道はハッキリしていました。

何でもいいから農業のことが知りたかったし、また、卒業とともに友だちは離ればなれになってしまって淋しい思いをしました。

4Hクラブに入ってからは、同じ仲間と農業問題を話し合ったり、遊んだりで、クラブの集会が行なわれる日は楽しい一日でした。

いまでは、白鷺4Hクラブの会長として、また、県の常任理事として忙しい毎日を送っております。

しかし、農業を営む私たちの仲間は、ほんとうに少なくなりました。

私たちの立江町は、農家戸数四百五十戸で、一戸当り平均七五アールという零細規模の水田単作地域であり、不安定な農業経営で生計を立てるより、出稼ぎによる確実な現金収入になる仕事に魅力を感じ、もはや専業農家は二割もなく、第一種兼業よりも、出稼ぎによる収益が多いという第二種兼業が多くなってきました。

また、農業が副業化され、三ちゃん農業といわれた農業も、かあちゃんも出稼ぎにいき、年老いたじいちゃん、ばあちゃん農業になり、これではいつまで経っても農業の未来はありません。

なぜ、このように兼業や出稼ぎが多くなってきたのでしょうか。

不安定な経営、所得だけでは生活がなりたたず、それに農村生活の都市化、マスコミ文化といわれる今日、生活先行型で消費に稼ぎが追いつかず、物価高と農業所得の上昇が間に合わない状態ではないでしょうか。

私は、兼業や出稼ぎそのものが悪いとは思いませんが、背後に残る育児や家事、そして不健全な出稼ぎは、ゆがんだ社会、後継者をつくり出す原因にもなります。

やはり、水田中心の私たちの町は、農繁期と農閑期の労働力の較差が大きいので、農閑期の余剰労働力がこれからの農業問題になります。

移り変りゆく農業社会の中でこのように出稼ぎを可能にした背景には、農業技術の進歩、近代的な機械化が大きく役立っており、とくに稲作では栽培期間の三分の二の日数は、農作業の合い間に他へ勤めても、作物の収穫に影響がないからです。

こういったわけで、すくなくとも、真剣に農業に取り組もうとする青年や農家にとっては、規模拡大など望めなく、農業後継者不足や嫁不足に拍車をかけるわけになります。

励み合う友を得る
視野を拡めた4Hの会議

私は、さいわい、さる四十三年十二月、静岡県御殿場の国立中央青年の家で開かれた全国4Hクラブ中央推進会議に、県代表として参加し、初めて全国の私たちの仲間と、当面したクラブ活動の問題などについて話し合うことができました。

そこに出席したクラブ員は、みんな真剣に問題に取り組んで活発に活動を行なっているのを聞き、私は自分が恥しい思いがしたのです。

また、昨年東京で開かれた全国青年農業者会議にも参加。このようにして、全国の仲間と話し合い、私の地域以外のむずかしい農業問題を知ったり、私たちのもっている創造性、行動と情熱で、現在の農業環境に力強く立ち向っている青年の姿をみました。

そして、自分自身の農業に対する考え方の甘さを感じました。

父のない私は、母と弟の三人家族の中で、一人で何事も行なっていかなければならない。いままで母が行なってきたことを、いざ自分で実際に行なってみると、口をきいてくれない作物だけに、初めは心の休まらないことばかり、失敗で泣きたい気持になることもしばしばありました。

けれども、4Hクラブの会合に行って、話し合いを通して失敗の原因を知ったり、異った技術を知ることによって、いまでは十分とはいえないが、だんだん進歩しております。

今日、農業に魅力がないからとか、まだ父親が若いからといって他産業に勤める青年をみかけますが、私は、農業に取り組んだ当初は、その人たちをうらやましく思ったり、農業に対する反感をもったりしました。しかしいまでは、私は私なりに農業経営を行なっています。

そして、太陽と水と土の大自然を相手に、自分が思うがままに仕事に励げみ、困ったときにはお互いに助け合い、嬉しいときにはともに喜び合う、とかく冷淡な都会よりも、農村は人情味ある生活しやすいところではないだろうかと思うようになりました。

これからの農村、農業を創りだしていくには、農業者としての自覚と農業に対する営農心が必要で、それらが家庭づくり、ひいては村づくり国づくりにつながってくるものです。

私たちクラブ員は、プロジェクト活動を中心として、先進地視察など学習をすすめるとともに、仲間づくりを通して、これからの農業経営の向上と地域社会の発展に努めております。

さいわい、地元の農協青年部が地域の問題に取り組んでいるので、4Hクラブもこれに関連して活動を行なうようになりました。青年部といっても、4HクラブのOBたちでクラブ員もしぜんに接しています。

前に述べたように、私たちの町は他産業の著しい発展の中で、出稼ぎや兼業が多くなり、他人に田を耕作してもらい、自分は他産業で働くといった人がすくなくありません。

そこで私たちは、その人たちの田をあずかり、農協青年部と協力して、苗代から稲刈り収穫までの全面請負耕作という事業に取り組み、合理化、近代化、機械化への実現を試み、実際、代かきから収穫まで身をもって学び、この生産活動を通して、現在の農業問題への解決と仲間づくりを深めて、新しい技術の収得に努力しております。

そして、企業的農業がこの活動の中で行なわれ、私はトラクターのオペレターとして頑張っております。

私たちクラブ員は、実習、実践活動を通して、当面した経営や農業問題と、将来の展望にたつ農業と現実の中での農業をハッキリ理解していく事が大切でないでしょうか。

いままでは、農業や農村というと、暗く悲観的なムードが余りにも強調されていたようです。まして農村青年は、自分だけが楽しかったり、よかったりする自己満足な気持になりすぎていないでしょうか。

私たちはクラブ活動を通して人間として、青年としての情操教育も取り入れていかなければなりません。4Hクラブは、自分の教養を高めるとともに、仲間づくりと地域社会における問題を解決していく教育の場であると思います。

そして、自分が自活の能力をもつのは当然として、その能力を社会の開発、伸展にすすんで奉仕するクラブ員でありたいと思います。

おとなたちと青年の交流によって、農村特有の因習とか、不合理な生活がうすれていく今日であります。

明るい明日の農業に灯をつけるのは、私たちであり、私たち青年が青春バンザイで終ることなく、社会にとけ込んだ活動をすすめることを誓い、今日の幸せよりも明日の幸せのために、地味ではあるが確固たる活動を展開していきたいと思います。

農村雑感

折原俊二郎

夫婦協定

父子契約とか、親子契約といわれる家族協定の問題が出されたのは、ずい分前になってしまった。しかし、実際上本格的な課題としてとりあげられ、その対策について具体化して動き出したのは数年前からである。

ことに兼業化が急速に進むとともに、地価の高騰が急激であり、労働力が農村から都市へと大幅に移動しているなど、まさに世の中はめまぐるしい形で変化している。

しかも、その変化の大きな渦の中で、農村は殊更にはげしい形でゆれ動いていることは、誰しもが否定できない。

ところで、家族協定については各地にその動きが出ているが未だ十分とはいえない。しかしこの問題は現状の経営の中で表面化するというよりも、農家の世代交替の時期に際して表面化するのではないかと考えられる。また、他方において、世代交替が戦前に比べて約二倍以上も延びたということから、親夫婦とあとつぎ夫婦の二世代が極めて長期にわたって、同一の家の中ですごすということになるので、関心方向の異った者たちがいるということで問題が出てくる可能性もある。こうした意味から、今後、家族協定は重要な意味を持ってくるといえよう。

ところで親夫婦とあとつぎ夫婦との関係ばかりでなく、夫婦の間ではどうだろうか。夫婦の間では同一財産、同一経営下にあるということで問題はないと思うが、夫婦協定という問題も考えてみる必要があるように思う。

最近、女性上位ということで女性の地位向上についてよく[illegible]る。

[illegible]ぶべきことであるとし、または女性が男性をしのいで勝手なことをやるのは困るという非難の意味もふくめて、この言葉が生まれてきている。男女同権であるということは当然であるが、その中で、種々の問題を含んでいる。今日云々されることはあっても、それは一つの過程として考えて、とくに問題視してはならないと思う。要は、女性の地位向上こそ、さらに拡大しなければならないのではないだろうか。特に、農村における女性の地位は、女性上位といわれるものは該当しない立場にあるのが現状といえる。

そこで、地位の向上、すなわち、独立的な経営権はどこから生まれてくるかである。今日都市生活の中で、女性上位といわれるようになったのは、女性の経済的確立からはじまったといえる。

農村の中では、同一経営体の中にあって、夫とともに生活活動に従事するということであるが、まず第一に女性の経営権への関与からはじまり、次に、収益配分への関与まで検討する必要があろう。もちろん、これをやるには、女性でも農業経営に対する勉強が必要であろう。

他方、男性側からは、一方的に処理していくということであってはならないということに通じるといえよう。要は、夫婦協定のように具体化しなければならないということではなく、そうした意識でもって夫婦で協力しあわなければならないということである。

農村青年は新しい考え方で社会に対応しているといわれているが、家の中での対応の仕方は古い因習のなかから抜けきらない人も多いように思えたからである。

〈農林省・農業者大学校〉

生活 もの知りコーナー

☆靴の買い方、選び方

買ったときにはちょうどいいと思ったのに、はいて歩いているうちに足が痛くなることがよくあります。

▽靴は両足にはいて立上がり、重心を足にかけたときに、ぴったりしていてはよくないのです。カカトから親指のつけ根まで、土ふまずの部分がぴったり合っているかどうかを確かめて選ぶのがコツです。

▽足は親指のつけ根から先がいちばん動きますから、その先が運動できないくらいぴったりしていては疲れてしまいます。

▽また足幅が広いのに、スマートに見えるからと細い靴を選ぶと形くずれを起します。パンプスなら平らなところにおき、カカトの部分をちょっと動かしてみてください。ぶれがすぐ止まるものは安定感があるので疲れませんが、いつまでもふれているのはよくありません。

また最近は、合成皮革の靴も出ています。これは雨にぬれても平気ですし、手入れも簡単ですから、また値段は多少はりますが、一足あると便利です。

【貯蓄増強中央委員会の「奥様便利帳」から】

クラブ紹介　静岡県磐田市　若鮎会

チョット、そそっかしいのが玉にキズ

〽秋葉路や― 花たちばなの茶の香り 流れも清き太田川 若鮎おどる頃となる……と、浪曲にうたわれた遠州は森町の近在。磐田市を中心に私たちの"若鮎会"はのびております。

クラブのどの彼女も、遠州ッ子気質（かたぎ）を十分に持ち合わせています。

きっぷのよさ、行動力…etc…と。ただ、石松と同じく、チョット、そそっかしいのが玉にキズ。

しかし、それはご愛嬌として陰湿な感じのクラブ員が存在しないということが、クラブに和がもてているゆえんでしょう。

さて、クラブも二年経つと、そろそろマンネリ化が生じてきます。

私たちのところもご他聞にもれず、昨年の秋頃、反省をしなければならないときがきました。

交歓会、料理研究会、視察とありきたりの内容では、あきてくるのも当然ということで、十一月から、簿記の講習を受けることになりました。

これからの農業者、それも女性として、当然身につけなければならない簿記。現在は、家計簿に毛の生えたクラスのものですが、しかしこれは将来、自分たちにきっと役に立つということを信じて、みんな頑張っております。

（静岡県磐田市　若鮎会々長、村松信子さんより）

写真は、きっぷのよさと行動力が自慢の若鮎たち

ヨーロッパ視察旅行記

静岡県浜北市内野 浜名4Hクラブ　鈴木政美

西ドイツの巻

悩みは同じ日独農業
官民あげて近代化へ進む

美しい西ドイツの農村風景

オランダから、ラインゴールド号で西ドイツに入ったのは十一月十八日午前十時二十分であった。

西ドイツの面積は約二十五万平方キロで、日本のほぼ三分の二にあたる。

西ドイツの風景を特色づけるものは、森林、牧場、草原、耕地である。とくに森林面積は、国土の二十九パーセントを占めている。

西ドイツは、オランダと違いすごく騒々しいのには驚いた。日本と同じラッシュ時は、車、車、車で道路いっぱいになっている。道路は敗戦国とは思えないほどすばらしい。車はベンツとワーゲンが多い。

私たちが西欧研修中に目についたのは、ミニスカートの女性が多く、若い女性でもタバコをパカスカすっている。日本ではみられない光景であった。

ドイツの労働力不足は、国にとって大きな問題である。学校教育よりも職業教育の方に力を入れていると思う。

ドイツ人はすごく働くし、また勉強しており、確かに根性があると思えた。自分の職業をしっかり身につけ、社会人になるそうである。

私たちは西ドイツで、プレスブルグ村とステンバッハ農業構造改善事業を訪問した。以下それについて述べてみたい。

農業と観光を両立させた村

プレスブルク村は、ボンとフランクフルトのほぼ中間、ライン川から山の方へのぼり、海抜五百㍍あたりのところにあった。

この村は、土地が傾斜しているために斜面が多く、畑も細かく分割されており、気候もよい方ではないそうである。

ここでも、小農家の離村が激しくなったので、十年ぐらい前から農業を近代化しようと、国や州や村が協力して、農業構造改善のモデル地区に指定して総合的長期計画を作り、国は農業総合センターや道路を整備し、強力な指導を行なっていた。

農民は畑を広くするために交換したり、山を開いて畑にしたりしている。

この村は、空気が澄み、非常に景色がよいところで、離村した農家が、山頂にレストランやホテルなどを建てて、自然を失った都会からの観光客を集めて生活をするようになり、村では農業と観光を両立させて、近代化に成功していた。

とはいえ、零細な経営のなりたたない農民は、労働条件のよい工場労働者になるために、都会に去って行く、しかも畑は細分化され、大型機械の使用も困難である。とくに、EEC諸国からの農産物の輸入は大きな問題となっている。

狭い耕地と曲りくねった道

ステンバッハ村は、シュツガルの近くにあった。この村では以前は農民たちが、自然につくられた肥沃な土地だけに集中して耕作していた。

耕地は細分化され、道路は細く曲りくねり、その両側にひしめくように古い農家が建ち並んで、村は沈滞していた。また、離農する人も多くなっていた。

このような古めかしい村ではただ耕作地を広げたり、物的援助だけではだめなことが分かり、農民は古い考えをなおし、文化的な村をつくるために、農村の社会的改善と耕地の改善の二つを組み合わせて行なう必要が生じた。

政府はその対策として、大都市の外側に中都市をいくつかつくり、そのまわりに小都市をつくり、人口を分散し、しかも人々の生活にあった町づくりをする方法を考えている。

経済的にみて、農業はおくれつつあり、将来の後継者の確保にも問題がある。農業をあきらめた人たちは、農地に適さないところに家を建て、そこから町に通勤していた。

村の中に農機具の修理工場を建てたり、マーケットを建てたりして、そこで働く人もいた。

それ以外に、学校も二、三合併して、新しく大きな設備をしていた。

これらの仕事は、国と州と村人の協力によってすすめられているようであった。

この村では、二十五㌶あれば専業ができ、大農の子弟の多くは就農するといっていた。

見わたすかぎりのブドウ園

西ドイツの農業構造改善事業には、日本も多くの見習う点があるように思えた。ライン川沿いには、見渡すかぎりのブドウ園がある。この国はフランスと並んでブドウの生産国であり、ワイン工場がたくさんあった。

日本のブドウ畑のようにしっかり棚をつくるのではなく、キュウリをつくるように支柱をしている。

西ドイツでは、いろいろな場所で、青年と話し合いをしたが、ぜひ日本の青年が多くきてほしいと願っていた。

ドイツからスイスに入る国境は、ドイツ側とスイス側に小さな事務所があって、バスの運転手が手続きをしパスポートを見せただけで簡単に通れた。（この文は、本紙連絡報道員として活躍している鈴木君が、昨秋、静岡県の農業青年視察団員に選ばれて、ヨーロッパを視察したときの見聞記です―編集部）

活動はハートを中心に
クラブで人生修業

埼玉県大宮市 大宮4Hクラブ　田中喜代志

私が4Hクラブに入ってから、四年という月日が経ちました。四年間クラブに入っていて、どれほど人間的に進歩したかわかりません。

クラブといえども、私は一つの社会と思っています。その社会の中で、一人の人間が多くの人間に接することによって、自分というものを、客観的に見つめることができるのです。

農業をしていると、自分の家でやっているだけに、他人と接する機会が非常に少なく「井の中の蛙大海を知らず」で、自分のからの中に閉じこもってしまって、自己本位な人間になってしまいます。

4Hクラブは、青少年みずから教育する場であるという建前から、理念や本質を、クラブのおかれている環境の中で正しく生かし、クラブ活動の成果があげられれば、活動の実態は多種多様であってよいのではないでしょうか。

私たちのクラブは、レクエリーションが主体となっていますが、私はそれでいいと思うのです。4Hクラブの綱領の一つ、友情に富む心を養ないたいのです。

人間の心、その心を養うのが4Hクラブならば、農村青年にとって最も必要なものです。つまり、4Hクラブの必要性というものは私たちにとって確かだし、その活動に対する望みは、前にも述べたように、人間的、生活能力を伸ばすのは当然として、社会の開発や、進展にすすんで奉仕する人間を養うことです。

二十年の4Hクラブの歴史も、そこにあるのではないでしょうか。これから幾十年とクラブは続いていくでしょうが、より人間的、より社会的に自己を教育できる場であり、また、横のつながり、仲間意識をもって、仕事の上でもよきライバルとなって、若き人生を大いに語り合い、明るい社会を築こうではありませんか。

日本4H新聞
4Hクラブ 農事研究会 生活改善クラブ 全国弘報紙
発行所 社団法人 日本4H協会
東京都市ケ谷家の光会館内 電話(269)1675 郵便番号162
編集発行人 玉井光
月3回・4の日発行 定価 1部 20円 一カ年700円(送料共)
振替口座東京 12055番

クラブ綱領

私達は、実践を通じて自らを磨くとともに、互いに力を合わせて、よりよい農村、よりよい日本を創るため、四つの信条をかかげます。一、私達は農業の改良と生活の改善に役立つ腕をみがきます。一、私達は科学的に物を考えることのできる頭の訓練をします。一、私達は誠実で友情に富む心をつちかいます。一、私達は楽しく暮し元気で働くための健康を増進します。

全協、19・20日に総会

会長会議をふやす

新年度事業 三本の柱軸に計画

全国4Hクラブ連絡協議会（会長、黒田保君）は、来る十九、二十日の両日、東京・新宿区市ケ谷の家の光会館と出版クラブで四十四年度の通常総会を開催することを、さる三月三十、三十一日全協事務局で開いた執行部会で決定した。

黒田会長

総会に上提される主な議案は次のとおり。

一、昭和四十四年度の事業経過と収支決算両報告の承認について
一、同四十五年度の事業計画と予算両案の審議決定について
一、役員改選について
一、その他

議案については、こん後さらに執行部会を開いて検討を重ね、煮つめていくことになっている。

主な事業計画としては、四十四年度と同じく、全国4Hクラブ員のつどい、全国4Hクラブ中央推進会議、4H会館の建設推進を大きな三本の柱として、県連会長会議、プロジェクト実績発表大会（今年度は全国青年農業者会議と統合）専門委員会の開催、各県連への役員派けん、沖縄への親善交歓訪問、海外青少年との交流、外かく団体との連けい強化などが中心になるものとみられる。

とくに、会長会議は、全協と県連との緊密度を深めるとともに、事務連絡の円滑化を図るため、開催の回数をふやす意図のようである。

これまで、総会において各県連会長の総意のもとに決議した事項が、その後の県連役員の改選などで新役員に徹底せず、事業運営に支障をきたす面がみられたことや相互に意志を反映する機会が少なく、意志の疎通に欠けていた場合があったことなどから、県連と全協の間に太いパイプを通して組織の強化を図り、事業拡大に伴ってふえてきた問題解決に対処しようとするもの。

また、中央推進会議は、参加者や関係者からも高く評価され、その成果が各地で表われてきているが、これをさらに回数をふやすとともに、これまでの十二月という開催時期を早めて年度初めに実施することも考えられているようである。

さらに、4H会館の建設については、着工の時期として、一応、四十五年度をメドに進めてきたわけであるが、来年度はその最終年度に当たる。

しかし、現在、建設資の募金活動が各県連で展開されているが、全般的にもう少し盛り上がりがほしいところ。このため、着工の時期を伸ばして、これまで以上に募金活動を強力に展開するのではないかとみられる。

体育大会や4H展

山口県連の地区会長会議で検討 20日に総会開く

【山口県＝松尾耕助連絡報道員発】山口県農村青少年クラブ連絡協議会（会長、福島保昭君）は、さる三月二十五日、防府市牟礼の経営伝習農場新生館で今年度第三回目の地区連会長会議を開催した。

会議には、県下十五地区の会長や県連役員など約三十名が出席し、午前九時から協議事項の検討に入った。

まず、昭和四十四年度の総会について協議し、来る二十日、県陸上競技場で開くことを決定した。

陸上競技場を使用することにしたのは、午後から体育大会を開くため。体育大会のねらいは、農村青少年の体力づくりを通じて、さらに親睦を深めることにあり、県連として初の試みである。種目はフットボールで、方法は、一地区一チームとし、女子二名を必ず含むことなどを決めた。

つぎに、四十四年度の事業反省にうつり、研修会などについて協議したが、リーダー研修と幹部研修の内容が同じではないかという意見があり、本年度事業の大きな課題の一つとなった。

また、四十五年度の新しい事業として、体育大会、農村青少年激励大会、4Hクラブ展示などを開くことになった。この4H展は、一般の人々にも4Hクラブを理解してもらうために開くもの。

さらに、県連の機関誌「4H山口」に、4Hクラブの本質を知ってもらうために、特集として"4Hのしおり"などを載せることを決めた。

このほか、役員改選や地区連旗などについて話し合い、午後三時閉会した。

先輩の体験発表に真剣に耳を傾ける今春卒業の就農者たち＝茨城県立取手一高で

4Hの新入生と語る

茨城・取手の農高で 盛り上がる仲間意識

【茨城県＝村山文雄連絡報道員発】さる三月六日、県立取手一高で、同校をこの春卒業する新規就農者を対象に明日の農業を語る会が開かれた。

これには、先輩格に当たる4Hクラブ員をはじめ関係農改普及所の青少年担当者らが出席、まず最初に普及員から4Hクラブなどの農村青少年活動について説明があったあと、新規就農者代表の意見発表が行なわれ、農業経営や青少年活動など就農するに当っての希望、抱負が述べられた。

また、4Hクラブ員の農業経営や農村生活などの体験発表につづいて、各普及所管内ごとに話し合いがもたれた。予定時間をオーバーするほど熱心な討議が行なわれ、農村を背負う仲間意識を強く盛り上げた。

「4H週間」を展開

6日から12日まで 二周年の記念式典

宇佐4H協

【大分県＝中山真智子連絡報道員発】宇佐4Hクラブ協議会（会長・恵良貴行君・会員四十五名）では、来る六日から十二日にかけて宇佐市大字和気にある県農業技術センターで宇佐4Hクラブ二周年記念式典を盛大に行なう。

これは、これからの農業の担い手として日夜実践活動に努力しているわれわれ宇佐4Hクラブ員が自らの手で企画運営し、新しい技術の研さんとクラブ活動の実績発表など二年間の活動を顧るとともに、楽しい行事を通じて真の友情を深めて4Hクラブ活動の推進を図り、地域の農業振興に寄与しようとするもので、一泊二日の研修をかねての記念大会である。

参加者は、宇佐4Hクラブ員とその父兄、篤志指導者、農改普及員、市職員そのほか希望者を含めて約七十名を予定している。

まず、一週間を「4Hクラブ週間」と称して、第一日目は、午前九時から記念式典を行なう。六日目にはプロジェクトの実績発表会を聞き、代表者六名によってそれぞれ一人十五分以内でプロジェクトを通じて自分で体得したものを発表、そのあと参加者から質問を受け、さらに、プロジェクトの総評として農業改良普及技師を中心にパネル討論によって講評してもらう。

昼食のあと、農業経営体験発表を優秀農家の人にしてもらい、つづいて、宇佐農政について市農林水産課長と農業構造改善課長に話してもらう予定。ついで、レクリエーションとしてソフトボールやバレーボール、卓球などで楽しんだあと、夕食、入浴し、「映画とお話し」として、「交通事故をなくすには」という題名で市交通課長の講話を計画。

また、日本4H協会から四十三年度の日台農村青年交換（IFYE）計画に基づいて、草の根大使として台湾で研修してきた日田郡の河津健さんに「台湾訪問を終えて」と題して報告してもらうことにしている。

七日目の十二日は、起床、ラジオ体操、清掃、朝食をすませたあと、午前八時から四十四年度NHK青年の主張全国コンクール入賞者の発表をテープによって聞く会を開く予定。ついで四十四年度の総会、十一時から駅館川総合開発について深見ダムを視察する計画である。

涼風暖風

さあ、わかりません

先日、私は農村調査の仕事で酪農村の農家を訪問した。訪問した時刻が約束の時刻よりも早すぎたので、あいにく経営主が不在だったけれど、奥さんが応待してくださった。

話し好きな人だとみえて、村の話から暮らしの話まで、ご主人が帰宅するのを待つ間、退屈させてはといろいろ気をつかってくれる。そんな茶飲み話しのなかで、この農家の乳牛飼育状況や経営の問題になると「さあ、私ではちょっとわかりませんので……」という答えになる。それでも、経営面積や飼育頭数などの質問には、はっきり説明してくれる。細部のことは、主人がすぐ帰宅するから主人に聞いてほしいといわれるのは、もっともなことである。

この奥さんは、年中、肩や腰の痛みを気にしながら、家族とともに農作業に精を出しているが、やはり経営内容のことは知らない面が多いらしい。でも、同行の農業改良普及員さんの話では、この奥さんは部落でも、働き者でとおっているとのことだ。

さて先年、私がアメリカ中部の農家に滞在した時のことである。この農家は肉牛を二百八十頭飼養している中農クラスで、三十才代の経営主と主婦それに三人の幼児という家族である。経営は主人一人で担当しており、奥さんは、よほど農作業のいそがしい時は農場に出るが、平常は家事専念である。食事の準備や子供の世話や洗たく、アイロンかけなど多忙であるが、それでも手芸を楽しむ余暇もあるし、室内装飾に気をくばる余裕もある。

私は、経営主から農場運営の状況を、あれこれ聞かせてもらったが、この経理に関する話しになると、たとえば年間の粗収入や所得や農業機械の購入費などは、すべて奥さんが説明するのには面くらった。主人が説明する中に間違いでもあると奥さんが訂正するといったあんばいだし、その数字も、いちいち記録を見るわけでなく、そらんじている。

私はここで、何も日本の農家主婦が劣っているというのではないが、農作業に精を出す働き者の主婦が経営をあまり知らず、家事専念の主婦が経営にくわしいのは、農業経理、つまり収支をめぐる経営管理を担当しているか、いないかの違いにあると感じた。

農業経営の設計には現状の診断が先決だし、その基礎は農業簿記をとおした実態はあくである。農作業に精を出す主婦が、経営管理に目を向けた時、新しいタイプの働き者の農家主婦が生まれることだろう。（北海道・三輪）

新しい人生のスタートへ

クラブ活動12ヵ月 新しいクラブ員を中心に (10)

まず家の経営知ろう

親と話し合う努力が必要

栃木県・普及教育課 湯浅甲子

あわただしい、三月も終って、四月は、諸君の新らたな人世のスタートの月である。

諸君を送り出した学校は、新入生を迎えて新学期に入った。長かった学校とのキズナは切れたのである。と同時に諸君は、社会人としての第一歩をふみ出し、学生としての特権はなくなった。あとは諸君の努力と実力が、ものをいう社会である。どこそこの学校を卒業したといった優越意識は通用しない、学歴不問の社会に入ってきたのである。

夢も大きいだろう。不安も、あせりもあるだろう。その複雑な心境の中で、いま、諸君は、何をなさんとしているか。

親たちは、息子、娘が、家庭に帰えり、家の仕事についてくれたことの喜びを、かくしきれずに、さあ、あれを、さあ、これを、これは、こうしたらいい、お前はどう思うか、などと注文が殺到するにちがいない。近所の人たちは、諸君をさておいて、親たちに「こんとは、らくができますね」とうらやむだろう。

弟妹は、昨日まで、自分が、やっていたように、母に弁当をつくらせて、学校へパッととび出していってしまう。みんなが出てしまったあとには、親と自分だけが家にいる。今まで、日曜、休日以外に、真昼間の家の中を知らなかった諸君には、なにか、ガランとした空虚なものが、自分を包むように思う。一種の張り合い抜けした気分である。

夢、期待、張り合いぬけ、そんな、チグハグな気持の中で、俺は矢張り、やらなければならないと心に誓う。そうしたときに諸君はどこから、どうして、仕事を始めたらよいのだろうか。

私は、卒業後、日も浅いのに、親といさこざをおこした青年から相談をうけたことがあった。聞いてみれば、親も子も、やる気十分なのである。ただ、考え方が違うのだった。

もう一つの例は、親に大変理解があって、息子の意見をどんどん実現させようとするので、今度は息子の側の責任が重くなり、自信がなくなってきて、普及所へ相談にきたのだった。

この二つの例は、一見、異なるようだが、本質は同じである。どちらも、営農の実際経験のなさからくる問題である。

そこで私は、諸君たちに、こういいたい。「あせるな、先ずは、わが家の経営を学べ」と。何をすることにしても、その基盤は、自分の家の経営である。親のやってきた農業である。この足もとの経営を充分体験をとおして学びとってほしいのである。

それには、先ず、父と母と仕事を一緒にやりながら、ジックリと考えることである。父から学べ、母から教われというのである。

親には親の営農法があり、経済面でも、苦心はあるのだから、親以上の農業をするには、先ず親の農法を学びとってからでもおそくはないと思う。そうすることによって、一つは、諸君の営農体験となり、経営上の問題点が、より具体的につかめることになるだろう。もう一つには、作業の手順を学びとることができるのだ。これを明細に記録しておくと、大変来年のプラスになるのである。それから、何よりもよいことは、親が、よろこんでくれるのである。

今後の農業は、若者の農業であるとはいっても、若い人一人の力ではどうにもならない難題が山積している。いまこそ、経験豊かな親と、新鮮な頭脳が、力をあわせて取りくまなければならないときではある。その点で、親の指図に従って農業をすることは、決して、マイナスではないばかりか、諸君らの弱点を一日も早く補うためにも親の力を遠慮なく借りることを、おすすめしたい。

今年三月六日のNHKテレビで全国青年農業者会議の代表青年がいっていたではないか。「十年前に、うちの父がいっていた通りの農業時代がやってきた」と。

諸君の親たちは、大なり小なり、農業の前途について、自分なりの見通しをもっているのである。それらに、じっくり耳を傾けつつ、毎日の農業を自分の体にいって聞かせるように体験することは、前途洋々たる諸君たちにとって、決して無益ではないのである。

長い学校生活は、いつのまにか親と諸君の間を、グーンと引き離してしまっているものだ。その証拠に、毎日、朝から晩まで、親と一緒に生活していても、一日にどの程度、親と親しく話し合いができているだろうか。案外、ダメなのではないか。

親子の間柄だから、そんなことはないはずなのに、どうしたものだろうか。

いや、心配することはない、親子は近すぎて、諸君たちは、親と一生懸命話し合うように努力してほしいのである。わが家の経営を知るということは、そういう意味からも、非常に大切なことだと思うのである。

4月

誰れが中心になって決めたらよいか

～A家への提案

	家族の多数決で	家族の2人が中心で 親夫婦	子夫婦	父と夫	母と妻	家族のうち1人が
作付、作業、休み	25	9	49	14	2	2
家族の報酬額	46	7	18	26	―	4
借金、資金利用	18	7	25	40	―	11
健康の管理	4	4	―	―	84	9
家族の分担わり	18	16	16	11	25	16
食品の買入れ	―	―	5	―	79	16
耐久消費財	39	9	26	5	21	―
子どもの小使い	5	2	67	―	11	16
寄附の金額	16	12	28	26	―	11
部落の相談（生活環境整備）	4	5	4	18	4	35

作業は夫の半分くらい

農家主婦（農山漁家生活改善グループ員）の希望

明るい生活へ理解

農林省・生活改善課は、このほど同省で開催した第十八回農山漁家生活改善実績発表大会において、出席した農山漁家生活改善グループ員六十一名を対象に意識調査のアンケートを実施したが、その結果（集計五十七名）は、農家の主婦が農作業や生活に対してどのような考えをもっているかを知るうえで大いに参考になる。例えば、親と子どもとの別居を望む人が圧倒的に多く、食事も若い人の嗜好や栄養を中心に考えていくなど、理解ある主婦が多いことがわかった。

回答者の住んでいる場所は、農山村が三二％で最も多く、ついで近郊農村二六％、純農村二一％、漁村一九％、山村二％となっている。

また、学校医療施設までの距離別と水道の有無別の人数の割合では、水道施設が「ある」が七五％、「ない」が二五％になっている。

アンケート調査の結果は次のとおり。

五～十年後のわが家のくらし

①家族構成について「親と子夫婦とその子ども」と答えた人が三分の二で、あとの三分の一は「夫婦と子ども」と、核家族を望んでいる。

②主婦の生産労働の時間 「夫の半分くらい」という答えが七九％で圧倒的に多い。これは農作業と家事の分担、女性としてムリのない労働など仕事の内容によって、主人の半分ぐらいが適当という見方のようである。

これに対し「夫と同じくらい」と「その他」が同じく一一％であるが、これは、農作業によっては主人とともに働きたいという願望からきているようである。

③すまいについては、今のところに住むが八一％で断然多いが、便利なところに移るという答えも一九％ある。そのうちわけは、通勤農業（就労）一四％、セカンドハウスをもつ五％。

④収入源では、一つあげた人が七五％、二つあげた人が二五％。

一つあげた人について収入源を種類別にみると、俸給が一六％でトップ。ついでやさい一二、果樹一一％と大体同じくらい。さらに稲五、施設園芸四、畜産、漁業各二％の順。その他九％。

二つあげた人は、稲と何か（複合）二三％、俸給と何か（兼業）一一％の割合。

⑤労働経減の方法 生産面では機械化四九％と省力技術四四％の二つにしぼられ、その他はわずか七％。しかも、共同でが六四％と過半数、個別でが三二％となっている。

一方、生活面では、家族の家事分担をあげた人が最も多く五八％、このほか機械化二五％、省力技術一七％。また、共同が二八％、個別七二％となっていて、生産とは逆の比率になっている。

五～十年後のA家のくらし

家族構成▽年金をもらい農業をする（もうじき六十歳）▽農業経営をまかされている（三十～三十五歳）▽長男（小学生）▽長女（保育園児）▽次男（同）

▽食事 若い人中心で食べるが七五％、別々につくって食べる二五％で、若い人の嗜好に合わせてという理解ある人が多い。

▽住まい 別居を望む人が圧倒的に多く八五％で、親ははなれにが八一％、親はおもやに四％となっている。これに対して同居を望む人（みんなおもやに）は一五％と少ない。

▽家計費はどちらが負担するかについてみると、共通経費では、両夫婦六一％で、子夫婦二六％と親一三％を大きく引き離している。

また、共通以外の経費では、両夫婦一緒でが五五％、両夫婦別々でが四五％の割合。

心頭技健

いよいよ花便りが聞かれる頃となった。桜花らんまんもさることながら、田園においては次から次へと菜の花、レンゲ、タンポポと百花が乱れ咲き、野や山に若草が萌える。空にはあげひばりが高らかに春の到来を告げる。春宵一刻千金といい、おぼろ月夜に夜桜見物など、まことに風流なものである。このうららかな季節は、むかしから東西の詩人たちによって讃えられてきたものである▼春はまた、人の心を浮きうきさせる。4Hクラブがフレッシュマンを迎えるのも、ちょうどいま頃である。学校を卒業して、農業に取り組もうという決意と不安が彼らの胸に去来していることであろう。彼らを迎え入れる先輩クラブ員たちは、自分たちがはじめてクラブに入ったときのことを思い浮かべ、新しく入ってくる人たちに温かい手をさしのべてほしいものである▼一方、新人クラブ員の方では、はじめて入った4Hクラブがどんなものであるのか分らない点や、みんな年長者ばかりで戸惑うこともあるかも知れないが、4Hクラブにおいては先輩は自分の兄であり、姉であるという気持で遠慮なく接したらいいだろう。そうしているうちに、クラブがどんなものかも、だんだん分ってくるし、先輩たちとも親しくなってこよう▼それからもうひとつ、クラブには、それぞれの長所や短所がある。この中には現役で長いことクラブにいる先輩たちが、その馴れによって見過ごしている点がある。新入クラブ員は、その新鮮な感覚でこのクラブの長所や短所をすばやく見とることができると思われる。そして、新鮮な感覚で気付いたことを克明に日誌帳などに記入しておき、あとで自分でゆっくりそれらの点について考えたり、クラブの会合で話題にしたらいかがであろう▼つぎに高令になったり、結婚してクラブを離れる人の送別会は盛大に行なっているが、それらの人たちから長年にわたる4Hクラブでの貴重な体験や意見を聞く会を催しているところは少ないようである。人によっては、個人的にいろいろ話している人もいよう。だが、クラブをさるに当って、ぜひそういう発表会を開き、あとに残るクラブ員にクラブの業績が積み上げられていくようにしたいものである。

農業白書 >1<

農林省は、このほど「四十四年度農業の動向に関する年次報告と四十五年度において講じようとする農業施策」（農業白書）を発表した。農業白書は、①農業経済の概観と生産性・生活水準②農産物の需給と価格③農業経営の動向に大別して、四十三年度の動きを中心に分析しているが、昨年と変って、農業が重大な転機にあり、これまでにないきびしい情勢の下に置かれていることを強調し、今後の方向として、農地の流動化を高め、工場の地方分散をはかって零細な農業従事者が転職しやすくする措置を講ずるなど、農業関係者だけでなく国全体で取り組むことが必要であると指摘している。これらは、こん後の農業の動向をつかむために大きな要素となるので、「四十四年度農業の動向に関する年次報告」を連載して紹介することにした。

転機で厳しい情勢下に

経営権の移譲を 老後の保障で

乗用車、進学率は都市並み

◇農業経済の概観と生産性、生活水準は次のとおり。

経済の概観

一、農業は、急激な経済成長のなかで生じた立ち遅れの是正、国際化の進展にともなう輸入自由化の促進など内外からの要請が一だんと強まり、これまでにないきびしい環境にある。また、いままで経験したことのない米の生産過剰という緊急に解決しなければならない問題に直面している。

一、農業生産は、前年度より三・六%上回った四十三年度にくらべて、四十四年度はわずかながら減少したが、ひきつづいて高い水準を保った。

食用農産物の総合自給率は、四十三年度には前年度と同じく八三%であった。しかし、これは米の過剰生産を反映したもので、小麦やだいず、濃厚飼料などの自給率はいぜん低い水準にあり、過剰と不足が併存している。

一、四十三年度の農産物生産者価格は、これまでより上昇率が鈍化した。このこめ、このところ年率一〇%以上伸びてきた農業総生産出額は、前年度を五・三%上回る四兆二千三百二十八億円であった。米価のすえ置かれた四十四年度は、農業生産の低下もあって総産出額は、ひきつづいて低い伸びにとどまるものと見込まれている。

一、農業就業人口は、ひきつづいて減少し、四十三年度には九百四万人となり、総就業人口に占める割合は一八%（三十七年度二四・七%）に低下した。

農家から他産業部門への労働力の移動は、新規学卒者を中心に四十三年度も年間七十九万人にのぼった。新規学卒の就農者は、四十四年三月には四万八千人、三十九年以降はじめて六万人台を大きく下回り、農業労働力の老令化傾向がさらに進んでいる。

一方、四十三年度の農家固定資本形成は、農業基盤整備事業や農業機械の導入を中心に前年度を一一%上回る一兆五百三十五億円に達した。

耕地面積は、普通畑の転用など四十四年には四万五千㌶減の五百八十五万二千㌶となった。

一、農家戸数は、減少傾向をつづけ、四十三年十二月には、兼業農家を中心に前年より六万八千戸減の五百三十五万二千戸となった。しかし、離農を契機として農地移動は、面積としては小さく、専業的農家層の規模拡大との結びつきはいぜんとして弱い。

町村在住勤労者世帯の所得と世帯員一人当りで同じくらいの農業所得をあげている自立経営農家は四十三年度において「農家経済調査」の調査対象農家のうち戸数で約一〇%、農業粗生産額で約三〇%の割合を占め、いずれも前年度より下がった。

一、農家経済は、これまで順調にきたが、四十三年度は所得形成の面で大きな変化がみられた。全国一戸当り平均の農家所得は、前年度を一〇・二%上回る百十一万円に達し、勤労者世帯の実収入とほぼ同率のふえ方。

農業所得の伸びは、わずか三・三%であったのに対し、農外所得は一七%もふえ、農家所得の増加分の八四%を占めた。農業所得の伸び率の大幅な鈍化は、米生産の横バイと青果物などの大幅値下がりによるところが大きかった。

一方、農外所得は、通勤就職者や出かせぎ者の増加と賃金の大幅な上昇に支えられてひきつづいて好調で四十四年度もふえている。

農家経済余剰は、所得の伸びが鈍ったのに対して消費が堅調であったため、前年度より四・三%減の十九万円となった。さいきん農家の投資は、預貯金などの金融資産よりも固定資産への投資が活発になっている。

生産性

一、四十三年度の農業と他産業との生産性の格差は、前年度より拡大した。就業者一人当りの純生産（名目）でみた農業の製造業と非農業に対する割合（比較生産性）は、それでも三五・一%（四十二年度三八・五%）三六%（四十二年度三八・九%）となっている。

これまで改善されてきた農業の比較生産性が低下したのは、農業と製造業との労働生産性の伸び率の差が大きかったこと（農業五・八%、製造業一四・八%）に加えて、農産物価格の上昇鈍化によって工業製品に対する相対価格関係の有利性がうすれたため。

一、比較生産性は、そのまま就業者に配分された所得の格差を示すものではない。他産業の生産所得には賃金だけでなく、法人の留保分や株主への配当なども含まれている。そこで、労働一日当りに換算した農業所得と製造業の常用労働力の賃金を比較してみると、四十三年度の全国農家平均の農業所得は、製造業賃金（五人以上規模平均）の七三%の水準である。

専業的農家層とみられる都府県の一・五〜二㌶層は従業員五〜二十九人、二㌶以上層は百〜四百九十九人規模の製造業賃金に匹敵している。

生活水準

一、農家の一人当り家計費水準は、四十三年度には全国勤労者世帯の九一%で前年度と変らず、生活環境の類似した人口五万人未満の市町村在住勤労者世帯にくらべるとほぼ同水準であった。二㌶以上の層は、全国勤労者世帯の九〇・四%（前年度九三・七%）に下がった。

家計費水準の背景にある所得水準を比較すると、四十三年度には農家の方が世帯当りで一七%上回っているが、世帯員一人当り可処分所得では逆に低くなっている。

一、勤労者世帯の世帯員一人当り家計費水準を上回っている農家の割合は、「農家経済調査」から推定すると、四十三年度には三七%とあまり変わっていない。

農家の一人当り家計費水準にはかなりの地域差があり、最高の近畿にくらべ最低の九州は七二%にすぎない。北海道、近畿、四国の三地域では農家の方が地域内の勤労者世帯の家計費水準を上回っている。

一、農家の消費生活は、一だんと都市的な生活様式に接近し、耐久消費財の購入、教育費や旅行などのレジャー消費などがふえている。

乗用車（ライトバンを含む）の普及率は、四十四年には二七・四%で非農家と大体同水準である。また、農家子弟の高校進学率も近年著しく高まり、四十四年三月卒では七七%に達し、非農家子弟とほとんど差がなくなっている。

一、近年、農業者の間でも道路をはじめとする生活環境施設に対する関心が高まっている。

生活環境施設の整備状況について、農業就業人口比率の高い十県（農業県）と低い十都府県（非農業県）とを比べると、道路投資額、環境衛生関係投資額、さらに医療施設、医師の数などいずれも農業県が劣っている。

生活環境施設の整備がとくに問題となっているのは、過疎地域である。近代的農業の展開のために農業者が快適な農村生活ができる諸条件を総合的、計画的に整備する必要がある。

一、農家生活をめぐる問題として、健康や老人問題がある。農村では従来からみられる農夫症に加えて、さいきん農業機械による騒音、農薬中毒が問題になってきている。

また、経営主が老令期に達しても経営権を移譲せず、しかも生活維持のため農地に固執する傾向がある。したがって、農業者の老後の生活保障は、経営権の移譲を促進させ、農業経営の近代化を図ることと密接な関連をもっており、その制度的充実が要請されている。

機械をボールに替え
徳島県連でスポーツ大会 チームワークを発揮

【徳島県＝近藤官正連絡報道員発】県農村青少年クラブ連絡協議会（会長、田所憲一君）では、さる三月二十二日、徳島市の城東中学校で第一回スポーツ大会を開いた。

この大会は、クラブ員の体位向上や親ぼくを図るために催されたもので、県下の九ブロックから、それぞれバレーボールとソフトボールの二チームを選出し、県下一を競い合った。

日ごろ農業者として一日中土と取り組み、手にするものといえば機械、牛とか作物だけという青少年が、この日は、それをボールやグローブに持ちかえて元気にゲームを展開した。あいにくの雨模様にも負けず、力いっぱいチームワークを発揮してお互いに協力しながらの好試合をくりひろげた。

また、初めてボールを握る者などもいて珍プレーも続出し、和気あいあいとした楽しい一日であった。

新田事務局長が渡米
宮城副会長も四日に 国際農友会の関係で

社団法人日本4H協会の新田健吉事務局長（常務理事）は、社団法人国際農友会（片柳真吉会長）の理事として、同農友会で毎年実施している派米実習生の引率とアメリカ農業視察などのため、さる三月二十七日午後四時、羽田発のチャーター機ＷＡＷ機でサンフランシスコへ向けて出発した。

同日、百余名の派米実習生が出発したため、空港ロビーは、その家族や友人、知人、学生、4Hクラブ員、各県の農村青少年担当官などの見送り人でごったがえした。また、国際農友会副会長でもある日本4H協会の宮城孝治副会長も顔をみせていた。

新田事務局長は、二十九日まで実習生のオリエンテーションを行なったあと、サンフランシスコはじめカリフォルニア、アイオワ各州の農場を訪問、視察する一方、来る七、八の両日ヨセミテ国立公園で開催されるアメリカ国際農友会の理事会に出席する。

また、十五日には、ワシントン市にある4Hクラブ財団（国際農村青年交換計画＝ＩＦＹＥの実施機関、日本の4H協会と同じ）を訪問、帰路にはハワイに立ち寄りハワイ大学はじめ、日本から草の根大使としてアメリカに派遣された人たちが帰りに訪問して世話になった4Hクラブ関係者を訪ね、十九日午後七時二十分羽田着のパンアメリカン航空機で帰国の予定。

なお、宮城4H協会副会長（共栄火災海上保険相互会社会長）も国際農友会副会長として、ヨセミテで開かれるアメリカ国際農友会の理事会に出席するため、四日午後五時、羽田発のＪＡＬ二便で出発することになっている。

20周年の記念大会
清水市連合4Hクラブ

【静岡】清水市連合4Hクラブが発足してから今年で二十周年を迎えたのを記念して、同二十周年記念大会実行委員会（委員長、岩崎茂全協初代会長）主催による記念大会が、来る十一日午後一時から清水市中央公民館の四階大会議室で開催される。

同日は、二十年のあゆみの経過報告、表彰、代表五名による意見発表、記念講演、懇親会などを予定している。

駅伝大会で人々が見守る中を力走する4Hクラブ員

全員が心を一つに
京都・木津4Hクラブ 謝礼でブレザー新調

【京都】相楽郡木津町木津4Hクラブ（会長、谷原吉次君）では、このほど木津4Hクラブの制服を作製した。

同4Hクラブは、クラブ員二十三名で意欲的に活動しているが、木津町における農業の実態を知ろうと、このほど行なわれた農業センサスを一手に引きうけて調査を実施し、その奉仕の謝礼として町から一五万円余を4Hクラブでもらい受けた。そこで、その金はどのような方法で有効に使うかを検討した結果、4Hクラブの制服を作ろうということに意見が一致した。

そして、制服のデザインを奈良市内の業者に依頼し、出来上がったのが写真のブレザーコート。色は春にふさわしい若草色で、胸のポケットに4Hのマークと木津のクラブ名、それに各自のイニシャルの刺しゅうがしてあり、費用は一着八千円。同クラブでは、これから全員がこのブレザーを着て、心を一つにしてクラブ活動に励むと意気込んでいる。

また、同クラブの年間の予算は、年間六十万円をこす大型予算で一月中旬には先進地視察のため、飛行機と新幹線を使って東京に行くなど広い視野を求めての活動に余念がない。

新調したばかりの制服のブレザーコートを身につけた田宮京都府連会長㊧と谷原木津4Hクラブ会長

4Hクラブ員力走
仲間づくりも 静岡・小笠町で駅伝大会

【静岡県＝鈴木政美連絡報道員発】このほど、小笠郡小笠町の第五回小笠駅伝大会が開かれ、4Hクラブ員が多数参加した。

この大会には、県内各地から三十チーム百八十名の選手が参加し、池新田高校折返しの六区間、三〇・四キロでレースが展開された。

ちょうど当日は好天に恵まれ、各選手とも力いっぱい頑張った。沿道には子どもや若い娘さん、農家の人たちが盛んに応えんした。

参加チームは三十。4Hクラブからは八チームが出場したが、クラブ員たちは朝九時ごろからスタート場所の小笠町で軽い練習を行ない競争にのぞんだ。

レースは、二度目の参加の浜名4Hクラブが他のクラブを数分ひき離し、青年の部第五位に入賞した。

この大会は、青年団員と4Hクラブ員ですべて運営され、区間、中間、交差点、最後の一㌔地点などずい所に役員が交通整理を行ない、すごくゆき届いていた。

第九回全国青年農業者会議
分科会〔施設野菜〕のまとめ

経営に観光農業も
共同出荷の体制が必要

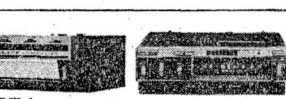

野菜作（施設） 青年部会・第五分科会

施設野菜栽培の現状を報告し合ったあと、つぎのような問題点が提起され、その解決策について討議した。

一、提起された課題

①環境制御の方法②流通の問題③労力の問題④仲間つくり。

（一）環境の制御の方法（暖房）

①地中温湯暖房は、保温、加温の規模拡大ができる。熱効率、費用などの点からみて有利だ。欠点として栄養生長になりやすい。

②温風暖房は、急に温度が下がるが、徐々に下げる方法はないか。

③被覆材はコモにまさるものはない。こんごは暖房機がとって替わる方向にある。

④換気について、換気扇はあまり使用されていないが、利用する場合は、その設置場所に十分注意しなければならない。

（二）流通の問題

①共同出荷が多いが、地域性や作目によっては、個人出荷がされている。こんごの方向としては、大市場への共同出荷体制をとることが必要である。

②市場占有率を高めるためには、良質で大量の生産物の継続出荷が必要である。

③現在の流通機構には中間マージンが多いという欠点がある。

④個人出荷では、信用度を高めなくてはならない。中間マージンは少なくてすむ。

⑤生産者と販売者を直結して中間マージンを少なくする方向にもっていくべきである。

（三）労力の問題

①機械力を使用して、雇用労力を軽減する。たとえば、換気やかん水の自動化を図る。

②部分共同による労力の軽減を図る。育苗などの共同化。

③施設の構造の改善による労力の軽減を図る。

④栽培技術の高度化。

⑤研修生の受け入れ

（四）仲間つくり

①クラブ活動には二つの形がある。深める活動—専門部会別の活動、広める活動—レクリエーションを主にした活動。

②クラブは共通の目的を持たなければならない。

③ほんとうの意味での農業者の指導を受け入れる。またＯＢからの指導。

二、私たちが築く十年後の農業

（一）共同化は、自立経営に到達するための一つの課題として考える。

（二）流通対策は、農業者の組織である農協が、全国的なつながりを持って積極的に販売を担当する。

（三）企業的能力をもつ農業者になる。

（四）観光農業など新しい営農を取り入れていく。

情報のスピード化を
輪作で土壌障害をさける

野菜作（施設） 青年部会・第六分科会

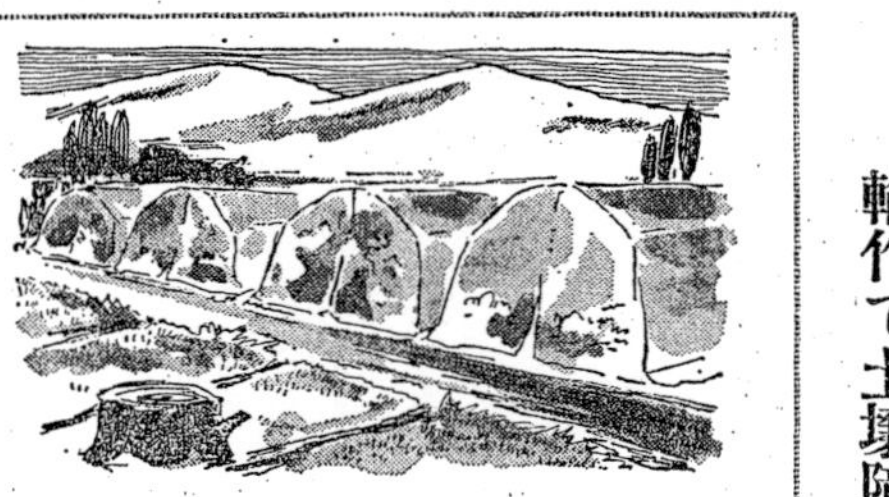

これからは、ますます組織化、共同選果、共同出荷などの体制が必要になってくる

分科会討議では、時間制限のため、各項目ごとに十分に討議しつくせなかった点があるのは残念であったが、話し合われた要点は次のとおり。

一、取りあげられた課題

①規模拡大②販路網の整備③価格安定策④周年栽培⑤連作による土壌問題⑥労働問題

二、課題に対して話し合われた解決の方法

（一）規模拡大について

①機械化による省力…アイデアによって、地域にマッチし、経営規模に適した機械化を図る。

②組織化…生産グループなど協力して組織づくりをする。

③技術の向上を図る…組織化することによって、技術研修会などを計画し、技術の収得を図る。

（二）販売網の整備

①共同選果、共同出荷によって品質の向上を図る②情報網を整備し、情報のスピード化を図る③近郊生産地では、大産地は大都市向け出荷が多いから、地方市場の穴場を探してもおもしろい。量より質で対応する。

（三）価格安定策…産地間協定、地域分担はできないだろうか。最低価格時などのため、作物保険のような機構ができないだろうか。

（四）周年栽培…ハウスの高度利用を考えることによって、年間出荷を計画し、収入の安定を図る。

（五）連作障害による土壌問題…対策としては①水稲の作付、湛水、定植前後の土壌検定、生育途中の検定などをして土壌の状態を知る。②輪作によって連作障害をさける。薬剤、例えば、ピクリン、ネマヒューム、サンヒュームなどの使用。

（六）労力問題…競合部門は経営に見合わせて削減する。耕耘、ビニール張り、施設の新設、出荷、苗作り、土壌消毒など地域的にみて可能なものから共同化する。

指定産地制度に望み
面積はオランダ並みに

野菜作（施設） 経営者部会・第四分科会

一、省力化（規模拡大、適正規模）

（一）省力化を考える場合に協業化が問題となり、全面協業は非常に困難性がある。

（二）規模を拡大するための部分協業が一応考えられる。部分的協業を推進するための集団化。

（三）省力化を積極的に進めるための自動機械器具の導入。

（四）機械を効率的に使用するためには、その機械に必要な適正規模がある。

（五）適正規模だが、現状の労働条件ではいろいろ問題点が多く、一、〇〇〇平方㍍ぐらいが可能である。しかし、十年先きをみたとき、諸設備をととのえて、二、四〇〇〜三、〇〇〇平方㍍と、オランダ並みぐらいに拡大したい。

二、生産流通

（一）出荷体制 出荷組織の確立は、農協組織などの中で確立することが望ましいが、必ずしも大人数が必要ではなく、農協などの弱体のところは、地域の実情にあった栽培者同士の組織確立が必要である。

（二）価格安定（地域分担） 価格安定は非常にむずかしい問題である。一応、野菜指定産地制度の活用によってやや価格安定が解決できる。

（三）共済制度による価格補てんなど、諸制度を十分に活用する。

三、協業化、共同化

（一）協業化については、育苗、資材購入、出荷などが考えられる。全面協業は困難点が多い。

（二）阻害要因として①個人主義が強い②計画が綿密でない③仕事の分担が完全でない④生産、経営、労力が明確ではない。

四、稲作転換と施設園芸の関連

（一）トンネル栽培が増加しているが、トンネル栽培の初期とハウスの末期収穫が重なり、価格的に不安定だ。それらは技術を高め、前進栽培で逃げる方法もあるが、収益的にはあまり関係しないだろう。

（二）ハウス栽培は、高度な技術が必要であり、急速な転換による面積拡大はない。

（三）増加したとしても、それに対応する技術の高度化によって十分対抗できる。

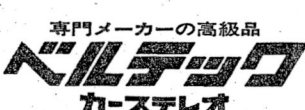

「結婚」農村青年の意識調査

第九回鳥取県農村青年会議冬のつどいは、さる二月無事終了した。県外からクラブ員が参加したり、若夫婦を囲むパネル討議など話題の多いつどいであった。そんな中でとくに話題をなげかけた発表があった。鳥取県日野郡日南町の池岡千里さんの発表であった。池岡さんは同地で水田とシイタケ栽培に取り組んでいる。池岡さんの住む日南町も出稼ぎや離農などによる過疎現象が大きな問題になっている。そんな中で仲間とともに頑張っている池岡さんは、これからみんなで考えていかねばならない結婚とその後の生活をテーマに、町内の青年男女を対象に調査を行ない、その結果をまとめた。とかく昔から古い因習に左右されている結婚について、精いっぱい若い青年が意欲的に前進しようとしている姿を発表の中から考えてみよう。

【写真＝農村青年の結婚意識に関する調査をした池岡千里さん】

恋愛結婚希望が七割

青年は気楽な男女交際を望んでいる

女性は農家を嫌わない

鳥取県日野郡日南町　池岡千里

現在、私たちにとってさし迫った大きな問題は結婚だと思います。人生を左右するまでの大事な結婚について、私たち農村に住んでいる青年はどのように考え、また、どんな立場におかれているのだろうか。そして、それをどのように意識しているのでしょうか。

今日まで、農村の若い後継者は嫁不足に少なからず悩んできました。が、なぜ農家に嫁が来たがらないのでしょうか。それは、農業という職業に、若い女性には魅力がうすいのかも知れませんが、それ以前に何か隠れた原因があるように思われます。例えば、自分の息子には農家から嫁を、自分の娘は農家以外のところにとつがせたいといった農家自身の矛盾した考え方や、マスコミの影響が大きなウエイトを占めていると思います。

せめて自分の娘には

では、なぜ自分の娘を農家にとつがせたくないのかと聞けば、大部分の母親は「とついで以来、ずっと農家の嫁として、主婦としていろいろな苦労があったが、せめて自分の娘にはこうした苦労をさせたくない」と答えるでしょう。

このように、農村の嫁不足は、農家の親たちの親心から出た思いやり、すなわち母親のあまさという内的要因と、また、マスコミによる農業の低い生産性、農村の封建的な因習など、暗い面を過度に強調された外的な要因とが原因しているからだと思います。このような状況下にあって、農村青年は結婚問題を現実にどのように考え、あるいは悩んでいるのでしょうか。とくに、農業後継者と嫁ぐ立場にある若い女性の結婚に対する意識調査を実施しました。

結婚適令期は何歳か

調査の方法は、現在、日野郡日南町で農業に取り組んでいる農業後継者と思われる男子三十名と、未婚女性五十名の合計八十名を対象にしてアンケートを行ないました。

調査の結果、アンケートの回答者は、女性が全体の三分の二を占め、年令は二十歳～二十二歳が大部分であり、回収率は男性より女性の方がよく、平均すると六五％でした。アンケートの集計の結果は下の図の通りです。

一、青年は結婚適令期をいつごろとしているか。結婚したいと思う年令を調べましたが、これによると、男性は二十四～二十七歳が八〇％、女性は二十二～二十三歳が六五％、女性は男性より結婚の希望年令が若いということがわかります。

二、結婚の相手として農家、非農家のどちらを選ぶかという問に対しては、男女ともに「どちらでもよい」という答えが一番多く、ついで農家、非農家の順です。とくに、男性の場合「どちらでもよい」は、私たち女性にとって注目すべきことだと思います。

周囲の目を気にする

三、結婚する方法としては、恋愛結婚を望んでいる者が男女ともにかなり多く、全体の六〇～七〇％を占めました。また、現在婚約中の者が一〇％にも満たなかったのは、男性の場合調査の対象が低かったことによると思います。女性の場合に見合いの経験者が約三分の一もいたことは、現在でもなお見合いが結婚の方法として考えられ、併せて男女交際の困難性をもの語っていると思われます。

四、「現在あなたは恋愛中ですか」という問に対して、女性の場合「恋愛中」と答えたものが二三％でした。しかも、交際の相手は町内の農家の青年が多数であり、また、男性と交際する場合に七一％の女性は「周囲の目を気にする」と答えているので、やはり、ここでも農村における男女交際のむずかしさを示しています。

式の簡素を望む声が

五、結婚式の規模については、男性の場合は「盛大にやりたい」と答えたのが二七％、「簡素にしたい」と答えたのは七三％でした。また、女性の場合は「盛大にやりたい」が一七％「簡素に」と望んでいるのが六九％ありました。盛大にやりたいと答えた理由としては男女ともに「一生に一度のことだから」というものが多く、簡素にしたいという理由としては、男性の場合「なんとなく」が多く、女性は「結婚後の生活を充実させるのに役立てたい」が多かったようです。

このように、男性が女性に比べて盛大な結婚式を望んでいるのは山間地特有の世間態を気にするためであると考えられます。併せて全体的に以前に比べて、結婚の簡素化を望む青年もふえてきたことも注目すべきことでしょう。

六、女性に対して結婚後、夫の両親と同居、別居のどちらを希望しているか調査した結果は、同居希望者は八八％で、その主な理由は、第一に「嫁ぎ先の家風や両親に早く慣れるため」第二に「家族が多い方が楽しく、お互いに助け合える」の順でした。また別居希望者は一二％とごくわずかで、男性の場合は対象がほとんど農家の長男であったためか、別居希望者は七％にすぎなかったようです。

嫁の小遣は月五千円

七、結婚後の嫁の小遣いについてみると、男性の場合、嫁に認める小遣いの金額は、月額五千円以上が五〇％を占め、女性の場合嫁としての小遣いの要求額は五千円以上が五八％を占め、男女とも考えが大体一致していました。

八、結婚時の自由時間とその活用法については、女性の考えは「結婚後、嫁としての自由時間は「三時間位がよい」とする人が五八％と最も多く、その利用法は読書が三一％、編物や刺しゅうなどの手芸、休養、洋裁、テレビなどの娯楽の順となっています。

九、とつぐ女性にとって、しばしば問題になるのは姑との関係ですが「姑との間にトラブルが生じた場合にあなたはどうしますか」の問に対して「姑や夫などみんなで話し合って解決する」と答えた人が六四％「主人にうちあけて相談する」が三三％「自分だけで悩み耐えぬく」という人が三％ありました。

これをみて、民主的に解決していこうとする意欲がうかがわれます。また、男性に対しては「配偶者の立場に立って両親と対決する勇気があるか」との問には九三％が「ある」と答え、女性にとって非常にたのもしく感じられます。

祝福される結婚式を

十、この他に結婚や男女交際についての意見や悩みなどを聞いてみると、男女交際については「世間の目を意識して消極的になりやすい」と訴えている人が多く、つぎに「結婚を前提に考えなくても友だちとして気楽な交際を望む」という人がかなりありました。

結婚については、結婚生活になんらかの不安をいだいている者がわずかにありますが、その他に「みんなに祝福される結婚がしたい」「両親や他からのおしつけられた結婚はしたくない」「適令期に理想の男性にめぐりあう機会が少ない」などの意見もありました。

以上の結果から総合的に判断すると、日野郡日南町のように人口の過度の流出が問題になり、農家の嫁不足がはなはだしいといわれている地域においても、地区内の未婚女性は必ずしも農家にとつぐことをきらっていないことがわかります。しかし、その場合の条件としては、つぎのようなものをあげています。

（1）結婚の相手をさがす機会を自由に与えてほしい。

（2）結婚式の簡素化とそれにより生じた金を、結婚後の生活を充実させるために使いたい。

（3）結婚後に家族との同居を望んでいるが、そのためには家族全員の理解を。

（4）結婚後に嫁の小遣いや自由時間もある程度与えてほしい。

これに対して、受入れ側の男性も同様な希望や考え方をもっているようですから、女性は安心してこれからは男性の胸の中にとびこんでいってよいと思います。また、そうすることが、私たちの郷土の農業の発展に役立つものだと思います。

1図　結婚しようと考えている年令

2図　結婚したい相手

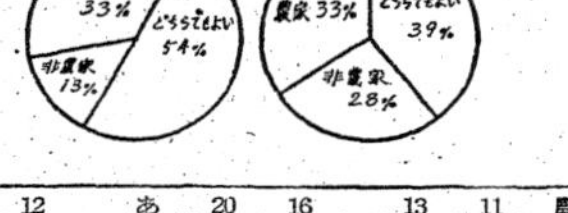

3図　結婚生活は両親と同居か別居か（女性の場合）

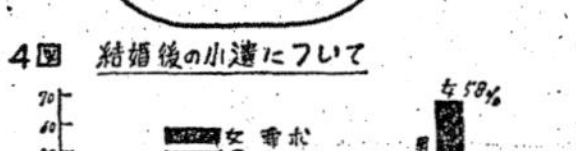

4図　結婚後の小遣について

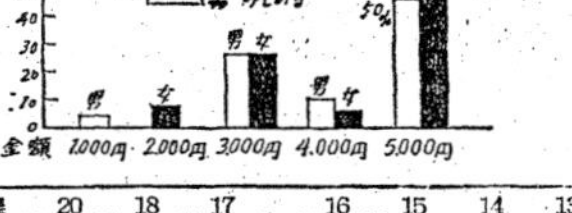

5図　結婚後の自由時間とその活用

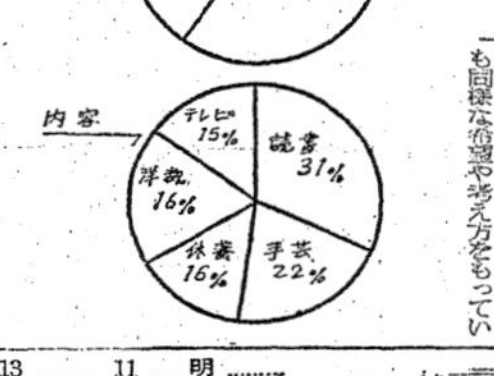

鶏病しんだん

ND病「ニューカッスル」とその後の動向 ＜2＞

NDワクチン接種鶏群に、なぜ呼吸器症状や産卵低下を主徴とする非定型的NDが発生するのか――。

早計の人は「NDのB1株生ワクチンの使用によって、アジア型のNDは、ほとんどなくなったが、そのかわり弱いアメリカ型のNDウイルスが置き換えられてしまって慢性呼吸器病（CRD）や、マレック氏病などと複合して育成率の低下の原因となるのではないか」などといかにも犯人はNDのB1生ワクチンであろうと疑う人もいるが、これはとんでもない見当ちがいである。

非定型的 NDはなぜ発生するか

なぜならば、これらは非定型的NDの発病鶏の口腔・気管粘液などの材料として分離したウイルスの性状を調べると立派なアジア型のNDウイルスであるからである。これらのNDウイルスの感染は、鶏の呼吸器粘膜の"せん毛上皮細胞"のようなきわめて表面にある細胞に局限して認められ、ウイルスの増殖により、呼吸器系（気管など）の粘膜に炎症状をおこしてくる。

産卵鶏では発病後、急速な産卵低下が認められ、大きな被害をあたえる。これらの鶏群の血中抗体をしらべると、かなり高度の免疫をもったものが認められる。なぜ、血中抗体がありながら、呼吸器粘膜の上皮細胞にNDウイルスの感染がおこってくるのか、もう少しくわしく調べてみよう。

呼吸器の局所を免疫

野外のNDウイルスは、主として空気によって伝播し、鶏はこのウイルスを吸入することによって感染する。NDウイルスの感染を最も受けやすい呼吸器粘膜の"せん毛上皮細胞"は、ワクチン接種によってつくられた細胞内の抗体（組織免疫）と血液から粘膜上皮表面にまで分泌された抗体（体液免疫）との作用のみで、NDウイルスの感染を防御し、直接、血中抗体、（体液免疫）の使用を受けるわけではない。

ところが、この呼吸器粘膜の局所（組織）の免疫は、新陳代謝によって上皮細胞が、脱落することによって容易に失なわれる。また、粘膜上皮表面に分泌される抗体（体液免疫）は、血中の抗体濃度に比例し、その割合も多くはない。したがって呼吸器粘膜の上皮細胞へのNDウイルスの感染は、血中に抗体をもちながら再感染が容易になり感染したウイルスは気管などに増殖し、炎症をおこすため、鶏ははげしい呼吸器症状を呈し、非定型的なNDが発生することになる。

したがって、これらの感染を防ぐには、NDウイルスの感染を最も受けやすい呼吸器粘膜の局所（組織）を常に免疫にしておくことが重要になる。

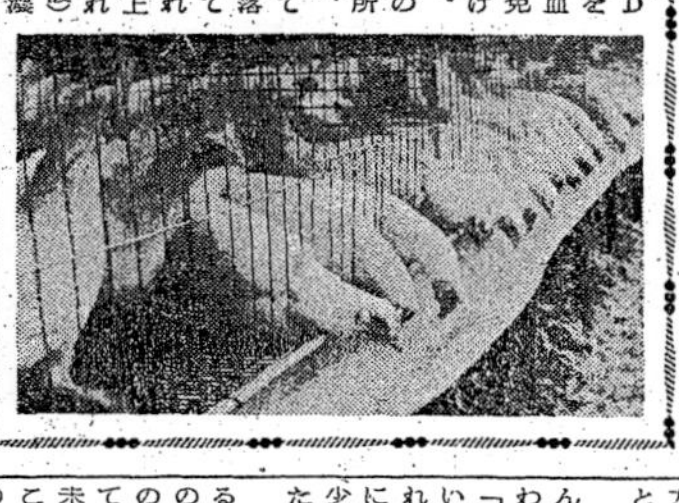

4Hくん

NO.202　桜井はじめ

農業簿記

京都大学名誉教授　大槻正男

＜自計式農家経済簿記＞

財産台帳の年度末記入

流動資産台帳

準現物　小植物　年度末には、単に立毛の数量、すなわち、反別だけを立毛別に実査して「年度末数量」欄に記入し、個々の「年度末価額」欄は空欄に残し、帳じりにおける小計の行だけ年度始め価額欄の「小計」をそのまま転記する。なぜならば、農業経営には特別な変化がなく、年度作付面積に大きな変動のない限り、全体としての小植物あり高は年々ほとんど変化がないとみて大過がないからである。

しかしながら、上記算出法はたやすく計算を行なわせる一つの簡便法すぎない。したがって、年度末において作付面積や作付種目に大きな変動がある場合や、後述する経営部門成果の計算を試みようとする場合には、おのおのについて評価せねばならない。

小動物　小動物にあっては、小植物の場合とちがって、市価による評価が比較的簡単であるから、年度始めの評価と同様に、おのおのについて年度末数量を実査し、その評価額を個別的に「年度末価額」欄に記入する。

そして、その増減額を「増減額」欄に記入しておき、あとで「未販売現物」または「購入現物」の増減額と同様の取扱いにおいて「財産台帳集計表」の該当欄に転記する。ただし、飼育羽数に著しい変動のない場合には、年度末は単に「数量」欄だけの記入にとどめ価額の個別的記入は省略し、帳じりの「小計」の行にだけ年度始め価額の「小計」をそのまま転記する簡便法を採用してもよい。

小器具　小機具にあっては「年度末」欄は単に数量を個別的に実査して記入するにとどめ、年度末「価額」欄の「小機具新調価額」ならびに「小機具現在価額」の行には年度始めのそれを転記するだけあって、個別記入は省略する。なぜならば、経営に著しい変更のない限り、小機具現在価額に変化のないものとみなすことができるからである。

現　物　未販売現物　年度末あり高を綿密に実査して、年度末「数量」欄と「価額」欄に記入する。年度末における評価は、そのときの庭先販売価額によって行ない「摘要」欄には年度末評価に用いた価格を記入する。また、それぞれの種目について差引年度末増減額を算出し「増減額」欄に増加した場合には（増）、減少した場合には（減）の印をつけて記入し、大きな増減変化があった場合には、その理由を備考欄に書きとめておく。

（増）または（減）の印をつけたこの数字は、簿記決算の際に「所得的総収入」の修正数字として重要な働きをするものである。

購入現物　詳細に年度末あり高を実査して記入する。年度末に残存している金肥・購入飼料などの評価は、それらの購入現価によるべきものであって、できるだけ時価評価は避けるようにする。「増減額」欄の記入は未販売現物と同様に、それぞれの種目ごとに差額を記入し、そして増加した場合には（増）、減少した場合には（減）の印をつけておき、そうしたあとで「年度末価額」欄と同じように小計の行の「増減額」欄に集計を求め、（増）または（減）の印をつけておく。（増）または（減）の印をつけた数字は、簿記決算の際に「所得的総支出」の修正数字として重要な働きをするものである。

NHK農事番組（4月11日～20日）

テレビ

明るい農村　月～土　6・30～6・55　総合

11日　農業新地図　茨城県鹿島町、訪問者（千葉大教授）清水馨八郎氏

13日　村の記録　植えられない田（新潟県巻町）ほか

14日　きょうの話題　食品公害（国立栄養研究所）岩尾裕之氏

15日　産物往来　古米（東京都深川）

16日　話題の広場　家族農園（東京田無市）苦境をこえて（栃木県鹿沼市）坪山恒吉氏

17日　村をむすぶ　フイルム・リレー

18日　農村新地図　青森県三沢市　訪問者（山形県）佐藤繁雄氏

20日　村の記録　あるで山（岐阜県美山町）

農業教室　月～土　7・30～8・00　教育

11日　乳用雄子牛の肥育（中央畜産会）河合豊雄氏

13～15日　価格政策を考える（農林省農業総合研究所）唯是康彦氏

16～18日　米の品質を考える（名古屋大学教授）長戸一雄氏

20日　酪農作業の合理化（新潟大学教授）酒井学氏

あすの村づくり　日　7・00～8・00　教育　再　土　13・00～14・00　教育

12日　「これからの農村と主婦」▽グループだより▽農家に嫁ぐ▽先輩

ラジオ

早起き鳥　月～日　5・05～6・00　❶

11日　村のポスト

12日　話題の窓　スタートした都市計画法（神奈川県）ほか

13日　現地報告　特集「米の生産調整を現地にみる」▽米どころ課題の（山形県庄内地方）

14日　▽すすむか作付転換（岡山県邑久郡）ほか

15日　▽一万ヘクタールのゆくえ（神奈川県）

16日　▽危機にたつ請負耕作（愛知県刈谷市）

17日　▽開田はしたけれど（北海道北見市）

18日　▽開田中止の干拓地（茨城県）

19日　話題の窓　米の生産調整（食糧庁長官）森本修氏

20日　現地報告　たまねぎ産地の課題（大阪府）

ラジオ農業学校　月～土　6・40～7・00　❷　日　6・30～7・00　❷　再　月～土　19・00～19・15　❷

12日　経営手帳　▽国際情勢からみた日本の酪農（全国酪農協連理事）村上正氏　▽産地造成の条件（農業コンサルタントセンター）松下満雄氏

番組紹介

あすの村づくり

12日（日）特集「これからの農村と主婦の姿」　四月十日から婦人週間がはじまる。この機会に家庭と生産の場でめまぐるしく働いている農家の主婦のあり方について考えてみたい。

▽グループだより（愛媛県伊予三島市）もぐら会　もぐら会は農村女性だけで結成されたクラブ。楽器演奏から、生活改善と硬軟とりまぜた活動をスチールで紹介する。

▽仲間とともに「農家に嫁ぐ」農村青年道東会議（北見市）花嫁修業中の農村女性は、自分の母や姉の姿をどう受けとり、自分の将来の生活設計をどうたてているのだろうか。素直な意見の交換を期待したい。さらに、話し合いの模様を受けて東京のスタジオには、現実に家庭をきりもりしている農家の主婦数人に集まってもらい、理想と現実のズレ、体験からにじみでた生活の知恵などについて活発に討論してもらう。

19日（日）特集「新時代の技術習得」　農業一年生が多数誕生する時期、両親の経験に根ざした営農方法もさることながら、日進月歩の農業技術の習得に農村青年は知恵を働かせなければならない。試験機関、普及所、農協との接触にはじまる学習は、学校時代と異なる積極性が要求される。また、これらの青年に対する情報の送り手としての普及所、農協などの指導体制は果して万全だろうか。

あしたの青春

一ノ瀬綾　え・多賀愛子

めざめ（四）

＜23＞

「新一、これ新一、どこへ行く」

追いすがった母親の声を背に、新一は靴を突っかけて家を出た。

一度も振り返らず、バス停のある国道の方向へと足をむけながら、新一は、自分が今泣きたいほど興奮しているのを感じていた。

「キャベツの失敗ぐれえが、なんの苦労だ……馬鹿野郎！」

父親の怒声が耳の奥で、こだまのようにひびき合っている。やられたな、と思う反面に（怒鳴りつけるよりほか、言いようがねえんだろ……）そんな嘲りめいた気持もうごめいていた。

「研修所なんて、今更おそいや」

吐き捨てるように一人言をして、新一はようやく足をゆるめた。知らぬ間に汗が流れている。昼近い太陽が、真上から照りつけて、あたり一面の水田から、むれた夏草の臭いが発散していた。さすがに今日は、野良仕事をする人の影は見えない。

どの田圃も、米の過剰問題など、どこ吹く風とばかりの念入りな作付ぶりであった。去年でさえ農協の倉庫はいっぱいで、米の置き場に困っているというのに、今秋はどうするつもりなのか。いったい、これからの農業はどうなっていくのだろう……

新一の脳裏には、今朝の新聞で見た「大型農業へのあゆみ」というキャンペーン記事がよみがえってきた。

大都市近郊の農民が、個人で、宅地に売れた土地代金一億円を資金にして、新しい土地を求め、大型近代農業に踏み切ったニュースが載っていた。それについての問題はいろいろあったが、一読して新一は、自分の頬に平手打ちを喰ったようなショックを受けた。

ついにそういう時代に入ったのだという おどろきと共に、個人で億という資金を自由に使える農民もある、という事実に、自分の目前でもやもやしている厚い幕が、強引にひきはがされた思いであった。

それにしても、一ヘクタール未満の我家の農業と、なんという雲泥のちがいであろうか……やがて近い将来、日本の農業はそういう小数の大型農業者によって成立する日がくるかも知れない……そうしなければ、今の世界のうごき、日本社会の動向の中で、農業が生きぬける道は無い、そんな記事を読んだ覚えもあった。

おれ達のような土地も資金もない農民は、やがて磁石に吸われる砂鉄のように、みんな大型農業に吸収されるのだろうか……新一の胸の中には、いつしか父親とのいさかいの不快さが消えて、時代の大きな流れの真中に立っている自分の姿だけが広がっていた。

部落と部落をつなぐ村道の終り近来た時、新一はようやく我に返った。

「さて、これから俺は、どうすればいいんだろう」

思わず声に出した。今日これからの行き先と、将来への迷いをこめて、自分に問わずにはいられない気持であった。

とにかくバスで町へ出ることである。停留所は、完全舗装の広い国道の端に、古い蝉の抜殻みたいに、ひっそりと建っている。朝夕の通勤時間以外は、あまり村人に利用されないバス乗り場であった。

どこの農家にも車が入ったので、めっきり乗客が少くなったのである。それでも今日は顔見知りが三人せまいベンチに腰をかけて、バスを待っていた。時間表を見ると、新一が乗りたい町行きのバスは今出たばかりで三十分近くは間隔がある。新一が思わず舌打ちをした時、一台のライトバンが目の前で停った。

「おい、新一君よ、どこへ行くんだい」

私の農業観

北海道空知郡栗沢町字由良四三一 栗沢町4Hクラブ 杉村義一

骨身を削った苦労
昼は農作業、夜は高校へ

私が、四ツ葉のクローバーをシンボルマークとする4Hクラブに入会してから、はや四年目を迎えました。

私はいま、一クラブ員としての観点から、これまでの体験を通して得た私の農業観について述べてみたいと思います。

私の住む地域は、北海道のほぼ中央部に位置する空知管内の南部栗沢町という、人口わずかに二万人という小さな町であります。

石狩平野に属する栗沢は、あたり一面広々とした水田地帯で、私の家も、戸数七十数戸の小さな部落に、水田五百五十アールを経営する水田単作農家であります。

寒冷地北海道には、冷害という非常に大きな問題が残されています。その中で、私は一昨年定時制高校の農業科を卒業し、専門的知識を身につけ自立経営の確立をめざして、空知支庁農業学園へ入学しました。

現在は、4Hクラブを中心とした組織活動を行ないながら、農業をしていますが、これまでの高校生活では「働きながら学ぶ」という生活をしてきました。

農繁期には、香り高い土の匂いが漂う水田で農作業を手伝い、農閑期には、雪と氷に閉ざされた細い道を風雪にうたれながら通いました。

農作業を手伝いながら勉強を行なった、その一日、一日はほんとうに骨身を削られるような苦労の連続でした。しかし、苦しいながらも楽しく、また気軽に学校生活をおくってきたように思います。

高校に入学する前は、農業というものに対して、ごく簡単な考えしかもっていなかった私ですが、高校に入学して農作業を手伝いながら、ホームプロジェクトを行ないました。そして、農業というものが次第にわかってきたかに思えました。

しかし、私がはじめて農業について学んだのは、三十九年の大冷害の年でした。地獄の底にでも突き落されたようなあの年、私の農業に対する心の痛手は大きなものがあり、また、これから農業をしていくといった自覚にヒビが入ったように思われました。

感銘受けた父の言葉
冷害の痛手からも立ち直る

その後も、不勉強のため、プロジェクトも失敗を重ねてしまい、冷害からの痛手をくい止めることはできませんでした。そして、農業に対して自信をなくしかけていました。

しかし、四十一年に4Hクラブに入会し、学校と普及所の指導を受け、恵まれた条件の中で、私は一生懸命に勉強しました。そして、数多くの農業に対する知識と技術を学びとることができました。

また、自信をなくしかけている私を見て、農作業の最中に、父は「農業とは、改善のために努力をするものだ」といい聞かせました。そのときから、私の気持は一転し、両親の理解と協力があって、ホームプロジェクトを通じて、農業について真剣に取り組むことができました。

しかし、学校と普及所の協力を仰ぎながらも、三年連続の冷害から抜け出すことはできませんでした。

確かに、冷害の痛手は非常に大きなものでありましたが、自分は4Hクラブ員なのだと自覚しながら、この問題点に激しく体ごとぶつかっていきました。

そして、昨年、一昨年と好天に恵まれ、私の農業に対する期待を大きく盛り上げました。私は、努力に、努力を積み重ね、冷害を克服するつもりです。

生活態度の改善を
古いカラを脱ぎすてよう

しかし、いくらグループ活動を通じて農業の知識や技術を学び、優れた成果をあげても、もっと重要な農村生活が確立されていなければなりません。

私の住む地域でも、古くから伝わる因習や封建的なところが数多くみられます。

「昔はこうであった」とか「今の若い者は」といった言葉をよく耳にします。

こういうことでは、進歩や発展もないと思います。ですから、時代が進むように、私たちも、農業も、農村も、時代にそって進まなければなりません。

また、ささいな出来事も、うわさとともに広がって、部落全体に知れわたり、その人の一生さえも左右するケースも少なくはありません。現在、他の社会ではまったく考えられないことが、農村に起きているのです。

他人のことを観ているのは、ある面では必要なことかも知れませんが、それが、失敗をあざ笑ったり、不幸を喜んでいる状態で、これからの近代的農業が確立されるでしょうか。

私の高校時代では、迂廻してくれる人がいました。相談にのってくれる人がいました。

しかし、現在の農村には、そのような人はほとんどいません。ただ、表面では慰めたり、励ましたりしていても、いずれは自分のことを考えていると思います。

このようなことでは、将来にどんな希望があるというのでしょうか。

そういった自分本位な厳しい社会へ、私は農業に大きな夢と希望を持ってとび込みました。私は高校時代から、農業人として農村にとけ込み、立派に郷土の中堅となって活躍しようと考えていました。そして、現実の社会にふれ、怒りと恐怖が同時にこみあげてきたのです。

私たちの回りには、農業に対する悲観的ムードがただよっているように思われてなりません。

私は、この悲観的ムードは、自分の頭で考えないで、他人の意見だけで物事を判断しようとする農家の人々の生活の態度から生まれるものだと思います。

ですから海老がカラを脱ぐように農業も古い殻を早急に脱ぎすてて、新しい農業にと切りかえて行かなくてはならないと思います。

それには、人々の心と心のつながりがもっとも必要なことであると思います。

それには、4Hクラブ員の友情と団結を強めることがいちばんの近道だと思います。

ですから、全国の4Hクラブ員が心と心の結びつきを強めたいものです。そして、私たちの手で住みよい農村を創っていこうではありませんか。そうすれば、現実は厳しいけれど、将来はすばらしい農村社会が生まれることと思います。

「必要は発明の母」といいますが、私たちは、何よりもまず、両親から安心して農業経営を任かされるようになるため、プロジェクトを通して、問題点の発見とその解決方法を研究していかねばならないと思います。

私たちは、まだまだ努力がたりません。多少つらくても、考えようによっては、農業にはいろいろな問題点を改善する喜びがあり、作物を生産する楽しみがあると思います。

私たち4Hクラブ員が試練に耐えて立ち、農業に対する夢をすてず努力を続けていけば、希望と幸福に満ちた農業と農村生活が樹立されると信じています。

農業に自信と誇りを持ち、科学的な知識や技術はもとより、高い教養と経営能力を身につけ、心と心の結びつきを図り、私たち自からの力で、日本農業の近代化と豊かな農業・農村生活の建設に立ちあがろうではありませんか。

農村雑感

折原俊二郎

行動力

日本における自動車の普及は近年とくに急速で目をみはらせるものがある。特に農村では、都市の一般家庭に比べたら、その普及度ははるかに高いといえる。

こうした自動車の普及は日常生活に大きな進歩と影響を与えている。

例えば、青年を集めて研修をやる場所として青年研修館などが各地に作られたが、この建設に当っては、レクリエーションの場としてテニスコートなどが付設され、数年前までは、随分広い用地を確保したものだと思っていた。

しかし、最近では、青年を集めるとほとんど皆が自動車で来るため、自動車を置く場所がなくなり、せっかくレクリエーション用に作ったテニスコートも今では自動車置場となり、それだけでも足りず道路のわきに並べられ、その数の多さは見事なものであるといわれている。

このように自動車が普及してきたため、青年の行動範囲は急速に伸び、前述のような青年の集まりは、割合に簡単に出来るようになった。また、町に遊びに出るにも時間の制限がなくなり、自由に生活をエンジョイ出来るようになった。こうした娯楽用の利用から、勉学の方に目を向けられ、先進地の視察旅行も自由に行なわれるようになった。

これは、農業の技術、経営の発展に極めて大きな影響を与えたと思うが、改めて自動車が与えた行動範囲の拡大による価値については、本格的に考えてみることが大切だと思う。

ところで、このように行動範囲が拡大するに伴って、青年自身の活用度が急速に高まってきているが、現在までは、青年の集会や学習会への参加、次に先進地視察など自分の目で見て学ぶ方向に拡大してきた。この方向はさらに拡大しつつあり、次のような事例があり、非常によろこばしいことである。

それは、先日北海道に行ったとき聞いたことであるが、一人の青年が道庁の専門技術員をたずねてきた。ちょうど、担当の専門技術員が留守であったので事情を聞いたところ、特に訪ずねてきた専門技術員から技術指導を受けに来たのではなく、これから勉強したい技術、経営に関する資料なり図書はどこにあるのか、それはただでもらえるのか、買うのであればどこで売っているのか教えてもらいたいということであったという。さらに、希望する資料をもらいに行くなり買いに行くには、自動車で来たので、自分で廻りたいということであったという。

自分ですべてをやりたいという考え方、それに伴う行動力、これこそ、これからの青年に必要なものといえよう。それがひいては、農業に対する熱意につながるものであり、拡大する行動範囲は青年の視野を大きくするものといえよう。自動車の利用は行動範囲を拡大したが、積極的に行動力を養い、よりよい方向に大いに伸びてほしいと願っている。

〈農林省・農業者大学校〉

悩みから逃れるな
難問題はみんなで検討を

静岡県浜松市西山町九二〇 浜西4Hクラブ 原田博示

今日、日本は大きく変わってきたといえるでしょう。私たちが幼さい頃を、いま一度思い出してください。驚くべき経済の成長、また科学の発展と、一口にいうならば文化の向上です。

だが、果して農業はこの文化の向上に並行してきたといえるでしょうか。確かに農業所得は年々上昇していますが、内容そのものはどうでしょうか。

近頃、どの会合に出席しても、米の余剰問題が必ずといってよいほどでてきます。行き詰った農政にさせた政治家を悪く批評しているのか、これまでの農民のやり方を反省しているのか知らないが、とにかく大きな難問題であるには違いない。

が、しかし、責任をだれになすりつけることもできないと思います。ということは、私たち農民にも多少なりとも落度はあったことと思います。米作農家に限らず、みんなでもう一度検討し合う必要があるのではないでしょうか。

また、最近では、国内の問題だけにとらわれているわけにもいきません。外国からわが国に押し寄せる農産物自由化の波も次第に高くなってきており、その波は荒波であり、引き返すことはないのであります。

これまで、私たちの先輩も幾多の波と闘ってきました。たとえ、形は違おうと、ここまで進んできたのです。終戦直後の食糧危機と闘い、こうしていま、一億人の人口を支えているのです。

いまでは、どこの農家にも耕耘機がありますが、かって二十年前には見あたらなかったといいます。先輩のやりとげたことはすばらしいことです。と同時に、私たちも次のものへと進歩しなければなりません。

農業青年であったら、だれでも悩みや問題はあります。しかし、それから、決して逃げ去ってはいけません。それと闘い、へたばらず、正しい道、楽しい農業に近づけなければいけません。

これから先は、むしろ、先輩たちがなしとげたことよりも困難であるといっても過言ではありません。新都市計画法も設定され、農業を続けるには不利な人たちもあるでしょう。

だが、日本農業をつぶそうとする人は一人もいないと思います。たとえ形態が変ろうと、よりよい方向にと近づいているのです。

もう、相手は世界の国です。これまでの日本人の頭にある妙な考えは捨て、時勢に遅れを取らず、時代的センスにのった農業経営者になるべきです。また、そうならなかったら、4Hクラブ活動も無意味でしょう。

青春と仲間

仲間づくりを主体に
実践を通して躍進しよう

静岡県浜北市 鹿玉4Hクラブ 有谷邦広

私が4Hクラブに加入してからようやく二年が過ぎようとしています。

現在、私は養豚を経営しているが、私たちのクラブでは養豚部門の活動がありません。それは、養鶏家はいても、若い人たちで養鶏に従事している人たちがいないからです。

そんなことで、私は果樹部門にとり組みました。私たちのところは果樹栽培をしている農家がほとんどです。果樹といっても、みかんが主体です。私の家でも、父母が果樹をやっているので、その手伝いをすることから入ったわけです。

4Hクラブ活動といっても、私たちのクラブでは仲間づくりが主になり、農業技術や経営にとってあまり役立っていないように思います。

4Hは単位クラブ活動に重点をおくべきで、クラブ運営をうまくやろうと考えるならば、みんなの話し合いの結果や研究の結果を実践に移すことでしょう。

こういうことは口ではたやすくいうが、実際となるとなかなか難しいことです。

しかし、やらねばならないのです。でなければ、何のためのクラブなのかわからないのです。

ただ、話をして「ハイそれまでよ」というので終るのでは意味がありません。私たち一人ひとりが真剣になって、この偉大な4Hクラブを大いに生かそうではありませんか。

また、4Hクラブ活動を盛んにするためには、関係機関である普及所と連けいしていくことも大切だと思います。

私は、昨年一年間、あまりにも無意味に過ごしてきたように思うので、ことしこそは大いに張り切ろうと思っています。また、クラブの役職をひきうけたから、そうしなければいけない立場にもなりました。

4Hクラブ活動の盛り上がりがあってこそ、私たち農業に従事している若者のファイトがわき、明日に向って大いに躍進できるものだと思います。

生活もの知りコーナー

テレビアンテナと雑音

簡単にみえるテレビのアンテナも、なかなか微妙な働きをしています。

アルミパイプが折れたり、曲ったりしていると、きれいな画像を見ることができません。

アンテナは四十メートルぐらいの風には耐えられるように設計してありますので、風害は案外少なく、むしろコードが風のため、壁やひさしなどに当ってすり切れることが多いのです。このほか海岸地帯では、潮風のため、工場地帯では亜硫酸ガスなどのためアンテナの寿命は非常に短くなります。

画像がはっきりしなくなったような場合には、まず、アンテナを調べてみてください。そして、チャンネルごとにいちばんよくうつるアンテナの方向とその加減をおぼえておくのもコツです。

ヨーロッパ視察旅行記
スイスの巻

静岡県浜北市内野 浜名4Hクラブ 鈴木政美

山間にも工場進出
農業後継者の確保が問題

高い山が多く 美しい内陸国

西ドイツから国境を越えてスイスに入った。

スイスは、ヨーロッパの中央部に位置する内陸国で、マッターホーン、ユングフラウなど四千メートル以上の有名な山が数多くある。

総面積は約四万平方キロで、日本の約九分の一である。人口は約五八二万、人口密度は一平方キロ当り一四〇人である。

産業は、工業、商業、金融業が都市以外の地域にも広く分散していて、人口の密集した巨大な工業中心地がないかわりに、山間に行っても工場や店の数はかなり多い。

これはスイスの工業が高度な技術と量産によって高級品や注目すべき分野を開拓したためである。また、スイスといえば、オメガ、ローレックスなど世界的に有名な時計があり、多くの時計店がある。

私たち視察団は、スイスでは生活協同組合のスーパーマーケットを訪問した。

組合は、各州に八十店のこのスーパーマーケットを持っていて、千名の従業員が各団地とか一般家庭にトラックで販売している。

車一台に八百五十種類の商品が積み込まれ、一台で年間百万フランの売上げがある。目下、四十台の集配車が毎日全国各地をかけ回っている。

また、国を豊かにするためにタバコとアルコール類は売っていない。

私たちが訪れたミグロ生活協同組合では、販売高の一パーセントを国の社会教育、福祉施設に寄付しているということであった。この組合の食事は、セルフサービスで、肉類が多く、ビール、ワインは日本のお茶がわりである。

若者の間では世界はひとつ

スイスでいちばん思い出に残ったところはベルニで、私たちの乗ったバスがホテルに着くと大勢の出迎えの人たちがすごい歓迎をしてくれました。ちょうどこの日は、各国の大使館の人たちが集まり、レセプションが開かれるようになっていた。

夜、研修を終えて、レストランに行くと、若い人たちが「ジャパン、ジャパン」といいながら、私たちのところへ握手を求めてきました。

何度もいいますが、ヨーロッパ人にはすごくユーモアな人たちが多い。若い人たちの中においては、世界は一つだと感じる。

また、スイスの青年が日本に来たら親切にしてあげたい気持でいっぱいでした。言葉はあまり通じなくても、ジェスチャーなどで通じますので、ショッピングするときも、ほとんど困らなかった。スイスでもそうですが、とにかく話すことがいちばん必要だと思った。

他産業なみに 週休制を確立

スイスは海がなく、川と湖があります。これらは大変よごれています。したがって、漁業では生活していくのは困難なので、漁業は国で観光事業としてすすめている。

スイスでは人口の八％が農業に従事しており、主な産物は、ジャガイモ、小麦、酪農です。

一アールの土地の価段は約七十二万円で、大変安く、小農家の人は工場や商店に勤めています。

スイスでは、一アール以下の農家には、国で離農をすすめて大農業経営をめざしている。

ここでも、後継者対策は国をあげての問題になっています。農休日は、近代産業と同じく週休制をとっております。

私たちは、農科大学を訪問しました。ここは敷地七十一アール、学科は二年コースと二冬コースの二コースがあり、二年コースは農業以外の人が入って、卒業後は農業をやるのではなく、農業改良普及員になるためであり、学生は十七才から十九才で五十名。一方、二冬コースは将来農業をする人たちで、十九才から二十四才までで学生数百六十名であった。

また、私たちは農家を訪問した。この農家はベルニ市から三〇キロぐらいの所にあり、経営は畑三〇アール、山林一〇アール、乳牛三〇頭、養豚一〇〇頭である。

労働力は、主人と日本から留学生として研修にきている青年と二人である。

全体として、スイスでも女性は外では働きません。家事の仕事をしている。

ちょうど、私たちが訪問したとき、家族全員が私たちのくるのを待っており、大歓迎をしてもらった。

家族は、主人、奥さん、子ども三人、研修生二人であった。研修生の一人は西ドイツから生活改善の勉強にきているユーモアたっぷりのなかなか美人の娘さんであった。

この家では、おどろいたことに、日本では見られない部屋のすみずみまで見せてくれ、バス、トイレ、キッチン、ベッドルーム、そして洋服ダンスの中味まで見せてくれたのに驚いた次第である。さいごに、また来年も日本から若い青年がぜひスイスにくるようにといってくれた。

なお、小規模酪農には、日本でも見ならう点が多いように思った。

二、三年間分の食糧を保存

私たちはスイス滞在中に、ユングフラウに登頂した。高さ三千六百五十メートルで、日本では考えられない登山鉄道が三千六百メートルまで走っており、時速二十キロぐらいで登っていきます。

千八百から二千メートルぐらいのところに住宅があり、会社に通勤する人たちがいた。

当日は好天に恵まれ、近くにアイガー北壁などすばらしい眺めがみられた。

スイスといえば、山が多く、湖があり、また、世界中の金持ちはみんなスイスの銀行に貯金しているという。

食糧は、二、三年は確保しているそうである。

この国の印象は、若い青年たちがしっかりした考えを持ち、行動していることと、日本人を大事にしてくれることです。とにかく、美しく、すばらしい国である。

スイスでのすばらしい思い出をあとに、私たち一行は夜行列車でフランスへ向い、途中国境で入国手続きをすませ、いよいよ最後の訪問地、花の都パリへ向った。

（本紙通信員）

日本4H新聞
4Hクラブ 農事研究会 生活改善クラブ 全国弘報紙
発行所 社団法人 日本4H協会
東京都市ケ谷家の光会館内 電話(269)1675郵便番号162
編集発行人 玉井光
月3回・4の日発行 定価 1部 20円 一ヵ年700円（送料共） 振替口座東京 12055番

クラブ綱領

私達は、実践を通じて自らを磨くとともに、互いに力を合わせて、よりよい農村、よりよい日本を創るため、四つの信条をかかげます。一、私達は農業の改良と生活の改善に役立つ腕をみがきます。一、私達は科学的に物を考えることのできる頭の訓練をします。一、私達は誠実で友情に富む心をつちかいます。一、私達は楽しく暮し元気で働くための健康を増進します。

全協 新年度の方針

推進会議を二回に

注目さる4H会館建設

全国4Hクラブ連絡協議会（会長、黒田保君・茨城）は、四十四年度の定期総会を来る十九、二十日の両日、東京・新宿区市ケ谷の家の光会館で開催するが、これに先立ち、さる九日から三日間、家の光会館内の全協事務局で執行部会を開き、新年度の事業計画や予算など総会に上提する議案について検討した。

県連会長会議ふやし組織強化へ

新年度の活動方針では、4Hクラブ意識、自主独立精神の高揚と再認識などが大綱となるものとみられるが、日本4H会館建設など山積する問題の解決とともに、とくに今年度は、総合農政や米作の一割減反、米価据置きなど激動する農業情勢にどう対処するかなど七〇年代に向っての姿勢も強くおり込まれるようである。

また、事業では、全国4Hクラブ員のつどい、全国4Hクラブ中央推進会議、4H会館の建設を大きな三本の柱として計画され、全体的にみて前年度の継続事業がほとんどであるが、個別的にはかなり具体化、強化が図られている。

例えば、事務局体制の強化では役員の負担を軽減し、事務の円滑化を図るため事務局員の駐在（一カ月約十日間）を計画しているのをはじめとして、本紙の積極的な活用と普及、4Hクラブ加入の促進（従来の4H週間や後継者育成）4Hクラブの体質改善（前年の専門委員会）ブロック4Hクラブ推進会議を取り止め、全国4Hクラブ中央推進会議を二回開催することや、農林省などが主催している青年農業者会議（プロジェクト実績発表を含む）への参加、4HクラブOBへの積極的な働きかけなどである。

また、組織強化のため、中央推進会議を含めて会長会議を年四回（従来は二回開催）にふやし、4H会館建設については、会館建設の目標を四十五年度においてきたが、現在の募金状況が予期以上に遅ていることから着工の時期を伸ばし、これまでの活動に反省を加えて、新年度は募金活動などを強力に展開する方針である。

この4H会館の建設は、全国クラブ員の殿堂、心の寄りどころとしてクラブ員から提唱されたもので、全国クラブ員の大きなプロジェクトでもある。また、全国クラブ員の宿願であり、この一大事業を完遂するためには、各人の自覚と実行力、総力を結集する必要があるので、さらに奮起が望まれる。と同時に会館建設の過程においてクラブ意識、仲間意識、農業の将来を背負う意欲などが高まることも期待されている。

さらに、4HクラブOBの組織体制強化をうながすために、全協と県連が中心となってOBに働きかけていくことを検討している。

このほか、4Hクラブ員の実態調査、役員派けん、手びきの発行、奉仕活動の展開、海外青少年との交流、中青連や官庁・団体関係との連絡協調が計画されている。

なお、総会に上提される議案は、このほか四十四年度の事業と予算の報告、役員改選、規約の一部改正などである。

足並み揃える 4H会館建設

関東ブロック連協で検討

情報交換を活発に

関東ブロック農村青少年（4H）クラブ連絡協議会（会長、高山勝利君＝栃木）は、さる十一日午前十時から東京・新宿区市ケ谷の家の光会館会議室で役員を開き、新年度の事業計画案などを決めた。

同日は、茨城を除く栃木、群馬、千葉、神奈川、山梨、静岡、長野各県連から会長など役員十三名が出席し議案を審議した。

まず役員の改選では、新年度の会長に群馬県連会長の大山辨君を選んだほか、栃木、山梨を除いて各県連でまだ総会が開かれず新役員が決定していないため、役員の割りふり（各県連ごとのポスト）を決めて県連の新役員決定にともない自動的に選ばれるようにした。

新年度の事業計画は、五月上旬に群馬県で総代会、九月上旬に同じく群馬でブロック4Hクラブ推進会議、十二月上旬静岡県御殿場市の国立中央青年の家で開く全国4Hクラブ中央推進会議の期間中に役員会を開催することなどを決めた。

総代会に上提する主な議題は、規約の一部改正をはじめとして四十四年度の事業、予算両報告、新年度の事業、収支予算両計画、新役員の承認などである。

また、同ブロック連絡協議会は昨年の夏結成されたばかりであるが、これまでの反省として、各県連間における情報交換が少なかったことがあげられ、このため新年度の総代会では、各県連が資料を持ち寄ってそれぞれ実情の分析、把あくを図り相互の連絡協調を強化することになった。

さらに、全協の評議員に関する位置づけが規約になかったため、規約の一部を改正して評議員の立場を明文化し、全協とブロック協議会のパイプ役として相互の緊密化を図ることにした。

このほか、4H会館建設については、栃木、群馬各県連が立ち遅れていたが、両県連とも前年度、あるいは新年度から積極的に募金活動と取り組むことになり、今年度初めて同ブロック全体の足並みが揃い、会館建設に向って意欲的に動き出すことになった。

会館建設に全力

栃木県連総会

新会長に野尻君 活動、激動期に対処

【栃木】県農村青少年クラブ協議会（会長、和気聖君）は、さる三月十二日、宇都宮市の栃木会館小ホールで昭和四十四年度の定期総会を開き、四十五年度の事業計画や予算案を可決するとともに、とくに、今年度は、会館建設に意欲的に取り組んでいくことを決め新年度へ力強くスタートした。

総会は、開会のことば、4Hクラブの歌斉唱、和気会長のあいさつ、来賓祝辞のあと、議長団を選出して議事審議に入り、まず四十四年度の事業計画と決算両報告を承認した。

つづいて四十五年度の活動方針と収支予算両案を承認可決、新役員を原案どおり承認、顧問参与の推たい、4H会館建設などを審議し、続波4Hクラブなど十四の優良クラブを表彰、新旧役員のあいさつを最後に、4Hクラブの歌斉唱、閉会のことばで終了した。

新年度の活動方針は、農村青年をとりまく社会情勢は、かつて先輩たちも経験したことがないほど厳しく、苛酷なものである。それだけに、将来の農村・社会を担う自分たちクラブ員に対する期待はますます大きくなっており、今こそ、この苦難を将来のよき試練として受けとめ、これまで培った強い仲間意識や固い信念と情熱、創意工夫によって豊かな生活と農村の建設をめざして力強く活動を展開しなければならない。

そのためには、農業そのもの、一つは、先祖や先輩の歩んできた道、また農業が社会の変化のなかでどのように変化したかの歴史的背景、二つは、幅広く同世代の若人はじめ老人、婦人、海外の友との交流によって、広い視野から農業を見ることが必要であり、いまこそ十四万余の全国の仲間と一丸となって大きな足跡を残すよう努力すべきであるとしている。

これらの考えを基調として①プロジェクト活動の定着化②仲間とクラブ意識の高揚③女子活動の強化④農業情勢の把あく④優良図書の紹介、などを重点目標として事業を展開することになった。

また、4H会館の建設については、これまでその趣旨徹底に努力してきたが、今年度は、同会館建設委員会を設置し、前役員が推進委員となって県内四千二百二十九名のクラブ員と関係者の総力を結集して会館建設に立ち上がることを決めた。

なお新役員は次のとおり。

▽会長 野尻収士（河守地区）▽副会長 高久和雄（烏山）倉持春山（小山）▽事務局長 矢野幸夫（氏家）▽同次長 荒井文雄（黒磯）▽会計 長芳孝（栃木）五十畑茂（小山）▽書記 佐藤昌市（鹿沼）村上恵一（矢板）吉沢稔（宇都宮）君島文子（市貝）弓座武子（大田原）

山梨県4Hク連で総会 新会長に河東君

河東会長

【山梨】県4Hクラブ連絡協議会（会長、塩島栄富君）は、さる二日午後一時から甲府市の県信ビル会議室で総会をひらいた。

当日は、各地区連合会長や県連役員など約五十人が出席し、組織の強化と主体制の確立、豊かな人間形成のための学習活動、関係機関や団体との連けい強化など四十五年度事業計画、収支予算を原案どおり決定した。

また、役員改選の結果、次の人たちが新役員に選ばれた。

会長 河東哲征（誠友4Hクラブ）▽副会長 横森宏伊（四つ葉）堀内悦子（白根）▽総務部長 飯島昌由（甲斐）▽外務部長 桐原宣（FC）▽事業部長 斉藤明男（近代化）▽生活部長 木曽川陽子（あざみの会）▽総務部長・企画係長 内田操（新生）▽同広報係長 古屋始芳（甲斐）▽同財務係長 石橋健次（やまびこ）▽監事 大島武昭（こぶし）掛川篤（誠進）五味はる美（つばさ）

会館建設委を継続

神奈川県連で18日に総会

【神奈川県】神奈川県農村青少年クラブ連絡協議会（会長、中野正義君）は、来る十八日、高座郡海老名町杉久保の県営研修場で四十四年度の定期総会をひらく。

主な議案は、四十四年度の事業計画と収支決算報告の承認、四十五年度の事業計画、予算両案の決定、役員改選のほか、専門委員会の事業報告など。

この専門委員会は、直面する重大な問題に対処するために、今年度初めて設置され、この一年間その解決策について検討が重ねられてきたもので、全国のクラブ員と関係者が一丸となって推進している4H会館建設はじめ、新都市計画法対策、農業改良普及所統廃合問題の三委員会からなっている。

このうち、新都市計画法対策と農改の統廃合問題については、今年度一応メドがついたものとして、4H会館の委員会だけを四十五年度も継続して設置、その建設推進に積極的に取り組んでいきたい考えのようである。

佐賀県連で16日に総会開く

【佐賀】県農村青少年クラブ連絡協議会（会長、江口勝彦君）では、来る十六日、佐賀市の青年会館で四十四年度の定期総会を開く。なお、これに先立ち、さる十日同所で理事会を開いた。

凉風暖風

水は高きに流れる 反対がなくちゃ……

集団的生産組織育成活動中核者研修会に参加した農業者の発言の中からひろったことばである。

ある梨組合のリーダーから活動事例の発表があった。はじめは、若い者数人が、親の反対を押しきって梨栽培を始めた。一〇年、二〇年と時がたって、実績が上り、栽培者もふえて、組合が結成された。一〇〇人からの組合員の足並みをそろえて、組合活動を進めて行くのは容易じゃない。それだけの覚悟、責任感と、考え方と、充分考えた進め方を持ってはいなければならない。

最近の例でいえば、畑潅設備を作ることとか、スピードスプレヤー（高精能薬剤撒布機）の導入について、その能力をどの程度のものにするか、等話しあいをはじめると、けんけんがくがくで、なかなか話がきまらない。うかうかしていると、話の渦にまきこまれしまって、どう決めたらいいかわからなくなってしまう。その中から「水は高きに流れる」ということと「話は、反対がなくちゃ面白くない」ということを悟ったという。

「私は、組合ではワン・マンなんです」ということで、発表をしめくくっていた。組合の仕事を進めるについては、少々の反対があっても強引に進めるという。いやならやめてもいいよという気持ちだという。組織活動を進めるのに、そこまでいえるのは「水は高きに流れる」からだと。梨が高く売れさえすれば、もうかりさえすれば、しかも組合のおかげでということになると組合の結束は固いという。

しかし、そのワン・マンぶりも、よく聞いてみると、決して、ワン・マンじゃないようだ。何か仕事をしてみて、けんけんがくがくの相談があった時ほど、うまく行っている。それがない時は、失敗もあるという。話は、反対もあるから発展するんで「反対がなくちゃ面白くない」という悟りもその辺から来ているようだ。この人にワン・マンは独善、独裁じゃなくて、その前の激論を下敷きにしているようだ。

さらに、この人は、役場、農協、普及所など、関係機関の利用の仕方も非常にうまいと思った。欠点をつつかないで、長所をしばしば口にする。ほめているというのでもないが。タイトルにもひとつ、つけ加えれば「存在するものには価値がある」といっているようだった。リーダーには、いぶし銀のような哲学があると思った。

（いばらき はが）

仕事は長距離競走と同じ

クラブ活動12ヵ月 (11)

新しいクラブ員を中心に

栃木県・普及教育課 湯浅甲子

技術講座の受講を 学校で学んだ知識を焼直そう

忙しさが身に迫ってきた。なんとなく、心がせわしなく、仕事もまとまったことができなくなる。仕事におし流されてしまいそうな気もする。やりたいことが山ほどある。そういう気持が、昨今であろう。今までの学校生活には感じたことのない気分である。責任感とあせりとが、毎日の自分をもどかしいように感じさせる。

しかし、あせるな、と私は前号でいった。いまも、もう一度いおう。

あなたの仕事は、長距離競走と同じだ。初めに、全力走行してはとても持つものではない。

そこで、この際に農業高校で教わった知識技術を、あなたの経営にあわせて再編成し、焼きなおしてみてほしい。それは、一朝一夕にはムリである。わが家の経営を経験しながら、ジックリと取り組む仕事である。この仕事を能率的に、ムダなく、効果をあげる方法はどうしたらよいものだろうか。

よい方法が、あなたの身近かにある。それは、各農業改良普及所が行なっている技術教養講座だ。全国どこの普及所でも、農業青少年を対象に、通年式の講座を開講している。名称はいろいろあろう。〇〇学園とか、〇〇教室、〇〇セミナーなど、毎月一回以上、農業や生活についての技術および一般教養の講習会が行なわれている。そして大体一ヵ年で終了する形式をとっている。ときには、市町村や農協が事業主体である場合もあるし、教育委員会と共催するものもある。

この事業を、いま仮りに「農業自営者学園」と呼ぼう。諸君は、これから長い生涯をかけてとりくむ農業に、自分の姿勢を正す大切なときに立っている。が、わが家の経営も、まだよくわかっていない。地域の農業問題にもくわしくない。

しかし、自分は、仕事を進めなければならない。学校で学んだことが、どれだけ実用価値のあるものか不安がつのる。そういうときに、あなたの考えを現実の中で再整理し、実戦力に組み替えてくれるのが、この自営者学園である。知識力を実践力に焼き直してくれるのである。

普通科高校、中学校出身者はなお更のこと、未知の農業を、最短距離でハダに感じさせてくれる絶好のチャンスを与えてくれるものである。諸君は、この学園のルートにのれば、いつの間にか、確実に、知識技術のレベルアップが、できるはずである。一年間のカリキュラムは、そうなるように仕組まれているのである。

一つの例を紹介しよう。宇都宮農業後継者学園の終了式が、三月二十四日に行なわれた。この学園は、宇都宮普及所と、その管内市町村及び農協の協力で行なわれている通年式講座である。昨年の四月に、高校を卒業し、農業に就いた青年百五十二名が入園し、一年間にわたって専門技術や一般教養について学習してきた。

終了式の日には、各部門ごとに、普及所の専門技術員をかこみ、反省会がもたれた。

「俺のところでは、山際の田んぼを生産調整で作付けを止めることにしたが、何を転作としていったらいいかなあ、休耕の方がいいだろうか」と一人の青年がいいだした。すると普及員が「どこの田んぼだえ、ああ、あそこか、余り出来のいい田んぼじゃないな、どうだ、みんなも見て知っているんだから、チエをかしてやれや」、すると青年の一人が「きみんとこは、労力があるんだから休耕のテはないね、あの田んぼなら、なんだってつくれるぜ」といろんな話がはじまった。

一年間、学園に共に学んだ仲間は、普及員も含めて、一軒一軒の経営を十分に知りつくしているようだ。そして知識の幅が広いから、一つの問題でも検討する角度がいろいろなので、問題がすっかり洗い出されてしまうようである。こういう仲間が百五名修了したのであった。途中で脱落したのは、四十七名ということになる。修了者たちは、口をそろえて一年間の学習の効果を高く評価していた。

全国の普及所が、形こそちがっても、このような指導を行なっているのだから、諸君は、利用しない方が損である。すぐにでも普及所へ問い合わせて、入園の手続きをとってもらいたいと思う。

さて、ここで自営者学園での学習態度について、二〜三ふれてみよう。

一つ、学園は、教えてくれるところではなく、学びとるところである。自分に、やる気がなかったら、一年に十二回の講座など、問題にならないことになる。二つ、農業全体の最高最新のレベルを吸収するところであるから、余り狭い学習では無意味である。三つ、自分の進むべき専門部門を、深く究めることは、一ヵ年十二回の学習では不可能である。それよりも、将来誰れにも負けない専門力を培うために、基盤づくりをすることである。

だから、自分とは無関係な分野の学習も、よろこんで学び、その中から、自分にプラスするものを発掘する力を身につけるように努力することである。

4月

「全国4Hのつどい」誘致で

道内に新しい動き

北海道内の各地区連 豪雪の中で各種の研修会開く

【北海道＝赤松宏連絡報道員発】道4Hクラブ連絡協議会（会長、奥村秀宏君）所属の十四支庁連絡協議会が春期に予定していたリーダー研修会はじめ女子生活講座、年少者養成講座など各種の研修会は、さる十一日に終了し、留萌支庁管内を最後に幕を閉じた。この間、八百名以上の4Hクラブ員が支庁段階での研修を受けたものとすい定されている。この中で特色あるものを紹介してみよう。

三月十二日から二泊三日の日程で開催された「道南農村青少年の集い」は、ことしで二回目。今回は、積雪二メートル八十五センチの豪雪地、後志管内京極町羊蹄山麓青年の家に、後志、桧山渡島、胆振、日高の五支庁に所属する4Hクラブ員約七〇名が出席して行なわれた。

まず一日目は、放送利用学習について、三輪道専門技術員の指導で「道南農業の十年後を考える」というテーマで話し合いが行なわれ、夜は交歓会がひらかれた。

二日目は、午前中、道連の赤松事務局長の指導で「グループ活動における討議の進め方」について「農村と結婚」というテーマをもとに実技学習した。

午後は、体力づくりとして、体力測定とスポーツを行なった。このあと藤女子短期大学講師、塚本長蔵先生の「青年のためのアイデア開発」と題する講演を聞いた。夕食後キャンドルサービスを行ない、仲間同士の親ぼくを強めた。

三日目は、分科会学習で「明るく楽しい未来を築くための役割について」というテーマのもとに話し合われた。

最後に、奥村道連会長と赤松同事務局長から、昭和四十七年度に「4Hクラブ員のつどい」を北海道地区に誘致する具体的な方向づけの説明を受け、これに対して参加者たちは、四十七年度に受け入れるための準備をすすめていくことを確認しあった。

今後は、支庁連協間の友交を深め、五支庁4Hクラブ連協は、この種のつどいを続け、全国4Hクラブ員のつどいのための連絡調整の場を提供するとともに、それを開催するための訓練をすることなどを確約した。

このような動きが各方面でみられ、七月上旬には網走管内津別町YMCAのキャンプ場に網走、十勝、釧路、根室の四つの支庁4Hクラブ連絡協議会員約百五十名を集め「道東農村青少年のつどい」を催すことが報じられている。

いま、道内の各支庁連協を中心に第八回全国4Hクラブ員のつどい誘致がきっかけとなり、新しい動きが芽生えてきており、仲間づくり、連絡調整などの面で刷新されつつある。

心頭技健

先日、ある大会に参加したおりに、奈良・薬師寺管長の高田好胤先生の講演をきく機会に恵まれた。はじめてきく先生のお話であったが、その内容に耳を奪われ、顔で笑って心で泣きながら、全身を耳にしてきき入った。会場を埋めつくした千何百人かの人が同じ思いで耳を傾けていたに違いない▼講演の内容は、先生が最近著わした「心」―いかに生きたらいいか―という本に書かれていることについてであったが、あまりにも心を打たれた講演であったため、後日、都内の数軒の書店を巡り、「やっとその本を求めることができ、数回、むさぼるように読みかえした▼この本が品切れになるほど売れるということは、この本が他の小説などのベストセラーと異って、おもしろいとか、ためになるというだけでなく、今の日本人の生活の中で忘れられているものを教えられ、それに目ざめ、また、私たちの心のどこかで、これを求めていたのではないだろうか。例えば、乾ききった砂漠に水が吸い込まれるように、何の抵抗もなく自然に読む人の心の中に入っていく何かがあるのかも知れない▼逆にいえば、今まで日本人として生き方の方向が間違っていたともいえよう。子供の教育、親子の関係、人生観の正しい在り方などが、あまりにも巨大な社会の動きに押し流されて、羅針盤を失った小舟が大海をさ迷っているかのように、その方向さえ正しく見極めることができないのだ▼人はみな、この世に生をうけ、両親の慈悲を一身にあつめて成長し、社会の構成員として、それぞれの立場で、勉学に事業に奮闘しているが、これはみな、幸せになりたいと願う手段からである。しかし、この努力や奮闘が必ずしも、みな正しい在り方かというと否定せざるを得ないこともある▼最近の風潮は、あまりにも自己を中心にものごとを考えすぎ、他の人の存在を無視することの成りゆきを考える人が多い。この考え方は、人間社会全体の精神的な荒廃、滅亡にもつながる行為である。血のつながった日本の同一民族として一億の人の存在を考えるならば、自他の是否がはっきりしてこよう▼そして、高田好胤先生のおことばを借りるならば「心を、広く広くもっと広く」もって、みんなが人間の真の幸福とは何かを考え正しい知恵のもとに、人間らしい生き方を考えてみよう。

農業白書（2）

農産物の需給と価格

地域の特性が強まる　消費の高度化、多様化進む

需給のあらまし

農産物需給のあらましは、次のとおり。

◇農産物の需要

一、食料の需要は、国民所得水準の上昇を背景にひきつづいて増大している。

「国民所得統計」による四十三年度の家計飲食支出は、前年度を一二%（実質五%）上回り、四十四年度もいぜん高いふえ方が見込まれている。国民一人一日当たり供給熱量は、ふえ続けて四十三年度には二・四五〇㌍に達した。

でん粉質食料の減少傾向のなかで米の一人当たり消費量もひきつづき減った。それと裏腹に、畜産物、砂糖、油脂、野菜、果実などはすう勢的に増加し、食料消費の高度化、多様化が進んでいる。

このような動きは、国際的にみてもテンポが急速で、食形態の洋風化が進んでいる。しかし、わが国の食料消費は、主食である米への依存がいぜん強く、魚介、野菜の消費割合が大きいという特徴がある。

一、米は所得水準の上昇にともなって消費量が減少するという関係にあるが、米との結びつきが深い在来食品とともに必需的性格が強く、値上がりしても直ちに購入を減らすということは少ない。

一方、畜産物、果実などは所得弾性値が相対的に高く、所得増加の消費面への波及効果が大きいが反面、類似食品との代替性が強いなど、その消費は価格変動の影響を受けやすいという性格がみられる。

また、畜産物や果実など消費の伸びの著しい食品の所得弾性値の低下がさいきん目立っている。これは、所得階層間の消費の格差が縮小してきていることを意味している。

しかし、消費の平準化が進む過程で所得要因以外の生活環境など食生活をとりまく諸条件の違い、所得水準の上昇にともなう消費対応の時間的遅れや、食し好の差などが大きく働き、いぜん格差があることもみのがせない。

一、近年の食料消費動向のなかで二つの特徴は、加工食料品の消費の普及と外食の急増である。

品目間で新旧交替をともないながらふえる加工食料品の消費の背景には、調理労働の節約とインスタント性の要請が強まっていることに加えて、食品工業側の新製品の開発と積極的な潜在需要の開拓が多分に作用している。

また、外食は急激な値上がりのなかで、実質支出でみても、そのふえ方がおとろえず、四十三年度の全国勤労者世帯で食料費の八・八%をしめるに至っている。

食料需要がこのように加工食料品や外食などの比重を高めるのに応じてその生産誘発効果は、農業だけでなく、加工、流通などの関連産業に広がっている。「産業連関表」（四〇年）から試算すると食料の最終需要が、たとえば百億円ふえた場合、産業全体で二百二十億円の生産が誘発される。その四六%が農業で、二八%が食品工業、残り二六%が流通部門などである。

◇農業生産の動向

一、四十三年度の農業生産は、米の大豊作で異例の伸びを示した前年度を三・六%上回った。

四十四年度は、米の生産がやや減ったうえに野菜、果実などの減産で、農業生産全体としてはわずかな減少が見込まれるが、いぜん高い水準が維持されている。

四十四年産米は、北海道の作柄不良や関東以北の東日本での登熟期における天候不順などもあって減産したが、西日本各地域では作柄が非常に良好であったため、三年連続して一千四百万㌧台の豊作を記録した。

一、麦類、豆類、いも類などは収益性が低いことや兼業機会の増大などによって生産の減退が続いている。なかでも、麦類、なたねなど主要冬作物の減少傾向が目立ち、その跡地はほぼ半分が不作付地になっており、耕地利用率は、四十四年には一二六・四%に低下した。

一、野菜は、四十三年度には前年並みの作付面積であったが、作柄が良く生産は八・二%ふえた。果実も、みかんの未曽有の豊作などによって前年度を二割近くも上回り、野菜とともに農業生産全体の伸びに寄与するところが大きかった。四十四年度は、野菜、果実ともに減産が見込まれている。

野菜の生産では、ビニールなどを利用した施設栽培が、生産の安定に貢献し、供給の周年化をもたらしている。

一、畜産物の生産は、四十三年度には前年度を七・一%上回り、四十四年度もさらにかなりの増加が見込まれる。家畜の飼養頭羽数は、四十四年度にはいって、豚も後半から回復に向かい、各畜種ともふえており、ひきつづいて飼養規模の拡大が進んでいる。

これにともなって濃厚飼料の需要もふえているが、その大半は輸入に依存している。国内の良質粗飼料生産は増加傾向にあるが、家畜の粗飼料給与率向上の必要性やこん後の頭数増を考えると、必ずしも十分とはいえず、稲作転換などとも関連して土地資源を粗飼料源の増強に積極的に活用することが必要である。

一、近年の農業生産は、それぞれの地域の特性に応じて徴弱ながら特化傾向を示している。全国的に米の比重が高いとはいえ、大都市圏内の近郊地帯では、野菜と中小家畜、それと対照的に遠隔農業地帯では米と大家畜を中心に、その他の中間農業地帯では、野菜、果実をはじめ畜産などの特化度が高まっている。

◇農産物の貿易

一、近年停滞気味であった農産物の輸出額は、四十三年には前年を一七%上回る一九六百万㌦と比較的好調で、増加の主な原因は、生糸、みかん、グルタミン酸ソーダなどによるものであった。

四十四年（一月～十一月）には輸出額は前年同期に対して一・八倍になったものの、米の韓国向け貸与分を除くと二・九%増にとどまり、生糸、小麦粉などの減少が目立っている。年々急増を続ける総輸出額に占める農産物のシェアは二・二%（四十四年）にすぎない。

わが国の農産物輸出は、一般に海外市況や国内需給動向に左右される面が強く、その促進には長期的視点に立って市場の開拓や国際競争力の強化を図る必要がある。

一、近年急増してきた農産物の輸入額（天然ゴム、綿花、羊毛などを除く）は、四十二年から鈍り、四十三年にも二%増の二四〇六百万㌦と低い伸びにとどまったが、四十四年（一～十一月）には前年同期より一一%もふえている。

米、バター、脱脂粉乳は国内生産の増加によって輸入が激減しているが、小麦、粗粒穀物、油糧原料、肉類、砂糖、熱帯産品などの輸入はいぜん増加基調にある。

農産物輸入の相手先をみるとアメリカの比重がやや低下しているとはいえ、農産物輸入額のうち三八%（四十三年）を占め、わが国は同国の最大の輸出市場となっている。東南アジアは、さいきん、相対的に地位を低めており（四十三年一七%）、対日貿易の逆調が強まっている。

一、近年のわが国の農産物貿易は、先進諸国にくらべて輸入の増加率が目立って大きく、世界第五位の輸入国（純輸入額では、第三位）となっている。

輸入品目の構成において、畜産物、し好飲料などのウエイトが低いのに対し、穀類、油糧原料などが高く、それぞれ世界貿易に占める割合が大きいことが特徴的。

一、農産物の国際需給が緩和する条件のなかで、わが国の国際収支の非常な好調などもあって、内外から貿易自由化促進の要請が強まっている。

このように、わが国の農業は国際環境がいっそう厳しくなり、国際的関連性を強めてきているが、こん後は、農産物の世界的な需給動向などもふまえた長期的視点からの食料供給体制の方向を定めたうえで、それにそった農業政策や貿易政策の改善を進めていくことが重要であり、その過程で必要に応じて、関税、課徴金制度などによる調整措置を検討する必要があろう。

第九回全国青年農業者会議

分科会〔花卉〕のまとめ

大型経営志向が多い　クラブ通して仲間づくり

花卉　青年部会・第七分科会

レポートを通じ、各自の経営概況、プロジェクト部門における技術収得、資金面、労力面やその問題点などを討議し合った。それぞれ花卉部門のプロジェクトに取り組む積極的な姿や、園芸農業者として自立する大型経営志向青年が多かった。

一、新部門を開始するときの問題点

（一）親と自分との関係

①家族との対話が少なく、自分たちの意見をよくきいてくれない。このため、家族との対話を自ら求め、考え方、実績の経過などを通して親に対して説得力を高める。

（二）仲間づくりについて

新しい部門を開始するときや、実践活動を展開する上で、必ず仲間の力が必要である。このため、クラブ活動を通しての仲間づくりを行なう。

二、経営実践上の問題

（一）技術の収得…学校卒業後すぐ経営実践に入るのもよいが技術収得のため、留学研修や各県の施設教育機関に入り、技術を高めてから、経営実践活動に入った方がよい。

（二）資金の問題…系統融資の制度資金を大いに活用すべきである。また、この借入れによって自分の責任において経営資金の運営能力を高めるべきであろう。

（三）流通機構の問題…花卉は生活必需品でなく、嗜好品である。したがって、一般消費物のように流通機構を改善するという考え方よりも、消費者の好みに合ったものをより安く、より質のよいものを販売するよう心がけるべきである。

（四）残村青年に公的奉職を受けることが多い…残村青年には消防団、農協役員、青年団体など公的役職があてられ、花卉経営に支障をきたすことが多い。

（五）企業的農業について……

①一般農業のように農業を企業化することはむずかしい②利潤の追求をするため、経営能力を身につける③できるだけ、生産コストを下げるよう計画する。

三、十年後の農業

（一）これからの農業は、専業農家として自立すべきであり、また、一作目を専作するという技術の集約化を進めるべきであろう。分業化形態が必要。

（二）これに対して、協業化をどう考えるか。

①理論としては正しく実際にむずかしい②資本の総合化、資本効率の拡大のためには協業化も必要。だが、これは、農業を有利に導く手段であり、一つの方法であろう③自立経営農家となる過程までの手段である④協業には良い指導者が必要である⑤花卉経営においては、今日まで花を売り込むPRが不足⑥消費の拡大を図る…正札がつけられていないので消費者に不安を与えている⑦情報の収集と情報、販売網を拡大する⑧利益から計算して計画する⑨経営管理能力を養う⑩産地指定と出荷調整を行なう⑪新都市計画法の施行などによって、土地を確保し、将来に備えるべきだ。

産地間の情報交換を　ほしい作物別の資金制度

花卉　青年部会・第八分科会

レポートによるプロジェクトの成果と「私たちが築く十年後の農業」を発表、そのなかから共通する課題を抽出して研究討議を行なった。

一、提起された共通課題

①花卉の流通と情報②主産地形成③資金の計画と規模拡大④花卉生産と生活

二、これらに対する話し合いの内容

（一）花世の流通と情報

①各地の生産地の取り引き状況②市場価格差③手数料の問題④共通出荷と個人出荷の問題。

また、残された問題点として①産地における情報交換②共選出荷がのぞましいが、それには第三者による検査をするか、生産者の良心にかかっている。

（二）産地形成

①立地条件をいかす適地適作をする。例えば、長野県の高冷地をいかした夏場の切り花[illegible]

②どのような組織ですすめるか、総合農協を利用するか、または専門農協を必要とする。

（三）資金の計画と規模拡大

①計画的な資金の借入れ②経営にもとづいた借入れ③作物別による資金を考えてほしい④制度資金の思いきった拡大。

また、残された問題点として⑤低利で長期返済にしてほしい⑥一戸当り農家への貸付資金額が少ない。

（四）花卉生産と生活

①家事と労力との組み合わせ

②生産の合理化によってゆとりある生活を行なう。

堅実だが自己中心的

総理府の青少年意識調査　余暇は休養か遊ぶ

総理府は、青少年の生活意識や職業観をつかむため、昨年十月、十五歳から二十四歳までの未婚の男女五千人（有効回収率七九・三%）を対象に「青少年の意識」に関する調査を行なったが、このほどその結果をまとめた。それによると、青少年たちが①自分のやりたいことをやり、自分の実力をつける②自分の能力や性格にあった職業で人並みに働いていれば十分③仕事より家庭や余暇を重視するという意見が多く④現在の受験勉強をそれなりに肯定していることなどがわかった。

現在の青少年（十五歳以上二十五歳未満）の生活意識、とくに生活目標や職業観などについての調査結果は、次のとおり。

一、将来の目標

「まじめに自分なりの努力をすること」をあげた人が三割近くで最も多く、ついで「明るい家庭をつくること」「個人として立派な人間になること」「生活を楽しむこと」などを目標にあげている。

これに対して、「世のため人のためつくすこと」「社会の指導者になること」をあげる人は少数である。

男女を比較してみると、男では「専門分野で一流になること」など仕事重視型、女では「明るい家庭」など家庭重視型のものが多い。

二、いま一番望んでいること

「仕事、勉強、研究の実力をつけること」が二六%で最も多い。これにつづいて「人格を高め、教養をつけること」が一九%、「時間の余裕がほしい」一三%「友人、恋人がほしい」九%、「お金や車がほしい」と「大学試験、資格試験に合格すること」がともに八%「趣味やスポーツのうでがあがること」がわずか一%で、仕事や勉強、教養などをあげたものが四五%と半数近い。

三、青年期のあり方

自分の青年期はどういうものでありたいかについてみると、「若さとエネルギーで自分のやりたいことをする時代でありたい」というものが六割を占め、「立派な社会人となるための修練の時代でありたい」「社会の矛盾や世の不正をなくすために行動する時代でありたい」と直接社会に目を向けるものは少数である。

四、就職に対する期待感

これから就職する青少年の就職に対する期待感は「大きな期待をもつ」と「ある程度の期待をもつ」というものが六七%を占めている。

一、職業選択の基準

「自分の能力や性格にあっていること」が四二%でとくに多く、ついで「仕事がおもしろいこと」二五%、「収入が多いこと」と「独創性、主体性を発揮できること」がともに六%でかなり少なくなっている。

五、勤労観

勤労意欲については、人より少しでもよけいに働きたいと思うか人並みに働いていれば十分と思うかの質問に対し「人並み」が五九%で過半数を占め、これにくらべて「人よりよけいに」というものは三三%と少なくなっている。

また、現在人に使われて働いている人がいまの職業に対して満足しているかどうかについては「大体満足である」が最も多く四六%「やや不満があるが、まあまあである」が四一%となっていて、「非常に不満である」というものはぐんと少なく五%、「わからない」が八%となっている。

不満の主な理由としては「給料が安い」（三二%）と「仕事の内容が面白くない、自分にあわない」（三〇%）をあげている。

七、仕事と家庭

仕事と家庭のどちらかに重点をおくかについては「家庭を中心」が四三%で「仕事を中心」の三五%を上回っている。男は仕事中心女では家庭中心が多い。

八、仕事と余暇

仕事と余暇のどちらを重視するかでは、「余暇を楽しむ」（四五%）が、「仕事にうちこみたい」（三七%）より多くなっている。

余暇の使い方については「のんびり休養する」（三九%）と「おもいきり遊ぶ」（三一%）が七割を占めている。

九、青少年に影響力のあるもの

青少年が日ごろ共感をおぼえたり、影響をうけたりするのはどういう人の意見かの質問に対しては「友人や同僚」（三九%）と「新聞やテレビなどのマスコミ」（三六%）が多く、このほか「両親やおじ、おば」（一七%）「学校の先生」（一五%）「先輩、上級生」（一二%）「職場の上司」（一〇%）「特定の文化人学者」（七%）「兄弟姉妹」（五%）「特定の政党、団体」（三%）となっていて友人、同僚やマスコミの意見の影響が強いことがうかがわれる。

十、親子の関係

青少年の側からみて、親が十分理解してくるかどうかについてみると、「まったく自分の気持を理解してくれないと思う」というものは少なく、わずか四%に過ぎないが「ときどき自分の気持を理解してくれないことがある」というものが五七%と過半数もある。これに対し「そのようなことはない」が三六%。

親が理解してくれない点については、しつけや行儀、服装といった日常生活に密着したこまごましたことをあげたものが多い。

十一、受験勉強に対する態度

受験勉強については、「全力を注いで努力し、自分の可能性をためさせる一生のうちでも得がたい機会である」と現状をそのまま肯定したものは二〇%だけであるが「好ましいとは思わないが、やり抜くことに意義がある」（三五%）「競争はどこにでもあるのでしかたがない」（一三%）と認める意見が多い。

十二、学生運動に対する態度

さいきんの学生運動については否定的な意見が大勢を占め「主張の一部にはもっともなところもあるがやり方が悪い」と手段を批判するものが五一%と過半数。ついで「いい気になって人の迷惑も考えず反感をもつ」が一二%「主張もやり方も認めるがついていけない」九%「主張もやり方も認められない」五%で、「主張もやり方も支持する」は二%に過ぎない。

この結果からみると、堅実ではあるが、自己中心主義、マイホーム主義的な意識が強く、社会に目を向け、人のため世のためという大志を抱く青少年が少ないことがわかる。

宮城副会長（4H協会）渡米

米国の国際農友会理事会に出席

社団法人日本4H協会の宮城孝治副会長（共栄火災海上保険相互会社会長）は、国際農友会の副会長として来る七、八の両日ヨセミテ国立公園で開催されるアメリカ国際農友会の理事会に出席するため、さる四日午後五時、羽田発のJAL（日航機）二便で出発した。

当日は、同副会長の肉親はじめ国際農友会の関係者、共栄火災会社の母木社長など同社役員、日本4H協会の栗原理事（家の光協会副会長）と事務局職員ら関係者多数の見送り人でにぎわった。

なお、同副会長は、理事会出席のあと、国際農友会で実施している派米実習生が働いている各州の農場を訪問、視察することになっている。

たとえ職業が異っても　仕事への愛着は同じ

静岡・豊岡4Hクラブ　勤労青少年と交歓会開く

交歓会に出席した遠州レース工場の人たちと豊岡4Hクラブ員

【静岡県＝鈴木政美連絡報道員発】磐田郡の豊岡4Hクラブ（会長、鈴木正英君）は、このほど、天竜市二俣にある遠州レース工業株式会社の天竜工場で働く青少年との交歓会を同工場でひらいた。

同クラブは、クラブ行事の一つとして他クラブとの交歓会を数回ひらいているが、他産業の人たちと話し合いをしたのは今回が初めて。当日は、豊岡4Hクラブからクラブ員二十三名、遠州レース会社から二十四名の勤労青少年、助言者として会社と農改普及所から各二名が出席し、4Hクラブの活動や会社の内容などを紹介しあったあと、双方からそれぞれ参加者が自己紹介をした。その方法は、双方とも男女二人が一組になって相手の指名を名札に記入して交歓形式で行なわれた。

話し合いは、「青春を語ろう」というテーマですすめられ、約二時間みっちりお互いに活発な意見を出し合った。

会社の青少年側からは、昔の農家は、朝暗いうちから夜おそくまで働き、休日もないということを聞いていたが現在はどうかなどの質問、農家の主婦や嫁の生活はどのような状態であるかなど現実的な話題が多く出された。また「私たちが働いても、その効果が直接自分たちに報われてこないのにくらべて、4Hクラブ員は、努力の結果がすぐ自分のものになってうらやましい」と語っていた。

さらに、農業をやめる人たちが多いと聞くが、みなさんは自分の意志で農業を行なうようにしたのですか―など、仕事に愛着がわいてくることについては双方とも意見が一致し、愛情や目標のない仕事はダメだなど活発に討議が行なわれた。

一方、4Hクラブ員からは、他の職場で働く人の人生についての考え方や、農業についての理解の程度を知ろうとする意見が出され熱心に話し合った。

昼食のあと、遠州レース会社の歌と4Hクラブの歌の交歓を行ない、双方が三百五十六歩のマーチを合唱、記念撮影をして交歓会を終った。

なお、鈴木正英会長は、交歓会のあと、次のように語った。

この目まぐるしい社会情勢のなかにあって、農業青年は深くものごとを考えなければならないが、他産業の青年との交歓会である程度、会社の内容や同じ年ごろのサラリーマンの人たちが日ごろ何を考え、どのような行動をしているか理解することができた。こん後も、他産業の人たちはじめ、農協、婦人会、また村長さんたちとの話し合いもしたい。

施設園芸と環境気象

農林省園芸試験場気象研究室長 中川行夫

ハウスに出入りする熱

太陽光線を暖房の熱源に
恵まれた冬季の日射

施設園芸というのは、プラスチック・フィルムやガラスを使って厳寒の時期に春や夏の温度環境を人工的に造り出し、季節はずれの作物を生産することである。施設園芸の環境調節の大きな特徴としては、太陽光線を室内暖房の熱源として活用していることである。

太陽光線をいかに有効にガラス室やハウス内にとり入れるか、とり入れた太陽熱をいかに外に逃げないようにするかなどの工夫が、施設園芸では環境調節の基本となっている。このため、まず、ハウス内に出入りするいろいろの熱の性質や大きさを知っておくことが大切である。

熱の伝わり方の三態

熱の伝わり方には三つの形式があり、放射・伝導・対流がこれである。

放射 放射では熱が伝わる物体が、たがいに接触している必要がない。太陽から地球への熱の伝わり方がこの形式であり、また、ストーブに面している身体が暖かく感ずるのは、ストーブから出る放射熱のためである。ハウスの外側表面からも盛んにこの放射熱が出ている。

伝導 日中は土壌表面から、地下に向って熱が流れこみ、夜は地中から表層に熱が流れ出す。このような熱の伝わり方を熱伝導と呼び、熱の伝わり方の大小を熱伝導率であらわしている。

ガラスの熱伝導率は〇・六二㌔㌍（一㍍・時間・度あたり）で、ビニールフィルムのそれは約〇・一二である。

対流 地面付近の暖かな空気が上方に移動すると、それに伴って熱が運ばれる。このような熱の伝わり方を対流による伝熱という。一方、暖かな地面からその上の空気層に熱が伝わったり、ハウス内の空気層からフィルムに熱が移動するような流体と固体間の伝熱を熱伝達と呼んでいる。

登山のとき、雨に打たれ、風に吹かれると疲労がはげしくなるのは、雨に濡れた衣服は熱伝導が盛んになり、風は熱伝達を活発にする結果、体温が非常に奪われやすくなるためである。

夜間の熱の出入り

無加温のとき（第一図左） 夜間のハウス内をなるべく高温に保つためには、ハウス内に入ってくる熱を多くする一方、ハウスから逃げる熱を極力へらす工夫が大切である。

夜間のハウスの中に入ってくるのは、地熱だけしかない。この地熱は、日中に太陽光線の一部が貯えられたものである。この地熱を多くするためには、土壌を適度に湿らせること、およびハウスの床面積を広くすることが考えられる。土壌が適度に湿っていると熱の伝わり方がよくなり、したがって、日中の地面の吸収された太陽熱がよく地中に貯えられる一方、夜になると地熱が地面に出てきやすくなる。

ハウスの床面積が広いと、地温が高く保たれるので、ハウスに流入する地熱も多くなる。これは、ハウスの土壌から横方向にも熱が逃げているので、単位床面積あたりの地熱は、床面積が広いほど大きくなるからである。一方、夜間にハウス内の空気層から逃げる熱としては、すき間からのものと、フィルムを通してのものとがある。前者はすき間が多いほど熱損失も多くなるので、とくに換気窓の付近に注意して、すき間を造らないようにする。

フィルムを通しての熱損失をもう少し詳しく考えてみよう。順序としては、ハウス内の空気層からフィルムの内面に熱伝達で熱が伝わり、この熱が伝導でフィルムの外面に流れる。そしてフィルムの外面からは放射で熱が失なわれることになる。ところで夜間、晴天の日のフィルムの温度は周りの気温に比べて、二〜三度低温に保たれているのが普通である（第二図）。したがって、ハウス外の空気からもフィルム外面に熱伝達で熱が少し入ってくる。結局、伝導でフィルム外面に熱伝達で流入する熱の合計が放射熱として失なわれるというわけである。

フィルムを通しての熱損失の大体の値を計算してみよう。戸外の風速が秒速三㍍のときには、厚さ二㍉のガラス値が四・九七㌔㌍（一平方㍍・時間・度あたり）に対して、〇・二㍉のビニールフィルムのそれは五・〇〇㌔㌍となる。つまり、フィルムを通しての熱損失は、ビニールとガラスでほとんど差のないことがわかる。

フィルムを通しての熱損失を少なくするため、こも被覆などが行なわれている。これは空気の熱伝導率が約〇・二㌔㌍しかないので、フィルムを二重にし、空気層を通って熱が逃げる構造にすると、熱損失が小さくなるためである。この空気層はなるべく気密に保つことが必要で、また、フィルムの間隔は二〇〜三〇㍉止まりにするとよい。このほか、ハウスの地面から直接天空に向って放射で失なわれる熱が考えられるが、フィルム内面に露が一面に付着しているときには、この放射熱の大きさが非常に小さくなるので、ここでは考えないことにする。

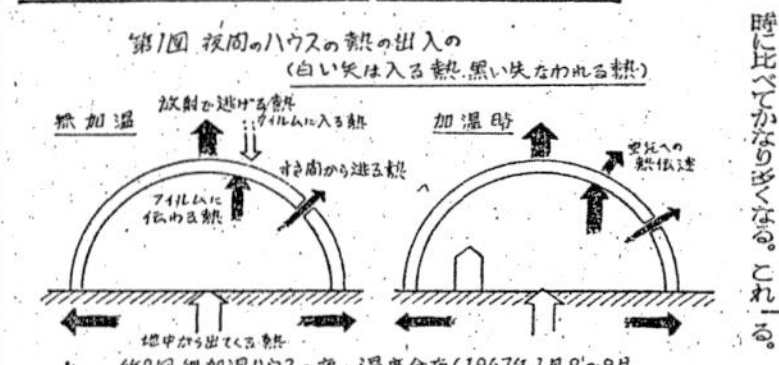

第1図 夜間のハウスの熱の出入の（白い矢は入る熱、黒い矢は失なわれる熱）

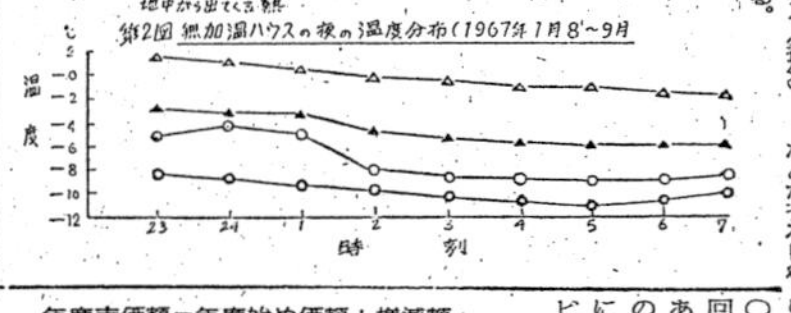

第2図 無加温ハウスの夜の温度分布（1967年1月8'〜9月

加温しているとき

暖房時には（第一図右）には、熱の収入源として地熱にヒーターからの熱が加わる。損出は無加温時に比べてかなり多くなる。これは、ハウス内気温が高温に保たれているので、すき間やフィルムを通しての熱損失が増加するからである。フィルムの外面温度は内部の高温の影響を受けて、外気よりも高温に保たれるようになる。したがって、加温時には伝導でフィルム外面に流出する熱が放射熱と外気への熱伝導との二つにわかれて外に失なわれる。

日中の熱の出入り

第三図に日中ハウスに出入りする熱を示した。ハウス内の日中気温を高く保つためには、▽ハウスに入る純放射を多くする▽ハウス内にしきわらをして土壌面蒸発を防ぐ▽フィルムを通して逃げる熱を少なくする▽ハウスのすき間をへらす——などがあげられる。

逆に、春季以降のようにハウス内気温をなるべく低下させたいときには、▽純放射をへらす▽地面を十分に湿らせる▽フィルムを通して逃げる熱を多くする▽すき間を広くする（換気）——などが考えられる。

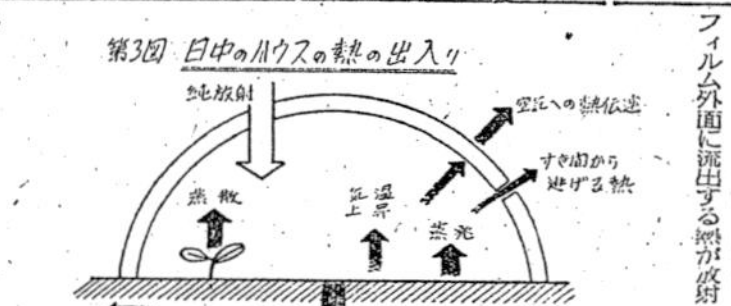

第3図 日中のハウスの熱の出入り

純放射

ハウス内地面に吸収される純放射を多くするには、▽フィルムあるいはガラスの日射透過率（被覆物を日射が透過する度合）がよいものを使うようにする▽地面の反射を少なくする（地面に焼いたもみがらをまくなど）——などである。反対に、純放射をへらすには、ヨシズや寒冷しゃで覆ったり、石灰乳を部分的に塗布する方法がある。

なお、わが国の施設園芸地帯は緯度からみても、また、気候からみても冬季の日射に恵まれた地方であることが第四図から認められる。

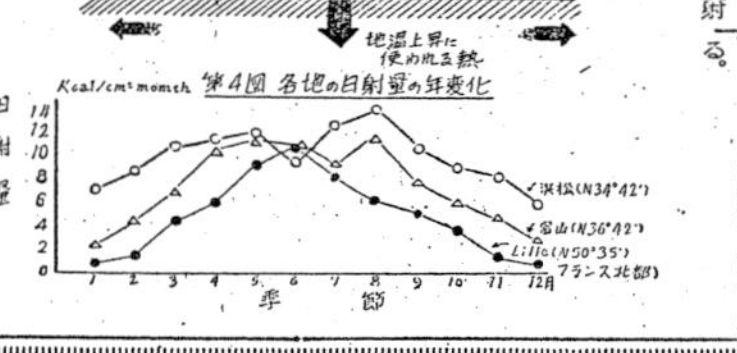

第4図 各地の日射量の年変化

地面からの蒸発

ハウス内地面に吸収された純放射の一部は地温の上昇に使われるが、残りは熱伝達でハウス内気温を高める一方、土壌から蒸発する潜熱として消費される。土壌面から一㌔㌘の水が蒸発するたびに、約六〇〇㌔㌍という熱が使われるが、これは空気一立方㍍の温度を二〇〇〇度あげることができる熱に相当する。

地面にしきわらをしたり、ビニールマルチをすると、この蒸発が抑えられて、ハウス内気温の上昇に熱がまわされることになる。

すき間から逃げる熱

ハウスは密閉した状態でもかなりすき間がある。例えば、一八〇立方㍍のハウスの換気回数が五回、ハウス内外の温度差が一〇度あるときには、毎時二七〇〇㌔㌍の熱がすき間から逃げている計算になる。（三菱モンサント化成・ビニールと農業から）

農業簿記

京都大学名誉教授 大槻正男

＜自計式農家経済簿記＞

財産台帳の年度末記入

流通資産台帳

現金および準現金の年度末あり高をよく実査して手落ちなく、年度末「数量」および「価額」欄に記入する。「備考」欄には各種目別に、それぞれ取引発生の日付などとともに一ヵ年の収入計・支出計を記入し、その差引き差額を（増）または（減）の印をつけて「増減額」欄に記入する。そうしたあとで、それぞれについて次式が成立するかどうかを確かめる。その場合には、現金については次の式が成立しなければならない。

年度末価額＝年度始め価額＋増減額（収入計−支出計）

（注） 上式において、年度始め価額は年度始め現金あり高を、年度末価額は年度末現金あり高を示す。

収入計＝所得的収入年計＋財産的収入年計

支出計＝所得的収入年計＋家計支出年計＋財産的支出年計

現金以外のものにあっては、一般に次の式が成立する。

年度末価額＝年度始め価額＋増減額（支出計−収入計）

（注） 支出とは貯金支出・貸付支出・掛込み支出・有価証券買入れ支出などを、収入とは貯金引出し収入・貸金受取り収入・講落札収入・有価証券売却収入などをいう。

ただし、有価証券を売却した場合には、上の式は必らずしも成立しない。年度始めの記入価額よりも、あるいは高く、あるいは安く売却した場合には、その差額だけ開きができる。

この価額変動による売却損益は、有価証券と土地などの完全不流動性財を 度始めの記入額よりも、あるいは高く、あるいは低く売却した際だけに起るものであって、他の財貨類の場合には全然起らないものである。

負債台帳

借入金および未払金について年度末あり高を漏れなく調べて、年度末「数量」および「価額」欄に記入する。「備考」欄には各種目別に、それぞれ取引発生の日付などとともに一ヵ年間の収入計・支出計を記入し、その差額を「増減額」欄に記入する。その場合には次の式が成立するのである。

年度末価額＝年度始め価額＋増減額 収入計−支出計

すなわち、年度始め「価額」欄の数字と、「増減額」欄の記入数字とから算出された計算上の年度末「価額」が、年度末あり高と一致するかどうかを調べて脱漏や誤記のないようにする。最後に計を求めて「計（負債）」の行に記入する。

負債（記入例）

種目		昭和30年度 摘要	年度始め 数量	年度始め 価額	増減額	備考	昭和31年 摘要	年度始め 数量	年度始め 価額
借入金	借入金	部落防火用水池建設費立替依頼村上氏から		円 2,000	円 （減）2,000	返済（3月25日）			円
	〃				（増）1,000	落札借入れ 6,000（2月15日）返済 5,000	頼母子講落札. 12回分借入れうち10回分返済	2回	1,000
未払金	買掛金	杉本呉服店から背広1着掛買い		16,000	（減）16,000	支払い（3月24日）			
	〃				（増）8,000	掛買い18,000（11月3日）支払い10,000	谷村農機具店で荷車タイヤ入替え		8,000
計（負債）				18,000	（減）9,000				9,000

ND病「ニューカッスル」とその後の動向 ③

鶏病しんだん

組織免疫に好適な生ワクチン

体液免疫と組織免疫

NDウイルスの感染を防御するのに必要な、鶏の呼吸器粘膜の組織を免疫にするには、NDのB1株生ワクチンを二〜三ヵ月ごとに定期的に接種するのが最もよい方法である。

生ワクチンは接種した鶏の気管や食道などの粘膜組織に、B1株ウイルスが弱い感染をおこし、増殖することによって、強固な免疫をつくる。体内に侵入した弱毒ウイルスに対し、呼吸器粘膜の組織細胞は、包被作用、喰尽作用、消化作用などを営み、急速に組織内に抗体（組織免疫）を生産する。

このようにして生ワクチンにより多くの抗体を受けた鶏は、血中の抗体（体液免疫）はもちろんのこと、呼吸器粘膜の組織にはこばれるほど多くの免疫を保有する。

組織の免疫は死毒ワクチンでも、ある程度つくられるが、死毒ワクチンは注射した鶏の筋肉中に沈溜し、徐々に鶏体に吸収され、主として血中に抗体（体液免疫）が産生される。この抗体はNDウイルスの体内への播布を防止するに有効であるが、NDウイルスの感染が最もおこりやすい呼吸器粘膜の組織を免疫にする能力は弱く、したがって、NDの汚染地帯では、血中にかなりの抗体を保有しながら、呼吸器粘膜の免疫消失にともない、NDウイルスの感染がおこり、非定型的なNDの発生により、鶏群が被害をこおむることになる。

このように組織の免疫は、NDウイルスの感染を防止するのに重要だが、この免疫はHIテストなどで簡単に測定することができないために、生ワクチンの最もすぐれた特徴でありながら正しく評価されていない。

ワクチンによってつくられる免疫を大別すると①体液免疫と②組織免疫に分けられる。ワクチンを接種された鶏の血液中には抗体（体液免疫）が産生されるが、この血中の抗体は、HI抗体、中和抗体、感染防御抗体などに区分される。図に示されるようにワクチンを接種すると、これら三つの抗体は血中に出現し、ワクチン接種後二〜三週で最高値に上昇するが、HI抗体はその後、急速に低下し、中和抗体と感染防御抗体は、平行関係を保ちながら、緩慢な経過で下降する。

強毒なNDウイルスを鶏に感染させ、生ワクチンの免疫で、感染が防止できるかどうか（感染防御）をしらべた成績が下の表である。成績でみられるように、感染防御とHI抗体とは、直接的な関係がないことがわかる。八〇倍のHI価をもちながら、感染して死亡する鶏もあれば、HI価が0で感染を防御している鶏もある。

つぎに中和抗体と感染防御の関係をみると、中和抗体価の低下にともない感染防御率も低下するのが認められる。

要するに体液の免疫は、血中の感染防御抗体と中和抗体とで代表されることがわかる。最近免疫の状況を測る尺度として、もっぱらHIを使用しているが、HI価は感染防御との間に一応の関連性は考えられるが、決して直接的に免疫のすべてを代表するものでないことを念頭におく必要がある。

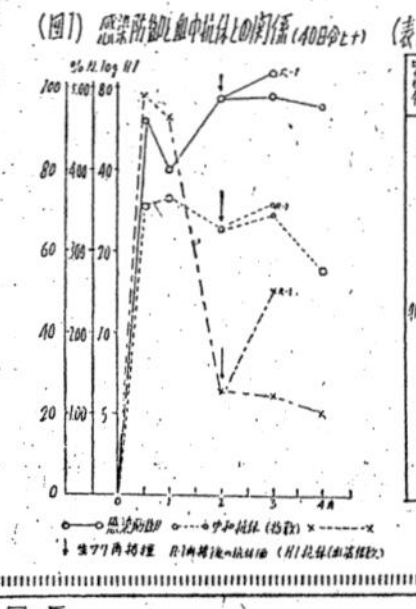

（図1）感染防御と血中抗体との関係（40日令ヒナ）

（表1）

日令	生ワクチン接種後週数	攻撃試験結果	耐過率%	HI価（個体別）	中和抗体価（幾何平均）
初	14日	○○○○○○○○○●	90	[illegible]	3.55
	1月	○○○○○○○○●○	80	[illegible]	3.51
	2月	○○○○○○○○●	88	0.10.5.20.[illegible] 5.0.5.0	3.00
	3月	○○○○○○○○	100	5.10.10.[illegible]	3.50
	4月	○○○○○●	83	[illegible]	2.52
	3月（1月）	○○	(100)	(10).(20)	(3.50)

○生存 ●死亡 攻撃ウイルスはNDウイルス佐藤株1000MLD（ ）生ワクチン再接種後

NHK農事番組（4月21日〜30日）

テレビ

明るい農村 月〜土 6・30〜6・55 総合
21日 きょうの話題 農協再編成（協同組合経営研究所理事長）一楽照雄氏
22日 産物往来 チューリップ（富山県砺波市）
23日 話題の広場 ▽ふえる米の給食（北海道当麻町）▽ホルスタインひとすじ（北海道ホルスタイン協会会長）宇都宮勤氏
24日 村をむすぶ 通信員報告
25日 農村新地図 大阪府千里丘陵（訪問者）イラストレーター 真鍋博氏
27日 村の記録 農民株式会社（福島県大信村）満山喜和氏
28日 きょうの話題 作付転換を現地にみる
29日 産物往来 たけのこ（徳島県阿南市）
30日 話題の広場 受粉こん虫の人工増殖（岩手県農試）小林森己氏

農業教室 月〜土 7・30〜8・00 教育
21〜22日 酪農作業の合理化（新潟大学教授）酒井学氏
23〜25日 専業農家と兼業農家（京都大学教授）柏祐賢氏
27〜29日 施設園芸の規模と管理（農林省農業技術研究所）加賀見宏氏
30日 温室の構造と設備（全購連資材部）内海修一氏

あすの村づくり 日 7・00〜8・00 教育 再土 13・00〜14・00 教育
26日 「アイディアを生かす」▽グループだより▽アイディア養豚（福岡県放送利用農業集団）▽青年像（茨城県猿島郡三和町）池谷捷一氏

ラジオ

早起き鳥 月〜日 5・05〜6・00 ①
21日 人と話題 みかん農家を育てる（農林省営農研修施設）小野照雄氏
22日 通信員の手帳から
23日 人と話題 棚田利用の野菜づくり（広島県農業改良課）前田達郎氏
24日 現地報告 ふえる農村主婦のパートタイマー（宮城県白石市）
25日 村のポスト
26日 話題の窓 高速道路時代と農業（全販連集配センター所長）神善衣氏（農林省）森整治氏

ラジオ農業学校 月〜土 6・40〜7・00 ② 日 6・30〜7・00 ②
26日 ▽農業講演会「情報文化時代の農業」（農業総合研究所計画部長）渡辺兵力氏

番組紹介

あすの村づくり
26日（日） 特集「アイディアを生かす」 養豚経営に生かされるアイディアのいくつかを広く全国から集めて紹介する。
▽グループだより（静岡県磐田郡豊田村）農業青年大学畜産部会 豊田村の農業青年大学は、役場と農協が中心になって作ったもので、後継者育成と地域の農業振興を狙ったものである。大学の畜産部会のメンバー八人は、養豚を地域の柱として定着させようと研究努力している。
▽ある青年像「養豚で二億六千万円」 池谷捷一氏（茨城県猿島郡三和町）は獣医科大学卒業後、五年間家畜保健所に勤務。その後一年間派米実習生として農企業経営の技術習得にあたる。帰国後は、株式会社組織の企業養豚に取り組み、現在では肉豚を常時二千五百頭飼育、年間一万頭を出荷している。薄利多売主義をモットーに「収入から逆算して規模拡大をはかる」池谷さんの養豚経営について意見をきく。

シイタケの原木を即売

富山滑川4H クラブ活動資金の一部に

【富山】滑川市4Hクラブ（会長、常田久紀君）は、このほど市民会館で開いた同市緑化推進委員会、同森林組合主催の苗木即売会で、シイタケ菌を植え込んだ原木を販売した。この販売代金の一部は、クラブの活動資金に充てられる。原木はクラブ員二十人が集まり、ブナの原木一千本にシイタケ菌を植え込んだもの。

あしたの青春

一ノ瀬綾 え 多賀愛子 ＜24＞

めざめ（五）

車の窓から顔を出したのは、小学校の級友、黒木であった。

「町へ行くんだろ。バスは行ったばかりだぜ。乗らねえかい、この車に」

黒木が目顔で示した後部座席には、派手なワンピース姿の娘が二人乗っていた。

「無理するなよ、俺はバスで行く」

「えんりょはいらねえや。あれは俺の妹だし、一人はその友達だ。町へボーリングに行きてえとねだられて、連れてくとこさ」

シャツの裾をはだけて、黒木は汗を拭くと気軽く二人を新一に紹介した。妹の方は見覚えがあったが、もう一人は知らない顔である。

「じゃあ、乗せてもらうか」

娘達の手前、新一はあまりかたくなな態度も見せたくはなかった。運転席の横に並ぶと、ただよう女の甘い体臭がふと新一の気持をゆるめた。二人共、十七、八で高校生らしかった。

「あんたも、ボーリングしない」

顔見知りに言う気安さで、友達だという娘が新一の背中を突ついて笑った。言葉つきで町の者らしいと思いながら新一は咄嗟に返事に詰まっていた。

「こいつは、ボーリングより車なんだ。な、新ちゃん、そうだろ」

黒木の言葉に、いまいましさを覚えながら新一は、二人の間いをはぐらかした。

「この車も買ったのか」

よく手入れをされた運転席の天井で、マスコット人形がおどけた仕草でゆれている。黒木は笑い出した。

「義兄貴のさ。お盆で姉夫婦が里帰りしてるんで、ちょっと拝借というわけだよ」

姉の夫は、町の大きな洋品店の若主人だと黒木は自慢気に言った。

「家の百姓が行き詰まれば、俺は、そこへ、ころげこむつもりだよ」

「なんだ、そんな逃げ道を用意しておいて農業やってんのか」

思わず非難めいた口調になった。別に責めるほどのことはない。むしろ、羨むべき友人の条件なのに、新一はなぜか腹が立った。「ああそうだ。妹が高校終って勤めに出れば、家はじいさん、ばあさんだけだ。米と野菜を食べるだけ確保していけばそれでいいんだ……無理をするつもりはねえな」

たのしそうにハンドルを操る黒木の表情は、さばさばとして屈託がない。

経営規模だって、新一の家よりむしろ大きいくらいで、決して片手間でやっていける農業ではない筈であった。

「おめえは、気楽だな。だめになったら放り出す……たいしたもんだ。これからの農業に対する心配も期待も、なんにも持っていねえのかい……まったくたいしたもんだ」

「俺に皮肉は通じねえぜ。いったい新ちゃんは真面目過ぎるんだ。噂に聞くと、大分頑張ってるらしいが、大丈夫かい」

真面目過ぎると言われて、新一は苦笑した。一度町の生活意識を身につけると、黒木のようにあっさりと農業を見放す気持になれるものなのかと、新一は考えさせられる。

「町へ出て見ろよ。やろうと思えば、どんな仕事だって引っぱりだこだ。喰っていくのに困りゃしねえ。女の子だってわんさと居るし、第一、毎日がたのしいでえ」

「それだけで将来の見込みが立つのかい。高校出ただけで、すぐ出来る仕事なんて、将来どうなるかわからねえだろ。家庭を持って、やっていけるかどうか……」

「将来？そんなこと、誰にわかる。明日のことだってわかりゃしねえや。今、これでいいと思ったことと、それだけで俺は十分だ」

黒木は声をあげて笑った。

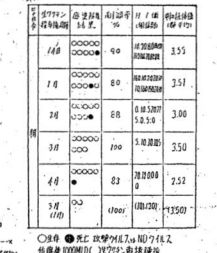

4Hの信条を実践に

愛知県岡崎市中園町久間
岡崎4Hクラブ　岩月　勉

作物を栽培する歓び

私にも農民の血が
ビルの谷間から緑の大地へ

今年で私は、大学を中退してから三年たちました。なぜ大学をやめたのかは、父が三年前に病気になったからです。父が病気になるまでは、私は大学を卒業してから農業をかたてまに、いわゆる三チャン農業をやろうと思っていましたが、父が命をかけて育ててきた農民の血は、やっぱり、ぼくにも流れていたのです。

友だちや周囲の人が〝大学を卒業しろ、大学にも意味がある〟といってはくれたものの、父や母がぼくと同じように育ててきた農業への愛着は、父を失ったときにはじめて私は農民として生きるんだと誓いました。

日本農業が農民に対する陰惨なイメージは、その過酷な労働に比べて低い収入がもたらすものですが、現実の問題として、少ない農地でママゴト的な要素のあることもいなめない事実であると思います。私の家は、水田一二㌃、畑四㌃、鶏二千羽ですが、やはり経営の中心は養鶏になっています。

私にしても同じですが、今の若者は、表面的なものを求めやすく、地味な農業などを嫌う傾向にあります。確かに、今までの農村は、封建的で閉鎖的であったかも知れません。事実そうであったのですが、今若い人が進んで、農業に従事しようという姿がふえてきていることも確かです。都会のビルの谷間から、太陽と緑のある農村へ、作物を栽培することの歓びの満ちた農業へ希望をもちはじめたことも事実です。

しかし、なぜ農民が馬鹿にされるのか、なぜ社会的に地位が低いのか。このことは、私たちが一度は考えなければならない重要な問題だと思います。

日本の経済、社会環境が発展する途中において、その発展のために、多くの農地を奪われてきました。歴史的にも、江戸時代の士、農、工、商の身分制度が、昭和の世の中にも、いぜん私たちに存在しているのです。そうした意識が世の中にあるからだと思います。私たち農民が変らなければ、日本の封建制も依然と続くと思うのです。農民が自覚すれば、農民に対する社会的評価も高まってくると考えます。農業は歴史的にも一番すばらしい職業であることに違いないのですから。

4Hクラブの綱領にも〝私たちは実践を通じて自らを磨くとともに互いに力を合わせてよりよい農村、よりよい日本をつくるため四つの信条をかかげます〟とあるように、そのために努力しなければならないことは当然ですけれど、前に述べたように農民自身が自覚して変らなければ、四つの信条もあってなきがごとしだと思います。

そういうことから、日本と外国の農業を比較してみますと、日本と外国の農業や農民の基本的な違いは、外国の農民は時間によって生活や、労働の分担を決め、生活を合理的に営んでいることだと思います。ところが日本の農民は、働くときはムチャクチャに働き、閑なときはボサッとしているという計画のなさです。この現実の相違を考えても、私たちが、もし4Hの信条を本当に実践したならば、それこそすばらしい農村、農民ができあがると思います。

農業は愛する人と

農民に、農家に嫁がこないといった原因も、農業から受けるイメージが極めて悪いことからきていると思います。そして、〝農作業、家事、育児などの全部が、彼女らの負担になっていることも、大きく左右していると思います。このようなところからも、農村の娘たちが農業に従事するよりも、都会に出て勤めた方がよいと思うのも人間であれば、当然だと思うのです。しかし、それも私たちは4Hの基本を正しく実践していったならば、こういった問題も極めて明快に解決ができると考えます。

では、具体的に、4Hクラブの精神である四つの信条を実践していくには、どうしたらよいのか、また、現在の農家には、どのような問題があるのかを述べてみたいと思います。

4H精神も紙の上に書かれているだけでは、何の役にも立たないということは前に述べた通りであり、それでは4H活動にならないし、近代農業もうち立てられないのです。現実の問題として、農家の生活は、労働、食生活、家族関係など、多くの問題があり、この労働問題を一つとりあげてみても、今までの農家は嫁を労働力として考えていたし、それであっては、農家の進歩は望めず、ますます嫁の問題は深刻になるばかりです。

農業こそ、愛する人とともに働き、大地から築きあげるものなのです。労働力としてでなく、すばらしい協力者として妻をみるとき、育児、家事など女性の特殊性を認めて、そのために妻の立場や分担をはっきり決めていくときに4H精神である〝楽しく暮らし、元気で働くための健康を増進します〟が実践できるのです。

また、食生活の問題にしても、妻が各自の健康管理に気を配り、夫や家族が協力していくという前向きの姿勢があればこそ、家族の健康は守られるのです。すべての健康は台所から、これぞとくに忘れてはならないのです。

そして、複雑な農村における家族関係、親戚関係の改善を図らなければなりません。これも夫や家族が協力して合理的に進めていければよいけれど、妻一人で考え悩んでいる場合は、無理というより事実上できないと思います。ここにおいても、嫁を労働力とみているか、あるいは愛する協力者としてみているかによって、話し合いがなされるか、なされないかの違いがでてくると思います。

農村は封建的だ、そういうイメージがある以上、4H精神の〝科学的にものを考えることのできる頭の訓練をします〟という信条からいっても、家庭生活を科学的にものを考える基盤にしていく必要があると思います。

農民の声を社会に

日本の農業は閉鎖的で、農業の改良とか生活の改善には、長い間目をつむってきました。そのために農村は今、すべての日本の一般社会からとり残され、農村には問題が集中しているといってもよいと思います。

例えば、米価問題、農業従事者の不足、少ない農地、過疎問題、消毒・肥料に含まれている危険な化合物など、人間の生命にまで及ぶ問題があり、数えれば限りがありません。その中にあって農村は旧態依然として沈黙を守りつづけているのです。昔と同じように。

そこで農村の農民の声を社会に訴える時代がきており、日本全体として日本農業の将来を考えていかなくてはならないのです。

以上述べてきましたが、これらのすべてが4H精神をはっきり理解し、その上に立脚した実践力がなければ実現しないのです。

日本の農業情勢は、輸入農産物の増大、就業人口の減少、専業農家の減少の傾向などの暗い面もありますが、反面、技術の進歩、生産の増大、企業的農業経営、近代的生産組織集団の芽ばえなど極めて明るい面がでてきています。

このような農村の明るい面を伸ばすために、私たち4Hクラブ員はどうしたらよいか。それは4Hクラブの信条を正しく理解し、実践あるのみだと思います。私はみなさんとともに、日本の農業を豊かに建設していくために努力していきたいと思います。

青春と仲間

農村雑感

折原　俊二郎

四月を迎えて、私の学校にも若さに満ちた新しい青年が入学してきた。高校を出て二年間自分の家の経営をやり、しかも、その間相当の成果をあげてきた優れた青年たちである。

新入生の顔をみていると一人ひとりはたくましく活気にみちており、三年間勉強したら、再び自分の家に帰り、農業経営に従事しようとする意気込みが、熱気として伝わってくるのがわかる。

また、自分の息子が学校に入るというので、この機会を利用して上京してきたという父兄も若干みられた。この様子をみていると親の暖かい愛情がぐっと胸にせまってくる。この親たちは本当に安心しており、しかも誇らしさに一杯になっていることであろう。

昨年も同様の光景がみられたが、そのなかのある父兄から次のような話があったことを思い出した。

本当に好きなのか

「隣の家に二人の立派な息子がおるが、当然のこととして、長男が農業をやるというので両親は喜んでいた。やがて長男は高校に入ったが、卒業する前になって急に農業をやるのはいやになったといいだし、大学に進学した。このため、親との間に若干のいざこざがあったが、結局、親の方が折れて進学を許した。その息子は今では大学を卒業して東京に住んでいる。

その間、親は経営拡大に努めてきたが、二男はこの親の農業経営をみて、私が引きつぐといいだした。その二男は今高校二年に在学中であるが、学校の仲間には農家の出身者が多くいる。もちろん長男も相当数いるが、これらの青年は学校をでたら農業はやりたくないといっているという。

そのなかにあって、たった一人この二男のみが農業をやると頑張っているという。親の方ではこれを聞いて非常によろこんだが、日がたつに従って不安になってきたという。

その不安というものは、途中で農業をやるのがいやになって外に出ていくのではないかということではなく、それとは逆に二男の考え方が農業ということのみにかたよっているのではないか。その一本気のために視野が狭くなって育っていくのではないかということであるという。農業をやるにしても幅広い人間であってほしいという。

このことを考えてみると、自分の息子が将来農業をやるために、農業者大学校に入り勉強したいというが、本当に農業が好きなのだろうか。

そして、せっかく勉強するなら、隣の人がいうように、幅広く物事を考え、それに対応していく人間になってもらいたい。

そういう勉強こそ、これから農業をやる人には必要なのではないだろうか。それにしても根本的なことは農業が本当に好きであるということが条件になるようだが」ということであった。

この父兄のことばは今でも忘れられない。本当に農業が好きだという、その考え方はどこから出てくるのだろうか。盲信的なものか、よく考えて考え抜いたあとでたものなのか。物事に対処する場合は、意欲が大きく影響する。その意欲は好きであるかどうかということによって決定されると思われるからである。

（農林省・農業者大学校）

〝日本万博〟いま花盛り
人類の〝進歩と調和〟求めて

今日にいたるまで、人類はめざましい進歩の歴史を歩んできました。科学文明は発達し、生活はモダンになり、便利になりました。しかし、その反面には、まだ、まだ多くの対立や矛盾、不平等が残されています。進歩のテンポが早くなり、その中身が巨大になるにつれて、そこに犠牲が生み出されることも少なくありません。これから先は、現在生きている人間を尊重しつつ、しかもさまざまな不便や矛盾などを軽減し、緩和し「調和」を拡大してゆく方向に「進歩」していきたい—それがみんなの願いであるはずです。

日本万国博のテーマ〝人類の進歩と調和〟はこうした考え方の中から生み出されました。

だから、このテーマの精神にもとづいてつくり上げられた会場は単に科学技術文明の成果を誇り合うような場としてではなく、あくまで調和のとれた進歩を追求しています。シンボルゾーンのテーマ展示やお祭り広場だけでなく、会場全体で〝人類の進歩と調和〟を表現しているのです。

万国博史上最大の参加国

日本万国博がこれからの世界の調和的発展のいしずえとなり得たとき—私たちにもたらされるものはあまりにも大きいといえるでしょう。

日本万国博を考えるとき、とくに忘れてはならないのは、これがアジアではじめての万国博であることです。

万国博は、一八五一年にロンドンで第一回が開催されて以来、すでに一〇〇年を越える歴史をもっていますが、その間、ヨーロッパ、アメリカを離れて開かれたことは一度もありませんでした。それがいま、日本で、しかも海外から七十余ヵ国という万国博史上最大の参加国を得てその扉を開きました。

アジアではじめて、世界七十余ヵ国がそれぞれの科学や文化の成果を一堂に持ち寄り、世界の平和と繁栄めざして交流し合う場所と機会を提供する—ということだけで考えても、日本万国博が東西文明のかけ橋として果たし得る役割は、非常に大きいといえます。

同時に、日本にとっては、めざましい発展をとげた現在の姿と伝統ある文化を世界へ紹介するとともに、日本および日本人の国際的な舞台で見直すまたとないチャンスでもあります。

開会式をにぎわした子供みこし

未来都市のモデルを実現

ところで、この日本万国博の会場は、全体が未来都市のモデル像として設計されています。

ともすれば見失われがちな人間性を回復し、本当に人間が幸福に生活できる都市はどうあるべきか—という課題に取り組んだ結果、できあがったのがこの会場です。

未来都市にかかせないみんなの広場となるお祭り広場を中心に、東西南北の各出入口へ伸びる動く歩道を骨格として、すべての施設は有機的に結びついています。交通機関としてモノレールや動く歩道、新しく開発された電気自動車が登場、電気、ガス、水などの供給施設にも新しい技術が導入され、観客誘導や情報管理にはコンピューターが大活躍。世界最大規模の地域冷房も完備され、将来の都市づくりになくてはならない試みがいっぱい盛り込まれています。

ホンモノを知るチャンス

では、会場を訪れた私たち一人ひとりに日本万国博は一体何をもたらしてくれるでしょうか。

もっとも端的にいえば〝世界のホンモノ〟を知るチャンスです。

世界の国々の科学、生活、文化などに接し、その国の料理を味わい、特産品を買い求め、その国の人々とともに語り合うことのできる機会はまたとありません。

また、古今東西の美術品を鑑賞したり、各国が誇る超一流のクラシック、ポピュラー界の演技に酔える機会も、そう幾度も訪れてはこないはずです。

〝世界のホンモノ〟の数々が、私たちの心にどんなに深い感銘を与えるかは、まったくはかり知れません。万国博がひとつの契機となって、人生観を新たにする人も決して少なくないでしょう。

こうして考えてみると、日本万国博は、明日の世界が、都市や生活が、そして私たち自身が、よりよき時代へ向かう〝転回点〟となることはまちがいないようです。

あなたも、この万国博に参加し、自らの生活設計の〝転回点〟としていただきたいものです。

心に消えない大雪
キュウリの後作に秋菊を

埼玉県北埼玉郡騎西町
騎西4Hクラブ　杉田　綾子

私が、杉戸農高もうすぐ卒業だというとき、ハウスを増設したが、大雪の被害を受けて、以前に建てたハウスがつぶされてしまいました。

この日は不幸にして私の卒業式でもあり、この雪はいつでたっても、私の心から消えないと思われます。

しかし、増設したハウスは、私の卒業式を祝うかのように私を迎え入れました。ハウスにはキュウリを栽培したところ、この増設した場所は土地が新しいためか前年の坪当り収量と比較して増加になり、多くを出荷することができ、私は野菜を栽培するのに張り合いができてきました。

昨年は、父から秋菊を栽培するだけの畑をもらい、菊栽培を少しやって来ました。

反省としては①消毒する回数が少なかった②追肥の量が少なかった③一日の余暇時間を利用しての栽培なので、大変いそがしかった。

また、高校時代に栽培していたのと比べると、開花時期が一週間あまり早かった。

出荷は少量なので町まで行き一束、一束売りさばき、まあまあの収益を得ました。

近い将来は、促成キュウリの後作として秋菊をやりたいと思っています。

ときには、農業がつまらなくなり、両親を困らせることもありますが、これからは両親に協力して、少しでも早く、良い農業経営を行なっていきたいと思います。

そして数年後は、農業を営む中堅婦人として、地域農業の発展に努めたいと思います。また、そのためにクラブ活動に積極的に参加したいと思います。

桜で学校を美しく
ソメイヨシノなど寄贈

【千葉】夷隅郡大原町4Hクラブ（会長、加藤満一君）は、小学校の環境を美しくしようと、このほど同校庭に桜の苗木十本を寄付、移植した。

同クラブでは、奉仕活動の一環として、このほかにも、予算一万円でソメヨシノや八重桜四十本を購入、町内の学校に寄贈している。

人間らしい生活を
趣味などで余暇の活用

佐賀県西松浦郡西有田町
曲川4Hクラブ　古川　悦子

私の住んでいる西有田町北川内は、山麓地帯で、国の構造改善事業の指定によって、みかんの産地造成を目ざして頑張っています。

しかし、有名な焼物の町有田と隣接しているために、ほとんどの農家が兼業化の方向に進んでいます。

私も人手が足りないからと依頼されて、仕事に勤めはじめてから一ヵ月余になりますが、仕事の中休み時間などに農家の婦人たちからいろいろな世間話しを聞いて、自分なりに農家生活の未来像を描いてみました。

最近、各家庭にテレビが普及して、夜なべ仕事をするようなことはなくなりました。しかし、若い婦人は農作業や家事、子供の世話にあい変らず追われており子供に手がかからなくなるとテレビを見るに追われ、生活全般がテレビに支配されているような状態です。

このような生活の中で、自分の時間を持っている人が少ないのは残念なことです。そこで、私は家族間で話し合い、各自の能力に応じた仕事の分担を行なうことの必要性を痛感しました。そして主婦の労働時間を合理的に短縮していかなければならないと思います。

忙しく働く婦人も家族間の話し合いによって自分の時間を作り出し、その時間を教養や娯楽などに有効に利用すれば、心にゆとりができ、日常生活が楽しく、うるおいのあるものになると思います。そんな人生を送っていたら、自分の時間を大切にし、また、他人の時間も尊重する習慣が身につくのではないでしょうか。

そして同じ趣味を持った者同志でグループを作り、自由時間を有効に活用していく、これは単なる趣味を同じくする人の集りでなく、一歩前進して、実生活にプラスになるような活動の研究をしたら、素晴しい余暇の活用になると思います。

これからは、単に働くだけの生活でなく、趣味などを生かした人間らしい豊かな生活を営むことが、私の考える理想的な農家生活です。それには、若い青年時代にいろいろなグループ活動に参加して経験を積み、多くの人と接することが必要です。

農村社会だけに止まらず、他の社会もみつめ、広い社会の中で経験していきたいと思います。

新刊紹介

〝組合人の参考書〟

社団法人家の光協会専務　高橋　芳郎著

「変容する西欧の協同組合」

◎一九五八年にヨーロッパ諸国を歴訪した著者は以来十年間、西欧の協同組合運動を執拗に追求しつづけた。一昨年の六月、西独フランクフルトで開かれたライファイゼン（西独の協同組合運動の創設者）生誕百五十年祭にただ一人の日本人の招待者としてふたたびかの地を訪れることができた。その機会に、西独、イギリス、スエーデンなど、ヨーロッパの協同組合運動の代表的先進地を視察し、十年間に提起された諸問題点を自らの目で確め、リアルにしかも動態的に把握して帰った。本書は、その報告記である。

◎農協にしても、生活協同組合にしても、世界の協同組合運動は、ヨーロッパの地から始まった。それら英、独、スエーデンなど先進諸国の協同組合は、最近におけるはげしい政治経済の変動に直面して、いかに対応し、いかに戦いをつづけているか。その実態の最も新しい報告書の一つである本書は、一応親しみやすい紀行の形式をとっているが、その場限りの、単なる旅の印象記には終っていない。

◎著者は、十年前に欧州各国を視察した際「協同組合巡礼」前後二巻を出版したが、今回の新著は、前者との関連において曾遊地の再訪を機にここ十年間の変化の実態を調べ、これに著者のひごろの研究に基づいた分析、批判を加え、その題名が示す通り「変容する西欧の協同組合」の核心にふれた名著といえよう。

◎最近のわが国一般経済の変化の激しさは、むしろ諸外国のそれを上回る。その意味からしても、この本は協同組合運動に関与するすべての組合人に対し、西欧の土地を知らざるとかかわりなく、組合運動前進のために、他山の石としての新鮮な資料を提供するであろう。同時に、これを一読した人は、おそらくは著者とともに〈日本の農協運動も安閑とできない〉との感概を深くするであろう。

【発行所・東京都新宿区市ケ谷船河原町十一、生活文化社　B六判・フランス装幀、口絵写真共三七二ページ　定価・六四〇円、〒・六〇円　振替・東京二七〇〇番】

日本4H新聞
4Hクラブ 農事研究会 生活改善クラブ
全国弘報紙
発行所 社団法人 日本4H協会
東京都市ケ谷家の光会館内
電話(260)1075郵便番号162
編集発行人 玉井 光
月3回・4の日発行
定価 1部 20円
一ヵ年700円（送料共）
振替口座東京 12055番

今年度の「つどい」開催地、佐賀県に

全協で通常総会ひらく

会館建設へ決意新た

新会長に久野君（愛知） 事業など原案通り可決

全国4Hクラブ連絡協議会（会長、黒田保君）は、さる十九、二十日の両日、東京・新宿区袋町の日本出版クラブと同区市ケ谷の家の光会館で昭和四十四年度の通常総会を開催し、四十四年度の事業経過と収支決算の両報告を承認、四十五年度の事業計画と収支予算、規約の一部改正などを執行部提出の原案通り可決、会長に久野知英君（愛知）を選んだほか新役員を決定した。また、全協事業の大きな柱である4Hの祭典―今年度に開催する第六回全国4Hクラブ員のつどいは、当初予定していた岩手県での開催が実現不可能となったため、急きょ九州の佐賀県で開催することを決定するとともに、4Hクラブ員の殿堂―日本4H会館の建設は、現在、各県連に設置している会館建設推進委員を地区連段階にも設けて募金活動を強力に展開することなどを決めた。

＝関連記事2面にもあります

全協総会は、十九日午後一時過ぎから日本出版クラブの二階会議室で、代議員（各道府県連会長など）と執行部役員、全協参与、オブザーバーなど六十余名の関係者出席のもとに大庭副会長の司会で開かれた。

小原副会長の開会のことば、全員による4Hクラブの歌斉唱のあと黒田会長が「私たちは、昨年四月に開かれた総会で決議されたことを遂行するため曲りなりにも努力してきた。しかし、力不足で批判される面もあると思うが、前向きの姿勢で四十五年に向ってほしい。4H会館の建設やつどいなど四十五年度は激動の4H活動になるのではないかと考えられるが、4Hクラブ、組織を伸ばすためにこの総会で十分検討してほしい」と訴えた。

つづいて来賓祝辞として、農林省農政局普及教育課の大賀忠直青少年班長、日本4H協会の山本総務部長、丸山前全協会長のあいさつ、農林省普及教育課青少年班の大沼一己係長、長田元全協会長らの紹介、全国農村青少年育成研究会の西川哲雄会長や梅田清雄元全協会長らからの祝電が披露された。

田所恵一資格審査委員（徳島）の審査結果の報告と総会成立の宣言につづいて、各ブロックから一名ずつ運営委員を選出して協議、川村雅士委員長（高知）から日程説明があり、このあと、議長団に網川信夫（埼玉）斉藤賢一（福島）堀川隆夫（広島）の三君を選出、議長団から書記に伊藤あき子さん（埼玉）と赤川洋子さん（鳥取）、議事録署名人に河東哲征（山梨）飯田雅美（愛知）両君を指命して議事審議に入った。

まず、久野事務局長が四十四年度の事業経過、坂井事務局次長が同収支決算、山屋監事（新潟）が監査についてそれぞれ報告、黒田会長ら執行部の補足説明につづいて審議、質疑応答のあと、収支決算のうち、県連の会費未納の処理方法について、別個に懸案事項として審議することを申し合わせ、これを了承した。

五時で一たん休憩に入り、こんどは会場を家の光会館一階会議室に移して六時二十五分から再会した。

四十五年度の事業計画と収支予算両案について久野事務局長の説明につづいて執行部が補足説明、このあと両案についてそれぞれ審議し、事業計画案のうち日本4H会館建設については、同問題について審議する別項の議案の中で話し合うことにして、執行部原案通り可決、また、規約の一部改正を議決し、九時二十分過ぎ終了。このあと各部屋でブロックごとの話し合いを行なった。

二十日は午前九時から家の光会館会議室で開かれ、まず、坂井事務局次長と佐賀県連の小林会長から今年度、佐賀県で開催する「第六回全国4Hクラブ員のつどい」について説明があった。

つづいて、日本4H会館建設について審議し、執行部原案通り賛成多数で承認した。

このあと役員改選に入り、各ブロックから一名ずつ選ばれた選考委員と全協執行部からなる選考委員会を開き、会長に久野前事務局長を選んだほか別記のとおり副会長と監事を選出、また、久野新会長から事務局長と同次長の選任があり、これを了承、評議員を各ブロックごとに選んだ。

ついで、別記のとおり顧問と参与を推たいしたあと、新たに議案として設けた県連の会費納入にともなう全協への加盟脱退の処置について審議し、こん後、専門委員会で審議することにした。

つづいて、原田大阪府連会長から今年の夏大阪で開く全国農村青少年技術交換大会について、小林佐賀県連会長から全国4Hクラブ員のつどいについて説明があり、全国の仲間を待っていますという呼びかけがあった。

つどいのトロフィーが昨年度の開催県、鳥取県連の中嶋会長の手から小林佐賀県連会長の手へと拍手のうちに引き継がれたあと、旧役員を代表して黒田前会長が、こん後ともできる限り協力していきたいとあいさつ、また、久野新会長が、会館建設などいろいろの問題が山積して新執行に課せられた任務は重いが、未熟ながら努力したいので、みなさんのご協力をいただきたいと述べ、各新役員もそれぞれあいさつした。

つづいて参与として星野武四郎氏と新田4H協会事務局長のあいさつがあり正午過ぎに閉会した。

総会終了後、会場の家の光会館玄関前で（前列右から5人目が久野会長）

新年度の役員

会長	愛知県・前事務局長	久野 知英
副会長	愛知県・前事務局長	坂井 邦夫
同	佐賀県・前事務局次長	黒沢 健一
同	埼玉県・前評議員	山本たい子
事務局長	青森県	松浦 幸治
事務局次長	静岡県	中野 正義
同	神奈川県	阿部 邦芳
監事	福島県	奥村 秀宏
同	北海道・留任	原田 正夫
同	大阪府	横井 弘三
	富山県	

榊原君ら新年度の全協評議員に選ばれる

全協の評議員は、各ブロックから男子一名（今年度から原則としてブロック連絡協議会の会長が当ることになった）と、統合ブロックからそれぞれ女子一名を互選することになっている。

総会における時点で、同評議員として各ブロックから選ばれた人たちは次のとおり。

なお、新年度の全協役員に中四国地方から選ばれなかったため、全協執行部から高知県連会長の川村雅士君を評議員に推せんしたいとの意向が示され、特別に評議員として選ばれた。

北海道	榊原常人
東北	菊地忠男（岩手県）
関東	白井新治（千葉県）
北陸	熊倉国衛（新潟県）
東海	竹尾 剛
中四国	河崎嘉宏（徳島県）
	川村雅士（高知県）
九州	諏訪直樹（鹿児島県）

全協で執行部会開く

全協は、総会終了後、家の光会館内の事務局で、久野新会長のもとに第一回の執行部会を開き、つどいなどについて話し合った。第二回目の執行部会は来る二十八、九の両日同所で開かれる。

4H会館建設

土地、今年度中にメド

地区段階にも推進委員を設置

全国クラブ員とOBの永年の宿願である日本4H会館の建設については、募金状況が予期以上に遅れているため、一応、目標としてきた四十五年度建設が事実上不可能となった。

このため、これまでに行なってきたPRやオルグなどに再検討を加えるべきであるとの意見が出されるとともに、募金活動の体制や募金額が各県連とも同じレベルまで達していないことなどに目が向けられ、募金活動の低滞している一部県連に対して強い反発があり、全国的に平均化を図るべきであるとの強い要望が述べられた。

この募金活動推進の体制づくりについては、昨年度の総会で各県連に二名以上の会館建設推進委員を設けることを決めた。この決定にもとづいて一部県連では、県段階だけではなく地区段階にまでこの推進委員を設置して、現在、募金活動の中心となって活躍し、大きな成果を上げている。

しかし、一部県連では、県段階にさえまだ同推進委員が設けられていないのが実情で、それらの県連の間に募金状況に差が出てきている。また、鳥取など一部県連では、これが単位クラブの段階までおろされており、いまさら県段階の推進委員について論じていることに対して強い不満が示された。

このため、神奈川県連を中心に募金活動の平均化が強調されると同時に、地区段階にも建設推進委員を設けて募金活動を強力に展開すべきであるとの決議案が出され、会員拍手によってこれを了承し、下からの盛り上がりを図ることになった。

募金方法については、一部県連から目標額を定めてクラブ員一人の頭割りを出し、それにもとづいて募金を行なってはどうかとの意見が出されたが、執行部から一県連当りの目標額を定めないで各県連の自主性にまかせてあるとの回答があり、各県連からも、人間対人間、心のふれ合い、血のかよった中で募金を推進し、自分の家を建てる場合と同じ気持で募金活動を展開する必要があることが強調された。

また、全協執行部からは、自分たちが新年度において役員を退いた場合、会員が会館建設推進員としてとどまり、会館の建設に努力する腹を固めているので、県連でも同じように、役員は推進員として必ず残ってほしいという強い要請と、自分たちが苦闘している姿をOBにもぶっつけて全員の協力体制をつくろうという呼びかけがあった。

土地については、四十五年度中に確保するよう最大の努力を図ることになった。

これに関して各県連から役員派遣の要請とともに、これまで協議されてきた事柄が具体的な姿勢として打ち出されてこない面に対して県連会長はたるんでいるのではないか、このような状態では恥しい、ここで決議されたことが実現されないようでは会長もくそもないという強い意見が出され、全国各道府県連役員の奮起がうながされた。

全国のつどい

8月24日から5日間

葉隠の里で4Hの祭典

今年度に計画されている「第六回全国4Hクラブ員のつどい」は予定されていた岩手県での開催が事実上不可能となってきたため、急きょ佐賀県で開催されることに決定した。

全協と佐賀県農村青少年クラブ連絡協議会（会長、小林秀敏君）がこれまで打ち合わせて作成した原案によると、期日は、今夏八月二十四日から二十八日までの四泊五日間となっている。

この期日については、佐賀県内の農作業の事情などを考慮して佐賀県連が決定したもの。これに対して、県連会長から大阪で開かれる全国農村青年技術交換大会の期間が八月十七日から二十日までなので、もう一度検討し直してはどうかとの意見が述べられたが、佐賀県連が会場、旅館などと再度折衝を重ねた結果、この期間を動かすことは不可能であるとの結論に達し、この期間を正式に決定した。

会場は、佐賀市民会館（開・閉会式）、九州の嵐山といわれる風光明媚な川上峡、北山ダム、葉隠発祥の地・金立山ろく、海潮の干満の差が十余㍍ある有明海の海岸、宿泊場所として佐賀郡富士町のいでゆの街・古湯温泉峡と県内一円を予定している。

主な行事内容は、全協の発足十五周年記念式典をかねた開会式はじめ記念講演、このつどいの大きな特色でもある現地交歓訪問（民泊）意見・体験発表、話し合い、キャンプファイヤー、佐賀名物の有田焼に文字や絵を書いてこのつどいの記念とする楽焼き、葉隠の里を訪ねてと題する班別活動、佐賀県内の名所旧跡などを紹介する映画観賞、芸士郷能など、つどいをふさわしく、また、佐賀の特色をふんだんに盛りこんだ行事が計画されている。

とくに今回は、青少年の自主性を身につけるため、参加者約二十名が一つの班を編成し、班による自主的活動「班別活動」をとり入れたり、これまで、すべての統一行事を終えてから行なっていた現地交歓訪問を第一日目から実施し、二泊三間にわたって行なうなど、注目すべき行事内容と日程の編成が行なわれている。

班別活動は、班の責任者とレクリエーション係などを選んで、自主的に行動の計画をたてて行なうもので、つどいの主旨や規律、危険防止などの二、三の条件をのぞいてすべて班員の責任によって自主的に行動するようにするという画期的な試みである。

現地訪問では、地域への奉仕、受入れクラブ員宅での労働奉仕と農業の実習、家族をまじえての話し合い、地域クラブ員との交歓などを予定している。

参加経費は、宿泊費、食事代、バス代、運営費などを含めて一人当り三千九百円になるもようである。

参加者は、4Hクラブ員はじめOBや家族、農高生、外国クラブ員、育成指導者、農業関係者などこのつどいの主旨に賛同する人なら離れでも参加できることになっている。

全協では、今月中につどいの開催要領を作成して、各県連と関係者に配布することになっているが各県連が参加希望者をとりまとめて（参加希望者は参加経費のうち前金として一千円をそえて申し込む）六月末まで全協事務局へ申し込むことにしている。

なお、このつどいは、日本農業の担い手として、毎日、農業の改良と生活の改善に努力している4Hクラブ員が、自分たちの手で企画・運営し、新しい技術の研さんとクラブ活動の状況についての話し合いや現地交歓訪問などを通して、青少年の仲間ずくりや自主性の高揚に役立てると同時に、地域社会から理解され、支援された家族ぐるみの4Hクラブ活動を推進するために開くもので、主催は全協、佐賀県連、日本4H協会（松下幸之助会長）の三者。

後援には、農林省、文部省、総理府、佐賀県、佐賀市、富士町、全国農村青少年教育振興会、NHK、全国農業協同組合中央会などを予定している。

つどい行事と日程の原案

第1日（目8月24日） 会場、佐賀市民会館

9.00〜11.30	受付（昼食）	
11.30〜12.30	オリエンテーション	
12.30〜15.00	開会式 全協発足15周年記念式典	
15.00〜16.30	記念講演	
16.30〜	現地交歓訪問へ出発	県内一円

第2日目（8月25日）

現地交歓訪問
- 家族ぐるみの4H活動
- 家族、地域の人たちとの話し合い
- 農業実習
- 奉仕活動

第3日目（8月26日）

〜16.00	現地交歓訪問	
16.00〜22.00	宿舎へ集合	古湯温泉峡、川上峡
	入浴、食事（佐賀郡富士町）	
	つどいを記する夕べ	
	◎楽焼き（各人に佐賀名物の有田焼に文字や名前、絵などを書いてもらい、このつどいの記念とする）	
	◎みやげ品の交換と話し合い	

第4日目（4月27日）

8.00〜17.00	集合	九州の嵐山、川上峡
	<葉隠の里を訪ねて> ＝北山ダム、金立山ろく（葉隠発生地）有明海（むつごろう）	
	班別活動 スケッチ、ハイキング、話し合いなど各班ごとに自主的に計画をたてて行なう。	
17.00	集合	古湯温泉
17.00〜21.30	キャンプファイヤー	宿舎周辺
21.30〜22.30	入浴、就寝	

第5日目（8月28日）

8.30〜9.30	バス移動	佐賀市民会館
9.30〜10.30	映画（目で見る佐賀）	
10.30〜11.30	意見・体験発表	
11.30〜12.30	バンド演奏（昼食）	郷土芸能
12.30〜14.00	閉会式	

つどい会場周辺

クラブ綱領

私達は、実践を通じて自らを磨くとともに、互いに力を合わせて、よりよい農村、よりよい日本を創るため、四つの信条をかかげます。一、私達は農業の改良と生活の改善に役立つ腕をみがきます。一、私達は科学的に物を考えることのできる頭の訓練をします。一、私達は誠実で友情に富む心をつちかいます。一、私達は楽しく暮し元気で働くための健康を増進します。

宮城副会長と新田事務局長が元気に帰国

国際農友会の関係で渡米していた日本4H協会の宮城副会長（四月四日出発）と新田事務局長（同三月二十七日）は、それぞれ十八日と十九日元気に帰国した。

涼風暖風

よど号・アポロ・テレビジョン

このところ、ショッキングなニュースが多い。

朝の茶の間のテレビに、"メコン河を流れる死体の生々しいニュースが放映されるなど、若いも若きも、いやでも世界中のできごとに関心をもたざるを得なくなっている。

最近では、よど号のハイジャック事件、大阪のガス爆発、アポロ十三号と、テレビの画面が、朝・夕刊の紙面がみんなの目をひきつけた。どくに、テレビがもつ偉大さを改めて見せつけられたといっても過言ではないような事件の連続である。

よど号事件では、百何人かのいのちを案じ、ニュース番組を求めてチャンネルがまわされていた。

それにしても、キンポ空港での滞在は、いろんな意味で長く感じた人が多かったに違いない。政治的な思惑をもっていた人はべつとして、1つは、最悪のハプニングを恐れた緊張感の持続に耐えきれなかったからだろうか。別の人は対策に自らが乗り出せない、いうなれば、対策に対する考え方の相違からくる不満がこうじて、時の流れを遅く感じたかも知れない。

それにも増して、テレビがもつ即時性、臨場性が、韓国から現場中継できないために、その真価を発揮できなかったことによるいらだたしさが影響したようでもある。空輸されてくるフィルムは、事件に心をうばわれた人には「六日のあやめ」的な感じをもたせた。また、ニュースの画面に出る国際電話のやりとりは、映像病にかかっている視聴者の欲求不満をかきたてた。

テレビが、強烈に人びとの心をとらえる力を、まざまざと見せつけたわけである。

もちろん、事件の表面的な硬着状態に飽きて、早くよど号が飛び立つなどして、事件の新局面がひらかれることを期待していた野次馬根性の人はいなかった、と信じているのだが。

アポロ十三号にしても、三人の宇宙飛行士の生還を祈って、全世界の人びとがテレビの画面を注視した。それは国境をこえ、人種を乗りこえたものであったはずである。

テレビは、人類がせっかく発明した文明の利器である。事件を、時も移さず茶の間へ伝えてくれる便利な人類の道具、それがテレビである。

事件を伝えるテレビの画像を、「対岸の火事」視する野次馬的な目でみる生活態度だけは身につけたくないもの。事件を正面からみつめ、考え、判断し、行動できる人間でなければ、テレビはみないほうがいいだろう。

（文部省 伊藤）

心頭技健

佐賀県といえば、葉隠、鍋島の化け猫、有田焼き、などがすぐ頭に浮ぶ。葉隠は作家・三島由紀夫が三年前に初版を出した「葉隠入門」によっても名を高くしたが、いわば武士の処世訓。その中でも「武士は死ぬ事と見つけたり」ということばは有名である。その葉隠の里、佐賀県で今夏八月二十四日から二十八日までの四泊五日間にわたって4Hの祭典―第六回目の全国4Hクラブ員のつどいが盛大に開催されることになった▼はじめ予定されていた、みちのく・岩手県での開催が結局、実現不可能となったのは、ことしの三月下旬。このため、毎年夏から秋にかけて開くつどいまでの期間が短く、来年以後なら（四十六年愛知、四十七年北海道を予定）という県連は多いが、ことしすぐに引き受けてもよいという県連は見当らない。全協執行部は、いろいろと代案をたて、頭をひねったが、これという名案もなく壁に突き当っていた▼このような状態のとき、これらの事情を知った佐賀県連が名乗り出た。といっても、つどいまでの期間がない。全国の仲間に喜んでもらえるような全国大会を開きたいという願望は当然強い。"寝耳に水"の状態のクラブ員に納得してもらい、末端までムードを上げることができるかどうかなどの不安もあった▼しかし、全国の仲間を助けようと、前向きの姿勢で江口前県連会長を中心に県連役員、理事が中心となってクラブ員に呼びかけた結果、クラブ員がそれに応えて、小林県連会以下新役員の体制のもとで全国のつどいを誘致することを十六日の総会で決議したのである。黒田前全協会長らが福岡に飛び、佐賀に走ったのは、赤軍派の日航乗取り事件が起った直後の九日から十日にかけてであったが、機関決定までの期間は、わずか一週間足らずだった▼このような異例の状態の中で、つどいの誘致を決意し、全国の仲間を迎えるために努力している県連役員、クラブ員の心意気に敬意を表すとともに、全国の仲間とともに拍手を送りたい▼これまでバスを連ねてつどいに参加してきた佐賀県内のクラブ員が、こんどは逆に全国の仲間を迎える立ち場になったわけであるが、全国のクラブ員も、つどいが盛大に、しかも成功するよう協力してほしいものである。

4Hの再認識と自主独立の精神を高々と

活動方針

全協の四十五年度の活動基本方針は次のとおり。

日本に於ける4Hクラブ活動は昭和二十三年、農業改良助長法の制定にもとづき農業改良普及事業の一環として農村青少年の健全育成と食糧増産を目的としてアメリカからとり入れられた。このように政府の施策としてとり入れられた4Hクラブは、農林省、県農業改良普及所の指導のもとに全国各地域に結成され、4Hクラブ活動が積極的に展開されてきた。

この農村青少年の活動は、戦後の日本農業の激動期に際し、所期の目的達成のためのプロジェクトによる実践活動を通じ、農業の改良と生活の改善に取り組み、豊かな明るい農村建設のために邁進してきた。この先輩たちの行動は、日本の発展にとって大きな功績を残したのである。

ところが、最近の日本経済の成長は目を見はるものがあり、自由諸国において、国民総生産がアメリカに次いで第二位を占め、全世界の注目をあびている。とくに、工業部門の発達はめざましく、農村の次三男はもとより、農業経営者の出かせぎを高度な労働力として吸収してきた。

このことは、農村の後継者不足に象徴されるように、仲間の減少はわれわれの末端組織の混乱をきたし、4Hクラブの基本であるプロジェクト活動が低調となり、クラブ員のクラブ員としての意識が低下しつつあることは憂慮すべきことである。

また、本来この種の青少年活動は自然発生的にめばえ広がっていくものである。しかし、わが4Hクラブ活動は、国策によって誕生し、行政の力によって推進されてきており、いまなお行政の力によりかかっているのが現状である。このようなことは、青少年の主体性を欠き、青少年自からの自主的な教育の場としての存在を認められず、いろいろの問題にも自主的解決を難しいものにしている。

近代農業の実現と豊かな農村の建設は全国民の願いであり、われわれ4Hクラブ員の使命である。これは、農村青少年（4Hクラブ員）の自主独立の精神と実践力にかかっており、4Hクラブ理念の体得と主体性の確立は、明日の農業、未来の社会を左右するものと考えられる。

われわれ4Hクラブ員は地域社会の開拓者として、忘れがちなプロジェクト活動の重要性を再認識し実践に励まなければならない。農業をとりまく情勢は、総合農政、農産物の自由化、米作生産調整にみられるように非常に厳しいものがあり、大きな変革を迫られている。

このような中で、われわれ農業青年は、地域社会や家庭に理解される家族ぐるみの4Hクラブ活動を展開するとともに、プロジェクトを中心とした4Hクラブ組織の再編成を図るために、日本4H会館の建設によって4H精神の高揚、事務局の独立設置、クラブ員のための研修、宿泊、資料、交歓の場を一日も早く実現し、主体性のある組織活動の強化を図らなければならない。

本年は、以上のような意味から4Hクラブの再認識と4Hクラブ活動を通して青少年らしい自主独立の精神を養い、考える農業経営者とし仲間や家族、郷土を愛する民主的な社会人としての素養を身につけるため、下記の活動を行なう。

45年度 全協の活動方針と事業

県連会長会議4回に

中央とブロックで 中央推進会議を2回

事業計画

四十五年度の事業計画は次のとおり。

一、組織の強化と主体性の確立

(一) 事務局体制の確立

4Hクラブの機能や活動を充実させ、使命達成のため事務局の独立と自主的な運営が必要である。また、日本4H会館の早期建設に努力するため一ヵ月十日間の事務局員の駐在を実施する。

(二) 全国クラブ員の実態調査

昨年度にひきつづきクラブ員実態調査の未提出県連の早急な協力をあおぎ、組織の実態を明確に把あくし、4Hクラブ組織の強化と拡充を図り、クラブ活動の資料とする。

(三) 役員派遣

全協役員を県連に派遣して、全協の活動方針や事業計画、日本4H会館の建設などについて説明するとともに、いろいろの問題について現地の意見を聞き、その解決に努める。経費の節減や充実を図るため、重点ブロックを定めて行なう。

(四) 日本4H新聞（機関紙的存在）の活用と普及

日本4H新聞は、クラブ員の唯一機関紙として、その購読と活用を積極的に行ない、農業や生活、クラブ活動上の情報源とする。

また、クラブ員全員の購読をすすめ、日本4H協会と共催して連絡報道員の研修を実施し、紙面の充実と購読部数の増加を図る。

(五) 4Hクラブ加入促進運動の展開

新規就農者やクラブに未加入の農村青少年に対して、4Hクラブへの加入を呼びかける。クラブ未結成地域においては、県連と協力して結成を呼びかける運動を展開する。

(六) 手びきの発行

4Hクラブ員の手びきを編集、発行し、クラブ員の学習活動や未加入青少年へのよびかけの参考資料とする。

(七) 4Hクラブの体質改善

めまぐるしく変革する社会情勢の中で、4Hクラブがさらに高度な発展を図るため、体質の改善が要求されている。このため、専門委員会を十分活用し、有識者の意見も参考にして、新しい4Hクラブの形成に努力する。

二、4Hクラブの使命と精神の高揚

(一) 道府県連会長会議の開催

全協と県連の連絡協調を密にするため、年四回開催する。

(二) 全国4Hクラブ中央推進会議

4H精神と4Hクラブ員の使命を理解した良きリーダー、良き農業経営者の養成は、大変重要なことであるため、全国4Hクラブ中央推進会議を年二回開催する。年度初めには現リーダー、年度終りには次期リーダーのための会議内容とする。

昨年まで主催してきたブロック推進会議は、各ブロックの自主性にまかせて全協が後援する。

(三) 全国4Hクラブ員のつどい

全国の4Hクラブ員と家族、OB、関係者など誰れでも自由に参加でき、つどいの中で交歓を通じ仲間としての協同精神を涵養し、日本農業の担い手としての4Hクラブ員の自主性を高めるため、青少年自から企画、運営するつどいを開催する。

また、地域社会から理解された幅広い団体に向うため、現地交歓訪問や家族ぐるみの参加、さらに奉仕活動などを織り込んで実施するものである。

(四) 青年農業者会議

この会議において、4Hクラブ活動の基本であるプロジェクト活動のあり方や実績発表などを行ない、プロジェクト活動の再認識と科学的な問題解決を図ることのできる青少年を育成する。

(五) 奉仕活動の展開

誠実で友情に富む精神を培ってことは、4Hクラブの一つの目標であり、これを実践することに意義がある。地域社会の環境整備について率先して行ない、自然を美しく保護するなど奉仕精神の高揚につとめ、地域社会に貢献する。

(六) 海外青少年との交流

4Hクラブ員は、海外の青少年と積極的に親ぼくを深め、交流を盛んにしてお互いに理解しあい、ともに協力していくことが大切である。このため、草の根大使として来日する米国、中華民国、ブラジルの青年はもとより、わが国に研修に来ている外国青年との交歓の場をもつとともに、自からも海外へ進出して、視野の拡大を図るよう努める。

(七) 日本4H会館の建設について

全国4Hクラブ員の殿堂である日本4H会館の建設は、われわれに課せられた大きなプロジェクトである。この建設は、全協、県連をはじめ全国クラブ員の自覚と実行力を結集しなければ実現できない。

昭和四十二年度に早期建設の気運が高まり、翌四十三年度には趣旨徹底を図るため「しおり」や設計図もでき、募金活動を展開してきた。会館建設の目標にした四十五年度に完てることは、現在の募金状況から判断して無理であるが、ここで今までの活動を反省して、もう一度全国の仲間の奮起を期待するものである。

少なくとも、会館の土地については、昭和四十五年中に確保するよう最大の努力を図るつもりである。みなさんのご協力をお願いしたい。

三、外部団体との連絡協調

(一) 中青連関係

中央青少年団体連絡協議会の加盟団体の一員として他の青少年団体との連けいを深め、幅広い階層と職業の青少年との協調を図る。

(二) 青少年育成国民会議関係

国民会議の構成団体として、青少年の健全育成に協力し、全協は中央組織に、県連は県組織の運動に対して積極的に参加する。

(三) 官庁、団体関係

農林省、文部省、総理府、全国農村青少年教育振興会、日本4H協会などのほか、各種青少年育成団体などと連けいを深め、4Hクラブ活動についての指導と助言をあおぐ。

(四) 4HクラブOB関係

4Hクラブの活動の展開のなかで、篤志指導者の指導助言は必要欠くべからざるものである。

このため、自ら4Hクラブ活動を体験したOBの組織体制を整え4HクラブのPTA的役割を果たすとともに、自主的な活動ができるように全協、県連が中心となってOBに呼びかける。

全国の仲間救う

つどい誘致決めた佐賀県連

全国4Hクラブ員のつどいは、全協、日本4H協会と開催県の共催によって、大分県を皮切りに、これまで埼玉、富山、奈良、鳥取各県で開催されてきているため、今回は地理的にみて東北地方が開催地として有力な候補に上げられ岩手県に白羽の矢が立てられた。

そこで、昨年度の総会において同県連につどい開催を要望し、その後、全協と岩手県連の間で折衝が続けられてきた。しかし一時は実現の可能性が出てきたとみられたが、岩手県と同県連から、今年度同県で国体が開催されることや同県で計画的に進めてきたクラブ組織の強化が進行中であるなどの理由から、つどい誘致が困難であるとの意向を示してきた。

そこで、昨年の暮、静岡県御殿場の国立中央青年の家で開いた全国4Hクラブ中央推進会議における県連会長会議で、つどいへの協力体制をつくるので岩手県で開催してほしいと訴え、岩手開催を再確認した。

このため、その後も全協と岩手県連との折衝を重ねてきたが、実現への道が開かれず、三月下旬、ついに岩手開催を断念すべきであるとの判断を下した。しかし、つどいまでの期間が極端に短いので来年度以降の開催を名乗り出る県連があっても、四十五年度の開催を容易に引き受ける県連がなく、全協執行部としても壁に突き当った状態だった。

このようなとき、これらの事情を知って、それでは、全国の仲間を救おうと、つどい開催を申し出たのが佐賀県連であった。

赤軍派の日航機乗取り事件の直後、黒田前全協会長らが飛行機で福岡に飛び、佐賀県連の理事会でこれまでの事情を説明し、強力を要請した。

小林佐賀県連会長

〃寝耳に水〃のような状態の一部の理事の人たち、内部的にはいろいろ問題をかかえている佐賀県連ではあったが、役員の呼びかけにクラブ員たちも協力の態度をみせ、十六日の県連総会において、正式につどい誘致を機関決定した。

つどいまでの期間は約四ヵ月である。つどいを開催した他県連にくらべて準備期間はきわめて短かい。このような異例の状態の中で全国の仲間を快く迎えてくれることになった佐賀県連の努力は高く評価されるとともに、佐賀県連以外のクラブ員の絶大な協力が望まれる。

専門委の内容改革 全協

規約改正の主な点 事務局次長一名減らす

全協規約のうち一部改正された条項と、その改正理由は次のとおり。

一、第三章（役員）第五条の役員構成のうち、事務局次長について人数を従来の三名から二名に減らすことにした。

これは、事務の増加、複雑化にともない事務局員の負担がますます大きくなってきたことや、事務局体制の確立を図るうえから、一ヵ月に約十日間、事務局に駐在する事務局職員をおき、この事務局員が同次長のかたがわりの役を果して、事務の処理に当ることになったためである。全協事務局役員の雑務を軽減し、その任務遂行を円滑にできるようにした。

一、第三章第六条の役員改選のうち、評議員について、従来は、会員の中からブロックごとに男子一名を互選し、となっていたものを「原則としてブロック連絡協議会の会長が当り」と改めた。

これは、いままで評議員の位置づけが明確でなく、ややもすると遊離する場合も見受けられたため さいきん、ほとんどのブロックで連絡協議会が結成されたことから原則としてその会長が評議員になることにし、ブロック代表としての位置づけを明確にするとともに全協と県連のパイプ的役割を果たすことにしたもの。

一、第四章（機関）第十一条の会議うち、従来の専門委員会を「委員会」にした。

また、同委員会を規定している第十五条においても、従来、専門委員会として、企画、広報、渉外、組織、特別の四委員会をおき、会務処理に必要な事項を専門的に研究するとなっていたものを、新規約では、「委員会は本会の会務処理に必要な事項を研究する」とし重要案件を継続審議する専門委員会と、緊急に発生した問題について審議する特別委員会をおくことにした。

一、同じく委員会に関し、第十六条と第十七条にまたがり、従来専門委員会は委員長が招集し、その他の会議は会長が必要と認めたとき招集することになっていたが新規約では委員会もその他の会議の中に含めて、会長が召集できるようにした。このため第十七条は削除した。

また、附則の第三条において、従来「専門委員会は評議員によって構成する。ただし委員長が認めた場合は学識経験者若干名を選ぶことができる」となっていたが、新規約では、委員会は評議員と学識経験者（OBを含む）で組織し会長が委嘱する、と改正した。

一、附則第九条の役員旅費支給について、旧規約では、目的地最短距離二等実費（急行料金を含む）と規定されていたが、昨年のように、つどいの件に関して緊急に目的地に出向かなければならない事態が生じ、飛行機や特急を利用した場合、役員に大きな負担がかかってくるため、緊急の場合に限り特急料金まで認めることにした。

顧問に農政局長など推たい

全協は、四十五年度に次の人たちを顧問や参与に推たいした。

【顧問】池田俊也（農林省農政局長）田所萠（同省農政局普及部長）宮脇朝男（全国農業協同組合中央会々長）東畑精一（社団法人全国農村青少年教育振興会々長）大山勇（日本放送協会農林水産部長）松下幸之助（社団法人日本4H協会々長）宮城孝治（同協会副会長）三宅三郎（同常務理事）

【参与】矢野晴男（農林省農政局普及部普及教育課長）矢口光子（同省普及部生活改善課長）大賀忠直（同普及教育課青少年班長）山中昌裕（文部省社会教育局青少年教育課長）西川哲雄（全国農村青少年育成研究会々長）湯浅甲子（篤志指導者）星野武四郎（同）新田健吉（社団法人日本4H協会事務局長）岩崎茂（全協初代会長）黒田保（全協前会長）

万博のアメリカ館で

肉牛（4Hプロジェクト実績一位入賞）を管理

岩田君（愛知・三好4Hクラブ）が4H代表し

大阪で開かれている日本万国博覧会のアメリカ館に、同国の4Hクラブプロジェクト実績発表大会で第一位になった肉牛が四月下旬から約一ヵ月間展示されることになったが、その管理人に、愛知県西加茂郡三好町大字福谷（ウキガイ）の三好4Hクラブ員・岩田芳信君(二三)が選ばれた。

この肉牛管理については、先月下旬、アメリカ大使館から日本4H協会を通じて全国4Hクラブ連絡協議会に話しが持ち込まれた。ちょうど会議を開いていた全協執行部は、さっそく相談した結果、この申し込みを受け入れようということになった。しかし、急に持ち込まれた話しで、人選も急がなければならないので、とりあえず会議に出席していた役員が心あたりの人を探すことになり、目ぼしい人にあたった結果、岩田君が浮かび上がった。そこで、さっそく同君を4H協会を通じてアメリカ大使館に推せんしていたが、このほど決定したもの。

また、展示が終ったあと、アメリカ大使館では、この牛の肉代金を4Hクラブ活動のために、全協に寄付することになっている。全協役員の話しでは、全米のプロジェクト実績発表大会で一位になった肉牛なので、肉代は二十五万円以上はするだろうという。

なお、来る二十八日午前十時四十五分から東京・世田ヶ谷区の馬事公苑で牛の引き渡し式が行なわれる。これには、十余名の4Hクラブ員が出席することになっている。

毎日の生活を見つめよう

クラブ活動12ヵ月 (12)

新しいクラブ員を中心に

栃木県・普及教育課 湯浅甲子

記録は不可欠条件

優れた農業者になるために

いよいよ、忙しくなってきた。皮肉なことに、人が花見だ、なんだかんだと春がすみの中を浮かれ遊んでいるとき、こちらは、農作業の大事な時期に入ってくるのだ。これは、卒業の余韻も消えぬあなたには、かなり試練であろう。

わたしが以前に普及所長をしていた頃、ある農家のあととり娘さんが、こんなことをいってきかせてくれたことがあった。

「所長さん、うちは市街地や工場団地に近かいもんだから、朝の通勤どきなど、BGやサラリーマンが、沢山とおるんです。丁度、朝仕事をおえて、野らから上ってくるとき、そういう人たちといきあいます。むこうから、同級生だった人や、知った人が近づいてくると、どうしても顔をそむけてしまいます。笑顔であいさつを交わしても、そのあとすぐ、さびしい気持になってしまいます。

いえ、所長さん、私は、農業は好きですよ。ムコトリだからではありません。農業の生活に夢もえがいています。だけど、どうしても、そうなってしまうんです。わたしにもどうしてそうなるのかわかりません。女性だからでしょうか。それとも若いからかしら」

若いからかしら、といったとき、この娘さんは、はじめて、いつもの明るい笑顔をとりもどして、ハジケるような目ばたきをして、話題が変った。

ちょっと気になるような話を聞いてしまったが、正直なところ、この春の諸君の胸中は、複雑であろうと思うのである。諸君には、農業についても、まだわが家の経営の方向についてもまだ、見透すだけの体験は持っていないのである。それなら、ジーッと忍の一字で、耐えしのぶしかないのだろうか。いや、そうではないのである。

今日の農作業は、来年の今日まで、再び繰りかえすことのできない仕事である。いや、今日の仕事と、来年の今日の仕事は全く同一ではなく、むしろ、今年の今日の仕事が、土台になって、来年の仕事ができるのである。だから、今日の仕事に勝たなければ、来年の今日の仕事に成功することは、むづかしい。農業には、やりなおしのきかないきびしい仕事が多いものである。だから、一見、単純で、技術のひらめきなど、全くないような泥仕事にも、ゆるがせにできないものがある。

そういう意味から、農の仕事は、毎日、毎日に、その価値を見いだし、おのれにきびしく、とりくんでいかなければならない。見方をかえれば、農業にとりくむことは、おのれの意志との、とりくみ、といえるかもしれないのである。これは、一面健かに、知識や技術ではなく、精神力の勝負であるともいえよう。

一面には、毎日をカラ振りしないように、その日のことを、よいにつけ、悪いにつけ、正確に、克明に、記録をしておかなければならないということである。

私は、前に、親と共に働き、親から学び、あせらず、じっくりやれということを書いたが、あせらずに、じっくりやるということは、毎日、毎日の生活をしっかり見つめていく生活態度だと思うのである。それには、絶対不可欠の条件として、記録をしっかりとやっていくことである。

生活日記、労働簿記、営農簿記など、記録の様式はいろいろある。それは、自分の能力と、家庭の中の位置づけによって、できるものから、始めればよいのである。毎日毎日のことであるから、克明にといっても限度がある。だから、少しずつでいいから、継続することが大切だ。継続するには、自分の自覚や意志も大事なことであるが、もう一つ、生活の流れや、仕事の手順の中に、記録する――コマを入れておかなければいけない。

よく、仕事が終ってから記録簿に向う人がいるが、これは長つづきさせることが大変だし、第一、記録することが、仕事外になっているようで問題である。記録は、大切な本業である。だから当然、仕事の中で記録がされなければいけないはずである。

商店主が、その都度、伝票を切ったり、工場で、工程ごとに作業の進行が、チェックされているのは、諸君もよく知っているだろう。農業だって全く同じである。これから企業的農業をやろうと考えている若い農業者なら、何といっても、農業とその記録を一体化させなければならないだろう。

これからの世の中は、よく情報化社会といわれるように、情報の処理能力の優れた分野の人たちがリードをする社会である。それには、記録がまず、前提である。そして記録の処理がどのように仕事に結びつくかが、これから伸びる産業になるか、脱落の運命を担うかの分れ道である。農業が、こんにち、他産業に立ちおくれた大きな要因の一つに、記録の分野の未発達があったのではないだろうか。

諸君が、近き将来に、優れた農業者として独立できるか、できないかは、かかって、今日、明日の農業の記録に、どのようにとりくんでいるかによるのである。

いま、すぐにでも、記録活動を始めてほしい。これが、やれないなら、農業の担い手としては、失格である。

4月

農産物価格の動向と背景

農業白書（3）

価格のあらまし

◇農産物生産者価格の上昇鈍化

一、三十年代の半ば以来、年率八％余におよぶ高騰を続けてきた農産物の生産者価格は、四十三年度にはわずか一・五％の小幅な上昇にとどまり、四十四年度は青果物の著しい反騰もあって前年をかなり上回ると見込まれるが、従来の一貫した上昇基調とは異なっている。

これは、国内生産の増大に加え一部農産物では、輸入増加による影響もあるなど需給の緩和する農産物がふえてきたためである。

一、米の政府買入価格は、四十三年産の引上げ率が五・九％と従来より小幅にとどまり、四十四年産は深刻な生産過剰を背景にすえ置かれた。

ここ数年来騰勢を続けてきた肉用牛の価格は、乳用おす牛の若令肥育の増加もあり、なお、高水準にあるとはいえ軟調に転じている。生乳は需給の緩和もあって、生産者価格の上昇率は小幅にとどまった。四十二年下半期来、高騰を続けてきた豚の価格は四十四年下期にはいって、ようやく生産が回復に向い、輸入肉の出回りもあり、十月以降反騰に転じている。鶏卵およびブロイラーは、他の農産物にくらべ経営規模の拡大が著しく、大量供給の体制が進み、価格はほぼ安定的に推移している。青果物は四十三年度の暴落を経て、四十四年度に反騰するなど豊凶変動を反映していぜん騰落が激しい。しかし、みかん、りんごの価格は需給基調が緩和気味で、すう勢的には騰勢が鈍化している。また、でん粉の需給緩和を反映して、原料いも価格は軟調に推移している。

近年続騰してきた繭価格は、四十三年に生産の増化と生糸の輸入増により下落したが、四十四年の後半にはいって持ち直している。

一、従来わが国の価格政策は、米に偏し、かつ価格の安定よりも引上げに傾斜して運営されてきたことなどもあって、農産物間の相対価格関係にひずみを生じ、農業内部における生産諸要素の適正配分をさまたげるように作用してきた側面もある。とくに政府買入米価の連年の引上げによって、米の収益性は他の農産物にくらべて、非常に有利になり、過剰生産をもたらしている。米価の引上げ幅が小さかった四十三年度においても一部の畜産物を除いて、多くの農産物が値下がりしたため、米の相対的有利性は変っていない。

農産物の生産者価格をめぐるもう一つの問題は、国際価格との関係である。価格の国際比較には資料や品質差など種々の制約があるが、FAOなどの資料によると、わが国の農産物生産者価格の近年の騰勢は、他の先進国にくらべてきわだっている。土地に依存しないで大規模生産の有利性を発揮できる鶏卵、ブロイラー、肉豚はほぼ同水準であるが、穀類および大家畜生産物などはかなり割高となっており、国際競争力の点で大きな問題である。

一、四十三年度の食料品の消費者価格の上昇率は、前年度より低下したものの五％を示し、四十四年度にはいっても騰勢を続けている。これは、一部生鮮食料品の値上がり、コスト圧力を反映した中小企業製品を中心とする加工食料品と外食の根強い上昇に起因している。

生鮮食料品の価格は、概して消費者価格の方が、生産者価格にくらべて変動幅が小さいという特徴をもっているが、これは小売マージンや運賃などにみられるように加工流通経費が多分に固定費的性格を有しているためである。

流通含む、総合政策を
価格、国際競争力の点で問題

◇農産物の加工・流通

一、農産物が生産者の手を離れてから消費者に至るまでには幾つかの加工、流通過程を経ている。「産業連関表」によれば、最終消費者の食料支出額のうち、生産者受取額の割合は三十五年度から四十年にかけて低下しているのに対して、加工、流通経費の割合は五六％へと高まっている。

このような傾向は、アメリカなど先進国にもみられ、経済の発展に伴う必然的な現象であり、今後食料の安定的、かつ効率的な供給を図るためには、農業のみならず加工流通をも含めた総合的な政策を進めていくことが一層必要となってきている。

一、食品工業は、加工食料品の需要増大を背景に、近年急速な発展を遂げており、その出荷額も年間五兆円（四十二年）に達し、製造業のなかでも大きな産業分野の一つである。出荷額は三十五～四十二年間に約二・五倍になったが、需要の動向に対応し、漸次在来食品から新製品を中心とする食品部門へ、低次加工から高次加工へとその比重を移してきている。

また、食品工業は、元来、零細企業が多いことなどが特徴となっているが、企業の合併などを通じて規模拡大が進むほど産業再編成への重さが著しい。なかでも製粉、油脂、配合飼料など一次加工の基幹業種で原料の輸入依存を高めつつ産業体制を整えた大手会社が、高次加工部門さらには販売流通面に至るまで進出し、企業の系列化を伴いながら、市場シェアの拡大を図るという動きがみられる。

一、農産物の流通をめぐる環境も近年大きく変化してきている。主産地形成の進展と相まって農業などを中心に共同出荷体制が次第に整備され、商品の規格化、包装の改善、荷造りの標準化などが進み、農協が流通過程で果たす役割も次第に強まってきている。

また、近年における高速自動車道の相つぐ開通をはじめとする道路網の整備は、農産物流通圏の拡大をもたらしている。それは、遠隔地輸送を可能にし、輸送費の増高を招いているが、一方、産地間競争の激化を通じて生産、出荷の合理化を迫り、共販体制の確立を促す面もある。

一、中央卸売市場は、生鮮食料品とくに青果物の流通量の約四割を占め、流通の重要な拠点となっている。卸売市場は、中央および地方市場を問わず、その施設なり配置などが近年の人口の都市集中、自動車利用の増大、産地の大型化消費の多様化、平準化などに必ずしも十分に適応できていない面がみられる。生鮮食料品の効率的な流通を図るため、その一層の改善が要請されている。

一、小売マージンは、流通経費のなかで、もっとも大きな比重を占めている。飲食料品小売店は四十三年に七一万一千店を数え、一般に消費者の食習慣や購買行動とも関連して零細なものが多い。そのため、労働費など経費の上昇を取扱量の増大によって吸収し難い事情にあり、単位当たりマージン額の引上げにより対応しがちである。しかし、近年、スーパーマーケットなどの新しい経営方式により、大量取引きの効果を発揮している小売店の進出がみられ、これに刺激されて、在来の小売業の近代化、合理化への機運が高まっている。

また、近年、ブロイラーにみられるように、大手総合商社などが中心となり農家と契約生産を進める一方、系列問屋、スーパーマーケットなどとの提携を幅広く行なうなど、生産から小売段階までを通して組織化を進めており、流通過程における新しい動きとして注目される。

私のプロジェクト

春蒔き白菜の栽培
トンネルマルチ利用

埼玉県北足立郡新座町 新座4Hクラブ　須田益太郎

大幅な省力に成功
有利性の実証に自信得る

私の住んでいる新座町の土壌は火山灰土地帯で、主に根菜類、葉菜類を主体として経営が行なわれています。私は昭和四十二年度に温床による春まき白菜を取り入れて栽培してみました。その結果、非常によい成績が得られました。

そこで四十三年度には、最近普及してきたトンネルマルチを利用した栽培に切り替え、どの程度の成績が得られるものかと考え、温床栽培とトンネルマルチ栽培を五アールずつ行なってみました。

成育初期の省力を目標

温床栽培は、初期の段階において多くの労力を必要とし、その中で移植および定植が大きな割合いをしめています。育苗期間中は、細心の注意を必要とし、精神的負担も大きくなります。このような問題が白菜栽培の大きな障害になったため、四十四年度には①栽培労力の省力化（育苗期間）②トンネルマルチの応用――という目標のもとに、前年経験したトンネルマルチ栽培を応用し、栽培面積を拡大しながら、トンネルマルチ利用の春まき白菜の栽培を行ないました。

重要な初期の管理技術

栽培計画は、三月中旬、播種準備、下旬播種、四月中旬・換気、間引き、下旬・トンネル除去、五月上旬・追肥、中旬・薬剤散布、下旬・収穫はじめ、六月上旬・収穫終り。

栽培方法

三月十日に消石灰一〇〇㌔を全面散布し、全面をロータリー耕起、三月二十日に堆肥一・二〇〇㌔、降過苦土一〇〇㌔、硫加二〇㌔を施しマルチ張り。三月二十四日に播種、三月二十五日トンネルかけ、四月十二日第一回間引き、同十八日第二回間引き、DDT乳剤散布、同二十日換気はじめ、同二十七日トンネル除去、同二十八日追肥（硝酸加里八〇㌔、尿素二五㌔）、薬剤散布（マンネブダイセン）、五月九日かん水、同二十日薬剤散布、同二十七日収穫はじめ、六月十日収穫終りの作業を行ないました。

十㌃当りの肥料成分量は、N・三四・五㌔、P・二三㌔、K・三〇・六㌔です。

温床とマルチ栽培の労力比較

図表によって説明しますと、まず、温床栽培では全所要労力の五〇％が栽培初期にかかってしまい、その中で定植九人、移植六人、移植床作り三人、管理二・五人が大きな割合を占めています。定植、移植においては、苗の移動などに細心の注意をはらい、育苗管理においては、毎日の換気、かん水、コモかけなど一時も目をはなせず、生育成長のバランスを取りながら、よい苗を作らなければ、よい品質のものを収穫することはできません。

それほど、育苗管理技術は重要となり、技術的な問題がクローズアップされ、精神的な負担も大きいわけです。

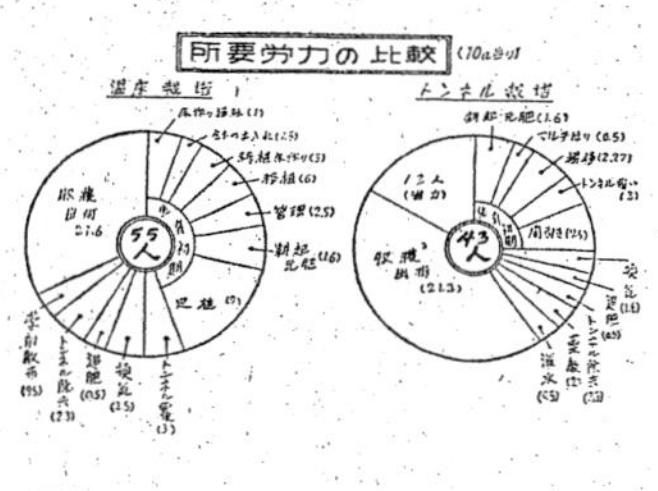

大幅な労力省力に成功

トンネルマルチ栽培は、全所要労力の二八％が栽培初期の労力です。トンネルマルチ栽培は図表をみてわかるように、温床栽培より大幅に労力が省力され、トンネルマルチは有利であります。

そこで両栽培を比較してみますと、トンネルマルチ栽培の初期労力は一四・八人、温床栽培の場合は二七・六人要しています。したがってマルチ栽培は温床栽培より初期労力が一二・八人も省力されるわけです。

これからしても温床栽培は、初期労力の換気、かん水、コモかけなどの作業に多くかかり、大変な作業であることがわかります。これに対して、トンネルマルチ栽培は栽培初期の換気、かん水の管理作業が不要で、労力が大幅に省力されます。

栽培後期においては、両栽培とも同じ位の労力を必要とし、若干トンネルマルチ栽培が〇・八人多く必要とします。なお、両栽培の所要労力は、温床栽培が五五人、トンネルマルチ栽培は四三人で、温床栽培より一二人省力されました。

今後の農業は、昔ながらの農業に対する観念では農業の近代化は望めません。そこで私はこのプロジェクトを通してこのような問題を根本的に解決して、省力化による合理的な経営を可能にすることができました。

初期成育が収量に影響

つぎに栽培結果ですが、温床栽培の場合の品質は、L八〇％、M一五％、S五％と上物率は高く、品質のよいものが収穫でき、収量は八五九五㌔で、栽培日数が九十四日かかりました。

トンネルマルチ栽培の場合は、L七五％、M一五％、S一〇％で品質は温床にくらべて若干おとりますが、これは、マルチに直播したため、初期の成育が悪く、これが後期にまで影響したものと思います。収量は七七四〇㌔で、栽培日数は六十四日です。品質や収量では温床栽培に若干おとりますが、栽培日数が三十日あまりも短い割にはよい結果が得られました。

これにより、トンネルマルチ栽培の有利性が実証でき、自信を深めることができました。

栽培結果の反省

一、トンネルマルチ栽培は、育苗労力が温床栽培の約二分の一の労力で栽培ができる。

二、栽培期間の短縮ができた。

三、トンネル用に小カブに使用していた割竹が利用できた。

四、労力の中で出荷労力が割合多くかかった。

五、収穫後期に天候が不順だったため、軟腐病の発生がみられました。

以上のような反省から、今後は病害に強く、しかも、短期間で収穫できる品種の選定、早期出荷、栽培面積の拡大に努めていきたいと思います。

農業簿記

京都大学名誉教授　大槻正男

＜自計式農家経済簿記＞

決　算

年度末決算を行なうためには、まず、現金現物日記帳を締切り、つぎに財産台帳を締切り、そうしたあとで決算にはいる。

現金現物日記帳集計計算表

現金現物日記帳月別集計表　現金現物日記帳の各欄の毎月の計を、現金現物日記帳月別集計表に転記し、各欄の合計として年計を算出する。

現金現物日記帳計算諸表　所得的収入年計・財産的収入年計・所得的支出年計・家計支出年計・財産的支出年計および生産物家計仕向け年計を算出し、その後に、農家経済決算表にそれらの年計を転記して「所得的総収入」「所得的総支出」「家計費」ならびに「家族負担家計費」などを算出する。

財産台帳集計表

財産台帳の各種資産および負債の年度末記入を終り、それぞれ「小計」を算出したならば「財産台帳集計表」にそれぞれ転記して各計をもとめる。

財産台帳集計表の記入欄は「年度始め価額」「固定財償却額および流動財減少額」「固定財増殖額および流動財増加額」「財産的取引による増減」および「年度始め価額」からなっている。

おのおのの資産について記入が終ったならば「固定財」については「計（固定資産）」の行に、その各欄の計をもとめて「固定資産償却額」「固定資産増殖額」「財産取引による増減額」「次年度始め価格」計を記入し、「流動資産」についても「計（流動資産）」の行に「流動資産減少額」「流動資産増加額」および「次年度始め価額」計をそれぞれ記入する。

「現金および準現金」のうち現金については、年度末あり高をそのまま「次年度始め価額」欄に、準現金については「財産的取引による増減額」ならびに「次年度始め価額」を記入する。そして「固定資産」「流動資産」「現金および準現金」の三者を合計することにより、次年度始め（年度末）資産額を算出して「合計（資産）」欄に記入するのである。

「負債」については準現金と同様に記入を行ない、資産合計から負債額を差し引いて財産額を算出するのである。

「固定資産償却額および流動資産減少額」欄に記入されるべき財は供用財であって、この固定供用財の償却額ならびに流動供用財の減少額は所得的失費算出の際、その年度の費用の一部分をなすものとして計上される。他方「固定資産増殖額および流動資産増加額」欄に記入されるべき財は、いずれも結果財であって、この固定結果財の増殖額ならびに流動結果財の増加額は粗所得算出の際、その一部をなすものとして計上される。

「土地」は特別な場合を除くほかは償却額も増加額もなく、また「建物」「大機具」も一般に増殖額がないことも、また流動資産の「小植物」「小機具」および「中間性産物」の記入欄は、特別な経営の模様がえでもない限り、全体としての価額に増加も減少もないものとして、年度始め「価額」欄の数字をそのまま次年度の年度始め「価額」欄に記入する。

ホンダ汎用機フェア
新オープンのSR福岡で

多彩な機種の陳列でにぎわう会場

【九州】四月三日、福岡市祇園町にオープンした「ホンダSR福岡」（セールスプロモーションルーム）では、そのコケラ落としにさる十二月まで、本田技研汎用機事業部の主催で「ホンダ汎用機フェア」を開催九州地区の各事業関係者や一般農業者でにぎわった。

同事業部では、同社の二輪、四輪に加えて、農業機械、エンジンなどの汎用機を三本柱の一つとして意欲的に製品化してきたが、この催しを契機に、とくに、市場性の大きい九州地区で、市場拡大に直結する一大キャンペーンを展開すべく、そのオープニングとして行なわれたもの。

当日の人気の的は、同社の誇るティラーF-28。とくに、春先に需要の多い「播種機」、バリカンのアイディアを生かした「バリカンソモア」山芋の掘り取りや排水溝などが簡単にできる「穴掘機」などに関する質問が集中した。

また、携帯発電機部門では、椎茸栽培の電源用に、ドリルと組み合わせたE-三〇〇や、茶園向きの茶摘み機用E-一〇〇など、女性でも扱えるハンディーさが好評だった。

NHK農事番組（5月1日～10日）

テレビ

明るい農村　月～土　6・30～6・55　総合
1日　村をむすぶ
2日　農村新地図　詩人・黒井千二（兵庫県三木市）
4日　村の記録　二十五年目の合併（埼玉県花園村）
5日　きょうの話題　保育所のこども（厚生省児童局長）坂元貞一郎　ほか
6日　産物往来　緑茶（静岡県榛原郡牧原）
7日　話題の広場　農業の未来館～万博にみる農業の未来
8日　村をむすぶ

農業教室　月～土　7・30～8・00　教育
1～2日　温室の構造と設備
4～6日　果実の需給と価格
7～9日　畑作酪農の問題点

あすの村づくり　日　7・00～8・00　教育
3日　自治と取り組む青年活動　和合田毛彦（長野県）太田正紀（山梨県）ほか
10日　▽グループだより「都市農業はわれらの手で」

ラジオ

早起き鳥　5・05～6・00　❶
1日　現地報告　すすむか花の流通改善（千葉県和田町）
2日　村のポスト
3日　▽特集　村の慣習
4日　現地報告　再出発にかける酪農民
5日　▽特集　こどもの遊園
6日　通信員の手帳から
7日　人と話題　世界園芸学会から帰って（鳥取大学教授）遠山正瑛
8日　現地報告　パイロット事業への期待（三重県上野市）ほか
9日　村のポスト
10日　話題の窓　農機具事故（北信総合病院長）長田〇

ラジオ農業学校　月～土　6・40～7・00　❷
3日　▽グループの集い「みかん生産を考える」（愛媛県周桑郡丹原町）若葉会
10日　▽経営手帳「りんご輸出の問題点」「今年の鶏卵市況」

あしたの青春

一ノ瀬綾　え・多賀愛子　＜25＞

めざめ（六）

今がいいだけで十分だ……と言う黒木の言葉に、気負った一途な新一の気持の一角を突然つき崩した。そういう考え方もあるのだという安堵めいた思いが、重苦しかった肩の凝りをもみほぐしていくようであった。

「ねえ、なにむずかしい話しているのよ。ボーリング、する、しない、どっちさ」

後でまた、じれったそうな声がした。今日は思いきり遊んでやるか……ふと新一の気持が動いた。

車はいつの間にか、前後をトラックや乗用車にはさまれて、町の郊外を走っていた。田園の真中にどっかりと腰を据えた大きな看板がやたらに目につく。新しい宅地に変貌していく農地は、町へ来るたびにその広がりを増していた。道路が出来て家が建ち、町へ、都市へと流れる。どこでどんな仕事をしても、喰っていくのに困りはしない……とすれば、自分にとって農業という仕事は、いったいなんだというのか、どういう意味を持つのか、新一の胸中にはそんな疑問がしきりに去来する。

給料をもらって、一生他人にこき使われるサラリーマンより、自分の力で、自分の土地を生かし、主体的な生活のできる農業を、と自分に言い聞かせてきた新一にとって、今日のこの疑問は新鮮な味わいがあった。（はたして農業は、サラリーマンより自由で、主体性のある仕事なのか……）目に見えないところに巨大な力の支配者がいる、知らないうちにその手で身動きできない状態に追い込まれていく……それが農業の本当の姿かもしれないぞ、と新一は思ってみた。黒木がなにか、話しかけていた。

「なんだって？」

「たまには、俺ともつきあえよ」

「いいとも、ボーリングでもなんでもやるぜ。飲む方だっていいや」

「よし、きめた。先ずボーリングだ」

後の席で、二人の娘が歓声をあげた。車はスピードをあげて市内へ入って行く。ノースリーブにミニスカートの、半裸に近いスタイルの娘達が、人混みの雑沓を縫って歩いている。浴衣姿のおばさん連も多い。一目で近在からやって来た人達だと見別けがつく。映画館もデパートも、飲食店も、みんな手ぐすね引いたお盆の特別営業であった。

車を駅前の駐車場に預けて、四人は市内で一番大きいボーリング場へやって来た。

「ひゃあ、すげえ、満員だぜ！」

入口をのぞいた黒木が大声をあげた。冷房完備の筈の場内は若い男女の熱気でむせ返りそうである。順番を待つ幾組かが、人垣をつくって、他人のゲームをのぞいていた。

「二時間半は、お待ちにならないと出来ないですよ、今日は……」

係員が顔もあげずに新一に言った。なるほど、右手奥の喫茶室や食堂にも、人影がいっぱいである。娘達は不服そうに鼻を鳴らしているが新一は、急に待つのが馬鹿らしくなってきた。

「ねえ、あんた幾つ投げられるの」

それでも目を輝かして、町の娘が新一を見上げた。本気で投げたことのない新一には、自分がどれだけの腕前なのか見当もつかない。もともと遊戯に熱中できる性格ではないのだ。黒木がにやにや笑っている。

「やってみなけりゃ、わからねえ……」

「いいわ、あたしが教えてあげる」

丸く肉のついた肩で、娘は新一を人垣の方へ押していく。黒木も、その妹も笑いながらついてきた。天井の低い場内は、人のざわめきと、床を走るボールの響きで話し声も聞きとれないほどであった。

クラブ紹介 わたしのクラブ あなたのクラブ

農政会

佐賀県藤津郡嬉野町

共同プロに茶園栽培

明るい仲間づくりが目標

嬉野町は佐賀県の東部で、長崎県との境にあり、四方が緑の山に囲まれ、長い歴史を持つ温泉とお茶の産地で知られています。街の中心は五百戸位の家が並び、土産品店などがひしめきあっています。

また、山の裾野から中腹にかけて、緑もひときわ彩かに茶畑が開かれ、風光明媚な盆地を形成しております。

農生会は昭和三十七年一月に、当時、佐賀県経営伝習農場を卒業した七人の先輩たちが、4Hクラブ的なグループを作ったのがはじめで、途中クラブ員が四名まで減ったこともあるそうですが、青少年育成施設を出た人たちを中心にクラブ員が増加して、現在では五十名のクラブ員がおり、藤津地区でも最高の人員を誇るクラブとして、熱心に学習活動を行なっています。

また、昭和四十二年には、優良クラブとして、農林大臣から表彰を受けています。

クラブ員の年令は、最高二十二才、最年少十六才で、平均年令十九才。男女の割合は、男性四十名女性十名で構成しています。

クラブ員の経営内容は、大多数が水稲と茶を基幹作物として、一部にミカン、そ菜を栽培しています。

クラブ員の出身施設別構成数をみますと、佐賀県経営伝習農場卒業生が三十名、佐賀県畑地営農指導所卒が十名、長崎県千綿女子高等農業学園卒七名、その他（中・高卒）三名です。

農生会の活動目標は、明るい仲間づくりを行ない、学習と実践活動をより充実させるために、定例会、学習会、個人プロジェクトの推進を中心に、共同プロジェクトとして、茶園管理（町有茶園）、茶苗の育苗などのプロジェクト活動を行ない、農業経営の基礎能力を養う。

また、地区連協が行なう行事に参加して、広い仲間づくりを行なう一方、クラブ員相互の和を図るため、全国4Hクラブ員のつどいに多くのクラブ員を参加させるとともに、視察旅行などを実施してクラブ員の資質の向上に努める。

以上のような活動目標の達成とともに本年度の活動計画を、紹介しますと

▽四月・総会（入会式）、定例会（水稲管理について）▽五月・一番茶々摘み▽六月・定例会（青年団との交歓会）▽七月・二番茶々摘み、地区技術交換大会▽八月・県技術交換大会、定例会、三番茶々摘み▽九月・定例会（講義・女子料理講習）、プロジェクト実習（茶苗育成）、視察研修▽十一月・定例会（稲作反省・父兄懇談会）▽十二月・農村教育青年会議▽一月・実績発表大会、生活総合実習▽二月・県実績発表大会、カリバン茶摘み▽三月・定例会、決算総まとめ、以上のように計画しています。

農生会の今後の問題点として考えられることは、

①年少者たちがクラブに対する意識が低い。

②クラブ員の出席率が少なくなっている。

③OBと現役クラブ員の交流を図っていく必要がある―などですが、お互いが反省し、心を一つに団結して、この問題点をのりこえて、農生会の活動をますます活発にしていきたいと考えています。

〈紹介者・井上莉幸　佐賀県藤津地区連協〉

茶園管理計画
（共同プロジェクト）

月　日	作業内容	備　考
4中旬	茶園消毒	
5上旬	一番茶摘み	
〃	追肥と除草	肥料・除草剤試験
6下旬	茶園消毒	
〃	二番茶摘み	
7上旬	茶園消毒	
〃	除草剤試験	グラモキソン
下旬	視察研修	鹿児島県へ
8中旬	三番茶摘み	
〃	茶園消毒	
9中旬	元肥と深耕	
12中旬	刈番茶摘み	
3中旬	春肥施肥	

青春と仲間

都竜4Hクラブ

静岡県浜松市

クラブ員宅で定例会

みかん販売で消費者の声をきく

浜松市4Hクラブ連絡協議会に加入しているクラブで、発足して間もないが、元気いっぱいに活躍しているクラブがあります。

そのクラブは、浜松市から北へ十五㌔、地帯は主にみかん、馬鈴薯の産地で、近くには西遠農業機械センター、また、甘橘試験場があり、その地区に都竜4Hクラブ（会長、高林広夫君）があります。このクラブの発足は昨年の八月で、農業経営高校卒業生八人で組織されております。

それまで青少年のグループはなく、ほとんどの人たちが他の青年と話し合う機会もなかったようです。そこで、仲間を求め合うみんなの心が一つになって都竜4Hクラブの誕生となったわけです。

クラブ員の平均年令は十九才とたいへん若く、たくましい青年ばかりです。クラブの定例会は月三回行ない、十日・二十日・三十日で、ほとんどの定例会は、クラブ員宅で行なわれ、その話し合いの中には家族の人たちも加わり、農業後継者問題、結婚話まで真剣に話し合いを行なっております。

クラブの主な行事は、クラブ員全員みかん栽培農家であるため、みかんの剪定講習会、摘果の見廻り、みかん園土壌の酸土検定などを行ない、クラブ員の出席率も非常に良好でつねに百㌫です。土壌検定は、近くの試験場を借りて行なっています。

また、今年の二月には、九州へ研修旅行を三泊四日で実施しました。これはみかん産地の熊本、大分県を視察し、大きな成果をあげることができました。

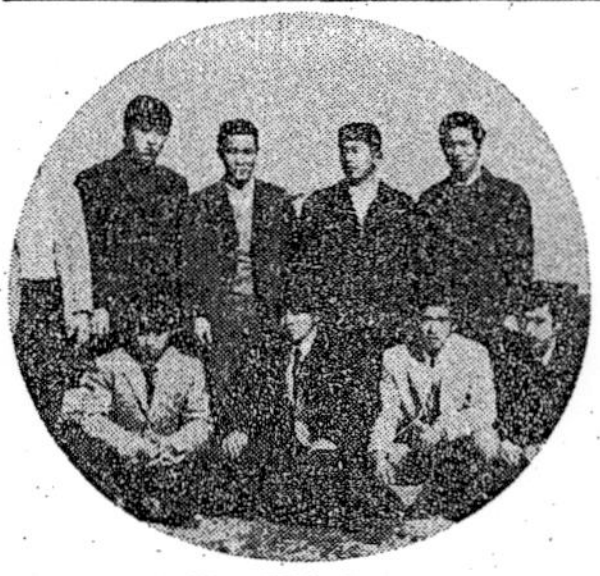

九州の研修旅行で

とくに、熊本、大分の両県のみかんは、静岡県と比べて経営規模が大きく、農道なども完備されており、貯蔵方法はとくに考えなければならない。また、静岡県として深く考えなくてはならないことは、農協指導員や改良普及員などの指導方法の改善をはじめ、販売方式など見習う点が大きいと、視察研修の反省を語っています。

また、都竜4Hクラブは、みかんの販売実習を行ない、消費者がみかんに対してどのような考えをもっているか、消費者のナマの声をきくことも行なっています。

これは、各クラブ員がもちよったみかん八百㌔を三班に分かれて、とくに、団地を主体に販売した。はじめてのことなので、いろいろな面でとまどう点が多かったが、当日午後三時ごろまでに全部販売しつくした。このみかん販売の収入金は研修旅行の一部として有効に使われています。

高林会長は、四十四年度のクラブ活動はあらゆる面で勉強になりました。本年度はクラブ員も十六名になり、行事として他のクラブとの交歓会や佐賀県で行なわれる全国4Hクラブ員のつどい、県連の事業などに積極的に参加して、より多くの仲間の人たちと話し合い、人間形成の面で勉強し、プロジェクト活動を充実させていきたい。また、地域の農業建設のために一生懸命頑張っていきたい―と若い情熱を燃やしています。

〈紹介者・本紙通信員　鈴木政美君〉

農村雑感

折原 俊二郎

握手

握手という意味を広辞苑でみると「欧米風の礼儀として、親愛、和解の意をあらわすために手を握りあうこと。転じて、協力すること」と書いてある。

この欧米風の挨拶は、今では日本の各地で日常的に見られるようになり、さしてめずらしい光景ではなくなった。

時には大きな声と共に、両手をいったん上にあげ、相手を両手で包むようなかっこうで、握手を求めるオーバーな姿もみられるが、それさえも、決していやらしさはなく、喜びの心を体一杯で表現しており、むしろ、ほほえましくさえ思える。

日本人も欧米人並に表情が豊かになったものだと感心させられるが、それ以上に、握手を求めている姿の中には、若さというものがみなぎっているようにも思える。

ところで、ここで握手という挨拶の表現形態を云々するつもりではなく、むしろ通俗的な言葉として、非難する場合に使われていることを考えてみたいと思ったからである。

よく、私のところの出身である国会議員の○○先生と会ってきたが、私の意見をよく聞いてくれたし、いつでも会ってくれるとか、有名な○○大学の○○先生は、私の村の出身で、小さい頃から頭が良かった、今度行ったら会ってこようと思うなど、聞いていると、あたかも名前をあげられた人とは、身近な立場にあり、親身になって面倒をみてくれているように思わせられることがある。まさしく一心同体で、個人的な問題からおおやけ的な問題まで、一気に解決してくれているような印象を与えるかっこうとなっている。

こうしたことは、本人の交際範囲の広さと親近感を現わしていることであって、何ら批判される材料とはならない。

しかしながら、この言葉の裏には、応々にして、私は社会的に権力と実力をそなえている人と懇意なのだから、私の実力を低く評価しては困る。いつでもその人は私の後楯としてついているのだから、私のことも尊敬してほしいというのが、ありありとみえる場合が多い。しかしこの時点でも、聞く人によっては、自己顕示を大いにやっていると受け流すことができるのであれば問題はないが、他方、この言葉が大きな圧力として、相手を屈伏させる原因となるようになると、そこに問題が生ずる。

さらに、こうした考えが高ずると、言葉のうえのみでなく実際行動としてでてくる。その形態は、問題があるとそっと意見を聞いてき、自分の考えなり、行動への判断材料とするというものではなく、○○先生とか、権力者に直接会って来たという、そのことのみですべてが解決したと思うことである。会ってこちらの問題を伝え、何とかしてほしいとたのんで、その解決が得られなくても、それで十分満足する。

そして、私は会ってきた、話を聞いてくれたといって、あたかも、自分の実力があるかのような印象を与えていく。この姿を称して『握手』をするのが好きだという表現がとられる。

本当の握手とはそうした意味ではないはずである。農村にはこうした形態がよくみられる。

それは、老令の人のみでなく、若い青年で、しかも、活発な青年の中によくみられる。本当に考えてほしいものである。

〈農林省・農業者大学校〉

先輩が就農者の激励会開く

【三重】あすの日本農業を背負って立とうと志ざしている六人の就農青年たちを励ます会が、四月十日午後、三重県名張市の農業会館で盛大に行なわれた。

この青年たちは、いずれも今春、三重大学農学部別科などを卒業、各自は家の農業経営の米作、果樹、そ菜園芸などで、新しい農業経営にとり組もうと、名張市農業青少年クラブ（会長、城出佳信君）に入会を申し込んでいた。

新規就農者の激励会は、同クラブが農業後継者のクラブ員が減少しているおりから、先輩として少しでもアドバイスし、後輩たちを導こうと、この日は全クラブ員が出席して開催されたもので、城出クラブ会長のほか、市農林課長、美旗農協組合長、伊賀農業改良普及所長らが出席して、励ましのことばと記念品を贈って激励をした。

ヨーロッパ視察旅行記

静岡県浜北市内野　浜名4Hクラブ　鈴木政美

青年に国境はない

心のふれ合いで友情が

フランスの巻

農業国から工業国への脱皮

十一月二十四日、最後の訪問国のフランス（パリ）に着いたのは午前六時二十五分であった。

西欧の十一月は午前七時ごろにならなければ、明るくならない。パリに着いたときはまだ暗く、駅には人影があまりみられなかった。ちょうどバスが迎えにきてくれたが、残念ながら雨が降っていた。

フランスでは、食品関係中央市場（ランギ）や史跡見学を行なった。

フランスの総面積は五五万平方㌔で、日本の一・五倍にあたり、地形は、ヨーロッパではきわめて変化に富んだ国の一つで面積の六〇㌫が平野である。人口は四千七百万人おり、人口密度は一平方㌔当たり八十四人と少ない。オランダと並んで山は少なく、平坦地が多くみられた。

産業別の労働人口の構成は、大きく変りつつあり、農業就業者は一九五九年の二二・二㌫から、一九六五年は一七・三㌫に減少し、第二次産業に流出した労働人口は約七十七万人といわれている。このことからも、農業国から工業国に脱皮しようとしている姿がうかがわれる。

現在の耕地は、国土の三分の一である。一戸当りの耕地面積は十五㌶で、全農家の二九㌫が五㌶以下、二〇㌫が五～十㌶である。フランスの農業は、EECにおける穀物生産の半分、牛肉・豚肉の三分の一、酪農製品の二五～三〇㌫を占めている。ぶどうはイタリアと並んで、世界最大の生産国である。

市場の中にある十九の銀行

フランスでは、中央市場と市内見学を行なった。驚いたことにあまりにも日本人が多く、およそ五千人はいるという。東京のように車が多く、朝などラッシュで道路いっぱいの車。

パリ市内のウインドウのならべ方は、日本の商店と同じようであり、商店も午前九時から午後十時までは開いていて、ショッピングするのに困らない。

市内から西へ高速道路を通り中央市場へ向った。この市場はフランスで一番大きく数年前に建てられた。市場内に高速道路も通っており、面積は四百五十㌶、従業員が二千五百人で、交通整理にあたっている人は六百人である。

この日は雨降りで、市場内をバスでみせていただいたので、あまりくわしいことはわからなかった。残念なことに、市場内の説明をしてくれる予定だった女性が、雨降りだからできないと断ったため。私たちが思うに世界各国から見学にくる市場だから、もっと親切に見学者を扱ってほしいと思う。ほんとうにがっかりした。

市場の中には十九の銀行があって、生産者は、この銀行に貯金するといっていた。

市内は私たちが期待していたほど美しい街ではなかった。ノートルダム寺院、ルーブル博物館の前など沢山の紙くずがちらかっており、世界中の国々から見学にくる人がいるのだから、せめて観光地だけでも美しくしておいてほしいと願った。

なんとラーメン一杯六百円

中央市場を後に再び市内に入った。この日、欧州では二回目の日本食をいただいた。このレストランは、日本人が経営しているもので、従業員もほとんど日本人である。日本のみそ汁、お新香、米飯など、団員のみんながおいしくたべた。ラーメン一杯六百円、酒が一合六百円には驚いた。

見知らぬ青年たちと握手を

私がショッピングをしているとき、私が日本から持参した絵はがきや扇子などを若い青年にプレゼントすると、すごく喜びサインなどを求めてくる。そうした青年の姿をみていると私たち若者の世界に国境はないと思う。見知らぬ青年たちと握手をし、歌をうたったり、ほんとうに友情が深まる。フランス人はユーモアに富んだ民族といえよう。

私たち数人は、三人の大学生と交歓を行なった。年令は二十一才であった。最初はことばが通じないため、とまどう点が多かったがプレゼントやサインの交換など行ない、ことばはあまり通じないけれど、心と心のふれ合いに、ほんとうの友情を感じた。二時間位の話し合いであったが、ある程度、フランス青年の考え方を理解し、また、日本のよさもわかってくれたと思う。

最後の訪問国、フランス・パリ空港にて

日本も厳しい青少年教育を

私たちの研修は、フランスを最後に終りましたが、西欧四ヵ国の研修を通じて、今一番考えなくてはならない問題は、国に徴兵制度があることです。学校教育を終った青年は、二年間みっちり軍隊生活を行ない、真の人間づくりをします。日本では青少年の非行化、大学紛争など多くの問題がありますが、青少年をもっと厳しく教育しなければいけないと思う。

また、EECの問題、西ドイツの構造改善事業などを見学したが、日本でも西ドイツのようにしっかりした構造改善を行なうなど、多くの課題があると思う。

短期間の研修ではあったが、研修を通して肌で体験したことや、各国の青少年の考え方などある程度把握することができた。今後この貴重な体験を生かし、地域の青少年活動に、また社会建設に一生懸命努力したい。そして今後多くの青少年が海外の研修に参加することを願いながら、未熟な私の研修報告を終ります。

最後に、農業青年海外研修で大変お世話下さった諸先生方に厚くお礼を申し上げます。

（おわり）

芸能ニュース

ハッスルする岡崎友紀

「しあわせの朝」で、さる三月五日にレコード界にデビューし、この新曲で快調なペースに勢いを得た岡崎友紀、ますます意気盛んな今日このごろである。

デビュー以来放送に、ステージにと精力的な活躍が功を奏して、さいきんは若いファンがメッキリ数を増した感じ。彼女の人気上昇にともなって、プロマイドの売行きもアッという間に上位を争うまでになった。

連日のように続くテレビ出演に、当の本人よりもマネジャーや付人の方がバテ気味。「このくらいの仕事でノビちゃ駄目じゃないの」と、逆に友紀からハッパをかけられる仕末。友紀に、これ以上の人気が出たら、いったいどういうことになるのだろうと、関係者一同、うれしい悲鳴をあげている。

奥村チヨーの〝恋シリーズ〟
―歌で男性をダウン

「恋の奴隷」「恋泥棒」など相つぐヒットを飛ばした〝恋〟シリーズに続く奥村チヨの新曲「くやしいけれど幸せよ／きめちゃったから」が五月五日に発売が決定した。

A面は、レコード大賞の作詩作曲の両賞を獲得した山上路夫と筒美京平。むろん、この作品が初めてのコンビである。

〝恋〟シリーズよりも、グッと落ちついた感覚で、チヨの声のお色気が存分に発揮されている。

〝くやしいけど……ああ……くやしいけど……〟という一節などは、どうしても、男にひかれてゆく女心を唄って思わず背筋をゾクゾクさせる魅力を感じさせる。男性を歌でダウンさせて、相変わらずの健在ぶりをみせているチヨの新曲に、期待！。

日本4H新聞
4Hクラブ 農事研究会 生活改善クラブ 全国弘報紙
発行所 社団法人 日本4H協会
東京都市ケ谷家の光会館内 電話(269)1675 郵便番号162
編集発行人 玉井 光
月3回・4の日発行
定価 1部 20円
一ヵ年700円（送料共）
振替口座東京 12055番

初日から現地交歓訪問へ

「第6回全国4Hクラブ員のつどい」開催要領決る

全協の15周年式典 開会式

最終日に「パネル討議」を計画

今年の夏、葉隠の里・佐賀県で開かれる全国クラブ員の一大祭典—全国4Hクラブ連絡協議会（久野知英会長）佐賀県4Hクラブ連絡協議会（小林秀敏会長）社団法人日本4H協会（松下幸之助会長）共催の「第六回全国4Hクラブ員のつどい」の開催要領がこのほど決定した。これにともない全協では、さっそく各県連はじめ各県担当課、関係機関、団体に通知するとともに、クラブ員の参加・協力を呼びかけることになった。今回の大きな特色は①開会式の中で全協の発足十五周年記念式典が行なわれること②これまで統一行事の終了後に実施してきた現地交歓訪問（民泊による農業の体験）を統一行事の中に組み入れ、第一日目から入ることになったこと③期間の一日は班別活動として自主的な行動をおこない、自主性の高揚とともにクラブ員同士の話し合い、交歓の機会をふやしたこと④従来のクラブ活動に関する意見・体験発表から一歩進めてパネル討議を開くことになったこと。これによって全体的な交流の場をもち、盛り上がりを図る⑤記念品として、これまでの4Hマークの入った楯に代って、佐賀名物の有田焼に各参加者がデザインした楽焼きが贈られること⑥今回は、開催県の決定が遅れたため、申し込みや準備など各段階で時間的に短かくなっていることーなどである。事務局では、参加者数の早期把あくや運営の円滑化を図るため、申し込みを六月末までにしたが、大勢のクラブ員の参加を望んでいる。

一、趣旨
このつどいは、日本農業の担い手として、日夜農業の改良と生活の改善に努力している4Hクラブ員が自からの手で企画・運営し、自主性の高揚に資するとともに、新しい技術の研鑽とクラブ活動状況の話し合いや現地交歓訪問などを通して青少年の仲間づくりや地域社会から理解された家族ぐるみの4Hクラブ活動を推進するため開催する。

一、主催
全国4Hクラブ連絡協議会、佐賀県4Hクラブ連絡協議会、社団法人日本4H協会

一、後援（予定）
農林省、文部省、総理府、佐賀県、佐賀市大和町、富士町、全国農村青少年教育振興会、NHK、

一、協賛（予定）
全国農業協同組合中央会、佐賀県青少年団体連絡協議会、佐賀県学校農業クラブ連盟、佐賀県4HOB会、佐賀県農業会議、全国中央青少年団体連絡協議会、佐賀新聞、STSテレビ、NBC放送、日本農業新聞、家の光協会

一、期日
昭和四十五年八月二十四日〜同月二十八日（四泊五日間）

班別活動で自主性

8月24日から佐賀で

申し込みは六月末まで

開、閉会式場に予定されている佐賀市民会館

一、会場
佐賀市民会館、古湯川上峡、佐賀県下一円

一、参加者
4Hクラブ員、OBとその家族、研修学園生、農高生、外国クラブ員、育成指導者など計二千名

一、つどい事務局
▽八月二十日まで＝東京都新宿区市ケ谷船河原町十一、家の光会館内 全国4Hクラブ連絡協議会事務局（電話＝〇三・二六九ー一六七五）▽八月二十一日から＝佐賀県佐賀郡大和町、ホテル竜登園内 つどい事務局（電話＝春日・〇九五二〇五ー一二三）

一、つどい運営
別に定める方法により全協、佐賀県連、次期開催県連の各役員が当る。

一、参加者経費
一人当り四千円。宿泊費（二泊）三千百円、弁当（二食）四百円、運営費四百円、保険料百円

一、参加者受付
日時 八月二十四日（日）午前九時〜十二時
場所 佐賀市民会館

一、会場への交通
長崎本線佐賀駅下車、市内循環バス（約十分）で佐賀神社前下車

一、参加者申し込み
（一）県連会長は指定様式により来る六月三十日までに参加者をとりまとめ、申し込み金（前納金）一人当り一千円をそえて、つどい事務局に申し込む（ただし、不参加の場合は返済しない）
（2）佐賀県以外の各県連は十五名以上参加のこと

二、現地交歓訪問
（一）目的 佐賀県下のクラブ員の生活や経営状態を視察し、体験するとともに、仲間づくり、家族ぐるみ、地域ぐるみの4Hクラブ活動を実践する。
（二）内容 ①佐賀県下のクラブ員の生活を体験する②家族や地域の指導者との話し合い③クラブ活動状況の話し合い④地域への奉仕活動。
（三）日程（例）▽八月二十四日 移動、交歓会（家庭、地域）▽同月二十五日 生活体験、活動状況の話し合い▽二十六日 地域への奉仕と学習、移動。
（四）注意 ①生活（農業の実習）体験をするため作業衣を用意されたい②単なる儀礼的な現地交歓に終らないように努める③この交歓訪問の旅費は自己負担とする。

一、携行品
（一）洗面用具、筆記具、雨具、運動靴、作業衣、懐中電灯、ビニールふろしき、その他日用品、健康保険証
（二）郷土品の交換を行なうので、各自二百円程度のものを持参すること。

一、その他
（一）参加者は、全日程参加し、期間中の個人行動は認めない。
（二）つどいの意義を良く理解して、自主的で規律ある行動に努めること。
（三）医療関係については、応急処置をとるが費用は自己負担とする。
（四）県外参加者は、車による参加は遠慮すること（ただし、貸切バスだけを許可する）
（五）参加者は、つどい期間中保険を契約するので、参加申し込み様式通りに必ず記入すること。
（六）つどいを記念して額皿に楽焼きをするので、各自デザインを考えてくること。

つどい日程と行事内容

▽第一日 佐賀市民会館
（一）記念楽焼き（有田焼）
（二）オリエンテーション
（三）開会式
（四）全協発足十五周年式典
（五）記念講演 講師、奈良・薬師寺管長高田好胤氏（予定）
（六）現地交歓訪問 県下一円

▽第二日
現地交歓訪問 県下一円

▽第三日 県下一円
（一）現地交歓訪問
（二）自由交歓
郷土品の交換、翌日の行動計画の話し合い 宿舎

▽第四日 古湯、川上峡
（一）葉隠の里を訪ねて
自主的な班別行動
①レクリエーション（ハイキング、スケッチ、サイン交換など）②記念植樹③話し合い
（二）キャンプファイヤー 宿舎周辺
雨天の場合、キャンドルサービス（場所、富士中学校、体育館）

▽第五日 佐賀市民会館
（一）郷土芸能、映画観賞（佐賀の産業と観光）
（二）パネル討議（テレビ公開録画を予定）
パネラー（討議出席者）は、日本4H新聞で募集する論文応募者の中から選出する。（テーマは別に定める）
（三）閉会式

来年度、「つどい」を誘致

愛知県連 総会で正式決定

愛知県4Hクラブ連絡協議会（会長、富永博君）は、さる四月二十四日、名古屋市の三共ビルで開いた昭和四十五年度の通常総会において、来年度、全国4Hクラブ員のつどいを同県に誘致することを決定した。

四十六年度における同県へのつどい誘致は、これまで全国4Hクラブ員のつどいが九州（大分）を皮切りに関東（埼玉）北陸（奈良）中・四国（鳥取）で開かれ、今年度、東北（岩手）での開催が予定されていたことなどから、地域的にみて同県（東海）が有力候補としてあげられ、すでにかなり前から非公式に同県連に対して意向が打診されてきた。

その第一回目の会合は、ことしの二月十日、飯田雅美前会長ほか愛知県連の三役と同県庁青少年担当者、全協役員（黒田前会長、久野新会長）日本4H協会職員が同ビルに集まって開かれ、全協からつどいの説明と誘致の働きかけがあった。

その後、三月二十四日に開かれた同県連の第五回地区連会長会議の席上において久野現全協会長から再び説明と、つどい誘致の働きかけがあった結果、参加者全員がこれに賛成し、前向きの姿勢で総会にのぞむことを決めた。

このようにして、通常総会では議案として提出され、飯田前県連会長の説明のあと、四十六年度に全国4Hクラブ員のつどいを同県で受け入れることに万場一致で決議したもの。

同県連では、こん後、つどいの日程や会場などについて検討を重ねて具体化を図っていく。

現役員を対象に

全国4H中央推進会議開催要領決る 来月3日から東京で

全国4Hクラブ連絡協議会（会長、久野知英君）は、今年度第二回目の執行部会をさる二十八日から三日間、東京・新宿区市ヶ谷の検家の光会館内の同協議会事務局で開き、今年度中に二回計画している全国4Hクラブ中央推進会議と県連会長会議（四回）について討し、そのうち、年度初めに予定している現役リーダーを対象とする同推進会議と会長会議の開催要領をまとめた。

それによると、期日は来る六月三日から五日までの三日間で、場所は、これまでにも県連会長会議（以前は評議員会）を開いたことのある東京都下小金井市緑町の浴恩館を予定している。

参加者は、各県連の会長と役員男女二名ずつの計五名で、参加経費は一人二千四百円（二泊六食）。

会議の内容は、県連会長会議をはじめとして、全協の新年度の活動方針と事業計画の説明、4Hクラブの本質とプロジェクトの進め方についてそれぞれ講義のあと分科会と全体会による討議、女子クラブ員研修などである。

とくに今回の推進会議では、4Hクラブの本質や理念、リーダーのあり方などについて現役員の再認識と実践的学習を修得するように計画されている。

主催は全協と日本4H協会、後援には農林省と全国農村青少年教育振興会を予定している。

なお、各県連会長は、来る二十四日まで参加者の氏名などを全協事務局へ申し込むことになっている（推進会議の開催要領の詳細は次号に掲載予定）

クラブ綱領
私達は、実践を通じて自らを磨くとともに、互いに力を合わせて、よりよい農村、よりよい日本を創るため、四つの信条をかかげます。
一、私達は農業の改良と生活の改善に役立つ腕をみがきます。
一、私達は科学的に物を考えることのできる頭の訓練をします。
一、私達は誠実で友情に富む心をつちかいます。
一、私達は楽しく暮し元気で働くための健康を増進します。

涼風暖風

「金太郎あめ」

五月五日、男の子の節句である。子どもの幸福な成長を願う国民の祝日だ。青い空に鯉のぼりが威勢よくはためき、矢車がキラキラ輝く。吹き流しの紅白が風にのって舞い上がる。

子供のころの私は、しょうぶの葉を浮かべた風呂から出て、汗をふきながら祖母が作る柏餅を腹いっぱい食べたものだ。母親が武者人形の飾りつけるのを眺めながら、この日ばかりは、いくらかおとなになったような気分でいたことを思い出す。

武者人形のほかに金太郎人形もあった。まさかりかついで熊にまたがったポーズのあれである。子供のころの私は、そういえば金太郎あめが好きだった。万年筆くらいの大きさの白い色のあめで、外見は何のへんてつもないのだが、問題は中味である。

切口に彩色した金太郎の顔が描いてあり、なめても、かじっても、折っても、短くなっても、いつも切口は金太郎の顔がでるという「細工あめ」だ。切口が斜面になるようにペロペロとしゃぶって、斜面に金太郎の顔が長円形に見えるのがおもしろくてたまらなかった記憶がある。むろん味もなかなか良かった。

一時流行したのに「ペロペロあめ」があったが、「うちわ」を小さくしたような、あんな単純なあめではない。先日もキャンディ・ストアに行って探したが金太郎あめは見当たらなかった。

もう一つ、どうしても正確な名は思い出せないが、ピンポンボールを小さくしたような球形のあめがあった。これは、口に入れてしゃぶっているうちに、初め白色だったのが赤色に変わり、もっとしゃぶると青色になり、だんだん小さくなるが色が次々に変化するというしかけになっている。一度に二つも口に入れて、それぞれの色変わりを確かめたり、半球だけしゃぶって二色あめにしてみるなど、舌がザラザラするまでしゃぶったものだ。口から出したり入れたり手の掌にのせて見たりするのだから不衛生きわまるものだが、色変わりの魅力は子供のころの私にとって金太郎あめに次いで好きだった。

苦難の多い暮しに耐えながら自分を見失うことのない強固な意志と毅然たる態度、これを「金太郎あめ」だとすれば、環境の激しい変化に即して自らを適応させて行く柔軟な態度は、「変わりあめ」とでもいえよう。望ましいのは金太郎変わりあめ式でなかろうか。五月の声を聞くたびに、二つの「あめ」を思い出さずにはいられない。

（北海道・三輪）

つどいにレール

全国4Hクラブ員のつどいは、愛知県連の四十六年度における誘致決定によって、四十七年度に同じく誘致を決めている北海道連へレールがひかれることになった。

第六回を迎えた今年度のつどいは、はじめ予定していた岩手県での開催が不可能となり、全国クラブ員の救世主的役割を引き受けた佐賀県連の申し出によって急きょ佐賀県で開催されることになったが、これらの経過をたどるうちにかえって誘発的につどい開催県を決定したとの見方もできる。

第七回の愛知、第八回の北海道連のあと、四十八年度には、神奈川県連がつどい誘致を図るためムードを盛り上げてきており、第十回の記念つどいは、旗あげをした思い出の地、大分県での開催が考えられており、つどいのレールはますます伸びている。

12日に出発予定

今年度の派米4Hクラブ員

国際農村青年交換（IFYE）計画に基づいて、社団法人日本4H協会（松下幸之助会長）から四十五年度に米国へ派遣する4Hクラブ員の代表（別名"草の根大使"）に選ばれた二人＝岐阜県・小泉4Hクラブ、古川みどりさん（二〇）と、山口県・岩国グリーン4Hクラブ、坂本恵子さん（二三）＝は来る十二日午後一時四十五分、羽田空港発のノースウエスト航空機二便でアメリカへ向けて出発することになった。

二人は、これに先立ち、さる四月二十七、八の両日、東京・新宿区市ケ谷の日本4H協会事務所で事前研修を受け、出発の準備をした。

古川さんと坂本さんの米国滞在期間は約六ヵ月。同国到着後オリエンテーションを受けたあと、受け入れ農家に入り、その家族の一員として生活し、現地における4Hクラブ活動や農業、家庭生活、風俗習慣などを学ぶとともに、4Hクラブ員を中心とする地域の人たちとの交歓を通じて日本のそれらについて紹介、日米両国の相互理解と親善の役割を果すことになっている。一戸の受入れ農家の滞在期間は、二、三週間である。

なお、草の根大使には、これまで男性と女性が選ばれてきたが、女性だけの派遣は今回が初めてなので、彼女たちの活躍ぶりが注目される。

4H20周年大会を計画

高知県連で総会 会長に門脇君選出

【高知】県4Hクラブ連絡協議会（会長、川村雅士君）の四十四年度の総会は、さきに高知市の丸の内会館で開かれた。

同日は、県下の地区連代表と県連執行部など約五十名が出席、川村会長らのあいさつのあと、議事審議に入り、まず四十四年度の事業経過と支収決算を承認、つづいて四十五年度の事業計画と収支予算を執行部原案どおり決定、規約を一部改正し、役員改選などを行なった。

新年度の事業の中でも、主要行事として、県4Hクラブ発足二十周年記念大会が計画され、現在、県連執行部を中心に着々と準備が進められている。

門脇県連会長

四十五年度の新役員は次のとおり。

会長 門脇慎夫（土佐山田）
副会長 渡辺則夫（大豊）
〃 堀見とし（高吾）
事務局長 北村正大郎（十和）
事務局次長 岡村康夫（窪川）
理事 杉本計美（高幡）
〃 山本昇平（東津野）
〃 田辺尚実（大方）
〃 竹内正文（香北）
〃 包国伸行（安芸）
〃 白木竹子（土佐）
監事 川村雅士（嶺北）
〃 柴岡頼子（宿毛）

心頭技健

街の八百屋さんの店頭に、彩りもあざやかに並べられている野菜、果物のかずかずが初夏の趣をそろえるこのごろである。ひところ異状な高騰で、家庭の主婦たちから非難をあびていたタマネギやジャガイモも、ちょっぴり値下りして、庶民の食卓への仲間入りをした▼春先きになると、季節の野菜が出回り、豊かな香りを食卓にそえてくれるのが常であったが、最近の野菜といえば、そのほとんどが、光択をはじめ香り、味などに乏しく、季節感が少なくなってしまったように思える。以前は、初夏になれば、その季節の野菜が、その時期にふさわしい色と香りや味をたのしませてくれたものであったが、今は昔の語り草になってしまった。そのかわり一部のものを除いて、いつの時期にでもあることが特色になっている▼こう変った原因のひとつには、自然の栽培から、ハウスや温室栽培などの、いわゆる施設園芸が盛んになったことにある。いわばビニールフィルムの出現が野菜栽培の改革を促したともいえよう。農家にとって季節はずれの野菜を栽培することは、所得を増大するための条件のひとつになっており、消費者にとっても季節を問わず、食べられることはうれしいことであるが、最近、この施設園芸野菜に新しい問題が投げかけられている▼ということは露地の自然栽培のものに比較して施設ものは香りや味などに乏しく、とくに野菜の生命であるビタミン、その他の栄養分が極度に少ないということである。一方、消費者は経済的に生活が豊かになってくると、いわゆる舌が肥えてきて値段や量を欲するよりも、野菜特有の自然の味や香りを求める傾向がある▼これは今後の野菜栽培者にとって莫大な施設への投資や高度の技術を有しているからといって安心できないときにきているのではなかろうか。今後要求されることは、これらの技術や施設を使って、いかに施設の中で自然の味を生産するかという、まったく新しい野菜栽培の方法であると思う。それだけ、自然を求める人間の姿は、食生活の分野にまでおよんでいる。

各県連で総会ひらく

全国のつどい誘致 佐賀県連

会長に小林君 リレー日記など計画

【佐賀】県4Hクラブ連絡協議会（会長・江口和彦君）は、さる四月十六日、佐賀市の青年会館で通常総会を開き、四十五年度に計画されている第六回全国4Hクラブ員のつどいを誘致することを決定し、県下の全クラブ員の総力のもとに、準備期間がわずか四ヵ月足らずという異例の条件の中で、つどいを成功させるため努力することを申し合わせた。

四十五年度のつどい開催地として予定されていた岩手県での開催が不可能となったために、その開催が危ぶまれることを同県連が知ったのは、四月に入ってから。全国4Hクラブ連絡協議会など主催者側の強い要望もあって、準備期間が極端に短く、県連自体の内部に問題がある中で、"寝耳に水"の状態のクラブ員の協力をえて全体のムードを盛り上げることができるかどうかなどの不安を残しながら、全国の仲間たちを迎えようと県連執行部と連事を中心に前向きの姿勢でクラブ員に働きかけてきた結果、つどい誘致の可能性が強まり、総会において正式に決定した。

総会では、四十四年度の事業経過と収支決算の承認のあと、四十五年度の事業計画と収支予算が審議決定された。

新年度の主な事業計画は次のとおり。

一、主体性の確立と組織の整備強化

（一）事務局体制の整備強化 毎月二回、事務局員の駐在を行ない、事務局日（定期連絡日）を制定して県連と地区連クラブ員の連絡を密にする。

（二）広報活動の推進 ①機関紙（誌）の発行②日本4H新聞やローカル紙への投稿と活用を図り、クラブ活動の参考資料とクラブ意識の高揚、社会へのPRを行なう③リレー日記の実施（県下十一地区連に各一冊の日誌を配布、リレーし、相互のつながりを密接にする）

（三）日本4H新聞の購読推進

（四）県下クラブ員の実態調査

（五）リーダー研修会の開催

二、国際交流の推進

海外研修への代表派遣と来日クラブ員の受け入れを図る。

三、他団体との連けい

（一）OB会

（二）官庁、団体との関係

なお、役員改選の結果、次の人たちが、四十五年度の新役員に選ばれた。

会長 小林秀徳（佐賀市）
副会長 井手忠男（神埼郡）
〃 麻生スミ子（唐津市）
事務局長 徳富九州男（杵島郡）
〃次長 古賀信幸（佐賀市）
〃 稲富一三（鹿島市）
〃 吉浦敏子（佐賀郡）
組織委員長 蒲田 健（伊万里市）
〃副委員長 川島 豊（藤津郡）
〃 古川 保（東松浦郡）
広報委員長 尚尾 香（佐賀郡）
〃副委員長 桑本隆昭（伊万里市）
〃 横尾文三（佐賀市）
〃 伊藤由則（神埼郡）
女子委員長 片渕幸野（杵島郡）
〃副委員長 久野雅子（〃）
〃 吉成京子（藤津郡）

会館建設へ協力 神奈川県連

佐藤会長

新会長に佐藤（春）君 オルグ活動など計画

【神奈川県=石井忠輝連絡報道員発】県農村青少年クラブ連絡協議会（会長、中野正義君）は、さる四月十八日、高座郡老名町杉久保の県経営研修場で四十四年度の定期総会を開いた。

中野会長のあいさつのあと、議長を選出して議事審議に入り、まず四十四年度の事業と収支決算の同報告、監査報告を満場一致で承認した。つづいて、四十五年度については、役員選出から行ない、別記のとおり新役員を選んだあと、規約の一部を改正して事業計画と予算について審議し、次のように決定した。

一、活動方針

変遷する農業の中で、県連と地区連組織の連けい強化を進めながら、クラブ活動を通してクラブ員相互の親ぼくと資質の向上を図ることを目的として次の事業を行なう。

一、事業計画

①オルグ活動（四～六月）②リーダー研修会（十月）③農村青少年クラブ員の集い（八月）④青年会議（二月）⑤機関紙「県連だより」の発行（年六回）⑥諸団体との連けい強化⑦日本4H会館建設への協力、推進⑧その他活動方針にもとづく活動。

このあと、新役員を代表して会長に選出された佐藤春雄君がユーモアたっぷりに抱負を述べて新年度へのスタートを切った。

途中に、全協の黒田前会長がかけつけられたため、会議の進行を一部変更して、日本4H会館建設について説明してもらった。これに対して質疑応答し、県連から本年も同会館建設のために協力するが、全協はもっと強い姿勢で推進してほしいと強く要望した。

なお、四十五年度の新役員は次のとおり。

会長 佐藤春雄（湘南地区）
副会長 杉崎正章（小田原〃）
〃 関口みちよ（相模原〃）
事務局長 佐藤良太（〃）
〃次長 八木健一（津久井〃）
会計監事 大津正夫（秦野〃）
〃 清水澄雄（大和〃）

活動記録の実施へ 福島県連

斉藤会長

会長に斎藤君 4Hのつどいなど決る

【福島】県農村青少年クラブ連絡協議会（会長、佐藤公伯君）は、さる四月十日、郡山市の県農業試験場で第二十二回年次総会を開き四十五年度の事業計画や予算などを決定した。

同日は、佐藤会長のあいさつ、来賓祝辞につづいて議長を選出して議事審議に入り、四十四年度の事業と収支決算同報告、監査報告を承認したあと、四十五年度の事業計画や収支予算について審議決定した。

主な事業計画としては①クラブ活動の内容向上としてプロジェクトやクラブ活動記録の実施、単位クラブ会長の研修②クラブの自主的活動として、4Hのつどいの開催、県と共催する若い農業者のつどいへの運営参加、リーダー研修や県農村教育青年会議の運営参加③クラブの啓もう、広報に関することとして、県連だよりの発行、4H展、放送利用と農業改良普及誌の利用、放送利用モデルグループの推進、日本4H新聞の購読④会議の開催と代表派遣⑤関係機関との連けいなどを計画している。

なお、役員改選の結果、次の人たちが新役員に選ばれた。

会長 斎藤賢一（二本松市）
副会長 半沢安雄（福島市）
〃 金子テイ子（いわき市）
監事 菅原孝勝（東和町）
〃 南条和彦（石川町）
〃 福島幸子（喜多方市）

北国の春はまだ遠い

日本最北端の地で研修会

【北海道=赤松宏連絡報道員発】4Hクラブ連絡協議会（会長、奥村秀宏君）所属の宗谷4Hクラブ連絡協議会では、さる四月六日から三日間、オホーツクの荒波寄せる浜頓別、道立天北農業試験場研修館に五十名のクラブ員を集めてリーダー研修会を開いた。

四月といっても北国の春は遠い。宗谷4Hクラブ連絡協議会は道連加盟十四団体の中でも最も北部に位置し、営農形態は酪農が九割を占めており、寒地農業確立の先頭を行く地帯として期待をされている。四月中旬というのに積雪は一米近く、春はまだ遠い感じ。そこに集まった五十名の仲間たちから北方農業への意欲、若者の春をみいだした。

研修会は、午後一時から開会式、オリエンテーションのあと、北海道教育庁の増子社会教育主事から「グループリーダーのあり方」について、集団の魅力とリーダーの役割を事例をもとに講義された。

つづいて各市町村の事例発表。夜は懇親会で仲間つくり。

二日目は、午前が分科会討議。グループの問題について討議され、事例発表をもとに農村の問題、助言者の事例によって解決への道を求めた。

午後は、会場を町立福祉会館に移して全体報告会を行ない、そのあと普及員の指導でレクリエーションの実技指導を受けた。夜はキャンドルサービスで仲間つくりと北方農業の近代化を誓い、キャンドルの灯を心の糧として持ち帰えった。

三日目は、道連協事務局長から道連協と宗谷4Hクラブ連絡協議会の結びつきについての説明があり、このあと各市町村間の連絡調整、連絡協議会との関連について会議が行なわれ、午前十一時別れをおしみながら閉会した。きっと北国、天北の地にももうすぐ若者の春がおとずれるだろう。

体育大会など計画 山口県連

会長に神田君 地区連に会館の募金箱

【山口県=松尾耕助連絡報道員発】県農村青少年クラブ連絡協議会（会長、福島保昭君）は、さる四月二十日、県陸上競技大会議室で昭和四十五年度の通常総会を開催した。

同日は、県下の十五地区から代表者三十名とオブザーバーなど約六十人が出席し、午前九時三十分から4Hクラブの歌斉唱のあと、福島会長が「クラブ員みなさんの協力によって、この一年がより多くの成果をおさめることができ大変嬉しく思います」とあいさつ、つづいて普及教育課の岩瀬課長と山口県連合青年団長玉木氏のあいさつがあり議事審議に入った。

まず、四十四年度の事業報告と収支決算同報告の承認、ひきつづいて四十五年度の事業計画と収入予算の承認が行なわれた。

今年度の行事として、クラブリーダー研修会、クラブ幹部研修会をはじめ技術交換大会、青年会議などのほか、さきごろ行なわれた地区会長会議で決まった農村青少年クラブ体育大会や激励大会などを新しく取り入れて、激励大会では、あわせて4H展を開催することになっている。

最後に役員の改選に移り、候補者九名（うち女性二名）のうちから、新理事として男性四名、女性二名を選出し、一時に閉会した。

また、4H会館建設にともなう募金については、昨年度はじめに県下十五地区に募金箱を設けて協力を呼びかけてきたが、この総会の席で募金箱が開かれ、どのくらい入っているか各地区の金額が発表されるといっせいに拍手が起った。その募金箱の中に、お金といっしょに次のようなことがかかれた紙があったので紹介しておこう。

若き青年諸君
我々のシンボルたる4H会館を建設しよう
我々の偉大な運命の中から
我らの道は我らの力で
拡大なこの日本の大地の片隅から
今、手持ちがこれしかない
十円入れる
この十円が基礎の一秒にでもなれば……

というような内容のもの。

なお、通常総会後行なわれる予定だった体育大会（種目はソフトボール）は、五日前頃から降り始めた雨で延期（期日は未定）となった。

賞品として優勝、準優勝チームに送られるトロフィーと楯（県農業改良普及協議会贈呈）だけがみんなの注目のまととなった。

つづいて、新役員の決定にともない午後三時半から県庁普及教育課で初めての理事会を開き、昭和四十五年度の会長に神田勝敏君を選出した。

役員が決定したあと四十五年度の県4Hスローガンと重点目標を決めた。スローガンは"良き未来のために、そして友のために、常に考え、主体性のある行動をしよう"というもので、重点目標として次の四つをかかげた。

一、4Hクラブの本質の追求
一、組織の強化
一、地域社会改善への努力
一、4H会館建設への協力

4H会館建設への協力として、昨年にひきつづいて各地区協に募金箱を設けて協力をする。

なお、四十五年度の県連役員は次のとおりである。

会長 神田勝敏（都濃郡）
副会長 金子廣雄（豊浦郡）
〃 坂本恵子（岩国市）
理事 中本茂雄（玖珂郡）
〃 弘中光貢（下関市）
〃 白松博之（阿武郡）
〃 松尾耕助（大津郡）
〃 神力一美（防府市）
〃 福島多摩代（熊毛郡）
監事 高村 直（玖珂郡）
〃 中村英子（豊浦郡）

オルグ活動強化 鳥取県連

会長に中島君 「つどい」を足場に躍進

【鳥取県=山本哲嗣連絡報道員発】県農村青年会議連絡協議会（会長、安住秀雄君）は、さる四月八日、倉吉市上井町の中部農協会館二階議場に県下各市町村クラブの代表二十五名を集めて、四十五年度の通常総会を開き、昨年、県連の意欲で本県で開催にこぎつけた第五回全国4Hクラブ員のつどいに代表される四十四年度の事業実績と収支決算の承認や、役員改選などについて審議した。

この日午前十時から開会され、開会のことばにつづいて、安住会長は「昨年は、本当に有意義な年であった。全国4Hクラブ員のつどいの開催を頂点に県連が運営されたが、われわれ自身の力で運営したということは、ひとえに県下のすべてのクラブ員の団結である。このすばらしい自信を土台にさらに前進しよう」とあいさつ。

中島会長

また来賓として、県農業指導課の稲田氏は「昨年の、全国4Hクラブ員のつどいの成功は県連各位のリーダーシップによるものである。こん後、さらに君たちの若い力でむずかしい農業と取り組んで下さい」と励激された。

4Hクラブの歌をうたい、議長を選出して議事審議に入った。討議内容は次の通り。

一、四十四年度鳥取県連事業実績と収支決算について

第五回全国4Hクラブ員のつどい開催にあたっては、全会員一致協力して取組み、成功裏のうちに終った。しかしながら、これに伴い、事務量はぼう大なものとなって、あらゆる面において繁雑をきわめたことは否めない。そのために執行部として、四十四年度の活動方針だった組織活動や、プロジェクト活動が十分行なえなかった観があると前おきして、執行部の報告と、全国4Hクラブ員のつどいに関した活動、また約五十万円にのぼる県連の決算、4Hクラブ員のつどいの特別会計、約百万円にものぼる収支決算が報告されて原案通り承認された。

一、昭和四十五年度の県連事業計画と収支予算

一昨年、昨年と第五回全国4Hクラブ員のつどいを中心に活動が進められてきたが、本年度は、県連、地区協、単位クラブと縦のつながりを有機的なものとし、また対外的にも、県青連、農協青年部などとの横の連携も前むきに取り組まなければならないだろうとの情勢から、活動の重点目標をわれわれの主目的である"プロジェクト活動の促進"において、一人ひとり活動を強力におし進め、これをもとにクラブ活動の充実を図ることにし、さらに次の通り活動方針をうち出した。

（一）プロジェクト活動の促進

（二）組織活動の充実（オルグ活動）

（三）事務局体制の充実と各部の内容の強化

（四）県青連、農協青年部などの諸団体との連携

昨年の第五回全国4Hクラブ員のつどいの開催で、諸団体も県連を改めて再認識してくれたものと思われるが、これを機にこれらの団体とのつながりを深めていく。

とくに四十五年度の特色としてオルグ活動の推進があげられる。これは、昨年の全国4Hクラブ員のつどい以後の鳥取県連の新しい動きであるようだ。事実、末端のクラブ員にもこのような考え方がみうけられるし、四十五年度の事業のなかに十五回ものオルグ活動を推しすすめるための事業が組みこまれ、予算も七万五千円計上されているのが目立つ。また、自主活動のなかにもかつてない積極さがうかがわれるのも特徴される。

一、役員改選

各地区から選考委員をだして、約一時間、別室で審議され、会長に前事務局長の中島正幸君（東伯地区）などを選び、承認した。

一、このほか4H会館建設資金の件について話しあわれたが、さきの県連冬のつどい以来の運動が盛りあがって、急ピッチで目標にむかっている」との谷永委員長からの報告があり、さらに強力に進めるように各区市町村によびかけ了承された。最後に新役員のあいさつがあり総会を終わった。

なお、新役員は次の通り。カッコ内は地区。

会長 中島正幸（東伯）
副会長 前田 賢（倉吉）
〃 池信良治（東伯）
〃 田中久恵（倉吉）
事務局長 前田寛文（八頭）
〃次長 山内 猛（岩美）
理事 山本 清（鳥取）
〃 西永直知子（〃）
〃 今本 徹（気高）
〃 中原暁夫（〃）
〃 平木忠則（八頭）
〃 西尾正之（〃）
〃 朝日輝幸（倉吉）
〃 米田 豊（〃）
〃 山本哲嗣（東伯）
〃 岸田拓三（〃）
〃 入社斐雄（西伯）
〃 赤川洋子（〃）
〃 伊達厚美（米子）
〃 宮崎隆安（〃）
〃 深田博道（日野）
〃 松本昭博（〃）
〃 谷永憲雄（西伯）
監事 坪倉富章（日野）
〃 安住秀雄（八頭）
顧問 藤田道明（岩美）

やってくる「技術交換会」

クラブ活動12ヵ月 新しいクラブ員を中心に (13)

栃木県・普及教育課 湯浅甲子

自分の力試す機会 単位クラブの中で数多く

技術交換会のことについて述べることにする。

学校を卒業して、早や2ヵ月を過ぎた。学校の先生や、同級生とのつながりは、相当濃密であるが、一方、わが家の農作業は、日ましに忙しくなってくる。農家のあととりとしての責任がぐんぐん肩に重さを加えてくるようである。こういうときに技術交換会に参加するチャンスがおとずれてくる。自分の持っている技術の幅や質を試してみることのできる会がやってくるのである。まったく、グッドタイミングというべきだろう。

五月、六月といった忙しい時期に、この会が行なわれるのも、理由がある。技術を試してみる材料の豊富なときであるからだ。こういうものは、真冬のヒマなときにやるべきものではない。

さて、この技術交換会は、国の段階から、県、普及所の段階と、大きくは三つの層で行なわれていて、地方から国へと、優秀者が選ばれていくシステムになっている。行なわれる内容は農業や生活の技術的分野についての知識技術を、ためしてみたり、他の人と交換しあったり、発表したりするのである。初めて参加する人のために、今までの交換会のおおよそのやり方を紹介しておこう。

まず、技術競技が中心になる。「これは何か」「これは、なにに使うものか」といった、いわば「あてもの」式の鑑定競技、「この豚の体重は、何kgあるか」式の判定競技、「これとこれは、どちらの品質が上か」など審査競技、そして「この病害の名称は」といった診断競技の大別四つの形式が行なわれている。

次に、演示という型の発表が行なわれる。これは、アイデア発表というもので、作品、作業工程などで、その人の創意が、よい結果を招いたものについてやって見せる型のものである。この「競技と演示」を軸にして個人競技や、グループ競技をして、お互いの技術をきそい、交流するシステムをとっている。どこの県でも、大体、この方法を基準にして、工夫がこらされているわけである。

ところで、とくに私が、技術交換会について重視するところは、以上申しのべた、県や国の行事化した交換会ではないのである。この会のよさ、必要さを考えれば考えるほど、この会は単位クラブの中で、数多く実施されなければならないと思うのである。毎日の農業や生活の中には、新卒の諸君らにとって、ぜひとも、正確に認識し、正しく使いこなすことを必要とする技術が沢山ある。

また、常識的に扱っていたものの中にも、知らなかったための損失も多い。また、技術は、自分ができるだけでは不充分である。他人の技術を見抜く力がなければならないのだ。こういうことを、その時、その時に、現物を目の前にして、甘い妥協のない、きびしい対決で、技術を極めていく。この姿勢こそ、この会の真意だし、4Hクラブ活動の真随なのである。

それでは、単位クラブで、いつ、どうやってやればいいのかを考えてみよう。

単位クラブには、定例集会があるだろう。月に一回、中には二回やっているところもかなりある。この定例集会をみると、まず、上部組織からの連絡事項である。次ぎが、行事の相談、あとは雑談といったところであろう。これには、これで味わいもあるだろうが、こんな時に、その都度、短時間で、技術交換をやってみてはどうだろうか。

技術交換会は普及員が問題を出して、クラブ員が答えるものであると、きめこんでいる向きも多いが、本当は、こういう上から下へといった、テスト式は、もう、この辺で卒業してもいいのではないかと思う。県や国の段階でやるのなら別だが、単位クラブの場では、いつも普及員が出席しているわけでもない。もっとクラブ員同志で、技術交換会の持ち味を高めてほしいのである。

それでは、具体的に、どうしたらいいか、ズバリ、次のような問題をつくって、みんなで考えあってはどうだろうか。

一、この三種の作業衣を田植に着たいが、最適なのはどれか、不適なのはどれか。その理由は。

二、この家で、老人用の「はなれ」を建てたいそうだ。どの位置に建てることが最適か。

三、この苗代には種籾が何粒播かれているか、多すぎるか、少ないか。

四、この病鶏が、俺の家の鶏舎に出はじめた。一体、これはどういう病気か、どうすればよいか。

五、これは、県内4Hクラブの機関誌を集めたものです。どれが一番よいと思うか。その理由は。

六、このクラブ事業実績書をみて、問題点を探してみよう。

七、この菓子折を包装してみて下さい。

八、この一千羽養鶏場の技術的特長はどこにあるか、みつけ出して下さい。

5月

乳用牛育成・肥育の一貫経営

埼玉県秩父郡吉田町久長
吉田4Hクラブ
町田芳文

山間地農業を克服
肉牛団地造りの推進力に

私が住んでいる吉田町は、埼玉県の西北端で群馬県境に接し、林野面積が八〇%を占め、部落も耕地も大半が山の中腹にまでおよんでおり、一戸当りの平均耕作面積は五五アールと極めて零細であります。従って労働生産性も低く、土地の基盤整備や農業施設などの資本整備の遅れが目立っております。

吉田町の肉牛経営の歴史は非常に浅く、昭和四十二年から4Hクラブの若い人たちが中心になり、これに農協と普及所が、物心両面のバックアップで、肉牛の団地育成事業が進められ、約三百頭が飼育されています。そのうちの約半数の百五十頭を4Hクラブ員五名で個人プロジェクトに取り上げています。

肉牛部門を親子契約

私の家の経営規模は、水稲四十アール、桑園八十アール、飼料畑四十アール、普通畑二十アール、放牧場三十アールの合計二百十アールです。このほかに山林二十ヘクタールがあります。

家族は五人で、労働人員は私と両親の三人であり、水稲、養蚕、林業を両親が担当し、肉牛部門は親子契約により、経理、労働面そのいっさいを私が責任をもって行なっています。

私が肉牛と取り組もうとした動機は、子供のころから将来は農業で生きていきたい、という夢をもち、農業高校へ進学し、その後、県立農業センターに学び、夢の実現に情熱を燃しつづけました。

さて、実際経営者として、どのような農業の形態で進んでいったらよいのか、また、どんな部門を選んだらよいのか、ずい分悩み迷いに明け暮れた日がつづきました。例えば、酪農や養蚕にしても一応の勉強はしましたが、秩父という特殊の山間地農業の環境の中で、

一、他産業並みの所得をあげるためには

二、企業的な農業を経営していくためには——などです。

原野山林を活用する

まず、第一に土地基盤の制約を受けないで、原野や山林が活用でき、しかも、家族労働だけで高所得を上げることのできる部門でなければ、という結論に達したのです。

つまり、秩父という零細規模の中で自立経営農家としてやっていくためには、肉牛部門が最適であるという結論です。

もちろん、家畜が大好きであったこと、また、桑園と結びつけることによって、糞尿処理が容易であることなども大いに関係しています。

この経営は当地方として新しい事業のため、4Hクラブ員が研究会を組織し、先進地の視察や現地検討会などの研究活動も活発に行ない、また、月一回の定例研究会には普及所の畜産技術員、農協の指導員が指導に当ってくれています。

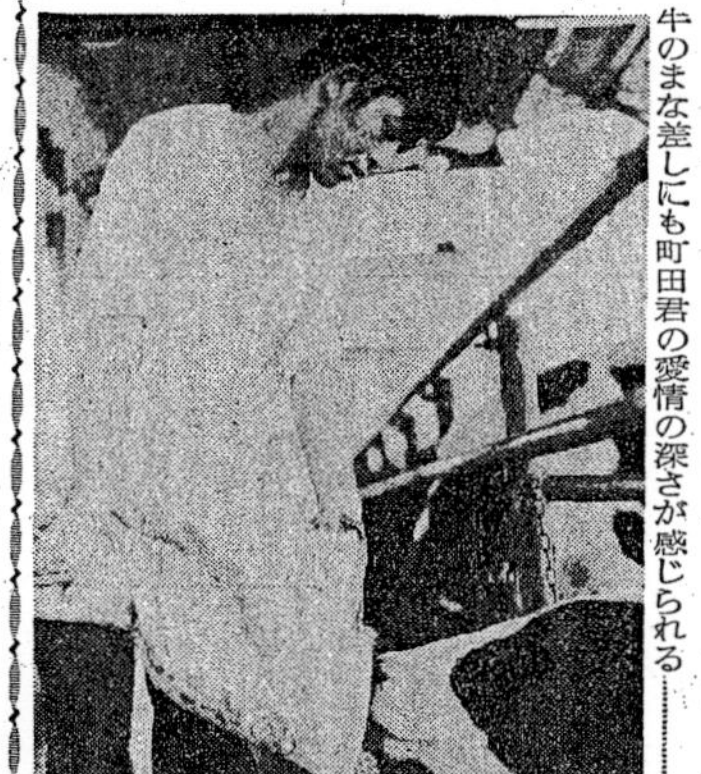

牛のまな差しにも町田君の愛情の深さが感じられる

素牛の導入に要注意

つぎに私の経営について述べてみます。

現在の飼育頭数は七十五頭であります。素牛の良否は、肥育完了まで、その影響を及ぼすので、導入に当っては、細心の注意を払っています。ほ育期間中（生後四十日）までは、一日三回の制限給餌を行ない、離乳後は出荷まで不断給餌を行なっています。一頭当りの給与量はつぎの通りですが、多少、飼育日数がのびているため、多くなっています。

濃厚飼料給与量
モーレット特A　二〇㌔
モーレットA　四八㌔
モーレットB　一六五㌔
キング前期　七〇〇㌔
キング後期　二〇〇〇㌔
全粒麦　二〇〇㌔

耕地は自宅周辺にあるため、糞尿処理には困難を感じていません。公害対策には、とくに留意して七月から九月までネグホンの一〇〇〇倍液で、一日二回消毒し、冬期間はダニの駆除にも努めています。

当地方の肉牛は、育成から肥育まで一貫経営を行なっていますが、最初、私の経営では回転を早めるため生後百日以上の子牛を十二頭導入しましたが、この結果はあまり良好でなく、ほ育から肥育まで一貫飼育の方が、発育のよいことがわかりました。これは導入どきの牛のストレスが最少ですむからだと思います。

出荷は農協を通して

つぎに、肥育牛の出荷状況でありますが、昨年中の出荷頭数は三十七頭でありました。出荷先は農協の系統利用により、大宮食肉市場で枝肉取り引きを行ないました。一頭当りの平均売上げ金額および生産費はつぎの通りです。

出荷の状況（三十七頭）
収入
出荷体重　五四九・九㌔
枝肉量　三三四・四㌔
枝肉単価　五七〇・四円
ゴミ皮　一一、九八五・三円
奨励金　二八二・八円
売上げ合計　二〇二、二六八円
支出
各種手数料　一五、五九一・九円
生産費　一六〇、四三一・四円

生産原価および損益は図表①②のとおりです。

以上私の、日の浅い経営の概要ですが、これからの経営のビジョンについて述べてみたいと思います。

豊かな生活基盤造る

第一に、年間所得を他産業なみの所得水準に引き上げ、楽しく豊かな生活ができる生活基盤をつくり上げていきたいというのが、私の基本的な考え方であります。

農村の嫁ききん、人手不足など大きな社会問題がマスコミを賑わせていますが、私が思うに次代を担う農業青年の努力と情熱が少ないため、これが原因していると思います。少なくとも、高所得によって農村の経済的な面は豊かになり、あわせて精神的な豊かさを加えていけば、嫁ききんの問題なども解決すると信じつつ、肉牛への愛情を傾けていきたいと思っています。

そのためにも現在の限られた土地での経営では、所得増加にも限界がありますので、公害対策と合わせて、山林を利用した大規模な経営を進めていく計画であります。

つぎに、今日までの体験を生かして新技術を修得し、肉牛の品質の向上と生産費の軽減を図るためいっそうの努力と研究を積み、若い4Hクラブの仲間とともに、肉牛団地造りの推進力となって、地域の特性を生かした肉牛経営をつづけていきたいと思っています。

肥育牛と牛舎内の一部

生産原価（第1表）

科目	金額	備考
飼料費	4,355,770円	84.2%
労働費	262,500円	5.1%
素牛費	454,800円	8.8%
診療衛生費	13,100円	0.3%
光熱水道費	5,000円	0.1%
減価償却費	67,708円	1.3%
修理費	700円	
小農具費	10,600円	0.2%
当期費用	5,170,178円	
期首評価額	3,362,382円	
期末評価額	2,643,312円	
差引生産原価	5,889,248円	

肉牛部門の損益（第2表）

	科目	金額
収入	肉牛の販売高	7,473,456円
生産費用	期首肉牛評価額	3,362,382円
	当期費用	5,170,178円
	小計	8,532,560円
	期末肉牛評価額	2,643,312円
	差引生産費用	5,889,248円
	売上げ総利益	1,584,208円
管理費販売及び	販売経費	556,438円
	共済掛金	16,560円
	その他	1,560円
	小計	584,558円
	事業利益	999,650円
	当期総利益	999,650円
	支払利息	221,132円
	当期純利益	778,518円
	所得	1,041,018円

私のプロジェクト

鶏病しんだん

ND病（ニューカッスル）とその後の動向 ■4■

感染防御とHI抗体の関係をさらに詳しく調べてみよう。第一回の生ワクチン接種後、二ヵ月の鶏群のHI価は平均七・二倍、中和抗体価は三・〇〇、感染防御率は八八%を示している。この鶏群に生ワクチンを再接種すると、ワクチン接種後、一ヵ月で測定した平均HI価は一五倍で、HI価は再接種前に比べあまり上昇していない。

HI価を免疫のすべてと考える人からみると、生ワクチンはあまり効果がないと判定されるような結果である。

しかし、中和抗体価を調べてみると三・〇〇から三・五〇に、感染防御率からみると八八%から一〇〇%に上昇しており、生ワクチンが有効に働いているのがわかる。なぜ生ワクチンを再接種した鶏群のHI価があまり上昇しないかを考えてみよう。

血中抗体と組織免疫の関係

生ワク接種で抗体が保強

定期的に生ワクチンを補強接種している鶏群では、個体により血中の抗体保有量には差がある。抗体の低下した鶏では、生ワクチンの接種によって、多くの抗体が補強されるため、HI価の上昇が認められるが、抗体のあまり低下していない鶏では抗体の補強が少なく、HI価もあまり上昇しない。それでは、このような鶏には生ワクチンの補強接種が無効であったかというと、実はそうではない。

このような鶏にも生ワクチンは呼吸器の粘膜組織で抗体を産生し、組織の免疫を確実に補強している。体液の抗体の補強がなく、無効に見えた生ワクチンの接種が、実は感染を防御するに最も重要な組織の免疫に十分有効な働きをしている。

これら組織の免疫は、HIやその他の血中抗体では測定が困難であるため、生ワクチンが血中抗体に阻害されテーク（有効に働く）しなかったのではないかと考えられがちであるが、生ワクチンは体液の免疫に影響されることなく、組織の免疫をあたえることが特徴である。むしろ血中に抗体を保有する鶏に死籠ワクチンや、TCND生ワクチンを注射した場合、これらのワクチンは血中の抗体に影響され、十分な免疫を生産することができない。

血中に母鶏から移行抗体を保有した幼令のヒナでないことはよく知られていることである。

これに比べ、生ワクチンは血中の抗体の影響の少ない幼令のヒナの、気管や食道の粘膜細胞内で、B1株ウイルスが増殖し、有効な免疫を産生することができる。免疫のつくりにくい幼令のヒナに、生ワクチンの接種が奨められるのは、これらの理由によるものである。

防疫のプログラムを実行

免疫は、ワクチンに対する鶏の反応の結果つくられる。したがって最大の、そして最も均一性の免疫を得るためには、よいワクチンを求め、そのワクチンを適切に使用し、鶏が最大の能力で反応できる最も良好な環境を準備してやることである。マックレス氏病やCRDと生ワクチンの関連性を考える人もあるが、これらの病気は養鶏の環境条件が重要な役割を果す病気であり、生ワクチンの使用によっておこる病気ではない。

育成率の低下の原因を"トリ"や"エサ"や"ワクチン"のためと考え、汚染された環境や、まずい養鶏の仕組み、不衛生な管理を顧ない人がいるが、今こそすべての養鶏家が、よりキメ細かな防疫プログラムを忠実に実行するとともに、養鶏の仕組みや環境を考え、激動が予想される養鶏産業の将来に備えるときだと思われる。（おわり）

農業簿記

京都大学名誉教授
大槻正男

＜自計式農家経済簿記＞

決算

農家経済決算諸表

現金現物日記帳集計計算表および財算台帳集計表において算出された諸数字を用いて、農家経済の一ヵ年の結果を表わす各種の決算数字を算出する諸表である。

粗所得算出表　所得を得るのに要した費用であるところの、所得的失費をまだ差し引かない前の総もうけ高をいう。この粗所得は、現金現物日記帳において算出された所得的総収入が、財産台帳において算出された固定資算増殖額と、流動資産（主として未販売現物）年度末増加額によって補正され、つぎの公式によって算出される。

粗所得＝所得的総収入＋固定資産増殖額＋流動資産増加額

所得的失費算出表　所得的失費は、所得をあげるのに要した総費用を意味し、農家経済決算において算出された所得的総支出が、財産台帳において算出された固定資産償却額・流動資産（主として購入現物）年度末減少額およびまかない支給額によって補正され、つぎの公式によって算出される。

所得的失費＝所得的総支出＋固定資算償却額＋流動資産減少額＋まかない支給額

農家所得算出表　その年の農家の純もうけ高をいうのである。粗所得から所得的失費を差し引いて算出される。

農家所得＝粗所得－所得的失費

農家所得は他面からいうなれば、年度始めの財産額を少しも減らさないで、農家がその年度において生活に消費することができる価値額を意味する。そして、農家のあらゆる所得経済行為の究極の目標は、いうまでもなく実にこの農家所得であり、これによってその成果が判定されるのである。

家計費表　農家の家計をまかなうのに要した費用額をいう。家計費計算においては家計用品（消費財）は、家具家財に至るまで完全消費財とみなし、たとえ年度始めにおいて前年度からの繰越しが、また、年度末において次年度への繰越しが相当額にある場合にも、これらを計算して家計支出に修正を加えないのが普通であるから、農家経済決算において算出された家計費をそのまま転記する。

家計費＝家計支出年計＋生産物家計仕向け年計

農家経済余剰算出表　農家所得から家族負担家計費（家族生活費）を差し引いた残額をいうのであって、どれだけその年度においてその農家に純粋の余剰ができたかを表わす。農家経済の損益計算の最終結果をなし、その年度における農家経済の成績の究極の指標となる。

農家経済余剰＝農家所得－家族負担家計費

土地・有価証券売却による損益算出表　農家経済余剰は全体としての農家経済の経済成績を表わす。しかしながら農家経済においては、このほかに単に経済界における変動に原因して、この簿記において不消耗性または不増殖性資産として取り扱った土地および有価証券の価格が下落または騰貴し、財産台帳における年度始め記入価格よりも、あるいは安く、あるいは高く売却されたために、全く受動的に損益を生じる場合がある。この損益を「土地および有価証券売却による損益」というのである。

NHK農事番組（5月11日～20日）

テレビ

明るい農村　月～土　6・30～6・55　総合
11日　村の記録　群縣移動（鹿児島県下）
12日　きょうの話題　農薬と安全
13日　産業往来　かつを節（鹿児島県串木野市）
14日　話題の広場　オートメ牧場（栃木県那須町）、開拓地の母（浜松市）柏木はつえ
15日　村をむすぶ　フィルム・リレー
16日　農村新地図　静岡県大浜町（東京大学教授）中根千枝
18日　村の記録　辺地のカルテ（愛知県東栄町）
19日　きょうの話題　どこへゆく転作指導（農林省農政局長）池田俊也ほか
20日　産物往来　夏みかん（山口県萩市）

農業教室　月～土　7・30～8・00　教育
11～13日　水田酪農の問題点（岩手大学教授）千田英二
14～16日　作業安全の再検討（東京大学教授）川延謙造
18～20日　ハウスきゅうり生産の課題（千葉大学教授）藤井健雄

あすの村づくり　日　7・00～8・00　教育　再　土　13・00～14・00　教育
17日　「村の健康調査」すぎな会・渡部千代（山形県鶴岡市我老林）田村秀子・YF4Hクラブ（熊本県八代郡宮原町）

ラジオ

早起き鳥　6・55～6・00　❶
11日　現地報告　作付転換の波紋（高知県下）
12日　人と話題　天敵をつくる（林業試験場天敵微生物研究所長）片桐一正
13日　通信員の手帳から
14日　人と話題　水耕農業（大阪府立園芸高校教諭）西谷好一
15日　現地報告　高速道路にかける農村（広島県東城町）
16日　村のポスト
17日　話題の窓　自主流通米決算（食糧庁官）森本修
18日　現地報告　発足した畜産建設青年隊（秋田県下）
19日　人と話題　松原隆一（香川県大川農協専務）
20日　通信員の手帳から

ラジオ農業学校　月～土　6・40～7・00　❷　日　6・30～7・00　❷　再月～土　19・00～19・15　❷
17日　▽優秀農家に学ぶ「奈良県御所市・落合源治さんを訪ねて」

4Hクラブ員を県外研修に

長野・上郷町で予算化

【長野】下伊那郡上郷町は今年から農業青年に先進地を視察させるため、後継者対策費として十万円を予算化した。これは、4Hクラブ員を国内留学のような形でおもに県外へ出し、新しい農業技術を学んでもらうため。

上郷町は最近、施設園芸が活発で、昨年十二月、北海道、岩手県から研修にくるなど、こうした面も一つの刺激になって、後継者対策に旅費として予算化したもので意欲的に農業をしている4Hクラブ員十人を選ぶ予定。

町はこれから要綱をつくって、具体化させるが、二十歳から二十三才までの青年を対象にする予定。

減反対策にシイタケ

青森・十二湖4Hクラブ

【青森】西津軽郡の十二湖4Hクラブでは、米の生産調整による減反対策に、今後の大きな活路としてシイタケ栽培をとり上げることに決め、地区の農業改良普及所などの指導で生産をはじめた。

このクラブ員は、同クラブの斉藤榮雄君らいずれも若い農業後継者で、深浦営林署の好意でナラの原木八十たなの払いさげを受けて地区内の三ヵ所に分配し、促成栽培用のビニールハウスも二ヵ所設ける予定。

生産したシイタケは、市場で高値のときは生で出荷し、大半は乾燥して、地元岩崎農協の指導で、山形県の大手の加工業者に出荷する計画をしている。また、来春には百六十たなにふやし、将来は十たな程度までに殖していくといっている。

米の減反で、ショックを受けているときシイタケ栽培をこの地方の特産物に育てていきたいと、クラブ員たちは、はりきっている。

あしたの青春 ＜26＞

一ノ瀬綾
え　多賀愛子

めざめ（七）

超ミニのワンピースから、形のいい脚をむき出してプレーをする娘、長髪を振りたてて恰好をつける若者、仲間のゲームに口笛や拍手で応援をする一団……どこを見物しても、遊びに熱中した顔々である。

「申し込まないと、後から来た人達に追い越されるよ」

黒木の妹が言った。一時間半も、こんな場内で待つのは馬鹿らしいと新一は思った。この様子では、市内の盛り場はどこも同じ状態かもしれないが、ここよりましだろ。

「俺は、やめる」

「そんなら、俺もやめる。外へ出て、ビールでも飲もうや。のどがかわいた」

黒木も、うんざりした表情である。

「わあ！ひどい……意地悪、ウソつき」

町の娘が、思いがけない力で新一の背中を叩くと、黒木の妹も兄をなじる。

「金をやるから、二人で勝手に遊べよ。その方がいいずら」

黒木は素早くポケットから紙幣を出すと妹の手に握らせた。

外は暑かった。通りに面した飲食店は、冷房と冷たい飲物にむらがる客で満員であり、舗装路面もとけだしそうな陽差しの中を、母子連れやアベックが通る。

「俺の知ってるビヤホールへ行こう」

クラブの仲間と来た時行く店を思い出して、新一は言った。

そこは繁華街をちょっとそれた路地裏にある。黒木が言った。

「たいした人出だな」

「夏祭にだぶらせた、客寄せ戦術の成功だ」

こんなに若者がいたのかと思うほど、二十代の男女が多い。通行人だけではない。小さな商店の店員、遊戯場の係員、飲食店のボーイ、工事現場の人夫達、みんなそれぞれの生活を抱えて動きまわっている。どう眺めてみても、安定感も将来性も望み薄に見えるのだが、黒木の言った「喰うには困らない」仕事というのは、これかも知れないと新一は思っていた。

「黒木は、百姓が駄目になれば店員になると言ったが、先の見通しはどうなんだ」

「先のことなんかわかるかよ。商店街の中の個人店なんて、弱いもんさ。近くにスーパーでも出現してみろ、いちころだ。毎日が不安で始まるのが個人店の運命だ。俺も同じさ」

「それじゃどうして農業を捨てる気になれるんだい」

「俺は怠け者だからさ。これからの農業は、生半可じゃやっていけねえ……土地の買い手もつかねえ山の中で、まごまごしていられるかい。生きる為なら、俺は何でもやる」

投げやりで、無責任な黒木の話し振りには、クラブの仲間には見られない、捨身で真剣な一面があった。

「就職するなら、進学の時からそのつもりでなければ、いい仕事につけやしねえ」

「それじゃ、新ちゃんは今迄一度も、迷ったこともねえと言うのかい」

「あったさ……苦しんだよ」

言ってしまってから新一は、今日迄の自分の足掻きが、押しつめれば就職問題にぶつからざるを得ないのに気がついていた。

美ケ原で知り合った、東京の若者達に手紙でも書こうかと、ペンを握った日もあった。

「ま、飲んでゆっくり話そうや」

ビヤホールの入口で、新一は黒木の肩を叩いた。照明をしぼった店内は涼しく、さして広くない入口から奥へかけて、女性も交えた客数は十四、五人であった。カウンターに近い席を見つけて二人が腰を落ち着けた時である。突然、新一は強い力で腕を取られた。

「新一君！」

新しい農業の受け入れ体制を

私のクラブ活動歴

長野県飯山市木島254　飯山農村青少年クラブ　小野沢　竹次

必ず雪を征服する
留学研修で貴重な体験

私たちの飯山市農村青少年クラブは、長野県の北端の田園都市、飯山市内の農業青年男女約七十名によって結成されており、私はその中の木島支部（クラブ員十八名）の一員として、活躍しています。

私がこの農村青少年クラブに入って、今年で三年目ですが、同時にそれは私の農業体験年数でもあり、現在までの私の農業生活は青少年クラブにおける学習や視察、交流会などの活動と切り離しては考えられず、そしてまた、このクラブでの活動が将来の私の経営にも、何かの形できっとプラスになるだろうと確信しています。

農業はやりがいのある仕事

4Hクラブのことは中学生の頃から雑誌や新聞で知っていました。ですから家に入って自営するようになり、クラブの会長さんが入会を勧めにきてくれたときも、ためらわずに入り、定例会などには努めて出席しました。クラブ員は決して多いとはいえませんでしたが、みんな同じ地域の農業に生きがいを感じている仲間たちばかりなんだという雰囲気があって、家の仕事の一つひとつにも張り合いができて、農業は苦しいけれども、それだけにやりがいのあるものだと改めて思いました。

新しい日本農業は少数精鋭でなければいけません。常に現在と将来の我が国において、農業という一つの産業を発展させ、また、私たちの農村生活を豊かに、楽しくするために、農村人口の離農、離村現象にもあえてそれを拒否した私たちは、まず、農業経営者としての誇りを持たなければならないと考えるのです。

離農現象は農村の廃虚でない

この意識が、私たちの青少年クラブ活動を支える一つの大きな力となっており、ですから最近の農村人口、とくに青年層の離農や流出を、マスコミがきわめて悲観的に、ときには絶望的にさえ報道して、あたかも農村が廃墟になるような印象すら与えていることを遺憾に思っています。農村人口の減少がすべてにおいて、農家と農村の貧困をまねくとは断言できないことです。それは新しい農村に、生まれかわるための過程だと私たちは考えています。

複式農業簿記の講座を開く

市の青少年クラブ活動は、春の予算総会から翌春の決算総会までの間に行なわれ、私たちの支部活動も、それに準じて行なっています。支部活動について紹介します。定例会を毎月一回以上開き、クラブ員の要望によって、農業改良普及員からの講義などを聴くほか、地区内優良農家の視察、またはクラブ員の圃場巡回、あるいは市外の先進地視察（これは市青少年クラブの主催で）などのほか、昨年から農協の養鶏部にも協力して、地区内のニューカッスル病予防注射をクラブ員全員が巡回して行なっています。クラブ員の中には養鶏を主体にしている者は一人もいないのですが、この注射代の一部は、クラブの運営のために少なからず役に立っていますし、青少年クラブと農協および地元農家とが連帯感を深めているのは、何よりもいいことであると思います。

また、複式農業簿記の講座が昨年行なわれました。これは農協の一職員の好意を得て、八月から十一月まで、週に一度開かれたものです。それは、私にとってもこの上ない収穫で、複式簿記は、高校のときに、少し習ったのですが、初心にかえり講座を受けました。今までわからなかったことが、一つひとつわかっていくのは楽しいことでした。農繁期で疲れていても、講座に出席すれば、あ、自分は今青少年クラブで勉強しているんだなという実感で、眠さをふきとばしてくれるのです。

農業経営に簿記は、絶対不可欠なものです。簿記を記帳しないでどうして、経営の検討や改善ができるでしょうか。私は簿記を知ることによって、農業経営の楽しさは倍加すると思います。というよりもそれは、農業経営者すべての義務でなければいけないでしょう。

それですから私も、昨年までは単式だったのを今年から複式伝票式の簿記にあらためました。伝票の数字と労働日誌が、今後の経営の指針にいかに示唆を与え、いかに経営の改善に役立つかは、それぞれの家でそれぞれが記帳しなければわからないことです。この簿記講座は、昨年大変好評だったので、今年も希望によっては行なうつもりです。

初対面の仲間でも意気投合

市の青少年クラブは、私たちのような支部が七つほど集ってできています。この広い地域のクラブ員同士をむすびつけるのは、春の総会とともに、夏のキャンプ大会です。討論会などで初対面でも少し話せば、すぐ意気投合することができるのも、やはり同じ目的を持ったクラブ員同志だからだと思います。

また、県の農村青少年技術交換大会も宿泊研修として、一層広い範囲からクラブ員の参加があり、私も昨年初めて参加しました。より多くの仲間たちと一緒にいるとき、私たちはお互いにファイトを燃やし、おたがいに励ましあっていいようもない感激に打たれました。県下のあちこちで、あるいは全国各地で、真剣に農業に取り組んでいる多くのクラブ員のことを考えると、私も頑張っていこうと自覚せざるを得ません。

先進地研修で視野を広める

一昨年に私は農業改良普及所から農村青年の先進地農家留学研修の案内を受け、家の人とも相談して、研修に行きたい旨をお願いしました。私の家の経営の主体は花卉と水稲で、とくに花卉については私自身も、もっと勉強してみたいと思い、わずか三ケ月ほどでしたが、愛知県の花卉栽培農家へ住みこみで研修にいきました。

研修は決して楽ではありませんでしたが、それだけに、私の身に得たものは貴重でした。そこで、栽培技術などよりも何よりも心に残ったのは、ものの見方や考え方について考えさせられたことです。私は故郷を離れて遠いところから自分たちの村を見、経営を考えて、今まで知らずにいた自分たちの地域や経営の方法について、ずいぶんいろいろなことをし、他と比較して、長所や短所も知りました。

例えば、私たちの地域は、千曲川の沖積砂壌土で、水稲の十アール当たり平均収量は六百キロ。今までは別に多いとも少ないとも思っていませんでしたが、研修にいった地方の平均収量が、四百キロ前後しかあげられないことを聞いて、はじめは意外に思ったほどでした。

また、切花については、冬場に各市場に出まわる愛知ものも夏になれば、やはり私たち長野県の、いわゆる高冷地ものに、市場の大半をしめられてしまうことをきき、私のやっている切花も、決して小さな存在ではないのだと自信を深めました。反面私たちの地方の最大の欠点として、冬期の積雪下の生活をどうしたらいいだろうと、改めて考えさせられました。

私たちは長い間の慣習から、冬は仕事ができないものと割り切って家の中にいたり、また、生活資金を得るために出稼ぎを余儀なくされています。最近はエノキダケ栽培の導入によって、余剰労力が消化されていますが、それでもまだ出稼ぎ農民の割合は多くをしめており、この傾向は今後も続くものと思われます。

しかし、私たちはいつまでも、雪のために不自然な生活をすべきではないと思います。いつか必ず、雪を征服しようと考えています。私自身の当面の課題として、今までやってきた柳などの枝物花木の生産を増やしていこうと考えています。

既成の事実にとらわれずに

私たちは自分たちのやっていることを、少なくとも一度は客観視することが肝要です。そして、良い点と疑問な部分をみきわめ、改善していかなければいけません。いつまでも既成の事実にとらわれていては、農業の近代化は長い時間がかかることでしょう。クラブとしてもクラブ員全員が、地域農業の実態動向を直視し、未来の青写真を考え、クラブ員の意識を統一し、統一された見解が下されれば、その地域の将来の方向づけのために、有益なものではないでしょうか。

地域農業の近代化、集団化には一人だけの偉い人がいても、それについていく人がいなければ、なかなかできるものではありません。大切なのは百人の一歩一歩のあゆみなのですから。

私たちの村においても、今年から地区の総合基盤整備事業のために推進委員会が設けられ、来年度から測量に入り、今後、かん水、防除、圃場整理、そして構造改善へと青写真が描かれており、私たちクラブ員もこの事業には大きな期待を寄せております。来るべき新しい農村の、新しい農業を、私たちクラブ員が、それを受入れる体制を整えるために、あらゆる機会をとらえて、よりいっそう学習をしようと思います。

学習は農業士制度の参加で

学習活動としては、昨年から農業ゼミナールが、開講されています。これは、県が全国にさきがけて提唱した、農業士制度の一環として、市町村、郡、県の三段階の段階で、各部の専門の講義が行なわれます。ともすれば、仕事にばかり追われて、じっくり考える時間もなくなりがちなのですが、このゼミナールは、身近な法律講座や農産物加工、あるいは視察、座談会などとバラエティーに富んでいて、何かにつけてもいい機会です。

私はまだ農業経験年数が三年なので、農業士になれる資格はありませんが、ゼミナールにはできるだけ出席していこうと思っています。

私たちのクラブはこのように、直接農業経営に関係するもののほか、農村にもレクリエーションをとり入れ、農村生活を楽しくするために、青年団と共催して、社交ダンスの講習会を六月から土曜日ごとに開き、クラブ員と青年団員の親睦を深めてきました。

今の日本農業は技術的な面よりも、もっと農村の生活の面において改善を進めていく必要があるのではないでしょうか。とくに、農村婦人の肉体的、精神的な負担をいかに軽減していくかは、今も私たちの課題であり、農家における人間関係の真の平等が認識されることも、新しい農村になるための条件だと考えるのです。私たちのクラブでは昨年、若妻学級との話し合いを行ないましたが、農家のお嫁さんの立場を理解するために、これからも話し合う機会を持ちたいと思っています。

農村に生まれ、そこに育った私たちクラブ員は、農業にこそ本当の人間らしい生活があることを信じています。また農業経営者でもある私たちは、経営能力をのばすために、お互いに手をとりあって豊かな村づくりに前進していこうと思います。

農村雑感

目的と信念

折原　俊二郎

現在の日本農業の中で、十指の中に入るほど成功している農業者二人の物の考え方について検討してみると、両者の間には共通した考え方があることに気がついた。

その一人U氏は、戦後満州からの引揚げ者で、終戦後本格的に農業をはじめた人であるが、氏は農業をはじめる前に一年有余朝から晩まで読書をし、自分の考え方を整理することに時間をさいた。もち論、その読書の巾は広く、農業技術からはじまり社会、経済、そして人生観に至るまでの広範囲のものであったという。

そうした時間をかけて、はじめて農業に対する確固たる信念と方針をかかげて取りくみ今日に至っている。農業についてから今日までの間には、大きな障害に数知れず相遇したが、その都度、困難を乗り切っただわけであるが、その対応策の根本となったのは、すべて農業をはじめる前に自分で学び、方向決定した一つの強い信念にあったということです。

もう一人のS氏は、旧制中学校を卒業すると家業の農業を引きついだが、親からの引きついだ農業では満足出来ず、何とかして新しい自分の考え方にたつ農業経営をやってみたいと考えた。それには、自分の能力を高め、広い視野と確固たる信念をもつことにあるということで、そのためには、現状のままでは駄目であり、もっともっと勉強しなければならないことであると考えた。

もち論、勉強するにしても、家業をすてて学校に入るわけにはいかない、一日の農作業が終って夕食後から氏の勉強の時間となるが、日中の農作業の疲れが出て思うように勉強に力が入らない。しかし何としてもこの苦労から抜け出さなければならないという一つの目的意識に基づいて、計画的に勉強が進められた。時には、朝方の三時四時という時間までかかることがあったが、その時は、奥さんが朝の九時すぎまで起さないように気を配ってやってくれたとのことです。家族総まとめのうえで勉強が続けられたということです。この中で学んだことが、今日の農業経営の基本方向になったということです。

最近では、日本農業のみでは不十分であるとし、外国の文献を読み出しているが、最初は英語の解読力に乏しいため、苦労をしたが、これも、新しい技術経営を導入するという目的意識がはっきりしているため、その苦労を突破し、今では自由に外国の文献を読破出来るとのことであった。

この両者の考え方は、一つの目的を仮定し、その解決のために何が何んでも成しとげるという固い信念のうえに立って、計画的に、しかも長期間にわたって物事を進めてきたことである。

農業をやる。しかも、その農業は一般の人とは異なる企業者に匹敵するだけの高いレベルに到達しているといえよう。

この両者の考え方は「目的をはっきり定め、その目的に向って全力を投入すれば、何事も成就する。人生とは短いようで長いものであるから、効率的に時間を使えば、時間は十分にある。要は、如何にして、目的設定をするか、その目的にどのようにして接近するか、その手段と方法は苦難の道であっても、実現させようという信念があれば必ず実現するものである」ということのようです。

（農林省・農業者大学校）

肉牛受け渡し式
米国から日本側へ
万博、展示後は4H協会に寄贈

日本万国博覧会のアメリカ館、アメリカンパークに展示される肉牛の受け渡し式が、さる二十八日午前十時四十五分から、小雨にけむる東京・世田ヶ谷の馬事公苑において行なわれた。

この受け渡し式には、アメリカからマイヤー大使、ハロウエール農務官、米国アンガス協会スプリンガ極東部長、アメリカ大使館職員ら多数が出席。また日本側からは桧垣農林政務次官、太田農林省畜産局長、矢野同普及教育課長、三宅、新田両日本4H協会常務理事、全協役員をはじめ4Hクラブ員など関係者多数が参列した。

式は、アメリカ大使・マイヤー氏のあいさつの後、農林大臣代理・桧垣政務次官が、今回の催しを計画いたしましたアメリカ農務省、在日大使に心から感謝いたしますと述べた後、大阪の万国博展示後はアメリカの少年の意を介して4Hクラブに贈ります。この計画を畜産の発展、4Hクラブの発展に役立ててほしいと、あいさつした。

また、日本4H協会を代表して三宅常務理事が、アメリカの4Hクラブ員の手で育てられた牛は、万国博展示ののち、4H協会に寄付されると聞いています。協会としましてはクラブ活動推進の寄金にして、この行事を記念していきたいとお礼のことばを述べた。

この肉牛は、イリノイ州の十一才の4Hクラブ員がプロジェクトとに飼育したアンガス種とシャロレー種の交配種で、一九六九年度シカゴ家畜共進会でグランドチャンピオンを確得した見事な肉牛である。

この牛をシカゴ物産取り引き所が約五百四十万円で落札し、少年はその賞金を獲得した。この牛がアメリカ農務長官から農林省に寄贈され、さらに4Hクラブ活動やプロジェクト活動の発展のために、大阪の万国博会場に展示されたのち、ふたたび農林大臣の手から日本4H協会へ寄贈されることになっている。また、展示会場には管理人として、岩田芳信君（愛知県・三好4Hクラブ員）が選ばれてすでに任務にあたっている。

万博会場に展示される肉牛（アンガス種とシャロレー種の雑種）に見入る4Hクラブ員と関係者

就農者の激励会開く
鹿児島・加治木地区連で

【鹿児島】鹿児島県加治木地区青少年クラブ連絡協議会は、さる二十一日、農業改良普及所で総会を開き、新しく仲間入りした新就農者十三名を歓迎、励ました。

新入者は今春、農高や農村センターを卒業した女性一人を含む十一人の若者で、やる気十分の農業後継者たち。

新しい仲間を迎えた先輩たちは大歓び。クラブ員を代表して会長の山下誉行君が、君たちに期待しているのは親たちばかりでない。地域の農業関係者はもちろん、おれたち先輩が、君たちをよきライバルとして見つめている。ともに手を取り合って困難な農業に立ち向おうと激励。

これに対し新就農者の代表が、これから農業の先頭に立って頑張りますと誓いのことばを述べた。

詩

新しいきせつ

高村　朝子

僕の季節がきた
深緑の松林の中で
新緑の木々の葉が
銀色にきらめく
天水により　潤された大地の
片隅で
ゲコゲコと　友が
さかんに唄っている
やわらかな風は
やわらかな木の香りを
連れてくる
沈んでゆく　太陽の合唱（うたごえ）が
故郷の　樹々の葉を
ふるわせるとき
東の空に　ひとつぶの
きらめきが生まれる
もう　いちど　ふく
やわらかな　風が
暮れゆくときを
いっそう
美しく　かざりたてる
僕の季節がやってきた

（愛知県・上郷4Hクラブ）

県議会議長と話し合う
静岡・浜北市4H連協

【静岡県＝鈴木政美連絡報道員発】静岡県浜北市4Hクラブ連合協議会（会長、河合龍吏君）は、さる二十三日、同市役所会議室で地元出身の県会議員（議長・河合多三氏）を迎えて話し合いをおこなった。

話し合いは約二時間にわたり、県政、十年後の農業などのテーマで話し合ったが、とくに、河合県会議長からは、4Hクラブ活動や農業経営上の問題点にふれた質問があった。これに対してクラブ員からは、都市計画法と今後の農業のあり方、農産物（洋菜類）の価格、総合運動場の建設、各種青少年団体の健全育成のために、市立の青少年の家など研修施設を設けてほしいなどの、多くの建設的な意見が出された。

これらに対し、議長は将来の農業を担う4Hクラブ員の育成指導にはとくに力を入れていきたい。また、各種の研修施設についても建設を考えている。今年も海外派遣には多くのクラブ員が参加して視野を広めてもらいたい。クラブ員は綱領にある科学的にものを考えることのできる頭を訓練し、激動する社会情勢の中をのりきってほしいとのべた。

今後、同クラブでは、この種の話し合いを婦人会、市会議員を混え二カ月に一回くらい開く計画。

歩きかた専科
からだの基礎づくりを

とぼとぼ歩くとか、足どりも軽やかにとか、人の歩きかたによって、心の状態まで表現されます。と同時に、肉体年令や生活状態までまる出しになるのも歩きかたです。そこでまず、つぎの三つのテストをしてみて下さい。

三つのテスト

（1）上を向いて寝て、両足をそろえて、ピンとのばしたまま、床から十五糎だけ上げて下さい。そしてそのまま「夕焼け小焼け」を一回うたって下さい。一曲うたう間、足を上げていることができますか。

（2）きちんと立って、かかとを、しっかり床につけたまま、しゃがむことができますか。しゃがんだとき、かかとをうかせてしまってはいけません。

（3）両足を前にのばしてすわって、からだを前にまげたら、ひたいが、足につきますか。ひざをまげたりゆるめたりしてはいけません。

からだの基礎づくり

◆お腹のぜい肉をとる　（1）のテストは腹筋です。腹筋が弱くなると、からだの重みを全部足にかけて歩くことになるのでどうしても動きがにぶくなります。さっそうと歩くなどということは、縁遠い歩きかたになります。それに、お腹のまわりにも、ぜい肉がたまりますから、この運動を毎日つづけて下さい。

◆足首をやわらかく　（2）は足首のやわらかさです。昔から足首が固くなると病気にさえなるといわれています。冷え症とか、血行が悪いという方に、この足首が固い人が多いようです。足首が固いと、歩くとき、いちいち地面をけるようにするので、歩きかたも優雅とはいえず、だいいち、非常に疲れます。（つづく）

日本４Ｈ新聞
４Ｈクラブ　農事研究会　生活改善クラブ　全国弘報紙
発行所　社団法人 日本４Ｈ協会
東京都市ケ谷家の光会館内
電話（269）1675 郵便番号162
編集発行人　玉井　光
月３回・４の日発行
定価 １部 20円
一ヵ年700円（送料共）
振替口座東京 12055番

クラブ綱領

私達は、実践を通じて自らを磨くとともに、互いに力を合わせて、よりよい農村、よりよい日本を創るため、四つの信条をかかげます。一、私達は農業の改良と生活の改善に役立つ腕をみがきます。一、私達は科学的に物を考えることのできる頭の訓練をします。一、私達は誠実で友情に富む心をつちかいます。一、私達は楽しく暮し元気で働くための健康を増進します。

第一回 中央推進会議迫る

県連会長会議も開く

4H活動の実践的知識学ぶ

6月3日から3日間、東京で

全国4Hクラブ連絡協議会（久野知英会長）社団法人日本4H協会（松下幸之助会長）主催の今年度第一回の全国4Hクラブ中央推進会議は、来る三日から五日までの三日間、東京都下小金井市緑町の浴恩館で開催される。

この全国4Hクラブ中央推進会議は、クラブの次期リーダーの養成と現リーダーの再訓練を目的としたもので、4Hクラブの本質、クラブリーダーのあり方、組織の運営方法などについて研修し、クラブリーダーとしての知識や技術を身につけ、4H精神の高揚とクラブの活発化を図ることにしている。

かつて全国4Hクラブ中央研修会と呼ばれ、毎年十二月に静岡県御殿場の国立中央青年の家で開催されてきたが、単なる研修からクラブ活動の推進という積極的な意味を持たせるため、四十一年度から中央推進会議と改称した。参加者は年々ふえる一方で、講義を中心とした分科会、全体会議における討議内容は、全国でも最高のレベルにあり、その成果が各地で現われている。

しかし、このような高い評価を受けながら、毎年、年度後期に行なわれてきたため、次期リーダーの養成はよいが、現リーダーの再認識については時期が遅いという反省から、今年度は二回開くことにして、今回、現役リーダーを対象に第一回目の推進会議を計画したもの。

また、期間中に、これまで独立して開かれてきた県連会長会議をもち、全協活動の基本方針や事業計画について再確認するとともに全国4Hクラブ員のつどいや4H会館の建設などを中心に、こん後の進展の方法など具体化について検討することにしている。

今年度第一回の中央推進会議の開催要領は次のとおり。

一、主催　全国4Hクラブ連絡協議会、社団法人日本4H協会

一、目的　この推進会議は、4Hクラブ活動の推進を図るため、現役リーダーを対象にして4Hクラブの本質、理念、リーダーのあり方などについての研修を行ない、その実践的学習を研修するため開催する。

一、後援　農林省、社団法人全国農村青少年教育振興会

一、参加者　道府県連の会長、役員男女各二名　計五名

一、参加経費　二千四百円（二泊六食）

一、日程と内容

第一日（六月三日）
▽午前十一時～午後一時…受付け
▽午後一時～二時…オリエンテーション、開会式
▽二時～四時…講義（4Hクラブの本質について）
▽四時～六時…分科会討議（同）
▽六時～七時三十分…入浴、夕食
▽七時三十分～九時三十分…懇談会
▽十時…消灯

第二日（六月四日）
▽午前六時～八時…起床、朝のつどい、朝食
▽八時～十時…全体会議（4Hの本質）
▽十時～十二時…全協活動の方針説明
▽十二時～午後一時…昼食
▽午後一時～六時
①道府県連会長会議
②講義（プロジェクトの進め方について）
③分科会討議（同）
▽六時～七時三十分…入浴、夕食
▽七時三十分～九時三十分
①県連会長会議
②男子クラブ員だけの討議（プロジェクトの進め方）
③女子クラブ員研修
▽十時…消灯

第三日（六月五日）
▽午前六時～八時…起床、朝のつどい、朝食
▽八時～十一時…全体会議（プロジェクトについて）
▽十一時～十二時…閉会式
▽十二時…解散

一、参加者の報告　道府県連会長は、来る二十四日までに参加者の住所、氏名、年令、役職名を左記へ報告すること。

東京都新宿区市ケ谷船河原町十一、家の光会館内　全国4Hクラブ連絡協議会事務局（電話＝二六九―一六七五）

一、会場への交通　中央線、武蔵小金井駅下車、駅前から第三小学校行きバスに乗車し、浴恩館入口バス停で下車。そこから徒歩で六～七分

会場までの交通

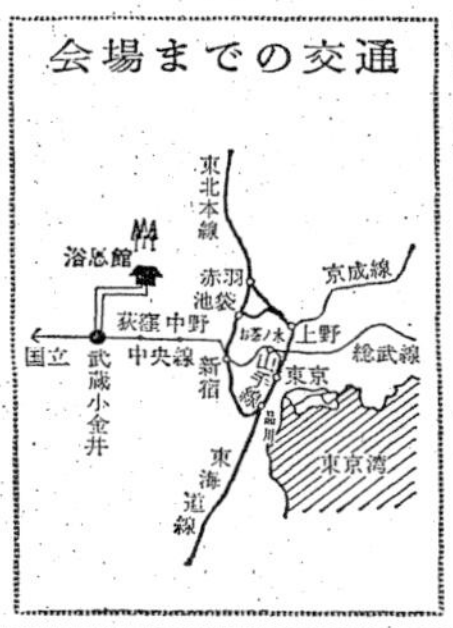

「つどい」へスタート

愛知県連総会

末端に浸透図る

会長に冨永君　組織強化など二本の柱

【愛知】県4Hクラブ連絡協議会（会長、飯田雅彦君）は、さる四月二十四日、三共株式会社名古屋支店第三会議室で四十五年度の通常総会を開き、来年度、全国4Hクラブ員のつどいを同県に誘致することを決定した。

同日は、県連役員と新旧単連代表（男女各一名）約五十名と関係者が出席、広谷県農林業技術課長のあいさつのあと、4Hクラブの歌を全員で斉唱。つづいて、飯田県連会長が「みなさんの協力でもって、二年間、会長という重責を果すことができた。今日、ここに出席された役員さんに十分に内容を審議していただき、こん後、われわれ4Hクラブ、また、愛知県連がますます発展できるようご尽力願いたい」とあいさつ、つづいて、久野知英全協会長はじめ来賓から激励のことばがあった。

このあと、議長、書記、議事録署名者を選出して協議に入った。昭和四十年度の事業経過と決算の両報告を承認し、新年度の事業計画と収支予算を賛成多数で承認した。

つづいて、第七回全国4Hクラブ員のつどい（四十六年度）の開催受け入れについて、久野全協会長の説明と呼びかけがあり、これについて審議した結果、「よし、愛知県で開催しよう」という意欲的な意見が多く出され、万場一致でこれを議決した。そして、さっそく担当理事を決め、末端クラブ員への浸透を図り、準備にとりかかることになった。

ついで一部県連規約を改正して役員改選を行なった結果、別記のとおり新役員が選ばれ、このあと顧問と参与に次の人たちを推たいした。

▽顧問＝愛知県農業技術課長　広谷陽一
▽参与＝県農業技術課長補佐　神谷銀雄、全国4Hクラブ連絡協議会々長　久野知英、前愛知県4Hクラブ連絡協議会々長　飯田雅彦

最後に、新役員を代表して冨永会長が「新しいアイデアをとり入れ、よりスピーディな会の運営に心がけたいと思う。また、来年度に本県で全国4Hクラブ員のつどいを開催することが決定したので先輩諸兄のご指導と役員の方々のご協力を期待するものです」と就任のあいさつを述べ、総会を閉じた。

なお、県連では、県下の百余の単位クラブに総会資料を配布して意識統一を図ることにした。

新年度の県連活動基本方針と事業計画は次のとおり。

〈県連活動基本方針〉

農村の古いしきたりから脱皮して、農業者のための農業をうちたてるには、4H精神に満ちた若い力こそ必要とする。私たちは、自からの経営能力を高めるとともに、地域社会の開発にも役立つように努力すべきである。こうした意味において、単位クラブは本来の活動を行ない、クラブ員各人が4H精神にかえることを目標にすべきであると思う。

以上のような方針に基づいて当県連では、一、組織の強化、拡充と連絡活動の促進、二、4Hクラブ精神の高揚と活動の強化―を二本の柱として、次のような事業を計画している。

その主なものとして、新入4Hクラブ員の研修、女子教養講座、技術交換大会、農業企業化先進地視察研修、青年農業者会議、幹部研修会などである。

四十五年度の新役員は次のとおり。カッコ内は単連名。

会長　冨永　博（西尾）
副会長　社本規久夫（江南）
〃　井村　明美（知多）
理事（担当は五月六日決定）
〃　事務担当　岡部たみ子（安城）
〃　鳥居　久雄（西尾）
〃　経理担当　西田　博見（新城）
〃　豊田　守（足助）
〃　全国4Hクラブ員の集い担当　牧原三治郎（豊橋）
〃　内藤　吉行（設楽）
〃　二宮　惇子（愛日）
〃　他団体連絡担当　山内　恒和（海部）
監事　森　政美（稲沢）
〃　中川　正代（田原）
〃　小嶋　光彦（豊田）

鹿児島県連で総会

会長に勝目君

【鹿児島】県農村青少年クラブ連絡協議会（会長、諏訪直樹君）の総会がこのほど開かれ、四十五年度の新役員に次の人たちが選ばれた。

会長　勝目　育男（喜入町）
副会長　大久保恒徳（高尾野町）
〃　平石　千津（阿久根市）
理事　南田　英俊（川辺町）
〃　西園　定（南種子町）
〃　前村　勝男（加治木町）
〃　西　富夫（栗野町）
〃　花園寿美子（指宿市）

ＰＴＡ的役割果す

佐賀県で4ＨＯＢ会を結成

【佐賀】今年の夏、第六回全国4Hクラブ員のつどいが開催される佐賀県で、さきに4Hクラブ員のOB会が結成され、つどいを成功させるため力を貸すことになった。

このOB会は、4Hクラブ活動体験者の相互の親ぼくとともに、後輩に対する指導、助言を通じて4Hクラブ意識の高揚と発展を図り、さらに平和で文化的な生活が営まれる明るい農村を建設するために結成されたもの。

このOB会結成は、すでにかなり以前から関係者のあいだで強くさけばれてきたが、なかなか実現できなかった。しかし、今年に入ってOB会結成の気運は急速に高まり、さる一月十九日佐賀市の青年会館で開いた第一回の準備会を皮切りに、佐賀県4Hクラブ連絡協議会の協力のもとに検討を重ねてきた結果、二月九日、佐賀市民会館で催された同県連の十五周年記念大会を機会に、ようやく結成にこぎつけたものである。そしてとりあえず、歴代県連会長だけでスタートし、こんご末端組織をつくり、足を広げていくことにしている。

現在計画している主な活動は❶OB組織化のため、その推進委員として歴代会長は積極的にとりくむ❷歴代会長が、在任当時の役員を中心としたOB推進会議を開く❸4Hクラブの健全な発展を目的として、そのPTA的存在と役割を認識し、まず、初期的段階として親ぼく的形式をとりながら推進会議を開催するとともに、現役クラブ員との連絡提けいを図る―などである。

なお、役員には次の人たちが選ばれた。

▽会長　永渕大輔（二代目会長）▽副会長　中島邦康（六代目）▽事務局長　坂井邦夫（十三代目）

盛大に行なわれた宇佐４Ｈク協の２周年記念行事

盛大に「4H週間」展開

大分・宇佐4Hク協　二周年祝い記念行事

【大分県＝中山真智子連絡報道員発】大分県宇佐4Hクラブ協議会（会長、恵良富行君ほか四十五名）は、発足二周年を記念して、このほど4H週間を展開し、宇佐市にある県農業技術センター普及員研修館で4H週間の行事と四十四年度の総会を一泊二日の日程で盛大に開いた。

この会議は、4Hクラブ員とその父兄、新入クラブ員、農業改良普及員、一般農家の人たち約五十名を集めて開かれ、クラブ員の一年間の実績をふりかえるためプロジェクト発表が行なわれた。果樹部の永木武雄、畜産部の長野一夫、4H農場長の松崎正勝各君の発表のあと農改普及員による総評とクラブ活動についてのパネル討議が行なわれ、活発に意見が交されてクラブ員意識をさらに高めた。普及所から選んでもらった市内の優秀農家の経営主（酪農家、金光清さん）に農業経営について体験発表してもらったあと、「今年度の宇佐農政」と題して、市役所耕地課長から水田の大規模ほ場整備事業について説明があった。四時から卓球大会を行なった。

夕食のあと、「交通事故をなくすには」と題して市警察署交通課長から事故場面の映画紹介とお話し、また座談会が開かれた。つづいて、草の根大使として台湾で研修してきた臼田郡大山農研の河津健君（日本4H協会から派遣）に台湾訪問のスライド報告をしてもらった。

翌日は、テープによってNHKの「青年の主張全国コンクール」入賞者の発表を聞く会を催したあと、午前十時か四十四年度の総会が開かれた。

国歌斉唱、4H信条の朗唱につづいて恵良会長があいさつ。

このあと議長団を選出し、四十四年度の事業経過、収支決算の両報告を承認、四十五年度の事業計画と予算を審議、決定した。

また、役員改選を行ない、次のとおり新役員を決めた。

▽会長　大久保清▽副会長　長野文弘　樋田貞夫▽事務局長　折元善行▽事務局次長　宮田文昭、清水伝秋▽監事　松崎正勝、中山真琴▽水稲部長　岩男司▽果樹部長　佐藤重寿▽畜産部長　岩武俊幸▽園芸部長　磯辺岩▽生活部長　広島春枝

「ますます活発な協議会になるよう全力を尽して頑張りたい」とあいさつして結んだ。

事務局を強化

静岡県連で総会

会長に真田君　クラブ組織の拡充図る

【静岡県＝鈴木政美連絡報道員発】県農村青少年クラブ連絡協議会（会長、松浦幸治君）は、さる四月三十日、静岡市の中小企業会館で四十五年度の通常総会を開催した。

まず、松浦県連会長のあいさつにつづいて県後継者養成課の田中課長補佐から励ましのことばがあり、このあと議長に鈴木政美君を選んで議事審議に入った。

四十四年度の事業経過と同収支決算、会計監査の各報告を承認、このあと役員改選にうつり、松浦会長を委員長とする選考委員会を開いて新旧理事のなかから役員を選んだ。役員については、今年度から事務局長制度を設置し、事務局の整備強化を図ることになった。

つづいて四十五年度の事業計画と収支予算が審議され、つぎのように決定した。このあと新年度の会長に選ばれた真田君が新役員を代表してあいさつし、午後三時に閉会した。

四十五年度の事業計画は次のとおり。

一、農村青少年クラブ組織の拡充

農村青少年クラブの組織を充実し、自主的な活動の発展を期すため、本年度は、さらにクラブ組織の拡張を積極的に推進する。このため、県連活動を広くクラブ員に周知徹底するとともに、事務局の体制整備、会員の把握を図る。

（一）県連活動の周知、徹底
県連事業を広くクラブ員に周知徹底を図り活動のもり上がりを図るため、単位クラブ会長会議を開催する。

（二）事務局体制の整備
自主的な活動と県連事業の効率的な運営を期すため、事務局長を設置すると同時に、事務局体制の整備について検討を進める。

（三）協議会会員の明確化
農村青少年クラブの充実と発展を図るため、クラブ会員把握の検討を進める。

二、クラブ活動の推進

クラブ活動の情報交換、研究成果の発表、主張発表などを行ない、クラブ意識の高揚と、クラブ活動の向上、内容の充実を図る。また、クラブリーダーの養成を推進する。

（一）県農村青少年技術交換大会の開催
（二）県農村教育青年会議の開催
（三）クラブリーダー研修会の開催
（四）クラブ実態調査の実施
（五）県連旗（バッチ）の作成
（六）功労者表彰事業の実施
（七）関東ブロック農村青少年クラブ代表者会議へ参加
（八）全国4Hクラブ中央推進会議へ参加
（九）全国4Hクラブ員のつどいへ参加
（十）クラブ活動の広報（機関誌「緑の仲間」の年二回発行）
（十一）その他、組織強化、クラブ活動促進に関する事業の実施
（十二）連絡会議の開催
（十三）4H会館建設に協力

三、他団体との連けい

他団体との連けいを図り、県連活動の向上に資する。

全国4Hクラブ連絡協議会、関東ブロック農村青少年クラブ連絡協議会、静岡県新青年協会

四十五年度の新役員は次のとおり。

会長　真田　勝（小山町）
副会長　名倉　泰一（引佐町）
〃　植松美津子（田方郡）
事務局長　鈴木　政美（浜北市）
書記長　鈴木紀久安（静岡市）
会計長　渥美登美康（雄踏町）
連絡報道員　三谷俊宣（豊田村）
〃　神尾　徹（田方郡）
監事　松浦　広司（掛川市）
〃　河村多喜男（金谷町）

涼風暖風

牛時計・鉢の顔色

「みなさんは、こんどはじめて、自分でやりたいと思ったことの勉強をしてきた。今までの勉強は、学校が主だったから、いやなこともやりたくないこともせねばならなかったけれど、今度こそは自分でしたいと思った勉強をしてきたのだから、それだけに意義が深かったと思います」のあいさつで、四十四年度の先進地農家留学研修報告会がはじめられた。

六〇余人が、関東地方を主とした各県の農家で御厄介になってきた。三ヵ月から長い者は一年間である。自分の息子一人育てるのもなかなか容易でないのに、他人の息子をあずかって、仕事の手助けになるとはいえ、受入農家は、本当に大変だったろうと思った。特に、事前研修会の時の様子と、みんなすっかり変ってきているのだから、なおさらである。

各農家ごとの報告の中で、感銘が深かったのは、その農家のいろんな面に、各種の創意工夫がなされているということだった。酪農では一日の時間割が時計のように正確であること、しかも実に合理的に組まれている。生活の知恵というような自然に出来上ったものかもしれないが、聞いてみると、牛の生理を中心に人間の生活を組み合わせて無理なく動いている。養豚農家でも給水や給餌の方法、女性は、家事のやり方についても、「なるほど」と思わせるものが沢山あったという。

鉢物経営農家で勉強してきた研修生は「鉢の顔色を見て水をやるんだ」といわれたという。三月や半年で、そこまでは体得できなかったけれど、少なくとも、そのつもりになって、毎日鉢を見つめた、と報告していた。牛一頭、一頭にも性格があるんですねえ、顔つきも違うんですよ、と感心して報告した研修生もいた。多頭であればある程、それをつかむことが大切だ、といわれたという。

研修生を受け入れる程の経営をしている農家では、大なり小なり、その経営を実現した創意工夫や細かい観察が土台になっているようだ。「勘」とか「こつ」といわれるものも、つまりは、よく見ること、どうしたらいいだろうと、いつも考えている。そして実際にやってみるという態度、心の持ち方から生まれてくるんだろうと思った。もうひとつつけ加えると実に細かい数字を持っており、数字で考え、数字で物を言っているということもあった。

ただ、研修生によって、これらをいろいろ掴んで来た人と、働いただけだという不満を持って帰って来た人とあった。（いばらき　はが）

心頭技健

新緑が美しい季節を迎えた。青葉の先から緑色のしずくがこぼれ落ちそうだ。早くも梅雨に入ったような日が続いたりもするが、五月晴れは、爽やかでいい。いま方々で、つつじまつりや藤まつり、あやめまつりなどがにぎやかに催されているが、花と光にあふれ、風薫る躍動に満ちた時期だ▼きのうも、あのゴミゴミした東京の江戸川区あたりで鶯の啼き声が聞こえたと嬉しい知らせがあった。鰹は高くてなかなか口に入らないが、やはり、いまごろになると思い出されるのは「目には青葉山ほととぎす　初鰹」という句だ▼約半月前ごろ、春雷にあい食堂に立ち寄ったとき、二、三人の若者たちが「春雷や　一口ずつの初鰹」と初鰹を一切れずつ口にしていたが、なんとなく頬笑ましく感じられた。毎日、仕事や時間に追われ、ギスギスした環境の中で生活していると、こうした、ふとしたゆきずりにみられる光景が、心をなごませ、興をそえてくれる▼この時季はまた、結婚、行楽のシーズンでもある。万博見物、結婚式帰りとすぐにわかる人たちが連日のように見受けられ、土曜から日曜にかけては、家族ずれやアベックが、自然や行楽地を求めて足を伸ばす。ちょっとすると車の列が続き、人の波で押すな押すなの騒ぎである▼それに、野に山に浮かれていると、疲労も手伝って事故を起しかねない。これは、行楽とは関係がないが、先日、福島県郡山市の[illegible]4Hクラブ員が[illegible]とき、交通事故に[illegible]死亡した。全国の[illegible]もに哀悼の意を[illegible]こん後、このよ[illegible]ないように全国の[illegible]意を喚起したい。▼夏は、若者の季[illegible]秋にかけて遠出す[illegible]なると思われるが[illegible]けて行動してほし[illegible]ョイするのもよい[illegible]大いに青春のひと[illegible]要である。そして[illegible]真似的な架取り[illegible]の反社会的な行[illegible]レストをスキーで[illegible]雄一郎氏のよう[illegible]を選ぶべきだろう。

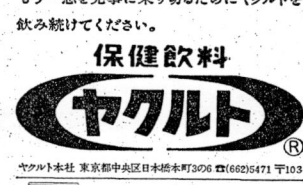

全国のつどいに協力

会長に井上君 藤津地区連（佐賀）で総会

【佐賀】藤津地区4Hクラブ連絡協議会（会長・川島豊君）は、このほど午前九時半から鹿島市民会館で総会を開き、四十四年度の事業経過と収支決算報告を承認し、四十五年度の事業計画と予算を審議決定するとともに新年度の役員を決めた。

まず川島会長が「藤津地区連を結成して一年目に各種の行事を行なってきていろいろな思い出話しもある。しかし、いまわれわれに必要なものは、この一年間をふりかえってみての体験をいかに話し、そして、それをどうこん後に生かしていくかである。今日の総会がこん後の地区連の躍進の礎となるように」とあいさつ、つづいて議長団を選出して議事審議に入った。

四十四年度の事業経過について久保次長、同決算について池田次長からそれぞれ報告があり、一連の質疑応答のあとこれを承認、新役員を選出してバトンを新執行部に引き継ぎ、新年度の活動方針と事業計画、予算について審議し執行部原案どおり可決した。このあと全員で4Hクラブの歌をうたって総会の幕を閉じた。

午後は、レクリエーションとしてソフトボールを行なう予定であったが、前日から降りつづいた雨でグラウンドが使えなかったため映画（視聴覚ライブラリーの免許をもっているクラブ員によって）＝題名「波っ子、結婚三年目」を観賞した。

新年度の主な事業としては、全国4Hクラブ員のつどいへの参加と現地交歓で訪れる他県クラブ員の受け入れをはじめとして、クラブ員（女子）研修、クラブ員の集い（技術交換大会）農村青年大会、プロジェクト実績発表大会などを計画している。

また、地区として、事務局体制の確立、広報活動の推進、クラブ意識の高揚、4H学級の推進などを図る方針をたてている。

なお、新年度の役員に選ばれた人たちは次のとおり。

会長 井上 利幸（鮒越4H）
副会長 鶴 悦己（塩田〃）
〃 筒井 徳象（北鹿島〃）
〃 平 夕起子（鮒越〃）
事務局長 山口良二（三谷〃）
〃次長 吉田秀隆（北鹿島〃）
〃 団トキエ（農生会）

佐賀県・藤津地区連の総会であいさつする井上新会長

規模の大きさに驚き

山口・大津地区連 ブラジル移住者から聞く

【山口県＝松尾耕助連絡報道員発】長門大津農村青年クラブ連絡協議会（会長、藤川誓久雄）は、さる三日、大津郡三隅町三隅公民館で、海外移住者との話し合いを行なった。

これは、近代農業をめざして農業に励んでいる青少年が国内だけでなく、海外の農業情勢も知り、これからの農業に意欲をもってもらおう、と開いたもの。移住者は昭和四年にブラジルに移住し、現在、果樹（桃）養鶏、花（バラ）などの経営をしている三隅町出身の竹林久一さんで、竹林さんは万国博見物をかねて四十年ぶりに故郷に帰られ、この話し合いにのぞまれた。

午前九時にこの地区の農村青少年二十五名が集まり、まず竹林さんから海外移住を決意された動機やブラジル移住者の状況、ブラジルの農業、さらに、日本に帰られて各地の農業を見て歩かれた感想について体験をまじえていろいろと話され、途中、女子クラブ員に「ブラジルにお嫁にきませんか」と冗談もとび出すほどでなごやかな雰囲気の中で話しが進められた。

つぎに、竹林さんが撮影された八ミリ映画の解説を聞きながらみたが、クラブ員は日本と比較して何ごとにも規模の大きさには驚いていた。八ミリもおわり質問に入ったが、クラブ員は何からどうして聞いていいのか、二、三の質問ができた程度でさみしい気もした。

最後に、クラブ員に常に前向きの姿勢で、改革精神をもって日本農業発展のために頑張って下さいという励ましのことばと、「在伯山口県人、移り来て五十年」と「見よ、拓人の足跡を」という二冊の本をクラブに送られたあと記念写真を撮り、午後一時解散した。

人間形成の勉強を

浜北市4Hク協 青少年教育講座開く

【静岡県＝鈴木政美連絡報道員発】浜北市4Hクラブ連合協議会（会長、河合能東征君）は、地元青年団と共催してこのほど浜北市立研修所で青少年教育講座を開いた。

これには、同市の4Hクラブ員と青年団員八十五が出席、講師に浜松市職業安定所の高木信雄次長を招き"青年と職業"というテーマで二時間にわたってお話しを聞いた。

高木講師のお話しの内容は、大体次のとおりである。

若い青少年は職場に入っても一年足らずで転職する人たちが多いが、もっともっと自分の職場を大切にしなければいけない。

より多くの信頼できる友だちをもち、悩みなどについて深く話しあえる友をつくり、明るい青年、人から信頼できる人になってほしい。青年は、この二度とない青年期、ものごとに対して深い考えをもつことが大切ではないか。グループ活動を通じ、この目まぐるしい社会情勢のなかにあって、青年は青年らしく働くよろこび、生きるよろこびをもち、ダイナミックな人間として成長してほしい。

これに関し、あるクラブ員から、いま問題になっている青少年の非行化や大学問題などについて質問が出されたが、一人ひとりが自覚をもって行動し、他県などへも研修に出かけて他人のメシを食い、ともに生活してしっかりした考えを身につけ、人間形成としての勉強をしなければならないなど、多くの活発な意見が出された。

なお、この青少年教育講座共同学習は、これから毎月一回行なう予定である。

、全協会長ら佐賀へ

全国4Hクラブ連絡協議会の久野知英会長と松浦幸治事務局長、これに日本4H協会職員坂本静馬の三人は、今年の八月二十四日から五日間にわたって佐賀県で開催する第六回全国4Hクラブ員のつどいについて佐賀県4Hクラブ連絡協議会（会長、小林秀敏君）と具体的な打ち合わせを行なうため去る八日から佐賀を訪問した。

なお、全協では、来る二十二、三の両日、東京・新宿区市ケ谷船河原町の家の光会館内の全協事務局で執行部会を開く。

講習会などを計画

茨城・河内村4Hクラブ ボーリング大会も

【茨城県＝村山文雄連絡報導員発】稲敷郡河内村4Hクラブの総会がこのほど開かれ、新年度の事業計画や新役員を決めた。

四十五年度の事業計画は次のとおり。

▽四月＝定例会▽五月＝交歓会▽六月＝農協関係者の講話、文集のとりまとめ、農協見学▽七月＝キャンプ▽八月＝キャンプの反省、水稲プロジェクトのまとめ▽九月＝料理講習会▽十月＝交通法規講習会、生花、手芸▽十一月＝交換会、プロジェクト実績発表会▽十二月＝実績発表会、ボーリング大会▽一月＝税金についての講話▽二月＝先進地視察▽三月＝定期総会、反省会など。

新役員は次のとおり。

▽会長 藤ケ崎一郎▽副会長 吉原伸、岡野幸子▽事務局長 大窪修▽会計 藤井正一、吉田久子▽書記 篠田定雄、奈良美津枝▽選考員 瀬理洋吉、畑井岩男、秋山宣久、藤ケ崎一郎

なお、河内村は、竜ケ崎農業改良普及所の応援をえて、農業後継者育成事業にとり組んでいる。

新規就農者を対象に、村と父兄の責任で立派な農業後継者を育成しようと、すでに入村式や合宿訓練を行ない、七月には野外訓練を予定している。この野外訓練はキャンプ生活を通して共同意識を高めようというもの。九月には近隣優良農家の見学、研修（同じ条件の優良農家や協業経営を見学させ、こん後の志向に役立てる）二月には先進地の見学研修（父兄同伴で先進地を見学し、先進地留学制度、資金制度の説明、話し合いの中で、こん後の経営の方向を検討させる）などを計画している。

これらの事業のほか、月一、二回の集会をもって研修を行なう予定である。

15日に引き渡し式

肉牛、万博の米国館で

万博のアメリカ館で展示され、終了後、農林省を通じて日本4H協会に寄贈される肉牛（米国・シカゴの共進会でグランドチャンピオン獲得）の引き渡し式が十五日午前十時から同館で行なわれる。

同日は、米国政府、農林省の関係者と、4H協会の松下幸之助会長のほか大阪、和歌山県下のクラブ員らが出席する予定である。

なお、万博では、愛媛県の三好4Hクラブ員、岩田芳信君（三）が同牛の世話に当っている。

葉隠の里を訪ねて （1）

葉隠の里を訪ねて…全国クラブ員の一大祭典―「第六回全国4Hクラブ員のつどい」は、ことしの夏、八月二十四日から五日間にわたって佐賀県で花々しく開催されるが、その佐賀といえば"葉隠"で有名である。行事の中にも、葉隠の里を訪ねて―と題して班別の自由行動による探索や話し合いが組まれている。そこで、この"葉隠"とは何かについて、佐賀県の4Hクラブ員が提供してくれた小冊子（佐賀市「葉隠堂」発行）の中から紹介してみよう。

―◇―

はしがき

佐賀といえば葉隠と化け猫がピンとくるくらいで、他に知られるようなキャッチフレーズは少ない。しかし、この二枚看板も戦後すっかりメッキがはげてしまい、若い人の中には、葉隠を"ハガクシ"と読む人もいるように時代はかわった。

しかし、観光バスのガイドは名調子で「葉隠の街・佐賀」とか「楠の葉隠」と説明するし、駅頭の壮行会などでは「葉隠男子の面目にかけて……」という様な言葉をよく耳にする。学校で歌う校歌や応援歌などにも「葉隠」を歌い込んだものが多い。このように言葉としての葉隠はまだ生きているようだが、では一体『葉隠』とはどんなものかと聞いてみると、案外佐賀に住む人でも、知っているようで知らない。

それは、一つには葉隠が千三百四十三章、十一巻からなる大部の著書で読みずらく、読まれたとしても、簡潔で反語的な含みのある文章の意味を理解するのに骨が折れるためだろうと思われる。

ただ一般に、漠然として知られている葉隠は、戦前、日本の軍国主義が、葉隠にでてくる鍋島（殿様）を天皇にすりかえ、「国民道徳の粋」「滅死奉公の権化」などと讃美し、「武士道とは死ぬことと見つけたり」という一節をもってだけ記憶され、若者たちを死地にかりたてる役割を果した葉隠のことであろう。

そのため、戦後は戦犯扱いのような格好で姿を消してしまった。しかし、この伝統ある古典に軍国主義の罪を着せるのは酷な話で、正しい評価をしてやるべき時期がすでにきているのではなかろうか。

今日、冷静に読み直してみると、われわれがそこに学びとるべき、多くの新しさを発見することができる。

農業白書 （4）

農産物価格の動向と背景

当面する諸問題 （上）

当面する諸問題次のとおり。

（一）米生産過剰の深刻化

（ア）最近の米の需給は、生産の増大、消費の減少によって平年作でも著しい生産過剰となり、需給均衡の回復を早急に図ることが農政の当面する最大の課題となっている。

米の生産は、四十二年、四十三年の一、四四五万トンについで四十四年産も一、四〇〇万トンと三年連続して高水準を維持した。生産の増大は、稲作の高収益に刺激され、作付面積がふえたうえ多収品種の普及や技術水準の向上によって一〇アール当たり収量が著しくふえたことによる。

（イ）食生活の多様化が進むなかにあって、米の需要は近年減少の一途をたどっている。四十三年度の国民一人当たり年間消費量は、ピーク時の三十七年度（一一八キロ）を二五・四％下回る一〇〇キロとなり、総需要は最高であった三十八年度の一、三四一万トンにくらべ一、二三五万トンに減った。

また、消費者は、食味の良い米に対する選好を強めてきている。これに対応し、良質米の生産高を増大させるため四十四年産米から自主流通制度が発足したが、価格の逆ざやの問題のほか、初めての経験であることもあって、当初の見込みどおり進んでいない。

（ウ）政府の買入量は、生産の増加や価格の有利性などを反映して年々ふえ、四十三年産米は一、〇〇〇万トンを越え、生産量の約七〇％に達した。売却量（精米）は主食用の減少だけでなく、工業用を含めた総量でも四十二米穀年度の七二三万トンから四十四米穀年度には六七二万トン（自主流通米九万トンを含む）に減った。

このような需給事情に伴って四十四年度には、うるち米の輸入は皆無となった。政府米の在庫量は急増し、四十四年十月末の古米在庫量は、配給量の十ヵ月分に相当する約五五〇万トン（玄米）に達し、そのうち二回の梅雨を越したいわゆる古古米が約一三〇万トンにものぼった。このまま進むと四十五年十月末には、古米在庫量は約八〇〇万トンとなり、うち古古米が新たに約三〇〇万トン加わると予定される。

大量の古米在庫に伴って、金利、倉庫料などの管理経費が膨張し、米価の逆ざやや、政府買入量の増加などによって巨額にのぼっている食糧管理特別会計の損失はさらにふえて四十四年度（予算補正時見込み）には一般会計からの調整資金への繰入れは、三、五三〇億円と農業関係予算の四八％を占めるにいたっている。

過剰米対策は、緊急な課題となっており、需要の拡大、海外

米の需給均衡の回復を

酪農 生産費の節減が必要

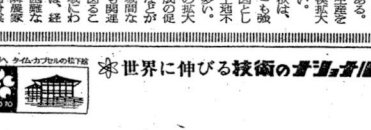

への輸出援助、さらに新規需要の開発など各種の方法についての努力が払われているが、大量にのぼるだけにその処理は容易でなく、最終的には、食料以外の用途としての処分もやむを得ない状況にある。このような過剰米の処理には、多額の財政負担が避けられない。

（エ）こん後、平年作でも過剰米の在庫は、年々ふえざるをえない情勢にある。これは、国際経済的にみてきわめて大きなロスなので、米の需給均衡を速やかに回復することが必要であり、生産調整を緊急に図らなければならない。

米は、価格などからみても他の農産物にくらべて相対的に有利であり、農業経済に占める比重も著しく大きいことなどを考えると、この生産調整は非常に困難な問題である。米需給の現状に対する生産者の十分な理解と協力をえて、なんとしてもこの難事業を成功させなければならない。

（二）生乳需給の緩和

ア、生乳の生産量は、四十二年度以降増勢を回復し、四十三年度は一三％増の四一四万トン、四十四年度（四～十二月）もほぼ同じ程度の伸びとなっている。

一方、飲用牛乳の消費量は、四十一年度まで一〇数％のテンポでふえてきたが、四十二年度以降伸びが鈍り、四十三年度には七・五％増、四十四年度（四～十二月）には六・七％増にとどまっている。

生乳の需給は、生産の増大、飲用消費の伸びの鈍化によって著しく緩和し、乳製品の生産が大幅に増加して在庫量を累増させている。

（イ）非農業世帯における牛乳の消費は、四十三年度において世帯員一人当たり年間約一二一本で三日に一本程度の割でしか飲んでいないことになる。

また、消費の季節性も大きく、し好的性格を多分にもち、清涼飲料との競合関係を招いており、天候不順や小売価格の上昇が消費者の伸びに影響している。

わが国の牛乳消費は、購買単位が零細で、しかも各家庭への配達が中心である。小売店は小規模で経営の大部分が人件費であり、その上昇がコスト圧力として作用し、価格上昇を招いている。牛乳の小売価格は配達過程の合理化が図られない限り、上がる可能性は多分に含んでいる。

なお、四十三年度における学校給食用牛乳の供給量は、約四〇万トンに達し、飲用牛乳の約一二％を占めている。

（ウ）ここ数年来の酪農は、生産者乳価の上昇や濃厚飼料の安定的な供給に加えて、飼養技術の向上などによって規模拡大が進み、収益性が向上してきた。

しかし、生乳需給が緩和している現状からみて、生産者段階においても生産費の節減に努めることが必要である。それには、良質飼料の生産を増加し、いっそうの規模拡大を進めなければならない。

酪農家の規模拡大意欲は、十五頭前後層でもっとも強く、それを阻害する要因として粗飼料生産のための土地不足を訴えているものが多い。

酪農経営のいっそうの拡大のためには、草地造成の促進、土地の流動化対策などが必要であり、また、地域間ないし、経営間の分業とも関連して、粗飼料の流通を図ることも考えられるが、広域にわたって流通するためには、経済的、技術的に非常に困難な問題が多く、当面、近隣農家間の契約生産など経営間分業が期待される。

技術交換会のいろいろな型

クラブ活動12ヵ月 （14） 新しいクラブ員を中心に

栃木県・普及教育課 湯 浅 甲 子

奨めたい「多回型」できるだけ「現場型」式で

前回は、技術交換会の全体的な説明をしたから、今度は、それを、もっと内容的に考えてみることにしよう。

まず、型の分類から。

一、大会型と小集団型

これは、字で示すとおり、大ぜいで、にぎやかにやる大会型と、小人数で、小じんまりとやる小集団型である。技術を交換するというのであるから、人数は多いほど効果的であるといえるが、しかし弊害もある。人数が多ければ、一つのことに時間がかかりすぎる。だから、思ったほど内容を習得にすることができない。

小集団型は、その反対で、にぎやかさ、もり上がりは期待できないが、深さは求められる。単位クラブあたりで重視すべきものは、当然、この小集団型である。

二、一回型と多回型

この一回型は大会型のもので、数多くやれないような場合であり、多目的の場合が多い。多回型は、小集団型でやる方式で、いつでも、どこでもやれるし、専門別になどやる方法である。技術交換の主旨からいえばこの年に何回でもやる方式を奨めたい。

三、集合型と移動型

一ヵ所に集まってやるものと移動しながらやるものである。

従来は、集合型が圧倒的に多いが、本当は、移動型の方がためになると思う。現場圃場を歩きながらやると、現物が生きているし、動いているし、何といっても実際的である。

移動型の変型に、指導者または出題者が、問題をもって移動する方法もある。これは、クラブ員の自宅を訪問して、家族ぐるみで、ちょうどクイズを楽しむような雰囲気である。この方法をやると楽しいし、クラブ活動のPRにもなって、一石二鳥か。

四、陳列型と現場型

シャーレーなどに標本展示するとか、一本の枝を折ってきて列べる抜とりの型と「三」の移動型で説明したように、題材を抜き出したり、切り離さないで田んぼの中にそのままでおき、樹園の木に自然の状態でおき、それを問題にする方法である。できるだけ、現場型の方がよいわけである。

五、年令別実施と無差別実施

二十歳未満と、それ以上という様に、年令に制限を加える場合と、まったく無差別の場合である。これは、それぞれに理由があるわけだが、ちょうど境目の青年に、気の毒をかけない内容を考えてほしい。

六、一部参加型と全員参加型

4H活動の本質から考えるならば、全員が参加できる型がよいことになる。チャンピオン選出が、ねらいではないから。

七、4H型と全農村青少年対策型

もともと、この事業は、4Hクラブのお家芸ではない。だから、組織的に参加するのではないのである。個人の資格で参加するのだから、すべての農業青少年対象型が本当である。

八、自由選択型と必須型

どれをやってもよい、という型と、基礎部門は、全員、だれも、やらなければいけないと規制するやり方である。もちろんこの両方にそれぞれ、ねらいのちがいがあるから、どちらでもよい。

九、男女別と混成無差別型

生活部門では、当然、男女別が多いだろうが、一般には、混成無差別が多いと思う。

十、個人型とグループ型

さきほど、技術交換会は、個人の資格で参加するものだといったが、交換会のやり方には、一人ひとりが行なうものと、何人かが組んで相談しながら行なうものがある。最近、この組み型が多くなってきたようだ。この方が、交換という趣旨にあうわけだが、個人的な客観判定ができなくなるのと、組み合せ方によっては、弊害も予想される。

十一、ひまな時型と忙しいとき型

ちょっと変な表現だが、農閑期実施型と農繁期実施型といってもよい。一般に、どうも農閑期型が多いが、この辺で、農繁期にもやれる方法を考えてほしいものである。要するに、短時間で、身近かな問題にしぼって近い所でやることであろう。

十二、ひる型とよる型

従来は大体、ひる型である。しかし、夜、じっくりとやるのも一方法である。ただし、蛍光灯の下では、判定を間違うことがあるから注意してほしい。

十三、長時間型と短時間型

前述のように、短時間でやれば、いつでも、どこでもできるが、長時間かけると、そういうわけにはいかない。

以上は、技術交換会の型の分類からみたものであるが、次は内容の分類から考えてみることにしよう。

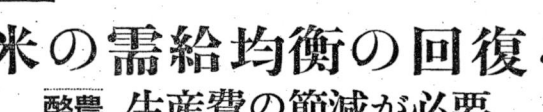

5月

私のプロジェクト

筍の早出し栽培

労働力配分に貢献
早期出荷、経済的に有利

香川県三豊郡高瀬町
上麻・高瀬4Hクラブ　篠原千義

発生期をビニールで被覆

私の住む三豊郡高瀬町は、香川県の西北部で、有名な金比羅さんの西隣りに位置した山間地帯であります。平担地では、水稲が中心で、たばこ、西爪、タマネギなどが主に栽培され、その他に養豚、酪農を加えた複合経営が中心をなしている農業地帯です。

やはり兼業農家が増加

私の地域は山間部であるため、温州みかんと特産の筍（タケノコ）が百五十㌶ほど栽培されています。

最近、日本農業がそうであるように、地域の農家にも兼業化がすすみ、増加の一途をたどっています。この傾向は、郡内にある農業高校の卒業生（四十三年度）にも現われ、農業後継者としての就業率は一三㌫で、この比率は毎年低下しております。

こんな地域農業の状況の中で、私たち高瀬町4Hクラブ員は、農業改良普及所をはじめとする関係機関の指導のもとに、クラブ員五十四名が、毎月、第一火曜日と第三火曜日に定例会を開催して、活発にクラブ活動を展開しております。この定例会の他にも研究会や討論会、あるいは話し合いと農村に生きる青少年が、日夜、仲間づくりに励んでおります。

筍を一戸当り一㌶栽培

私の家の経営概要
労働力（年間）
父……三百二十日
母……二百九十日
私……二百三十日
雇用……三百十日
合計……千百五十日
作目別栽培面積および所得
水田……八〇㌃……三一〇千円
畑……七〇㌃……四七〇千円
みかん……五〇㌃……一六〇千円
かき……五〇㌃……一二〇千円
筍……一〇〇㌃……一二五〇千円
肥育牛……四頭
合計　二三一〇千円

以上経営の概要ですが、労働力についていえば雇用労力が全体の約二割七分を占め、省力化を図る必要があります。また、所得は筍の収入が五〇㌫以上で、私の家の所得の中心をなしております。

私の家の経営からも分るように高瀬町の麻地区では、筍を一戸平均、約一㌶ほど栽培しており、今後も、この栽培面積は増加の傾向にあります。

プロに収穫の省力化を

私は小学生のとき、春がきて、桜の花の咲く季節になるのが、なぜかいやで、つらい時節の訪れと感じていました。それは、家から見える高台の桜が花を咲かせる頃ともなれば、雨の日も風の日も、毎日が筍の収穫作業の手伝いで、遊びにいけなかったからです。

以来、私が農業に関心を持ちはじめた農業高校一年生の頃、学校で自営希望者に対して、ホームプロジェクトを実施することになりました。はたして何をプロジェクトとして取り上げようかと、考え悩んだ末、春がくれば毎日のように、雇用労働をたのんで、なお、目の廻るような忙しい筍の収穫、これをなんとか省力して、人手にたよらず収穫をできないものだろうかと考えました。

この方法としては、いっせいに芽を出す筍の発生時期にビニール被覆をして促成栽培すれば、筍の発生が早くなり、収穫時の労働のピークを平均にすることが可能であると考え、高校生時代からのプロジェクトとして現在に至っています。

この間の栽培結果として、かん水不足、筍の先端のビニール焼けなど、失敗の例が数多くありましたが、ビニール栽培を取り入れたことによって、労働力の配分や経済的にも有利であることがわかり地域の農家でもこの方法を取り入れる人が増えてきました。

収穫期の労力を平均に

このビニール栽培の利点としましては、つぎのようなことがあげられます。

一、筍の加工が増加するにつれて、毎年価格が高くなっている
二、筍栽培の労働力のピークが他の作物と重ならなくなってきた
三、労働日数が少なくなり、労働生産性が高くなっている
四、収穫後も、新しく竹苗を植付けなくてもよい
五、現金収入のない時期に収入が得られるようになった
六、筍以外の副収入（四角竹の生産）が考えられる
七、価格が比較的安定していて将来も需要増が見込めるなど、将来性がある。

収量の増加と品質向上

栽培方法は、普通栽培十㌃、早出し（促成）栽培三十㌃に区分して実施しました。この耕種概要と施肥料については、別表の通りです。

普通栽培では、四月二十四日から二十六日を中心に筍が発生し、さらに、早出し栽培では同二十日から二十二日が発生の中心で、この間わずかの四日間ではありますが、早期出荷ができました。このことは、初期の目的である労働力の配分に大きく貢献し、また、価格の面も高く経済的にも有利でした。また、収量が増加し、さらに品質も向上しました。

労働面については、十㌃当り普通栽培が十五人、早出し栽培では十九人で五人多く必要としましたが、労力配分の上からは問題が起りませんでした。

さらに、親竹の更新を早めることが、筍の収量増加の大きい原因であることがわかり、このため、「うらぎり」のとき、私は全部の親竹に発生年度を記入することにしました。この方法によって、つねに地下茎が筍の発生に適した活力を保てるように努めています。

嫌いな筍掘りから解放

私が小学生の頃から嫌いであった筍の掘り取りも、この早出し栽培を経営に導入することによって労働力が一時に集中することから解放されました。

この栽培方法は、労働力および所要経費は多少多く必要としましたが、経済的にも有利で、経営の合理化に役立つことに自信を深めました。以後私は、地域の4Hクラブ員や部落の人に対しても、この方法を研究会などで報告して勧めています。

さらに、早出し栽培の面積を拡大していくとともに、筍が発生したときに四角の型をかぶせて、人工の四角竹を栽培していきたいと思っています。これは、住宅ブームを反映し、新建材として、今後非常に有望であると思います。

耕種概要

	普通栽培	早出し栽培
面積	10a	30a
位置	南面傾斜10°	同
土壌	花崗岩系植壌土	同
被覆方法	しき草	ビニール
かん水	なし	10回

施肥設計

肥料名	時期別施肥量 2月	5月	8〜9月	成分量 N	P	K
堆肥	1000K					
硫安	30K			6.3K		
配合肥料	20K	120K	40K	25.2K	18.0K	23.4K
ケイカル	90K					
合計				31.5K	18.0K	23.4K

普通・早出し栽培の収支

		普通栽培	早出し栽培
収入	筍	73、600円	113、400円
	親竹	4、000円	4、000円
	枝	750円	750円
	合計	78、350円	118、150円
支出	肥料代	7、600円	7、600円
	その他	1、200円	2、000円
	ビニール		8、500円
	合計	8、800円	18、100円
差引収入		69、550円	100、050円

十年後の農村生活に期待

主婦の労働を軽くして！

奈良県奈良市矢田原町・奈良4Hクラブ　中川春美

十年後の農業と農村生活はいかにあるべきでしょうか。これは私たち農村青年にとって大きな課題であります。また、私たちはこの課題に対して、大きな夢をもつとともに、不安もわいてきます。

私も農家の娘ですから、農家の一人として、こうありたいとの念願は沢山もっています。

この問題に対して女性の立場から、私の意見を述べたいと思います。

その一つには、自分に自由な時間をもちたいということです。

農村の近代化、生活の改善、合理化といわれていても、現在の家庭生活をみますと、外見はなるほど、家は改築され、電化製品は購入されていますが、主婦の労働ははたして楽になってきているでしょうか。現実には一日中、働きづめといってもいいすぎではないと私は思います。

このように、働く一方の主婦には、読書、テレビ、手芸、趣味など自分で自由に使える時間がどれほどあるでしょうか。読書とまではいかなくても、新聞を読む余暇さえない人が多いのです。

このようなことから、今の生活を改革しなければならない問題は数多くありますが、まず必要なことは、主婦の労働を軽減して、自らの生活時間を得ることだと思います。そこで農休日をつくればよいといわれますが、この農休日をつくることに対して反対する人はありません。すべての人がつくった方がよいということはわかっております。

しかし、一年中で最も忙しいお茶の作業の最盛期や田植のときなどに、一日農休日をつくって休むことは、考えられないことなのです。

これは、農休日をつくることは理想であって、実現できないことを相談するより、終日、一生懸命働いた夕方の半時間か一時間早く家に戻るくらいは、少々の無理であっても出来ると思います。その時間を家事の整理や子供の躾にあてることが、いかに大切であるかは、ここで申し上げるまでもありません。

その第二は、現在の結婚式について考えます。結婚式は、若い二人の人生へのスタートとしての儀式にふさわしくありたいものです。しかし、世間一般の人は、一生に一度のことだから少々無理をしても盛大に挙式をして、世間体をよくしたいと考えている人が多いようです。

いくら一生に一度のことだからといっても、今日のようなやり方では、経済的にも、さらに時間的にもその浪費は大変なものになります。

この解決策として、簡単に使える結婚式場の建設なども一例ですが、とくに、披露宴や土産ものについては派手にならないように工夫し、会費制の結婚式に改めることが私の希望です。披露宴の料理などに多額のお金を使わないで、新婚旅行、あるいは、家の改築資金に、または実生活に必要なものを買うようにすべきだと思います。

私はある雑誌で会費制の結婚式について読みました。その内容は結婚式の本質的な考え方、あり方を徹底するために、青年自身が計画し、外部や家族からの抵抗に耐えながら、説得と実践をつみ重ねた結果、挙式者の八割が五百円の会費制で、若い仲間に支援されながら盛大に挙式したということです。他村のことながら、実にすばらしいと思い、私にもやればできるのだという希望がわいてきました。

これが実践にうつされるまでには、大変な苦労があったと思います。その人たちよりも、もっと違った点において困難があったと思います。けれども結婚式を行なうのは結婚する当人であります。当人である私たちが力を合わせ、周囲の人たちを説得して実践するときに、初めて理想の結婚式が実現し、ほんとうの新しい農村に生まれかわるのだと思います。

以上は、農村生活をよくするための一例にすぎませんが、若い私たちの力で、一歩一歩築き上げていきたいと思います。

今後の農業を研究

三重・鈴鹿市農業青少年クラブ

【三重】鈴鹿市農業青少年クラブ（会長、瓜生和郎君）は、このほど鈴鹿市岩岡町の県立青年の家で総合研修会を開き、今後の農業のあり方などについて話し合った。

同クラブは四十年ごろ、市内の農業に従事している十代の若い後継者たちが集まって結成したもので、現在クラブ員は百五十人。

この日の研修会は、同クラブが発足後五年目を迎え、お互いの親ぼくを深めるためとクラブ員意識の高揚を図るために開かれたもので、県の社会教育課の伊藤主事を講師に招いて話し合った。

おしゃれコーナー

絣（かすり）で装う

◆◇◆◇◆ 若い人の感覚にマッチ ◆◇◆◇◆

二百余年の歴史を持ちながら、もっぱら農村のふだん着、仕事着としてしか知られなかった絣（かすり）も、最近では、もめんを見直そうという全国的な風潮とともに、その技法が改めて脚光を浴びている。

その昔には、もめん独特のこしの強さ、洗えば洗うほど色が良くなることなどが、仕事着として重宝がられたが、近頃では、紺地に白、赤の素ぼくな色使いと柄が、最近の若い人たちの感覚にマッチし好んで着られるようになり、とっておきのおしゃれ着となってきている。

新緑の目にしみるこの頃の季節は、身のしきしまるようなおしゃれをしたいとき。もめんの絣りで美しく装ってみてはいかがですか。

【写真】若い人向きのもめん絣。

農業簿記

京都大学名誉教授　大槻正男

＜自計式農家経済簿記＞

補　助　簿

自計式農家経済簿記の主要簿である財産台帳・現金現物日記帳およびそれらの集計決算について説明した。なお、この範囲での記録計算一厳密には農家経済所得簿記としての一には、必ずしも不可決ではないが、しかし、さらに一歩進めて、農家経済の内部関係を分析探究するために各種の拡張計算を行なう場合には、つぎに述べるような諸種の補助簿がきわめて重要である。

1、家族台帳　2、作付記入帳　3、労働日記帳　4、貸借整理帳　5、現物整理帳

家　族　台　帳

わが国の農家経済にあって、家族は一面において、土地および資本と並んできわめて重要な所得を得るための手段となるものであり、他面において、その所得を消費するところの消費体であるために、二重の意味においてその状態と変動を明らかにすることが必要である。そうして初めて農家経済の所得経済部面活動に対して、また、消費経済部面活動に対して、正しい判断をすることができるのである。この目的のために特設されたのが家族台帳である。

家族台帳は年度始めにおいて、そのときの家族の状態を詳細に記入する。長く同居してはいないが、その当該農家から仕近りを受ける遊学中の子女や、その農家に対して仕送りをする出稼ぎ中の子弟などもやはり家族員として、ここに記入する。

これに対し、戸籍の上ではまだ家族であっても、すでに世帯を別している者は記入してはならない。家族員のほかに同居人や年雇い（常雇い）などがある場合には、彼らも記入しておくのが便宜である。「労働能力」とは、その地方において男性一人まえの働きのあるものを「1.0」とし、これに比較して何分の働きそがあるかにしたがって「0.7」「0.8」とかに書き表わす。

例えば、普通一人まえの女性の労働能力は。男性の7分ないし8分であるから「0.7」または「0、8」と記入するのである。この数字はあとで述べる労働日記帳において、女性や子供の労働を男性一人まえの標準労働に換算する場合の「能力換算率」として用いられる。

女性や子供の労働能力は、その地方において一般に雇用労働のある場合には、一人まえの男性の一ヵ年間の平均的日雇い労賃に対する女性や子供の一ヵ年間の平均的日雇い労賃の割合によって定めるのがよい。例えば、男性の一ヵ年間の平均的日雇い労賃が1、000円であり、女性の一ヵ年間の平均的日雇い労賃が800円であるとすれば、普通一人まえの女性の労働能力を「0、8」とするのである。

この場合、女性や子供の労働能力を、彼らの従事する作業の種類によって異なる能率にしたがって作業別に決めるようなことをしてはならない。労働能力とはその人の労働一般に対する能力を意味し、その人の各般の仕事総体に対する平均的能率にしたがって評定するのを妥当とする。そして、それは各人が雇用された場合を想定して、受けるであろう平均発労賃にほぼ比例するものとみて評定することができよう。

「備考」欄には、主として従事するのが農業か、副職業（役場の吏員、教員、出稼ぎ労働者）とか、または公職（市町村議員、農協役員など）を有するかどうか、子女の場合であれば在学中であるかどうかなどを記入しておく。相当の年令になって、労働能力の不相応に低いものはその理由を書く。また年度内において、家族中に出産・死亡・遊学・出稼ぎなどの変動があった場合には、それらも年度末に記入しておくのである。

NHK農事番組

（5月21日〜31日）

テレビ

明るい農村　6・30〜6・55総合
21日　話題の広場　ひょう害を防ぐ（国立防災技セ長）寺田一彦
東京農業をみつめて　薄井清
22日　村をむすぶ　フイルム・リレー
23日　農村新地図　愛媛県農村町（愛媛大学教授）岩谷三四郎
25日　村の記録　ある事故報告〜出稼ぎバス転落から一年〜
26日　きょうの話題　拡がる商社農法（日本経済新聞）山地進
27日　産物往来　苗木（埼玉県安行市）
28日　話題の広場　お母さんの健康を守る（広島県佐伯郡佐伯町）牧草とともに（鳥取県東伯町）河本実
29日　村をむすぶ　通信員報告
30日　農村新地図　北海道別海村（評論家）更科源蔵

農業教室　7・30〜8・00　教育
21〜23日　施設園芸の土壌管理（愛知県農業総合試験場）鳥田永生
25〜30日　安定多収の稲作技術（宇都宮大学教授）菅原友太

あすの村づくり
日　7・00〜8・00　教育
再　土　13・00〜14・00　教育
24日　▽グループだより＝あけぼの4Hクラブ（北海道稚内市）▽仲間とともに＝過疎地帯の農業を考える（愛媛大学教授）若林秀泰▽養豚にかける青春（埼玉県大利根村）田代千鶴子
31日　「減反問題を現地にきく」（栃木県大田原市）

趣味の園芸
10・30〜11・00（金）総合
22日　園芸相談　池尻光一
29日　春のバラ展から（東京日本橋・東急百貨店）

ラジオ

早起き鳥　5・05〜6・00 ①
21日　人と話題　残留農薬（農技研農薬科長）福永一夫
22日　現地報告　注目されるお茶の流通センター（奈良県下）
23日　村のポスト
24日　話題の窓　商社畜産の波紋（日本経済新聞）山地進
25日　現地報告　農業を考える①　線びきの波紋（東京都下）
26日　同②　規模拡大の問題点（秋田県）
27日　同③　新しい農地をもとめて（神奈川県下ほか）
28日　同④　農地分譲制度（鹿児島県下）
29日　同⑤　ねらわれる農地（長野県下）
30日　同⑥　農地と農協（愛知県下）

ラジオ農業学校
月〜土　6・40〜7・00 ②
日　6・30〜7・00 ②
再　月〜土　19・00〜19・15 ②
24日　農業講演会「農業の近代化について」（八ツ岳中央伝習農場長）酒井豊
31日　農業ゼミナール「地域農業と青年の役割」〜四国地区若い農業者のつどいから〜

話の広場　6・10〜6・30 ①
24日　計画進むニュータウン作り（茨城県潮来町）
31日　公害に悩む農業＝農業放送通信員座談会

番組紹介

5月24日　▽グループだより「乳牛のブラジャー研究会」（北海道稚内市あけぼの4Hクラブ）

五月になると牧舎内に閉じこめられていた牛が放牧される。この時期は乳房炎も数多く発生する。あけぼの4Hクラブはこの乳房炎対策に牛のブラジャーを考案、研究を進めている。こうした話題を中心にあけぼの4Hクラブの活動の様子を紹介する。

▽ある青年像「養豚にかける青春」（埼玉県北埼玉郡大利根村）田代千鶴子＝今年成人式を終えた田代さんは、お母さんと二人で種豚八頭、肉豚五十頭、きゅうりのハウス六百平方㍍、水田六十㌃、畑二十㌃の経営をきりまわしている。兄二人は学校の先生になっているため、末子の千鶴子さんが後を継ぐことになっている。日増しに都市化される中にあって、農業をつづけていく二十才の女性農業者の生活と意見を聞く。

5月31日　▽特集「減反問題を現地にきく」（栃木県大田原市）

百五十万㌧の生産調整という難問を抱えて、今年の稲作はスタートを切った。市町村の末端にまでおりた減反の作業は、すでに田植を終えた段階でどのような状況になっているだろうか。減反の嵐の吹く中で、なおも一部に開田がみられる那須山麓大田原市で、現地の人たちに減反問題に対する意見を聞く。

あしたの青春

一ノ瀬綾
え　多賀愛子

めざめ（八）

＜27＞

驚いて振り返った目の前に、圭次が立っていた。視線をめぐらすと、カウンターにも仲間が四人、笑顔を忘れた固い表情で新一をながめている。圭次は手をゆるめると、新一の前の席へどさりと腰をおろした。

「どうして、俺を避けるんだい」最初のきつい目の色がやわらいで、圭次はいつもの口調にもどっていた。

「別に……避けたわけではねえ。誰ともあいたくなかったんだ」ここへ来れば、仲間とぶつかることに、なぜ気がつかなかったのかと、自分のうかつさに腹をたてながら、新一は、しばらくあわなかった仲間達に、後めたい気恥ずかしさを、感じていた。

「みんなも話したがっている。俺も逢いたかった。心配してたんだ……今日はこれから、浅間山麓を一回りする予定なんだが、新ちゃんが欠けたんで連中ぼやいていたところさ」

圭次はとりなすように「こっちへこいよ」とカウンターの四人へ呼びかけた。黒木があわてて腰を浮かせるのを、新一は押さえた。

「今日は黒木とつき合ってるんだ。いっしょに飲めよ、えんりょはいらねえ」

運ばれたジョッキをとりあげて、新一はいっきにあおった。仲間が集まってくると、初対面のようなぎこちなさがテーブルの上を流れて、圭次は眉をひそめたまま、しきりにたばこをふかしている。新一の気持をはかりかねている様子だった。

「新ちゃん、今後の会合に出て来いや」

一人が口をきった。続けて一人が、前回の例会の様子をしゃべりだした。なんとか、以前の和気をとりもどそうと、気を使う仲間の好意が、新一の乾いた胸の奥を刺した。

「我侭言ってて、悪かった……」

自然に口を突いた言葉であった。圭次が、ほっとした表情で手を上げると、ボーイを呼んだ。

「俺達にも、ジョッキでくれ、飲み直しだ」

「運転ができなくなるぜ、会長」

「新一君をつかまえたお祝いだ。ドライブなんか、忘れてしまえ」

ひとしきり、笑い声が続いて、久し振りにクラブのふん囲気がもどってきた感じであった。数えてみれば、半月そこその期間であるが、新一にとっては長い日時であった。自分の胸の中だけにもぐっていた半月間が、いつの間にか仲間との連帯感を断ち切ろうとしていたことに、新一は改めて気付いていた。

同じに話し、同じ笑い声をあげても、どこかがちがう。みんなが気楽に、のんきに見えてならないのだ。（自分の方が変ったんだろうか……）新一が黙りこむと、圭次が話しかける。

「今度のことは、新ちゃんにとってはいい勉強になったわけだ。この辺でさっぱりして、また始めようや。畜産ととり組む道もあるし、君ん家の条件にあった養蚕を、新しい角度から見直すのもいいじゃねえか」

新一は黙って聞いている。まるでクラブの研修会の時やって来る、県の役人みたいだな、と冷静な心の一面が圭次を冷たくながめていた。

「研修所へ行くことは、どうなんだい新ちゃん、俺はいいと思うがな」「親父から聞いたよ。行きてえとは思わねえな……今、俺の気持にあるのは、これからの農業がどうなるか、そのことだけだよ」

圭次がはじめて、まじまじと新一の顔を見つめた。手ごたえのちがいに気がついたようである。仲間達も口をつぐんで、それぞれの瞳に、不安と困惑の色をうかべて、新一を眺めはじめた。新一は、そんな視線をかわすように、仰むいてジョッキを大きく傾けた。

民間外交はひきうけた
日・米の"草の根大使"は語る

◇国際農村青年交換（IFYE）計画に基づいて、日本4H協会が今年度米国に派遣する"草の根大使"（派米4Hクラブ員）に選ばれた坂本重子さん(二〇)山口県・岩国グリーン4Hクラブと、古川みどりさん(二〇)岐阜県・小泉4Hクラブの二人は、さる十三日午後一時四十五分、ノースウエスト機で羽田から出発したが、これから十一月までの約半年間にわたって米国の家庭で生活し、農業実習や4Hクラブ活動などに参加、民間外交の大使役として活躍するが、この派米に選ばれた二人は、どんな抱負をもち、それに向って努力しようとしているか、出発前の二人に聞いてみた。今年は女性二名が派遣されるが、二人とも農業経営に専念しており、今後の活躍が期待される。

青春と仲間

私が選んだ人生大学
両親が"精一ぱいやってこい"

岐阜県多治見市小泉町 小泉4Hクラブ　古川みどり

あれは、高校一年生も終りの頃だった。「もうすぐ二年になるのだが、二年になると、進学組、就職組にわける。いま、このクラスで三分の一以内に入っていないものは、よほど、努力しないと国立大学は、絶対無理だぞ！」と先生からいわれた。

それを聞いて、私はあっさり進学するのをあきらめた。成績は丁度三分の一番目であった。

「普通科へ入り、大学の農学部に入れたら進学し、将来は農業関係の仕事をしよう」というのが、漠然とした私の夢なのであった。しかし、その頃の私は、庭球に夢中であり、「進学したかったら体育クラブをやめろ！」という先生に、反感したのにもかかわらず、両立させるだけの自信も頭もないと思った。

そこで「これ以上勉強はやりたくないし、短大へ行けば庭球がやめられないし、そうかといって二年間遊ぶには時間が惜しいから、進学はやめた——」のである。

大学のかわりに私が求めたのは実習生活である。農業への夢を持ち、ひとりの生活に不安を抱きつつ、横浜市のある養鶏場へ住み込んだ。

私の、現在までの人生にこの生活ほど、影響を与えたところはない。この一年間こそ、私にIFYE（国際農村青年交換）の機会を与えてくれたのだと思える。

とにかく実習で私は振り回された。朝、五時半からの仕事は、労働基準法に反していないか、女性だからといって、炊事、掃除はおかしいじゃないか……。教科書の知識をぶっけてみたが、調べてみれば、法律的に、少しも誤っていない。

横浜、相模原、埼玉、水戸……と、どんどん広がっていく採卵工場には「祖先の土地……」、一生懸命生産するだけ……」などという古い農業の観念は全く通用しなかった。しかし、誰よりも遊ぶかわりに、仕事、勉強も私が一度だって見たことのないほど、徹底して行なっていた。働くことの意味を知らない私は、腹が立って仕方がないのであったが、これこそこれからの農業マンだと認めざるをえなかった。

昨年四月、一年振りで家へ帰り三、四ヵ月もたつと、どうも、自分の弱さ、甘さが見えすいてきた。考え方も狭い。「ああ、あと、せめて半年以上、家を離れなければ、横浜で得たことが全く身につかない……。しかし、兄のかわりに家へ帰った私が、家を出るわけには、いかない……」。IFYEの募集を知ったのは、丁度そんなときだった。

兄の帰りをまって来年応募するという私に、両親は、今年受けてみろ、と言う。そして「他の人は何と見るか知らないけど、私たちは、おまえやお兄ちゃんを大学へ行かせたつもりでいるのだから、本当に希望するのなら、家のことは考えないで、精一杯やってみろ。それに、今の年齢じゃないとやれないことと吸収できないことが一杯ある。女にとって一年の違いが、どれ程大きいか……。とにかく頑張ってみてん」といってくれた。

私の大学……大学生活を知らない私であるが、この半年の短期間を、私の大学生活として、仕事に勉強に頑張りたい。

多くのIFYEの資料を読んでみると、先輩が、学業だけではない本当の勉強を身につけておられるのが良くわかる。私には、とてもかなわない。でも、私も、先輩たちのことばの中から、私なりの方法を見つけだして、帰ってきたい。このIFYEを、私の人生の大学としたい。そして、このIFYEでの生活で得たことが、何らかの形で少しでも日本の4Hクラブに影響を与えることができたらうれしい。そのときこそ、本当の"学ぶ"ことが得られると思う。

農村雑感

折原俊二郎

一つの教訓

現在では、篤農家という言葉はあまり使われなくなった。篤農という意味は「熱心で研究的な農業者」ということになっているが、他方、篤農という言葉にかわって精農という言葉が使われている。

精農とは「篤農」という意味にさらに「精励努力する」という内容が加味されている。そうした意味からみて、今日の優れた農業者を指している場合には、精農者といった方がより適切であるといえよう。

ところで精農者といわれる人をみると、実によく農業の技術、経営について勉強しているが、さらに、農業のみでなく社会、経済のことまで深く突込んで学んでおり、人格的にも優れている。他人より一歩も二歩も先じている農業者とは、そうした意味で、物事の内容を深く学び、その学んだものを自分のものにしている人といえよう。

過日、有名な精農者と雑談をやったが、その中で次のようなことを云っておった。

「私が農業をはじめたときは作物にどのような肥料をいつ、どの時期に、どの位やればよいか。種はいつ播いて、その後の管理をどのようにするかなど、栽培技術上の内容について、数年間にわたって一人で勉強した。たしかにこの中で学んだ技術では、ある程度以上までに収量をあげることができたが、技術的に一つの壁に突当って、それ以上どうしても前に進むことができなくなった。

この壁をどうしたら打破ることができるか、今までに学んだ本を再度検討しましたが、どうしても解決する糸口がみつからない。そこで今まで学んできた内容は、何か欠けているものがあるのではないかと思い考えてみたところ、今まで学んできたものは、どちらかといえば、応用技術的なものが多いことに気がついた。

たしかにその本の内容をみると、今見て、今直ちに役に立つということが多い。ちょうど農業技術に関するハンドブック的なものが主体であった。事実、こうした本を読破して、自分は農業技術がわかったと錯覚し、うぬぼれていたことがわかった。

即ち、ハンドブックというのは、技術内容が全国的に適用するもので、それだけに、少しでも立地条件などが異った地域では、満足に適用できないものである。

自分の地域、自分の土地の中で、どのような技術を駆使すればよいかということをやるためには、さらに一歩深く突込み、作物の生育の基本的な要素として、水と光と土、この三つについての原理、原則を学び、自分のところでうまく適合する技術に組立てることが大切であることに気がつき、本格的に勉強をはじめ、ようやく、今の技術を組立てることができた。

他人に負けない農業をやるためには、どうしても作目ごとの原理原則を身につけ、それを応用することでなければならないと思う。これは、どの部面の農業をやる場合も共通している点であると思います」ということであった。

要するに、物事を深く見極めるには、原理、原則を完全に学び、それを土台として応用していく、そうした態度でなければ、他人より優れた農業者にはなれないという、教訓を教わったわけである。

（農林省・農業者大学校）

古川さんとコンビで
立派に任務を果したい

山口県岩国市関戸四一八 岩国グリーン4Hクラブ　坂本重子

昨年の十一月の中旬に、普及員さんから「草の根大使」に応募してみないかとお話しがあり、勧められました。

さっそく応募してみようと、草の根大使そのものの任務を考えずに、ただ家の農作業や自分の年令、立場などを考えただけで応募しました。さいわいに、周囲の人たちや関係者のあたたかいご支援をいただいて、思いもよらず米国への派遣が決定しました。

私の過去をふりかえってみますと、生まれにときから現在に至るまで、家を離れて、他人の家で生活した経験が全くありません。その経験が十分にできるだろうと思えるのが、今度の渡米です。

日常の生活、習慣、ことばなどのすべてが日本と異なる米国の中で、日本の4Hクラブ員の代表としての大役が、果し得るかどうかと、多少の不安もないとはいえません。

その反面、今までにこの計画で数多くの先輩たちが、果し得ていることが私にできないことはないんだ、と自分にいい聞かせ、出発を前にして、自信を深めています。

今月から十一月にかけての半年間、米国における4Hクラブ活動や農業経営、家庭生活、風俗や習慣の学習や体験を通し、地域の人たちとの交歓によって、草の根大使としての任務を立派に遂行していきたいと考えています。また、日本の4Hクラブ活動や農業経営、農家生活のそれらも紹介して理解を求め、米国と日本の相互理解のもとに、民間で行なう大使、いわゆる草の根大使としての任務をまっとうしたいと意気込んでおります。

また、今年は例年になく、女性二人が派遣と決りました。古川さんに比べて私が年上なので、最初は何となく責任を強く感じましたが、古川さんと何回か顔を合わせて話し合っているうちに、彼女の若さに頼もしさを感じ、4Hクラブ活動を四年間体験している私と、まだ日の浅い彼女とでは、一つのものごとを見る目、聞く耳、判断する気持が、それぞれ異なるかとも思いますが、二人のコンビで、今までになく変った形で、草の根大使の役割を果して帰国したいと望んでいます。

心の魂は健在なり
全員が組織人の自覚を

埼玉県東松山地区4Hクラブ　森田信彦

4Hクラブ活動も、時代の流れとともに変貌し、政治、経済、文化的な影響を強く受け、二十年前に諸先輩たちが集い、考え、行動した当時の活動内容とは大部事情を異にしてきました。

時代とともに農村の生活は改善されてきましたが、いかに経済的には成長しても人間の心、青年の心、4Hクラブ員の心は社会の成長とともに、ただ単に成長するというわけにはいきません。これはある面では進歩もし、また、ある面では退化しているものもあるのではないだろうか。このアンバランスが、現在のクラブ活動のいたるところに顔をのぞかせ、活動に支障をきたしているのではないでしょうか。

例えば、個人の自由や尊重を権利や自由を主張することだけにとらわれ、義務を回避する誤った傾向も少なくありません。このことに対して、私も未熟ながら一人のリーダーとして、4Hクラブ活動の現状をみつめ、その要因と対策、今後のあり方について考えてみたいと思います。

私の地区連は、おおむね三つの形態に分けることができます。それは、経営形態が西部畑作地帯の養蚕、酪農、シイタケ栽培。中部の市街地を取り巻く第二種兼業の激増地帯。東部の水田、野菜園芸（イチゴ、キュウリ）などの専業地帯に大別できます。これらに大別される原因は、もちろんいろいろありますが、立地条件、地域環境、交通、農政などに刺激され、これらの諸因がクラブ員の心に微妙に反映して、それぞれのクラブ活動の形態に現われていると思えるのです。

活動の盛んなクラブ、停滞気味のクラブ、その背景にあるものは何か、それは、リーダーであり、家族であり、仲間であり、ましてはクラブ員本人の堅い信念と時代に流されぬ主体性であると信じます。

このような諸要素がからみ合って、個人の充実、クラブの充実がなされると思いますが、農業後継者の不足などについて親たちは「困った、困った」と、ただ口先だけでいうだけであります。後継者づくりは、盆栽作りと同じように、幼苗のときから二十年、三十年後の姿を頭に描いて水を与え、針金をかけ、肥料を与え、枝を整えて序々に形を造っていくのであります。はたしてこのような考えや方法で私たち後継者は育てられたでしょうか。日頃の管理に手抜きがあれば、質は低下し、その値うちはなくなるのです。

私たち農村青年も同志が減り、となり近所の転職などで、絶えず周囲は破壊的、消極的な風潮がとり巻いています。

しかし、農業後継者の数は減っても、経営の規模は小さくても、心の魂は健在なり、と思っています。

私たちは二十年という4Hクラブ活動の歴史をふまえて反省し、クラブ員一人ひとりがリーダーとして、また、4Hクラブ組織の一員としての自覚をもち、積極的、建設的なクラブや地域社会への参加が、明日の4Hクラブ活動の原動力になると思います。

詩

～音～

齊藤正江

音……それは小川を流れる水のようなもの
ときには　波立つ心も押さえてくれる
ある音は　あの人の声のように　やさしいことばで　私に語りかける
そして　音と音とが重なり合って　美しい音楽をつくる
窓うつ風の音は　一段と淋しさをさそう
遠く木々がゆれ　心に北風が吹きぬけるころ
一瞬にして孤独を味わう
音……そしてあるときは　騒音ともなる
だがその音は　明るい明日を築くための根源ともなる　希望の鐘ともなる
働く人はその音に励まされ　歓びと自信をもって仕事に励む
音……それはこの世に　物体が存在する限り消えることなく　生れ出る新しい生命にも音は生きつづける

（埼玉県鴻巣市・馬室4Hクラブ）

機関誌「あすなろ」発行
山梨 上野原4Hクラブで

【山梨】山梨県上野原4Hクラブ（会長、岡部仁勇君）は機関誌「あすなろ」を発行、クラブ員たちの悩みや希望、意見を一冊にまとめた。

上野原4Hクラブは若い農業後継者が中心となっているクラブで、農業にかける意気込みは大きいが、同時に将来の農業に対する不安もあるようだ。

岡部同クラブ会長は、機関誌で「総合農政とは、いったいなんなのでしょうか」に疑問を投げかけている。それは、この農政が農産物の価格安定と、農村生活の安定向上につながるかどうかという不安だという。それでも山の傾斜畑を最大限に活用して、価値ある新しい農業を経営したいといっている。

機関誌の内容は、各クラブ員の文章のあとに、格言コーナーを設けてある。その文章の中には、やはり恋愛と結婚の問題が多い。農村に両親とともに生活する中で、若いが二十三、四歳に結婚したい、また、経営を拡大しようと考えているクラブ員。

結婚よりも、まず花き栽培で経営を確立させていきたいという希望や意見が、ユーモラスな文章の中に、それぞれ願いをこめて書かれている。

部門活動に改める
鹿児島・川内市農村青少年クラブ

【鹿児島】川内市農村青少年クラブ協議会では、このほど川内農業改良普及所で総会を開き、これまでの地域グループ単位の活動を改め、果樹、野菜、畜産などの三部門を設け、各部ごとに突っ込んだ学習、活動を行なうことを決めた。

同クラブは農業に取り組む同市内の青少年五十人で組織し、技術の交換や仲間づくりを進めているが、ここ数年来、新規就農者は減る一方。昨年の四月には八十一人もいたクラブ員が、今年の三月には出稼や兼業などで三十一人に大幅減した。

この対策として、従来のクラブ活動を検討した結果、クラブ員減から地域グループの活動がむずかしくなったため、部門ごとの活動に改めて、この苦難を乗り切っていくとはりきっている。

歩きかた専科
美しく歩く、一直線上を

美しく歩くにはどうしたらよいでしょうか。

◆一直線上を歩く　まず、廊下の板の線とか、たたみのふちなど、一直線上に立って下さい。片足をその線にのせて、足のおや指の中央から、かかとの真ん中に線がぬけるように立って下さい。そして、つぎの足を一歩前に、同じように置いて下さい。それが一直線上を歩く美しい歩きかたです。

妙にぎこちなく感じるかたは外またとか内またとか、何かくせのある歩きかたをしているかたです。また、とてもきゅうくつに感じるかたは、オマエはあっち、オレはこっちと、勝手気ままに二本の足を運ばせていたかたです。

そこで、毎日通る道、たとえば、家からバスの停留所までとか、百メートルくらいの一直線がとれるところをきめて、そこにきたら、かならず一直線に歩いてみましょう。いつの間にかそれが習慣になって、いつも一直線上を美しく歩くことができるようになります。毎日、何気なく歩いているわけですから、これを補正するには、かなりの努力がいります。

◆腰から歩く　つぎに、歩くという一般的な考えかたを変えることです。つまり、自分のからだを足が運んでくれる、という考えかたをやめて、腰が前に出るから、自然と足がついてくる、というふうに考えて下さい。そうすれば、若々しい美しい歩きかたになります。

歩くのは、腰から歩くのです。階段の上りなど腰を上に運ぶと考えると、ずい分楽になります。重たくて大きい腰を、ドカッと足の上にのせて、それを足だけで運ぶのでは、あまりにも足がかわいそうです。

◆歩きやすい靴　靴は、やはりかかとが二～三㌢あるものが楽です。とくに女性は、美しく、若々しく、さっそうと歩くために、ヒールは二・四㌢から三㌢のものが、楽で歩きやすく、一番いいようです。

ただし、運動不足を補なうための運動や、朝のハイキングや散歩のときなどは、底が厚くて弾力があり、上はやわらかく、足首まできちんとあるものがよいでしょう。代表していえば、バスケットシューズのようなものが歩きやすいし、足も軽くなり楽しく歩けます。

ただ、型ばかりバスケットシューズのものは、一番いけません。長く歩くと、アスファルトやコンクリートの固さは、かなりからだにひびきますから、スポンジの入ったやわらかいものでワンクッションつける必要があります。それに、土ふまずのところがスポンジでもり上がっているものも、疲れをずいぶん少なくするものです。

◆家の中は素足で　現代人は生活の中で歩くことが、ずい分うばわれてしまっているのですから、何よりも気楽に歩く習慣をつけることが大切ですが、ヘップサンダルやぶかぶかになった靴では、かえって逆効果です。また、家の中では素足で、ヒフを外気にふれさせるのも健康によいことです。

日本4H新聞
4Hクラブ 農事研究会 生活改善クラブ 全国弘報紙
発行所 社団法人 日本4H協会
東京都市ケ谷家の光会館内 電話(260)1075 郵便番号162
編集発行人 玉井 光
月3回・4の日発行 定価 1部 20円 一ヵ年700円(送料共) 振替口座東京 12055番

クラブ綱領

私達は、実践を通じて自らを磨くとともに、互いに力を合わせて、よりよい農村、よりよい日本を創るため、四つの信条をかかげます。一、私達は農業の改良と生活の改善に役立つ腕をみがきます。一、私達は科学的に物を考えることのできる頭の訓練をします。一、私達は誠実で友情に富む心をつちかいます。一、私達は楽しく暮し元気で働くための健康を増進します。

米・中両国から"草の根大使"

相互理解と親善の大役担い

栃木など農家で生活

米国4Hクラブ員 六月中旬〜六カ月滞在
台湾4Hクラブ員 七月下旬〜二カ月滞在

ラリー ラーウッド君

ビューラ スバローさん

粘慧娥さん

管明正君

社団法人日本4H協会(松下幸之助会長)は、国際農村青年交換(IFYE)計画に基づいて、毎年、米国、中華民国(台湾)の両国と4Hクラブ員(別名"草の根大使")の交換派遣を行なっているが、このほど、今年度来日する両国代表の4Hクラブ員がそれぞれ両国の実施機関(米国は4H財団、中華民国は四健会協会)から報告されてきた。米国は、ラリー・ラーウッド君(二二)オレゴン州と、ビューラ・スバローさん(二一)、中華民国は、管明正君(二〇)と、粘慧娥さん(二一)の各男女一名ずつで、米国のクラブ員は六月中旬、中華民国は七月下旬にそれぞれ来日の予定である。

来日するクラブ員は、ともに4Hクラブ活動歴が四年から十年というリーダー格の人たちで、滞日期間は、米国クラブ員が六ヵ月間、台湾クラブ員が二ヵ月間(昨年まで二ヵ月間)。

来日クラブ員たちは、東京でオリエンテーションを受けたあとそれぞれ全国の受け入れ農家に入り、その家族の一員として生活する。

彼らは、滞日期間中、わが国農業や家庭生活、風俗習慣、4Hクラブ活動などを学び、その間、八月二十四日から五日間佐賀県で開かれる「第六回全国4Hクラブ員のつどい」や、大阪府で同じく八月下旬開かれる全国農村青少年技術交換大会などクラブの集会に参加して4Hクラブ員と交歓するとともに、地域の人たちの会合にも出席して両国の生活など正しい姿を紹介し、日本と米国、台湾の相互理解と友交親善に努めることになっている。

このように、これら4Hクラブ員の交流は農業技術の実習だけを目的とした研修生などとは異なり、地域に深く入って友交親善のきずなを広げ民間外交官の役割を果すので、別名"草の根大使"とも呼ばれている。

現在、受け入れが予定されている県は、米国クラブ員の方が秋田をはじめとして栃木、鹿児島、山口、和歌山、岐阜の六県、台湾クラブ員が福島、宮崎、長野の三県で、このほか全国4Hクラブ員のつどい開催地の佐賀県、全国技術交換大会が行なわれる大阪府にも滞在、また、松下4H協会会長の招待を受けることになっている。

草の根大使の略歴

今年度来日する米国、台湾代表4Hクラブ員の略歴は次のとおり。

▽米国クラブ員=①出身地②宗教③家族④学歴⑤組織の経験(クラブ歴)⑥農業体験⑦趣味⑧関心事項

▽台湾クラブ員=①家族②宗教③学歴④組織の経験(クラブ歴)⑤農業体験⑥将来の計画⑦趣味⑧関心事項

ラリー・ラーウッド君(二二)

一、オレゴン州
二、両親、兄・姉各一人
三、プロテスタント
四、学士課程最終学年在学中
五、4Hクラブ員十年、学校農業クラブ(FFA)年少者指導者協会、大学内組織活動
六、①自家経営 七〇エーカー②作物 アルファルファ、トウモロコシ、干ぶどう③畜産 乳牛、肉牛
七、機械装置の組立や運転
八、①4Hクラブ イ、農業計画の中における青少年の立場、ロ、プログラムの作成と幹部研修、ハ、青年計画の目的と任務②農業改良 イ、集約農法、ロ、新技術の利用③職業訓練の有効性④工業および農業用デーゼル機械の製造と利用

ビューラ・スバローさん(二一)

一、ケンタッキー州
二、両親、弟一人
三、プロテスタント
四、大学在学三ヵ年終了
五、4Hクラブ員八年、学校教員クラブ、教会および大学内の組織活動、テレビ、ラジオ出演
六、①自家経営 六〇エーカー②作物 煙草、トウモロコシ、蔬菜③畜産 乳牛と肉牛
七、絵画、ハイキング
八、①4Hクラブのプログラム、イ、リーダーの募集と訓練、ロ、キャンプや大会の行事、ハ、農業の中での立場、ニ、家事計画(裁縫、食事)②農業 イ、農業と経済、ロ、作物と耕作法、ハ、農家の家族③祝祭日④日本人の習慣と因習⑤行政

管明正君(二〇)

一、両親、第三人、妹二人、姥一人
二、仏教
三、省立台中高級農業学校総合農業科卒業
四、四健会(4Hクラブ)会員七年
五、①自家経営 水田〇・八紛、山林三紛②水稲、竹筍、甘藷、バナナ
六、農業の発展を通じて農村や国家の進歩に貢献する
七、バレーボール、バドミントン、音楽、舞踊、書道
八、果樹、蔬菜、花卉、水稲などの改良技術、温室栽培、農場経営

粘慧娥さん(二一)

一、両親
二、仏教
三、省立鹿港中学高級部卒業
四、四健会(4Hクラブ)会員四年
五、①自家経営 耕地一・六紛②甘藷、蔬菜、芋、豚、鶏、あひる
六、農村の近代化に貢献する
七、バドミントン、音楽
八、果樹、花卉栽培技術、家政

研修と親善の旅へ

派米4Hクラブ員 坂本、古川さん出発

日本の4Hクラブ員の代表として恥じないように一生懸命頑張ってきますと、米国での生活に胸をふくらませる出発前の坂本さん(左)と古川さん=羽田空港ロビーで

国際農村青年交換(IFYE)計画に基づいて、今年度、社団法人日本4H協会(松下幸之助会長)から米国に派遣される"草の根大使"に選ばれた4Hクラブ員二人=坂本重子さん(二三)山口県・岩国グリーン4Hクラブと、古川みどりさん(二〇)岐阜県・小泉4Hクラブ=は、予定より一日遅れてさる十三日午後一時四十五分、羽田発のノースウエスト機でアメリカのシアトルへ向けて出発した。

同日は、二人の肉親や知人、友人、4H協会職員など関係者多数がつめかけ二人の出発を見送った。

坂本さんと古川さんは、シアトル到着後、オリエンテーションを受けたあと、受け入れ農家に入りその家族の一員として生活することになっている。

滞米期間は約六ヵ月で、この間民間外交官として、同国の農業、農家生活、風俗習慣や4Hクラブ活動などについて学ぶかたわら、4Hクラブや村の会合などに出席して、日本のそれらの正しい生活について紹介し、両国の相互理解と友交親善のために努めることになっている。

日本から女性二人だけが派遣されたのは今回が初めてでもあり、胸をふくらませて出発した彼女たちの活躍ぶりが大いに期待される。

岩田君 牛に蹴られケガ

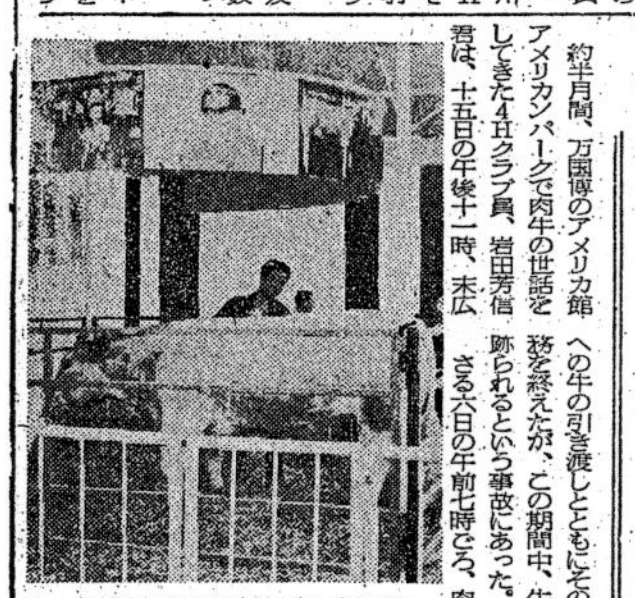

肉牛にブラシをかける岩田君

約半月間、万国博のアメリカ館アメリカンパークで肉牛の世話をしてきた4Hクラブ員、岩田芳信君は、十五日の午後十一時、末広への牛の引き渡しとともにその任務を終えたが、この期間中、牛に蹴られるという事故にあった。

さる六日の午前七時ごろ、肉牛を連れて散歩していたところ、反対側からきたガードマンとあいさつした直後、試運転するモノレールが通過した。この轟音に驚いて肉牛があばれ出し、岩田君が牛の後方の位置になったとき、蹴られてしまったというものである。

同君は、牛の足が上がったところまでは記憶しているが、脳しん頭をおこして前後不覚になり、気がついたのは病院のベットの上だったという。左眼上に裂傷を負って縫った。右手のひじや足なども打撲傷を受けた。その日の午後二時過ぎに退院できたが、その日も含めて三日間ばかりからだを休めたそうである。しかし、病院の診察では、骨などにも異常がないということで、その後は元気で管理に当った。

この肉牛は、ふだん大人しいので評判だったが、やはり動物、地響きをともなって雷のように迫ってきた、ときならぬ轟音にびっくりしたのだろう。

同君は、国際農友会の派米実習生としてアメリカで生活してきた年上の人と一緒に仕事をしてきたが「自分にとって大きな刺激になりました」と、傷あとが生々しい日焼けした顔をほころばせていた。

とにかく、万国博会場には、人間以外に動物がいないので、この肉牛は大変人気になったようだ。多くの人は、牛には角があるという先入観をもっているので、大きな豚がいるとかけ寄ってくる見物客がいたり、またこれは馬かと聞かれたこともあるという。ひどいのになると、頭の真中に突起した部分があるので、これはサイかと聞かれたこともあり、ちょっと面喰ったこともあるようだ。

岩田君の家の経営は果樹だが、高校のとき乳牛の世話をした体験があるので、そんなに苦労はしなかったようだ。ただ英語が話せないので、外人から聞かれても説明することができなかったことが残念だったという。

そして、同君は「万国博も見られたし、視野を広げるよい機会になった。しかし、自分がブラシをかけて世話した牛が肉にされるのは、なにか可哀相な気がする」とちょっぴりセンチなところをみせていた。

農林省通じて肉牛(グランドチャンピオン確得)贈らる

米国農務省 日本4H協会

畜産振興の基金に

松下4H協会々長が謝辞 万国博会場で贈呈式

大阪で開かれている万国博覧会のアメリカ館、アメリカンパークに展示されていた肉牛"カノコ"が、社団法人日本4H協会(松下幸之助会長)に寄贈されることになっていたが、その贈呈式は、五月晴れのさる十五日正午過ぎから見物客で賑わう同パークの一角で関係者多数の列席のもとに行なわれた。

肉牛の贈呈式で感謝のことばを述べる松下4H協会々長(中央)=15日、大阪・万国博会場のアメリカンパークで

贈呈式は、米国大使館はじめ農林省、近畿農政局、大阪府の青少年担当官、4H協会、末広食品株式会社などの関係者と大阪、和歌山両県の4Hクラブ員十名が出席して行なわれ、駐日米国大使館農務部のハローウエル主席農務官のあいさつにつづいて、駐大阪米国総領事のシャーマン氏から主趣説明があり、このあと、農林大臣を代理して丸尾農林省畜産局調査官が農林大臣あいさつを代読。これからの日本の農業の発展にとって畜産が重要な部門を占めること、また、次代の農業を担う青少年の教育が大切であることを強調し、4Hクラブ活動の発展のために役立ててほしいと述べた。

これに対し、松下4H協会長が「アメリカの十一歳になる少年が立派な牛を育て、それが世界の肉牛品評会で優勝したことは珍しいことである。また、その少年が日本の4Hクラブの発展のために役に立ちたいと言っていることは大変嬉しく、感動に価する。さらに、米国政府、同国大使館から農林省を通じて、この贈物を届けていただいたことは感激に耐えない。肉牛の処理について、彼の意志をどのようにして4Hクラブの発展に具体化するかということを考えていたところ、末広の社長の好意で引き取ってもらうことになった。これを基金として日本の4Hクラブの発展、畜産の振興のために活用し、立派な成績を上げた人を讃えたいと、関係者の好意に対して感謝の意を表した。

ついで、末広の石原社長が、昔からアメリカとも深い関係をもちながら肉質の向上に努めてきているが、この肉牛をさらに立派な牛をつくるための参考にしたい。残念ながらこの肉牛は中性(去勢)なので繁殖に使うことができないが、松坂(三重県)の牧場で飼育し、この肉牛の特性を十分発揮させ、その飼育を通じて優れた肉牛の向上に努めたい[illegible]牛をはくせいにし[illegible]進むべき道のシン[illegible]あいさつして拍手[illegible]

このあと年とと[illegible]どを行なったが、[illegible]カ館の間にある同[illegible]かと集まってくる[illegible]時は黒山の人垣ができた。

11歳の少年(4Hクラブ員)飼育

"末広"が百万円で引取る

この肉牛は、イリノイ州に住む十一歳の4Hクラブ員がプロジェクトとして飼育したアンガス種とシャロレー種の交配種で、シカゴで行なわれた一九六九年度万国(インターナショナル)家畜共進会でグランドチャンピオン(優勝)を確得した見事なもの。現在生後二十五ヵ月で、体重が六五〇から六八〇キロ。

万国博会場に展示したあと、日本の4Hクラブ活動発展のために駐日米国大使館から農林省を通じて日本4H協会に寄贈されることになり、さる四月二十八日、東京・世田ヶ谷区の馬事公苑で米国側から日本側への受け渡し式が行なわれ、その後、万国博会場に展示されて人気を集めていた。

日本4H協会では、この寄贈された肉牛の代金をクラブ活動の推進、とくに、畜産部門のプロジェクト振興の寄金にすることにしているが、肉牛は、肉料理店として有名な末広の好意によって百万円で引き取られた。

また、この肉牛が万国博会場に展示されていた約半月間、全国4Hクラブ連絡協議会の執行部が推せんした愛知県・三好4Hクラブ員、岩田芳信君(二〇)がアシスタントとしてその管理に当っていた。

涼風暖風

バタリー住宅

私が住んでいるところは、鉄筋四階建てのアパートである。昔は官舎といったのだろうが、今は公務員宿舎とよばれ、一つの団地をなしている。

アパートはコンクリート造りだから、鉄製のドアーをしめきってしまえば、家族そろっての外出もかんたんだ。火事の類焼の心配もほとんど無い。また、転勤が多い浮草稼業みたいな役人ばかりだから、転勤時期になると、隣りが空き家になっているのを知らなかった、という例すらきく。

隣り近所のつき合いもなく、一面、のん気なところもある。私の実家の近所の娘さんたちは、ステキな生活ね、とうらやましがるのだが。

ところで、家のなかは白いコンクリート壁。一日中、白い四角の箱ともいうべき部屋のなかにとじこめられている奥さん連中には、耐えられない面があるようだ。軽いこうきん性ノイローゼに、奥さんはみんなかかっているのではないだろうか。

だから、デパートがオアシスで、人混みの行楽地が魅力であるわけ。人がひしめく都会の中にあって、逆に人に恋いこがれるという妙な現象が生れてくる原因にもなっている。

それに加えて、隣り近所の連帯意識を育てる共有物、例えば風呂、便所、井戸なども、個人もちとして、かぎられた面積のアパートのなかに、コンパクトに押しこめられた家の造りになっている。これでは、共同風呂での裸のつき合いもないし、井戸端会議の楽しい会話も生れてこない。

コンパクトな造りといえば、これは味気ないものだ。せまい玄関を入ったところが便所。その先がダイニング・キッチンと称する食堂。名前はハイカラだが、いうなれば、お勝手で飯を食っているという寸法。

トイレは水洗だからいいようなものの、こんな家の造りでは、食事どきには家族もその使用は遠慮がちである。ましてや、お客さんには、なかなか利用しにくいものらしい。せっかくお泊りいただいても、朝のおつとめが果せず、みている方でも気の毒になってくる。オーバーにいえば、人道問題だ。

トイレといえば、アパートは同じ造りだから、トイレの上は、上の階もトイレ。その上の階もトイレ。夜中トイレに入いっていると、水洗用の水を流す音が頭の上からひびいてくるときもある。さて、上の階にはお嬢さんがいたっけかな、とでも考えなければ、不謹慎かも知れないが、とてもではないがやりきれない。

ともあれ、ただ合理的にのみつくられた住宅、それがアパートである。いうなればバタリー鶏舎と同じで、そこでは、個性は否定され、人間性は無視されている。合理的である、ということだけでは、人間は生きていけないようである(文部省 伊藤)

会館募金に本紙の還付金も

【三重】県農村青少年クラブ連絡協議会(会長、中林正悦君)では日本4H会館建設のための募金活動を展開しているが、さきに開いた地区連会長会議で、本紙購読の還付金(助成金)をその一部に当てることを決めた。

心頭技健

初夏の季節になると、街を行く女性の姿が一段と美しくみえてくる。服装も、ぶ厚いコートを脱いで、うすものの白のブラウス姿など、清潔で若い女性ならではの美しさだ。女性はいつまでも若く、いつまでも美しくあってほしいと願うのも、今も昔も変りない▼さる十六日大阪の万国博会場で、ミス・インターナショナル・美人コンテストが行なわれた。さすがに、各国の代表の美人だけあって、民族衣裳や水着、ドレスの着こなし方や微笑をたたえてウオークする姿には、美を誇り、まことに優雅そのものであった▼幸いにこのコンテストで日本代表は第四位の栄冠を掌中に納めることができたが、日本の女性もここ数年、世界的レベルの美しさを身につけてきた。たしかに、日本の女性も平均的身長は伸び足などもすらりとして、ハッとするほどミニスカートが似合う女性に行き合うことがあるが、一般に女性の美しさとは、やせてほっそりした身体であると、彼女たちは考えているようだ▼何とかいう女性歌手が、やせる方法を本に書いたら、ベストセラーになるし、真剣になって雑誌にでてくるモデル嬢のようにほっそりとやせたいと日夜、若い女性は、悩んでいるという。先日も、ふとっていて恥かしいと、結婚を前にした女性が自殺をしたと新聞は報じていた。やせたいという女性の切なる願いもわからぬでもないが、はたして、やせることが女性の美しさをプラスにする要因であろうか▼例えば女性のモデル、あれはモデル自身の美しさでなく着ている衣裳をいかに映えさせるかということで、女性そのものの美しさは備えていない。いかにしてモードそのものを強調させられるか、そういう身体につくり変えられているのである。最近、やせるために三度の食事までもひかえる女性が多くなったときくが、このために貧血症状などをはじめとした病状を訴える人が多く結婚しても丈夫な子供も産めない女性がふえてきているという▼美に対する女性のしゅう念は、自らの身体をもけずりとるという恐しさを持っているのだろうか。女性の美しさとは、年令相応もさることながら、心身ともに健康で、はつらつとしたあの女性特有の身体のまるみをおびた美しさ、また、心の美しさも忘れてはならないと思う。

「つどい」の会場へ

主催者代表 現地で打ち合わせ

今夏、八月二十四日から五日間、佐賀県で開催される「第六回全国4Hクラブ員のつどい」の主催者三者による現地での初の打ち合わせと会場の下見回がさる八日から三日間にわたって行なわれた。

川上峡 素朴な天然の美

この打ち合わせには、全国4Hクラブ連絡協議会から久野知英会長(愛知)坂井邦夫副会長(佐賀)松浦幸治事務局長(静岡)、佐賀県4Hクラブ連絡協議会から小林秀敏会長ら執行部役員、理事と江口和彦前会長、社団法人日本4H協会から坂本静馬渉外部長が出席、佐賀県庁の農林部はじめ営農指導、社会教育、観光、県民室などの関係各課、佐賀市役所、会場となる大和、富士両町役場、つどい事務局を置く竜登園などを訪問して、つどいの主趣や日程について説明するとともに、協力方を依頼した。これに対し、各関係方面とも、できるだけ協力したいとの好意を示し、激励された。

また、主催者側三者による打ち合わせを佐賀市の青年会館で開きつどいの行事や日程について細部的な検討を加え、具体化を図ると同時に、つどいを盛り上げるための対策などについて協議した。

さらに、開・閉会場となる佐賀市民会館はじめ、「葉隠の里を訪ねて」と題して自主的な班別活動を行なう会場―九州の嵐山といわれる川上峡、散策コース、キャンプファイヤー場、宿泊する古湯温泉、有田焼(皿に自分の好きな文字や絵を書いて楽焼し、つどいの記念とする)の窯元など現地を訪ずねて下見回した。

古湯温泉は、佐賀駅から北に約二十㌔、標高二百㍍の山峡にあり花やかな観楽街とは対照的に、幽雅と素朴のなかに天然の美をそなえた山紫水明の地にある。ことに斎藤茂吉の曽遊の地としても知られている。

川上峡は、川上川の渓谷のはじまるところで、肥前嵐山ともいわれ、渓流に沿う自然の美しさはすばらしい。多くの史跡にも恵まれていて、さいきんは新しい温泉で脚光を浴びている。

散策コースは、大和町がみかんの主産地にしたいと力こぶを入れているところで、周囲にみかん園が広がり、ところどころにお寺やお宮などがみられる。

なお、打ち合わせでは、これまでに決定したもののほか、協賛の中に西日本新聞を加える提案や、協賛会社の協力をえてアドバルーンを上げてはどうかなどの意見も出され、これらについては、こん後検討していくことになった。

素朴さと幽雅さをたたえる川上峡

「4Hの本質」理解を クラブ員に徹底図る

山口県連でリーダー研修会

【山口県＝松尾耕助連絡報道員発】県農村青少年クラブ連絡協議会(会長、神田勝敏君)は、さる十一日から十三日までの三日間、防府市牟礼の経営伝習農場新生館で四十五年度の幹部研修会を開いた。

これは、日ごろ、農村青少年クラブ活動を通じて、農村近代化の担い手として活躍している農村青少年の代表があつまり、平素の学習や実農活動の中で体験したことを討議しあうとともに、組織的にクラブ員の要求をまとめる能力や広い視野にたった見通しができる能力をもつことによって、さらに専門的な指導力を高め、その成果をこん後の活動に反映させ、活動を促進することをねらいとしたもの。

同日は、県下十五地区から会長や役員など約四十名が参加して午後一時に開会した。

まず、神田新県連会長が「4Hクラブの本質を地区の役員が知りクラブ組織を充実してこれからのクラブ活動を活発にしてもらいたい。県連としてもできるだけのことはしたい」とあいさつし、オリエンテーションのあと、フィルムフォーラム。これは単に映画を見て話し合うだけでなく、役員にフィルムフォーラムの方法などを学びとってもらうということで行なったもの。題は「嫁と実家」

夕食後、地区会長会議とともに二分科会にわかれて、地区の活動状況を真剣に話し合っていた。地区会長会議は、今年度の県技術交換大会、日本4H新聞購読、体育大会、地区からの資料をもとにして地区の活動計画や予算についての発表、県連の方針などについて討議し合った。

二日目は、午前八時から分科会に入った。テーマは、「4Hの本質」。組織に大切な問題であるだけに各分科会とも活発な意見が交されていたが、まだ本質とはどんなものかハッキリとは理解できなかったようである。

昼食後はスポーツ。午前中の堅い話で体までがかたくなったのではなかろうかということで行なったもので、経営伝習農場の広場でバレーボールとバドミントンをくりひろげ、五月晴れの下でボールを追っていた。

このあと、午前中の分科会で話し合った「4Hの本質」について講師の講話を聞いた。従来なら講話が前にあるけれども、この研修会では、まずどのていど本質というものを知っているかをクラブ員が討議し、そのあと講師に本質について話してもらうといった順序をとった。

講師は、県内厚狭郡楠町の農業・沢野悦夫さん。沢野さんは、全国4Hクラブ連絡協議会の設立当時の会長をされた人。県連の会長も三期務められ、海外にも足を運び、現在も茶園五㌶を経営し、生産から製造販売までされる企業経営者であり、さらにわれわれの先輩ということで自分の体験をもとに話され、みんな真剣に聞き入っていた。

夜はレクリエーション講習。クラブ活動に取り入れ、なごやかな雰囲気で活動をしていくためにはレクリエーションリーダーも必要になるということで、講師に防府市教育委員会の大田社会教育主事を迎えて指導を受けた。歌や、ゲームなどで楽しい一時間もあっという間にすぎた。

三日目は全体討議。昨日の分科会報告のあと、質問、また県連への要望などがあり、正午に研修会の全日程を終了した。

なお、この研修に参加して、地区の活動をどのように進めていくかについて参加者の感想レポートのなかから二、三ひろってみた。

一、各クラブ員に4Hの本質をはじめとして 地区協、県連 の役割、組織などについてもよく理解できるよう話し合う。

二、新規加入者と同じ気持ちでともに活動し、地域的な問題を克服し、楽しいクラブとして活動するために真剣な話し合いをする。

三、4Hの本質がつかめたように思う。地区ではクラブ員に話し少しずつ徹底させたい、などの意見があった。

徳島県連で総会 新会長に正木君

【徳島県＝近藤吉正連絡報道員発】県農村青少年クラブ連絡協議会(会長、田所恵一君)は、さる二日、県庁会議室で昭和四十四年度の定期総会を開催した。

同日は、県下の各地区連の代表五十余名が出席し、田所会長のあいさつなどのあと、四十四年度の事業経過と収支決算の両報告を承認、つづいて、四十五年度の事業計画と収支予算について審議、論議を呼びながらも原案どおり決定した。

また、四十五年度役員の改選を行ない、次のとおり新役員を決めた。

会長	正木久之
副会長	伊丹康夫
〃	斎藤良子
事務局長	稲井富士夫
事務員	大西広之
〃	斎藤恵子
会計	西岡　繁
監事	田所恵一
〃	近藤吉正
〃	広瀬　武

葉隠の里を訪ねて (2)

葉隠の成立は、江戸時代の中期、人々が泰平ムードに安住していたとき、ともすれば忘れがちな厳しい生き方について、反省のいましめをこめて書かれたものである。

今日もいわば危機感のない平和ムードの中にある世の中だが、そのようなときこそ、葉隠の中から前向きのものをくみとるべきものが少なくないという。

作家の福田恒存氏は「戦争中へんに利用されたが、虚心に読めばストア哲学者か、エピキュリアンの書いた立派な人生論だといっているし、同じく作家の三島由紀夫氏は「小説家の休暇」の中で「葉隠は行動と知恵と決意を説いた、精気ある、明朗かつ人間的かつふしぎな道徳書」と記していることでもわかる。

成立の由来

宝永七年(一七一〇年)三月、桜もちらほら咲きはじめた金立山のふもと、いまの佐賀市金立町黒土原を訪ねる一人の若い侍があった。その人の名は、元佐賀藩御祐筆役、田代又左衛門陣基(当時三十三歳)

彼は、その前年役を免ぜられいわば浪人の悶々とした気持を抱きながら、大先輩である山本神右衛門常朝(当時五十二歳)を訪ねたのである。

常朝は、第三代佐賀藩主鍋島光茂の御側役を勤めた重臣であったが、元禄十三年(一七〇〇年)光茂が病死したため、その職をしりぞき、出家を許されて、黒土原の草庵にこもり、すでに十年の歳月が流れていた。

彼は、九歳のときから光茂の御側小僧として登用されて以来三十年身近かに仕えた親しい間柄で、本来なら殉死すべきところであったが、光茂が幕府の殉死禁令より早く、寛文元年(一六六一年)に殉死禁令を藩内に令されていたので、藩主の命にそむくことができなかったのである。

出家武士と失業武士の出合は不思議とウマがあった。二人はお互いの境遇を語り合いながら心のうちから解け合うのを覚えるのだった。

浮世から何里ならうか山桜　(常朝)

白雲やただ今花に尋ね合ひ　(陣基)

常朝は、浮世から離れた黒染の法衣をまといながらも、その袖に、包みきれぬ武士の心を山桜の花にむけて心境を述べ、陣基は桜咲く春の日、白雲わけて敬愛すべき師に会えた喜びを句にしてから、二人の語り合いがはじまったのである。

そして、それ以来、陣基は足しげく常朝の草庵〝朝陽軒〟を訪ね、武士として、また人間としての体験に基づく、多くの教訓や歴史、実話、人物批評などを語ってもらい、丹念に書きつづっていった。二人は親子にも似た親しい信頼の間柄になっていた。

やがて七年の歳月が経ち、常朝の談話は千三百四十三項にもおよぶ膨大なものになった。陣基はそれを巻別に分類整理し、十一巻の書にまとめた。これが「葉隠」の成立で、時はちょうど享保元年(一七一六年)九月十日であった。

書名の由来については、はっきりした記録がなく、西行法師の〝山家集〟の和歌の中から命名されたという説や、二人の語らいが、木の葉隠れの草庵で行なわれたもので、公刊を目的としたものでなく、あくまでも内省の書であるところからその名が起ったという説などがある。

二人の語らいの場所は、いま佐賀市北郊黒土原に小丘として残っており、松の疎林の間に「常朝先生垂訓碑」と刻された巨大な石碑が建てられている。

農業白書 (5)

農産物価格の動向と背景

(三) 食肉の需給と価格

(ア) 食肉の総供給量は、食生活の高度化、多様化にともなって四十三年には百二十一万㌧と三十五年当時の約三倍に急増した。

肉種別には、豚肉、鶏肉が著しくふえたのに対し、牛肉の伸びは低い。年間一人当り食肉(鯨肉を除く)の供給量(枝肉換算)は、三十五年度の四・三㌔から四十三年度には十二・二㌔にふえたが、欧米の先進国にくらべると、まだきわめて低い水準にある。

(イ) 鶏肉は、ブロイラーの生産増大によって、価格は安定的に推移しているが、牛肉の価格は、国内の供給体制が必ずしも十分に対応できないため高水準にある。豚肉の価格は、生産の周期的変動によって激しい騰落をくり返えしており、その安定的供給が強く要望されている。

さいきんの豚肉価格は、四十二年七月以降上昇を続け、畜産振興事業団の保管肉の放出などにもかかわらず騰勢を続け、四十四年度下期になって肉豚の供給もようやくふえ、十月以降価格は下がっている。

今回の豚肉価格の高騰とその長期化は、おう盛な需要もさることながら四十二年六月までの価格低迷の影響によって豚の飼養が大幅に減り、その回復が著しく遅れたことによる。その基本的要因は、零細繁殖豚経営の脱落、純粋種豚の不足などによって素畜である子豚の供給が十分に対応できなかったことにある。

このようなこともあって、近年、大規模肥育経営を中心に、子豚確保の不安定性を克服するため、子取りと肥育を合わせて行なう、いわゆる一貫経営もふえている。

(ウ) 牛肉の生産は、三十九年以降年々減り、価格は、一貫して急速な上昇を続けてきた。その結果、肉用牛飼養の収益性が向上して生産意欲が高まり、四十二年以降飼養頭数は増加に向い、四十四年二月には百七十九万五千頭となった。もっともこの増加には、和牛が増加基調に転じたのに加え、乳用おす牛の若令肥育の頭数が急速にふえたことによるところが大きい。

このため、四十三年以降、牛肉生産は回復に向い、価格も軟調に転じている。

とくに、若令肥育した乳用おす牛の肉価格は、供給の急増、飼養管理技術の未熟などによる品質的な問題もあって、かなりの下落を示した。

当面する諸問題 (下)

食肉 流通の合理化が必要

みかん 長期的な計画性を

なお、食肉の流通は、中央卸売市場の整備立遅れなどもあって、まだ近代化されていない面が多く残っており、その合理化が要請されている。

(四) みかんの需給と価格

(ア) みかんの生産は年々ふえ、四十三年に史上最高の二百三十五万㌧に達し、価格は暴落した。

その要因は、基本的には供給量の大幅な増加にあるが、それに加えて品質の低下、腐敗の多発、早生種と普通種の出荷時期の競合などが重なって、低落にいっそう拍車をかけた。四十四年産は裏年の関係もあって、生産が約二百万㌧(予想)となり価格は反騰して堅調に推移している。

(イ) 生産の増大は、おう盛な新植に支えられて年々成園面積がふえたことによる。三十五年に五千㌶あった新植面積は、四十年には一万二千㌶に達し、その後、漸減傾向をたどっているが、四十四年でも七千㌶にのぼっている。

新植では、機械開墾や栽培技術の進歩などによって適地適作の域を越えて栽培管理面からは不適地とみられる急傾斜地までおよんだ。四割強におよび現在の未成園からみて、こん後における生産の増加基調は根強いものがある。

(ウ) みかん需要の八割を越える生食用は、近年堅調な伸びを続けてきたが、こん後も当分の間、年率一〇%程度の増加が期待される。

加工需要は、生産の変動などによって、年によってかなりのふれがみられるが、すう勢的にはふえており、生果の輸出需要も量的にはわずかであるが、大体順調な伸びをみせている。

(エ) 堅調な需要の伸びが見込まれるとはいえ、新植はそれを越えて進んでおり、こん後の植栽については、長期的視点に立って計画性を堅持する必要性がますます強まっている。同時に、加工や輸出を含めた需要の拡大、さらには、出荷調整なども重要である。

産地においても、品質の向上や均一化、集出荷経費の節減はもとより、省力化などによる生産費の低減を図るため、高性能機械の効率的利用を可能にする樹園地の集団化、生産組織の確立などを通じて経営の近代化を進める必要がある。

技術交換会の型ともち方

クラブ活動12ヵ月 新しいクラブ員を中心に (15)

栃木県・普及教育課　湯浅甲子

クラブ員が出題を 問題は少数、熟考型で

技術交換会を、今度は、内容面から分類し、そのもち方、参加のしかたについて考えてみよう。

一、交換型と競技型と発表演示

従来のこの事業は、中心が、競技型になっている。それが、個人競技か、グループ競技かの違いはあっても、要するに、自分の力だめしである。これは、これなりに価値の高いものであるし、自信づけの端的な方法として、推奨されてよい方法である。

ただ、それは出題された範囲内での、技術の幅は求められるが、参加した青少年仲間の持っている技術の交流は、十分に果しえないだろう。ここに、交換という面を、できるだけ、現実の生活にくっつけてやれないものだろうか。

私は、その方法があると思う。要するに、出題者に、クラブ員がなることである。

発表演示は、従来、演示発表という型で技術交換会の中にとりあげられている。しかし、どうも、技術交換会の流れの中では、異質性があり、しっくり、交換会の波に乗らないような気がしてならない。そうはいっても、演示発表の与える影響力は技術競技よりも、多くの個人個人の心を、ゆり動かす力に、勝さっていると思うのである。そのことは、毎年、行なわれる全国大会の演示会場にみる、青年の眼の色でよくわかる。

そこで、技術交換会らしい演示のあり方がないものだろか。演示に、視聴覚教育の効果を期待するには、従来の演示の中に欠けているものが、一つあるように思う。それは、やって見せるだけで、視聴者が、演示者の説明に従って、自ら、やることがなされないことである。つまり、見せもの演示ではなくて実際体験のできる演示であってほしいのである。これこそ、まさに直感教育法ではないだろうか。

二、交流型とテスト型

一項で書いたように、従来はテスト型であった。しかも、普及員が、青年をテストするといった、タテの関係で行なわれていたものである。それを、ヨコの関係に組み替える必要があると思うのである。

三、即答型と熟考型

従来は即答型である。数多くの問題を短時間に処理してしまうには、この方法が一番、てっとり早いわけである。しかし、現実の生活の中で、知識や技術を習得していく様子をみていると、即答的に答えたり、対応策がとれなければ生活ができないかといえば、そういうことは少ないのではないだろうか。

もちろん、なんでも即答正解できることに、こしたことはないけれども、日常ぶちあたる解決を迫られた問題というものは単一なものではなく、いろいろな要因が、複雑に、からみあって、ひとかたまりの問題になっているものが多いのである。

そこで、技術交換会の出題もこれにならって少数出題、熟考型のものをとり入れるべきではないかと思うのである。

四、広範囲型と専門部型

これは余り説明を要しないであろう。

五、摘出型と問題発見型

技術交換会の長い伝統の中でいつのまにか、鑑定、判定、審査、診断という出題分野が、固定してきたようである。これ、そのものは、非常に優れた整理であるし、こん後も、これに準拠して進むことはよいことであると思うが、一方、時代が青年に期待する能力変化をし、それにみあって、青年の欠けている面の焦点も推移していくと思うのである。

そういう意味から、問題の発見能力と、創造能力の啓発を狙った分野が必要であろう。

六、技術と常識とグループ活動

技術交換会だから、技術でよい、という考え方がある。しかし、技術にも、熟達しているか幼稚であるか、といった面もあるのである。その点は、従来、殆んど触れられていない。

また、一般常識、技術教養部門も考慮しないでよいものだろうか。

七、技術の塔と技術の畜

「もの知り」であることは結構だが、すぐれた農業者というものは、「ひかったもの」がなければ価値がない。そこに焦点をあわせた競技をとり入れるべきではないか。

八、全域型と類型がた

出題の範囲を広くするか、狭くするか、また、営農類型別にするか、いろいろ方法はあろうが、大切なことは、青年の生活に、できるだけ近い問題であることが必要である。

5月

私のプロジェクト

早期出荷、価格安定

春美濃大根のトンネル栽培

露地栽培に比べて有利

省力化対策の一貫

短期間　高収益

埼玉県入間郡大井町 大井4Hクラブ　新井良司

私の地域における春野菜は、小蕪（こかぶ）が代表的な産地として、その大半が占められています。

私の家では、圃場の面積（二・一ha）に対する労働力（三人）が少ないので、比較的強い労働を必要とします。そのため、小蕪、胡瓜その他の野菜は、現状では作付け不可能ということが、経営診断の結果わかりました。そこで、労働力をあまり必要とせず、しかも短期間で高収益が得られると思われるトンネルを利用した〝春美濃大根〟の早出し栽培をプロジェクトに選びました。

選定理由

一、圃場面積に対する労働力不足から。

二、価格（例年トンネルの早出し美濃大根は、数年の統計から価格が露地栽培に比べて）が、安定している。これは、二年子、および時無し大根などの比較的品質の悪いものが出回っているときに、品質のよい美濃大根が早期出荷によって、価格の安定を保っているものと思われる。

三、労働生産性が高い（トンネルの蕪などのように、生産費の大部分が労力費にとられているに対して、トンネルの春美濃大根の場合は、労力が蕪の約三分の一で済み、しかも、蕪と同等の収益をあげることができる）。

四、粗収入に対しての所得率が高い。

五、病害虫の発生が少なく、栽培が容易である――。以上のような利点があります。今までの大根栽培は、地味で収益性の低い粗放的な栽培の作物とされてきました。しかし、秋大根や露地栽培のものは別にしても、トンネルによる春美濃大根の場合は、そのようなイメージは全くなく、むしろ都市近郊における軟弱そ菜作物の中に入るのではないかと思います。

栽培にあたり、私が一番苦心したところは、反当収量の増加という技術的なところであります。前年度も、トンネルによる春美濃大根を栽培いたしましたが、この場合の作付方法は、二条マルチを使いました。しかし、二条マルチですと畦間と株間が広いために、急激に肥大し、それによって収穫期が少しでも遅れますと、品質が低下し、商品価値が落ちる原因になります。春美濃大根は、秋大根と違い、少し小ぶりのものに人気があります。

また、露地栽培と違って、トンネルをかけますので、通路を広くすることも考えられます。これでは単価が高くなっても、収量が少なくては利益が上らないという難点が生じます。

そこで以上のような問題を解決するには、どうしたらよいか考えたところ、レタス用の四条マルチを利用することを思いつきました。その四条マルチの長所と短所はつぎのようです。

長所

一、反当収量が二条マルチに比べて二割増加した。二条マルチの場合、普通五本束で十a当り七百束前後であるのに対し、私の家では約九百束出荷しました。

二、労力の節減（マルチ張りの労力は、二条マルチに比べて幅が広いため能率がよく、労力が少ない）が図れる。

短所

一、成育日数が五日前後遅い（二条マルチに比べ密植のため、収穫期が五～六日遅れる。この時期は価格に変動がなく安定しているので問題はない。また、マルチはチドリ条になっているものを使えば大差ない）

二、生育のそろいがよくない（マルチの両端が、わずかに遅れるが、順次最後の一本まで収穫できるので問題はない）

収支決算

粗収益は十五万三千百十円ありましたが、その内生産費は六万四百十三円で全収益の三九・四%を占めています。これはトンネルの蕪に比べて、かなり低い生産費で済むことがわかります。しかし、昨年は露地栽培のものが例年になく安定し、驚異的な高値でありましたので、露地栽培と比較した場合は同じか、いくぶん低いというのが実際の結果であります。しかし、露地栽培は、例年価格の変動が激しく、不安定でありますので、昨年度の場合は、例外としてみなければなりません。

今後の課題としましては、マルチ張りや収穫後の洗浄作業などの省力化を図ることが必要だと思います。マルチ張りは、現在市販されているマルチ機を使用する。洗浄作業は、洗浄機を使用するなどすれば、大幅に労力の節減が図れると思います。

結果と反省

一、反当収量（二条マルチに比べ）が二割増加した。

二、霜による抽苔の防止ができた。春美濃大根は、本葉三枚頃に低温にあうと花芽が分化し、抽苔の現象が起る。しかし、トンネルによる保温により、抽苔を防ぐことができました。

三、降雪により播種期および収穫期が遅れた。三月十二日の降雪により、播種予定日の三月十五日に播種ができず、このため収穫日も遅れました。

四、換気不完全により栽培期間が伸びた。換気を行なう場合、トンネルの両端しか開けなかったために、トンネルの中間が徒長し、生育が不ぞろいになり栽培期間が伸びてしまいました。

五、株切れができた。圃場の耕耘、施肥の際に肥料（M高度化成）と、土がよく混らないために肥料が直接種子にふれてしまい、不発芽のところが生じました。

今後の目標としましては①労働力不足のため、よりいっそうの省力化を進めていく②トンネルの換気の完全実施を行なう③播種期を早め、早期出荷を行なう。このため、二月下旬に播種を行なう④施肥、耕耘の完全実施を図る。

以上の反省事項を今後の栽培計画にくみ入れ、有利な春美濃大根の栽培を進めていきたいと思います。

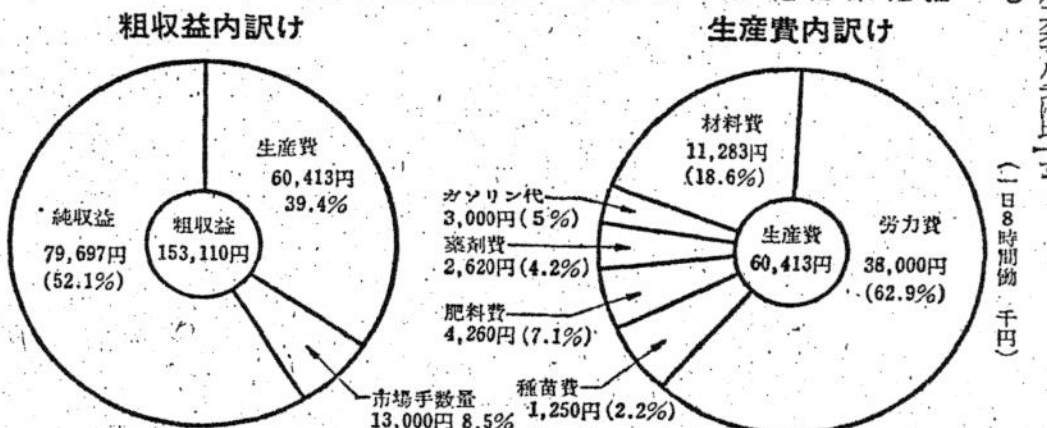

栽培概要

3月10日	耕耘、整地、施肥（苦土石灰、BM高度化成）N・15.6K、P・12.0K、K・14.4K
〃 18日	畦作り、マルチ張り
〃 22日	播種、トンネル張り
4月18日	間引き（本葉6～7枚）
〃 19日	薬剤散布（EPN、エンドリン）
〃 15～25日	換気
5月10日	薬剤散布
〃 14～27日	収穫、出荷

水郷花卉組合を結成

茨城・麻生4Hクラブ　小野口さんら四人

【茨城県＝村上文雄通信員発】トマトやキュウリよりも、カーネーションを栽培した方が有利だと、茨城県の霞ヶ浦沿岸、行方郡下の4Hクラブ員四名は、昨年四月に「水郷花卉組合」を結成、カーネーション栽培で激動の七十年代を乗り切ろうとしている。

この四人は、同郡玉造町＝小野口和子さん、みのり4H＝吉川健一君、横須賀4H＝藤崎市郎君、麻生4H＝深沢美和君で、いずれも麻生地区4Hクラブのメンバーたち。

四人とも4Hクラブの会合などで顔を合わせると、いつも花卉園芸の話しをしていたが、最初にカーネーション栽培に取り組んだのが、メンバーの紅一点、小野口さん。

小野口さんがつくったカーネーションを見に行って気に入ってしまい、それから男性三人が加わって栽培をはじめたもの。

メンバーの一人、深沢君は麻生高校を卒業後、露地キュウリや加工用トマトを栽培し、カーネーションにうつるまでの四年間つづけた。この間、友だちと花栽培の話しはしていたが、カーネーションをやることには気がつかなかったという。

小野口先輩のカーネーションをみた深沢君は、後継者育成資金と自己資金を合わせた約百万円で、五百平方㍍のビニールハウスを建設、昨年の六月に第一回の定植、十一月から出荷をはじめ、今年の六月までつづける。

品種は四人で相談し、クリスマスファイヤー一〇%、オレンジビューティー三〇%、ゴールデンビューティー三〇%、その他三〇%の割合いに統一している。

出荷にあたっては信用が第一、まず「名前を売ろう」と名づけたのが「水郷大輪カーネーション」という名称。段ボールなど包装資材も「水郷花卉組合」で一括購入し、東京・下谷生花市場へ共同出荷を行なっている。

これからの、四人の一致協力したカーネーション栽培が、地域から期待されている。

農業簿記

京都大学名誉教授　大槻正男

＜自計式農家経済簿記＞

補助簿

作付記入帳―土地利用帳―

農業経営は本来、土地の利用を目的とした生産経営である。だからその利用状況、なかでも、耕地の作付状況を明らかにすることはきわめて重要である。

この記入には、自家で経営している土地は所有、借入の別なくいっさいの土地を記入する。他方、貸付地は記入しない。なお、作付記入帳の記入項目としては、地目別、地名地番、反別、前年度作付時期、1月～12月（上中下旬）によって記入する。

労働力日記帳

わが国における一般農家の農家経済は、ある意味において家族労働力の利用の経済であるといってもよいであろう。だから、その利用状況を明瞭にすることは、農家経済にとってきわめて重要である。

また、あとで述べる拡張加工計算表において、主要簿の記録計算結果に加工を施し計算を拡張して、農業経営の各部門計算ならびに各種生産物の生産費計算をも行なおうとするような場合には、各個別生産に用いられた労働をも調査するところの労働日記帳が不可欠の帳簿となる。

それであるから労働日記帳は、一方においては、農家における労働力の利用状況を明らかにし、他方においては、その労働がいかに各種の生産その他に配分使用されたかを明らかにするようなものであることが望ましい。

この記入には、まず人別家族労働・雇用労働・畜力および機械力の使用を月日順に記入する帳簿である。

しかしながら、労働といってもすべての労働を記入するのではない。狭義の労働、すなわち所得的労働のみを記入するのであって、家族のために炊事をしたり、裁縫したりしたところの、所得経済に直接関係ない労働、すなわち消費的労働はいっさい記入する必要はない。

所得的労働は、経営労働と経営外所得的労働とに分かれ、後者の労働の中で役場に出ているとか、小学校の教師をしているとかという毎日定まった通勤の副職業労働は記入を省略した方がよい。

したがって、正確にはこの副職業労働を除いた他のいっさいの所得的労働、すなわち「経営労働」ならびに「被用およびその他労働」が記入されるのである。

経営労働はさらに小分けされて、農業経営労働と兼業経営労働とに分かれる。なお、農業経営労働は、耕種・養蚕・養畜・農産加工・農雑の各労働からなり、耕種労働はさらに稲作・稲作外耕種労働に分かれる。

兼業経営労働は、そのために特別の設備をなして営む場合の製めん・製茶などの労働である。

そして、労働をどのようにして、どの程度に分類設定して労働日記帳に記入するかということは、その農家の経営組織ならびにいかなる部門別計算・生産計算などを行なうかによって決定されるものであって、一律に決定されるべきものではない。

労働の分類を年度始めに決定したら、年度の途中でこれを変更してはならない。拾収しがたい混乱をひき起すからである。

建物の新築や大修繕のために雇った大工・左官などの労働は記入してはならない。これらのものは大工に請け負わせて出来上ったものを買い入れるものとして取り扱う方法を、この簿記は採用しているからである。もし、参考までに記入するならば、備考欄に書きとめておき、経営のために雇い入れ、その年の費用となる他の雇い人と混同してはならない。

おしゃれコーナー

軽快なドレスで街へ

彼女たちは季節に敏感

「フィーリング」で着こなす時代とでも呼ぶのでしょうか。最近の若い人たちの服装は、自由で制約にとらわれず、好きなときに、好きなものを着るという傾向になっているようです。

セーター姿も初夏の日ざしが強くなるにつれて姿を消し、いちはやく軽快なドレスで街へとび出せるというのも、彼女たちが、季節に敏感になり、いちはやく、初夏のおとずれを感じているからでしょうか。

そんな、あなたたちが、待ちかねていたように手を通したくなるのが、肌ざわり、風通しともによく、夏をむかえるのにふさわしい、コットンドレスです。

【写真】ファンシークロスと呼ばれているこのコットンは、織り方に全く新しい工夫をこらした素晴らしいもの。ドレスのデザインはシンプルにして、生地そのものの織りと感触を楽しめます。右はカナリーイエロー。左は赤、黄、紺のチェックが涼しさを呼んでいる。

共同栽培に乗出す

福井・つつじ4Hクラブ　水田十アール借り受け

【福井県】鯖江市の農業後継者つつじ4Hクラブでは、クラブ員二十人が今年から十aの水田を借り、共同で野菜栽培をはじめることになった。

つつじ4Hクラブは昨年春に、壮年部と青年部の二つに活動内容を分けた。青年部は十八歳から二十三歳までの二十人。女性五人のほかは農家の後継者ばかりである。

昨年は、同市北中山町に十aの水田を借り、クラブ員が共同稲作栽培を行なった。田植えから稲刈りまで一貫してクラブ員が仕事の分担をして行なった。刈入れ時期には女子クラブ員も共同炊事で大活躍。二十人の一致協力でみごと七俵の収穫が上がった。この収益は三万五千円にもなり、クラブの運営資金にあてられた。

今年は米の生産調整で、転作した同市糺町の水田十aを借り、県下の4Hクラブでも珍らしい野菜の共同栽培に乗りだすことを計画し、五月初旬にはナンキンを定植した。ピーマンも六月初旬に定植する予定で、クラブ員は張り切っている。

同クラブでは、この共同栽培で実際に農作物を作りだす技術を習得しているほか、県農業改良課などから講師を招き、新しい農業技術の研修会を行なっている。

企業的農業目ざす

岐阜・美濃4Hクラブ員

【岐阜県】美濃市の美濃4Hクラブは、発足してから今年で十年目を迎えた。クラブ員のほとんどが酪農、ハウス園芸を手がけているが、さらに一歩前進した企業的農業を目ざしている。

同クラブ員の今年度の目標は、経営法をマスターした上での企業的農業経営の確立。若さ、新しさの中にも合理性を生み出そうとして、先進地の視察や月一回の研修会などを行ない、大規模農業へ飛躍しようと、意気込んでいる。

NHK農事番組

（6月1日～10日）

テレビ

明るい農村　6・30～6・55総合
1日　村の記録　農住都市誕生（千葉県木更津市）
2日　きょうの話題　過疎対策法と今後（東大教授）福武直ほか
3日　産物往来　アスパラガス（北海道富茂別町）
4日　話題の広場　▽うなぎ団地の五十人（徳島県勝浦郡上勝町）▽野菜の機械化にとりくむ（高知市三里町）武市博平
5日　村をむすぶ　フィルム・リレー
6日　農村新地図　青森県三沢市（作家）佐藤藤三郎
8日　村の記録　お坊さん組合長（鳥取県八頭郡智頭町・智頭農協長）吉田寛濱
9日　きょうの話題　米審にのぞむ（法政大教授）大島清ほか
10日　産物往来　肉牛（岩手県盛岡市）

農業教室　月～土　7・30～8・00　教育
1～3日　そさい生産の協業化（東京農大教授）松原茂樹
4～6日　草地の維持と管理（北海道畜産会）高野定郎
8～10日　草地造成の問題点（中央畜産会）門馬二三

あすの村づくり　日　7・00～8・00　教育
再　土　13・00～14・00　教育
7日「減反その後を考える」（福島県原町市高平地区）

趣味の園芸　金　10・30～11・00　総合
再　日　8・30～9・00　総合
5日　▽さつき展から～上野池端中継録画～（日本さつき会）小川田太郎ほか。

日　6・30～7・00　②
再月～土　19・00～19・15　②
7日　▽グループ便り「酪農の将来を考える」北海道河東郡士幌町酪友会、助言者＝十勝農協連　角田鑑

番組紹介

あすの村づくり

6月7日　▽特集「減反その後」五月三十一日の放送に引き続き「減反その後」の二回目としてとらえる。

今回は、作付転換をひとつの機会として積極的に対応していくいくつかの農民の事例を紹介し、これを素材に減反について話し合う。出席者は、群馬県吾妻郡吾妻町・貫井農事研究グループほかのみなさん。

▽仲間とともに＝特集の一部として、福島県原町市高平地区の青年たちが、稲作から畜産（豚、乳牛）への転換を図りつつある現状を伝える。

ラジオ

早起き鳥　5・05～6・00　①
1日　現地報告　ふえる豆の作付け
2日　人と話題　家畜破傷風ととり組む（千葉大教授）桜井信夫
3日　通信員の手帳から
4日　人と話題　天敵をつくる（林業試験場天敵微生物研究室長）片桐一正
5日　現地報告　動きはじめたスイカ列車（熊本県鹿本町）
6日　村のポスト
7日　話題の窓　米と農政（食糧庁長官）森本修
8日　現地報告　手を結ぶ農協と生協（石川県七尾市）
9日　人と話題　ウイルス利用の害虫退治（岡山県備前保健所）藤井礼一郎
10日　通信員の手帳から

ラジオ農業学校　月～土　6・40～7・00　②

ひるのいこい　月～土　15・30～13・00　①
6日　天売島のオロロン鳥（北海道留萌郡天売島）
7日　しょうぶ湯まつり（石川県加賀市山代温泉）

新しい農村　日　6・00～6・30　②
7日　▽農民と生産調整（農林省統計調査部長）岩本道夫ほか

あしたの青春

一ノ瀬綾　え・多賀愛子

＜28＞

出発（一）

蚕飼笈が去った。静かなけだるさの中で、夏のさかりはようやく、その峠を越えようとしている。

すみ江は、町の公園の入口で栄吉を待っていた。六時の約束時間が二十分も過ぎようとしているのに、栄吉はまだ現われない。退社間際に用事でもできたのかと思ってはみたが、待たされるいらだちは増していく。

結婚の申しこみを受けてから、ゆっくり話し合うのは今日がはじめてであった。栄吉から催促されて、公園の散歩を提案したのはすみ江である。日は没しかけて、城址の天守閣に映えていた残照が消えると、吹く風が急に涼しさを増してくる。

「ごめんよ、待ったかい」

通勤帰りの人通りの中から、栄吉があたふたと駆けよって来た。シャツの胸元に汗が光っている。出がけに課長につかまったのだと、言訳をしながら笑った。

「ま、結婚すれば、こんなことは年中だろう。馴れておくもいいもんだ」

汗を拭き拭き、広場の方へすみ江をさそった。承諾するものと決めている、栄吉の口調がすみ江の足を重くする。

まだ決心がついていないと知ったら、栄吉は怒るであろう。家の事情や弟と、自分の結婚とどちらが大事だと、詰めよられたらすみ江は一言もない。りくつで割り切れない、なにか重いものが、すみ江の決断をにぶらせているのだが、それを栄吉にどう説明したらいいのか見当がつかなかった。

浴衣姿の家族連れや、帰宅途中らしい勤め人や学生が、広場

や、桜並木の遊歩道を、のんびりと楽しそうに散策している。若いアベックが幾組も、身をよせ合い、手をつないだまま二人のそばを通り過ぎる。

「みんな、たのしそうだぜ」

栄吉は、さっそくすみ江の背に手を廻してきた。他人のすることを、しないでいるのは損だという栄吉の口癖を思い出して、すみ江は苦笑する。いっしょになって楽しめないのは冷めたいのか……と自分を振り返った。

「お盆が過ぎたら、という約束だったな。急ぐわけではないが安心できねえんだよ」

栄吉は、廻した腕に力をこめて言った。

「ごめんなさい。あれからいろいろあってね……お話したかったんだけど」

すみ江は、近くのベンチに栄吉を誘った。そこは天守閣を支える高い石垣の裾で、足元から下は十米もある深い断崖になっていた。

「例の、弟さんのこと、どうなったんだい」

栄吉の質問は救いであった。すみ江は、手短かに最近の新一の状態を話し、もし、新一が農業に挫折感を抱いたまま、町で勤めたいとでも言いだしたらどうしようか、と相談の口調で栄吉を見つめた。

「いいじゃねえかい。勤めたいなら、俺が世話してもいいし、人に頼んでやってもいいんだぜ」

すみ江は、思いがけない返事に次の言葉がでてこなかった。そんなことを一度でも考えたことのない者の、不意を突かれた驚きであった。栄吉は強い目差ですみ江を見返した。

「そんなことでもたもたしているんなら、俺がすみ江さんの家へ行って、話をつけてやる、その方がてっとり早いや」

「待ってよ……そんな無茶を言わないで、弟を勤め人にしていいのなら、誰も苦労しないのに……」

「なにが無茶だい。本人が農業に見切りをつけたんだったら任方がねえよ。家中で町へ越してくりゃいいんだ」

「栄吉さん!」

すみ江は思わず栄吉を睨んでいた。

4H活動に励んだ記録

青春と仲間

鳥取県東伯郡三朝町三徳
三朝町農業青年会議　岩田泰弘

失敗、悩み、そして生長

農業選んだ私の誇り
根のない理屈は通じぬ

私の過去をふり返ってみて、ずいぶん大人になったなあ、と感じる。農業高校を卒業して早や五年目を迎えた。卒業前、あるいは卒業当時は大きな夢にもえていた。何をどれだけやろう。そしていくらもうけようと。

◆和牛の死に悩む◆

農業にとびこみ、経営の設計を実践に移してから半年くらいは楽しく、技術的、経営的な面においても大きなことをいっていた。今思えば根のういた理屈や考え方を親たちに向っていっていたのだからおかしくなる。

その後、私にとって大きな山がやってきた。今まで計画してきたものが崩れるという、とても大きなショックだった。それは繁殖用の和牛が死んだのである。そんなときは私は悩んだ。いっそ農業をやめて転職しようかとも思う日もあった。そんなとき、夏の県大会があって、参加してみないかとさそわれた。

◆未知の友と語る◆

町には八十人もいた同級生のうち農業をやっているものが、私を含めてたった三人である。その人たちと大会の会場へ向った。みんな知らない人たちばかりであったが、何人かの同級生の顔がみえて元気づいた。久しぶりにみたみんなの顔、髪をのばして、もう大人みたいにみえる奴もいた。これからどんなことがはじまるのだろうか全然わからないまま、先輩たちと一緒に席についた。

その日は、意見発表とプロジェクトの実績発表が行なわれた。発表する人たちの自信にあふれた姿をみたとき、ジーンと胸があつくなってきた。私もあの人たちの年令になったら、あのようになれるのだろうかと。晩のキャンプファイヤー、夜の話し合いなどが行なわれ、今まで知らなかった人と知り合うことができた。

新しい仲間となった人の住所を聞いたり、名前を聞いた。また、女性とも知り合いになれた。なんと楽しかったことか、みんな同じ農業をやっている人ばかりでたくましくみえた。ようし、みんなに負けないようにやるぞと、私も元気がでてきた。

◆体験して覚える◆

家に帰ってきた。あいかわらず牛のいないことには変わりなかったが、でも転職しようなどという気持はふきとんでいた。

私のところは山間地のため耕地が少なく、少ない面積で多くの収入を得られるものでなければならないと考えた末、梅二百本、山椒百三十本、ユズ五十本を植えることにした。植えたのはよいけれど栽培技術は何も知らなかった。本屋から本を求めてきて一通り読むと、また、知りつくしたような気分になっていた。二年目の冬に酪のため、二回の講習を受けた。このことを先輩に話すと、本に書いてないことは、自分で体験して覚える以外にない。とくにそれが、誰れも手をつけていない作物であればなおさらのことだ、と教えてくれた。

二年目の夏の大会がきた。日が近づくにつれて楽しみが増してくる。去年会った人たちに、また会えるという気持は、私だけでなくみんなが楽しみにしているだろう。なつかしい顔が声をかけ合い、肩をたたきあった。

◆認められた歓び◆

今回、発表することになった私は、家の中にある牛小屋を外に出して、そこへ部屋をつくるということを発表した。終った後、佳作だといわれたとき、ホワーッとなった気持で聞いていた。なんとなく嬉しかった。自分の考えが、人に認められたんだと思うと涙がでてくるようだった。

大会における共同生活、掃除から食事、入浴の行動がすべてみんなと一緒で楽しい。晩の自由時間の楽しかったこと。去年知り合った人やはじめての人を混えて、グループでの話し合いは、小遣いのこと、お嫁さん、仕事、車のことについて時間の立つのも忘れてしゃべり合った。

今まで一人で考え、誰れにも話したことのないことを、みんなに話して意見の交換を行なう、なんとすっきりとした気持になれたことだろうか。大会も終り、また会う日を楽しみに散っていく。しっかりやれよ、また会おうと握手をし、手をふり合って応える。この別れが心に残った。

家に帰ってから、大会の資料やメモ帳を広げ、関係のあるものを探す。普及員さんとも親しくなったので、技術的なことを普及所に聞きにいく。

◆実践通して理解◆

われわれの町のクラブでも、みんなで水稲を栽培しようじゃないかと、話し合いで決まった。学校で習ったとおり、施肥設計をたて標識を作り、品種や消毒、使用薬剤名などが書きこめるようにした。そして梅雨どきに町役場から十㌃の水田を借り受けて、クラブ員全員で田植えを行なった。そして熱心な管理が行なわれた。

ちょうど全国的な早ばつの年で田は乾上って水がなかったが、被害は少なかった。ヒエとり、田の草とりなどみんなでやると、すごく早く終る。笑い合いながら、共同で作業をする楽しさを味合いながら、よくできた稲をみんなにみてもらい、われわれのいうことを本気で聞いてもらえるよう実践を通して理解してもらう。今まで自分を中心に、ものごとを運んでいたのが、地域の人のためには、どんなことをしたらよいかなどと考えるようになる。

その後、町や部落、あるいは婦人たちといっしょに町政懇談会を開いたり、町づくりなどをテーマに話し合う。青年と年輩者との意見のくい違い、考え方の違いが手にとるようにわかる。普段、大人たちはわれわれをどのような目でみているのだろうか。また、親からみた場合、子供たちはどんな考え方をしているのだろうかなど、家庭での会話が少ないといわれている現在、本当によい話し合いだったといってよいだろう。

クラブの行事にもいろいろのものがある。部落座談会、他クラブとの交歓会、クラブ員同志の労力交換による現地集合研修というものをはじめた。今まで出席率が七割程度だったのが、いっきに九割にもはねあがった。みんなと一緒に農作業を行ない、そして家の経営を話し合う。今までの会合ではとかく若い会員と年輩の会員の差があって、話し合いもおもしろくなかった。しかし、この集合研修をはじめてから、そういうことは全然なくなった。

以上が私が卒業してから現在まで体験してきたことですが、ふり返ってみて、私は農業の道を選んでよかったと思っている。毎日の生活が充実したとまではいかなくても、楽しくてしょうがない。将来の目標も着々と進んでいる。

現在の私がここまでなれたのも4Hクラブ活動というものを通して生長してきたからだと思う。今はそうはっきりということができる、農業の道に入り、4Hクラブに入ってよかったと―。

〝成せば成る〟

静岡県駿東郡小山町竹ノ下・北駿4Hクラブ　鈴木芳子

命ある農業が魅力
日本一の酪農家の妻に

「成せば成る」自分の闘魂を結集してやれば、できないことはない。

未知な農業に憧れ

私はこのことばの意味が、ようやくわかりかけてきたと同時に、農業の素晴らしさも知り、この道こそ私が進む道ではないかと思うようになりました。

私の家では、九人の大家族で、水田、畑、酪農、山林の複合経営をしています。

両親たちや兄たちが真剣に取り組んでいる農業。私は小さいときから牛をながめ、牛と背くらべをしたり、体中どろだらけになって遊んだ日が思い出され、とても素晴らしく、楽しいものにみえ「私も大きくなったら農業をやりたいな」と思うようになりました。

義務教育が終ったとき、両親は次女である私に、農業以外への進む道を教えてくれました。しかし家事、育児、農作業と過重な労働。そして、封建性、人間関係のむずかしい農村社会。親たちがいう農業のつらさ苦しさへの挑戦など悪い条件がつきまといましたが、未知なもののへのあこがれや、周囲のあらゆるものをふり切らせ、私を農業の道へと走らせたのです。

同じ志の仲間たち

その後、家の人たちとも相談し合い、私の希望を大きく実現させることのできる学校へ入学したいということで、浜松市の農業経営高校へ入学しました。ここは全寮制で、全県下から明日の農業をめざして、やる気十分の仲間たちが集っていました。同じ志をもっている仲間たちであるため、はじめから何かお互いに通じ合うものがあり、ホームシックなどふきとばしてしまうほど楽しい毎日でした。

牛とともに農業を

学校では、一般教養、家事、保育、野菜栽培から家畜の飼育に至るまで、毎日が講義と実習の連続でした。また、人間性、人間のあり方などの共同精神を培うための寮生活。屋上で友だちと星空をながめながら未来を語り、どうしたらりっぱな主婦に、また、母になれるか話し合ったものです。

朝は四時から、夜は九時までの学習や労働の中で、親が子を心配するように私たちのことを考えてくれる先生や友だちの思いやりに見知らなかったもの同志が、家族の一員であったかのように、私に家計のいっさいを負せてくれて、お互いに信頼し合うことはできるのが、とても楽しくて、はり合いのある毎日を過ごすことができました。

耕地整理された農場の中で、子供たちといっしょに、エプロンにモンペ姿でトラクタに乗ってとった写真、それは、そのまま私の未来の姿であり、なつかしい思い出でもあります。

「どんなにつらくてもいい。どんな苦しくてもいい。私は牛とともに農業に生きる。ここに、私の青春があるんだ」と、こんな大きな夢を描いて家に帰ってきました。学校を卒業して家に入ると、サイロづめ、田植え、稲刈りと実際の仕事が私を待っていました。

家での生活で、私の期待やあこがれが、何度からちくだけそうになったことがありました。そんなとき、北海道での実習でしもやけた手をこすりながら牛を洗ったこと、寮の布団の中で「負けるのは絶対いやだ」といった友の顔、親たちの歩んできた農業よりも、もっと進んだ農家の主婦になろうと誓い合った4Hクラブの仲間の顔がうかんでくるのです。

私も負けてはいられない―。

朝日とともに起きて食事のしたく、牛の世話、子供や老人との時間、主婦としての時間、毎日が時間に追われて、時間とかけっこしているような日がつづくかも知れません。

バケツに集る仔牛

しかし、農業以外の道に進み、普通のサラリーマンに嫁いだら、こんなに過重で忙しい毎日ではないかも知れませんが、そこには未来につづく大きな夢も、大自然の中で生きる歓びも感じることはできないと思います。

私がバケツをもって近づく足音に、われ先にと集まる仔牛、おいしそうに牛乳を飲む。からになったバケツの底まできれいになめてしまう。口の回りに乳のあわをいっぱいつけて、瞳をまばたかせながら「もっとちょうだい」と私を見上げる仔牛。

寒冷しゃをかけて強い日ざしから守り、水や肥料を与えてやる。私のそんな気持がわかるかのように大きく育つレタス。

たくさんの肥料を吸って、重くふくらんだ稲穂をなびかせている稲。

私は命あるそれらすべてのものに愛着をもち、私の選んだ農業の尊さを強く感じるのです。

新しい農業を学ぶ

これからの農業を担うものとして、新しい農業を学び、母たちにできなかった明るい農村、豊かな農家を築いていくのが、私たち後継者の役目であると思います。「成せばなる」このことばは、いつも私を励ましてくれます。自信をもって努力さえすればできないことはない、とわが身にいい聞かせています。

私はこの秋、嫁いでいくことになりました。

彼の牛に対する意欲的な考え、ウイットに富んだ人柄、女性の仕事に対する理解、そして、彼の家族の暖かい思いやりの中で、私はかわいい妻に、りっぱな母に、そして素適な女性になって、彼とともに静岡県一の、いや、日本一の酪農経営を築き上げていきたいと思います。

農村雑感
大国農業の勉強

折原俊二郎

私は日曜日になると、一日中庭に出て草木をいじってすごすのが、楽しみの一つとなっている。庭の草木の大半は、近くの山から採集してきたもので、雑草に類するものですが、中には〝キンランとかヤマグミ、ムラサキシキブ〟など、めずらしいものもあり、これらの草木は、この頃では思うように手に入らなくなってしまった。

先頃の休みの日、いつものように庭に出ていると、近くの青年がひょっこり遊びに来た。日頃顔見知りなので、庭の隅で立話をしていたが、仲々話がつきず、とうとう家の中に入って、二人でお茶をのみながらの長話となった。話が進むにつれて出た話題の中心は、外国農業のことであった。

実は、彼が尋ねてきた本意は外国行きについてであった。しかし、私としても急なことであり、また、海外派遣に関する直接の仕事をやっていることでもないので、これといった名案もなく、調べてみようということで別れた。

この頃、外国に行きたいという青年が多くなった。殊に農村青年の中には、こうした考え方が広く普及しており、一種のあこがれのようにもなっているようである。私のところに遊びに来た青年も現在農業をやっている。しかし、都市近郊地帯であるため、近いうちに住宅地になることは、十分わかりきっている。その中で本格的な農業をやることは無理であるが、それかといって、土地を売って、サラリーマンになろうとは思わない。その資金で他の場所に移って、将来は本格的な農業をやってみたいというのが彼の希望でもある。

しかし、どのような農業経営をやればよいか、このところ皆目見当がつかないという。それなら、土地を少し売って、その金で外国の農業を見てきたいと最初は考えたという。でもこの考えも月日がたつに従って、ただ外国を見てくるだけでは物足らない。外国で農業実習をやってみよう。さらに、実習も必要だが、それとともに学校に入って勉強もしてみたい。実習と学校に入るという両方を満足させてくれるような方法はないだろうか。

ただし、全額費用を自分で負担することはできがたいので、例えば、春から秋まで働き、冬の間は学校に入るということができたら一番理想的であると考えるということであった。

こうした形で二年ほど外国に行ってきたい。二年ほど外国に行っておれば、その間に日本の農業も方向づけされるだろうし、それまでの間大いに勉強してみたいということであった。

彼の気持の中には、幾分甘い考えがあるが、それかといって、ただ物見遊山的に出て行くということでもない。これからの農業をどうするか、その方向をみい出し、それに対応するためにも日本を離れて考えてみたいということであった。

外国といっても昔とちがって遠い異国ではなくなった。それだけに若いうちに広く世の中を見聞し、体験してくることは大切であると思う。しかし、いくら近くなったとはいえ、外国は外国、生活条件から物の見方、考え方までちがう土地での生活は、考えるほど甘く楽しいものではないはずである。

それらのことを十分考えたうえでの行動であるならば、それこそ外国は近くの隣国となりうるだろうし、そこから得るものも大きいと思う。彼とはこれから本格的に話しあわなければならないと思っている。

（農林省・農業者大学校）

農村の結婚に思う
今後、夫婦単位の生活を

千葉県東葛飾郡我孫子町
よつば四Hクラブ　増田節子

戦後、農村の土台をゆすぶったものに「私は農家へ嫁ぐのはいやだ」と娘たちがいいだしたことがあるそうです。私たち農村の日常生活の中に根強く流れている結婚についての因習は〝家と家との結婚〟であります。この傾向も何年か前からは、よい方向に進んでいるでしょうが、私はあえて、農村の結婚について考えてみました。

現在は五年ひと昔といわれ、若い私たちは、世の移り変わりの早さに乗り遅れないためにも、センスのある教育、4Hクラブなどに自ら進んで活動の場を求めることが必要です。

私の場合、結婚という未知のことを考えるとき、知識と経験をつなぎ合わせることは、多くの困難があります。結婚の経験のない私は、それを母の姿にみることによって、より、現実的に理解しようと努めています。

母たちが二十年前に、結婚教育を受けたときは、嫁ぐということは、生産するための一個の労働力でありさえすればよいとされた「労働教育」を受けてきたと聞きます。私たちが現在受けている結婚についての教育は、考え、記録し、研究し、それを公言できる、いわゆる頭の教育であります。しかし、現在これら二つの教育をプラスした「万能かあちゃん」を、よい嫁の理想像としています。

そこで私は「労働教育」を受けた母と「頭の教育」を受けた私たちの差を、どうちぢめていったらよいか真剣に考えています。このことが、娘として母を乗り越えることのできる第一歩であると思います。また、このことを考えることによって、未来の結婚生活に大きく役立つと、私は信じたいからです。

また、農家の生活は、夫婦単位の生活ではなく、家族全員が同じ生活に従事していることから「つなぐ」という原理が強く働きすぎています。これは家庭生活ということから、今後、夫婦単位の生活に近づけるためにも、親夫婦と息子夫婦の生活をできるだけ離し、生産と生活の場を分ける方法を考えたいと思います。

さて、今度は結婚する当事者の青年のことを考えてみましょう。個人個人をみたとき、すぐれた立派な意見をもっていてすばらしい人もいます。しかし反面には「俺は農家のあととり息子だから」と印で押したように、すべてにあてはめ農家の息子だから、いい嫁がこないと、結婚にまでそのことをあてはめてしまう人もおります。

農村青年の結婚は、多少、職業と結びついてはいると思いますが、そのために農家の息子ということばに、自分を保護し、うまく利用して自分の立場を職業に、なすりつけてはいないでしょうか。

私は思うのです。農家の息子だからよい嫁がこないのではなく、農村青年自身に魅力がないから、よい嫁がこない―と。私の考えはまちがっているでしょうか。農業を継ぐ青年たちにとって、農家へ嫁ぐのはいやだ、と娘さんたちがいいだしたこと、これぐらい不安なことはないでしょう。

よい嫁がこないという前に、その原因はどこにあるのか、自分たち自身の行動や考え方を反省したいものです。

農業は、人間の生命のつづく限り存在すると信じます。その社会の中に生きる歓び、また、それぞれの立場を重視した家族関係を築きながら、よろこんで農家に嫁のくるような農村を建設するため、たくましく生きようとする青年とともに幸福を求めていきたいと思います。

生活 もの知りコーナー

香水は体臭になじむ

冬物のしまい方

保存法が悪ければ、せっかく手入れした衣服も台なしになってしまいます。洋服箱に納めるときは、ビニールかポリエチレンの袋に防虫剤四～五個といっしょに密封してから箱に入れます。防虫剤にはいろいろありますが、パラクロール、ベンゾールを主剤にしたものは効果があります。

防虫剤はたいてい二つ並んでセロファン袋に入っていますから四すみをハサミで切って衣服の上に入れます。防虫剤から発散されるガスは、空気より重いので下にさがり、箱じゅうにひろがります。また、防虫剤が衣服につくと変色したり、布地をいためますから、直接ふれないように注意して入れます。

防虫の点がいくら完全でも、つぎの年着るときにエリやソデ山がペシャンコにつぶれて、すぐ着られないようでは困りますから、新聞紙などを使って型くずれがしないようにしておきましょう。

食器戸棚のにおいのとり方

夏は食器戸棚の中が、移り香でなんとなく臭くなって困るものです。移り香がなるべくつかないようにするには、中をつねに清潔に乾燥させて、カビが生えないようにすることです。食器は必ずよく乾かしてからしまうとか、煮もの、揚げものなど料理はさめてから入れるとか、フタつきの器に入れておくなどの心づかいが必要。

戸棚の中の掃除は、少なくとも二週間に一度くらいは必要でしょう。熱めの湯を使って固く絞った布で、すみずみまでよくふき、においのしみついたときは逆性石けんでふきましょう。逆性石けんには、においをとるとともにカビの発生を防ぎ、殺菌、消毒の役目もするという、一石三鳥の効果があります。

ふいた後は風通しをよくして、じゅうぶん乾いてから物を入れます。においが相当強くしみついているときには、食器戸棚用とか、電気冷蔵庫用の脱臭剤を使います。

香水のはなし

香水はつける人の体臭を消すためでなく、生かすためのものです。清潔な肌につけることが第一です。

体臭になじませる―つまり香水をつける人のにおいにしてしまうわけですから、下着から髪にいたるまで、神経がゆき届いていないと香水をつける意味はありません。夏は汗をかいて臭くなるからと香水を使うのは適当ではありません。

一日に一回、朝から晩、入浴のあとなどにスプレーで胸やお腹にひとふきして、一週間から十日ぐらいつづけているうちに体臭になじんできます。

よく、首すじや、耳たぶにつける人もいますが、香水は紫外線を吸収しやすいので、シミをつくる原因になります。

肌の弱い人は下着の上からスプレーを使います。またからになったびんをタンスの中に入れておきますと、衣類などに移り香がつき、防虫剤の役目もします。気に入ったにおいがみつかったときは、やたらに種類をかえず、同じものを使うのがコツです。

【貯蓄増強中央委員会発行「奥様便利帳」から】

洋裁学院生と農村の将来話し合う
青森・平賀4Hクラブ員

【青森県】南郡平賀地区農村青少年クラブでは、このほど、弘前市の白銀ドレスメーカー女学院を訪れ、女性徒三十人と交歓会を行なった。

これは少しでも娘さんたちに農村の実情を理解してもらおうというもので、「われわれの将来について」「農村はどうあるべきか」などについて話し合った。

4Hのマークと共に
クラブ活動用品の案内

（単価）

4Hバッチ	50円
レコード盤（4Hクラブの歌・4H音頭）	150円
クラブ旗 大(72cm×97cm)	400円
クラブ旗 小(33cm×40cm)	200円
手拭	100円
ハンカチ	60円
ネクタイピン	200円
女子用ブローチ	200円
クラブ員専用便箋	100円
〃　封筒	70円

◎荷造り送料代百円です。
◎ご注文は代金を振替口座へお払込みを願います。代金着次第ご送品致します。

社団法人　日4H協会代理部
東京都千代田区外神田6丁目15～11の705号
振替口座　東京72082番

日本4H新聞

4Hクラブ
農事研究会
生活改善クラブ
全国弘報紙

発行所
社団法人 日本4H協会
東京都市ケ谷家の光会館内
電話(260)1675郵便番号162
編集発行人 玉井 光
月3回・4の日発行
定価 1部 20円
一ヵ年700円（送料共）
振替口座東京 12055番

クラブ綱領

私達は、実践を通じて自らを磨くとともに、互いに力を合わせて、よりよい農村、よりよい日本を創るため、四つの信条をかかげます。一、私達は農業の改良と生活の改善に役立つ腕をみがきます。一、私達は科学的に物を考えることのできる頭の訓練をします。一、私達は誠実で友情に富む心をつちかいます。一、私達は楽しく暮し元気で働くための健康を増進します。

盛大に20周年祝う 高知県連

力強い前進を誓う

【高知県＝堀見とし連絡報道員発】県4Hクラブ連絡協議会（会長、門脇俁夫君）は、県内に4Hクラブが発足してから二十年を迎えたのを記念して、さる五月九日、高知市の中央公民館で盛大に県4Hクラブ創立二十周年記念大会を開いた。

講演に耳を傾ける参加者

市内をパレード 野菜や草花を配る

同日は、県下のクラブ員はじめOB、指導者など関係者約五百名が会場を埋め、二十年の歩みを祝福するとともに、4Hクラブ本来の姿を再確認し、さらに力強い前進を誓い合った。

会場には、各市町村のクラブ旗が林立し、黄色いネッカチーフを首に巻いた若者たちの熱気が漂っていた。

開会式につづいて、土佐郡土佐町のクラブ員が、二十年の歴史をたどる朗読劇を披露し、参加者から盛んな拍手を受けた。そして、表彰を受ける二つのグループの活動実績発表があり、このあとクラブ員の歌や演奏を楽しく聞きながら昼食をとった。

午後は、「現代社会における青年意識」と題する東大の松原治郎教授の講演を聞いたあと、こん後のクラブ活動についてというテーマで、各クラブ代表やOBをまじえてパネル討議が行なわれた。

さらに、参加者全員で市内の目抜き通りをパレードし、クラブや自分で栽培し、持ち寄ったレタスやピーマンなどの野菜、撫子、さつきなどの草花を町に人々のプレゼントして4Hクラブ活動をPR、印象づけた。

そして、クラブ員たちは、門脇会長が述べた「農業を取り巻く情勢はきびしい。仲間づくりの根源でもある4Hクラブをより発展させ、学んだ多くの体験をもとにたくましく歩もう」という言葉を胸に、それぞれの地域に帰えっていった。

なお、県下の4Hクラブは、百五グループ、四千百三十九人でスタートしたが、二十周年を迎えた現在、百二十一グループ、会員数二千二百三十一人となっている。

20日に来日 米国、草の根大使

国際農村青年交換（IFYE）計画に基づいて、社団法人日本4H協会（松下幸之助会長）が今年度、米国から招く同国4Hクラブ員代表（草の根大使）二名＝ラリー・ラーウッド君（二三）オレゴン州と、ビューラ・スバローさん（二二）ケンタッキー州＝は、来る二十日午後四時三十分、羽田着のノースウエスト機で来日することが、このほど米国4H財団（米国側の実施機関）から報告されてきた。

来日クラブ員は約六ヵ月間日本に滞在、東京でオリエンテーションを受けたあと受け入れ農家に入り、その家族の一員として生活することになっている。

なお、来日クラブ員の受け入れは、社団法人全国農村青少年教育振興会（東畑精一会長）と全国道府県の協力を得て行なわれる。

涼風暖風 歯科医院の待ち時間

私は、このところ毎日セッセと歯科医院に通っている。シクシク痛む歯を気にしながら、医院の待合室で治療の順番がくるのをまつのは、まったくゆううつの限りだ。待たされる時間は、せいぜい十分前後なのだが、時間がたつのがやたらにおそい感じで、備えつけの新聞を読むのもおっくうだし、週刊誌をパラパラめくっても気持のイライラは静まらない。しまいには、ラジオの音楽にまで腹だたしい思いがする。歯科医院での待ち時間というのは何とも仕末に終えないものである。〝時は金なり〟のことわざに従えば、時間を有効に使う方法はいくらもあるのには違いないが、歯の痛みが気になるとてもだめだ。

ぼんやりと待っている間、ふと私は、時間にきびしかった旧師のS先生とN先生の話しを思いだした。

S先生はいう。「たとえば、受講者一〇〇人の研修会を五日間開催する場合、会場使用料・教材費・講師費・事務費など諸経費が二十万円を要するとすれば、研修一日六時間、五日間で延三〇時間、一時間あたりの経費は約千六百円、一科目三時間かかるとして一万九千八百円、受講者一〇〇人だから百九十八万円となる。つまり私（S先生のこと）の講義で百九十八万円の価値を生み出さなければならないと考えると、その責務の多大さに圧倒されるのだ」

さて、もう一人の旧師N先生はいう「二〇人の研究集会で、五人が十分遅れてきた場合、それは単に開会が十分遅れたことを意味するものではない。先に集まっている十五人は、一人あたり十分間待ったということは合計一五〇分、つまり二時間半をむだにしたことと同じである。これだけの長い時間をむだにさせた五人の遅参者の責任はきわめて大きい」

ざっと、こういう話しである。S先生は時間を金額に換算して自らを戒められたわけだし、N先生は時間の積算化で私たちを教え導いたものだった。時間は、このように質的意味と量的意味の二つの立場から考えると、その重要性がまざまざと感じさせられる。これにもう一つ、速度的意味が加わると、時間は、いっそう貴重なものになる。

歯科医院の待合室のカレンダーに、六月七日「計量記念日」、十日「時の記念日」とあるのを眺めながら、待った。そういえば、六月四日から「歯の衛生週間」がはじまる。

（北海道・三輪）

団結して七〇年代へ

大分県連で総会 新会長に安藤君選出

【大分県＝梶原厚実連絡報道員発】県農村青少年クラブ連絡協議会（会長、児玉前君）は、さる五月十五日、大分市の県庁正庁ホールで昭和四十四年度の定期総会を開催した。

児玉会長のあいさつにつづいて各来賓から祝辞があり、このあと議長団と書記、議事録署名委員を選出、赤嶺事務局長から総会成立の報告があってさっそく議事審議に入った。

まず、第一号議案の四十四年度の事業実績、収支決算と同監査の各報告を承認、つづいて第二号議案・四十五年度の事業計画と収支予算を原案どおり決定、第三号議案として会則の一部変更を決めた。

この会則変更は、これまで事務局を「県庁農政普及課内」に置いたが、こんど同課が営農指導課と名称が変わったことにともなって変更したもの。

また、役員はいままで各地区委員から互選されていたが、県連の活動をより活発化させるために、会長、副会長は立候補制にして、代議員（各地区代表者）が投票する、という執行部案が出された。これは来年度から実施されるようになった。

このあと、第四号議案として役員改選が行なわれ、新役員を別記のとおり決定、ついで新旧役員のあいさつ、議長団退任のあいさつがあり、最後に児玉会長が「この会を通じて、お互いが他産業に負けないよう一致団結し、七〇年代の農業を突破しよう」と力強いあいさつがあって総会の幕を閉じた。

四十五年度の新役員は次のとおり。

会長 安藤敏真（大分）
副会長 森 定（日田）
事務局長 赤嶺寿章（三重）
〃次長 工藤栄治（竹田）
監事 児玉 前（旧杵）
〃 岩男義晴（宇佐）
〃 梶原厚実（日田）

大分県連の45年度通常総会

鹿児島県連で臨時総会開く

【鹿児島】県農村青少年クラブ連絡協議会（会長、勝目育男君）では、来る十六日、鹿児島市の県青年会館で臨時総会を開催することになった。

十月に4Hクラブ祭を計画 熊本県連

【熊本】県農村青少年クラブ連絡協議会（会長、野中登美男君）は、十月上旬に熊本市で4Hクラブ祭を開くことを、このほど下益城郡城南町舞原の県青年研修館で開いた幹部研修会で決めた。

会館問題など協議

全協執行部 沖縄への訪問も検討

久野全協会長

全国4Hクラブ連絡協議会（会長、久野知英君）では、さる二十三日と二十六日の両日、東京・新宿区市ケ谷船河原町の家の光会館内の同協議会事務局で執行部会を開き、こん後の事業運営などについて細部的な打ち合わせを行なった。

執行部会には、久野会長（愛知）はじめ坂井（佐賀）馬沢（埼玉）山本（青森）各副会長、松浦事務局長（静岡）中野（神奈川）阿部（福島）両事務局次長の全員が出席、次の各事業について話し合い、具体化した。

一、日本4H協会と共催で、三日から五日までの三日間にわたって東京都下小金井市緑町の浴恩館で開催する今年度第一回の全国4Hクラブ中央推進会議の運営について、役割分担などを決めた。

一、佐賀県4Hクラブ連絡協議会、日本4H協会と共催で今夏八月二十四日から四泊五日間の日程によって佐賀県で開催する「第六回4Hクラブ員のつどい」について、今回、現地を訪ねて会場を下見してきた久野会長と松浦事務局長からその経過報告や佐賀県連と審議した事項について説明があった。

また、パネル討議の内容について検討し、出席者（パネラー）の募集要項を決めるとともに、つどいのスローガンや開会式で行なう全協の発足十五周年記念式典、入場行進の形式などについて打ち合わせた。

また、各行事におけるOBの行動についても協議、現地交歓訪問には一般クラブ員と同様に参加してもらい、OBはOBのところへ入ることを決めた。

一、日本4H会館建設委員会とともに進めている4H会館の建設については、全国4Hクラブ中央推進会議の中で開く県連会長会議において、募金状況などこれまでの経過を説明することになり、その資料を作成することにした。

一、今年度に計画している沖縄と中華民国（台湾）への全国4Hクラブ員交歓親善訪問について昨年、沖縄訪問を実施したとき手続きなどの便宜を図ってもらった旅行関係業者を招いて説明を聞き、検討した。

第4回「青年の船」団員を募集

東南アへ研修の旅 希望者は各県連へ

全国4Hクラブ連絡協議会（会長、久野知英君）は、総理府が昭和四十五年度に実施する第四回「青年の船」の一般団員候補者を同府青少年対策本部に推せんするため、広く全国のクラブ員の中から希望者を募集することになり、このほどその旨を各県連に通知するとともに、候補者の推せんを依頼した。

＝関連記事2面にあります

この青年の船は、次代の日本をになう青年の視野を広め、幅広い教養を身につけさせようと政府が明治百年記念事業の一つとして始めたもので、これまで三回にわたって東南アジア諸国を訪問し、国際親善や視野の拡大、規律ある団体生活による訓練と研修など各面で大きな成果をあげてきた。

毎年、九月から十一月にかけて実施されてきたが、とくに、今回は来年の二月上旬から三月下旬までの約五十一日間が計画されている。また、訪問国は、フィリピン、インドネシア、マレイシア、インド、シンガポール、中華民国の六ヵ国（昨年は、タイ、シンガポール、インドネシア、マレイシア、ビルマ、中華民国）が予定されている。

全協がこのほど各県連に通知した第四回「青年の船」一般団員候補の募集要領は次のとおり。

一、応募資格と人員 日本人で、満二十歳以上～二十六歳未満の男女（昭和四十五年四月一日現在）各県一名。

二、中間選考 応募者の中から十名以内を全国4Hクラブ連絡協議会と日本4H協会の選考委員会で選考し総理府に推せんする。

三、応募しめ切り期限 昭和四十五年六月二十五日必着のこと。

四、提出先 東京都新宿区市ケ谷船河原町十一、家の光会館内 全国4Hクラブ連絡協議会

五、募集方法 次の書類を添えて期限内に申し込んで下さい。

（1）申込書 二通
（2）団員候補者の推せん状 一通以上
（3）作文 ①テーマ＝「青年の船」に応募して（団員に選ばれた場合、帰国後参加経験をどのように生かすかという点を中心に書かせる）②二百字詰原稿用紙（B5版）五枚以内（タテ書き）。氏名、住所を明記すること。
（4）戸籍抄本 二通
（5）履歴書 二通
（6）健康診断書 一通 公的医療機関の医師によるもの。昭和四十五年四月一日以降のもの。
（7）写真 二葉 上半身正面脱帽、タテ3センチ、ヨコ3センチ、四十五年四月一日以降に撮影したもの。申込書に貼付すること。

六、選考結果 総理府における選考の結果、一般団員に内定したものについては、推せん者と本人に対してその旨を八月上旬に通知する。

七、研修 事前研修（九月下旬～十月上旬）および出航前研修（四十六年二月上旬）のほかに、全国4Hクラブ連絡協議会の行なう各種の研修に参加するものとする。

◇　◇

全国4Hクラブ連絡協議会

佐賀の特色をアップ

佐賀県連「つどい」の準備着々進む

【佐賀県連＝高尾晋広報委員発】「第六回全国4Hクラブ員のつどい」を誘致した佐賀県4Hクラブ連絡協議会（会長、小林秀敏君）では、わずか四ヵ月間の準備期間をおいて、つどいのムードづくりを進める一方、同じく主催者である全国4Hクラブ連絡協議会の久野知英会長、坂井邦夫副会長、松浦幸治事務局長、日本4H協会の坂本静馬氏らを迎えて現地の視察を行なうなど、つどいの

さる五月六、七の両日、県連主催のリーダー研修会を県農業研修学園で開いたが、このプログラムの中においても、つどいについての説明会をもち、つどいの意義や開催要領などを説明し、単位クラブ、地区協役員との連帯感をふかめるとともに、つどいを円滑に、しかも盛大に行なうため、さらに強力に準備を進めている。

この説明会では、質問が現地交歓訪問に関して重点的にだされていたので、全国のクラブ員のみなさんの期待にそえることができるものと思われる。

翌八日には、全協の久野会長、坂井副会長、松浦事務局長、4H協会の坂本氏らを迎え、関係官庁を訪ねて協力を求めた。また、夜は、全協と県連役員との合同打合わせ会を開き、運営面の、細部にわたって協議、大会のバッチを有田焼にちなんで朱色にきめるなど佐賀県の特色をこのつどいに大きくクローズアップしていくことを申し合わせた。

さらに、九日には、大会の主会場となる開・閉会式場の佐賀市民会館、宿舎になる古湯温泉一帯、「武士道とは、死ぬ事とみつけたり」で有名な葉隠の里を訪れた。ここは散策の地として最適地と評価し、二、三のモデルコースを設定した。

なお、このつどいは、第一日目から現地交歓訪問に出かけ、クラブ員、その家族と生活をともにするなど、いままでにない特色と、すべての仲間を班別に分けて、班行動でつどいを運営していくことや、これまで、つどいの記念品としてだしていた4Hのマークの入っていた楯にかわって、今回は佐賀名物の有田焼で記念楽焼を行なうなど、参加者の創造性を発揮できるようにプログラムが編成されている。

詳細にわたっては、近日中に県連で運営委員会を設けて審議を重ね、県内では、こん後県連の機関紙「四つ葉」で、クラブ員のムードをさらに盛り上げていく計画である。

積立てで〝つどいへ〟

埼玉・北本町4Hク 奉仕収入も加え全員で

全国4Hクラブ員のつどい参加の経費ねん出には、いろいろの方法があるが、毎月、積み立てて、来る八月二十四日から佐賀県で開かれる第六回のつどいに全員で参加するというクラブがある。

それは、埼玉県北足立郡の北本町4Hクラブ（会長、諏訪富彦君・会員二十四名）。

同クラブでは、これまで五回開かれたつどいに参加し、つどいの意義などについては熟知しているが、経費の問題で参加した人たちは余り多くなかった。そこで、積み立て金方式で佐賀のつどいに全員で参加しようということになり、このほど開いた五月の定例会で決めたもの。

同クラブの計画によると、埼玉県から佐賀県への往復旅費だけで一万円以上も負担しなければならない。それを一度に出費するのはなかなか大変なので、各自が五月に三千円、六月四千円、七月と八月に三千円ずつの合計一万三千円を農協へ貯金して交通費などに当てることにしている。また、このほか、プロジェクトとして実施する落花生のマルチ栽培の売上金や薬剤撒布の協力、奉仕活動による収入など約五万円をふり向け、参加者経費の一部を負担して、クラブ員の出費をできるだけ少なくするようにしている。現在、会員二十四名のうち、畜産や花の出荷など仕事の関係でどうしても参加できない七名を除いて全員が積み立てを行なっている。

同クラブでは、来年の愛知のつどいからは、さらに計画を早めて年間を通して積み立て、できるだけ多くの人が参加できるようにしたいという。

なお、諏訪会長は「佐賀のみなさん、急きょつどい開催を決定され、大変であると思いますが、仕事の関係でどうしても参加できない七名を残して全員が参加し、友情を深めたいと考えています。いまから〝佐賀のつどい〟を楽しみにしています」と語っている。

心頭技健

さいきん、未来についての研究がなかなか盛んである。しかし、騒がれていることはわかるが、どのようにその研究が進み、われわれの未来の姿が青写真として描かれているかはつかめない。いま、大阪で開かれている万国博の各国の展示館が未来の建築物であるということも聞くが、万国博会場もおとぎの国のようではあれ、それが何年先の未来で、現実の生活とどう結びつくかは明確でない▼そもそも未来がわからないから未来学があり、未来への研究が必要であるともいわれる。実際、未来研究の役割りは、まっくらな〝未来〟にむかって、手さぐりで進んでいくときのローソクのようなものであるという。一口に未来といっても、二十年先きもあれば、百年先きを考えるかで違ってくる▼また、先進国と後進国の未来についての考え方も違ってくる。後進国にとっての未来は工業化であり、先進国の姿が彼らの夢として描かれているだろう。では、先進国にとっての未来とは何か、となるとあいまいになってくる。働かずに、うまいものを食い、宇宙旅行をすることが未来の姿であると考えている人もいようし、また、科学と技術の進歩こそが未来であるという人もいよう▼この未来についての考え方も、昔と現在では、ずい分違ってきたようだ。昔は確かに科学と技術の進歩によって、明るい世界がもたらされると信じられてきた。しかし、いまは、科学と技術の進歩が、われわれの生活環境を根本的に破壊し、ひいては人類の滅亡にもつながりかねないと考えられるようになってきた▼公害などもその一つであろうが、このような危惧が未来学を盛んにしている原因でもあるようだ。これから、未来研究への情熱はさらに高まっていくものと思われる▼ところで、このような科学と技術が進歩するなかで、われわれがどこに生きがいを求めていったらよいかという点になると、誰れも、ズバリ明快な回答を与えてくれない。自分たち一人ひとりで、自分の未来を追求しなければならないようだ。人間的な成長も、幸福もすべて自分が苦労しながら探し求めなければならないわけである。

45年度「青年の船」実施要領

20歳~26歳の男女

訪問 来年2月上旬から51日間

総理府がこのほど発表した昭和四十五年度「青年の船」事業の実施要領は次のとおり。

一、「青年の船」事業の目的

「青年の船」事業は、日本の青年を「青年の船」に乗船させ、研修や規律ある団体生活を通じて青年の心身を鍛練し、また巡航先において、各国青年との交歓、日本文化の紹介、各地の視察・見学を行なわせることによって、国際的視野を広め、国際協力の精神を涵養し、青年に日本の姿を正しく理解させ、次代をになう中堅青年の育成を図ることを目的とする。

二、事業の概要

(1) 使用船 社団法人日本産業巡航見本市協会の「さくら丸」を傭船し、「青年の船」として使用する。その運航は、大阪商船三井船舶株式会社に委託する。

(2) 運航日程 昭和四十六年二月上旬から三月下旬まで、東南アジアへ約五十一日間にわたる航海を行なう。

訪問国は、東南アジアの諸国(フィリピン、インドネシア、マレイシア、インド、シンガポールおよび中華民国の予定)である。

(3) 活動

▽船内活動

【船内研修】①語学②各国事情③リーダー養成④体育・レクリエーション⑤その他

【団体活動】①全体行事②班・組別活動③クラブ活動④寄港地活動の準備

▽寄港地活動 寄港地における視察・見学と交歓

▽事前研修 国立中央青年の家(静岡県御殿場市)における事前研修(九月下旬~十月上旬)と、オリンピック記念青少年総合センター(東京都渋谷区)における出航前研修(四十六年二月上旬)する。

三、「青年の船」の団員と組織

「青年の船」には、一般団員のほか、管理官、管理要員、団長、副団長、教官、班長と渉外団員を乗船させる。

(1) 「青年の船」に管理官をおく。管理官は、政府を代表し、「青年の船」事業の運営を総括する。

(2) 「青年の船」に団長と副団長をおく。団長は、団員の教育・訓練に関する業務を総括する。副団長は団長を補佐する。

(3) 「青年の船」に所要数の教官をおく。教官は、団長の指揮に従い、団員の教育・訓練に従事する。

(4) 一般団員と渉外団員で班を編成する。

(5) 班に班長をおく。班長は班員の日常生活について指導・助言に当る。

(6) 数個班をもって組を構成する。

四、参加者負担金

参加者に対しては、参加費用として一人五万円を徴収するものとする。このほか、参加者は旅券発行手数料、出入国にともなう経費、事前研修などの参加費用、旅行保険料などの経費を負担するものとする。

五、募集選考

(1) 一般団員の募集参考 一般団員の募集選考は、一般団員募集要領によるものとする。

(2) 団長などの選考 団長、副団長、教官、班長、渉外団員などは、総理府において選考する。

一般団員の募集要領

一、資格要件

(1) 国籍・年令など 日本の国籍を有する満二十歳以上二十六歳未満の男女(年令計算の基礎は昭和四十五年四月一日現在とする)

(2) 身体条件 長期の船上生活や団体生活に適応できる健康な者、とくに伝染性疾患のない者

(3) 規律遵守 ①事前研修から解団式までいっさい主催者の計画に従って規律ある行動のできる者②協調性に富み、団体生活に適応できる者

(4) 語学 中学校卒業程度以上の英語会話能力のある者

(5) 社会への貢献 将来において、職場、地域、青少年団体など中堅的な活動を期待できる者

(6) 欠格条件 ①海外渡航の経験のある者(沖縄へ渡航した者を除く)②原則として、大学(短期大学を含む)高等専門学校または高等学校に在学中の者③都道府県議会議員の職にある者④近い将来、海外渡航をすることがほぼ確実である者。

二、募集人員

一般団員の定員は、約二百八十人とし、都道府県知事から推せんされた者から百六十~二百人、全国的な組織をもつ青少年団体から推せんされた者から八十~百二十人を選考する。

三、募集方法

都道府県と全国的な組織をもつ青少年団体を通じて募集する。

(1) 都道府県の中間選考

①各都道府県知事は「青年の船」事業を周知させ、当該都道府県に住所を有する応募者について公正に選考のうえ、割当人数のおよそ一倍半の団員候補者を総理府総務長官に推せんする。

②都道府県の推せんする団員候補者のうち、女子は、おおむねその三分の一とする。

③都道府県の行なう選考方法は各都道府県が定めるものとする。

(2) 青少年団員の行なう中間選考

①全国的な組織をもつ青少年団体の代表者は、会員中の応募者について選考のうえ、団員候補者を総理府総務長官に推せんする。

②一団体からの団員候補者の推せん人数は十人以内とする。

③特別の事情がある場合を除き青少年団体から推せんする団員候補者のうち、女子は、おおむねその三分の一とする。

(注) ここにいう全国的な組織をもつ青少年団体とは、次の条件をそなえたものとする。

1、青少年を主たる構成員とする団体またはその連合体であって社会教育、社会福祉または社会奉仕のための活動を行なうことを主たる目的とするものであること。

2、会員が一万人以上。

(3) 提出書類 都道府県知事または青少年団体の代表者が総理府に団員候補者を推せんする場合には、男女ごとの推せん順位を付した団員候補者一覧表および団員候補者それぞれについて、書類(省略)を提出するものとする。

(4) 推せん 都道府県および全国的な組織をもつ青少年団体から団員候補者を総理府へ推せんする期限は、昭和四十五年六月三十日とする。

四、総理府における選考

(1) 総理府は推せんされた団員候補者について、選考組織を設けて選考する。

(2) 必要によって団員候補者に対して面接、その他の方法による試験を行なうことがある。

(3) 総理府における選考の結果、一般団員に内定した者については、推せん者および本人に対してその旨を八月上旬に通知する。

五、決定およびその取消

(1) 一般団員に内定した者が良好な成績で事前研修を終了した場合に、一般団員として正式に決定する。

(2) 一般団員として決定された後であっても、出航前または出航後において、団員として不適当と認められた場合、一般団員としての決定を取り消すことがある。

(3) 出航後、一般団員としての決定を取り消された者は、下船させることとし、その帰国に要する経費などは本人の負担とする。

果樹に関する討議

第九回全国青年農業者会議

国際的視野を うまい果物生産

果樹(落葉) 青年部会・第九分科会

一、共通する問題点

(一) うまい果実をつくらなければならない。

(二) 流通を考えた生産方法、出荷方法を考える必要がある。

(三) 経営規模を拡大する必要がある。

二、討議の概要

(一) うまい果実づくり

①果樹は永年作物なので、「土壌管理」を大切にしなければならない。とくに、微量要素と有機質施用、病害との関係、山梨の土づくりなど。

②品種の更新、うまい品種のとり入れ。

(二) 流通関係について=よいものを大量に安く流通機構にのせることが基本として必要である。

①主産地化(生産の団地化)が必要②集団的出荷体制をととのえることが必要③消費を拡大するPR活動をもっと大きくとり上げる。そのほか、集団的な観光団地、生産地直売所の設置などが討議された④国際的視野をもって生産方法を考える⑤米の生産調整にともなう新しい果樹栽培者に対するリーダーとしての考え方を検討すべきである⑥個人販売にすべきか、出荷団体にすべきかについては個人販売は生産地化(団地づくり)ができあがるまでの過度期のもので将来までのものとしては考えるべきではない、という意見が多かった。

(三) 規模の拡大について

①規模拡大の方法として次のことがとり上げられた。

▽都市近郊では、特殊な産物をつくる集約的な方法

▽大主産地をつくるよう拡大する。

▽通勤農業によって拡大する。

問題点として

▽兼業農家をどうするか(やめてもらいたい)

▽資金制度=ほんとうに農業をやる者を伸ばすようにされたい。

②十年後の農業について

十年後といっても、明日からすぐ続くものであり、うまい果実をどうしてつくるか、販路をどうするかの国際貿易の問題、規模拡大の方法、協同化の問題などに直面して、十分な結論がでなかった。

がめつい経営略戦で 大量消費ー大量生産に対応

果樹(常緑) 青年部会・第十分科会

一、とりあげられた課題

まず、二十四名の代表がレポートを中心に、わが家の経営状況と経営改善についての創意工夫と問題点、さらに十年後の農業像について発表交換を行ない、共通のものとして次の課題を整理して討議した。

(一) 経営規模の拡大

(二) 立地条件にもとづく経営改善

(三) 省力化に対する問題

(四) 労力不足の対策

(五) 流通問題、販売、市場、観光

(六) 共同化促進

二、主な意見

とりあげられた六課題のうち、まず「立地条件にもとづく経営改善のあり方」について討議した。

参加者にとって一番関心の深かったことは、自分たちが作ったみかんが、いくらで売られているかで、地域別に意見を交換した。参加者を大きくわけてみると、九州のみかん産地、瀬戸内地方、静岡、神奈川の都市近郊で、立地条件も異るだけにいろいろの意見が出た。

(一) 自分たちで立地条件をよくみつめて、生産費を低下させ、経営の安定を図るため、急傾斜地の条件をいかに平担地と同じ条件にするか。農道の整備、モノレール、架線などによって運搬の問題解決をはかり、省力的な栽培体系(慣型)を確立する。

(二) 九州では未成園が多く、経営規模が大きいので、需要が伸びることが願いであるが、コストダウンをねらいながら、国内外の消費の伸びを期待し、大量消費ー大量生産に対応してゆきたい。

(三) グレープフルーツなどの輸入品は売り込みが上手なので、国内で生産される果物も販売の工夫が必要である。

(四) 将来の生活設計、経営計画を具体的にたてて実践目標を定め、着実に経営規模の拡大を図りがめつい経営戦略をもたなければならない。

(五) 産地間の競合をさけ、仲間の組織づくりを行ない、農協など流通組織を確立し、真に農業者の共通利益となるような実践活動を展開する。

(六) その他、省力化の問題、とくに労働力確保の工夫、規模拡大の方法、技術の諸問題について意見が交換された。

結論として、いままで果樹経営についてあまく考えていたが、こん後は、地域ー全国の仲間づくりを通じて経済の合理主義にあった、がめつい経営と人間らしい優雅な生活を展開してゆきたい、ということであった。

農繁期の4H活動の一方法

クラブ活動12カ月 新しいクラブ員を中心に (15)

栃木県・普及教育課 湯浅甲子

夜間に気分転換も 遊びながら情報収集を

忙しい時である。こんなときの4H活動は、どうすればいいのだろう。

忙しいうちは、集会などやっているヒマがないから、活動計画にも、六月は空欄が多い。矢張り、休むのがいいのか、家での生活設計に重点をおいて、当分、集会はやらないことにしようか、みなさんの大半は、そう考えているのだろうと思う。ところが、どうも少々様子はちがうようである。

県北のある部落のことである。夜も八時を少々まわった頃か、一人の普及員が、仕事をすませて家路をいそいでいると、ある部落公民館前の広場を通りすぎようとして、オヤッと思った。乗用車のライトバンが所狭ましとおいてある。エンジンをかけっぱなしである。車の外で、立ち話しているのもいるが、殆んどは、車の窓ガラスを下げて、車の中から隣の車の運転台の青年へむかって、何やら話をしているのである。暗い公民館広場には、五~六台の車が、車体すれすれに列んでいる。そして、あとから、まだ何台か、くるらしい気配がする。

普及員は、その中の一人の青年がこちらをむいたとき、知っている顔であった。普及員は、車からのり出して「なんだい、いま時ぶん?」と呼びかけたら相手の青年も「あれ、なんですいまじぶん」と、同じような言葉が返えってきて、お互いに苦笑しあった。

普及員は、ちょっと、言葉のつなぎにとまどったが、「ナニかあったのかい」というと、「いやあ、あそびにいくんですよ、町へ」といって、すぐまた仲間との話にむきをかえた。

「近ごろじゃ、毎晩ですよ、夜になって、セガレに電話がくると、きまって、でかけていく。どこへいくんだ、と聞いても、いやあ、ちょっと友だちが呼んでいるから、といって、夕飯もたべずに、とび出していくんですよ」ーこんな話を親たちから聞かされることがある。

親たちは、心配しているようだ。しかし、そんなに心配をしている様子でもないようである。「しょうがねえ」という捨てぜりふの中には、いろんな意味があるみたいである。

さて、本題にもどろう。忙しいときほど、青年たちは、反動的に、自由なあそびを求めているということなのである。その姿には、昼間の彼とは、全く違う彼があるようである。夜とは不思議な力があるものである。

さきほどの公民館前の車の中の彼たちは、どうやら話が合ったらしく、二台、三台と、グループになって、町の方へと走り去っていった。中には、車を乗り替えたものもあるらしい。主をなくしたライトバンが一台、広場の中にとりのこされている。

さて、そういう青年の姿に、私は共感こそ感じるが、非難をする気持にはなれないのである。青年だって人間である。むしろ、この姿こそ自然であるといえるのではないか。だから、そのまま自由にやらせておけばよいということなのである。

それは、それでよいのだが、さて、4Hクラブ活動という面から、この姿をみた場合は、なにか考えることはないだろうか。4Hは、マジメクラブだから、こういうことにはノータッチ、と一線を引くべきだろうか。私は、4Hという立場で考えれば、考えるほど、これは、よそごと、ですまされない気がするのである。

このへんで、4H活動の夜の活動を改めて考えてみようではないか。ひる間は、忙しい仕事があるから、夜、集まります、というのが、全般的な傾向である。しかし、ひる間やるべきことは、なんとか、ひる間やるように努力をすることが正しいのだ。夜には夜の方がよい活動をとりあげるべきなのである。

農繁期の夜の活動で、諸君たちは、なにを一番求めるだろうか。それは、気分転換である。あそびである。それなら、それを思いきってやってはどうだろうか。

4Hクラブとしては、こういう時期こそ、夜のレクリエーションを積極的にとりあげるべきではないのか。

そして、チョッピリ固い話だが忙しい時ほど、孤独になり勝である。こういう時ほど、聞き耳を立てて、情報収集活動をやらなければならないのである。それを、楽みながらやるという芸当ぐらいは、いまの時の若いものは、朝メシ前のことではないか。

6月

農業白書 (6)

農業経営の動向

上昇続ける農地価格 農機具への投資もふえる

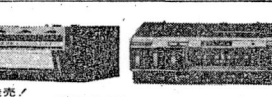

一、経営をめぐる諸条件の変化

(一) 農業の労働力

(ア) このところ、農家世帯員の他産業への就職者は、新卒者の減少に伴って減る傾向にあり、四十三年には前年を四・二%下回る七十八万七千人となった。

四十四年(一~十月)も六十三万二千人で前年同期を下回っている。もっとも四十三年には男女とも三十五歳以上層でふえ、四十四年には新卒以外の増加が目立っている。

また、流出形態として通勤者の割合がひきつづいて高まっている。

なお、出かせぎ者は、四十三年には、前年より八%増の二十三万六千人をかぞえ、上層農家の出身者がふえた。

(イ) 四十三年の基幹的農業従事者は、前年より二十五万人減の九百三万人となり、中高年令層の比重がひきつづいて高まっている。

農業労働力の減少要因として引退、死亡に対する補充の不足に起因するものが五八%、他産業への転職超過によるものが四二%となっており、前者の割合が高まる傾向にある。

農業労働力の補充源としての新規学卒の就農者は、ここ数年来六万人であったが、四十四年三月卒では、四万八千人(男子三万四千人)と前年の二割減となり、専業的農家層でもあとつぎの就農は低下している。しかし、新卒就農者の学歴は、高卒者の割合が六六%と高まっている。

(二) 農業投資と金融

(ア) 四十三年度の農業固定資本投資額は、一兆五百三十五億円とはじめて一兆円台に達したが、伸び率は前年度の一九%から一一%(実質六%)に低下した。この三三%が土地改良造成投資(予算ベース)で、その伸び率は九〇%(支出ベースで一五%)であった。

農機具投資は、農用自動車、乗用型トラクター、バインダーなどの目ざましい普及を中心に一二%増といぜん増勢を示した。

このほかに、農業関連投資などを含めた農業固定資本総投資額は前年度よりふえ、その資金源として財政投融資、各種制度資金が三六%を占めた。

(イ) 農業経営における固定資本の増投によって、資本装備率がかなり高まり労働生産性が向上しているが、資本生産性は必ずしも高まっていない。このことは主として、稲作において小規模層を中心に資本生産性が低下していることと関連している。

(ウ) 農協系統金融の資金動向をみると、貯金残高は四十三年度末に四兆八百五十七億円に達し、その年度内増加率は前年度の二三%から一八%に低下した。

農業地域では、土地売却代金などの増加もあって、順調な伸びをみせ地域差が著しかった。四十四年度にはいってからの農協貯金は、「農協五兆円貯蓄運動」の推進などもあって増勢を回復しているが、前年度と同様な地域性が、ひきつづきみられる。

(エ) 一方、農協の貸付円残高(公庫資金を除く)は、四十三年度後半から増勢が鈍り、年度末には二兆千億にのぼり、年度内増加率は二二%(前年度二七%)に低下し、四十四年度にはいっても大体同じ程度の伸びをみせている。貸付金の過半を占める長期資金の増勢が農業地域よりも都市化地域で目立って鈍っている。

四十三年度末の貯貸率(貯金残高に対する公庫資金を除く貸付金残高の比率)は四九%と高まり、とくに農業地域できわだって高い。

(オ) 農業金融において重要な役割を果たしている制度金融は、四十三年度末残高で八千三百八億円に達し、年度内に一四%ふえた。大口化する農家の資金需要に対して金融面からも自立経営を育成するため、四十三年度から総合資金制度が発足した(四十三年度貸付決定実績四百十七件、十七億五千万円)

(3) 農地移動と地価

(ア) 四十四年の耕地面積は北海道を除く各域で減り、全国では前年より四万五千ヘクタール減の五百八十三万二千ヘクタールとなった。

水田は、開田抑制策がとられたにもかかわらず東日本で自力開田を中心に造成がつづき、全国では前年より六千ヘクタールふえた。

一方、畑は、普通畑が水田、果樹園、植林などへの転換や宅地などへの転用によって十万ヘクタール減ったが、樹園地や牧草地はひきつづいてふえ、全体では前年より五万一千ヘクタール減った。

耕地の人為かい廃面積(植林その他を除く)は、宅地などへの転用を中心に前年より二五%増の四万四千ヘクタールにおよんだ。そのうち、大都市都府県の占める割合が低下しているのに対してその周辺府県で高まっており、その他の地域でも宅地、道路などへの転用がふえている。

(イ) 農地移動の状況をみると、四十三年に耕地を購入あるいは借入れによってふやした農家は、全国で九万八千戸、売却や貸付けによって耕地を減らした農家が十万六千戸で、ともにひきつづいて減った。農地法の統制許可実績による自作地の有償移動面積は、七万一千ヘクタールで前年に続いてわずかに減っている。

都府県における自作地の有償移動を農業所得でほぼ家計費をまかなえる耕地規模一・五ヘクタール以上と未満層に分けると、下層内部での移動が約六割といぜん主流を占めている。

これに対し、下層から上層への移動が一七%(前年度一六%)上層から下層へ移動したものが一一%(前年度一二%)となっており、農地移動はわずかながら専業的農家層の規模拡大に結びついているとみられる。

(ウ) 農地移動が全般的に停滞的であるのは、地価の高騰などから資産保有性向が強まっていることに加えて、現行農地制度によって賃貸借を通じての移動が阻害されていることによるところも大きい。

農地価格はひきつづいて値上がりし、四十三年には水田で前年より一六%上昇した。四十四年にはその値上がり方が鈍ったものの一〇%といぜん高い上昇を示している。農地価格の上昇要因は、農地転用が広域化しているなかで、急騰する転用価格に影響されるところが大きいが一部では水稲の収益性向上など農業内部の要因も働いている。

規模拡大に結びつくよう農地の流動性を高めるためには、それを制約している農地制度の改善が急務であり、同時に地価の高騰をその広域化が農地の移動を阻害している現状から土地の計画的な利用などを通じて転用期待価格を抑制するなど総合的対策が必要である。

カーネーションとバラの輪作栽培

参考になった失敗例
将来の目標、バラ専業で

静岡県田方郡土肥町 小下田・富士見4Hクラブ　鈴木　登

私の家は、西伊豆土肥温泉から南へ八キロの小下田にあります。田畑は段々で平坦地はありません。その段々畑にかかわらず、カーネーションのハウス栽培が盛んなところです。

私の家の経営は、バラ三百平方㍍、カーネーション九百平方㍍、水田二十㌃、畑三十㌃、育成牛一頭です。農家の長男として生まれた私は、農業後継者としての宿命を負わされています。しかし、私の農業に対する考え方は漫然としたもので、高校進学も父に勧められるまま農業高校へ進学しました。

卒業後、神奈川県茅ヶ崎の温室栽培農家へバラとカーネーションの研修にいって、バラを作りたいという気持になり、一年間は父の手伝いをしながらカーネーショラ

ンを栽培していました。

一年間仕事をしてみて、土肥のカーネーションが大きな壁にぶつかっているのが分ったのです。それは、立枯病におかされ具体的な対策がなく、被害の大きいハウスでは全滅に近い状態のものもあります。私はそこで考えました。バとカーネーションを輪作させたらどうであろうと。父と相談しましたが反対されました。

父がいうには「今まで、小下田では四～五人がバラ栽培を試みたけれど一人として成功しなかった」こういう返事が返ってきました。「なぜ成功しなかった」と、問い返したところ「バラは病気に弱くてしようもない」と、父にはバラは病気に弱くて作れないという先入観があるのです。しかし、私には自信があります。ただ病気に弱いというだけでバラを作れないなんて、あまりにも情けなく思いました。

これでは、一年間茅ヶ崎に研修にいった価値がなくなってしまいます。バラが病気に弱いのは承知しているのです。研修のとき二日に一度位の消毒を行なっていました。それに、西伊豆は冬の平均温度が六～七度あるのです。寒い地域でバラを栽培している人もいるのです。私の土地は段々畑ではありますが、バラを栽培するには良い条件が揃っているのです。

私はこのバラ栽培が、どうしても諦めきれず、もう一度、父に相談しましたが、やっぱり受け入れてくれず、さんざん口論した末、とうとう喧嘩になり、もう少しで家を飛び出しそうになったのですが、父が「それほどまでにしてバラを作りたいなら」といって、やっと聞き入れてくれました。その後、父はカーネーション作り、私はバラ作りと、父はいっさい手を出さないという条件で、後継者育成資金を借入して、三百平方㍍のハウスを建てました。

しかし、一人でやるということは大変です。毎日一生懸命に努力したつもりですが、ビニールを張る時期が少し遅れてしい、一年目は見事失敗に終りました。この失敗は、私の計画に無理があったわけで、もっと具体的な計画のもとに栽培しなければと反省しました。この失敗は、つぎのバラ栽培を進める上に大変に参考になりました。

私の将来の希望は、あくまでもバラ作りを主体とした専業農家にあるわけで、常に新しい知識と技術の収得に向って努力しなければいけません。

私は近い将来、バラの面積をもっとふやし千二百平方㍍くらい栽培したいと計画しています。

所得についての計画も、バラの花を二・三平方㍍で四百本切り、一本当りの価格を三十円とすると一万二千円になります。カーネーションは八百本で、十二円とすると九千六百円になります。そうするとバラが千二百平方㍍で四百八十万円、カーネーションが六百平方㍍で百八十二万円になり合計六百六十万円の収入という計算になります。

このうちから経営費を五割差引くと純収益は三百三十万円になります。土肥では今、カーネーションが産地化されましたが、まだ完全とはいえずいろいろの障害があるのです。その解決策のひとつとして、バラとの輪作方法があるのです。今後、土肥の花を日本一の花として発展させるには、この計画を実行に移し、日本一のバラ作りを目指して努力する考えです。

私のプロジェクト

つげ、さつき苗を共同栽培
町内美化運動に協力

和歌山県伊都郡かつらぎ町若葉4Hクラブ　岡本　実

私たち若葉4Hクラブは、柑橘を主体とした農家の青年十八名で活動し、柑橘栽培技術の向上とクラブ員相互の団結を図り、若い私たちの力で、住みよい農村を建設しようと、現在まで活動を進めてきました。

昨年は新しい試みとして、一人三鉢の菊栽培を行ない、町内美化運動のために町役場に寄贈し、まずまずの成功を収めることができました。

また、趣味と実益を兼ねたクラブの共同プロジェクトとして、さつき、つげの栽培をすることに決め、クラブ員十一名が大阪府の池田市まで研究にでかけ、普及所の先生を迎えて栽培方法の話しを聞き、クラブ員全員で栽培に取り組んでいます。現在、一年生のつげ、さつき苗を約五千本栽培して、今後もっと増殖し、展示即売をしたり、町の道ばたなどに植え、私たちの町を花と緑で美しく飾りたいと考えています。

つぎにクラブの活動としては、クラブ員が簿記の記帳を行なっています。これは、昨年まで私たちが改善を加え記帳していた簿記を本年は県が推進している簿記に切りかえることにして、町役場にお願いして取り寄せました。農業経営の基礎は簿記の記帳から——と、私たちはこれをモットーに現在記帳を続けています。

私たちの先輩たちは、果樹栽培はまず土壌からと果樹園の土作りに取り組み、昭和三十九年の夏、地区全域から八百余点の土を採集して土壌検定を行ないました。その後、土つくりという課題を先輩たちから私たちは受け継ぎ、クラブの大きなプロジェクトとして現在引き続き実施してきましたが、その結果がいかに現われているのか、非常に興味があり、再度、検定してみようと昨年の七月に、普及所と農協の先生を迎えて実施しました。

今後の対策と今までの反省を兼ねて、宇部興産から技師を招き、今後の土壌管理について、地区の果樹研究会と合同で講習会を開催するなど、地域全体の土作りに取り組んでおり、今後もいっそうの努力を続けたいと思います。

以上が最近の活動状況ですが、私たちのクラブにおいても兼業農家の増加などで、クラブ活動の運営に困難をきたしている面もあります。しかし、一人三鉢は必ず行なう菊栽培、趣味と実益を兼ねた花木の栽培、夏の暑い盛りでの土壌検定などの活動を通じて、私たちクラブ員の心は堅くつながれています。

農繁期こそ栄養食を

あきる同じ献立
食生活の改善で健康増進

佐賀県杵島郡有明町東分下東分下4Hクラブ　久野幸子

私の所属する東分下4Hクラブは、農家戸数百二十戸、一戸当り耕作面積一・二ヘクタール、部落の約六割が海苔養殖を営んでいる純農村地帯にあります。

4Hクラブの結成当時は、クラブ員が五十名と多人数でしたが、現在では、農業に真剣になって取り組む熱意のある青年が少なくなったかわずか六人の女子クラブ員で構成しています。

そこで私は楽しい農村生活を築き上げようと思い、食生活の改善をプロジェクトとして取り上げました。

私の家では、冬の海苔収穫時期に一日五～八人の人手を必要とします。毎日十人以上の食事を用意し、いろいろと献立を工夫していますが、なかなか、仕事に追われて料理に精を出す時間が短かいため、どうしても即席料理が多くなってしまい、栄養のバランスが崩れがちになります。

また、部落の家を例にとってみても、料理をするのがめんどうだからといって、給食センターや魚屋さんなどに頼んでいる人がいますが、これも毎日同じようなものばかりで、あきてしまいます。やはり、家で作った暖かい真心のこもった料理がおいしいというのが、みんなの一致した意見でした。

そこで私は、婦人会や女子クラブ員の研修などで、食生活改善の講習会などを開き、よく研究会を行なっています。その都度、料理を家にもって帰ったり、また、家で実習して家族をよろこばせています。農繁期や海苔の時期の忙しいときの食生活に、栄養価の高い保存食の必要性や、年寄りに任せきりの調理の問題について話し合いました。

その結果、私たちの生活で一日も欠すことのできない体力づくりの一番のもとになる食生活に、もっと力を入れることにしました。

ある程度、経済が伴なわなければ食生活も改善されないので、交際費や被服費などの支出をなるべくへらして食費に回し、体力を増進させて健康を維持し、より多くの収入を得るための労働に耐えられる体力を増進することが、食生活の改善の目的であると思います。

また、私がよく思うことは、同じ年代のサラリーマンの主婦と農村の主婦を外観的に比較した場合農家の主婦は無理な労働のため、腰の曲る人が多いし、農婦症の患者が多く発生します。また、女性としてのみだしなみも、つい忙しい農作業のため、おろそかになるなど何か同じ女性として抵抗を感じます。だからこそ、食生活の改善を行ない健康の増進を図る必要を痛感するのです。

農業も今後、近代化に伴ない、大型機械の導入や直播栽培の全面化などによって、農家の主婦の労働時間も合理的に短縮されることでしょう。その時間を利用して、みんながいつまでも若々しい健康増進のために、レクリエーションや教養などを十分に取り入れて行ない、明るい農村家庭を主婦の手でつくり上げるよう努力したいと思います。

このためにも、私たち4Hクラブ員は、より団結し、仲間を増やしてお互いの交流を深め、部落の人たちにも呼びかけて農家の食生活の改善につとめたいと希望を燃やしています。

農業簿記

京都大学名誉教授　大槻正男

＜自計式農家経済簿記＞

補助簿

労働日記帳

建物の新築・大修繕および土地開墾などに働いた家族労働は「農外労働」欄に記入しておく。そして、このような家族労働が、年度末において「土地」および「建物」などの評価の際に「農外労働」欄から拾い出され、これらの労働日数に平均日雇い労賃を乗じて算出された家族労賃見積り額が「増殖額」欄に記入されるのである。

労働は一日単位で記入する。一日の労働とは、その地方において、その季節季節に労働者を雇った場合、特別な「いたわり」または「もてなし」なしに当然に働かせることができる労働をいう。

したがって、日の長い夏期と日の短かい冬期とにおいて、その労働時間は自然に異なるけれども、一日の労働として「1.0」と記入する。半日の労働は「0.5」とし、4半日分の労働は「0.25」と記入し、また一日以上働いた場合は、その程度に応じて「1.1」または「1.2」などと記入する。

労働の単位としては「時間」をとることももちろんできる。しかし、それは一見精確を期するようにみえて、実際には反対の結果となる。農家の実情をみると、所要労働の計算においても、すべて「日」単位で計算しており、「時間」単位で計算することはほとんどない。

また、労賃も「時間」単位を用いずに、必ず「日」単位で計算する。だから農家における労働の単位は、技術的関係においても経済的関係においてもともに「日」であって時間ではない。

そのために、特別の資料獲得の目的をもつ場合のほかは「日」単位の記入方法を採用するのが適当である。ことに農家が自家の経営改善を目的とする自計主義の簿記においては「日」単位でなければならない。特別の目的のために時間計則の要求がある場合には、「摘録」欄において、旬別に一日の標準労働時間を記入しておけば、簡単に時間数に換算することができる。

記入の順序としては、各人の「計」の欄にまず、その日働いた労働全量を評定して、例えば、経営主については「1.1」と記入する。そうしたあとで、それをその日働いた生産部門間に、例えば、稲作・麦作・蔬菜作などに「0.6」「0.2」「0.3」などと、だいたいの見当で配分して、計において「1.1」となるように記入する。

なお「雇用労働」欄および「畜力」「機械力」欄には、人を雇い入れたり、畜力、機械力を使用した場合には、それを用いた部門名とともにその日数を記入する。

「雇い人への支給まかない見積り」欄には雇い人へまかないを支給した場合に、その見積り額を記入する。「現物受入れ払出し」欄は、「現物名」「数量」「受入れ先・払出し先」の三欄に分れており、その日に収穫された米・麦など、または投入された肥料・飼料などそれぞれの現物について、その名称、数量、受入れ・払出し先の三項を記入しておくのである。

このようにして記入が終れば、各旬末においての旬別の「計」を算出する。集計されたこの労働日数は、各人の労働能力の差異を考慮しない労働日数である。しかしながら、人には年令や男女別などの労働能力の違いがあるから、各人の労働日数を一人まえの男の労働単位に換算してみる必要がある。

その手続きとして、家族台帳の「労働能力」欄から各人の労働能力を転記し「能力不換計算」にそれぞれ各人の「能力換算率」を乗ずる。そうすれば、男一人まえの標準労働単位に換算した労働日数、すなわち「能力換算計」が算出される。

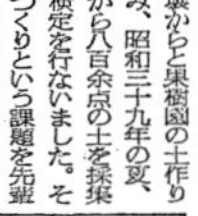

NHK農事番組（6月11日～20日）

テレビ

明るい農村
月～土　6・30～6・55　総合
11日　話題の広場　▽野草を栽培する（栃木県芳賀町）塩田猪司郎　▽農村への一つの提言（経済同友会）山下静一
12日　村をむすぶ　フイルム・リレー
13日　農村新地図　愛知県豊田市（協組短大）美土路達雄
15日　村の記録　請負破産（岡山県邑久郡邑久町農協）
16日　きょうの話題　農村工業化の答申をめぐって　坂本二郎ほか
17日　産物往来　トマト（茨城県岩井町）
18日　話題の広場　▽自然動物園をつくる（群馬県大胡町）山下茨雄　▽気象観測三十年（長野県松本市）百瀬貢一
19日　村をむすぶ　フイルム・リレー
20日　農村新地図　新潟県巻町（史家）内山旅治

農業教室
月～土　7・30～8・00　教育
11～13日　トマトの団地生産
15～17日　傾斜地での機械利用
18～20日　麦作をみなおそう

あすの村づくり
日　7・00～8・00　教育
再　土　13・00～14・00　教育
14日　▽グループだより「和牛特産地をめざして」和牛改良クラブ（岐阜県早城郡国府町）昭和三十三年和牛肥育農家が集ってスタートしたこのグループは、現在では二十一人を数え、平均二十頭、多い人では百六十頭の和牛を肥育している。百五十頭収容可能の共同畜舎もこの五月に完成、飛騨の肉牛の名声をさらに高めようとグループ員は張切っている。
▽仲間とともに「火山灰地の規模拡大」（北海道茅部郡森町）不毛の火山灰土におおわれた駒ケ岳山ろくの森町。この地の人たちは敢然とこの火山灰地に挑戦した。客土、水の有効利用、独特の施肥設計など数々の努力によって、今では牧草、メロンなども作っている。さらに将来は未利用地を開発して野菜などを取り入れて拡大を図っていきたいと考えている。

ラジオ

早起き鳥　5・05～6・00　❶
11日　人と話題　これからの草地酪農（帯広畜産大教授）大原久友
12日　現地報告　農協マンの再教育（岩手県下）
13日　村のポスト
14日　話題の窓　要求米価
15日　現地報告　開拓農家の集団移住（北海道斜里町）
16日　人と話題　大型酪農をきずく（静岡県富士宮市）高梨半治
17日　通信員の手帳から
18日　人と話題　学校農園構想（尼崎市小田農協組合長）沢田徳蔵
19日　現地報告　山林労務ひきうけます（島根県日原町）
20日　村のポスト

ラジオ農業学校
月～土　6・40～7・00　❷
14日　▽経営手帳「食肉需給の見通し」（日本大学講師）宮崎宏「産地を支えるもの」（農林コンサルタントセンター）松下清雄

新しい農薬　殺菌剤三種

ともに残効性を期待
人畜、動植物に毒性低い

最近そ菜の病害防除を中心として登録された、新しい園芸用殺菌剤を三種紹介し、夏期野菜の病害防除の参考にしてほしい。

ZM粉剤
（ピオメート粉剤）

東京有機化学工業の開発した土壌殺菌剤で、そ菜類の土壌伝染性病害を対象としている。本剤は、土壌に施されると土中水分によって分解され、メチルイソオシアネートを生じ、そのガスによってフザリウム、ピシウム、リゾクトニアなどの土壌病原菌に対し非選択的に効果を発揮する。

有効成分は、ジンクモノメチルジチオカーバメートで、製剤は、本成分を二五％含有する類白色の粉末である。

テンサイの苗立枯病には十㌃当り一五～二〇㌔、ダイコンの萎黄病、キュウリ、スイカのつる割病、トマトの萎ちょう病には十㌃当り一五～三〇㌔をそれぞれ土壌全面に施し、土と混和後、プラスチック・フィルムで約七日間被覆する。その後、土壌を反転耕起してガス抜きを行ない、さらに七～十日経過してから作物の播種、または移植を行なう。

本剤の使用は原則として、地温一〇度C以上のときにすることが望ましい。一〇度C以下の低温時に処理する場合は、被覆およびガス抜きの期間を長くする。また、土壌水分の低い方が処理効果が十分発揮されるので、処理予定土壌は排水に努め、なるべく乾いた状態で施用する。重粘土壌では使用しない。

土との混和は、一〇～二〇㌢の深さに行なうが、なるべく深かめがよい。処理には風の少ない日、時刻を選び、本剤容器の小孔から少しずつ薬剤を出すようにするか、または移植ごてのようなもので少しずつ施用して、散粉機による処理は飛散を避ける意味で行なわないようにする。

人畜や水産動植物に対する毒性は低く、通常の使用方法では問題ないが、前記のように農薬の使用上における一般的注意は十分に守ることが必要である。

プロピネブ水和剤
（アントラコール水和剤）

西ドイツのバイエル染料薬品の開発したジチオカーバメート系の殺菌剤で、日本特殊農薬製造が製品輸入するものである。

各種そ菜およびミカンの病害を対象とするほか、ミカンのサビダニにも有効であり、耐雨性が大きく、光線や温度による分解も緩やかであるので残効性が期待できる。

有効成分は、プロピレンビスジチオカルバミン酸亜鉛で、製剤は本成分を七十％含有する類白色の水和性粉末である。

トマトの葉かび病、斑点病、タマネギの灰色かび病、スイカのたんそ病、ミカンの黒点病に四〇〇～六〇〇倍、キュウリのべと病、たんそ病に四〇〇～八〇〇倍、ジャガイモの疫病に五〇〇～六〇〇倍、ミカンのサビダニに一，〇〇〇倍にそれぞれ希釈して散布する。

使用上の注意としては、銅を含む薬剤との前後近接散布は、薬害を起すことがあるのでさける。アルカリ性薬剤と混用する場合は、混用後ただちに散布することが必要である。なお、本剤は、ほとんどの殺虫剤、殺だに剤、殺菌剤と混用することができる。

人畜や水産動植物に対する毒性は低く、通常の使用方法では問題ないが、作業中は薬剤の霧をかぶらないようにし、作業後は顔、手足などの露出部分を石けんでよく洗うことが必要である。

NNN水和剤
（コナジン水和剤）

クミアイ化学工業の開発した殺菌剤で、ウリ類のうどんこ病の防除を対象としている。予防と治療的効果を有し、残効性も期待ができて、実用濃度での薬害はほとんど心配がない。

有効成分は、5ーニトロナフトニトリルー1で、製剤は本化合物を三〇％含有する淡黄色の水和性粉末である。

メロン、キュウリのうどんこ病に対して一〇〇〇倍液をふん霧機で作物に均一散布する。使用上の注意としては、アルカリ性薬剤との混用はさけるとともに、ビニールハウス内などの高温多湿の条件で使う場合には、作物が軟弱な場合が多いので使用濃度を誤らないようにし、また、やや低くめの濃度で使用することが望ましい。

人畜、水産動植物に対する毒性は低く、通常の使用方法では問題ないが、使用時はマスクなどして散布液を吸い込まれないように注意し、作業後は、顔、手足をよく石けんで洗うように注意することが必要である。

あしたの青春

一ノ瀬綾　え　多賀愛子

出発（一）　＜29＞

「そんな目つきをしなさんな。俺は、君が欲しいんだ。いつまでもじらされるのはごめんだな。なぜそんなに家の事情にこだわるんだい。二人のことが大事じゃないのか」

栄吉は、通りかかった男が振り返ったほど声を張ってすみ江をなじった。無理のない言分だとわかっていながら、すみ江は、簡単に町へ越せばいいと言い放った栄吉の考え方に、我まんできない怒りを湧かせた。

「家中で町へ出たら、あんたがわたしの両親の世話もしてくれるというわけね」

「その為には新一君だって働くんだろう。いよいよとなれば、俺だって、面倒は見るさ」

「無理してる……いいのよ、心配しなくても、両親は、死んでも村を離れやしないから」

すみ江は、自分でも意地の悪い言い方だと思った。栄吉はたばこに火を点じて、しばらく深々と吸っていたが、やがて、正面からすみ江に向き直った。

「いったい、すみ江さんはどうしたというんだい。まるで、家の事情を楯に取って、俺の申し込みを断ってるみたいだな」

どうしてこんなふうにこじれてしまったのか、すみ江にもわからなかった。栄吉との結婚が決して厭なわけではないのに、素直によろこべない。町の暮しにじゅう分魅惑されながら、栄吉の話に腹が立つ。どうしていいのか、わからないのだ。

あたりに暮色がたちこめてきた。足元の谷底から、紫暗色の闇が這い昇ってきて、樹木の枝ごしに、町の灯が明滅しはじめた。

「今日は、はっきりした返事が聞ける迄、俺は、すみ江さんを帰さない」

捨てたたばこを強く踏みにじりながら、栄吉が言った。結んだ口元に、男の意地をむき出しにした相手をながめて、すみ江は、たじろいだ。帰らねばならないと思った。

「もう少し考えさせて……ね、二、三日でいいわ。今度は母にも話してみる」

半分はこの場のがれの言葉であったが、これ以上栄吉の気分を荒らしたくない思いが、すみ江をやさしくした。栄吉はしばらく黙っていた。

「来週の月曜日、帰りにいつもの喫茶店で待っててね、ね」

腰を浮かせたすみ江の手を、強い力で栄吉が引っ張った。

「いいとも、待っている。その代り、ここで約束してくれ」

「なんの約束？」

「心変りしないって、約束してくれ」

「そんな……そんな約束ができるなら、今ここで栄吉さんのお話にOKする筈じゃない」

笑いながら立ち上ったすみ江の前へ、栄吉は突然、立ちはだかった。

「君は嘘をついている」

「なにを、嘘だと言うのよ」

押しつめられて、すみ江は石垣に背をもたせた。相手の鼓動も、自分の鼓動も、はっきり聞き取れるような激しいかたまりがすみ江をおそった。栄吉の目が光る。

「君は、もう俺を好きじゃない。愛していないじゃないか」

「好きだわ、愛しているのに…」

悲鳴のようにすみ江は言った。激しい力が押しかぶさってきて、すみ江は腕いた。怖れが背筋を走った。

「それじゃ、愛している証拠を見せてくれ」

「なにを言うの、こんなところで！」

言葉の終らぬうちに、すみ江は栄吉の唇で声を塞がれた。腕いても、叩いても、男の強い腕が身に喰いこんでくる。激しく抗いながら、すみ江は、自分の心の中でなにかが毀れ、悲しみが笛の音のように細く長く鳴りだすのを感じていた。

わがクラブ二十年の歩み

高知県土佐郡土佐町　高相4Hクラブ

郷土の発展に貢献

先輩たちの築いた歴史をふまえて

私たち高相4Hクラブの発足以来、今日までの歩みを、簡単に紹介させていただきます。

地域の先頭に立って

私たちの今日のクラブの前身は戦後間もない昭和二十四年、高知県下四番目に、高須4Hクラブとして発足した。現在、4Hクラブの基本方針の活動のもとに、構成メンバー二十二名（うち女性五名）の人員を容し、その事業としては、苗代の共同防除、これはホリドール等農薬物取り扱いの免許をクラブ員たちが取り、古奈川地区の水稲増産のため、育苗の健全促進をはかるための防除を行なっている。

これについで、水稲の品種改良に着手し、先輩たちは、愛知県の試験場へまで出向いて種子を持ち帰り、品種の改良に努めた。

また、県下に先きがけ、稲作の早期栽培をビニール苗代によって試みた。これは、地区の人たちにも広く好評をはくし、経営に取り入れられていった。また、経営面だけでなく、農家の生活改善の意味からクラブ活動の一貫として、食生活の改善のため、部落公民館にパン焼き釜の設置をはかった。この試みは、クラブ員を先頭にして、各家庭の中へと普及していった。

また、高知県連設立に際しては、わがクラブの先輩たちが果した力は非常に大きかった。このような活動を主にして高須4Hクラブは郷土の発展に大きく貢献していった。

二つのクラブが合併

その後、高須4Hクラブが結成されて間もなく、川を隔てた相川部落に同じ目的をもった青少年たちが、相川4Hクラブを結成した。相川4Hクラブのメンバーは男子十名、女子三名で構成されていた。この二つの4Hクラブは、互いに協調し合いながら活動を続けていたが、農村を包む社会情勢はあまりにもきびしく、農村では若者の都市への流出が激しく仲間たちが減少していった。

若者の少ない中で先輩たちは、このきびしい現状を打開し、より魅力ある郷土を築く意気に燃え、地理的に隣接した高郷4Hクラブと相川4Hクラブが、互いに力を合わせて、これらの問題と取り組むべく、また、活動内容を充実させるため、名も新たに、昭和三十八年四月二十五日、両方のクラブの頭文字を取り、高相4Hクラブと名付け合併を行ない飛躍的な前進を図った。

この間、高須4Hクラブでは、昭和三十六年三月に全国農村青少年クラブ実績発表大会の席上、全国農業改良協議会長賞および農林大臣賞を受賞し、その実績が全国に認められた。また、翌年には、クラブ全体が日本4H協会松下幸之助会長から表彰を受けた。相川4Hクラブは、昭和三十七年に全国農村青少年技術交換大会に、県の代表としてクラブ員一名を派遣し、全国の仲間と交流を図った。

その後の活動は、共同プロジェクトとして柿の乾燥を行ない、クラブ員の相互理解を深めた。また、クラブ員はおのおのプロジェクトをもった。クラブ活動資金を得るため、山林の下刈などを行ない、その収入金をあてた。また、日頃のレクリエーション活動も盛んに行ない、四つのHを信条として活動を続けた。

念願の集会場を新築

しかしながら、私たちの活動の中心となる、あるいは心のよりどころとなる集会場などの施設がなく、クラブ員たちは青年の家の設置を望み、ついにクラブ員の手によって念願の、青年集会場を昨年の四月に新築し、これを志を立てる"立志荘"と名付け、合わせて老朽化した柿の乾燥場を移転改築した。

また、地区連および県連との交流を緊密にし、数々の役員を送っている。そして、昭和四十三年度には総理府が行なっている日本青年海外派遣団と青年の船に、高相4Hクラブから各一名のクラブ員を送った。昨年、本県で行なわれた全国農村青少年技術交換大会には、クラブ員全員が参加して、歓迎の夕べでは、郷土に伝わる"土佐柴刈り唄"を披露した。

このようにして、高相4Hクラブが歩んできた影には、地区住民と4Hクラブを卒業していった先輩たちの手によって作られた「若鮎会」（結婚してから三十才までの農業に従事している夫婦クラブ員十五組三十名）や「南天会」（三十才以上の夫婦十四組二十八名）が現在も盛んに活動を続け、私たち現役クラブ員を理解して指導してくれたからこそ、高相4Hクラブが二十年余りの歩みを続けることができたのです。

4Hは誰れのものか

さて、私たちが、この高相4Hクラブをさらに大きく前進させ、飛躍させるためには、まだまだ解決しなければならない、いろいろな問題があります。例えば、活動のマンネリ化、これは高相4Hだけの問題ではないと思います。4Hクラブは誰れのためのクラブかということから考え直さなければいけないのではないか。4Hクラブは決して役員だけのクラブではないと思う。

また、4Hクラブへは強制されて入るのではなく自ら進んで活動に参加し、クラブ員自らの手で運営していくものだと思う。

常に前向きの姿勢で

4Hクラブに加入する場合、目的をもたずに入る、近所の人に誘われるから入る、女の子と話しができるから、入ってたから仕方なしに今までやってきた、こういう無責任な人もいるのではないでしょうか。また、役員自身があまりにも一人でやりすぎる人もいる。その結果、家を留守にしがちになる、当然両親に負担がかかる。家の人も4H活動に疑問をもつようになる。こういう悪循環がくりかえされて最後には、クラブ活動が無意味なものに思えて一年でやめるか、また、4Hクラブを去っていくのではないか。

一人の無責任な行動が、こういう悪影響を及ぼす。もう一度、4Hクラブの真の目的をみんなで考えてみる必要があるのではないか。

常に前向きの姿勢で

この激動する世の中で、クラブ員同志が助け合い、励まし合いながら自分の進路をみいだし、また、今の世の中で失なわれつつある人間愛ある仲間をつくる。このために、クラブの集会には進んで参加し、多くの人たちと接し、自分の長所を伸し、欠点を改め、常に前向きの姿勢で大きく成長していこうとする意欲をもち、同時に農村に生きる青年であるという誇りをもちたい。

そして、私たちは4Hクラブ員として、ほんとうにしなければならないことは何であるかを考え、先輩の築いた歴史をふまえ、初心にかえってこの問題を解決していきたい。

この対策としては、4Hクラブの目的の再確認と活動のあり方の研究、また、活動意欲の向上のためのプロジェクト活動の強化、仲間づくりや意見の交換などクラブ員同志の交流などの内部問題の解決。また、常に外に目を向けて視野を拡める。これらの活動を主として、魅力ある4Hクラブ造りのため、クラブ員が一体となってぶつかってゆきたい。

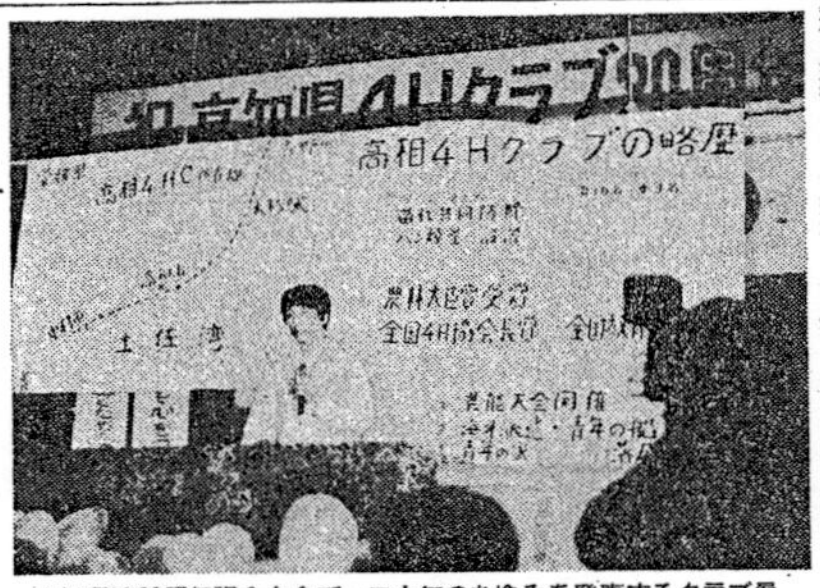

高知県連20周年記念大会で、二十年のあゆみを発表するクラブ員

青春と仲間

「和」はクラブ発展の原動力
もっと話合う機会を

愛知県海部郡佐屋町　佐屋町4Hクラブ　佐藤芳和

私の住む海部郡佐屋町は、木曽川の沖積土によって形成されているデルタ地帯であります。このために、みわたすかぎりの水田が続き、水田は湿田といわれるもので、従来までは、裏作を行なう場合は、高畦栽培の方法を行なっていました。

佐屋町は、名古屋市という大消費地を近くにひかえているため、近郊農村地帯として発展するとともに、また、住宅地帯としても発展しているのが近況です。

現在の佐屋町の農業は、水稲栽培とともに、水田利用のハウス栽培が盛んで、作付けされる主な作目は、トマト、ナス、キュウリなどがあります。佐屋町4Hクラブは、こんな状態の中で元気に活動をしています。

クラブ員の構成は、ハウス栽培をしているものが大部分で、このほか、養豚、養鶏、花卉栽培者が少数おります。現在、4Hクラブの活動は、月一回の行事を行なっており、佐屋町全域を対象にしての品評会などが大きな行事であり、このほか、先進地の見学、他クラブとの交歓会などを行なっています。

私は4Hクラブに入って一年半ほど過ぎましたが、まだ、4Hクラブが、どういうものであるかがはっきりとわかりません。最近、私は技術交換大会に出席する機会に恵まれて感じたことは、この大会では、身じかな疑問点に工夫などを加えた発表が行なわれて、とても勉強になりました。しかし、スケジュールが、ぎっしりとつまっていて、他のクラブ員たちと意見の交換ができませんでした。もっと話し合いの時間があったなら友だちももっとふえて、とじこもりがちな私たちも、広く視野をひろげることができたと思います。

4Hクラブの綱領に「私たちは実践を通じて自らを磨くとともに互いに力を合わせて、よりよい農村、よりよい日本を創るため、四つの信条をかかげます」とありますが、私たち農業をしているもの同志のつながり、話し合いの機会が少ないと思います。これは若い人たちだけでなく、年齢を経た人たちとも気軽に話し合えるような場が必要です。

それが証拠には、部落には年長という人がいて、部落の寄合いなどで、満足な話し合いもせずに、年長がいった発言が、よくも悪くも通ってしまうことが多いのです。またクラブ員の中でも、クラブの行事、行事といっているだけで、経営のことや個人的なことなど、ゆっくりと話し合うことが少ないのです。ただ個人個人が自分で本を読んだり、普及員に聞いたりして、個人的に勉強しています。こんな状態であっては、何を計画してもうまくいかないと思います。

4Hクラブ員であるならば、お互いに協力して和気あいあいの中で活動していけば、もっともよい結果が生れてくると思います。クラブ員一人ひとりがバラバラになっていては、どんな小さなこともうまくいきません。お互いがもっと連けいを深め、クラブの役員とクラブ員の全員が心を通じ合い、一致協力してことに当っていけば当然よい結果が得られると思います。また、反対意見の人も、多数決の原則から、それに何のわだかまりもたず、お互いの和をもって4Hクラブの活動に当ることが、より発展させるエネルギーになると思います。

農村雑感

祈原俊二郎

現状維持

都心から一時間半、周囲は木々に被われ、空気が美味しく、また、蛙の声や、蛍がみられたのは、都心から移って来た最初の二～三年位である。

あれから六年、今では、大会社がこの緑の小山をくずして団地造成にかかっている。朝早くから夕方暗くなるまでブルトーザーが走り廻り、日中はとても家の中で静かに本を読めるなどという環境ではなくなった。美しい自然は日一日とこわされ、小高い丘陵はみるみる平になり、緑の草木にかわって、只、赤褐色の土の波が広々と横たわっているのみである。

あと一年もすれば宅地として売り出され、土地を買い求めた人が、やがて家を建て、庭木を植えるなどして、徐々に緑が増えてくるかと思われるが、それは、これから何年先のことか。

今から十数年前までは、平和でのんびりした小さい部落であったとのことですが、その頃からあった雑貨店がつい先頃閉じてしまった。これから年々人が増えてくるのに、もったいないと思ったが、二年ほど前に小さなスーパーマーケットが二軒出来てから、急に売り上げがおち、店の経営が成りたたなくなったためとのこと。

引越して来た当初は、私もよく利用していたが、スーパーが出来てから、その店に寄らなくなった。事実その雑貨店は旧態依然とし、店内は雑然とし、ここ何年来と少しも変っていないのが実情であった。こうしたことから、閉店するのも無理のないことだと思われた。

私の家の裏に、千坪ほどの野菜畑があったが、この一角に一昨年秋に、四戸の貸家が建てられた。そこの屋主で地主であるおじいさんと道で会った折聞いてみたところ、少ない土地で野菜をつくってみても、小遣い銭にもならないために貸屋を建てたが、この方が収入は良く、しかも安定しているので都合がよい。駅の近くにある田圃には、自家消費分の稲を植えてあるが、この田圃もいつまで持っておられるか、これをどう利用しようかと今考え中とのことであった。

さて雑貨屋は閉店し、農家のおじいさんは貸屋を建てた。どちらも、出来れば従前通りの姿で過したかったことと思う。しかし、自分の方では前と同じにしていきたいと思っても、世間が相手にしなくなる。

おじいさんは貸屋という新しいことをやり、時代の波に乗りおくれまいとした。一定の収入をあげ、世間並みの生活をしようとするためには、単なる現状のままで維持することはできない。

現状維持とは、実は、たえずそこに創意工夫がなされ、改善策を講じていくことによってのみ成立しうるものではないだろうか。創意工夫のないところには退歩のみしかなく、やがて消滅へと連がるといえる。

農業をやるにしても同じである。世の中がめまぐるしく変化する今日では、よほどの創意工夫とその改善策をとり入れていかないと、現状の農業経営の維持がむずかしくなることは事実であろう。

時には大きな改善を行なっても、それはどの位の年数が保てるか。時代の流れが急激であればあるほど、創意工夫とその改善策のとり入れを、たえずなされなければならないといえよう。

（農林省・農業者大学校）

葉隠の里を訪ねて（3）

鍋島藩創設の歴史

「葉隠」の成立は、その時代の背景と鍋島藩の歴史的推移を無視して語ることはできない。

中世、肥前を中心に北九州の覇者となっていた竜造寺氏は、隆信の死後急に衰えはじめた。一旦秀吉は天正十五年（一五八七）隆信の子政家に、肥前国の内三十五万七千石の所領を与えたが、天正十八年には政家の所領を鍋島直茂にかえて与えた。この所領は、もともと竜造寺氏のものであり政家がいたにもかかわらず直茂が継いだのは表面平和にみえても下剋上による領主の交代とみるべきであろう。この付近の勢力交代が芝居で有名な「猫化け」の舞台となったところである。

鍋島氏は、いまの佐賀市鍋島町に住み、竜造寺の家臣として名をあげた。隆信の死後、政家は遺領を治める力がなかったので、秀吉は実力者である直茂に支配権を与えたが、これは大友氏、島津氏に対抗できるのは、直茂以外になく、三家の勢力均衡によって九州を保持していこうとした秀吉の大名政策とみられている。しかし、系図の上からは直茂が竜造寺氏を継承したことになっており、単なる下剋上による勢力の交代ではない。

これは隆信の母慶ぎん尼（けいぎんに）が、直茂の父である清房の後妻になったり、竜造寺氏の血筋をひく久保田、諫早、多久、須古などが、後々まで鍋島家の御親類として特別な待遇を受けているところからも、新興大名として特殊な形でおこったものと考えられた。これによって近世鍋島藩の成立が基礎づけられたのである。

ところで葉隠が生れたのは享保元年（一七一六）で、徳川幕府の封建体制も安定期に入り、島原の乱を直接経験した老人も少なくなっていた。そうした泰平ムードの中で家中のモラルも低下し、とかく風紀も乱れがちだった。そこで常朝は、鍋島侍の精神教育にバットをふりあげたくなったのであろう。忘れ去られつつある鍋島藩創設の厳しい精神を何んとか残し、次の世代を継ぐ者の心の糧としてもらいたかったのである。そこには常朝の鍋島藩をおもう暖かい人間愛が感じられる。

就農者の歓迎会開く

茨城・谷田部4Hク連協

【茨城県】筑波郡谷田部町4H連協では、このほど谷田部農協会議室で新規就農者の歓迎会を開き、激励した。

詩

光よ花よ

森　武則

光よ　ただ光れ　花よ　ただ美しく咲け
力あるものには　力ある運命が与えられる
大なる人間は　大なる運命を呼ぶことができる
ただつりをしていても
　大公望なればこそ天下を呼びよせ得る
力あるものは時を待ち　時を獲取する
大なる人間は
　自分のつり針にかかるものは　自分のものにする
それは大なる城を築くための礎石である
小さい礎石をそのまま捨てておく
彼らは自己の力を養うことを知らない
ただいたづらに　つい富むことを喜ぶ
その哀れさよ！

さあ！
大なる運命をつり寄せる力を養うことだ
自分の力を養う機会をみのがさないことだ
龍になって雲を呼べ　そして運命をよべ
雲を呼んで雲がきないときは
　無理をして呼ぶことはない
自分の力の足りなかったことを責めるばかりだ
人間の力でどうすることもできない　冷酷な運命もあろう
その運命にあって途中で死んでも仕方がない
自分はただ　自分の力を養うばかりだ
大きな運命を呼びよせ
　それをしっかりとつかんで
はなさないだけの力を養うばかりだ
それで　それで満足するんだ　俺は！
光よ　ただ光れ　花よ　ただ美しく咲け

＜佐賀県　竹の子4Hクラブ＞

生活もの知りコーナー

雨具の手入れ

◎レインコート

衿のよごれ　中性洗剤をぬるま湯に溶かし、歯ブラシにつけて軽くこすり、衿山のよごれをとります。衿全体は洗剤液でしぼったタオルでふきとり、さらに濡れ手拭でふきとり、自然に乾かして下さい。

泥はね　乾いてからブラシで泥をはき落とし、中性洗剤を一滴落としたお湯を歯ブラシにつけて軽くこすります。防水力は、アイロンをかければ回復します。

◎雨傘

必ず乾かしてからたたむこと。これを怠ると、骨にすぐサビが出ます。布の部分がよごれたら、外側だけをアルカリ性合成洗剤で刷毛（はけ）洗いして下さい。

◎レインシューズ

布に防水加工をしたものは手入れを怠ると、なかなかよごれが取れにくくなります。雨のあとは必ず洗ってしまいましょう。硼砂一、ふつうの合成洗剤一、クレンザー一の割合に水を少し加えて、ドロッとした状態にしたものを歯ブラシにつけてこすります。内側は決して濡らさないこと。必ず日陰に干して下さい。

◎パセリの栄養

パセリの栄養価を調べてみますと、ビタミンA、B_1、B_2、Cを多く含み、その他にカルシューム、鉄などの重要なアルカリ性元素をもつすぐれた野菜です。特殊成分としてピネン、アピオールという精油成分を含んでいますが、これがあのパセリ特有のにおいの本体なのです。

これは、キニーネの代用にもなってマラリアの治療や発熱患者の体力を保つのに効果があるといわれています。昔からパセリは肉類のつまとして使われ、肉の毒消しになるといわれてきました。これはおそらくピネオールの殺菌性によるものなのでしょう。

パセリは葉がよく縮れていて緑色の濃いのがよく、にんじんの葉っぱのようなのはよくありません。茎を持って軽く振ってみて葉先の落ちるものや、黄ばんだのは古いものです。

◎切手を貼る場所

切手を貼る場所をご存じですか。切手の位置は郵便がタテ長のときは表面左上部、ヨコ長のときは右上部です。これは三十六年六月一日から郵便料金が一部改正になったとき決められたものです。なぜこのように決めたかといいますと、最近横書き文書が急に増え、封筒も横書きのものが多くなり切手の位置を決めないと消印に手数がかかるので、このように決められたわけです。

会社などの封筒には、切手の位置を表示したものがありますが、そうでないときは知っていても、つい今までの習慣でヨコ長の封筒でも左上部に貼ってしまうものです。ささいなことですが注意しましょう。

日本4H新聞
4Hクラブ 農事研究会 生活改善クラブ
全国弘報紙
発行所 社団法人 日本4H協会
東京都市ケ谷家の光会館内
電話(260)1675郵便番号162
編集発行人 玉井 光
月3回・4の日発行
定価 1部 20円
一ヵ年700円（送料共）
振替口座東京 12055番

クラブ綱領

一、私達は、実践を通じて自らを磨くとともに、互いに力を合わせて、よりよい農村、よりよい日本を創るため、四つの信条をかかげます。一、私達は農業の改良と生活の改善に役立つ腕をみがきます。一、私達は科学的に物を考えることのできる頭の訓練をします。一、私達は誠実で友情に富む心をつちかいます。一、私達は楽しく暮し元気で働くための健康を増進します。

全国4H中央推進会議（前期）開く

全協・4H協会

現リーダーが研修

県連会長会議も　4Hの本質を討議

全国4Hクラブ連絡協議会（久野知英会長）と社団法人日本4H協会（松下幸之助会長）の共催による今年度前期の全国4Hクラブ中央推進会議は、さる三日から五日までの三日間、全国各県の現役リーダーが集い、東京・小金井市の浴恩館で開催された。今年度の中央推進会議は、前期と後期に分けて行なう計画であるが、今回は前期として、県連の会長をはじめ現リーダーを対象に4Hクラブの本質、プロジェクトの進め方などを中心に研修したもので、参加者は、4Hクラブ活動を推進する知識などを学んだ。また、会期中に併行して県連会長会議を開き、全協の事業計画について再確認するとともに、具体化などについて話し合い、各事業を計画どおり強力に展開していくことを申し合わせた。

全体会議で分科会の討議内容を報告するクラブ員

一日目　会場の浴恩館は深い緑につつまれ、いまだに武蔵野の面影をとどめており、研修会場には最適の場所。

開会式は午後一時から黒沢副会長（埼玉）の開式のことばではじまり、全員が起立して4Hクラブの歌を斉唱。主催者として、まず久野全協会長が、今年度の中央推進会議は、前期と後期とに分けて行なうが、今回は、現役リーダーを対象に、実践的な活動を進めるための研修を行なう。厳しい農業情勢の中にあって、いかに4Hクラブ活動を役立てていくか研究してほしいとあいさつ。ついで日本4H協会の新田常務理事が、全協と日本4H協会の関係にもふれてあいさつした。

つづいて来賓として、寺坂浴恩館主任から、励ましのことばがあり、山本副会長（青森）の閉式のことばで終了。

このあとオリエンテーション、松浦事務局長（静岡）から各自に配布された資料と会議の日程説明があり、休息の後講義に移った。

講師は、日本4H協会の新田常務理事で「4Hクラブの本質」について約二時間にわたって講義された。

このあと分科会が開かれ、参加者は七班に分れて4Hクラブの本質について話し合った（分科会討議の内容は次号に掲載予定）

夕べのつどいは室内で行なわれ夕食、入浴など生活時間について説明が事務局からあり、各部屋別に生活係、部屋長を決めた。

午後七時半から、松浦事務局長の司会で懇親会がひらかれた。参加者は広間に円座をつくり、全員でコーラス。ついで自己紹介が県別に行なわれ、お国自慢の民謡やコーラス、ゲームを混えて楽しい一ときを過した。とくに、佐賀県から出席した古賀信幸君が、八月二十四日から佐賀県で開催される「第六回全国4Hクラブ員のつどい」のキャンペーンを行ない、参加者の注目を集めた。

4Hクラブの本質

「4Hクラブの本質」に関する日本4H協会・新田常務理事の講義内容の要旨は次のとおり。

4Hクラブ活動の体系づけについて、プロジェクト活動とクラブ活動について話された。4Hクラブ活動は自分で自分を教育するシステムである。約六十年前米国ではじめられ、多くの人々の努力と知識によって4Hとして体系づけられた。世界にはYMCAやYWCA、ボーイスカウトやガールスカウト、4Hクラブという三つの青少年グループの活動があるが、4Hクラブは、ヘッド、ハート、ハンド、ヘルスという人間の四つの機能を平均に伸ばし、立派な社会人として育っていくことを目的としている。

この手段として、プロジェクトとクラブ活動があり、プロジェクト活動とは、課題解決活動（課題・計画・実践・反省）であり、これを体系づけて行ない、科学的にものを解決する能力を養う。またこのプロジェクトに関連するクラブ活動は、プロジェクト活動をより充実させるため、心や友情など人と人の関係を深め、実践を通してハートの訓練を行ない、課題解決のために仲間同志がアドバイスしていくのがよい。

プロジェクト再認識

二日目　午前六時起床、室内清掃、洗面をすませて全員広場に集合、朝のつどいはラジオ体操のあと、日程の説明や注意事項、つづいて朝の散歩。梅雨の訪れを思わせる初夏の空だが、武蔵野の朝は明るい。

午前八時から阿部事務局次長（福島）の司会で全体会議に入り昨日の分科会の報告が河東哲征君（山梨）ら六名から行なわれ、このあと質疑応答した。①農業者でなくても4H精神は必要である②技術一辺倒のプロジェクトから心のプロジェクトが必要ではないか③4Hの本質に関連してクラブの名称についての意見などが出されたが、これらに対する全協の意向が示された。また、助言者の新田常務理事から、毎日の行動をプロジェクト的に行なっているか、4Hクラブはインフォーマルなクラブである、4Hクラブ活動を通して立派な農業者になると同時に立派な社会人になってほしいなどの助言があった。

このあと、全協活動方針と事業計画について松浦事務局長、事業の細部計画について久野会長、4H会館の建設について黒沢副会長が経過をそれぞれ説明、これに対して質疑応答があった。

とくに今後の懸案事項として、全協の行事の参加者が各県連がまちまちであったり、意思の疎通が欠けて全県連の均衡が図られていないという発言があり、こん後全協と県連のパイプを太くするためにも解決しなければならない問題としてクローズアップされた。

午後一時から、講義と県連会長会議が併行して行なわれた。講義は、「プロジェクト活動」について栃木県専門技術員・湯浅甲子氏によって行なわれ、参加者は午後の眠さも忘れて真剣に聞き入っていた。ときどき質疑を混えた講義は延々五時間にわたって行なわれた（講義内容は次号から連載予定）

夜は、七時から会長会議が引きつづいて開かれ、これと並行してプロジェクト活動についての分科会と女子研修会がもたれた。

女子研修　結婚問題など話合う

女子クラブ員研修会は、昨年の中央推進会議からはじめられ好評を博し、今回が二度目。参加者は十二名（うち遅子とり八名）と少なかったが、各地で行なっている女子活動の交換、プロジェクト活動と今後の女子クラブ活動の方向づけ、組織と女子クラブ活動、また将来の結婚など身近な問題について話し合った。

組織人で仲間に寛大

リーダーの理想像を追求

三日目　起床、朝のつどい、食事のあと午前八時から全体会議が開かれた。

〈女子クラブ員研修報告〉

女子クラブ員研修の報告のあと活発な意見が交わされた。とくに、女性側から「男性は女性に何を望むか」という希望意見が出され、男性側から①正しい知識をより多く身につけ、豊かな明るい家庭生活を築いてほしい②精神的に豊かで、思いやりのある女性に③料理の上手な女性に④人間としての成長を高める行事を計画してほしい⑤農村、家庭環境の整備など、男性と足並みを合わせて近代農村を創るように努力してもらいたい⑥よりよい家庭管理者になってほしいなど、手きびしい要望が出された。

〈分科会報告〉

「4Hクラブリーダーのあり方」についての報告であったが、理想とするリーダー像については①正しい人格者であり、正しい組織人であれ②民主的な運営で民主的なクラブ活動を③己れにきびしく、仲間に寛大な態度であれ――などが話し合われたが、最後に新田常務理事から、リーダー対メンバーでなく、全クラブ員が切磋琢磨しあうのが大切で、それが4Hクラブである。また、リーダーとは、クラブ員とクラブ員の潤滑油であると助言があった。

〈県連会長会議報告〉

県連会長会議の報告は、第六回全国4Hクラブ員のつどい、全国4Hクラブ中央推進会議（後期）、全国青年農業者会議、4H会館建設など、全協が今年度かかげている重点事業についての説明や申し合わせ事項が示された。

このあと、全協が行なう後期中央推進会議について参加者を対象にアンケート調査した。これによると、期日は十二月上旬、次期リーダー養成に適したプログラム、また、農政についての学習などを望んでいる。

閉会式は、黒沢副会長の閉式のあいさつにつづいて、二宮評議員（愛知）の指揮で全員が起立して4Hクラブの歌斉唱。主催者あいさつとして、久野会長がこの会議で学んだことや申し合わせたことを県連をはじめ、末端のクラブ員に理解させるよう努力してほしい。そして一丸となって4Hクラブ活動を発展させようと力強くあいさつ。

つづいて日本4H協会宮城孝治副会長は、現在日本4H協会がかかえている問題点にふれたあと、お互いに切磋琢磨し合いながら立派な農業者、社会人に成長してほしいと参加者を激励された。

また、来賓祝辞として、梅田清雄元全協会長、寺坂浴恩館主任からそれぞれ、4Hクラブ活動に期待する旨が述べられ、山本副会長の閉式のことばで終了した。

今回の中央推進会議は、全国的な農繁期と重なったことと、年二回に分けて開催するため県連の予算的な事情などから、参加者数は例年より少なかったが、期待以上の成果が収められたようである。

18日に来日早まる

米国の4Hクラブ員二人

国際農村青年交換（IFYE）計画に基づいて、今年度わが国を訪れる米国代表の4Hクラブ員（草の根大使）二人は、来る二十日に来日する予定であったが、その後日本4H協会に届いた文書によると、十八日午後四時三十分、羽田着のノースウエスト機で来日することになった。

涼風暖風

計算部・人事管理

涼しすぎた初夏が、ようやく時候らしく汗ばみを感ずるような一日、霞ヶ浦沿岸のある部落を訪れた。この部落が住みよい農村として発展して行くためには、どんな姿が考えられ、どうすればいいかということを農業改良普及活動の面から考えるために村のたたずまいをつかもうという目的である。

田植の最中で、殆んど人通りのない村の道をキョロキョロ見ましながら歩き、墓地へ行ってみたり、留守居のおばあさんに昔話をきいたり、最後に、田植えから上ってきてくれた二十八歳の出荷組合長の話を聞いた。

六十余戸の部落で、三十九人がこの組合に入っている。若い人は十八歳から、上は五十歳位の人までいて、主力は三十歳前後である。食用甘藷の栽培が始った七、八年前に二十人位で始めた共同出荷が人もふえ、作目もメロン、みつば、かんらん、人参、施設トマト、きゅうりとふえて、一昨年から三十九人で正式の出荷組合として発足した。

役割分担として、三役のほか全組合員を販売部、購買部、計算部に分けて、月一回の全員定例集会のほか、各部の集まりが随時開かれている。計算部という名称も珍しかったし、どんなことを分担しているのか、ある期待を持って、突込んで聞いてみた。個人で選別したものを共同出荷した時一括で来た計算書を、個人割して、個人の口座に振り込む仕事だという。出荷量の多い時、一週間分も計算をためると、夕方から夜中の十二時すぎまでかかるという。本来なら農協なり、専任の事務員がやるべき仕事を、任意の小組合の悲しさで、自分達でやっているんだという。チョッとがっかりしたが、組合員の生産状況について最もよく知っているのはこの部員だということである。組合の活動について、いろんな提案が出てくるのも、この部だと聞いた。

プロジェクト活動を最もしやすいのがこの部である。この部が、プロジェクト活動をすれば、この組織は本当に発展すると思った。

ついで、各部員の割り振りはどうして決めたのかと聞いたら、組合長一任ということになって、誰をどの部に入れるか頭をしぼったという。計算部は、どうしても若い人が多くなった。部長は三十一歳、部員には十八歳から四十六歳までいると聞いた。

人事管理というのは勤め人だけにあることだと思ったら、農業者の組織にも大切なことを知った。適材が、適所で、適性を発揮するということ。これは組織のある所、すべて大切なことだと思った。家族でもそうじゃないだろうかとも。

（いばらぎ　はが）

「つどい」申込み早急に

県連会長会議　4H会館建設へ具体化図る

全国4Hクラブ連絡協議会（会長、久野知英君）は、今年度中に県連会長会議を四回開くよう計画しているが、その第一回目の会議を中央推進会議の期間中に開催した。この会議には、二十六府県連の会長と代理が出席し、四十五年度に計画している第六回全国4Hクラブ員のつどい、中央推進会議（後期）、全国青年農業者会議、4H会館建設などの事業について検討、今後、全協と県連が相携えて積極的に推進していくことを確認した。

青年会議にプロジェクトを

県連会長会議において決定、または申し合わせた事項は次のとおりである。

一、第六回全国4Hクラブ員のつどい

このつどいについては、すでに全協から開催要領が各県連に通知され、参加者の募集が行なわれている。これに関し、とくに昨年の開催県鳥取県連のあるクラブではバス一台で行く。また、つどいの前に全国技術交換大会を行なう大阪府連では、大会に参加できなかったクラブ員を対象に、つどいへの参加者を募っていきたいなど意欲的な態度が示された。

しかし、多くの県連が参加希望者の実数は把握されていない。そこで、開催までの期間も短いため極力、各県連とも会議やオルグ活動を通じて末端クラブ員に周知徹底させて参加者を募り、参加者申込み期日の六月三十日までに事務局まで報告するなど、つぎの事項を申し合わせた。

（一）協賛者に西日本新聞を加える

（二）参加者には傷害保険をかけるため、住所・氏名・年齢は、はっきりと申込用紙に書く

（三）保険証と印かんを持参する

（四）楽焼を行なうため、各自デザインを考えて参加する

（五）現地交換訪問で農作業を行なう場合もあるので簡単な作業衣を用意すること

（六）全協の発足十五周年記念式典で全協のあゆみを報告する

（七）パネル討議の主題は「変貌する地域農業とクラブ活動」とし、パネラーは別に定める方法（論文を募集）によってクラブ員四名、OB（夫婦）二名を選出する

（八）参加者名簿は、六月三十日までに前納金一人千円をそえてつどい事務局へ提出する。ただし不参加の場合は、前納金は返済しない

このほか、佐賀県連の古賀事務局長から、地元の準備状況が報告され、楽焼き皿の見本が提示された

二、全国4Hクラブ中央推進会議（後期）

今年度から中央推進会議を前期と後期に分け、前期は現役リーダーを対象に、後期は次期リーダーを対象に実施しているが、とくに後期について検討し、次のような案をたてた。

期日は十二月上旬で、会場は御殿場市の国立中央青年の家を予定。次期リーダー養成を目的に、全県連が規定の人員を参加させるよう申し合わせた。また、内容について、二期に分けた意義を明確にしてほしい。農政や青年のあり方など一般教養についても学習したいなどの希望意見があった。

三、全国青年農業者会議

これについては、全協執行部から昨年度の日程の詳細が説明され協議を行なったが、各県連の実情は、末端から県大会まで図表などを使った発表形式をとっているので、全国段階の大会でも、プロジェクト活動を推進する意味で、同様な方法で行なってほしいという強い要望が出された。

これに対し全協からは、事前に主催者側で協議するときに、この要望を伝え、次回から実現できるよう努力したい旨の発言があった。

四、4H会館建設について

黒沢副会長（会館担当）の司会で、各県連会長から募金状況の報告があった。それによると、一部の県連をのぞき募金活動が行なわれているが、全国的にみて足並みは揃っていない。しかし、関東ブロックでは各県連に募金目標額を割り当てるなど、自主的な協力体制を整えているところもある。

また4H会館という名称から、末端においての募金は、4Hクラブと農村青少年クラブの名称の違いなど問題があってはかどらないなど消極的な発言もあったが、広義な意味での4Hクラブと考えて今後協力しようと申し合わせた。

また、資金が先か、土地が先かも論じられたが、現在県連に集っている募金を早急に事務局などに送金することを申し合わせた。さらに、全協執行部から会館建設がムードだけに終らないよう募金活動を通じて4Hクラブの組織づくりを進めたいという固い決意を示す発言があった。

なお、この会議で会館建設の募金活動について、つぎの三点が賛成多数で決議された。

一、こん後、クラブ員である募金者に対しては、バッチ、門標をいっさい配布しない

二、建設委員会からの募金領収書は、一括して県連に送付する

三、各県連別募金額の中間報告を日本4H新聞紙上で発表する（三ヵ月ごとに募金額と累計）

なお、この会館建設問題では、日本4H会館建設委員会の梅田清雄副委員長（元全協会長・富山）が出席、助言した。

パネル討議出席者募集

第6回全国4Hクラブ員のつどい

全国クラブ員の一大祭典―「全国4Hクラブ員のつどい」は、今年度第六回を迎え、全国4Hクラブ連絡協議会（久野知英会長）社団法人日本4H協会（松下幸之助会長）の共催のもとに今夏、八月二十四日から五日間、佐賀市で開催されるが、最終日に予定しているパネル討議の実施要領がこのほどまとまり、出席者を全国から広く募集することになった。

このパネル討議は、今回初めて行なわれるもので、NHKのテレビ公開録画が予定されている。

パネル討議のテーマは「変貌する地域農業とクラブ活動」で、男子クラブ員三人、女子クラブ員一人と4HOBの農業経営者夫婦（一組）が出席、NHKアナウンサーの司会で行なわれる予定である。

このパネル討議の出席者（クラブ員）は、論文応募者の中から選ぶことになり、次の要領でその希望者を募集している。

論文（千六百字）審査で選出

テーマは　変貌する地域農業とクラブ活動

論文募集の要領

テーマ　「変貌する地域農業とクラブ活動」（4Hクラブ員がクラブ活動を通じて地域社会にどのように働きかけ、近代農業を建設するかなど、七〇年代の農業への姿勢とクラブ活動の関係）

資格　4Hクラブ員で道府県連会長が推せんした者

送付先　東京都新宿区市ケ谷船河原町十一、家の光会館内　第六回全国4Hクラブ員のつどい事務局

応募方法　（1）四百字詰原稿用紙四枚程度に、テーマに基づいて意見をまとめること。（2）原稿には、住所、氏名、年令、所属クラブ名などを明記すること。（3）原稿は本人が書いたもので、未発表のものに限る。（4）顔写真を添付すること。

締切日　昭和四十五年七月三十一日（当日消印有効）

出席者決定と発表　選考は、主催者代表で構成する選考委員会で行ない、出席者には、推せんした道府県連会長と本人に通知するとともに、日本4H新聞紙上で発表する。

記念品贈呈　（1）出席者には賞状と記念品、佳作には記念品を贈呈する。（2）発表者の旅費と参加経費は主催者で負担する。

備考　応募原稿の著作権は主催者に属するものとする。

◇　◇　◇

心頭技健

今年度、全協主催の県連会長会議は、四回計画されているが、その第一回目が、このほど東京都下小金井の浴恩館で開かれた全国4Hクラブ中央推進会議の中で分科会などと併行して開かれた。丁度、全国的な農繁期と重なって、全県連が出席できなかったことは残念であったが、まずまずの成果を収めたと思う▼従来の県連会長会議は、どちらかといえば、全協総会の二番煎じ的な色彩が強く、会議らしい姿に達するまでに、総会を再現し、改めて賛否を決め、それではどうしよう、という会議の進め方の観が強かったように思える。さいわいにして今回は、そういう無駄な労を費さず、最初から全協総会で決められた方針に基づき、各事業の進め方について検討を行なった▼これは従来とどこが異なって、スムーズに進行されたのかその原因は定かでないが、ひとついえることは、総会の決議事項をこの会議に出席した県連会長の大半が理解していたからだと判断してよかろう。おかしい話だが、以前は、総会への出席者と県連会長会議への出席者が異なった場合、新たに会長になった人の過半が総会の内容を知らないため、改めて、県連会長会議の席上で総会の二番煎じを演じていたのである▼このことは、お互いに一個の組織人として恥ずべき行為であって、組織での決定は、組織人である以上、何びとといえども理解していなければならないはずである。今年は新しい役員の顔も多かったようだが、このへんの引継ぎが、うまくいったのではないだろうか。お互いが心して、今後、こう努めるべきである▼もうひとつ感じたことは、既成の事項に対して、反対のための反対意見を唱える人が皆無であったことである。これは、同じ4Hの精神に結ばれたもの同志として、その手段こそ異なっても、志す目標は同じためである。ある参加者が述べていたが、オレは4Hや県連、全協を思うからこそ、その手段を強く発言したのであると。このことばからも、今後、組織の縦横の風通しをよくする場にもしてほしい。また今年は、ブロックを代表する評議員の位置づけも明確にされた。これを機会に、全協と県連、いい替えれば、組織内のパイプ役としての活躍を期待したい。

県連とのパイプに 位置づけを明確化

全協で初の評議員会開く

全国4Hクラブ連絡協議会（会長、久野知栄君）は、さる二日、中央推進会議に先だち、東京・新宿区の事務局で第一回の評議員会を開催した。

主な協議内容は、中央推進会議の運営分担と評議員の活動や位置づけについてなど。

これらの問題について全協執行部から説明があったあと、協議に移ったが、とくに評議員の活動と位置づけについてつぎの事項を決議し、欠席者に対して通知した。

一、全協の事業に対し運営委員として協力する（中央推進会議、全国4Hクラブ員のつどい、全国青年農業者会議など）

二、各ブロック内の活動状況を把握し、全協の総会などで発表する。

三、県連間の連絡調整を図る。

四、全協とブロック、県連とのパイプ役として、それぞれの活動を把握し、指導助言を行なう。

五、全協に対しての発言は、すべてブロック代表としてする。

六、各県の連絡事項を全協に報告すること。

以上のことから、評議員の位置づけと活動内容が明確化され、全協と県連のパイプ役として、各ブロックごとに特色ある活動が期待される。なお、中央推進会議終了後、全協事務局に会場を移して、再度、評議員会を開き決議事項を再確認した。

出席者はつぎの通り。

白井新治（関東）倉持春江（関東・北陸）熊倉国衛（北陸）竹尾剛（東海）二宮直子（東海・近畿）原田正夫（近畿）諏訪直樹（九州）

藤津地区4Hク女子研修会

【佐賀】藤津地区4Hクラブ連絡協議会（井上利幸会長、百八十名）では、五月十七日、鹿島市古枝公民館で女子クラブ員研修会を開催した。参加者は二十名、いずれも二十歳前後の未婚の女性、現在はむろん将来も農業に生きようという人たちばかりで、麻生県連副会長を囲み、日ごろの悩みなどを話しあった。

「男の仕事は機械化されても、女の仕事はかえって忙しくなり、食事のしたくも十分できない」とか、「農家へ嫁いた友だちが、たまにミニ姿で外出したいと思っても、周囲の目がうるさく、おしゃれもしにくい」と嘆きの声が聞かれ、また「若夫婦は、こづかいにも不自由するのではないか」と不安も投げかけられた。

一方、「結婚して、主人の疲れているときには、トラクターなども運転できるように指導してほしい」という要望や、「農家の主婦は、サラリーマンの奥さんよりもスーパーレディーでなければつとまらない。若いうちに、いろんな知識を得ておきたい」などという力強い発言もみられた。

第九回 青年農業者会議報告 果樹

品種の選択が大事 規模拡大より経営の充実

果樹作（落葉）経営者部会・第五分科会

一、品種の選択

くだものに対する消費者の嗜好の変化が、私たちの果樹経営の上にも収益性の品種間較差というような形であらわれている。

品種によって一本の樹の収益と一〇アールの収益が同じような事例さえみられる。

もともと品種は経営の規模ともいうべきものであるが、こんにちほど品種が経営を支配することが重要な意味をもつときはない。品種更新は、果樹経営における目下の急務と考える。

品種は①消費性向が高く、経済性のすぐれたものであること②自然環境や経済的条件などからみても適品種であること③共同出荷などの労力配分がうまくいくこと④気象災害、価格の暴落など危険分散もはかられること⑤地域農業、いわゆる地域の主産地形成との関連をもたせながら選択すること⑥品種構成の改善を進めることが必要であること—などを確認した。

二、経営上の問題

（一）十年後の果樹経営を展望し、果樹で自立経営をしていくための規模拡大はどうすればよいか。

（二）果樹経営には、単一種類による経営と複数の果樹を組み合わせた、いわゆる、複数経営のやり方がある。しかし、基本的には、段階の技術が投入され、低コストで優良品の大量生産がかなえられる単一経営が進むべき方向であることを確認した。

また反面、労力配分や土地の高度利用、あるいは危険分散、より収益性の増大を望む場合、単一種類内の品種構成の改善だけでは満足できないことがある。このような場合、複数経営も高度の経営組織と考えられる。だが、複数の種類は二～三種類にとどめるべきだとする意見が多く出された。

（三）主産地形成の規模は、最少の出荷単位の規模を確保することが必要である—という意見も出された。

三、規模拡大の方法

面積規模の拡大については、将来はともかく、当面は積極的な拡大を図らず、品種構成の改善、資本の増投、施設の充実などを行ない、経営内容の強化を優先すべきではないかという意見が支配的であった。

また、拡大しようとする場合、都市近郊地帯では、近くの土地は価格が余りにも高すぎるし、出作や通勤耕作をしようとしても、土地は容易に入手できない状態にある。

このため、その解決策として、国有林の解放を望む意見もあった

省力化技術については、摘果、摘粒の省力技術の確立を望む意見があった。

四、流通販売

規格の揃ったものを、計画的に連続的に出荷することが、販売の近代化の条件であることを確認した。

総体的なまとめとしては、現在は、一応現行の経営規模で着実にやっていきたい。こん後の果樹産業の情勢を考えると、集団化してコストを下げ、良い物を作らなければならない。そのためには、幅広い視野にたって経営を考えていきたいということだった。

ただ、テレビでこん後の農業ビジョンをみて感じたことは、それに到達する方法をどうするか迷うが、困難にうち勝つような経営を自分たちなりに考えたいというのが大方の意見であった。

集団で技術を収得 広い視野で目標定め

果樹作（常緑）経営者部会・第六分科会

一、課題として提出されたもの

（一）十年後の所得目標をはっきりたて、その目標を実現するための経営計画をたてなければならない。

所得目標＝三百五十万～四百万円。一部には六百万円目標の経営者もいる。

（二）所得目標を達成するためには

①個人で達成できるもの

②集団でないと解決できないものがある。

（三）規模拡大

①資金、生産費のはねかえりをおさえるため、自己資金が主体、制度資金を利用する。

②土地、所有地に余裕があるので自分で開墾する。

▽価格変動や経営不振によってみかん経営を放棄する人の土地を吸収する。

▽規模拡大は必ずしも所得増大にはならない。規模拡大は所得を高めるための手段であるが、目的は所得の増大にあるが、そのためには自分の持っている園の実状を十分知って問題点をみつけ、それを解決して現状の経営内容を充実したものにし、そのうえで規模拡大をするということを考えるべきである。その方向は、品質の向上とコストの低下にある。

（四）品質の向上

①個人の技術水準を高める。

②自主予察（グループ）早期発見、防除

③栽培ごよみで地区内の技術水準を揃える（技術者が横の連絡を十分にとる）

④その地域で、どんな栽培をすれば最高の品質、最高の収穫が得られるか早くみつける。

（五）コスト機械化による省力化ということが考えられる。

機械化は省力になってもコスト低下にならない。単位面積当りの労力は減ったが、一㌃当りの経費は高くつくといったことになる。

機械化の目的は生産物のコスト低下にある。規模に応じた機械化が必要。

二、農業経営者としてはどうあるべきか

（一）一人前の社会人として通用する（社会情勢に対応できる）

（二）技術革新に対応できるようにする（競争に勝てる経営）

このためには、一人ひとりでも勉強できるが、研究会に積極的に参加して集団で学習する。集団の参加は、集められるのではなく目標をもった集団をつくり参加する立場が必要。

（三）農業経営者としての自覚（農業をとりまく現実は厳しい）

①経営目標をはっきりする—同年代の他産業経営者、工場生産に負けないような経営。

②常に経営分析—コスト低下、儲かる方法を追及する。

③自信をもつ—農業は一時的に部分的に過剰はあっても絶対的には成長産業である。

④広い視野にたつ—日本の現状だけでなく、海外の農業事情を知る。日本の農業も国際化時代を迎えている。

（四）流通問題

①組織の整備 形式的なものでなく、経済合理性にあった組織にすべきである。

②組織の充実 出荷のための組織でなく、経営に必要な情報をふんだんに供給してくれるような方向への充実、また、加工部門をもったものになるべきである。

（五）農政と農業者

三、農業生産と生活

生産は、楽しい生活を実現のための手段である。

①主婦の仕事を自覚する。

②経営の相談相手となるようになる。

③これまでの主婦は、主人の言いなりになっていればよかったが、これからは、他人の話を聞いて自分で選び、判断行動の基準を自分でつくる（目標をもって仕事をすれば、自分の喜びは自分でつくれる）

悩み解決策を話合う

藤津地区連のクラブ員研修会

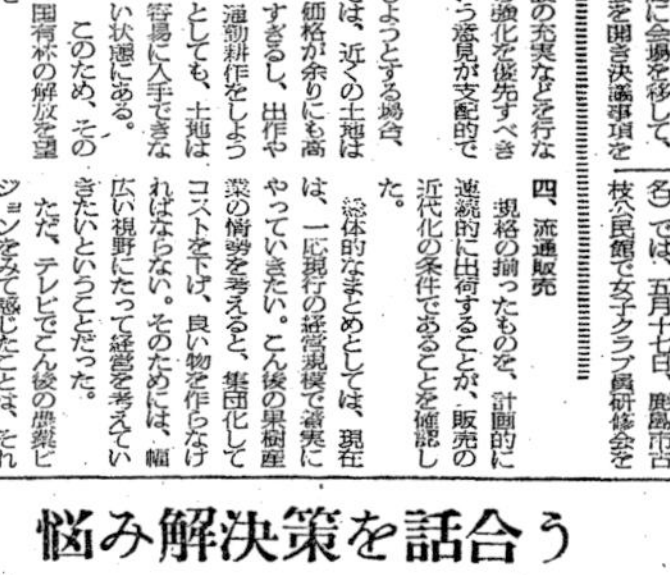

藤津地区の研修会風景

【佐賀】藤津地区4Hクラブ連絡協議会（会長、井上利幸君）では、このほど二日間にわたって国立阿蘇青年の家でクラブ員研修を行なった。

この研修会は、今年度最初の行事で、クラブ員たちが規律正しい共同生活をしながら得た知識はこん後大いに役立つものと思われる。

一日目は、貸切りバスで午前八時に藤津農業改良普及所前を出発午後一時に青年の家に到着。オリエンテーションのあと四分科会に分かれ「クラブ活動」の問題について話しあった。

この話しあいでは▽女子クラブ員が少ない▽行事のマンネリ化▽4Hクラブと農協とのつながり▽仕事とクラブ活動の両立▽部門別活動を行なう▽家族との話し合いをもつ▽4Hクラブで水稲活動を生かす▽時間が厳守されない—などの問題が出され、二日間の全体会議で討議することにした。

四時から夕べのつどいのあと夕食をとり、七時半から四団体三百五十人の研修生が体育館に集まってキャンドルのつどいが行なわれた。各団体の出し物が披露された。藤津地区連からも佐賀県の民踊「岳の新太郎さん」を全員で披露した。

やがて、女神（藤津4Hクラブの小道たづ子さん）の手で、あかあかと燃えていたローソクが消されて行き「人を愛する力が一番強いのは青年である。社会平和、日本の平和を一番願うのは青年ではないか—あとわずかな時間で一日が暮れようとしています」という担当者の声で幕を閉じた。

二日目は、午前六時半に起床、朝のつどい、朝食のあと九時から全体討議に入った。

分科会報告につづいて、各問題について次のような対応策が話し合われた。

▽定例会などで時間厳守するように雰囲気をつくる▽親との話しあいをする▽会の初めに、レクリエーションなどをやり雰囲気をやわらげる▽部門別活動をやるとクラブ員もふえてくる▽PR活動をやる▽クラブ員を専業従事者だけでなく兼業の人たちにも呼びかけて幅広く求める△二十歳までは一般的な学習、二十一歳以上は専門的な学習をする▽青年団と4Hクラブとの話しあいをして行事のバランスをとる▽県内外視察などをとり入れて、他地区クラブとの交流を図る—などであった。

125名を受入れ

全国のつどい・交歓訪問

また、同地区連では、さる六月二日、県4Hクラブ連絡協議会の小林会長、徳富事務局長を迎え、来る八月二十四日から五日間佐賀市で開催される第六回全国4Hクラブ員のつどいについて、主旨や企画、運営など全般にわたって説明してもらった。その結果、地区連役員はもちろん各単位クラブの会長にもよく理解してもらい、現地交歓訪問では、一百二十五名余りの他県からの参加者を受け入れることになった。

女子工員三十人をイチゴモニターに

栃木・青葉地区4Hク

栃木県佐野市青葉地区4Hクラブの青空会（庄田米太郎会長）では、収穫期も終りに近づいたイチゴ畑を、五月三十一日午後一時から、同市植野町の両毛産業女工員三十人に開放、無料でイチゴ狩りをさせたうえで、モニターとして意見を聞いたが、来年は有料で観光農業的なイチゴ狩りをやってみようということになった。

労働者と話合い

福島・郡山4Hクラブ

郡山市4Hクラブ連合会は、八月、市内の若い労働者と懇親会をもつことになった。昨年、郡山農業改良普及所が間に立って、試験的に懇親会を開き、好評であったため、今年は全員参加に踏切ったもの。今回は、保土谷化学、日東紡、三菱電機、コバル精密、浜津鉄工所などから約百五十名、これを数グループに分けて招く予定。

単車で研修へ

徳島・井川町農業後継ク

【徳島県＝近藤吉正連絡報道員発】三好郡の井川町農業後継者クラブ（会長・近藤武十郎君）では、さる五月二十四日、会員の親ぼくと研修をかねて単車の遠乗りを行なった。

これは、地域農業に適した作目を選ぶ目的で同郡山城町の茶園と茶工場の視察をかねて行なったもの。会員十七名が各自の単車で、法規を守りながら走行したが、なかなか見事な光景。あいにく雨模様になったが、予定のコースをまわって無事故で帰った。

校長に久宗氏

農林省・農業者大学校

農林省は、このほど新設された農業者大学校校長にさる一日付で久宗高（ひさむね・たかし）氏を任命した。

この農業者大学校は、中堅農民を育てるための教育機関で、実際には四十三年九月から農林省中央青年研修施設として運営されてきたが、さきの第六十三国会で農林省設置の改正案が三年ぶりに成立、一日正式に発足した。

なお久宗氏は、昭和十五年東大卒。農林省にはいり、四十三年六月水産庁長官を最後に退任。現在農政調査委員会事務局長、農林水産業生産性向上会議の専務理事などの職にある。五十五歳。

生産者米価決まる

四十五年産米の生産者米価がこのほど決定した。

その内容は❶生産者米価の基準は政府原案どおり据置く❷米価とは別に、品種改良奨励金として一等米から五等米まで百五十㌔当り二百円、良質米価奨励金として百五十㌔当り一等米七百五十円、二等米五百五十円、三等米三百五十円を売渡したあと二ヵ月以内に支払う❸等級間格差については政府原案を自民党要求どおり手直し、四等米価格を昨年どおりとする—などである。

この結果、四十五年産米の生産者米価は、政府の「米価水準据置き」の基本方針どおりになったが自民党側の要求した付帯労賃、生産性向上利益の還元に相当する金額が、品種改良奨励金、良質米奨励金として総額二百三十八億円（昨年は稲作特別対策事業費二百二十五億円）が支出されることになり、事実上、生産者米価は去年より二・七%の引上げとなった。

富士へ登ろう！

北駿4Hクラブ 全国クラブ員に呼びかけ

【静岡】本紙を通じて全国のクラブ員に呼びかけ、過去三回にわたって全国4Hクラブ員〝富士登山の集い〟を実施してきた北駿4Hクラブでは、ことしも来る八月三日から五日にかけて「第四回全国富士登山の集い」を実施する計画をたて、全国のクラブ員に参加を呼びかけている。

同クラブの計画によると、三日は交歓の夕べ、四日は分科会（話し合い）名所案内、午後から須走口から登山、八合目宿泊、五日に登頂、御殿場口へ下山、お別れ会などが予定されている。

同クラブでは、4H精神の交流を第一目的として、転換期の農業を乗り越える青年の意気をこの富士登山にたくそうと、過去三回の体験で得た自信をもとに大いに張り切っている。

（詳細は追って掲載）

つどいに全面協力を決める

九州連絡協議会

九州ブロック連絡協議会が、前期中央推進会議のあいだをぬって三日、東京小金井の浴恩館において開かれた。これは、九州ブロック評議員・諏訪直樹君（鹿児島）を中心に、九州各県連役員と全協役員が出席し、第六回全国クラブ員のつどいについて検討したものである。

はじめに久野全協会長から、参加者取りまとめの要請があったあと、各県連の実情が話し合われ①参加人員が少ないのは残念であるが、予算面などに問題もあるのでできるだけ協力したい（宮崎）②県連の役員四名が、つどいの推進役員になっている（熊本）など、建設的な発言があった。

また、今後、諏訪評議員を柱にして、各県連の打合わせ会議を三～四回開き、全面的に協力していくことを申し合わせた。

レクリエーションに強くなる法

クラブ活動12ヵ月 新しいクラブ員を中心に (16)

栃木県・普及教育課 湯浅甲子

タイミングが大切 数多い体験で身につける

6月

確かに、村は変貌しつつあるようだ。それも、都市化、工業化といった外的要因ばかりではなく、村の生活の体内から変りつつあるのである。その変化を持ちこんでくる張本人は青年である。

村の青年の行動は、村と町の個性をまぜあわせる撹拌棒（かきまわし棒）の役目を果しているようである。もう青年たちからは、村の人というイメージは感じとれなくなった。夜の公民館前の広場から、三三五五と町へ消えてゆく青年の姿や、町のボーリング場や、スナックなどに遊ぶ青年たちの姿は、若ものそのものであって、そこには、村も町も、農業も商業もない。自分の持ち時間を、自分の思うように自由に使う若ものの姿なのである。

こういう時代に、レクリエーションをクラブでとり入れることは、少々不自然な点がある。

なぜならば、一人ひとりが、自分の好きな方法でレクリエーションをする。しかも、時間や距離は、マイカー時代だからさほど苦にならない。そうなれば、なにも、クラブなどでレクリエーションをしないでも、各人自由にやれるではないかと思う。

それなのに、なぜ、クラブのレクリエーションをやるのだろうか。答えは簡単だ。おおぜいの仲間が集まるから、みんながそれを求めているからなのである。ということは、青年たちは自分勝手に、思い思いのレクをやるばかりではなく、みんなと愉快にレクをしたいということなのである。

みんなと愉快に、ということには、当然、ルールを守ったレクリエーションをやることになるわけだ。マイペースのレクは各自にまかせるとして、クラブでとりあげるレクは、より楽しくするためにも、ルールと計画が必要である。それがなかったら、おそらく、おおぜいの仲間をひきつける魅力はないのではないだろうか。

少々話が理屈っぽくなってしまったが、この辺で、具体的なレクリエーションの内容に入ることにしよう。

レクリエーションに強くなる法

一、タイミングの話

レクリエーションほどタイミングを大切にするものはない。どんなよい内容でも、タイミングがうまくないと、気のぬけたビール同様になる。タイミングには「いつ」という時期と「間」とか「呼吸」といわれる時間と臨機応変という、機を見るに敏なることが必要である。

いつ、レクリエーションをやるか、レクの好時期を発見することはなかなか容易ではない。いろいろの条件を重ねて判断をするのだから「チャンスは今だ」ということを、簡単に教えることはむずかしい。しかし、諸君が、グループ活動の経験の中で「あっ、こんなときにレクリエーションをちょっと入れるといいだろうなあ」と、グッドタイミングがすぎたあとで気がつくことは、案外多いだろう。

つまり、予測できないときに、突然、レクのグッドタイミングがおとずれるものだ。そして、その時期は、アッという間に消え去ってしまう。こういうタイミングを逃がさない方法は、たった一つしかない。それは、いつでも、どんな種類のレクでもやれるような準備が、手元にできていることである。

「そんなことといったって、レクが本職ではないんだから、ムリな話だ」と、反発されるかもしれない。なる程、それもそうである。しかし、そうだとしたら、いつまでたっても、レクのチャンスはつかめないでしまうだろうし、それでは、レクに強くなれないのだ。では、どうしたらよいか。

まず計画的にとり入れるレクリエーションの体験を十分積み重ねることだ。なにかの行事の中で、レクの時間が組みこまれる。そしたら、そのための準備を十分にやり、場かずを沢山ふむことである。そうすると、いろいろなレクの種類がおぼえられる。一度経験したレクは、安心して使えるし、その種類と数が多ければ、ある時、突然にレクのチャンスが訪れても、ピタッと、手持ちのレクをそれにあわせることができるのである。

レクは、むずかしいという声を聞くが、私は、そうは思わない。車の運転と同じで、まったくできない人が運転するまでになる程、むつかしいといえるかもしれないが、練習をはじめれば、誰れでもできるようになるものなのである。そのためには特別な素質など必要はない。

はやくのみこむ人と、曲乗りができるか、できないかは、いく分素質によるだろうが、ひと通り乗るぐらいなら、誰れでもやれるのである。まして、クラブ仲間でやるレクリエーションぐらいなら、クラブ員全員がうまくやれるのである。喰わずぎらいにならずに、積極的にとりくんでもらいたいと思う。

「間」とか、臨機応変というタイミングも、この計画されたレクの数多い体験の中で十分身につけることができるのである。

× × ×

養豚の一貫経営めざす

埼玉県大里郡花園村
花園4Hクラブ　持田源次郎

販売ルート改める
自家生産の仔豚を肥育

肉豚の生産と販売を

最近、声を大きくして農業の近代化が叫ばれてきており、総合農政の推進、あるいは新都市計画法の制定により、市街化区域と市街化調整区域が新しく制定された今日、農業をとりまく諸条件は、ますます深刻さを加えつつある現状であります。

私は、このように大きく変貌する現在の農村の中で、農業に取り組む一人として、ますます努力しなければと思っています。

現在、私の家は二百七十アールの耕地面積をもち、養蚕が経営の中心で、養豚、稲作、それに冬野菜の栽培を取り入れた多角経営を行なっています。このようなわが家の経営の中で、以前から私が管理してきたのが養豚でした。このように、私は養豚に親しんできたことが、養豚を拡大して行なおうという基になったのです。

□仔豚の生■産めざす

私の家では最初、仔豚を導入し、これを肥育して出荷しているにすぎませんでした。そして飼育頭数も三十頭、四十頭がせいぜいでした。しかし、仔豚を導入する際、その価格というのは多種多様であり、変動も大きいものでした。このため、高い価格で導入した豚も出荷どきの枝肉価格の暴落などで大きな収益は期待できませんでした。

私はこのとき、このままの経営では利益も少なく、ただ豚を飼っているのにすぎないではないか、こんな方法は、ほとんどの人がやればできることではないか——、こう考えた私は、仔豚を育成し、肉豚の生産から仔豚を生産する養豚家に変わろうと思いました。そして、この計画を父に話し、ヨークシャーを二頭購入してもらい、これを育成することにしました。

□肉豚に比■べて有利

数ヵ月間は、肉豚と繁殖用の育成を同時に飼育しておりましたが、徐々に肉豚を減らし、ここで得た収益を育成豚の飼料代などに回していきました。やがて、この豚も繁殖豚として使用できるようになり、私の目的も少しずつ達成させていきました。そして、生産された仔豚は、すべて販売しましたが、これは、肉豚に比べて収益の面では少し有利でした。また、肉豚を肥育しているときに比べて、労力の面でも少なくてすむことがわかりました。

私はその後、徐々に育成豚を殖して七頭の繁殖豚を飼育し、仔豚を生産し、それを肥育して販売するようになりました。私は高校を卒業して以来、今日まで行なってきた養豚経営をもう少し大規模にしていきたいという夢をもっていましたが、あるとき、自分は豚を飼育しているが、この飼料はほとんど輸入飼料に頼っていることに今さらながら気づきました。

日本の家畜の飼料は、外国からほとんど輸入されているのだし、もしこれが何かの関係で、日本に入ってこなくなったらどうなるのだろう。豚は四本足で立っているけれど、もし飼料が入ってこなかったら、少なくとも三本足はなくなってしまうだろう。そうすれば一本足で立っていられるはずがない。このことは、養豚経営が日本で成り立っていかないことを意味するのです。

□一年間米■国に学ぶ

こう考えたとき、私は一度でよいから外国の養豚経営をこの目で見、聞き、学びたいと思い、両親に相談したところよい返事が得られませんでしたが、私は決心し試験をうけたところ、一年間アメリカの養豚を学ぶ機会を得ることができました。そして、私はアイオワ州の養豚農家に入り、実習しながら、できる限りアイオワの、そして、アメリカの養豚を学びました。

私の入った農場は、すべて養豚の一貫経営農家でした。

□生産から■販売まで

帰国後、どうせ豚を飼うなら、仔豚の生産から、肉豚の出荷まですべて自分で行ないたいと思うようになり、このような動機から、養豚の一貫経営をはじめることについて考えてみました。その結果養豚の一貫経営は、つぎのような有利性があることが、わかりました。

一、仔豚の価格変動の心配がない（自家生産の仔豚を肥育することができる）

二、自分で好む繁殖豚を飼育できる（例えば、私の場合ランドレースと大ヨークのFにハンプシャーを使っての三元交配を行なう）

三、中間マージンを省略できる（仔豚市場を通さなかったり、業者が中に入らないため、利益が多い）

四、ストレスが少なく肥育への移行がよいため、肥育回転数が高められる（仔豚の輸送中におこりやすい下痢、疲労などがない）

五、仔豚の計画的な生産により施設の高度利用ができる

このような利点が考えられ、この一貫経営をはじめました。現在二百頭入りの肉豚用豚舎を建築しましたが、これからは、繁殖豚の頭数を殖して、少しずつ規模を拡大していきたいと思います。

□枝肉にし■て問屋へ

現在は繁殖豚が少ないため、仔豚の生産が間にあわず、他からも導入しています。これは固定施設の利用率の向上のために行なっています。また、同時に育成豚（繁殖用）も飼育していますが、これが繁殖豚として、その成果を十分果すようになるまでは、他からの仔豚の導入もやむを得ないと思います。そして、これが繁殖豚として使用できるようになったとき、私の養豚経営も軌道に乗るものと思います。

この一貫経営が達成されたときは、自分で肉豚を屠場にもっていき、枝肉にして問屋に販売するようにしたいと考えています。

これからの養豚は、ただ単に仔豚の生産や肉豚の生産者だけに終らず、販売のルートにも関心をもち、生産した肉を有利に販売できるような方法を行なうべきだと思います。そして、将来は、わが家の経営を養蚕と養豚を中心にした経営にもっていき、地域と密着した農業を行ない、地域の発展のためにつくせるよう頑張りたいと思います。

私のプロジェクト

雑草見当らない室内
温室農家を視察
静岡の浜北市4Hクの施設園芸部

【静岡県＝三谷優宣連絡報道員発】浜北市4Hクラブ連合協議会の組織の中にある施設園芸部（部長、市川勝彦君）は、さる五月二十日、浜北市内の温室農家やクラブ員宅の温室を視察した。

当日は、同市中瀬農協に部員十五名が集合し、午前十時から視察を行なった。

この浜北市は、とくに施設園芸（セロリー、メロン、モロキュウリ）の産地で、年間売り上げ五億円をあげている。

温室農家の訪問でとくに印象に残ったことは、温室の中が大変きれいであることだった。雑草などはみられない。春作メロンは、つくりよいためか、どの家もすばらしいネットのでたメロンが多い。

この地方は、メロンづくりに使う土がないため、土壌消毒機を使用する農家が多い。数年前まで七五アールくらいの温室が多かったが、現在は一二〇アールの大型温室が多くなってきた。

ここで同クラブの施設園芸部について紹介してみよう。

まず事業としては、定例会を月二回、温室視察（県内、県外六回）PHの研究会三回、土壌消毒機の研究会三回、研修旅行一回、レクリエーション（ハイキング一回）などを計画している。

年令は、十八歳から二十五歳までで、ほとんどの人が独身者である。部員宅の経営はメロン栽培が主体で、面積は一戸平均一五〇アールである。

この地区連の人たちは、夏の技術交換大会（西部地区、県大会）やリーダー研修会などに積極的に参加しており、なかなか活動家が多い。ほ場で上げた収益は、個人プロジェクトの推進費や県外視察費の助成、4H会館建設への協力などに使う予定で、社会奉仕事業として市の青少年の家の周辺にさくらの木を植える計画をたてている。

また、地区連の特色は、地域青年団との連けいで球技大会、運動会、駅伝大会などを合同で行なっている。

なお、小松良雄会長は「ことしは、とくに共同プロジェクトの充実をはかると同時に、各種の大会や研修会などに積極的に参加して視野を広めたい。毎月の定例会では個人プロジェクトの発表を進めるようにしたい」と抱負を語っている。

また、なにぶん未熟なクラブではありますが、全国4Hクラブのみなさんにご指導いただきたいと願っている。

駅や公園に草花を
花いっぱい運動展開
富山・高岡4Hク

【富山】高岡市4Hクラブ（会長、谷保茂司君）は、さる三日午後から同市内の四ヵ所で、花いっぱい運動を展開した。

この日、国鉄西高岡、戸出、二塚の各駅構内と古城公園小竹薮にわかれたクラブ員たちは、自分たちの手で栽培したアスター、百日草、ひまりなど五種類の花草を一ヵ所三百本ずつ植えた。

クラブ員たちは、田植が終ったとはいえ、忙しい仕事の合い間をぬって、午前中、同市一の瀬の農業青年会館で料理講習を開き、試食した後、草花の植えつけにくり出したもの。

小竹薮には八人のクラブ員が車でかけつけ苗を植えたが、そばにはバス停もあり、朝夕の出勤どきには一千人もの会社員や学生が往来するため、美しい花をながめてもらおうと、思い思いの手つきまで苗を植えるクラブ員の表情は明るかった。

農業白書 （7）

兼業化、上層部に
年々ふえる生産の組織化

農業経営の動向と背景

二、自立経営の形成と協業等生産組織

（ア）農家戸数はいぜん減少を続け、四十三年には前年より一・三%減の五百三十五万一千戸となった。離農農家数は三十六年以降で最も少ない七万四千戸、総農家数に対する比率は一・四%であり、都市近郊と平地農村で離農率が目立って低下している。

経営耕地規模別にみると、都府県では一ha前後の中間層の減少率が高まったのに対し、〇・五ha未満層は微増、二ha以上層はひきつづき増加した。北海道も下層の一ha未満層と七ha以上とくに一〇ha以上層で増加し、中間層での減少率が高まるなど都府県と同様の傾向を示している。

（イ）世帯主またはあとつぎが非農業部門に就業している兼業農家（二種農家を含む）は、七四%を占める三百九十八万戸に増加し、都府県の二ha以上層でも三三%に達するなど兼業化が上層にも広がっている。雇用機会の増大を背景に兼業化が広範な層に及んでいるが、都市化地域を中心に零細耕地所有の兼業農家が滞留している。経営規模を縮少した農家の処分農地は他用途への転用や不作付地等の割合が大きく、耕地規模拡大に結びつく度合いは小さい。

（ウ）従来の報告と同様、農家と生活環境の類似した町村在住の勤労者世帯の勤め先収入を世帯員一人当たりで均等して、水準以上の農業所得をあげている農家を自立経営農家とみなし、その下限額を試算すると、四十三年度は百十八万円（前年度百三万円）となった。この下限農業所得以上の農家を「農家経済調査」の調査対象農家の分布から推算すると、戸数で一〇%（前年度一三%）、農業粗生産額で三〇%（前年度三五%）のシェアを占めた。ほとんどの地域ないし経営組織で自立経営のシェアは前年より低下しており、農産物価格の上昇等に依存してシェアを高めてきた前年度までの事情と異なっている。

（エ）自立経営農家は、土地、労働、資本の規模が一般の農家にくらべて大きく、生産性、生活水準も高い。また自立経営農家であとつぎが就業しているもののうち、農業に専従しているものは約六〇%を占め、かつ過半の自立経営農家が経営規模の拡大を望んでいる。

（オ）農業生産から流通に至る段階での大型高性能機械、施設の開発など、新しい技術の進歩に伴って、生産の組織化がみられる。水稲の集団栽培組織は年々増加し、四十四年度には一万三千六百四集団、水稲作付面積の一〇%におよんでいる。

また、大型機械、施設等の共同利用を主目的とした組織は、四十三年には水稲（六千三百六十九）をはじめとして一万三千四百七を数え、農協等が主体となって、作業受託組織が九百一となっている。水稲の生産組織のうちライスセンター、カントリーエレベーターを利用するものは三百十四組織にのぼっている。

これら生産組織は、技術の高位平準化を通じて労働時間の節減等に役立ち、組織の中核となる専業的農家層における高能率機械化技術の蓄積に貢献しているが、参加農家間の負担と受益の不均衡、機械や施設の利用率の低さなどの問題もある。

（カ）協業経営は四十一年をピークに減少しているが、その過程で農事組合法人は制度発足以来一貫して増加し、四十四年には千八百四十一法人を数えた。

協業経営は農業所得の増大を主目的としているが、補助金や融資等の活用、税金対策等設立の動機はさまざまである。最近では新設よりも解散の事例が多いが、その過半は個別経営に分割されており、参加農家の三〇%が作目規模を拡大している。協業経営は大規模経営の運営に必要な技術や経営管理能力等を修得させる効果を持ち、個別経営の発展に寄与している面もある。

初夏の風物
栗の花咲く
緑と白も美しく

▼濃い葉のみどりと白い花—。みどりと白のコントラストも美しく、初夏を待ちわびて咲いた栗（くり）の花が真っ盛りだ。

▼白く細長い花房は、人びとの目を引きつけるというはなやかさはないが、ひっそりと静かに咲く栗の花は、淡々として哀れにも似た美しさを思わせる。初夏の夜、月に照らされて、白くポーッと霞んでみえる姿は、初夏の風物詩のひとつといえよう。

▼最近、農家でも果樹栽培熱が盛んになり、とくに栗栽培は、労力の省力という意味から都市近郊地帯の農家でも盛んに栽培されるようになった。しかし、いくら栗の木とはいえ、あまりの粗放栽培では結実はむずかしい。栗の実が熟す秋の頃を思うとき、真心を込めて手入れをしたいものである。

農業簿記

京都大学名誉教授　大槻正男

＜自計式農家経済簿記＞

補助簿

貸借整理帳

貸しや借りに関する取引は、その発生のつど、現金現物日記帳の「財産的収入」欄、または「財産的支出」欄に記入されるのであるが、さらに借り主別に分類整理し、そのときどきの貸借状態を明瞭にしておくことが重要である。貸借整理帳はこの目的のために特設されたものである。

貸借整理帳は「貸しの部」と「借りの部」とからなっている。「貸しの部」で整理すべきものは、準現金のうち有価証券類を除いた全部であって、預金・貯金・貸付金・講および保険金などを借り主別に（詳細にいうと、預金については銀行別・当座定期別・名義別に貸付金・売掛未収入金については借り主別に、講については種類別に、保険金については種類別・名義別に）分類整理するのである。ただし、預金・貯金・保険金などのように、その貸借関係の明瞭なものについては記入を省略してもよい。

「借りの部」で整理しなければならないのは、借入金・買掛未払金の全部であって、借入金・買掛未払金をその貸し主別に分類整理する。

「貸しの部」の「口座」には、まず財産台帳の「準現金」から借り主の氏名または商号を、「借りの部」の「口座」欄には、財産台帳の「負債」から貸し主の氏名、または商号を拾い出してそれぞれ口座とし、1口座に10数行ずつをあてて記入する。そして、予想される取引度の多少によって適宜行数を増減しておくのである。

「摘要」欄には、貸借発生の原因・契約の条件などを記入する。「貸しの部」にあっては、前年度からの繰越貸しのある口座の場合には、その繰越高をまず第一に年度初めの日付で「残額」欄へ記入し、「摘要」欄には「前年度から繰越し」と書く。年度内に発生した貸しは、現金現物日記帳に「財産的支出」として、また、貸しの返済受けは「財産的収入」として記入されるから、そのつど日記帳からその日の日付で前者は「貸し」欄へ後者は「返済受け」欄へ転記し、その残額を必要に応じて算出して「残額」欄に記入する。

「借りの部」においても、その整理のしかたは「貸しの部」と同様である。これについては、前年度からの繰越借りのある口座の場合には、その繰越高をまず第一に年度初めの日付で「前年度から繰越し」として「残額」欄に記入し、年度内に発生した借りを現金現物日記帳の「財産的収入」欄から「借り」欄へ、また、その返済を「財産的支出」欄から「返済」欄へそれぞれ転記し、必要に応じてその残額を「残額」欄へ記入するのである。

年度内に新たに生じた口座の場合にも、まず第一に年度初めの日付で「摘要」欄に「前年度から繰越し」と書き、「残額」欄には0と記入する。

その他に関しては、前に述べたものとまったく同様である。

年度末には年度末残額をそれぞれ算出し、最後の行に年度末日付で「次年度へ繰越し」として、「残額」欄に記入する。この年度末残額は、財産台帳の「準現金」または「負債」の年度初め（即年度末）「価額」欄に記入される年度末あり高と一致しなければならない。そこで、年度末には記帳に誤りがないかどうかを確かめるために、各種預金・貯金などの通帳その他について、念のため一応年度末あり高を実査し、この整理帳におけるそれぞれの年度末残額と一致するかどうかを照合してみる必要がある。

NHK農事番組
（6月21日〜30日）

テレビ

明るい農村　6・30〜6・55　総合
22日　村の記録　町長先生奮闘記（和歌山県桃山町）田中功
23日　きょうの話題　ことしの米価をめぐって（RFD座談会）
24日　産物往来　たまねぎ（兵庫）
25日　話題の広場
26日　村をむすぶ　フイルム・リレー
27日　農村新地図　大分県九重町
29日　村の記録　減反米価（秋田）
30日　きょうの話題　第二回世界食糧会議に出席して
農業教室　7・30〜8・00　教育
22〜30日　優秀農家の経営発展
あすの村づくり　日　7・00〜8・00　教育
21日　▽グループだより＝白いぼきゅうりの栽培に取り組む▽仲間とともに＝都市化の中の青年活動▽先輩と語る＝養鶏にかけた開拓魂
28日　▽グループだより＝理想の農家住宅を考える▽仲間とともに＝特産地づくりの条件▽ある青年像＝大型茶園経営をめざして

ラジオ

早起き鳥　5・05〜6・00　❶
21日　話題の窓　ルポ＝健康と農民（八千穂村の十年）
22〜27日　農村工業化と農民
28日　▽座談会＝農村工業化への提言（木内信胤、福武直ほか）
29日　現地報告　生れた養鶏団地（徳島県石井町）
30日　人と話題　第二回世界食糧会議に出席して
ラジオ農業学校
月〜土　6・40〜7・0　❷
21日　▽優秀農家に学ぶ＝高収益をめざす洋らん経営（愛知県半田市岩滑中町）伊藤賢一
28日　▽農業講演会＝（秋田県）

あしたの青春

一ノ瀬綾
え　多賀愛子

＜30＞

出発（三）

日曜日、すみ江はめずらしく朝寝をした。昨夜良く眠れなかったので、頭の芯部に鈍痛があった。うとうとしていると、勝手の方から母の使う庖丁の音がする。蚕がないので、のん気にかまえて、すみ江を起こさないのであろう。それをいいことにすみ江はまた毛布を頭上まで引っぱり上げた。

暗い意識の中で、昨夜の栄吉の行動が、荒々しくよみがえってくる。（男の力って、おっかねえもんだ……）軀の芯にまだ栄吉の腕の力が残っていて、身動きすると、胸が痛んだ。

結局は、突きはなして逃帰ったのだが、バスの駅へ向かいながらすみ江は、栄吉がまるで別の男になったような怖れを感じた。

男女の愛の交渉が、最後にどうなるかは、知識としてすみ江も知っている。なぜ自分は押しつめられて、栄吉を怖いと思ったのか、悲しくなったのか、逃げ出したのか、今考えてもうまく説明がつかなかった。

結婚……もうそんな話にはふれずに、以前のような只の友達に戻れないものか。会社へ行って顔を合わせたらどうすればいいのか……すみ江は大きな吐息をついた。

「おい、起きているのか……こら」

毛布の上から、突然、新一の声がした。忘れてしまっていた、やさしい甘えた時の弟の声であった。すみ江は顔を出した。

「どうしただよ、ゆうべ。唸ってたぜ」

中腰になってのぞきこんだ新一の瞳には、いたずらっぽい笑いがあった。

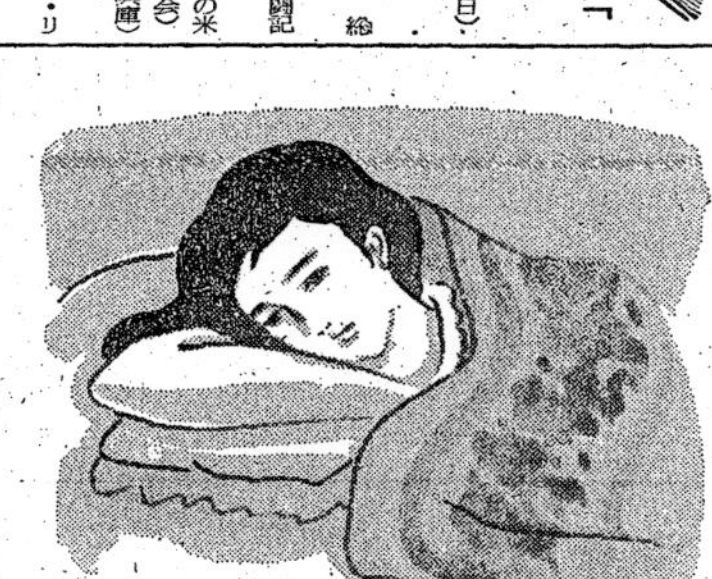

「ほんとうに、唸った？」

「ああ、うん、うん、言ってたな。俺が目を覚ましただから、相当なもんだ」

すみ江は、顔に血が昇った。なにか口走りはしなかったかと気になる。たくましい新一の体軀を、下から見上げていて、ふと、すみ江は、弟も恋人を見つけたら、最後には栄吉のように強い力で、女の子を抱くのだろうかと思ってみた。

「新一、おまえ、好きな女の子、いるの」

突然の質問に、新一は笑い出した。

「腹でも痛かったのかと、こっちが心配しているのに、なにをトンチンカンなこと言ってんだ……バカ」

言い捨てると、新一は境の襖をしめて、さっさと自分の部屋へ引っこんでしまった。

すみ江は急に淋しくなった。新一が、以前の新一に戻っている。目の色も、口のきき方も、すみ江が知っている小さい時からの、弟のものであった。

「どうしたのかな」

すみ江ははね起きた。頭痛などかまってはいられない。明るくて、にじむような嬉しさが、姉の胸を熱くしていた。

身仕度をしてから、勢いをつけて新一の部屋の襖を開けた。

「なんだ、入る時はノックをするもんだ」

振り返りもせず、新一は机に座って、なにか書いている。部屋はきちんと片ずいていた。

「へえ、朝から勉強とは、恐れ入りね」

「手紙だ」

「誰に？こんな早くから……」

「うるせえな、少し黙ってろ」

口ほどにもなく新一は、そのまま机の上を片ずけると、振り返ってにやりと笑った。

「すみ江さんは、いつお嫁になられます？」

「行かないよ。このまま鬼千匹になって新一のお荷物になってやる！」

すみ江は、弟のふざけに乗るのがたのしかった。目をはなしたら、また昨日迄の弟に戻りはしないかと不安が湧く。たしかめて、母に知らせたかった。

「荷物はこまるな、早いとこ嫁ってくれや」

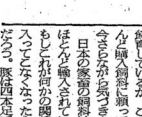

派米草の根大使より第一信

さる五月十三日、羽田からアメリカへ向けて出発した今年度の〝草の根大使〟（派米4Hクラブ員）＝坂本重子さん(二三)山口県岩国市・岩国グリーン4Hクラブと、古川みどりさん(二二)岐阜県多治見市・小泉4Hクラブ＝の二人から、このほど同国での生活について知らせる第一便が日本4H協会に届いた。二人は、国際農村青年交換（I・F・Y・E）計画に基いて日本4H協会から4Hクラブ員代表として派遣されたもので、約六ヵ月間同国に滞在、農家の一家族として生活し、農業やクラブ活動などについて学ぶとともに、民間外交官として日米両国の相互理解と親善に努めることになっている。

日米 同じ課題持つ4H
家からの手紙にシュンとなる

山口県・岩国4Hクラブ　坂本重子

二人からの絵葉書、ワシントン州西部のタコマ港とレインニャー山

私は、十八日に古川さんと別れて、午前八時十五分から午後五時四十五分までの長いバスの旅をして、大学のある町プールマンに着きました。ここは住民八万人、学生二万人の砂漠地帯にある、ワシントン州二つの公立大学のうちの一つがある町です。バスの長旅で酔い、全くよい旅行ではありませんでした。砂漠――といっても、低い木が一面にはえている丘がある風景で、砂地ではありません。農家から農家への距離は遠く、農家は牧草を育て、それを売ることによって生計をたてているようです。

砂漠のなかの大学町へ行く

プールマンでは、大学近くの家にお世話になり、六月一日、今後の注意、4Hクラブ、農業などの説明を、ワシントン州で研修するジャマイカの女の先生、スウェーデンの男の大学生と三人で聞きました。私には、二世の大学の先生と日本人の奥さんの御夫婦が通訳としてついて下さり本当に助かりました。

わたしは16歳？ 森林警備員の家へ泊る

家庭での生活は、十三歳の女の子と、十六、七歳の大学へ通うため下宿して、炊事、洗濯などを手伝っている女の子にとても親切にしてもらい、楽しい家庭生活を持ちました。そして、最後の夜は、奥さん、女の子、友達と四人で映画「ロメオとジュリエット」を見に行きました。アウト・ラインしか分りませんが、とてもよい映画でした。

ここでの生活を終え、二十日には最初の家庭であるカーソンへ、午前十一時五分のバスでスウェーデンの人と途中まで一緒に過しました。彼も英語を勉強中なので、片言の会話で話し合い、とても楽しい旅でした。目的地ステーブンソンへ着いたのは、午後の九時十五分ですが、彼と別れた後は、バスの運転手さんに近くの歴史（インディアンが住んでいたこと、その道具がある位置、スカンクが出ることなど）を聞いたり、お金の価値観をいいあったり、楽しく、しかもこっけいに話し合いました。ステーブンソンには、私のお世話になるグラッソーさんの奥さんと、郡の指導員の方が来て待っていて下さり、写真を撮って、ここから約十㌔離れたところにあるカーソンからさらに二〇㌔入った森林警備隊員の、七戸ある住宅の一戸へ落ちつきました。

ここは農務省の職域管轄内で、一九〇九年に山火事の後に苗が植えられたのが発端、百二十五万エーカーの山に八千万本の苗木が植えられて、水をスプリンクラーによって朝八時ごろから夕方七時三十分ごろまでかけており、美しい風景です。木の種類はもみの木の一種ダグラスフィア・ウッドがほとんどです。二十人の警備員と数十人の労働者で仕事が行なわれています。賃金は一週間五日働の十時間労働で、一日三十ドルから三十五ドルと相当に高いのですが、日常品などすべてが日本の二、三倍なので、あたりまえのようにも思います。

私は森林と関係ありませんが、湖と森林に囲まれて生活している今は、山についてたくさんのことを教えてもらっています。お世話になっている家の御主人の仕事は消火、消防です。御夫婦には八歳と五歳の男の子がありますが、二十七歳、二十四歳と大変若く、二つしか違わない私は、おさげ髪にして毎日を送っているので、なんとも変な気分です。ここでの私は十六歳、近所の人からそういわれます。

ここでは、婦人十二名、指導者一名によって開かれた郡の役員会に参加しました。手持ちの菓子、ジュースを、食べながら飲みながらのなごやかな会合、内容は六月の行事、一九七〇年から七一年の課題提出と決定、役員の選出が行なわれました。役員は議長、副議長、書記、会計、報告者各一名、決定課題は❶環境整備（空気汚染）❷通信、広告による風紀の乱れ❸衣料の購入法❹料理を安く作る方法❺裁縫と編み物❻薬の乱用防止について、これらの対策、計画、実行の六項目です。これらの内容は日本とあまり変りないように思われます。

子供たちとも仲よしになる

その他、鮭の養魚場へ行って魚の勉強をしたり、教会教徒によるピクニックへ出席したり、学校を一日見学したり忙しく過しています。先日、4Hクラブの馬のプロジェクトの会合へ出席して、少年の乗馬の様子を見学しました。クラブ員の一人である近所の女の子に、「貴女にとって4Hとはなにか」と質問したら、「楽しみ、あそび」という答えが返ってきました。彼らのクラブの雰囲気を見てその意味が分りました。やはり日本とは発展の仕方が異なります。どちらがよいか分りません。これからドシドシ勉強します。

会話の方は理解することができるので、日本の生活と変りなく、マイペースで行なっていますが、話すのがうまくいかないので、子供を相手に話すときは弱ります。彼らにとっては、私の存在が珍しく、字を書くときなどすぐに寄ってきてみます。先日、クラスを訪問したとき、二十一人の生徒に日本語でのサインを求められ、書くのに大変でした。近所の奥さんに「大人の人は私の言葉を理解して下さるが、子供はサッパリなので困ります」というと、「貴女は笑顔で子供に接し、子供を好いた行動をしているから、話せなくても、子供も貴女を好みます」といわれて、とてもうれしく思いました。

今は、辞書を片手に子供の本を読んで、会話のポイントをつかもうと懸命です。なんに対しても不思議そうな顔をして質問する私に、人々は親切に教えて下さいます。英語も、外人も、岩国で身近に感じていたので、入ってしまえば日本人と変りありません。異なる点は言葉だけ……そう思っていますが、家からの手紙が届くと、やはりシュンとなります。

古川さんから元気との便り

今日は、奥さんのお兄さん家族が来ておられ、家の中がとてもにぎやかです。私は雰囲気の中へうまく溶け込めないので、近所のクラブ員のところへ行って、4Hの様子を話してもらおうと思っています。古川さんより、手紙がきました。彼女も元気で頑張っている様子で安心です。よく連絡を取り合って頑張ります。

困る言葉の問題
身振りでやっと話を

岐阜県・小泉4Hクラブ　古川みどり

五月十三日にシアトル着。十四、十五日とニュージーランド男女各一名、オーストラリア男一名、フィリッピン男二名、女二名と私達二名でオリエンテーションを受けました。このオリエンテーションは、アメリカの農業はじめ人柄、習慣などが話され、ときには恋愛問題、人種、政治のことなども話題としてだされたのですが、私達二人にだけは、理解できませんでした。

五月十六日、土曜日でフリータイム。朝食後、部屋でお互いに英語の勉強をしていたら、農業研修生派米協会の方からTEL（一時半）があり、近くの養鶏場と牧場へ行ってきました。

たくさんいる日本人研修生

養鶏場では、三十万羽を専門に育成しており、三名の日本の人が研修しています。ウィンドレス舎で、一舎に一万五千羽も入っています。おまけに出荷が二十二週齢なので、光線などの調節で初卵日をずいぶん抑制していました。くわしいことは書けませんが、「やはり、この土地ならでは……」と思わせられます。

牧場には二百頭余の乳牛がおって、種類はこの土地に珍しくニュージャージー種だという。ここにも一人の日本の人がいました。彼は「十時間くらいは働いているつもりですが……」とのことでした。牧場内には、ミュージックをはじめ、なにかが必ずスピーチされています。そうすると乳量が多くなるのだといいます。シアトル郊外をはじめ、ワシントン州、オレゴン州には、このような農場で働いている研修生がたくさんいます。

飛行機なみに快適なバス旅

さて、十七日は近くの家庭に招かれ十八日から二人は一人ひとりの旅をはじめました。午前九時十五分シアトル発、一路オレゴンへ。午後三時四十分にカーバリスにつくと、4Hの人がいて、彼女の家へつれていってもらいました。バスは長距離用のためか、昼食をはじめジュース、ドーナッツなどのサービスもあり、飛行機なみの快適さでした。夜は中華料理店へつれていってもらったのですが、やはりアメリカ式であって、今まで食べてきたものと違っていましたが、せめてはしを使って食べただけでも、満足すべきだと思いなおしたことでした。

十九日昼、最初の家庭へ行きました。ミルウォーキーにあり、夫婦と男女各一名ずつ（十三歳と十一歳）の四人の家庭です。

一番困るのはなにをおいても会話。話し合わなければ相手を知ることはできないし、知らなければ親しみは出てこない。出発前から予想していたことですが、手振りや身振りで通じさせるのは、最低以外のなにものでもないと思っていたのが、的中したようです。

4H集会へ出席

十九日夜は4Hの集会へ、二十日夜はキャンプ・ファイヤー・ガールズ集会へ行きましたが、内容を理解することができません。これほどじれったく、くやしく思われたことはありません。「今までの人々もこんなにわからなかったろうか……」と考えながら、日本の英語教育の虚しさが身にしみました。しかし、一人勉強する以外にないようです。

この家庭はポートランドに電気店を持っており、修理も兼ねています。夫人の話によれば、春、夏は目のまわるほど忙しく、冬はひまなので、今日（二十一日）も家にいて、庭の改造をしています。

彼女は4H関係のリーダー格で、娘のオードリーは多くの団体に属しています。食事をはじめすべてが、夫婦を中心に行なわれています。彼女は子供のようにカラッとした明るい性格で、とても早口です。来週は、息子ダビッドの教室でスライドを見るので、それまでにもっと英語に慣れなければなりません。

夏期講習など予定びっしり

ここの生活は三十一日まで、六月一日から十四日までは、オレゴンのケンス・マーブル氏のところへ行き、その後、4Hの一泊キャンプとサマー・スクールへ参加します。英語で四苦八苦のこのごろをお知らせしました。ではこの辺で失礼します。

農村雑感　まとも

祈原俊二郎

世の中を「まとも」に生きることは、大変むずかしいものである。「まとも」に生きるということはどういうことなのか。自分をいつわらず、自分の信念のうえにたって日々をすごしていく、そうした生き方こそ本当の姿であるといえよう。

そのためには、たとえ社会のすみで、陽のあたらないところであっても、自分の信念に応じその信念を実行して生きて行くという事実は世の中を「まとも」に生きていくことに連がるものといえる。ただし、「まとも」に生きるといっても、そこには定められた常識があるはずで、非常識な行動があってはならない。また、行動にあたっては義務を果すという責任感を十分心得て行なうべきであろう。

このような清廉な考え方を持ちたいといっても、現実には、社会的に成功し、自分の地位や名声も得ようとし、その成功の中で充実した生活をやっていきたいと願うのが常道である。しかし、日常の生活の中では、必ずしも皆が考えているほど実現し、成功するとは限らない。

ここにおいて、理想と現実に大きなミゾを見出し、そのミゾが、実は社会の矛盾ということに連がるようになる。本来なら心正しく、清廉に生きる人は社会的に認められて然るべきであろうが、そうした人は、社会の一隅で小さい花、しかも、あまり目につかない花として、咲いて散っていくことが多いのではないだろうか。

社会の矛盾、それは自分自身の矛盾でもあるが、そこに社会の裏面があることを発見する、実は裏面を有しているということ自体が、本来の社会だかも知れない。しかし、それを肯定してよいだろうか。

T君は農村出身であるが、他の村に行ったときの感想を次のように語ってくれた。

「農家に泊った最初の夜、一番最初に出たのは〝あまり理屈を覚えない方がよい〟ということであった。どうもその理由がわからないままに一時を過したが、その後、村で実施した構造改善事業が、今では見事に完成し、多くの人が恩恵を受けている。構造改善をやって本当に良かったという話になった。そこで構造改善事業にふみきるまでのいきさつを聞いてみると、若い者は新しいことが好きで、他より先がけてやった。それは県が指定したからであり、当時の区長は先頭に立って事業を進めた。もちろん一部に反対者もあったが、結局は非常に整然たる組織の上にたつ知性的な農民になった。この点では事業の推進は円滑であったといえよう。

ところで、あとになって聞いてみると、区長は上部組織の使用人で、農民の意向を十分聞いて実施したとはいえないようである。結果論としては、構造改善事業の実施が正しかったため皆から喜ばれたが、その内容をみると寒々としたものが感ぜられる。あまり理屈をいわない方が良いというのは、どうもこうした結果から得たものであるらしい。

農民は善良である。しかし、その善良を悪用してはいけないし、また、農民も社会のしくみをしくみとして諦観するにとどまってはいけないと思う。新しい農村をきずくためには〝まとも〟に生きると共に、正しく社会をみることが大切ではないのか」ということであった。

（農林省・農業者大学校）

青春と仲間

【北海道＝赤松宏連絡報道員発】道4Hクラブ連絡協議会（会長、奥村秀宏君）所属の単位クラブである赤井川4Hクラブ（会長、二川健一君）では、このほど機関誌「若い足跡」を発刊した。上質西洋紙、B5判で三十頁少々のガリ版刷り。クラブ員の体験記や詩、随筆などのほか五ヵ年の足跡、役員紹介などがまとめられていてクラブ員の意気があふれている。その中から、二編を引き出してみた。

学校でてから六年間の感想
薄れた農業への抵抗感
〝相手次第で農家へも嫁ぎます〟

北海道・赤井川4Hクラブ　赤松二三子

昭和三十九年三月十七日、沢山の思い出を残し、中学校の門を背にした。そしてそこに待っていたのは、考えただけでもぞっとするような農業である。ギラギラ光る太陽の下で汗、泥にまみれ、朝早くから夜おそくまで、子供のめんどうさえ満足に見られず、時にはぐちさえも……そんな大人達の姿をいやというくらい見せつけられている。これじゃ農業というものに、抵抗を感じられずにはいられなかった。

しかし、いやだからといって自分の思うようにはいかぬもの、なんの楽しみもなく、ただ働いた……。そんなある時、冬期間ではあったが、都会に出て働けるチャンスが出来た。親のそばでばかり働いていると、誰もが一度は親元を離れて、自分の力で生活してみたいという気が起るのではないか。そればかりではなく、多少は都会へのあこがれもあったかもしれない。こうして、悪い表現の仕方だが、束縛から解放されたような気持で都会に出た。こうして、都会にあこがれるような気持があったはずなのに、いざ勤めてみれば、その感想は意外であった。ただごみごみした中で毎日上役の気嫌をとり、機械のように働くだけ、そんな姿を見ていると息がつまりそうだった。

こんな生活を四ヵ月過ごし、また赤井川へと足を入れた。そこで私は、いままで見たことのないような美しいものを目にした。それは何人かの男性の姿である。美しいといっても、別に着物や顔が美しいわけじゃない。それは一つの目的を持ったものが集まり、お互いに自分達の持っている能力や力を分け合い、どんな難問題にも打ち勝っていこうとしている姿、そんな姿を見、私は生まれて始めて、この姿こそ本当の人間らしい生き方だと考えさせられた。

そして農村の若者には、なにか都会の若者に見られないような、伸びのびした姿、素直さ、またものすごく純粋さも見えた。そんなきっかけから、クラブ活動の意義というものを少しずつ理解して来た。こうして理解の出来るようになった私にとっては、会合などに出るのが一つの楽しみにもなり、なにかすべてに張りが出て、以前のような農業に対する抵抗も、自分で気のつかぬまにうすれてきていた。

やはり、都会のうわべのよいところばかり見、自分達の回りのよいところをなに一つ見ようとしなかったのが、青年活動を通し、沢山の人達と接触し、いろいろな意見をつかみ、自分だけのからから抜け出すことが出来たためかもしれない。

といっても、まだ、あなたは農家へ嫁ぐ気はありますかと質問されれば、〝相手次第です〟としか答えられないであろう。

改まった場所に出れば、大人の人達は〝だんだん機械が入って楽になって来た。今では農家に嫁いでよかったと思う〟というが、その裏では〝自分の娘は農家に嫁がせたくない。むすこには嫁をもらいたい〟と考え、そして殆んどの人が〝農家にだけは嫁に行くんじゃないよ〟といい聞かせてくれる。こんな無責任な矛盾した意見に、時には腹立しささえ感じる。

そのあげく、あそこの嫁はよく働くとか、働かないとか、食べるのは一人前だが仕事をさせればさっぱりだとか、まわりの者の干渉があまりにもひど過ぎる。これでは、肉体的よりも精神的に疲れて、息のつまるような思いをしなければならない。そこで結局は、他人の生活にはいっさいノータッチの都会へという気も起りかねない。

しかし、今の女子クラブ員は、少なくとも、これくらいの問題に背を向けて逃げようとするどころか、それにぶつかり、自分達の手で解決していこうという、そんな雲つい根性を持っているように、私には感じられる。

☆　☆　☆

若さ

二川健司

若さ……それは人生の絶えることなき可能性
矛盾と、ゆがみと、厳しさの中で、くり広げられる夢と希望と
ロマンとの葛藤である
仲間……それは、人生の不思議な出合い
孤独と無知の世界から生まれ出る、集う楽しさ
人間性の探究、心と心のふれ合いの場である
さあ、若者よ!!　おおとりのように広い空に向って飛び出そう
愛と無限の可能性を求めて……

（北海道・赤井川4Hクラブ会長）

生活の知恵コーナー

◆ゴキブリ退治

カやハエにつぐ第三の害虫ゴキブリは、便所やごみ箱の上をはいまわった足で、食べものや食器、まな板の上をはいまわります。小児マヒのウィールスを運ぶ可能性もあるといわれますから、できるだけ退治したいものです。家庭での退治法には、残留噴霧といって床上一㍍くらいの壁面に薬を吹きつける方法と、ひき出しの裏やガス台、流し台の内側や裏など、ゴキブリのすみかや、その通路に薬を刷毛で塗っておく、局所塗点塗布の方法があります。

薬はどちらも、デルドリン・リンデンを主剤とする乳剤が、効果的です。ゴキブリは薬に強い虫ですから、薬の量をたっぷり使って下さい。人体無害と書いたものもありますが、使用後は必ず手を洗うことを忘れないようにしましょう。

◆鮮魚

魚屋でふつうみられるたいはレンコダイ、黄色味をおび、マダイの代用品として利用されます。エラが赤く、目の光っているのが鮮度のよいもの、古くなると色が全体にぼけて白っぽくなります。

ブリは成長とともに呼名が変わり、東京では全長十五㌢前後をワカシ、四十㌢前後をイナダ、六十㌢前後をワラサ、一㍍前後をブリといっています。目が澄み、背が青々としていますが、鮮度が落ちると、目が赤味をおびてきます。

日本4H新聞

4Hクラブ 農事研究会 生活改善クラブ 全国弘報紙

発行所 社団法人 日本4H協会
東京都市ケ谷家の光会館内
電話(260)1675郵便番号162
編集発行人 玉井光
月3回・4の日発行
定価 1部 20円
一ヵ年700円（送料共）
振替口座東京 12055番

クラブ綱領

私達は、実践を通じて自らを磨くとともに、互いに力を合わせて、よりよい農村、よりよい日本を創るため、四つの信条をかかげます。一、私達は農業の改良と生活の改善に役立つ腕をみがきます。一、私達は科学的に物を考えることのできる頭の訓練をします。一、私達は誠実で友情に富む心をつちかいます。一、私達は楽しく暮し元気で働くための健康を増進します。

全協、来月オルグ派遣計画

中・四国、九州へ

つどい、会館建設を協議

全国4Hクラブ連絡協議会（会長、久野知英君）は、来る七月十三日、佐賀県佐賀郡大和町の同県青年の家で、今夏八月二十四日から五日間にわたって佐賀県で開催する第六回全国4Hクラブ員のつどいについて佐賀県4Hクラブ連絡協議会（会長、小林秀敏君）と打合わせ会議を開くが、これを機会に中・四国と九州方面の各県連へ役員を派遣（オルグ派遣）し、全協の活動方針などを説明して協力を求めることになった。

オルグ派遣として各県連を訪問する役員は、久野会長（愛知）はじめ坂井邦夫（佐賀）黒沢健一（埼玉）両副会長、松浦幸治（静岡）事務局長の四人で、このほか山本たい子（青森）副会長、阿部邦夫（福島）中野正義（神奈川）両事務局次長らは、十三日から十五日にかけて東京の全協事務局で事務処理に当るとともに、佐賀との連絡体制をとることになっている。

計画によると、オルグ派遣は、つどいの打合わせ会議や九州ブロック会議と前後して行なわれ、十九日からは大阪で開かれる中青連主催の"万国博世界青少年のつどい"に出席することにしている。

各県連への訪問は、久野会長が十日午後、兵庫、十一日午前、岡山、同日午後、広島。黒沢副会長が十六日午後、滋賀、十七日午後、京都、十八日午後、奈良。坂井副会長と松浦事務局長が十日午前、香川、同日午後から十一日午前にかけて徳島、十一日午後、高知が予定されている。

九州ブロック会議開く 14・15日 佐賀で

この役員派遣は、全協で計画している事業の一つとして実施されるもので、全協の活動方針や事業計画をはじめとして、第六回全国4Hクラブ員のつどい、日本4H会館の建設などについて説明し、各県連の協力を求めると同時に、各県連がかかえている問題など現地の意見を聞き、その解決に努めることにしている。

このように集中的に各県連を訪問するのは、県連の要請によってその都度役員を派遣すると経費がかさむので、経費節減を図るため各県連の協力のもとに実施することになったもの。

また、これに合わせて、九州ブロック農村青少年クラブ連絡協議会（会長、諏訪直樹君・鹿児島）では、七月十四日、十五日の両日、佐賀県佐賀郡大和町の佐賀県青年の家で九州ブロック会議を開催することになっており、この席上でも全協の活動方針や事業計画、日本4H会館建設などについて説明し、協力を求める。

とくに、佐賀県で開催するつどいについては、参加者など各方面にわたって九州各県連の協力が必要であるため、これらに関してかなり具体的な打合わせが行なわれるものと思われる。さらに、経費の面などから全協役員がたびたび同地を訪問することが困難であるため、この機会にクラブ組織の強化、九州ブロック各県連の結束強化への働きかけがなされるものと予想される。なお、この会議では、同ブロックの評議員（女子）が選出される予定である。

宮城県連で幹部研修会開く

29日から専修学園で

【宮城】県農村青少年クラブ連絡協議会（会長、千葉和典君）は宮城県、同県放送利用農業クラブ推進協議会と共催で、来る二十九日から七月一日までの三日間にわたって、宮城郡宮城町の農業専修学園研修館（宮城農学寮内）で県農村青少年幹部研修会を開く。

涼風暖風

青年の家

近頃は、青年の家といっても知らない人がいない位になった。

青年の家の建設が始ったのは昭和三十三年である。文部省が補助金を出して、都道府県や市などが建てるいわゆる公立青年の家がそれで、今では全国に一八〇ヵ所近くもある。このほか昭和三十四年に皇太子殿下の御成婚を記念して、富士山麓に初めて国立青年の家が設けられたが、これも、建設中のものを含めると九ヵ所になった。これらの青年の家で研修する青年諸君が、年間延べ二〇〇万人余になっているのだから、逆にいえば、青年の家を知らない青年はモグリだ、ということになるかも知れない。

国立青年の家は、秀峰富士の麓にある国立中央青年の家が第一号、最近全面改築も終って、みちがえるようになった。第二号は、火の山 阿蘇山の火口原にある国立阿蘇青年の家。この青年の家のまわりは、なだらかな起伏をもつ草原で、放牧されている牛たちが、楽しそうにフォークダンスする若ものたちを、うらやましそうにながめている。三番目は"宝の山 磐梯山の中腹、猪苗代湖を眼下に見下す景勝の地にある国立磐梯青年の家である。その後、北海道の原生林の中に、国立大雪青年の家が、続いて、初めての海浜の青年の家として国立江田島青年の家が設置された。江田島青年の家は、四季を通じてのカッター訓練が、仲間づくりに役立つとして人気がある。一番新しいのが国立淡路青年の家。淡路の南端に位置し有名な阿万農協なども近くにある。

国立青年の家は、以上六ヵ所のほか、関八州から谷川連峰まで一望におさめる赤城山の中腹に、国立赤城青年の家が建設されており、来年の二月頃には利用できる予定である。また、能登半島と岩手山麓でも、八番目、九番目の国立青年の家の建設工事がすすめられている。

団体のメンバーのきずなを強めるためには一緒に飯を食う、一緒に風呂に入る、一緒に働く、一緒に遊ぶ、一緒に話す、一緒に寝るといった要素をもつプログラムを実行するのが一番効果的である。

青年の家は、この、一番効果的なプログラムを一度に実行できるしくみになっている。ともにベッドを並べ、同じ釜の飯を食い、ともに学んだり、レクリエーションをしたり、というわけで、青年教育の万能選手みたいなものだ。

日本で考え出された青年の家であるけれども、その効果の余りにも偉大なのに諸外国でも注目し、同じような施設をつくり始めた国すらあるという。ともあれ、若ものたちがともにみがき合い、ともに鍛え合う拠点としてますます青年の家を充実していきたいものである。

（文部省 伊藤）

「運営委」を発足

佐賀県連 「全国のつどい」にピッチ

全国クラブ員の一大祭典—「第六回全国4Hクラブ員のつどい」まで、あと余すところ約六十日となったが、佐賀県4Hクラブ連絡協議会では、さる五月二十日、県連役員、理事、旧役員など二十三名によって、小林秀敏県連会長を委員長とする運営委員会を発足させた。各運営委員は、これから農繁期に入り、自分の仕事も忙しくなってゆくが、自分の担当部門をしっかりと把あくして「つどい」を成功させるために努力しようと誓い合った。

さっそく二十五日、各運営委員は、富士、大和両町の会場や宿舎などを視察し、地元の協力を依頼した。これに対し、各関係者は、「地元としても、全国のクラブ員のみなさんにできるだけ歓迎の意を表し協力しよう」と約束して、運営委員もますます意気込みファイトをもやした。

このあと、曇空の中を、キャンプファイヤーの会場となる富士町営グラウンド、記念植樹の場所として町遊歩道や、宿舎の旅館など、また、各県連旗の設置場所について考案、第四日目の「葉隠の里をたずねて」と題する班別活動における散策コースを小雨降る中を見てまわった。この地域には、まだ地元のクラブ員も知らないような文化財が眠っていた。

みかん園を通りぬけたり、細い山道をたどったりしていると、さまざまの形をした石仏や、いわれのある文化財が見られる。また、遠くには有明海も望める。全国クラブ員の散策時には、広い佐賀平野と有明海の景観に目を見はることであろうと思われる。

続いて第二回目の運営委員会を二十七日に開き、各運営委員の役割の進行状況と現地視察の報告など夜遅くまで協議した。

記念楽焼は、直径約二五・五糎の皿に、四つ葉のマークと「第六回全国4Hクラブ員のつどい」「佐賀」のネームを入れ、これに赤、緑、黄の三色を使用して、参加者に、楽焼をしてもらうことになった。

第三回の運営委員会は、六月十日に開いた。ちょうど農繁期なので、各運営委員も忙しい中であったが、疲れもみせずに、現地交歓訪問や散策のときの連絡方法、郷土芸能の出演数、入場行進曲などについて夜遅くまで協議した。

【佐賀県連＝広報委員長、高亀善君発】

小林会長（佐賀県連）ら来鳥

前回つどいの様子聞く

【鳥取県＝山本哲嗣連絡報道員発】第六回全国4Hクラブ員のつどいまで八十余日に迫った五月三十日、佐賀県連の小林秀敏会長、浦田健組織委員長の二人がひょっこり鳥取県連を訪れた。岩手から急に佐賀に決定したのが四月であって、いろいろ困難が多いため、昨年の準備の様子を聞いて、参考にしたいというのが来鳥の目的であった。

両君は、まず、鳥取県の東南部、八頭郡智頭町に安住秀雄前鳥取県連会長や山本耕太郎君を訪ねて、昨年の予算的な事務作業、前納金の集め方、つどい事務局員の設置、役員構成、役割分担などを聞いた。このあと両君は、連絡報道員（山本）宅に泊り、つどいの準備進行状況や、昨年の場合について話しあった。

すでに、佐賀県をはじめ各方面への協力依頼や会場の下見聞などもすみ、準備は順調に進んでいるといわれ、また、従来と異り今年は初日から現地交歓訪問が行なわれるので、佐賀の各単位クラブも非常に盛りあがりをみせているとのことであった。

心頭技健

経費を一度にふところから出すのは負担が重すぎるので、毎月、三、四千円を積み立てて、この夏佐賀で開かれる第六回全国4Hクラブ員のつどいに全員で参加しようというクラブがあるが、なかなか気がきいた方法で、大いに参考にすべき点がある▼このクラブでは、これまでのつどいにも幾人かのクラブ員が参加してきているが、経費などの面から参加できる人の数が限られていた。今回の佐賀のつどいでも、往復旅費だけで一万円以上はかかる。それに参加経費などを含めると、はたち前後でこれを一度に自分のふところから出すのはなかなか大変だ。そこで積み立て方式を考え出したものだ▼酪農や野菜の出荷などでどうしても参加できない人を除いて、クラブで決めた通り、全員がいま、毎月、農協に貯金している。来年からは早くから計画して積み立て、つどいに参加したいという。このほど交通公社に問い合わせたところ、自分たちが予定した金額を上回るので、この際、関係団体などにも協力を求め、つどいのあと各地を回って研修し、帰路には万国博も見学する計画に拡大したそうである。なかなか意欲的だ▼そもそも、この4Hのつどいは、自主参加が建て前で、参加経費も個人もち、というのが原則である。しかし、現実には、大会の経費や交通費から宿泊費、食事代まで県などが負担している全国農村青少年技術交換大会と同じ考えに立ってなんらかの方法で県に面倒をみてもらっている例が少なくない。技術交換大会とつどいを混同して、錯覚しているむきもなくもない▼例にあげたクラブの場合も、昨年まで国内研修費などの名目で参加経費の一部が県から出されていたようだが、それがなくなった今年はかえって参加者がふえそうだという。クラブ員は、ふだん経営が忙しくてなかなか外に出て視野を広める機会が少ないといわれる。このようなときこそ、全国の仲間と交歓し、その意気を汲みとってほしいものである。全国から訪ねる友を迎えるために、準備のためにかけ回っている佐賀県のクラブ員は、首を長くして待っている。

【米国】草の根大使が来日

研修と民間外交推進

農家の子弟として生活 十一月下旬まで滞日

国際農村青年交換（IFYE）計画に基づいて今年度、社団法人日本4H協会（松下幸之助会長）が米国から招いた4Hクラブ員代表（別名"草の根大使"）＝ラリー・ラーウッド君(二二)オレゴン州と、ビューラー・スパローさん(二二)ケンタッキー州＝の二人は、さる十八日午後四時三十分羽田着のノースウエスト機三便で来日した。二人は約六ヵ月間滞在し、農村で生活することになっているが、十九日、農林省など関係方面を訪ねて来日のあいさつをしたあと、外人登録など滞日の手続きをすませ二十二日、埼玉県農業経営研修所へ向った。

梅雨模様の十八日、小雨けむる羽田空港に着いた二人は、4H協会職員の出迎えを受けた。ともに、昨年の来日クラブ員に比べて小柄で地味な感じを受けるが、やる気十分の意欲を秘めているような第一印象。空港で小休したあと、宿舎のアジア会館（東京・港区青山）へ向かった。

翌十九日は、新宿区市ケ谷の家の光会館内の4H協会事務所で滞日期間中の説明などを聞いたあと、農林省はじめ、この受入れを共催している港区新橋の社団法人全国農村青少年教育振興会（東畑精一会長）など関係機関や団体を訪問し、来日のあいさつをした。

二十日は、外人登録など滞日の手続きをすませ、二十一日は自由行動、そして、二十二日、埼玉県の農業経営研修所へ向かった。この研修所で生活したあと再び七月六日東京に戻ってオリエンテーションを受けることになっている。

秋田、岐阜など六県の農家に

二人の滞日中におけるスケジュールは次のとおり。

▽二十二日〜七月五日＝埼玉県農業経営研修所
▽六日〜八日＝東京でオリエンテーション
▽九日〜二十八日＝秋田県の農家に滞在
▽二十九日〜八月十五日＝栃木県の農家に滞在
▽十六日〜二十日＝大阪へ。第十回全国農村青少年技術交換大会に参加、万国博見学
▽二十一日〜二十八日＝佐賀へ。第六回全国4Hクラブ員のつどいに参加
▽二十九日〜九月十八日＝鹿児島県の農家に滞在
▽十九日〜十月八日＝山口県の農家に滞在
▽九日〜二十九日＝和歌山県の農家に滞在
▽三十日〜十一月十八日＝岐阜県の農家に滞在
▽十九日〜二十三日＝フリー
▽二十四日＝滞日報告会
▽二十五日＝関係方面へ帰国あいさつ
▽二十七日＝羽田発帰国

なお二人は、滞日中、わが国の農業や風俗などを学ぶ一方、民間外交官として相互理解に努める。

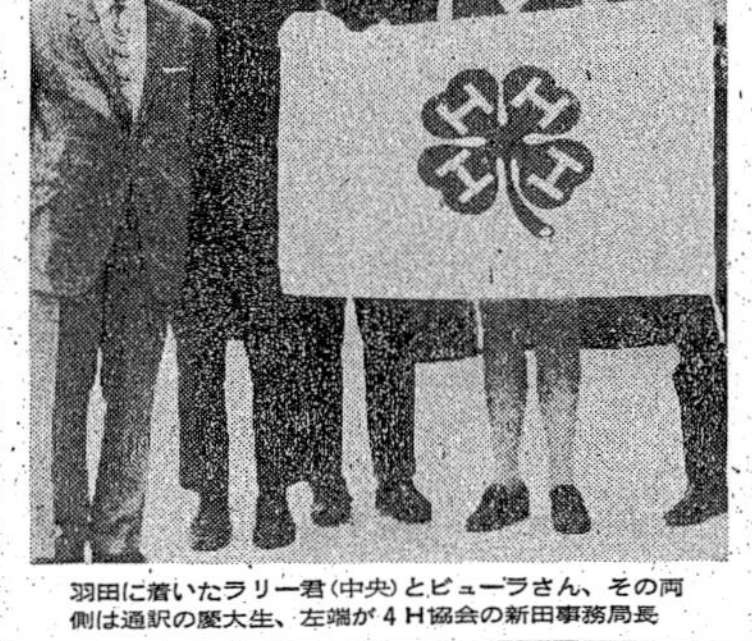

羽田に着いたラリー君（中央）とビューラさん、その両側は通訳の慶大生、左端が4H協会の新田事務局長

生活の相違を学ぶ

ラーウッド君 スパローさん 抱負を語る

ラリー・ラーウッド君とビューラー・スパローさんの二人は、アメリカの4Hの現状と、日本における研修についての抱負を次のように語った。

組織は日本と異なって、郡単位までは、お互いに顔もわかりコミュニケーションの場があるが、日本の全協にあたるようなものはない。ただし、一部の州においてはそうしたものを作ろうという気運もみられないことはない。

また、クラブ員の年齢構成は九歳くらいから十九歳くらいまで、つまり、日本のように学校を出てからというかたちでないので、組織は作りやすい。そのため、女性会員の不足に悩むというようなことはなく、むしろ、女性の方が多い。そのため、プロジェクトも年齢別のパターンやテキストがあって、それに従って活動が行なわれている。

男女のプロジェクトには、決定的な差異はないが、やはり、男性の場合は収穫、牧畜といった方面、女性の場合は裁縫や料理といった方面が重視される傾向はみられる。三対一の割合で、都市部に会員が多いのも、日本とは違う点であるが、彼らは彼らなりに、家庭生活の向上といったプロジェクトに取り組んでいる。

ラーウッド君は十年、スパローさんは八年の活動歴をもつが、それによって得たものは、実際に自分の手で仕事をしながら掴んだ知識と、会員に対する指導力、リーダー・シップのあり方、また、ひとりの市民としての務めのあり方といったことだという。現在、二人は学校の勉強（ラーウッド君は学士課程最終学年在学中、スパローさんは大学三ヵ年終了）があるために、クラブ活動との時間のやりくりが、悩みだと語っている。

日本については、急速度の発展をしており、経済、工業などにめざましいものがあるというイメージをもっている。これから、全国の農家で生活することになるので米国とは異なる実際の生活に溶けこみ、体験しながら、農業、生活などの様式の違いが、どのような歴史的な背景によるものか学びたいと考えているとのことだった。

活動、四本の柱決る

熊本県連 新農業建設運動を推進

【熊本県＝池田隆義連絡報道員発】県農村青少年クラブ連絡協議会（会長・野中富美男君）は、このほど開いた会議で昭和四十五年度の県連スローガンとして"新農業建設運動をわれわれの手で推進しよう"を掲げ、次の四つの活動目標を決定した。

一、プロジェクト活動の推進
▽個人の経営、生活の再点検
▽地域農業のビジョンを描き、グループで行動化しよう

二、グループによる学習活動強化
▽4Hクラブ祭の開催
▽グループ員の自主性の高揚

三、女子活動の強化
▽女子リーダーの養成
▽総合生活改善車の活用

四、広報活動の充実
▽県連機関紙「ひのくに」発行
▽「日本4H新聞」の購読推進
▽他団体との連けい
▽4H活動の地域への波及

オルグ活動に意欲

鳥取県連で初の役員会開く 各部の事業を具体化

【鳥取県＝山本哲嗣連絡報道員発】鳥取県農村青年会議連絡協議会（会長 中島正幸君）では、さる五月二十六日午後一時から、東伯郡東郷町松崎の東湖園で四十五年度の新役員による第一回役員会を開いた。

県連史上最大の行事、昨年、第五回全国4Hクラブ員のつどいを開催して、さらに充実した4H活動をという意欲がうかがわれるのが最近の状況。県連執行部としても、各クラブ員とともに、以前にもまして困難な農業に手をたずさえて取り組もうと、新しくオルグ活動などを活動方針にうちだして力強く動き出そうとしている。この日は、総務、広報、事業部の三部門の作業分担の確認と、部員などを決定した。

まず、中島新会長が一年間の抱負を述べ、「昨年の全国のつどいを土台に、さらに進展を図るため一層強力にオルグ活動を進める決意である」と強調した。そのあと自己紹介があり、理事の中から総務部長に小谷清君（鳥取）と部員一名、広報部長に今本徹君（気高）と部員七名、事業部長に山本哲嗣君（東伯）と部員四名を決定、県連の運営にあたることになった。

また、関係各方面への役員派遣については、青少年育成県民会議に中島会長、4H新聞連絡報道員に今本広報部長と山本事業部長をそれぞれ決めた。このあと、各部ごとに、一年間の活動内容を検討したが、あらましは次のとおり。

総務部＝担当は県連活動全般の事務整理、4H新聞のとりまとめなどで、昨年の全国のつどいを教訓に、今年から順番を定め、一週に一人ずつ登庁して役目を果す。

広報部＝会報の発行、その他の広報活動を行なうが、会報は年四回、今年から各地区に連絡報道員をおく。

事業部＝夏、冬のつどい、リーダー研修の企画、運営の中心となり、今年は、クラブ員の農業とクラブ活動の意識調査も計画。

その他、4H会館建設に関しては、前推進委員長谷水憲雄君（西伯）から、前田賢新委員長に事務の引き継ぎがなされ、今後、募金活動を強力に進めることを確認した。また、佐賀で催される第六回全国4Hクラブ員のつどいには、県下のクラブ員の盛りあがりも相当なものであり、昨年のつどいを改めて見つめなおす意味からも、ますます前向きに協力することを話しあった。

米国からテーンキャラバン

米国から今年も、テーンキャラバンがわが国にやって来る。これは、米国4H財団がIFYEのプログラムの一つとして実施しているもの。わが国への訪問は昨年に続いて今年で二回目。

一行は、十代の4Hクラブ員十七人とリーダー一人の十八人で、来る二十五日に来日し、八月中旬まで滞日する予定。滞日期間中、東京・千代田区永田町の国際青年交流委員会（代表理事 林藤二氏）の世話で生活する。

▽二十六日〜二十七日 オリエンテーション（市ケ谷ユースホステルに宿泊）▽二十八日、東京見物▽二十九日、日光見物▽三十日 フリー▽七月一日〜十三日、千葉市内の受入れ農家で生活▽十四日〜十六日、万座温泉で開かれる全国学生夏季キャンプに参加▽十八日、富士西湖（ユースホステル宿泊）▽十九日〜二十日、名古屋市内を見物（同）▽二十一日〜二十三日 大阪市内と万国博見物（旅館、山田屋に宿泊）▽二十四日〜八月五日、京都の受入れ農家で生活▽八月六日〜九日、山中湖▽十日、十一日、東京滞在（ユースホステル宿泊）▽十二日、江ノ島、鎌倉（同）▽十三日〜十六日、フリー▽十七日、帰国

成果をクラブ員に

開催時期は問題 評判良い女子研修会

全国4Hクラブ連絡協議会は、さる三日から三日間にわたって、東京都下小金井市の浴恩館で開いた今年度前期の全国4Hクラブ中央推進会議において参加者を対象に同推進会議の内容などについてアンケート調査をしたが、このほどその結果をまとめた。それによると、開催時期がちょうど忙しいときなので、今後はこの時期を避けてほしい、リーダーのあり方や会議の進め方についての講義をとり入れてほしい、参加者同士やブロックごとの交歓の時間がほしいという要望などが多かったが、全体的には、大変勉強になり、今後は地区連や末端クラブでその成果を生かしたいと決意を固めていることがわかった。

リーダーの意思統一を

前期・中央推進会議アンケート結果

アンケート調査結果のあらましは次のとおり。

一、時期と期間

参加者の約八割が非常に忙しい時期なので、今後、この時期を避けてほしい、と望んでいる。期間については、後半に盛り上がったせいか、もう一日あってよかったと思うという意見が多かった。

二、参加者の対象

参加者の対象については大変良いが、不参加県連に対し、今後は積極的に参加するように推進してほしいという声が多かった。

三、日程の組み方

少し強行スケジュルではあったが、参加者はリーダーである以上、これに対処できるよう訓練すべきである。ただし、会議の成果をより高めるために、フリータイムやレクリエーションの時間をとってもらいたい。また、参加者同士の話し合いの時間や各ブロックの話し合いの場を設けてほしい、という要望がみられた。

四、内容や運営方法など

（一）4Hクラブの本質について（講演、分科会、全体討議）

新田事務局長の講演を聞き、4Hの本質については大変勉強になり、今後は、参加者だけが理解するだけではなく、県連、地区連において、クラブ員にも理解させるとともに、問題点を見出し、会議などに持ち寄り、討議し合って行きたい。また分科会、全体討議については議論が白熱したせいか、時間が少ないように感じた。

（二）懇親会について

時間をただ費すのではなく、もう少し計画的に進めると同時に、各県連、地区連においても参考になるような、レクを取り入れてもらいたかった。時間が短かったが各地方（お国）の特色を出した自己紹介はとてもよかった。キャンドルサービスの方がよかったのではないか。ゲームを取り入れるなら、参加者全員が楽しめるゲームをもっと多く持つべきだ。

（三）全協活動方針について

クラブ員の意思を尊重した活動方針になるように、全協はクラブ員へ、クラブ員は全協へと呼びかけるべきである。事業計画を進める際、変革しつつある農業に対して、近代的農業の方向を見出してほしい。

（四）県連会長会議について

問題点の明示と、時間を十分にとって、納得のいく会議にしてもらいたい。できれば、討議議題を事前に知らせてはどうか。4H会館建設については、活発な発言がされているにもかかわらず、各県連会長に「ようし！われわれの県連においてもやるぞ！」といった意気込みが見られなかったことは残念だ。

（五）プロジェクトの進め方

プロジェクトの進め方としての講演はよく理解され、プロジェクトの重要性が再認識された。しかし、分科会があってもよかったように感じた。

（六）4Hクラブとリーダーのあり方

各県、リーダーとしての考え方がまちまちなので、もう少し時間をかけて話し合い、まとめてはどうか。リーダーとして、身につけておかなければならない点などを見出し、またリーダーのあり方についての講演を望む。

全協は強い方針打出せ

（七）女子クラブ員研修

助言者を加えてほしい。中央推進会議、その他の事業の中で、全国の女子クラブ員同士が話し合うのは、今後クラブ活動をするうえに大変プラスになる。女子クラブ員研修の必要性がわかった。また県連、地区連などでの女子研修会の参考になった。

（八）全体討議について

大変よかった。特になごやかな雰囲気の中で、実例を上げたりして心の通った全体会議であった。

（九）生活面について

セルフサービスは私生活に大変役立つ。参加者はもう少し規律ある生活をすべきである。食事の献立が悪い。女子の入浴の時間が短い。寝具の準備について知らせてほしい。参加者は、研修、食事後の整理をしないため、運営委員の方に負担をかけたので反省する余地がある。

五、全協に対する要望

運営の仕方については、もう一考察する必要がある。県連へ送付する書類は、リコピーが取れるような用紙を用いてほしい。活動に対し、全協はもう少し強い方針を出してほしい。クラブ員と密着した全協活動ができるように、各県連に対しての調査をしてはどうか。全協活動方針を、早くクラブ員に理解してもらえるように、早く資料を送付してほしい。

六、自己反省

勉強不足であった。各県連の参考資料を持参すべきだった。「日三省吾身」（浴恩館の横額）にもとづき、とても楽しかった。全協をはじめ各地区、県連の執行部は悩みを引き継いだばかりにもかかわらず、運営に意欲を燃されているのには頭が下がる。全国の仲間と会えてよかった。自己中心主義でクラブ活動をしてきたが、今後は進んで意見を取り入れクラブを発展させたい。リーダーとなり、悩みが出始めたころなので、大変よかった。

七、後期中央推進会議に対する参加者の要望

期日と時期については、十二月上旬ころで三泊四日間くらい。会議の持ち方、進め方の講演を取り入れてほしい。各県連の情報、活動誌、県連だより、その他の交換の場をとってほしい。「日本農業のあり方」または「日本農業の進むべき道」の講演を取り入れてほしい。参加者が次期リーダーであるなら、4Hの本質、リーダーのあり方、その他リーダーとして身につけるべきことを、いろいろな角度から指導してほしい。開催要領を早く県連へ送付してほしい。4Hクラブとリーダーのあり方は、パネルで取り入れてほしい。多数参加者が出席できるように推進してほしい。

八、その他

講演のテキストがほしい。全協執行部の方は遠方から上京され、計画、執行されるわけだが、本当に御苦労である。私たちクラブ発展のためにも頑張って下さい。幅広い教養の必要がわかり、他のサークル活動に参加あるいはクラブ交歓などにより、よい点をどんどん身につけたい。

福島県連で会長研修会開く

25・26日、郡山市の農試で

【福島】県農村青少年クラブ連絡協議会（会長・斎藤賢一君）では、二十五、二十六の両日、郡山市の県農業試験場で農村青少年クラブ会長研修会を開催する。

これは、農村青少年クラブ員が、これからの農業やクラブ活動について話し合いを行なうもの。

"4Hクラブ"を学ぶ

愛知県連 新入クラブ員の研修

【愛知県＝井村明美連絡報道員発】愛知県4Hクラブ連絡協議会（会長・富永博也君）では、さる五月二十五、二十六日、一泊二日の新入クラブ員研修会を開催した。高校を卒業して二ヵ月、今までの規則正しい生活から急に解放され、なにかと不安の生じる時機、また4Hクラブとはなにか、どんな活動をするのかという疑問も生まれるころなので、それを理解してもらうために開かれたものである。

そのため、「4Hクラブとは」と題する講義、事例発表、演習など、また「プロジェクト活動の進め方」について、先輩の事例発表講義、グループごとの演習などが行なわれた。二日間だけで、新入クラブ員には、4Hクラブ、プロジェクトについて、十分理解することは困難である。アウトラインさえつかんでもらえば、あとは今後の体験の積み重ねによって、学ぶことができると考え、最後に、"私たちは最善の一歩先を歩み、体験により、学ぶ力をつちかいます"という、スローガンをかかげた。

なお、愛知県連では、人数の都合で地区によって三回に分け、これからあと二回の新入クラブ員研修会を予定している。

やはり話題は"結婚"

小田原農業改良クラブ 女子グループと交歓

小田原農業改良クラブとみのりの会の交歓会

【神奈川県＝鈴木時保連絡報道員発】小田原農業改良クラブ（会長 石塚昇君）は、さる七日午後一時から県立小田原青少年会館で女子グループ「みのりの会」と、卓球や意見交換などを中心に交歓会を行なった。改良クラブから十名、みのりの会から九名と普及員一名の計二十名が参加した。

出席者の緊張をほぐし、親睦を深める意味で卓球を行なった。団体戦と個人戦の二種目に分けたが、女子に対する思いやりから、ちょっとしたハプニングなども起った。結局、両種目とも改良クラブ員が優勝、少ない予算を割いて買ったカップが、優勝、準優勝者に贈られた。また、一回戦で対戦したもの同士の写真撮影もあって、なごやかなムードが流れた。

ついで意見交換に移り、双方の会長が現在の活動状況について語り、普及員のあいさつ、自己紹介、双方の代表の意見発表が行なわれた。さらに「将来の生き方・考え方」のテーマによって、全員が意見を出し、討議をするという形式をとって、活発な話し合いとなった。

討議の中心となったのは、やはり結婚問題。一時は嫁不足が、農業後継者の深刻な悩みだったが、最近は解消されつつある。結婚問題を身近に感じている改良クラブ員もおり、女性に対して農業への関心度を聞き、農業のすばらしさを強調したり、笑いをまじえた話し合いは、予定の五時を三十分も超過するほどであった。

第九回 青年農業者会議報告

酪農〈1〉

新しい酪農郷に 都市近郊

経営目標 生産と生活の調和

酪農 青年部会・第十一分科会

一、現状における問題点

（一）飼料の自給率を高めなければならない

（二）乳牛の個体能力の向上と一頭当り収益の増加を図らなければならない

（三）未利用地の活用

（四）労働の生産性向上

（五）単位面積生産性の向上

（六）糞尿処理については都市近郊において問題とされてきている

二、十年後の農業ビジョン

（一）都市近郊酪農

①移転型 都市周辺の宅地化にともない、地価の値上がり、畜産公害の発生など酪農経営の継続が困難な地帯においては、できるだけ移転して新しい酪農郷をつくる。

②牛乳生産工場型 たとえば、飼料一〇〇％購入に依存しても採算があうなら、より多頭化して牛乳の増産によって所得の増大を図る。

③兼業型 兼業することをもっとラフに考えて、朝夕の管理と勤務を、両立させるという方法もある。

（二）飼料自給型

飼料の自給基盤のある地域における酪農は、乳牛三十～五十頭搾乳し、粗収入一千万円ないし千五百万円をあげ、粗飼料の生産、給与など機械化による省力化を行ない、対社会情勢変化に対応する力が必要となる。

（一）粗飼料の自給

①分業化 粗飼料生産と牛乳生産とを分業化し、生産の効率化を図る。所得の分野に多少問題が残るので、農協などの組織的な力を上手に利用する必要がある。

②協同化 全面的協同、部分的協同を問わず種々の形の協同体制を強める必要がある。

三、十年後の農業に向かうための課題

先きにあげた現状における問題点のすべてを解決してゆかなければならないのであるが、その中からいくつか具体的な方向づけを行なった。

（2）育成と能力向上

良い牛群を育てるためには、良い育成が行なわれなければならない。したがって、大規模な育成施設と高度な技術体系の確立が必要となってくる。

（三）主婦の労働について

必要ならば、夫婦揃って農作業に従事するが、家事労働に重点を置く方向にもっていきたいとする考えが圧倒的である。

以上のビジョンの根底をなす考え方は、常に人間性のある生産と生活の調和した農業を行なうという会員一致の意見から出発したものであり、そのために、個々の経営能力の向上を自分自身の手で図ると同時に、指導機関との連けいをさらに強めていくことを願いとしている。

国際競争の用意を

10年後の目標は40頭

酪農 青年部会・第十二分科会

一、出された問題点

（一）貿易の自由化と国際競争力について

（二）多頭飼育の管理技術

（三）酪農家の組織化

（四）経営管理能力

①大規模飼育と分業②生産性を高めるためにはどうしたらよいか③多頭化にともなう労働力不足④粗飼料の確保⑤資金の確保⑥他産業との格差

（五）経営形態の変動と、経営のとり入れる情報のシステムについて

（六）作業の協同化

（七）酪農団地の形成

（八）酪農経営と農家生活

①人間味のある農家生活②休養日の設定③十年後の農家生活と所得

（九）農政、指導機関の活用

（十）産地間競争について

（十一）過疎現象について

（十二）十年後のビジョンをどう描くか

女性の労働をどう考えるか

（十三）企業化についてどう考えるか

（十四）若者の特権とは何か

二、主な意見

問題の中から、次のものに焦点をしぼり、掘り下げて討議した。

（一）貿易の自由化にどう対処するか

酪農製品の貿易自由化は近い将来に実施されると思われるので、自分たちは国際競争力をつけるために努力しなければならない。

①生産費の低減をはかる②規模の拡大をはかる③草中心の酪農経営に移行する④流通過程でのコストダウンをはかる⑤経営の欠かんを見い出すための記帳を行ない、問題意識の共通なものが集まって作業や施設の共同化を推進する。

（二）多頭飼育における管理技術について。

十年後の飼育目標頭数を二十～四十頭にする。頭数の決定に当っては、環境条件や労働力、所得や生活水準を参考にする。

多頭化むきの機械に合うような乳牛を育成する必要がある。

規模の拡大に当っては、制度資金を活用する。しかし、これには周到な返済計画をもつことが大切である。

（三）流通問題と消費拡大について

①牛乳が手軽に飲めるようにする②消費の拡大をはかる③学校給食の利用＝大量消費をめざして、市場を拡大する④消費のPRが必要⑤タンクローリーの利用～集乳の能率化をはかる。

（四）経営にとり入れる情報システム

①これからは、情報をいかに吸収し、消化するかが大切になってくる②広く社会をみて、常識を高める③情報の収集に投資する④定例的な研究会の開催＝大部分が研究会に加入している⑤指導組織の利用と活用。

（五）酪農経営と農家生活

①これからは休養のとれる酪農にしなければならない②搾乳のヘルパーの設置と利用＝愛知県で始められたがうまくいかなかった③家族を二班に分けて作業する④隣り同士で手伝い合う⑤グループ員がお互いに手伝い合う⑥婦人の労働をどう考えるか⑦搾乳時間を変えずに、食事時間を変える。

（六）若者の特権について

①間違ってもやり直しができるので、自信をもって行動する②バイタリティ、気ばくに富んだ生活をする③革新的な感覚をもって行動する④いろいろの角度からものをみて、物ごとを考える。

クラブ活動12ヵ月 新しいクラブ員を中心に (17)

レクリエーションに強くなる法

栃木県・普及教育課 湯浅甲子

プログラムが問題

まず自分でやること 事前調査や下準備を

二、レクリエーション・リーダーの心得

レクは、概して意外性ということにおもしろさがある。レク内容が、参加者全員に、事前にすべてわかっていては興味半減である。誰れが、いつ、どんな方法で、どのような、レクをやるのか、見当がつかないほど、その効果は大きい。しかし、その機密性の効果は、レクへの参加者が感じとるものなのであって、レクをリードする人の立場から考えるならば、事前準備と充分な練習が必要となるのである。

そこで、クラブ員の一人ひとりが、上手な、レクリエーション・リーダーになるには、どのような心得が必要なのだろうか。

（1）まず、数多くのレクリエーション会に参加することである。そして、参加者として、たのしくすごすばかりでなく、その場で、もしも私がリーダーだとしたら、どのようにやるかという見方で、その日のリーダーの、すすめ方を客観的に見ておくのである。「なるほどここのところはうまいもんだ」「これはまずい。その原因はどこにあったのか」という見方を常に心にもって、参加していることだ。みんなと一緒に、さわいでいるだけでは、レクをリードする力はできないのである。」

次にレクのつなぎ方、ながれをよくみきわめることである。ひとは、レクに強くなるには、レクの種類を数多く憶えることだというが、それだけでは上手なレクをやることができない。ゲームと歌を、どのようにつなぎ、ダンスと歌とゲームをどのように組み合わせるかといった、レクリエーションの流れを滑らかにする工夫が、どこにあるかを知ることが大切である。これらのことは、レクリーダーの技倆もあるが、もう一つ、レクリエーションプログラムが、しっかりしているかどうかが問題になるのである。

（2）場所と参加者をよく調べる

まず、レクをやる場所と、レクをやる人たちをよく調べておく必要がある。会場は、その広さによってレク内容がきめられるし、人たちの雰囲気で、これまたレクの質、数が規制される。この二つの条件を事前に知らずにレクをやっては、成功の見込みは、百パーセントないと思ってよいであろう。

場所は、必ず、事前に下見をしておかなければならない。時間が許すなら、本番と全く同じ時刻に、その場所に立って、本番の時を想定して計画をねっておく方がよいのである。会場の明るさはどうか、雨でも降ったら、どんな変化が予想されるか、自分の位置はどこにいたらいいか、自分の声は、参加者全員にくまなく聞えるだろうか、当日、邪魔になるような品が、会場内にないか。

参加する人たちはどういう人たちなのか、年齢構成はどうか、その集会の目的や性格は何か、レクの前後は、どういうものに続いているのか、なぜ、レクをいれる必要があったのかなど、場所と人の条件は、可能な限り、くわしく事前に調べて知っておく必要があるのである。

（3）レパートリーを広める法

「どうも俺は、レクが不得手でなあ」「俺は歌が音痴でネ」という声をしばしば聞いている。「ゲームを知らないし、ダンスはできない」と、ダメダメばかりでお話にならないというのが、通り相場である。しかし、私はあきらめていない。

第一歌を知らない青年なんているだろうか。そんなことはウソである。それは、上手ではないかもしれない。他人に歌わせることは不得手かもしれない。また、健全な歌は知らないかもしれないが、それでもいいではないか。決して、歌が歌えないのではないからだ。自分が知っている歌は、大抵、若い仲間は知っているのだ。そしたらみんなにいえばいい。「ヨオ、あの歌、いいナ、歌おうじゃないか。でだしは、なんといったっけ。そうだ、それだ。じゃ、それでいこう。イチ、ニッ、サン」こんな調子でやれないものか。

ゲームだってそうである。憶える気があれば、ゲームの本はいくらでもある。知らないからできないとは、いえないのである。要するに、自分のできそうな面だけでいいから、それを数多く知っていくことである。

知っていることと、できることと、他の人をリードすることは確かに違いがある。できるようになるには、まず自分でやってみることだ。歌なら一人で歌ってみる。ゲームなら、これまた一人か、何人かでやってみるのである。そして、それを、大ぜいの中でやったとすれば、どうリードしたらよいかを想像しながら、じっくりと心構えのトレーニングをつむのである。こういう自己練習をやるか、やらないかは、本番の時の出来具合に非常な差をつけるものである。そして、あとは、実際の経験をより多くつむことであろう。

6月

プロジェクトの進め方 <1>

さる四日、全国4Hクラブ中央推進会議において、栃木県普及教育課専門技術員・湯浅甲子氏から講義いただきました「プロジェクトの進め方」について、一部割愛して掲載いたします。今後、プロジェクトと取り組む基本的な考え方をはじめ、技術的な面で大いに参考にしていただきたいと思います。（編集部）

ある青年への助言

農業の将来に不安
飛び出して情報を得る

中央推進会議におじゃまして勝手なことをいって、みなさん方を悩ましていますが、今日もまた持ち時間を、話したり、みなさん方からご質問いただいたりする形で、ある程度、みなさん方にご納得いただけるような会議になりますことを期待しながら受持時間を進めたいと思います。

私は、学者ではありませんので毎日現場の農村を歩いては、若い人と話し合ったり、指導者の方と話し合ったりしております。昨日も午前中は、茨城県の下館におじゃまして、青年問題を平日話してきました。午後は、栃木県にもどりまして、研修学園という女子高校を卒業した人たちが研修している学園の娘さんたちと、クラブの問題を話し合い今日はみなさんたちと話し合い明日は栃木県の鹿沼に行くという計画をしています。

そういった、実際のあぜ道の中でみなさん方と汗をかきながら、話し合ったことをつなぎ合わせてご紹介申しあげるような内容です。ですから私がこういうことをいったので、そのようにやらなければいけないような、みなさん方にひとつの形を押しつけていくというような、そういうものではありません。むしろ、みなさん方が各々個人的に、あるいはクラブとして、あるべき姿はどうしたらいいのかと、考え創り出すための材料をさしあげる、そういうことであります。

ですから全国各地域で、いろいろなことが考えられている。それはそれなりに歴史もあり、理由もあるわけですから、そういうなかで、より自分に納得いくような方法でいくためには、どういうところに疑問があるのか、また、どういうところが納得いかないか、そういうところを、みなさん方から聞かせていただいて、勉強をさせていただきたいと思います。

もち時間が、大分ございますので、大まかに三つぐらいに切りまして、お話しては、みなさん方からもご意見を聞くという方法にしたいと思います。

一つは、プロジェクトの基盤。プロジェクトというものはどういう基盤の上に立っているものか。プロジェクトの土台みたいなものですね、そういう面について話してみたいと思います。二つめには、プロジェクトというものは、どういうものなのかということを中心に、三つめには、プロジェクトの進め方、やり方、手順についての内容で進めたいと思います。

まず、最初の方の問題についてですが、栃木県に益子焼きで有名な益子というところがありますが、そこの地区の協議会長と一緒にクラブ員の家庭を回り歩いていたところ、きゅうりのハウス栽培をしている益子町4Hクラブの会長、猪野君という方がおりました。真岡の農業高校を出て三年間、ハウス栽培に取り組んでおります。

彼を訪ねまして単位クラブの様子などを聞いたり、それとなく気楽に話しましたが、いざ、帰ろうとしたとき、湯浅先生、ちょっと待ってくれというのですねえ、だいたい若い人たちは何か聞きたいときは、面と向って話しているときは聞かないのですねえ。いよいよ帰ろうというときにです。また、こういう会場ですと、廊下などで立ち話しをしているときに、重大な問題をもちかけられたりします。猪野君の場合にも、いよいよ帰ろうというときに呼びとめられたので、何をいうのかと思いました。

いや、先生、私は4Hクラブはほんとにいいクラブだと思う。単位クラブで月に二回、定例会をもっています。そして、一人ひとりのプロジェクトもきちんとしています。どのクラブ員に聞いても、いま私はこういうことをやっていますということを、ちゃんと日誌をもってきて話すのですから、見あげたクラブです。

それなのに猪野君は、それほど4Hクラブ活動をほん気でやっているのですが、何んていったって湯浅先生、いま俺れたちが一番困っているのは、いったい、こういうふうに一生懸命やっているのだが、日本の農業は、どうなっちゃうんだい。こういうふうにいうのですね。このへんの農業はどうなるのだろう。シチズン時計や日産自動車の大きな工場がきたりまわりは騒然としてきているわけだ。そういう中で俺れたちは、一生懸命農業をやろうと思ってはいると。しかし、この農業はどういう方向へいくのだろうか。

それが分らないで、4Hクラブに入って体腰を入れてやろうとしたって、気合いがのらないというのだ。どうしたらいいだろう。という質問なんですねえ。みなさん方も、そんなことを聞きたいのではないでしょうかねえ。4Hクラブ4Hクラブというけれども、どだい農業はどうなるのかと、開き直りたいのではないですか。むしろ彼は哀願するような、私から何かを期待するような、そういういいっぷりなんです。

私はどう答えたらいいのか、ちょっと、とまどいましたが、こういうことをいったのです。たしかに難かしい問題で、一番聞きたいところだが、ひとつぼくが心配なのはねえ、猪野君、そういうことで苦しんでいるのは、あなただけではないということを、あなたは知っているかな、といったのです。栃木県はもとより、日本中の青年がこのことで思いあぐみ苦しんでいるのだ、ということをあなたは実感的にわかっているかな。ぼくの一番心配なのは、どうしておれたちだけが、こういう貧乏くじを引いてしまったのかという被害妄想に陥ってしまうことがある。ずるい答え方であるかもしれませんけれども、みんなが、この問題には、取り組んでいるので、あなただけが一番不幸な貧乏くじを引いてその問題を一人で背負っているのではないのだ。

毎朝のテレビや新聞をみても全国の青年たちが、そのことで苦しみ、苦しみながらもその中で、こういうことをやって、うまくいった、見通しがついたという、そういう情報は、たくさんあるはずだ。だとするならば猪野君ね、ここであなたは忙しいハウスの仕事をしているが、ハウスの中だけにもぐっていてはいけない。とび出していろいろの人と、そういう問題について話したり聞いたりして、情報を交換し合ったらどうだ。こういう大きな問題を解決しようというときに、ただ家の中にいて頭を抱えていても結論はでないことなんだ。こういう助言をしたのです。

説得するような口調で講義する湯浅氏

ハウスは一ヵ所に
換気の自動化図る

ハウス経営を考える

栃木県足利市久保町・足利4Hクラブ　菅井良憲

私の農業、それは四年前高校三年の夏休み、きゅうりの床土作りからはじまりました。何も知らない私にとって、たいへん難しいことでした。本を読み、人に聞いたりして床土を作り、きゅうりのトンネル栽培の第一歩を踏み出しました。播種、移植、定植、みんなはじめてで、管理をしていて次は何をしたらよいのかわかりませんでしたが、しかし、花が咲き、実が大きくなっていく姿をみたとき毎日の仕事が楽しくなってきました。

そして五月七日、一本のきゅうりを手にしたとき、今までわからなかったことが、いっぺんに理解できるような気がしました。そのころ私は4Hクラブに加入し、野菜栽培と4H活動がはじまりました。この4Hクラブへの加入が大きなきっかけで、四十一年に農業後継者育成資金を借り、ハウス栽培をはじめました。

一年目と二年目は、きゅうりを栽培しました。三年目はハウスを増設して、トマトときゅうりを栽培し、今年はトマト一五㌃、きゅうり八㌃を栽培しています。

ハウスは静岡型で、暖房機を使用しています。ハウスの強弱度とビニール張りの労力は問題ありませんが、問題点としてつぎのようなことがあります。

一、ハウスの換気のため、カーテンの開閉に多くの労力を要することです。これは、ハウス内に雨が入ってしまったり、水田では湿度が高くなり、換気口の位置が低く、アーチの部分の湿気が取れないため、四～五月に病気の多発の要因になりました。

二、かん水施設を備えましたがパイプの目に砂がつまってしまい肝心な水が出なくなってしまい、あまり役には立ちませんでした。

以上の問題点に注意して、昨年静岡の改良12型を増設しましたが換気においては、あまり問題ありませんでしたが、強風に弱いためアングルで補強し、欠点を補いました。カーテンは四連棟が一度に開閉できるようになっているので作業がたいへん楽になりました。また、前の型のハウスの換気口をなおし、カーテンも運動式に改める計画です。

今までハウス栽培による病気は灰色カビの防除が難しく、また、これからも大きな問題となってくると思いますが、今後のハウス経営としては、経費の節約、省力化、病虫害防除の一貫作業の能率を図る意味で、ハウスを一ヵ所にまとめることが必要だと思います。

また、ビニールは光線透視度のよいものを使用し、十分光線を入れるようにします。換気方法はカーテンの自動化を図ることです。これは、カーテンの一ヵ所をロープで集結し、これをサーモスタットを利用して開閉します。カーテンは二重張りとし、上の部分をシルバーとして光線の変化作動するスイッチを用いて開閉し、下はサーモスタットで開閉させています。

かん水施設については、まず水に砂が混らないような井戸を掘りテンションメーターと土管の併用をして、パイプに砂がつまるのを防ぎます。ハウス内の温度は、とくに夜間の温度を平均し、均一した成長を促します。つぎに、育苗は暖房機を使用することです。これは、労力節減と最低温度の確保からみてもぜひ必要なことです。

今後の経営は、栽培技術以上にいかに上手に販売するかということがたいせつな条件です。そのために、市場調査などのほか、関係のある情報を的確に掴み、共選と共同出荷体制を整えることが必要です。

往復刈り可能
本田技研「バインダーT55」

二輪車、四輪車、農業機械の分野で話題を提供してきた本田技研工業株式会社では、わが国の圃場労働条件に最適の新製品、ホンダバインダーT55〈双用・二条型〉を完成、七月一日発売する。

このホンダバインダーT55は、双用型（稲・麦の左右取り出し方式）で、独得のピック・アップ装置（引起し搬送装置）などの新機構を採用し、軽量（一六七㌔）の小型・高能率化に成功。いままでの刈取機では解決できなかった畦ぎわ刈り、倒伏稲の起しなど予備作業の手間を必要とせず、往復刈り取りも可能になっている。稲の送り出しレバーは一本、ワンタッチで自由に切り替えられ、どこからでも田んぼへ入りこめ、狭い圃場や変形田んぼでも自由自在。

軽量、小型のため、平坦地はもとより、機械化が困難とされていた、山間傾斜地でも使用が容易で特殊タイヤ（低圧広幅タイヤ）の採用により湿田（最大沈下三五㌢）でも収穫作業ができる。

標準価格（北海道、離島を除く）二十七万五千円、発売時期・七月一日、生産計画・当初月産二千台。

新発売されるホンダバインダー<双用・二条型>T55。搬送機構、引きおこし機構、結束機構など各部分にホンダ独得のアイデアが生かされている。

農業経営の動向と背景
農業白書 <8>

出稼ぎ長期化の傾向
農業構造改善事業にも響く

三、中高年齢層の就業構造

（1）農家世帯員の就業状態

（ア）四十四年一月現在の農家の就業者は千六百七十三万人で、うち九百十七万人が主として農業に従事する者（農業就業者）、三百十万人が他産業就業者でそのかたわら農業に従事する者、二百四十四万人は農業を全くやらない他産業就業者である。農業就業者のうち四三％が男子、その六八％は四十歳以上層である。この男子の中高年齢農業就業者の出身階層は、都府県の場合、農業所得でほぼ家計費がまかなえると目される一・五㌶以上層が二一％にとどまり、〇・五～一・五㌶層が六一％、〇・五㌶未満層が一八％となっている。

（イ）中間層にもっとも多く分布している男子中高年齢者は日雇いや出かせぎなどの不安定就業に依存せざるを得ない実情にある。日雇い（年間三十日以上の就業者）の仕事は、土木、建設関係の作業員、農林漁業の賃労働が七〇％以上を占め、就労日数は百十日、その労賃受取額は十五万七千円（一日当たり千四百六十円）で、労災保険加入者は一六％にすぎず、雇われ先も一定していない。

出かせぎは、就労期間が近年長期化の傾向にあるが、六ヵ月以内の者だけで四十三年に二十四万人を数えている。三十五歳以上層が五八％を占め、世帯主やあとつぎが大部分で、また、一㌶前後層の出身者が多いが、近年、上層からの出かせぎが増加している。その就労先は建設業の土方などが過半を占め、不明確な雇用関係や劣悪な労働環境などから、労働条件の面で多くの問題を生じている。出かせぎ者は家族持ちが多く、家庭生活上にも問題があり、大部分の者が地元での就業を望んでいる。

（ウ）他産業に恒常的に勤務する農家からの通勤就業者は、四百三十八万人（うち世帯主、あとつぎが二百四十七万人）で全国常用労働者の一六％程度を占めている。通勤者のほとんどは卒業時か、または相当以前に他産業に就職したもので、その勤務先は、製造業の三一％をはじめ建設業、運輸通信業、公務員が多い。また民間企業の場合世帯主の就業先は九十九人以下の小規模企業が六六％も占め、その賃金水準は大企業にくらべて格段に低い。もっとも八〇％の者は退職金制度があり、失業保険、職域健康保険、職域年金などにも加入している。

これは長年勤めた人たちの就業条件であって、中高年齢に達してからの転職者は、零細企業が多く、その賃金は同年齢の永年勤続者にくらべてかなり安い。中高年齢者の多くは家族持ちで、転居することは容易でなく、転職をますます困難にしている。

（2）農家の経営志向

（ア）農業で自立できない農家層に滞留する、多数の中高年齢層の世代交替期における農家としての対応は、農業の構造改善に重大な影響をもっている。とりわけ、現に世帯主が農業に専念しているもののあとつぎが安定した恒常的勤務についている農家層は、世代交替期におけるあとつぎの去就が農業経営の継続を左右するものとして注目される。世帯主の意向として自分が働けなくなった場合に、農業をやめようと考えている者は一〇％にとどまり、妻や嫁などにより農業を継続したいと考えているものが圧倒的である。しかしあとつぎの賃金収入の増大や農地の有利な処分などによって老後の生活が保証された場合には農業を縮少、ないしはやめてもよいと考えているものが三四％を占めている。

（イ）また、世帯主、あとつぎがともに恒常的勤務で生活水準が高い農家層でも、世帯主は定年後に離職して自家農業に従事する意向をもっている者が過半を占めている。現に、農業に従事している〇・五㌶未満層の中高年齢者は、半数が他産業勤務の経験があり、その六〇％は定年退職後の就農である。ただし、このタイプの農家層でも老後の生活が保証されれば農業を縮少ないしやめる意向を持っているものが、四二％を占めている。

農業簿記

京都大学名誉教授　大槻正男

<自計式農家経済簿記>

補助簿

現物整理帳

現物を各品目別に口座を設けて、それぞれ物量（石・貫などの単位）で整理する帳簿が現物整理帳である。しかし、現物はどんなものでも整理しなければならないという訳合いのものではなく、どれだけの品目に限るかは、本簿記の決算終了後において拡張計算し、どの部門の経営計算を行なおうとするか、また、どのような生産物の生産費計算を行なおうとするかによって定まるものである。たとえば、稲作部門の主産物（上玄米）はもちろん、副産物（くず米・しいな・もみがら、稲わらなど）のすべてをそれぞれ品目別に整理するとともに、稲作部門に用いられる購入現物（硫安・石灰窒素・配合肥料など）をはじめ、稲作で消費されるいっさいの自給現物（厩肥・堆肥・鶏糞など）も正確に整理しておく必要がある。

『口座』欄には、整理を要する各現物の品目名を、数行ないし10数行おきに記入する。記入の多い品目、たとえば、玄米・厩肥などに対してはたくさんの行数を準備しておく。

『摘要』欄には、受入れ・払出しの原因その他参考となるような事項を記入する。

『受入れの部』は『受入れ先』『生産』『購入』の3欄に分かれており、『受入れ先』欄には、現物の生産された部門名、購入先等を記入しておく。『生産』欄には、生産物をとり入れた時にその日付で、またはその月末に労働日記帳の『現物受入れ払出し』欄を参照して月末日付で記入する。

『購入』欄には、現金現物日記帳の『所得的支出』欄から肥料・飼料などの購入高を拾い出して転記する。

『払出しの部』は『払出し先』『販売』『家計仕向け』『所得経済内部仕向け』の4欄に分かれており、そして『販売』欄には、現金現物日記帳の『所得的収入』欄から米・麦などの販売高と支払高（水利費などとしての支払米・麦など）を拾い出して転記する。

『家計仕向け』欄には、家計仕向け現物について、現金現物日記帳の『生産物家計仕向け』欄の『数量』欄から転記し、『所得経済内部仕向け』欄には、肥料・飼料などの費消について、労働日記帳の『現物受入れ払出し』欄を調べて記入する。

『払出し先』欄には、各部門ごとの費消を明瞭にするために、払出し先名を記入しておく。

『残高』欄には、年度初め第一の記入として年度初め日付で前年度からの繰越高を記入し、その後は必要に応じて残高を算出し、年度末には必ず残高を算出して実査上のあり高と照合する。この年度末の残高は財産台帳の当該現物の年度末『数量』と一致しなければならない。」

NHK農事番組（7月1日～10日）

テレビ

明るい農村　6・30～6・55総合

1日　産物往来　ぶどう（甲府）

2日　話題の広場　ヨーロッパの牛乳過剰時代

3日　村をむすぶ　フィルム・リレー

4日　農村新地図　北海道松前町

6日　村の記録　乳牛大移動（茨城県大宮町）星野武司

7日　きょうの話題　第二回世界食糧会議から

8日　産物往来　高原野菜（長野県野尻市）

9日　話題の広場　▽安い牛乳を飲もう　▽乳搾日本一を育てて

10日　村をむすぶ　フィルム・リレー

農業教室　7・30～8・00教育

1～4日　優秀農家の経営発表

6～8日　西洋野菜づくりの課題（千葉県暖地園芸試験場々長）稲子宗元

9～10日　専業養蚕の技術と経営（農林省蚕糸試験場）針塚正樹

あすの村づくり　7・00～8・00　教育

5日　▽グループだより＝青年の森を育てる（高知県池川農業青年実践班）▽仲間とともに＝規模拡大をめざして（鹿児島県若鶏会）▽先輩と語る＝福岡正信（愛媛県伊予郡）

ラジオ

早起鳥　5・05～6・00 ①

1日　通信員の手帳から　山岡亮一

2日　人と話題　世界農業ジャーナリスト会議から

3日　現地報告　明るい村づくりめざして（北海道池田町）中田正一

4日　村のポスト（投書）

5日　話題の窓　生産調整と野菜価格

6日　現地報告　村に帰った青年（島根県美都町）杉村春子

7日　人と話題　稲作ごよみをつくる（福井県上中町）伊関久雄

8日　通信員の手帳から　山本陽三

9日　人と話題　古々米のカビ調査　食糧研究所粉食研究室長、津村信蔵

10日　現地報告　ふえるモチ米の作つけ（北海道名寄市）山下善平

ラジオ農学校　月～土　6・40～7・00

5日　グループの集い　米価と生産費を考える（宮城県桃生町農村青少年クラブ）

あしたの青春 <31>

一ノ瀬綾
え　多賀愛子

出発（四）

「じゃまにするところをみると……さては、恋人ができたな」

すみ江は、からかいながら、もしかしたら本当かもしれないぞ、と思った。そうでもなければ急に明るく、素直に見える弟の変化がのみこめないのだ。

「どこの娘だい、ねえちゃんに紹介しな」

「女って、どうしてこうも、愚かなのかな」

新一は大袈裟に頭を振って立ち上った。口笛を吹きふき、いつも着る野良シャツを引っかけて、部屋を出て行きかけたが、ふっと足をとめ、思いついたふうに振り返った。

「俺は本気で心配してんだぞ。好きな人がいたら、さっさと嫁くこんだ……家のことや、俺のことなど、気にするな。それぞれ、自分で一番いいと思った通りにやって、責任を持つ……これしかねえもんな、人生は」

真顔であった。人生などと弟に言われて、すみ江は受けそこね、黙ってそこに立っていた。ひどく胸にひびく言い方であった。

朝食がすむと、新一はめずらしく自分から父親を誘って、晩秋蚕の桑畠の手入に出かけて行った。ふく代は首をかしげ、信じられないといった表情で一人言を言う。

「なんだか、気味が悪いみてえだな」

「やる気になったんだよ。新一は馬鹿じゃないもの、よく考えたんだよ、きっと……この機を逃がさず、車はどう」

すみ江は、今すぐにでも、庭先へ車をでんと据えてやりたいとさえ思った。

どんな動機であれ、新一が家の仕事に意欲を持ち直してくれれば、こんなに安心で、ありがたいことはない。その日は一日中、家の中に笑いがあった。

夕方、すみ江が家畜の世話をしていると、ふく代が納屋迄迎えに来た。

「圭次さんが見えてな、お前に用だとさ」

「新一じゃないの」

「いや、すみ江さんだ、と言ってるがな」

なんの用事か見当がつかなかった。この前訪ねてくれて以来逢っていないので、すみ江も一度礼を言わなければと、心にかけていた矢先ではあった。圭次は暮れなずむ庭先の縁台に腰をかけて、すみ江を待っていた。地下足袋をはいた野良仕度のままである。

「新一君は、どうしている」

いきなり、圭次はそう言った。すみ江は今朝からの弟の様子を手短かに告げながら、時々声をあげて笑った。

「それで、まだ畠から帰らないの」

「ふうん……ならいいんだが」

意外そうな顔で圭次は首をひねってから、急に声を落してすみ江に近ずいた。

「この間、町で逢ったんだが、その時、気になることがあってね、今この近くを通りかゝったんで寄ってみたんだが……」

「新一が……なにか言ったのかしら」

「いや、話すことは同じだが、どこかおかしい。今迄の新一君に感じられなかった変った一面が見えた。すみ江さんは、どう思う」

言われてすみ江はハッとした。気がつかなかったと言ったら嘘になる。今朝からの弟の態度や言葉、とまどいながら、無理にも安心しようと振舞っていた自分や、両親の気持を思い合わせてすみ江は小さくおびえた。

そのおびえの原因をたぐっていったら、とんでもないことにぶつかるのではないかと、怖い不安がゆれる。

「いったい、新一は、なにを考えているんでしょうね……もう女のわたしなんか、相手にしてくれないのか、本当に胸を割った話なんかしなくなったみたい。どうしたらいいの」

すみ江は、ひどく心細い気持で圭次の顔を見上げた。

農業生活と環境について

奈良県・天理4Hクラブ　広井絹枝

拡大して「企業養鶏」へ
生産から販売まで一本化

私達の住む大和盆地天理は、大阪、京都と大都市を近くに持つ都市近郊地域として、農作物を作付して発展してきました。最近では年々都市化が進められ、耕作面積の減少、物価高につれて、農業から他産業へ転業する農家も少なくありません。そのような状態のなかで、私の家も十年前は米作中心の田畑一ヘクタール余りと、副業として養鶏五百羽余りを飼育していましたが、その後収入の増大を図るため、七千羽の専業養鶏へと切替えられました。

家事はますます多忙

経営の合理化に伴なう企業養鶏へと規模拡大を図り、自宅より三十キロ離れた山間に養鶏場が作られ、また流通機構改善に伴なって二ヵ所に直売所が設けられ、生産から販売までを一本化した農業経営を営んでいます。

販売は会社組織に

私の家族は、父、母、祖母、兄、嫁の六人で、兄は養鶏専門、父は販売所を会社組織にして、十六名ほどで経営しております。このような経営状態の中で、私はたいてい家庭において、事務的な仕事もありますが、家事にたずさわることが多く、また、経営の拡大につれて家事の仕事も増す一方なのが現状です。私は高校を卒業後、金融関係のBGとして一年半勤め、家事多忙のため退職しました。

そして一年を経た今日、これからの家庭生活のあり方、また現状の問題点の改善に努力するとともに、将来、嫁いで直面する家庭生活改善の基礎を学んでいます。いかに立派な農業経営を行なっていても、家庭生活に暗い面や矛盾が多いと経営もうまくゆかず、明るい環境作りがいかに大切であるかを感じたので、私なりに次のように考えてみました。

◎封建的な考えをなくする

近代的農業を営んでいる農家でも、まだ昔ながらの冠婚葬祭などの古い風習の見得が残っており、また嫁の意見は軽くみられがちです。嫁こそが服従的ではなく、家庭管理の中心になって努めたいものです。

◎休養・余暇・娯楽は十分に

農村は労働時間も不規則になりがちで、主婦の労働時間も長くなり、料理はインスタント食品を用いて、簡単にされてしまいます。愛情のこもった食卓を囲み、夜のひとときを楽しいだんらんの場にするためにも、各々の立場を取り入れ、仕事の分担を決め能率的にしなくてはなりません。また、地域的なグループの活動は、レクリエーションや技術の交換を行なうことによって親睦がはかれ、農業発展に役立つものと思われます。その意味においても、現在の4Hクラブを意義あるようにしたいものです。

◆私達のクラブ活動の概況〈天理市4Hクラブ女子〉

クラブ結成の動機　よりよい農村、よりよい農業を行なう上で、女子の力はぜひ必要ですから

結成年月日　昭和四十五年一月

現在の会員数　男七十二名、女四名、合計七十六名

主な活動、プロジェクト　結成して間がないので、プロジェクトは行なえない。よりよい農家生活を行なうための行事、生活に必要な食事、衣服などの改良にあたる

会員の年齢区分　二十歳以下十名、二十五歳以下三十七名、二十六歳以上二十九名

1、我が家の経営概況

水田　七反(請負耕作に出している)

鶏　採卵用二万羽、食肉用月産二千羽

2、動機

農業の生活環境は軽くみられがちであるが、いかに大切であるかを考えて

3、計画

休日制の実施

4、昨年度の実績をかえりみて

販売所を一つ増したため、主婦の時間的労働も長くなった

◇十年後の農業を考えると、蔬菜・米・家畜というようないろいろな面から利益を得て、収入の安定を図る専業農家が、現在は大半ですが、これからは集約農業へ変ってゆくべきです。十年後には三倍の国民所得を得るためにも、人間は機械に使われないで、私達が機械を使っての経営を行なって、農業の生産性の向上を図りたいものです。

また家庭生活においても、住居・台所の改善、電化製品などで生活の合理化を行ない、主婦は労働時間を減少させて、家庭を楽しいいこいの場とするように、家事を中心とした時間を持つべきです。

私の家でも利益の拡大を考え、養鶏、そして直売所を設け、十五人の従業員を雇い経営にあたっています。収入利益は二倍と著しく増しましたが、主婦の仕事は増え、娯楽を楽しんだり、休養をする時間も短くなったのです。

主婦の休日を作る

そこで昨年以来、販売を会社組織に切替え、兄は養鶏、父は販売とそれぞれ責任者に決め、規則的時間労働も実行しつつあります。しかし、十年後の経営と生活を考え、特に主婦として休日を取り入れた家庭生活の合理化と、時代にマッチしたゆとりある楽しい生活環境を作りたいと思います。また仕事の合理化についても、地域的なグループ作りでレクリエーションや話合いの場を設けることによって、お互いに教養を身につけ、これからの農業発展に大きく役立つことと思います。

富士登山詳細決る

本紙六月十四日号で既報のように、静岡県北駿4Hクラブ(会長・勝又浩吉君、会員二十五名)の主催する富士登山が今年も実施されることになり、その詳細が決定した。日程、募集要項は次のとおり。

八月三日

午後一時~五時……御殿場駅集合、受付け

五時……開会式など

八時三十分……交歓会、キャンプファイヤー

十時……就床(宿泊は御殿場市の青少年会館)

四日

午前六時……起床、六時三十分……朝のつどい

八時……話し合い(分科会)

十時……十二時……富士裾野の名所(富士霊園や富士スピードウェイなどを予定)見学

午後一時……砂走口(神社)からバスで五合目へ。登山

六時……八合目に到着、就床

五日

午前四時……八合目を出発

五時……富士山頂に到着、お鉢まわり

九時……御殿場口へ下山

十二時……同二合目へ到着

午後一時……御殿場市の東公民館で反省会とお別れ会

携行品　登山できる靴、懐中電灯、帽子、雨具、手袋、冬物のセーターなど(ヤッケ、ジャンパー類)

費用　宿泊費、食費、交通費含めて三千円程度

申し込み先、方法　個人あるいはクラブ単位で、事務局へ申し込むこと

申し込みの締切日　七月十五日

事務局＝静岡県駿東郡小山町一色三三六　電話〇五五〇―六―〇六五八　込山しず江

生活もの知りコーナー

◇夏野菜の保存

その日に使うだけ買うのが理想的ですが、そうできない場合もあります。乾いた野菜は、濡らさぬのが保存のポイントです。

▽冷蔵庫に入れるとき　一番下の段に入れます。菜類は縮むので、ポリエチレン袋に入れ、はじめから濡れているものは、穴のあいたポリ袋に入れると、三日くらいもちます。トマト、きゅうり、かぼちゃはそのままでかまいませんが、切口には、サランラップやクレラップを張ると、一週間くらい大丈夫です。

▽冷蔵庫に入れないとき　じゃがいも、かぼちゃ、たまねぎなどは竹のカゴかザルに入れ、乾燥させておくと一週間はもちます。キャベツ、だいこん、にんじんなどは三日くらい、トマト、きゅうりなどは二日で鮮度が失われます。

▽その他　レタス、サラダ菜などは冷蔵庫に入れるより、皿に少量の水を入れ、株を浸しておくと一日くらいは生々しています。いたんだ部分は、早目に切りすてることが大切です。

おことわり　折原俊二郎氏の「農村雑感」は、都合により休載致します。

青春と仲間

葉隠の里を訪ねて(4)

根本的性格と特徴

一名肥前論語、鍋島論語ともいわれ、鍋島侍の軍人勅諭に当るもので、その骨子は「忠」の一字に尽き、これを実現さすために四誓願として、

一、武士道に於いておくれ申すまじき事

一、主君の御用に立つべき事

一、親に孝行仕るべき事

一、大慈悲をおこし人の為となるべき事

を挙げ、義勇、忠節、孝行、仁慈を説いている。

九州大学の井上義巳教授は、教育史の立場から次のようにみている。

第一は鍋島至上主義「葉隠」の勉強こそ第一の目標で、それ以外の学問はいらないといっている。そして、ついに「釈迦も孔子も楠木も信玄も、終に竜造寺・鍋島に被官かけられ候儀これなく候へば、当家の家風にかなひ申さざることに候」といった思いきった断言をしている。鍋島に仕官し、忠節を尽さない以上、どんな聖賢も名将も価値を認めないという偏狭さがある。

第二は死の覚悟中心主義「武士道とは死狂ひなり、本気にては大業ならず、気ちがひになりて死狂ひするまでなり」と、いたるところで死の覚悟を強調し、物事の道理をきわめ、己を修める道を求める学問などかえっておくれをとるだけだと排斥している。これは"常住討死""常住死身"という、もっとも原始的な武士道観に立っている。

第三は宗教的な意識で「武士たるもの生死を離れねば何事も役立たず、万能一心といふも、有心のやうに聞ゆれども、実は生死を離れたることなり、その上にて、いかやうの手柄もさるるものなり」と、生死を超越した無念無想の宗教的境地に立つことが忠であると、くりかえし説いている。これは常朝が師事した禅僧湛然(?~一六八〇)の武士道的仏道の教えが、一貫して流れていると述べておられる(「葉隠武士道と学館教育」)。

佐賀で葉隠を長年研究し、大著「校註葉隠」「葉隠の神髄」を出版されている栗原荒野氏は「葉隠の神髄を要約すると"真剣に、仲好く、頑張れ"の総合標語に尽きる。さらに葉隠全体の特徴は団結力の強いことだ。これも今日の組織力とか闘争力のあり方とは質が違う。葉隠にはそのことを"一味同心""諸人一和"などといっている』と述べている(栗原荒野著「物語葉隠」)。

江戸文学研究家の中西啓氏は「山本常朝の生きていた時代は幕府の文教政策に基づいて朱子学を枢軸とした封建社会の組織が確立した時期で、葉隠も多分にその影響を受けたが、一方では談林派の俳句をリードした西鶴の文学がベストセラーとして世上をにぎわしたころだ。葉隠には歴史的なことが沢山取上げられているが、必ずしも史実を伝えたものではない。佐賀藩の記録や関係諸家に伝わる資料と照合してみると、四誓願に合うよう筆を曲げたと考えられるフシがある。これは単に伝承の誤りというよりも、当時、近松の文学にあらわれた虚実の理論に影響されたフィクションで、一つの文学として読まれるべき作品だ」(朝日新聞三十三年一月十二日で「佐賀んもん」)と述べている。

オリエンテーションを受けながら単語を調べる坂本さん(右)と古川さん(左)

子供のプロジェクト　馬、豚、羊
坂本さんからの第二信

今日は!みなさんはお変りなくお元気で毎日を送っていらっしゃることと思います。私はあと四泊この家でお世話になって、プールマンで行なわれる州の大会へ出席し、第二の家庭へ入ることになっています。第二の家庭は指導員さんの家で、九日間と大変短い日数です。その次へ入る家庭から先日手紙が届き、八人家族と書いてあるので驚いています。馬、豚、羊など、子供の4Hプロジェクトになっている動物がいる様子です。

土地はとても広くあるらしいのですが、パート・タイム・ファームということです。この意味を今奥さんにたずねたところですが、夏または冬の間だけ農業をすることをいうのではないですか――、という程度のことしか分らず、明日聞いて下さるそうです。どんな意味を持っているのか、今から心配しなくても行ってみれば分るでしょうが……。

古川さんからよく連絡があり、私は二度手紙をもらいました。彼女の現在いる家は、とても乱雑な家らしく、少々心配しています。州が違い、指導関係の方達が違うせいでしょうが、私の方は大変恵まれているので、なんだか申訳ない感じです。生活についても、彼女は若く、クラブ歴も浅いので、何かとなれずに苦労しておられる様子です。

4Hクラブについても、アメリカの生活についてもいろいろなことを学びました。会話の方は、単語の並べ方は分りますが、まだうまく言葉になりません。くつをはく、ぬぐ――。これらの言い方については、人の動作を指して、または自分で行動してたずねながら覚えつつあります。この家の奥さんの英語は、発音がとても正しいので大変助かっています。

森林、魚についてもいろいろなことを聞きましたが、シアトルで派米協会の人が「君達はアメリカに期待して来ているだろうが、日本の発展はめざましく、今のアメリカから学ぶものはないだろう」と言われましたが、今の私は、それを強く感じています。

昨年まで行なわれていた「中央大会」のとりやめ、アメリカからの草の根大使を送り出す人員の減少、それにともなって受け入れも減少、日本の農業経営が大変難しいように、アメリカの経営も大変難しいのだと思います。4Hについても、クラブの運営や精神について、リーダー、部員がともに理解して、スムーズに行なわれているのだろうと、大変期待を持っていたのですが、彼らにとって4Hは楽しみの場であり、広い意味での勉強の場ではないようです。

日本の場合、年齢が高いので、経営と広い意味での仲間作りを目的にしているように感じますが、こちらでは年齢層が低いので、一つのプロジェクトについての勉強だけに、終ってしまっているように感じます。縦と横の関係がハッキリしている日本のクラブと、その関係はほとんど感じさせないこちらのクラブ、どちらがよい方法なのか分りませんが。

しかし、何に対しても、自分で疑問を感じたらかならず質問し、答をもらっています。出発前の失敗の中で、ハッキリした認識した「日本代表としての役目」だけは絶対に果したいと思っていますので……。でも、これも私の目で見て感じる姿なので、正しいアメリカの姿とは決していえませんけれど……。

六月十日　坂本寧子

4H活動をかえりみて〈上〉

私のプロジェクトは―― 読む書く話すこと

佐賀・諸富産研クラブ　池田義正

月日のたつのは早いもので、つい最近まで若いクラブ員達と騒ぎそしてともに学んでいたけれども、もうすぐ4Hクラブを去ることになりそうです。しかし私は、このクラブ活動の中で学んだ「私達は実践を通じて、自分を磨くとともに、互いに力を合わせてよりよい農村よりよい日本を築くために努める」という4Hの精神は、生涯を通じて、私の心の支えにするつもりです。

クラブの中に籍を置いている間は、その中で自分なりに、悔いのない活動を行なっていくつもりです。それとともに、4Hを卒業してからの、私の生き方ということを考えてみました。私の心の中に、誰にも干渉されたくない、そのかわり干渉もしないという気持が非常に強くあります。しかし、利己的になり孤立するならば、これからの世の中は、生きていかれないと思います。

この私が、お前のプロジェクトは何かとたずねられたら、読むこと、話すこと、書くことと答えますが、農業面のプロジェクトも合わせて行なっています。では、なぜ読むこと、話すこと、書くことが、私の三つの信条なのでしょうか。私達が、本以外から得る知識というのは、数少なく、片寄りがちです。そして、そのような知識が第三者からみた場合に、おかしいことが多いのです。

これから先の農業というのは、土地、労働力、資本、それに英知だといわれています。その中で英知こそが、今の農村に最も欠けているのです。私達の先輩、あるいは現在の農民の多くが、農業の話をすると、目を輝かせて話してくれますが、人生の問題、政治のこと、恋愛の相談などをしてみても満足な話をきかせてくれることは少ないのです。

そして、私達にも経験はありますが、子供にばかり勉強をしろ、よい言葉を使えと叱りますが、自分たちは、実際にそうしてはいないのです。だから、私達若い青年が、次代を築き上げよう、明るい農村をつくり出そうとするならば、家族ぐるみで、明るく、正しく、強くなるように努めるべきでしょう。

そんなとき、読書をすることによって、多くの偉い人達の生き方考え方を知ることができます。しかし、本を読む時に注意しなくてはいけないことは、片寄りがちになりやすいことです。農業も同じでありますが、基礎というものが大切になってくるのです。根が広く、そして深く張っているならば、その上に育つ草や木も、大きく、太く、たくましくなるでしょう。

木の根というものは、哲学書であるといえます。私も及ばずながら、哲学の本も時々読みます。そして、その中の多くの格言を知り、それを日々の行動の励ましや、戒めにしています。好きな言葉は、故きを温ねて新しきを知るとか、パスカルの考える葦の話です。だれもが哲学というのは、むずかしいと考えますが、実際に理解するのは、たやすいことです。たやすいのですが、それを行なうのが、非常にむずかしいのです。

しかし、本を読む場合のみではないのですが、私達は人にばかり文句をいったり、軽蔑を与えたりするけれど、自分のことは必要以上に可愛いものです。しかし、目を外に向けると同時に、内側へも目を向けなければいけないと思います。そして、たえず現実の自分というものをはっきりと知り、心の貧しいこと、甘い考えというものを鍛えるようにすべきです。そうすることによって、いつも客観的にものごとを見られる目を、養うことができるのです。

冷静に、間違いのない行動をするためには、どうしても広く多くの本を読むことが必要なのです。今の社会の中で、人々をひっぱっている人は、そういうかげの努力をしてきた、また努力している人なのです。だから私は、若いうちに、本を読むクセをつけて下さいといいたいのです。

☆　☆　☆

クラブ紹介

地域青年団と連繋を
静岡・浜名4Hクラブ

静岡県西部地域農村青少年クラブ連絡協議会に、二年まえ加入し、目ざましい活躍を続けているクラブがある。浜松市から北へ十キロ、西に三方原台地をひかえ、東に天竜川が流れるあたりに、人口六万人の浜北市がある。この浜北市連合協議会に加わっている四つのクラブのうちの一つ浜名4Hクラブ(会長　小松良雄君)を紹介しよう。

このクラブは、二年前に発足して、平均年齢は二十一歳、クラブ員は温室、茶、ミカンを主作とする農業を営んでいる。この地方は数年まえまで専業農家が多かったが、現在は、浜松地方へ働きに行く人たちが増えて、兼業農業になりつつある。

このクラブは今まで、レクリエーション的な事業を行ない、仲間づくりを中心に活動してきたが、今年から共同プロジェクトを持つことになった。水田三アールで、五日に播種、六月下旬田植えを行なう。クラブ員のなかにトラクター、バインダー、スピードスプレヤーを持っているものがいるので、作業の能率はよいと思う。

圃場を持った目的は、共同プロジェクトなどの活動が、活発にできないからである。クラブ員一同での作業は、4Hの信条にある、科学的にものを考える人となるためにも必要だからである。

この圃場で上げた収入は、個人プロジェクトの推進費、県外視察費助成、4H会館建設への寄付などに使用する。

また、このクラブは、夏の技術交換大会(西部県大会)リーダー研修会などにも、積極的に参加しており、さらに社会奉仕事業として、市の青少年の家のまわりに、サクラの木を植えている。そして、同クラブの特色といえば、地域青年団との連繋につとめていることであり、球技大会、運動会、駅伝大会などを合同で行なっている。

今年は特に共同プロジェクトの充実、いろいろな大会、研修会などへの積極的に参加して視野を広めたい。また、社会事業として交通安全指導道路補修を行ないたい。そして、毎月の定例会の日に、個人プロジェクトの発表を実施したいなどと、小松会長は抱負を語っている。

【静岡県連絡報道員・三谷俊宣】

日本4H新聞
4Hクラブ
農事研究会
生活改善クラブ
全国弘報紙

発行所
社団法人 日本4H協会
東京都市ケ谷家の光会館内
電話(269)1675郵便番号162
編集発行人 玉井 光
月3回・4の日発行
定価 1部 20円
一ヵ年700円(送料共)
振替口座東京 12055番

クラブ綱領

私達は、実践を通じて自らを磨くとともに、互いに力を合わせて、よりよい農村、よりよい日本を創るため、四つの信条をかかげます。一、私達は農業の改良と生活の改善に役立つ腕をみがきます。一、私達は科学的に物を考えることのできる頭の訓練をします。一、私達は誠実で友情に富む心をつちかいます。一、私達は楽しく暮し元気で働くための健康を増進します。

大阪府連が主催に

第10回全国農村青少年技術交換大会

8月17日から4日間 大阪・青少年センターで

知識、技術を交流

万国博会場で閉会式

第十回全国農村青少年技術交換大会は、社団法人全国農村青少年教育振興会(東畑精一会長)、大阪府、同府4Hクラブ連絡協議会(原田正夫会長)の共催によって、来る八月十七日から四日間、大阪府豊能郡能勢町宿野の府総合青少年センターと千里丘の万国博ホールで開催される。

この大会は、日ごろ農業経営や農家生活の改善について、研究・実践している全国の青少年代表が農業や農家生活について、それぞれの知識や技術をお互いに交換するとともに、キャンプ生活を通じて、新しい農業担当者としての自信と連帯意識をつちかうことをねらいとして開くもの。

今回は、農林省が主催からおりて後援にまわり、府4Hクラブ連絡協議会が新たに主催者の一員として加わることになった。府4Hクラブ連絡協議会の主催者への昇格は、現在、ほとんどの県段階の大会が県連によって運営されることと合わせて、全国大会でも、これまで府県の組織が運営の主体的役割を果してきたことなどから、その実績が高く評価されてきたことと、さらに、青年の間から"青年の手による運営"が強くさけばれてきたことなどが大きな理由としてあげられる。

また、過去九回にわたって教育振興会とともに主催者として名を連ねてきた農林省が、その主催の一角から名を消したのは、教育振興会に事業を委任していること、すでに過去九回の実績によって振興会が一本立ちしてもよい時機にきていることなどであるようである。府県連の主催者への参加とともに、十回目にしてその機が熟したものと判断され、いよいよ"青年による青年のための、青年の大会"へ大きく歩み出すことになった。

開催要領は次のとおり。

▽参加者

(1)農村青少年代表(おおむね二十歳以下)=各都道府県、男子女子各五人、計十人

(2)海外農村青少年代表

(3)各都道府県引卒者=一人以内

▽行事

(1)プロジェクト発表

ア、プロジェクト活動を通じて体得したものを演示発表する。

イ、発表は各都道府県一~二名(または一~二組)とする。

ウ、発表は、作物(特用作物を含む)野菜、花、果樹、畜産、生活、その他の部門ごとに分かれて行なう。

エ、発表時間は、一発表十五分以内、質疑応答五分以内とする。

オ、最優秀者男女各一人にフェンガー賞を贈る。

(2)技術競技

ア、技術競技は、作物、野菜、花、果樹、畜産、生活について

イ、技術競技は、グループ競技とし、都道府県を越えた男女混成チームを編成する。

ウ、優秀チームは表彰する。

(3)交歓交流と体力つくり

▽見学

大会終了後、日本万国博覧会を見学する。

▽大会事務局

この大会の事務局は、大阪府農林部農産園芸課内におく。

日程

【一日目】▽午前八時…受付け(阪急箕面線箕面駅前)
▽十二時…昼食・村編成
▽午後一時三十分…バス移動
▽三時…入村、オリエンテーション、夕食(各キャンプ場)
▽六時三十分…開会式(中央グランド)
▽八時三十分…グループタイム(テントロッジ)

【二日目】午前六時…朝のつどい(起床、洗面、清掃、朝食)グランドホール
▽九時…話し合い(ホール周辺)
▽十二時…昼食(ホール)
▽午後一時…技術競技(場内二ブロック)、夕べのつどいとして共同炊事による夕食(各炊さん場)
▽七時三十分…交歓の夕べ、九時…グループタイム(ホール、ファイヤー場)

【三日目】午前六時…朝のつどい
▽九時…プロジェクト発表(本館周辺)
▽午後一時…体力つくり(中央グランド、体育館、プール)
▽五時…夕べのつどい・夕食(ホール、グランド)
▽七時…キャンプファイヤー(野外劇場)

【四日目】午前六時…朝のつどい(ホール)、バス移動
▽十時…閉会式(万国博ホール)
▽十二時…万博見学

全国大会に全力注ぐ

大阪府連 原田会長を再選

【大阪府=中岡行雄連絡報道員発】府4Hクラブ連絡協議会(会長、原田正夫君)は、さる五月二十日、大阪府青少年会館で、昭和四十四年度通常総会を開催した。

本年度、大阪府連が府および全国農村青少年教育振興会と共催で行なう技術交換大会に、すべての行事の照準を定めてきた四十四年度事業報告、収支決算の承認、つづいて新年度の事業計画、予算を承認可決、そして、役員改選に入り、会長に原田正夫君(豊能区)の留任を決めたほか、別記の新役員を選出した。

四十五年度の活動方針は、新都市計画法を背景に、厳しさを加えつつある大阪農業を象徴するかのように、仲間の減少は著しい。しかし、なお踏みとどまって都市近郊農業の地位を守り、伸ばそうとする我々は、心、技、体いずれにも優れた近代的農業者をめざし、仲間と活動を通じて、農業の置かれている立場、地域社会の情勢を正しくみつめ、これから我々は何を考え、何をなすべきかを真剣に話し合い、真の若さと勇気と情熱ある行動をおこさねばならない。

原田会長

このような時、足かけ三年、我々が苦難の道を歩みつづけてきた第十回全国農村青少年技術交換大会は、いよいよ今年度八月に開催される。われわれは、この大きなプロジェクト達成のために、さらに努力を惜しむことなく、全国の仲間を迎える態勢を固めなければならない。と同時に、選抜された全国の仲間に伍して、劣ることのない心、技、体を各人が日頃の活動を通じて培い、大会参加体験を加えて、将来に生かさねばならない。それが、苦しいながらも貴重な体験を、大阪府連に与えてくれたすべての人々への恩返しではないかと思う。

さらに、重点項目として、全国大会とともに事務局体制の強化、4HOBを中心とした農業経営者クラブ結成の推進をあげている。

新役員は次の通り。カッコ内は地区連名。

会長 原田正夫(豊能)
副会長 中岡行雄(南河内)
書記 松井義一(中河内)
会計 川崎太一(泉南)
監事 中村勤(三島)
理事 松宮治市(北河内)
〃 堀内誠治(同)
〃 塩野博(南河内)
〃 上田登造(中河内)
〃 山下光晴(泉南)
〃 中辻勝(泉北)
〃 中塚幸雄(同)
〃 高橋保夫(豊能)
〃 太田秀男(三島)

涼風暖風

ようこそカニ族

夏は若者たちの季節である。毎年のことだが、七月に入ると北海道を訪れる府県の青年たちが目だって多くなる。酪農実習の農業青年、夏休み利用で自然探究する学生グループ、高校生の夏期旅行など、夏の北海道はイキのいい若者でいっぱいだ。

こうした青年たちのうちで、地元では「カニ族」と名づけている一群がある。彼らの多くは学生だが、ドイツのワンダーフォーゲル(渡り鳥)のように、自然に親しみ体力と友情を養うための旅行をしている青年たちだ。

彼らは男女とも一様にキスリングという名のリュックサックを背負っている。横に広がった形で、袋自体は上部をひもでグルグル巻きにしばる登山用のあれだ。これを背負って歩き回るようすが「カニ」の甲らに似ているところから、「カニ族」というらしい。

カニ族は、北海道の山・海岸・河・平原・牧場など所きらわずエネルギッシュに動きまわる。函館のトラピスト修道院、十勝の大平原、大雪山系の原生林、神秘の摩周湖、秘境の知床、霧の釧路湾、根釧パイロットファーム、日本最北端の宗谷岬、オホーツク沿岸の原生花園など、カニ族は移動が早い。

おすガニ族はどういうわけか一人旅が多い。チロルハットに登山靴それに例のキスリングサックのいでたちで、観光にはおよそ縁のない僻地の小駅から鈍行列車にひょっこり乗り込んでくることもある。そういえば、旅行の道すがら牧場に宿泊まりしてアルバイトの農作業で旅費かせぎするのも一人旅のおすガニに多い。

めすガニは、娘さん数人のグループというのが普通だ。ふちの広い帽子にカラフルなスラックス姿で、やはり大きなキスリングサックを背からはみ出さんばかりに背負っている。よく食べるのもめすガニ族である。

宿舎は、ユースホステルや民宿はいうにおよばず、キャンプ場から寺まで、格安なところはカニ族でいっぱいだ。長崎と山形の青年が意気投合したり、外国の娘さんと神奈川のカニ族が友情を交換し合う。旅行中は誰れとも親しく話し、地図をひろげ、日記をつけ、そして食べる。夜行列車のほとんどは、そんなカニ族の大移動で、いっぱいである。

カニ族の諸君よ、心ゆくまで北海道の自然を味わってほしいが、北国で働く青年たちの生活と意見も知ってほしいと思う。北国には毛ガニのほかタラバガニ、ハナサキガニがいる。

(北海道・三輪)

難しい養子とり

中央推進会議 女子クラブ員話し合う

全国4Hクラブ連絡協議会と日本4H協会共催による今年度前期の全国4Hクラブ中央推進会議は、さる六月三日から東京・小金井市の浴恩館で開催されたが、期間中とくに女子リーダーのために女子クラブ員研修が行なわれた。この研修は、昨年度から新しい試みとして取り入れられたものであるが、参加者から好評を博し、今回も続けて行なわれたもの。内容は、女子リーダーたちが取り組んでいる女子クラブ活動の現状報告や女性特有の話題、今後の活動方針など豊富であった。以下はそのあらましである。

修業は身近なこと(料理、作法など)から

女子研修会は、まず、はじめに自己紹介をかねて、それぞれクラブ活動と経営内容が報告された。

昔は、ゲタばきで歩ける距離が農村主婦の生活範囲であったが、現在は、時間と距離がせばめられ生活(活動)範囲が広くなった。そこで、これらの生活に対応できる農村女性として、また、立派な社会人になるためには、広い視野に立って勉強(クラブ活動)していかなければならないという、クラブ活動に対する基本的な考えのもとに、つぎのような学習を行なっていることが紹介された。

一、保健講話(女子青年の保健と生理)この場合、男女一緒に行なっているクラブもある(山梨)

二、女子教養講座(結婚のウォーミングアップ、色彩と調和、魅力ある話し方、電気器具の知識、料理実習)などの一般教養と生活技術の学習を県連が主催して行なっている(愛知)

三、女性としての必要な法律、OBクラブ員の体験発表、技術学習(料理の献立作成、カロリー計算、実習)など(栃木)

四、作法の習得(茶道を通して)、奉仕活動(施設訪問)、先輩との話し合い(宮城)

以上のような報告があった。

女子クラブ員のプロジェクト活動については、家庭に入った場合や農繁期など、緑黄野菜が欠乏していることを考えて、家庭菜園を共同プロジェクトにしているクラブ員が多く、このような身近なプロジェクトをもつことは一番大切だといっている。また、プロジェクトをもつことによって、自信がつき、よい意味での行動力、計画性、発言力が養われ、女子クラブ活動を活発にしていると、プロジェクトの重要性を再認識している。

地区や県連などの組織における役職と女子クラブ員については、非農家の女性も加入しているので県連の活動や役職などは問題が生じる。また、女子クラブ員の場合"結婚"ということがあるのでクラブ員の変動が大きく、新クラブ員を加入させることが問題であるといいながらも、各自が一生懸命頑張ってカバーしている。

今後の女子クラブ活動のあり方としては、家庭に入っても(結婚)4Hクラブで習慣づけられた学習態度を継続できるようなクラブの雰囲気をつくりたい。女子クラブ活動そのものについては、単位クラブや地区の女子クラブ員に責任のある活動をしてもらう。また、事業の計画にあたっては、事前にアンケート調査などを行ない、クラブ員の意向を受入れる。つぎに、4Hクラブ活動を地域から理解してもらうため、家族(母と娘)や地域の人たちとの対話の場を設けたいと云っている。

最後に結婚観について話し合ったが、参加者の大半が養子取りのため、理想的なムコさんの条件として、少なくとも農家(農業)を知っていること、また、これからの農業は、ただ働くだけできないので、すべての面で実力のある人を希望している。しかし、現実には彼女たちの身近にこのような男性が少なく、これが女子クラブ員(養子取り)の一番大きなプロジェクトであると、ちょっぴり悩みをうちあけていた。

研修のあと男子リーダーと談笑する女子クラブ員=東京・小金井市の浴恩館前で

土地確保へ動き出す

4H会館建設

さる六月二十七日、全国4Hクラブ連絡協議会(会長、久野知英君)の執行部会が東京・新宿区市ケ谷の事務局で開催され、4H会館建設の促進について話し合われた。これには、4H会館建設委員会の岩崎茂委員長(全協初代会長・静岡)梅田清雄副委員長(元全協会長・富山)も同席し、土地獲得を早急に実現するための具体策などについて話し合った。その結果、基本的には、自分たちで土地確保のための努力を続けるが、国有地などの払い下げの場合、法人格を必要とするので、社団法人日本4H協会の松下幸之助会長にも協力を求めることを申し合わせ、さっそくその手続きをとることになった。

三十八年ころから起こった会館建設の気運は、毎年、新たな意欲のもとに取組みながら具体化するに至らなかった。そこで本年度の執行部は、せめて土地獲得だけでも実現する肚を決め、六月の中央推進会議においても、その旨の決議がなされた。

岩崎建設委員長の経過説明によると、会館の構想はほぼ煮詰まってきているにもかかわらず、いまだ土地すら入手できない状態にあるのは、はなはだ遺憾であるが、ひとつには、各県連会長が年々交替して、きちんとした申し送りができておらず、いつも最初から始めなくてはならぬ、というハンデがあり、これが、実を阻んだ原因の大きなものであった。

また、土地もなく確かな目安が立たぬため、かなりの額を募金している県連でも、これを全協に送ってこないという事情がある。これと、金がないから土地も入手できないという"家庭の事情"が、鶏と卵のように堂々めぐり、あるいは悪循環をなしてはっきりした結論を得ないままになっていた。候補地もいくつかあがったが、諸般の事情から、とうとう入手できぬままで今日に至っている。

国有地の払下げ、民間の私有地の買収の二つの方法は考えられるが、すでにそれもたびたび論議を重ねられたばかりで、進展をみなかった。国有地の払下げや借用はうまくことが運んでも一年から一年半はかかる。民間所有地を買収するにしても、現在、手持ちの金や各県連の手元にあるものを合わせても、必要なスペースを獲得するにはむずかしい。東京都内という条件も、困難のひとつである。

このように土地の確保は現在大変難しい状態にあるが、このような局面を打開するために何らかの手を打つ必要があるとの意見も述べられ、これまでと同様、自分たちで土地確保の努力を続ける一方、法人格をもつ日本4H協会に土地入手に尽力してもらうよう、松下会長に依頼することを決め、さっそくその手続きをとることになったものである。

14名を総理府に推薦

全協 「青年の船」団員候補選ぶ

全国4Hクラブ連絡協議会は、総理府が実施する第四回「青年の船」団員候補者を、総理府青少年対策本部に推薦するため、希望者を募集していたが、さる六月二十五日締切った。ただちに翌二十七日、全協執行部と4H協会からなる銓衡委員会で慎重審査の結果、多数の希望者の中から男子十一名、女子三名を選出、三十日、青少年対策本部へ文書をもって推薦した。

各県連会長から推薦された乗船希望者は、締切日の二十五日近くなると殺倒した。昨年にくらべると、多少、女子の申込みが減ったという現象はみられたが、全体的には昨年を少し上回る希望者があった。

二十七日、午後から夜にかけて全協役員と4H協会職員とが構成する銓衡委員会は、「青年の船に応募して」と題する論文を主体として、申込書、推薦状、戸籍抄本、履歴書、健康診断書など必要書類について、十分なる検討を加えた末に、「青年の船」に応募する動機が明確で、いろいろな青年たちと交流し、東南アジア各国を実際に見聞した上で、今後の活動にそれを存分に生かしうると思われる男子十一名、女子三名を選出した。

論文は、昨年あたりに比較すると、女子は昨年に引続きよく、男子は昨年以上であったため、平均するとかなりレベルは上がっていた。このため、審査はかなり難渋したが、最終的には昨年と同じ十四名を、総理府青少年本部へ推薦することを決定。これを文書にして、三十日、全国4Hクラブ連絡協議会の名で推薦した。

なお、総理府が正式決定を下すのは、おそらく、八月になる模様である。昨年は、七名の乗船者を出したが、今年はそれを上回ることはあっても、まず下回ることはないだろうと、関係者はみている。

11月中旬を予定

全協 沖縄親善交歓訪問

全国4Hクラブ連絡協議会は、今年度に計画している全国4Hクラブ員の沖縄親善交歓訪問について、このほど東京・都下小金井の浴恩館で開かれた今年度前期の全国4Hクラブ中央推進会議においてその構想を明らかにした。

それによると、実施の時期は昨年度と同じく十一月中旬の五日間を予定、参加者は約六十名を見当に全国の4Hクラブ員とOBから募る予定である。

費用も昨年と同じく一人五万五千円が見込まれているが、その払い込み方法は銀行ローンを利用することが考えられている。

また、宿泊については、前回は都合によって名護青年の家になったが、今回は現地の関係者と打ち合わせて民泊を計画したいなどの考えが述べられたが、昨年の経験を生かしながら、クラブ員の参考意見を聞き具体化を図っていく。

徳島県連で技術交換会開く

9日から箸蔵寺で

【徳島】県農村青少年クラブ連絡協議会(会長、正木久之君)は県と共催、来る九日から三日間、三好郡池田町の箸蔵寺で県農村青少年技術交換会を開催する。

奥越地方の農業青少年交歓大会開く

【福井】第八回奥越農村青少年交歓大会が、六月十三、四日の両日、大野市上庄小学校と森山スキー場とで開かれた。毎年一回、大野市農業青少年連絡協の主催で行なわれており、奥越地方の農業を担う青少年の親交をはかって、次代の農業経営者を育成する目的をもっている。

心頭技健

「第六回全国4Hクラブ員の集い」の参加申し込みが、各県連から報告されている。今年は、急きょ会場が佐賀県に決ってから期間も短かく、準備の段階で困難なことも多いと思うが、現在までの参加者の申込をみると、愛知県の八十一名を筆頭に埼玉四十一名、和歌山三十名と軒並みに多く、これだけでもつどいを開くことのできるような参加者数である▼思えば、クラブ員の手で、クラブ員の大会を持ちたいと、これを旗印に始められたのが、大分県で開催した「全国4Hクラブ員九州の集い」である。そのあと、関東(埼玉)北陸(富山)と続き、つどいの名称も改められて第四回は奈良、第五回は鳥取、そして今年は第六回を迎えて、つどいの発祥地、九州で再び開催される▼つどいが九州で開かれる──これを聞いただけでも、先輩諸氏の中には、大分県でのつどいを思い出す人が多いと思う。ただ、なつかしいとか、楽しかったとかという思い出ではなく、自らの汗と涙の結晶で開いたつどいに改めて胸を温めるのではないか。これは単に、当時の感傷に浸っているだけでなく、このつどいによって、新しい農村の青年像が生れたといってよいほどの、重大な意義をもたらした▼その先輩たちの汗と涙の結晶が、現在に受け継がれて、今回第六回が開催されるが、ややもすると、ときがたつにしたがって、このつどいの意義や目的をよく理解しないで、ただ物見遊山的な気分で参加する人が多くなる心配がある。これは自分の小遣いの中から、何万円もの貴い費用を使うのだから一人ひとりが、もう一度、このつどいの意義や目的をよく理解した上で参加してほしいと思う▼またときが過ぎると、当時のこと(歴史や流れ)は忘れがちになる。そこで、かつての先輩たちも、このつどいにともに参加して、改めてその目で確め、もう一度、自らの意志を後輩たちに語り伝える場にしてほしいものだ▼また、つどいの特色は何かと問う人もいる。つどいの特色とは、ただ、そこに現われる形や行事の表面的なものでなく、参加者の心の中に燃え立つ青年の情熱にあると思う。そう問う人たちにもぜひ青年の中に飛び込んで自ら答えを出してほしい。

こんにちは大阪です

がんばれ佐賀県連

〝全力傾けるって大切や〟

大阪府4Hクラブ連絡協議会会長　原田正夫

二転三転ののち、全国4Hクラブ員のつどいは佐賀県で行なわれることになった。〝つどい〟よどこへ行く?の状態の時、まさに全協の窮地を救った佐賀県連の勇気ある英断をたたえ、全国のクラブ員諸君とともに、今後〝つどい〟へ向けての努力に対し、心からなる期待と激励を送りたい。

十日おきに郵送されてくる4H新聞は、次々と佐賀県連の〝つどい〟への動きを報じている。この記事を読みながら、私は「七十年第十回全国農村青少年技術交換大会を大阪で、全国の仲間たちのために、青年の、青年による、青年のための大会を成功させるため頑張ろう」と〝のろし〟をあげた二年前を思い浮かべる。そして、足かけ二年の大阪府連の歩んだ道をふりかえる。

〝技術交換大会〟と〝4Hクラブ員のつどい〟、その対象は異なり、内容も、選択という点でも異なる。しかし、全国の仲間たちのために……そこに何のちがいがあろうか。佐賀県連の準備期間はわずか四ヵ月たらず。〝苦しいはずだ。大阪は二年近く苦しんでるんや……〟とは断じていえないはずだ。

〝技術交換大会〟〝つどい〟それぞれがあと六十日たらずに迫っている今、私は既報「こんにちは大阪です」に続く第二便として、大阪府連の声と近況を報告するとともに、佐賀県連への激励の意味を含めて書いてみたいと思う。

君の行く道は　はてしなく遠い
だのになぜ
歯をくいしばり　君は行くのか
そんなにしてまで（若者たち）

一人ひとり聞いてみた。「君はなぜ?」

「そうやなあ、やっぱり全国の仲間のためや」

「君は?」「それもあるけど、自分のためやと思う。いろんな人に会って、いろんな経験して、もっともっと大きくなりたい」「何でもええけど、一つのことに全力を傾けるって大切やないか」「前に代表で参加したときのことが忘れられん。今度はこっちが思い出と感激を与えてやるんや」

どれもこれも尊い意見だ。わずか四日間といって下さるな。そこには大会へむかって、生活を賭けて……ともいえる血のにじむような苦しみもあるんだ。夜、寝床の中、突如むっくり起き上って大会を考えることもある。寝ては夢、おきてはうつつ幻の……という感じ。忙しい仕事の合い間をぬうようにして、クラブ員が集まることいくたびか。

幼児が積木あそびをするように大会を組立てては、崩し、また組立てて大会を考え、作ってきた。誰れもが歯をくいしばって、歩みつづけてきた長い道のり、はてしなく遠ければ休むことも出来ように、大会はジッとしていても迫ってくる。休んでおるわけにはいかぬ。

「お嬢さん、あんたはなぜ?」

「大会までに、大会の中で得た体験を生かしてお嫁入り道具の代りにするんよ」エライ!この人の夫となる人はしあわせ者だな。電気製品や三面鏡は金さえありゃ買えるもの。金で買えない貴重な体験を欲を出して身につけてほしい。

「そりゃやりがいがあるよ。苦しい中にも楽しいことが一パイある。けとな……」「けど……なんや」「会いたい人にも会えないつらさ、わかってくれる?」「わかるわかる」わかるともその気持、恋の道はそれでなくとも苦しいものだ。がまんしようぜ。「うん、がまんするよ。全国の友のためにはたらいて、努力して成長してたくましくなればいい。そしたら彼女もデート出来ないつらさなんて忘れてくれるやろう」そうです。その通り。恋人たちよ、しばらく彼の、彼女のわがままを許してやり、彼らは今大きく伸びつつある。楽しみにして待ってやってほしい。

君の行く道は　はてしなく遠い
だのになぜ
歯をくいしばり　君はゆくのか
そんなにしてまで

全国の仲間たちのためだ。恋人たちの、家族たちの、おれたちの周囲にいる人たちのすべてのためだ。

みんないろいろ言ったけど、声和して言うだろう。「頑張るゾ、頑張ろう!」と。

☆　☆　☆

君の行く道は　希望へと続く
空にまた路が昇る時
若者はまた歩きはじめる

第九回 青年農業者会議報告　酪農〈2〉

専業で30~40頭

全面協業はむずかしい

酪農　経営者部会・第七分科会

一、出された課題

（1）経営問題　①酪農経営のあり方②協業経営の考え方③粗飼料確保の対策④乳牛改良と期待する能力

（2）流通問題　①乳価と流通機構②牛乳消費の拡大③指定生乳生産者団体の強化

（3）生活問題　①酪農経営と主婦労働の位置づけ②酪農経営を支える生活設計

二、主たる意見

（1）①複合経営、専業経営、それぞれの立場より議論されたが、必ずしも、専業経営に踏切れないという現況である。経営規模は専業的な考え方で、三十~四十頭、複合的な考え方で、五~十頭が適当であろう②全面協業については必ずしも賛成者はなかったが、機械利用、販売購買面ではぜひ必要である③原野の開発、水田などの転作による粗飼料生産が緊急を要する④泌乳量は五千㌔を最低限にして淘汰する必要がある。

（2）①生産者価格と消費者価格との間の中間経費が多すぎる②生産者団体と消費者団体とが直結することも必要である③これらを強力に押し進めるために、指定生乳生産者団体を強化する必要がある。

（3）①複合経営では、なお主婦労働を必要とする反面、主婦が家事に専念すべきであるという専業経営の考え方もある。しかし双方とも簿記を初め、情報の収集と整理を主婦が担当すべきである。特に専業経営の場合はこの傾向が強い②ホームヘルパー制度を確立することにより、教養、娯楽の機会を得るとともに、日常生活時間帯も確立する必要がある。また、農業所得の目標は、おおむね二百万円程度で、そのうち生活費は百万円程度必要とされる。

三、残された問題

酪農経営技術のたちおくれ、牛乳のコストダウン、酪農経営の集団化などが大きな問題として取り上げられた。ほかに、将来の観光農業への見通し、稲わらの飼料化と農業使用、主婦労働などの問題が話題にのぼった。

通勤農業に拡大してから「畜産団地」を作る

酪農　経営者部会・第八分科会

一、酪農経営の方向と達成の方法

経営の方向としては、自立経営規模、一部に複合経営もあるが、大部分は酪農を志向している。この場合、最も問題となる①土地面積の拡大（飼料作付面積の増大）②飼料作労働および飼養管理労働節減のために、機械化を共通課題として取り上げた。

（1）土地面積の拡大　拡大方法として①新規に土地取得（民有地または国有地）、外延的拡大を図る方法（通勤農業を含む）②経営移転して、同志で畜産団地を形成するなどの方法が検討された。

（2）利用調整による飼料作の拡大　現小作、飼料の契約生産によって、自己の所有地以外の土地を活用、実質的に飼料作面積を拡大することが討議された。この方法が最も実現の可能性が高いと考えられる。そこで作付、作物の種類、現小作の条件、水稲作の時期が定められるため、せっかく借地したサイレージ調整時の労力不足により、高い反収をもとめにくいなどのことが話し合われた。西日本共通の夏型牧草の種子選定などについての技術交換がおこなわれた。なお、稲作減反は、酪農家にとっては、飼料作付面積拡大のよい機会であると、歓迎されている面もある。

（3）飼料作労働などの省力化　土地面積が総体的に少ないため刈取利用が基本になっている。機械化は小型機械が主体で、大型機械は共同利用によっている。共同利用は、利用時期に希望者が殺到するなど問題もあるので、土地条件にもよるが、性能が高く労力のかからない農業機械を集団で利用して、飼料作の労働を解決する必要性が強調された。次に、畜舎構造については、糞尿処理の省力化とも関連して、フリーストール型畜舎が話題になり、農場へ還元する方法の技術交換をおこなった。

（4）飼料の調達　粗飼料調達のうち、稲わら入手が相当困難になっていること、割高であることなどについて意見を交換、また、牧草の流通化も話題にのぼった。

二、経営と生活の向上

所得をあげるためには、飼養規模を拡大することになるが、この場合、主婦労働が過重になるのではないか。この解決は、省力化によって克服し、主婦は記帳、新しい経営知識の吸収、家事への専念などを希望することが、強く訴えられた。

レクリエーションに強くなる法

クラブ活動12ヵ月

新しいクラブ員を中心に　〈18〉

栃木県・普及教育課　湯浅甲子

プログラム　よく目的を把握して

臨機応変の措置を

（4）レクリエーションのプログラムをたてる

レクに強くなるには、当人の素質が、レク向きであるか、ないかということよりも、どれだけ、その事前準備をしたか、どれだけ、体験をもっているかがキメ手である。

そこで、充分な準備と、体験を積みあげる効果的な方法として、レクのプログラムのつくり方について解説をしよう。

❶プログラムの利点　レクのプログラムをつくっておくと、どういう利点があるかを、まずお教えしよう。（イ）初めて、レクをやる人でも、ベテランのような、はこび方ができる。（ロ）臨機応変に、内容変更ができる。（ハ）レクの記録になるので、反省資料になるし、対象が変れば、何度でも使える。（ニ）自分のレクレパートリーを確実にふやしていける。

❷プログラムの領域　（イ）与えられた、レクリエーションのねらいはなにか、をよく把握することである。例えば、クラブ交換会の中で、知らない人たち同士を仲よくさせるためのものか、それとも、研修の間に、ひと息いれて、気分を転換させるためのものか、それとも、家庭向きのレクをやった方がいいのか、一般対象で、ただ、たのしくすごさせるものなのか、それとも、リーダー対象で、レクのやり方を知ってもらうためのものか……など、これから、プランニングしようとするレクのねらいを、まず明らかにしなければいけない。そうでないと、レクの選択ができないのである。

（ロ）次に、どのくらいの持ち時間があるのか、をはっきりさせる必要がある。三十分と二時間では、大変な内容の質と量のちがいがあるわけである。与えられた時間の中で、導入からもりあげ、しめくくり、を持たせるわけなので、持ち時間の長短は、プログラムの組み合せ方に、大きな影響を与える。例えば、講義と、講義の間にちょっと、三十分ほど、レクを入れてほしい、という場合は、固い気分をほぐす役割だから、歌を、一つ二つやって、すぐ、本命の動作の入った、少々、にぎやかな雰囲気をだす、体操か、ゲームをやらないと、時間オーバーになってしまうだろうし、そうではなくて、長い時間がとれるなら、導入から、もりあげの間を、もっと、じっくりと充実させる方法が、とれるはずである。

（ハ）次は、場所を考えておく必要がある。前にも、ちょっとふれておいたが、場所の様子が、頭に入っていないと、適切な、プログラムを立てることができない。野外か、室内か、広さはどうか、足場はよいか、暑いときには、日陰があるか、寒いときには、暖房があるか、時間と場所の関係はどうか、夜か昼か、周囲に、邪魔になるようなものがないか、例えば、製材工場のオビノコの音が、しょっ中きこえるとか、大売出しの店があって、ひっきりなしに、ラウドスピーカーで流行歌やCMを流しているなど。

また、屋外でやる予定であっても、天候がくずれたときの対策がとれるかとれないか、マイク装置があるか、夜の照明は大丈夫か、必要なイスの数は揃っているか、レコードが使えるか……、あげていったらキリはないが、いつでも、これくらいの確認はしてかからないと、よいプログラムにはならないと思う。

（ニ）対象の人数と質を確認することである。人数によってレクの内容は大変かわってくる。人数が多い方がレクをやる側にとっては好都合である。気分をもり上げるには対抗ゲームを入れると、大体うまくいくし、歌も、もり上がりをつくりやすい。これが、二十人以下の人数になると簡単にはいかなくなる。こういうときこそ、プログラム作りの中での、作戦がものをいうのである。

例えば、少人数のときの歌は、みんなが、よく知っているようなものを中心にした方がよい。そして、歌の節まわしも、ゆったりしたものの方が、歌をあわせやすいものだ。いくら、いまはやりだといっても、フォークソング調のものは、もり上ってこない。

次は対象の質の問題だが、男女混成か、男だけか、年齢差があるか、とくに、親たちと、青年たちがこみになっているかどうか、この親子混成のレクは、非常にむずかしい。うまく選曲をすることによって、なんとかなるが、そうでないと、まず、至難なレクの部類に入るだろう。

対象の問題で、一番、気をつかわなければならないことは、冷たい傍観者をつくらないことである。何十人いても、どんな人たちであっても、一人のこらず、レクに誘いこんでいくような、プログラムでないとうまくいかないのである。レクをやっている人たちのまわりで、冷笑しながら批判的な眼でみている人がいると、リードする側も、たのしんでいる人たちも、どうも気になっていけないものである。

7月

稲作の共同化図る

岩手・川内4Hクラブ

【岩手】川内4Hクラブは、終戦後間もない昭和二十二年に発足して、以来二十年以上の長い歴史を経て現在に至っている。この二十数年間には、名称の変更、青年会との合併、そして独立など、戦後の混乱した社会の中で、種々の問題をかかえながらも、先輩たちの努力によって、年々その重要性を増し、活動の役割りと位置づけが明確にされてきた。

しかし、都市近郊の平坦地域とは異なる、山間僻地であるため、地域農業の将来の方向を見出すことも、なかなか容易でなく、活動も停滞することがあり、過去の実績も決して満足できるものではなかった。

このままでは、機能集団としての活動も停滞するばかりでなく、厳しい今日の地域農業の発展にも対応していかれないと、会員の意見が一致、新入会員のもっとも多かった四十四年度を契機に、従来の活動を反省し、今後の進め方を話合った結果、一大転換を図るため会則を改正、四十四年度の目標を次のように定めた。

（1）「人と人」「心と心」の人間的触れ合いを図る。

（2）身近な問題をとらえ、着実な活動をする。

（3）事業は、役割分担を明確にして、責任をもって実行する。

（4）地域の農家と直結した事業を行なう。

（5）原則として、酒気を帯びた場合、行事集会への参加を認めない。

以上の目標を達成するために努力したが、反省と今後の方向は、次のようなことである。

反省

（1）集会の回数が多く、会員相互の結びつきがよくなり、まとまりができた。

（2）身近な活動をしたため、地域の信頼が高まり、期待されるようになった。

（3）関係機関との結びつきがよくなった。

（4）農業に対する意欲が増し楽しいものとなった。

（5）年齢差により活動がかたよることもあった。

今後の方向

集団活動を通して、地域との結びつきをより深め、会員個々の生産技術、経営の向上を図りたいという点で一致をみたが、具体的には次のようなことが出た。

（1）稲作の共同化

（2）山林の活用（4Hの森）

（3）各種講習会の開催と、それへの積極的な参加。

（4）レクリエーション導入。

霊峰富士へ登ろう

申込み締切は十五日

静岡県御殿場市の北駿4Hクラブ（会長・勝又浩吉君、会員二十五名）は、ことしも第四回目の「全国富士登山の集い」を来る八月三日から五日にかけて実施する計画をたて全国のクラブ員に参加を呼びかけているが、いよいよ締切日が迫ってきた。

日程

八月三日（月）
午後一時～五時　御殿場駅集合、受付け
五時　開会式など
八時三十分　交歓会、キャンプファイヤー
十時　就床（宿泊は御殿場市の青少年会館）

四日（火）
午前六時　起床、朝のつどい
八時　話し合い（分科会）
十時~十二時　富士裾野の名所（富士霊園、富士スピードウエイなど）見学
午後一時　須走口（神社）からバスで五合目へ、登山
六時　八合目に到着、就床

五日（水）
午前四時　八合目を出発
五時　富士山頂に到着、お鉢まわり
九時　御殿場口へ下山
十二時　同二合目へ到着
午後一時　御殿場市の東公民館で反省会、お別れ会

携行品

登山できる靴、懐中電灯、帽子、雨具、手袋、冬物のセーター（ヤッケ、ジャンパーなど）

参加経費

三千円程度（宿泊費、食費、交通費、その他）

参加申し込み方法

（ア）方法　クラブ単位、または個人
（イ）申し込み締切日　七月十五日
（ウ）申し込み先　静岡県駿東郡小山町一色三二六　込山しず江、電話〇五五〇―六―〇六五八

以上の要領で、早目に申し込みをするようにしてほしいと、事務局では望んでいる。

農業白書〈9〉

=むすび=

（ア）わが国農業はこれまでになくきびしい環境条件のなかに置かれている。米の生産過剰は一層深刻の度を加え、需給均衡の回復は一刻の猶予も許されない段階にきており、本格的な生産調整がせまられている。また、これまで年率八%余の上昇をつづけ農業所得の増大に寄与してきた農産物生産者価格は、需給の緩和する農産物がふえたためその上昇率は四十三年度には一・五%にとどまり、四十四年度にはかなりの上昇が見込まれるものの、従来の一貫した上昇基調とは異なり、農業所得の伸びを著しく低下させている。このため農家経済は、農外所得への依存を高め、とくに専業的農家層で、所得の増加率が目立って低くなっている。

農業外所得に依存

解決は農政を越えて

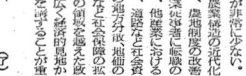

農産物の需給は国際的にも著しく緩和し、価格も軟調傾向にある。経済の国際化が一段と進展し、わが国自体の国際収支の大幅黒字と相まって、農産物貿易自由化の内外からの要請が強まっており、国内農業の体制整備が課題となっている。

（イ）農業が当面する緊急かつ最大の課題は国民経済的に大きなロスである米の生産過剰を、調整することである。稲作が農家経済にとって、重要な地位を占めていることからして、それは非常に困難をともなうであろうが、生産者などの理解と協力をえて、何としても生産調整を成功させなければならない。今後は国民の食生活の動向に即応して地域の特性に応じた農業生産の選択的、効率的な誘導と需給の安定をはかることが重要である。このような見地、さらには農業者の所得確保などの観点から、農産物価格政策のあり方など重要事項について、総合的な検討が行なわれなければならない。その際、農産物貿易の自由化とも関連して、国境保護措置などについても検討を加える必要があろう。

（ウ）国民に食糧を安定的、効率的に供給し、かつ専業的農家層の所得と生活水準の向上を図るために零細な農業構造の近代化を強力に進めることが、一層切実な課題となっている。

構造改善の道は非常にけわしいが、すでに生産組織などを通じて大型機械の導入など大規模経営に必要な技術的条件も成熟しつつある。このような芽を育成し、かつ経営規模の拡大を促進するためには、農地の流動性を高めることが不可欠の条件である。農地の流動性は、中高年齢層を多数かかえた農業就業構造とも密接に関連している。中高年齢層のなかには、不安定な就業形態をとる者が多いが、雇用条件の制約もあり現状では転職の可能性が非常に少ない。

したがって、農業構造の近代化を図るためには、農地制度の改善はもとより、農業従事者に転職のための援助措置、他産業における雇用条件の改善、道路など社会資本の充実、工場の地方分散、地価の安定、年金制度など社会保障の拡充など農政固有の領域を越えた政策課題も多い。広く経済的見地から総合的な対策を講ずることが重要である。（了）

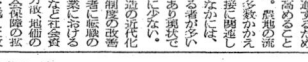

プロジェクトの進め方《2》

正しい判断のし方

間違いなく見極める

条件、角度の違う方向から

そこでね。戦争中の本ですが作戦要務令という本がありました。つまり戦争の仕方を書いてある本です。それに、こういう事例が載っているんです。敵の前の蛸壷に味方が入っている。あっという的に敵の兵力、火力が強い、この蛸壷にじいっと入っているだけでは時間の問題だ。一人残らず全滅するであろうという状況である。

ましては、やけっぱちになって飛びだせば一人ひとりねらい撃ちにあって、みんな戦死である。また、敵にうしろをみせて逃げれば、これみんな、なぎ倒されてしまう。こういう最前線のもっとも危機にひんした状態のときに、指揮官は部隊にどういう命令を出すかということなんです。

みなさん方はどうしますか。じいっとしていても、やられてしまう。出ていけば戦死、逃げれば背中から撃たれる。これは間違いなく戦死だ。どうします。こういうときの指揮官は、どういう指示を与えるか。

作戦要務令は、明確に答えを出している。前進しろと。前進しろ。まるで人間の命を消耗品のように考えていますねえ。前進あるのみだ書いてある。

いずれにしても全滅するならば、前進することによって、一条の活路が見い出せるかも知れないということもあるわけですねえ。だから、死を決して突撃しろと書いてあるのです。

戦争の話なので、今はそんな時代ではないとお考えでしょうが、はたして、そうでしょうかねえ。毎日の生活を考えてみたい。野菜をやった方がよいのか。あるいは米をやった方がむしろよいのか。あるいは、畜産にした方がよいのか。いや、そんなことよりは、農業を捨てた方がよいのか。こんな問題と性格が同じような問題ではないですか。

また、あの人と結婚した方がよいのか、この人と結婚した方がよいのか。あるいは、こちらの人がよいのか、これも同じですねえ。じいっとしていても、このままでは農業は、だめになってしまうだろう。前進するということは、必ずしもよいとはいえない。もちろん、退却するとなっては敗北だ。ではどうすればよいかというと、今の作戦要務令の内容と時代の違いはあっても、まったく同じものなんです。

そういうふうに、どちらを選んだ方がよいかという、岐路に立つことは、私たちの毎日毎日に連続してあるようなものなんです。こういうことの連続なのです。そのときに、例えば、どの道が一番よいかということは、そこで自分が判断して、この道を見つけるにはどうしたらよいか。みなさん方はこういうことに毎日ぶつかっているわけです。

そういう立場に立ったとき、間違いない道を選ぶ方法というのはどうしたらよいのか。自信をもって、この道こそという、その道を選んでいく方法はどうしたらよいか。要するに、この道を正しく見極めて、間違いのない見極め方をする。それには、どうしたらよいのか。いろいろの考え方があります。

例えば、これはいったい、どういうものなのだ、ということ。それを正しく判断する。この判断は、どうしたら、これはこういうものなんだ、という判断ができてくる。もし仮りに一人の女性として考えた場合、私は彼女が好きである。ああいう女性だったら私は将来生活をともにしたいと考える。そういう青年は、自分の目でこちらから彼女を見て、彼女はこういう女性であると考えている。だから私は好きなんだといって、あんまりあせって早く手を出すと、こんなペチャンコだったりする。

これは、手を出す前に、ところでおやじさん、どこのだれさんはよい人だと思んだけども、どう思うと例えば聞いたとする。おやじさんは、なるほど、だが、少々おまえも損損（あばた）もえくぼの方ではないか。少々こんなところもあると、いわれてみると、なるほどそういう面もあることはあるようだな。また、友だちに聞いてみる。

そうすると、私はこういう人だと思ったが、実はこういう面をもった人なんだということになる。それでも、私は彼女がといえば立派なもんですが。そういうことで、角度の違う方向からものを見る。こういうことによって、ものというものは正確にとらえることができます。

今度は、木の上に鳥が止っている。この鳥をある猟師がねらっている。この鳥を撃ち落そうとしている。そこで、正しい判断をもつということは、撃ち落そうという動機であって、これならば当るという動作は、この場合、引金を引くということで現われる。つまり、正しい判断というのは、引金を引く動作で決まる――表現ができる。すると、その状態の中で、正しい判断というのは、どういう条件を揃えると引金が引けるかということになります。

そうすると、まず考えなくてはならないことは、銃をもった人が乱視や鳥目であったり、目が見えなかったり、霞んでいたのでは困る。もちろん、その目がよく見えるということは、そこに鳥が止っているということを、発見できる――わかるということです。あの鳥を撃ち落そうという目的にはつながらない。引金は、まだ引けません。いかに自分の目がきれいでも、自分だけでは判断につながらない。ここには違った条件が、まだある。こういう違った条件が、全部プラスされていかないと、この鳥は自分のものにならない。

つまり、正しく自分の目的を達しようと思うときには、いかに、自分だけの条件を揃えても、それだけでは判断がつかない。こういうまったく自分と違う条件が揃っていないと、これが目的通りに、自分のものにすることができない。こういうこともいえますね。」

あるいは、宇宙衛星だとか、宇宙開発が行なわれて飛んでいる宇宙船や衛星、この宇宙の中で確認する方法をどうしているか。地上にあるアンテナが、二ヵ所、三ヵ所あり、これらの距離が決っていて、それが衛星をはさみうちすることによって、その位置なり、流れなり、動きなりを、とらえることができるのです。

これは、ベトナムなどで夜飛行機を撃ち落すときも同じことです。闇夜に飛行機が飛んできて一つの探照灯がとらえる。それだけでは、高射砲は発射できません。一本の光がとらえると、必ず二本、三本の光がこれをとらえる。そうすると、これらの光は全部地上の一定のところにあつめられる。そのため、瞬間的に高射砲の計器には、飛行機の機首、速度、方向そういうものがぴたっと出るのです。

つまり、ものを正確にとらえるということは、一つや二つの条件を揃えたのでは、まだまだ心もとない。もっと多くの条件を揃え、それによって、はさみうちすることによって、正確にとらえることができる。

〈栃木県専門技術員・湯浅甲子氏の講演から〉

鶏病しんだん

ワクチンを有効に

予防接種、流行期一月前

鶏痘

鶏痘は、寒い季節にも発生がありますが、本病の伝染は、ウイルスを蚊やニワトリ・ヌカカなどの吸血昆虫が媒介することから、七～九月の三ヵ月間にまん延は最も激しく、また、悪性発痘を示すものが多くなります。

本病は臨床的に、粘膜型と皮膚型に分けることができます。粘膜型鶏痘は寒冷期に入ってから、密飼いや換気不良の鶏舎に多発します。主として鼻・口腔・咽喉・頭眼などの粘膜が冒され、また、細菌の第二次感染などにより、複雑化した呼吸器病の原因にもなります。これら粘膜型鶏痘は、多くの場合、皮膚型鶏痘と混合感染し、鶏冠や肉髯などに発痘や痂皮が認められ、感染鶏は呼吸困難や窒息死を招きます。

皮膚型鶏痘の発生は主として、四月頃から発生しはじめ、九月下旬には終熄するのが普通だが、その年の発生や流行および病勢は、その年の気象条件に支配され、ときとして十月におよぶことがある。しかし、本病の発生は各地方により毎年一定しているから、鶏痘の予防接種は流行期前約一ヵ月に行なうのが最も有効なワクチンの使い方といえる。

鶏痘ワクチンの種類

鶏痘ワクチンには、鶏の羽毛を抜き乳嘴にブラシでワクチンを塗擦する"塗擦ワクチン"と、鶏の翼膜に、二又の接種針で穿刺する"穿刺ワクチン"とがある。これらのワクチンは、性質の異なる、それぞれの種ウイルスによって製造されている。

塗擦ワクチンは、鳩痘ウイルスを発育鶏卵に継代することによって作られた鶏胎化鳩痘ウイルスが用いられ、穿刺ワクチンは弱体株の鶏痘ウイルスが使用されている。塗擦ワクチンは、古くから養鶏家によく知られているので詳しい説明を省き、ここではサルスベリ・ラボラトリーズで製造された穿刺ワクチン―チック・エヌ・ポックスとボキシンの有効な使用法について述べる。

初生ヒナに対する免疫効果

(1) 幼齢のヒナにはワクチン効果が薄い

夏期（流行期）に向うヒナは、できる限り早くワクチンを接種して、よい免疫を与えることが望ましいが、幼齢のヒナにはワクチンの効果があまり期待できない。一般にふ化後二～三週齢までのヒナは、免疫を産生する能力に乏しく、また、種鶏からヒナに移行する抗体が、ワクチンの免疫効果を弱めてしまうためである。

(2) 三週齢以後接種した方が効果は確実

初生ヒナの鶏痘予防は、できる限り種鶏からヒナに移行する抗体が消失する三週齢頃まで待って、ワクチンを接種した方が、効果が確実になる。

春ヒナの鶏痘予防接種

(1) 流行期を迎えるヒナは早く接種する

ふ化後、間もなく鶏痘の流行の最盛期（七～九月）を迎えるヒナや、さし迫って感染の危険がある場合などは、できる限り早い時期（四～七日齢）にチック・エヌ・ポックスを接種する。

前述のように幼齢のヒナには、ワクチンの十分な効果は期待できないので、衛生管理に留意し、ウイルスの感染を防止することが大切である。

蚊の発生の多い地帯では、毒性の少ない殺虫剤や忌避剤（カペール、プレミアム・アラツン、ピレトリン製剤）などを鳥接ヒナや育すう舎に撒布しておくのもよい方法である。

(2) ワクチン接種後七日で発痘を確認する

チック・エヌ・ポックスを穿刺すると、七日目頃にワクチンによる発痘は極期に達し、米粒大か大豆大の発痘が接種部の翼膜に認められる。

発痘の程度と発痘率の確認は、ワクチンが有効に働いているかどうかを知るのに役立つばかりでなく、次の接種時期を推定するのにもきわめて重要なことである。ワクチンを接種したヒナ群の一〇％ぐらいの羽数について、必ず発痘状態を観察することが大切である。

(3) 再接種の時期は初回接種の発痘程度によって

四日齢でワクチンを接種したヒナの穿刺部が、大豆大か小豆大に腫脹肥厚し、周囲に発赤の認められる強感発痘ヒナ群は、八週齢頃にボキシンで補強接種をし、さらに良好な免疫を与える。

ボキシンは若干、強い鶏痘ウイルスが使われているので、五週齢以下の弱齢のヒナには使ってはならない。

穿刺部が米粒大に腫脹し、周囲に発赤が認められる程度の発痘ヒナ群は、六週齢頃にボキシンを補強接種する。

穿刺部に発痘が認められないものや不明瞭なものが多いヒナ群には、三週齢頃にもう一度、チック・エヌ・ポックスを再接種する。

秋ヒナの鶏痘予防接種

(1) 三～五週齢で初回接種をする

十月以降にふ化した秋ヒナで、さし迫った感染の危険がない場合は、三～五週齢まで待ってチック・エヌ・ポックスを接種し、十二週齢頃にボキシンで補強接種をする。

これらの秋ヒナは、最終のボキシン接種後四ヵ月以上も経過し、翌年の鶏痘流行期を迎えるような鶏群は、流行期前にもう一度、ボキシンで補強接種をするのが安全である。

(2) チック・エヌ・ポックスを省略してもよい

鶏痘のほとんど心配のない地域では、初生ヒナのチック・エヌ・ポックスの接種を省略して六週齢以降十二週齢までの適時に、ボキシンを接種するのも一つの方法である。

これらの秋ヒナも翌年の鶏痘の流行期前にもう一度、ボキシンで補強接種をする。

農業簿記

京都大学名誉教授　大槻正男

〈自計式農家経済簿記〉

分類諸表

分類表は、主要簿としての現物日記帳から各種収入・支出を、種目別に分類する『農家経済分類諸表』と、補助簿としての労働日記帳から、労働を人別並びに部門別に分類する『労働分類集計表』とからなる。

農家経済分類諸表

現金現物日記帳は、決算に最少限必要である財産的収入・支出、所得的収入・支出、家計支出、並びに生産物家計仕向けの6欄を設定した多桁式の帳簿であって、これらの各欄の収入・支出を、直ちに種目別に分類して計算するしくみになっていない。この点、普通の複式簿記が、最初から収入・支出の種目勘定科目を設定して、分類計算を行なうのと根本的に相違する。前に述べたように、自計式簿記においては、決算を行なうまでの範囲内において、所得経済・家計経済並びに農家経済全体の決算を行なうのに必要不可欠な、最少限の勘定科目を設定して、できるだけ手数をかけずに決算を行ない、その後に農閑期を利用して、普通の複式簿記における個別勘定に相当する種目別分類計算は、次のような種目別分類集計表を使用して、行なうしくみになっている。

種目別分類集計表

1、財産的収入および支出種目分類集計表
2、所得的総収入種目別分類集計表
（イ）所得的収入種目別分類集計表
（ロ）生産物家計仕向け種目別分類集計表
3、所得的支出種目別分類集計表
4、家計費種目別分類集計表
（イ）家計支出種目別分類集計表
（ロ）生産物家計仕向け種目別分類集計表

そうして、これらの集計結果を転記し、総合的な一覧表にして表示したものが、農家経済分類諸表である。

農家経済分類諸表

1、財産的収入および支出種目別分類対照表
2、所得的総収入種目別分類表
3、所得的総支出種目別分類表
4、家計費種目別分類表

財産的収入・支出種目別分類集計表および同分類照表

財産的収入・支出両欄に記入された固定資産・準現金および負債に関する取引は、財産台帳の年度末記入の直前に、そして、現金現物日記帳の記入完了直後に、財産台帳の『財産的取引による増減』欄に記入するために、種目別に集計されなければならない。これはこの簿記における決算手続の一部をなすものであり、すでに集計表と分類対照表も、ともに記述したところである。

所得的総収入種目別分類集計表および同分類表

現金現物日記帳の『所得的収入』と『生産物家計仕向け』との両欄の記入数字を、『種目』欄の記入にしたがって分類集計しさらに一覧的に表示したものがこれらの表である。

所得的総収入は、農家の粗所得をだいたいにおいて表わすものである。だから、その種目別分類は、農家の粗所得の収入源別構成を概略的に表わすものといってよい。いうまでもなく、これには米販売現物の年度末増減額が加減されていないし、また、固定結果財の増殖額も加算されていないために、厳密には粗所得ではない。しかし、それだけにまた、修正が施されない以前の具体的な数字であって、その農家にとっては、生きた興味ある数字である。同様のことは、次の所得的支出に対してもあてはまる。

〈注〉補助金および被贈現金を、所得的総収入から削除したのは、これらの収入が所得行為によって獲得された収入ではなく、なんら代償を伴わないで得られたところの無償収入（または非経済的収入）であるから、所得行為の成果としての所得的収入と区別するためである。

サトイモの促成　新栽培法に成功

神須屋4Hクラブで（大阪府岸和田）

【大阪】岸和田市神須屋4Hクラブ（会長、野田博司君）では、このほどマルチングとビニールハウスを併用したサトイモの促成栽培の試作に成功した。

このマルチング栽培は、種子をまいた畦の上に、黒色のビニールを被覆し、光線をよく吸収させるとともに、地熱が逃げるのを防ぐ方法を行なう。

この栽培法は、同地域ではまったくはじめての試みで、ビニールハウスとマルチングの両方を利用した栽培は府下でこれがはじめてだといっている。

この方法は、普通栽培より、約二ヵ月早く収穫でき、サトイモの品質もよくしまっており、できは上々。今年の栽培面積は九百平方㍍であったが、予想以上の成果が現われたことから、さらに栽培方法を研究して、同4Hクラブでは、来年はもっと面積を広げたい、と張切っている。

濃い緑もツユ空にけむる、連日の雨で増水した秋川（都下・五日市で）

気のもめる空模様

南海上に梅雨前線停滞

さる二十八日、ツユ明けを思わせるような青空が十九日ぶりに広がった。日本列島はすっぽり移動性高気圧におおわれ"夏の太陽"がギラギラと照りつけた。このお天気も西からくずれ、三十日ごろからぐずついた天気となり、ツユ明けは七月半ばの見込みだという。

ツユ入り以来、雨、曇り、雨のぐずついた天気に、さすがうんざりした表情、カサを持って出ようか出まいか……毎日気のもめる空模様。南海上に東西に伸びる梅雨前線は相変らず停滞しているので、カサの迷いの季節はまだ続きそう。

この連日のツユの季節も、家庭の主婦にとっては、洗たく物のかわくひまもないうらめしいお天気だが、田植えでネコの手も借りたい農家にとっては、まさに天の慈雨でもある。

NHK農事番組（7月11日～20日）

テレビ

明るい農村　6・30～6・55　総合
11日　農村新地図　群馬県吾妻郡嬬恋村（経済評論家）竹中信夫
13日　村の記録　養蚕村復活（長野県下伊那郡上里村）
14日　きょうの話題　米価と農民（東大教授）川野重任
15日　産物往来　ほたて貝（北海道サロマ湖）
16日　話題の広場　▽園芸ランドを作る（横浜市緑区）▽肉牛と青年とともに（群馬県）小林松五郎
17日　村をむすぶ　フイルム・リレー
18日　農村新地図　島根県大原郡大東町
20日　村の記録　出稼ぎ慰問バス（岩手県気仙郡住田町）

農業教室　月～土　7・30～8・00　教育
11日　草菜養蚕の技術と経営
13～15日　養蚕の団地づくり
16～18日　傾斜地の果樹作
20日　流通近代化を考える

あすの村づくり　日　8・00～8・00　教育
12日「機械化を生かす条件」埼玉県児玉郡上里村4Hクラブ
19日「協同化を考える」群馬県青年農業者協議会

ラジオ

早起き鳥　5・05～6・00　①
11日　村のポスト
12日　話題の窓　ことしの米価
13日　現地報告　昼から夜へのみかんづくり（愛媛県下）
14日　人と話題　農村生活の記録（岩手県胆沢町）伊藤マツオ
15日　通信員の手帳から
16日　人と話題　りんご二十年間の天候（気象庁長期予報官）和田英夫
17日　現地報告　すいか団地を生んだ生産調整（滋賀県下）
18日　村のポスト
19日　山林開発　松本守雄（林野庁長官）
20　現地報告　生まれた米の契約販売（山形県酒田市）

ラジオ農業学校　月～土　6・40～7・00　②
12日　▽経営手帳「商社の農業進出」＝桑原正信（農業開発センター）「飼料の値上りと畜産経営」＝山口一門（全国農協畜産団地協議会）
19日　▽優秀農家に学ぶ「島根県安来市荒島・勝部文夫さんを訪ねて」

あしたの青春

一ノ瀬綾　え　多賀愛子

〈32〉

出発（五）

「すみ江さんがそんなこと言ってちゃ、駄目だな。一度でいい、とことん話し合ってみるんだね。押しつめれば、きっと本音を出す。やってみなよ」

圭次は腕組みをしたまま、励ますように言った。すみ江は、心の奥で、圭次自身の、強い弟への態度を期待している自分に気づいて、うろたえた。

「いつも、うまくはぐらかされるの……わたしには、今の農業のむずかしいことがわからないから、理屈では太刀打ちできゃしない。父だって、困っているのに……」

「いや、それは俺だって同じだ。いくら親しくしていても、踏みこんでいけない心の問題は別だと思って遠慮をしていたが、まちがっていたかもしれねえ。無理にでも話し合うべきだった」

「ごめんなさい。さんざんお世話をかけたのに、新一の態度ったら……」

思わずすみ江は頭をさげていた。いいかげん気を悪くして、突きはなされても文句の言えないこちらの立場であった。圭次が苦笑してすみ江を見返した時である。

「ほっ、会長、わざわざのお越しだな」

声がして、納屋の方から新一が、父親と連れ立って帰って来た。思い切り働いた後の、疲れを忘れたのびやかな表情であった。

すみ江は今の今、心にかけていた弟の、いやに余裕を見せた態度が急にしゃくに障った。

「新一、圭次さんに何べん足を運んでもらうつもり。男らしく態度をはっきりしたらどうなんだい。クラブのことも、家のことも、こう思っていると、はっきり言ったらいいじゃないか」

新一は、一瞬目を見張ったが、そのまま姉と圭次の間に対峙するように足をとめた。久治とふく代が顔を見合って眺めている。

「なにをはっきりしろと言うんだい。別に改めて家の者や世間に発表するような、大したことはなんにもねえ。それとも、何か事件でも起こったと言うのかい」

新一は、眉を上げて、姉と圭次を半々に見くらべた。

「発表は大げさだな。みんな心配してるんだから、話し合って納得する必要はあると思うな。それは新一君の義務だよ。なんだってやり放しはいけねえや」

圭次の言葉はおだやかであったが、相手を抑える重さを持っていた。すみ江は息をつめて、弟と圭次を見くらべる。激しい期待が湧いていた。新一は、夕映をうつして赤らんだ顔に、強い反発の色をうかべた。

「そのうちにわかってもらえるさ。話し合ってもどうにもならねえこともある。近いうちに俺は結論を出すつもりだ。その時は、どんなことでも話す」

「話し合って決めるべきだな。俺はリーダーとしての責任がある。多少とも年が上だから君より分別のつくことだってある筈だ。物事は、一人で決めるのは危険だ」

圭次は、家族の存在を忘れたかのように、強い態度で正面から新一を見据えていた。

すみ江は圭次の言葉で、弟がどんな本音を吐くのか一刻も早く知りたかった。自分や両親には開けなかった新一の心を、圭次に開け放して欲しいと強く願っていた。見かねた様子で、ふく代が近よって来た。

「まあ立話しもなんだから、圭次さん、家へ入ってゆっくり話してやってくださいよ。いい折だに、ようく言い聞かせてやっておくれな」

さあさあと、押されるようにして、圭次は家の内に引っぱり込まれた。夕映が残った空は、裾の方から闇になっていた。

青年の船でビルマを訪問

第三回「青年の船」団員　古川喜美子

教育熱心な歴代政府
墓に17万の日本兵士が眠る

「青年の船」が昨年はじめて訪問したビルマは、他の訪問国に比べ、静かで落ち着いた国でありました。

イラワジ川をさか上り、ラングーンの港に入港した私たちは、白のブラウスと、グリーンのロングジィーを身につけた学生の方々や、ビルマ政府関係者の方々の歓迎を受けました。船から見る町の風景は、前三ヵ国と異なり、西洋風の建物が多く、どっしりと落ち着いた感じの静かな首都でした。イギリス時代の建物から、かつての英領支配の強さがうかがわれ、独立後のビルマ経済の貧困さをも感じました。厳正中立を宣言し、ビルマ式社会主義を唱えるこの国は、まわりの国々との交渉も少なく、カーテンをめぐらせているかのような、少々不気味な国でもありました。

古川さん

私たちは、組、班ごとの行動でバス十一台に分乗し、この国の視察、見学、そして青年たちとの交歓をすることが出来ました。

第二次世界大戦の戦没者をまつるサムエの日本人墓地を訪れ、ビルマ戦争でなくなった十五万人とも、十七万人ともいわれる日本兵士の墓前に線香を供え、冥福を祈りました。多くの日本兵士のねむるこの国に、いまだかつて一度も日本からの墓参団は来ておりません。私たちの多くは、戦争を知らない若者ばかりでした。しかし、話や映画で見るあの悲惨な戦争は二度と繰り返すまいと心に誓いながら、日本の墓参を望んでいる家族の方々の分までもと、手を合わせてまいりました。

私たちは、視察地として教員養成大学の付属小学校や、ラングーン大学を訪問し見学しました。この日はビルマの火祭りにあたり、学校は休みでしたが、私たちのために出校してくれ、勉強や作業風景をみせてくれました。グリーンの制服を作る小学校の女生徒を見て、物資の少なさを感じ、「何か私たちの手でこの子らのために……」と、考えざるをえませんでした。

また、ビルマのニースキャンプを訪れ、ビルマの青年たちと交歓するチャンスに恵まれました。清純で人ずれしていない子供や青年たち、彼らを見ていて、訪問国で一番美しい青年たちの姿を見たような気がしました。経済発展のめざましい日本の国で、ともすると失ってしまいがちな、人間らしい心、彼女たちにはまだそれが十分あるような感じをうけ、エコノミックアニマルとよばれる日本の私たちが反省させられました。

このほか、コロンボプランなどの技術援助で、日本人技師の活躍している石油精製所を見学し、ビルマ最大のパゴダ、「シエダゴンパゴダ」に参拝しました。はだしで参拝するパゴダの習慣にとまどいを感じながらも、生れてはじめての異国でのかわった体験に、宗教と国民の結びつきの強さを学び仏教の浸透の深さを感じました。

私たちが見学したところは、すべてこの国最高の設備を誇るところであり、実際にこの国の真の姿をみることはできなかったと思います。しかし、一般旅行者の滞在は二十四時間以内、日緬貿易発表のための日本商社員のビルマ駐在さえも、厳しい制約があり、ほとんど受入れられない今日のビルマに、三百余名もの外人を入国させてくれ、見学のできた私たちはどんなに、しあわせであったでしょう。

労働人口の六〇%は農業、そして農産物の七〇%が米をしめるという米の国ビルマも、現在、米の生産が低下していると聞きます。今後なんらかの政策を講じねばならないでしょう。

僧院による寺小屋教育の普及と独立以来、歴代政府が教育に力を注いできた努力により、教育制度の普及は人々の識字率を高め、東南アジア諸国の中では高水準を示しています。これら教育の普及による人々の知識と、いまだ開発されていないかくれた資源や、農業開発により、ビルマはもっともっとのびる国だと思われます。

自国の安全を確保する見地からの厳正中立、そしてその立場を文字通り忠実に守って、かたくななまでの鎖国的政策、その中に入り国民の貧しい生活の一端を見た私は、私たちがビルマに入国したことが、少しでも刺激となり、もっともっと世界に目を向けて、積極的な政策でこの国が発展するように、願わずにはいられませんでした。

ビルマの子供たちのすんだヒトミを、けっして私は、忘れることができません。

（前愛知県連副会長）

農村雑感　平均的日本人

折原俊二郎

過日、今年度の米価決定の際、自殺者が出るとか、本当に自殺者が出るかどうか見てみましょうといったとかで、大きな波紋をなげた事件があった。このことを新聞で見ていた農村青年の一人が、私に対して「農村の人は、日本人の中でも、平均以下なのだろうか。大きな疑問を感ずる」ということをいってきたことがある。事実、このニュースは、農村の人たちに、いろいろの意味で動揺を与えたといえる。

若い青年と話をしていると、自分の思っていることを自由に発言し、考え方や筋書きがしっかりしており、なかなか立派なものである。私が若かった頃をふり返ってみても、現在の青年たちには、とてもおよびつかなかったように思える。よく「今時の若い者は云々……」という言葉を聞くが、それは若い者に対する中・老年の一種の妬みでもあるように思える。

中・老年者が、かつて若い時代に経験してきた行動や思想を現在の青年の中に再び具現させよう、いや、具現されて然るべきである、という考え方から発するものである。人間社会は一時の休みもなく動き、たえず進歩への道をたどっている。二十年、三十年前の社会と今日の社会とでは、当然のこととして大きく異ってきている。その中で育ってきた現在の若者と、中・老年者との間には、埋められないギャップが出るのも、また当然のことといえよう。

こうした中にあって、都市と農村とでも、行動と思想が若干異っていた。都会の人々の行動と思想を受けついで、農村の人々が徐々に変革してきた。その都市からの受けとり口は農村の青年であった。しかし、そのことはすでに過去のことになってきた。現在では都市も農村も区別がつかないようになってきている。このような姿は大いに喜ぶべきことであるし、それと共に、追いつけ追い抜けという考えのみでなく、日本の思想形成を農村から、その農村の青年たちによってつくっていく時代が、到来するかも知れない。

このように、都市と農村の差を大きくしたものは、マスコミの発達であり、特にテレビはその王者であるといえよう。テレビは、今、現在の出来事を直ちに全国津津浦浦まで知らせる役目をもっているが、その方法は、耳と目と両方同時に出来るという、最大の強味をもっている。このため、情報の把握は迅速、かつ的確である。また、各種の印刷物も無数で、手にすることも極めて容易である。

人間社会は、人と人との接触にはじまり、そこに生ずる各種の事柄を見、聞き、対応していく中で、進歩していくものであるとすれば、マスコミが著しく発達している今日の社会では、社会構造の範囲が無限に拡大され、人間の社会生活は、いやが応でも均一化せざるを得なくなる。

都市と農村という区別の仕方は、生活様式から思想傾向まで別であるという見方をしてきたときもあったが、そうした区別をした考え方をすること自体、今日ではナンセンスといえよう。区別されるとすれば、職業、地帯別区分ということにほかならないように思う。そうした意味で農村の人々は、都市に住む人と同じ平均的日本人である。

◇　◇　◇

（農林省・農業者大学校）

生活　私の知りコーナー

◆レバー料理のコツ

レバーには、造血作用を促す鉄や銅分のほかに、造血ビタミンといわれる、ビタミンM、A、Bを多くふくみ、さらに蛋白質、脂肪なども豊富です。そのうえ、割合に安く、へたな肉を買うよりは経済的ですから、大いに活用したいものです。

食べなれないうちは、❶特有の臭みを消すために、しょうが、たまねぎ、にんにく、わけぎ、からし、かんきつ類の汁、カレー粉などを使うと食べやすくなります。❷焼くのがいちばんおいしいのですが、火は強くして、芯にいくぶん赤味が残る程度に焼きあげると舌ざわりもよく、おいしくなります。焼く場合には、必ず小麦粉をまぶして焼色をつけ、また、油はベーコンを使うと、味がよくなります。

◆靴の買い方

まず、どんなふうに履くのか、次に、どんな服装に合わせるのかを考えます。そして、靴屋で考えていたものが見つかったら、左右とも実際に履いて、十分履き心地を調べることも大切です。デザインで迷ったときは、履き具合で決めるべきでしょう。

材料や仕上げのよしあしは、信用ある店で納得のいくまで、質問してみることです。安く買うコツは、特定のサイズが余り困っているものとか、流行遅れ、あるいは陳列中によごれたものなどを見つけることです。そのためにも、なじみの店を決めておくと、徳用品を教えてもらえます。

青春と仲間

葉隠の里を訪ねて（5）

武士道といふは死ぬ事と見つけたり

武士道ということは、死ぬことにつきる。死ぬか、生きるか、二つに一つという場合、死を選ぶというだけだ。「目的を遂げずに死ぬのは犬死だ」などというのは、上方風の思い上がった武士道である。二つに一つという場合、絶対に見誤らぬということはできるものではない。もし理屈をつければ、誰しも死ぬより、生きる方がよいから、何んとか生きられる理屈を考えるものである。

そうして見通しがはずれ、しかも生きていたら、あれは腰抜けと笑われても仕方がない。この境が危険である。これに反し、死を選んでいれば、たとえ犬死だといわれても、少しも恥にならない。これが武士道の心得である。

評　葉隠の最も有名な章であるが、現代の目からみると、生命軽視の時代錯誤も甚しいと感ずる人も多かろう。ここで「死ぬこと」というのは、生命を捨てて悔いない使命感がそうさせるのである。その意味で現代に生きる者は、生命を投げ出すほど、確信にみちた理想や目標を、持っていない不幸があるのではなかろうか。

人命が保障されている現代、交通事故などで簡単に人命が浪費されている。時代錯誤と一笑する前に、厳しい献身と、責任ある生き方から、学ぶことも多いのではなかろうか。

堂々と出世を望め

奉公人の最高の出世は、家老の座について、主君にご意見申し上げることである。この真意のわかる人は少ない。小欲を持つ人は多いが、家老まで出世しようと大望を抱く人は多くない。また自分一身の利害に関心をもたないという人もいるが、これらの人は徹底して奉公しようともせず、「徒然草」などを楽しんでいる。

兼好や西行は、世の落伍者ではないか。武士として奉公できないので、世捨人のふりをしたに過ぎない。侍たる者は、立身出世の渦の中、利害打算のまっただ中で、その苦しみに耐え、主君のお役に立つのが本分である。

評　堂々と出世を望むことは、それだけ高い地位につくことによって、より多くの責任と苦労はともなうが、それだけ主君により大きな貢献ができる。出世なんかと冷笑する者は、奉公の志の薄い腰抜けだといっている。

現代人の多くは、出世したいと思っているだろう。それならファイトを持って、堂々と出世を望んだらどうだろう。陰でコソコソ、クヨクヨしても駄目。組合運動の理論より、社長や会社に誠心誠意を尽す方が早道。わかっちゃいるけど、それが出来ないのが、現代人の弱さだろうか。

古川さんから便り　砂糖、砂糖の甘い国

人間というものは、どの人種であったって、何の変わりもない。しかし、育った環境が全く違う以上、その間には"ことば"が必要である。誰だって、知りもしない人を愛せはしない。

アメリカにきてずいぶん多くの人々と会った。そして最低限の笑顔で別れ、心には虚しさだけが広がっていった。何も与えられず、何をも得られぬということは、腹立たしい。やさしく見守ってくれる人、バカにする人……英語の言葉の世界になれるのに、ずいぶんの月日をついやさなければならない。しかし、食物、環境になれるのは、たやすいことだった。

第一家庭のことは、前便でも少し書いたが、ここの奥さんは、子供たちをスクールバスに乗せるため七時四十分頃起き、八時十分に送り出した後は、またベットへ帰る。九時半頃、また起きて洗面、新聞を読んだり、電話を少なくとも五軒にかける。彼らはすごく電話が好きらしく、よくかかってもくる。そして、朝食兼昼食がおよそ十一時。

この国の食事は、日本に比べると変化があると思う。しかし、最初の間は、その変化に対して「この国の女性は大したものだ……」と思ったが、そうではなく、それができるだけの材料（インスタント食品）や時間があるのだ。そして、買物の半分を夫が手伝ったりして、常に彼女を助けている上に多くの機械をそろえている。

朝食には、フレンチトーストかホットケーキ、またはトーストかインスタント朝食品に、ミルク、ベーコン、卵などをつかい、果物を少しそえる。昼食はいまだよくわからない。夕食には、肉類が必ずある。特に子供たちは肉類ばかり食べたがっていた。そして、コーン、ポテト、野菜……デザートに甘いケーキやクッキーなどを食べる。

多くの料理を知らない間に用意するので、興味をもって、台所で彼女にくっついていたら、何のことはない。コーン、グリンピースは缶詰であり、ジャパニーズ風野菜いためも冷凍食品で、溶かせばでき上がり。ポテトも皮むきをつかいさらの上で切り水をすこし入れ、マイクロウェーブのオーブンに入れれば、二、三分でできる。後はケーキ類、これも材料を入れミキサーでまぜ、オーブンに入れておけば、それだけでもうOK。

彼女たちは仕事があるため、特に電気製品があるらしかったが、何といっても大きな台所、多くの設備は、日本のとってつけたような台所とは異なり、近代的に思われ、女性は多くのものを手製で出来るはずであり、日本と生活の違いが大きく開いているのではないかという気がした。

十二時、食事につかった食器を皿洗い機に入れ、町の店（電気店を経営）へ出かけて書類に目を通したり、週給を計算したり、私のいる間は、ロードデンドラン（つつじによく似た花）の公園、オレゴン・ヒストリーセスター、ショッピングと、毎日外出していた。

夕食は、およそ七時半すぎである。彼らの食生活についていえば日本より変化に富んでいるが、新鮮味はない。日本人の味つけと全く違うから、そう感じるのかもしれないが、やはり、個々の歴史の中から、その国らしい食生活がつくられるものだと、つくづく思う。はっきりいえば、アメリカは砂糖、砂糖の甘い国であり、日本は醤油を使うデリケートな、辛味の国ではないかと考えた。

金、土、日曜はテレビ番組が面白いので、移動テーブルでテレビをみながら食事をした。子供たちのテレビ好きは、どこの国も同じであるが、昼間テレビを見ないのは、広い庭があるからだと思う。十一時、子供たちはイヤイヤベットへ入る。後は夫人の時間であり、私たちは十二時頃まで、毎晩のように日本の宗教や、習慣について話したり、彼らの生活について話してくれるのだったが……。

六月一日、子供たちの帰りをまって、四時半に彼らの車でこの家庭をさり、七時半には第二の家庭についていた。初めての別れであるが、第二の家族を前にして、マミーの「さようなら、ミドリ手紙を書いてね……」と泣きながらの言葉に、やはり、別れがたく、ふと、一緒に帰りたい気持になりながら、涙をおさえつつ何もいえず彼らを見つめていた。

夜、第一の家庭のマミーは、日本語で吹き込んできた賛美歌を聞いているのじゃないか……と、ふと思いながらも、新しい家庭について、また、新しい体験を求めている自分を感じていた。

（草の根大使、古川みどり）

世界的視野に立つ農業を

鈴木元助著　実用 農業英語小辞典

貿易の自由化、資本の自由化の波は、日本の流通業界を大きくゆすぶっている。いわば、国際経済の時代が本格的に到来しつつあるわけだが、こうした状況においてひとり農業のみが、国内のことだけを見つめていればよいという時代は過去のものになりつつある。

FAO（食糧農業機構）、OECD（経済協力開発機構）などに加盟して、低開発国の援助にも乗りだしている。つまり、農業それ自体、また農家経営そのものの姿が、好むと好まざるとにかかわらず、進んでいるわけである。これを簡単にいえば、広い視野に立たなくては、田圃も作れず、豚も飼えず、また蜜柑も栽培できなくなっていると、考えなくてはならない。

日刊紙の経済記事、農業関係の新聞紙上にも、英語をはじめとする外国語が氾濫するのも、またやむをえない。こんなとき、座右に簡便な用語辞典があればという声を、よく耳にする。用語辞典の刊行は少なくないが、農業関係の言葉の項は必ずしも充実しているとはいいがたい。ここに紹介する「実用農業英語小辞典」は、類書に例をみない、恰好な参考書である。

著者の鈴木元助氏は、東大農学部、アメリカのユタ州立大農学部を卒業後、駐留軍農業顧問を経て、現在、静岡県農業技術講習所の講師の職にある。まさにうってつけの人によりものされたという感が深い。収録語彙も三千語を越え、その範囲も技術用語ばかりでなく農業関係団体名、農政・経済にわたっている。また、検索の便利を考えて、二十三の大項目に分けられ、さらに小見出しがつけられているので、日常の利用もしやすくなっている。

さらに、用語だけではなく、本文中に英和、和英の対訳が収められ、巻末には研究論文の要題、農業報告、種苗会社のカタログなどの英和対訳が載せられているのもなかなか親切である。農学校や講習所の英文レポートの手引きとしても、最適であろう。

農業といえど、この情報化の時代においては、情報の収集、処理、利用は焦眉の急であり、そのなかに専門英語が多いとなれば、一般の英語辞書では間に合わぬ場合がしばしばである。実用ということに眼目をおいたこの辞典は、単に大学、官庁、試験場の研究者や指導者ばかりでなく、農業高校生や一般農業者にも、必携の書といえよう。（農業図書㈱発行、二百八十頁、八百円）

4H活動をかえりみて〈下〉

日記をつけて反省
社会人の使命を果したい

池田義正

話をするときに大切なことは、みなさん常日頃より実践されておられることですから、私の書くことは何かをお知らせします。

書くこと、記録するということは、4Hクラブ活動の中でも、特に重点を置いています。たとえば、水稲プロジェクトであれば、単なる作業の記録のみに終らせず、あとからみてためになるような書き方をするべきです。

そのためには、見やすいように絵を入れたり、計画などまで書き入れることがためになり、長続きもするのです。私は農業日誌、プロジェクト帳のほかに、日記もつけています。毎日毎日二十分から三十分の間ペンを走らせています。最初の頃は、ずいぶんと苦しかったけれども、最近になって書く楽しみを、少し味わうことが出来るようになったのは、何といってもうれしいことです。私達はパッとひらめいたり、感情的になりやすいものです。こうした結果、反省することが実に多いのです。

自分の進むべき道を誤らないためには、自分というものを知らなくてはいけないのです。自分を知って、初めて人とも対等に付き合うことが出来るのだと思います。しかし、自分の本当の心を知るのは、想像する以上にむずかしいのです。そんな時、書くことにより正しく自分自身の心を知ることが出来るのです。心の鏡というわけで、実に楽しいことなのです。

日記を書くということは、アルバムをみながら、小さかった頃の我が姿とか、こんなこっけいな時期があったのかと、みるたびにおもしろく、学生時代のように規律正しい服装をみて、エリを正したりするなど、私の日記は私に語りかけてくるのです。

私の場合、人との闘いと同じように、自分自身との闘いも合わせて行なっています。日記を書くことによって、一日に何回となしに我が身をかえりみます。そんな毎日の積み重ねにより、たえず問題点をみつけ、それを解決しようと努力をするし、反省もするのです。

日記が人生の、農業の、青年の、4H活動の構想や計画の場であり、実践と反省の場であるわけです。これからも、口を真中にして、右手に本、左手に日記を持って頑張る覚悟を固めています。

私は、4H活動に限らず青少年活動は、青年の使命を果たすとともに、社会の中堅となってからも社会人としての使命を果たすようになるべきだと、いつも考えています。今の農村には、矛盾がいっぱいあるといえます。一部の人達を除いて、農民は金が足りなくて困っています。あれも買いたい、これも買いたいと、欲望はどこまでも便利さと、楽しみを求めて、限りなく広がります。

しかし、収入のほうは、米価の抑制とか、その他の農産物価格の不安定など、思うにまかせない要素が多い。しかし欲しいので、出稼ぎに行く人も少なくありません。だが私達が真の農民であるならば、農業内で解決を図るような気概が欲しいと思います。その他にも、解決の出来ないでいる問題が、私達の周囲には多いのです。

嫁と姑の問題、部落内に残る古いしきたり、こんな矛盾に向かおうとする気持が少ないからこそ、私達は百姓だといって世の中から蔑まれるのです。クラブ員の中にも、残念ながら、農村に生きているということに、引け目を感じている人達もいるのです。農村の嫁不足は、こういう点にも原因があると思います。

農家の封建性、封建性というまえに、私達は、目をもっと身近なところへ向けなければいけないといえます。農村青年は、職業人として立派であるが、青年としての魅力が乏しい、あまりにも足りなさ過ぎます。もっと自分自身が自信を持つように努力すべきでしょう。そして、世間から百姓という言葉が、敬意を払っていわれるようになったとき、農村の夜明けがくるものと、深く信じています。

私の知っている範囲内での農村というものも、さまざまですが、ただ一ついえることは、農村に知性が足りないという点が共通しています。そして、若い青年が考える道になり、4Hクラブの本質を勉強し、実践することによって、現在の農村社会、日本はよくなると信じています。

（佐賀県・諸富4Hクラブ員）

4Hのマークと共に
クラブ活動用品の案内

（単価）

品名	単価
4Hバッチ	50円
レコード盤（4Hクラブの歌・4H音頭）	150円
クラブ旗　大（72cm×97cm）	400円
クラブ旗　小（33cm×40cm）	200円
手拭	100円
ハンカチ	60円
ネクタイピン	200円
女子用ブローチ	200円
クラブ員専用便箋	100円
〃　封筒	70円

◎荷造り送料代百円です。
◎ご注文は代金を振替口座へお払込みを願います。代金着き次第ご送品致します。

社団法人　日4H協会代理部
東京都千代田区外神田6丁目15～11の705号
振替口座　東京72082番

日本4H新聞
4Hクラブ 農事研究会 生活改善クラブ
全国弘報紙
発行所 社団法人 日本4H協会
東京都市ケ谷家の光会館内
電話（260）1075 郵便番号162
編集発行人 玉井 光
月3回・4の日発行
定価 1部 20円
一ヵ年700円（送料共）
振替口座東京 12055番

クラブ綱領

私達は、実験を通じて自らを磨くとともに、互いに力を合わせて、よりよい農村、よりよい日本を創るため、四つの信条をかかげます。一、私達は農業の改良と生活の改善に役立つ腕をみがきます。一、私達は科学的に物を考えることのできる頭の訓練をします。一、私達は誠実で友情に富む心をつちかいます。一、私達は楽しく暮し元気で働くための健康を増進します。

「つどい」大口申込み相次ぐ

愛知県連を筆頭に

民泊可能は千名越す

全国クラブ員の一大祭典「全国4Hクラブ連絡協議会（久野知英会長）佐賀県4Hクラブ連絡協議会（小林秀敏会長）社団法人日本4H協会（松下幸之助会長）主催の「第六回全国4Hクラブ員のつどい」は、来月二十四日から五日間にわたって楽園の里・佐賀県で開催されるが、開幕まで余すところ約四十日に迫った現在、つどい事務局（東京・新宿区市ケ谷船河原町、家の光会館内）には各県連から参加申込みが続々と届いており、これまでの状況によると、参加者数は前回を上回ることが予想される。

佐賀県連に全国から激励文

つどい参加の申し込み状況は、全国的に農繁期に入っていたため予定より全般的に遅れているが、七月八日現在、来年度のつどい開催地、愛知県連の八十人をトップに、昨年度の開催県連鳥取七十七、一昨年度の開催地奈良四十四、埼玉四十二、山梨三十六、和歌山三十三、静岡二十六人と軒並みに大口申し込みが続き、高知、神奈川、栃木なども十人台、福岡県連も約百三十人の参加が予定されている。

この参加者数は、全協がさる十日から実施している中・四国、九州方面へのオルグ派遣によってさらに具体化されるとともに、ふえるものと推測され、また、開催地が急きょ佐賀に決定し、申し込み期間が短かったことや、農繁期に入っていたことなどから申し込みの出足が遅れたが、この時期を過ぎると、かなりふえることも予想される。

一方、開催県の地元佐賀県連では、今月初旬ころまで田植えが続いたため、つどいの準備も中休み状態がみられたが、そのあと再スタート。県連が一丸となってつどいの準備に全力を尽している。つどいに対するクラブ員の意欲もますます高まっており、現地交歓訪問の民宿受け入れ可能人員は一千名を越え、執行部は嬉しい悲鳴をあげている。県内参加者も四百名を上回ることも予想されている。

また、佐賀県連には、現在、全国各地から激励の手紙やハガキが届いており、クラブ員たちは意を新たにして元気いっぱい頑張っているという。つどい開幕までに残す四十日間、同県連では全国の仲間を迎え、つどいを成功させるために、努力することにしている。

主催者、佐賀県で打合せ会議ひらく

なお、十三日、佐賀県佐賀郡大和町の同県青年の家で、主催三者によるつどいの打合わせ会議が開かれた。

一日目に変更 パネル討議

出席者の募集締切り迫る

つどい最終日に予定していたパネル討議は、都合により第一日目の午後、高田好胤氏の記念講演に続いて行なわれることに、変更されることが確実となった。

このパネル討議は、今回初めて計画されたもので、NHKの公開録画が予定されているが、この変更は、NHKの取材の都合で行なわれることになったものである。

このため、現地交歓訪問への出発が当初の計画より遅れるものと思われる。

また、主催者では、このパネル討議に参加するクラブ員の代表を別記の要領で全国から広く募集しており、多数のクラブ員の応募を望んでいる。パネル討議の出席者は、男子クラブ員三人、女子クラブ員一人と、4HOBの農業経営者夫婦（一組）を予定、NHKアナウンサーの司会で行なわれる。

パネル討議出席者 大勢の応募を

パネル討議に出席するクラブ員の募集要領は次のとおり。

テーマ 「変貌する地域農業とクラブ活動」（4Hクラブ員がクラブ活動を通じて地域社会にどのように働きかけ、近代農業を建設するかなど、七〇年代の農業への姿勢とクラブ活動の関係）

応募資格 4Hクラブ員で道府県連会長が推せんした者

応募方法 （1）四百字詰原稿用紙四枚程度に、テーマに基づいて意見をまとめること （2）原稿には、住所、氏名、年令、所属クラブ名などを明記すること （3）原稿は本人が書いたもので、未発表のものに限る （4）顔写真を添付すること

出席者決定と発表 選考は、主催者代表で構成する選考委員会で行ない、出席者は、推せんした道府県連会長と本人に通知するとともに、日本4H新聞紙上で発表する

記念品贈呈 （1）出席者（秀作）には、賞状と記念品、佳作には記念品を贈呈する （2）発表者の旅費と参加経費は主催者で負担する

送付先 東京都新宿区市ヶ谷船河原町十一、家の光会館内 第六回全国4Hクラブ員のつどい事務局

締切日 七月三十一日（当日消印有効）

備考 応募原稿の著作権は主催者に属するものとする

講師に高田氏（薬師寺管主）確定

高田 好胤氏

つどい第一日目に行なう記念講演の講師に、奈良・薬師寺管主の高田好胤氏がこのほど決定した。

主催者側では、記念講演の講師としてクラブ員から要望が強かった同氏を予定し、かねて折衝を続けてきた結果、受諾の通知があったもので、このため、さる六月二十六日、全協の久野会長と4H協会の新田事務局長が、上京中の同氏を千代田区大手町のサンケイホールに訪ねてあいさつした。

募金目標は90万円

4H会館建設 栃木県推進委 八月末までPR展開

【栃木県＝荒井丈雄連絡報道員発】全国一を誇る栃木県青少年クラブ協議会（会長、野尻収士君）は、関東ブロックの各県連と足並みをそろえて日本4H会館建設の募金活動を強力に展開するため、さきに「日本4H会館建設栃木県推進委員会」を結成、現在、募金のPR活動をくりひろげている。

同委員会の委員長に野尻会長を選出するとともに、副委員長に前年度県連の会長であった和気隆君と石沢慎一君らがなり、以下事務局に三人、委員に現県連役員全員と前年度役員二名、さらに地区役員など二十七名をもって委員会を構成している。

これまで、過去二回にわたって委員会を開いているが、その主な決定事項は次のとおりである。

一、目標額 関東ブロック各県連との申し合わせにより九十万円とする。

二、PR期間 PR期間は八月までとし、PRのため募金箱を各地区に一つずつ配布する。

三、募金期間―八月以後募金に入り、十二月末までに完了させるようにする。

滋賀県連で16日に理事会を

【滋賀】県農業後継者クラブ連絡協議会（会長、中村利男君）は十六日午前十時から蒲生郡安土町の大中の湖農業協同組合で今年度第二回目の理事会を開催する。

この理事会を機会に、オルグ派遣として同地を訪問する全国4Hクラブ連絡協議会の黒沢健一副会長から全協の活動方針や事業計画、4H会館建設などについて説明を聞き、話し合いをする。

"草の根大使"（米国）秋田へ

六月十八日来日し、二十二日から埼玉県入間郡鶴ケ島町の同県農業経営研修所で研修していた米国4Hクラブ員代表（別名"草の根大使"）二人＝ラリー・ラーウッド君（二〇）オレゴン州と、ビューラ・スパローさん（二〇）ケンタッキー州＝は、さる六日、同研修所での生活を終えて上京、農林省などでオリエンテーションを受けたあと、八日午後、第一の受入れ農家の秋田県に向った。

同研修所では、主に午前中は日本語の勉強、午後は実習を中心に行なってきたが、時間厳守や実習における成績も大変よく、関係者から好評判だった。

農林省におけるオリエンテーションは、日本の農業全般と普及事業、農村青少年教育と生活改善関係について、それぞれ担当者から説明を聞いた。

会長に元山君

長崎県連定期総会

【長崎県＝松本政博連絡報道員発】長崎県農村青少年クラブ連絡協議会（会長、大久保忠信君）では、このほど、県総合農林センターで定期総会を開催した。県下各地区連の代表、県連役員など五十余名が出席して、四十四年度の事業経過と収支決算報告を承認、つづいて四十五年度の事業計画と予算について審議し、熱心な論議の末、原案通り決定した。

また、役員改選の結果、次の人たちが選出された。カッコ内は地区名。

▽会長 元山孝志（大瀬戸）▽副会長 木下評（江迎）▽同 中田美智子（長崎）▽事務局長兼会計 峰富士男（長崎）▽プロジェクト部長 樋口広幸（大村）▽プロジェクト委員 鴨川よし子（江迎）▽組織部長 赤崎光晋（諫早）▽組織委員 中村一弥（島原）▽広報部長 松本政博（加津佐）▽広報委員 本川逸郎（大瀬戸）▽広報委員 中原幸子（大村）▽監事 竹下和喜（佐世保）▽監事 高木良美（島原）

各県で記念の夏季大会

倉石農相の講演予定 クラブ20周年迎え 長野

23日から3日間、小諸市で

小宮山会長

【長野】県農村青少年クラブ協議会（会長、小宮山治夫君）は、県、同新しい農業経営者組織強化推進協議会、放送利用長野県農業学習グループ推進協議会などと共催して、来る二十三日から二十五日までの三日間、小諸市川辺の農業高等学園内、県農村青少年教育センターで、県農村青少年クラブ発足二十周年記念技術交換大会を開催する。

これは、農村青少年クラブ員の発足満二十年の活動を記念して、県下の農村青少年クラブ員など農業学習グループ会員が集まり、農業や農家生活について、それぞれの知識、技術を互いに交換しグループ活動の発展に役立てるもの。

参加者は、農村青少年クラブ員など六百名、青少年担当普及員三十二名、市町村青少年育成関係指導者十名、農業高等学園生徒七十二名、関係指導者五十名など七百五十余名を予定している。

主な行事は、農業や生活に関する研究活動の過程で創意工夫した工作物を重点とする演示発表はじめ、作物、野菜、花、果樹、畜産、生活の六部門で日ごろ磨いた腕を競い合う技術競技、倉石農林大臣の「日本農業の将来」と題する講演、知事と語る会、放送利用ゼミナールなど。また、クラブ活動二十年の歩みを披露する記念展示などを計画している。

栃木 野外で炊飯生活 15回を祝う集会

20日から3日間 日光・戦場ケ原で

【栃木】県青少年クラブ協議会（会長、野尻収士君）は、県と共催で来る二十日から二十二日までの三日間、日光市中宮祠字二荒山（戦場ヶ原開拓地内）で第十五回記念栃木県農村青少年野外集会を開催する。

この集会は、野外における共同生活を通じて仲間意識を高揚するとともに、視野を広めて希望と自信をもって新しい時代に対応できる農業経営者を育成することをねらいとしており、十五回目を迎えたのを機に日ごろの生活を反省し、その上にたって明日からの活動に役立てようというもの。地区を単位としたテントによる共同生活をすることになっている。

参加者は、県下の農村青少年一千二百名、指導者七十名、招待者百二十名など二千四百名を予定。

主な行事としては、一日目に、農村青少年のパレードをはじめとして、開会式における感謝状の贈呈、記念講演、音楽演奏会、舞踏会として地区対抗和楽おどり大会、二日目に、4Hクラブの集い（情報交換）、地区行事、レクリエーションの集い、キャンプファイヤー、三日目には、別れの集い（おみやげ交換、反省、記念撮影）、閉会式（記念植樹も同時に）などを計画、自分たちで炊飯して食事することにしている。

また、野外集会十五回の歩みを内容とした記念誌「創造の集い」を発行し、参加者全員に配布する。

知事囲む会も 山口

22日から3日間、下関市で 10回の技術交換会

【山口】県農村青少年クラブ連絡協議会（会長、神田勝徳君）は県、下関市、豊浦町、下関農村青年連絡協議会と共催して、二十二日から二十四日までの三日間、下関市と豊浦町で県農村青年技術交換第十回記念大会を開く。

共同生活を通じて、日ごろの生活や生産活動のなかで体得した知識、技術を相互に交換研究しながら、仲間づくりを図り、今後のグループ活動と地域農業の発展に貢献できる人材を育成するもの。

参加者は、県下の農村青少年（各地区から十名程度）を中心に経営伝習農場生徒、篤志指導者、農村青年指導関係者など。

主な行事は、知事を囲む話合い、作目別（普通作、花卉、蔬菜、果樹、大家畜、中小家畜）の技術、経営、生活の問題の話合いがあり農業技術競技として、日常のグループ活動や実践活動のなかから体得した農業や生活の知識、技術を競い合う。このほか、現地視察、「青年と社会」と題する田中晃氏（山口県立女子短期大学学長）の記念講演なども予定されている。

組織結ぶ"かけ橋"に

茨城県連で指導者研修会開く 地区連の役割協議

【茨城県＝栗原良枝連絡報道員発】茨城県農業研究クラブ連絡協議会（会長、柴忠男君）は、さる六月十七日から十九日までの三日間、茨城町長岡の伝習農場青年研修館で指導者研修会を開催した。

県下二十六地区の会長と代表者など四十三名が出席、熱心な討議が行なわれた。

研修のねらいは、地区連協は、単位クラブの活動をよくするために、どんな役割を果せばよいかなどであった。

地区連協活動については、他地区との情報交換など単位クラブではできない行事を行なう。また、単位クラブと県連協、全協を結ぶかけ橋として、地区連協の必要性を指摘する意見がでた。クラブ活動と地域農業との関連については芳賀専技の講話のあと、分科会の討議に移った。

各種の集団が地域農業に果す役割は、青年活動、生産技術、（営利）、生活改善の三部門に分けられ、そのなかの青年活動は、仲間づくりとともに、地域社会へ寄与する場であるから、組織に参加して、いろいろ学ぶ態度がなくてはならぬという意見がでた。

さらに柴県連会長から今年度の行事計画、4H会館建設募金、4H新聞購読などの説明があった。

"聞く"から体験へ

愛知県連 女子教養講座の内容充実 主婦の役割など計画

【愛知県＝井村朗美連絡報道員発】県4Hクラブ連絡協議会（会長、冨永博之君）では、さる六月二十二日、女子教養講座の運営委員会を開き、今後の講座について内容を検討し決定した。

三年前から行なわれているこの講座は、県内一円の女子クラブ員が集まり、女性として必要な知識を身につけてきたものであるが、内容も豊富で多くの女子の期待にこたえてきた。今年は、さらにそれ以上の成果を求めて年間に六回開くことを決め、そのうち三回は宿泊研修を取り入れ、内容的にも講演の一方通行にならないように話し合いをすることにした。

また、聞くという段階からさらに一歩進めて、実際に体験し、借りものでなく本当に自分のものにしていき、主体性をもってやれる女性になるよう努力することを話し合った。

決まった講座の内容は①女性の生き方②保健講話③話し上手になるには④応急手当、指圧などについて⑤女性、人間としての精神修養講座―などの講演と話し合いである。

今回はとくに、先輩の体験発表を何回か折り込み、結婚して企業的農業経営を営んでいる人を招いて「これからの主婦の役割」などについて話しを聞くことにした。また、4HクラブOBに「結婚して考えること」「結婚する前にこうしておけばよかった」などの体験発表とともに、話し合いの中に入ってもらうことになっている。

先進地視察、研修もこの教養講座の中で行ない、広範囲のものを見るより、中味の充実を図ろうとの話し合いが行なわれた。

会費徴収など協議

静岡県連で会議

【静岡県＝神尾徹連絡報道員発】静岡県農村青少年クラブ連絡協議会（会長、真田勝君）は、このほど県農業共済組合連合会館に県下単位クラブの会長を集め、第一回の会長会議を開いた。これは、連絡協議会の末端で活動している単位クラブの会長に、県連事業活動の周知徹底を図るとともに、県連に対する各クラブの要望を聞き、活動の盛りあがりを意図したもので、特に、会費の徴収の件について各地区連、単位クラブでは、すでに本年度予算を組み終っているため、新たに県連会費を徴収すると混乱が生ずることも予想されるので、いろいろな会費徴収方法が検討された。

その結果、県連の4Hバッチを一個百円でクラブ員に買ってもらい、その差額を会費にあて、県連資金とすることに決定した。なお来年度からは、クラブ員から会費を徴収することを決め、協力を申し合わせた。最後に、会長会議を再び開いてほしいという要望が出された。

涼風暖風

いちごを作って楽しかった

機会があって、普及員と一緒に、ある農家の調査に行った。三軒の農家の夫婦が集ってくれる予定なのが、定刻に行ったらまだ来ていなかった。早速、御主人は呼びに行ってくれるし、主婦はお茶の用意をしながら、我々との雑談が始まった。

「お忙しいのに御迷惑をかけます。今仕事は何ですか。今年のいちごはどうでした」と恐縮しながらも、この地域の農業が発展するためにはどうすればいいかという問題を、農家の人と一緒に考えるための材料集めということで、みんな一応[illegible]た。

「今年は、いちごを作って楽しかったですよ」という返辞が返ってきた。あれっ、と思った。普通、そう聞かれるといい場合は「いちごを作ってよかった」とか「もうかった」という返辞のはずなのに、この奥さんは、楽しかった、ということばを使った。「楽しいってどういうことですか」と聞いたら「今までいろいろ野菜も作ったりして来たけれど、いちごが一番楽でした。たのんだ人もいやな顔をしないで、よろこんで手伝いに来てくれたんですよ」とのことである。もうかることも、もうかったんだろうが、今まで、たばこを作ったり、きゅうり、トマトの野菜に取組んだり、主婦労働の激しさを感じた。

さて、調査が終って帰ろうとする時、「これは家で作ったんですよ」といいながら、いちごのジャムがぬられたパンを出された。少し砂糖がききすぎたような感じだったが、うまい、おいしいと、ひとしきり話がにぎやかになってこの調査は終った。なるほど、こういうこともあって、楽しいということばを使ったんだなと、この奥さんの、生活を楽しもうとする姿勢に敬服した。家のたたずまいを見まわしてみると、それらしい心づかいが、花瓶の花や、土間のすみずみに感じられた。こういう奥さんを持った御主人は幸せだろうと思った。

村へ行ってみると、敬服するような立派な人が、一人や二人は必ずいる。その人の才能や力は、その人の家の農業経営や生活のすがたに生きている。それが村の、部落の生産や生活の中に生かされているだろうか。生かされている所もあるし、生かされていない所もあるようだ。生かされている所には、そういう場としての集団や組織が有形、無形にあるようだ。

帰途に、このことに気づいたが、この部落ではどうだったか、調べもらしてしまった。（いばらき はが）

心頭技健

昨年度の高額所得者の上位に、土地売却で大金を得た農家の人たちが、ずらりと顔をそろえていたことは、変動する日本経済、農業の一断面をみるようである▼いま、都市近郊の農村では、相変らず工場進出や宅地化が進み、土地は値上がりする一方。土地を売り払って、マーケットなどの経営に転業したり、勤めに出て兼業するケースも少なくない。なかには、博打に手を出して売上金の大半をすってしまう人もいるようだ▼このような中での農業は、かなり厳しくなってきている。まだ二十歳を越したばかりの青年も、"俺たちの商売は厳しいんだ"と、"厳しい厳しい"を連発する。また、クラブの会合に出ていても、うちの野菜や、豚が目にちらちらするという言葉を使う。彼らは、経営とクラブ活動を両立させながら努力しているわけだ。しかし、このような激しい都市化の波は、農村の青年たちを打算的な考え方に追いやり、精神的な豊かさを失わせる一面があることを見逃せない▼先日都下で起きた一つの事件もその一断面を物語る。立川市砂川町の農家の三男A（二二）が、仲間三人と性犯罪を冒し、立川署から送検された。動機といえば「おもしろいから」で、面会にきた義姉に「どうってことはない、十日もすれば帰れるんだろ」とうそぶいたという。調べに当った刑事も、罪悪感もなければ、自分の行為に対する責任や自覚もない、金さえ出せば何とかなる、と思ってるんだからと首をかしげている▼Aの父は数年前農地を売って、アパートや浴場、マーケットなどの経営に転業、五人の子どもにもそれぞれ店を持たせ、Aは父親と一緒に農業をやりながら浴場を担当していた。一家の財産は「億の単位」だという。Aの犯罪の被害者も農家の娘だが、両親を失くし、田畑を他へ貸してバーのホステスをしていた▼すべての面で近代化し、お金がふえることは好ましいことで、そのように努力すべきかも知れないが、その裏面で人間の心がむしばまれることがないようにすべきである。ここに、農村青少年教育が焦眉の急として要請されるわけだが、困難さもまた大きい。それだけになおさら、放置できぬことを、銘記すべきではあるまいか。

農業を担うもの —上—

家族経営を再評価 優れた技能を持て アメリカ

東京大学教授　金沢夏樹

農業の将来のビジョンの論争が、今日ほど難しい時代はないし、切迫感をもっている時代はない。そのため、農業の未来図がはなはだしく語られるけれども、簡単に今日の土地の減少、人口の減少などを、そのまま引きのばしての数値を土台にしているにすぎない。

二十年後の農業の姿は二十年後に誰が農業を担うかによって大きく左右されるわけだが、それは現代の十代の少年達である。この少年たちは、いま何を考え、何を自分のもっとも大切なことと考え、さらに農業について、どう考えているのか、その辺の見当がつけられなければとうてい二十年後の将来などを論ずることはできないだろう。

農村の都市化

いまかりにアメリカと比較して、都市と農村の青年のものの考え方の差はいったいどちらが大きいか自問してみると、私ははるかに日本のほうが接近したと思う。しかし、アメリカもかなり急速にその接近がみられ、あらためて農業の都市化が問題にされはじめている。その意味で、アメリカの農村青年のものの考え方が、最近どう変りつつあるか、それを調べてみることは、いま私が冒頭にのべた問題を解く参考になるだろう。

例をニューヨーク州にみる。

統計の示すところでは、二十世紀初頭以来、この州では、農村から都市へ向けての人口の流出がはなはだしく一九六〇年までに、初頭のころの七五%の農家を流出させている。だが、注目したいのは、単なる流出の激しさのみではなく、この二十年ばかり、都市から農村へ移動する人口もあるという点である。しかも、この都市から農村へと移る人口は、ここ十年、しだいに増加の傾向すらみせているといわれる。

人気ない酪農

ニューヨーク州は一般に知られているように、アメリカ酪農の代表的地域である。現在のアメリカの農業のなかで、若い世代にもっとも好まれない部門が酪農であるといわれる。ニューヨーク州の農業人口の流出は、大都市の周辺であるという以外に、酪農経営であることを理由とする論者も多い。

一年中、ひまなしという酪農は、働きもするが、余暇も楽しむ、両方の要求をみたそうとする若い世代には、あまり人気のあるものではないようである。日本における酪農も、これとほぼ似た問題があるだろうと思うが、しかし、それでは、都市から農村へかえってゆく人口とはいったいなんであろうか。

アメリカの私の友人の手紙では、農村を離れていた農村の息子が、再び農業にもどるという例のほかに、新しい人生を求めて、農業にはいってくる人の増加していることを教えている。酪農はひまがない。しかし、能力を生かす場所としては好適である。こうした考えが、まるで反対の方向の考えが、いまのアメリカ青年のなかにあるのだと友人は書いている。

家族経営の概念

今日、家族経営ということはその概念の内容を著しくかえてしまっている。アメリカにおいても、その他の国においても、家族経営を中核とするといっても、それはすでに純粋な意味での、かつての家族経営ではなくなっている。現在の特色は何かとたずねるならば、少なくともアメリカの家族経営においてはこう答えざるをえないと、コンクリンは記している。

すなわち、第一には、技能にすぐれた農民であること、第二には、自分のためよりもむしろ他人のためにという気持を、より積極的に持っていること。アメリカの家族経営は、あるいは、これから残ってゆく家族経営は、アメリカ農業の担当者として第一級のものであって、大規模の経営にも、けっしてひけを取らぬ技能を身につけて、農業技術の進歩を積極的に受け入れてゆく、能動的な人間でなければならない。

すぐれた管理

土地の管理、労働の管理、動物の管理、それぞれ人にすぐれていなければならず、ことに土地の優劣の評価、地価の適正か否かの判定力、そして、適する土地利用の採用の判断と決意、こうした能力が非常に重要であることを力説している。だが、それは必ずしも、農業形態が家族経営なるゆえに、重要である理由とはならない。成功的な農業を推進するために、家族農業経営たると、協同経営ないしは会社経営たるとを問わず、これらの能力は、一般的に重要なことである。

なぜ、そのなかで、家族経営がとくにとりあげられるのか。それは、家族経営という形態が農業経営の他の形態──協業なり会社形態なり──よりも、成功的でありうるという内的な必然性をもつからだというよりも理由はもっと外的なところにある。かりにどれほど農業が進んでも、そのえられる所得に、工業──あるいは第二次、第三次産業からえられるサラリーと比較すれば、少ないのが一般的である。

低い農業所得

なるほど、なかには能力のすぐれた農民には、他の一般都市勤労者にまけない、あるいはそれ以上の農業所得をあげている者も、たくさんいるだろう。しかし、その能力あるすぐれた農民が、もし他産業に従事するならば、やはり彼は、そこでも優遇されて、農業所得以上のサラリーを獲得するにちがいない。

しかも、彼の意志によってはすぐにでも他の仕事にうつれるのではないか。すぐれた者は、どこにおいてもすぐれている。アメリカでの自由の享受ということは、このような他産業と農業との間の、自由選択が可能という意味の自由である。(全国農村青少年育成研究会発行『農村青少年教育』第六号より)

レクリエーションに強くなる法

クラブ活動12ヵ月 新しいクラブ員を中心に <19>

栃木県・普及教育課　湯浅甲子

前後の流れを計算 レクの渦へ巻きこもう

(4) レクリエーションのプログラムをたてる

㈠導入、もりあげ、しめくくり

どのようなレクリエーションでも、この三つの過程を原則的に連らねばならない。ただし、ごく短時間のレクの場合や、レクの前後の関係からの雰囲気で一部を省略することはある。

では、省略した方がよい場合の例を、二、三紹介しておこう。例えば、レクの前の行事が談論を中心にするものであってレクの後は、静かに、講話を聞くといったプログラムの時のレクリエーションは、前の行事のざわついた気分を鎮めて、次の講話をうける気分の準備をしてやる役割があるから心を静かにするような、静かな、ゆっくりしたムードをもった歌などを二つぐらい歌ってすーっと、次の講話に誘いこむような内容が効果的である。

また、畳の部屋で長い時間坐り続けの講話をうけているような場合のレクは、最初に歌を歌うよりは、背伸びの運動、肩の上げ下げ、頭の運動といった、軽体操をして、深呼吸をし、そのあとで、うたい易い、よく知っている歌を軽く一つぐらいうたって、次の行事につなぐといったやり方がよいだろう。要するに、気分転換的効果をねらうときは、前後の流れを充分計算にいれて、巧妙にやることが大切なのである。

さて、話をもとへ戻して、レクの導入について話すことにする。レクリエーションは、誰れにも必要なものであるし、一人ひとりは何らかの形で、それをどこかでやっているものである。だから、グループの場合でも、レクをすることに、なんの不自然もないようなものだが、実際は、なかなかそうではない。

諸君たちも、次のような体験が、大なり小なりあるのではないだろうか。「今日は、レクリエーションの時間があるから、きっと、おもしろいだろう」と期待をして参加した自分だったのだが、いよいよレクの時間になると、どうも気が乗ってこない。逃げ腰になってしまう。なにか、やらされるのではないかといった被害者意識があって、おちつけない。結局は、溶けこめないうちに、チグハグな気持で終ってしまったという。

こういうことは、導入の失敗なのである。導入は、自然にいつの間にか、レクの渦の中に、巻きこんでしまうことが大切なのである。それには、「ただいまから、レクリエーションを行ないます」といった、宣言型の導入ではいけない。よく会の進行係などが立ち上って、「それでは、みなさん、大変おつかれでしょうから、ここで、○○先生のレクリエーションの指導をうけたいと思います。御協力をお願いします。では、○○先生お願いします」なんて紹介をされてしまうことがあるが、これでは有難迷惑もいいところである。

私は、いつも導入のときに、気をつかうことは、なるべく今日の参加者の身近な話題から入ろうと努力するのである。特に、初めての対象である場合は、ことにその点に気を使い、レクの時間より早く会場にきていて参加者の様子を見ておき、その中の話題や、事件を、レクの最初に話し出すのが常である。

「きのうは、大分にぎやかだったそうですね。アカネ橋っていうんですか、開通式のあった橋は。こんどは、とても便利になりますね。川向うの川田の人などは、今までの三分の一でしょう。私も、ここへくるのに、あの橋を渡ってきましたが、……

…素適ですネ。子供たちが、うれしそうに歌をうたいながら渡っていきました。"夏も近づく八十八夜"みなさんも歌いましょうか」と、こういう調子で導入していくのである。

この導入がうまく行けば、もりあげは、さほどむずかしいことではない。要は、プログラムの組み合わせ方である。動きの多いもの、対抗ゲーム、ダンスなどを中心に、イキつく間も与えないような進行をしていけばよいのである。しめくくりは全体のまとめと、次への橋わたしの役目がある。特にまとめの中では、みんなでやった楽しさを、一人ひとりの胸の中に落ちつかせる必要があるのである。

つまり、自分たちにかえってレクをかみしめる時間である。この時には、会場に何十人いようと、一人ひとりが、独りぼっちになったような気持になって、レクの余韻をたのしみながら、おのれをみつめてもらうのである。その時のために、レク・リーダーは、結びの言葉を用意しておくと、より効果的だと思う。

「たのしいひと時をすごしました。汗ばんだ体に、本陣の風が気持いいですね。今日、はじめて一緒に踊った人もいるでしょう。新らしい友達もできたこと思います。これからも、今日のような気持で、クラブ活動に頑張って下さい。4Hクラブは、たのしく、ためになる活動を、いつも求めています」

7月

鳥取 佐賀 盛んに交流

【鳥取県=山本哲嗣連絡報道員発】昨年の第五回全国4Hクラブ員のつどいが、鳥取県で開かれてから一年になるが、"つどい"以来、鳥取県と佐賀県のクラブ員の交流が盛んになされている。

七月五日、佐賀県伊万里市のクラブ、農青会の堀田敏勝君ら四名が一泊二日の予定で鳥取県赤碕町へやって来た。来鳥の目的は、昨年のつどいで知りあった鳥取の梨と取組む仲間を訪ね、二十世紀梨を作るのに必要な、夏季の管理を学ぶためであった。それというのも堀田君のクラブも、梨を主体とした経営に取組む、八名で組織しているからである。

一日目は、赤碕グリーンクラブの高橋会長らに迎えられ、役場などの挨拶まわり、そのあと、グリーンクラブの仲間と、県果樹試験場、以西地区パイロット事業を見学して、クラブ員宅に民泊。二日目はそれぞれの農家で作業の実習を行なったあと、午後から国立公園大山を訪れ、夜、佐賀へ帰った。

なお、佐賀からの鳥取訪問は、つどいを含めて四度目であり、鳥取から佐賀へ研修に行った例もある。一部には、ラブロマンスのうわさもあって、つどいのあと、このように交流を深めたということがないだけに、鳥取と佐賀との何回かの相互訪問は、つどいの成果と意義とを、まのあたりにみるようである。

請負田に全員で種まきをするクラブ員

米代金を前借りしても 全員が"つどい"へ

佐賀・三田川4Hク

【佐賀】三田川4Hクラブ(会長、伊藤由則君・クラブ員十三名)は、昨年から水田の請負い耕作を始め、同時にプロジェクトとして調査研究を続けているが、来る八月二十四日から郷土で開催される全国4Hクラブ員のつどいには、ここで収穫する米代金を前借りしてでも全員が参加しようと張り切っている。

この水田は、ある二種兼業農家から依頼されたもので、面積は五十アール。耕作費は全部クラブ持ちでその家に反当り五俵を渡すことにしている。肥料などは会社から試供品として貰っているものもあるが、この耕作であげる収益は、クラブ運営費の重要な資金源となっている。

昨年の経験で一番思い出になったのは稲刈り。日中はどこも忙しいので、夜、青い月の下で十二時ごろまで行なったことだ。また、プロジェクトとして六品種の稲の成育の成育差などの調査を行なった。今年は、普通肥料と緩効性肥料との質の違いや、収穫の違いをプロジェクトに取り上げようと考えている。今回のつどいでも、全国の民泊者に見て貰おうと今から心待ちしている。今年は、さる五月二十八日に、苗代作り、播種の共同作業を行なった。

なお、同クラブでは「今回の「つどい」は佐賀県郷全体としてはもちろん、三田川としても大いに張り切っていますので、どしどしおこし下さい。待っています」と全国のクラブ員に呼びかけている。(三田川4Hクラブ、平瀬雄吾発)

公共施設へ花を

埼玉・庄和町4Hク

【埼玉】庄和町4Hクラブ(会長、野口文雄君、会員百余名)では、役場、郵便局、駅、農協などの公共施設に、三年まえから古タイヤを利用した花壇を作り、季節の花を咲かせ、よろこばれている。

紡績会社女子従業員と交歓

愛知・愛知郡4Hク

【愛知】愛知郡4Hクラブと、同郡長久手村の丸武紡績会社の女子従業員が、六月二十八日、森林公園で交歓会を開いた。正しい男女交際を通じて、農家のお嫁さんに──、またお嫁さんを──といった主旨で行なわれたもので、愛知郡4Hクラブは二十名、いずれも独身男性、農業後継者である。いままで、若い女性と話し合う機会も少なく、結婚相手も捜せないということで、若い女性の多い紡績会社へ交歓を申込んだ。

これに会社側も同調して実現したものだが、クラブから十八名、会社の寄宿舎にはいっている、県外出身の女子従業員五十名、オブザーバーとして、県農業改良普及員、会社労組役員らも参加して、自己紹介、フォークダンス、コーラス、ゲームなどが行なわれた。

救いの神 労働銀行

茨城・若葉4Hク

【茨城県=村山文雄連絡報道員発】筑波郡若葉4Hクラブ(会長・遠藤和夫君)では「労働銀行」を設置し、農繁期の人手不足を解消している。この銀行は、クラブ員の家同士が、人手の不足したとき、みなして助け合おうというもので、応援に行くと(昼食持参)、一日一人の割りで預け入れとなり、逆に応援を受けると借りたなる仕組みになっている。

このため、余裕のあるとき預け入れ額を多くしておけば、病気やけがなどの場合払戻しができる。

四十四年度決算でみると、貸借の総額は延べ三百四十人分、預け入れの最高は三十六人分、借り入れでは四十二人分であった。

たとえば、クラブ員の石島義男君宅では、三月下旬、乳牛小屋の改築作業中に父親が左腕を骨折してしまい、ほかには祖父母しかいないので田植えが他の家より二十日以上も遅れそうになった。しかし、労働銀行に預け入れがあったため、七人のクラブ員が応援にかけつけ、五月十四日、同地区の家と同じにすませることができた。

石島君の話　他の家よりぐんと遅れると思っていたが、地区の農家と同じように田植えができてうれしい。普通の農業労働者を頼めば、一日三食つきで二千五百円も払わなければならず、第一、労働者がないので困っていた。労働銀行のおかげで解決できた。

第九回 青年農業者会議報告 肉牛<1>

多頭化が可能 和牛を取入れて

肉牛経営 経営者部会・第九分科会

一、経過概要

「経営の現状と十年後の農業経営」をどのようにして築くかについて、経営者の立場から、その妻の立場から意見を交換した結果、次のような話題にしぼり討議をすすめた。

(1) これからの農業とは

(2) 規模拡大をどのようにしてすすめるか(規模拡大の過程)

(3) 農業者の果たすべき役割(主婦の果たすべき役割)

二、討議の内容

(1) 生活の手段として農業をとらえる。そのためにはわが家の生活設計を明確に樹立して、これに見合う農業所得拡大をはかることが第一であろう。また肉牛で拡大につとめるため、和牛を取り入れた動機として、一頭当たりの所得は低いが、多頭化できる可能性と労力的配分、技術の習得がやさしく、さらに危険性が低い。これらをふまえ高度な技術と経営を体得することや、農協などを利用する組織活動の重要性が話合われた。

(2) ❶肉牛と水稲、野菜などの複合経営は多いが、米の生産組織をつくり、水稲の合理化を進めながら部門の拡大につとめる❷野菜などは、現在、現金収入の途としてやっているが、将来はやめて肉牛部門の拡大につとめる(資金を確保)

(3) 制度資金の活用

(4) 水田などの飼料作物への転換および山岳地帯の開発

(5) 商業的資本の進出がめざましい今日、農業者が、これに対応する方策は、❶系統利用(農業団体)❷農業者の意識的向上をはからなくてはならない。たとえば、自主経営農家として自主的な組織をつくったり、農協などを積極的に活用する必要がある❸農業者の主体性が要求されるから、広い視野に立ったものの見方、考え方をしなくてはならない。

(6) 規模拡大としては、❶自主経営農家では、経営内における和牛部門の位置づけを明確にする。現在は複合経営が多く、和牛が占める割合は小さいので、これを経営の主幹として早急に取り入る。一戸当たり五十頭ぐらいが、目標となろう❷共同経営(協業)については、各県の協業の失敗事例は多いが、その原因を明確にした上で、今後の対策を考える必要がある。

失敗の原因は、❶個性差があり群飼(飼育管理問題)❷人間関係のむずかしさなどであり、これからの協業経営は、❶自立経営の過渡期的なものか、協業体として永続性をもつものか、判別はむずかしいが、共同の目的を明確にする❷仕事の分担をはっきりさせる❸密な人間関係の中できびしさをもつ❹組合員の意思疎通を十分にはかることが大切である。

三、これからの農業者としては

(1) 企業的な感覚

(2) 協調できる農業者

(3) リーダーの役割はこれからの農家生活を、生産と生活の両面からとらえなくてはならない。現在は、作業分担が明確でないので、経営内における作業の分担をはっきりさせる必要がある。そのためには、主婦も経営能力(簿記など)を高める一方、家庭にあってはよき母親でなくては、以上のことが実現されない。

遅い資本回転

肉牛経営 青年部会・第十三分科会

一、出された問題点

(1) 飼育の問題点

(ア) 素牛の選定

(イ) 素牛の価格が不安定

(2) 繁殖の問題点

(ア) 資本の回転がおそい

(イ) 粗飼料の確保がむずかしい

(ウ) 放牧したいが、土地、技術の問題がある

(エ) 仔牛の価格が不安定

(オ) 肉質の問題

(3) 共通する問題点

(ア) 資本の入手の問題

(イ) 流通の問題

(4) その他

(ア) 農業への不安

(イ) 食管法、農地法について

(ウ) 自立経営か、協業か

茶の適品種選定

町有地借受け試験

成果は地域に普及図る

京都府相楽郡和束町 和束4Hクラブ　稲垣　清

私のプロジェクト

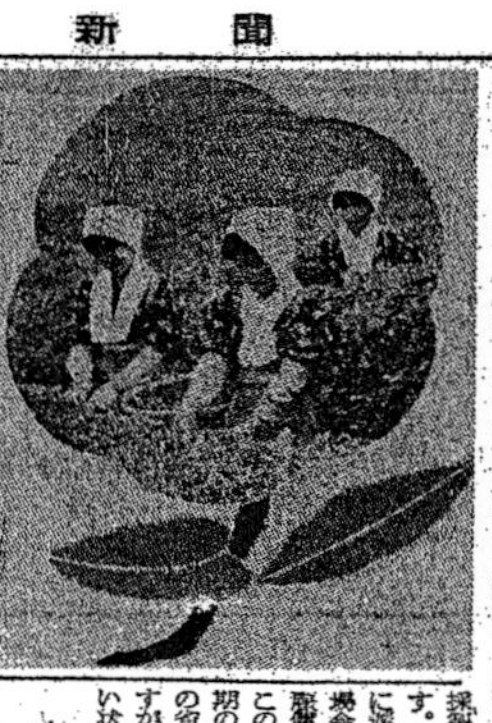

私は良質茶「宇治茶」の産地（京都府産煎茶の五一%を生産）として全国に知られている和束町の4Hクラブ員です。

私の4Hクラブは、三年前、当時の高校卒業者を中心として結成され、私もその時からのメンバーです。クラブには、毎年新卒者が加入し、現在のクラブ員数は二十三名で、うち女子クラブ員四名のヤングパワーと、チームワークが売りもので、郡、府の連絡協議会につながっています。

摘採製茶の労力が問題

和束町は、主幹作物の茶以外は水稲と山林が経営の主体で、山高く水清き山水の自然美に恵まれたところで、この自然美が私たちの誇りでもあります。したがって、近郊からのお客も多いようです。

和束町は、人口七千人、農家戸数七百五十五戸、良質茶の生産地だけに製茶工場が五百五十工場、天正年間から茶が栽培され、名実ともに茶の町です。

茶園面積は、専業農家一戸平均約一㌶で、完全な「自園自製」の経営です。また、栽培の歴史が古いため、茶園の八七%が、在来の雑種実生園で、品種としては、ほとんどが「ヤブキタ」種です。

茶の自園自製経営で、とくに問題になっているものとして、摘採製茶の労力のピークがあります。この摘採期は短く、これに遅れると製品の品質が低下する場合があり、このため、一時的に雇傭労力を必要とします。現在はこの問題に対処するため、摘採適期の延長策、動力摘採、製茶工場の省力化などの対策が考えられますが、また、具体的に進んでいない状態です。

女子クラ員交え共同作業

私たち4Hクラブ員は、こうした情勢の中で、品種の導入によって、摘採適期の幅を広げることの重要性を知り、これをクラブ員が共同で取り組む意義の重要度も計り知れないものがあることから、検討を重ねて実践すべく決定しました。

単に品種選定のみだけであれば、当然試験場で行なっていますから、自分たちの問題を自分たちで解決していくための団結力の養成、共同化の基礎、そして実践力などを考え、踏み切ったのです。四十二年九月二十八日に、普及所、茶業試験場、町当局の協力のもとに、町有地を借受け、この地域に適するであろうと考えられる九品種の育苗（将来の母樹園）をはじめました。方法は「無消毒さし木育苗法」で、五十平方㍍に七千九百六十本の穂木をさしました。九品種のうち「和束一号」は、クラブ員の家庭で育成されたもので、とくに品質優良で、寒さに強いという特色をもっています。

さし木などの共同作業は、女子クラブ員をまじえ、明るく、なごやかに、そしてスムースにはかどりました。

成苗率は、普通八十%といわれていますが、私たちの実績は、品種選と管理の不十分な面もありましたが、計画に近い育苗ができました。

産業祭で成果を展示

しかし、その後、借入地を返却しなければならない事態になり、四十三年四月に、それぞれの品種をクラブ員が持ち帰えり、それぞれ各自の圃場で育苗しなければならなくなりました。現在、本圃に定植してありますが、品種の比較試験などの関係から、圃場を一カ所に集められなかったのが、不都合で、残念でなりません。

成苗歩合と本圃活着率（%）

品種名	成苗率	活着率
あさひ	八九	九三
こまかげ	六一	七五
さみどり	七八	八八
きょうみどり	七二	八二
やぶきた	九六	九五
おぐらみどり	六四	七五
和束一号	八六	九三
ごこう	五六	七二

成苗歩合と本圃の活着率については、現地において調査した結果は、表のとおりでありますが、現段階で判明したことは、成苗率、活着率などから「やぶきた」「和束一号」「おぐらみどり」「こまかげ」などが優れているようです。

このような私たちが行なったプロジェクトの成果は、クラブの機関誌「瓶香」などで発表するとともに、毎年町主催で開催している産業祭でも、クラブコーナーを設けて展示するなど、活動の成果を地域の人たちに伝え普及を図っております。

私たちプロジェクトをとおしたクラブ活動の体験の中から、次のようなものを得ることができました。

団結と実行力認めらる

クラブおよびクラブ員の関係

クラブ員相互のつながりが、より一層親密になった。技術の修得ができた。共同精神が養なわれた。クラブ活動の意欲がもたれるようになった。

地域社会との関係

クラブ員の団結力と実行力が認められて、クラブ活動への理解が深まった。経営改善の面から、品種の重要性が認められ、強い関心がもたれるようになった。

また、問題点としては、長期のプロジェクトには、責任の分担を十分留意すべきだ。共同の場合は圃場の確保がたいせつであります。

このプロジェクトは成園化するまで、数年を必要とし、さらに品質、収量などを検討するために努力していきたいと思います。

以上のように、このプロジェクトは、私たちクラブ員の歩みに、大きな躍進を、地域社会にはクラブの存在価値を高くさせ、さらに経営改善への意欲をもり上げられたのです。

プロジェクトの進め方 《8》

尊い体験で生れる

ぶつけ、跳ね返りで確認

強い自信のもち方

こんな例もあります。高速道路を自分の車が、時速八十㌔で走っている。ところが、はるか前方に一台の車が故障した。ボンネットを上げてガタガタやっている。早く方向を変えなければいけない。ところが、変えようとしたときに、前方からもう一台のダンプが、もうれつな勢いで飛んできた。

こういう状態を考えた場合、運転手は、この状態を安全にぬけていくために、どういう判断を下すべきか。どういう条件を揃えなければならないか。もちろん自分が運転技術について自信がなければならない。また車の性能を十分知っていなければならない。そういう条件は、とうぜん揃えなければならない。

しかし、それだけでは、この方向にぬけて出られるかどうかという判断にはならない。どうしても、むこうからやってくる車の速度なり、運転事情なり、その車の性能なり、その距離を読めなくては、正しい運転の判断はできない。ここで安全にピンチを切りぬけるためには、ブレーキを踏んだ方がいいのか、アクセルをふかした方がいいのかという判断の操作は、自分だけの力ではだめで、相手の力を読みきれなければだめです。

そう考えてみると、ものを正しく判断するということは、角度を変えて考えなければならない。違う条件を揃えていかなければならない。相手の力を見ぬけなければならない。こういうような条件が、判断するというものの中にあるといえます。

そこで、みなさん方はだれでも、農業なり、生活なりを夢のようなものにしていきたいと、乞い願っている。一軒の家の青年として、毎日そういうことで苦しんでいる。若いという字は苦しい字に似ているなどという歌がありますね。その苦しみをなんとか正しく判断をして、問題を解決していくためには、自分だけの力、自分だけの経営をよくするだけでは、問題が解決しないということになります。

自分の考えていることを、だれかに、ぶつけてみないと自信が湧いてこない。

みなさん方は自信をもちたいと思うでしょうねえ。農業に、経営に、生活に自信をもちたい。自信というのは、いったい何でしょうかねえ。どうしたら、自信はできるのでしょうか。中学校卒より、高校卒の方が、高校卒より、大学卒業の方が自信があると思いますか。そんなことはありませんよねえ。自信は、学歴に関係ありませんよ。

みなさん方が、具体的にこのことは、俺れに任かしてくれ、このことは、誰れにも負けないという自信をもっているものが何か一つやふたつはあるでしょう。そういう自信は、どういうチャンスでできたものかを自らつむって考えてごらんなさい。自信をつけるということは、どういう行動でできたものでしょうか。

こういう経験はありませんか。中学校のときに、百米走らせれば俺れは一番。そういう実績をもては、それは中学生時代にとっては、ものすごい自信である。百米短距離では、誰れにも負けないチャンピオンだという自信がある。

しかし、それが高校に入ったときにも、そのときの自信をもっていられるかどうか。俺れは中学校のときには、短距離の第一人者だったが、高校へくるともっと速い人がいるのではないかな、という気持になる。きのうまであった自信が、進学したことによって、ペタッとなってしまったような、そういう経験があるでしょう。

なぜ、そうなってしまうのでしょうか。また、自分でこの機械の運転だったら絶対だと、そう思っても、いろいろな体験をして、難しいコースを回ったこともある。危険な思いもした。それを切りぬけたということが、だんだんと自信を強めていくもとになってくるのです。

自分に自信があれば、あるほど、それを何かにぶつけてみて、その跳ね反りで確認していかないと、ほんとうの自信はつけられません。自分のもっている力を何かにぶつけて、その反応で自信というものをつくり上げていく。そうじゃあ、ありませんか。自信というものは—。

誰れにも聞かないでいると、それが、はたしてよいものか、悪いものかわからなくなる。自分の酪農経営は、もっとも素晴しいものだと思っても、自分だけしか知らなくて、自分だけしかやっていないとすると、はたしてそれが、いいのかどうかということは、だんだん不安になります。誰れかに、ぶつけてみて、やはりそのとおりだ。俺れも、そのとおりにやってみたい。といわれて、はじめて自分の考えていることは、間違いじゃなかったと、こういうことになります。

つまり、自信をもって、一軒の家の中で、青年たちが生活にあるいは農業に自信をもつということは、その自信をもちたいということを、必ず誰れかにぶつけなくては、判定できないといえます。ぶつけた相手が、そんなことはあるものか、ためだということになると、自分のもっていた自信は間違っていたのかなあ—という判定ができます。

また、まったくそのとおりだといわれれば、ますます自信がつよくなります。自分の自信を誰れかに、ぶつける青年の集りができてきます。青年が農業に自信をもつために、必ずこういう行動をどこかでやっているわけです。（栃木県・専門技術員、湯浅甲子氏の講義から）

むこう一カ月 病害虫の発生

農林省農政局で発表

全般的に並か少なめ

農林省は、ことしの主要作物の主な病害虫の向こう約一ヵ月の発生動向について、次のような予想を発表した。

水稲

いもち病 葉いもちの発生時期は全国的にややおくれており、まだ、少発生にとどまっている。今後の葉いもちの発生は、つゆ明けがややおくれ、雨量が並ないしやや多いと予想されているので、並ないしやや多くなると思われる。

黄化萎縮病 局地的にやや多いところもあるが、全般的には少ない発生となっている。今後、七月上旬には、西日本や太平洋側、七月中旬には、中部日本や日本海側で大雨が降りやすいと予想されているので、これらの地方ではやや多くなるところもあると思われるが、全般的には並ないしやや少ない発生となるもよう。

白葉枯病 東北、四国のそれぞれの一部で発生を認めており、やや多くなっている。しかし、その他の地方では、まだ、発生を認めていない。今後は、次第に発生面が拡大し、概して並の発生となると思われる。

紋枯病 関東、北陸、四国、九州のそれぞれの一部で発生を認めているが、また、少発生にとどまっている。今後は、並ないしやや少ない発生となるみこみ。

ツマグロヨコバイ・萎縮病 ツマグロヨコバイの第二回成虫の発生時期はややおそく、発生量は、やや少なくなっている。第二世代幼虫は、局地的にやや多くなるものと思われるが、全般的には並ないしやや少ない発生となろう。萎縮病は、関東以西の各地で発生を認めるようになったが、まだ少発生にとどまっている。今後は概して並の発生となろう。

二化メイ虫 第一回成虫の発蛾最盛期は、並ないしややおそく、発生量は、北日本では並ないしやや多く、その他の地方では並ないしやや少なくなっている。今後、発蛾型は二山以上の乱れた型となる地方が多く、第一世代幼虫は概して並の発生となっている。

イネヒメハモグリバエ 発生時期は並ないしややおそく、発生量は、中国および関東、東海のそれぞれの一部でやや多く、その他の地方では並ないしやや少なくなっている。

カンキツ

そうか病 瀬戸内地方の一部ではやや少なく、その他の地方では並ないしやや多い発生となっている。今後の発生は、雨量がやや多いと予想されているので、全国的に並ないしやや多くなろう。今後は概して並の発生となろう。

黒点病 瀬戸内地方の一部で少ないところもあるが、全般的には並ないし、やや多い発生となっている。今後は、つゆ明けがややおくれ、雨量がやや多いと予想されているので、全般的にやや多い発生となろう。

ヤノネカイガラ虫 第一世代幼虫の発生最盛期はおくれており、発生量は並ないしやや少なくなっている。第二世代幼虫の発生時期はややおそく、発生量は並ないしやや少ない。

ミカンハダニ 全般的に少発生にとどまっている。今後も少発生にとどまるであろう。

NHK農事番組（7月21日〜31日）

テレビ

明るい農村 6・30〜6・55 総合
21日 きょうの話題 牛乳公害（全酪連事務局長）山口巌
22日 産物往来 もも（福島県伊達町）
23日 話題の広場 ▽航空写真の農業利用（東海近畿農試場長）武藤三雄 ▽世界のお茶を集める（豊橋市）松下智
24日 村をむすぶ フィルム・リレー
25日 農村新地図 岩手県岩手郡葛巻町（岩手の保健編集長）[illegible]
27日 村の記録 ポットマム青年社長（徳島市国府田町）[illegible]
28日 きょうの話題 現地報告「決定米価の周辺」RFD座談会
29日 産物往来 黒部すいか（富山県下新川郡入善町）
30日 話題の広場 ▽水田用水の完全利用（岩手県和賀郡江釣子村）村上清 ▽（秋田県[illegible]）
31日 村をむすぶ 通信員報告
農業教室 月〜土 7・30〜8・00 教育
21〜22日 流通近代化を考える
23〜25日 経営と家族関係
27〜28日 農業利用と安全
30〜31日 農村の環境と住宅
あすの村づくり 日 7・00〜8・00 教育
26日「あすを築く若者たち」第九回愛知県農業技術交換大会から

ラジオ

早起き鳥 5・05〜6・00 ①
21日 人と話題 防風林調査から（北海道大学教授）横山康一
22日 通信員の手帳から
23日 人と話題 ウイルスによる害虫防除（中国農試）岡田斉夫
24日 現地報告 どじょう養殖さかん（青森県下）
25日 村のポスト
26日 話題の窓 [illegible] 山越道ほか
27〜31日 ▽夏期特集「早起き対談」
ラジオ農業学校 月〜土 6・40〜7・00 ②
26日 ▽農業講演会「商品生産を考えた林業経営」（全国林業改良普及協会）兼古嗣史

農業簿記

京都大学名誉教授　大槻正男

<自計式農家経済簿記>

分類諸表

所得的支出種目別分類集計表および所得的総支出種目別分類表

同じく現金現物日記帳の『所得的支出』欄に記入してある数字を、『種目』欄を読んで種目別に分類集計し、さらに一覧的に表示したものがこれらの表である。

所得的支出は、農家の所得的失費をだいたいにおいて表わすものである。だから、その種目別分類は、農家の所得的失費の種目別構成を、概略的に表わすものであるといってよい。ただ、これには購入現物の年度末増減額が加減されていないし、また、固定供用財の減価償却額も加算されていない相違がある。しかし、農家にとっては最も具体的な数字である。

〈注〉所得的支出種目別分類表とせずに、所得的総支出種目別分類表とした理由は、所得的収入とはちがって、所得的支出がそのまま所得的総支出となるからである。

家計費種目別分類集計表および同分類表

同じく現金現物日記帳の『家計支出』および『生産物家計仕向け』の両欄に記入してある数字を、種目別に集計し、さらに一覧的に表示したのがこれらの表である。

家計費は農家の家計経済の一ヵ年間の費用額、すなわち家計総費用である。そして、雇い人へまかない支給した場合には、家計費の中に家族の生活に要した消費的家計費のほかに、これらのための費用、すなわち所得経済負担の家計費をも包含している。だから、家計費の種目分類は、このような意味の種目別構成を表わすものである。

収入・支出『種目』欄の記入方法

種目別分類集計表の作成にあたっては、まず日記帳の『種目』欄に取引の内容にしたがって、種目の仕訳けをしなければならない。すなわち、それぞれの収入・支出の種目別内容例を参照しながら、その取引がどんな目的で行なわれたかによって、『種目欄』に種目名の略称の記入を行なう。

家計仕向けの生産については、前に述べたとおり、所得部面における家計仕向けの面と家計部面における家計仕向けの面と二つの面をもつから、一つの生産物家計仕向けについて、二つの種目を記入せねばならない。『生産物家計仕向け』欄には、多くの欄を設けることによる記入のわずらわしさを、さけるためと紙面を節約するために、『種目』欄を特に設けないで、『数量』欄に種目名略称を数量とともに記入するようにした。

たとえば、蔬菜を家計に仕向けた場合は、所得部面の種目の「蔬」を『数量』欄の左肩に、家計部面の種目の「副」を右肩にして、「蔬　副」というように記入する。また、薪を家計仕向けにした場合は、「林　家光」というように記入するのである。

労働分類集計表

労働日記帳で算出される労働日数旬計は、労働分類集計表に集められる。

つまり、能力不換算旬計は『人別労働（能力不換算）分類集計表』の該当欄に、能力換算旬計は『部門別労働（能力換算）分類集計表』の該当欄にそれぞれ転記・集計されるのである。

人別労働分類集計表

農家の労働力状況を人別・旬別・部門別に表示するところの、各人の労働能力のちがいを示すところの表である。

部門別労働分類集計表

各人の労働能力のちがいを考慮し、男一人まえの労働に換算した労働単位、つまり、能力換算労働単位をもって、農家経済の年間労働所要状況を各部門別・人別・旬別に表示するものである。

あしたの青春

一ノ瀬綾　え　多賀愛子　<33>

出発（六）

男達が居間に落ちついたのをたしかめてから、ふく代がすみ江を台所へ招いた。

「若い人向きの酒のつまみ物を作っておくれ。圭次さんには、一度お礼をしなけりゃと思っていたとこだ。いい折だでな」

すみ江は、思わず大きく頷いていた。大急ぎで、ありあわせの材料を集めながら、胸の中では、圭次によろこんでもらえそうな食べ物はなんだろうと、思いめぐらせた。

とりあえず野菜サラダと、精進揚をつくることに決めた。居間からは時々父親の高笑いに交って、圭次と新一の話し声もする。台所で動き回りながら、すみ江はたのしかった。鼻唄でも出そうな弾んだ気持が、すみ江の白い頬を上気させていた。これからも、こんなになごやかな交流が時々あって欲しいとひそかに思っていた。

「用意ができたら運んで、おまえがおもてなしするだよ。おらちょっと、魚屋へ行くで」

ふく代が言った。

「おらが行くよ、自転車あるもん」

「いや、若い者には若い者の相手がいいだ」

押しつけるような母親の言葉にすみ江はそっと苦笑した。自分の心中を見すかされでもしたように面映ゆい。（新一の為に気を使っているのに……感ちがいしてるわ……）すみ江は出て行ったふく代の背に向けて口の中でつぶやいた。

やがて家の内いっぱいに香しい揚げ物の匂が立ちこめる頃、

居間のテーブルでは待ちかねた男達のビールのやり取りが始まっていた。すみ江が出来上った精進揚の皿を運んで行くと、圭次が声をかけてきた。

「すみ江さんもここに座って、話を聞いてくれよ。大事なことだぜ……農業は、選ばれた職業か、人間的で有意義な仕事かどうか、ということでもめてんだが、すみ江さんはどう思うかね」

「むずかしいのね……職業の価値感なんて、人によって、時代によって、それぞれちがうんじゃないかなあ」

すみ江の言葉を、新一が横からひったくるようにして遮った。

「農業が、人間的で有意義な仕事だなんて、今の俺達には通用しねえな。農業から脱け出せねえ人間だけが、勝手にそう思いこんでいるだけじゃねえのか」

「なにを言うか。昔から農業は国の基本だった。どんな時代だって人間の食べ物を作る仕事は一番尊い大事なことだったぞ。今、日本中の農家がストライキを起こしてみろ、どうなると思う」

久治がビールの泡をとばして大声を上げると、新一は急に笑い出した。

「言うことが古いんだな……そんな考え方は、農民をうまく働かせようとした、昔の権力者がいいふらした文句だよ。おれは現実のことを言ってんだ」

新一も負けてはいない。圭次が笑いながらすみ江をうながした。

「なんかいってくれよ。さっきからこの通りさ。おれは、両方の意見に半分ずつ賛成したい気持なんだね。二人共そうとう強情だね、いい勝負だ」

「圭次さんは、いつか、農業に自信と誇りをもっていると、言ったことがあったね」

「いや、持ちてえと思い続けているだけさ。農業にかぎらず、誰だって自分の仕事に生甲斐を見出そうと、はかない努力をしているんだろう。好きな仕事で生活できる人間なんて、ほんの一にぎりの、めぐまれた奴等だけだとおれは思うな」

二人の会話に新一が身をのりだしてきた。

「おれだって、農業は好きだ、好きだぞ」

女子クラブの活動のために

福岡県・野菊会　江崎京子

資金はみな会員持ち
好評な花嫁道具の調査

1、私たちのクラブ活動の概況
クラブ結成の動機　仲間づくり
結成　四十四年七月十四日
会員数　女子二十名
プロジェクト　楽しい仲間づくりと生活及び農業技術の習得
行事　定例会ならびに学習会、専修学級参加、キャンプ、運動会
会員の年齢　二十歳以下十二名　二十五歳以下八名

2、結成の動機
現在、学校卒業後、ほとんどの女性は勤めに出て、農業を営む人はごくわずかしかなく、ともに学びともに語り合える仲間を、何とかして作りたいと考えていたときに、友人を通じて、4Hクラブの組織があることを知り、普及所の方と相談した結果、やはり青年団活動ばかりでなく、農業を志す者には4Hクラブ活動も必要であることを知りました。

学習活動へも 積極的に参加

そこで農業をしている知人に呼びかけ、それらの人が発起人となって、普及所単位で農業に従事している、二十五歳以下の女子で参加希望者をつのり結成しました。

3、運営内容と経過
(1) 毎月一回の定例日を設け計画的学習を行なった
(2) 普及所が行なう学習活動に積極的に参加（専修学級、青年会議、各種技術交換会、講習会など）
(3) 男子グループとの交歓会
(4) 共同プロジェクト「これからの花嫁道具について」の調査
(5) 親睦のための視察旅行

以上のようなことを、会員が無理なく参加できるように計画し、特に時間励行をするように運営しました。

活動資金については、全額会員負担とし、年間一人当り千円、その他特別な行事については、各自の負担によって運営しました。

4、本年度の実績をかえりみて
定例会については、計画通り実施できたが、参加率七〇％程度にとどまりました。時間厳守は、よく守られたと思います。本人の事情などでやむをえないと思いますが、さらに調査をして、参加率をよくしたいと考えています。花嫁道具の調査については、非常に参考になったと地域の人から喜ばれています。

発足してから、日は浅いのですが、心から話し合える仲間ができましたし、学習することによって農業に生きる自信が持てるようになりました。今後も、計画的に学習を続けて行きたいと思っています。

ひとつ以上の プロジェクト

5、今後の計画
(1) 今後は、全員が参加できるような無理のない行事計画を立て、必ず実行し、新入会員を暖かく迎えるクラブにしていきたい
(2) 一人一課題以上のプロジェクトを必ず持ち、実行するようにする
(3) 親と子の座談会を持ち、野菊会の活動について理解をしてもらう
(4) 男子グループとの交流計画をたて、活動を活発にする
(5) 協同プロジェクトとして農作業と家事の調和をはかるため、「婦人の生活時間について」調査をする
(6) 健康作りのため、献立を実行するように、お母さん方と一緒に料理実習と献立作りを行なう

青春と仲間

君は何をしてるの

角辻新太郎

僕は人に「職業は何ですか」と
聞かれると
「地球の皮をはいでいるのです」
と答える。
「地球の皮をはぐって何をしてるの」
と疑問にみちた声で聞く。
「そう」
「もっと真面目に、はっきりいってくれよ」
「小さな仕事さ、地球の皮をはいで、
日本人の胃袋を一杯にしてるのさ」
人は何だろうと思って、真剣に聞いている。
「ははは……百姓だよ、農業だよ」
人はなあんだという顔でこっちをにらみ、
「そうか、百姓か」という。
そして、僕も聞く
「じゃあ、君は何をしてるの」と。

（大阪府・[illegible]4Hクラブ）

農村雑感　仮想設定

新堀俊二郎

或る事柄をなし遂げようとする前に、その事柄を前提として、予想されるいろいろの条件を寄せ集めて、それらを組みたててみる。しかし、その組みたてて出来上ったものが、当初考えていた或る事柄とは、大分異なったものになるかも知れない。

実は異なるのが当然で、異ならないものが出来たとすれば、それは予想される諸条件を、現実の中では実現できないものとして、条件の中からとりはずしてしまったためであるからである。

物事を実行しようと考える時、こういうことはとても無理だとか、ああいうことはとても困難だとか、そうした実現困難と思われる要因は、実は簡単に除外してしまうことが多いようである。

無理であり、かつ困難である事柄という条件については、直接その問題に突当ってみないで、単に頭の中で、しかも一般社会常識の範囲内で結論をつけていることが多く、このため、出来上がった目標は、途中で縮少に縮少が重ねられて、ほんとにこじんまりとしたものになるのが、現実の一般的な姿であるといえよう。

無理であるとか、困難であるという条件を十分吟味したのであろうか。この条件の吟味を徹底的にやる必要があるためと、また、困難な条件を浮きぼりにするための手段として、適切な言葉ではないかも知れないが、仮想設定という頭脳作戦を考えてみたいと思ったわけである。

A君の経営は、今、乳牛十二頭飼っている酪農家であるが、彼が酪農をしようとしたのは、三年前に父から乳牛三頭を引きついだときにはじまったという。来年は五頭増加しよう、その次は何頭ふやそうという計画をたて、その計画に基づいて徐々に乳牛をふやしてきたが、十二頭になった今になって、その計画のたて方に疑問をもったという。

それは、今までの計画といっても、単に乳牛をふやすということのみであって、大きな目標が確立していなかったということである。そこで、将来酪農家として五十頭飼育農家という大目標をかかげ、それには、草地が何ほど、労働力、機械設備、畜舎、搾乳処理設備等、理想とする姿を想定して、あらゆる条件を思う存分取り入れて、一つの青写真をつくってみた。

今、その青写真を実現するために、どういう対応の仕方をするかの検討をはじめ、第一次拡大計画案を作成しているが、その第一次計画をつくっている途中で、実現困難と思われた条件がいくつかあったが、計画を持って、役場、農協、普及所等に当ってみたら、予想外に援助の手が出され、すっかりうれしくなったということであった。

良い例ではないが、一つの国が軍備を充実しようとするときは、仮想敵国を定め、その国防上の作戦計画をたてるが、これを例にすれば、仮想敵国は五十頭飼育農家であるという。

私は、彼の話を聞いて、仮想設定ということを思いうかべたわけである。

（農林省・農業者大学校）

葉隠の里を訪ねて（6）

つまらぬ仕事にもくさらずはげめ

奉公の心がけは、勤めがうまくいっているときは問題ないが、つまらぬ役を与えられたときは気分をくさらす人がいる。これはいけないことである。

現在、結構な仕事を持っている者が、水をくめ、飯をたけといわれたとき、少しもそれを苦にせず、一段と積極的につとめるのが奉公の真髄だ。

評　今日の企業など大きな組織の中で働く者は、自分の希望しない場所や地位につけられる可能性も多い。そうしたとき、中には左遷されたなどと上司をうらみ、まるで意気消沈して、仕事を投げやりにする人がいる。こんなとき、どんないやな仕事でも、見事やってみせるぞと、張切って立ち向かうか、向かわないかで、奉公人の良し悪しが決まるといっている。

大学をでてるのに、お茶などくめるものかといいたいお方も多いことだろう。もちろん、適材適所に人を配すのが望ましいが、そううまくばかりはいかない。「すまじきものは宮仕え」というが、宮仕えをしている以上、この話をまともに聞いた方が得であろう。

覚悟の薄い時は人に乗ぜられる

信念が不明確で意志が弱い人は、人に乗ぜられることがある。集会における話で、とかくぼんやりしていて、自分が心に決めてないことを人に話しかけられ、ついそれに乗せられ、「いかにも」などと同意したような返事をすることがある。これを他人がみると、いかにも同意しているように思われがちである。

したがって、人に会うときは片時も気を許さぬようにしなければならない。人から話しかけられたときは、乗ぜられないようにして、もし自分の考えと違うなら、その旨をはっきり申したて、あいまいな応対をすべきでない。

さして大した問題でなくとも、人をおとし入れることはできるので、よくよく気をつけるべきである。また、かねてから、どうかと思っていたような人物には、近寄らぬ方がよい。どうしても乗ぜられ、ひきこまれやすいからである。

評　人の話に何の気なしに、あいづちをうっただけでも、話の内容によっては、重大な結果を招きかねない。いつも自からの主体性をはっきり持てといっている。

「〇〇さんはいい人ですネ」「そうですネ」と、何気なく答えたばっかりに、あれは××派に属しているなどと、痛くもない腹をさぐられることだってあるので、ご注意、ご注意。

農家の所得は まだひくいが

現状では、十年後の農業がどのようなものか、想像もつきませんが、農村の主婦の労働を軽減し、所得に見合う支出計画を作り、家族の健康、育児をもっと充実させ、余暇の活用による家族のだんらんなど、家族全員が楽しく、充実した生活を送りたいと思っています。

しかし、現状は農家の所得が低いため、家族ぐるみの努力によって、やっと生活しているのが実態です。農業所得を急激に増大させることは、非常に困難なことで、規模拡大なども簡単にできないとは思いますが、どうしても所得を増やすことを考えなければ、充実した生活を送ることができません。

しかし、必ず所得を増す方法があることを信じています。そのためには、計画性、努力、根性を身につけ、地域の仲間と研究することが大切です。私は仲間作りと、農業のあり方について真剣に考え、時代の波に押流されないように頑張り、将来、夫のよきアシスタントとして、努力を重ねて行くならば、七十年代の農業も決して暗い面ばかりでなく、必ず明るいものがあると思います。

非行化の防止に
法務省が 社会を明るくする運動

法務省が主唱して、七月一日より一ヵ月、第二十回「社会を明るくする運動」が実施されている。

実施要綱によると、すべての国民が、犯罪の防止と罪を犯した人たちの更生について理解を深め、各自の立場から、犯罪のない社会を築こうという、全国的な運動である。

今回の重点目標は、「社会的連帯の強化と青少年の非行防止」におかれている。産業経済の発展にともなって、また、交通機関の発達やマス・メディアの普及により全国的に都市化の現象が著しく、従来の地域社会における強固な社会的連帯に影響を及している。

このため、青少年の非行も、都市集中化、広域化、さらに、在学あるいは勤労青少年の非行の増加、いわゆる中流家庭の青少年の非行化傾向がはなはだしい。

これは、近来ますます深刻な問題となりつつある、社会的連帯感の稀薄化、欠如によるものと考えられるため、連帯意識の向上に努めつつ、連帯的諸活動を強化しようというものである。この運動の実施と推進のため、中央に実施委員会（総理府、法務省、文部省など四十九機関、団体の代表者で構成）をおき、その下に都道府県、地区の実施委員会を設け、それぞれの実情に応じながら、運動の企画、実施、連絡などを行なっている。

運動の展開にあたっては、七月一日を「更生保護の日」と定め、各種の行事によって幕を切っておとしたが、その他にも多くの更生保護、非行防止の運動を、関係機関、団体とともに、広く展開する一方、各種の報道関係を通じた啓発活動もおこなう。各地の事情に応じて、「みんなできずこう明るい社会」「皆の街、皆の社会、皆で非行の防止を」など、九つの標語を使用している。

草刈り奉仕
高知・高原4Hクラブ

【高知】高岡郡大野見村の高原4Hクラブ（会長、田井義彦君）では、このほど、会員十一名が[illegible]から中土佐町長沢まで、約十㌔の県道の草刈りを行なった。

増えるブドウ
田植えと重なる手入れ
広島県原田地区

広島県で一番おそいと、いわれている尾道市原田地区の田植えが六月二十九日、やっと終りに近づいた。その原田地区内でも、さらにおそい米森地区は、毎年、七月一日か二日にならないと完了しない。なぜ、こんなにおそくなるのだろうか？

県内で一番早い双三郡吉舎町は、五月中旬にとりかかるから、約一ヵ月半のひらきがあることになる。米森地区は、尾道市のはずれに位置し、俗にいう猫の額ほどの田を、〝三ちゃん〟たちで耕作している。それでも、収量は少なくなく、十㌃当り五百五十㌔に上っている。むかしは、三百七十㌔くらいだったというから、農協や普及所の指導が行き届いているためであろう。

この尾道原田地区に、十年ほどまえから、ブドウの集団栽培が取り入れられた。今では五十㌶に及び、県下で唯一のデラウェアーの産地として、近県各地の市場をにぎわしている。尾道はブドウ栽培に適していると、普及所の人たちはいう。キャン、デラ、ネオマス、ベリーA、これら全部合わせると百五十㌶にも達する。

最近では、このブドウにジベレリン処理を施して無種を作り、脚光を浴びている。ジベレ処理の時期は、開花十五日まえと、開花後十五日の二回にわたり、一房一房を処理する。成木で十㌃当たり約二万房なので、大変な重労働である。ちょうどジベレ処理の時期が田植えと重なってしまう。そのためもあってか、原田地方では、水稲よりもブドウに力を入れるようになってきている。

六月いっぱい、この地区の人たちは、一年中でもっともいそがしい時期にあたり、生育の進んだ人からおそい人へと、だんだんとブドウ山や田は人でうまる。農村が活気にみちる季節である。

（広島県・前田克美　連絡報道員発）

生活 もの知りコーナー

◆魚をうまく焼く法

魚をきれいに焼くためには、まず網をよく熱して、油を少々ひいてから魚をのせると、身が網にくっつくのを防げます。料理によっては、油くさくなると困りますので、そのときは、ガーゼに酢をしめして網を拭うとよいでしょう。

切身を焼くときには、皮の方をさきにすると、縮んでまるまってしまいますから、身の方から焼いて、六割ほど焼けたら裏返し、皮の方を四割ほど焼きます。また尾頭つきを焼く場合には、ひれがこげやすいので、荒塩をひれにぬりつけてから焼くと、こげずに美しくできます。

◆衣料品の買い方

特売場で衣料を買うには、その商品が特売用に作られたものか、それとも目玉商品（よい品を客引きのため安くしているもの）か、または、業者の換金処分のために安いものかなどを、見分けることが大切です。そのためには、デパートなどへ行ったとき、普通の売場で商品の材質や値段などをみてから、特売場へ行くようにするのがコツです。

商品知識が身についていれば、実際に安いのか、また商品のよしあしも見分けがつきます。それと、いつも家族の人々のサイズを書いたメモを持っていると、ふいに特売にぶつかったときなど、便利です。

4H活動をかえりみて

稲作で活動資金を
実地教育から仲間意識

埼玉県・箕田4Hクラブ　三ツ木恵男

私が4Hクラブに入ったのは、今から五年ほど前である。当時、4Hクラブのあることを知らなかったぼくに、同級生のK君がきて「ぼくは4Hクラブに入ったんだけれども、君も入らないか」といわれ、初めて4Hクラブという農村青少年の団体の存在を知った。

入会した当時4Hクラブは、「農村の働く若者のグループだな」とだけしか思わず、その目的は何なのか、意義はどういうところにあるのか、無知のまま先輩の勧めに従って、入会したと記憶している。

しかし、五年たった今、自分の4Hクラブ活動の歴史を振り返ってみると、仲間とともに考え、計画し、実行し、反省したひとつひとつの事業が、自分自身に対してどれだけ役に立っているかと思うと、4Hクラブの目的というか、目標というか、自然[illegible]ような気がする。いつか、埼玉県連の主催で行なわれた単位クラブの会長会議の席上、「4Hクラブの目的はなんぞや」という問題が出て、議論に熱中したことがある。

しかし、問題があまりにもむずかしいためか、抽象的すぎたためか、なかなか結論が出なかった。そのとき、改良課のM先生の4Hクラブへ対する助言に、たいへん感動した。どのように4Hクラブを盛りたてていったらよいのか、迷っていた私たちには、ずいぶん役立った。M先生の助言は、次のようなものであった。

4Hクラブとは、三つのものを作らなければならない。その第一は、仲間づくりである。農村青年は孤独なりという名文句？があるけれども、私たちは同じ職業につき、同じ悩みや喜びを持ち、同じように自分の農業に高い誇りと[illegible]念を持ち、問題と手をつなぎあ[illegible]ことである。

第二としては、仲間が出来たら次は物をつくること、つまり生産である。いくら、あれを考え、これをやれといっても、実行しなくてはなんにもならない。第三としては、仲間が出来、物が出来たら、こんどは人間をつくること、自分自身の形成をすること、りっぱな人になろうではないか。

この話を聞いて、私たちの箕田4Hクラブでも、実行に移した。まず、仲間を集めること、これは最初のうち容易でなかった。私たち数名の役員は、夜通し農家の長男の家や、長男長女でなくても農業を[illegible]て歩いた。4Hクラブに対する認識不足のためか、本人がよくても親が納得してくれないとか、あるいはその逆で、親たちは入れと言ってくれるのだが、本人は理解してくれなかったりする。

しかし、役員たちのため4Hクラブがあって、それに入会してもらうのではなくて、私たちがいるから4Hクラブが存在するのだという。つまり、4Hクラブは自分のためになるという説得で、数名の人の理解を得ることが出来た。仲間が集まれば、次の目標は、物をつくるということである。

私たちは、4Hクラブの活動資金の不足を補うため、確実に資金[illegible]例会で決めた。しかし、肝心の土地がない。そこで、農協、市役所、普及所の[illegible]クラブ員たちに、土地を借りられるところがあったら、世話してくれと頼んだ。そうして、あるクラブ員の親の紹介で、二十九㌃の米つくりを始めたが、その小作料は話合いで決められた。

さていよいよ田植えとなった。私たちの地区は米作中心なので、クラブ田の農作業が、各家庭の農繁期とぶつかり、人数もあまり集まらないのではないかと心配していた。ところが、私たちの予想はみごとにはずれてしまった。七月二日の田植えには、男女クラブ員一人のこらず参加して、クラブに[illegible]人までが、出てきたくらいだった。

これによって、当然、仲間意識が深まり、強い団結が生まれてきた。そこで、各班ごとに責任者を定めた。ヒエ抜き、消毒、除草など、だれも一人として休むことなく熱心に農作業や記録つけに励んだ。その結果、稲は日ましに黄ばみ、頭を深く垂れてくるのをみるにつけても、思わず胸がジーンとなるのを覚えた。

そうして、いよいよ全員で稲刈りとなった。手分けして、運搬、脱穀、調整、それから出荷と生産活動にはげんだ。こうした活動を通じて、クラブ員同士の協力は、どの組合よりも強い。どの団体よりもなごやかな結びつきをつくりだした。実績発表においても優秀賞を授けられ、4Hクラブの目的や意義を、あらためてたしかめた思いがした。

そうして、三番目にかかげた問題、これが一番むずかしいと思っていた。人間形成、自分自身の形成をどのようにやったらよいか大変迷った。だが、結局は、よい仲間ができ、その友人たちと仕事を一緒にし、語りあい、競争しあい、ゆずりあうところに、自分自身、充実感と感謝の人になることができるという結論に達した。

自分の体験から、クラブ員の人たちに、「4Hクラブは自分のためにあるのだ」と、くどいほどいっている。「自分自身の向上のためにクラブが存在するのだ。まず自分を大切にしろ、大事にしろ、自分がよくなくて、どうして人を大切にできるものか。みなさん一人ひとりが、自分自身を大事にして明るい家庭が築かれ、豊かな村が生まれ、戦争のない平和な世界がやってくるのだ」と。

そして、私は4Hクラブに入って、このような意見が述べられるようになり、非常に幸福だと思っている。そして、4Hクラブを退いたのちも、いつまでも、忘れずに4Hクラブを愛しつづけたいと思っている。

4Hのマークと共に
クラブ活動用品の案内

（単価）

品名	単価
4Hバッチ	50円
レコード盤（4Hクラブの歌・4H音頭）	150円
クラブ旗　大(72cm×97cm)	400円
クラブ旗　小(33cm×40cm)	200円
手拭	100円
ハンカチ	60円
ネクタイピン	200円
女子用ブローチ	200円
クラブ員専用便箋	100円
〃　封筒	70円

◎荷造り送料代百円です。
◎ご注文は代金を振替口座へお払込みを願います。代金着き次第ご送品致します。

社団法人　日4H協会代理部
東京都千代田区外神田6丁目15〜11の705号
振替口座　東京72082番

日本4H新聞
4Hクラブ 農事研究会 生活改善クラブ 全国弘報紙
発行所 社団法人 日本4H協会
東京都市ケ谷家の光会館内 電話(260)1675 郵便番号162
編集発行人 玉井 光
月3回・4の日発行
定価 1部 20円
一ヵ年700円（送料共）
振替口座東京 12055番

クラブ綱領

私達は、実践を通じて自らを磨くとともに、互いに力を合わせて、よりよい農村、よりよい日本を創るため、四つの信条をかかげます。一、私達は農業の改良と生活の改善に役立つ腕をみがきます。一、私達は科学的に物を考えることのできる頭の訓練をします。一、私達は誠実で友情に富む心をつちかいます。一、私達は楽しく暮し元気で働くための健康を増進します。

中国（台湾）から草の根大使

福島県などで生活

三ヵ月間滞在　菅君と粘さん二人

社団法人日本4H協会（松下幸之助会長）が、国際農村青年交換（IFYE）計画に基づいて今年度、中華民国（台湾）から招いた同国代表の4Hクラブ員二人＝菅明正君（かんめいせい＝ミェン・ジェングワン）(二〇)台中市北屯区と、粘淼娥さん（ねんけいが＝フェー・アーネン）(二〇)彰化県福興郷＝は、さる十八日午後三時十分羽田着のJAL七二六便で来日した。

空港到着ロビーで、出迎えの新田事務局長ら4H協会関係者とあいさつしたあと千代田区飯田橋の宿舎へ向い、[illegible]のため千葉県野田市の粘さんの[illegible]親を訪れた。

粘さんは飛行機に酔ったためか軽い頭痛を訴えたが、二人とも元気。菅君は一八〇㌢という長身で以前に送られてきた写真よりも優しい顔をした好青年。また、粘さんも写真よりも可愛らしい感じを受け、ともに「よろしくお願いします」「東京は大変きれい」と片言まじりの日本語で話していた。粘さんは同国で発行した日本語学習の本を持ってときどきのぞいていたが、二人とも日本語はやはり難しいらしい。どちらかといえば菅君の方が上手のよう。

二人は、二十、二十一日の両日、東京・新宿区市ヶ谷の4H協会事務局で日程の説明を聞いたあと、農林省やこの受入れを共催している全国農村青少年教育振興会など関係方面を訪ね、来日のあいさつなどをして二十二日、第一の受け入れ農家である福島県へ向った。

二人の滞日期間は三ヵ月間で、福島のあと、宮崎、長野の両県の受入れ農家に入り、その家族の一員として生活する。この間、八月七日から大阪で開かれる「第十回全国農村青少年技術交換大会」、同月二十四日から佐賀で開かれる「第六回全国4Hクラブ員のつどい」などに参加、日本の4Hクラブ活動や農業、家庭生活、風俗習慣などを学ぶとともに、同国のそれらについても紹介し、両国の相互理解と親善に努めることになっている。

なお、菅君の家の耕地は、水田〇・八㌶、山森三㌶で、水稲、竹筍（竹のこ）、甘蔗、バナナなど、粘さんは、耕地一・六㌶で、甘藷、蔬菜、芋、豚、鶏、あひるなどを経営している。

来る30日に出発

派中クラブ員　橋本君と広島さん

また、同計画に基づいて、今年度日本4H協会が中華民国（台湾）に派遣する"草の根大使"に選ばれた4Hクラブ員代表二人＝橋本好男君(二二)福島県郡山市中田町津川・中田4Hクラブ員と、広島春枝さん(二二)大分県宇佐市大字吉松・宇佐4Hクラブ員＝は、来る三十日午前九時三十分羽田発のマレーシア航空機六三九便で台北へ向けて出発することになった。

同国滞在期間は同じく三ヵ月で、民間外交官として両国の相互理解と親善に努力することにしている。

橋本君と広島さんは、さる二月下旬に、今年度の派中クラブ員として選ばれ、その出発の準備をしてきたもので、早くも台湾での生活に胸をふくらませている。現在の二人のプロジェクトは、橋本君が酪農、広島さんが生活改善である。

なお、この4Hクラブ員の交換は、国際農村青年交換計画に基づいて、日本4H協会が中華民国四健会協会との間に毎年実施しているもので今年で四回目。

涼風暖風

焼酎を呑みたい

こう暑くなってくると、焼酎が一番いい。やきとりか、にんにくのきいたホルモン焼きをモリモリ食いながら、コキン、とくる焼酎を呑んでいれば、夏負けも、夏やせもない。

焼酎といえば、先日、私が敬服している高橋秀雄先生から、ガリ刷りの随筆集をおくっていただいた。高橋先生は、私のかつての上司であり、公私にわたって、手とり、足とりのご指導をいただいた方で、いまは富岡市の教育長としてご活躍なさっている。

高橋先生の随筆集は、焼酎についてのものであった。先生は、いつごろからか忘れたが、宴席でも、どこでも焼酎である。酔いもまわり、差しつ、差されつ、ワイワイ、ガヤガヤになっても、先生は焼酎の四合びんをかかえられ、冷たい色をした焼酎のコップをかたむけられる。献杯もお流れ頂戴もできず、馴れない人は宴席のタイミングをはずされてしまう。先生も、その辺を感じられたのか、今度の随筆集をつくられてほうぼうへ配られたのだと思う。

先生は、酒より焼酎のほうが値段が安いから、いくらかの呑み代をかせげるという意味で焼酎党に転向されたのではないらしい。呑んだあと、なんとなくさっぱりしているというぐらいの話。なお、ついでながらいうと、酒はワリカンで呑め、というのが先生の持論。

私も、縄のれんをかきわけて、焼酎を呑みながら語るのが好きである。私淑しているひとには、歩き方が似てくる、といわれているが、私の焼酎も、高橋先生の薫陶によるのかも知れない。先生にきこえれば、迷惑千万と叱られるだろうが。

ところで、近頃の東京では、焼酎を呑ませる店をみつけるのに大変苦労する。やきとり屋も、屋台店も、一級酒だ、特級酒だという始末。中には、ビールを呑みながらやきとりをつついているサムライもいるが、焼酎のないやきとり屋は淋しい。たしかに一杯五〇円の焼酒を三杯売って、全部がもうけだといっても一五〇円にしかならないのだから、経済原則からいって、焼酎を呑ませろというほうが無理だろう。

好きだから、なつかしいから、淋しいからといって、相手の立場も考えないで、焼酎を呑ませる店をみつけて歩いている私は、すでに今日の経済社会のピエロになっているのかも知れない。

私が焼酒を売る呑み屋がなくなったのをなげいたら、友人の一人が、消費者はもったいないというけれど、産地では、キャベツをブルドーザーがふみつぶしているからなあー、これが経済の原点さ、といった。

（文部省 伊藤）

各地で夏の大会たけなわ

八月十七日から四日間にわたって大阪府豊能郡の府総合センターと千里ヶ丘の万国博ホールで開催される「第十回全国農村青少年技術交換大会」を約四週間後にひかえて、各県、地区連でその出席者の予選もかねて技術交換会やクラブ大会が盛んにくりひろげられている。

奈良

明日の農業の糧

三百の火の儀式に興じる

【奈良県＝宮生武連絡報道員発】奈良県4Hクラブ連絡協議会（会長、中津甚之丞君）では、全国技術交換大会の代表選出もかねて、さる十一日、十二の二日間にわたって、吐山の県青少年野外活動センターで、県連技術交換大会を開催した。参加者は、クラブ員百五十名、通信講座生、生活改善の女子部員をまじえ、総勢百八十名が集まった。

天理から車で名阪高速道路を二十分、山添村針インターチェンジを降りて十分、海抜四百㍍の山の中腹に、センター、ロッジ、サイトなどが、深い緑と調和して環境的にも恵まれた場所である。受付けの始まるころから、ポツポツ降りだした雨の中を、十一時から開会式。日ごろ農業経営や農家生活の改善を研究実践している青少年が、キャンプ生活を通じて、新しく農業担当者としての自信と、連帯意識をつちかうことを目的とするという会長の挨拶などがあり、センター使用の注意などのオリエンテーション、昼食後、県会議員福西敬昌氏の農政についての講演があった。

その後、サイトに分かれ、十年後の農業など四つのテーマから一テーマを選出して討議。どのサイトも、討議は進展しなかったが、サイトごとの親睦を深めた。四時からは小雨になったため、はんごう炊事にとりかかった。生改の女子の指導のもとに、カレーと野菜サラダを作り、各サイトに持ち帰り舌づつみをうった。

夜は4Hクラブ員に加え、同じくセンターを利用していた勤労青少年の声を聞く会と合同、三百名のキャンドルサービスに興じた。ローソクの光の中に、若人がひとつに集って、最高の盛りあがりをみせたひとときであった。

二日目は、吐山小学校の体育館において、実物鑑定とレクリエーション、朝の集い、食事をすませた。

昼食後には解散するという短期間であったが、規律ある野外活動センターの生活を通じ、また、クラブ員との話合いの中に、技術競技やレクリエーションの中に、今後、農業を行なっていくためのかてとなることが多かった。さらにそれにもまして、今年度、県4Hクラブの最高の目標である、クラブ員の縦のつながりをより一層深くするという面においても、大きな成果をおさめて閉会した。

難問で頭を痛めたあとキャンドルサービスで気勢を上げる男女クラブ員＝奈良県の大会で

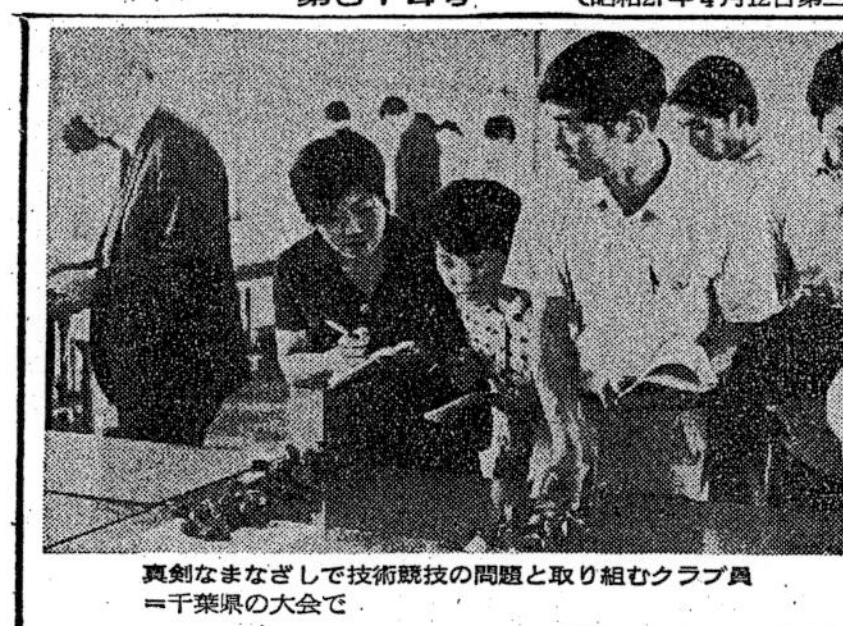

真剣なまなざしで技術競技の問題と取り組むクラブ員＝千葉県の大会で

千葉

豪雨被害に負けず

全国優勝の実績で気炎

【千葉県＝花沢広吉連絡報道員発】千葉県農村青少年クラブ連合会（会長、篠崎義則君）は、さる三日、全県農村青少年技術交換大会を開催した。午前中は技術競技、午後は農業問題についての講演が行なわれた。

大会前日、千葉県中部を襲った集中豪雨のために、一部地区が参加できなかったのは残念であった。しかし、昨年度、全国優勝という実績があるので、今年も頑張ろうという意気込みがみられた。そのため、災害に見舞われたクラブ員を心配しながらも、非常にもりあがった。全国大会への出場者は、次の通り決定した。

▽三上好計▽仲村信光▽忍足義明▽湯浅和男▽河野満子▽大町真理子▽鵜沢照子▽大鐘静子

北海道は27日から

【北海道】北海道4Hクラブ連絡協議会（会長、奥村秀宏君）は道と共催して来る二十七日から三日間、十勝管内本別町の道立農業講習所で、道農村青少年技術交換大会を開く。

参加者は、道内の農村青少年と関係者など約三百五十人を予定、実績（演示）発表や技術競技を行なう。

八女西・東部でも開く

池の山キャンプ場で　福岡

【福岡】八女西部・東部地区の農業後継者専修学級夏期技術交換大会は、同地区農業改良普及所と農村青少年クラブ連絡協議会（会長、角繁男君）の共催によって、二十四、二十五の両日、八女郡星野村の池の山キャンプ場で開かれる。

参加者は、八女西部・東部普及所管内の農村青少年クラブ員と専修学級生徒約二百名を予定。技術競技の優秀な人を県技術交換会出席者として優先的に推せんすることにしている。

つどい

最後の追込みへ

主催者 現地でダメ押し

八月二十四日から佐賀県で開催される全国クラブ員の一大祭典―「第六回全国4Hクラブ員のつどい」についての主催側三者代表による最終的な打ち合わせ会議は、さる十三日から三日間にわたって現地の佐賀においてもたれた。

この会議には、全国4Hクラブ連絡協議会から久野知英会長はじめ坂井邦夫、黒沢健一両副会長、松浦幸治事務局長、佐賀県4Hクラブ連絡協議会から小林秀敏会長以下運営委員二十五名、社団法人日本4H協会から坂本静馬渉外部長が出席、散策コースや旅館の割りふりなど佐賀県連の担当委員が調査、折衝してまとめた資料、全協が計画した資料をもとに細部的な点について協議し決定するとともに、記念品として参加者に贈呈する楽焼について有田焼の窯元を訪ね、楽焼の所要時間を割り出し、その方法を検討、また、旅館側代表者と打ち合わせるなどして、これまで決定した事柄についてダメ押しを行なった。

この間、佐賀県の担当課の関係者に重ねて協力方を依頼するとともに、佐賀郡大和町の佐賀県青年の家で開かれていた九州ブロック会議でも、各県連代表者に参加者の確保など協力を要請、これに対し各代表者は、つどい協力委員として強力にバックアップすることを約束した。

主催者代表による現地での打ち合わせは、これが最後になるものと思われ、つどいの準備はいよいよ最後の追い込みに入ることになった。全国の仲間を救おうーと急きょつどい開催をひき受けた佐賀県連は、従来とくらべて極端に短い準備期間の中で、意欲的な動きをみせているが、これからつどいに向ってさらに全力を注ぐことにしている。

一方、参加申し込みはその後も続き、一千名を越す公算が大きくなってきてた。このため、経費などの面から申し込み締め切りや参加者の制限という声も出ており、主催者側では嬉しい悲鳴を上げる状況となっている。

これまでに届いた大口申し込みは次のとおり。

福岡百四十九、愛知八十、鳥取七十七、埼玉四十八、奈良四十四、山梨三十六、和歌山三十三、静岡二十五、高知二十名など。

県連の設立15周年も記念

野外討論会を計画

28日から吾国山ユースセンターで　10回クラブ大会

茨城

【茨城】茨城県農業研究クラブ連絡協議会（柴忠夫会長）は、県と共催で、来る二十八日から三日間、笹間市本戸、鳥居松の吾国山ユースセンターで第十回県農村青少年クラブ大会を開催する。

この大会は、大会十回目と茨城県農業研究クラブ連絡協議会の設立十五周年を記念して、日ごろ自主的なクラブ活動を通して農業経営や農村生活の改善について研究実践している県下の農村青少年クラブ員が一堂に集い、夢や希望を語り合うとともに、互いに身につけた技術や知識を交換し合い、これからの農業を担っていく自信と誇りと積極性を培うことをねらいとするもの。これには、県下の農村青少年クラブ員、農業学園生（男女）など約千名の参加を予定している。

主な行事は「青春の生きかた」と題する野外討論会をはじめ、ミス・ミスター農業茨城コンテスト、班別話し合い、キャンプファイヤー、地区連旗デザインコンクール、歓迎の夕（笹間市主催）などを計画している。

日程は次の通り。

一日目 午前十時三十分……受付け、午後一時……オリエンテーション、二時……テント設営、四時……夕食準備、夕食、六時三十分……開会式、八時……歓迎の夕、九時三十分……就寝

二日目 午前六時……起床、国旗掲揚、朝食準備、朝食、八時……野外討論会、十一時…昼食準備、昼食、午後一時……ミス・ミスター農業茨城コンテスト、三時……地区連旗デザインコンクール、四時三十分……夕食準備、夕食、六時三十分……キャンプファイヤー、九時三十分……就寝

三日目 午前六時……前日と同じ、八時……班別話し合い、十時……テント撤収、十一時……昼食、十二時……別れの集い

愛知の技術交換会

28日から　県民の森で

【愛知】第九回愛知県農村青少年技術交換大会は、愛知県と同県4Hクラブ連絡協議会（会長、冨永博君）の共催によって来る二十八日から三十日までの三日間、南設楽郡鳳来町大字門谷の県民の森ビジターロッジで開催される。

この大会は、日ごろ農業と生活の向上について研究し、実践している県下の農村青少年の代表が集まり、青少年が身につけた知識や技術を再認識し、日ごろの活動について意見を交換しあうことによって農業者としての自信と友情をつちかうことをねらいとしたもの。

参加者は、県下の二十歳以下を主体とした農村青少年代表百二十七人、運営委員十六人、改良普及員六人、県関係者と専門技術員六人の計百五十八人を予定している。

主な行事は、プロジェクト活動の過程で体得した技術を披露する演示発表、技術競技、話し合い、レクリエーション、キャンプファイヤー、ハイキング、クラブ活動（機関紙を含む）紹介など。

日程は次のとおり。

一日目 午前十時……受付け、十一時三十分……オリエンテーション、開会式、昼食、午後一時三十分……演示発表、四時三十分…自由時間、五時……夕べの集い、五時三十分……夕食、入浴、七時三十分……懇親の夕べ、九時……自由時間、十時……就寝

二日目 午前六時……起床、朝のつどい、七時……清掃、朝食、八時……自由時間、八時三十分…技術競技、十二時……昼食、午後一時……話し合い、レクリエーション、四時三十分……夕べのつどい、五時三十分……夕食、入浴、七時……キャンプファイヤー、九時三十分……入浴、十時過ぎ……就寝

三日目 午前六時……起床、朝のつどい、清掃、朝食、八時……オリエンテーション、ハイキング、十一時三十分……アンケート、午後一時……閉会式

大阪府連で会長会議ひらく

8月5日、青少年会館で

【大阪】大阪府4Hクラブ連絡協議会（会長、原田正夫君）は、来る八月五日、府青少年会館で府4Hクラブ会長会議を開く。

心頭技健

新宿区の牛込柳町交差点かいわいは、自動車排気ガスによる"鉛害の街"として問題を投げかけている。スリバチの底のようになっているこの交差点には、目には見えないが、一酸化炭素と四エチル鉛が充満し、人体への鉛の影響が憂慮され、さまざまの障害をひき起し、すでに頭が痛い、根気がなくなるなどと訴える人もでているという▼これら一連の都市公害に加えて、東京・杉並の住宅街を襲った新公害"光化学スモッグ"が発生し、目やのどが痛み、軽い中毒症状などを起し、入院する人まで現われ、毎日の新聞やテレビのニュース欄をにぎわしている。これら都市公害に比べ農村はというと、富山市の神通川流域のカドミウム害による"いたいいたい病"の発生をはじめとして、各地にも、この種の疑いのある公害が続発し、人間の人体をむしばんでいる▼以前騒がれた公害はといえば、市街地周辺のいわゆる畜産公害で、悪臭やハエの発生など、まだ許されるものがあった。いま発生している鉛害、光化学スモッグ、カドニウム公害などは、直接、人体を冒す。見逃したり、許してはならない問題が、目に見えないところに潜んでいる▼これらの公害の発生は、よかれと思った化学の発達の弊害が、長年の間に積り重なって化学作用を起し、自然の破壊にはじまり、生きた人間までもついにむしばんでいくという恐ろしさが秘められている。科学や化学の発達が、今日の文化や文明をもたらしてくれたことは疑う余地はないが、これほど影響を及ぼしてくると、今日の科学万能の日常生活に疑いをもたずにはいられなくなる。人間がより豊かに生きるためにあるべきはずの化学産業の発達が、反対に人間の尊い命を犠牲にしてよいはずがない▼いまは、公害の代名詞のようになっている新宿、柳町も、その昔の牛込村、牧場に牛が放し飼いにされていたという。そんな自然環境をとり戻したいと住民は起ち上った。これからどのような方法で進めていくか大いに関心が持たれるが、都市化の波が激しい農村も他山の石ではなくなってきた。農山村も、緑が繁り、魚が泳ぐように、山美しく、水清く、自然を破壊の魅力から護りたいものである。

農業を担うもの —中—

技術の包括摂取を
指導層とフォロワー層

東京大学教授　金沢夏樹

技術発展によって

農業の継続はいかにして可能であるか。より高い能力、技能を家族経営の条件にするのはなにゆえか。そこに第二の条件の意味があるようである。すなわち、社会倫理観の変化である。高いサラリーよりも、別の何物かが一つの吸引力をもつ。それは、ここにいう社会奉仕の精神か、フリーダムの尊重か、個性の重視か、ともかくも技術革新の極端に進んだ、また進むであろう現代産業社会のもたらす社会思潮のなかで、農業を進めてゆくには、なによりも家族経営の意義が再評価され、継続されるには、この第二の条件によるものだという。

自由競争のなかで

家族経営は、他の農業経営の形態と比較して、生産性云々の視点からの問題提起よりも、他産業の進歩の趨勢から評価するところに、現代アメリカ農業の問題がある。しかし、フリーダムの尊重、個性の重視、創造性の発揮といった思想の裏付けとしての家族経営も、飛躍的な技術発展に支えられて、はじめて可能であることを見落してはならない。

家族経営だからといって、閑かな平和な気分だけで、満足な経営の維持はできない。家族経営自体が、激しい自由競争のなかにあるのだから、高い技術を持ちえた者だけがフリーダムを享受できる。この条件に達しつつある家族経営が、現在のアメリカでは、養鶏、次いで酪農であるという。

農業は、次第に本質的には生物的工業生産に変りつつある。養鶏はすでに従前の養鶏就業人口を半減させてしまったし、卵生産の必要労働を三分の一に減少させた。酪農についても、牛乳生産の労働は二分の一に、必要な土地も四分の三に減少させた。以前、百頭の酪農といえばなかなかなものであった。百頭といえば、アメリカでも、またニューヨーク州でも、労働換算単位にして一・七五程度、一人当り飼育頭数は約五十七頭になる。一人当り三十頭に達するまでには、ずいぶん長い時間がかかり、失敗もあったが、現在では、一人当り三十頭から五十頭という経営は、決して珍しくなくなってきた。

さまざまな改良が

この事実を支えた技術的発展はたとえば飼料の品種改良、種子の措置、できるだけ少ない耕起、良質で安い肥料、大型トラクター、改良された大型チョッパーとワゴン、給飼方法の改良—調合飼料の発達、濃厚飼料の限界効率、さらにミルキングパーラーあるいはパイプラインの設計配置、ミルクタンクの材料の改善など搾乳方法の改善の数々、また動物の栄養学、遺伝、育種学の発達、栽培技術、給飼技術、ひいては販売技術に至るまでの各部門技術の発達が、以前の酪農経営と様相の変わったものとさせている。

それだけに、家族経営の経営にはますます能力の高さが要求される。しかし、ほんとうの農業経営には、こういう一つひとつの高度の技術を理解、修得する能力はむろんだが、それを組合わせ、全体として一つの技術に包括し、摂取できるかどうかであるようだ。これをテクノロジカル・パッケージと呼んでいる。

技術のパッケージ

元来、「技術」それ自体は、一般化、社会化する性質がある。個々の技術が大型化、単純化すればするほど、一般化、社会化の傾向は大きく速度も早い。しかし、各技術を調整し、体系化し、パッケージ化することは、高い能力を要するとともに、かなり個性的なのは当然である。したがって、単純な部分技術とちがって、パッケージは、個性というか、自己を主張する格好の場所でもある。この考え方の背景には、パッケージ方式—個性の発揮—高い能力—家族経営という一つの関連がつながっていると思われる。

このような事情から、将来のアメリカにおいて、すぐれた家族経営は農業を担う者の中核として継続し、指導者層を形成するだろう。あるいは追随者、フォロワーとして、このリーダー層を形成する外囲的役割を果すであろう。この追随者がどんなものであるか、リーダー層とどのようなかかわりあいがあるのか、コンクリンは具体的に説明していないが、アメリカにおける、農業階層の最上位のリーダー的家族経営の形成という点で、注目していいところであろう。

アメリカには、ボナンザファームと呼ばれる巨大農場があり、これ自体問題の対象になろうが、しかし、強力な力を加えつつあるのは、家族上層経営である。二十五年後の将来、ニューヨークの酪農家は半分に減るだろうといわれる。

残った者すべてがリーダー層になるわけではなく、そのなかに、リーダーとフォロワーとの差が生まれるだろう。家族経営における階層の分化ということで、多様な問題を提示するにちがいない。

根強い自作農主義

以上の論旨を、単にアメリカにおける、農民主義、自作農主義の思想が根強い事実を語るものと理解しては、正確な把握でない。私の主張する点は、敷衍して考えるところにある。技術革新が日々に進み、テクノクラートの時代というか、工学的思想が隅々までゆきわたるであろう新産業社会の時代には、農業もまた物心両面において、徹底的な変化を要求される。

農業経営者の目的意識も、そのため大きな変化をとげるだろう。

それは経済的目的と同時に、人間としての生き方にもかかわる問いかけでもある。この目的意識のいかんと、それにともなう技術能力のいかんによって、農業経営者の間には、リーダー的農民と追随者」(フォロワー)のグループが生まれてくるだろう。そのリーダー的農民層も、家族経営という形態をとるのが、一般的であるにちがいない。

新しい産業時代の到来が、物心両面から農業を変革し、リーダー層とフォロワー層との両者の形成を導くであろうことには賛意を示す人も多いだろうが、それはどのような社会形態をもつ農業主体であるか答えるのはむずかしい。どのような農家がリーダー層になるか、また、農業経営におけるリーダーとしての機能の内容は具体的にどのようなものが考えられ、可能であるのか。この判断のアプローチには、経営階層の分化の論理を追うのが、常道というものであろう。

日本はどうなのか

さて、日本農業のなかで、リーダー層というものがあるのかないのか、また、それは層というものではなくて、農家という点の存在であるのか、経営階層の動きがこれを示すであろうし、それがまた将来の社会形態を示唆するだろう。リーダー的農家、すぐれた企業的農業経営が、農業経営の研究分野でも、関心を持たれはじめている昨今であるが、日本の農業問題としてその意味をみようとするならば、個を個としてのみでなく、やはり、階層として形式の論理を検討することが必要である。

もともと階層という概念は、経営の分化による性格の質的な違いを問題にしようとするのであって、農業における資本主義の浸透によって生ずる、農民層の分解という観点でとらえたものが一般であった。そのことによって農業を歴史的に、長期的に発展傾向的にとらえる手段の一つにしたわけであるが、その手法は、生産要素の一つないし一つのもの存在形態に着目しての区分変化を主としているものが多い。

「能力」の問題など

しかし、この視点だけでは、経営の内部構造にまで立至らないので、個々の経営の改善や技術導入の実践的な課題との、結びつきを考慮して、経営構造的な差異を階層的に理解しようとする、経営階層論としての分析が進んでいるのも、周知の通りである。しかし、リーダー層の形成ということでは、経営構造的差異に着目しても、なお不十分であろう。能力という面倒な問題を介在させなければ、リーダー論にはならない。

だが、それを能力問題として独自に切離して論じてみても、意味は少ないと思う。前述のコンクリンの欠点は、そこにあった。個別経営の分析ならば、一つの生産要因として能力もまた重要な位置をしめる。（全国農村青少年育成研究会発行『農村青少年教育』第六号より）

クラブ活動12ヵ月 新しいクラブ員を中心に <20>

参加者の評価を
アンケート調査せよ

栃木県・普及教育課　湯浅甲子

(4) レクリエーションのプログラムをたてる

❹レクリエーションプログラムの作り方

いよいよ、プログラムの作り方に入ることにしよう。まず、前提条件として、いままで申し述べてきた、いろいろのことをよく頭に整理しておく。

様式（表の1）については、左端に「時間」欄をとる。この欄は、レクの開始時間から終了時までの時間の推移を書きこむのであるが、レクの主な項目をやる時刻とか、レク進行の早さ、おそさの目安になるようにするのである。従って、自分の腕時計にあわせて、書いた方が役に立つ。

「項目」の欄は「うた」とか「体操」とか、「ゲーム」「ダンス」「話」といった、プログラムの見出しを書く欄である。これは、進行中に、先々のプログラムを見て、プログラムの流れをうまくするのに役立つ。

「内容」の欄は、レクの内容を具体的に書く欄である。例えば、話の内容のポイントを書いておいたり、忘れ易い所、間違いやすい所など、要点を記載しておく欄である。

「備考」の欄は、準備しておく器材の名や数量を書いたり、レクの進め方のポイントを備忘的にメモしたり、簡単な「うた」の歌詞を書いておいたりする。

そして、用紙の右肩の所に、このレクプログラムを使った、年月日と、対象の人数や構成、場所を書いておくと、後日、このレクを再び使うときに、同じ対象に、同じレクをやるような失敗を避けることができる。

❺レクリエーションプログラム例（表の2）

❻レクリエーションに対する評価

自己評価は、プログラムによって、終了後検討してみる。時間どおりいったか、項目の組み合わせはよかったか、項目から次の項目への継ぎがうまくいったか、もり上りはうまくいったか、会員がたのしく参加できたか。変更、追加はなかったか、プログラムがなかったか、準備に手落ちはなかったか。

アンケート調査で、参加者から、レクの評価をしてもらう。（内容略）

どうも、レクリエーションに対する認識は大方、貧弱なのである。要するに、おもしろかったか、つまらなかったといった単純なうけとめ方が多い。もしそれだけのレクならば、なにもこんな形式でやる必要はなく、ボーリングでも、パチンコにでも、ハイキングにでも出かけた方がマシなのである。

また、第三者（親たちを含めて）の見方も、認識不足が多い。「あそんでばかりいて」の一言で片づけられてしまう。

レクが正しく理解され、必要なときに、必要なレクが、自然に行なわれるようになるには、まだしばし、時がかかるように思うのである。

<表I>　プログラムの様式

年　月　日　対象者数　場所

時間	項目	内容		備考
5・30	うた	山の娘ロザリヤ	おぼろ月夜	うたの本準備
	うたの指導	上手、下手より、うたいやすくみんなの知っているものを		
5・50	うた	白い花の咲く頃	五木の子守歌	歌詞板書…題名あて

<表2>　プログラム例

45.3.15　青年祭参加　市体育館

時間	項目	内容	備考
1.00	うた	山の娘ロザリヤ　寒い朝	円形着席体型
		白い花の咲くころ　なつかしい友	
	体操うた	同期の桜　体操（うで屈伸同一拍おき）をしながらうたう	体型、立ってひらく
	うた	草原情歌(38)	〔(38)うたの本38Pのこと〕（ハモニカ）
	ダンス	タントヘッシー　チャイムス・オブ・ダンケルク（ハーモニカ伴奏）	2人ずつ向き合うパートナーチェンジ
	ゲーム	腕くらべ	こぶし合わせ、手のヒラでおさえる
		背合わせ	
	体操	背のばし	
		指の運動○△5の字・8の字	
	うた	星影のワルツ　いい湯だナ	いゝ湯だナ…手拍子
		南国土佐をあとにして	
	ゲーム	ナンバーコール　3人　4人　5人　3人	
		リンボー	3人組で2人が紙テープをもち1人がその下をくぐる
		地蔵倒し（3人組）	
		自己紹介	
	体操	しゃがみ飛び	標準 男 女／20歳代 51回以上 36回以上／30歳代 26—50 21—35／40歳代 25以下 20以下
2.00	対抗ゲーム	リズムあて　笛（鳩ポッポ、ひな祭・幸せなら手を叩こう）	ホイッスル　テープレコーダー
		録音テープ（歌の祭典、スパイ大作戦、ニュース…）	テーマミュージックをテープに吹きこんでおく
		シーツゲーム	シーツ4枚
		同音漢字ならべ（カ）（イ）	カ…火、花、菜、下、果…　イ…医、井、慰…
		レイ送り	黒板2枚
		バツゲーム（5つのちがった笑い顔）	
	ダンス	麦畑（伴奏ハーモニカ）	2人組み、行進輪にする
	ゲーム	お相手さがし	
		自己紹介	
3.00	ダンス	バージニヤミクサー（ハーモニカ伴奏）	
		ジェンカ（練習）	
		団体ごとに、ジェンカで集まる	
	うた	故郷、北帰行、団体歌交換	
3.40		わかれのうた	肩をくんで

第九回 青年農業者会議報告
養豚

養豚　経営者部会・第十分科会

専業で100~200頭に
十年後、夢は通勤農業へ

1、出された課題

(1) 技術的な問題点 ①飼料管理の問題（緑餌の給与など）②品種の問題（牡豚、牝豚、交配種の利用の問題など）③飼養管理について（衛生面、省力化）

(1) 経営的な問題点 ①資金の問題②糞尿処理及び公害問題③豚価の問題④流通機構の問題⑤労働力の問題。

2、私たちが築く十年後の農業 ①通勤農業に夢をいだいている②親と若い者の考えがあわなければならない③経過への自主的な参加が必要である④家事、育児に専念できる農業にしたいなどの意見が補足された。また嫁が家に嫁いだ理由としては「農業が好きだから」「本人次第」などの意見が圧倒的であった。

3、技術的問題についての意見

(1) 飼料、緑餌 ほとんどが完全配合飼料で、それにふすま、麦粋などを混合している。仔豚はプーレットピッグマッシュなど、緑餌は体重の四~六%でラジノクローバなど、冬期は飼料カブ、さつまいもなど、ただしクロレラは不向き。

(2) 品種の問題 奨励されているのがランドレース、大ヨーク、ハンプシャーなどの大型品種のため、舎外での放飼が必要。

(3) 飼育管理 繁殖豚専業で設備さえよければ、一人で百~二百頭くらいの管理が可能ではないか。

4、経営的問題についての意見

(1) 資金の問題 総合資金の積極的活用をはかる。

(2) 糞尿処理の問題 蒸発散処理などの設置を考える。

(3) 豚価と流通の問題 コストを下げ、競争に耐えるよう経営改善をすすめることが先決。

5、十年後の農業について

大規模経営でやってゆく。そのためには、土地改良、機械化、生産のシステム化がともなわなければならない。最後に、将来は生産と生活を分離し、楽しい農業、楽しい生活ができることを目標に、頑張ることが申合わされた。

養豚　青年部会・第十四分科会

基本は個人経営
複合部門間の合理化を

1、共通問題の集約事項

(1) これからの養豚経営
(2) 養豚公害
(3) 多頭養豚の省力化

2、主な意見

(1) イ、専業経営と複合経営とに分けられる。

ロ、経営の形態としては、個人経営をとるが、団地化をはかり、一部共同利用なり、共同作業を行なう。

ハ、立地条件により通勤形式をとる。

ホ、生産から販売までの一貫経営を考える。

ホ、企業系列によって経営を考える。

へ、規模拡大をはかり、施設の近代化をはかる。

ト、複合経営（水稲、養蚕、みかん、茶）における複合部門間の合理化をはかる。

(2) イ、養豚団地指定を行ない、共同的に糞尿処理施設をつくる。

ロ、個別に沈殿槽などを設備する。

ハ、糞尿の脱臭、脱窒などの化学的処理を研究していく。

ニ、糞尿を利用する。❶ガス利用による保温❷養魚（鯉、鮒、金魚）❸桑、花木、飼料作物の肥料❹野菜農家との契約利用など。

(3) 規模拡大にともなう飼養管理技術、飼養体系の変化を必要とする。

イ、施設の近代化、❶自動給与給水施設❷分娩房の改善❸ビルディング養豚など。

ロ、給与方法の改善 不断、間断給餌

ハ、飼養体系の確立、❶人工授精❷開放豚舎による放飼❸分娩柵による無看護分娩、哺育❹早期離乳❺発情の均一化

(4) イ、流通機構の問題

ロ、公害の問題

ハ、生産組織の問題

岩手県連　技術交換大会など　知事と初の懇談

【岩手】岩手県農村青年クラブ連絡協議会（会長、及川正紀君）と千田知事との第一回懇談会が、六月二十九日、県庁三階特別会議室で行なわれた。県側から千田知事、甲斐農務部長、菊地農業改良課長、クラブ側から及川会長ら二十五名が出席して、同連絡協議会事業、来年度、岩手県で開かれる第十一回全国農村青少年技術交換大会などについて話合った。

及川会長が「二千三百人の本県農村青年クラブ会員は、自分の営農活動とともに、地域振興のために努力しているので、県の指導をお願いしたい」と挨拶、これに応えて千田知事は「本県の三分の二を占める北上山系地域の開発を進めている。これに、若い農村青年が取組むように期待している」と述べた。

次いで懇談に移り、来年七月下旬か八月上旬に、盛岡市と岩手郡雫石町網張国民休暇村で開催予定の、第十一回全国農村青少年技術交換大会には、指導者を含め千五百人の参加が見込まれるが、本県の特徴を出すため、野外キャンプ、自然観察、農家分宿を中心としたプログラムを組み、県も積極的に援助することなどが話合われた。

また、国体協力に関しては、クラブ員が生産したサトイモを提供することに決め、盛岡市など県内四十三地区連合会で、合計約四百キロを生産することになった。さらに、食糧生産と農村青年の取組み方に話題が転じ、なかでも、今後の米作については活発な意見が交換された。

雨の中、学園の整備奉仕作業に精出す

青森・木造地区4Hク

【青森】西郡木造新田地方五町村の4Hクラブ十七団による木造地区農村青少年クラブ連絡協議会（会長、佐々木君夫君）は、このほど同郡森田村月見野の森田学園と県立第二養護学校森田分校を訪れ、園内の側こうや砂揚づくり、雑草刈りなどの奉仕作業をした。

この日参加したのは十七人で、農繁期にもかかわらず、雨の中で力仕事に精を出した。

母校への恩返えし 車道づくり奉仕

宮城・館腰4Hクラブ

【宮城】名取市の館腰地区4Hクラブ（会長、大友昇君）では、このほど労力奉仕をして、館腰小学校に、給食用の車や出入り商人の車などの専用道路を作った。館腰小には通用門がひとつしかなく、学校やPTAでは事故が起きてからでは遅いと、整備を決めたが土木業者が来てくれない。

これを聞いた4Hクラブが、母校への恩返しの好機というわけで折りからの田植えを早目に終らせ会員三十四名が参加、トラックでブロック、セメント、土砂などを運び、土起しや土盛りを二日間行なって、校門から正面玄関近くまで七百㍍、幅四㍍の車道を完成させて、生徒、学校、PTAなどから感謝されている。

新経営者の誇りを

寒河江市連協で新規就農者の激励会開く

【山形】寒河江市の農村青少年クラブ連絡協議会では、このほど中央公民館において、新規就農者激励会を開き、中卒二名、高校・経営研修所卒四十五名、会計四十七名（女子十名）を招いた。

来賓の是助役、阿部県青少年専門員、小笠原寒河江農業改良普及所経営普及課長らは、農業経営はいま多くの困難につきあたっているが、単なる農業後継者としてではなく、新経営者の誇りをもち、経験に頼らず新しい感覚を導入してほしいと要望した。

二万本の茶さし木

徳島・井川農継ク

【徳島県＝藤官正連絡報道員発】井川町農業後継者クラブ（会長、近藤武十郎君）では、地域農業の主産地を形成しようと、このほど茶のさし木を行なった。

近年、この町では、人手不足の解消策として、あまり手間のかからない茶を新植する人がふえ始めた。しかし、茶の苗木を遠方から取り寄せるため単価が高く、しかも、苗の発送から到着までに日数がかかるので痛みもひどく、植えても成長が遅れてしまった。

そこで、それらの悩みを解消しようとして地区内に植えられているやぶきたを買い取り、クラブ員が寄り集まって整地から全部自分たちの手で行なった。二万本あまりのさし木であるが、これからの作業も全部クラブ員だけで行なう予定である。

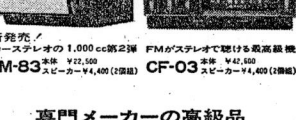

プロジェクトの進め方《4》

個人活動を補なう
在家 外出 活動くり返えして

そしてここで、何か自分のモヤモヤしているものが解決されると、それをもって家へ帰ってくる。そしてここでやる。そしてまた出ていく。こういうことを操り返えして、家でやることを在家活動、または個人活動という。一方は、外へ出ていって誰かに、ぶつける活動を集団、グループの活動という。こういうふうになります。

プロジェクトの性格

自分の問題をクラブへもち込んでいくから、これを提案活動といいます。ここで何かの、胸に当るものをもって、家へ帰ってやってみようと、家へもち帰ってくるから宿題活動、家から提案をしてグループに、家庭である、クラブである、そして、ここでいろいろな意見を聞きいれ、そして家へもち帰って、家でやってみる。そこで、疑問がわく、それをまたもっていく。こういう行動を、問題解決活動といいます。したがって、これらの全体を含めて、クラブ活動といいます。

そして、このクラブ活動も、そのクラブ活動の起点は、在家活動にあり、ここがクラブ活動の起りであります。結局、外出活動を行なっても、家庭にもどってくるわけです。

この活動の全体をクラブ活動というけれども、このクラブ活動の核になるのは、在家活動であり、個人の家庭の中における位置づけを高めていく活動であります。

したがって、この活動を助けていくもの、補完するもの、こういう型になっていくわけです。この問題解決活動、これをプロジェクトといいます。

大体、こういう関連をねらってみると、プロジェクトというものの発生する基盤というものは、どこにあるかということは基本的におわかりにいただけるでしょう。単的に表現するならば、個人プロジェクトが、まず中心になる。この個人プロジェクトの何人かあつまって、きみも同じようなことを考えているのだな。では一緒になって話し合い、研究していこうということになって、グループのプロジェクトが、集団プロジェクトができ上がる。

あるいは、それはきみ一人の問題ではない。しかも、その問題は一人だけで解決する問題ではない。もっと地域の農業、あるいは社会というものの改善なり、そういう立場から行なわないと解決できない。そこで、4Hクラブ全員の問題として分担して、クラブプロジェクトにしようではないかと、こういうふうに発展していきます。

大体、プロジェクトというものが、どういう土台から発展するものなのかは、おわかり願えたと思います。

これから、プロジェクトについて具体的に申しあげますが、どういう場所でプロジェクトというものは、とらえなければならないのか、それもおわかり願えるでしょうし、プロジェクトの本質、体質的なもの、どういう性格をもっているものなのか、これらもおわかりいただけると思います。

私どもが現場指導をしておりまして、4H活動というのは、プロジェクトをやっていなければ4Hではないというのです。その理由はわかるでしょう。プロジェクトをやっているということは、クラブ活動をやっているということなんですから。

こういう活動でなくて、たまたま、自分の家、地域の問題などから離れてしまった場合は、4Hクラブのプロジェクトとしては好ましくありません。

例えば、4Hはプロジェクトをやらなければならないし、どうだろう最近プロジェクトの方が手薄になったから、このへんで一つプロジェクトをはじめようか。何か共通のテーマはないかなんてよくいわれています。

これは、必要観から生れるプロジェクトではなくて、何んとか4Hクラブを型づくるためやみんなをクラブにしばりつけようとしているのです。これは、プロジェクトではなくて、一つの行事みたいな性格をもっているのです。それをやることによってクラブ員としての仲間意識を高めていくとか、組織の人対策をつくろうとか、まとまりをプロジェクトでやろうとしていますが、これはプロジェクトではなくて、プロジェクトに入るまえに、組織強化をする一つの方法としてとった手段です。

こういう方法をやってはいけないということではないのですが、これがあまり、いきすぎますとたいへんなことがおきてきます。役場から共同は場を借りて、トマトの栽培をやろうじゃないか。その純益をクラブの活動費に回そうと、私たちのクラブでは全員トマトの栽培をやっていますなどと、たいへん得意になって話す人がいますが、ところが、これはクラブ員一人ひとりのことを考えてやったのかというと、私の家は、純水田農家で、トマトと関係がないという人がいるのです。

また、トマトなどやるつもりのない人が、共同プロジェクトで、トマトをやらされているわけです。そうすると、トマトの除草に出てくれなどといわれると、申しわけないけど、今、私は大事な養鶏の仕事があるので交代してくれませんかということになります。これは、だいじな養鶏のなかにある問題がプロジェクトになっていれば、いくらでも参加するのでしょうが、自分の家の経営が養鶏一色である。トマト栽培なんて考えてもいない。にもかかわらず、そのクラブではトマト栽培を共同プロジェクトにしている。

これは、共同プロジェクトではない。みんなが、まとまりをつけるために、たまたま共同は場をもって、トマトを栽培したにすぎない。組織活動をつよめ、お互いに結合を強くするための力は大いにあります。そういう面では意義もあり、価値も高いが、プロジェクトという性格のものではないわけです。

（栃木県・専門技術員、湯浅甲子氏の講義から）

私のプロジェクト

キュウリのマルチング栽培

市場では品質、鮮度に人気
根の張りを少しでも深く

群馬県利根郡昭和村 糸井4Hクラブ　石井清司

私の住む昭和村は、名峰赤城山北ろくで、標高約五百㍍の純農村地帯であります。

わが家の農業経営は、耕地二・一㌶で、私が高校を卒業するまでは、養蚕、コンニャク、穀しゅくが中心の経営で、所得も低く、生活も不安定でした。そこで私は、高校卒業と同時に、この経営に何か換金作物を取り入れて、所得の増大を図ろうと思い、価格も比較的安定して、しかも、この地方に適した夏キュウリのネット栽培を試みることを計画しました。

早速、キュウリ組合に加入し、昭和四十一年に、二十三人の仲間とともに栽培に着手しました。私も組合員とともに、いろいろと研究し、キュウリ栽培を一層充実させようと頑張りました。さいわいにして準高冷地の気候のため、品質はよく、暑さに負けぬ鮮度がどの市場においても人気を呼び、将来性のあることにますます自信を持ちました。

しかし、過去二年間経験した中で毎年の干ばつの害が大きく影響して、収量も品質も低下し、不安定な栽培でした。そこで私は、どうしても干ばつの害を克服し安定した栽培に取組もうと思い、原因の究明に努力しました。まず第一に、キュウリの根は浅根性であり、一部の根は直根として深く張りますが、大部分は地面にそって浅く張ること。第二に乾燥しやすい土壌であるということです。

私たちの地方は、砂壌土のため水はけがよく、下が軽石のために保水力がありません。したがって雨が降ると養分は、水とともに根のとどかぬ軽石の層に流れてしまいます。そこで私は、根の張りを少しでも深くして、保水力を高めるには、ポリエチレンを使用したマルチング栽培がよいのではないかと考え、昨年、次のような対策を取りました。

まず、表土が乾燥した時期に高畦を作り、クワで深い溝を掘って水を流しました。水の量は十八㍍の畦に百五十㍑注いだため、一度に五〇～六〇㍉の雨が降ったと同じ状態になりました。それから、覆土して灌水ビニール管を入れ、ポリマルチで畦をおおいました。このビニール管は、生育後期に養分や水分が不足したとき、この管から灌水、施肥して養分を補給すると同時に、乾燥した地表面にも根が張るようにと考えたのです。

この対策は、植物の根が水向性であるという性質を利用したもので、根を深くするには、地表面が乾燥していることが条件です。したがって、ポリマルチの中も、広いほど効果があると考えて、九十五㌢という広目のものを使用しました。

（栽培概要・別表1）

地ごしらえは播種一ヵ月前にして、肥料が十分解する期間をおきました。畦立ては六月上旬の一番乾燥したときに行ないました。

六月十五日、ポリマルチの中心に直径五㌢の穴をあけ、表面が乾燥しているので、水を注いで播種しました。発芽もそろい生育は順調に進みました。七月中旬から、やはり乾燥期に入り、ここで私は追肥と浅い中耕と敷わらをしました。

しかし、この年は、最も乾燥するはずの八月に、雨が例年よりも多く降りました。そして、予期せぬ立枯病が大発生して、八月下旬には、組合員のほとんどが発病率六〇％となり、収穫ゼロの家が続出しました。しかし、私のキュウリは、改善したマルチング栽培のために、発病率一五％と低く、収量も比較的順調に上がりました。

施肥は、十㌃当り堆肥四千㌔、N＝三十九・四㌔、P＝二十六・八㌔、K＝三十四・五㌔、CO＝百㌔、マグネシュウム＝三十一㌔の割合で行ないました。Pは元肥中心でしたが、他の肥料はマルチング栽培の肥効率が高いため、追肥中心に行ないました。作業時間は、灌水してポリマルチを張ったため、従来より四十時間多くかかりましたが、その時間は、比較的暇なときなのでさしつかえありませんでした。

ポリマルチを張ったことによって、その部分の中耕をしなくてすみ、雑草も全然生えないので、ここで四十五時間の労力節減ができて助かりました。また、よかったことは薬剤散布で、ポリマルチに当たった液が、葉の裏面にもはね返り、この部分から広がるウドンコ病、ベト病などは適期に防除でき、わずかな発病ですんだことでした。

別表2は、昨年の私の出荷量と平均出荷量の比較です。播種期を五日遅らせたため、収穫初期に私の成績は低かったのですが、中期になると、だんだんにその差が現われて、後期には、平均の二倍以上の収量が得られました。

昨年と過去二ヵ年の私の成績と組合の成績を比べてみると、今年のような悪条件の年でも、平年よりよい成績だったことが明らかになります。

収支決算をみると、収入は十㌃当り二十八万円、一箱（十㌔）当り六百三円となっています。支出総計が七万八千九百八十円、内訳は、材料費一万四千九百八十円（ビニール管千二百六十円、ポリフィルム二千百円）、種子代千五百円、肥料二万二千円、箱代二万円、運賃一万五千円、農薬一万円となっています。つまり差引二十万千二十円の収益です。

私は干ばつを予期して対策を立て、今年は、非常に雨が多かったにもかかわらず、高収益を上げることができたのは、根の外が雨水で飽和状態になって、根の働きが鈍っても、この部分は乾いていて、酸素も十分あり、毛根がどんどん張っていったからであります。

私の体験から、キュウリマルチング栽培は、次の四つの大きな利点があります。

1、毛根が表土全体に張る
2、水分の調節ができる
3、表土中の養分がむらなく吸収され、多収穫となる
4、養分の流亡が少なく、肥切れも起きにくい

1表　栽培のあらまし　品種 大利根1号　新交A号

5月	6月	7月	8月	9月
第一回地ごしらえ　第二回地ごしらえ	畦立て　ポリマルチ張り　播種　追肥	支柱立て　中耕追肥　敷わら	追肥	追肥

収穫期間（8月～9月）　つる上げ　消毒期間

2表　43年の出荷量（10a当り）

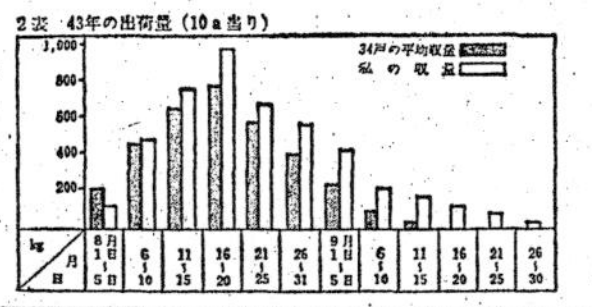

農業簿記

京都大学名誉教授　大槻正男

〈拡張計算〉

拡張計算

これまで述べてきた農家経済所得簿記としてのこの簿記の範囲内では、計算することができなかったところの、所得経済部面の内部関係をより深く分析した農業経営計算および生産部門計算をすることは、農家経済を吟味するために、また、将来の農家経済の改善のためにきわめて重要である。

これらの計算は、農家経済簿およびその補助簿並びに諸分類集計表において、記録算出された諸数字をよく利用し、これを加工することによって、その目的を達成することができる。このような簿記を基礎とした加工計算を拡張計算という。

以下の拡張計算を農業経済計算と生算部門計算とに分けて説明しよう。

、農業経営計算諸表

農家経済の実際においては、農家の営む所得経済活動のうち、その主要部面をなす農業経営だけを、その他の所得経済部面から分離独立させ、農業経営だけの計算をして、その損益並びに損益構成を知ることがきわめて重要である。なんとなれば、それによって経営の良否を判断し、将来における改善の余地を見出して、初めて真の経営方針を立てることができるからである。

しかもその認識、目的のいかんによって、同一農業経営も各種農業経営として、例えば農家経済経営として、または農企業経済経営などとして認識されることが必要である。次に各種の経営概念における農業経営計算方法を述べる。

農家経済経営としての農業経営計算表

『農家経済経営としての農業経営』とは、農家経済内において営まれる農業経営という意味であって、『小農経済経営としての農業経営』と別称することもできるであろう。農家経済の所有する諸生産要素泉源体、つまり、家族農業労働力・自作地および自己資本を経営要素とし、それらによって組織されるものとしての農業経営である。したがって、その純収益は、これら生産要素泉源体報酬（すなわち自家労働力報酬・自作地代および所有資本利子）にあたるものである。

この農業経営純収益を算出しようとしているのであるから、粗収益から、それ（農業経営費）が差し引かれて農業純収益が算出されるところの農業経営費の中には、これら生産要素源体から流出もる生産要素の評価価額、つまり、家族労賃見積り額、自作地地代見積り額、資本利子見積り額は、当然計上されないのである。

租税公課は『所得的総支出種目別分類表』の『租税公課』の欄から、種目ごとにそれぞれ該当欄に転記する。表の中で、上段の種目に該当するものは、農業経営費に含ませない租税公課であって全額を農外負担額とする。

下段に属する種目は、農業および兼副業の経営客体となるものや、その運営のために課せられたものであって、経営費の中に含まれる租税公課である。

したがって、まず、農外の負担があれば、その負担率を乗じて農外負担額を算出し、租税公課額から差し引くことによって農業負担額を算出する。こうして求められた農外並びに農業負担租税公課額は、農外および農業所得的失費の「租税公課」欄にそのまま記入するのである。

イ）租税公課の農外および農業負担額配分表

種目		租税公課額	農外 負担率	農外 負担額	農業負担額（差引）
所得税		4,868円	1.0	4,868円	—円
相続税			1.0		
住民税		5,080	1.0	5,080	—
都道府県議員費		500	1.0	500	—
市町村農業特別負担			1.0		
			1.0		
			1.0		
固定資産税	土地割	4,725	0.08	378	4,347
	家屋割	8,160	0.77	6,283	1,877
農業および兼副業用自転車税		200	0.0	—	200
用水税		600	0.0	—	600
水利地益税		800	0.0	—	800
農業関係の組合費		4,080	0.0	—	4,080
合計		29,073		17,109	11,904

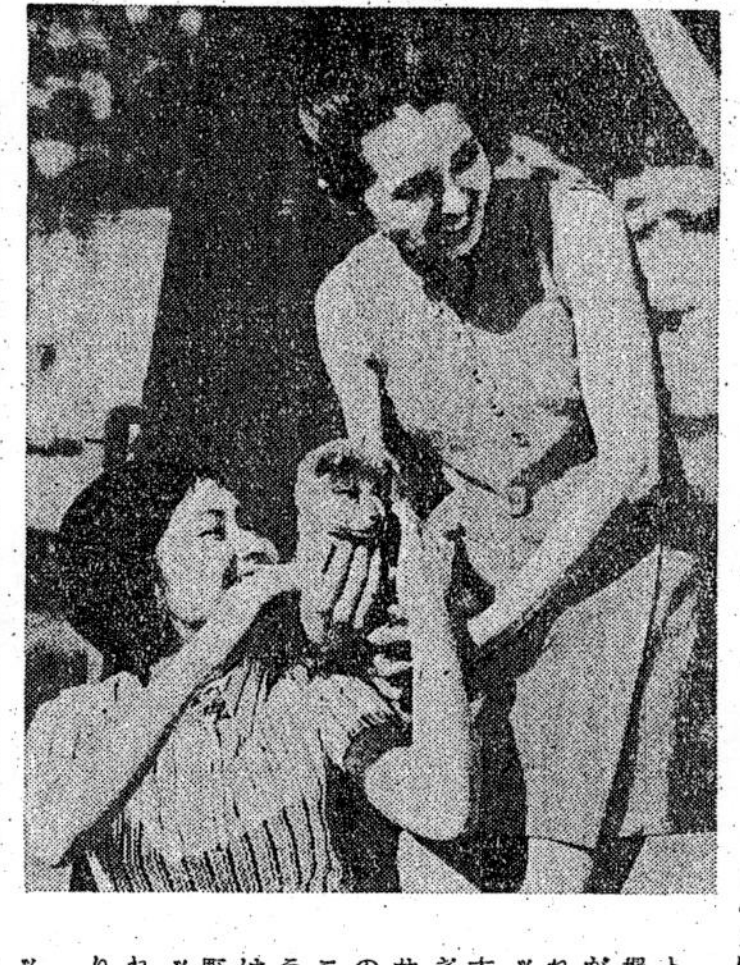

おしゃれコーナー

ニットのカジュアルウエア
通気、吸収性に人気

既製服化の傾向は、ますます盛んになって、必要なときには、気に入った服がすぐにも手に入るということの頃になりました。

織物製のスカートやワンピースの場合には、サイズが幾通りも用意されていますが、ニットの場合、特別大きい人でないかぎり、MかLの2サイズ、ほとんどの人が格好よく着こなせるというので、今年はあらゆる分野の服装にニットが生かされ、人気があります。

これから夏に向けては、コットンニットは合繊や毛と違って、素肌にじかに着られることが魅力でしょう。綿の肌着を着たときの着心地のよさで、おしゃれを楽しめるということが、コットンニットの愛好者のふえている最大の理由です。

また、通気性、吸収性があるので、汗かきの人、スポーツを楽しむ人には欠せない夏の素材といえます。

【写真】右は真赤なコットンニットのラップドレス、斜めに沿った金ボタンがアクセント。左は白地に茶と水色の縞がさわやかなコットンニット・シャツ。

NHK農事番組（8月1日～10日）

テレビ

明るい農村　6・30～6・55総合

1日　農村新地図　東京都八丈町（青山学院大教授）筑波常治
3日　村の記録　アイディア村長（茨城県伊那村）中島智雄
4日　きょうの話題　進出する商社農法（東大助教授）佐伯尚美
5日　産物往来　たたみおもて（岡山県都窪郡吉備町）
6日　話題の広場　ハウスの塩害を防ぐ　子豚工業　鈴木正弘
7日　村をむすぶ　フイルム・リレー
8日　農村新地図（鹿児島県鹿屋市）作家　劉寒吉
10日　村の記録　▽夏期特集　グレープフルーツとの対決

農業教室　7・30～8・00　教育

1日　農村の環境と住宅（明大教授）浦良一
3～5日　肉牛肥育の技術と経営（中国農試）立川牧夫
6～8日　肉用牛の新品種（北海道立新得畜試）細野信夫
10日　新時代の経営をめざす

あすの村づくり
日　7・00～8・00　教育

ラジオ

早起き鳥　5・05～6・00 ❶

1～2日　早起き対談
3日　夏期特別編成「人と話題」▽家畜被傷風ととりくむ
4日　同　▽天敵をつくる
5日　同　▽ウイルスによる害虫退治
6日　同　▽古々米のカビ調査
7日　同　▽これからの草地酪農
8日　同　▽農民文学賞受賞
9日　農村みたまま
10日　現地報告　酪農近代化をはばむ電力事情（北海道大塩町）

ラジオ農業学校
月～土　6・40～7・00 ❷
日　6・30～7・00 ❷

2日　▽グループのつどい＝プロジェクトによる経営設計（滋賀県）湖北地区4Hクラブ
9日　経営手帳　▽経営を考えた労働設計（農業コンサルタント）松下清雄　▽秋野菜の市場価格と出荷体制（全販青果部副部長）渡辺洋一
2日　▽手をつなぐ若き後継者第一回全国農村青少年研修センター研修生交換大会」から
9日　▽グループだより＝青年の山をつくる（鳥取県八頭郡河原町）農村青年会議　▽仲間とともに＝二代目の開拓地（北海道足寄郡足寄町）五十鈴4Hクラブ　▽ある青年像（埼玉県秩父市）石川将代治

あしたの青春

一ノ瀬綾　え　多賀愛子

出発（七）

「好きなら迷わずにしっかりやってよ」

「女は気楽でいいな。身を入れてしっかりやって報われるなら、誰が苦しむもんか。おれはセンニンやケイシュツ家とはちがうんでな、好きな仕事でも、ちゃんとそれ相当の報酬がなけりゃやる気にならねえのさ」

新一の言葉で、久治が吐息をもらした。

「おれが新一の年頃には、ただ親に従って働くだけだった。どんなにつらくても、金にならなくても、黙って、働いた。いつかは自分の時代がくる、楽になる日もある、それを目当てに働いてきた。苦労した分だけ報酬をもらってたら、おれは今頃お大尽になっている筈だ。世の中を、甘くみるのもいい加減にしろ」

終り半分は怒声になって、久治はビールをあおった。

「おれはそうは思わねえな。なにも農家の子供が農業を継ぐことはねえ。サラリーマンの子供だって、農業が好きならやればいい。おら達だって好きな仕事を選ぶ権利はあるんだ。日本の農業が、いつまでたっても零細で近代農業になれなかったのは、親子代々自分の土地を守ることだけに、夢中になってきたからじゃねえのかい」

「りくつはわかるが、そりゃ少し言い過ぎじゃねえかな、新一君」

圭次が言った。すみ江は三人のコップにビールを満たしてやりながら、胸の奥できゅうっと引きしまる緊張を感じていた。

「だからこそ、日本の農業が発展してきたとも言えるんだ。これからは変るだろう。変らなければやっていけねえ時代なんだ。だからと言って、誰もが農業をいい加減に投げ出す理由にはならねえよ。そうだろう」

「圭次さんには悪いが、おれは今、圭次さんとは立ってる立場がちがうんだ。当然考え方が合わねえよな」

新一の言い方に、圭次はむっとした表情になった。思いがけなかった様子である。

「どうして立場がちがうんだい。同じ農業をやってきた仲間じゃねえか。そりゃおれん家は多少土地もある。だが大きい目で見れば、同じちっぽけな零細農業の一種だ。新一君の不安や心配は、おれだって味わっている。他人事ではねえんだ。苦しんでいる仲間はいくらも居る。全国の若い農業後継者はみんな、君と同じ悩みを持っている。話し合って、なんとか道を開いていくのが、おれ達若い者の使命じゃねえのかい」

圭次はテーブルに身を乗り出して言った。

「使命ね……さすがに圭次さんだ。おれは自分の仕事に使命感なんか持つのはきれえだな……納得できて、面白ければどんなにだって身を入れてやるよ」

「新一君……いつの間に君は」

後は言葉を呑んで圭次は、しげしげと新一の顔を眺めた。久治はもう投げたといった表情で、淋しそうにコップをいじっている。

「これが時代かね、圭次さん。おれはこいつと話していると生きる張い合いまで失くしそうだよ。みんなこんなもんかね」

「いや……新一君は若いから、思ったことがすぐ言えるんだね。おれでさえ年齢の差を感じさせられたですよ。今夜は」

圭次は口元をゆがめて、ちらりとすみ江の方に視線を投げた。

「おれも淋しいよ。のん気に唄でもうたって、好きな野菜作りでもやって暮していけるならそうしてえ……本当だ、本当だとも」

新一は自分でビールをコップに注いで、一人で飲んだ。圭次も久治も、顔だけを赤くして、ただため息をつきあっている。すみ江は言葉もなく、冷えた精進揚の皿をじっと見つめていた。

<34>

農村雑感　文章の裏

折原俊二郎

現在は情報化時代であるといわれている。まさしく、電波は乱れとび、スイッチ一つで、世の中の動きが直接目でみ、耳でも受けとめられ、また、各種の印刷物も氾濫している。しかし、これらは一定の秩序の下でなされており、しかも、受けとめないようにしようとすれば、或程度は無視し得ることも出来るものでもある。

しかしながら、この情報を無視して、また、受けとめない形であったならば、それは今日の社会生活からの脱落者となり、目的達成はむずかしくなる。それかといって、すべての情報を無制限に受け入れようとしても、それには自ずからの限界があり、その限界を越すと、無秩序となってしまう。

即ち、情報を受けとりに入って、かえって情報に流されてしまうという状態になる。

このように考えてみると、この氾濫している情報化社会の中にあって、より有効適切な情報とは何かという、一つの判断をもって対処しなければならないことになる。情報とは、そうした取捨選択ができるという特色をもっている。

ラジオ・テレビなどは、情報を迅速に流してくれるものとして有効適切なものであるが、反復して内容を吟味するためのものとしては欠点がある。この欠点を補うのが本や新聞等であるが、これはラジオ、テレビに比べ迅速さに欠けるという欠点がある。そこで、この両者を平行的に、うまく組合せていくのが上手な情報処理方法といえよう。この両者の上手な組合せを本気になって考える人とそうでない人との間に、当然のこととして大きな差が出ている。

ところで、ラジオやテレビで見たり聞いたりしたところで、あれは非常に参考になったとかまったく同感したということがよく聞かれる。これと同じようなことも本や雑誌、新聞などでもよく聞かれる。

しかし、こうした感激や参考の中で、本当にその内容をつかんでいるうえでのことであろうか。いくら上手な手法を使っても、情報として提供されるものには、自ずから限界があり、極端ないい方をすれば、物事のエキスの部分を直接、受け取り側に与え、受け取った側も、与えられたエキスの部分のみで満足するということになり、それに大なり小なりの誤解が生ずる。この誤解が時には大きな損失に連がることがある。

そこで、こうした情報に対処するときは、必要に応じて、客観的な見方をすることが極めて重要なこととなる。よく物事の裏を見るということがいわれるが、物事の起ってきた要因、現実の姿、その姿が将来どの方向に進もうとするのか、しかも、それは正しく情報として流されているか否か。そうした判断の目を養うことが、情報化社会の中に生活するわれわれが、当然のこととして持たなければならないことであり、それは、農業をやる人でも、商業をやる人でもすべてが同じ要件であるといえる。

文章でいえば、それは、書かれていない文章の裏の意味を解することでもある。

（農林省・農業者大学校）

健康な農業生活のために
農婦症、薄い血に

山形県・すぎな会　渡部千代

私は昨年五月に献血を頼まれ、病院へ出かけました。意外にも、私の血液の比重が軽く、献血出来ませんでした。いろいろな人が出入りするなかに、農家の主婦と思われる三十代から四十代の人たちが、やはり献血出来ずに帰って行く姿に接し、なぜ血液が薄いのか、それがなぜ農業従事者に多いのかと、疑問に思いました。

保健婦さんに相談してみたら、この血液が薄いのは、いろいろな面から来ており、農婦症の症状の一つであることを知らされ、またこれが原因と指摘出来ないほど、多くの要因があることも知らされました。保健婦さんの話を参考にして、農婦症を取り上げ、私の住む斉地区の農業従事者百五十名を対象に、アンケートを依頼し、調査を始めました。

農婦症には、八つの症状があります。❶腰や手足の痛み❷夜尿多感❸めまいや頭痛❹手足のしびれ❺動悸や息切れ❻腹がはり食事がすすまない❼夜眠れない❽肩がこり、体がだるい、このうち、どれかの症状を訴えています。食生活の面からの調査によれば、食事の支度をする人が、四十代、五十代の婦が主で、栄養面を考えながら献立を作ろうとする、二十代から三十代の若い人が、直接手をつけないという大きなアンバランスを見つけました。

また、農村に古くから伝わる習慣なども、精神的な疲労に結びつく原因の一つになっていることを知りこれには私も驚きました。特に、今マスコミで騒がれている農薬も、農婦症の原因であることを知らない人があまりにも多く、ただ経営のために、どんな農薬でも使用するという現実は、健康が第一である私たちにとって、大きな問題です。

この機会に、多くの人から農婦症について深く理解してもらい、食生活の改善、労働の軽減などを改めて考えてほしいと思います。明るく健康な生活を送るためにも聞き流しで終ることなく、真剣に考えてみたいものです。

薬剤散布がガン
疲労の蓄積を防ぐ

愛知県・大三島農業後継者クラブ　藤原君恵

1、課題と取組んだ動機

人間が生きる喜びを感じるのも健康であるからこそで、なにをするにしても「健康な体」ということが、第一条件であると思う。特に、体が資本であるわれわれ農業後継者にとっては、欠くことのできない問題だと考える。

2、現在の実情と直面している問題点

(1) ミカンの消毒など、病虫害防除による農薬の害。

(2) 過労から起きる肩こり、腰痛、手足のしびれ、夜間多尿などの農夫症に悩む者や、これらから起きるリュウマチ、高血圧、腎臓病などの成人病に悩む者が多い。

(3) 栄養のバランスが取れていない。

(4) 労働時間が長く、特に主婦は過重労働で、自由時間が多くもてない。

(5) 人の集まることが多いため住居、台所の合理化がむずかしく、能率的でない。

(6) 精神的疲労が多い。それは親類、近所づきあいが緊密であり、複雑であるために、気を使うことが多く、また、家族構成がその原因になっていることもある。

(7) 人口の流出が激しいため、将来は、無医村になる恐れもでてきている。

3、今後の計画及び対策

(イ) 病虫害の防除作業の軽減を考える。つまり、防除の効果を高めるような薬剤散布を考えて年間の防除回数を少なくし、疲労蓄積をさせないようにする。そのために、防除日の時刻、薬剤の選択、服装、作業の分担などについて検討を加える。

葉隠の里を訪ねて (7)

＝子供の育て方＝

武士の子供を育てるには、それ相当の心得が必要である。まず幼少のときから勇気を養い、仮りにもおどしたり、だましてはいけない。幼いときに臆病気がでれば、一生わざわいのもとになる。

親の不心得から、雷でも鳴れば、恐しがらせ、暗がりに行かせず、泣き止ませようと、恐しい話を聞かせたりするのは、もってのほかである。また、幼いとき、あまり強く叱ると引込み思案の内気な性質になってしまう。

悪い習慣をつけないようにしないと、一旦しみついてしまっては意見してもなかなかおらない。もののいい方、行儀のしつけなど、次第に気をつけさせよ。夫婦仲の悪い子は、不幸者になるものが多い。生れ落ちて、見聞きしたことに染まりやすいので、環境にとくに注意する必要がある。

また、母親が愚かであると、父子の仲が悪くなる。母親は、何の道理もなく子供を盲愛し、父親が意見すれば子供にひいきし、子供と組んで、夫にたてつくから仲が悪くなる。女は将来、子供に面倒をみてもらおうと、打算で子供とグルになるのであろう。

評　最近の教育ママも結構だけれども、何千万円の長島や王を夢みさせたり、美空ひばりに仕込んだりするのでは、全く子供の身にもなってみやしゃんせである。葉隠の育児論には、現代でも学ぶ点が多い。

青春と仲間

結婚は月賦から？
夕食後までも働く長男

派米クラブ員便り

人間にとって、環境、歴史がこれほどまで深く人柄に影響を与えるとは……と、驚いているこのごろである。現在、私はオレゴンで第三番目の家庭に入っている。両親と十二人の兄妹（一緒に住んでいるのは八人）が、〝私の家族〟である。陽気で、飾り気のない楽しい家庭である。しかし、今は第二の家庭のことから書いてみようと思う。そこには、変わった農村の姿が見られると思うから……。

第二の家庭は、第一の家庭のあったポートランドから百マイル南の、クラスウェルという農村地帯にある。この地帯は、平面続きで、肉牛を主とした農家が点在しており、約十二マイルのところに、人口五万ちょっとの市街がある。家族は、両親と長女（十九歳、大学一年生）、次女（十七歳、ハイスクール三年生）、長男（十六歳、ハイスクール二年生）の五人。百四十エーカー（一ヘクタールが二・四七エーカー）の土地と七十三頭の肉牛、十数頭の羊。そして一頭の乳牛から、家族のすべての牛乳とバターをとる。肉牛は放飼いなので、父は一年の半分以上を会社へ勤め、週給手取り二百ドルを得る。一ドルが三百六十円だとすれば、週五日働の週給は日本の月給とほぼ同じだということになる。

長男は学校から帰ると、すぐ牧草地へ出かけ、トラクターで冬のための草を用意している。夕食後も、九時ごろまで働いている。そして、牧場の二〇%が彼の権利として、契約しているという。彼には野望があり、今からその資金を得るために働いているのである。日本の高校生では考えられないほどたくましく仕事している。

母はそれに比べると、入れておけばすすぎまでできる洗濯機とドライヤーを備え、バターを古いタイプの方法で作ったり、パンを焼いたり……、コーヒーを片手に、のんきにかまえている。これにひきかえ、次女はよく働いていた。他の地域では見られないのだが、彼女は牛乳を手でしぼったり、4Hのプロジェクトの豚を世話したり、私が家で鶏の世話をするとき以上に汚れた服装で、汚れに対して無神経に生活している。そして、十七歳なのに、彼女はボーイフレンドをもっていなかった。

さて、アメリカの生活は、一ドルが百円相当の価値だと聞いていたのだが、食物の値段は日本とそれほど変らず、服は約三倍である。しかし、収入を考えれば、アメリカ人はかなり余裕ある生活ができることになり、彼らは本当に多くのものを持っている。肉、ケーキ、キャンディ……と多くのものを食べ、バスルームにはあふれるほどのタオル、地下の冷蔵庫にはいっぱいの食物……。彼らはものを持ちすぎて、不経済である。しかし、貯金を持っている人は多くなく、月賦の払いを、持っている人が多い。

私の知合いの二十二歳の女性は六月十一日に結婚したが、結婚に際して貯金はゼロ。相手も月賦の借金があっても貯金はなく、彼らの新しい生活の道具はほとんどが未払いなのである。彼らの出発は借金の返済から始まるのだといっていた。アメリカ人は、それだけドライであり、明日を、心配しない。

（草の根大使、坂本堅子）

4H活動をかえりみて

実現した区画整理
クラブ員の説得がきく

徳島県・緑の星4Hクラブ　田所恵一

農村に若者が特に少なくなったと、よくマスコミが問題にしているが、実際、それが近年の状態であろう。しかし、現在の農村における若者は、数こそ少ないが、立派に農業後継者としてやっている。彼らは自分をみがき、人の上に立ち、農民の指導者的存在となっているのではあるまいかと、私は近ごろ思うようになってきている。

なぜなら、現在の農村青年は学校教育を受けるとともに、青年会、農業クラブ、4Hクラブなどに入会し、集団活動、集団生活の基礎を身につけ、立派な社会人として成長しているのではないだろうか。

我々も、4Hクラブに入会しており、クラブ員として多くの実践活動を通じ、自分をみがくとともに、互いに力を合せて、よりよい農村を作りあげ、そうして、技術、思考性、友情心、健康増進のために、大地へしっかりと根をおろしている。クラブ員に与えられた課題でもある。

私たちのクラブも、「協同」という問題を取上げ、「力を出し合い、一点に向かって前進しよう」と、クラブ員一同が、お互いの心を一つにして私たちの主農作物である水稲に取組んでいる。現在の構造改善や集団栽培には我々の4Hクラブなくしては成立たないくらいしっかりと、結びついている。

私の地区は、水稲パイロット地区に県から指定を受け、パイロット組合を設立し、大型機械化態勢をととのえつつあるが、大型農機具が導入されても、年寄りたちでは使いこなせず、やはり、青年の手に移されてしまう始末である。そこで、クラブ員は、農業機械研修を受け、運転、修理を習い、農家の機械修理の面までも世話をしている。

農業改良の面において、農機具の導入こそ、第一番の問題となるのではなかろうか。また、品種の改良、土壌検査、肥料の施用なども考えなくてはならないが、父親たちは、昔ながらの稲作りを続けており、私たちが方法を変えてやろうとしても、なかなかうんといわず、石頭に手を焼いている。そして、父親との口論のあと、八割くらいまでは、私たちのいう通りになるのではあるが……。

品種の改良の結果、台風時の洪水、強風のための被害、病気による減収などが、ほとんどなくなった。また、農道の整備と区画整理とを並行して行ない、農地の交換分合、小作地の解放、農道用水への土地提供などを、農業委員、地区推進委員の方々にクラブ員も加わり、三ヵ月間にわたって、個別訪問したり、全員に集合してもらったりして、説明会を数十回重ねた上で、青写真が出来あがった。

青写真が出来ると同時に、工事に取りかかり、二年前から稲の作付けの運びとなった。この三ヵ月間の集会のなかで、特に問題となったのは、農地解放のための小作地返還の件であった。決心をしかねる人を、クラブ員が再三説得にあたって、ようやく領解してもらった。地主は、自分の土地と同じ場所へ移してほしいのだが、小作人は耕作の便が悪くなるので、反対をする。また、農地を買取ってくれといっても、買入れる力もなく、返還してくれといっても、返したのでは食べて行けなくなるので、つっぱねたのであったが、結局は、小作地を地主の土地へ結びつけるようにはからって、解決した。

農地の減反、農道用地への提供、農地の交換反合による減反で、収量の低下の問題も出たが、かつぎ荷をする道の場合と、自動車による運搬の場合と、立地条件ははるかに後者がまさる。この問題も、五月に田植えをしてみて、テイラーで乗込んで行けるため、実際の作業は三倍くらいの速さですんだため、びっくりしたり、地主も大喜びで、すっかり解決した。

二年前から、パイロット組合に4Hクラブが積極的に協力することになり、まず、水稲の年間共同態勢の確立をはかり苗代、田植え、消毒、刈取り、収穫までを共同作業により行なった。それによって土地、時間、薬品などのロスが目にみえて減った。年間を通してみると、従来は、大分損をしていたというデータが出た。

田植え時間には、共同炊事を行ない、保育所も開かれた。共同炊事は、女子クラブ員による当番制をとり、普及員のもとに、昼と夜の食事を作った。共同保育所は、炊事を受持たないクラブ員が、公民館の一室を借り受け、朝六時半から夕方の六時半まで、預かった。昼食も公民館なので、母親たちも安心であった。

食事は安価であり、必要カロリーもあるため、農繁期の疲れが翌日まで残らず、仕事もはかどる。食事の用意をしなくてよい上に、子供も安心して預けられ、ゆっくり休めるため、大変に好評であった。また、毎日の食事が違ったものが出るので楽しく、待遠しいと大笑いをした。一方、女子クラブ員にとっては、料理実習や育児の勉強となり、将来のためのよい体験になっている。

男子クラブ員の建設班は、農道の整備に、クラブで習得した測量、土木技術を大いに発揮し、全長四千五百三十㍍の道路を整備したのが、特に光っている。我々4Hクラブ員は、常に協同の精神をもって努力すれば、必ずなしとげられると確信した。三人寄れば文殊の知恵といわれるように、人が心を合わせてこそ、はじめて可能になるのであるが、ほんとうに我々のクラブはよくまとまったものである。これからも、大いにがんばる必要があると思っている。

クラブ紹介
「生産団地」も考える
――愛知県・岬4Hクラブ――

私たちの町は知多半島の最南端に位置し、地形は低く、丘陵地の多い半農半漁の町です。近年、交通の変化、都市化の進行、労働需要など、社会環境の急速な変化に対応しながら、若いわれわれクラブ員は、無限の可能性を求めて日夜クラブ活動に専念しているのです。クラブは、普及員の助言のもとに、四十年四月、「岬4Hクラブ」として発足しました。

現在、クラブ員は男子ばかり八名で、平均年齢二十歳という若々しさにあふれています。プロジェクトの内容は、酪農三名、みかん三名、養鶏一名、観葉一名と、多様なクラブ員構成です。内容がそれぞれ異なって、人員の少ないクラブですが、月一回の定例会は、話合いを中心にした活動を続けています。多い話題は、それぞれのプロジェクト内容や経営上の問題です。

こんなときこそ、われわれは心のやすらぎを感じます。しかし、たびかさなる話合いのなかで、中心は、無秩序なスプロール化が、産業と生活の発展を阻害するため私たち若い仲間は、ここで立上らなければならないことを、お互いに認識して、今後、町行政、農協などをもまじえた研究会を計画しています。

また、東海地方での第一歩を踏みだす開拓パイロット事業、農業振興地域として、発展するだろうと思います。この地域の農業は、われわれクラブ員の力によって、生産組織の構造改革と生産団地の育成をはかろうと、みなお互いに考え、悩み、努力を続けているのです。

（岬4Hクラブ会長、大松強君発）

生活の知リコーナー

◆冷蔵庫の使い方

冷蔵庫の威力を十分に発揮させるためには、次のようなことに注意してください。

イ、いっぱいにしないこと。つめすぎると、冷気が庫内全部に行きわたりません。

ロ、開閉はすばやくしないと、温度が上がり、適温になるまでに時間がかかります。

ハ、製氷皿の水は八分目、いっぱいに入れると、膨張してあふれた水が凍りついて冷却をさまたげます。

冷蔵庫に入れておけば、いつまでも腐らないと、誤解している人が多いようですが、野菜類六日、牛肉三日、ケーキ二日、刺身一日、納豆一日と、保存限度は意外に短いのです。また、おいしく食べるためには、次のようなことを守りたいものです。

A、いも類やバナナは、冷蔵庫に入れるとかえって変質します。

B、新鮮な卵は、丸い方を下にして入れると長持ちします。

C、水分を霜にしてとってしまう性質がありますから、野菜、くだもの、魚などは、必ずポリエチレンで包むか、容器に入れてください。反対に、のり、せんべいなどは、むきだしで入れておくと、いつもパリパリとおいしく食べられます。

◆酢の効用

酢は唾液や胃液の分泌を盛んにし、消化を助ける働きがあるほかに、殺菌力や防腐力をもっています。夏や梅雨時に、ご飯へ軽く酢をうってから鉢へ移すと、保ちがよいのもそのためです。犬にかまれたときなど、応急手当として、酢で傷口を拭くとよいのも、このためです。

また、漂白作用やにおいをとる力もあります。ゴボウやレンコンを白く煮るのに使い、川魚に泥を吐かせたり、レバーの血抜きをするときに、酢を少し落すのは脱臭作用を利用したものです。

ニンニクを食べたあと、酢でうがいをすると臭味がとれ、鯵などを煮つけた仕上げに少し使っても生臭さが消えて味もよくなります。

それから、打身やくじきに、うどん粉を酢で練ったものを貼りつけると、熱が取れ、痛みもうすらぎます。これは、酢に消炎作用があるからです。

投稿歓迎
機関紙として活用して下さい

本紙は、4Hクラブ員のみなさんがたの「準機関誌」として、少しでも、お役に立ちたいと常に考えております。そのためにも、御購読いただいているみなさんがたからの直接の声、反響といったものを、締切のたびごとにお待ちしているのですが、まことに残念ながら、あまり投稿されるかたのないのは、毎号の紙面でよく御存知の通りです。

お忙しいことですから、なかなかペンを握る時間もないこととは思われますが、どうぞ、夕食後のわずかな時間でもさき、なにか書いてお送りいただきたいと切望します。全国のみなさんがたが、短い文章でも結構ですから、いろいろとお寄せ下さって、そこになにか問題点を見つけだし、少しずつでも解決方法を見出すような気運が起ってほしいと考えます。こんなかたちで活用していただければ、4H新聞も「準機関紙」としての意義が大きくなると思われます。

内容　なにでも結構ですが、たとえばクラブの催事、プロジェクト、村の話題、伝説、行事、悩みや意見、詩短歌、俳句、随筆、写真、その他。長さにも制限はありません。

宛先　東京都新宿区市ヶ谷船河原町十一・郵便番号一六二　日本4H新聞編集部

なお、投稿されたかたには、粗品をさしあげることになっております。

日本4H新聞編集部

日本4H新聞
4Hクラブ 農事研究会 生活改善クラブ 全国弘報紙
発行所 社団法人 日本4H協会
東京都市ケ谷家の光会館内 電話(260)1675 郵便番号162
編集発行人 玉井 光
月3回・4の日発行
定価 1部 20円
一ヵ年700円（送料共）
振替口座東京 12055番

クラブ綱領

私達は、実践を通じて自らを磨くとともに、互いに力を合わせて、よりよい農村、よりよい日本を創るため、四つの信条をかかげます。一、私達は農業の改良と生活の改善に役立つ腕をみがきます。一、私達は科学的に物を考えることのできる頭の訓練をします。一、私達は誠実で友情に富む心をつちかいます。一、私達は楽しく暮し元気で働くための健康を増進します。

中国（台湾）へ友交親善に
橋本君（福島）と広島さん（大分） 草の根大使出発

国際農村青年交換（IFYE）計画に基づいて、今年度、中華民国（台湾）へ派遣する“草の根大使”として社団法人日本4H協会（松下幸之助会長）から選ばれた4Hクラブ員代表＝橋本好男君（二三）福島県郡山市中田町津川・中田4Hクラブ員と、広島春枝さん（二二）大分県宇佐市大字吉松・宇佐4Hクラブ員＝の二人は、さる三十日午前九時三十分羽田発のマレーシア航空機六三九便で台北へ向けて出発した。＝関連記事2面にあります＝

この日、空港には、橋本君の親戚の人たちや、全国4Hクラブ連絡協議会役員、福島県からかけつけた同県農村青少年クラブ連絡協議会の役員と地元クラブ員などが姿をみせて激励、これに対し、二人は、落着かない出発前の心の動揺を押えながら「日本代表として恥じないよう一生懸命頑張ってきます」と胸を大きくふくらませていた。

橋本君と広島さんは、二日前から上京して出発の手続きや、関係方面を訪ねてあいさつ。そして、この日、午前七時に宿舎を出発、日中なら混んでいて一時間もかかる高速道路をタクシーで十二、三分で到着。しかし、飛行機の出発が予定より約二時間遅れたため、「早く行きたい」と心をじらせていた。

二人は、台湾に三ヵ月間滞在する予定で、オリエンテーションをうけたあと受入れ農家に入り、その家族の一員として生活することになっている。滞在期間中は、同国の農業や農家生活、風俗習慣、4Hクラブ活動などを体験する一方、4Hクラブや村の会合などに出席して、日本の正しい姿について紹介し、民間外交官として両国の相互理解と友交親善を深める役割を担っており、彼らの活躍が期待される。

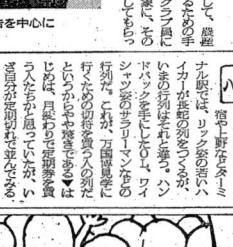

台湾での生活に胸をふくらませる橋本君（後列一番左）と広島さん（その右）続いて4H協会の新田事務局長、全協の阿部事務局次長、前列の二人は福島県の中田4Hクラブ員＝羽田出発ゲートで

地元クラブ歓送会

【大分県＝恵良富行連絡報道員発】広島春枝さんの台湾訪問の歓送会が、さる七月十四日、宇佐市の中央公民館で宇佐4Hクラブの主催によって開かれた。

この席で、広島さんは、参加者一人ひとりから「台湾でも一番暑い時期なので、体には十分気をつけて日本の代表者として無事に務めを果して来て下さい」「台湾でも農業者は一生懸命に生活していると思うが、そこにあるものは何であるかを掴んでほしい」「一昨年自分たちのクラブに一ヵ月滞在した台湾クラブ員の方によろしく伝えて下さい」など歓送のことばがおくられた。

これに対して広島さんは、交歓訪問の目的について説明したあと、抱負を次のように述べた。

自分としては、まず第一にプロジェクトの取り組み方を研究したい。日本のプロジェクトと台湾のプロジェクトは、国が違えば当然異なると思うので、その違いを勉強したい。

そして第二に、現在自分が取り組んでいるプロジェクトの延長をしたい。

彼女はいま、地元宇佐4Hクラブの生活部長をしているが、生活部全員で「農村の健康管理」と題して油料理の調査と取り組んでいる。今回の訪問を機会に、台湾での油料理の調査をぜひ行ないたいという。

その第三に、女性の立場を研究したい。日本では女性上位というムードがはやっているが、台湾では完全に男性上位といわれるので、婦人の地位や女性の風俗習慣を勉強してみたい。

日本を離れることでさえ不安であるが、日本を離れることによって現在の日本、とくに農業情勢の変化の激しさを知り、また、広く世の中を見聞し、若いうちに一つでも多くの体験をしたい、と大いに張り切っており、その活躍が期待される。

作業服に着替え、明日の農業を胸に、食前作業としてレタスの除草にクワをふるう大会参加者

意気上る800の“担い手”
第1回全国農村青少年研修センター研修生大会

社団法人全国農村青少年教育振興会（東畑精一会長）経営伝習農場全国協議会（藤本竜夫会長）経営伝習農場同窓会全国連盟（下元国良委員長）共催の第一回全国農村青少年研修センター研修生交換大会は、さる二十一日から四日間、農林省など五団体の後援を得て、長野県諏訪郡原村の八ヶ岳経営伝習中央農場で開催された。

この大会は、新しい農業と農村の担い手の育成の重要性から、全国の農村青少年研修センターの研修生が日頃の学習や体育活動、文化活動の成果を交換、交流して幅広い視野を養い、農業への意欲をたかめることを目的として開かれたもので、岩手県立浄法寺伝習農場の研修生九十余名を筆頭に各県の伝習農場、農業者大学校、引卒職員、関係団体など八百余名が参加。キャンプ生活をともにしながら、意見発表、体育競技、キャンプファイヤー、八ヶ岳登山などを通じて交流を深め明日の日本農業を担う若人の意気を高めた。

会場の八ヶ岳中央農場は、国鉄中央線、茅野駅からバスで約五十分、海抜千二百㍍の八ヶ岳山麓一帯に広がった高原地帯で八ヶ岳登山口でもある。農場は山林を含めて約四百㌶、一部には馬鈴薯の原種農場もあり、放牧牛のホルスタインが群っている。また、高原野菜のレタスなどが栽培され、白樺林をふきぬける涼風に酷暑を忘れるほどの別天地でもある。

（関連記事2面にあります）

宿舎候補地に西三河
愛知県連で会長会議開く 来年の「つどい」を協議

【愛知県＝鳥居久雄連絡報道員発】愛知県4Hクラブ連絡協議会（会長、冨永博君）では、さる七月十四、十五の両日、岡崎市の愛知県追伸営農大学校で、今年度二回目の会長会議を開いた。

一日目は午後六時から協議に入り、はじめに第六回全国4Hクラブ員のつどいの参加について検討したあと、来年、愛知県で開催が計画されている第七回の同つどいの開催方針や実施計画について話し合われた。

その結果、愛知県連としては、愛知県の農業について現地交歓訪問を通じて参加者にはだで知ってもらうということを基本方針とすることにし、集団行事のための宿舎候補地としては、西三河の観光地、三ヶ根山—宮崎地区がとりあげられた。このほか細部にわたっては、全国4Hクラブ連絡協議会との間で正式な運営委員が決定されてから協議することにしてアウトラインだけにとどめたが、今年度の佐賀県大会に八十余名という大参加団を送りだす愛知県連が来年のつどいを何としても成功させようという意気に燃えているのは事実である。

二日目は、早朝六時から協議が進められた。まず、農業企業化先進地視察研修の実施について、視察部門とその時期、人員などについて話し合われた。つづいて女子教養講座や第九回愛知県農村青少年技術交換大会の実施、また、新入クラブ員研修会の反省などに話し合いが発展、さらには4Hクラブのあり方についても真剣に話し合い、午後五時すぎ二日間の会議を終了した。

5日から全協で執行部会

全国4Hクラブ連絡協議会（会長、久野知英君）は、五日から、東京・新宿区市ヶ谷船河原町の家の光会館内、同協議会事務所で執行部会を開き、二十四日から佐賀県で開催する「第六回全国4Hクラブ員のつどい」や、先月中旬実施した中四国、九州方面へのオルグ派遣の成果などを協議する。

地区連間の交流盛ん 三重
「モーレツ」影ひそめ 「仕事、妻を愛す」増加

【三重県＝北川保芳連絡報道員発】三重県下の農村青少年クラブの各地区連同士の交歓会が、あちこちで行なわれている。そのうち特色あるものを紹介しよう。

さる七月五日、忍者で有名な伊賀地区青山町の青山クラブと石油コンビナートの四日市市内部（うつべ）クラブとの交歓会が、青山町阿保農協で開かれ、約四十名が参加して「結婚」「幸せ」の二つのテーマを中心に話が進められた。

女性側から「外見より内容のある忍耐強い女性に……」、男性側から「自己の目的に向かって、いつも努力と向上心を忘れず、明るく頼りがいのある男性に……」など、互いに自分たちの将来の目標を論じあった。

昼食後、あいにく台風二号上陸のため青山高原への登山は中止となり、付近の中学校の体育館を借りて、バレーボールの試合が行なわれた。掛け声も高く、流れる汗の中に互いに連帯意識を感じて、さわやかな笑いが起っていた。

七月十九日には、鈴鹿市役所において、鈴鹿地区連主催による女子研修会が行なわれた。懇談会では、ひところのモーレツ人間志望は影をひそめ、男性の考える理想的男性像として、仕事を愛し、妻を愛し、日々を熱愛するといった声が目立った。女性の方では、着物の似合う女性になりたいといったやさしく、軽妙な答がでていた。

仲間づくりに一役買ったバレーボールのあと勢ぞろいした青山町と山部のクラブ員

“別れ”に新しい形式
佐賀県連 「全国のつどい」を具体化

【佐賀県＝高尾香連絡報導員発】第六回全国4Hクラブ員のつどいも開催まで一ヵ月足らずとなったが、佐賀県4Hクラブ連絡協議会（会長・小林秀敏君）では運営委員会と理事会を開いて、業務処理事項と、現地交歓訪問のための民泊について協議を重ねる一方、九州ブロック会長会議において協力を要請したり、全協、4H協会との打合わせを行なって、決意もあらたに、運営委員を中心に県下クラブ員の総力を結集して、開催準備に臨んでいる。

異例の条件でつどいを誘致したにもかかわらず、準備も着々と進み、鳥取県連や大阪府連から、激励の言葉をいただいたり、各県連からの多数の参加申込みに、「やればできる」という教訓を運営委員は学びつつある。

これら協議の中では、最終日の閉会式のあとに、別れのつどいの時間を一時間くらい設け、運営委員と参加者が握手で別れ、佐賀県連のクラブ員が見送るといった新しい方法をとり入れることが決った。

また、散策コースにおける時間帯は、レクリエーション一時間、話合い三時間、昼食一時間、徒歩二時間という時間帯で行動してもらって、葉隠の里を各班ごとに散策してもらう。連絡にはトランシーバーを使用して、本部、事務局と緊急の場合は連絡する（地元の人々にも開催要項を説明して、協力を依頼してある）。

キャンプファイヤーは、各ブロック別に入場してもらう。炬火台方式で行なって、地方色豊かなだしものが期待される。

また、今回は記念の楯のかわりに、記念楽焼きを行なうので、各自デザインを考えて参加してもらう。開会式の受付けを十一時にすむように、参加者に要望することなどが話し合われた。

情報社会の青年像など
宮城県で幹部研修会 現役リーダー対象に

【宮城県＝蔵桃とみえ連絡報道員発】宮城県、同県農村青少年クラブ連絡協議会（会長、千葉和典君）同放送利用クラブ連絡協議会主催の県青少年クラブ幹部研修会は、このほど二泊三日の日程によって宮城町の農業専修学園研修館でクラブリーダー約百五十名の参加のもとに開かれた。

この研部研修会は、現役リーダー（地区連、市町村連の会長、役員など）を対象に、リーダーのあり方や組織の運営などについて研修し、その実践的学習を修得するため開かれたもの。講演、分科会、全体討議などを中心に、活発な意見の交換を行ない、また楽しく有意義な研修会であった。

一日目は、午後一時から開会式に続いて講演に入り、「地域開発と本県農業の将来」というテーマで東北大農業研究所の馬場昭氏の講演が行なわれた。

夜は七時から県連役員の司会によって夕べのつどいが体育館で行なわれ、フォークダンスや各地区連と県連役員などで楽しいひとときを過ごし、仲間づくりをした。

二日目は、午前八時三十分から「情報化社会に期待される青年像」という題で東北大学教育学部の田原音和氏の講演があった。とくに、相手のことを考えて物ごとを考える人間、友人との社会的な連帯感などについて強調された。続いて「集団活動とリーダーの役割」について県農政普及課の芦澤雄氏の講義を開いた。

午後からは、レクリエーションの理論と実技の学習が行なわれ、野外活動を主とした歌やゲームなど実技をまじえながら過ごした。午後三時からは分科会が開かれ、県協議会の事業運営についてというテーマで熱心に話し合いが六グループに分かれて行なわれた。

夜は、県連協、全協活動方針の説明、質疑応答などがあった。この中で、とくに問題となったのは4H会館建設の募金についてであるが、今年は五十万円を目標にして協力態勢をとるという県連の方針が全員拍手のうちに承認された。

三日目は、午前九時から全体討議に入り、前日の分科会報告を中心に質疑応答があり、閉会式を最後に終了した。

宮城県のクラブリーダー研修会で分科会報告を中心に熱心に討議する参加者たち

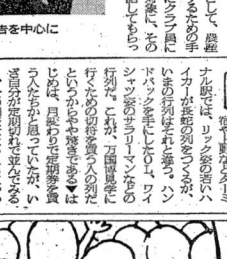

涼風暖風
おまけの魅力

サンフランシスコで買いものをした時のことである。マーケット通りの繁華街で、こぎれいな土産物店をみつけた。人形・置もの・装飾品など旅行客めあての土産物がショーケースや壁棚にいっぱい陳列してある。

私は、十枚一組の観光地写真が気にいったので、記念に買うことにした。値段は二ドルだと記憶しているが、店の主人は別の写真を取り出してきて、「これは五ドルだが、これを買えば五枚一組の別の写真を無料で差上げる」という。その写真は五ドルだけあって上等なのだが、帰国まぎわで手持ちのお金も残り少ないので、安いほうの写真にしようと思った。しかし、小型版ながら無料でもらえる五枚一組の写真ほしさに、思いきって五ドルの写真を買った。店主のサンキューベリーマッチの声に送られて外に出たが、無料の写真五枚で得をしたのか、不必要に高価な買いもので無駄使いしたのか、何とも複雑な思いであった。それにしてもアメリカにも「おまけ」の習慣があるのには恐れいった。

これは、同質のものをつけ加える式の「おまけ」だが、異質のものをつけたす式もある。キャラメルの箱の中に超小型おもちゃが入っているとか、懐中電灯を買うと「うちわ」の景品がつくとか、靴の新調にハンカチを添えてくれるなどだ。もちろん日本での話しである。雑誌の付録だって一種のおまけであろう。近ごろの雑誌は、本誌よりも付録のほうが豪華なのが多いので付録ほしさにその雑誌を買うことさえある。小中学生向けの学習雑誌には、プラスチック製の実験道具を付録として添えてあるので、あまり大きすぎて本誌にはさみ込めず、本誌ともども、ひもでしばってあるほどだ。

おまけには、値段を割引く式もある。一割引きとか二割引きなど、お客は買得のつもりで、うっかり不急不要のものまで買い込んでしまう。

「おまけ」には、不思議な魅力があるのは確かである。しかし、どんな種類のおまけであっても、それは付帯的であって主体的ではないはずなのに、いつの間にか付帯性が主体性を拡散させてしまうところに問題がある。これは、手段が目標にすり変わるのに似ている。

私は先日、レコードを買ったらラーメン食券をくれたので、また買う気になってしまった。何ともはやである。

（北海道・三輪）

農産物貿易を研究
小田原農改ク

【神奈川県＝鈴木時保連絡報道員発】小田原農業改良クラブでは、このほど、県立小田原農業青年館で農産物貿易問題の勉強会を開いた。

同クラブのメンバーは、みかんを経営の主体としている者が大部分であるが、柑橘類は、来年からのグレープフルーツの貿易自由化などが、さし迫った問題となっている。そこで、今年度の活動方針としても「対外活動を活発に行ない、時代に即応した頭脳と農業技術を身につける」という観点から、積極的にこの問題を取り上げることにした。

今回は初歩的段階として、農産物貿易の変遷、貿易するための手続き方法など、とくにクラブ員に関係の深い柑橘類を対象に、その加工品を中心として話してもらった。

とくに、工業品など輸出の伸びから農産物受け入れについては考慮すべきものがあり、早急に手を打つ必要がある。しかし、商社などの取り扱い方など問題点が多く、また、各産業間の関連を考えると難しい問題もあるので、みんな今後さらに研究することにしたが、経営面の合理化や規模などの点で大いに勉強になった。

この勉強会には三十余名のクラブ員が集まり、農林統計など沢山の資料、数字と首っぴきで夜十一時まで続けるという熱心さであった。

心頭技健

このところ、東京の主要駅で人々の長い行列をよくみかける。ふだんでも土曜日の午後など、新宿や上野などターミナル駅では、リック姿の若いハイカーが長蛇の列をつくるが、いまの行列はそれと違う。ハンドバックを手にしたOL、ワイシャツ姿のサラリーマンなどの行列だ。これが、万国博見学に行くための切符を買う人の列だというからやや驚きである▼はじめは、月変わりで定期券を買う人たちかと思っていたが、いざ自分が定期切れで並んでみると、その列ではないことにやっと気がつく。早朝など、階段を上ると、学生らしい人たちの行列が横帯をなしていて途迷うことさえある。そして、その列の先端が緑の窓口に続いているのを見分けることができるのはしばらくしてからである▼万国博の入場者は早くも四千万人を越えたが、小、中学校が夏休み入りしてからさらにふえ続け、旧盆の帰省と合わせて、新幹線も、バスも、空も満員状態。ことしは、この状態が八月いっぱいは続きそうでにわか出張や急に思い立った旅行は赤信号という。日本交通公社が六月にだした今夏のレジャー予測によると「家族旅行者はのべ二億四千万人、海・山一辺倒から万国博見物へ」だったが、この予測がピタリ▼しかし、海も山も相変わらずの混みようである。海など朝の出発が遅れると、もう浜辺に場所を確保するのに一苦労。海の中に入っても、人の波。少し泳ぐとすぐに突き当たってしまうという状態だ。海水も、大腸菌騒ぎできれいになったかと思うと、木片や紙、ビニールなどが浮き沈みしてやはり汚れている。このため、余り泳ぎもせず海浜で甲ら干しをして早目に引上げる人が多い▼静岡県の北駿4Hクラブ主催の全国4Hクラブ員富士登山の集いも、三日から五日にかけて行なわれており、いまや夏のバカンスはたけなわといったところ。しかし、全国4Hクラブ員が十一月に計画している沖縄への親善交歓訪問のための切符も早く予約しないと飛行機の席がなくなるといわれていることを思うと、年中、みんながどこかへ出かけているような気がする。自分だけがバスに乗り遅れているような焦燥感さえ覚えるのだが……。

レク リエーション に強くなる法

クラブ活動12ヵ月 新しいクラブ員を中心に

〈21〉

栃木県・普及教育課　湯浅甲子

日常と異なる生活
キャンプは自然へかえって

3、キャンプ

盛大になったものだ。全く猫も杓子もキャンプ、キャンプでひと夏暮らすといった調子である。もう一般化し、常識化したキャンプだから、紙面を大きくさく必要もあるまいが、青少年キャンプ、とくに4Hキャンプの特色を、私の体験をもとに[illegible]くことにしよう。

キャンプに、何故、いくのだろうか。むずかしい理屈はともかく、要するに、たのしい経験が魅力である。たのしいということの中には、日常、家庭や職場でやっている経験とは、全く流れの異なる生活の中へ自分を投入して、新鮮な行動をとってみたいということかもしれない。

山や海浜の涼を求める気持もモトをただせば新鮮さが欲しいということではあるまいか。それだけに、私のキャンプ観には日常生活と同じような便利さや、都市的なさわめきを、キャンプ場に持ちこむのは、本筋ではないと考えている。むしろ自然にかえって、自然の仲間入りをし、それに調和した生活の中で、忘れがちになる人間のよろこび、人間らしさを味わう時だと思うのである。

文化住宅が、そのまま、そっくり引っこしてきたようなキャンプ生活、いたれりつくせりのキャンプ道具立てにうずもれていては、キャンプの味わいなどわかるはずがない。若者の中には、エレキバンドそこのけの楽器を持ちこみ、ボリュームを一杯にあげて、ガンガンやっている人達もいる。ひどいのになると、自分達のキャンプ生活は全くおかまいなしで、他人のキャンプ生活に興味をもち、プライバシー侵害のような不良キャンパーも、少なしとしない。いくら、たのしみ方は、ひとそれぞれ違うとはいっても、これでは、キャンプとはいえないのではないだろうか。

さて、慰楽キャンプ、教育キャンプ、ファミリーキャンプ、小集団キャンプ、大集団キャンプと、その性格分けはいくらでもできるが、私の数多い4Hキャンプの経験の中から、印象的なものをいくつかご紹介しておこう。4Hクラブだから、形式は大集団の教育キャンプである。大体一千人ぐらいを対象とし、「たのしさ」と「ためになる」という、4Hの二大要素をもった大キャンプである。

私の一番気をつかうところは、キャンプが始まるときと、キャンプファイヤーである。キャンプ開会は、開会式ということだが、この時は、入場行進とスローガン斉唱がヤマである。儀式だから形式化しているが、私の願いは別にある。

▲キャンプファイヤー

「俺達の仲間は、こんなにいるのか、みんな大したもんじゃないか。いままで知らなかったが、こりゃあー俺達も、しっかりしなけりゃ、いけないな。俺は、おどろいたよ」こんな実感が、一千人の参加者一人ひとりにこみあげてくるのを、期待しているのである。

4Hの誓いも、いろいろなやり方をやってみた。ファイヤー点火に4Hの火を結びつけ元火は、ランナーによって、山の稜線を駆け下りさせた。点火は、この四つの火で点火するのである。このやり方は、もう十三年も続いているが、前段の儀式の中では、省略できないヤマ場である。

ヤマ場といえば、ファイヤーには三つのヤマがある。一つは前段の点火の儀式、一つは、歌、ゲーム、スタンツなど、中間のレクリエーション、そしてもう一つは、最終の儀式である。前段は荘厳に、中間はうんとおもしろくもりあげ、後段は静かに印象的にしめくくるのが定石である。ここでこの三つのヤマで特に留意すべきことを列記しておこう。

前段の儀式では、❶キメ手になるのは、マキの燃え方と燃やし方である❷マキ組みは、その準備に約六～七時間はかかる❸火持ち時間、参加人数及びマキの材質によって、その大きさがきまる❹一千人ともなれば、少なくともマクラギ材でも四十本以上、二十段以上の組み上げが必要だろう❺点火儀式は、何といってもスムースに進行しないといけない。

中間のレクリエーションでは❶参加者の出しものの吟味が必要、すきなものをやればいいのではなく、参加者全員が、たのしいものにするための操作がいるのである❷出しものの数は五つぐらいが最適❸組み合わせを工夫して、同じものが続かないようにする❹対抗ゲームを組み入れる❺照明とマイク装置に気をくばり、出しものの内容がよくわかるようにする。

最後の儀式は、❶静かに、深く思いを刻みこむように演出する❷ファイヤーの残り火をわかちあって、仲間意識をもたせる❸感涙をさそうようなシーンづくりを考える。闇夜とタイマツの火とを静かな音楽を生かして印象的な退場シーンをつくる。

8月

農業を担うもの

—下—

注目さる集団栽培
生産の競争的役割を果す

東京大学教授　金沢夏樹

層としての形成を考えるときに「能力」もまた単なる抽象ではなく、具体化され、客観化されて取扱われなければならない。他の諸階層よりも、経済的に上位であるという以上に、他への影響力の保持者であるといった性格をもつリーダー層の形成を考えるに、この「能力」という問題を、どのように投入したらいいか。

「能力」をどう投入するかー

この問題を論ずるためには、おそらくは、社会心理側面の成果や集団社会の分析の成果なども、ともに加えられる必要があろう。しかし、そうした分析をこれから進めてゆくために、いちばんいい一つの事実例は、集団栽培ではないかと思う。集団栽培が、現行制度の枠のなかにしばられてできたものであるために、多くの批判はあるけれども、私には、自発性をもって生まれたものであるだけに、今後の農業を考えるにあたって、ひきのばすべき多くの糸口を教えてくれると考えている。

集団栽培は、私の見方によると、たしかに新技術の導入、特に稲作技術をめぐって、階層の差を開けた。しかし、この階層の差は、従来の意味での階層差という、規模その他の装備上の差に直接つながるものではもとよりないが、少なくとも、ここにいうリーダー層とフォローワー層との関係に似た芽を生ずる論理が働いているのではないか。

集団内部に機能分化の傾向

それは、たとえば、集団栽培に対する不満が指導的農家層から多く出ており、その内容が自分たちの負担が多すぎるとか、それに対する報酬も考えられていないとかの類いであることが、よくこの事情を示しているのではないか。つまり、集団栽培を通して、少しずつ導入されてくる新技術に—よしそれが、小農技術の範疇のものであれ—対応して、集団内部に機能の分化が生じている何よりの証拠ではないか。

なるほど、目にみえた動きとして、形のうえからの把握は、まだむずかしいけれども、こうしたリーダー的農家に、知識、技術面で頼らざるを得ないと感得するような崩しが、多くの一般農家にあるのではないか。そして、リーダー層は、このようにして生まれつつあるのではないか。そして、リーダー層を支えているものは、小農技術といえども、育種施肥、薬散方引などに対する、従前とは較べものにならない深い知識と技能、そしてそれを土台とする意欲なのではないか。

集団栽培自体、その臨機応変の対策であるだけに、解消することも、ある段階にくれば当然のことである。しかし集団栽培の評価は、その存続の長いゆえに評価されるべきではなくて、解消しても、その後に、どのような形が残るかという点こそ、評価のポイントであるべきである。リーダー層、フォローワー層という形成の芽が、解消前よりも一段と強めることができるかどうか、こうした点で、私は集団栽培に深い興味を感じている。

隣家の経営に無関心強まる

しかし、そうはいってみても、現在の農業化の進行はまことに著しく、生活の程度は高くなり、かつ安定性も増大したことは認めねばなるまい。その限りでは、農家としての所得の向上はあったわけだが、農業所得は停滞している。それゆえに、農家は個人的になり他に関心を持たぬ傾向をもちはじめてきた。

もとより、生活の面において、個人生活を守ろうという考えは、それ自体近代化であるけれども、現在では、隣りの農業経営にも無関心な農家が、次第にふえているのではないかと思う。兼業収入による生活の安定化のゆえに、生活の個人主義が、生産の面までの無関心をつくり、農業を停滞させているのである。

それでは、リーダーも何もない。農民すべてこれフォローワーである。企業的な農業をつくるには、農村のなかに生産の競争の場をつくる他はない。そして現在、いま述べた集団栽培は、実は機能を自然に分化させている。競争的役割を果していることを知るべきである。

（全国農村青少年育成研究会発行『農村青少年教育』第六号より）

羊肉360キロぺろり
八ヶ岳にキャンプ村
経伝大会

1日目

午後一時から受付け開始。開会式は農場中央グランドで行なわれた。目前に八ヶ岳連峰を仰ぎ、各県別に整列のあと、岩手県浄法寺伝習農場九十八名を先頭にプラカード、県旗、場旗をかかげて入場行進、最後に農林省農業者大学校の生徒が入場した。約八百名の参加者がつぎつぎと入場する姿は、若さがみなぎっていた。

西田大会副会長（岩手・浄法寺場長）の開会宣言につづいて、国旗掲揚、国歌斉唱、ついで藤本大会会長（神奈川・農業経営研修農場長）、農林大臣代理・宮崎政務次官、斎藤全国農村青少年教育振興会理事、下元経伝全国同窓会全国連盟委員長らから参加者に激励のことばがおくべられた。

全国農協中央会長代理の来賓祝辞のあと祝電披露、つづいて研修生代表参加のことばとして、岩手・浄法寺農場の佐藤京子さんが決意を述べた。ついで大会のスローガン「若い力を結集し、励げもう新しい農業の建設に」を元気よく斉唱し、開会式を終了した。

期間中、全員がテント生活を通じて共同生活を体得することになっており、参加者は各県の混成で、編笠村、権現岳村、赤岳村、西岳村、横岳村、硫黄岳村、阿弥陀村、峰ノ松村などの八村、一七班、二十九組に編成され、それぞれの村長には県の引卒者があてられた。

キャンプ村は、農場中央から約千㍍離れた放牧場で、各村長の指示によって手際よく、色とりどりのテントが設営され、緑の放牧場は見事なキャンプ場に一変した。

この大会には裏方として、自衛隊員四十名が、テントの設営（女子村）、食事の準備などの任にあたり、隊員の炊きだしで参加者は各村ごとに楽しい夕食を終えた。

2日目

高原の朝は早い。五時半起床、洗面をすませ、朝露にぬれた若草を踏んで朝のつどいの会場に集合、高橋賢一明治学院大学教授の指導で、元気よく掛け声をかけてデンマーク体操を行なう。

この後全員で、食前作業を行なった。各引卒者の先生の指示を受けたあと、レタスや人参の除草、さやえんどうの収穫など、何百人もの若ものが一斉に並んで作業を行なう姿はまさに壮観。見事な雑草畑も一瞬にして美しいレタス畑や人参畑に変っていく。

朝の作業で汗を流し、程い空腹を覚える頃朝食がはじまる。各村の食事係が運んできた朝食を盛り分ける。若ものたちの食欲は旺盛で、たちまち大きな飯盒は空になってしまう。

休憩のあと再び集合して、一日の日程の説明があった後、意見発表と交換討議を行なった。意見発表は、「私の抱負」と題して中卒と高卒の部に分かれて行なわれ、それぞれの立場から将来の農業経営や農家生活についての抱負を発表した。とくに発表者の意見や態度からうかがえたことは、好きだから農業への道を選んだという青年が多く、現実の問題をふまえた上で農業への希望を述べた。発表の後、参加者から質問が矢つぎばやに出され、熱心な意見交換に、司会者は制限時間を気にしている分科会もあった。

交換討議は、農場中央にある松林の木陰を選んで円陣になって行なわれた。とくに十七分科会の人たちは、農業の倫理的な問題にまで話し合いは深まり、昔はものをいわない農民が一般的であったが、今は農業と農民の位置づけをし、社会に訴えなければならない。そのためには、農業の基盤と経済的な位置を確立すると同時に、ただもうけるための農業を行なうのではなく、農業の使命感にもえ、農業の倫理的な思想を確立しなければならないと話し合っていた。

午後は昼食の後、再び広場に集合し、日程についての注意事項が伝えられた後、午前中のプログラムと同様、参加者は交替して、意見発表、交換討議を行なった。

夕べのつどいが行なわれて全員が集合、夜の懇親会（ジンギスカン料理）にそなえて諸注意や説明があって全員キャンプ場へ移動、すでにテント村の周辺には、木炭が炊かれて即席のコンロが設けられていた。村長の指示によって四、五人づつがコンロを囲み車座をつくる。

肉や野菜の人参、玉ネギが具合よく焼け、手ばやに口に運びながら交歓する姿は、真にすさまじい光景である。事務局の話しによると、このジンギスカン料理のために食したマトンは、一人当り四百㌘、総量三百六十㌔、このために中央農場の百頭の緬羊がいなくなったとのことである。若ものの胃袋の許容量が計り知れる。ここから若ものの活力が生れるのにちがいない。

懇親会のジンギスカンパーティーが終りを告げる頃、高橋先生の指導でキャンプファイヤーの予行演習が行なわれた。NHKTVの録画が行なわれ、ライトが、唄う若ものの顔を写し出した。

炎天下にくりひろげられた女子バレーボール

体育競技に熱戦
回転レシーブも バレーボール

3日目

起床、朝のつどい、食前作業、朝食と朝の行事は、好天に恵まれて快調に進められた。

今日の行事は、昼食をはさんで体育競技。日ごろ、鍛えた技を各県の名誉と期待に応えて競い合うまちにまった日でもある。全員が広場に集合して注意事項をつけた後、ソフトボール（中卒男子九チーム、高卒男子四チーム、女子三チーム）、バレボール（中卒男子七チーム、高卒男子三チーム、女子三チーム）、卓球（中卒男子十一チーム、高卒男子三チーム、女子三チーム）、柔道（中卒男子六チーム、高卒男子三チーム）、剣道（中卒男子六チーム）、駅伝（十九チーム）の六種目の競技別に分れてそれぞれ会場へ向った。

バレーボール女子の部では、岩手・浄法寺対栃木・塩原農学寮チームの対戦からはじめられ、強い闘志を白いユニホームにつつみ熱戦が展開された。普段は、牛を追い、トラクターを運転して研修にはげむ彼女たちとは思えないほどの身のこなしで、強力な回転レシーブなどの技をみせていた。

一方、駅伝は十九チームが参加して、五区間二十一・六㌔を競ったが、なだらかな傾斜と悪路にもめげず、若い体力と根性をふりしぼって走りつづけ、ゴールインするアンカーにさかんな拍手が送られていた。

体育競技も無事終了し、明日の登山にさきがけて、大会の閉会式と表彰式が行なわれ、各種目別の優勝チームに対して健闘をたたえる表彰状が授与された。

はじめに、田所農林省農政局普及部長、藤本大会会長、三宅全国農村青少年教育振興会常務理事のあいさつ、NHK松本放送局長、自衛隊三枝支援隊長の祝辞があり、研修生お礼のことば、万歳三唱、閉会宣言が行なわれた。

夕食後、キャンプ村にもどり、昨晩のキャンプファイヤーを再現し、赤くあつく燃える炎にも似た若ものの情熱をぶちまけた。昼間の競技の疲労も手伝って、夜のとばりがとざすころ、テントのなかでは、早くも夢をむすんでいた。

4日目

登山者組百八十六名は午前三時起床、各自に身仕度を整え、四時に農場を出発した。美濃戸口から、赤岳鉱泉、行者小屋、石室、赤岳、中岳を経て再び行者小屋にもどり美濃戸口、農場と全行程三七㌔を往き、午後三時全員疲れもみせず無事に下山した。この後、キャンプの撤収を行ない解散した。

一方、登山不参加組は、平常通りの日程に従って行事を行なったあと、八時三十分解散して、各県に帰場していった。

抱負語る中国草の根大使

日本をみつめたい

福島県・中田4Hクラブ　橋本好男

私は台湾への"草の根大使"に選抜されて以来、いろいろな機会をとらえて、台湾のことについて知ろうとしてきた。むかし、日本の領土であったため、意外に、身近なところに台湾へ行って来た人がいるのにも驚いた。こんな人の話を聞くと、いかにも後進国という感じを受けたが、現在の台湾はむかしとは違うだろう。

国際的な視野に立って日本の農業を見た場合

貿易の自由化による欧米農業の脅威とともに、低賃金、温暖で設備のいらない自然条件を持った台湾の農業が、わが国の施設園芸の地位をゆさぶる時が来るかもしれない。また、我々と共通の条件もたくさんあるだろう。これからの欧米の大農業に対してどこまで生産性を向上させ、対処して行くかということである。これらの問題に対して、台湾の青年達は何を考え、何をなそうとしているのかということにも興味がある。農業問題に限らず、社会問題や生活のことなどについても、勉強して来たいと思う。

分裂国家という特殊な環境にあって、制限された教育を受けているとも聞いている。愛国心、防衛問題など、彼等の態度から、にじみ出る何ものかがあるかもしれない。生活様式も全く違うだろう。一緒に生活してみれば、わが国のよさ、彼等の国のよさというものがわかると思う。それに、「日本を離れてみないと、日本がよくわからない」と言われる。台湾から日本を見るということも、大切なことだと思う。井の中の蛙、大海を知るチャンスである。

今は、「だろう」とか「思う」ということしかいえないが、出発を目前にした今の心境は、早く行って、自分のこの目で、人から聞いたことや、自分が想像していることを、確めたいというのが本当の心であろう。

ふと、自分の責任の重大さに胸がしめつけられる思いがするが、みんなの期待に応えられるように全力を出して頑張ってきたいと思う。日本を飛び立つ前に、私のためにいろいろとお骨折りをいただいた方々や、心から声援を送ってくれた友に感謝をしたい。

"油の使い方"学ぶ
仲間から宿題のノート

大分県・宇佐4Hクラブ　広島春枝

正式に訪中日程の通知のあったのが十日前です。実を言って、それまではのん気にしていたが、急にあわただしく準備をして、地元の駅でクラブの仲間や身内の人達に見送られて車中の人となった時いよいよ自分は台湾へ行くのだと自分自身で感じたことでした。

ホームで女子クラブ員に、「向うへ行ってからの宿題よ」と大学ノートを渡され、車中で広げてみると、私が台湾へ行ってからの質問事項がぎっしり書かれてありました。台湾での三ヵ月間は油断をしていたら、ただ単なる観光旅行に、終わってしまうかもしれません。この一冊のノートによって、訪問の成果が、私一人のためのものであってはいけないことを、より明確に自覚させられました。質問事項は、向うの農業についてはもちろんのこと、衣、食、住生活から、やはり"嫁ききん"があるかどうか、女性の地位はどうかなど女子クラブ員らしいものばかりでした。

出発までの忙しさに、心の準備というか、向うでの研究事項など頭のすみであれもこれもと思いながら、ノートする暇がなかったので、本当にクラブの仲間はありがたいと思いました。皆さん、協力して下さってありがとう。

台湾での一番大きな目的は、現在、地元の宇佐4Hクラブの生活部が、今年の四月から取り組んでいる共同プロジェクト、食生活の中の油の利用について調べることです。クラブ員の住んでいる農家、兼業、非農家百戸を対象に調査した結果、普及しているように思われる油（動物性、植物性）も、まだまだ摂取が足らないことがわかりました。

油をふんだんに使う中華料理を持つ台湾で、ぜひ共同プロジェクトの延長をするつもりです。台湾の食生活の中で、油はどんな種類のものを、どのくらい、どのようにして使用されているのか、この目で、実際に見てきたいと思います。そうすることにより、私達の今やっている共同プロジェクトと比較し検討できるのではないかと考えます。

九州ほどの広さで、日本と同じ島国台湾の青年（農村青年だけでなく）が、現在、何を考え、何をしようとしているのでしょうか。

昨年、同じ大分県より河津さんが派遣されており、その報告を聞きましたが、私は女性の立場から、台湾を見てきたいと思います。そして、別名"草の根大使"と呼ばれていますが、一人でも多くの人と友達になりたいと願っております。全国のクラブ員の皆さん、地元宇佐4Hクラブの皆さん、御協力をいただき、本当にありがとうございました。では、元気に行ってまいります。

プロジェクトの進め方《5》

プロジェクトの課題

身近なテーマを探せ 問題は過去からスタート

みなさん方はクラブに入って耳にタコができるほど、プロジェクトをやれといわれました。そういわれていながら、では、プロジェクトとは、いったい何ですかと、開き直って聞かれた場合、どのように答えられ、また、教えられますか。

新しくクラブに入ってくる人がいるでしょう。その人から、プロジェクトとは何ですかと問われた場合、どう答えますか。今、農業高校では、ホームプロジェクトをやっていますが、あれをそのまま、プロジェクトだと考えている人もいるでしょう。今、プロジェクトは広範な意味でプロジェクトと盛んに呼ばれています。そういう意味で使われている場合といろいろありますが、4Hの場合のプロジェクトは、基本的に今のような循環の中に育っていくものですから、ちょっと違うようです。

大体、指導者の人は、何か身近な問題をつかまえてやれといわれます。みなさん方も、それを受け売りしているでしょう。では、身近な問題とは、いったい何でしょうか。一つは、どういうテーマであるべきかというテーマの、どういうテーマを探すか。ところが人間には盲点がありまして、身近なものは見えない。ところが、よそのものは良く見えます。こういう欠陥があります。身近な問題こそ、仲間の人から見つけてもらった方がよいようです。

そういうことから、仲間と一軒一軒尋ねあるいて、お互いの生活の中から、テーマを探してもらいたいわけですが、その探すときの第一条件として、まず生活、あるいは経営、これがしっかり行なわれていなければいけない。どうも自分の足もとのことはわからない。身近な問題を探すということは、わが家の生活、経営はどういうものなのかを十分知る必要があります。

簿記をつけていれば、簿記を見る。作業日誌をつけていれば日誌を見る。自分の家の仕事と他人の仕事を同じ日、同じ時間の時点で比較してみる。そういうことをやって、自分の経営を知る努力をしてみる。これが第一条件であります。

ところが案外、プロジェクトを選ぼうとすると、現在から将来にかけてテーマを探そうとする。なかなかこれは見つかりません。見つかっても、現在から遊離したテーマが見つかることがあります。ですから、身近な問題というのは、過去から入るということがたいせつです。昨年はどうだったかという過去からスタートを切るということが大切です。

それから生活の中にある、慣れ、勘、コツといわれているもの、慣れてしまって疑問もわかない。勘でわかった。これがコツなんだという、そういう慣れ、勘、コツといわれているような仕事の性質、そういうものを自分の生活の中から引き出していく。五月の五日にはいつも種をまくとか、田植えをするとか、これが習慣になって慣れてしまう、これをなぜそうなのかと考えてみる。こういうこと、それが第二の問題です。

第三の問題は、一歩前進ということを考えてみます。大きく飛躍するという内容のものよりは、一コマ送るという、ささいなとでもいいたいような問題を、発見するように努めてみましょう。

第四には、よくぐちに出るような困りごとが生活の中にはたくさんあります。そういう問題をみつめてみます。

第五には、第一印象を追跡してみる。この次に新しい分野というものが加わってきます。むしろ、今、述べたことは過去からスタートを切っているものです。つまり、身近なテーマを探せということは、過去から始まれということになります。

それにしても、みなさん方のプロジェクトを見ますと、農業や農村の問題ばかりをテーマにしていますが、プロジェクトというのは、どの範囲のものをプロジェクトというのでしょうか。経済上の問題、社会上の問題、文化上の問題などいろいろの領域があります。だから、家畜や作物や農家の食生活の問題だけではないのです。テーマが分散している範囲は、非常に広いわけです。

三年ほど前に、岩手県の娘さんが、全国の発表大会で、結婚の結納の習慣を明治、大正、昭和と調査をして、これからの結婚はこうあるべきではないかというプロジェクトを発表したことがありました。これは、一つの社会的、歴史的なテーマです。

また、京都のある女性は、京都は漬物のおいしいところだが、どうしてなのかということを探った。これは、おいしい漬物を作るということではなくて、漬物の京都という地域のもつ意義を探ろうとした。これは、学界の論文にでもなりそうなテーマです。

私が栃木県の小山普及所の所長をしているときですが、郷土芸能の問題をテーマにしたことがありました。三百年ほどの歴史をもっている神社の神楽舞いが、後継者がなくなって跡絶えるというとき、4Hクラブで故事来歴を調査して文献として残そうということになり、踊り方を練習しようということになって、この問題をテーマにしたことがあります。

そういう文化的なテーマを取り上げて、ただ踊り方を練習するだけでなくて、故事来歴を探っていって、その部落の生活習慣というものから、その神楽がどうして、できてきたかということが調べられたわけです。

そういうふうに、プロジェクトの範囲はたいへん広いんだ。生産や食生活のものだけではないということを頭に置かなければなりません。そういうものの中から、身近な問題を拾い出すということが必要です。

あくまでもプロジェクトの中心となるものは、自分たちの生活なのですから、それから離れた関係のないものを取り上げるということは、これは、社会活動としては価値がありますが、4Hのプロジェクトとしては、これはいきすぎですが。みなさん方も、クラブ活動の4Hらしさがなくなっては困りますが、4Hの本質的な問題解決活動の姿の中から考えてみたら、テーマは、何でもよいということになるでしょう。

ただ、政治問題だけは、これは、大事なことではありますが、4H活動の中では扱わないということになっています。これは別の集団の中で検討していただきたいものです。

（栃木県・専門技術員、湯浅甲子氏の講義から）

くん炭育苗による 胡瓜のトンネル栽培

埼玉県入間郡大井町大井 大井4Hクラブ　鈴木 博

苗の徒長に注意を 移植床の底面を水平に

昨年度のキュウリの育苗は、従来通り床土を利用した、栽培方法で行ないましたが、はじめての栽培のため、育苗技術、床土作りの方法などが、非常に難かしく、あまりかんばしくない成績で終りました。

そのため、いろいろの人の意見を聞き、また、参考書などをひもといて育苗管理が簡単にでき、比較的初心者にも容易に取り入れられるというくん炭による育苗方法実施してみました。

くん炭作りを工夫

栽培実施にあたって、まず、一月十七～十八日にくん炭づくりを行ないました。これは、風のない日を選び、一度に大きな山をつくりたくさんの生モミを焼こうとすると、夕方までに焼ききれない場合もありますので、私は少しずつ幾山もつくって焼きました。焼く途中において、焼けた部分と焼けていない部分とを混合し、全体的によく焼けてきたところをみはからって水をかけて消火します。

私の場合、はじめはこのくん炭のつくり方がわからず、ずい分苦労しました。そしていろいろ人に聞いたり研究した結果、まず、面で薪などを最初もやし、よくもえてきてから、ネマヒュームのあきかんを利用し、その周りに穴をあけて薪の上にのせます。そのかんの上や周りに生モミを積み上げて焼くという方法で行ないました。

こうしますと中心から、だんだん焼けてきますので、前に述べた通り、ほどよい頃を見計らって、途中一度、焼けていない部分と、焼けた部分を混ぜ合わせます。

次に三月九日に播種しましたが、品種は「さつきみどり」を選びました。播種方法は、あらかじめ作っておいたくん炭を培養液に十分浸してから箱まきにしました。

断熱層に生モミを

施肥は三月十日、あらかじめ定植一カ月前をみはからって、推肥鶏ふん、溶成燐肥などを圃場に施してから耕運をくりかえしました。また、その後の追肥としては、七～十日に一度、高度化成を用いて行ないました。

発芽後十一日目の三月二十日に移植を行ない、本葉一枚目が出はじめた頃でした。次に、この幼苗を育てる移植床の作り方ですが、まず、培養液を一五～二〇糎くらいためて育苗しますので、床の底を水平に作らなくてはなりません。底がでこぼこでは、培養液が平均になりませんので、苗がどうしても不揃いになります。

そのため、この底を水平につくるのに苦労しましたが、いろいろ研究した結果、まず、十糎～十五糎くらい穴を掘ってから地面の中心に水糸を張り、水平器を利用してやってみましたが、あまり上出来ではなく、そこで断熱層にワラを使わないで、生モミを使って幾分でこぼこを少なくしました。

定植は地温15度で

苗の定植は四月十日、地温が摂氏十五度くらいに確保できるようになりましたので圃場に定植しました。圃場の畦幅七五糎、株間四五糎の二条植えとし、十アール当り二千百本を植えつけました。その後生育も順調で五月十日に支柱立てを行ないました。支柱立ての方法は、十分な採光が得られ病害の発生の少ない直立支柱立て方法を採用しました。

次に摘芯、摘葉ですが、主枝は三〇～三五節で摘芯し、側枝は最下節から二枚のこしてあとは除却しました。

また薬剤散布につきましては、さつきみどりという品種は、非常に病気につよく、初期においては一週間～十日に一度、ダイセンで防除を行なうぐらいでしたが、六月下旬の大風によって、かなりキュウリの葉が風にいためられましたので、病害の発生を防ぐため、一週間くらい通して毎日消毒しました。この薬剤はマンネブダイセン、トライアジン、ダイセンが主で、また、キュウリの曲り果防止のためサンピラを使用しました。

苗の接木で省力を

この栽培方法により、非常によい結果が得られましたが、三月の大雪によるハウスの倒壊により、トンネ栽培のキュウリは近年になく価格が高く、また、六月下旬の大風、七月に入ってからの雨による収量の低下などにより、近年になく高い値段が維持されたのが幸運でした。

はじめてのくん炭育苗を採用しましたが、省力化された育苗方法で管理も簡単でしたが、くん炭を非常に多く必要とするため、今後は接木による二本支立て栽培を行ない、苗の省力化を図りたいと思います。また、この育苗方法は、苗が徒長し、軟弱になりやすいため、今後は、この育苗方法を改善して、播種床くん炭、移植床くん炭に分け、くん炭四に床土六の割合でやってみたいと思います。

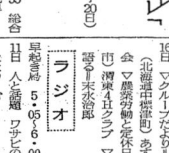

見事に成育し、定植を待つキュウリ

私のプロジェクト

NHK農事番組（8月11日～20日）

テレビ

明るい農村　月～土　6・30～6・55　総合
- 11日 ▽夏期特集＝減反説得
- 12日 ▽同…群蜂移動
- 13日 ▽同＝乳牛大移動
- 13日 ▽同＝養蚕村復活
- 15日 ▽同＝出かせぎ慰問バス
- 17日 村の記録　青年 養鶏 社長（千葉県上総町）梅原広保
- 18日 きょうの話題　どうする食管制度（農林省次官）桧垣徳太郎
- 19日 産物往来　うなぎ（浜松市）
- 20日 話題の広場　脚光をあびるサマースカッシュ（千葉県八街町）片岡博

農業教室　月～土　7・30～8・00　教育
- 11～15日 新時代の経営をめざす
- 17～19日 農地問題を考える
- 20日 契約生産

あすの村づくり　日　7・00～8・00　教育
- 16日 ▽グループだより＝老年を楽しく（北海道中標津町）あすを築く会 ▽農業労働と定休日（徳島市）潤東4Hクラブ ▽先輩と語る＝末永治郎

ラジオ

早起き鳥　5・05～6・00　①
- 11日 人と話題　ワサビの墨入れとりくむ
- 12日 通信員の手帳から
- 13日 人と話題　出かせぎ相談員
- 14日 現地報告　みかんの請負耕作（愛媛県）
- 15日 村のポスト
- 16日 野菜の流通改善
- 17日 現地報告　いもづくりから養蚕へ（長崎県福江市）
- 18日 人と話題　観農二毛作（長野県佐久市内山杉正浦）
- 19日 通信員の手帳から
- 20日 全国農村青少年技術交換大会から（大阪府）

ラジオ農業学校　月～土　6・40～7・00　②
- 16日 ▽優良農家に学ぶ

農業簿記

京都大学名誉教授　大槻正男

＜拡張計算＞

農業経営計算諸表

企業経済経営としての農業経営計算表

わが国における現実の農業経営は、ほとんどすべてが農家経済経営である関係から、単に農業経営・農業経営費・農業純収益などという場合には、農家経済経営としての農業経営・農業経営費・農業純収益と解するのが適当であろう。

しかし、ある特殊の目的、例えば、商工業経営と農業経営との収益力を比較研究してみる目的などのために、今日の資本主義経済の基本的経営形態である企業経済経営に農業経営を換算してみる必要がおこる場合がある。このような目的のために、企業経済経営に換算された農業経営が、とりも直さず『企業経済経営としての農業経営』であるのである。

企業経済経営は、経営体としての組織要素の中に労働力をもたないで、いわゆる賃労働をもって営まれる経営である。したがって、企業経済経営費の中には、家族労働をも雇用労働と全く同様に評価して計上する。だから、算出される農企業経済経営純収益は、農業資産――すなわち自作地および農業資本――に対する純報酬である。この企業経済経営純収益は、経営の立場から離れて、企業経済の立場からいう場合に企業経済利潤または資本利潤といわれる。

農業粗収益

農企業経済経営費算出

農企業経済経営費＝農業経営費＋家族農業労賃見積り額

農企業経済経営純収益算出

農企業経済経営純収益＝農業粗収益－農企業経済経営費

耕地純収益算出表

『耕地純収益』とは、経営者の経営要素に対する所有関係を全く離れて考えたところの耕作総耕地――借入小作地を含むが、他方、貸付地を含まず――の純収益を意味するのであって、耕地以外のいっさいの生産要素泉源体の用役は、これを評価して経営費の中に計上するとともに、他方において、借入地用役価額小作料は経営費に含ませないのである。

くわしくいえば、家族労働に対しては家族労賃見積り額を、耕地以外の宅地・山林および原野などの農用地に対しては地代見積り額を、資本に対しては利子見積り額を見積って『農業経営費』に加算し、他方には、借入小作地用役価額を見積って農業経営から差し引いて耕地経営費を算出する。したがって、粗収益から、この耕地経営費を差し引いて算出される耕地純収益は、耕作総耕作地に対する報酬、つまり耕作総耕地純収益を表わすのである。

耕地純収益＝農業粗収益－耕地経営費

農業粗収益

耕地経営費算出

耕地経営費＝農業経営費＋家族農業労賃見積り額＋耕地以外の農用地地代見積り税額＋自作農用地以外の農業資産に対する資本利子見積り額－貸入耕地地主手取り地代分

ところで、借入耕地地主手取り地代分＝借入耕地小作料－同上負担固定資産税見積り額

だから、耕地経営費＝農業経営費＋家族農業労賃見積り額＋耕地以外の農用地地代見積り額＋自作農用地以外の農業資産に対する資本利子見積り額（借入耕地小作料－同上負担固定資産税見積り額）

佐賀農業の物語＜上＞

すぐれた土木事業の歴史

―― 全国農民総連盟常任委員　中村吉次郎 ――

私は各地の農業を視察するとき、できるだけの土地の風土と歴史をたずねることにしている。それはたんに、ものを多角的にみるということだけでなくそこにはなにか秘密があるような気がしてならないからである。

こんど4Hクラブの全国の大会が、私の郷里佐賀でひらかれる。佐賀といえば、例の「新佐賀段階米づくり」で有名となった。米の増産で二年連続全国一を記録し、昭和四十二年には「総理大臣賞」のほまれに輝き一昨年までは、全国から視察者がおしかけて、県や農協関係では、その応援にいそがしかった。いまでこそ、米が余って生産調整にふみきっているが、これをもたらした、全国的な米の増産運動のトップをきったのがこの佐賀県であったことも事実といえる。しかし米だけではない。ミカンにしても、後進県であったが、いつの間にか九州一、全国で四番目の生産にのしあがった。

そこでこの佐賀農業について過去の歴史を二、三ひろいあげて、せっかく、佐賀に足をふみ入れて、農業をみようとする人たちの参考に供したいと思う。

成富兵庫の功績

佐賀市から北山にむかい、川上の手前左手（大和町）に、石井樋（いしいび）というちょっと知られた名所がある。そこは多布施川と嘉瀬川との分岐点になっており、いわゆる象の鼻、天狗の鼻と呼ばれる、実に巧妙な土木がなされている。その天狗の鼻に成富兵庫助茂安の頌徳碑が高くそびえている。もちろんこの工事は成富兵庫の代表的なものである。

その昔、大坂城が落城（一六一五年）して、天下がおさまると、各藩はきそって農業開発に努力したが、兵庫は佐賀藩領内の水害地や干害地をすくい、山野海辺に新地を開拓することに努力し、その功績をあげた。佐賀県の農民で成富兵庫の名を知らぬ者はないほど、後世の今日まで恩恵に残っている。

いまは佐賀市に合併したが、兵庫村もあったし、筑後川をへだてて、久留米市との対岸になっている三養基郡の北茂安村、南茂安村は、彼が十二年の年月をかけて、筑後川の洪水を防ぐための千栗土居（ちりくどい）を築いたところであり、ここに茂安神社としてまつられている。

中村吉次郎氏略歴

中村吉次郎氏は、現在、全国農民総連盟常任委員。本文中にもみえるように、明治四十一年佐賀県に生まれ、佐賀農卒、拓大中退。戦前は消費組合、産組、漁協運動に従事、戦後は全国農村青年連盟幹事長、中央農業会議事務局長、全国農民総連盟書記長、全国農協役職員連盟参与などを歴任、三十年来、一貫して農民運動に専念してきた。また、このかたわら、民俗学にも造詣が深く、著書に『先覚者宮崎安貞』『魚食と日本人』『朝鮮農村記』『南米の日系農協』『農民の感覚と行動』『むらの四季と祭り』など多数ある。

あしたの青春＜35＞

一ノ瀬綾　え 多賀愛子

出発（八）

数日が去った午後である。事務室の机で、伝票の整理をしていたすみ江は、突然課長から大声で呼びつけられた。急いでデスクへ行ってみると、課長があわただしい仕草で、電話をすみ江に差し向けた。

「お宅からだ。お父さんが急病で倒れたそうだよ。すぐ帰り給え」

夢中で握った受話器の奥に、すっかり取り乱したふく代の声がした。

「新一がいなくなっただよ……父さんが倒れて……早く帰っておくれ、早く」

「いないって？、倒れたって？……どうしたのよ、工合はどうなのよ」

咬みつくようなすみ江の問いにも、ふく代はオロオロするばかり、あれこれ言っているひまがなかった。早退の手続きをしながら、すみ江は自分の頭が宙に浮いているような錯覚をおこした。

新一は家を捨てた……父は脳溢血では……そう思った時、すみ江は危うくその場に崩折れそうになった。まちがいであってくれと、祈りにも似た気持の反面には、いつかこんな日がかならずやってくるような、予感めいたものが自分のどこかにひそんでいたのを、すみ江は思い出していた。悲しみとも、怒りとも区別のつかない激しい感情にゆすられて、身仕度をする膝がガクガクとふるえていた。「どうしたの、しっかりして」

同僚達のはげましの言葉で、すみ江ははじめて自分の置かれている立場に気がついた。今、両親が頼りにしているのは、この自分だけなのだ……どんな成行きであれ、新一が再び家にもどってくる迄は、自分が父と母の支えなのだ、そう思うことで、すみ江はようやく立ち直った。

帰り仕度もそこそこに、事務室を出ると、廊下の角でばったり、栄吉と顔を合わせた。公園で別れて以来、どちらからともなく口をきかなくなっていた二人であった。避ける間もなかったので、すみ江は黙って頭をさげた

「早退するの、どうした、顔が青いぜ……工合でも悪いのかい」

それでも声をかけてきた栄吉の表情には、本気で心配している優しいかげりがあった。

「わたし、会社をやめるかもしれない」

咄嗟に言ってから、すみ江は、本当にこの職場を去らねばならない日を思った。栄吉ともきれいに別れられるいい折ではないかと、自分をはげました。

「いろいろあったけれど、これでお別れね……たのしかったわ、さよなら」

「ほう、結婚でもするのかい」

白けた頬をゆがめて、栄吉が言ったがすみ江は無言で背を向けた。どう思おうと勝手であった。なんの未練もない、さっぱりとした気分の中ですでに栄吉は、すみえにとって遠い存在であった。

汗のふき出る暑さも忘れて、家へ帰ってみると、久治は頭にぬれ手拭を乗せられ、奥座敷で横になっていた。ふく代はすみ江を見るなり、新一の部屋へ連れこんだ。

「いつの間に用意していたものかな、この通りきれいに片づけて、机の上に、この手紙だけが残されていただに……あの不孝者奴！」

ふく代は汗と涙で顔をくしゃくしゃにして、息子の部屋に坐りこんだ。久治はすみ江が心配したような脳溢血ではなかった。一時的なショックで寝込んだだけであったが、それだけは救いであった。すみ江がのぞくと、久治は寝ざめた顔で目をつぶっていた。

「手紙を読んでみろ。いくら呼んでも、さわいでも、あれは当分帰ってはこねえ。俺はあきらめたぞ」

葉隠の里を訪ねて (8)

‖諫言の心得‖

若い某氏の意見はもっともなことで、よくいった、さすがだと思う人も多かった。また、思うことをあれだけいったのだから、本人は切腹させられても、さぞ本望だろうと思うくらいであった。

だが、よく考えてほしい。実は、何の役にも立たないのである。このような者を立派な勇だと思うのはもっての外である。一体に、ふさわしい地位にない者が諫言をすることは、結果において不忠となるものである。もし真に忠義の志があれば、自分の考えを、それにふさわしい人にひそかにもちかけ、その人の意見として述べてもらえば、実を結ぶ率が多くなる。

もし、内談の際、相手が受入れてくれないなら、他人に相談するとか、要は実が結びさえすればよいので、それをくりかえし努力すれば、大抵目的を達する。自分の忠節心など、人に知られる必要はない。それを、自分の手柄にしようとするから、何の利益にもならないばかりか、人から非難され、身をしくじる例が多い。

評　効果的にするためには、発言権の強い上司に平素から、うまくコネをつけておけといっている。今日の企業で、若い者が意見を具申するときの参考となろう。

マージャン、ゴルフのおつき合い、これは自分の利欲のためではなく、ひいては諫言を効果的にして、社会のためになるという口実はいかが。

‖人材を得る法‖

直茂が「国を治めるにはすぐれた人材を得ることが大切だ」といわれた。勝茂が「ではどうすれば、よい人材が得られるのですか」と問いかけると、直茂は「何ごとによらず、それを愛する人のところに、人でも物でも集まるものです。たとえば、花に趣味をもてば、その人の家にいままで花が一本もなくても、いつのまにか花が集まり、中には、世にも珍しい花さえ出てくるものです。

人材を得るのもこれと同じことで、ただひたすらすぐれた人材を尊重し敬愛することです。そうすれば、自然優秀な人材を得ることができます。しかし、何ごとによらず、ただ形だけ愛するのではなく、すべて誠から出たものでないと、人はついてきません」と答えました。

評　これは他所から人材を得るばかりでなく、自分の部下の働きぶりを正しく評価して、その才能を伸して、人材を育てていく意味も含まれているようである。

現在、職場で上に立つ人が、「いま俺の職場で役に立つ奴は一人もいない」などというようでは、立派な部下がその下に育つわけがない。これでは、せっかく伸びようとする芽を摘みとるようなものである。

人づくりが叫ばれる昨今、本当の愛がいまこそ必要なときなのに、それよりも胸、背板、地盤などを可愛がる代議士連が多いことはなげかわしい。

青春と仲間

心のむすびあいのために 孤児院訪問など

山口県・大内青年学級　澄田敏子

1、私たちのクラブ活動の概況

クラブ結成の動機　昭和三十年ころは、公民館行事の一環として集まりがもたれていたが、農村問題を中心とした話題が取り上げはじめられ、三十五年に四～五人のリーダーの盛上がりから結成。

結成年月日　三十五年四月一日

会員数　男子八名、女子八名、二十歳以下十四名、二十六歳以上二名。

主な活動　プロジェクトとしては、水稲、畜産、花キ、蔬菜、生活。行事としては、交歓会、親睦旅行、レクリエーション、料理講習、孤児院訪問

2、課題と取組んだ理由

最近、特にクラブ員が減少してきました。その上、活動の目的がぼやけています。以前は、封建的な考え（親や地域）をなくそうという目的がありましたが、これからは、新しい学習活動の中で、クラブ員同士の心のつながりを求めなくてはなりません。そのため、クラブ活動をどのように続ければよいかと、考えてみました。

3、計画とその資金

クラブ活動を活発にするための行事として、❶他地区との交換会❷プロジェクト研究会❸レクリエーション❹料理講習会などを計画しています。これを実行するための予算計画は、収入二万五千円、支出二万円を計画しています。

4、本年度の実績をかえりみて

月三度の集会で話し合い、レクリエーション、プロジェクト研究会、料理講習会などを行なっています。いままでは、話し合いというと集まりが悪く、レクリエーションとなると多かったけれども、今年は、以前とくらべ話し合いに積極的になったこと、また、他地区との交歓会を行なって、いっそうクラブ員同士の連帯感が生まれたこと、また、反対に、夜のつどいのときには、女性が集まりにくかったことなどが、反省として、数えられます。

5、今後の計画について

新しいクラブ員が、よろこんで加入できるような楽しい雰囲気づくりとして、フォークダンス、旅行をかねた九重登山、少しでも社会のために役立ちたいとの考えからの孤児院訪問、他地区青年との交流を深めるための交歓会の開催など、新たに計画するのではなく、いままでの活動をさらにより着実に進めていきたいと、考えています。これは、私自身の考えでもあり、クラブ員の、望みでもあります。

6、将来の農業について

農村は水田の減反、総合農政とめまぐるしい変化に対して、私たち農村青年は、日ごろのグループ活動を通じ問題の解決に努力しておりますが、まだまだ農村は多くの問題をかかえております。農村の過疎化はいっそう深刻になってくると考えられますが、一面、農業が企業化されつつあり、通勤農業も多くなると思います。豊かな農業経営を実現させるためには、地域社会が大きく進歩しなくてはいけません。そのためのリーダーが私たちだと思います。

これからの企業的農業や、大規模経営の担い手は、古い型にはまった農業経営者ではなく、私たち若い者のグループ活動を通して得た新しい農業経営の技術と、幅の広い教養、そして実行力が必要だと思います。そのためには、私たち女性も、現在以上の知識、教養などを身につけ、いっそうの自覚をもって明るい農村の支えとなるように心掛けるとともに、農家も時代の産業人に成長する必要があると思います。

子供のプロジェクトに牛や豚などの家畜がある

農村雑感　人間こそ第一

折原俊二郎

農村の青年が新しい技術や経営を学ぶために、他の優れた農家に入り、三ヵ月とか半年、長い人は一ヵ年以上も実習を通じて学ぶ制度が、最近非常な勢いで普及している。この制度は今から十年ほど前、先進地農家留学研修という名称で始めたのがキッカケであり、今では、すっかり農村青年の中に定着してしまった。

自分の家の経営からはなれて、他の農家に入り学ぶ形は、この制度が出来る前からあった。その形は、農家の徒弟制度的なもので、非近代的なものであったといえるが、この制度は、徒弟制度の古いカラを破り、新しい感覚のもとで進められたものであり、これが今日の農村青年の考えにマッチして、急速に伸びたもので、今後、さらに拡大していくことが望ましい。

私の学校の学生も、この制度に近い形で、派遣実習という名目で、優れた農家や試験研究機関、教育指導機関に、今年の四月から五ヵ月間にわたって派遣しているが、過日、四ヵ月半くらいを経たところで、数人の学生が派遣実習の途中で集まり、種々話しあいを行なった。

この派遣実習に出る前、一年半以上学校で集合教育を行ない、新しい農業経営を行なうための基礎的な原理、原則をはじめ、広く社会、経済の問題を含めて教えてきたが、その教育を基にして派遣実習を行なっただけに、派遣された学生は、派遣実習でどんなことを学び、どんなことが問題になっているかについては、大いに関心のあるところであった。

十数人集まった学生の中で、特に関心を引いたのは、茨城県大宮町、瑞穂農場に出た者の発言であった。

「瑞穂農場は、四億の自己資金をもって、昨年から乳牛飼養をはじめたが、現在は建設途上である。経営規模が非常に大きいため、家族以外に雇人も五人くらいおるが、その中に入って実際に経営に当ってみて強く感じたことは、技術を学ぶのはいつでも出来る。学ぶならば経営方式を学ぶべきで、その方がはるかにむずかしく、しかも、それはどこでも学びうるものではないと思う。

また、乳牛飼養ということでも、まず、経営に当っている人、その人が十分意思を通じ、大きな目的に向って情熱を傾けていなければならない。乳牛飼養が駄目になるのは、牛そのものが駄目なために経営が失敗するということではなく、その経営の中で、直接管理に当っている人間が駄目な場合に、牛が駄目になり、そして経営を失敗するのだということが痛切に身にしみてわかった。この順序は極めて当り前のことのようであって、実は忘れがちになるのではないかと思う」ということであった。牛も豚も作物も、それらが第一ではない。人間が第一であるということであった。これを学び得たということで、派遣実習の目的の半分以上を達成できたと私は考えている。

（農林省・農業者大学校）

アメリカ的な授業　スライドで日本の紹介

草の根大使便り

六月十六日、カウンティー（日本の郡にあたるが、県くらいの広さ）の4Hキャンプに一泊、九歳から十二歳までの一番若い4Hメンバー約二百人が参加。その設備のよさ。この国には、各カウンティーごとにキャンプの場所があり、宿泊施設から、食事……すべてがスムーズに行なえるだけのものと、4Hのリーダー（有志の主婦）、直接に彼らを世話するカウンセラー（有志の高校生、大学生）たちがいる。

小さな彼らのプロジェクトは、馬、豚、料理、裁縫であったり、スキーであったりする。そして、彼らはキャンプで共同生活、フラッグ・クレムンング（旗上げの式）、森林保護の話を聞いたりする。私は四つのクラスにスライドを見せ日本の4Hとの違い、日本の食事、学校について、ジャマイカの留学生の助力で話した。

また、ここのリーダーカウンセラーの男子大学生が、二年前のIFYEの山本さんを知っていて、私に対しても、ゆっくり話し、種々の世話をしてもらって、世界が狭くなったような思いがした。

十七日には、オレゴン州立大学で開かれた4Hサマー・スクールに参加した。これには、州全部のジュニア・リーダー格の4Hメンバー（十四歳～十九歳）が千八百人集まり、各プロジェクト、年齢別に、午前中三クラス、午後はフリータイムで、テニス、水泳、ディスカッション、体育館でのショー……。この授業の組み方が本当にアメリカ的に思われた。

同室のフィンランドの彼女（IFYEでも留学生でもなく、ただ一年アメリカにいる）が「クラスには、Gパンで出席してはダメ、夜体育館へ行く時は、ドレス・アップすること」といった。十五、六歳でも、私よりもよほど年上に思える彼女たちは、一日に二回以上服を着かえ、同じ服を着ない。

クラスでの質問はフリーで、遠慮なく手を上げて聞く。このサマー・スクールをはじめ、キャンプなど4Hの催しのほとんどが、肩のこらない、楽しんで学べる程度の、それでも知っておかなければならない、女性ではパーティーでの料理の仕方、毛糸はどのようにしてできるか、オレゴンの自然保護のフィルムなどであり、日本の職業的な4Hの話合いとはほど遠い。

国が決める人柄

最後の二日間の夜は、要するにアメリカン・モダンダンスが、八時から十一時まで催され、ビートのきいた生の音楽の中で、ゴーゴーをはじめ、日本では見ることのないダンスが、繰り広げられた。その中で、教師達が古いタイプの社交ダンス（今日の日本と同じ）を堂々と踊っているが、いかにもアメリカ人らしく自由である。

音楽に対して、〝うるさい〟と声を高くする必要のないほど大きな大学のキャンパス。大学自身のストアーをはじめ、多くの施設。平常は一万五千人ほどの生徒が、私の町ほどもある大学の中で、生活をしているということだった。

大きな国で、大きな土地を持ち機械ですべてを行なえるこの国の農業者と、小さな土地で、女性もともに、手で仕事をすることの多いわが国とでは、おのずとその人間の考え方、人柄まで変ってくるということは、確なことなのだろう。（草の根大使、古川みどり）

お詫びと訂正　前回の「坂本重子」は、「古川みどり」の誤りです。お詫びして訂正します。

生活お知りコーナー

◆塗料の塗り方

塗る面をきれいにするには　表面のほこりや水気を除き、でこぼこは紙ヤスリで削り、節穴や割れ目などは、ご粉やとの粉を塗料でかためにねり、これで埋めておきます。

塗料の表面に皮ができたら　表面の皮を取り除き、その状態が均一になるまでかきまぜます。

刷毛に塗料を含ませるとき　刷毛に塗料を含ませ、容器の内側で軽くたたくようにします。塗料がたれない程度の量を含ませると、きれいに塗れます。

塗料を平均に塗るには　①刷毛を上下に平行に動かし、ほぼ一様に塗ります②刷毛を左右に平行に動かして一様にならします③刷毛を上下に平行に動かして、ていねいにならします。

なお、木材の場合は、最初木目にそって塗り、再び木目に直角に塗り、つぎに木目にそって塗ります。上手に塗るためには、刷毛を同じ速度で同じ方向に動かすのがコツです。刷毛は使用後、うすめ液で塗料を取除き、次ぎに石けん水できれいに洗って、乾かしておきましょう。

第一回　全国農村青少年研修センター　研修生交換大会発表より

目指す8ケタ農業　5カ年計画立て養豚を

茨城県経営伝習農場研究科　笠井きみ子

わたしの抱負

「光陰矢の如し」といいます。私が美しい自然と可愛い動物の住む茨城県の一農村に生をうけて早くも十八年の歳月が経過してしまいました。この十八年間、生活環境の中で特に感じたことは、現在の農村婦人の多くがあまりにも農業そのものに、謙虚させられているような感じを受けざるを得ませんでした。一例を申し上げますと、作物が成長し、病害虫が発生しても、その適切な診断を下せる人は数少ないのが実態です。

幼時から後とりとして

このような謙虚的な立場で、真の農業のすばらしさを見出すことができるでしょうか。真に農業のすばらしさを見出すために、そして、それを実現させるためには、私は農業という一企業の経営者になり、養豚経営の女主人として将来を生きる覚悟です。農場卒業後、その第一歩を踏み出すかたい決意のもとに、毎日過しています。

日本の農業は外国の農業に比較してあまりにも小規模経営で近代化への道が阻害されているといわれています。私の家もその例外ではありません。水田〇・六㌶と畑〇・七㌶、山林五・〇㌶と、平均以下の耕地面積しか持たない平凡な農家です。このような平凡な中に生まれながらも、幼い時から後とりとして騒がれましたが、その意味がわからなくて、よく首をかしげた記憶があります。

小学生のころ、友から「後とりは男の子がなるんだよ」といわれ、男の子のすることをなぜ私がせねばならないのかと、家の人に対する反発感でいっぱいでした。そして、担任の先生から将来の夢を問われ、私はそのとき忘れもしない、「お嫁さんです」と答えて、クラスの友に大笑いされてしまいました。しかし、私のものの考え方は、この「お嫁さん」ということばによって、一日一日めばえはじめたといっても、過言ではないと思っております。

お嫁さんということば

高校二年のある日、ふと、その「お嫁さん」ということばを思い出し、それについていろいろと考えました。そのころ、「お嫁さん」は、ただ自分の母を想いうかべて口にしたことばにすぎなかったのです。自分が長女でなく、家をはなれる立場であるなら、ある程度経営形態のできあがったところへ、嫁いでゆけます。しかし、自分はちがう、そう考えはじめたのです。

私はこれから、家の経営形態を自分のこの手で築いてゆかなければならないのだ、そう思うと大きな不安と同時に自分にあった経営ができるという夢、この相反する二つの気持でいっぱいでした。この時期を境に、今後の経営を考え、そしてそれ以前に、現在の経営も考えなくてはなどと、おぼろげながらも考え始めた次第です。

最初に、私は平凡な農家と申しました。けれども、決して不平不満はいだいておりません。祖父は祖父なり、父は父なりの、その時代に合致した農業経営を行ない、現在の姿に築いてきたからです。それについて不満はありません。しかし、八溝山を遠くに望み、袋田の滝の水音を耳にして私の住んできた山間地域には、まだまだ多く改善の余地が残されています。

わが家の現在の経営は

経営内容、古い因習、農家生活など、挙げればきりがありません。しかし、それらの改善に努力するのも、私に課せられた大きな使命であると思います。私はこれらのためにも、農場での学習から改善の糸口をみつけ、経営改善をはかりたいと思っております。

私の家の現在の経営状態は、たばこ二十三㌃、米六十㌃、こんにゃく二十㌃、麦五十㌃、それに養豚と、多角的経営を行なっています。将来、これを養豚一貫経営プラスアルファーに持ってゆき、作物と家畜の迂回生産を重点的に考え、まず耕種部門と畜産部門の収入を五〇％ずつにして、その後、畜産部門を伸長させてゆきたいと思います。

今すぐに、全面的に経営方針を変えることはできませんので、十年計画をたて、経営改善を決意しています。現在の耕地面積と経営内容では、年間粗収入が百万余りしか上がりません。経営規模を拡大し、機械化することができれば、それに越したことはありません。

しかし山間地域での規模拡大はなかなか困難のようです。立地条件の制約があまりにも大きく、個人の力では不可能な面が沢山あります。そこで、公共団体の力、国の総合開発など、根本的な対策を強く望んでやみません。

山間地域独特の経営に

そのため、小規模でも山間地域に合った、いや、山間地域でなければできないもの、そういうものを今後取入れて、現在の経営を礎に一万ドル経営、その後に八ケタ農業へと向上させてゆきたいと強く望んでおります。私はここで、それら目標達成のスタートとしてH・P計画をつくりました。大きな目的として、

1、動物、作物に対する愛情心と観察力を養う

2、自主性と責任を養う

3、経営に対しての自信と計算する農業を見出す

これらのことを考えています。

畜産部門として、現在、種豚二頭、肥育豚二十五頭と、まだわずかしかおりません。以上を五年計画で繁殖豚十頭、年間肥豚生産数二百五十頭を目標に、徐々に拡大してゆきたいと思っています。子豚は三十二日を目標に離乳させ、離れ時一～二日は午前中だけ分離し、三～四日目からは午前午後の半日分離させて、次に完全に分離させます。飼料は、十四日目から人工飼料に餌づけし、次第に配合飼料と粗飼料の緑餌飼料とを計画しています。

厩肥の処理については、母豚一頭あたり年間に五千㌔、腐熟したものでも三千三百㌔の厩肥を生産します。水田一作十㌃あたり千㌔の厩肥を要しますが、家の経営面積に対して、母豚数頭分の厩肥量で、水田、畑とも堆肥は間に合います。豚尿はリン酸を多く含んでいますから、野菜類のリン酸肥料に用います。

養豚のため五ヵ年計画

これらのことから、まず一年目には、

1、豚の病気と予防法について

2、予防注射の仕方について

3、野菜類の病気と予防について

4、飼料作の保存の仕方について

以上の点を勉強し、二年目からは、多頭飼育一貫経営に持ってゆくための群飼放牧の見当をつけ、無看護分娩に関する技術を身につけたいと考えております。それから、省力化した企業経営にしてゆきたいと思っています。

そのため、農場で得られるものは完成にマスターし、常に経営内部の綿密な収支決算までも記帳して、養豚ばかりでなく、その他一般の作物に対しても、毎日の様子を確実に把握してゆきたいと思っております。農場卒業後、完全とはいえませんが、養豚経営の管理を引受け、責任をもって努力するつもりです。

わたしはわたしの道を

私はいま心からことばが湧き出ます。それは、長女だから、後とりだから、農業を決意したのではありません。自分自身が日本の農業自営者として、この自然界に自分の働いた汗をいっぱい流しながら、私の道をつくる覚悟で決意したのです。

最後に、みなさま、全国の私達仲間同士が手をガッチリとつなぎ合い、ともに励まし、喜び合えるすばらしい明日の日本の農業を、私達のこの手で築いてゆこうではありませんか。

日本4H新聞

4Hクラブ 農事研究会 生活改善クラブ 全国弘報紙

発行所 社団法人 日本4H協会
東京都市ケ谷家の光会館内
電話(260)1675 郵便番号162
編集発行人 玉井光
月3回・4の日発行
定価 1部 20円
一ヵ年700円（送料共）
振替口座東京 12055番

クラブ綱領

私達は、実践を通じて自らを磨くとともに、互いに力を合わせて、よりよい農村、よりよい日本を創るため、四つの信条をかかげます。一、私達は農業の改良と生活の改善に役立つ腕をみがきます。一、私達は科学的に物を考えることのできる頭の訓練をします。一、私達は誠実で友情に富む心をつちかいます。一、私達は楽しく暮らし元気で働くための健康を増進します。

「つどい」開幕迫る

参加者千三百人に

旅館は満杯の状態 受付けをストップ

来る二十四日から四泊五日間の日程によって佐賀県で開催される、全国4Hクラブ連絡協議会（久野知英会長）社団法人日本4H協会（松平幸之助会長）共催の全国クラブ員の祭典―「第六回全国4Hクラブ員のつどい」は開幕まであと十日間に迫ったが、参加申し込みはその後もふえ続けて約一千三百名（佐賀県内三百六十名）となり、予定の一千名をはるかに上回った。このため、主催者では旅館と折衝したり、参加者に配布する資料を増加するなど嬉しい悲鳴をあげている。

主催者側では、参加申し込みが予定の一千名を越えたあとも、多くのクラブ員が参加できるようにと、引き続いて申し込みを受付けていたが、一千二百名を越えた時点においても同じ状態が続いたため、宿泊の限界などから各県連に締め切りの通知を出すとともに受付けをストップし、参加申し込みをことわるという事態が出た。地元、佐賀県連で旅館側に協力を依頼して参加者のワクを広げてきたが、各部屋はすでに満杯。これ以上は立体的に寝るしかないという状態にまできている。

また、つどいのしおり、参加者に配布する帽子やバッチ、胸章などの資料も各注文先に再度増加の注文をするなど大わらわ。参加者の増加を喜びながらも、経費の伸びに気を使っている状況。

佐賀県までの交通費やつどいの参加経費は個人負担であるにもかかわらず、このように、参加者が毎年増加の一途をたどっているのは、つどいの趣旨がクラブ員と関係者に理解され、末端まで浸透してきていることを物語るものであると思われる。

なお、主催者側では、来る二十一日、現地に集合し、最終的な準備をして参加者を迎えることにしている。

パネラー決る

池田君ら五人

主催者側では、今回初めて実施するパネル討議出席者（パネラー）のうちクラブ員四人（うち女子一人）を各県連の推せんのもとに全国から広く募集していたが、このほど多数の応募者の中から審査の結果、次の人たちを決定した。

▽池田義正君 佐賀県佐賀郡諸富町水町、諸富酪研4Hクラブ
▽山本哲嗣君 鳥取県東伯郡赤碕町大父、赤碕4Hグリーンクラブ
▽長谷川功君 神奈川県小田原市曽我谷津 小田原農改クラブ
▽堀内悦子さん 山梨県中巨摩郡白根町百々二、五〇八 駅西地区4Hクラブ

また、OBとしては、山口県厚狭郡楠町船木の農業、沢野悦雄氏（全国4Hクラブ連絡協議会第三、四代会長）が選ばれた。

パネル討議は、「地域農業とクラブ活動」というテーマのもとに第一日目の午後四時四十分から佐賀市民会館で行なわれ、NHKのテレビ録画が予定されている。

出席者は、五人のほか助言者二人の計七人で、NHKアナウンサーの司会で進められ、会場の参加者との意見交換も企画されているので活発な討議が予想される。

各県連へ伝達事項

主催者側では、このほど各県連に対し、次の事項について伝達、依頼した。

一、プログラムの一部変更について

これは、最終日に予定したパネル討議がNHKの録画の関係で、第一日目の午後、奈良・薬師寺管長、高田好胤氏の講演のあと引き続いて行なわれることに変更されたものである。

二、県連旗持参について

県連旗を宿舎付近に掲揚するので持参すること（開会式は全協で用意する）

三、キャンプファイヤーのアトラクションについて

個人、県連、グループなど、希望者は来る二十四日まで事務局へ連絡のこと。

四、佐賀駅到着について

当日（二十四日）は、大変な混雑が予想されるので、下記の列車を参考の上、できるだけ早く到着し、受付けをすること。なお、午前十一時までに受付けを終わらないと、記念楽焼が不可能となるので承知して下さい。（佐賀駅から受付け場所の佐賀市民会館までのバス所要時間は十五〜二十分）

▼急行西海一号 大阪発十八時十九分、佐賀着六時三十八分
▼急行雲仙一号 大阪発十八時五十五分、佐賀着七時十分
▼特急あかまつ二号 新大阪発二十一時二十八分、佐賀着八時七分
▼急行西海二号 大阪発十九時四十八分、佐賀着八時十四分
▼急行いなさ一号 博多発七時四十分、佐賀着八時三十分
▼特急さくら 東京発十六時四十分、佐賀着十時九分
▼急行雲仙二号 京都発二十一時十五分、佐賀着十時四十九分

なお、パネル討議のテレビ放映は、九月六日、午前七時から一時間、教育テレビ「明日の村づくり」が予定されている。再放送は、九月十二日午後一時から一時間。

涼風暖風

光の饗宴

県の第一〇回農村青少年クラブ大会が開かれた。集まった者五百名。テント生活だった。終ってみて、やはりこの大会は、地区では開けない、全国でもこのようにはいかないだろうと思われる県独特の大会だった。キャンプ場の整備、設営と、キャンプ・ファイアーで特に、そう思った。

鎌と唐鍬も持ってきて、建設途上の青少年研修施設のキャンプ場造成から始まったのである。五百人が、鉄、鎌をふるい、汗を流して、次々に黄や青のテントがたっていくさまを想像していただきたい。

山の傾斜面でのキャンプ・ファイヤー。丸太や枕木を、二人で、三人でかつぎ上げ、こんなに一度にもやして大丈夫だろうかと思われる程高くつくんだ。真暗闇、誰もいないように思える静寂の中に一点の炬火、それが近づき、やがて、わぁーすごいと歓声が出る程にもえ上った。ただ一人で、巨大な火を見つめているような気持ちにおそわれなかった人は、誰一人としていないだろう。ふとわれにかえり、となりの人を思い出し、歌い、ゲームの進行と共に、東西対抗、地区対抗は、興奮して、火以上にもえ上った。

炎が静まって、赤いおき火は、顔を静かにほてらせる。ムードランプの灯が、点々と広がって行った時、ああ、みんなと一緒なんだなあという気持を深くした。そしてそれは本当に美しい。一人では作り出せない光の饗宴。やがてそれは、ほどけるように一本のひもになって、闇のかなたへ消えていった。

この忙しい、組織や集団ばやりの世の中に「ひとり」を意識する機会は少ない。「ひとり」で腕を組んで考えることは貴重だ。「みんな」を意識し、「みんな」で考えることも、美しく、楽しく、貴重だ。それらにより、なにかが為しとげられる時、なにかができ上るとき、本当に生甲斐を感ずる。そういう機会の持てる「光の饗宴」キャンプ・ファイアーは何回参加しても、しみじみ、いいなあと思う。それも、自然にそうなったんじゃなくて、天、地、人、の三拍子をそろえる努力をしたからだと思う。

最近は、地区や単位クラブで県外へキャンプに出かけるが、やはり県の大会は一〇年先、二〇年先に、子や孫に、こうだったと、思い出を語られるものでありたい。青春の一頁、青春の生甲斐とはそういうものだろう。「わが青春に悔いなし」と。（いばらき はが）

第10回全国農業者会議

発表に図表も使用

運営委員会を廃止 実行委など設置

第十回全国青年農業者会議の主催者打ち合わせ会が、社団法人全国農村青少年教育振興会（東畑精一会長）の音頭で、さる七日午前十時半から東京・千代田区紀尾井町の日本農業研究所会議室で開かれた。

スローガン 全国から広く募集

今年度の主催者はまだ正式に決定していないが、一応、昨年と同様に、農林省はじめNHK、全国農村青少年教育振興会、全国農業改良普及協会、日本4H協会、全国4Hクラブ連絡協議会、全国農業研究会協議会の七団体を予定して、当日は全国農業研究会協議会を除く六団体の代表者が出席、三宅振興会常務理事の司会で進められた。

まず、各団体の代表から第十回会議に対する総括的な要望が述べられ、このあと農林省が前回の反省会において出た意見をもとにしてまとめた原案に基づいて審議した。各団体の総括的な要望としては、おおむね次の点である。

▽普及協会＝内部的にまだまとまってはいないが、主催からおりて後援にまわりたいとの意見もあるなど。

▽NHK＝共通課題のテーマを早く決めて、各県に流してもらいたい。

▽日本4H協会＝青年部会と経営者部会とを、基本的に分けてほしい。

▽全協＝①図表を用いたプロジェクト発表を取り入れてほしい②運営委員会の回数が少ないので、もっとふやしてほしい③部厚いレポート集を参加者全員に配ることはどうかと思う。部門別くらいにして、もっと詳しくするようにしてはどうか―など。

これらの要望を考慮しながら農林省案に基づいて審議し、決定あるいは申し合わせた新しい事項は次の通りである。

一、開催期日は、来年三月二日〜五日まで四日間とする。

一、会場は、東京・渋谷区代々木のオリンピック記念青少年総合センター（第一日〜第四日）と千代田公会堂（第四日）を予定。これまで開いてきたNHKホールを止めて千代田公会堂に替えたのは、NKHホールに全員が入ることはできず、苦情が出てきたため。

一、農業経営者夫婦の年齢別制限をおおむね二十五歳以上、三十五歳未満とする。前回は三十五歳までとだけ上限を決めていたが、これでは二十歳前後の人でも結婚すれば参加でき、青年部会と何ら変らないという意見からである。

一、特別参加者の資格として、前回まで青少年クラブリーダーおよび篤志指導者としていたが、青少年クラブリーダーのうち約九割までが内部リーダーであるなどの反省から次のように改めることになった。

一、会議内容として、青年部会、経営者部会とも選択課題に、たばこやお茶などの特用作を設ける。

一、青年部会の会議の方法および運営の中で、昨年、特別に設けていた労働、生活、健康など生活関係の分科会を廃止し、各部門別の分科会の中で話し合うことにする。

一、特別参加者会議のテーマは次の通りとする。

▽選択課題＝「単位クラブの組織化、活動指導をどう進めているか」

▽共通課題＝「指導者は何をなすべきか」（単位組織の組織化、活動指導について）

一、特別参加交換討議は、農村青少年外部リーダーおよび篤志指導者と農林青少年担当普及員の両分科会間において行なう。

一、運営に関する事項では、これまで実施してきた運営委員会を廃止し、主催者協議会、実行委員会、連絡委員（分科会で選出）を設けて運営に当ることになった。

運営委員会は、一昨年まで隔年ごとに各県から選出された二十三名の青年で構成、前回はそれに主催者が加わって運営に当ったが、青年代表の運営委員からその位置づけなどについて不満の声が強く出ていたため、廃止し、教育的な観点から主催者が運営に当ることにしたもの。

一、会議スローガンを全国から募集し、入選者に対し主催者から記念品を贈呈する。

このため、全国4Hクラブ連絡協議会は、各県連に通知し、広く募集することになった。

また、全協が主張したプロジェクトの発表については、分科会における参加者の発表は、これまでもプロジェクトの成果に基づいたものであったが、さらにその発表形式として図表を用いてもよいという趣旨の文を挿入することになった。

なおこの会議には、全協から久野会長、坂井、黒沢、山本各副会長と松浦事務局長が出席した。

来春の全国青年会議について打ち合わせをする主催者代表（向う側左から三人全協執行部）＝東京紀尾井町の日本農業研究所会議室で

注目される大阪府連の活躍

万国博の見学も

第十回全国農村青少年技術交換大会 いよいよ17日開幕

社団法人全国農村青少年教育振興会（東畑精一会長）、大阪府、同府4Hクラブ連絡協議会（原田正天会長）共催の第十回全国農村青少年技術交換大会は、大阪府豊能郡能勢町宿野の府総合センターと千里ヵ丘の万国博ホールを会場として、三泊四日間の日程で、いよいよ来る十七日開幕する。

この大会は、全国の青少年代表が農業や農家生活について、それぞれの知識や技術をお互いに交換し新しい農業担当者として自信と連帯意識をつちかうもの。

主な行事は、技術競技、演示発表（プロジェクト発表）を二本の柱として、開・閉会式、話し合い、体力つくり、キャンプファイヤー、グループタイム、共同炊事による食事など、また、最終日には、万国博見学も計画されている。

とくに今回は、農林省が主催からおりて後援にまわり、それに替って大阪府4H連協が主催者の一員として新たに加わったことから〝青年の手による運営〟という特色が例年より強く打ち出されるものと思われ、同府連の活躍ぶりが注目される。日程は次のとおり。

【一日目】午前八時……受付け（阪急箕面駅前）▽十二時……昼食、村編成▽午後一時三十分……バス移動▽三時……入村、オリエンテーション、夕食（各キャンプ場）▽六時三十分……開会式（中央グランド）▽八時三十分……グループタイム（テントロッジ）

【二日目】午前六時……朝のつどい（起床、洗面、清掃、朝食＝グランドホール）▽九時……話し合い（ホール周辺）▽十二時……昼食（ホール）▽午後一時……技術競技（場内二ブロック）、夕べのつどいとして共同炊事による夕食（各炊さん場）▽七時三十分……交歓の夕べ、九時……グループタイム（ホール、ファイヤー場）

【三日目】午前六時……起床、朝のつどい▽九時……プロジェクト（演示）発表（本館周辺）▽午後一時……体力つくり（中央グランド、体育館、プール）▽五時……夕べのつどい、夕食（ホール、グランド）▽七時……キャンプファイヤー（野外劇場）

【四日目】午前六時……朝のつどい（ホール）バス移動▽十時……閉会式（万国博ホール）▽午前時……万国博見学

沖縄訪問の実施要領決る 全協

今年は民泊を計画

申込締切9月20日 11月24日那覇へ

全国4Hクラブ連絡協議会（会長、久野知英君）は、今年度も全国クラブ員による沖縄への親善交歓訪問を計画し、かねて琉球政府などと打ち合わせるなどしてその具体化を進めてきたが、このほど実施要領を決め、全国から広く参加者を募ることになった。

この沖縄交歓訪問は、さる三十九年、全協に加盟した全沖縄4Hクラブ連絡協議会（現会長・大城正幸君）が、渡航の規制や経費の面などから、全協が実施する事業への参加が十分にできないという状態にあったため、沖縄と本土クラブ員の交流を図り、相互の理解と密着感を深めて、4Hクラブ活動の健全な発展に役立てようというもの。同時に、クラブ員の視野の拡大、共同精神のかん養を図ることを目的としている。今度の訪問は昨年に続いて二回目。

昨年は、今年の一月に計画していた訪問を沖縄クラブ員の農作業の関係で急きょ十一月中旬に変更し、募集も締め切りまで約一ヵ月間という短期間の中で実施されたが二十三名が参加。本土、沖縄クラブ員の相互理解と親睦を深めるというだけでなく、規律ある共同生活を通じて本土クラブ員同士の交流、すべて自分たちが考えて行動していくという貴重な体験を味わうなど予期以上の成果を収めた。

今回の計画によると、実施期間は沖縄の農村青少年技術交換大会の開催時期と合わせて十一月二十三日から二十九日までの六泊七日間（大阪で前事研修と事後研修）で、参加人員は六十名を予定している。

また、一泊二日の民泊も計画している。これは、昨年、クラブ員から要望が強かったにもかかわらず実現できなかったものであるが、今回は、沖縄でもこの民泊受入れを計画して準備を進めているので実現されることは間違いないものとみられる。

この交歓訪問に対しては、琉球政府関係者、沖縄クラブ員も歓迎の意を示しており、大勢のクラブ員の参加が望まれる。

応募要領

実施計画と応募要領は次のとおりである。

【実施期間】今秋十一月二十三日〜二十九日。

【参加予定人員】六十名

【参加者の資格】二十歳（渡航の手続きをする時点で）以上の4Hクラブ員であること。

【提出書類】一、作文 題は次の中から一つを選択し、四百字詰め原稿用紙三〜四枚くらいにまとめること。

（1）自主的な4Hクラブ活動と組織強化について
（2）家族と地域社会から理解され、支援される4Hクラブ活動をするには
（3）自主経営によって豊かな生活をするには

二、県連会長の推せん状（各一通）

三、最近六ヵ月以内に撮影した写真、上半身のもの二葉

【研修】大阪において出発の前日に事前研修、帰着後に事後研修を実施する。

【携行品】郷土民芸品、生活に必要なもの。

【申し込み方法】提出書類と参加経費をそえて、各県連が一括して申し込むこと。

【申し込み締切り日】来る九月二十日

【申し込み先】東京都新宿区市ヶ谷船河原町十一、家の光会館内、全国4Hクラブ連絡協議会

【参加者経費】飛行機、宿泊、バス、その他の費用を含め五万八千円。

ただし、予約申し込みをするため申し込みと同時に全納すること。

なお、パスポートは各自に手配することになっている。

【主な日程】

▽十一月二十三日 大阪集合 事前研修
▽二十四日 那覇へ出発、琉球政府関係機関へ表敬あいさつ、宿舎でオリエンテーション
▽二十五日 全沖縄4Hクラブ技術交換大会（名護青年の家で開催）に参加
▽二十六日 前日と同じく技術交換大会に参加、民泊へ出発
▽二十七日 民泊から那覇へ集合、市内見学（時間的な都合で南部戦跡への訪問も可能）
▽二十八日 那覇発、大阪着
▽二十九日 事後研修、解散

4H会館建設推進など協議

全協執行部

全国4Hクラブ連絡協議会（会長、久野知英君）は、さる五日から九日まで東京・新宿区市ケ谷の同協議会事務所で執行部会を開き第六回全国4Hクラブ員のつどいをはじめとして、4H会館の建設推進、沖縄への親善交歓訪問、来春東京で開かれる第十回全国青年農業者会議などを協議した。

心頭技健

東京・杉並のOL（Oさん）から、次のような相談を受けた。「高校卒業後、東京の会社に就職、現在会社で毎日タイプを打っているが、最近、会社で電算機を取り入れるため、その扱い方を学ばなければならなくなった。汗を流して働くのは好きだが、毎日機械に使われる人間不在の労働に嫌気がさした」という▼そのOさんは、農業をしたいのだと、次のような実情を打ち明けてくれた。Oさんのおじさん夫婦に子供がないため、養女にと望まれ、おじさんの家の家名と財産（水田、山林）を継がなければならない立場になり、よい機会だから、この秋、会社をやめて田舎へ帰りたい。しかし、家を継ぐとか財産をもらうことに対しては、あまり気が進まず、ただ、漠然と都会の生活から離れ、静かな農村で農業でもやりたいと思っている。そういう内容の相談であった▼そこで、最近の農業問題、将来の展望、経営のあり方について聞きたいということで、私なりに答えてやったが、Oさんが農業をやりたいと思う心の裏には、養女にと懇願される立場もさることながら、経営面積や内容も知らず、話しの中で、農地を全部売ったら四、五千円の価値はあるそうだ―と、ときどきことばに出てくるのに、私はある種の危険を感じた▼これは、財産に魅力をもたせ養女に迎えたい一心から、農地を金銭化し、農業そのものをないがしろにしている人たちのことばを信じているからであろうし、Oさん自身も、農家へ養女にいったら農業をやらなければならないのは明白だ。そういう単純な考えで農業をしたいというのであった▼現在は、都会から農村へ、そして農業へと進む人もけして少なくない。しかし、その道を歩む人たちは、農業を職業として選べる自信の上に立ち、それにもまして、十分に計算された経営計画と、農業が好きだという精神、このいつわりのない精神ある人のみが、苦難に打ち勝つことができ、農業経営の確立が実現されるのだと強調したが、Oさんいわく、農業がそんなに難しいとは知らなかったという。今後、どんな道を選ぶか、勇気と決断のいる問題である。

クラブ活動12ヵ月 新しいクラブ員を中心に 〈22〉

新入クラブ員の諸君へ

「疑惑」「不安」大切に 情報集めの計画を立てよ

栃木県・普及教育課 湯浅甲子

真夏とはいっても、ふと、秋風らしいものが頬をなでるときがある。学校を卒業して、早や半年になろうとしている。この六ヵ月間、諸君は、何をやったか、4Hクラブ員として、どういう半年を送ったであろうか。この辺で、ちょっと振り返ってみることがよいのではないか。

農業高校卒業の諸君たちが、卒業のときにえがいた、わが家の経営改善計画は、そのままでよいだろうか。情勢の変化、考え方の進歩、新らたな疑問などから、一歩前進の徴が見られないだろうか。普通高校を卒業して、就農した諸君は、どんな不安に突きあたったのだろうか。そして、その時、どうやって切り抜けたのか。父の、農業に対する、こわいほどの信念に引きまわされて、なにがなにやらわからない半年ではなかったか。

中卒就農の諸君は、親達の袖の下で、この半年の間に、なにか自分に納得のいく仕事が体験できたろうか。

「農業とは、なんだろう……」そんな気持を持った人もあるだろう。農業を継ぐ一人娘のあなたは、この半年間に、どんな体験を積んだのか。

いずれにしても、職業人、社会人としての第一歩の印象は、鮮烈であったことであろう。それが、あなたにとって、前向きの印象であっても、不安の印象であってもいい。要はその第一印象を、これから、どう処理するかが大切なのだ。学校時代に考えたことと、現実とのかみあいの中で、あなたは、何を一番感じとったか、静かにその実感を、整理する必要があると思うのである。

1、あなたは、自分の知識の狭いことに気付いたことだろう。一つ一つには専門的な深みを持っていても、この場合に、あの場合に、どの知識を活用したらいいのか、見当がつかないといった場面に、相当突き当ったのではないか。

2、一つの問題を解決しようとしても、その問題の理解のしかたがいろいろあって、極端な場合は、「よい」のか「だめ」なのか、見方を変えれば、どちらも正しいという、判断に困ることが多かったにちがいない。

3、若いものの考え方と、先輩の大人たちの考え方が、すごく違いすぎて当惑したこともあろう。同じ土地の同じ農業者が同じことを考えるのに、どうしてこのように違ってしまうものなのか。若いということは、そんなに人間的なひらきのあることなのだろうか、と考えこんでしまった時もあるだろう。

その他にも、諸君の胸の中に焼きついた印象は、沢山あるにちがいない。しかし、私は、こういう率直な実感を持つことのできた青年は、立派だと思うし幸せだと思うのである。これがもし、何の疑惑も不安も感じなかったとすれば、その人は、青年ではないし、進歩から見離されたあわれな人である。また、思い上ったように、自分の思うがままにやれる生活を持った人、も、お気の毒ながら、いずれ伸び悩む時があるだろうと思うのである。

ところで、この三つの実感を率直に感じとった人は、幸せだと私はいったが、実は、もう少し説明を要するのである。この三つの実感は、それに対処するキメ手に気づかなければ、何の役にも立たないのである。ただ感じっ放しでは、感じない人と同類だ。感じた以上は、方策を考えねばならないのである。

さて、三つの実感には、一つの共通点があるのに、お気づきだろうか。それは、ズバリいって、諸君たちは、情報不足であるということなのである。それも目茶目茶に片っぱしから情報を集めて、知っていなければならないというのではないのだ。諸君が、意図していることに関して、できるだけ幅広く、関連情報を集めないといけないというのである。

あらゆる方面に手をのばし、ちょっとでも価値のありそうなニュースは、貪欲に吸収して、手元に集めるのである。諸君は卒業時の初心を現実の中で半年間、試練にあわせた。そこでいま、諸君がやらなければならないのは、現実の中で、初心を貫くための情報集めをすることである。

情報は、多いほど判断に役立つから、情報集めの計画を立てよう。自分が、取組もうとする課題について、まず、自分が知っている関係のありそうな人、書物、マスコミ、過去の記録、体験を、いもづるのようにたぐって、リストを作成する。次に自分の知らない分野についてはどこを探ればよいかを、普及員や、先輩に聞きだそう。それができたら、すぐ行動に移る。そして、肝心なところは忘れずにメモして、その出どころを明らかにしておく。

情報は、情報を生んでいくものである。未知の世界にぐんぐん突っこんでいくのは、愉快なものである。こういう行動性に富んだ学習は、諸君たち若い者の右に出るものはないのである。

もう一度、繰り返していおう。諸君が、ねらっているものについての情報を、犬のように嗅ぎまわれ。そして、一つでも多くの情報をかき集めよ。諸君の手元に、関連情報が山のように集まったら、シメタものだ。次は、その整理にとりかかればいい。

8月

各県で技術交換大会

果樹などを視察 副知事と農政語る

山口県連技術交換大会

【山口県＝松尾耕助連絡報道員発】山口県農村青少年クラブ連絡協議会（会長、神田勝蔵君）は、七月二十二日から三日間（二泊三日）、下関市において、第十回県農村青少年技術交換大会を開催した。

県下十五地区から百五十名と指導関係者三十名、合計百八十名が参加、下関海峡を眼下に見下す国民宿舎、海関荘を主会場として行なわれた。

第一日は午後一時から受付けを行ない、班編成とオリエテーション、さらに開会式。開会式場には国旗と4H県連旗を中央に掲げ、左に大会スローガン"心と技をみがき合い、明日への力をつちかおう"、右に県4Hスローガン"良き未来のために、そして友のために、常に考え、主体性のある行動をしよう"の二つを掲げていた。

国歌斉唱のあと、主催者側の県連会長、普及教育課長、下関市長、神田県連会長がそれぞれあいさつ、また参加青年を代表して地元下関市のクラブ員、児玉君が"よりよい大会にします"と誓いのことばを述べ、続いて来賓から激励のことばがおくられた。

このあと4Hのスローガンと4Hクラブの歌を全員で斉唱して開会式を終了。

ひき続いて、「青年と社会」と題して山口女子短大学学長、田中県氏の講演があり、全員真剣に聞き入っていた。

夕食後、下関市の歓迎の夕べとして海峡遊覧が行なわれた。夜の海峡を遊覧船"あさなぎ丸"に乗り込み、下関市役所吹奏楽団の演奏を聞きながら、下関、門司の夜景をながめ、楽しいひと時を過ごした。

二日目は、朝食後、豊関地の農業情勢を聞き、ソ菜、花卉、果樹、畜産の四コースに分かれて視察。途中市立農業試験場でコース別に技術競技を行なった。視察を終りレクリエーション。暑い日和しの中で、フォークダンスやゲーム、歌などで全員が暑さを忘れ、楽しく過ごした。

夕食後、「あすの農業をめざして」というテーマで知事を囲むパネル討議が行なわれた。これは、知事を囲んで、農村青少年が日頃の生活や生産活動での体験を発表しあうとともに、将来の農業や農村に対する希望や抱負などを出し合い、これからの農業の発展に役立てるために行なったもの。あいにく県知事は急用ができたため代って岸本副知事がかけつけられ、このほか下関市長、豊浦町長、農業協同組合長、県農林部長－それに女子十二名を含む青年七名が出席して、身近な問題から農政にいたるまで幅広い話し合いが行なわれた。聞いている青年の姿も、むずかしい農業情勢の中にあるので真剣そのものであった。

このあと大会の華、キャンプファイヤーがくりひろげられた。ちょうど下関市には異常乾燥注意報が出され、火を使うことができなかったために参加者をガッカリさせたが、それでも各班の出しもので、大いに盛り上っていた。

最終日は、作目別の話し合いが行なわれ、参加者は普通作、大家畜、中小家畜、果樹、花卉、ソ菜に別れて約二時間にわたって熱心に話し合いをした。

大会前はいつ雨が降るかわからない天候が続いていたが、大会中は快晴に恵まれ、参加者は明日の農業への意気を高めた。

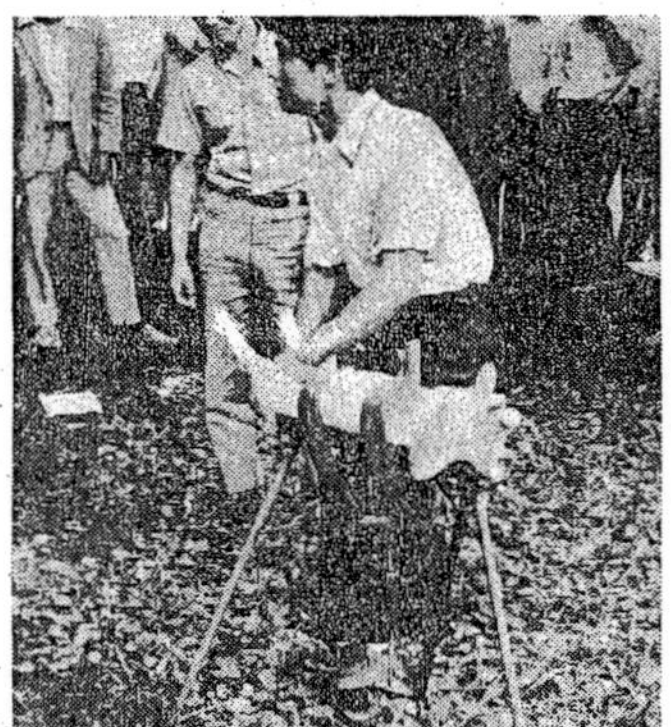

浅野君が考案した一人で去勢できる子豚去勢台は、多くの発表の中から選ばれたものであり、アイデアにすぐれたものがあった。

創意に斬新さ

栃木県連演示発表大会

【栃木県＝荒井丈雄連絡報道員発】栃木県青少年クラブ協議会（会長、野尻牧士君）は、このほど県農業教育センターに県下の青少年クラブ員百余名を集めて、演示発表の県大会を盛大に開いた。

この大会は、従来行なわれてきた技術交換大会に変るもので、今後の農業は技術に加えて各自の創意工夫（アイデア）が必要ではないかということから発案された。クラブ員がそれぞれ毎日の農作業の中から考え、実際に利用しているアイデアを集め、すぐれたアイデアを県全体に普及させようと今年度から実施したもの。

午前中、まず作物、園芸、果樹、畜産、生活の五部門に分かれて技術競技を行なった。クラブ員は、日ごろ身につけた技術をあますところなく示し腕を競い合った。そして、競技のあと専門技術員をまじえなごやかに解答を交換し合った。

午後は演示発表に移り、作物、園芸、畜産、生活の四部門に分かれて発表し、その中からすぐれたアイデアと選ばれた人たちが代表発表を行なった。

浅野久＝「一人で去勢できる子豚去勢台」▽手塚政子、大塚初江＝「受刈作業から鎌磨台」▽栗原啓一＝「車輪のついたイチゴ収穫用具」▽磯栄＝「水田動力除草機改良によるカルチベーター」

入賞者は、以上のとおりである。

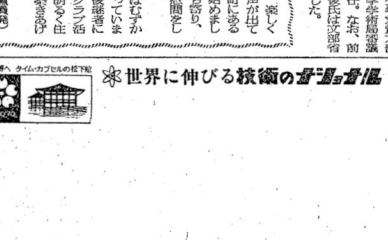

水田の請負い耕作 肥料による品質の差を調べる

佐賀県・三田川ク

私たちの所属する三田川4Hクラブでは、現在、十三名（内女性二名）で活動を行なっている。その半数は外に仕事を求め、兼業というかたちになり、個人のプロジェクトをはっきり表示することができない状態である。この問題をいろいろの面から討議した結果、個人のプロジェクトを伸ばすことも大切だが、クラブ員の団結力の強化と、全員が関係する水稲技術の向上の面からみても、共同プロジェクトが一番よいのではないか、という意見が出された。

それで、昨年から五十アールの水田を請負い耕作し、収入はクラブの活動資金に当てることによって、クラブ員の出資をより少なくし、また負担をかけなくてすむ。一方ではいろいろな試験も出来、これこそ一石二鳥というわけである。

昨年は、草丈、茎数などの生育調査、今年は、普通化成肥料と、IB、CDVの緩効性肥料による米の品質の違いの調査をと、伊東会長、大隈水稲部長をはじめクラブ員一同、大いにハッスル、真剣に作業と取組んでいる。

写真【上】は、七月四日に行なった請負い田の田植え風景である。この時には、普及所、他の地域の仲間たち、さらに農協からも応援にかけつけてくれ、二十人を越える人員となった。植える手つきもよく、中には不慣れな人もいたが、一生懸命植える姿は美しいほどだった。

また、苗を取る手も、水を得た魚のごとく、自然に動くようだった。昼食はおにぎりを大口でパクつき、何とうまかったことやら。

こうして、全員が一緒に仕事する中から本当の4Hの仲間が出来たような感じがした。このように、私たち三田川4Hクラブは、まず内からの和を求め、団結力を強固にし、次に互いの技術の向上をめざして、頑張って行こうと思っている。（三田川4Hクラブ 平満雄編集係発）

友達がふえた 県下の百余名参加

愛知県連技術交換大会

【愛知県＝井村明美連絡報道員発】愛知県4Hクラブ連絡協議会（会長、冨永博君）は、さる七月二十八日から三日間、三河の県民の森ビジターロッヂで盛大に県農村青少年技術交換大会を開いた。

これには、県下のクラブ員百余名が参加、開会式のあと午後から真夏の太陽をさえぎる県有林の木陰で、七部門に分かれて演示発表が行なわれ、各地区代表者がそれぞれ日ごろの研究成果を披露、また部門別ごとに真剣な話し合いが行なわれた。

翌日、各県の木展示場で緑に包まれて技術競技が行なわれ、十八チームに分かれて日ごろ磨いた腕を競い合った。六名一チームのチームワークがよかったのか各チームとも好成績であった。

午後からは体育レクリエーションや話し合いなどで楽しいひと時が過ぎた。話し合いでは、省力化という問題がテーマとして出され今後の日本の農業を考えながら、まず自分たちの足元の経営にムダや無理はないかなどについて考え合った。

キャンプファイヤーは、あいにく雨のため途中で中止された。

三日目は、雨のため室内で部門別の話し合いが行なわれた。各部門とも直面している問題について熱心な話し合いがなされた。

この大会を通して、比較的に自由時間があったためか、多くの人の感想として「友だちができた、農業に対する意欲を感じた。同じ仲間に負けてはいられないと思った」などが出ていた。少なからずこの大会に出席した人たちが農業に対する勇気と自信をもったようである。

宇佐地区でも技術交換大会

【大分県＝恵良富行連絡報道員発】宇佐市郡農村青少年技術交換大会が、宇佐農改普及所、同4Hクラブ連絡協議会、院内農業後継者協議会、安心院農業後継者協議会の四者共催によって、このほど大分県立宇佐農業高等学校で開かれた。参加者は、農村青少年六十名、農業高校生自営希望者四十名、農業実践大学校生十名、普及員二十名。

同日は、午前九時から開会式に入り、塩川普及所長、岩男農村青少年代表が主催者のあいさつ、来賓として、宇佐農業高等学校長らが祝辞を述べた。九時三十分から行事に移り、選抜された八名によってプロジェクト発表が行なわれた。つづいて、宇佐農業高等学校生活科の生徒が実習でつくった昼食をいただいたあと、午後の部として、十二時十五分から技術競技が全員参加によって行なわれた。

このあと、仲間づくりとしてソフトボール大会を計画していたが雨のためグランドコンデションが悪く、急きょ卓球大会に切り替え、なごやかなうちに仲間づくりが行なわれた。

最後に、この大会の総評と表彰式が行なわれ大会の幕を閉じた。

なお、さる七月二十八、二十九の両日、大分県農業技術センターで行なわれた県大会に、宇佐地区から、プロジェクト発表の部として、宇佐4Hクラブの林むつ子、本多チズさん＝テーマ「私達の共同プロジェクト」、また技術競技の部として宮田文昭君はじめ四名が出場した。

が、今回から、こうした大会で優秀な成績を収めた者に対し、グローリーバッチが県知事から贈られることになった。このバッチは"栄光の記章"といい、農業に熱意をもつ者に贈られる名誉あるものである。

OBたちに苦労話聞く 知多地区4Hクラブ

【愛知県＝井村明美連絡報道員発】知多地区4Hクラブ連絡協議会では、さる七月十九日、半田勤労会館において、OBとの討論会を行なった。OB三人を含めて、四十人の参加者があった。

知多地方農業の先頭を歩む三人のOBに出席してもらって、現在にいたるまでの苦労、将来の計画などについて話を聞いた。三人とも四十代であったが、とてもそうはみえない若さで、将来に対する大きな夢をもっていた。三人の話の主な共通点としては、

1、親がなかったため、頼るものは自分しかなかった。それがよかった

2、借金していた

3、絶えず前向きで夢を持ち、その実現のために努力した

以上の三点である。とかく、親に対する依頼心が強く、家も土地も、親からもらったという場合が多く、そのため、考え方にも甘い点が私たちにはある。

有意義な三人の話を聞いた後、OBの用意によるデラックスな昼食を食べながら、楽しいひとときを過した。午後は、自己紹介、そうして、午前中の話の中から、資金と労力の問題などについて話が進められ、このテンポの早い世の中についていくために、なにを考えていかなくてはいけないかが話しあわれた。

資金借入れも必要

これからの経営資金の問題については、自己資本に限界があるから、他の資本も借りなくてはならない。返却する力があるなら借りればよいという結論に落着いた。

また、たとえば酪農は、休みがないといわれる。時間的に忙しくても、生活は守っていく必要があり、そこに急速な進歩も生まれる。

人間は困ることがあると、そこから脱出しようとして、いろいろ考えるものである。そういうことを思うと、知多に多いみかんはまだまだ進歩がおくれている。酪農ほど、切実に困っていないからではないかという意見もでた。

十分語りつくされないうちに、時間がきてしまった。現在、大きく躍動している愛知、その中でも新日鉄関係の工場が建ち、宅地化の波が押寄せており、次第に変貌している知多半島。ここの若い農業経営者が、どのような信念を持って農業に取り組んでいるのか、さらに取組んでいくべきかということについての、先輩との討論会はそれなりに意味はあった。

茨城県で模範的な青少年の奉仕、研究活動者を表彰

茨城県では、昭和四十四年度の県青少年団体等顕彰表彰式がこのほど、水戸市県民文化センターで行なわれた。これは、奉仕、研究活動を続ける模範的な青少年、青少年団体に贈られるもので、4Hクラブ関係では、団体の部で、麻生地区牛堀町4Hクラブ（会長瀬川信君、会員は男子二十五名、女子十一名）、個人の部では、村山文男君（江戸崎4Hクラブ、現県連副会長）が、それぞれ県青少年育成県民会議会長から、表彰を受けた。

団体の部で表彰を受けた、牛堀町4Hクラブ会長の瀬川信君は、受賞のよろこびを、次のように語った。

瀬川信君の話 今回、私たちのクラブが優良団体に選ばれたことは、誠に光栄のいたりです。みながこの受賞を機会に、なおいっそう4Hクラブ活動に努力しようと意気込んでいます。私たちのクラブは、三十六名で結成されており、クラブ活動、農業の研究、女子クラブ員による生活改善はもとより、身のまわりの不安、明日の農業の進み方、青少年のあり方など、問題を取りあげ研究に励んでいます。

一クラブ員から、恵まれぬ子らを一日でもよいから、楽しく過させてやろうという声が出て四十三年度から、鹿島町にある更生園児寮に慰問を始めました。みなで農産物を持ち寄り、何回か楽しく慰問をしてきました。

現在、農業はむずかしい岐路に立っていますので、農業後継者による、いままで以上のクラブ活動、研究を行なって、明るく住みよい安定した農村を築きあげたいと思います。

（村山文雄連絡報道員発）

総理府青少年対策本部次長に清水氏

このほど総理府青少年対策本部次長に、前文部省大学学術局審議官の清水成之氏が就任。なお、前同本部次長の今村武俊氏は文部省社会教育局長に就任した。

4Hくん　NO.215　桜井はじめ

私のプロジェクト

ナスの接木育苗とハウスの周年利用

大阪府南河内郡・河南町白木292—2　林　美智男

ナスも連作可能

接木で連作を回避

ハウス移動の労力節減

私の住む南河内地方は、ナスのハウス栽培が盛んに行なわれ、約百二十ヘクタールの集団栽培地帯であり、今そさい栽培粗収益の約十五億円と推定される金額の五〇％強の八億円をナスで占めています。このため、この地方の農業農家の大部分は、ナスを栽培し、農業粗収益の六〇～八〇％をナスの販売で占めるという、水田転作のそさい地帯であります。

家族で作業の分担

私の家の家族構成および年間農業従事日数は、本人（二八〇日）父（二八〇日）母（一五〇日）と祖母と次女の五人家族です。

また、主要作物の栽培面積とそれに伴なう作業分担は、ナス（二五アール＝本人・父・母）キュウリ（十アール＝本人）カンラン、ハクサイ（十五アール＝本人）水稲（五十アール＝父）果季（十アール＝母・父）西瓜（五アール＝父）を分担し、作業能率を上げています。

このようにナスを中心とした経営ですが、ナスは連作不可能であり、そのため、毎年ハウスを移動してきました。しかし、この労力が、十アール当り三十人もかかり、非常に不合理であります。しかも、ハウスは風害に耐え難いものであり、不都合をきたしていました。

接木で半枯病回避

このため、対策方法を考えていましたが、当初、土壌伝染病のナス半枯病を回避する目的で行なった接木（さしつぎ）栽培で、半枯病の病害回避はもちろんのこと、連作ができることが判明しました。そこで思い切って、農業後継者育成資金を五十万円借り受け、鉄骨固定式ハウス十アールの建設を行ない、その周年利用を考え実施しました。

この方法で、今まで連作をさけるため、毎年ハウスを移動してきた労力の節減が実現しました。

現在、私が行なっているプロジェクトは、大型固定式ハウス（十アール）を使用し、ナス（二～六月）キュウリ（八・下旬～十二月）軟弱やさい（七～八月上旬）を栽培し、年収、百五十万円を目標にして、ハウスの周年栽培を行なっています。

接木後換気に注意

私のプロジェクトを達成するためには、ナスの接木（さしつぎ）の育苗技術をどうしても習得しなければなりません。そのため、昭和四十年から接木を実施してきました。

この接木育苗は、十一月十日に台木としてアカナスを播種、一週間後に穂木として千両を播種します。接木は、十二月上旬台木の本葉二・五～三枚、穂木一・五～二枚の頃をみはからって行ないます。

接木の終わったものは仮植床に仮植しますが、朝から接木した苗を夕方、晩接いだものは翌朝に仮植します。この植幅は六×六センチで、この仮植時の床温は、五～七日間くらい摂氏二十八度に保ち、あまり低温ですと活着が悪く、高温すぎますと腐りやすくなります。また、湿度管理にあたっては、仮植床をあらかじめかん水してからビニールで被覆し密閉しておき、光線を入れて保温します。その後、活着まで換気に注意しながら、ときどき噴霧器で温水をスプレーしてやります。光線の取り入れについては、苗がしおれないかぎり、なるべく長時間光線に当てるようにします。なお、仮植床に置く期間は約二週間とします。

移植は二回行ない、第一回は一月上旬、第二回は一月下旬とし、それぞれの苗床期間は約一ヵ月とします。本圃への定植は、二月下旬に畦幅一・二メートル、株間四八センチ、十アール当たり二千本を定植しました。

今後は省力技術を

この栽培方法は前にも述べたように成績もよく、ハウスを移動するという余分な労力を必要とせず省力化が図られました。また、四十四年度のナスおよびキュウリの所要経費、粗収益は別表の通りです。

このように年次ごとに収益が上がって、ナスでの百万円は目標額に達成し、キュウリも、あと一歩のところまでこぎつけました。なお、七月～八月の軟弱やさいの栽培は4Hクラブ関係などの行事が多くあるため、現在のところ作付けをみあわせています。このように、ハウスの周年栽培は、ほぼ目標通り達成されました。

このプロジェクトの今後の問題として、省力栽培技術を習得し、栽培面積の拡大に努め、都市勤労者なみの所得を上げ、よりよい農業経営者になるよう努めたいと思います。なお、連作による土壌の塩類濃度の防止対策については、E・C測定を続け、水田の利点を生かして、水を入れて除塩する方法を行ない、また、ハウスの暖房（温風暖房と地中暖房）の検討も加えて実施し、台風シーズンのハウスフィルム管理、換気窓の改善の研究を続けていきたいと思います。

ナス・キュウリ栽培の収支（10a当り）

支出（円）	42年	43年	44年
ナス	129,300	143,800	164,300
キュウリ	33,500	46,800	—
収入（円）	**42年**	**43年**	**44年**
ナス	732,057	860,940	1,108,290
キュウリ	268,455	376,140	—

プロジェクトの進め方《6》

〝テーマ〟の探し方

緊迫感ある課題を　一番のポイントを摑む

プロジェクトの範囲の中で、その意味がだんだん解ってくると、あれもやりたい、これもやりたい、これもやりたいということになります。その中で、どれを一番のポイントにするかということになります。そのポイントをはっきりさせることです。そして、ポイントがはっきりしたら、どこからやっていくかというウエイト、どういう力の投入の配分をするか、ということです。

これは、やることを順序だてて、アクセントをつけていただきたいのです。そういうふうにしてテーマの順序だてが必要です。

よくプロジェクトの中で、わが家の酪農経営改善をするというテーマを出す人がいます。これは、たいへん大きなテーマです。ほんとうは、こういうテーマでは4Hのテーマとしては好ましくありません。

酪農経営を組み立てるためには、いろいろの要素があります。牛そのものの質、飼料の問題、技術、資本、労力などの条件があります。そういうものをひっくるめて酪農経営というのです。そこで、わが家の酪農経営の改善という場合、この経営全般的なものを改善するのか、この中でとくに、問題なのはこれだというものに焦点を合わせるか、こういうとらえ方をしていかなければなりません。

ですから、わが家の酪農経営の改善というのは、スローガンみたいなものです。これは、プロジェクトのテーマとしては不適です。そういう大きなスローガンを実現させるために、具体的にどこをどう改善していくのかということがテーマになってこなければいけない。ですから、牛の問題だけにしてもいろいろあります。質や頭数の問題もあるでしょう。その具体的な問題をテーマとして打ち込んでいく、こういうことが必要です。

ですからプロジェクトの期間はどのくらい必要かというと、例えば、他産業の関係の会社、商社、工場などの企業で行なっプロジェクトをみますと、約三ヵ月で結論がでないといけないといわれています。三ヵ月で結論が出せるようなテーマを選ばせています。企業のプロジェクトチームは、これでないと時代にのりおくれてしまうのです。

どんなよいテーマでも、一年や二年かかったのでは時代にのりおくれますし、あるいは他の会社との競争もありますから、他の会社が開発して発表してしまうこともあり得る。農業にはまだ、こんな厳しさがありませんが、いずれにしても、他産業でのプロジェクトは、三ヵ月で結論を出せといわれているがごとく、ダラダラと長い期間をかけてやるべきものでは基本的にないのです。

しかし、一般的にプロジェクトは、一年をかけてやらなければいけないように考えているわけです。これも考え方が違います。むしろ、できるだけ期間を短かく、結論の出るものを数多くやっていくことの方が大切です。

ですから、この牛の問題にしても、乳牛の質の問題などいろいろある。その中から、血統、頭数などの問題に分けてみますと、この問題は三年かかりますけど、この問題は半年で結論がでる問題だというふうに分れてきます。

例えば、六ヵ月かかる問題をとりあげて結論がでたら、次の問題にとりかかるというふうにして問題をつぶしていきます。そうしないと、今最新の技術があすは、古い技術になってしまう恐れがあります。とても次代の農業や生産の改善をリードしていくことにつながらないでしょう。

ですから、プロジェクトの内容は、例えば、五月六月の農繁期だけで結論を出してしまうというようなもの、あるいは、農閑期にやってしまうという方法、そういうテーマを選んでいくことが、まず大切です。そういうことができなくて、大プロジェクトに取り組むということは、あぶなくてどうかと思います。こういうふうに細く考えていくと、テーマはいくらでもあるのではないですか。

接木の方法はこんど、こういう方法でやっていこうではないか。そのことについて、一つツメていこうということで、接木を行なう、ほんの一週間か、一ヵ月の結論がでる期間で終わります。それを五～六月頃、一番大事なプロジェクトが行われるときにチョコッとやっている。その反省なり、次の問題の発見を冬のひまなときまで、わざわざひき延ばしている。こういうことをやると、問題の緊迫感がなくなってしまいます。ですから、できるだけ短かくしてできるようなテーマの刻み方をしなければいけません。ですから、わが家の酪農経営の改善などというテーマは、あるはずがないのです。

なるほど小さな問題で、短かい期間で、身近なということはこういうことだとわかったけれども、具体的にテーマをしぼり出す場合に、どういうところからしぼり出したらよいのか。つまり、問題の所在は、どういうところにあるのか。これは、自分なり、わが家の弱点、例えば労力の問題で、お母さんの労働がきわめて過重だ。どうしてなんだろうという問題になります。

あるいは、欠陥。どうして、うちのあそこの畑には、毎年病気が出る。一番便利な畑なのにどうして病気がでるのだろう。という経営の中の欠陥をはっきりもっているかということにも、問題があります。それから渋滞。私の家と彼の家では、労力の面でも経営の大きさからみても同じなのに、どうして、同じような仕事の流れができないのか。いつも二～三日遅れてしまう。なぜ、滞ってしまうのか。

それから、どうにか生活はやっていけるのだが、経理面で赤字か黒字かわからない。そのへんをはっきりしてみようという問題。また、あきらかに、経営や生活の中で悪いところがあるとすれば、その問題をテーマとしてとらえる。

つぎに不信、疑問、はてなと感じ、どうもおかしいと思う疑問。また、若い諸君たちの反発、父親と仕事の面での反発。これは、立派なテーマとして取りあげられます。また、矛盾、あせりなど、自分の心に与える影響の方からもテーマを探していくという方法がたくさんあると思います。（栃木県・専門技術員、湯浅甲子氏の講演から）

農業簿記

京都大学名誉教授　大槻正男

〈拡張計算〉

農業経営計算諸表

家族労働力全収益算出

「家族労力純収益」とは、家族労働力以外のいっさいの生産要素を評価して、その経営費（家族労働力経営費）の中に計上した場合に算出される純収益であって、農業生産を通しての家族労働報酬にあたるものである。

小作人がその小作地を棄て、賃労働者となることを経済的に有利とするか、または小作地経をそのまま継続することを有利とするかの標準となる大きさである。

家族労働純収益＝農業粗収益−家族労働経営費

農業粗収益

家族労働力経営費算出

家族労働力経営費＝農業経営費＋農業資産に対する資本利子見積り額
＝農業経営費＋（自作農用地地代見積り額＋自作農用地以外の農業資産に対する資本利子見積り額）
＝農業経営費＋「（自作農用地粗地代額−同上負担固定資産税見積り額）＋自作農用地以外の農業資産に対する資本利子見積り額」

家族労働力純収益算出

家族労働力純収益＝農業粗収益−家族労働経営費

家族労働純収益算出

家族労働純収益（1日当り）＝ $\dfrac{\text{家族労働力純収益}}{\text{総農業労働日数（能力換算）}}$

農企業利潤算出

ここで「農企業利潤」または「農生産業利潤」とは、いっさいの生産要素を評価して生産費用の中に計上し、それを生産価額から差し引いた場合の残額をいう。つまり、生産費用の中には、家族労働に対する労賃見積り額も、自作農用地に対する地代見積り額も、その他の資本に対する利子見積り額もいっさい計上される。

であるから農企業利潤は、生産に要したいっさいの諸物財および諸用役を、他から購入して生産を行なったとみなして計算した場合の純利益であって、農家の農企業行為に対する純報酬を示すものである。

同じく利潤という用語で概称されているが、資本に対する報酬と企業行為に対する報酬との和とみられるべき資本利潤（または資本利回り）と、ここに掲げた企業利潤とは区別されねばならない。

農企業利潤＝農業粗生産−農業生産費用

農業粗生産

農業粗生産＝農業粗収益

農業生産費用算出

農業生産費用＝農企業経済経営費＋農業資産に対する資本利子見積り額
＝農業経営費＋家族農業労賃見積り額＋自作農用地地代見積り額＋自作農用地以外の農業資産に対する資本利子見積り額

生産部門計算

経営を構成する個々の生産部門の計算並びに個々の生産物の生産費算出を行なう諸表である。本表において稲作部門純収益 ── 正確には稲作部門経営純収益 ── とは、稲作経営がその他の部門から全く独立して営まれるものと見た場合の収益であるから、他の部門への仕向けは稲作部門粗収益を構成し、他の部門からの仕受けは稲作部門経営費を構成するのである。

これらに対して部門所得、例えば、稲作所得という場合には、稲作部門に直接原因を有するところの農家所得を意味する。したがって、農家の所得にはならないところの経営内部取引額は、稲作粗所得の中にも、稲作所得的失費の中にもいっさい加算してはならないのである。

観葉植物の生産と販売

目標は〝ラン〟栽培

福岡県浮羽郡田主丸町　田主丸4Hクラブ　古賀卓美

わが家の経営内容は、水田自二十アール、畑二十アール、小作地五十アール、施設園芸六百平方メートルで、水田と畑の耕作を両親が受け持ち、私が観葉植物の生産と販売を担当しています。

私が施設園芸に取り組んだ理由としては、これ以上水田の耕作を拡張する余地がなく、また、苗木や植木の生産過剰を予想して、四年前から狭い土地を高度に利用し、しかも高い収益を上げることができ、また、これからの生活様式の向上にともない、必ず来るであろうと思われる観葉植物の栽培に目をつけ、栽培をはじめてから四年目を迎えようとしています。

この栽培をはじめる前の計画として、まず、三ヵ年間は施設、設備の拡張を図り、次の二ヵ年を利益を目的とし、最終目標としてラン栽培の資金作りを行ない、四十七年からの三ヵ年間を、また、施設拡張を行ない、五十年までには千五百平方メートルのハウスを設置し、さらに十年後には三千平方メートル、年間農業所得五百万円を目標に、私の夢をかけています。

この計画にあたり、資金面では四十二年に農業後継者育成資金を四十万円、近代化資金を四十万円の計八十万円を借り入れ、二百平方メートルのハウスの建設とその暖房設備を行ない、四十三年には再び、近代化資金を七十万円借り三百平方メートルのハウスを建て、四十四年には販売収益の中から百平方メートルのハウスを増設して、現在、観葉植物・五、ラン・二、貸鉢・二、草花・一の割合で生産しています。

四十四年度の実績をふり返ってその比率をパーセントで示すと、収益の方では観葉植物三一％、ラン・二三％、貸鉢・三五％、草花・一二％の割合となり、支出では油代・九％、鉢代・三三％、資材・七％、償却費・二七％、貸鉢材料費・一八％、その他・七％との割合になっていきます。

労働配分は、さいわいに農繁期と重複せず、うまく調整することができ、支障はありませんでした。

最後に、今後の計画として先に述べたように、第一次五ヵ年計画が四六年に終り、第二次五ヵ年計画で今までの生産割合を、ラン・七、貸鉢三の比率にして、第三次五ヵ年計画では、比率のランを十割にして、その後は、生産物の品質向上に努めていく計画を立てています。

なお私が第二次計画まで、貸鉢を取り入れている理由は、月月固定した収入（現在八万円）が入り、経営の回転資金として、この収入が第二次計画までは必要であることから、現在も引き続き行なっています。

NHK農事番組

テレビ

明るい農村　6・30～6・55総合
- 21日　村をむすぶ　フィルム・リレー
- 22日　農村新地図　秋田県羽後町
- 24日　村の記録　牛乳戦争（北海道十勝）
- 25日　きょうの話題　ひろがる農業公害
- 26日　産物往来　肥後赤牛（熊本県阿蘇郡一の宮）
- 27日　話題の広場　全国農村青少年技術交換大会から
- 28日　村をむすぶ　フィルム・リレー
- 29日　農村新地図　岐阜県朝日村
- 31日　村の記録　群峰北上（富山県、北海道）

農業教室　7・30～8・00　教育
- 21～22日　契約生産
- 24～26日　多頭化酪農と粗飼料調達
- 27～29日　省力多収の飼料作
- 31日　水田転換の野菜作り

あすの村づくり　日　7・00～8・00　教育
- 23日　▽あすの農業をきずく＝第10回全国農村青少年技術交換大会から

ラジオ

早起き鳥　5・05～6・00　❶
- 21日　現地報告　山村総合開発センター（富山県利賀村）
- 22日　村のポスト
- 23日　ことしの稲作
- 24日　現地報告　婦人の貧血追放
- 25日　人と話題　日米農業団体代表会議に出席して（宮脇朝男）
- 26日　通信員の手帳から
- 27日　人と話題　大型酪農をきずく
- 28日　現地報告　有害農薬を追放した野菜産地
- 29日　村のポスト
- 30日　来年度農政の方向
- 31日　現地報告　機械化稲作をめざして（石川県下）

ラジオ農業学校　日　6・30～7・00　❷
- 23日　▽農業ゼミナール「離島の農業を伸ばすには」（東京都伊豆七島）青年大会から
- 30日　▽農業講演会「心に種をまく」（奈良薬師寺管長）高田好胤＝第6回全国4Hクラブ員のつどいから

あしたの青春　〈36〉

一ノ瀬綾　え・多賀愛子

出発（九）

ふく代が新一の手紙を持ってきた。

「父さんと二人で畠から帰ってみたら、お勝手のテーブルの上にこれが置いてあっただよ……いつの間に書いたもんだか」

走り書きではなかった。三枚の便箋に、ていねいな文字がきちんと並んでいた。

……びっくりしないでください。俺は東京へ行きます。本当は話し合いたかったが、許してもらえる自信がないので書きます。

しばらく村をはなれて、農村以外の社会や他人の生活、また自分自身も見つめ直そうと思います。その中で現在の農業が置かれている本当の姿をつかみたい。そしたら、どうして俺達が本気で作ったキャベツが、畠で腐らなければならなかったか、本当の仕組や原因が納得できると思う。

これからの農業がどうなるのか、俺はそれが知りたい。都市の生活や、他産業のあり方、働く若い仲間達の本当の姿が知りたいのです。二、三年の我侭を許して欲しい。生活が落ちついたら、夜間の大学へでも行って、経済学を勉強したい。仕事先は、品川区にある自動車工場の工員寮です。

姉さんには本当に心配かけて悪かった。父さんも母さんもまだ若いんだから、俺が帰るまで頑張って欲しいと、たのんでください……。

読み終らずにすみ江は、手紙を投げ出して両手で顔をおおった。（俺が帰る迄……）と書いていたから、村にもどる意志だけは残っているのだ、そう思うことだけが今の慰めであった。

（自分がいいと思った通りにやって、責任を取る、それが人生だ……）いつか言った新一の言葉が、今更のようにすみ江の胸を刺す。

あの頃から、はっきり覚悟を決めていたのであろうに、見通せなかった自分は、姉として失格であったと、すみ江は両親の前も忘れて歯がみをする思いであった。

「どうしたらいいのだや、これから……」

ふく代は立つ気力もなく涙をぬぐった。

「これだけの覚悟で出て行った者を、どうすることもできゃしない……あきらめるのね」

すみ江はむしろ自分に言いきかせていた。

「いや、おらはあきらめねえ……迎えに行く。品川の工場と言えば、手紙をやり取りしていたあの東京の友達にきまっている。住所を調べて、おらが迎えに行くだ」

突然、狂ったようにふく代は、新一の机の引出しをあちこち捜しはじめた。

「やめねえか、馬鹿め！なんだ未練たらしい。こうなることはとっくから俺にゃわかっていたぞ。頭をさげて、詫びるまで家へなぞ入れてやるものか……世間知らずの馬鹿野郎が……なにが夜間大学だ」

久治がねれ手拭を、突然ふく代の方に投げつけた。すみ江がのぞくと、久治は青ざめた頬に涙を光らせて目をつむっている。

「父さん強がりはやめて。勉強したら二、三年で帰って来ると書いてあるんだから、待ってやれば……まだ十九よ。中年過ぎの人だって、やろうと思えば農業にもどれるんだから、大人になって帰る日を待ってやって欲しいわ」

言いながらすみ江は、自分の立場が、本当にぬきさしならないものになっているのをひしひしと感じ取っていた。

「おらは体も弱いだに……明日から、どうすればいいんだい」

「おらが、家の仕事を手伝うよ。会社をやめるつもり」

ふく代は目を見張ってすみ江を眺めた。久治もそこへ上体を起こすと、現実問題として、はじめて気がついた様子ですみ江を見つめた。その目が弱々しくうるんでいた。

よりよいクラブ活動のために

青春と仲間

婦人会と意見交換

——長崎県・国見4Hクラブ 森 三江子——

1、私たちのクラブ活動の概況 クラブ結成の動機 町内に存在する三つの4Hクラブが合同することによって、はじめて大きな力となり、いろんな活動行事を行なって行く上で、従来以上にプラスになるのではないかと考えた。結成年月日 昭和四十三年五月十三日 会員数 男子三十二名、女子十一名、二十歳以下二十二名、二十五歳以下二十一名 主な活動 ❶個人、共同プロジェクト❷行事は、四月新入クラブ員歓迎遠足、五月資金募集、七月料理講習会、九月体育大会、十一月視察旅行、一月プロジェクト発表大会、三月総会

百%出席する女子クラブ員

2、課題と取組んだ動機 私の4Hクラブでは、女性の人数が他地区と比較してみると、多い方で、参加割合も各行事ごとに百%であり男性も出席率が高い。そこでクラブ活動をいかにすればクラブ員が満足できて、しかも有意義な活動ができるか研究してみたい。

3、計画と資金 この計画は、あくまでも連絡協議会の案であって、細分化すれば三クラブの単位クラブの存在があるので、それぞれの単位クラブはこの行事計画に従いつつ、個々に活動を行なっているので、ここではあまり無理な計画は立てていない。資金面では、会費が一人年間三百六十円と、町役場からの援助とで賄っている。

4、本年度の実績をかえりみて クラブ内での活動は、なかなか活発で、婦人会との意見交換の場などを設けたことが、一番心に残っている。しかし外部、つまり県大会や研修会などへの参加が、もとあってもよかったと思う。自主的に参加してもらいたいと考えるが、また同時に、そのようにもって行くように努力したいものである。

5、過去二年足らず、4Hクラブ活動を行なって来て、反省すべき点あるいは、大いに伸ばして行くべきところなどいろいろあるが、今後の計画として、まだ一度も経験のない父子合同の懇談の場を設け、クラブについての要望や、子に対する意見、反対に親に理解を求める点など、心の奥底まで話せるような場にしたいと思います。

男女合同で料理講習会開く

また、大変好感をもたれた男女合同の料理講習会では、汗だくになって、張る男子クラブ員のエプロン姿に、さすがの女子クラブ員も顔負けの様子でした。こんな点などは大いに伸ばし、次回にも引続いて行なって、有意義で活発な活動が出来るように、クラブ員とともに頑張りたいと思います。

6、今後の農業 現在の状況ですと、農業の就業人口はだんだん減少し、農業を好んでやる女性の人口の増加も、あまり望まれないのではないかと思います。農家には、嫁のきてがないといわれるのも、労働時間に制限がなく、自由に使える小遣いも少なく、娯楽設備がないなど、あまりにも問題点が多すぎるのです。この問題点をなくし、サラリーマンや他産業並みの生活が出来るようにクラブ活動や研修などを通して勉強し、他にうらやましがられるような、農家生活を、ぜひとも実現して行かなければなりません。

〝頭の経営〟目指す 不足する組織の把握

派米クラブ員便り

アメリカの4Hクラブは、フロンティア精神を土台に、農村の中から発達してきましたが、現在では、そのフロンティア精神を理解して生きている人は少なく、クラブに対しても、日本の部員と同じように四つの言葉の主題は知っているが、その奥を理解している人は、ほんの一部の人です。

ここには、大人のリーダーがいて、その人達が部員の指導をしています。リーダーは趣味的に行なっているもので、収入を得られるものではありません。そのリーダー1に4Hと4H協会のつながり、運営方法など全体的なものが、どのように動いているのかたずねても、ほとんどの人が知ってはおりません。「私の役（立場）は一つのプロジェクトなのだから……」と、リーダーと指導者との関係がこんな調子なのですから、部員は全く全体の動きどころか、州、郡の動きについても知っていない状態です。

小さな時に部員になり、働く喜びを身につけることはよいことだと思いますが、もう一歩入ってものを考えること（自分のこと以外に他へも目を向けること）を身につけてほしいと思いました。この点、日本の方が進んでいるように思われます。人間がそれぞれ違った生き方をしているように、クラブもそれぞれ異なった発達の方法を持っています。私にはどちらがよいかわかりませんが、自分達の手で運営している点において、日本のクラブはよいクラブだと思います。

ここの州の大会を終えて、三日間、オセロにある八千エーカーの土地を持った農家でお世話になりました。奥さんは牛のリーダーで肉の販売方法についていろいろ教えていただきました。子供さんは十七歳の男の子、十三歳の女の子で、男の子は朝から夜までよく働いていました。御主人に「あなたがやめられた後、誰が後をつがれるのですか？」とたずねたら、「息子がするでしょうし、やりたくないと思えば、売ってお金を分けるでしょう」と答えました。

この国の農業労働者の平均年齢は五十歳くらいで、大変高く、日本と変りありません。そして、新しく農業を始めることは、ほとんど不可能（土地、機械が高いの）で、広くする場合は、姉弟、親類の者が土地を集めて行なう方法が多いということでした。日本の農業が企業化をめざし、〝頭の経営〟と言われてきているように、ここでの農業も〝頭の経営である〟と、口をそろえたようにみんな言います。

「安く物を買い入れて、十二分に使い、高い利益を得る方法、それが必要なのだ」ともいいます。また、ここでは、農家と企業（野菜の加工場）が農民の手で行なわれて、価格の変動を大きくしない方法がとられています。需要と供給のバランス、市場価格、購買価格など、これらを忘れたら今後の農業の発達はないだろうと……。生活することの難しさを強く感じさせられます。

（草の根大使 坂本重子）

農村雑感

折原俊二郎

一ツの壁

都市化と農村、または都市化と農業という言葉が使われてから大分年月が経っている。しかし、このことは今日でも依然として叫ばれている。しかも、都市化と農村ということから、農村の都市化という感覚をもつものまで出てきている。農村はあくまで農村であって、都市とは形態がちがうはずである。ただちがうのは農村が、いつのまにか都市に変貌し、農村でなくなる状態が各地にみられるため、その仕別けが出来にくくなってきている。

都市化への変貌過程にある農村は、まさしくその実態が都市であるか農村であるかの区別はつけにくいものである。ただ、農村から都市へ移る大きな波にまき込まれ、近い将来、都市形態に脱皮するであろうことは疑うことのない事実であるという感覚は十分つけとれる。

このように日本経済の急速な成長は、従来の地域構造を変え地域分化現象が急速に進み、その結果、都市の現りが各地に出来、急速に成長しているため、その作用の一つとして農村なり農業に大きな影響を与えているわけである。これらの現象をとらえてみるとき、都市と農村との関係が問題となるものであろうし、両者の間に生ずる問題、特に大きな問題をかかえているのが、農村であるといえる。

ところで、近代化という点については、農業以外でも重要な要素である。近代化を産業という立場でみると、工業化への急速脱皮であり、それが、今日の企業に課せられている重要な課題でもあるわけである。さらに今日ではこの工業化から一歩進んだ形態として、情報産業化という言葉が盛んに使われだしてきている。

このことは、近代化というものをさらに拡大進歩させるという大きなイメージにも連がっている。情報産業化とは、また、そうした形態下にある社会とはどういうものか、その具体的なものは提示されていないが、おぼろげながら、その輪郭について感覚的にはとらえられつつあり、農業以外の他産業ではその目標に向って進もうとする姿勢がみられるのも事実である。

農業の近代化といった場合、卒直にうかんでくるものとしては、経営規模の拡大とか機械の導入、または、協業、共同経営の実施という範囲に止ってしまう。産業でいえば工業化という範囲内の考えであり、その域にさえ、農業は到達していない。まして情報産業化というイメージはとうてい生まれてこない状態である。農業の近代化とは、資本主義経済の諸原則を農業に十分浸透させることであるとすれば、規模拡大とか機械化というのは一部面にすぎないといえる。

しかし、そうかといって、今日の農業で考えられる近代化の範囲が限定され、そのワクを越えた考え方（例えば工業化から情報産業化という未来の方向づけ）が出てこないとすれば、そこには不安と焦燥が出るのは当然といえる。しかし、現状ではどうしてもこの壁を打ち破ることができない。

農業に本格的に取り組もうと考えている青年ほど、この壁に突き当って、これを越えることのむずかしさを、農業の実態を通して感じている。この壁を何とかして打ち破る方法なり、きっかけがつかめたら幸いだと考えているが。

（農林省・農業者大学校）

生活 もの知りコーナー

◇通知簿の見方

通知簿で、父母がまず目にとめるのが各教科の評点でしょう。小・中学校では相対評価といって、クラスのこどもを、中位三八%、その前後二四%、上位および下位各七%に分け、上位から5、4、3、2、1の評点をつけます。

通知簿のもととなるものに「児童指導要録」というものがあります。たとえば、国語の場合、指導要録には、聞く、話す、読む、作文、書写の能力、その進歩の状況などが観察記入されており、単に評点だけでは評価しきれないものがあるのです。父母の会などで、担任教師からよく話を聞き、こどもの能力を正しく理解してやることが大切です。

評点3の者が成績を上げても、他の者が同様に成績を上げていたら、3の評点は変らないという結果になります。この場合、こどもの努力は十分認めてやる心づかいがほしいものです。

通知簿は、学校がこどもの評価を通知し、家庭の協力を求める連絡簿……それが役目です。ですから、家庭では、担任教師と親との相互連絡を密にし、こどもの能力をのばす手がかりとして、活用したいものです。通知簿が、こどもを責める道具になってはかえってこどもを勉強ぎらいにしてしまいます。こうなっては、責められねばならないのは親の方だといえましょう。

葉隠の里を訪ねて (9)

=ウソがつけぬようでは男でない=

山本常朝の父は、家来にむかって「博奕を打て、ウソをいえ、一町歩く間に七度ウソをいわねば、男として役に立たない」とだけいっていた。昔はただ武勇がすぐれていればよかったので、なまじ正直で行儀ばかりよいような者には、大きな仕事はできぬと思われこのようにいっていた。素行のよくない者に対しても、知らぬ顔をして許しておき「よいことをしたものだ」と笑っておられた。

相良求馬（鍋島家家老）なども、盗みや密通した家来を許しておき、次第に育てていかれたが、「そのような者でなければ、いざという時、ものの役に立つようにならぬものである」といっていたという。

評 正直者とか好人物、人格者といわれる人は、とかく引込み思案で、大業をなすことができない。多少、脱線した乱暴な生活をした人間の方が、いざという時、たよりになるし、貢献度が大きいといっている。

学生時代の優等生が、必ずしも社会に出て、成功者となるとは限らない。とかく、わんぱくの落第生でも社会に出て、成功している人がいる。要は脱線してもバイタリティーのある人間が、生存競争の中で勝者となるといいたかったのであろう。

=大雨の教訓=

〝大雨の教え〟というのがある。外出の途中にわか雨にあい、濡れまいと道を急ぎ走り、軒下などを通ってみたところで、濡れることにはかわりない。最初から濡れるものと覚悟してかかれば、濡れても心は平静で、このことは万事共通するものである。

評 いやなことから逃げようと避けようとするのは人情だが、逃げようとするそこには、心の動揺がおこる。避けられないなら、思いきりとび込んでしまえ、「身を捨ててこそ浮かぶ瀬もあれ」である。人間、常に最悪のことを予測して心を決めておけば、どんな難事でも切りぬけることができるといっている。

人間は、一度は死ぬものである。死を避けるのは当然だが、その上にいつ事故が起きても、心配いらないだけの保険に入っておけば、心は安心して働けるのではないか。ちょっと保険屋さんのセールスに、応用できそうな教訓だ。しかし、ドライに考えれば、これほど積極的な生き方はなかろう。

佐賀農業の物語 <中>

幕末にあった〝農地改革〟

——全国農民総連盟常任委員 中村吉次郎——

佐賀県農業では、干拓地を見落してはならないが、その先駆小城郡芦刈の干拓も兵庫が手をつけたものであった。その他、兵庫の功績をいちいちここであげるひまはないほどのかずにのぼっている。

成富兵庫は文武両面にすぐれた武士で、「葉隠」にも、その名が幾度か出てくる。そして、緩流河川の改修法としての肥前の成富流は、甲州信玄流の急流河川改修法とならび、また、野中兼山の水利灌漑用の河川改修法とともに江戸時代の河川工学の水準をしめすものとして、専門の研究者の間でも、高く評価されて、いるということである。

「均田制度」の話

幕末のころ、全国的な傾向をみせたものに、商業資本の農村浸透、地主の土地兼併があった。そのために農村は荒廃し、農民は困窮した。鍋島直正の時代で佐賀藩の財政も苦しかったし、農民経済も疲弊していた。そこで直正は天保十三年（一八四二）に、「加地子猶予令」というものを出した。加地子（かじし）というのは小作米のことである。この加地子米を、向う十年間地主はとってはならないということであった。十年たったら、追い打ちをかけて、さらに向う十年間これを続けることにした。そして二度目の十年の中ごろ、明治維新となったのである。

いうなれば、戦後の農地改革のような大事業であったわけだが、このことについては、たとえば六万町歩のうちこの「加地子バッタリ」が行なわれたのは伊万里湾沿岸と有明海沿岸の新田村落にかぎり、僅か二千町歩の三%にすぎない（佐賀県農地改革史）。いや本藩が支配していたのは、このうちの二万町歩であったから、実際は一〇%に当っていた（佐賀県史）などとその評価もまちまちであるが、いずれにしても、このことによって、他藩にみられるような新田地主（富農）や、特権商人の大土地所有による貧農の分解をふせいだのではないか、ということは出来よう。

この「加地子バッタリ」については、小野武夫博士による

おことわり 中村吉次郎氏の「佐賀農業の物語」は、三面から四面へ移しました。

わたしの抱負

第一回 全国農村青少年研修センター

研修生交換大会発表より

米から施設園芸へ 〝機械科卒〟生かして

埼玉県農業経営研修所 渡辺勝久

私は、高等学校は埼玉県の坂戸町にある、東京教育大学付属坂戸高等学校の農業機械科を卒業しました。農業機械科といっても、学習する内容は他校の機械科と同じでです。したがって、高校時代は農業に関する勉強は少しもしませんでした。それなのに、なぜ自分の職業に農業を選んだのか……。それには、いろいろな理由があったからです。

その理由のまず第一は、私の家が農家だということです。私は小さいころから、両親の行なっている農業を見ています。だから、私は、社会の数限りない職業の中で農業という職業を一番よく知っています。それがどんなに苦しくてどんなにたいへんであるかということも……。しかし、それだけに一番親しみのある職業です。

人間であるということ

理由の二つ目は、機械工場で働く苦しみを知っているからです。私は高校時代に、よく工場見学に行きました。そして、そこで、オートメーションの生産組織に組み込まれ、無意識に生産を続けているような、やる気のない青年達を数多く見ました。彼らは人間であるということを忘れたように、ただ黙々と、たった一つの生産工程の仕事を続けていました。私はそれを見て人間疎外ということを感じました。

彼らは、自分の仕事に楽しみを感じているのだろうか。そういう人も中にはいると思いますが、私は、ほとんどの人が、無意識に仕事をしているように思えました。その仕事に生甲斐を感じている人は、それでいいのですが、その他、人間の特権である「考える」ということを忘れ、ある一つの作業をする機械のようになってしまった人間、私はそんな人間になりたくありませんでした。私は人間らしく生きたかったのです。私の考えではどうしても、それが人間らしい生き方とは思えなかったのです。

パスした会社もやめて

農業機械科に入学して、私はたいへんに迷いました。その高校をやめて、他の農業高校に入学しようと思ったことが、何度かあります。特に、三年生の進路を決定する時には迷いました。一度、ある会社の入社試験を受けて、パスしました。しかし、もう一度よく考えて農業を行なうことを決意しました。決意はしたものの、機械のことを学んでいた私は、そのままで農業をやってゆく自信がなかったので、農業のことを教えてくれるところを探しました。

昔ながらの農業を脱皮

そして、現在の家の状況などを考え合わせた結果、埼玉県農業経営研修所で、一年間、研修することを決めたのです。ですから、農業を将来の職業とする私の決心は固く、現在では、どんなに苦しくても、生涯農業を貫き通すつもりでおります。

前にも述べましたように、私は機械のことを学んだので、農業のことについての考え方は未熟であります。今、研修所で勉強していても、何をどのようにやったらいいのかわからず、自分の立場がわからぬ状態です。しかし、それでも私は私なりに、農業についての自分の希望をもっています。

私が研修所を卒業して、まず第一にしなければならないことは、自分の家の農業改善であります。私の家はいまだに昔ながらの農業を行なって生計を立てています。現在の状態では、私が改善すべき点は多分にあります。今や、日本の農業は、大きな分岐点に突き当っています。政府は「米の減反政策」を発令しました。また、現在、農村地域は都市化の傾向にあり、私の家の近くでも、五年後には大きな団地が立ち並びます。

私達農民は、昔のように米だけを作っていては、生活してゆけません。米は政府の政策により減らされます。そしてまた、農地はしだいに少なくなります。私達は米に代わる作物を栽培し、生活してゆかなければなりません。私はそれを、施設園芸に求めました。私の改善策は、技術面で設備の充実、各種農機具の導入、化学薬剤の使用などを盛んに行なうことです。

私の家は、まだまだ設備が整っておりません。私が、新しい農業を経営してゆくためには、どうしても設備を整える必要があります。ハウスを立てて、保温や灌水の、設備を施さなければなりません。それと同時に、動力噴霧機などの農機具を購入し、仕事の能率を上げ、薬剤をフルに用いて病害虫の防除などを行ないたいと思います。

記録によりロスを省く

経営の面では、その日に行なった作業と作業時間、使用した機械とその使用時間、そして、薬剤の種類と使用量などを記録することです。また、それらに伴って、簿記などを用いて、資本の流出や売上げの利益、作業に対する労働時間などを記録し、細く分析して、労働力の配分や作業順序などを決めます。さらに、資本主義的工場の企業経営形態を学び、それに準じた新しい農業の経営形態を確立することです。そして、より合理的でより企業的な農業を行なうつもりです。

日本4H新聞

4Hクラブ 農事研究会 生活改善クラブ 全国弘報紙

発行所 社団法人 日本4H協会
東京都市ケ谷家の光会館内
電話(269)1675 郵便番号162
編集発行人 玉井 光
月3回・4の日発行
定価 1部 20円
一ヵ年700円（送料共）
振替口座東京 12055番

クラブ綱領

私達は、実践を通じて自らを磨くとともに、互いに力を合わせて、よりよい農村、よりよい日本を創るため、四つの信条をかかげます。一、私達は農業の改良と生活の改善に役立つ腕をみがきます。一、私達は科学的に物を考えることのできる頭の訓練をします。一、私達は誠実で友情に富む心をつちかいます。一、私達は楽しく暮し元気で働くための健康を増進します。

いよいよ〝つどい〟開会式

千三百人参加

第一日から現地交歓

高田好胤氏の講演「心に種をまく」も

全国4Hクラブ連絡協議会（会長、久野知英君）佐賀県4Hクラブ連絡協議会（会長、小林秀敏君）社団法人日本4H協会（会長、松下幸之助氏）が共催して行なう第六回全国4Hクラブ員のつどいは、八月二十四日から五日間、葉隠の里佐賀県の佐賀市、大和町を中心に県下一円にわたって、くりひろげられる。今年は六回目とあって参加者も当初予定した人員をはるかに上回り、千三百名の参加がみこまれ、地元佐賀県連を中心にした運営体制も整い、自らの手で企画運営し、自らのために開催するという4Hクラブ員のつどいにふさわしい内容が盛り込まれ、全国の4Hクラブ員や多くの関係者から期待が寄せられている。【関連記事が二、四面にあります】

記念品は佐賀名物の楽焼きを

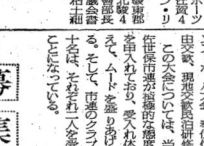

このつどいは、日本農業の担い手として、日夜、農業の改良と生活の改善に努力している4Hクラブ員が、自らの手で企画運営して実施し、新しい技術の研さんとクラブ活動状況の話し合いや現地交歓訪問などを通して、青少年の仲間づくりや新しい時代を拓くための自主性の高揚に資するとともに地域社会から理解された4Hクラブ活動を推進することを目的に開催するもの。

同つどいが佐賀県で開催されることに決定したのが六月。以来小林佐賀県連会長を中心にした地元側は準備体制を整え、全協と数回にわたる打合せ会議をもち、短い期間であったが、地元運営委員の献身的な協力もあって、準備が完了。全国千三百名の参加者の訪ずれを待っている。

今年のつどいの特色は、従来閉会式後に実施した現地交歓訪問を第一日目の夜から行なうことに決め、つどいの完全な行事の一つとして明確化させたのをはじめ、参加者への記念品も焼物の佐賀にふさわしく、参加者が自ら筆をふるって楽しめる楽焼きを行なう。また、葉隠の里を訪ねてと題した自主的な班別行動など佐賀の特色を出している。

この班別活動は佐賀市金立町と佐賀郡大和町にまたがる葉隠の里に散策コースを設定して名所古跡を訪ねながら話し合いやレクリエーションを行ない佐賀の歴史をみ、友情を深めようというもの。

つどいの主な行事は次の通り。

二十四日　受付、記念楽焼、開会式、記念講演・奈良薬師寺管主高田好胤氏・演題「心に種をまく」、パネル討議・テーマ「地域農業とクラブ活動」、現地交歓訪問出発。

二十五日　現地交歓訪問

二十六日　現地交歓訪問、宿舎へ集合、自由交歓、郷土品の交換。

二十七日　葉隠の里を訪ねて＝自主的班別活動＝話し合い、レクリエーション、記念植樹、キャンプファイヤー。

二十八日　郷土芸能、閉会式、さようならのつどい、記念品「楽焼」の受渡し、解散――など、4Hクラブ員のつどいにふさわしい行事が待ちかまえている。

なお、第一日目のパネル討議は、NHKが集録し、九月六日、朝七時から教育テレビで放映する。

〝心頭技健〟磨く われらが未来を拓く

スローガンが決定

つどい開催をひかえて、そのスローガンがなかなかまとまらず、地元の佐賀県連の運営委員の諸君をはじめ、関係者の気をもませていたが、八月十四日、久野全協会長、松浦事務局長、それに4H協会関係者が集まって、ようやく決定した。

〝心頭技健〟磨くわれらが未来を拓く　これを、本年度の大会で高く掲げることになった。地元佐賀、全協役員などから、多くの候補作が寄せられたが、一長一短で結論がでるまで、かなり難航したが、結局、4H精神の根本に立戻って、謙虚につどいそのもの、4Hクラブそのものを考えなおそうというところから、前述のスローガンに落着いた。

中町幸蔵君

福田勝美君

横尾文三君

中林正悦君

岩田乙女さん

三戸　保君

つどいへの長い道程

第六回全国4Hクラブ員のつどい開催に際して、昭和四十年度全協会長の小川重雄氏から、第一回のつどい実施に至るまでの経緯を記した長文をいただきました。単なる思い出話でなく、ひとつの教訓として、味読していただきたいと思います。

技術的動物でよいか

いままた意義の再認識が必要

昭和四十年度全協会長　小川重雄

感動のあまり、私のあいさつは絶句してしまった。その涙は今まで張りつめていたものから解放され、一つの仕事を成しとげたという安堵感によるものであったろうが、それ以上に、ここまでこぎつけるまでに、どれだけの友情に支えられてきたか、どれだけ励ましをいただいてきたか計り知ることができないという、感謝によるものではなかっただろうか。これは私の生涯忘れようとて忘れることのできない思い出、九州はきじま高原での、第一回全国4Hクラブ員九州のつどい、第三日目の閉会式でのできごとであった。

冒頭に、私は改めて4Hクラブをそしてつどいを支えて下さった人々に対して、また、軽薄な私を支えて下さった友人の方々、クラブ員のみなさまに衷心より、厚く感謝のお礼を申し上げます。当時（四十年）、農村青少年のための全国大会は、全国農村教育青年会議、同技術交換大会と称して、各地で盛大に開催されていたにもかかわらず、どうして4Hクラブ員のつどいと称した4Hの全国大会を催そうとしたか。端的にいって4Hクラブ員が自分たちのための大会を、自らの手で企画運営し、新しい技術の研鑽、クラブ活動の話し合い、クラブ員の現地交歓訪問など楽しい行事を通して、自主性の高揚に資するとともに、家族ぐるみの4Hクラブ活動の推進を図ろうとして開催したのである。

しかし、つどい開催の根底となったものは、将来の農村に必要なのは、個人技術でなく、農村社会全体が、力を合わせて組織力を持つことである。これは、生産性の低い農業が、世界経済の中でひけをとらない力をもつこと、生産地形成、計画生産、そして計画出荷、生産地から直送で消費者へというような流通機構の改善、それに伴なって価格安定の農業――。そういう近代化された農業を実現し得るのは、青年の力以外にはない。それも全国的な組織を持つ、心頭技健をともに磨く4Hクラブ員が……と私たちは考えていた。

4Hクラブの指導機関である農林省でも過去において、農村青少年の自主的な活動として4Hクラブを育成指導していたが、昭和三十七年頃から、組織を代表しての全国大会への参加は認めなくなり個人を主体に技術を磨くための農村教育青年会議、同技術交換大会に切替えてしまった。過去の全国大会には、4Hクラブの旗が会場にはためき、4Hクラブ即農村青少年クラブだったものが、4Hクラブの歌も唄えないのはなぜかと四十年春の青年会議で、4Hクラブ員の参加者から問われたこともある。

青少年の心・頭・技・健を磨き立派な社会人に成長するための人間形成の場としての役割を持つ4Hクラブが、このままで衰退すれば、農村青少年は農業という職業の技術だけを身につけた動物的な人間（労働者）になってしまう。

それでよいのか。それにはどう対処していったらよいか。このことについて全協の内外でたえず論じられていた。

その手段として、4Hクラブをもっと伸ばし、また、4Hクラブ独自の大会を持ち、自らの組織を通してみんなが助け合う精神を養うことが必要だという結論に達し青年の情熱と希望がそこに集結したのだった。その頃の全協は、農林省が開催する青年会議などに、運営委員の一員として参画していたが、春の大会で指導者の一人と意見の対立をみたこともあり、全協の総会においても、全国的な大会は4Hクラブのつどい一本にするということが確認され、いよいよ4H色を強めた、全国4Hクラブ員のつどい開催が決定されたのである。

しかし、頼りにしていた日本4H協会が、当時は青年会議などの後援団体になっていたので、つどいへの協力について常任理事会の承認を得ねばならず、そんな状態であるため、全協も予算的な処置は講じておらず、協会の新田事務局長をはじめ、山本部長以下職員のみなさんは、私たちの意見に賛同されていたので、それなりにご努力、ご援助下さって、協会の常任委員会に出席してつどい開催の意向を伝える機会をつくっていただいた。

私たちは、松下電器東京支店で開催された常任理事会に出席、つどい開催の重要性を力説したが、一部の理事から、あなた方のやっていることは、もう4Hクラブ員の線を脱しているとまでいわれた。しかし宮城副会長さんからは青年の考えに間違いはない――という理解あるお力ぞえをいただき、いよいよ、つどい開催が本格的となった。その後、新田事務局長、山本部長のお力ぞえでI・M・Cから二十余万円の協賛をいただくことに決った。

つどい開催のための準備が本格的にはじめられ、五月中旬の第一回執行部会で全協としての態度を確認し、下旬には麻生副会長（大分）が会場の件で熊本県の阿蘇青年の家に飛び、六月に入って再び阿蘇へ交渉にいくなど、六月二十四、五日大阪で開催の評議員、代表評議員会である程度のアウトラインを打ち出そうとしていた。その間、内田事務局長（栃木）は十数回にわたって、事務所、麻生君、私などに連絡のため家をあけている。これにはまったく頭の下る思いであった。にもかかわらず、七月の第二回執行部会では、阿蘇青年の家の使用は不可という結論に陥ってしまい、会場が決まらず、宙に浮いてしまった形となってしまった。

そんなある日、協会の山本さんから、個人的な考えだが、あらゆる角度から検討して断念すべきではないか――という手紙をいただいた。しかし、ここまできて断念することはできない。「初心貫徹」と固く誓っていた私は、どうしたらよいか迷ってしまった。こんな状態に業をにやした内田君は最後の決断を私に迫った。私の答えいかんによっては、つどいを断念すると考えていたのである。そこで私は、どんな障害があってもやりぬく考えを伝えた。麻生君は会場を大分県の九重高原の一角、城島（きじま）高原に決定するまでにこぎつけた。第三回執行部会が八月十九日から開かれ、開催日、場所、内容などが具体化されていった。その後、八月三十日九州ブロック会議で、つどいを特色づける現地交歓訪問の打合せが行なわれ、これも九州各県連の協力を得て具体化された。

おくればせながら、いよいよ準備に突入、八月二十一日から九月二十八日までの間、内田事務局長を中心に、丸山（富山）辻井（大阪）麻生副会長、遠藤（神奈川）長田（静岡）同次長、岡田監事（埼玉）黒田（茨城会長）君らが入れ替り立ち替り準備のため事務所へ日参した。内田事務局長を中心とした準備体制はまことに円滑に進められ、すべての資料はガリ版を切り、謄写インクで手をまっ黒にした。今でこそ立派な資料が作られているが、その費用すらなく、それを補なうためでもあった。

準備も完了し、九月二十八日東京を出発し、会場には第一陣の麻生、内田、長田君が陣どった。二日遅れて辻井、遠藤、岡田君が、[illegible]は大会前日の十月二日に会場入りし、準備は全協をはじめ大分県連の役員たちで、すべてでき上っていた。昭和四十年十月三日、いよいよつどいの開幕である。他の全国大会と異なり、すべて自費参加であるにもかかわらず、北から南から三百余名のクラブ員が、集まってくれた。とくに、関東ブロックから参加した県連会長からの資金カンパには、運営委員みんなが泣いた。

三百余名の自主的な参加者があり、とどこおりなく終了したのは私の力ではない。内田事務局長を中心とした全協、大分県連の役員、それにも増して全国の4Hクラブ員が自ら4Hクラブ活動の必要性にめざめたからに他ならない。この小さく発したつどいが、今年は第六回を迎えた。この機会に再びつどいの意義を再認識し、永遠に流れを続かせることが、4Hクラブ員をはじめ、私たちOBの使命ではないかと思う。

全協推薦　横尾君ら六人

「青年の船」一般団員決る

第三回「青年の船」一般団員の候補者が、このほど総理府青少年対策本部で内定された。それによると、ことしの一般団員候補は男子百九十三人、女子八十四人で、全国4Hクラブ連絡協議会からは、男子五人、女子一人の計六人が団員候補に選ばれた。

この青年の船は、次代の日本を担う青年の視野を広め、幅広い教養を身につけさせようと、政府が明治百年記念事業の一つとして始めたもので、これまで三回にわたって東南アジア諸国を訪問し、各国間との相互理解、親善を深めるとともに、規律ある船内生活を通じて心身を鍛練するなど多くの成果をあげた。

今回は、来年二月上旬から三月下旬にかけて、約五十一日間、東南アジア諸国（フィリピン、インドネシア、マレイシア、インド、シンガポールと中華民国の六ヵ国を予定）を訪問する。

団員候補に選ばれた人は、来る九月二十七日から十月四日まで静岡県御殿場市の国立中央青年の家で実施される事前研修に参加し、適当と認められた場合、正式に団員として決定されることになっている。なお、青年の船には、このほか各県から推せんされた多くの4Hクラブ員が毎回乗船しており、船の名前をとってつけた〝さくら会〟という農業者の会の中心的役割を果して活躍してきた。

全協推せんとして、一般団員に内定した4Hクラブ員は次のとおり。

福田勝美（[illegible]）①埼玉県南埼玉郡白岡町柴山九二二②大山4Hクラブ③県連4H部理事④機械体操、空手、ギター、茶道、大型特殊自動車免許、青少年相談委員委嘱される（44年8月）

中林正悦（[illegible]）①三重県阿山郡伊賀町山畑五六三の一②伊賀町農村青少年クラブ③県農村青少年クラブ連絡協議会々長（44、45年）④サッカー、トランペット、大型特殊自動車免許

三戸保（[illegible]）①広島県山県郡豊平町吉木四〇五一②豊平町楽農会③山県郡東部農業後継者連絡協議会副会長④マラソン、農業改良普及員資格、中学校教諭二級普通免許

中町幸蔵（[illegible]）①高知県土佐郡土佐町東石原一九九八②高嶺4Hクラブ③嶺北（土佐）地区農村青少年クラブ連絡協議会々長（44年）③柔道、相撲、ソフトボール、歌、家畜人工授精免許

横尾文三（[illegible]）①佐賀県佐賀市鍋島町大字鍋島一二三一②鍋島4Hクラブ③県4Hクラブ連絡協議会広報副委員長④特技＝スポーツ（駅伝）、ベースギター（佐賀4Hク、ジャズ・オーケストラ・リーダー）

岩田乙女（[illegible]）①静岡県駿東郡小山町竹之下二三〇の一②北駿4Hクラブ③同クラブ生活改善部長③県東部青少年クラブ連絡協議会書記④特技＝バレーボール、粘土細工、珠算

4Hクラブ員　カナダから来日

サーボウスキー君

ボルトンさん

カナダの4Hクラブ員、レオ・サーボウスキー君（十七歳）、ブレンダ・ボルトンさん（十七歳）の二人が、八月十六日の夕方羽田に到着、4H協会の新田事務局長、全協副会長の黒沢夫妻に迎えられた。

二人は、カナダの農業改良普及事業機関から、駐日カナダ大使館を通じて派遣されたもので、万博見学がひとつの目的であるが、同時に、日本の4Hクラブ員との交歓も考えているため、佐賀のつどいにも、黒沢君の北本4Hクラブ員と一緒に参加、そのあと雲仙、別府などを回り、万博を見学する。さらに、神奈川県連会長の佐藤君のクラブとも交歓する予定。なお、つどい出発までは、黒沢君が世話していた。

今回の来日は、かねてよりカナダから、クラブ員交歓の話があって、4H協会では受入れの資金などの関係から、見合わせていたが、今年は万博もあり、カナダ側より強い要請があったので、一応受入れを決め、黒沢、佐藤君らが、それに一役かったものである。

募集

本紙編集部では、第六回全国4Hクラブ員のつどいの思い出を記録として残し、参加できなかった人たちにもその模様や感激を紹介したいと思います。そのために、つどいの思い出を記したスケッチや詩、随筆（エッセイ）、感想文、特色ある写真などを、参加者の方がお寄せ下さるように、切に要望致します。

涼風暖風

不満居士は去れ

全部の条件が満たされないと腰をあげない人、まわりのお膳立（おぜんだて）のことばかり議論している人、本論を忘れている人、こんな人が多いような感じがする。

かんじんのこと、命をかけねばならぬことは棚にあげ、それにも増して、自分の無策や努力不足のかくれみのとして、社会が悪いとこぼしている人が余りにも多い。

青少年団体活動を例にとろう。団体運営がうまくいかないのは、金がないから、役員のなり手がないから、集会する場所がないから、というのがそれである。その団体の存立の基本を忘れ、助力や工夫を無視した、単に資金やリーダーや施設といった団体活動の「条件」の完全をねがうあまった根性では駄目だ、ということである。

私は、精神主義を説くつもりはない。ただ、本論をさけ、周辺のことを、ああでもない、こうでもない、といっている評論家タイプは嫌いだ、ということである。周辺を論じている限りは、本人はけがをしないのだから、こんなのはひきょうだ。

この世の中に完全はない。条件が完全にととのうまではことをおこさない、というのでは、世の中は進まない。不完全でも、与えられた条件、そこにある資源を、自分の頭と努力で料理し、最も効果的な方策を採用して、最大の効果をあげることが「人間の生活」というものである。

ところで、経済企画庁は、先日、四十四年度の国民総生産（GNP）を発表した。このGNPは、名目で遂に六〇兆円を越え、依然として自由主義諸国家の中で、アメリカについで二位を占めている模様である。二十五年前の敗戦時の混乱を知っている人には、まさに、夢のような話。

終戦記念日の前後には、当時をしのんだ記事や番組がマスコミをにぎわす。こんなのをみていると、雑草を食って生きのびた国民が、GNP六〇兆円にこぎつけた生命力を改めて思い知らされる。乏しい中で、最も効率的に生き抜き、働き抜いたバイタリティーの見本が、「人間の生活」の見本がそこにある。こんなすばらしい力をもっている国民である。不完全の中にあっても現有勢力をたくみにあやつって、GNP第二位になった国である。

周辺の条件整備に責任を転嫁し、本質を忘れているような評論家きどりの青年が増えては、GNRを語るどころか、老大国、没落へむかった旧家、老成団体しか思い浮ばない。（文部省　伊藤）

長崎県、九月に〝つどい〟

積極的な佐世保市連

【長崎県＝松本政博連絡報道員発】県農村青少年クラブ連絡協議会（会長、元山孝志君）は第三回長崎県4Hクラブ員のつどいを、佐世保市農村青少年クラブ連絡協議会（会長、吉田健之君）と共催で来る九月二十四日から二十六日までの三日間、佐世保市一円で行なうことに決定して、この打合わせが、八月十日、県農村センターで開かれた第二回地区連会長会議で行なわれた。

打合わせには、県連、各地区連役員が出席、県連と佐世保市連でまとめた開催要領案が示され、検討の末、詳細を決定した。場所は西海橋ヒューロッヂを主会場に、佐世保市一円、内容はパレード、開会式、オリエンテーション、各種大会参加報告、講演、話し合い、ソフトボール大会、奉仕作業、自由交歓、現地交歓民泊研修など。

この大会については、当初から佐世保市連が積極的な態度で開催を申入れており、受入れ体制を整えて、ムードを盛りあげつつある。そして、市連のクラブ員百五十名は、それぞれ二人を受入れることになっている。

富山県連　事務所移転

富山県4Hクラブ連絡協議会（会長、[illegible]）では、このほど事務所を[illegible]に移転した。▽富山市[illegible]農業[illegible]　電話（四二）[illegible]（呼4Hクラブ）

おことわり

本号は、一、二面が第六回全国4Hクラブ員のつどい特集のため4Hクラブ紙面が大幅に移動しています。また、三十七回にわたってご愛読いただいてきた一ノ瀬綾氏の小説「あしたの青春」は、今回をもって終了です。

心頭技健

各種の大会レジメとか、研究発表といったものに眼を通すとき、必ずでてくる合言葉のようなものがある。いわく農村の近代化であり、明るい明日の農村といった言葉である。たしかに、現在の農業、農村には、近代化、あるいは改善されなくてはならぬ要素が少なくないことは、誰でもが承知している▼しかし、また、それが一朝一夕には、達成できないさまざまな要因が、複雑に絡みあっていることも、明らかである。現実に、農業に生きている青少年が、それを知らないはずはない。知っているからこそ、苛立って声高に叫びをあげつづけているのだと、穿った見方をすることもできるのではないかと思われる。そうした詮索はどうでもよいが、気をつけなくてはならぬ問題がひとつある。つまり、なにを指して近代化と呼ぶのか、そのへんがどうも曖昧模糊としている▼高温多湿の国の木の枝や草で作った家がでてくる映画をみて、原始的だと嘲笑する男がいたが、短見もはなはだしい。鉄筋コンクリート建てで、冷房設備があれば、それで近代生活だと考えるのは、あまりにも馬鹿気ている。高温多湿という自然条件の悪さを克服するため、永い時代をかけて考案されたのが草木で作った家であるということを、すっかり見落したのではどうにもならない。▼近代という語そのものには、むずかしい説明が必要だが、近代生活という場合には、歴史的な意味合いを離れて、便利で快適な暮しといったくらいの意味しかあるまい。そうだとすれば、文字通り〝生活の智恵〟から生れた草木の家も、近代的なものと考えなくてはならない。▼台所を洋風にしたり、クーラーを入れたりすることだけが近代化などと考えることは、もうやめるべきではなかろうか。近代的であろうとなかろうと、ほんとうの暮しやすさを求めることの方が、大切なのではなかろうか。生活というものは、このように胆を決めてかかるところにしか、ありはしないとを、いま一度しかと考えてみることが、ほんとうの意味の近代化ではなかろうか。

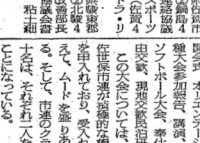

全協の問題点と解決への模索

組織強化・パイプ太く

4Hの性格は何か

歴史踏まえ、正しい進路を

さる三十年、全国4Hクラブ連絡協議会がうぶ声をあげてから早くも十五周年を迎えた。全協ではこれを記念して、二十四日から佐賀で開催する「第六回全国4Hクラブ員のつどい」の一日目、開会式の中でその式典を簡略に行なうが、これを機会に全協について考えることは無益ではない。

■今後の進む道はっきりと

といっても、ただ単に過去をふりかえって回顧趣味的に感傷に浸るのではなく、その足跡の中から、われわれが学びとるものは何か、その受け継ぐべき伝統とは何かを汲み取るとともに、十五年の歴史を礎えとして、これからわれわれが何をなすべきかという根本問題に触れ、さらには、今後の進路についての模索を試みる方が妥当であろう。

しかし、実際において、全協が現在かかえている諸問題を解決し進むべき道をさぐり出すのは容易な仕事ではない。一人の力や、一朝一夕にできるものではない。全協でも、活動の原動力となる思想の核、ビジョンを見い出すために昨年、初の専門委員会を開き、関係者から意見を聞いたが、やはりその委員の中でも考え方の相異が少なくない。このことは、全協歴代役員、県連役員の中でも同じことが言える。

このため、全協の動きは、そのとき役員となった人や、県連役員の考え方によって強弱、あるいは伝統的な思想の流れに対する遠近などかなり大きな振幅状態をみせることは否定できない。それだけに、個人差によって全協活動の歴史にも影響を及ぼし、一方においては危険性さえ潜んでいるともいえる。そのためにも、全協の進むべき道をはっきりと出す必要性があるが、全協が現在直面している大きな問題であろう。

■全協は今何をなすべきか

だが、進路が樹に閉ざされていて、まだはっきりと見えないにしても、全協が現在、何をなすべきかという点については、いくつかを選ぶことはできる。それは、活動方針や事業計画の中でうたっているように、クラブ員と組織の自主性の高揚、主体性の確立、組織の強化、4Hクラブ精神の高揚と啓もう、関係機関、外部団体との連けい、協調などがその大きなものである。この中でも、とくに組織強化はその主体として多くの人たちから意識され、現在、力が注がれているといえる。

では、組織強化をどのようにして進めていくか―という点について考えると、この問題もなかなか難しく、その成果が努力に比例していないのが現状であろう。全協―県連―地区連―単位クラブの間に太いパイプを流す、オルグ（役員派遣）活動を盛んにして相互間の意思疎通を図る、常駐の事務局員を置く――これらは有効な手段の一方法であり、その必要性が常に強調されてきている。そのため徐々にではあるが実現されてはきているが、経費の問題や、農業経営が忙しかったりして、なかなか計画通りに進んではいない。そして、もっと大事なことはクラブ員が地区連を、地区連は県連を、さらに県連は全協という、組織について真剣に考えているかということである。その認識の仕方で組織強化の速度も変化するし、これに焦点を合わせれば、組織強化は大きな効果をあげるに違いない。

■指導体制は教育的見地で

ここで、少し飛躍するが、組織強化と関連させて考えなければならないことは、青少年の意識（モラル）の変化である。青年期は、人間の成長期であり、精神的にもぐんと伸びる期間だ。正しい判断力を養うなど将来への準備期間であるにもかかわらず、最近の傾向として、技術的、金銭的な考え方が強く入ってきて、物事も短期的なとらえ方をするようになってきていることである。いわゆる近視眼的な思考がふえてきているのである。これは、現在の社会状勢が目まぐるしく変化し、農業事情も厳しくなってきている世相を反映しているとも受けとれるが、指導体制がそのような方向にむかわせていないとは言い切れない。教育的な見地からも考慮すべき点ではないかと思われる。

クラブ活動は金にならないからクラブに加入せずに金儲けをしている人がいるが、あとになってクラブ活動をやっていた人たちがそれをぐんと追い抜き、将来において両者の間に、いろいろの面で大きな差が開くことをみても、これら微視的な思考への反省はむしろ当然ともいえる。「クラブ活動は人生への投資である」という先輩たちの名言を思い起こす必要があろう。

■4Hの性格はどこに置く

再び組織強化に戻って、どういう形で進むかという点について考えるとき、限界に突き当る。連絡協議会という全協の名称そのもののワクや、4Hクラブ活動の範囲などがそれである。ことに、ここ二、三年のように、国際空港の建設や米価問題など政治問題とからんで、クラブ員からの声や要望が強くなってくると、それとの取り組み方は慎重にならざるをえない。現在、政治問題の研究は、学習集団の4Hクラブの中でも大いにやるべきだが、政治活動や運動は、他の団体でやるようにとの基本的な考え方に立っているが、連絡協議会というワクの問題とともに、今後さらに検討しなければならない点であろう。

また、組織とは少しかけ離れるが、この限界と関連してクラブ自体の問題についても考える必要があろう。

それは、団体には、物質的な経済団体から精神的な宗教団体まで多くの種類があるが、4Hクラブは果してどれに属し、どの位置にあるかという点である。4Hクラブ活動は、精神主義的な色彩もあり、宗教的なレベルまで高めるべきであるという反面、技術研究集団と受けとる人もいる。技術研究集団の方は、4Hクラブ活動が食糧増産と直結していた戦後の名残りがそのまま続いているものとみられるが、この両極間において、どこにあるべきかを全協としても考えなければなるまい。

これらのほか、全国大会を中心とする関係指導機関との連けいなど、全協はいろいろの問題をかかえ、その解決が迫られている。歴史的な流れの中で、カジを間違わないよう判断する努力が必要であろう。

そして、その判断を支え、全協の活動を強めるためには、全国クラブ員の協力が大きな力となることを認識すべきである。組織は、下からの盛り上がりと上からの引張る力が同調したとき大きなエネルギーを出すので、常に相互の力が作用することが大切である。（編集部・W）

4Hの存在懸かる

会館建設への全力投球

全国4Hクラブ員にとって、物心両面のよりどころとなるべき、「4H会館」の建設は、正直なところ、あまりはかばかしい進展をみせているとはいいにくい。しかし、そのまま放っておいてよい問題ではないことは、だれしもがよく知りつくしている。そのため、毎年毎年、こんどこそは、これだけはという目標が立てられ、かなりの努力を傾けていることだけはたしかに認めてよい。

そもそも、会館建設の声のあがったのは昭和三十八年、翌三十九年には総会において正式に決議された。そして、いろいろと意見が煮つめられ、本格的な会館建設の構想が、四十二年にはまとめられた。それと同時に、その資金獲得のための募金活動が展開されだした。しかし、関係者の努力にもかかわらず、募金の成果は思うにまかせなかった。

最大の原因は、末端のクラブ員に、その趣旨が徹底しなかったことと、はたしてどれだけ自分たちのためになるのかという、ある意味では当然だが、また一方、きわめて実利的な、損得ずくの考え方がはびこっていたからである。この点は、単に会館建設にとどまらず、4Hクラブそのものの存在理由にまでもさかのぼって、根本的に考えなおさなくてはならぬ問題を含んでいる。

4Hクラブは、ただ農業技術の修得という物理的な面のみで満足するか、あるいはそれ以上に、一人前の人間として恥しくないだけのものを体得するための場として、ひとつの精神的な結びあいをも重視するか、全国4Hクラブ員の基本的な姿勢が鋭く問いかけられているわけである。会館建設の成否は、それに対する端的な回答となるであろう。くりかえしていうが、会館建設は、一人ひとりのクラブ員の存在理由を判然とさせるための、典型的であり、また象徴的な問題である。

昨年は、当初の完成目標年度の前年ということで、九月上旬までに一千万円募金が計画された。しかし、それがはかなくも崩れさったことは、周知の事実である。最終目標の四千万円には、はるかに遠い。こうした情勢をみきわめた末、本年度の全協は、土地獲得だけはなんとしても実現させせなくてはと、東奔西走している。

実質的には、本年度完成を見送ったかたちであるが、余儀ない後退であると同時に、着実な解決方法だというべきであろう。いたずらに夢を追うのではなく、確実に責任をはたすためには、いま一度現状を分析し、具体的な打開策を講じなくてはならない。その意味から、今回の処置は一歩後退、二歩前進のために賢明であったかもしれない。

一部には、4H協会会長の松下幸之助氏に泣きついてはどうかなど、かなりヒステリックな声もあるが、本来の趣旨を考えれば、そうまでしての会館建設は、その意義の大半は失なわれるのではなかろうか。つまり、ある意味では危ぶむ声もあった会館度設計画が強引に決められた時点において、大きな難題がクラブ組織の内部に萌していた。

すなわち、クラブ活動の形式化であり、主体性の喪失であった。これらを解決するため、会館建設という一大目標が立てられたといってもよい。それへ向けての各クラブ員の努力、そのプロセスが重要視されたのは、至極あたりまえのことであった。だから、遅々として進まぬ募金活動に業をにやして、ほんとうに建つのか、建たぬときは金を返してくれるのか、自分たちばかり一生懸命やっても、他県はどうなっているのかといった不満も、相当に出ている。

募金の進展しないいまひとつの原因は、クラブ員が年々交替するという、流動的な団体であるためもあり、これが組織の強化を阻む理由ともなっている。だが、大正年間、日本青年館を建てた往時の青年たちは、それを自分たちが利用するしないという次元で考えず、それを完成させることに意義を見出し、それが自分たちの存在を社会的に認識させる、最良の方法と考えていた。

4H会館にも、またこのことはいえる。4Hクラブを、組織の力を社会的に認識させることによって、はじめて、閉鎖的な青年のみの活動から、地域社会へ、さらに日本全体へと、窓を開いた存在へと転化することが可能になる。会館そのものも、もちろん必要であり大切だが、この一大事業を完遂するということが、よりいっそう意味があるものと思う。

だから、会館は全協のものでもなく、4H協会のものでもありはしない。クラブ員のためのものであり、また、すべての人々のためのものでなくてはならない。すでに、建つか建たぬかと逡巡している時期は過ぎた。残るのは建てるということしかない。

場所も東京でなくて、もっと入手しやすいところをという意見やそうしたことの検討を含めて、前途は必ずしも明るいと断言できぬ情勢だが、ここで全国のクラブ員の力を結集しなくては、今後のクラブ活動そのものが、無意味になってしまうことに思いを致さなくてはなるまい。このつどいは、そうしたことを再確認する最適の機会でもある。（編集部・Y）

つどいの精神を学ぼう

思想を組織の中へ

先輩の意志を血と肉に

第一回の九州のつどいから数えて今年は六回目、第一回から通算五回とも運営に携わった関係者の一人として、このつどいに対し、私なりの考えを述べてみたい。

まず記憶を新たにしなければならないのは第一回の大分県のきじま高原でのつどいであろう。昭和四十年の秋、全協は、自らの大会を自らの手で企画運営したいと、つどいの開催に取り組んだ。この経過はさて置き、全協が自らの大会を持ちたいと望んだ心の裏には幼な児が菓子やおもちゃを母親にねだるような欲求でなく、青年の欲望、つまり自主独立の精神にめざめたからにほかならない。

いかなる苦難があろうとも、自らの力でつどいを成功させるのだという気概の裏には、同じ希望にもえた仲間の友情と相互の惜しみない協力があったことは見逃せない。その気概をみんなが持ってつどいに集中させ、汗と努力、いいかえれば行動をもって当たっていったことに、つどいを成功に導いた何ものかがあることを忘れてはならない。また、このつどいを行なうこと自体、単に全協の事業が一つ増えて、それを実施したという以外に、全協の活動に新しい歴史の一ページを加えたといっても過言ではない。

私的になって恐縮だが、四十一年春、全協の事務局長に任ぜられたとき、私が事務局長として全協運営に携わる決意をした裏には、歴代の全協役員が築いた貴重な全協の歴史と、その思想を受け継ぎ組織の中に流したいという強い願いがあった。

したがって、つどいに傾けた私の努力は、先輩がともした灯を少しでも大きく育て、それをもって後輩に受け継いでもらうという願いがあった。私の力弱い奮闘ではあったが、数年を経過した今、その念願が成就され、全国の4Hクラブ員の関心の的と成長したつどいを少しでも推進してきた一人として誇りに思っている。

少々横道にそれるが、隣の家の仕事がうまくいくと、それを妬む気持を日本人は少なからず持っている。幼いときは可愛がるが、大きくなっていたずらぽくなると憎らしく思うその気持である。全協がはじめたつどいも、最初は参加者も三百四十名と少なかったが、今年は千三百名を越すといわれるほど規模が大きくなると、前述のような気持になる人がいるようである。そうでなければよいが、一部の人たちからはすでに、同じ農村の青年が同じような全国大会を二度行なうのは可笑しい。この際、一つにまとめる方がよいのではないかと称える人たちが現われてきたことである。

はたしてこの人たちが思うように、全協で行なうつどいと、他の大会が同じものであろうか。私は明らかに同質のものではないと思う。この論議は後にするとして、農村青少年の教育として、この問題をとらえるならば、青年の心理、欲望、独立心などに基いて考えなければ、大会を一つにするということで根本的な解決策にはならないからである。

青少年の純心な気持と行動を、ある力で束縛して一つの方向に向けられたとしても、それは正しい指導や教育ではなく、それは青年や組織の人格を無視した方法でしかない。仮りにそうなったとしても、いつかは青年は自らの姿にめざめ古い殻の中から自由を求めて飛び出し、新しい大会を自らの手で再び行なおうとする。青年とはそんなものなのである。

もし農村青少年に対して何らかの教育策があるならば、憎いほど青年の心理をとらえた策が施されなければならないし、教育とは与えるものではなく、能力を引き出すという教育の原理にたちかえって考えねばならない問題である。

終りにクラブ員に望みたいことは、このつどいを生み出した先輩の意志をよくそしゃくして、自らの血と肉にしてほしいと思うのであります。安易に、つどいへ参加したということでなく、このつどいに青春をかけ、このつどいに4Hクラブの、いや日本農業の将来を託したその精神を学ぶことが、意義あるつどいの成果を収めたことになると思う。

自らが成長するために、自らのことは自らが決め、行動するという自主独立の精神。この精神を第六回のつどいで学び理解して、自らの生活に、あるいは地域活動に浸透させていくことは、参加したみなさん方の使命でもあり、組織人としての責任であろう。このつどいの意義を身を以って体験し、4Hクラブの歴史の新しい一ページを書き加えられるような自信と希望を、みなさん方の胸にもやしてほしいと念願するものである。（編集部・O）

「葉隠の里」散策コース・ガイド

◇実相院

真言宗の巨刹で和銅四年（西暦七一一年）僧行基の開基と伝えられている。堀河天皇の寛治元年（西暦一〇八七年）勅額を賜わり、仁王門のところに掲げられている。この年から如法経会が始まったともされている。今では、四月十日から二十日まで「お経会」を行なって住民に親しまれている。

◇水上不動（万寿寺）

水上または川上の不動さんとして知られている。臨済宗の寺で、いまから約七百年前、仁治元年（西暦一二四〇年）神子和尚の開基とされている。本尊の不動尊は子育ての守護として母親の参詣者が多い。

◇文殊院

通称「もいつさん」で知られている。文殊は知恵を象徴する菩薩であるところから、試験などに合格しようと願いをかけるため、その信者は県外からも広く、毎月参詣者が途絶えたことがない。字が上手になるよう往年は筆を受けにくる小、中学生も多かった。また、文殊院の境内には筆塚が立てられている。

◇鍋島直正公廟所

佐賀藩の名主として知られる鍋島直正公の遺髪を祀った墓である。公は閑叟（かんそう）公とも呼ばれ、幕末から明治にかけて佐賀藩を治めた人である。他藩にさきがけて外国文化をとり入れて科学を奨励したり均田制度という土地改革を行なって多くの貧しい百姓を救った立派な藩主であった。

◇春日みかん団地

県立川上峡自然公園の東方三〇〇米に位置し、金立町の団地と隣接している。中心部に後醍醐天皇の勅使寺、高城寺があり、その境内に昭和三十年に始めに県内でも歴史が古い共同防除施設がある。

◇山本常朝先生垂訓碑

葉隠の創始者、山本常朝が晩年この地に隠棲し、田代期酔の乞いにより葉隠を説き訓えられた跡。常朝は、宝永七年から享保元年まで七年間、口述を続けられたところ。

元禄十三年（西暦一三〇〇年）二代藩主、光茂病死の折、彼は殉死を禁じていたため、御側役山本常朝（一六五九―一七一九）は出家、黒土原の草庵に入り隠遁の生活が始まる。

宝永七年（一七一〇年）前年役を免ぜられた田代又左衛門陣基（一六七八―一七八四）が訪れ以来七年にわたり語り合い、陣基は師の談話を記録し、一三四三項、十一巻に編集した。

葉隠四誓願

一、武士道においておくれ取り申すまじき事

一、主君の御用に立つべき事

一、親に孝行仕るべき事

一、大慈悲を起し、人のためになるべき事

◇不老の滝

金毘羅山の裏手で金立山南面の渓流の集まって流れ落ちる谷間にある。往時、金立神社の御分霊を祀る党林権現社跡の現在弘法大師堂、その他の祠がある。

◇金毘羅神社

金毘羅山にあり、祭神、崇神天皇、大国主命、多岐津姫命、市杵島姫命、湍津姫命の神、福の神を祀る。天正五年、讃岐の金毘羅宮の御霊を受けて祭祀し、次いで竜造寺隆信公によって社殿が再建され、その後鍋島家の祈願所となり、宝暦二年、現在の地域に移した。

◇古賀穀堂先生墓並びに静古館跡

精里先生長子、市内西精町父精里に学び、自警自励学問の道に精進、父に従い江戸に上り、柴野栗山、尾藤二洲、頼春水、中村竹山などの碩儒と交わり、その英才と識見を称揚さる。帰国後弘道館教授となった。

晩年、金立山麓に茶屋を設け静古館と名づけ、読書や同志と論談し余生を楽しんだ。氏は佐賀人の欠点を指摘して、佐賀人の旧弊三訓として次の通り挙げられた。

一、嫉忌の風甚だし

二、決断力に乏し

三、負け惜しみの風強し

◇朝鮮陶工墓

豊臣秀吉の朝鮮征伐後、朝鮮の陶工がこの地に来て窯を築き陶器を焼いた所。

つどいの記念に楽焼皿

第六回つどい参加者に渡される記念品は、直径約二五・五糎の有田焼の皿に、4Hのマークと「第六回全国4Hクラブ員のつどい・佐賀」と、あらかじめ書かれており、これに、赤、緑、黄の三色で自由に絵や文字を書き込んでもらう楽焼。

この記念品の受け渡しは、二十八日の閉会式終了後、記念品引換券と引替に各参加者に渡されるが、佐賀のつどいにふさわしい記念品である。（編集部・Y）

【写真】記念品の楽焼皿

佐賀農業の物語〈下〉

公共投資で農業が前進

全国農民総連盟常任委員　中村吉次郎

クリークの秘密

かつて、佐賀地方の農家の農具置場は、コの字型で特色があった。これは台風にたえるためだといわれる。それにクリークの多いのが特徴である。いまは相当減ってはいるが、それでも昔のおもかげをしのぶクリークはいたるところにみられる。

このクリークはもちろん灌漑排水用として役に立てられるが、一部には軍事的な意味もあったであろう。夏には満々と水をたたえているが、冬になるとひあがってしまう。そのために水田の地下水を、ぐっと下げることが出来たのではある。しかも春になるとこのクリークの泥土をあげていた。ゴミアゲはこの地方の春さきの風物でもあった。いまは労力不足からあまりみられないが、しかし有機物を含むこの泥土こそ、水田にとって、もっとも有効な肥料となったのである。

機械灌漑の普及

電化によって、機械灌漑が一斉に普及したのは、大正の末期ごろであった。それまでは、すべて踏み車によって灌漑しなければならなかった。農家はそのために女子も子供も、すべての労力を、これに集中したものだった。この夏の労働から解放されたことによって、稲の肥培管理に力を入れることが出来るようになった。まず、この期間に堆肥を増産した。踏み車時代には、農馬はみな山の村にあずけていたが、厩舎に飼やをして、農馬を置いて堆肥の増産に努力するようになった。当局の奨励もあって、赤い煉瓦づくりの堆肥舎が続々と建設されていったのも、このころであった。

それに、この地方は三化メイ虫の発生に、なやまされる地帯であったが、これをふせぐために田植えの時期を、ずっとおくらせ六月下旬から七月はじめの一期作になったのもこの機械灌漑のあとであった。

北山ダムの恩恵

戦後、昭和二十四年に多目的ダムとして、北山ダムが建設されたことは、佐賀農業の前進に大きい力をあたえた。この北山ダムの恩恵で佐賀地方では水害も、干害もなくなった。佐賀県の稲作は、この佐賀平野と西の白石平野が中心であり共に干拓地をもっているが白石平野は水が足らず、昔から「白石千魃、佐賀満作」といわれていた。この白石平野は近年井戸水灌漑が、急速に普及し、そのため地盤沈下が大問題となっている。この白石灌漑のため筑後川の水を引く計画も立案されているほどである。

いずれにしても、土地に対する公共投資が農業生産を大きく前進させる、ということをあらためて知るべきだし、そのことが、農民のエネルギーに点火して、単に水田だけでなく、すべての農業を発展させる力となることを教えている。（完）

プロジェクトの進め方《7》

組織のルール守れ

政党政治　集団活動に色分けが

4Hクと政治活動

4Hクラブの場合は、政治活動を取り上げてはいけない、という話をしましたが、この問題は、よく話題にのぼりますので、説明しましょう。

4Hのプロジェクト活動、つまり問題解決活動の中で政治活動を扱わないということなのですが、その前に、扱わない理由の最たるものになりますが、こういう考え方です。

県や地域の実情によって違うと思いますが、地域には青年が大勢いますが、この青年たちが所属する集団がたくさんあります。4Hあり、青年団あり、農業研究クラブ、農協青壮年部、開拓青年部などいろいろの集団があります。みなさん方は、あるときは4H、あるときは青年団というようにダブッて入っている人がいるでしょう。私たち指導者の立場としてもダブッて入るように奨励しています。

なぜならば、青年の持っている疑問は限りないもので、知りたい、やりたいことは山ほどあるわけです。その山ほどあるものを、例えば、4Hという一つの集団だけで全部処理しようということは、これは不可能です。4Hは4Hで、これを他のスポーツで考えた場合、野球を例にすると、野球のチームは野球をやっていることがルールで野球をやっているうちに、いつの間にかサッカーになっていたのでは困ります。ですから4Hには4Hの特色があり、約束ごとがあります。青年団には青年団の、農協青壮年には農協青壮年のルールがあります。

したがって、われわれの生活に一番直結している政治問題、これをさけて生活するということはありえません。ですから、個人的に政治問題と取り組むことは、個人の生活を守るためにも、あるいは、地域の農業を振興させる上でもけっこうです。

しかし、この必要な政治問題を、4Hという一つの組織の中でやることは、もっともベターであるか、あるいは、農研という組織の中でやることがベターであるか、農協という組織の中でやる方がよいか、また、米価対策協議会の中でやった方がもっともよいか、というふうに、いろいろみなさん方の前にある各種集団の持ち味、特性というものを判断した場合、4Hの中でやらなければならない理由があるかどうかということが、一つあります。

私が冒頭に地域によって差があると述べましたが、これは、ある地域には、4Hはあるが他の集団が発展していないというところがあります。その場合、4Hといいながら青年団と同じような活動をしている。あるいは農研的なこともしている。こういうところも、ないではありません。そうすると、生活に直結している政治問題だって、知らんぷりをするわけにはいかない。こういうことになって、4Hの中に政治活動を入り込ませてゆくクラブも現実にあります。

しかし、私はできる限りそれをさけたい。なぜならば、今全国の4Hクラブ員の平均年齢は十九・七歳で、高校を卒業して一年チョットです。そういう若い人たちであります。この人たちが組織的に、政治活動をすることを望んでいるかどうかであります。もし、その人たち会員が自分の生活をよくするために政治活動をしなければならないとするならば、個人的に行なうことや政治活動をもっとも効果的に行なえる集団に入ってやることは、これはむしろやるべきであります。

しかし、4Hクラブという若い、学習的なものがむしろ中心であるような、若い人たちが集っている中でやりますと、やろうとするその人は満足するかも知れませんが、後から入ってくる新加入者、あるいは新規就農者の人たちは、私たちは、そういうことをやるために4Hに入ってきたのではない。という不満をいう人もいます。これははっきりいえるようです。

政治活動をやる必要があると考える人は、米審対策協議会であってもよいし、農政対策研究会でもよいし、農協壮青年部などでやっている総合農政に対する批判など、そういう方法で大いに取り上げていただきたい。その代り4H組織として参加するのではなくて、あくまで個人として参加していただきたいということです。

もう一つ、4Hの組織として政治活動を避けなくてはならない理由は、日本の政治は、政党によって行なわれ、保守党の自民党が長い政権をとっていますが、そういう政党政治であるから、そうすると、政治活動ということは、窮極のところ政党政派の支持、非支持という問題になってまいります。そうするとお互いの一つの磨き合いをしようとする仲間の中で、あなたは何派である。この人は何党である。というようなことが、もし起きてくると、二度と来ない青年期の青年活動が、その中に色分けができてくることになります。

しかも、その色分けが、生活に対する考え方の相違などでなくて、政党的な色分けができてしまうことになります。これが政党活動に入っていくと、必ずそうならざるをえません。そうすると組織というものが伸びていかなくなります。

そういう意味で4Hクラブ活動というものは、政党活動につながる可能性のある政治活動は避けた方が、よいと思います。

ただし、政治の学習、勉強するということには、大いに取り組んでいただきたいと思います。

―

栃木県では、各政党の代表を呼んで、農政問題に対する見解を述べてもらいましたが、クラブ員は、純粋な気持で農政というものを勉強しようということで、今の日本の農政の動きを正しく認識したい、そのために、あなたの政党は、どういう政策を考えているのか、ということで話してもらいました。

ところが結果はやっぱり、自民党は政権を担当していますので、与党対野党という対立関係になりまして、すべての野党は自民党の政策に対して、批判をするという内容だけに終わってしまったのです。

このことは、青年たちの純粋な意図に反しているわけです。そういうことが現実には起きがちなのです。

そういうこともありまして、プロジェクトの問題として4Hクラブ組織の中では、政治活動は行なわない、こういうルールを4Hでは持っているわけであります。

（栃木県・専門技術員　湯浅甲子氏の講演から）

共同生活の経験を　自然の中で友情深める

佐賀・藤津4H

「心と技を磨き合い・若さで築こう明るい農村」大会スローガンを斉唱する藤津地区のクラブ員

【佐賀】佐賀県藤津地区4Hクラブ連絡協議（会長井上利幸君）では、このほど、鹿島市奥平谷キャンプ場の全山を借りて、第二回藤津地区4Hクラブ員の集いを開いた。この集いは、農業の改善や生活の改善に努力している農村青少年が、日ごろの生活を離れて、自然のなかにはいり、静かにものを考え、キャンプ生活によって友情を深めながら、共同生活の経験を得ようという目的で行なわれたもの。

今年は地区内の男女クラブ員百名が参加した。一日目は午前九時半から開会式があり、井上会長のあいさつ、集いのスローガン「心とわざをみがきあい若さで築こう明るい農村」を斉唱して、幕がきって落された。

開会式に続いて、藤津農業改良普及所長馬場滋氏の「農政時事」についての講話があり、その後、ディスカッションに移った。「自立経営を目ざして」と題して、富永光康（川原）秋月健次（農政会）筒井賢二（塩田）井上築（鮒越）の各パネラーが発表、活発な討議が行なわれた。夜は八時から、各班に分かれて、生活や農業経営の現状の紹介と、今後の方向について話し合った。

二日目は、朝六時起床、朝の集い、朝食の後、五時間にわたって技術競技、歌、ゲームなどを平行して行なった。そして、夕べの集い、夕食の後、いよいよキャンプ場で盛大にキャンプファイヤーがくりひろげられ、各クラブから、それぞれ自慢のだしものが演じられ、集いの盛上りが最高潮に達した。

三日目は、朝五時半起床、朝の集いを行なって、各自朝食の弁当をもって県立自然公園経ヶ岳（千七十六メートル）へ登山、一時間四十五分で頂上へ全員到着、朝食をとり記念撮影の後、九時半から下山した。午後から演示発表にうつり、永尾豊君（農政会）「水田の防土カバール」荒木新一君（三谷4Hクラブ）「手刷スプリンクラー」宮田則行君（鮒越4Hクラブ）「小型テーラーを利用した管理作業機」など、十五名の発表があった。

続いて、アンケートによる反省会があり、表彰式をかねて閉会式が行なわれ、技術競技の団体、個人各三位までと、演示発表の三位までの入賞者、それに登山の際に行なった野外フォーラムの入賞者が表彰された。そうして井上会長が、「この集いでえられた成果を各地区にもち帰り、多くの仲間たちに伝えていただき、地域農業の発展のために寄与するように元気でがんばって下さい」と呼びかけた。

上益地方に〝優勝旗〟

熊本・第十回記念大会開く

【熊本県＝池田隆美連絡報道員発】熊本県農村青少年クラブ連絡協議会（会長、野中富美男君）は、クラブ員の夏の祭典、第十回農村青少年技術交換大会を八月三日から五日まで、天草で開催した。

松林の間から見える天草の海は空との見分けがつかぬほど澄み、県下十一地方から選ばれた五百五十名の参加者は、このよき環境の下でキャンプ生活を通じ、知識と技術を交換し友情を深めた。

開会式は、第十回大会を記念して十発の煙火を合図に、各地方ごとに力強く、整然とした入場行進によって大会の幕がきって落とされた。寺本県知事のあいさつにつづき、野中運営委員長が、暑いときであるが、身体に気をつけて大会の目的を十分達するよう各自頑張ってほしいとあいさつがあった。

第一日目の夜、地元の方々がクラブ員のために歓迎の夕べを開いて旅の疲れをいやしてくれ、一同地元の歓迎に意を新たにした。

二日目は、技術競技に頭をひねり、演示発表には深い関心を示し、矢つぎばやの質問を浴びせ、また、知事を囲み農村の諸問題、青年の悩みについて語り合った。レクリエーションの時間には、海に飛び込んで泳ぐ人、貝を掘って夕食のおかずを作る人などで楽しいひとときを過した。

夜はキャンプファイヤーが行なわれ、いやがうえにも大会は最高潮に盛りあがった。顔を照らすファイヤーは、参加者全員の情熱をあらわすかのように激しく燃えた。各地方ごとのスタンツに笑い、肩を組んで歌う姿に、友情の輪は大きく広がっていった。こうして楽しくすごした三日間総合優勝の上益地方に優勝旗が渡され、地元クラブ員が拍手で送る中を元気に県下各地に別れていった。

炎天下、三百名集う

長崎県連　日常活動状況を交換

【長崎県＝松本正博連絡報道員発】長崎県農村青少年クラブ連絡協議会（会長、元山孝志君）は、県と共催で去る七月二十八日から三日間、加津佐町海の家で県技術交換大会を開催した。

この大会には、県下各地区のクラブ員の代表三百余名の若人が集まり、これからの農業の担い手としての意識と自覚にめざめることを目的に技術競技、話し合い、体力つくりテスト、レクリエーションなどを通じ、やけつくような炎天下で友情を培い合った。この大会には、開催準備などに奔走した地元南有馬地区連、小浜地区連のクラブ員は、宿舎などの関係で、会員がテントを持参して付近の松林にキャンプを張って特別参加した。

一日目　早朝から自家用車でかけつけた県北地区のクラブ員をはじめ、次々に県下各地からの参加者が到着し、会場前の広場はまたたく間に自家車の展示場に早変りした。午後一時には、全員が勢ぞろいしオリエンテーション、入場式などを行ない、午後六時から開会式に移った。

元山県連会長が、参加者のみなさんが力を合わせて、この大会を意義あるものに盛り上げてほしいと力強くあいさつ、この後全員で「若さで創ろうわれらの農業」と大会のスローガンを斉唱し、三日間の幕をあけた。この後地元クラブ員による歓迎レセプションが行なわれ、たのしい出しものにわれを忘れて一夜を過した。

二日目　松林に特設された技術競技会場へ全員が集合、数多い出題に広い角度から問題にとり組んだ。午後は、十班にわかれて話し合いを行ない、日常のクラブ活動の問題点などを提起し、活動状況の交換などを行ない友情を深めた。

午後は浜辺でレクリエーションを含めた体力テストが行なわれ、六種目にわたって各自の体力を測定した。

三日目　県技術交換大会のハイライトである演示発表が、二会場に分かれて行なわれ、ビニール肥料袋の更正、レタスの包装についてなど、十五名の代表が、日頃プロジェクトにとり組んだ成果を発表した。

午後は一時から閉会式に移り、技術競技、体力テスト、演示発表などの優秀者が表彰され、三日間の大会の幕を閉じた。

松林に囲まれたキャンプ場でたのしい食事のひととき

花巻地区連でキャンプ大会

【岩手】花巻地方の農業青年研究クラブ連絡協議会（会長、高橋君）では、七月二十八日から三十日までの三日間、花巻の豊沢ダム湖畔の桂川キャンプ場において、技術交換などを含むキャンプ大会を行なった。参加者は四十三名。

部門研修会開く

愛知尾張地区　蔬菜、花卉、畜産など

【愛知県＝井村明美連絡報道員発】愛知県尾張地区連では、蔬菜、花卉、畜産の三部門における経営技術を幅広く修得し、情報交換をはかるために、このほど、第一回の専門研修会を開催した。

これは現在の単位クラブは地域集団であるため、さまざまな経営の人が集まっているので、ともすると、単位クラブ活動は単に情報交換に終ったり、レクリエーションに走ったりしがちである。こうしたことに対する反省に立ち、もっと専門知識を深めようという意図から計画された。

午前中、クラブ員によるプロジェクト体験発表が行なわれ、午後から分科会討議に移った。ナス、トマトのハウス栽培をやっている人が多く、かなり専門的な話し合いが行なわれた。花卉分科会では、専門的な討議をした後に、4Hクラブのあり方を見つめるところへ話が進められていった。そうして、専門的な話をするにも、お互いに親しくなる必要があるので、遊びの要素も加え、まず仲間作りをすることが大切である。また、「4H」のうち、どの「H」に重点をおいていくかなど、いろいろな問題を論じあった。

農業簿記

京都大学名誉教授　大槻正男

＜拡張計算＞

生産部門計算諸表

稲作部門計算並びに米穀生産費算出

稲作粗生産計算

稲作粗生産＝稲作粗収益
　＝稲作粗所得＋他部門への仕向け
　＝（所得的収入＋家計仕向＋年度末残）＋経営内部仕向け

「所得的収入」および「家計仕向け」の「数量」および「価額」欄には、その年度に生産した玄米のみを拾い出し集計して記入し、同様に「年度末残」の「数量」および「価額」欄にもその年度生産米分のみを記入する。前年度から繰り越された玄米の販売は決して混入してはならない。というのは、生産部門計算においては、その年度に行なわれた生産の範囲に関してのみ計算されるのであって、たとえ、その年度に販売されても、前年度生産のものは計算から除外されねばならない。同様に、次年度の生産のための失費は、注意深く計算から除外されねばならないのである。

副産物類について仕向け先の定まっているものにあっては、すでにその仕向け先に仕向け済みのものとみなして取り扱う。例えば、くず米の全部が家計に仕向けられるのであれば、まだその僅少部分しか消費されていなくても、全額を「家計仕向け」欄に記入し、また、全部が鶏の飼料などとして他部門へ仕向けられるものであれば、全額を「経営内部仕向け」欄に記入するような場合がそれである。

以上は年度末の計算であるが、次年度に入って、生産米の全部が処分し尽くされたあとで補正計算を行なう場合には「年度末残」欄の記入を消し、その記入数字を実際の処分方途にしたがって「所得的収入」および「家計仕向け」欄などに分配追加記入して計算し直すことができる。そのようにして初めて生産米の中の総販売額・総家計仕向け額などを正確に知ることできる。

稲作費用計算

稲作費用価額＝稲作経営費＋内給生産要素費
　＝（稲作所得的失費＋経営内部仕受け）＋内給生産要素費

当該稲作のために、稲作作付準備から生産物の販売にいたるまでの全稲作期間に、稲作に投入されたいっさいの諸物財ならびに用役の数量および価額を「所得的失費」「経営内部仕受け」および「内給生産要素費」の該当欄に記入して集計することによって「稲作所得的失費」「稲作経営費」および「稲作費用価額」を算出するところである。

記入は、それぞれの費用種目ごとに「現物整理帳」または労働日記帳の「現物受入れ払出し」欄から、あるいは「現金現物日記帳種目別分類集計表」「財産台帳」労働日記帳の「部門別労働（能力換算）分類集計表」などの諸表から、関係あるものを拾い出して行なうのである。

「種苗」・「肥料」・「薬剤」などのように、直接的に全額が費用となるものは、該当額をそのまま記入すればよい。「農具」・「農舎」などのように他部門との共通費をなす種目については、稲作負担分を見積って記入する。

「土地用役に対する課税以外の租税公課」については、農業経営費として負担すべき租税公課のうち、「土地用役」に対して賦課される租税（固定資産税）以外の租税公課があれば記入するのであって、例えば、自転車税・荷車税・農業関係の組合費などに対する稲作負担分である。

「労働」については、稲作に雇用した労働があればその支払い労賃を――まかない支給があればその見積り額を加算して――「所得的失費」欄に記入する。「家族労働」欄には「部門別労働（能力換算）分類集計表」の労働日数から、その労賃を見積って「内給生産要素費」の欄に記入する「土地用役」としては、借入れ水田に対する小作料と、自作水田に対する見積り小作料とのそれぞれに、稲作負担割合いを乗じて稲作負担分を算出し、借入小作料については「所得的失費」欄に記入する。

テレビ

NHK農事番組（9月1日〜10日）

明るい農村　月〜土　6・30〜6・55　総合
1日　きょうの話題　現地報告＝深まる米の苦悩
2日　産物往来　さんま（宮城県気仙沼市）
3日　話題の広場　▽松茸の人工栽培（山梨県種菌研究所）
4日　村をむすぶ　フイルム・リレー
5日　農村新地図　北海道大樹町
7日　村の記録　みのむし劇団
8日　きょうの話題　はじまる離農対策（労働者農外就業対策室長）小島光男
9日　産物往来　こんぶ（北海道南茅部町）
10日　話題の広場　変貌するソビエト農業

農業教室　月〜土　7・30〜8・00　教育
1〜2日　水田転換の野菜作
3〜5日　養豚経営の動向
7〜10日　専業養豚の課題

あすの村づくり　日　7・00〜8・00　教育
6日　▽パネル討議「地域農業とクラブ活動」　八月二十四日から五日間、佐賀市を中心に「第六回全国4Hクラブ員のつどい」が開かれる。4Hクラブ活動の目標のひとつとして、地域農業にいかに役立つかという問題がある。番組ではつどいに参加した青年たちの間で、地域農業への働きかけを積極的に進めた体験、その問題点などを話し合ってもらう。

ラジオ

早起き鳥　5・05〜6・00　①
1日　人と話題　気象庁長期予報管理官　和田英夫
2日　通信員の手帳から
3日　人と話題　日米農業団体代表者会議に出席して（全国農協中央会長）宮脇朝男
4日　現地報告　木炭産地の再建をめざして（岩手県藤沢町）
5日　村のポスト
6日　話題の窓　農村工業化の実態
7日　現地報告　ふえる農作業事故（北海道芽室町）
8日　人と話題　大堀富子
9日　通信員の手帳から
10日　人と話題　開拓地の決算書

ラジオ農業学校　月〜土　6・40〜7・00　②
6日　▽グループの集い「変貌期の農業に生きる」＝助言者東北大学教授塚本哲人

あしたの青春

一ノ瀬綾
え　多賀愛子

（最終回）

「もったいないよ、みんな町へ勤めに行く時勢なのに……後で厭になったと文句を言われても困るだに」

「そんなこと言ってる時じゃないでしょ。おらがやらなくて、誰がやるんだい」

わざと荒っぽく母親の肩を叩くと、久治がつぶやくように言った。

「来春は、すみ江の嫁入り姿が見れると、たのしみにしていたのになあ」

「二、三年たっても、まだ二十五、六。若い若い。これから新一の分も働くよ」

ふく代が投げた仕草で首を横に振った。

「百姓はつらいぞ。新一の二の舞いをされては困る……むずかしい時代だでな」

「大丈夫。圭次さんに教えてもらうから」

なに気なく口をすべった言葉で、はっとなっていた。すみ江は狼狽えた。気がついてみると、会社で栄吉に別れを告げたその時も意識の底に圭次がいた。帰る道すがらも、圭次に相談することばかりが頭にあったのを、今、すみ江ははっきりと思い出していた。

もし圭次が居なかったら、この事態に、自分がこんなにしっかりしていられたであろうか。そう思った時、すみ江はたまらなく圭次に逢いたくなっていた。

どんな時でも、真直に見つめる男の目差しの前で、なにもかもぶっつけて訴え、力強く答えてもらいたいと、ひたすらに思った。

「圭次さんにな……そうだ、新一が家を出たこと、知らせなけりゃ。心配かけた人に申し訳がねえに」

気がついた様子でふく代が言った。それから思いついた顔つきで立ちあがった。

「圭次さんなら、新一を東京までさがしに行ってくれるかも知れねえ。そうだ、電話でおらがたのんでみるに」

行きかけた母親を、すみ江はあわてて押しとめた。虫の良すぎるたのみであった。

「やめて母さん。おんぶと言えば、だっこだと笑われる。おらが話しに行ってくるから、勝手なことはしないで。大事な話に電話は失礼だわ」

長い夏の陽も、西に傾いて、庭先はもう涼し気に影っていた。

両親がどうやらおちついたらしいのをたしかめてから、すみ江は一人で家を出た。圭次が野良から帰っているだろうかと思いながらすみ江の胸は激しくふるえた。これから先に自分が背負っていかねばならない生活の重さと、圭次をたよりに暮していく毎日の暮しへの不安な期待で、息がつまりそうであった。

吹きぬけていく夕風には、かすかに秋の気配があって、静かに暮れなずむ野面には、近くの県道を走るバスや車の音が流れてくる。

（今頃新一は、東京のどこを歩いているのか……仲間が迎えに来てくれただろうか）

きりのない心配が、すみ江の胸を去来する。弟が投げ出し、置き去りにして行った仕事、農業というものが、はじめてすみ江の心に、計りがたい重さとなって実感された。

新一の苦しみの一つ一つが、今はそっくりすみ江の、やわらかい胸の肉に喰いこんでくる。新一にとって、東京行きは、新しい人生の出発だったのだ。そう思うことで不安や心配を振り落とそうと、すみ江は足を早めた。

「おつかれさんでやす」

行き交う顔見知りと、村の言葉で挨拶をしながら、すみ江はしっかりと、自分の新しい出発を感じ取っていた。

クラブ活動12ヵ月

新しいクラブ員を中心に <23>

栃木県・普及教育課 湯浅甲子

"モヤモヤ"晴らす一陣の涼風

しかと問題点摑む

4Hを情報網として活用

漠然とした問題意識とでもいおうか、とにかく学校卒業後、この半年間に味わった農業の実感は、まことに複雑であったにちがいない。学校からの開放感と、やらねばならぬという責任感が、浮いたり沈んだり交錯する中で、諸君は、何やら農業をとりまく諸情勢のきびしく激しい変動に、よそごとではない危機を感じて、これは、ナマやさしいことではないなという実感が、諸君の考え方の中に、乱雲のように広がっていったに違いない。

そこで、このいいようのない問題感、つかみどころのない問題意識の虜となり、あせりにひっかきまわされて右往左往し、自信を失なっていく者もあるだろうが、こういう時こそ、諸君は、4Hクラブ員という組織人の有難さを味わわねばならないのだと思うのである。しかし、その有難さというものは、自分が、ジーッと寝ていて訪れるのを待っていたのでは、いつまでたっても、ダメなのである。4Hのよさ、有難さ、というものは、寝待ちの果報ではないのであって、あなた自身が、行動をおこすことによって報いられるものなのである。

さて、その4Hクラブ員としての、第一の行動とは何か、それが、情報蒐集活動である。4Hの組織とは、いわば、あなたにとって、またとない情報網なのである。この情報網を、自分のためにどのように利用するかは、かかって、諸君自身の4Hへのとりくみ方で決るといえるだろう。ひいては、それが一人前の農業人としての態度をつくりあげるもとになるのである。

社会人の勉強のしかたと、学生の勉強のしかたの根本的なちがいは、与えられる知識と、求める知識とのちがいである。その求める知識活動の主体をなすものが、情報の処理活動であるといっても過言ではないであろう。

それならば、情報活動は、どのように進めていったらよいのだろうか、ということになるが、その前に、情報という言葉の理解を簡単にしておこう。情報とは、単なるニュースの束ではない。情報を求める主体、つまり諸君の情報に対する価値判断があって、その判断の力で、取捨選択されたニュースが、あなたの情報なのである。だから、今日は、情報氾濫時代というけれども、その中には、あなたにとって情報になるものと、ならないものがあるわけである。従って、諸君の情報活動とは、諸君が、まず、ナニを得たいのか、という欲求が、ハッキリしていないといけないということになるのである。

さて、ここで、ちょっと困ったことにぶつかったわけだ。というのは、諸君が情報を取捨選択する判断の尺度になる問題意識、つまり欲求は、漠然としていることである。最初に書いたように、諸君の意識の中には、大きな問題感の塊りはあるのだが、それがどんなものなのかがハッキリしないのである。例えば、「こんな農業のやり方ではいずれダメになってしまうことは明らかなんだ。なんとかしなくては」という問題感である。「そうはいっても、どこから、どのように手をつけていいのかサッパリわからないんだ」という気持、まず、この点を、スッキリさせなければならないと思う。

私は、いつも思うのだが、青年の悩みの特色は、悩みの焦点が、ハッキリしないことが多いということだ。大変失礼な言い方だが要するにモヤモヤした悩みなのである。このモヤモヤをいつまでも、モヤモヤの状態でかかえこんでいる間は少しもスッキリとしてこないのである。やはり、モヤを晴らすのには、一陣の涼風が必要である。その涼風をどこに期待するのか、いうまでもなく、4Hクラブの仲間である。

さあ、行動をおこそう。モヤを払うために。話題をちょっとそらすようだが、諸君は、こんな体験をお待ちではないか。車を運転して山道を下りてきたとき、急に、濃い霧につつまれ、視界がきかなくなってしまったという、そんなとき、諸君は、車をどのように運転させるだろうか。

私ならいつも、こうやるんだが……。まず、エンジン・ブレーキをかけて徐行させる。次にライトを近目につける。遠目がダメなことはご存じだろう。そして、右側崖ぶちの安全幅を確保しながら下りていく……。そうだ、諸君もきっとこうするにちがいない。ところで、話をモトへもどすが、モヤモヤした問題を突破するにはどうするか、車の運転に似たところがないだろうか。

まず、突っ走らないように自分の行動にブレーキをかけ、足元を照らし、身近な安心して語れる友に視点をあわせる。そうすることは、危険な岩から安全に身を守ることになるばかりか着実に進行することができるのである。おわかり願えただろうか。諸君が情報活動へ入る手順を、そして、これこそ、問題解決活動の第一歩にほかならないことを。

8月

葉隠の里を訪ねて (10)

――酒の飲み方――

大酒のために不覚をとった人は数多いが、残念なことである。まず自分の酒の量をよく心得ておき、それ以上は飲まないようにしたいものである。そのようにしていても時には酔いすごすことがある。酒の席にあっては、特に注意して、不測の事態がおきても対処できるように、覚悟しておかねばならない。酒の席は公の場所であるので、よく気をつけ、失敗しないように心懸けることが大切である。

一般に酒盛りの様子をみていると、大方飲むばかりである。酒は切り上げをきれいにするのが肝心で、気がつかねばいやしくみえる。酒はまた、悪事や病気の根元ともなりかねない。日頃おとなしい人が、飲み過ぎて取乱し、過言をいい、心の奥の恥までをいうことがある。これらは、全く浅間しいことである。

酒に酔ったときは理屈をいったり、下人を叱ってはいけない。また酔った人には取合わず、その場はがまんして、後日その人に忠告する方がよい。普通酒に酔ったときは寝るのが一番である。

たしなみ深い奉公人は、たとえ酒好きでも、下戸のふりをして、誰からも、彼は酒が飲めないといわれるようにし、家で養生のため酒を飲むものである。

評 酒の飲み方について述べてあるが、いまでも立派に役立ちそうである。誰しも二日酔で失敗した時は反省するが、それも数日、あとは「トコ姐さん酒やめられません」とくるから困ったものだ。

=学問はよいけれど=

学問は、よいことに違いないが、学問をしたばかりに失敗する人も多い。江南和尚は「昔の聖賢の言行を書物で学び、それを自己反省に資すればよいが、学び覚えたことを、いかにも自分がそのもののように思い上り他人を批判するばかりではつまらない」と教えている。

評 「人のふりみてわがふり直せ」という諺はあるが、大学で学問を学んだからえらいのではない。学問そのものが尊く、要はそれを如何に生かすかにある。大学を出て高い地位につき部下を見下げたように扱う人は、その学問の価値を知らない人であるといっている。

一流大学に入るのは、一流会社に就職し、楽な生活をするためと思っている学生には、あまり用のない話かもしれない。

(この欄は、佐賀のつどいに合わせた企画ですので、今回をもって終了させていただきます。)

青春と仲間

福岡県・志慶クラブ 中隈健次

部落とともに歩むクラブ活動

一斉に農休日を

青年だけの活動から脱皮

1、私達のクラブ活動の概況

結成の動機 昭和四十三年、部落は農業近代化の一端として、農業構造改善事業でみかんと取組み将来への足固めを始めたとき、これを受継ぐのは部落の若者、つまり自分達であるから、なんとか団結をはかりたいという決意から。

結成年月日 四十三年四月

会員数 男子四名、女子七名、二十歳以下三名、二十五歳以下八名

主な活動 ❶プロジェクトは四十四年度に、土壌PH測定、苦土石灰の施用、みかんの肥料試験、摘果剤散布試験、肥大調査、水稲肥料試験、糖度検定

❷四十三年度に、共同田植え、親子懇談会、部落運動会、来年度の活動方針方針の検討、四十四年度には、剪定講習会、佐賀博見学、園地診断、共同田植え、摘果講習会、田植え機実演会、県外宿泊研修、みかん園互評会、農業祭参加、その他地域外行事にも積極的で、実績発表大会、技術交換大会(全国大会)、幹部講習会参加など

2、課題と取組んだ動機

私達の地域の青年活動を振り返ってみますと、その活動は、青年のみの活動に終っている面が、多分にあります。このため、私達クラブはこれから脱皮して、あくまで地域社会に密着し、かつ私達も大いに勉強になる活動を行ないたいと考えたからです。

3、本年度の実績をかえりみて

親子懇談会を行なったことにより、農休日が徹底し、レクリエーションが行なわれるようになったことは、部落内の融和とともに、クラブ員にとっても大きな励みとなっています。さらに、共同田植えなどで、部落内に思いやりの精神がただよってきました。また、各種試験でクラブ活動もまとまりだしました。こうしたことは、今後クラブ充実をはかる方針ですが、クラブ員に最も大切なことは、経営の基盤を固めることです。

4、今後の計画

(イ)経営簿記の勉強
(ロ)みかんの実習
(ハ)水稲の直播の研究
(ニ)さらに親子懇談会で親子の対話を深める

このようにして、明るい農村を築くため、小さいながらも努力して行く方針です。

5、今後の農業

私達青年がやがて農村を背負って立ち中堅となると、農村には農休日が徹底し、レクリエーションが常に行なわれるようになるでしょう。一家だんらんの場が、どの家庭にも取入れられ、環境整備とともに住みよい明るい農家に変るでしょう。

経営は適地適作が進み、専業化へ変化する。そして、みかん栽培、野菜園芸地帯などにはっきり分かれるでしょうし、さらに、共同化とともに共販体制が確立し、流通機構の問題もなくなり、価格も安定して、当然、国際間の貿易を考えて、我々は高度の技術を修得し、商品の品質向上をはかります。経営の計算は、すべてコンピューターが行ない、正確なデーターを知ることによって、私もみかん専業にし、三ヘクタール以上の栽培をすると同時に、年収穫百五十~二百トンの目標を達成したいと思います。

農村雑感

祈照俊二郎

副社長的役割

農業でも法人の形態をとると主人が社長、奥さんが副社長という立場になることが多い。副社長ともなるとその責任は重く運営上における発言も無責任であってはならない。しかし、何も法人組織をとらなくても、副社長の名目はなくても、農業経営にたずさわっている奥さんの立場は、当然のこととして、副社長的性格と責任をもっておるべきであろう。

米国の或る農家をたずねた人の話であるが、その家の経営主に、いろいろと経営の技術的内容を聞いていたが、話が進み、たまたまそこに、その家の奥さんもおったので、一緒に話に加わってもらったが、だんだん細部に入っていくに従って、主人は解答ができなくなり、そばにおった奥さんに助けを求めるようになった。すると、奥さんは農業経営費の細部にわたって、具体的な数字をあげながら説明してくれたのには、非常に驚いたということであった。

もちろん、奥さんは畑に出ているわけでなく、米国の中流農家の例にもれず、家事と育児が主体的な労働で、農作業にはほとんどタッチしていない。それにもかかわらず、農業経営については、経営主である主人よりもはるかにくわしく知っていたということである。

このような立場を云いあらわせば、奥さんは経営担当重役である副社長といってよい。また、その責務を十分果しているといえよう。社長と副社長は意思が十分通じていなければならず、両者の合意のうえにたって物事を進めなければならない。また両者が合意に達するためには、両者が十分経営の内容を承知していなければならない。この場合奥さんであるからといって、何もかも主人まかせではうまくいくものではない。

日本の場合は、主人と共に農作業に従事しているが、果して経営内容を十分知ったうえで参加しているのであろうか。何も米国のように奥さんは家事労働のみに専念すべきだとか、またこの事例のように、農業経営は奥さんが担当すべきだというつもりではない。要は、一つの農業経営体の中で、いかに分業形態を確立するか、それによって生れる責任をどのようにして果していくかということである。そうした中にあってこそ、農業経営に参加しているという意識が生れ、ひいては経営の改善向上への意欲へと進展するものである。

夫婦であれば、起居から食事、はてはベットまで一緒である。一緒であればあるだけに、それぞれの立場と責任の分担をはかっていく、そうした態度こそ大切であるといえる。

日本の女性について歴史的にみると、かつては強大であったが、徳川時代の封建社会を通して、地に落ちたが、戦後は靴下と何とかといわれるほど強くなった。当然といえば当然であるが、そこにはおのずと責任ということが生れてくる。一般サラリーマンの家族では、一応分担はあるが、必ずしも責任は伴なっていない。まず、農業の中で確立していくことを考えてみてはどうだろうか。

やがて、この考え方が確立すれば、分業という新しい農業経営形態を生み出すかも知れない。それは、協業とか共同という形態を飛びこえた、まったく新しい、現状では考えもつかない農業経営形態に発展するかも知れないと考えるからである。

(農林省・農業者大学校)

言葉が通じるから楽です

"暑い!"午後は役所も休み

訪中草の根大使第一便

台湾に来てから五日目ですが、関係機関への挨拶、農業陳列館の見学、滞在の手続きなどで過しました。暑いために、お世話して下さる農復会の房(ハン)さんは、午後から休みだそうで、私達も午後は自由時間です。市内を少しばかり見て歩きましたが、日本とあまり変わりません。違うところは車が右、人は左通行であること、やたらと漢字ばかりが並んでいること、それにヤシの並木ぐらいなものでしょうか。

四日目に、同じ交換で日本に行ったという李(リー)さんの案内で、桃園にある海へ海水浴に出かけ、帰りには李さんのお宅で夕食を御馳走になりました。大変な御馳走で、橋本さんも私もびっくりしました。それに家も二階建ての鉄筋で、日本の農家に比べるとちょっと贅沢です。

台湾に着いてから一週間もたちませんが、人々は、みな私達に親切で、会うと必らずにこやかに握手を求めてきます。内心なんとなく心配でしたが、取越し苦労のようでした。台北駅から三時間あまりの快適な列車の旅で、台中に今日着きました。途中の窓外は、田植え最中であったり、バナナ園や甘蔗園等々、農業国らしい風景でした。そうして、省農や政府農林の方々に歓迎攻めに会いました。政府農林では、台湾の農業についての説明を聞き、スライドを見て、台湾の農業について概略がわかりました。

広島さん

午後七時三十分ころ、第一の受け入れ農家である、台中大甲鎮に着きました。二十二歳と十八歳の女の人が四健会の会員で、姉の方は勤め、妹は高三在学中です。八人家族で、両親は日本語が話せます。アメリカに行っている坂本さん、古川さんに比べると、ことばが通じるので、この点は楽です。しかし、生活などは、ずいぶんと不自由のようです。でも、"郷に入っては郷に従え"ということわざがありますが、三ヵ月間ですから頑張ります。(派中、草の根大使広島春枝)

風呂なく、ベッドは板

トイレにとかげ

橋本君

私達は台北での挨拶回りやら、オリエンテーションが済み、昨夜(八月三日)、広島さんと別れ、それぞれの農家へ入りました。中華民国の農政のシステムは複雑で政府関係機関、農復会、農会などがあり、これらが有機的に結びついているようです。でも、これら全部に挨拶回りをしなければならないので、大変です。昨日、台中に来てからも、省農林庁、台中県農会などへ挨拶に行き、今日もまた、県政府の方へ行く予定になっています。

ここの四健会は、日本の4Hクラブとは違い、農業後継者育成のために組み入れられた農会組織の一部になっているようです。私達は、四健会の交換生というよりも、農会のお客様という感じで、まだ局長とか部課長などという名前の人にしか会っておらず、昨夜やっとこの家の長男、十五歳の会員に会ったところです。でも、こんなところを歩けば、農政の仕組みなどが理解できる利点もあり、日本にはない、アメリカの援助により運営されている農復会も、理解することができました。

私のために扇風機

私の入ったホスト・ファミリーは、台中県にあり、白満水さんという三十九歳の方です。奥さん、祖父母、主人の妹、子供達五人、全部で十人家族です。主人は大工さんで、これを長男が手伝い、今は祖父母と母と子供達で農業をやっているそうです。まだ経営内容については、来たばかりでよくわかりません。この家は、この辺では少し裕福らしく、テレビがあり、近所の人達が見に来ていました。

私の部屋は、コンクリートの倉みたいなところで、ここにベッドと机があり、これと小さな扇風機が置いてありました。これは私が来るというので、わざわざ買ったそうです。隣りに豚小屋があり、二頭の豚と鶏がいます。その隣りが便所で、タイルでできているのですが、昨夜行ったら、頭の上をとかげが二、三匹チョロチョロと歩いているのには驚きました。

台湾の農家には風呂がなく、流し場のようなところで、水をかぶって汗を流すだけです。昨夜は、私のためにたらい一つのぬるま湯を準備してくれたので、郷に入っては郷に従えで、汗を流して来ました。さて、寝ようと思ったら、板のベッドに毛布が一枚敷いてあり、その上にかける毛布がさらに一枚。それに枕とヤシの葉で作ったうちわがありました。板の上では熟睡もできず、それに空軍のジェット機が、時々ものすごい音で通ります。これからはこの環境に慣れるように努力したいと思います。

(派中・草の根大使 橋本好男)

生活 私の知りコーナー

◇上手な叱り方

こどもを叱るとき、いちばんの適任者はなんといってもおかあさんです。いうまでもなく、おかあさんがいちばんこどもと心が通っているからです。したがって、おかあさんには、「こどもを叱る役目」もあるわけです。叱り方というのは、非常にむずかしいものですが、次のことをよく考えて、上手に、効果的に叱ってください。

1、叱るよりも、まず、ふだんからほめてよい場合には、大いにほめてください。

2、叱られると、こども心にも傷つくので、それがときに反発したりする原因にもなります。こどもをカーッとさせない叱り方は、「まずほめて、そのあとで叱る」というのがいいのです。ほめられて心の扉が開いたときに、その心の中に泌みとおるように、静かに言い聞かせ、悪かった点を自覚させます。

3、兄弟姉妹と比較して叱ったり、おおぜいの前で叱ったりしないことです。ひとりひとり離して叱ることです。こどもにも、プライドがあることを認めてやりましょう。

4、夜寝るまえとか、保育園幼稚園、学校などにゆくまえに叱ることは禁物です。また、大人のその日の感情のあり方で、同じことをしても、ある日は甘やかして叱らなかったり、ある日は叱ったりしたのでは、こどもの方がとまどって、結局は悪い結果を生みます。母親として、気をつけなければならないことです。

おことわり 本号はつどい関係の特集のため通常は二面に掲載の湯浅甲子氏「クラブ活動12ヵ月」を四面に移し、中村吉次郎氏「佐賀農業の物語」を二面に移しました。

日本4H新聞

4Hクラブ
農事研究会
生活改善クラブ
全国弘報紙

発行所
社団法人 日本4H協会
東京都市ケ谷家の光会館内
電話(260)1075 郵便番号162
編集発行人　玉井　光
月3回・4の日発行
定価　1部　20円
一ヵ年700円（送料共）
振替口座東京　12055番

「葉隠の里」に集う人、人、人

つどい特集

自ら描く楽焼き好評

高田氏の講演に地元の人も

第六回全国4Hクラブ員のつどいは、全国4Hクラブ連絡協議会(久野知英会長)、佐賀県4Hクラブ連絡協議会(小林秀敏会長)、社団法人日本4H協会(松下幸之助会長)の主催、農林省、文部省、総理府、佐賀県、その他地元の行政機関、関係団体などの後援により、八月二十四日から二十八日までの五日間、佐賀市民会館、川上峡・古湯・熊の川を中心に、県下一円にわたってくりひろげられた。直前に四国、中国地方を襲った台風十号、そのまえに九州を荒した台風九号と、主催者側の気をもませる材料があって当初の参加予定人数を大きく下回ったとはいえ、千名が参集した。そうして、例年とは異なり、記念品に楽焼を行なったり、初日の夕方から現地交歓訪問が実施されるなど、かなり目新しい内容を盛りこんで、また、大会中は好天に恵まれて、まずまず盛況裡に幕を閉じた。＝関連記事2、3面にあります

県連旗が並ぶ開会式

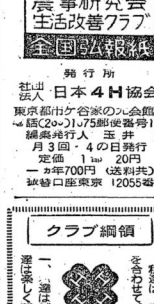

受付け一時間もまえから、待っていたものもあって、佐賀市民会館はクラブ員で埋まり、つどいははなやかに始まった

台風による参加中止者の続出が心配されていたが受付けの午前七時の一時間もまえからすでに待っていたクラブ員がおり、また宣伝車「はがくれ号」のPRとともに次第に大会気分はもりあがった。駅前の案内所で道を教えられた全国各地のクラブ員が、グループあるいは一人で、つぎつぎと会場に到着した。

受付けの混雑緩和のためブロックごとの七つの窓口をつくり、代表者が一括して申込む方法をとったので、さしたる混乱もみられなかった。一番心配されたのは、受付けにつづく楽焼だったが、予想外にスムーズに運び、ほぼ時間内に全員が絵つけを終了した。いわゆる"お仕着せ"の記念品でなく、自分の手で描くことができる点が好評をよんでいた。

アメリカ、中華民国、カナダ各二名、ブラジル五名の外国クラブ員を含め、約千名をつめこんだ市民会館は超満員となった。オリエンテーションのあと、4H会館建設の募金のために募金ガールが五人くりだした。また、保利官房長官がおりよく来佐しており、激務を割き激励にかけつけた。(二面参照) いよいよ午後一時、ファンファーレと同時にどん張が上り各県連旗、トロフィー、全協旗が入場、ついにつどいは開会された。

主催者代表の久野全協会長、小林佐賀県連会長、宮城4H協会副会長がつどいの意義を強調したあいさつのあと、池田佐賀県知事の歓迎の言葉、全国農業会議会長、県議会議長、九州農政局長、佐賀農協中央会会長、佐賀市長など来賓の言葉、来賓紹介、佐藤総理大臣をはじめとする祝電の披露が行なわれた。次いで全協十五周年記念式典として、黒沢全協副会長から経過報告があって、開会式は終わった。

引続いて、薬師寺管主・高田好胤氏の「心に種をまく」と題する記念講演が行なわれたが、このときには、クラブ員のほか地元の人びとの姿も見受けられた。高田氏は二時間近くにわたり、現代の物質万能主義の危うさについてじっくりと説いた。(二面参照)

このあと「地域農業とクラブ活動」のテーマでOBの沢野悦雄氏(山口)、クラブ員の池田義正君(佐賀)、山本哲嗣君(鳥取)、長谷川功君(神奈川)堀内悦子さん(山梨)の五人のパネラー、全国町村農林部長大久保毅一氏、佐賀大学助教授伊東勇夫氏の二人の助言者を中心に、現在の農業事情をふまえつつそのなかでクラブ活動を実践するための問題点が提起され、会場と質疑応答が交わされた。これはNHKが録画、六日(日)の「あすの村づくり」で放送される。

散策は班別行動

クラブの問題点など話す

パネル討議のあと、現地交歓訪問に出発、近隣地区は受入れクラブ員の車など、遠方地区はバスで県内十一地区に分かれて、二泊三日の民泊がはじまった。受入れ側ではかねてより計画を練り、視察、手伝い、話合いなどの内容を盛りこんでいた。多少、時間は予定を過ぎたが、例年と異なり、大会のはじめに行なわれたので元気に出発していった(三面参照)。

第三日目の二十六日午後四時ころ、各地に分散していたクラブ員が、川上峡(一軒)、熊の川(三軒)、古湯(十一軒)と三ヵ所の旅館十五軒に分宿、夕食後の二時間ほどは、五十七の班に分かれて郷土品の交換、翌日の散策の計画などが行なわれ、各宿舎でにぎやかな話合いが続けられた。交歓訪問、散策など、つどいの期間中に話合う機会は少なくないが、このころになると、何人もの新しい友人ができて、実際に自分たちが直面している農業、クラブ活動、結婚問題などに、かなりつきつめた話合いが見られた。

第四日目の二十七日朝八時、各宿泊からバスで出発、「葉隠の里を訪ねて」と銘打った散策地へ向かった。一日をかけたこの散策は前日来の五十七の班ごとに、それぞれの計画に従った自主的な行動であり、班長を中心にその運営がすべて班にまかされた。要所要所に運営委員が出て、人員のチェックと案内をするとともに、地元の人びとの協力で茶の接待などもあった。

各班は、前夜立てた計画にもとづいて、一応指定された見学コースを歩きながらも、思い思いに休憩をとり、食事をして、随所で草はらに腰を下しながら話合う姿がみられた。なかには、アメリカや中華民国のクラブ員をまじえて、道々雑談をしながら、見学場所を回るグループもあった。

タイトルにもあるように、葉隠の里にちなんで、山本常朝が晩年隠棲して、田代期酔に宝永七年から享保元年までの七年間、口述を続けた場所といわれる山本常朝先生垂訓碑をはじめとして、さまざまな由緒のある古墳、神社、寺、はてはみかん団地など二十数ヵ所が予定されていた。しかし、それをすべてまわったグループは、少なかったようだ。いずれも、予定よりも集合地点に早目に到着、そこで、いろいろなレクリエーションや話合いが持たれた。

参加者の自主的活動が目的

自主的な班別行動というところに意味があったわけで、各班長はレポートを課せられていたが、回収率は七〇%くらいであった。しかし、班によっては、青年会と4Hクラブ活動とをめぐる話合いなども行なわれていたようであり、少なくも、いろいろな友人とめぐりあうという意味ではかなりの成果を収めたとみてよい。

つどいそのものが、クラブ員の自主的な運営をたてまえとしており、参加者もその一端を担うことは当然であるが、散策は具体的にそれを行なうための、格好な場であったわけである。

キャンプファイヤー　集う意義を知る

散策が終り、四時すぎ十五台のバスで古湯へ全員が移動、夕食などをとりながら七時からのキャンプファイヤーを待った。その間、だしものをだす県連では、最後の練習や着つけなどの準備に、余念がなかった。会場の富士町営グランドでも準備ができあがり、開会間際になると、クラブ員ばかりでなく、地元の人々も次第に集まって来て、あたりも暗くなった。

クラブ員がブロック別に入場して、いよいよ七時の開会となった。近くの山の中腹で、昨年の開催県鳥取県から、本年の佐賀県へリレーされた儀式の火が、県連役員によって運ばれてくるのがあざやかにみえる。営火長の久野全協会長に、その火は手渡され、挨拶のあと、メインへ点火。そこから、情熱の火、英知の火など八つの分火がされると、それを遠まきにしていたクラブ員たちの顔がはっきりと浮きだしてきた。

それは厳粛な一瞬であり、千名のクラブ員に、全国各地から集まってきたことの意味が、無言のうちに各々の胸に流れた一瞬でもあった。それから、若いクラブ員たちの思いを託した詩吟が流れ、地元町長の挨拶があり、合唱があり各県からのアトラクション、外国クラブ員の歌などがあり、さらには、アトラクションの阿波踊りなどに、飛入りで参加するという場面が何度かあって、こうしたハプニングは、文字通りファイヤー・ストームと呼ぶにふさわしいものであった。

つどいのひとつの山をなしたキャンプファイヤーも、合唱、小林佐賀県連会長の言葉などで終りに近づき、納火、黙想というフィナーレへと続いた。各県連旗、たいまつのトンネルのなかを、宿舎へ引きあげるクラブ員たちは、さきほどまでの興奮からまださめず、来年の開催地愛知のクラブ員たちと握手を交しながら、さざめきあいながら、闇のなかへ去っていった。

最終日の二十八日七時三十分、古湯、熊の川、川上峡の各宿舎地から、閉会式の佐賀市民会館へバスで出発した。九時、閉会式に先立って、佐賀の民謡、面浮立(保存会)が一時間三十分近くあり、閉会式がはじまった。主催者側の新田4H協会事務局長の挨拶、来賓の祝辞などがあり、また、参加者を代表して佐藤神奈川県連会長が、謝辞を述べる一幕もあり、4Hクラブの歌の大合唱で、五日間にわたる大会は幕をとじた。

このあと、別れのつどいが行なわれたが、これに先立ち、青年の船団員に内定した福田勝美君(埼玉)、中林正悦君(三重)、三戸保君(広島県)、中町幸蔵君(高知)、横尾文三君(佐賀)、岩田乙女さん(愛知)の六名の紹介もあった。

舞台にともされたキャンドル、バック・ミュージックに新世界やラルゴが流れ、ナレーションで静かに語りかけ、つどいそのものの意義を、それぞれがかみしめたあと、葉隠音頭の歌唱指導、佐賀から愛知へのトロフィーの引継ぎがあり、別れの歌、蛍の光ですべての行事が終了、クラブ員は運営委員や佐賀県のクラブ員たちに見送られながら、帰っていった。

久野会長、開会式挨拶

組織を大切に

個人の力には限界

全国4Hクラブ員のみなさん、ようこそおこし下さいました。長い汽車の旅で、たいへんお疲れのことと思います。なお、来賓のみなさま方には公務ご多忙の折にもかかわりませず、ご臨席の栄を賜り、厚くお礼を申し上げます。

また、先ほどは、保利官房長官並びに池田佐賀県知事さんには、たいへんお忙しい公務の中曲をげて、私たち4Hクラブ員のために激励にかけつけて下さいました。これをみなさま方とともに歓び合いたいと思います。

さて、この4Hクラブ員のつどいも、回を重ねること、今年は第六回目になりました。第一回目はやはり同じ九州の地大分県において、先輩たちの涙と汗の結晶によって、4Hクラブ員のつどいが誕生したのです。それから六年間"自分たち青年のことは、自分たち青年の自らの手で"を合いことばに、今回のつどいにおいては千名を上回る参加者のもとに、盛大に挙行することができましたのも、偏に先輩たちの努力の積み重ねと、みなさん方クラブ員の熱意と協力の賜であると信じて疑いません。

最近の日本の農業情勢は、非情に困難さの度合を加え、種々問題が山積しております。そうした中で、私たち4Hクラブ員は土に取り組み、困難な状態の中で、一生懸命に努力し、頑張っております。しかしながら、ややもすると自分じぶんの個人主義に走ってしまい、せっかくの個人個人の有能な力も、成長せずに終ってしまうことが数多くありました。

しかしながら、この一九七〇年代の農業は、けして一人個人の力では、どうにもならないと思います。やはりそれは、組織の力に負うところが大きいと思います。そうしたことからも、この組織で、みなさま方がいままで解決できないでいる、いろいろな問題点や自分たちの考えていることがらを、互いに研究し合って、そして、その中から、明日の日本を築くリーダーとして伸びて行ってほしい、いや、よりよきメンバーとして伸びて行ってほしいと念願しております。

四泊五日間のつどいも、昨年までは、現地交歓訪問をつどいの最後の行事として行なって来ましたが、本年からは第一日目から行なうことにしました、と申しますのは現地交歓訪問によって、4Hクラブの理解を深め、地域や家庭から4Hクラブに対する認識を深めてもらうことが、私たちの最大のねらいだからでございます。

そうした意味から申しましても、長い旅の後、非常にお疲れのことと存じますが、お身体には十分注意されまして、二十七日には元気な姿でお会いできることを望んでおります。

☆　☆　☆

"青年の力"表面に

第10回全国技術交換大会（大阪）

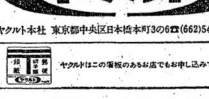

第十回全国農村青少年技術交換大会は、社団法人全国農村青少年教育振興会(東畑精一会長)、大阪府、同府4Hクラブ連絡協議会(原田正夫会長)の主催、農林省、NHK、近畿農村青少年クラブ連絡協議会などの後援によって、さる八月十七日から四日間にわたって大阪府豊能郡能勢町宿野の大阪府総合青少年野外活動センターと万国博ホールで開催された。これには、全国各都道府県の青少年代表を中心に引率責任者、海外農村青年代表、それに主催者など約千名が参加、プロジェクト発表と題する演示発表はじめ話し合い、体力競技、キャンプファイヤー、自炊にと若いエネルギーを燃やし、日ごろ磨いた農業や農家生活についての知識や技術を交流するとともに、キャンプ生活を通じて新しい農業担当者としての自覚と仲間意識をつちかった。とくに今回は、農林省が主催からおりて後援にまわり、府4Hク連協が初めて主催者の一員に加わったことから、これまでよりも青年による運営という姿が表面に出され、大阪府連のクラブ員の活躍が目立った。＝関連記事4面にあります

愛知県連、来年の「つどい」確認

来年度のつどいの主催者、愛知県連では、つどい期間中の二十五日、全協、4H協会その他の関係者に特に会談を申入れ、計画を立てはじめようという矢先に、技術交換大会とつどいが併合されるなどという流言が飛んでいることに対して、真相をたしかめ、改めて努力をつづける旨を確約した。

愛知県連の話では、佐賀などと会場、宿舎など環境条件が異なるため、計画を慎重に練る必要があるということである。

クラブ綱領

私達は、実践を通じて自らを磨くとともに、互いに力を合わせて、よりよい農村、よりよい日本を創るため、四つの信条をかかげます。一、私達は農業の改良と生活の改善に役立つ腕をみがきます。一、私達は科学的に物を考えることのできる頭の訓練をします。一、私達は誠実で友情に富む心をつちかいます。一、私達は楽しく暮し元気で働くための健康を増進します。

涼風暖風

食べすぎの下痢

先日、西洋紙二枚にまとめた参考資料が見当たらなくて大弱りしたことがある。確かに書架の上から二段目にほかの資料と一緒に保存しておいたはずなのだが、かんじんの資料がない。書架の資料を全部出して念入りに探したし、思い違いということもあるので、別の書棚を点検したが、目指す資料は出てこない。

机のひき出しから押入れの書籍、それに物置きに行って古資料の束までほどいて探してみた。うっかりして、くず屋に出す古雑誌と一緒にした心配があったからだ。しかし、ないものはない。暑いさかりなので汗だくになるし、イライラした気分は家の者にまで八つ当たりしたくなる。そんなことがあってから二日目にひょっこり出てきた。何回も探したはずの書架の資料袋に入っていた。

資料に限らず書籍や雑誌は、本棚にただ並べておくだけでは、必要なものを必要な時に取り出すのに大変な無駄な苦労がいる。平常から分類し整理しておけばよいのだが、めんどうなままに次々と山積みにしてしまう。量がふえると「整理」という新しい仕事が生ずるわけだ。これは、量の少ない時には考えられないことである。

私たちの身の回りには、量が質を変える例がずい分ある。問題の自動車の排気ガスだって、車が珍らしかった時代では公害でも何でもなかった。その当時だって車はガスを排気していたわけだが、車の数が少ないので問題にもならなかった。量が増すと、それまで考えられなかったことが出てくる。乳牛も、多頭数飼育になると、五頭や六頭の飼育技術では役に立たない。青少年グループだって、広域大型化によって人数が増加すれば、専門分化の新しい組織が必要になる。レコード音楽も、二つのマイクで録音したステレオは迫力が生まれる。

つまり、量が多いということは、一つ一つが集まったことだけでなく、それまでとは異なった質をつくり出すことになる。私が、たくさんの資料の中から必要なものを探すのに苦労したのも、整理の必要という質の変化を無視したむくいでもあった。ついこの間も、塩ゆでの枝豆を食べすぎて下痢になやまされたが、量がふえると栄養という本来の質が、消化不良という別の質に変わることを、イヤというほど思い知らされたばかりである。

(北海道・三輪)

八ッ頭技健

学校の夏休みも終り秋の気配を感じるこのごろだが、今年は何だか多くの人たちがバテテきているのではあるまいか。

駅員さん、万博会場で働く人たち、関西方面の家庭、それに旅行にでかけた人たちなどかなり疲れてきているように感じられる▼今年の夏は、二億五千万人が旅行したという。日本人一人が二回以上は動きまわった勘定になる。海も山も、駅も万国博会場だ。まさに民族の大移動も、バスや汽車も飛行機も、どこも人、人であふれた。子どもからお年寄りまで、みんなが疲れているという光景があちこちでみられる▼忙しさのためか、そんな簡単なことは説明を要しないとばかり、つっけんどんに客に応対する駅員、ときには、こちらがしかられているようなときさえある。とくに、いくつもの窓口をたずね歩いている老婦人の姿はあわれである▼先日、台風十号の被害で汽車がストップしたとき、ちょうど大阪駅にいあわせたが、説明不足もさることながら、足をうばわれた人たちで混雑し、ムシ風呂のような暑さなのに、冷房を時間がきたらきってしまった無神経さには、多くの客があきれていた。こういう例はいくらでもある▼また万博では、親せきの人たちの相次ぐ訪問でノイローゼとなり、ついに自殺してしまった家庭の主婦がいる。仕事の都合で千里ヶ丘ニュータウンの一家庭に民泊する機会があったが、この家庭でも寝るのは毎日午前一時過ぎという。外人対象の家庭であったが、話しずきの人がくれば寝るのは、二時、三時、それでも主人は九時出勤という強行スケジュールらしい。朝食のトースト付きだけで一泊二千四百五十円▼夏休みで子どもたちが手伝うとはいえ、やはり大変な仕事である。この付近では訪ねてきた孫や姪を案内して二十回以上も万博会場へ足を運んだおばさんもいるという話だから二回や三回では自慢にならない。今月十三日に万国博は閉会するが、暑さも加わってみんなが心身ともに疲れている。そのためか、交通事故も多い。夏の疲れがでるのもこれからだ▼どうだろう、ここらで十分休養して頭を冷やし、低下したモラルをもとに戻し、衰退した精神面の向上をはかる機会にしてみては…

「心に種をまく」
つどい記念講演 <1>

奈良・薬師寺管主　高田好胤

第六回全国4Hクラブ員のつどいの記念講演として、奈良・薬師寺管主、高田好胤氏から「心に種をまく」と題した、たいへん有意義なお話しをしていただきました。本紙では講演の内容を抜すいし掲載いたします。どうか人生への指針としていただきたいと思います。（編集部）

“しあわせ”とは何か　物で栄え、心で滅びる

「片よらない心　とらわれない心　こだわらない心　広く広く　これが般若心経　空の心です」合掌―。

ただいまご紹介いただきました高田でございます。

一九七〇年代は心の時代に

私は「心に種をまく」という題で、みなさんにお話しを申し上げるわけですが、今日、世の中がたいへん発展をして私たちの生活が豊かになったと思うのですが、私は毎年、元旦の午前二時に年頭法話というものを寺でいたしております。今年も話しをしようと思って立ったときに直感した。それは昭和が四十五年になったということです。昭和が四十五年になったんやなあ、明治と同じ年になったんやなあと いうことやったです。

日本の歴史を通しましてねえ四十五年間、一つの年号で続いたのは明治だけなんですよ。その明治と昭和が同じ年になった。いうなればこれは、年号におけるタイ記録であります。けれども今日、天皇さんは、たいへんお健やかであるし、昭和という年号は、これから四十六年、四十七年、まだまだ続いていくだろうと思います。そうすると昭和という時代は、日本の歴史で一番長く続いた、そういう時代なんですよ。

そういう時代に生きているわれわれ一人ひとりが、お互いに日本人だということを自覚せねばいけない。そのときに私は、たいへん日本は発展した、けれども物の面で発展したけれども、はたして、心の面において、ほんとうに発展しておるんだろうかと、思わずにはいられなかったのであります。

そこで、一九七〇年代は、心の時代にせなんだら、私は日本の国は、物で栄えて、心で滅びると思うのであります。

目に見えぬしあわせ失なう

今日たしかに目に見えるところでは、えら-い 発展 してねえ。それでわれわれは、しあわせになっているようだけれども目に見えないところで、大きなしあわせを失なっているんだということを、お互いに、よーう考えねばいかんと思うのであります。

例えば、私たちの子供の頃はお弁当いうたら、みんな母親が子供のために作ってくれたんです。もちろん私は小学校四年のときの昭和九年に、父親に死に別れまして、小学校五年のときに、薬師寺へ小僧に行ったんです。寺の小僧ですからねえ、だれも弁当なんて作ってくれない。けれども朝起きてお堂にお参りして、掃除をして、食事作法をして、お弁当なんて、ゆっくり作っているひまがない。ですから私らは、お弁当箱にご飯だけつめ込んで行ったんです。

ご飯をつめて行って、机の引き出しに海苔の佃煮などを入れておいて、それをお弁当のおかずにして食べていたんです。

お弁当で母親を思い出す

それがたまには里帰りをする。里帰りをすると、母親がお弁当を作ってくれる。けれども私たちのときは戦争中ですから、日の丸弁当というのがあるのですよ。梅干を一つご飯の中にポツンとおく、けれども母親にしてみれば、たまに子供が帰ってきた、せめて今日ぐらいはおいしいお弁当のおかずを食べさせてやりたいと、そこでご飯の間においしいおかずを入れておいてくれる。けれども子供は純粋であります。かえって、今の時代のような日の丸弁当の日に、おかずみたいな余計なものを入れておいてくれてご飯食べられやしないやないかといって母親に、よく文句をいった。

そういうようなことがねえ、私らよく汽車の旅しますわね。そしたらお昼によく駅弁を買って食べますゎ。それをいただくたびに、母親が作ってくれたお弁当に文句をいったこともあったんだなあと、お弁当において母親を思い出すんです。私は大正十三年の生まれですから、今数え齢の四十七歳です。やはり五十に近い親父になってお弁当を食べるたびに、母親のことを思い出すんです。

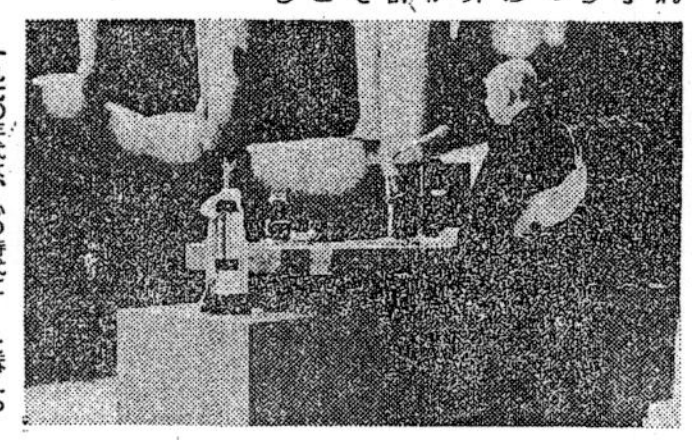

一九七〇年代は、心の時代に……と訴える高田好胤氏（佐賀市民会館で）

子供心から失なわれる母親

けれども、この頃のお母さん方は、学校給食やからお弁当作らないでもよろしい。ですから昔のお母さんはねえ、しも焼けやとか、あかぎれだとか、けれども、この頃のとくに若いお母さん方で、しも焼けだとか、あかぎれの人は、ほとんどないですねえ。みんな憎たらしいほど手がきれいです。もうみんな学校は給食ですから、お弁当は作らいでもよろしい。ですから、この頃若いお母さん方は、たいへん朝寝坊ができる。朝寝坊ができて、とっても楽で徳をしてしあわせだ、と思っている。

けれども、そうして育った子供たちが、三十、四十になってお昼にお弁当食べるときに、はたしてそうして育った子供が、母親を思い出すやろうか。思い出さないでしょうなあ。あんたら、いったい何を思い出すんだ、給食のおばさんを思い出すと、こうなると思うんです。

子供の心の中から、親の世界がだんだん失なわれて行くということは、そして子供たちの心の中から母親の世界が失なわれていくということはね、はたして、しあわせなことであるんだろうか。目に見えるところでは朝寝をして、楽をして、徳をして、しあわせのようだけれど、目に見えないところでどんな大きなしあわせを失なっているかと、真剣に考えなくてはいけない今日の世の中だと、私は思うのであります。

これは、物で栄えて、心で滅びるということであります。（つづく）

農政の設計図を
実践するのはみなさんたち　自由化進め国際社会に

全国4Hクラブ員のつどい　激励のことば

内閣官房長官　保利　茂

ご紹介をいただきました保利茂でございます。今日は、わが佐賀県において、第六回全国4Hクラブ員のつどいを開催していただきまして、私も地元の一員として、はつらつたる全国の農村青年を佐賀県にお迎えできたことを大変に嬉しく、ありがたく存じます。心から歓迎し、みなさまの前途を祝福申し上げます。

私は先日来から佐賀に帰っておりまして多くの農村青年と親しくお会いする機会をいただいております。今、宮脇農協中央会長をはじめ、農業団体の首脳者がアメリカに日・米の農業会議、つづいてカナダの農村事情、わけて日本でもみなさん方にとまどいを与えております食糧の生産調整の段階に入っておりますが、カナダでもたいへん多くの食糧を抱えこんでいます。農業者自体が抱えこんでいるのが三割五分というように大変な状態で、したがって九割からの生産調整を実施している状態を、日本の首脳者が現場で視察なさっていられると思います。

帰って来ましたら、できるだけ早い機会に、佐藤総理大臣もご心配しておられ、私どもも心配ですので、日本の農業の方向をみなさん方にお示しできるように、農業団体の方々と力を合わせて実施していきたいと思っています。

私はかつて、昭和二十八年、九年、農村にとって不幸な年でありましたが、二年半にわたって農林大臣を歴任した者でございます。

ご案内のように日本の国の事情、経済、国民生活を支える国の事情が大きな成長を示してきております。もとは農業だけ栄えればなんとか生活できる、そういう中で、世界に冠たる軍備を持つような力を持っていたわけでありますが、今日の日本は経済的な構造がからんで参りまして、いわゆるアメリカ、ソ連についで世界で第三位の工業国家に躍進をいたしております。したがって、この間に様ざまな問題がございます。みなさまもご案内の通りでございます。

そこで一番困難な問題に当面しておりますのは、農政でございます。例えば、自由化の問題にいたしましても、世界の三番目になったとか、自由陣営の第二番目になったとかと、偉そうなことをいいつつも、これは取り入れ（自由化）てもらっては困るというようなことをいっておって、どうして世界の上に立っていけるでありましょうか。少なくとも工業部門におきましては、苦しい面もあろうけれど、しかし、今日の日本の科学技術の水準を持ってすれば、もはや日本はアメリカと肩を並べていけるような状態にありますから、少なくとも工業部門においては世界に通じないような泣きごとをいわないで、自由化を進めて堂々世界と国際社会に覇を競うべきではないかと私は政府の一隅におりまして考えます。

それだけに日本の農業というものが、まだ近代産業としての域に達していないので非常に難しい段階にあります。したがって農産物の自由化ということにつきましては政府内で私が一番臆病なのであります。農産物の自由化については、極めて慎重でなければならないと思います。そこに零細な日本の農業者の生活がかかっている。その日本農業の生活を営んでおられる方々に思いをいたすと、農業の規模が違う、種類が違う、そういう様ざまな悪条件の中での日本農業、世界の国際社会の中で、一歩も引けをとらないようになっていくためには、まだまだ自覚が足りないのであります。

したがって、一日も早く世界に向かって日本農業は堂々と行進をはじめるようにならなければならない。そういうことに、全農家、農林省当局をはじめ各政党が、力を合わせて向かわなければなりません。

かかって、日本の農業に新たなる方向を期待せられておられるみなさん全国の農村青年こそが、この事態に立ち向かわれる宿命にあると思います。われわれも政府の一隅にありまして一生懸命やらせていただきたいと思いますが、実践されるのは、みなさん、これからの日本農業を背負っていかれる青年諸君であります。どうも大きな夢と希望をもちうるような設計図が、できているとは申し上げかねますけれども、かなずや政府も農業団体も、力をあわせてみなさま方にお示しできるような設計図が遠からずできることを私は確信いたします。

それにしましても、今日はどの職業よりも農業を興すという道ほど、もっとも秀れた頭と努力を要する職業はなかろうかと思います。どうか4Hクラブの綱領にありますように、全国の農村青年の諸君が、手をしっかりにぎりあって、語り合い助け合って、この工業先進国と化しました日本の農業、農政はいかにあるべきかという問題解決に、精進していただきたいと思います。

どうかはつらつたる全国の農村青年のみなさん方、挫けず手を携えて新しい時代の農村建設のためにまい進して下さるよう、みなさまのご健康とご多幸をお祈り申し上げまして歓迎のことば、お礼のことばといたします。

つどいに参加して思う

佐賀県伊万里市木須町　中村良子

交歓訪問　父親も仲間入り　募金活動で多くを学ぶ

全国4Hクラブ員のつどいに対する期待と、受け入れの不安とで迎えたつどいの五日間が、あっという間にすぎてしまいました。

私は開会式場に着いて間もなく日本4H会館建設のため、募金ガールとして会場を回り、4Hクラブのペナントやワッペンを販売して会場のクラブ員に募金をお願いしました。この募金活動を通して参加者から、多くのことを学ぶことができました。

現地交歓訪問では、愛知県の方を受け入れ、私の地域の農業の一部を紹介し、農業に対する考え方やその話し合いを通して、私がもっとも心配していたことをずばり指摘され、ドキリッと心臓が破裂する思いでした。十分とはいえないまでもクラブ員と家族どの話し合いの機会がもたれ、父もよろこんで仲間に入ってくれました。私も以前にクラブ員の家に泊った経験もあり、今度の受け入れの主旨も自分なりに理解し行動しましたが、これでよかったのだろうかと今さらのように考えています。

二十六日の夜は宿舎の旅ノ川温泉へ、班別の自由交歓もレクリエーションのみに終り、話し合いの時間が少なかったのが残念でした。しかし、このひとときが県の域をのり越え、同じクラブ員として、親交を深めたことはたしかです。

翌日は、葉隠の里を訪ねての散策、不老の滝でブラジル班と合流し、日本語の上手な彼らは、私たちが知らない日本の歌を知っていた。コースの途中、部落の人たちから歓迎を受け、冷えたお茶でのどをうるおし、おいしかったこと―。

夜のキャンプファイヤーは、神聖なるセレモニーでなかったことが、ちょっと残念に思えた。参加者数との関係もあろうが、もっと横の連がりをもたせて、全員で行なえるような内容にすれば、もっと盛り上がりがあったと思う。

二十八日の閉会式“会うは別れの始めなり”というが、全国の仲間と語り、同じ釜の飯を食べてすごした、この短かった五日間、いろいろな角度から学びとることができ、親しい仲間ができた。来年愛知県での再会を約束して、別れを惜しみ会場を去りがたい、この気持は誰もが同じであったと思う。

このつどいに参加してもっとも強く感じたことは、私たちは農業技術面の勉強だけでなく、もっと広い視野に立って勉強しなければと感じ、また、農業後継者が少ないといわれているが、この仲間たちのように従事している人は意欲的で自信をもっていることに、励まされました。

農業の将来は厳しいと思うが、農業は社会的に甘やかされてはいないだろうか。もっと私たちは反省して現実をみつめ、全国の仲間が起ち上ったならば、より一層の発展が望めると思います。

最後に、つどいの記念楽焼きは若き日に佐賀に集った楽しい一コマとして、後日手にするとき、なつかしい仲間の姿を思い出すことと思います。

（佐賀県伊万里地区4Hクラブ連絡協議会副会長）

4Hとは 実践することと…
つどいの意義を活動の中に

佐藤春雄

長い旅の疲れもみせず佐賀市民会館の到着した神奈川県の参加者。円内は、わかれのことばを述べる佐藤君

山ふところから湧き出る清らかな水の流れと、緑の深さ、この佐賀葉隠れの里で行なわれた、第六回全国4Hクラブ員のつどいが、数々の思い出を仲間の胸に残し、今、閉じられようとしています。

四泊五日にわたり、佐賀県下一円にわたって行なわれたこのつどいも、長いようで短い日程でしたが、私たち全国の参加者は、このつどいに参加したことにより、とくに、現地交歓訪問によって、佐賀県の農業を、佐賀県の仲間たちのクラブ活動を、書籍、文献では得られない何かを体得できました。これは、私たちの活動に大きな指標を与えてくださったものと感謝いたしております。

つどいの特色の現地交歓訪問においては、本来ならば、農作業に忙しい時間を、佐賀県のクラブ員の仲間をはじめ、家族や地域のみなさんには、温かいご歓待をいただき、盛大なる交歓訪問ができたことに対しまして、私たちは感謝いたします。

そして思い出して下さい―。あの、キャンプファイヤーの瞬間を、山合いの空にちりばめた美しい星、その空をもこがさんばかりにともされた4Hの灯を―。4Hの灯がともされたとき、私たちの心はひとつになりました。私たちは、この灯をみつめたとき、青年らしい純心さと、何ごとにも挫けない勇気と明日への希望がみなぎり、全身に熱い血潮がたぎるのを感じました。4Hクラブ活動に青春をかけた、私たち青年の姿が、心がそこに現われたのです。

このつどいで知り合った私たちの胸の中には、この思い出がいつまでも残り、将来に立ち向う私たちの心の支えとなるに違いありません。そして、この感動や成果を地域に持ち帰えり、多くの仲間たちに伝え、日常活動への糧となるよう努めたいと思います。

最後には、私たちはつどいの意義をさらに理解し、自らの努力と協力によって発展させ、後輩たちにつどいの灯を渡して行けるよう、みんなの力で育て行こうではありませんか。武士道は死ぬこととみつけたり―と申しますが、私たちの4Hクラブは、実践することとみつけたり―であります。今日より明日へと発展するために、つどいの意義を活動に結びつけましょう。（神奈川県連会長）

つどいに参加して
意義深い現地交歓訪問
佐賀県連　から来年は　愛知県連
来年も参加するから

埼玉県連4H部長　綱川信夫

九州佐賀県において第六回全国4Hクラブ員のつどいが開かれ、日本の武士道精神の発祥の地である葉隠の里を訪ねることができたことは、私のクラブ活動の中で、いつまでも心に残る思い出の一つになると思います。

このつどいには、外国クラブ員を含め、千人を越す若人が、四泊五日という短い期間であったが、楽しく意義ある行事のもとにすごすことができました。はじめの二日間は、開会式、記念講演、パネル討議が終わると佐賀県下一円に現地交歓訪問に入り、クラブ員宅での民宿ではたいへん忙しい時期にもかかわらず、温かい歓待をいただき心から感謝いたしております。

地元クラブ員の交歓会では、家族ぐるみの4Hクラブ活動、また農業経営などの話し合いができ、地域農業施設の見学は、佐賀農業の実態を知る上で、とても意義ある時間でした。

三日目は全員、現地交歓訪問先から、川上、旅の川、古湯の各温泉地に移動し、清流の音のする静かな古湯温泉に宿をとり、夜のふけるのも忘れて遅くまで青春の一夜を語り合いました。

四日目は早朝、バスで散策の出発地点まで行き、各班別の行動で葉隠の里を訪ね、みかん畑の緑の美しい丘を登り下りして、楽しい一日でした。各史蹟では、思わず足を止め、昔をしのび、その頃の人たちの生活や文化にふれることができ、この日本人の偉大な文化や歴史を少しでも若い私たちは知り、この遺産を守り通すのは当然として、この上に新しい何ものかを築き上げていくのが、私たちの使命であると痛感しました。

つどい最後の夜のキャンプファイヤーは、若さと熱気に満ちた中で行なわれました。山ふところは静かに暮れて、星空は美しく、山合いを流れる水の音が印象的でした。

山の中腹に真赤な灯がともされ、昨年のつどいの開催地、鳥取県から本年の開催地佐賀県に手わたされ、久野全協会長の手によって中央に火がともされたとき、全員から感動の拍手が起り天地がわれんばかりでした。この瞬間、全国からつどいに集った仲間の心が一つになり、感激と希望が満ちあふれ、仲間同志の輪が、心の和として広がっていき何か胸に込み上げてくるものを感じました。

レクリエーションでは、各県の郷土芸能などがくり広げられ会場は青年の熱気でうずめつくされました。空は高く、とても星の美しい夜でした。ときの立つのも忘れ、同じ思いに心を一つにしたキャンプファイヤーもフィナーレ、小林佐賀県連会長のことばで無事終了し、佐賀県連や全協の運営委員がともすトーチの中を、お互いに友情と励ましのことばを交しながら宿舎へと足を運びました。

五日目の閉会式は、再び佐賀市民会館で行なわれ、来年の開催地の富永愛知県連会長に佐賀県連小林会長から、つどいのトロフィーが手わたされ、固い握手が行なわれたとき、参加者の全員は、頑張ってくれ!! 来年も参加するからと、心に思ったことと思います。

交歓訪問に同行して

例年は、つどいの最後に行なわれていた現地交歓訪問が、本年は、第一日目の開会式、記念講演、パネル討議の終了後、ただちに県下十一地区へ分散というかたちで行なわれた。近くの地区は地元クラブ員の自家用車など、遠くの伊万里、唐津、鹿島、武雄などへ行くこのはバスで出発した。出発予定は六時であったが、まえの行事が延びていたので、六時半から遅いバスは七時ごろになってしまった。そのため、遠い地区では到着したのが八時半ごろになり、受入れ側との挨拶その他がすんで、各家庭に落着いたのは九時を過ぎていた。以下は、藤津地区鹿島市へ交歓にでかけた同行記である。（編集部Y）

意思疎通の糸口が　4H精神は、じわじわと

藤津地区農業改良普及所に到着したのは、もう九時近いころではなかったろうか。普及所の馬場所長をはじめ関係者、地元の受入れクラブ員の方々に迎えられ、人員の確認や挨拶などののち、部落ごとに分かれクラブ員の車で各家庭へ向かった。台風十号の影響もあってか、この地区の受入れ予定数は百四十人を越えていたにもかかわらず、実際には百人を割るような状態であった。

出発間際、急拠、飛入り参加を申出た筆者を、快く受入れて下さったO君の家までの道は、鹿島の市街地を外れると、夜目にもはっきりと遠くまで田が広々とひらけていた。山国で育ったものの眼には、それはひとつの別天地というにひとしかった。そのあたりは、O君の父君の話によると、ひょっとすれば旧藩時代の干拓地かもしれぬということであり、さもありなんと思わせるに足る広さと平坦さであった。

受入れに対しては、普及所でもずいぶん心配していただいて、各家庭へのPRないしは依頼といったかたちで、趣旨が徹底していたようだ。家族ぐるみの4H運動をという全協をはじめ県連、地区連、単位クラブに至るまで、その基本方針を、実際に地域社会の人びとに理解していただくのに、つどいは役立ったことと思う。筆者がご厄介をかけたO家でも、家族の方がみなして待ちうけて下さって、ねんごろなもてなしを受けた。

ある意味では、篤いもてなしにはO家の一人息子の友人を接待するといった気持もあったかもしれぬが、もっと根本的には、人と人とのむすびあいに対して、敬虔さを持っておられたからだと思う。必ずしも、4H精神を全面的に理解した上ではないにもせよ、もっとも素朴な、人間が人間に対して持っている美しい信頼といったものから発したものではなかったろうか。父君は、連帯感、仲間意識というものを、軍隊生活を通じての体験から語り、4Hクラブについても、そこから全国の農業者の仲間というように類推して捉えていたようだ。心づくしの冷えたビール、有明海のむつごろうや海苔の味とともに、息子のやっている活動を、なんとか理解してやりたいというあたたかい心づかいが、われわれへの歓待にありありとみてとれたことは、忘れがたい。

見ず知らずの家庭に、佐賀という全く未知の土地において、しかも突然お邪魔して、あたたかく迎えられたのも、やはり4Hクラブに関係を持っていればこそであり、事前に打合わせがあったとはいえ、ほのぼのと心あたたまるものを覚えた。ただでさえ、旅先での人の親切は身にしみるといわれているが、ごく小さいとはいえ、こういうふうに、地道にじわじわと4H運動を地域社会へ浸透させていく努力は、気長に続けられなくてはなるまい。一朝一夕に、また機械的に、4H精神の理解を求めることは無理であろう。まだるこしくても、性急さは厳に慎しまなくてはならないだろう。

二日目の夜もまた、ビールから始まり、佐賀の銘酒「白菊」とかいう酒の酔いにつつまれて、父君とこれから文通しようではないかという話になった。O君はクラブの会長をやっているために忙しく、むしろ彼とよりも、父君と話す時間の方が長かった。O君が同席している場合も、口数の少ない彼よりも、父君と筆者の方が何層倍か語ったのではなかったか。ある意味では間違っていたかもしれないが、間違いは間違いなりに有意義ではなかっただろうか。話題も、4Hクラブについてよりも、佐賀の歴史、言葉から、酒の批評まで多岐にわたった。短時間の訪問だから、つきつめた話合いが必要だと考える向きもあろうが、そしてそれは正論ではあるが、こうしたら雑談で、互いに意思疎通の糸口をつけたことだけでも、満足してよいのではないかと考えたい。

現地交歓　米の歴史が米を重視　受け入れ側の難しさ

翌日、鹿島市の市民会館でO君が中心となって行なわれた歓迎会には、百数十名が集まって、市長や代議士などの来賓もあり、かたどおりに進められた。会は予定より早く終り、午後からの視察までの時間を、ソフトボールの試合にあてていた。筆者は、馬場所長の勧めにしたがって、再来年の開催地に予定されている北海道から、つどいの実態調査にみえた専門技術員のK氏、鹿島市産業課長のY氏などと、交歓訪問の受け入れについていろいろ話した。つどいの規模を決める人数の把握も困難だが、民泊の受入れ側にも、それに劣らぬむずかしさのあることを知った。

午後は、みかんの共同選果場、干拓地、国営のパイロット農場のみかん山、貯水池、日本三大稲荷の一つ祐徳神社をバスで見学した。整地されて塩分が抜ければ、九十㌶余の耕地になるななうら干拓地、六百四十㌶ほどになるパイロット農場、また、施設の拡充につとめている選果場、さらに近い将来に実現するみかんのジュース、缶詰工場などについて書くべきことは、山ほどあるが別の機会にゆずって、割愛することにしたい。

それでもひとつだけ記しておきたいのは、つどい参加者のなかに、佐賀では、あまりにも米作のみに頼りすぎるように感じてならないと、感想を語るものに何人か会った。たしかに、米作に適した立地条件にあり、米どころとしての歴史が米を重視させているのであろう。それが、なかなか他の作物に手を出しにくくさせてもいるだろう。しかし、いわゆる藤津地区で見聞したかぎりでは、米作一本というよりは、裏作にメロン、イチゴ、玉葱などを作り、茶やみかんがあり、酪農も増加しつつあるらしく、また海苔などをやっている家も少なくないという。例の減反で放置された田も見かけたが、必ずしも旧態依然たる農業に甘んじているわけではないことは、地元のクラブ員の話からもよくわかった。

祐徳神社で記念撮影、予定より早かったが解散になり、筆者がお世話になった部落では、有明海へ漁船を二艘出して下さった。船つき場は、赤貝の殻で白くなっているのも目新しく、焼玉というのか、ポンポン、ポンポンとエンジンの音がする船も、はじめて乗るものであった。プランクトンの異常発生による赤潮という、黒茶色の海水もこの眼でみたのは最初であった。船から干拓地に上ると、一面の水田であり、畦がどこにあるのかわからぬような一枚一枚の田の広さである。

同じ水稲耕作をしていても、こうしたところなら機械の導入も容易であろう。単に機械化の問題ばかりでなく、全国各地それぞれに同じ米作に従事していても条件は異なるし、そこから生れてくるものの感じ方、考え方の差異というものに、もっと注意しなくてはならぬのではなかろうか。山ばかりを朝夕仰いで成長したものと、海を眺めながら育ったものと、そこに歴然たる違いがあるように、全国至るところの米作従事者にも、おのずからなる相違があろう。画一的に考えることは許されない。農政といえど、こういうことを無視したら、大変なことになるだろう、というような思いに駆られたのも干拓地のあまりの広さのせいではなかったろうか。

この日の夜は、公民館に何人かが集まり、そこへ十年ほどまえに佐賀県連会長をされたというN氏が顔をみせられ、4Hクラブのあり方、活動上の問題点、結婚のことなど、十時ごろから真夜中の三時ごろまで話した。N氏は4HクラブのOB会の県の副会長をしておられ、長い間の活動の体験からかなり思い切った助言をされたので、現在、さまざまな問題を抱えて、身動きがとれないでいるクラブ員には、心強いサゼッションとしてひびいた。

ここだけの話だがという約束で語りあったことばかりなので、具体的には記せないが、某県の役員同士の連繋のむずかしさについて、クラブ活動における指導者との関係について、4Hクラブ活動の今後のあり方についてなどどれをとっても、たまたま顔を合わせた数人の問題でなく、いまどこにおいても問題になっているようなことばかりであり、クラブ活動そのものについて、これだけ熱心に話合う姿はそうみられないのではないかと思った。どういう意味にせよ、クラブ活動がそれぞれにとって必要不可欠のものであることを、如実に語っているものと感じないわけにはいかなかった。

こうして語る機会でもないと、実際に自分の生活とクラブ活動というものが、どのように結びついているのかは、たしかめにくい。相手のことを知ると同時に、自分のおかれている状態というものが改めて客観的に見つめなおすことができたよい一夜だった。N氏を見送ってから、電灯を消して、話の続きをしていたが、みな疲れていたためか、話は途中で途切れてしまった。

貴重な時間有効に　共同生活通し親睦を

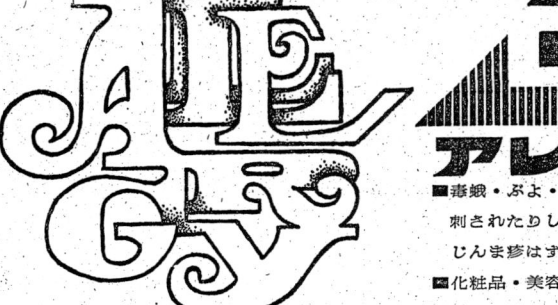

三日目は、漁船に乗る予定を昨日に繰上げてしまったので、小学校の校庭で、ソフトボールとバレーボールを行なった。これが始まるまえに、公民館から、お邪魔しているO家へ朝食をいただきに帰り、昨日から筆者と一緒にO家に受入れられたK君から彼が福岡県でやっている観葉植物の経営のこと、公民館での話にもでた専門別のクラブのことなどについて、じっくりと聞いた。このことについてはこの日の午後、馬場所長にうかがった専門グループ結成の問題とともに、次号にでもまとめてみたい。

地区としても、部落としても、民泊の反省会のような時間がもてなかったのは残念だった。クラブ員からも、そんな意見がでていた。そこで昼食で一緒になった地元のクラブ員を含めた五、六人がわずかの間だったが、はっきりしたスケジュールの必要性とか、まとまって話し合う機会がほしいといったことを話合った。そこでは、いたずらにレクリエーションばかりをやらず、まずはじめに、お互いが名前を覚えられるような機会を作って、貴重な時間を有効に活用したいなどという声が多かった。

ともかく、二泊三日の現地交歓訪問は終り、クラブ員は地元クラブ員にともなわれて、普及所へだんだんと集まってくる。一昨夜、蚊の襲撃に悩まされながら、受け入れ側のクラブ員に引渡されるのを待っていたときとは、全く雰囲気が違う。一緒に生活するということ、同じことをともにするということが生みだす親しみ、手探りながら、互いに相手に近よっていく状態、そうしたところには、思いやりも慎ましさもある。二度と会えないかもしれない、あるいは、これを糸口に長いつきあいがはじまるのかもしれない友だちである。

船出のときのようにテープが交錯するのをながめながら、そんなことを考えていた。このことについて、馬場所長に長いことお話をうかがったのは前述のとおりだが、このあと、井上藤津地区連会長の車に乗せていただき、川上峡まで話してきた。

それやこれや、さまざまなことを考えあわせてみて、4Hクラブ活動が、どういうかたちにせよ、ひとつの岐路、あるいは転機に立っているのではあるまいかという実感は、否めないようだ。

葉隠のつどいスナップ

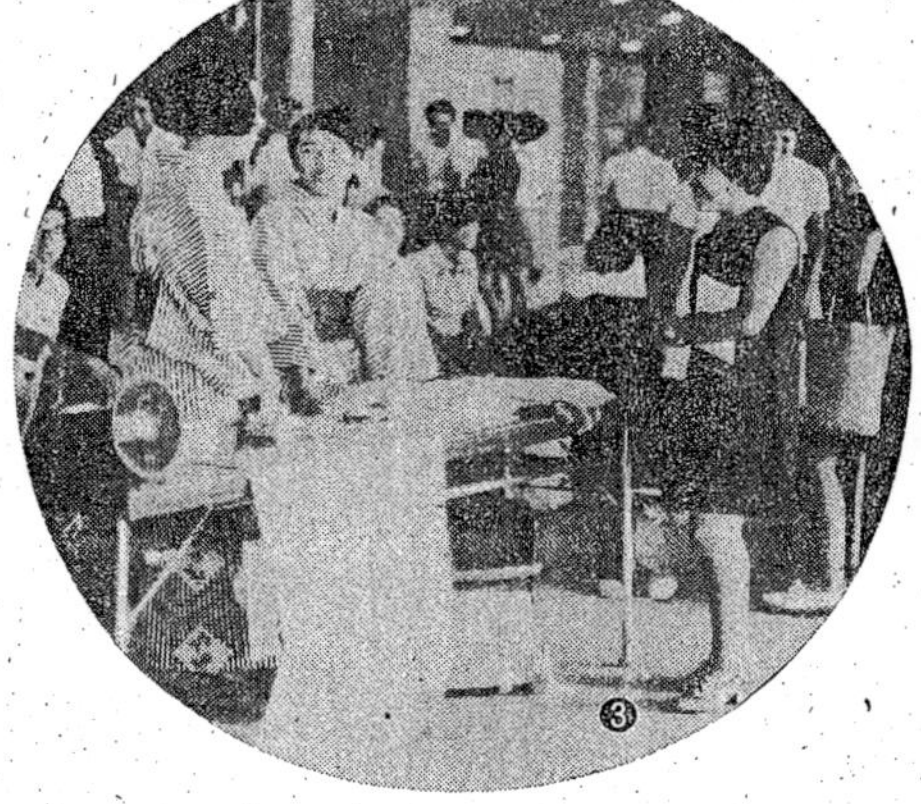

写真説明

①＝拍手に迎えられて県連旗入場　②記念楽焼　③募金ガールは募金やワッペン、ペナントの販売に精を出した　④散策のあと話し合いやコーラスに興じる　⑤つどいの記念に、サインの交換　⑥友情と団結を誓い合ったキャンプファイヤー　⑦思い出を胸に、仲間に送られて郷土へ　⑧佐賀の郷土芸能、面浮立に観入る　⑨閉会式の幕も下りて佐賀県連旗の退場（写真右上＝来年は愛知県でつどいを開くと、全国の仲間によびかける富永愛知県連会長）

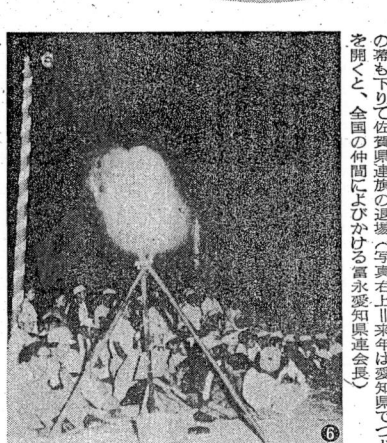

特色出した大阪大会

村ごとにまとまり　テント生活で親交

競技術技　雨で中止

一日目　炎天下の大阪・阪急箕面（みのう）駅前の箕面スパーガーデンに集結した各都道府県代表の農村青少年は、村の編成を終えて、午後三時前、バスを連ねて、秋近しを思わせる野外活動センターに入った。

このセンターは、深山の中にあり、鶯が啼き、ときどき猪が出るところ。大阪、花園、おとめ、豊臣、まんが、黒潮、不死鳥、富士山、インディアンの各村に分かれそれぞれ約百人（約十のテント）単位の小集団でキャンプ生活をする。村長には、近畿各府県連会長など有力メンバーがなり、その下に事務長として近畿各府県の青少年担当者が当るというガッチリした陣容。

夕闇迫る六時半過ぎ、中央グラウンドで開会式がくりひろげられた。各村ごとの入場行進に続いて開会宣言、国旗、センター旗、大会旗の掲揚、国歌斉唱について主催者代表として、竹村大阪府農林部長と、教育振興会の三宅常務理事からあいさつがあり、同センターの松田所長からセンターの「カギ」が原田大阪府4Hク連協会長に手渡された。

このあと、青少年を代表して原田会長が「この谷間には何もないが、全国の農村青年のすばらしい若さと情熱、連帯感がある。農業をとりまく諸情勢は厳しくいろいろと問題があるが、それらの悩み、疑問は一人だけのものではなくみんなの問題である。全国の友と一緒に『われわれは、いま何を考え何をなすべきか』を真剣に話し合い考えてほしいと思う。野菜を作り、牛や豚、鶏を育てるこの手や腕、頭、魂で私たちはこの大会のために努力してきたが万全とはいえない。しかし、みなさん一人ひとりが大会の運営委員として実り多いものとするよう共に頑張ってほしい」と呼びかけた。

正面のスロープの両側に各都道府県と県連旗、その間に第十回全国農村青少年技術交換大会と書いた十六の提灯、四つのかがり火が点火されるという舞台装置。

北川大阪府議会議長、松田能勢町長から来賓祝辞、農林省農政局の田所普及部長ら来賓の紹介、久野全国4Hクラブ連絡協議会長らからの祝電披露、海外青少年代表（ブラジル）のメッセージに続いて今大会のスローガン「この若さ燃やせわれらの農業へ」を斉唱、4Hクラブの歌を声高らかに、周囲の山々にこだまさせて終了した。

夜は、各村、テントごとにグループタイムとして、楽しい交歓のひとときを過した。

二日目　午前六時に起床、洗面、掃除のあと七時から村ごとにグランドで朝のつどい。さわやかな冷気の中で旗上げや、体操、日程説明、各班（テント）の班長・班名の紹介などをして八時から食事。

九時から霧に包まれたロッジやテント、河原などで話し合いが行なわれた。

各県、男女をまじえた話し合いは、結婚問題から各県の農業事情の紹介、さらには農政批判にまで鋭い目が向けられていた。しかし十時ごろ小雨が降り出し、昼前から激しい雨足に見舞われ、宿舎へ逃げ込む姿もみられた。このため午後からの技術競技は結局中止となり、参加者をガッカリさせた。

各村ごとに話し合いや歌、ゲームなどで過ごし、早目に、雨合羽を着て夜の共同水炊事に取りかかった。与えられた野菜や肉、調味料と食器で料理のコンテスト。それぞれアイデアを生かして班ごとに腕を競い合った。周囲に漂う夕げの匂いは食欲をそそった。

夜は村ごとの交歓の夕べ。明日のキャンプファイヤーの出し物の選出もかねて、各班ごとに火を灯しながら寸劇やかえ歌などに興じ、静まりかえった山合いに歓声を響かせていた。

アイデアを生かした共同炊事に精を出すクラブ員たち

肩組み、心を一つに

フェンガー賞に上条、藤沢さんら　各県代表が演示

三日目　快晴。清掃、朝のつどい、食事などをすませて、午前九時からプロジェクト発表（演示発表）に入った。水稲、果樹、畜産、やさい（施設園芸、露地作）花キ、機械化、特殊作物、生活（衣・住と食・家庭管理）など九会場に分かれて、農業技術や農家生活などについて日ごろ研究、改良した成果を発表し合った。

審査の結果、六十余名の発表者の中からフェンガー賞受賞者に秋田県の佐藤啓君「アイデアを生かしたオガクズナメコ栽培の省力化」（エミールフェンガー）と、「私たちが工夫したアルプス式デイタイムボックス」を発表した長野県の上条昭子、藤沢麗子さんが選ばれた。

午後からは中央グランドで、明治学院大学の高橋賢一教授の指導で体力づくりが行なわれた。あいにく水温が低いため水泳は中止となったが、二人三脚や風船割り、四百メートルリレーなどの競争に若い血潮をわかせた。村対抗とあって、すでに友交を深めている参加者の花やかな応援合戦が展開された。

夕べのつどい、夕食、入浴のあと、七時から野外劇場でキャンプファイヤーがくりひろげられた。応援合戦もにぎやかに、それぞれ村ごとに寸劇やかえ歌などを競い合い、会場は声援と笑い声の渦。河内音頭の踊りを最後に、いよいよ元火の入場。周囲がすっぽりと黒いベールに包まれた会場に、一点の火が灯り、営火長の松田同センター所長のあいさつのあと火は分火され、周囲を照し出す。参加全会員が肩を組み、4Hクラブの歌を大合唱する姿は感動的で、みんなの心は一つに結ばれ、明日への闘志を燃やしていた。

四日目　いよいよ最終日。バスを連ねて万国博会場へ向い、午前十時過ぎから同ホールで閉会式が行なわれた。太陽の塔を背に、わき上がる噴水をスクリーンのように映し出す演出。壇上正面から入場する県旗と大会旗。やがてそのスクリーンが幕によってさえぎられると4Hクラブの歌の合唱に続いて主催者を代表して佐藤大阪府知事、東畑振興会々長、農林大臣代理、渡辺農林政務次官からあいさつが述べられ、参加者を激励された。祝電披露について、プロジェクト発表の審査講評と東畑振興会々長からフェンガー賞が授与された。

このあと幕が下りて、わかれのつどいに移り、それぞれ趣向を凝らした村長のあいさつや村長への感謝の寸劇が行なわれた。同センターの「カギ」の返還、詩の朗読についで大阪府警察音楽隊の演奏、続いて原田大阪府連会長が感激に目をうるませてあいさつ、また次期開催県、岩手県連の及川正紀会長が来年は岩手で会いましょうと呼びかけ、四日間にわたった大会の幕を閉じた。この大会を通じて大阪府連のクラブ員と近畿各県連代表の活躍ぶりが高く評価されていた。

農村雑感　人間関係

折原俊二郎

新しい技術や優れた経営を学ぶため、その優れた農家に入り三ヵ月から半年間、長い人では一年以上も、その経営主と生活を共にし、働きながら学ぶ先進地農家留学研修が、若い農村青年の間で、さかんに行なわれている。

この先進地農家留学研修に行った青年の意見を聞いてみると、農業の技術や経営を学ぶ、そのことでは特に大きな問題はない。事実、多くの人はこの研修に行って非常に良かったと答えている。しかし多くの人の中にはさまざまの問題をかかえている人もある。

例えば、思ったほど技術水準が高くないのでがっかりしたとか、ただ、使われるのみで何も教えてくれないとか、時には、食事がまずいとか、話をかけても、快く返事もしてくれないとかその内容は種々雑多である。

こうした問題が起るのは何に起因するのだろうか。はっきりした原因はつかみきれないが、総体的にいえることは、行った青年も受入れた農家側もおしなべて、人間関係の本質をわきまえている場合に問題が少なく、この点の理解がいずれか一方でも欠けていると問題が起りやすいということのようである。

人間関係で考えなければならないことは、人と人とのつきあいをうまくする法などという、人間操縦技術的なもので割り切れるものではないということである。もっと人間としての根本的なもの、即ち、人間はだれでもが他人を完全に理解できるものではないし、自分自身、だれからも完全に理解してもらえることはありえない。そうしただれにもわからない自分というものを、それぞれの人がもっているということを、まず知っておかなければならない。

次に、人間と人間とのつきあいにおいては、たえず誤解が起るということである。それは相手を十分知りたい、自分も相手に十分知ってもらいたいと思うが、二人の間にはたえず大なり小なりのズレがあり、それが基本となって誤解に発展していくものである。

さて、このように考えてくると何もかも絶望的に近くなり、とても人間同士のつきあいはできなくなると考えがちであるがそうした理解の仕方でなく、人間同士は完全な理解はできるものではないことを十分承知のうえで、他人の心にできるだけ近づこうとする努力を如何にしてはらうか、まず、それが基本であろう。

さらに誤解の問題については二人の間にズレが出るために起るとするならば、そのズレを基本にして、新しい考え方、新しい分野をさがし求めることである。実は、誤解がないと人間は進歩しないと考えるからである。何故ならば、人間同士でズレがあるところから、そこに心の摩擦がおこり、やがてその姿を変えることとなるからである。それは別の見方をすれば、創造という条件が成立するからである。

青年は大いに自己の中に摩擦を起し、創造の世界を開いていくべきである。地球上の生物の中で人類のみが進歩したのはここに原因がありように思えるし、その主は青年であったともいえる。むずかしい人間関係も、考えようによっては非常に大切なものといえよう。

（農林省・農業者大学校）

〝牛乳飲んで募金〟

熊本県連夏の大会　4H会館建設に協力

【熊本県＝池田隆美連絡報道員発】4H会館建設のためにわずかな金額でもと、熊本県農村青少年クラブ連絡協議会（会長、野中富美男君）では、さる八月三日から五日まで天草で開催した第十回県農村青少年技術交換大会で売店に募金箱を設け、参加者の協力を求めた。

大会期間中、地元天草郡五和町のクラブ員がコーラや牛乳を販売したが、県連では、売店前の松の木に「クラブ員の殿堂、4H会館建設にご協力を」と書いた紙とともに募金箱を設置したところ、暑いさなか、おいしそうに冷たいものを飲んだあと、つり銭を箱に入れていく姿が数多くみられた。

また、売店を受けもった地元五和町の4Hクラブでは「牛乳一本につき五円を会館建設に協力させていただきます」と、さっそく張り紙を出し、県連、地元クラブ一体の募金活動が展開された。

他県に遅れをとった熊本県連ではあるが、今後は追いつき、さらに追い越すよう機会あるごとに募金活動を推進していくよう計画している。

売店前にそなえつけられた４Ｈ会館建設の募金箱にお金を入れる参加者＝熊本県連の大会で

支部間の協調に成果上げる

葛城4H連でソフト大会

【奈良】葛城4Hクラブ連絡協議会（会長、奥村喜洋君）はこのほど高田市の県民グランドでソフトボール大会を開いた。これは、クラブ員相互の親ぼくを深め、各支部の活動を強化するとともに、協議会の組織強化、活動の活発化を図るために実施したもの。

これまでの同大会は各部会対抗の試合で行なってきたが、今回初めて支部対抗の形式で行なわれ、五支部と農改普及所の計六チームの間で試合が展開された。当日は、クラブ員九十名、普及員十名と以前より多い参加者があった。

午前中は小雨が降っていたが、午後からは晴れて暑くなり、牛乳輸送缶に入れて用意してあった四〇〇ℓのジュース入りの氷水もたちまちからになってしまった。

熱戦の結果、地元の高田支部が晴れの優勝カップを手にした。今回の支部対抗試合には、女子クラブ員（生活改善クラブ）の姿も見え、グランドに花をそえていた。

同協議会では、今後も、このような支部のクラブ員の協調を図ることができる大会を催して前進していきたいと意気込んでいる。（葛城4Hクラブ連絡協議会情報部員佳野光男君より）

経営のあり方を考えるとき

クラブ活動12ヵ月　新しいクラブ員を中心に　<24>

他人から問題発見

親、先輩、恩師などと話合う

栃木県・普及教育課　湯浅甲子

霧の山路を車で下りる時の要領で、自分のモヤモヤした悩みをハッキリさせるということはあせらずに、自分の生活の足元をしっかりみつめて、人の話に耳を傾け、身近かな友と語りあううちに、問題の所在が、明らかになってくるものだということなのである。諺に「ひとのフリ見て、わがフリなおせ」というのがあるが、自分の中にある問題を、他人の中から見つけだす方法は、古くからとられていたもので、視察、留学などはそれを地でいく方法といえよう。

この辺で、諸君も、周りをみまわし、わが経営のあり方を考えてみなければならない時だろうと思うのである。

一、まず、親たちと、じっくり話し合ってほしい。いまさらと思う人もいるだろうが、親子の話し合いというものは、実はなかなかむずかしいものだ。血のつながりのあることが、かえって話し合いをぎこちなくするのである。親子だから、なんでもいつでも気やすく話せると思うことが、むしろ親子間を離してしまう結果になるのである。

他人同士ならば、両方が一生懸命、話し合おうと努力するからよいのだが、親子は、そんな努力などしなくたってわかっている仲なのだという先入観があるので、意外なほど話し合う時間をもっていないのである。こういう事態をおこさないようにするには、親と子の間に共通な話題をはさまなければいけない。

例えば「父ちゃん、養鶏がいいと思うんだが、家でも始めたらどうだろうか」とか「隣の部落のAさんは、勤めに出たらしいが、父ちゃんはどう思う」という具合である。こんな例は、沢山あると思うが、この場合でも、親子の意見が正面衝突する心配があるときは、普及員などをよんで、話の中に入ってもらうと、話は深まるものである。

二、近くの優れた先輩を訪ねてほしい。そして、先輩から、自分の問題についての意見を求めてほしいのである。

三、友だち同士ばかりの話し合いより、篤志指導者を入れて話し合ったほうがより効果的である。仲間ばかりの話し合いは、余程、司会の上手な人がいないと、話が、デンデンメグリして深まっていかない。同じ悩みをもつ者同士であればある程話しは煮つまらないものだ。そんな時に、先輩、篤志指導者の助言をえると、核心に触れる議論になっていくものである。

四、母校をたずねてほしい。懐しさもあるが、なんといっても、あなたの知識を形成した道場である。もう一度、学生気分にもどって、しかも、ちょっぴり苦労した体験を加えて、恩師と、ディスカッションをしてみるといい。時には、先生の考え方が、在校時代と、ちょっとも変らないことにあきて「俺の方が、少し進歩したかな」と心の中でひそかに満足してみたり、或いは、在校時代は、ちっとも感じなかった恩師の情熱に、あらためて感激したり、とに角、気分が改たまるものである。そして後輩が、セッセと、実習する姿をみるうちに、問題の端緒がつかめるかもしれないのである。

五、普及所を活用してほしい。普及員が来てくれないと非難する人もあるが、これは見当違いである。〝果報は寝て待て〟式では、とり残される。積極的に指導機関を利用しなければ損である。普及所は、総合病院的機能をもっているから、農家のあらゆる角度から断層写真をとり、診断することができる。この力を借りて、あなたの問題を早期発見することが必要である。

六、他産業人の知恵を借りてみなさい。

「こんな場合、お店を経営する立場では、どんな方法で切り抜けるのですか」といった質問である。このようなやり方は、一見、無意味のように思われるが、決してそうではない。私は、次のようなやりとりをクラブ員としたことがあった。

相手は結婚直前のクラブ員だったが、「先生、ムコトリ娘って苦労が足らないんですね」「どうして」「だって、農家に育って、農家を継ぐんでしょ、一度も、社会にでて、他人に使われた経験がないんですもの」「それがどうしたの」「ええ、この間、久しぶりに、農協へ勤めた友人とお茶をのみながら話し合ったのですが、彼女は私にこういうんです。『なによ、そんな小さなことでクヨクヨして矢張り、箱入り娘なんだなあ』と一笑にふされてしまいました。でも、勇気がでました。それからは、時々、その友人とあって、相談にのってもらっています」

誰でも、その渦中に入っていると、自分自身の問題が見つけだしにくいものである。こんなときは、思いきって、他の人に自分をぶっつけてみることだ。すると、そのはね返りで、自分の問題が、案外、スッキリとつかめるものである。

ヒヤリとする朝のつゆで身を引きしめ、蒼く澄んだ秋空を見上げながら、この際、じっくりと、自分の農業を考えてみる時ではないだろうか。

9月

神奈川県連　第2回の「集い」開く

来る20日、平塚農高で　700名の参加予定

【神奈川県＝相原義春連絡報道員発】神奈川県農村青少年クラブ連絡協議会（会長、佐藤春雄君）は、来る二十日、神奈川県立平塚農業高校で「第二回農村青少年クラブ員の集い」を開催する。

今年度は、親ぼく交流を主な目的として映画会や競技ゲームなどが取り入れられ、昼食時のアトラクションでは、女子部の女子クラブ員によるサービスも組まれている。日ごろ農業に取り組んでいるクラブ員が汗と笑いの中で一日を楽しく過ごし、仲間と語り合う中で、力強く団結への一歩を踏み出すことを願っている。

参加者は、県内のクラブ員、OB、研修生、農高生、各試験場生、農業講習所生、講座生、指導者など約七百名を予定している。

日程は、午前九時から受付け、十時から開会式に入り、十時三十分から映画観賞。フォークダンスやコーラスで楽しみ、昼食のあとアトラクション、二時から体力競技に移り、借り物競争やリレーなどをくりひろげる。四時から福引き、四時三十分から閉会式を行ない解散する。

日本4H新聞
4Hクラブ 農事研究会 生活改善クラブ
全国弘報紙
発行所 社団法人 日本4H協会
東京都市ケ谷家の光会館内 電話(269)1075 郵便番号162
編集発行人 玉井 允
月3回・4の日発行
定価 1部 20円
一ヵ年700円（送料共）
振替口座東京 12055番

クラブ綱領

私達は、実践を通じて自らを磨くとともに、互いに力を合わせて、よりよい農村、よりよい日本を創るため、四つの信条をかかげます。一、私達は農業の改良と生活の改善に役立つ腕をみがきます。一、私達は科学的に物を考えることのできる頭の訓練をします。一、私達は誠実で友情に富む心をつちかいます。一、私達は楽しく暮し元気で働くための健康を増進します。

どうする！都市化への対応
神奈川県連オルグの反響
現状打開策が必要
迫られる活動の変化

【神奈川県＝相原義春連絡報道員発】神奈川県農村青少年クラブ連絡協議会（会長、佐藤春雄君）では、今年度の事業計画の一環として、県連、地区連の密接化を図るために、このほどオルグ活動を実施し、県連活動の説明や、4H新聞の購読の拡張、「つどい」参加の呼びかけなどを行なった。その結果、これまでに余り耳に入らなかったクラブ員のナマの声を実際に聞くことができ、県連役員全員が新たな意欲を燃やしている。

ナマの声から課題浮ぶ

オルグ団は、会長以下県連役員五名で編成し、各地区連の定例会などに出席して、地区役員や一般クラブ員との意見交換を行なった。

オルグ交換は、会長が県連の四十五年度の活動方針と事業について説明し、副会長（杉崎正雄君）が県連を中心として執行部が作成した組織機構図や、全協、4H協会、各種青年団体などについてふれ、また、女子部の活動については、女子副会長（関口みちよさん）が、ハイキング、講演会などの年間活動について、さらに事務局長（佐藤良太君）が4H新聞の購読勧誘と見本紙の配布、全国4Hクラブ員のつどい参加呼びかけ、同次長（八木健一君）が分担金の徴収についてそれぞれ説明した。

県連側に対する意見の中には数多くの課題があったが、行事内容や事務的なことよりも、とくに強く感じたものの一つは、農村青少年によって構成されている県連、地区連の組織の形や位置、内容などに対する意見であった。

年々都市化の影響を受けて変貌している神奈川県においては従来の農村の形は変り、農家経営やクラブ員の考え方も変ってきているのが現状である。このためクラブ組織というものも、学習活動プラス、レクリエーションでは満足ではなくなり、クラブ員がともに成長できる行事といっても、個人格差がとくに示される今日ではその検討さえ困難になってきている。

そこで「神奈川県に適した4Hクラブの形を作りあげるためには、現状打破と改革的姿勢が必要ではないだろうか」―これがいま、自分たちの実践すべき課題であるようだ。また「県連と地区連の間を考えるよりも、その内容の検討が必要である」―これが私たちの得た課題である。

このほかにも意見は数多くあったが、主旨をまとめると次のとおりである。

一、県連事業は「かたさ」が感じられる。より実質的、レク的な事業を取り入れるべきだ。

一、県連は、地区連の行事まで干渉することなく、対外的な面を強化し、また組織として県単位の独立的な形をとり、組織力の向上が必要である。

一、4Hクラブと農村青少年クラブの内容を考えた位置の明確化が必要である。

一、県連の事業内容として、農業問題などの討議の場を多くもうけることが必要である。

これらの点を考えた場合、今までの三本の柱（クラブ員の集い、リーダー研修、発表大会）を毎年くりかえしているだけでは不足である。都市化、クラブ員の減少、組織の充実などの問題をかかえた神奈川県連では、本県にあったクラブ活動というものを作りあげる必要があるようだ。

これら意見交換のほか、4H新聞の購読拡張、全国4Hのつどい参加などについて大きな成果があり、昨年以上の購読者と参加者をつかむことができた。これにもまして、県連執行部としては、今後の青少年クラブの指針ともなる課題を得たということで、このオルグは大成功だったようである。

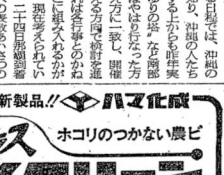

オルグ先きで県連の事業などについて説明する佐藤神奈川県連会長（立っている人）と執行部

全協、28日から執行部会ひらく

全国4Hクラブ連絡協議会（久野知英会長）は、来る二十八日から三十日、での三日間、東京・新宿区市ケ谷の家の光会館、同協議会事務で執行部会を開き、来年度のつどいなどについて話合う。

分宿交歓も計画
来月1日から赤城山で クラブ推進会議
関東ブロック

関東ブロック農村青少年（4H）クラブ連絡協議会（代表者、大山辨群馬県連会長）は、さる八日、前橋市の群馬会館第三会議室で役員会を開き、来る十月一日から四日間、群馬県の赤城山にある赤城緑風荘で関東ブロック農村青少年クラブ推進会議を開催することを決めた。

主な内容としては、講演、各連の情報交換（行事予定、予算、組織数、会員数、活動上の問題点など）、全協活動の説明、分科会、野外研修、レクリエーション、群馬県下のクラブ員宅への分宿交歓などを計画している。

参加者は、栃木、茨城、千葉、埼玉、神奈川、静岡、山梨、長野各県連から四名（男女各二名）と群馬県連代表二十三名、その他、関連各県の青少年育成担当者、全協役員など約八十名を予定している。参加経費は一人三千五百円。

主な日程は、一日目が午後一時からオリエンテーション、開会式、講演、情報交換、全協活動の説明、自由交歓、二日目に分科会、全体学習、野外研修、三日目の午前八時から閉会式のあと、一泊二日間にわたる群馬県のクラブ員宅への分宿交歓に出発する。

なお、役員会では、このほか先月下旬、五日間にわたって佐賀県で開かれた「第六回全国4Hクラブ員のつどい」の反省や、4H会館建設の募金状況について各県連の実情を話し合い、今後さらに努力することを申し合わせた。

戦跡視察を考慮
沖縄への親善交歓訪問 参加申込み早めに

全国4Hクラブ連絡協議会（久野知英会長）は、昨年に続いて今年も、今秋十一月二十四日から二十八日にかけて全国クラブ員による沖縄への親善交歓訪問を実施することになり、全国から参加者を募集しているが、その申し込み締切日が近づいてきた。

全協執行部は、その後、航空代理店を通じて飛行機の手配をする一方、大阪で開かれた全国農村青少年技術交換大会中における打合せや、電話連絡によって琉球政府の担当者との間に話し合いを重ねてきたが、これまでに出発の時間などが具体化した。

それによると、十一月二十四日午前八時五十分、ノースウェスト航空機で大阪空港から出発することになった。はじめ打合せの過程で、帰路の飛行機に一度に六十名もの余裕がある便がないという実情から、最悪の場合は日程変更も考えられたが、各県連に通知した開催要領通りの計画で実施することを再確認し、帰路は二便に分かれても二十八日に那覇を出発することで準備を進めている。

沖縄における日程では、沖縄の歴史的な姿を知り、沖縄の人たちの心情を理解する上からも昨年実施した"ひめゆりの塔"など南部戦跡への訪問はやはり行なった方がよいとの考え方に一致し、開催要領の中に加える方向で検討を進めている。これは各行事とのかね合いから、どこに組み入れるかが問題となるが、現在考えられているところでは、二十四日那覇到着後、関係機関への表敬あいさつのあと実施する案と、二十七日の民宿終了後か、二十八日の那覇出発前に行なった方がよいという案がある。これについては、今後さらに検討を重ねることにしている。

また、名護青年の家で開かれる全沖縄4Hクラブ技術交換大会に参加したあと沖縄クラブ員宅への分宿交歓訪問を実施することを再確認するとともに、全協執行部が提案したキャンプ生活、キャンプファイヤーなどは、琉球政府も好意を示しており、実施されることが可能となった。

沖縄訪問の日程

▽十一月二十三日 大阪集合、宿舎で事前研修▽二十四日 那覇へ出発、関係機関表敬あいさつ、宿舎でオリエンテーション▽二十五日 全沖縄4Hクラブ技術交換大会へ参加（名護青年の家）▽二十六日 技術交換大会に参加、民泊へ出発▽二十七日 民泊から那覇へ集合、市内見学▽二十八日 那覇発、大阪着▽二十九日 事後研修、解散。

なお、航空会社から搭乗者の名前を早く知らせてほしいという要望もあり、全協ではなるべく早期に参加を申し込んでほしいと望んでいる。

涼風暖風
ドラ息子・サイレン

涼しくなってから西瓜の話で恐縮だが、過日、西瓜栽培反省会というのに参加する機会があった。農業者の座談会に出席するのは、ほんとうに楽しい。いろんな、独特な話が聞けて、いろいろ考える材料が無尽蔵に生まれてくるからである。

この日も、出荷組合が普及員や、種子生産者、市場職員を招いて自主的に開いた反省会だったから、いろんな面白いことばが聞けた。そのいくつかをひろってみよう。

「K品種を作っていた割には、S品種はやりにくいよな」何故と聞いたら、糖度が出にくいとか、形状が不揃いだとか、収かく期がおくれるとか、いろいろアラさがしが始った。そういう意見が出ると、必らずその反論が出るもので「なんだい。Sでもうけたくせに。市場では売りやすかったし、消費者の評判はよかった」「肥料を相当やってもつるボケしないよな。カボチャ（空洞果）にならないしな」「この地帯では肥料をやりすぎじゃないか」と普及員。

うんそうだという人と、やらないとうまいのがとれないという人と。大勢は、来年も、市場の要望どおりS品種中心で行こうということになった。と、ある人がポツリと「Kも初めはドラ息子だったけれど、みんな相当努力して作りこなして来たんだよな」といった。

農業ほど、いろんな条件が複雑にからみ合ってなり立っている産業は他にないと思う。どの品種を作るかということをひとつとりあげてみても、いろんな条件を考え合わせなければならない。ひとりでは考えきれない程多くのことがある。完全はないのが当然だから、欠点をみきわめ、それをカバーする努力をいったのだろう。しかも強靱な態度だと思った。実に楽観な、そう発言したのは、西瓜を一・五haも息子さんと一緒に作っている五十歳がらみの人だった。

話が佳境に入って来た頃、突然、屋根の上でサイレンが鳴りひびいて、どぎもを抜かれた。話は全く聞こえない。誰もしゃべらない。まさに中断だ。よく考えてみたら何のことはない。農協が、サービスで、昼（十一時半）を知らせているのだ。おやおやと思って、見まわしたら、腕時計をしている人が三分の二位いた。出荷組合の集まりだから仕方ないと思ったが、サイレンは非常の時しか鳴らないでみんなが時計を腕にしているようになるのはいつだろうと思った。防水、防塵、耐ショック時計は何のため。いろんなことを考えた集まりだった。

（いばらき はが）

「心に種をまく」
つどい記念講演 <2>
奈良・薬師寺管主 高田好胤

愛情とは感謝の心
家庭はそれを養う場

ありがたいという感謝の心

私が月に一回お手伝いしているテレビの番組に、嫁入り道具というコーナーがあって、そこで話しをするようにということで参りました。そうしたらそこに、立派な嫁入り道具がたくさん並んでいる。こんなふとんで寝たら身体がはれるんと違うやろうかというような立派なふとんが――。

その横に電気冷蔵庫、電気洗たく機、テレビ、ステレオ、また、自動車まで置いてある。私は自動車まで持っていかなくては、嫁さんに貰い手がないとは情けない嫁さんやなあと思った。

そのときに私が申しましたのは、夫婦二人くらいの生活で、電気洗たく機みたいなものがいるのかといった。わが婿さんのものじゃないかと。少々パンツに黄金色がついていても、それを自分の手で揉んで洗ってあげてこそ、お婿さんが、嫁さんというものはありがたいものやなあ、きたないとも思わんと、自分の手できちんと洗ってくれてるがなと、ありがたいもんやなあという感謝の気持がわくのです。

愛情―素朴な生活の中から

愛情というものは、私はこの感謝の気持が、そういう素朴な営みの中から出てくるもんやと思う。齢をとったおふくろの後に回って、背をさすってくれている、おふくろの背を揉んでいてくれる、わが美しい若い愛する妻の姿に、夫たるもの、おやじや、おふくろを大事にしてくれているんやなあ、ぼくは一生かかって、この人を大事にしてやらな、あかんねんやなあと。

私は、愛情というものは、惚れたはれたやないと思うのです。愛情というものにとって、一番大事なものは、感謝の心やと思うのですワ。そういう感謝の心が、家庭生活がたいへん楽になって、洗たくは電気がしてくれる、掃除は電気でしてくれる、ご飯も電気が炊いてくれる、あらゆるものが電気――。しかし、そういう便利なものをほんとうの生活の中で、生かしたときに、真の文化生活というものが生れてくるので、ただ、そんなもので楽をするだけが文化生活ではないと思うのですよ。

かえって、そういう便利なもののために、私たちは家庭生活の中で、感謝の心を養う場というものをだんだん失なっているのですよ。そういうことが、家庭のしあわせのどんな大きなしあわせを失う原因となり、夫婦の愛情の危機の原因となっているか。愛情にとって一番大事なものは、私は感謝の気持だということを申し上げたいと思います。

こういうことで、私たちは今日、眼に見えるところ、眼に見えぬところで、えらーい、しあわせになっているように思っているけれども、眼に見えないところで、大きなしあわせを失なっているのです。このまま放って置いたら、私は日本の国は物で栄えて、心で滅びるということに必らずなると思うのです。

どうかそういうところを私に

しあわせはどこにあるかと尋ねられたら、私は、しあわせは眼に見えないところにあるものだということを申し上げたいと思います。

しあわせは、眼に見えないところにあるのだと――。

お米、人さんと天地の恵み

しかし、今日になって考えてみて、あまりにも世の中が、物の世の中になりすぎてしまって

例えば、私ら子供の頃、お米というのは、八十八という字を書いてお米という字になったと。それは、八十八回の人さんのたいへんな苦労が、一粒一粒のお米になっているんだと。そこには、天地自然の恵みがこもっているんだと――。

だから一粒といえども、お米さんをおろそかにしては相ならんという注意されてきました。だから、私らご飯を一粒落しても、拾って食べなさいといわれて食べさせられたんですよ。畳の上に落ちたご飯を拾って食べなさい。足の裏についたご飯でも拾って食べなさいといわれた。こんな、まっ黒けやで！まっ黒けでも、食べなきゃいけません。お米さんはなあ、八十八という字が書いてある。人さんのたいへん苦労が、一粒一粒にこもっている。天地自然の恵み、人さんのおかげで、お米さんいただけるのやから、そんな一粒でも無駄にしたらばちがあたります。眼つぶれます。

ところが、この頃の若いお母さん方やったら、子供がお膳の上にご飯を落す、それを大急ぎで拾って食べると、そんなん食べたら、ばい菌ついてます、衛生的に悪いですと、こういいます。私ら思うのは、ばい菌ついてるから、それ食べた方が免疫ついて、かえって衛生的にいいんじゃないかと思うくらいです。

米は物でない日本の"心"

あまりにも、お米ならお米というものを、私たちにとって、小さいときから三度三度の日常茶飯時、箸の上げ下げにおいて、お米さんをいただく、ご飯をいただくということで、天地自然の恵み、人さんのおかげということを、だから日本人にとってお米というものは、これは心なのです。けして物でない――。だから私は、めしは喰うものやない、ご飯はいただくものやといいたいのです。めしは喰うものと違う。ご飯はいただくものであります。

こんなことを、あちこちで話しをしたら、あるときにいわれた。先生、そんなことをいわはっても、うちの学校見ててもお米を一番ぞんざいにしているのは農家の子供です、この頃はといわれた。それは、私にとってほんとうにつらいことやったですね。これは、今日は農業青年の集りだというので、これだけは、私はみなさんによく頼んでおきたい。われわれね、そのくらいの気持で日本人にとってお米は大事なものだと。お米さんは日本の心やと思う気持でご飯をいただいている人間が、日本人の昔からの心なんですよ。

ところが農家の子供が、今日お米をぞんざいにするのは、あなた方であるんだということでそれではたしていいものかということです。お米を一番物扱いをしているのは、農家の人々ではないかと、極めて残念なことであります。

（つづく）

共通課題など協議
来春の全国青年会議 2回の主催者打合せ

来春行なわれる第十回全国青年農業者会議の第二回打合せ会議が、さる八日、東京・虎ノ門の大和銀行会議室で開催された。

同日は、農林省はじめ全国農村青少年教育振興会、NHK、全国農業改良普及協会、日本4H協会、全国4Hクラブ連絡協議会など主催者六団体が出席（全国農業研究会協議会は不参加）し、さる八月七日にもたれた第一回の打合せ会で懸案事項となっていた開催要領の一部や運営面、主催者代表者会議、実行委員会などについて約四時間にわたって協議した。

はじめに、主催者の代表者会議がもたれ、第一回打合せ会の経過説明のあと、先に青少年班が昨年の反省に基づいて作成した原案について検討し、懸案事項になっていた開催場所、共通課題、運営について協議した。

開催場所としては、東京・代々木のオリンピック記念青少年総合センターと虎の門の国立教育会館に決定した。同会館については、NHKのテレビ録画などの関係もあり、技術的な面で検討を要する面もあるが、ほぼ、この線で決定される見込み。期日については、三月二日～五日の三泊四日が決定した。

また、共通課題については、具体案が示されず、実行委員会に一任することにした。

運営面については、主催者で構成する代表者会議と、実行委員会とに分け、各主催団体から構成する実行委員二十三名を当てることにし、他はアルバイトなどで補うことにした。

ついで実行委員会が開かれ、企画委員会の決定に基づいて協議した。

とくに共通課題の選定について意見が集中したが、ここでも具体案がまとまらず、各団体とも検討し、その結果を事務局へ報告することにした。ついで農林省生活改善課から示された生活部会の課題を検討し、次のように決定した。

一、わが家の健康（栄養の確保、農薬防除、労働と休養、衛生的安全な被服）、二、わが家の住り方（住居、住い方、環境、衛生）、三、くらしの計画化（家計、生活時間、被服の設計、家族の役割分担、月給や小使）、四、私たちできずくゆたかな村づくり。

このあと実行委員について各主催団体からの報告があった。

心頭技健

つどい記念講演で奈良・薬師寺管主の高田好胤先生は、えんえん二時間にわたって「心に種をまく」と題して講演された。そのなかで、最近の日本の物質万能主義を批判して、このままでは"日本の将来は、物で栄えて心で滅びる――。一九七〇年代の日本は、心の時代にしなければならない――"と唱えられた▼たしかに、私たちの日常生活をみわたしてみても高田先生のいわれるとおり、生活が物質的には豊かになり、一見しあわせな生活を営んでいるかのようにみえるが、一方、その片面には、親と子供、先生と生徒、他人と己れをつないでいる一番大事な心の触れ合い、相互理解というものが欠けてしまっている▼その結果が、親子の断絶であり、家庭の不和になる。また、一歩家を出れば、人を人とも思わない片寄った精神が公害を、交通事故を起こさせている原因になっている。だれしも、立派な豊かな生活をしたい欲望はあるが、その欲望が自分という個人だけに向けられてしまっているところに、精神的なゆがみが生じる原因がある▼どうも、物質だけを求める気持は、ますますおう盛になり、エスカレートしてとどまるところがない。いかにこの欲望を押えるかが、人間と動物との違いでもあろう。そういった欲望を内にだけ向けず例えば、外に向けて建設的なものにしたらどうだろう。どうも最近は、自分がすべて中心になってしまっているが、基本的には悪くないにせよ、ただそれだけに終っているところに問題があるのではないか▼建設的な欲望を外に向けるといったが、もうこのへんで、人のためとか、社会のためとかを考えてもいいのではないか。人のために社会のためにと思う気持をもつことが、他人からもそう思われる始まりでもある。これが日本全体、世界全体の人たちが、人のために手をさしのべ合うとき、人と人との心が通じ合って世界平和への礎えが築かれると思われる▼来る十四日、京都・国際会議場で「日本を考える青年のつどい」が計画されている。全協もその幹事団体の一員として名を連ねている。大いに結構なことで、ただ、いたずらに日本の将来を憂えているのでなくこれを機会に、4Hクラブの活動の中へも、このような動きがでてきてほしいものである。

単位クラブの本質について

クラブ活動12ヵ月 新しいクラブ員を中心に <25>

栃木県・普及教育課　湯浅甲子

身近なものとして 生産集団と一線を画す

前号で書いた、わが経営のあり方を考える六つの方法は、誰れでも、いつでもできるやさしい方法であるが、これを一人一人が、バラバラにやったのではクラブの有難味はわからない。ここにこそ単位クラブ活動の真価があるのである。

近年単位クラブ活動への理解は、大分あやしくなってきたようだ。今日的時代に対応するクラブ活動は、専門的経済活動に重点をおくべきで、それには、単位クラブといった、小単位のなんでも屋のような活動など無意味で、まさに、前時代的だとコキおろす人達がふえてきたようである。もっと、広域での専門別活動が大切だというのである。

なるほど、そういう見方のできるのは私にもわかるし、4H活動のやり方の中には、当然、そういったタイプでやらねばならないもののあることも事実である。しかし、単位クラブの持ち味というものは、本質的に、どこにあるのかを、充分理解した上で、活動のやり方はいろいろあってよいという理解がなされないと、4H活動の、4Hらしさが、だんだん薄れてしまい他の各種生産集団と、全く区別がつかなくなってしまうことを恐れるのである。

そこで、単位クラブというものの理解を、明らかにしなければならないようである。

クラブの組織や機構を語るときに、よく、市町村協議会は市町村段階に、地区協議会は普及所段階に、といった表現をする。この例にならって、単位クラブは、どの段階にあるのか、という言い方をすれば、部落段階におくといった答えがでてきそうである。ところが、これは考えちがいなのである。部落にこだわると、組織の範囲が、狭いとか、活動ができないとか、人数がまとまらないとかの問題がでてきて、うやむやになってしまうのである。

単位クラブの結成される位置は、クラブ員一人一人の生活からの最短距離につくられるべきものなのである。つまり、クラブ員の生活の中に、単位クラブの広場が、設けられねばならないということなのである。だから、部落、市町村といった基準で判断するのではなくて、最も身近なところに、単位クラブはもたれるものであると考えてほしいのである。

なぜ、そのように、クラブ員と、クラブの距離を接近させておかなければならないのであろうか。その理由は次のとおりである。

（1）4H活動の主体は、クラブではなく一人一人のクラブ員であること、そして、クラブは、クラブ員一人一人を磨くための道具なのである。道具は、いつでも役に立つように、身近に整備されていなければならないはずである。

（2）一人一人の生活は、毎日毎時、とどまることなく、変化をしている。その変化の中に生じ解決をせまられる問題は、緊急に処理されねばならないことが多い。それには、手のとどく所に処理所の機能をもつクラブがなければ用がたせない。

（3）人間の問題意識は、時間のたつに従って弱まっていくものである。問題を最も切実に感じた直後に、その問題の解決活動をスタートさせるには、問題発生地、すなわち生活の場と、それを解決しようとする場、すなわちクラブの間に、時間的距離があってはまずいのである。

従って、単位クラブの活動はいつでも、ただちに行なえなければ、意味がないことになるのである。ところが、近年の単位クラブ活動は、かなり固定化してしまったようだ。形式的になったようである。「私のクラブでは、毎月第一、四の日を定例集会日にしています」とか、「月に二回の例会をやっている」など、やらないよりはよいにしても、定例集会をやることが単位クラブ活動であるかのような錯覚や、その集会の内容が連絡事項と雑談が大部分といった貧弱さ、その例会に出席するクラブ員が、なんのために例会に行くのかさえハッキリしていないで、行ってみなければ、内容がわからない、といった出席態度……など、いずれをとっても、まことに困った現象だといわざるをえない。こういう程度の単位クラブならば、それこそ、単位クラブ無用論を叩きつけられても、いたし方がないであろう。

私の期待する単位クラブは、そんな形式的な、内容のないものではないのである。クラブ員一人一人が、私の問題、私の体験を、ズバリ、クラブに持ちこんで、他のクラブ員の体験と交換し、検討をする場なのである。そして、その交換検討の結果を、すぐわが家の生活に持ち帰って、体験してみる。そしてまた、その中の新らたな問題をクラブに持ち出すといったように、個人生活とクラブの間で、問題がどんどん処理されていくのである。こういう活動が、本当の単位クラブの活動なのである。

☆　☆　☆

9月

【高知県＝堀見とし連絡報道員発】高知県4Hクラブ連絡協議会（会長、門脇槙夫君）では、さる七月二十八日から三日間、高岡郡越知町の小浜キャンプ場において、第十回県農村青少年技術交換大会【写真】を行なって、三百名が参加した。

初のキャンプ生活

作業着のショウも開く

高知、技術交換大会を

午後三時に開会式を行なって、そのあとさっそく"テント村"を各地区連ごとに作り上げた。夕食後、「横倉山の歴史と観光」と題して、横倉小宮宮司織田愛隆氏の講演を聞いた後、レクリエーションと実技研修を行なった。

翌日は、六時に起床、ただちにはんごう炊事に取りかかった。朝食後、各ブロックごとに、日ごろ取組んでいる農業経営改善についてプロジェクト発表が行なわれた。引続いて、作業着、家庭着ファッションコンクールがあって、"二人で一着分で賞""五点も製作しんどかったで賞"などが選出され、賞品が贈られた。午後は、宝探し、水泳などを楽しんだ後、技術競技を団体と個人に分けて行なって、夜はキャンプファイヤーで親睦を深めた。

最終日には、「クラブ活動の問題点」と題して、それぞれの分科会で話合いがもたれ、続いて全体会に入った。県の農林部長も出席していたので、県への要望も多く出された。この後、表彰式、閉会式が行なわれて解散となった。初めてキャンプ生活を取入れたためいくつかの問題点もあったが、当初の目的であった連帯意識は大いに培われた。

この成果はこれからの活動において、必ず各クラブ員にいろいろと役立つだろうと思われる。

大分でも技術交換大会

【大分県＝渡辺富行連絡報道員発】大分県農村青少年クラブ連絡協議会（会長、安藤敏夫君）は、大分県、県農業振興運動協議会と共催で、このほど二日間にわたって、県普及員研修館で、県下各地区の大会で優秀な成績をおさめて、選出された代表六十名を集めて、技術交換大会を行なった。

一日目は、正午から受付けを始め、開会式に次いで、「私の人生哲学」と題した大分市生源水族館（マリーン・パレス）社長の講演が行なわれ、青年に贈る言葉として、鍛練が不可能を可能にすると訴えられた。この後、技術競技を熱心に行なってから、交換の夕べでキャンプファイヤーを行なった。

二日目は、会場を全国八幡宮の総本山、宇佐神宮の境内に移し、プロジェクト発表を盛大に催した。次いで、大会の反省会、閉会式、表彰式があり、大会の幕を閉じた。

なお、全国大会への出場者は次の通りである。

技術競技の部　▽帆足正実（九重町）▽桜井伸博（香々地町）▽三浦義伸（杵築市）▽神田利久（玖珠町）▽倉原卓一（狭間町）▽神田高子（千歳村）▽松木悦子（安岐町）

プロジェクト発表の部　▽岡部隆臣（大山町）

山口県連では体育大会

【山口県＝松尾耕助連絡報道員発】山口県農村青少年クラブ連絡協議会（会長、神田勝敏君）は、さる八月二十八日、県陸上競技場サブグランドにおいて、第一回農村青少年体育大会を開いた。

これは、農業の近代化をめざして、日夜活躍している県下の仲間が集まり、体育活動を通じて体力づくりを行なうとともに、なかまづくりに役立てクラブ活動の発展を図ろうというもので、種目はソフトボール、一地区協議会一チームとし、そのうち女性を二名以上含むという参加資格の制限があった。

熱戦の結果、防府徳地地区が阿東4Hクラブに5対4のさよなら勝ちをおさめて優勝した。準優勝は阿東4Hクラブ、三位が古山地区、四位徳田地区、なお、優勝チームには県農業改良普及協議会からトロフィー、準優勝には同じく協議会から楯が贈られた。

市から感謝状

佐世保市連　下刈り十年迎え

【長崎県＝松本政博連絡報道員発】佐世保市農村青少年クラブ連絡協議会（会長、吉田健之君）では、このほど二日間にわたって生産技術研修会とキャンプ大会を行なった。当日は、十二単位クラブのクラブ員の九割、百四十名（うち女子四十名）が参加した。

この大会は、市有林の下刈りによってクラブ運営資金を獲得するとともに、共同生活によってクラブ員の交歓を図り、共同精神を養うことをねらいとしたもの。

主な内容は、市有林の下刈り、交歓会、キャンプファイヤー、レクリエーション、下刈り十周年記念式典などで、とくに今回は、市有林下刈り十周年目に当り、これまでの活動の成果に対して、佐世保市長から感謝状が贈られた。

市連がこのような賞を受けるのは初めてのことで、クラブ員たちも今後こうした市の期待、指導関係者の厚意を無にしないようにクラブ員一同が決意を新たにした。

この下刈りは、三・二㌶の面積を行なうものであるが、暑い日ざしの中での作業で、かなり重労働である。クラブ員全員が一致団結してやらなければできないことで佐世保市連のまとまりがうかがえる。

北鹿島久、トラクターの講習会

【佐賀県・北鹿島】4Hクラブ（会長、小野原務君、会員二十三名、うち女子一名）では、さきごろ、福岡県の久保田サービスセンターにおいて、二泊三日の日程で農機具の研修会を開き、十名が参加した。

第一日目の正午、研修地に到着、午後は農機具を説明する映画を見て、二日目は、午前中にトラクターの分解、午後は組立て作業によって、機械の実際について学んだ。また、三日目の午前中は、圃場にトラクターを出して、実地に耕運の練習を行ない、午後は総合的な試験を行なった。

トラクターの分解作業

きびしい座禅修業

笠岡地区　技術交換大会

【岡山県＝三島関子連絡報道員発】笠岡地区4Hクラブ連絡協議会（会長、中山秀敏君）では、さる八月二十五、二十六日の二日間総社市井山の宝福寺で夏期技術交換大会を開いた。

この大会は、管内の農村青少年に規律ある共同生活の機会を与え、仲間づくり、心身の鍛錬、技術交換、社会情勢に対する視野を広める研修を行ない、新しい農業経営者としての能力開発に役立てようというもの。

一日目は、貸切バスで、クラブ員や自営者志望学生、農改普及員さんら四十人が宝福寺に到着、まず中山会長のあいさつで開講式が始まり、オリエンテーションに続いて住職さんに注意を受けながらの昼食。「お皿は手に持って食べなさい」「ぜったいに残さぬように」となかなか手厳しい。

午後に入り、「将来の農業の姿と新経営者のあり方」についての講演を聞き、お茶をいただいたあと、班に分かれてお寺の作務を一時間行なった。

日も暮れようとしているころ、入浴、夕食をすませて、約二時間にわたって部門別技術交換とレクリエーションを行なった。このあと三十分間の座禅に入り、一度も経験したことがない人が多いだけに緊張した雰囲気に包まれていた。

二日目は、午前五時、起床の鐘の音に目を覚ませ、静かに寝具を整とんし庭へ。そして登山。日の出を待つさわやかな気持のよい朝を迎えた。続いて清掃、読経、朝のお話しなどを聞き、朝食をとったが、働いたあとの食事はとてもおいしかった。

八時半から、こんどは一時間余りの長い座禅のあと住職さんから大変ためになるお話しを聞いた。ひるの任務を一時間ほど行なって昼食。こうして午後一時半から閉講式を行ない、住職さんに二日間お世話になったお礼をして、記念撮影を最後に幕を閉じた。

なれない生活ではあったが、みんなお寺の作法を守り、参加者一人ひとりが二日間で得たものは、非常に大きく有意義な大会であった。

新設クラブが交流

八女西・東部で技術交換大会

【福岡】八女西部（会長・角繁勇君）東部地区（会長・小松保夫君）4Hクラブ夏期技術交換大会が、このほど二日間にわたって八女郡星野村の池の山キャンプ場で4Hクラブ員百五十四名の参加のもとに開かれた。

この大会は、最近結成された二つの単位クラブ、それに再編成された八女地区のクラブ員同士の交流を深め、連帯意識をつちかうこともかねて開かれた。

一日目は、午前の開会式に続いて、午後からバンガローや木陰などを利用して七つの会場に分かれて分科会が開かれ、4Hクラブの意義、4Hクラブの進む方向、これからの農業、女子クラブ員のあり方など、現在4Hクラブがかかえているいろいろな問題について活発に意見を出し合った。とくに、女子クラブ員同士の話し合いは好評だったようである。

夜七時半からは、この大会のメイン・エベントであるキャンプファイヤーを行なった。厳しゅくな点火の儀式、各単位クラブ代表者の誓いのことばのあと全員でコーラス、フォークダンス、ゲームなどに興じ、まさにクラブ員の心は一つにとけ合った感じだった。

二日目は午前六時に起床し、六時半から広場で朝のつどいが行なわれ、国旗、4H旗の掲揚、ラジオ体操、日程説明などがあった。八時半からは技術競技が行なわれ農改普及所が出題した問題に頭を悩ました。午後は、全員と各単位クラブごとに記念撮影したあと、単位クラブの相互交歓が行なわれた。各クラブ代表者から自分たちのクラブの最近の活動状況や活動方針などを説明してもらった。

友情応援の実習生たち

みかんもぎ頼みます

神奈川県・小田原農業改良クラブが、"仲間ヤーイ"と、一昨年、昨年と引続いて全国の仲間に呼びかけて行なったみかんもぎ交歓実習を、本年も実施することになり実習生を募集する計画を立てました。

当クラブの活動する地域小田原は、箱根連山、富士の裾野に展けた山岳、丘陵地帯で、クラブ員はみかん栽培に、連日精進しています。このみかんが、十一月、十二月にはみごとに色づき、枝もたわわに稔ります。稔りの秋を迎えると、都市近郊ということもあって手不足に例年悩みますが、他地域クラブ員の友情応援で切抜けてきました。遠くは岡山、宮城をはじめ関東近県からかけつけて下さって無事収穫を終えていきます。

友情応援に出かけて下さった全国の仲間は、農閑期の有効な利用と考え、地域社会の認識、自己の鍛練、友情交歓のため、自分の仕事もおろそかに出向いて下さいました。当クラブでも度々反省会を開いて、皆様の御好意に感謝し、引受け態勢を検討、本年にそなえました。

みかんもぎ作業は、色づいたみかんを、ハサミで収穫していただくものだから、誰にも出来る仕事です。丘陵地帯のみかん畑からは眼下に相模湾が一望され、あちこちの畑からは歌声が流れ、楽しくできる作業です。例年、反省会で環境の違った各家庭にはいって大変勉強になったと、向学心のほどをみせて帰られた方もおり、その後の友情を深めています。

精神練磨と友情とを期待し、左記の要領で多数の御応募をお待ちいたしております。

農閑期の利用に

交歓実習生を募る

小田原農業改良クラブ

仕事　誰にも出来るみかんもぎ

期間　十一月中旬から十二月下旬まで

定員　二十名（各家庭へ二名ぐらい）、男女不問、受入れはクラブ員の家に限ります

賃金　男女とも日給千二百円、雨天、休みは支給しません。旅費は、関東、中部、東北は全額、その他の地域は片道支給します

持物　身回り品、作業着など

その他　ドライブを兼ねて地域の実情案内、交歓会として話合い・ダンスパーティーを三回予定しています

申込み先　神奈川県足柄上郡松田町惣領七四二　神奈川県松田農業改良普及所内　小田原農業改良クラブ事務局　会長　石塚昇　電話　〇四六五－八二－二三六一

締切　十月中旬、申込みあり次第、受入れ家庭から連絡いたします（神奈川県・鈴木時安連絡報道員発）

全国農業コンクールに参加

徳島県連

【徳島県＝近藤百正連絡報道員発】徳島県農村青少年クラブ連絡協議会（会長、正木久之君）は、さる八月二十九、三十の両日、徳島市文化センターで開かれた第十九回全国農業コンクールに参加し全国の優秀農家の発表を聞き、これからの農業におおいにファイトを燃やした。

また、会場の準備や整理などをクラブ員が行ない、関係者から喜ばれた。

農業者大学校で来年度学生を募集

農林省農業者大学校では、四十六年度の入学生の募集をはじめている。同校は、今日における農業および農村の動向に対処し、将来のわが国農業を発展させるため、優れた農業者を育成する目的で、昭和四十三年、農林省中央青年研修施設の名称で発足、四十五年六月から農業者大学校と改称されたもの。教育方針は、農業を広い視野において考え、判断して行動できる人間を育成し、農業経営者が自己の経営および生活、さらに地域農業の振興などについて、時代の流れに直面する問題の把握、理解、対応ができる自学自習の精神を養成するため、三ヵ年にわたり、全寮制で集合教育、派遣実習、在宅学習を行なう。授業料は、年額一万二千円である。学生募集、選考の概要は次のとおりである。

1、募集

募集人員　約五十人

応募資格　①高等学校卒業またはこれと同等以上の学力があると認められる者②学校教育または経営伝習農場、地域営農研修施設などにおける実務研修教育を修了後、昭和四十六年四月一日までに、おおむね二年以上農業経営の実務に従事し、卒業後、引続き自営の見込みが確実な者③昭和二十一年四月二日以降生まれの男子④都道府県知事の推薦を受けた者

募集期間　昭和四十五年九月一日から十月二十日まで

募集手続き　①応募者は、都道府県農業改良課に入学願書など関係書類用紙を請求する②応募者は、入学願書一部、身上調書二部、最終学校の成績証明書一部、受験者の身上などに関する所見一部、健康診断書（胸部レントゲン間接撮影の結果）一部などの関係書類を、昭和四十五年十月二十日までに、都道府県知事に提出する③都道府県知事は、昭和四十四年十一月五日までに、地方農政局長を経由して（北海道は直接）、農業者大学校長に推せんする

2、選考

第一次試験　①期日は、昭和四十五年十一月十七日（火）②試験科目は国語、数学、理科、作文の四課目について、高等学校卒業ていどの筆記試験を行なう③試験場は(イ)東北農政局（北海道、青森、岩手、宮城、秋田、山形、福島）(ロ)農業者大学校（茨城、栃木、群馬、埼玉、千葉、東京、神奈川、山梨、長野、静岡、新潟）(ハ)近畿農政局（富山、石川、福井、愛知、岐阜、三重、滋賀、京都、大阪、兵庫、奈良、和歌山）(ニ)中国四国農政局（鳥取、島根、岡山、広島、山口、徳島、香川、愛媛、高知）(ホ)九州農政局（福岡、佐賀、長崎、熊本、大分、宮崎、鹿児島）④第一次試験合格者氏名を、地方農政局長を通じて（北海道は直接）、都道府県知事に通知するとともに、合格者にも通知する

第二次試験　①期日は昭和四十五年十二月九日（水）から十日（木）まで②試験科目は、農業実務経験にもとづく知識、判断力、問題意識、また、将来近代的な農業経営の担い手となり、農業を通じて地域社会の発展に寄与しうるような資質の有無について、面接試験を行なう③試験場所は、農業者大学校

入学許可の通知　十二月下旬に入学を許可する者の氏名を、地方農政局長を通じて（北海道は直接）、都道府県に通知するとともに、入学許可書を本人に送付する。

なお、学生募集の詳細については、もよりの農業改良普及所に問合わせること。

×　×　×

プロジェクトの進め方 《8》

心の問題を課題に

政治問題 学習の範囲内で プロジェクトの内容幅広く

栃木県で政党の各派を呼んでやりましたね。とくに農政問題に対する見解を知ったような人、あるときは、農業高校の生徒さんまでクラブ活動という形で参加しました。やはり、やったあとで反省がありますね。

こちらは純粋な意味で政治というもの、とくに農政というものを勉強しようということで、それこそ普及所まで動いて、各政党の代表者に個人的に会いまして、青年たちの政治に対する認識を深めると同時に、いまの日本の農政の動きを正しく認識をしたい。そういう面で、あなたの政党は、どういう政策を考えているのか、ということで、このことだけについて話しをいただきたいということで、司会も時間を区切りまして、ちょうど政党の立合い演説みたいな、そういう性格のものでやりました。

ところが、結果はやはり、いまの政党、まあ自民党が政権をもっていますので、与党対野党という対立関係になってきた。すべての自民党以外の政党が、自民党の政策に対して批判をするという内容だけに終わってしまいました。このこと自身は、最初、純粋に狙った青年たちの意図に反しているわけです。どうも現実に、そういうことが起きがちなのです。そういうこともありまして、プロジェクトの課題として、政治活動はやらない、というルールを4Hの中で持っているわけです。

問 政治学習はよいといいますが、それをだんだん発展させていけば今いわれたようになるのではないか。

政治学習から政治活動への発展の問題ですが、学習の範囲でそれをとどめなければならないという非常にデリケートな問題がありましょう。だから、かといって学習も行なうべきではないかというと、そんなことはありませんね。いま、学校でも政治という問題を社会の中で取り扱っていますし、基礎的なものでしょうですけれども、それをこんどは具体的な社会の問題として政治というものをみる眼を養っていくことは必要ですね。ですから、そういうことはやるべきだが、それをもし私が言ったような方向に動いてしまうとするならば、そういうことのないようにお互いに努力しなければならない。

また、そういう形でやる場合は、4Hで政治の勉強をしたが、どうも確かに自分の思っていることで納得がいかないとか、あるいはそうなんだと、そういう問題をやらなければならないというときには、どこか別の集団で動いてもらいばよい。4Hという組織の中で動くことは止めなければならないということですね。

4Hは、それをやるための集団ではなくて、むしろ、これからだんだんプロジェクトの本質(論)に入っていくのですけれども、問題を発見し、それを解明していく、どんな問題にぶつかっても正しく解決することができる、基本的な態度を養っていく、それをこれから話しするわけですが、そういう最終的な目標があるというわけですから、そういう面で勉強するということが結構なんですね。

問 農業施策と学習プロジェクトの関係はいかがですか。

農政の施策など、総合農政とはどういうものかとか、この中にどういう問題があるかとか、というようなことを勉強していく、そういうことは結構だと思います。それを政治の問題にふり替えていくといろいろ問題になってくると思うのです。

問 現在各県で行なわれている実績発表の例をみますと、技術と知識を重点にした内容ですが、もっと豊かな人間性を養なうために、心の問題を取り上げたプロジェクトの課題があってもよいと思うのですが、指導面においてどうして行なわれないでしょうか。

どうしてそうなったのかといえば、日本の特殊事情でそうなったのだと思いますが、4Hクラブが日本に入ってきたのが、戦後の食糧難の頃ですね。しかし4H活動を育てる親代りになったのが、普及事業ですから、普及事業というのは、みな農業技術ですから、いまお話しのようにプロジェクトのテーマというのは、非常に幅が狭い。ですから実績発表会、技術交換会、こんなものなんで技術だけやっているんだということです。

私はこういう技術交換会をやった経験があります。

ミロのビーナスの写真を出しまして、この写真は、いつの時代にできて、だれの作品かという問題とか、新しく道路交通法が変りまして、道路の標識が変りました。そのときに標識を並べて正解を求める、そういう問題の出し方があります。

つまり四つのHがあるのですから、健康や体力づくり、もちろん技術の問題や頭の弾力の問題、心の問題などが技術交換とかプロジェクトの実績発表だとかにでてきてよいと思います。

ところが、いまもご指摘のように、県の発表で知事賞などを与えるものの内容をみると、農業の技術関係だけのようです。国で表彰するのもそういうものです。だからそういうものが形式になってしまったから、プロジェクトの形はそういうものでなければならない、というようになってしまったのです。

これらの責任の一端は、私たち指導者にあるわけですが、ですからこのへんでプロジェクトの内容を幅広く、おもしろいものにしたらと思います。

いま盛んに行なわれている技術交換会を、普及所で指導しているわけですが、技術交換会といっても、これは技術テストなんです。普及員が問題を作ってみんながやらされるやつです。それを早く止めようではないかといっているんですよ。交換会なんですから、こういう方法でやったらどうか、私は県内で実験的にはじめましたが、例えばその普及所の中に五つの単位クラブがあるとします。

これは、五つのクラブのうちAというクラブは、自分たちにとって一番重大で必要な問題を自分たちで作る。というのは、自分たちの生活の中で一番必要な問題だが、このへんが弱いというところがある。それを問題にしてお互いにやり合う。これを一つのゲームとしても、おもしろみがあります。そういうふうにしてやったらよいと思います。

よくみなさん方は、もっと自主的に、自分の思うとおりにやりたいのだといっているのだから、こういう形式だっていいじゃないですか。

普及員が問題を作って、それをやらされるなんていうことに、いつまでも甘んじていたのではいけない。また農村だけで技術交換会をやらなくてもいいじゃないですか。そういうものを自分たちで幅広く求めていくべきだと思います。

(栃木県・専門技術員 湯浅甲子氏の講義から)

私のプロジェクト

私の養鶏経営の方向

埼玉県岩槻市鈎上 新和4Hクラブ 小泉孝行

現在の経営内容を知る

簿記を実際に活用 問題点の発見と対策を

私がこのプロジェクトを選択した理由の第一に、父親が鶏を現在でも飼育しており、私自身も養鶏経営をやってみたいと思っていたからです。

今後の方向をみい出す

そこで現在の養鶏経営の内容がどうなっているかを分析してみたい。また、今後の養鶏経営の方向をみい出し、私の家でも重大問題である稲作との関連性について、調査研究してみたかったからです。

プロジェクトの目標についてはニューカッスル病などの防疫体制を確立するとともに、経営面については、学校で習った簿記を実際の経営に活用してみたいのです。

また、選定理由との関連もありますが、将来養鶏を発展させるために、今後、どのような経営技術を持つべきか。経営内の問題点を一つでも多く発見し、その対策を立てることなどを目標にしました。

ケージ別成育状況研究

プロジェクトの規模は、私の経験などから当初は三百羽としました。鶏の飼育管理計画ですが、プロジェクトの期間は、昭和四十三年八月から四十五年一月末日までとし、育雛から産卵停止までを十九ヵ月間としました。育雛は入雛してから育雛器、中雛までに成長したら図大ケージとバタリーケージにおのおの百五十羽ずつを入れ、大雛以後は成鶏へと、このように計画しました。

私が中雛以後のケージを二つに分けて育雛しました理由は、図大ケージとバタリーケージの二つの成育状態を研究するのが狙いでした。

一日の管理作業は、朝は飼料給与、給水清掃、夕方は採卵、点灯、簿記の記入を主な作業としました。このほか除糞は週一回行ないます。

育雛用飼料は、労力の省力化などから考えて不断給与方法で行ないました。

防疫、防除体制を確立

次に、ニューカッスル病などを主として防疫体制ですが、とくにニューカッスル病については、入雛後十五日目に第一回を行ない、つづいて三十日目に第二回、六十日目に第三回、百二十日目に第四回を行ない、以後三カ月ごとに防疫を行ないましたが、私の場合この防除の薬剤は、全部不活化ワクチンを使用して行ないました。

次に鶏痘については、入雛して第一回目は二週間目に、第二回目は二カ月目に、第三回目は四カ月目に、それぞれ鶏痘予防ワクチンで行ないました。コケシジュームですが、育雛の中雛どきにサルファ剤とか、アンプロリウムなどを極微量ですが飼料に添加して与えました。それに夏期においては捕虫器などを使ってみました。また鶏舎消毒は、各種の病害発生を確実に防止するために、定期的に月一回は必ず行ないました。

この予防を行ないました費用につきましては、ニューカッスル病は不活化ワクチンを二十五本使用しまして九千六百円、鶏痘がワクチン六本で七百二十円、コクシジュームはサルファ剤が二百円、アンプロリウムが四百円、鶏舎消毒も一回当たり百円で千七百円でした。

経営を数字的に知ろう

私の経営での産卵率につきましては、やはり冬期間は産卵率が極端に落ちるようです。また、生存率は私の場合、成鶏舎へ入るまでの育雛率が九二%でした。成鶏になってからの死亡率は九%でしたので、したがって入雛羽数が三百羽でしたが、産卵終了までには、大部羽数に変動があることがわかると思います。

また、一㌔当りの卵価は私の場合、出荷伝票だけの記録で週二回の統計ですと、やはり、産卵率の低下のときに卵価が高いという当然ながらの結果が表われています。

経営の収支計算については、卵の販売代金が五万六千八十円、鶏糞は私の場合、風乾燥ですので一袋当たり五十円の取り引き相場です。廃鶏販売代金は、これは全部を売却したもので二万七千五百円となり、一羽当たり百円の相場で粗収入が、十二万五千六百円となりました。

また、主な支出は、初生雛購入費、育成費、飼料費、減価償却費などで、これが五万八千三百円となり、純収入が六万七千三百円となりました。これを一羽当たりにしますと、年間産卵量は約一三㌔㌘で売上が四百七十円、純収入が二百七十三円となりました。これは一年間で一羽当たりで、どれくらいの生産があるかを数字的に知るために、経営上必要なことであります。

私はこの生産プロジェクトを通してみた今後の目標を、私なりに考えますと、育雛施設の近代化、鶏糞処理などが大きな課題になりますし、経営の中心をなしている稲作との十分な労働力の配分が合理的にできなかった。それに企業的経営の確立へもっと努力することなど、依然として課題が残ります。

今後は重点課題を研究

また、私の場合は規模も小さいため、機械化は然々図りませんでしたが、今後規模が大きくなるにしたがって施設の増築やら機械化を考えていかなければなりません。私が計画している当分の間の経営規模は七千羽ぐらいだと考えています。また、設備するものとして洗卵機、選別機などの購入などが考えられます。

私が経営全体を通しての反省として、私の場合の生産プロジェクトは、課題が多すぎて、一つの点に集中した十分な研究ができなかったことがあります。今後は、重点課題を一つにしぼって、十分に取り組んでいきたいと思います。

また、飼料費、廃鶏なども今後の問題ですし、それに社会情勢は、一歩たりとも止っていませんからその路線から落ちないよう、今後の養鶏産業の動向に目を開くと同時に、新しい経営技術を取り入れていきたいと思います。

福島・郡山市で農業祭開く

【福島県】第十回郡山市農業祭は、去る十二、十三の両日盛大に行なわれた。七〇年代に飛躍する農業、総合農政で豊かな農家、などをキャッチフレーズに、大運動会、畜産共進会、農村青少年技術コンクールなどが行なわれた。

ハウスの改良図る 設備の自動化で省力を

栃木県足利市久保町 足利4Hクラブ 菅井良憲

私の農業体験、それは四年前の高校三年の夏休み、きゅうりの床土作りからはじまりました。

何も知らない私にとって、それはたいへん難しいことでした。本を読み、人に聞いたりして、床土は出来上がり、きゅうりのトンネル栽培の第一歩が踏み出されました。

床土作りだけでなく、播種、移植、定植がみな初めての管理ばかりです。管理をしていて次は何をしたらよいのか、何をしなければならないのか、つる立てはいつごろしたら霜害を受けないのか、皆目見当もつかないありさまです。

しかし、やがて花は咲き、実がだんだん大きくなっていく姿をみたとき、やっと毎日の作業が楽しくなってきました。そして五月七日一本のきゅうりを手にしたとき今までわからなかったことが、いっぺんにわかったような気がしました。このころ私は4Hクラブに加入し、野菜栽培と4Hクラブ活動がはじまりました。このクラブへの加入が大きなきっかけとなり四十一年度に農業後継者育成資金を借り、ハウスを建て本格的な経営がはじまったのです。

一年目と二年目は、きゅうりを栽培しました。三年目はトマトときゅうりを栽培し、今年度はトマト十五㌃、きゅうり八㌃栽培しています。暖房機は二年目から使用しています。ハウスは静岡型で、ハウスの強度さとビニール張りの労力は問題ありませんが、換気に多くの労力を要する問題があり、また、ハウス内に雨が入ってしまうことです。水田で湿度が高く、換気口の位置が低いためアーチの部分の湿気がとれず、四、五月に病気の多発の原因になりました。

第二の問題として、灌水施設です。これはパイプの目に砂がつまってしまい水が出なくなって、あまり役に立ちませんでした。以上の点を改良して、昨年静岡の改良12型を増設しました。換気の点は問題ありませんが、強風に弱いのでアングルで補強し欠点を補いました。また、カーテンは四連棟が一度に開閉できるので換気作業が省力されます。

今までの病気は灰色カビの防除が難しく、今後もこれらの点が大きな問題となってくると思いますが、ハウス経営の要点は、ハウスを一ヵ所にまとめることがよいと思います。これは、経費の節約、作業の省化と能率からみて、ぜひ実行したいと思います。また、ビニールは光線透過のよいものを選び、カーテンの自動化、換気はサーモスタットを用いての開閉など設備の自動化を図らなければなりません。また、カーテンを二重張りとし、上の部分をシルバーにして光線の変化で作動するスイッチで開閉し、下はサーモスタットで開閉させます。

灌水施設は、砂の出ない井戸を掘り、テンションメーターと土管の併用にします。また、温度については夜間の温度を平均にする。暖房機による育苗など、これらは労力節減と最低温度の確保からもぜひ必要です。次に、共選と共同出荷。とくにこれからは、この問題を強く進めなくてはなりません。

私は三、四年後には、ハウスを一ヵ所に集め、施設の機械化を図り、れき耕栽培などを利用した周年栽培を行ないたいと思っています。

農業簿記

京都大学名誉教授 大槻正男

<拡張計算>

生産部門計算諸表

稲作部門計算並びに米穀生産費算出

稲作費用計算

自作水田見積り小作料については、水田に賦課された固定資産税の稲作負担分を算出して所得的失費欄に記入し、自作水田見積り小作料から、この租税公課分を差し引いてその農家の手取り地代分を算出し、「手取り地代」の行の内給生産要素費の欄に記入する。

なお、二毛作の行なわれる場合の稲作負担の割合は、稲作粗収益を2~3倍した額と裏作粗収益との割合として算出するが、わが国の実情においてはだいたい妥当であろう。その理由は、稲作は主作物であって、純収益力が裏作物に対して数倍高いからである。

「資本用役」の中の「借入資本」用役は、稲作のための資本借入れが行なわれ、それに対する負債利子が生じる場合に記入する欄である。しかし、実際上の取扱いにおいては、借入資本と自己資本の区別はできるものではないから、この欄の記入は困難であって、事実上空欄として残されるであろう。そして稲作を行なうために要したいっさいの資本(ただし土地資本を含まず)は一括して自己資本として取り扱い、他方普通の利率を乗じて見積り利子額を算出し、所有資本の行に記入するのである。

資本用役費としては、稲作用の大機具資本および畜舎資本などに対する資本利子、小農具資本に対する利子、稲作のために消費した肥料・薬剤などの物資流動資本に対する利子、さらに雇用労賃および見積り自家労賃などの労賃前払い資本に対する利子など合計して記入する。

稲作費用は、その農家の私経済的立場から分類するときには、純粋の失費となる所得的失費と、経営内部の他の部門の生産物を仕受けた失費(したがって、その経済全体の立場から失費とならない失費)と農家の所得となる失費(すなわち、内給生産要素費)とに分けることができる。この欄の分け方は、この分類によったものである。例えば、同じ労働費でも雇用労働費は「所得的失費」欄に、家族労働費は「内給生産要素費」欄に記入するなどがそれである。

稲作所得・稲作純収益および稲作企業

利潤算出

稲作所得=稲作粗所得-稲作所得的失費

稲作純収益=稲作粗収益-稲作経営費

=稲作生産価額-稲作経営費

稲作企業利潤=稲作生産価額-稲作費用価額

米穀生産費算出

米穀生産費(石当り)=米穀負担費用価額÷米穀生産石数=(稲付費用価額-副産物価額)÷米穀生産石数

稲作費用価額はいうまでもなく、米穀とこれに付随して生産された副産物との生産に要した結合生産費用価額である。そのために、その費用価額は何らかの標準によって副産物にも分担させねばならない。この計算法は、副産物は自らの評価額(副産物評価額)だけの費用価額を分担するものとしての略法である。

稲作家族労働力純収益算出

稲作家族労働力純収益=稲作生産価額-稲作家族労働力経営費=稲作生産価額-(稲作経営費+所有地手取り地代+所有資本利子)

稲作家族労働純収益算出

稲作家族労働純収益(1日当り)=稲作家族労働純収益÷稲作家族労働日数(能力換算)

内容盛りだくさん

長崎佐世保4Hク 機関誌「友情」創刊

【長崎県】佐世保市4Hクラブ連絡協議会(会長、吉田健之君)は、農村青年の心のかてにしようと機関誌「友情」の創刊に乗り出した。これは、米作の生産調整問題などで悩み多い農村青年が意見を出し合って、将来夢のある農業経営を確立するため、がっちりスクラムを組もうというもの。

機関誌の創刊は、クラブ員たちの長年の夢だった。佐世保4Hクラブ結成十六周年を迎えた昨年から、機関誌を作ろうとの機運が盛り上がり、父兄の間からも"ぜひ若ものたちの活動を知りたい"という要望もあって、今春の総会で事業の一つに加えられた。

さっそく、古川正志君ら五人の編集委員を選び、準備を進めてきたが、このほど、機関誌名も4Hクラブの信条の一つであるハート=心=をとって「友情」と名づけた。

同4Hクラブのクラブ員は、平均年令十九歳という若ものばかりで、みんなあすの農業を背負って立つ農業後継者。クラブ員百六十四人の中には、五十人の女子クラブ員もおり、それぞれ活発な活動を続けている。

年間の活動も、農業技術交換大会や各プロジェクトの活動の実績発表大会、4Hクラブ員のつどい、キャンプ大会など多彩な計画を立てている。

だが、米作の生産調整問題など曲がりかどにきたといわれる農業状勢の中で、農業の将来はどう展開されていくのかという悩みも多い。こうした将来の農業への不安やどんどん県外へ流出していく仲間たち、それに結婚、農業青年たちに投げかけられた問題は、若ものたちに大きな不安を与えている。

このような中で、機関誌「友情」の創刊は、若ものたちに大きな心の支えになっていくものと思われる。すでに先月から原稿募集に乗り出した編集委員も、クラブ員から届く原稿の整理に取り組んでいる。

技術交換大会やキャンプ大会の感想文、米の減反やミカン栽培など農政に対する不安と悩み、夢のある農業をめざして農業に生きようとする青年の力強い意見や決意、また、農作業のひまひまに作った詩や短歌などの文芸欄など盛りだくさんな機関誌が、クラブ員の手に届く日も近いという。

おことわり まんがは、作者急病のため休載いたします。

このほど発売された女性専用の一条刈りバインダー"秋晴れ"

女性専用バインダー登場 三菱重工 小型で使用も簡単

いよいよ秋の収穫期を迎えたが女性専用の稲刈機がさる一日、三菱重工から発売された。一条刈り三菱バインダーKB二五一"秋晴れ"がそれ。機体がコンパクトで低いうえに幅が狭く、枕地刈がいらずに引起し、刈取り、結束が一行程でできて、むずかしい機械の調整などもほとんど必要ないというもの。いわば女性専用バインダーともいうべき新鋭機。

これまで、水稲作の田植と収穫作業が機械化のあい路となってきたが、このところ田植機やバインダー、コンバイン、ハーベスタだけを取りあげてみても、四十年の生産実績六四、一八六台(販売金額=一、一四六百万円)から四十四年には二四〇、二〇二台(同三八、八〇四百万円)と四年間に約四倍の伸び(日本農業機械工業会調べ)をみせている。

ところが、その伸びかたも実態は二~三㌶以上の専業農家が中心で、全国五百三十万農家の七〇%を占める一㌶未満の農家には十分に普及していないのが実情。しかも、この一㌶未満の農家こそ三ちゃん農業から最近はさらに進んで一ちゃん農業といわれるほど労働力の不足に悩み、作業従事者の六二・二%までが婦人である。そこで、これら女性でも簡単に使いこなせるバインダーを登場させたもの。

三菱重工の担当者の話によるとこのバインダーには、次のような特長がある。

①結束機の幅を狭くした(約一〇〇㌢)ので、枕地刈がほとんど必要なく、ほ場のどこからでも容易に刈取(例えば中割)ができる。

②伸びによる調整が必要なチェン類はできるだけさけて、シャフトドライブなどにしたので、使用中の調整個所が少なく、また使用しているチェンやベルトはすべて自動張装置をとりつけているので、伸びに対する調整がいらない。

③軽量小型であるため、取扱作業が容易で老人婦女子でも楽に作業できる。

④外径一九㌢の大型特殊低圧タイヤを装置しているので、湿田でも安定して作業ができる。

⑤引起しタインによる引起し装置を左右にもっけているので、倒伏した稲でも確実に引起し刈取ることができる。

⑥前進四段、後進二段のミッションで作物ほ場条件に適した作業速度が可能で、しかも路上走行用車速をもっているので、ほ場間の移動が早いうえ作業精度がよく能率も高い。

⑦メーンクラッチと刈取部クラッチが連動しているので、旋回時の操作が簡単である。

NHK農事番組 (9月21日~30日)

テレビ

明るい農村 6・30~6・55 総合

21日 村の記録 スーパー農法(鹿児島県鹿屋市)

22日 きょうの話題 村づくりの条件(島根県大東町)乗本吉郎

23日 産物往来 じゃがいも(北海道倶知安町)

24日 話題の広場 スプリンクラーで薬散布(高知県三里農協組合長)武市信平

25日 村をむすぶ

26日 農村新地図 香川県坂出市(建築家)大高正人

28日 村の記録 米の周辺(秋田県湯沢市)

29日 きょうの話題 農協再編成にのぞむ(神戸大学教授)山本修

30日 産物往来 たまご(大阪府、大津市)

農業教室 7・30~8・00 教育

21~23日 ハウスいちごの主産地形成(群馬農試)大尾保夫

24~26日 構造問題とは何か(東大教授)金沢夏樹

28~30日 山地利用と肉牛(林業試験場)井上楊一郎

あすの村づくり 日 7・00~8・00 教育

27日 第五回・九州地区農業振興親子会議から

ラジオ

早起き鳥 5・05~6・00 ❶

21日 自由化と日本農業─①激化する価格競争

22日 ②おしよせる農産物

23日 ③ねらわれる市場

24日 ④かわる食生活

25日 ⑤レモン自由化その後(広島県下)

26日 ⑥挑戦する産地(愛媛県下)

27日 話題の窓 自由化と日本農業(農林省国際部長)吉岡裕、三神茂

28日 現地報告 どうなる干拓地(岡山県笠岡市)

29日 人と話題 井上長雄(鶴岡市)

30日 通信員の手帳から

ラジオ農業学校 月~土 6・40~7・00 ❷

27日 農業講演会「企業的農業経営への道」講師(前千葉県農村中堅青年養成所長)和田金沢

養鶏から酪農へ

ほしい家事の時間

生活に楽しみを取入れて

宮城県・白百会　伏見ふく

1、わが家の経営概況

水田百十アール（うち二毛田百アール）畑八十アール（普通畑六十アール、施設園芸なし、放草地二十アール）、樹園地四十アール（果樹なし、桑園四十アール）耕地総計二百三十アール。乳牛六頭（成畜五頭、仔牛一頭）、鶏二十羽（採卵用）

2、課題と取組んだ動機

私の住む丸森町は、宮城県の南端にあり、周囲は山に囲まれていて、耕地は三〇％と少なく、山林が七〇％を占めております。このために、経営規模の小さい農家が多く、耕地も傾斜地が多いので労働がきびしく、苦労の多い割合いに収入が少ないというのが、山村の農業です。また、一方では、生活水準の向上で、現金支出が多くなったために、手っ取りばやい兼業農家がふえてきました。

一昨年まで、わが家では百十アールの水田を中心に、三年まえから始めた酪農と、少しの養蚕をやっていましたが、養蚕はき立と飼料作物の管理とが一緒になり、小さい規模の割合に重労働が続くこともしばしばでした。

3、計画と資金

①養蚕をやめ乳牛をふやす。牛導入に三十万円②畜舎は作業場を改築する。改築に四十万円、その他十万円。

養蚕は一ヵ月で大きな現金収入が得られますが、時間で管理しなければならないので、とても大変です。母は、自分は、好きだからといっていままでやってきましたが、それではいつまでたっても、多角経営でうだつが上がらないので、思い切って養蚕をやめ、少しずつでもふやすことにしました。

以前に、和牛を飼っていたところに乳牛を入れましたが、管理が違うために、搾乳の前後に時間がかかりすぎることや、二、三頭しか飼えないので、牛舎を作ることにしました。

4、本年度の実績をかえりみて

①管理が楽になり、畜舎内の仕事の能率が上がり、時間も前の半分以下になりました②朝、仕事に出る時間や、終了時間が定められ、夕食の支度などをする時間が、充分とれるようになりました。

5、今後の計画

①農作業と家事作業の区別をはっきりさせて、充分家事作業に時間をとれるようにしたい②よりよい食生活を営むようにする③家庭内に行事や楽しみを積極的にとり入れてゆきたい。

6、私たちが築く十年後の農業

年々、私たちの生活は豊かになってきており、ほしいものを何でも手にするという時代になりました。しかし、その反面、自分の能力があろうとなかろうと、人のやることをまね、失敗に終ることも少なくないのである。

これからの農業は、豊かに、そしてはなやかになるでしょう。また、農家生活を営んで行くには、いままでのような「父にすがっていればよいという気持」では、ついて行けなくなってきました。ということは、だれでもやれる農業ではなく、管理能力の高い人がやる農業になるでしょう。能力の低い人たちは、農業を嫌い、農村を離れるでしょう。そして十年後には、農家戸数が現在の半分くらいになるのではないかといわれています。のこる農業経営者は、やる気十分の人たちが、規模拡大をして、企業化された農業になると思われます。

農村雑感

祈原俊二郎

労働

世界の農業を体験を通して学ぶ制度があり、ずいぶん前から実施されて、多くの青年が参加してきた。その中で、デンマークに一ヵ年派遣されて帰って来た人が次のような報告をしたのを記憶している。

「デンマークの酪農家に入ったが、その労働のはげしさは想像もできないほどであった。たとえば、六十キロ位の干草の束を車につむとき、その束をホークにさし、もちあげて車につむのであるが、最初のうちは四～五回位で体が参ってしまった。しかし、デンマークの酪農民はこの作業を平気で一日中やる。労働の体力にはほとほと感心した。さらに、労働時間の厳格さであるが、これにしても、一日実労働が八時間である。日本の農家では、時間的観念が少なく田畑に出ている時間は長いが、実労働時間は決して多いものではない。日本の農業者は勤勉だというが、デンマークの農業者の足もとにもおよばない。

今後、日本の農業で考えなければならないことは、労働の質を如何にして高めるかにある」という意味のことであった。

また、「食生活をみていると一日にのむ牛乳の量の多いことと、チーズや肉類が非常にたくさん食卓にのり、彼等は、これらの食物をわれわれの二～三倍も胃の中におし込む。こうした食事は一週間目位で鼻につき、そのうちに、食事をみただけで胸が一杯になることもあった。この時期を越えるにも相当の日数を要したが、やがてこの食事になれて、彼等と同じ量を胃に入れるようになってから、はじめて、労働のつらさがなくなった。高い質の労働をやるためには、高いカロリーをとらなければならない。日本の農家の食生活は、まず、こうした食生活から改めていかなければならないと思う」ということであった。

この話をあるとき一人の青年に話をしたら、まったくそのように思うと、まず肯定しておいて、でも、何か割り切れないものがある。その理由として、「たしかに働く農業者、生産する勤労農業者は、新しい、そして必要な農業者像かもしれない。しかし、ただ牛馬のように働くだけでは、本当の人間の労働とはいえないのではないだろうか。人間は欲求をもち、思想をもち、そして理想を求めるものであるから、これからの農業者は、十分働けるだけの体力をもつとともに、科学的なものの見方のうえにたって、生産技術を自由に使いこなし、機械を十分に駆使できるだけの知識、能力を同時にもたなければならないと思う」ということであった。

私は、彼の意見にまったく感心してしまった。ものの見方、考え方は私よりもはるかに上のようである。こうした青年が一人でも二人でも農村の中にふえてくることは、大きなよろこびであり、将来の農業に対して安心感が生まれてくる。

そこで、次のことを彼に提案した。「そうした考え方にたって、それを農村の生活文化にどのように反映させ、結びつけていくかである。文化とは人間精神の生み出す独自の生産物であるといわれているが、それは、個々の主体性が確立せられ、時間と経済の余裕があり、文化を生み出す心がなければならないと思う。労働をここまで昇華させなければ、本当の意味の労働とはいえない。労働の本意と、その意味づけについて真剣に考えてみる必要があると思うが」と。（農林省・農業者大学校）

青春と仲間

「4Hバッチ」作る

高知県連　デザインを募集して

【高知県＝田辺尚実連絡報道員発】高知県農村青少年クラブ連絡協議会（会長、門脇慎夫君）では、かねてから計画していた県連独自のバッチをこのほど作成した。

デザインは、広く県下全域のクラブ員から募集し、応募された数点について県連役員で選考した結果、4Hマークの下に、ローマ字で高知と記したものを採用した。

目下のところ、このバッチを千個作り、クラブ員に一個百円で販売しており、不足した場合には、追加作成することにしている。

全協で150人動員

10月、日本を考える全国会議に

全国4Hクラブ連絡協議会は、来る十月十四日、京都市左京区宝ヶ池の京都国際会館で開催される「第二回日本を考える全国青年会議」に近畿地方各府県連の協力のもとに、百人ないし百五十人のクラブ員が参加できるよう働きかけることにした。

この日本を考える青年会議は、中央青少年団体連絡協議会に加盟している各青少年団体や新しい世代の会などで構成する同会議実行委員会の主催によって昨年に続いて開かれるものであるが、全協はその幹事団体（十三団体）のメンバーとして名を連ねている。その幹事会がさる八日午後、東京・千代田区霞ガ関の霞山会館で開かれ、同会議の内容や参加者などが協議された。

現在計画されている会議の内容は、基調講演として「青年に訴える」と題する奈良女子大教授、岡潔氏の講演のあと全体討議に入り「七〇年代の日本を考える」という主要テーマのもとに、①新時代の日本の教育（教育の歴史的位置づけと今後のビジョンと方策）②日本の安全と平和をどう考えるか（私たちは何によって守られ、何を守らなければならないか）③七〇年代の世界と日本の役割（わが国の国際協力をいかにすすめるか）④真の経済繁栄とは（高度経済成長の明暗）について討議、また、総括討議として「七〇年代の日本と青年の役割」をテーマに話し合い、最後にまとめとして、決議文の発表などを予定している。全協でも、このうちいずれかの問題提起あるいは発言者になるものと思われる。

参加者は二千名が予定され、全協では多くのクラブ員の参加をと呼びかけている。

「皆におよめさんせわしてね……」

技術交換大会の替え歌

大阪の全国技術交換大会三日目の夜、豊能郡の野外活動センターで行なわれたキャンプファイヤーでは、各村ごとに作った替え歌が歌われた。"ふじ山村"のものは、ちあきなおみの「四ツのお願い」をもじって、ユーモラスな中にも本音がのぞき、ちとせつないようなところもある。

1、たとえば私が農業農業するなら、四ツのお願い聞いて欲しいの、一つお米を高くして、二つ公害なくして、三つ自由化伸ばしてね、四つ皆におよめさんせわしてね、四つのお願い聞いて聞いてくれたら、私は農業に夢中よ、農業やっちゃうの

2、たとえば私が農家にお嫁にいくなら、四つのお願い聞いて聞いてほしいの、一つやさしく愛して、二つ浮気しないで、三つレジャー取り入れて、四つ私に浮気させてね、四つのお願い聞いて聞いてくれたら、私はあなたに夢中よ、お嫁に行くわ

第一回　全国農村青少年研修センター　研修生交換大会発表より

わたしの抱負〈下〉

家の経営をまず知り　仕事には余裕を

埼玉県農業経営研修所　渡辺勝久

家を継ぐ場合に、農業経営の受け継ぎ方はどのようにするか、ということがまず問題になってきます。家の経営のすべてを、すぐに受け継ぐのはたいへんにむずかしい。自分ではそのつもりでも、なかなか両親が任せてはくれないものです。私は研修所を卒業して、一年目は、両親の仕事を手伝いながら、自分の立場を確立し、二年目から自分の仕事を持つつもりです。なぜかと言いますと、私はまだ、家の農業の経営形態を詳しく知らないので、まず一年間、働きながら様子をみて、よく知りつくしたうえで、自分の仕事を始めたいと思うからです。

二年目で自分の仕事を持ち、三年～四年目になったら、現在の経営の三分の一程度を任せてもらうつもりでおります。そして、自分の収入で少しずつ経営を負担し、しだいに、自分自身で経営のすべてを引き受けるつもりです。私は蔬菜のレタスとキュウリを将来栽培してゆきたいと思っています。

現在家では、冬作としてレタスを取り入れています。これには、コモかけや二重トンネルなど、家で行なっていない技術を用いて、栽培するつもりです。そして、現在家では四月出荷しているのですが、その出荷時期をもう少し早めたいと思っています。また、出荷調整にたいへん手間がかかっているので、その時間も縮少したいと思っています。夏場の作物には、今度私が新しく取り入れて、キュウリを栽培するつもりでおります。パイプハウスを用いて育苗をし、まず露地で栽培してみようと考えています。それから、キュウリは、カボチャの木に接木すると、収穫期間が長くなるので、その技術も取り入れたいと思っています。

農業経営、農業技術の改善とともに、生活の改善も行なうつもりでおります。私が思うに、私の家では、あまり文化的な生活をしていないように思われます。私が小さい時に比べれば進歩はしたものの、都会の人達から比較すれば、まだまだ非文化的な生活をしています。私の両親は、現在でも仕事に追われ、生活に追われ、趣味などの生活の楽しみを持っていません。私が経営を任せられたら、このような生活は絶対にしないつもりです。もっと仕事に余裕をもち、精神的に豊かな生活をしたい。たまには、ボーリングをしたり、サークル活動をしたりして、レジャーを生活面に取り入れてゆくつもりです。

私が家で働くようになったら、4Hクラブなどに参加して、同じ職業で働く仲間を、もつつもりです。そして、その仲間同士お互いに意見の交換などを行なって、親睦を深めながら、農業経営、農業技術の進歩に努めるつもりであります。とかく、人間疎外の訴えられる今日、一人で農業を行なっていては孤独になり、疎外感に陥りやすい。

人間が社会的に進歩するためには、より多く社会というものに接触しなければなりません。疎外感に陥り自己を見失ない、なりゆきまかせの生活をしているような人間にはなりたくありません。だから積極的に仲間をもち、サークル活動などを盛んに行なって、自己を表現する場を数多くもち、自己を高めてゆきたいと思います。

それから、これは高望みであるかも知れませんが、できれば、自分の家の生活の改善のみならず、村全体の生活の向上も図りたい。また、生活面の向上と平行して、生産技術面の改善も行なってみたい。これからは、我々若人の時代です。私も含まれる、地域社会の小集団の小さな政治にも積極的に参加し、よい方向に導く中堅的人物になるつもりです。

以上が、私の将来に対する現在の希望であります。どこまで実現できるかわかりませんが、若者のエネルギーを、精神面、肉体面に総動員させて、理想に向かって計画的につき進むつもりです。理想を実現させることは、我々若者の義務であり使命であると思います。ここにおられる皆さん方も、個人個人それなりの理想というものをいだいているはずです。方法はどうあれ、若さというエネルギーを用いて、各個人の理想を実現させるように、ともに努力してゆこうではありませんか。

クラブ運営の手引き

理解の徹底をはかることが大切

集会のもちかた

講話会の方法

講話会は、不特定多数の人に対して話しをする集会の一種である。一般に、講演・講話・報告・講義・説話など広い分野にわたっている。講話会は、多人数を対象にして聴取者の意識啓発や趣旨の普及などを行なう効果がある。しかし、多人数を対象にするため理解の程度がちがい、話しの内容が必ずしも正しく徹底しない欠点がある。講話会の効果を上げるためには、次の諸点に気をつけるとよい。

①講話会の趣旨徹底

講話会は、できるだけ多くの人の参加が望ましいわけであるから、日時・場所・目的・プログラムなどについて、ポスターや有線放送などいろいろな広報手段によって、あらかじめ十分理解させることが重要である。特に、講話の主題については具体的な内容を知らせるとよい。

②会場の準備

講話会の会場は参加者を十分に収容できる広さであること、落ち着いて話しが聞ける雰囲気のこと、拡声機や照明の用意など、前もって会場の準備がたいせつである。

③講話の内容

講話の主題は、参加者にとって関心の深いものや時宜に適したものを取り上げ、それに相応した講師を選定する。二名以上の講師の場合は、できるだけ立場の異なった人を組み合わせるとよい。また、講話は、できるだけわかりやすい内容とし、声の大きさ・速度に気をつけ、適度のジェスチャーを加えて、聴取者に興味をもたせるようにする。

④講話会の運営

開会のあいさつや趣旨の説明は、できるだけ簡潔にする。講師一人当たりの時間は、長くても二時間以内とするのがよい。講話のあと、できるだけ質疑応答の時間を設けて、理解の徹底をはかることがたいせつである。終了後は、講話会の評価を行なって次回の計画の参考にするとよい。

講習会の方法

講習会は、知識や技術を習得させるための最も一般的な学習指導の方法である。知識・技術の伝達には効果が大きいが、受講者は受け身の学習になりやすいので注意を要する。

①講習対象の明確化

受講者の年齢・能力・関心などを考えて、できるだけ受講者の等質性を保つようにする。このため、必要に応じて分科会方式を採用する。人数は、受講者と講師との接触が可能の範囲とし、五十人を越えない程度がよい。

②講習目標の設定

受講者の能力や関心などに即応した、学習到達目標を明らかにする。この場合、理解や習得されるべき知識・技術および能度について、具体的な目標を定めることがたいせつである。

③学習指導計画の作成

講習会における学習の目標を達成するのに必要な学習内容を類別し、日・時の順に従って学習項目を系統的に配列する。この場合、単純から複合へ、基礎から応用へと編成する。講師は学習項目ごとに適任者を選定するとよい。

⑤講習の評価

受講者の学習意欲を高めるため、講義・実験実習・討議・見学・レポート作成・視聴覚教材の利用など、学習方法の適切な組み合わせが重要である。学習指導にあたっては、受講者の日常における経験をもとに問題意識を喚起させ、その問題解決への示唆を与え、受講者自ら思考し判断し行動するように方向づける。

④講習方法の組み合わせ

終了後は、講習目標に対照した効果測定を行なう。評価には三方法がある。第一は受講者の学習程度の評価で、テスト・レポート提出・技術競技・演示発表などによって測定する。第二は講習会運営の評価で、受講者感想文・アンケート・評価委員（受講者）による評定などの方法がある。第三は主催者側の評価で、講師所見・受講者出欠記録などを利用して行なう。

（北海道農業改良課専門技術員・三輪散――全国農村青少年育成研究会 発行「農村青少年教育」第五号より）

生活 もの知りコーナー

◆果物の見分け方

☆みかんは赤味をおびたつやのあるもので、腰（高さ）の低い、皮の柔かいものがよい☆りんごは紅玉の場合、背の高いものは堅めで青森産に多く、背の低いものは柔かめで長野産に多い。肌の柔かいものが、共通して肉質が柔かい。国光の場合、色の赤く濃いものが甘味が強い。その他のスターキング、デリシャスなどの高級品については、完熟するほど色が黒味をおびてきて、割ったとき、シンに茶褐色の部分のみられることがある。これは蜜がたまっているので、なんらさしつかえない☆柿はたくさんの種類があるが、やはり富有柿がよろこばれる。平べったく、へたの落ちこんでいるものは、歓迎できません。こんもりと丸味があり、色つやの濃いものがよい。

日本4H新聞
4Hクラブ
農事研究会
生活改善クラブ
全国弘報紙

発行所
社団法人 日本4H協会
東京都市ケ谷家の光会館内
電話(269)1075 郵便番号162
編集発行人 玉井　光
月3回・4の日発行
定価 1部 20円
一ヵ年700円（送料共）
振替口座東京 12055番

クラブ綱領

私達は、実践を通じて自らを磨くとともに、互いに力を合わせて、よりよい農村、よりよい日本を創るため、四つの信条をかかげます。一、私達は農業の改良と生活の改善に役立つ腕をみがきます。一、私達は科学的に物を考えることのできる頭の訓練をします。一、私達は誠実で友情に富む心をつちかいます。一、私達は楽しく暮し元気で働くための健康を増進します。

"青年の力"示そう

会館建設の募金に協力を

全協副会長　黒沢　健一

私たち執行部が全協の運営を任せられてから早や半年になろうとしています。その間、全国4Hクラブ中央推進会議や全国4Hクラブ員のつどいなどにおいて、全国のクラブ員と関係者のご協力とご支援のもとに、曲りなりにもその役割を果すことができました。

今年度は、とくに、全国4Hクラブ員のつどい、並びに日本4H会館の募金活動を重点事業にかかげ、それぞれ担当副会長がその任務に励んでいるわけです。

しかし、今までの経過をふり返えってみて、募金活動が効率よく行なわれていないことに私自身悩みました。

前期中央推進会議の中で行なわれた県連会長会議では、とくにこの問題に関して討議の大半を費したわけです。

全国十三万のクラブ員にとって、四千万円の募金目標は過重でしょうか。各県、各地区での名称は違っていても、全国組織の一員として、お互いに手をとり合っている人たちが、日本4H会館の建設となると、名称が違うから、クラブ員の方に納得していただけないので、募金活動が順調に行なえないと、本当に言いえるのでしょうか。

東京に建設するのだから、距離的に遠いので、利用することはまず不可能である。県では募金活動を行なっているが、本当に建設できるかどうかわからないので、送金するわけにはいかない。これらの理由を述べられたときに考えるのです。

農業を生き甲斐としている仲間たちの、そのだれもが持っている夢や理想、それに到達すべくわれわれは努力している。その中において、現在、農産物の自由化、米の生産調整、新都市計画法などの問題があるが（われわれの環境を脅すものは、いつの時代にも容赦なく押し寄せてくるものであるが）、だからといって、これらの問題から逃げることなく、それを乗り越えて、実践活動に励んでいる。その農村青年のリーダーが、自主的に募金目標を立てて精いっぱいの努力をされている県もあるが、ボランテーア的事業になると、消極的になっているのは残念であると。

精いっぱい募金活動をされて全協執行部は何をしているのだろう―という県連もあれば、精いっぱい努力されているのでしょうが、わずかな募金しか納めていないところから、全協は何をしているのだと云われる県連もあります。ここに、募金の平均化が叫ばれる要素があると思うのです。

私たちは、道府県でそのリーダーが募金活動を容易にするために道を作らねばならないし、リーダーの人たちも、やはり、募金活動を強力に進めて欲しいのです。そのために、建設予定の場所を一刻も早く確保すべく奔走中です。みなさんも、傍観するのではなく、一人ひとりが先頭に立って努力して欲しいと願うわけです。

日本4H会館の建設という事業の過程において全国クラブ員の協調性、組織強化の高揚に努めなければなりません。これが最大の目標であると思います。

久野会長は、先のつどいの中で「ここに参加された仲間たちだけのつどいではなく、みなさんが、郷里に帰えられて、仲間たちのつどいの成果を分ち与えて下さい。最初は、三百名余りでしたが、その甲斐あって千三百有余名を数えるようになりました……」と発言されたが、会館建設もまた然りです。

とくに、農村青少年は、自主性、協調性に欠けているのではないでしょうか。物見遊山的でなく、私たちが青少年活動のパイオニアとしてより一層の努力をすることによって、日本の高度経済成長の中で、国民に農村のエネルギーを再認識させる結果になると思うのです。

七月の全協オルグのとき、広島県連の前田事務局長は「会館は、われわれにとって、空の彼方に飛んでいるハエみたいなものだ。あるのは分るが、見ることはできない。然し黒沢さん、私たちは、これだけ募金しました」と実績を示してくれた。

東京から約一千キロも離れた中国山地の奥まで会館建設の風が吹いていたのです。

今年度は、各県の募金状態を定期的に4H新聞紙上に掲載し、また県連に集計された募金額は全協に送付するということが決められております。よい意味で、前進することを希望しております。募金活動、それは、並大抵のことでないことはよく分ります。だから、甘えることなく、大きく前進させていかなければなりません。

「心に種をまく」つどい記念講演 ＜3＞

奈良・薬師寺管主　高田好胤

言葉より心を聞け いましめを心の守りに

楽をして金貰うのは教育に悪い

化学肥料さえ使ったら、いくらでも米は出来るんだと、しかし、それはいわゆる心の米ではなしに、ものなんです。三年続いた豊作が今年も豊年万作でと、みんな昔の人は神に感謝して米をいただいたんです。ところが、これが、今年も豊年万作でと欲ぶどころか、新聞を見るとこんなに余計出来すぎたら、豚の餌にもならん、捨てる場所もないと。

そして今度は、お米を作らなんだらお金を出すと。出す方も出す方だが、一銭でも余計出せという方もいう方だと私は思います。私はときどき、農協関係に講演にいきますけど、そのときにいうのです。米を作らなかったら作らなかったといって、どうか、金をもらってくれるなと。米作らんと銭出せなんてこと、いわないでほしいと。

米作らんと、金もらうなんて結局、あなたたちの子や孫に無駄使いを教えるのがオチではないですかと。

米を物扱いすると天罰の危険も

うちの親父は、うちのじいさんは、米作らなんだらお金出すといわれたけれども、作らん米のお金などもろうたら、農民魂のつらよごしだと。先祖さまに申しわけがないといって、受け取らなんだと。うちのじいさんや親父はそういう人であったんだと。その誇りの方が、おそらくあなたの子や孫が、やがて次の子や孫に、あんたらのおじいさんは、こんな偉い人だったんだといって、子供たちが、どっちがほんとのしあわせかということを考えてもらいたいと思います。

お金を出す方も出す方だが、取る方も取る方だと―。そこまで、われわれが、お米というものをもの扱いにしたら、やがてこれは、何らかの形においてえらい目に会うやろうと思う。お米ゆえに日本人がえらい目に会うときがある。いっぺんここらで会った方がいいと思う。根性が入って―。

水なんか、あるのがあたりまえだと思って、みんなが、水に対する感謝の心がなくなる。昔、滴水和尚という人がおったが、一滴の水といえども、粗末にしてはいかんというような話を今したら、ナンセンスといわれるの。

三日か四日前の新聞でありましたけど、お魚の大きな写真が出ていた。どんな魚かいなと思っていってみたら、大阪の川に、魚がいたという。川に魚がいるのはあたりまえですがな。それが川に魚がいるということが、ぎょうぎょうしく新聞のニュースになるの。

便所の紙も違う 外国と日本の差

二十一世紀は、日本の時代になると申しますけれども、二十一世紀に、私は日本の国など、このまま放っといたら、ないと思うのですよ。

私は昨年、ソ連にいってきました。それは万国博などみたらソ連の一番高くそびえているパビリオンは見事です。

けれども、私が昨年の五月にソ連へ参りましたけれども、そこで、クレムリンの内の美術館をたずねたときでありましたが下痢していたんです。下痢したらやっぱり、日本にいようと、外国にいようと、いくところは一緒です。

トイレに飛びこんだ。飛びこんだら、そこのところの紙が、説明するよりみせた方が早いと思う。（紙を取り出して）こういう紙なんですよ。これは九㌢に一四㌢です。わら半紙です。

それから、これが、モスコーのメトロポーローという一流のホテルのトイレットペーパーです。日本のトイレットペーパーと比べたら、白パンと黒パンほど違うんです。けれども日本のトイレットペーパーは、半月持って歩いたら、ボロボロになる。しかし、ソ連のは昨年の五月から毎日持って歩いている。

しかし、こういうようなトイレットペーパーにしても、外人が泊ったりする一流のホテルだから、これがあるのです。一般市民の生活の中に、これがないのです。むこうで長い間生活している人にどなんしていますと聞いたら、新聞紙でご用たしているとのことです。

世の中に言葉以上の言葉がある

羽田を発つときに、お菓子でこしらえた花の束をもらっていった。それをそのままソ連へ持っていった。むこうへ着いて、ホテルへ掃除をしにきてくれるおばあさんに、お菓子でこしらえた花束をあげた。大国ソ連の人にこんなもんあげたらという気がねが初めはあったが、お孫さんにでもと思ってさしあげた。そしたら、どのくらい歓ばれましたことか。飛び上がるほど礼をいわれましたワ。あくる日会ったら、また礼をいわれる。そのあくる日、また、礼をいわれましたよ。四日間、モスコーを離れて帰ってきた。そしたら、むこうの方からおばあさんが、お礼いわれる。これは、ロシア語ですから私にはよくわかりませんが、ことば以上のことばが、私の心に、そう聞こえてきたんです。

世の中には、ことば以上のことばがありますの。私はみなさん方に、人のいわんとする心を聞きなされ――と。人のことばを聞くな――いわんとする心を聞け――と申し上げたいのです。人のことばじりばかりつかまえて、そんなものしか、よう聞かんから、話し合いができないで、みんないい合いになるのです。

いましめをみんなの胸の中へ

私ね、おばあさんにお礼いわれて、こんどは私の方が、こんな一個や二個のお菓子に、こんなにおれいいわれたら、お礼いわなくてはならないのは、こっちの方ですがなと思った。そのときに、何んかしらんけれど大きないましめを受けているような気がしました。

日本人さんや、あんた方は、ものに恵まれて、豊かなものがあるからとて、あるのがあたりまえで、ありがたいとか、おかげでとか、もったいないとか、歓びや感謝の心がなかったら、あんまりにも、それはもったいないではないですか、それでいいのですか。世の中には後生大事とか、冥利につきるということがあるんですよと、いましめられているような思いがしてならなかった。このいましめを私「人のものにしてはいかんと思う。今日の日本の人に、一人でも多くの人に、このいましめを受けてもらわないけないんだと思います。

どうか、このことを頭の中に収めるのではなく、胸の中へ入れて、日本人の日常生活の心のお守りにしてほしいと思います。

（つづく）

募金ガール登場

福島県連　会館建設のPRに一役

【福島】福島県農村青少年クラブ連絡協議会（会長、斉藤賢一君）の4H会館建設資金集めに、"募金ガール"が登場、大いに活躍し好成績を収めた。

同県では、今年度の上半期の事業として、これまで実施してきた"若い農業者のつどい"、単位クラブ会長研修会、県農業試験場祭などのほか、各地区協議会の行事でも4H会館建設の募金活動を強力に進めてきたが、とくに、農業試験場祭と併設された農村青少年展で募金ガールが「4H会館の建設にご協力をお願いします」と参加者に呼びかけた。そのかいもあって募金箱はずっしり。重量から推察してかなりの額にのぼっているという。

若いエネルギーの結集強調

会館建設のしおり作る

また、同県連は、独自に、日本4H会館建設委員会と全国4Hクラブ連絡協議会が出したものと同型の「4H会館建設のしおり」を作成、配布してPRに努めている。その"しおり"の中で、全協の文面に続いて同県連が呼びかけている文章の要約は次のとおりである。

当福島県連も全協の会館建設の趣旨に賛同し、昨年度から募金活動を実施しているが、私たち県連役員の怠慢、あるいはクラブ員との意思疎通の不十分から、その効果は思うように上がらない状態である。また「私は4Hクラブ員でないから」「私たちはどうせ利用できないんだ」などという声も聞かれます。しかし、最近の産業界は他産業に大きく水をあけられたが、その現実を見て、その原因を考えると、農民の依頼心あるいは団結心の弱さだと思います。

以上の観点からクラブ員あるいは単位クラブの私情を捨て、一歩進んだ見地から考えて、農村青少年の研修の場や殿堂としてはもとより、農村青少年のエネルギーの結集、団結の力を世に誇示するためにも、この一大事業は農村の青少年活動、さらには農業発展に重大な意義を持つものと確信しております。

ここに、クラブ員、OB、関係者の絶大なるご支援ご協力を賜りますようお願い申し上げます。

福島県4H会館建設推進委員長

福島県連のクラブ展で活躍した4H会館建設の募金ガール

涼風暖風

ミニ・ミディ・マキシ

この秋も、女性のファッションがにぎやかな話題を呼んでいる。

とりわけ、スカート論争がはげしい。ご存知のミニだ、ミディだ、マキシだ、あるいはパンタロンだというたぐいのものである。

秋風がさわやかに吹き抜ける銀座通りでも、若さの熱気がこもる新宿のまちかどでも、ゾロリとしたマキシが、ひざこぞう丸出しのミニやラッパ・ズボンみたいなパンタロンと連れだって歩いている。まさに個性豊かな連合艦隊で、それぞれが色気をふりまいている。若さっていいなあ、とつくづく思う。

ところで、日本にミニスカートの流行が上陸し始めたとき、評論家たちは何といってたろうか。その多くは、日本の女性はガニマタだから、あるいは足が短かかったり、大根足が多いからミニスカートはみっともない、といっていたように記憶している。

たしかに、ミニのはやり始めは、何となくすっきりしなかったり、膝下長族の話題がもっぱらで、今夏のような、老いも若きもミニ、ミニ、ミニということは、ちょっと想像できなかった。

評論家といえば、この人達の中には、無責任な人もいるようである。先日もある新聞に、小柄な日本女性にとって、ミニは軽快で、かわいらしい、と書いていた人がいたが、この人も、何年か前は、ズングリした日本女性には、脚線美が売りもののミニはしょせん無理、と書いていた人ではなかったろうか。

ミニ、ミニ、といっても、これから涼しくなっていくに従って、ミディやマキシ、あるいはパンタロンが幅をきかせてくるに違いない。マキシをみると、ネグリジェ姿が街なかに出てきたようで、パジャマ姿で街へとび出してきたのがパンタロンだ、と皮肉っていた不粋もいるが、見馴れてくると、ミディもマキシも、まんざら捨てたものではないはず。

そもそも流行なんていうものは、人びとの心の底にデモンストレーション効果（社会的標準に同調をうながす圧力）がある限り、なくなるものではない。ましてや、欲望（需要）が生産（供給）をうながすという従来の経済原則は適用しないで、生産が広告・宣伝技術を使って新たな欲望を生み出すという世の中である。企業は流行を意識的につくり出し、デモンストレーション効果で人の心をくすぐって、その製品の市場を操造しているわけである。ミニもマキシも、ミディもパンタロンも。こうして創り出される、といっては実もふたもないが。

流行に真正面からたち向うのはむずかしい。うっかりすると、変人扱いされるから。といって、商業主義のとりこになるのも面白くない。個性を創造的に表現する方法を絶えず研究すること、それがホントの若さだろう。

（文部省　伊藤）

全国の仲間によって植えられたカラマツが、ますます生長していくことを願って、下刈りに励む鳥取県連役員＝鳥取県江府町鏡ヶ成で

順調に伸びる松（記念植樹）

鳥取県連が思い出の地で研修　手入れに励む

【鳥取県＝山本哲嗣連絡報道員発】鳥取県農村青年会議連絡協議会（会長、中島正幸君）では、このほど、日野郡江府町鏡ヶ成で、初の県連役員研修会を開催したのを機会に、昨年同地で催された、第五回全国4Hクラブ員のつどいでの記念植樹の下刈り、施肥を行なった。

鏡ヶ成（かがみがなる）といえば、昨年のつどいのキャンプファイヤーや話し合いの会場で、西伯郡大山町大山寺から車で三十分ほどのところにあり、やはり大山国立公園の一部である。このつどい以来、とみに増した県連クラブ員の積極さとあいまって、執行部としても、つとめてそれらの声を今後の県連活動に反映させていくための勉強をと、この思い出の地で県連役員としての在り方を研修したわけである。一泊二日の予定で二十名の役員が参加、県から西向専門技術員、山本青少年担当技師をむかえて行なわれた。

記念植樹は、昨年、全国の仲間によって行なわれたのであるが、おりからの暑さで、思うように活着しなかった。その後鳥取県日野地区連などの努力で、補植などがされて、まだきれいな標柱を中心に、約百本のカラマツが順調に生育している。

当日は、研修に先立って、役員全員が持ち寄った鎌で雑草を刈払い、雪のために曲ったりしたものには支柱を立てたりした。さらに一日も早い生長をと願いをこめ、地元江府町農協から肥料を貰って施肥した。約一時間で作業を終え役員たちはすがすがしい気持で汗をふき、次の役員研修の日程に移ったが、全国の4Hクラブ員の手による記念植樹が、地元鳥取県連の管理によって成育し、やがては多くの人々のいこいの場所となるのも、そう遠くはないものと思われる。

埼玉で4Hの集い

11月14・15日、加須で　民泊交歓などを計画

【埼玉】埼玉県連4H部（部長・網川信夫君）では、埼玉県連創立二十周年を記念して来る十一月十四、十五日の二日間、加須地区において、「第一回埼玉県4Hクラブ員のつどい」（仮称）を開催する計画を立てている。

参加人員は、県下十四地区から約四百名程度を見込んでおり、日程は、加須地区の武蔵野村の共済連研究所で開会式を挙行、同地区の百名ほどの参加者が、他の百名近の他地区参加者を民泊で受入れることになっており、その態勢はほぼ完了している。行事は、意見発表、話合い、講演（講師に根っ子の会会長の加藤日出男氏か若手代議士の山口敏夫氏を予定）レクリエーションなどを盛込む。

予算総額は五十七万円、そのうち五万円を農業改良普及所に援助してもらえるので、参加者の会費は、食費、バス運賃（渡良瀬遊水地への移動など）、その他運営費を含め千五百円見当になりそう。

前述のように、今回のつどいは埼玉県連創立二十周年を記念して開くものだが、県連自体の結束を強化するという主旨からも、県連としては、今後継続的な催事にしたい意向である。

民泊・奉仕を予定

長崎県連　24日から佐世保で　第3回の「集い」開く

【長崎】長崎県の第三回クラブ員の集いは、長崎県農村青少年クラブ連絡協議会（会長、元山孝志君）と佐世保市農村青少年クラブ連絡協議会（会長・吉田健之君）の主催、長崎県、佐世保市、農協中央会、佐世保農業改良普及所などの後援のもとに、二十四日から三日間、西海橋ビューロッジと佐世保市一円で開催される。

参加者は、農村青少年クラブ員、OBとその家族、研修学園生、農高生、育成指導者など約三百名を予定している。

主な行事は、記念講演をはじめとして話し合い、球技大会（ソフトボール）、各種大会の報告、開・閉会式、一泊二日間の民泊と奉仕作業などを計画している。

一日目は、午後一時からオリエンテーションに続いて開会式、各種大会の報告、記念講演、夕べの集い、入浴、夕食、夜は歓迎の夕べ、自由交歓などを行なう。

二日目は、朝の集い、朝食のあと奉仕作業、話し合い、午後は球技大会としてソフトボールを行ない、四時から夕べの集いのあと民泊先へ移動する。

三日目は午前中、民泊先で奉仕作業を行ない。午後一時から反省会、閉会式のあと三時過ぎに解散する。

八女西部で女子クラブ員の集い

26・27日、清水青年の家で

【福岡】八女西部地区連絡協議会（会長、角繁男君）では、第一回八女西部女子クラブ員及び専修学生の集いを、清水青年の家において、九月二十六、二十七日の一泊二日の日程で開催することになった。

心頭技健

予定では、もう、かなりの額にのぼっているべきはずの4H会館建設の募金が現段階では思うように進んでいないのが実情である。各県連の強い要望もあって、全協では、いよいよその募金状況を公表する腹を決めているようだが、そのためには、よほど、全協執行部だけでなく、各県連役員、全国クラブ員も覚悟して取りかからなければなるまい▼この募金額の公表は、総額を知るのも一つの理由だが、それよりも、むしろ募金の平均化を狙ったものであるようだ。懸命に募金活動を展開して実績を上げている県連から努力していない県連に対する一種の反発があることは隠せない。やはり、自分が一生懸命動いているのに、他人が指をくわいて見ているのでは面白くはないし、自分がこれだけ働いているのだから、君たちも働けとも言える▼こういうところから募金の公表がさけばれたようだがこれによってクラブの線を伸ばしてもらいたいものである。募金についての全協の方針としては、各県連への割当て方式をとらず、各県連が独自に目標を決めて進める方法をとっている。そこで、募金目標額は各県連によって違っている▼東北や関東地方のようにクラブ員の多い県連では百万円前後を目標にしているし、また、それ以下の県連もある。しかし、このように目標を決めて金を集めても、全協の方に送金してこないで、手もとに持ったままの県連も少なくない。それは、果して会館が建つかという疑問や、各県連の足並みが揃ってある程度金が集まってから一度に送金したいというのが理由らしい▼このため、募金額の公表も、各地でいかに募金活動が展開され実績を上げているかという実態がそのまま表われるとは限らないわけである。いずれにしても、この公表にかかわらず、募金を伸ばしてほしいものである▼いま、募金活動において、距離が遠いので余り利用できないとか、名称が違うからなどの声があるが、これらはすでに全協においても初期的段階に話し合われていることで、それらを乗り越えて募金活動が続けられている。農村の若人のエネルギー、将来の日本農業を背負う意気を、みんなが態度で示してほしいものである。

今、君には何が出来るか？

クラブ活動12ヵ月　新しいクラブ員を中心に　<26>

栃木県・普及教育課　湯浅甲子

「問題感」を明確に　影響受けた人とも協力

プロジェクトとはどういうものなのか、ということは、もう今更いわなくてもわかっていることだといいたい。それなのにいまだに、4Hのプロジェクトとはなにか、という問いがあとをたたない。これは一体、どういうことなのだろうか。高校では、校内プロジェクト、ホームプロジェクトの経験をするし、新聞などには、企業の中で、プロジェクトチームを組んで仕事をすることがしばしば報道されている。

4Hの中では、もう日常語のように使われ、プロジェクトをやらないクラブは4Hではないなどといわれるほどである。それなのにどうして、プロジェクトが理解されないのだろうか。

4Hクラブ育成にあたる指導者なら、だれでも、プロジェクトを話すし、この新聞にも、何度取り上げられたか、はかり知れないぐらい多く登場された。そこへ、私が、またもプロジェクトを話すとなれば、いささか気も重いし、諸君も、食傷気味ではないだろうか。

だから、もう、プロジェクトとは、という説明はよすことにしよう。今まで、あまりにもそういう角度ばかり話したり、聞かされたりしたから、必要以上に難しいものと考えてしまったのかもしれない。そこで、角度をかえて、次のことを諸君に聞いてみたい。

(1)君は、卒業後この半年間に、わが家のどんな仕事に手をつけたか、まず、仕事の種類は？例えば、田植、耕耘機の修繕、それらの仕事を分担と難しさの二面から整理してみたときに、どういう仕事が、君の半年間の仕事のうちで、一番、問題を感じたかを考えてほしい。問題感とは、矛盾、不便、難解、苦難といった幅をもって考えてほしい。

(2)次に、君は、卒業後、新しく知った知識、技術の導入先は、どんなところが多かったかよく思い出して整理してほしい。在校中は、教師、同級生が圧倒的に多かっただろうが、今はそれが、どのように変化しているか。

(3)次に、君は、いまの君の立場で、しかも、君の知識と技術の実力で、解決できると思う問題を持っていないか。問題点とは、改善点、新しい分野の着手、または、切り捨てなどで要するに「やればできる」という問題はないか。

さて、問1について、率直に考えを引きだしてみよう。仕事の種が多くることである。て、しかも、難しかった仕事、それは、ズバリ何か。あまり考えこまなくて、すぐにひらめいてくる体験を逃げないように、すくい上げてほしい。そのことよりは、もっと、苦しかったことが他になかったか、などと思い惑わずに、記憶で思い出せなくても、体が憶えているといった感じの仕事でいいのである。考えすぎると、実行に移すときに動きがとれなくなるから、直感的に引きだして下さい。

こうして、でてきた問題は、君の最も身近な、切実な問題である。次に、問2にはいろう。

君の知識、技術は、どこから求めているか。それは、いろいろで、一口にいえないかもしれないが、しかし、結果的に、自分が動かされてしまったものは何か、誰か。しかもその成果がよくても悪くても、納得できるような影響を自分に与えてくれたものは何か、誰か。短い半年間のことだから思いあたるにちがいない。

その思いあたった人は、君の位置からどんな距離にある人か。そして、問題によって、aについてはAさん、bについてはBさんという具合に、相手を区分することができるか。また、その人との連絡をとるには、どんな方法があるか、簡単なのか難しいのか。

この問2は、問1と組み合わせたときに、問題解決の重要なポイントになるのである。身近な切実な問題について、君と、君に知識を与えた人の力を利用して取り組めば、問題の性格がより明らかになり、君が取り組むべきか、否かの判断がしやすくなるだろう。

そこで、問3に入ることになる。君の可能性を見い出すのである。第一に人は、それぞれ、その立場によって可能性の限界が広くも狭くもなる。同じ長男でも、経営上の立場はさまざまだ。親の理解も影響する。あせって背伸びしては永続きしない。じっくりと、自分の力で解決できるところから取り組むことだ。一角崩しである。いきなり全部を崩すと修復できなくなる危険がある。

1、2、3を、トータル（合わせる）すれば、身近な問題を自分と、誰かの力を合わせて、自分のペースで取り組んでいくという、プロジェクトの手順の第一歩が固まるのである。

9月

魚釣りかねて交歓

茨城・関域、ひかり4Hクラブ

弁当はペアで食べながら――

【茨城県＝栗原良枝通信報道員発】下館地区関城4Hクラブ（会長、箱守利明君）は、さる八月二十四日、小貝川河原において、真壁地区のひかり4Hクラブ（会長、菊地栄美子さん）と、魚釣りを兼ねた交歓会を行なった。関城クラブから十名、ひかりクラブから七名、合計十七名が参加した。

午前十時からはじまり、まず自己紹介をし、双方の代表のあいさつが行なわれたあと、半径百米以内で魚釣りがはじまった。女子は誰もがはじめてなので、餌のつけ方から竿を引上げるまで、四苦八苦であった。なかには、小舟を出して楽しんだり、泳いだりするものもいて、ハッスルした。

午後は木陰で、女子が作って来た弁当をペアで食べたり、釣れた魚や肉を焼いたり、野外料理を楽しんだ。夕日が沈むころ、ファイヤーを焚き、小さな輪になって、食べたり、歌ったり、ゲームをしたり、会のムードは絶頂に達した。

今回の交歓会は五回目なので、気遣いや恥しさはなく、お互いに身近な問題や、日ごろ考えていることを話合ったり、なごやかなうちに終了した。

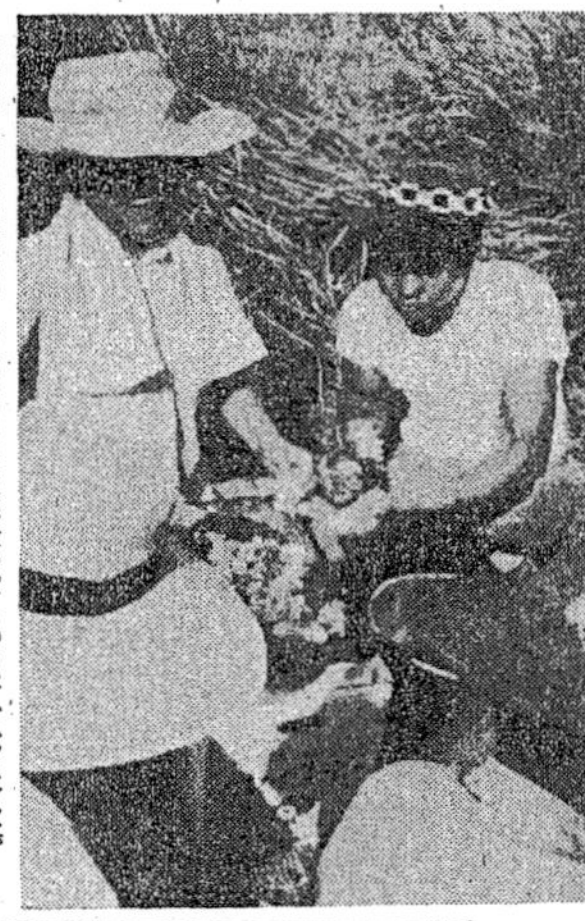

関城、ひかり両4Hクラブの交歓会で親しくなったクラブ員たちは河原で魚や肉を焼いて楽しんだ

青年団と技術交換会を　移4Hクラブ

福島県船引町移4Hクラブ（会長、橋本順子さん、会員二十名）では、九月五日、同町移出張所で初の技術交換会を行なった。4Hクラブ員と移青年団員が交歓しながら、農業に対する知識を学ぶ目的から、水稲や野菜など自分たちの作物について技術を発表した。また、普及所長の講演や、普及員や農協指導員によるパイプハウス利用や乳牛についての話なども行なわれた。

指導者作りに本腰

青年ジェットの会中心に

北海道

北海道の中堅青年海外派遣団の一行百二十五名は、アメリカにおける一ヵ月余の研修を終えて帰国したので、九月三日午後、道庁の赤レンガで解団式を行なった。これを機会に、海外研修の経験者で結成している「青年ジェットの会」の活動を、よりいっそう盛り上げようという機運が高まってきている。この会の結成されたのは、開道百年記念として派遣された第一回派遣団が帰国した四十三年の秋、現在では道内八ブロックごとに支部が創設され、年に一回の全道会議、年五回の機関誌『七光星』を発行している。

こうした活動や交流を、派遣団のみでなく、広く4Hクラブや青年会に呼びかけて、青年の指導者作りを進めようという声が出てきて、道や道青少年問題協議会も強力にバック・アップすることになった。

これによって、いろいろな情報の交換が可能になり、なにかと今後の活動のためになるだろうと、関係者は期待している。

第九回　青年農業者会議報告

“内部”と“外部”　リーダーに二つの方向

1、提起された問題

(1)農村青少年クラブとは

(2)リーダー問題

(3)新しい農業情勢に対する活動

(4)農村青少年クラブと農政問題

2、農村青少年クラブとは

レポートの発表過程では、農村青少年クラブというものの性格がまちまちに考えられていた。そこで、まず初めに“農村青少年クラブとは”というテーマで話合いをすすめた。その結果、次の性格について再確認した。

(1)農業者の職業的に共通なものの学習を目的としたグループである。

(2)農業や生活に関する知識や技術の習得を積み重ねながら、新しい時代の農業者になるためのグループである。その活動はプロジェクト活動が本筋である。

(3)グループ員の年齢は、結婚前のものを対象とすることが望ましい。

(4)人員は二十人程度が、グループ活動を円滑にすすめるために望ましい。

(5)なるべく同じ農業形態をもったもの同士の集まりの方が、運営しやすい。

2、リーダーの問題

リーダーについても、各人がいろいろの姿を描いていて、リーダーとしての望ましい条件が多く出た。しかし、リーダーの種類を整理しないと、必要な素質がはっきり浮び上って来ないということから、ここでリーダーを分類してみた。その結果、内部リーダーと外部リーダーの存在することがわかった。

まず、内部リーダーについて話合ったところ、結論として、①農業経営も立派で人間的に信頼のおける人であること②役職についていないオピニオン・リーダーを大切にすること③常にリーダーを育てていくことなどが確認された。外部リーダーについては、今後、クラブの方から積極的に働きかけて、協力してもらうようにしようとの結論が出た。

3、新しい農業情勢に対する活動

やる気のないクラブ員、農業を主としない兼業クラブ員を、グループから除外した方がよいという意見が多く出された。しかし、グループは、農業者とそうでないものを区別しながらも、グループとしての連携は大いに計っていく必要がある。学習内容が企業経営的な内容に変って来ているが、政治、経済、社会などの問題も含めて、広く学習を進めていく必要があるなどという意見が出された。（特別参加者第二分科会）

根本は単位クラブ

1、4Hクラブの本質は何か

4Hクラブが結成されて以来、二十余年になるが、リーダーとしてその本質を再確認する必要がある。時代の流れに即応したクラブ活動を展開するためにも、その性格、目的を明確にせずして、活発な活動はあり得ないという観点から、この課題を取上げ討議した。その結果、次のような結論が出された。

4Hクラブは、単位クラブが中心であること、仲間が考え、討論し、行動するグループ、自主的な団体であり、指導者は、自主性をコントロールしないように援助するよう、つとめなくてはならない。

2、他団体との協調（連携）

単位クラブを見た場合、会員の二重、三重の異なった組織への加入があり、活動が不活発な場合が多い。共通した行事、事業は共催するなり、また、組織の一体化ということから、この課題を取上げて討議した。

A、目的が異なった集団は、あってしかるべきだ。

B、競合を心配するより、組織自体の特色を出すことの努力が必要である。

3、組織はどうあればよいか

クラブ員の年齢構成、性格、活動内容を考えた場合に、どういった組織が望ましいのか現状を分析し、そのありかたについて討議を行なった。

A、単位クラブ段階は、仲間的な横の人間関係で、いわゆる縦の人間関係による組織ではない。

B、単位グループの育成に重点をおき、県、地区連は、単位クラブの活動が活発になるように、努力すべきだ。

C、かたちだけの組織ではなく機能する組織にしなければならない。

（特別参加者第一分科会）

農業者大学校　46年度の学生募集

1、募集

募集人員　約五十名

応募資格　❶高等学校卒業またはこれと同等以上の学力があると認められる者❷学校教育または経営伝習農場、地域営農研修施設などにおける実務研修教育を修了後、昭和四十六年四月一日までに、おおむね二年以上農業経営の実務に従事し、卒業後、引続き自営の見込みが確実な者❸昭和二十一年四月二日以降生まれの男子❹都道府県知事の推薦を受けた者

募集期間　昭和四十五年九月一日から十月二十日まで

募集手続き　❶応募者は、都道府県農業改良課に入学願書など関係書類用紙を請求する❷応募者は、入学願書一部、身上調書二部、最終学校の成績証明書一部、受験者の身上などに関する所見一部、健康診断書（胸部レントゲン間接撮影の結果）一部などの関係書類を、昭和四十五年十月二十日までに、都道府県知事に提出する❸都道府県知事は、昭和四十五年十一月五日までに、地方農政局長を経由して（北海道は直接）農業者大学校長に推薦する

2、選考

第一次試験　❶期日は、昭和四十五年十一月十七日（火）❷試験科目は、国語、数学、理科、作文の四科目について、高等学校卒業程度の筆記試験を行なう❸試験場は㋑東北農政局（北海道、青森、岩手、宮城、秋田、山形、福島）㋺農業者大学校（茨城、栃木、群馬、埼玉、千葉、東京、神奈川、山梨、長野、静岡、新潟）㋩近畿農政局（富山、石川、福井、愛知、岐阜、三重、滋賀、京都、大阪、兵庫、奈良、和歌山）㊁中国四国農政局（鳥取、島根、岡山、広島、山口、徳島、香川、愛媛、高知）㋭九州農政局（福岡、佐賀、長崎、熊本、大分、宮崎、鹿児島）❹第一次試験合格者氏名を、地方農政局長を通じて（北海道は直接）、都道府県知事に通知するとともに、合格者にも通知する。

第二次試験　❶期日は昭和四十五年十二月九日（水）から十日（木）まで❷試験科目は、農業実務経験にもとづく知識、判断力、問題意識、また、将来近代的な農業経営の担い手となり農業を通じて地域社会の発展に寄与しうるような資質の有無について、面接試験を行なう❸試験場所は、農業者大学校

入学許可の通知　昭和四十五年十二月下旬に入学を許可する者の氏名を、地方農政局長を通じて（北海道は直接）、都道府県知事に通知するとともに、入学許可を本人に送付する

なお、学生募集の詳細については、最寄りの農業改良普及所に問合わせること

長井君（県連会長）ら受賞

群馬の優良農業青年として

群馬県と上毛新聞社が提唱し、県農協中央会などの農業団体、県市長会、県町村会の協力によって制定された群馬県優良農業青年表彰事業の第六回表彰式が、九月十日、前橋市の自治会館三階ホールで行なわれた。

この日表彰されたのは、三十歳までの農業後継者で、農業経営や生活改善に励み、クラブ活動などを通じて、真剣に農業と取組んでいる男女九十三名である。県下七十市町村に男女各一名の推薦を依頼、五十六市町村から男五十六名、女三十七名が推薦され、受賞が決定したものであり、県連会長の長井健一君をはじめ4Hクラブ関係者も多数含まれている。

カナダのクラブ員（前列左端、後列右から五人目）とともに、つどいに参加した北本4Hクラブの諸君たち

つどいの感激は忘れません

カナダのクラブ員と

埼玉県・北本4Hクラブ会長　諏訪富彦

私達は、「つどい」のあの感激を一生忘れることが出来ません。それは、涙の上に築いた仲間達の心の勝利であると思います。佐賀の仲間達が、本当に短期間のうちに私達を迎え入れた、あの心憎さ。どれをとっても、全国の仲間達が示した熱意、青年の意気と情熱に明日の農村を背負う仲間達の感激があったことを、忘れることが出来ないのです。

私達の北本4Hクラブでも微力ではありますが、二十五名の中から、仕事の関係で出席出来なかった四名を除いて、二十一名が参加させていただきました。とくに参加経費や旅費に要する費用を、会計係や担当者が密にチェックしクラブ員に自主参加を強く訴え、毎月、農協に別枠の預金口座を設けて積立てをしました。この県外研修としての佐賀のつどいを通してクラブの内部がより結束強化されたことは、ひとつの収穫でした。

幸いにこの努力を、町役場の方も認めて下さり、補助対象として町議会を通して下さったこともあります。それによって、町の人々には、クラブの活動内容を広く理解していただいたと思います。計画を作成して、全員に通知した直後、町当局から、出発日に農薬の空中散布があることを知らされてクラブ員が、空散事業を積極的に手伝うため、計画を変更する誤算（?）もありました。町にお世話になっているのだから、町に奉仕をというクラブ員の態度には、全く頭の下がる思いです。

ちょうど、来日して当地に滞在していたカナダのクラブ員を含めて、八月二十三日午後、佐賀へ出発しました。ここに、北本4Hクラブ員のつどいの思い出の報告書があります。

〈反省会から〉

私の脳裡をかすめるのは、特急「さくら」を降りたつと、あの暑い4Hクラブのつどいであった。南の国九州とは知っていても、その暑さたるや相当なものだった。それにも増して、両手には重い荷物、そして、二十時間も列車にゆられ、皆がっくりした姿であった。とくに印象に残った民泊において、わが仲間達も、あるものは会場近くの農家へ、有明海に面した農家へ、玄海国定公園の唐津へと、別れて行った。

翌日は早速に朝から、みかんの薬剤散布を手伝った。この農家はみかん専業農家である。山の急斜面に畑があり、消毒も大変である。山の頂上からふもとまで真青なみかんがたわわになっているのに、薬剤をていねいにかけて行く。自分が管理したみかんが、やがて十月になれば八百屋の店先に出ると思うと、ちょっぴり待ち遠しい思いがする。他の仲間達は何をしているだろう。やはり、みかんの消毒をしているのだろうか。家畜の手入れだろうか。

短いあいだに心通じる友に

お茶休みを、青く晴れたみかん畑でとった。みかん畑の青草の上で、クラブ活動のこと、お嫁さんのこと、あれこれを話した。二杯目のおかわりをしたとき、茶柱が立った。ひとりひそかに思った。「佐賀でよいことがあるのかなあ……」

もう一つ思い出に残るのは親睦をかねた散策である。班別に、元気をいいながら、神社や史跡を訪ねたことだった。初めのうちは、誰もうちとけなかったが、散策が終りに近づくころには、すっかり気持の通じ合う友となった。こんなにも短い間に、お互いの悩みを話合える友が多く出来たということは、何ものにも代え難い、本当にすばらしいお土産でした。

佐賀駅を発つとき、カナダのクラブ員がいった言葉も忘れられない。「私は絶対に忘れません。佐賀と、クラブ員の皆さまを」と。

プロジェクトの進め方 《9》

五段階法が完全か

テーマより取り組み方

プロジェクトの姿勢

例えば、あの車の速度は、何キロくらいあるとか、山へいけば山へいったで、この山草はなんという名前であるかとか、ということが、みんな技術の交換、知識の交換になるわけです。

これは、ボーイスカウトあたりで、よくやりますが、キャンプの仕度をして、自分の持ってきた品物を並べ、無駄なものと欠けている品物をみつけ合おうではないかということで、どうしてもキャンプに持っていかなければならない品物を、ピシッとチェックする。そういうのも競技です。

そういう形式のプロジェクトなり、技術競技を考えてみようではないですか。従来は、お役所の型どおりに行なっているような感じがします。私たち自身は、けしてみなさん方に、おしつけてやらなくては、技術交換会やプロジェクトではないというのではないのです。もっともっと何か方法はないかと思っているのです。

ところが残念ながら、考えつかないのですが、みなさん方何千人ものクラブ員が考えたら、もっとよいアイデアが浮ぶのではないのですか。

私は一昨年ブラジルにいってむこうの青年の指導をしたときに、コチア産業組合のプロジェクト発表会が行なわれ、その審査をしていたとき、これは、演示——デモストレーションをやっていまして、女の子が、似顔絵の書き方をやっていました。みなさん方は、演示なんていうと、作業着の改良だとか、農業機械の改良だけですね。もちろんそれは悪いのではないのです。

それは、こういうことなのです。西郷輝彦と吉永小百合と肉牛の写真を持ってきて、それに線が引いてあり、方眼になっているのです。そして、会場の人たちにも画用紙を渡し、画用紙にもちゃんと写真と同じに線が引いてある。

そして、これから、吉永小百合の似顔絵をかきたいと思いますが、こういうふうにすると簡単にかけるんですよと。写真と画用紙の⑪と⑪とのところを黒く染めるんです、と説明するとみんなが、同じように黒く染める。そういうようにやっていくと会場の人たちの画用紙全部がみんな吉永小百合らしいものにかけてくる。

私は、技術交換というのは、舞台に立って、さあ、どうぞといってみんなにみせるものではないと思うのです。参加した人たちが全部出来るようにしなければならないと思う。ですから参加したために、知らなかったことができるようになったというのが、演示発表の持ち味だと思うのです。だから、機械の改良の場合は、みんなに機械を動してもらうこと、そういう性格のものです。ぜひ、そういうものを考えてみなさい。

どうも、国の全国大会や県の大会などで発表しますと、どうも従来の型になってしまうのです。ですから、こういうものはできる限り、地区や市町村の段階でやるべきです。五月の4H新聞に、技術交換会を中心に書いておきましたが、あの中に、変わった角度からの交換会を説明しておきました。

今までは、プロジェクトのテーマに焦点を合わせて、テーマの性質やテーマの選び方について説明してきましたが、では、テーマによって、これはプロジェクトである、ない。これはプロジェクトなどといえるかというと、そうではありません。プロジェクトというのは、例えば、テーマがいくら身近で、いかに生活に直結した問題をもった内容であっても、プロジェクトといえないものがあります。いえないものがあるというより、むしろ、さまざまみているといえない方が多いのです。

例えば「乳牛の濃厚飼料の効率的な配合のし方」というような題があったとします。その題をみると、いかにもプロジェクトらしくみえますが、内容をみるとプロジェクトではないということが起きてくる。それはどういうことかというと、実は、プロジェクトというのは、テーマではなく、むしろ、テーマは先ほどいったように何でもよく取り組み方にあり、取り組み方がプロジェクトになっているかどうかということです。これが大事なのです。

取り組み方は、いったいどうなのか、まず、目標が確立しているかどうか、次に、目標を基にして計画ができているかどうか。三番目が、その計画にそって着実に実行しているかどうか。四番目に正確に記録されているかどうか。五番目に厳しく反省評価しているかどうか。この五つの段階、プロジェクトの五段階といいますが、この五つの段階が完全に行なわれているかどうかであります。

ですから、テーマはどうであっても、内容がこういう一つのメソッドを通し、体系を通しているかどうかということです。プロジェクトというのは、取り組み方、名詞ではなく、動詞なのです。

ですから、どんな些細な、短い問題でも、これが目標を立て、そこに到達するための設計であるとか、プログラムができて、それが確実に実行されて、記録されていく、その記録の中から反省評価されていく。こういう段階を経ていくわけです。その反省の中から、その次の問題を引き出していく。こういうことが繰り返されていくわけです。

こういう型で、問題解決がされているかどうかです。これが、プロジェクトになっているか、なっていないかということの、判断の基準です。だから問題の大小より、こういう姿勢になっているかどうかということです。

（栃木県・専門技術員 湯浅甲子氏の講義から）

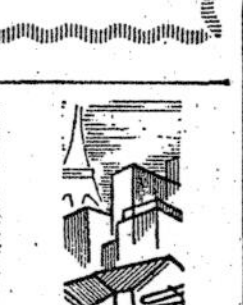

NHK農業番組（10月1日〜10日）

テレビ

明るい農村 6・30〜6・55総合

1日 話題の広場 たにしの養殖（島根県大田市大屋町） 牛づくり四十年（鳥取県）大下勤雄
2日 村をむすぶ フィルム・リレー
3日 農村新地図 岩手県久慈市（岩手の保健）大平羅良
5日 村の記録 村に来た工場（長野県諏訪郡原村）
6日 きょうの話題 安い鶏卵（全販連食鳥鶏卵課長）西村拓郎
7日 産物往来 まつたけ情
8日 話題の広場 美林を育てる（東大北海道演習林長）高橋延
9日 村をむすぶ フィルム・リレー
10日 体育の日特集 豊年踊りからスポーツへ（兵庫県青垣町）

農業教室 7・30〜8・00 教育
1〜3日 食糧需給の展望（農林省農業総合研究所）持田恵三
5〜7日 水田請負耕作（愛知県農業総合研究所）西尾敏男
8〜10日 団地形成の課題（全国農業協同組合中央会）宮川清一

あすの村づくり 日 7・00〜8・00 教育 再 土 13・00〜14・00 教育
4日 ▽グループだより（徳島県那賀郡那賀川町）肉牛肥育研究会 ▽村の伝統を考える（山形県東根市）小田島青年グループ ▽ある青年像（長野県安曇郡穂高町有明）吉田耕

ラジオ

早起き鳥 5・05〜6・00 ❶
1日 人と話題 土と生活（全購連福岡支所技術主管）萩原種雄
2日 現地報告 ハイウェー公害（静岡県下）
3日 村のポスト
4日 みかんの販売作戦
5日 現地報告 枝肉冷凍輸送（北海道北見市）
6日 人と話題 過疎地帯の主婦健康調査から（福島医科大学教授）辻義人
7日 通信員の手帳から
8日 人と話題 みかんのスプリンクラー防除（愛媛県八幡浜市）泉敏夫
9日 現地報告 観光開発と入会地（広島県湯来町）
10 村のポスト

番組紹介

あすの村づくり
10月4日 7・00〜8・00 教育
▽グループだより（徳島県那賀郡那賀川町）肉牛肥育研究会 那賀川町は水田と菜の地帯。この平島農協の青年部会の一つ、肉牛肥育研究会は、三〜四年前からプラスアルファー部門として肉牛肥育に取り組んでいる。会員十五人で素牛の共同購入、共同出荷、肥育技術など着々成果をあげている。八月には大阪へ大量出荷してPRするなど、肉牛団地づくりをめざす青年たちの活動を紹介する。
▽仲間とともに（山形県東根市小田島）郷土史研究家・高橋仁一 東根市小田島の農村青年は、郷土芸能の田植踊りを受け継いで稽古している。この練習がグループ活動への一つのよりどころになっている。郷土芸能への接触を通じてむらの伝説について考えてみる。
▽ある青年像（長野県南安曇郡穂高町）吉田耕 吉田さんは、水田一、六ヘクタール、請負耕作田三五アールを中心にトラクタ、コンバイン、田植機など機械化一貫体系を確立している。また、フォークダンスの公認指導員という横顔ももっている。最近は、仲間十人と観光客相手にナメコの栽培も手がけ、フォークダンスを楽しみ、ナメコで稼ぐ現代青年気質を紹介する。

静岡に農業青少年クラブ18日に発足

静岡県引佐郡三ケ日町に、十八日、農業青少年クラブが発足した。町内の農業後継者で、十九歳から二十五歳までの男子二十八名が、栽培技術などを交換、研究を重ねていこうというもの。

会長に佐藤健次君、副会長には和田正美君が就任、クラブ内には施設園芸、養豚、肥育牛の三部門を設けて活動していく。また、農業先進地視察、交歓会、定期的な部門別研究会、プロジェクト発表会、会員宅巡回による意見交換会を予定している。

チエンソー「SS・601」型発売 ＝共立農機（株）＝で

日本林業の近代化をはじめ、世界の林業近代化をめざしている共立農機㈱では、このほどデザインを一新したチエンソー「SS・601」型を開発した。

同社がチェンソーを発売したのは、昭和三十八年のこと、以来超小型のCS・301をはじめ、CS・60、SCS・802、CS・100などを開発。この国産チエンソーは、世界各国で高く評価されている。

このたび同社から発売された「SS・601」型は、次のような特長がある。

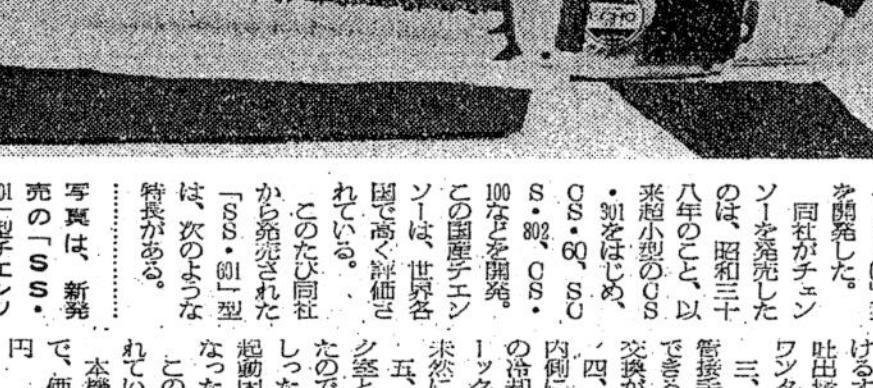

写真は、新発売の「SS・601」型チエンソー

一、減圧装置がついているので、圧縮圧力が普通の三分の一ですむので、起動が非常にスムーズである

二、自動給油は、スプロケットカムとの連動で、空転時におけるオイルの無駄がない。また吐出量の調整は、外装式なのでワンタッチでできる

三、オイルフィルター、燃料管接手は、簡単に取りはずしができるので、フィルターの掃除交換が楽にできる

四、気化器をファンカバーの内側に位置させたため、気化器の冷却効果が高くなり、ベーパーロック、オーバーヒートなどを未然に防止することができる

五、オイルタンクを、クランク室と燃料タンクの中間に設けたので、燃料温度の上昇を防ぐ。したがってベーパーロック、再起動困難などのトラブルがなくなった

この他、従来の特長も継承されている。

本機は、九月一日からの発売で、価格は、現金正価九万六千円

甲府、青年議会議員が決る

4Hから五名の代表

甲府市民会議が主催する第二回市青年議会は、十月二十一、二十二の両日、遊亀会館ホールで開催されるが、これに出席する青年議員四十一名が、十七日決定。一般市民代表五名を含む青年団体、職域代表で構成、勉強会も六回行なうが、これに4H関係では、河東哲征、内田撰、下条国仁、後藤宇治、西名武洋君ら五名が選出された。

フェンガー賞

第十回全国農村青少年技術交換大会はさる八月十七日から四日間、大阪府総合青少年野外活動センターで開催されたが、このなかでプロジェクト発表（演示発表）が行なわれ、日ごろの研究の成果や創意工夫などが発表された。この結果、エミール・フェンガー賞に秋田県仙北郡中仙町の佐藤啓君「アイデアを生かしたオガクズナメコ栽培の省力化」と、フリーザー・フェンガー賞に長野県松本市今井の上条昭子、藤沢麗子さんが発表した「私たちが工夫したアルプス式ティタイムボックス」がそれぞれ選ばれた。このフェンガー賞は、毎年行なわれている技術交換大会の演示発表の中から優秀なものに、男性にはエミール・フェンガー、女性にはフリーザー・フェンガーの各賞を贈っており、今年は三回目である。

（写真＝エミール・フェンガー賞を受ける佐藤君（左）と、フリーザー・フェンガー賞を受ける上条、藤沢さん）

創意工夫

ナメコ栽培の省力化

仕込み、接種、収穫作業に工夫

秋田県仙北郡中仙町豊川
中仙町農業近代化ゼミナール 佐藤 啓

米作中心から脱皮

アイデア生かし能率上げる

私の住んでいる町

私の住んでいる町は、秋田県の南部に位置し仙北平野の中心にある純農村地帯です。水田耕作面積は、平均約一・四㌶とその規模は大きいのですが、その他の生産物らしいものは何一つない典型的な稲作地帯です。私の家の経営状態は、水田二百二十㌃、畑（じゃがいもが主体）三十㌃、果樹・牧草地二十㌃となっています。

動機

現在の米過剰の中で、私は米に

だけたよる経営の不安を解消するため、いろいろな角度から検討して、㋑収益性があること㋺稲作と競合関係にならず、十一月から四月までの農閑期に主に作業が出来ること㋩出稼ぎを解消できる㋥わが地方で栽培が容易に出来る、以上の条件を充たし、将来有望とされているナメコを選びました。

オガクズナメコの栽培順序

仕込み→殺菌→冷却→接種→仮伏せ→棚さし→収穫

最初オガクズ一〇に対し、米糠一の割合に合わせたものの重量と同じ水を加えて、仕込みます。次にオガクズの中に入っている雑菌を取除くため、九十七度以上の蒸気で九十分から百二十分間殺菌し、その後、種を植えつけ、魚箱に入れ井げたに積んでおきます。

梅雨時になって雑菌が入りやすくなったら、棚さしと称する作業を行ないます。これは空気の流通をよくして、菌糸の生長を促すとともに雑菌の侵入を抑制するのです。その後に収穫します。このような作業の中で、比較的労働時間のかかる仕込み、接種、収穫作業の労力を省くため、次のような方法を考えました。

私のアイデア

仕込み作業は、従来、手で撹拌するか、またはコンクリート合わせの要領で仕込んでいましたが、この方法はムラになりやすく労力も多く要します。図は中古の電気洗濯機を改造したものの断面図です。改造経過は次のような具合です。

①最初、両脇にあるパルセーター（うず巻きをつくるプロペラ）に、三本の棒を結ぼうとしたが、パルセーターがこわれた②三本の棒を、パルセーター代りに作った棒軸に組合わせたところ、モーターの力が足りなく失敗③次にパルセーター代りにA、Bを取りつけたところが、これでは撹拌する範囲がせまい④洗濯機（鉄の棒をまげて作ったU字形のもの）の中に波形をした鉄棒を取付けたもので今までより一層よく仕込まれた⑤次に仕込まれた培養基を取出すため、その取り口を下の方につけ足した⑥スイッチがこわれていたので直接にして、その結果左へも右へも自由に回転ができる⑦洗濯機代五百円、工賃八百円。

その結果、①手軽に出来、仕事が容易②全体がまんべんなく撹拌され、従来よりムラなく仕込まれた③今までより四、五倍能率が上がりました。

接種作業は、従来、接種作業の中で穴あけ作業は一つひとつ釘かそれに似た棒であけていたので能率が上がりませんでした。そこで接種採孔器を自宅の廃物板を使って、ちょうど魚箱に合うように、一箱当たり十四の穴をあけるように作ってみました。その結果、一定の間隔に直径十ミリ、長さ六センチの穴をあけることができ、従来の方法に比べると、七、八倍の能率になりました。

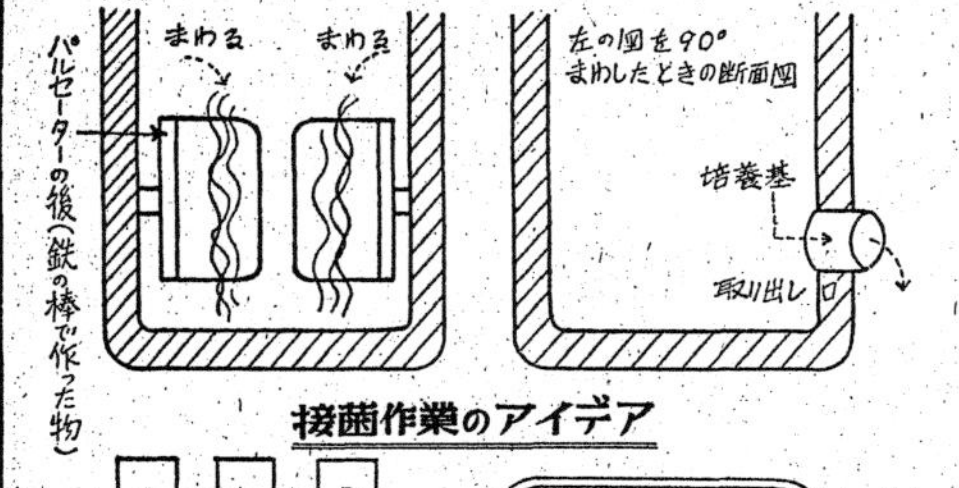

仕込み作業のアイデア

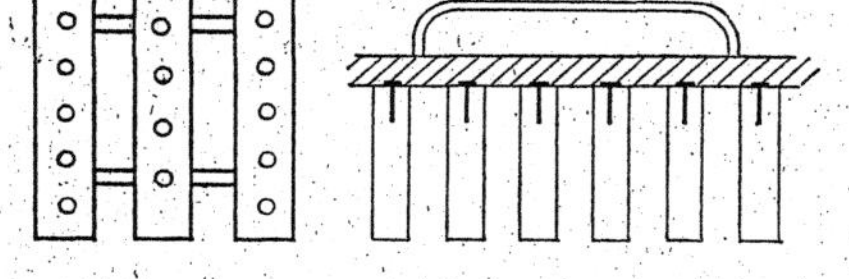

接菌作業のアイデア

収穫用ナイフ作る

収穫は、従来、普通自宅で使っている包丁で収穫を行なうため、その能率がとても悪く、しかも収穫されたキノコの切り口が水平になりにくいので、商品価値を下げやすい欠点がありました。そこで独自の収穫ナイフを考案して作ってみました。

①図のように刃先を丸くしたのは、箱の隅の収穫を容易にするため②包丁の形を変え幅を広くしたのは、ここに一定量をため、能率をよくするため③刃と柄の角度を十五度にまげたのは、仕事をしやすくするためです。その結果、①隅の収穫が容易にできた②収穫されたキノコの切り口が水平になり、商品価値を下げることが少なくなって③能率が三倍以上あがりました。

収穫ナイフ

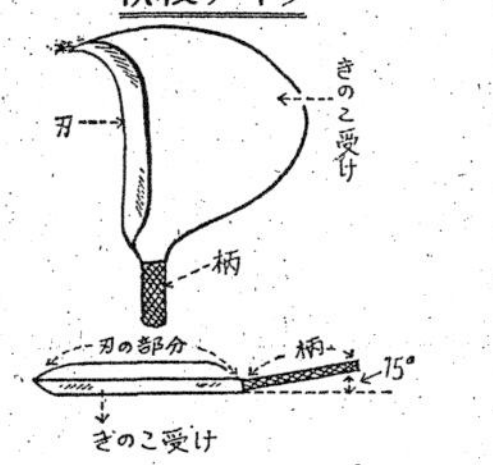

将来の方向

①規模を拡大し、協業化を押しすすめ②そのために仕込み作業をもっと能率よく、多くやれる方法を考え、全体的にもっともっと省力化を行ないたいと思います。

農業簿記

京都大学名誉教授 大槻正男

<拡張計算>

生産部門計算諸表

乳牛飼養部門計算諸表並びに牛乳生産費算出表

養畜部門の場合の一例として乳牛の場合をしかも、生産した牛乳はこれを生乳として販売するわが国における一般的な乳牛飼養経営の場合を採って例説する。

乳牛飼養生産計算表

乳牛飼養粗生産＝乳牛飼養粗収益
＝乳牛飼養粗所得＋他部門への仕向け
＝（所得的収入＋家計仕向け）＋経営内部仕向け

主産物としての牛乳は、所得的総収入種目別分類表の「養畜生産物」欄から移記する。

副産物としての「子牛増殖」とは、年度内に生まれた子牛の年度末評価額——売却した場合には、その売却額——を、前年度から育成中の子牛にあっては、その年度内の増殖評価額を意味するものであって、財産台帳の大動物の増殖額欄において算出されているものを記入する。

搾乳期にある乳牛は、いうまでもなく肥育牛および育成牛とちがって、固定供用財であるから原則として増殖することがない。

乳牛飼養費用計算

乳牛飼養費用＝乳牛飼養経営費＋内給生産要素費＝（乳牛飼養所得的失費＋経営内部仕受け）＋内給生産要素費

乳牛飼養所得・乳牛飼養純収益および乳牛飼養企業利潤算出

乳牛飼養所得＝乳牛飼養粗所得—乳牛飼養粗所得的失費

乳牛飼養純収益＝乳牛飼養粗収益—乳牛飼養経営費＝乳牛飼養生産価額—乳牛飼養経営費

乳牛飼養企業利潤＝乳牛飼養生産価額—乳牛飼養費用価額

牛乳単位数量当り生産費算出

牛乳生産費＝牛乳負担費用価額÷牛乳生産数量＝（乳牛飼養費用価額—乳牛飼養副産物価額）÷牛乳生産数量

摘要		乳生牛産飼数養量	乳牛飼養生産額内訳											乳生牛産飼価養額
			乳牛飼養粗所得								経営内部仕向け			
			所得的収入			家計仕向け			計(粗所得)					
			数量	価格	価額	数量	価格	価額	数量	価額	数量	価格	価額	
牛乳	販売			円	円	／	／円	／円		円	／	／円	／円	円
	家計仕向け		／	／	／						／	／	／	
	計（牛乳）													
副産物	子牛増殖					／	／	／			／	／	／	
	厩肥		／	／	／	／	／	／	／	／				
	計（副産物）													
合計（乳牛飼養生産）			—											

第一回

全国農村青少年研修センター 研修生交換大会発表より

わたしの抱負

山地酪農の可能性 迷うまえにやってみよう

鳥取県立農業経営大学校本科一年　今村美代子

私は、大阪の淀川の川縁にある小さな家に生れました。家族は両親と兄弟五人、私は末っ子です。農業とは何のかかわりもない、平凡なサラリーマン一家です。私は小さい頃から動物が好きで、犬や猫を相手によく遊んでいたものでした。父はよく、寝るときに、おとぎ話の代りに、自分の若いときの話をしてくれました。

父は鹿児島の指宿に農家の長男として生れ、部落の青年団の団長などをして、作物の品種改良や、植えつけの工夫、その他進歩的な農業に意欲を燃やしていたそうです。家庭の事情で農業を続けられなくなったのは残念だと、口ぐせのように言っておりました。私が農業に関心をもったのは、その頃の影響が多分にあるのではないかと思います。

しかし、環境としては、農業に進む道は開けていません。高校卒業後、ある電機会社に就職、おもに事務の仕事をしていました。仕事自体は、幸い辛いものではありませんでしたが、毎日机に向い与えられた仕事を忠実に果す、それだけでは、何かものたりなく、私の人生において、生甲斐のある仕事といえるのだろうかと、疑問に思うことがしばしばでした。

私は父の話を思い出し、農業に関する本を読みあさりました。その中に岡崎正英氏著の『大地に生きる』という本にめぐりあい、農業のすばらしさ、山地酪農の将来性に強くひかれたのです。父にこのことを話したところ、「自分の経験から言って、農業は生半可な決心でやっていけるほど甘いものではない。おまえが、本当にやりたいと思うならやってみるのもいい。しかし、途中でやめると言いだすくらいなら、初めからしない方がいい」と言いました。

私は迷いました。果して私にやり抜く力があるだろうか。マスコミなどで、よく農業は今一つの転換期に立っていると言われています。私には今こそ、日本の農業は新しい農業に変わるチャンスのように思われるのです。私は迷う前にやってみるべきではないかと考え、たとえ私の力が微々たるものであるにせよ、日本の新しい農業への一つの捨て石になれるならと決心致しました。

農業は他産業と違って、自然によって左右されることが大変に多く、どんなに科学的に計算し、計画を立てても、ちょっとした天候の変化などで、計画とはまるで違った結果が出ることもしばしばです。また、農産物の多くのものが長期保存がきかず、少しの生産過剰でも、市場取引の価格が下がってしまう場合もよくあることです。このように何もかもが不安定で、人の力ではどうしようもないことが多いので、私達は、しだいに無関心で、あきらめのよい、農業人になってしまっているのではないでしょうか。

農業は、無限の可能性を秘める自然との戦いであり、また調和であると思います。報酬だけで仕事に対する価値が決まるなら、農業は、割に合わない職業だと言えるでしょう。しかし、私達は人間です。人間であるなら、誰もが自然の好きなはずです。農業は、人間の求めている豊かな自然との接触を、毎日、肌で感じながら仕事に従事することができます。

他に、これ以上の職業があるというのでしょうか。だからといって、現在のように他産業との所得に格差があっていいというのではありません。これからも技術の発達、規模拡大などにより、今以上に、日本の農業もますます世界水準に近づき、毎日あくせくと働きづめで働かなくともよい、豊かな真に新しい農業に生れ変わる日がきっと近い将来にくると信じております。

それには、若い私達が力を合わせ真剣に問題と取りくみ、一つひとつ解決していくことが、これからの新しい農業を背おって立つ、われわれ若者の使命ではないかと思います。

◇　◇　◇

豊田4Hクラブ（山口県）の歩み

専門部会で成功 契約で経営分離へ

山口県・豊田4Hクラブ　内田利紀夫

私達のクラブのある豊田町は、山口県の西部に位置し、フグ料理、関門海底トンネル本州側入口などで有名な下関市から約四百㌔はいった農山村であります。この豊田町は面積百六十五・六平方㌔、人口九千六百八十二人、世帯数二千四百七十九戸で全戸数の六〇％が農業を営んでいます。水田平均耕作面積一・〇四㌶、乳牛七・七頭で、米と酪農を主体に、農業を主産業とする純農村地帯です。

経伝農場で学んでから

豊田4Hクラブ員は、地元の高校を卒業するとその年に経営伝習農場に入場し、農業について、実践を通し専門的知識を一年から二年くらい学び、郷里にかえりそれぞれの経営の分担を行ない、責任をもって農業経営を行なっております。現在、男性四十一名、女性四名、総員四十五名、平均年齢二十一歳という若さのあふれるクラブです。

では、私達クラブの特徴的な活動について述べてみましょう。今私のクラブは六つの専門部会で構成されています。この専門部会の活動は、今ではめずらしいものではなくなり、どこのクラブでも取入れていますが、豊田4Hクラブでは五年前から取入れて活動しています。

専門部会が結成されるまでのクラブ活動は、定例的な集りで一般的な学習を行なったり、農業について話合ったり、スポーツをしたりの繰返しで、主として仲間づくりを中心とした活動でした。その中で私達は、農業が進み、経営が専門化するにつれて、異なった作目を取入れた仲間とは、話が合わなくなってしまいました。その結果、経営部門別にわけてみてはということになり、経営別専門部会が生れたのです。

それからいろいろの道を歩み、地区の実態に合った現在の六つの専門部会を持つまでにいたったのです。つまり、稲作部会、酪農部会、園芸部会、肉用牛部会、畜産一般部会、生活部会から構成されています。

私の属している酪農部会について、少しふれてみたいと思います。はじめに申上げた通り、私達の住んでいる豊田町は、県下でも有名な水田、酪農地帯です。それを如実に示すかのように、クラブ員の約半数は酪農部員です。私達酪農部会は、四つの重点課題をかかげ、活動に取組んでいます。

第一に技術の習得を上げ、優秀な酪農家や、飼育場などの視察を行ない、飼養管理などの学習を行なっています。第二に流通について、県酪農農業協同組合との話合いを行なって、お互いの連絡をいっそう深くしています。その結果私達はいかにこの面に対して、弱いかということを思い知らされました。

農家台帳と簿記の習得

そこで、昨年から、農家台帳の作成とともに簿記の習得に取りかかりました。記帳してみると、私達の今までの経営方針の甘さ、経営のミスなど、私達の欠点がよくわかり、大いに勉強になり、現在も記帳を進めています。数字に強くなると同時に、牛乳の消費を、いかに伸ばすかということの大切さがわかってきました。

消費を伸ばすためには、牛乳の価値を消費者に知ってもらわなくてはなりません。そこで、私達が思いついたことは、生産者自身が大いに牛乳を飲み、調理加工し、食べて、これを自分の体で示そうということになりました。われわれ生産者の顔のつやと、この健康な体をみてくれ、牛乳とはこれほどよいものだと、知らせなくてはだめだということです。そのためには、自分達が実際に調理加工しなくてはだめだと考えて、4Hクラブの生活部会に呼びかけ、共同で調理実習を行ないました。その結果、牛乳を飲むだけでなく、調理加工すれば利用度の高いのにおどろきました。

牛は私達の恋人 生活に心のゆとりを

第三に部員宅の巡回訪問を行ない、お互いの経営についての悩みや問題点を話合い、これからの課題を出して激励し合い、お互いの目標に向かって前進しています。でも、私達は学習や働くばかりでは人間味がないと思い、第四にレクリエーションを取入れ、一日中なにもかも忘れ、海に行って過し真黒になり、お互いの親睦を深め、夕やみがせまるころになると、帰路を急ぐのです。心にゆとりのある生活こそ、人生に一番大切なことだと思います。

家には牛というミルクタンクの大きい彼女が待っているのです。私達の生活から、牛を切離すことは不可能なのです。牛と私達とは口のきけない恋人のような間柄なのです。口のきけない恋人のことをよく知り、多くの収益をあげることが私達の手にかかっているのです。

このような活動の中で、豊田4Hクラブでは、共同プロジェクトとして、「家族協定農業」の推進に取組んでおります。私達は農業を行なうなら、親の経営に参加するだけでなく、自分達の頭と手でやってみたいと話が進み、三年前から家族協定農業に踏切ったのです。その一例について、話してみましょう。

労働力交換は状態をみつつ

まず最初に、家族の者との話合いの場をつくり、親と十分話合った上で文書の契約（農業経営家族協定書を参照）を結び、経営の一部門を全面的にまかせてもらうのです。計画は自分の手で立て、責任をもって実行に移します。労働力は状態に応じて話合いの上で交換し、収益は自分のものとし一部を生活費として家に出します。現在、八名のクラブ員が部門分担協定を結んでいますが、他に、数名のクラブ員も協定を行なうために親との話合いを進め、文書で協定を結ぶ一歩手前まできています。

家族協定農業は、農業に対してやりがいが出た反面、経営のむずかしさ、簿記記帳の重要性を知らされました。このような中で、私達クラブは昨年から、簿記記帳を重点課題のひとつにおき、毎月二十七日、夜間三時間程度簿記研修を行なっています。この研修は、皆で簿記を持ちより、お互いにわからない点について学習し、それでもわからない場合は、講師に習い問題点を解決しています。

十年後は20頭に

今まで述べた中では、私自身のことにふれていませんので、少し話してみたいと思います。私は農業高校を卒業すると同時に、4Hクラブへ入り、クラブ活動と農業に意欲的に取組み、昨年はクラブ副会長をやり、今年四月には、普及所単位に三つのクラブが合併した豊田地区農村青少年クラブ連絡協議会の副会長をしています。クラブ活動を通じ、以前は水稲一本であった経営を、現在の水田酪農経営に踏切ることが出来ました。

現在、乳牛九頭、飼料畑四十㌃、水田一・六㌶の経営計画にもとづき十年後には、成牛二十頭、育成牛五頭を目標に経営拡大を計っています。労働力不足は、機械を取入れることによって解消していくつもりです。このような活動を通し、私達4Hクラブ員も大いに学び、その活動が認められ、昨年農林大臣賞を受け、県下でも注目されるクラブです。

青春と仲間

この写真、ご存じないですか

背景は干拓地の石垣

この写真は、佐賀のつどいのときの落し物のカメラ、オリンパス・ペンにはいっていたフィルムを現像したものの一枚です。画面から察するに、有明海にある干拓地の船付場のように思われます。他の写真も、現地交歓訪問のものらしく、どこか神社のまえの記念撮影とか、訪問先の母上を加えて写したものとか、海岸で籠を背負った男が立っているものなどがあります。二十枚撮りのカラーフィルムは、まだ六枚ほどしか使ってないようです。カメラの落し主、または心当りの方は、佐賀県連組織委員長の蒲田健君、伊万里市南波多町高瀬まで、お申出下さい。

「農業経営家族協定書」の書式

甲　経営主A、Z　後継者B

1、目的　この協定書は、近代的家族関係の構成と乙が新しい技術を修得し、立派な農業経営者となり甲乙が相互協力して自立経営を確立するために、甲が乙に経営の一部門を委託経営さすことについて協定する。

2、委託部門　乙に経営させる委託部門は酪農部門とする。

3、経営計画の樹立　乙の経営委託部門の計画は我家の長期計画にそって、乙がこれを樹立し、甲の承認を得て年度別経営計画は毎年一月に立てる。

4、我家の長期計画は、甲乙協議して、別に作成する。

5、農用資産の貸与　①甲は乙が受託する部門の経営について必要な農用地、建物、施設、農機具などの固定資産については無償貸与する。❷乳牛は有償貸与とする。この金額は乳牛導入によって借入れた近代化資金の返済額とする。

6、乙が受託する部門の経営に必要な資金および受託部門に直接賦課される諸負担金は乙の負担とする。

7、収益の取扱い　乙の受託した部門からあがった収益は乙のものとする。

8、経営成果の報告　乙は受託部門の経営損益および経営活動の概要を記録しこれを整理し年度末に甲に報告する。

9、経営の協力　甲の経営する農業経営、乙が経営する受託部門の管理運営については、甲乙がそれぞれ責任をもって行うが、農繁期等労力不足の時や緊急な事柄が生じた場合は、相互に労力を交換しあいお互いに協力し合い農業経営の合理化に協力する。

10、労働条件　❶農作業は計画性をもち毎月第一日曜日を農休日とする。❷一日の労働時間は八時間を原則とし、農作業の繁閑に応じて協議して、延長又は短縮出来るものとする。

11、乙は、甲に対して毎月一万円を生活費として支払うものとする。

12、家族関係　甲は乙が必要とする研修会、研究会、先進地見学、4Hクラブ活動などについて、事情の許す限り、積極的にその機会を与える。

13、協定内容の変更　本協定内容に変更の必要を生じた場合は、甲乙協議の上、変更することが出来る。

付則1、この協定は昭和四十三年四月一日より実施する。

経営主　A
後継者　B

農村雑感　祈原俊二郎

新しい村＝コルンリンゲン村＝

Y氏の農場には、今四百頭の豚が飼育されているが、その四百頭のうちY氏本人の豚は四分の一に相当する百頭のみで、ほかの豚はみんな他人のものである。飼料の混合、給与はすべて自動式であり、糞尿処理もまた同じである。豚舎は十頭ずつ入る豚房ごとに分れ、豚房にその豚の所有者の名前が書かれている。

V氏は今六十頭の乳牛を飼っているが、Y氏と同様、六十頭の乳牛中V氏の所有は二十頭にすぎない。V氏はこの六十頭飼育に最大限に、自分のもっている技術を発揮して、乳量の増大をはかるが、六十頭はそれぞれ一頭ごとに個体泌乳成績がわかるため、それによって記録されていく。乳代の中から、V氏が支出した労働力、資本、さらに飼料代などが差引かれてV氏の手に入ることは当然である。また、子牛が生れると、その牛をよそに売るか、引きつづき飼育してもらうかは、その持ち主（委託者）の自由である。ただし、毎年乳牛を更新する必要があるので、二五㌫相当を更新するための権利は飼養者であるV氏がもっている。さらに、牛をあずけた人は、一定面積の草地をV氏に貸すこととなっている。

Y氏やV氏の住んでいる村には、ホームヘルパー（経営助手）制度がある。ホームヘルパーは自分でも農業経営をやっているが、それも分業化し、特定の作目しか扱っていないし、Y氏やV氏などにも自分の牛や豚の飼育を委託している。ホームヘルパーは、他の農家が忙しくて労働力が不足したときに手伝いに行ったり、家の都合で数日経営から手をはなさなければならないとき、数日間、その経営をみてやったりしている。これが相互に行なわれるので、どの農家も必要に応じて、家族全員の宿泊を兼ねた旅行にも自由に行け、生活を十分にエンジョイできる。そのため、この村は労働のきびしさがある反面、人間性が快復しており、明るく楽しいところといえる。

このコルンリンゲン（徹底統一）村にはコンピューターと有能な農学士がおる組織センターがおかれており、村全体の経営の中心的頭脳の役目を果している。このセンターでは、農民への計算サービスのほか、この村の中で新しく始める、または始めた分業的な経営について、正しくかつ効率的に運営できるよう、細部にわたる計画、指導助言を与えることとしている。

さてこのように、一つの村は組織センターを中心におき、Aさんは村の中の乳牛を全部あずかり、B氏は同じように全部の豚をあずかり、C氏は野菜生産も引き受けてやっているなど、それぞれ自分が最も得意とする分野で専門化するが、所有はあくまで経営とは分離されており自分の持ち分の権利は守られている。そのため、従来農業経営に従事していた農民の中には、今では農業生産に直接タッチしないで、バスの運転手になったり、加工工場や組織センターに勤める人もおる。いわゆる農業をしない農民も多く出ている。

この話は実在したものではないが、将来の一つの農業形態を示唆するものである。もちろんこのような形態になるためには個人個人が高い次元に還していないとできるわけではない。一人は万人のため、万人は一人のためという、人間関係としては理想的な相互協力の精神がなければならない。そうした、農村が一日も早く生れることを望むし、もはや単なる架空の物語りでもないといえよう。（農林省・農業者大学校）

馬鈴薯の原価販売

郡山4Hクラブ

福島県・郡山4Hクラブ協議会（会長、谷代栄一君、二十七クラブ加盟）は、九月五日、午前十一時から郡山市のベニマルさくら通り店の店先で自分達が作ったジャガイモ一・五㌔を、自分たちの手で販売した。

これは、農業者も消費者動向や流通機構を知っていなくてはならぬという観点から、一㌔三十円から三十五円という市価の三〇～四〇％安い原価で販売したものであり、一日でたちまち、売切れてしまった。

◀投稿案内▶

本紙は、みなさん方の新聞として、全国のクラブ員に利用して戴きたいと考えています。それでクラブの催しや個人のプロジェクト、詩、短歌、随筆、写真、悩みや意見、村の話題、伝説、行事その他なんでも原稿にして送って下さい。

お願い　❶長さや形式は自由です　❷できるだけ記事に関連した写真をそえて下さい　❸送り先　郵便番号 162　東京都新宿区市ケ谷船河原町11　日本4H新聞編集部

生活もの知りコーナー

◆夜つゆ干し

もめん綿のふとんは、湿気を吸いやすいものです。湿気を吸って固くなった綿は、普通、ふとん屋に打ち直しに出しますが、夜つゆ干しという方法も古くから行なわれています。

一年くらい使用したふとんは、皮だけをはがして洗い、のりをつけて干してあげてから、アイロンをかけておきます。

皮をはいだ綿は、天気のよい日を選んで竿にかけ、雨の降らない限り二～三日間、夜も取りいれずに、そのまま干しておきます。固く平べったくなった綿も、こうして夜つゆ干ししますと、また、ふかふかとした綿に戻っています。一年おきに夜つゆ干しをしておくと、打ち直す必要がありません。昔からの〝生活の知恵〟といえるでしょう。

◆食パンの選び方

食パンの選び方は、まずながめてみることです。ひと目でわかるのが焼き色、全体にこんがりとしたキツネ色で、上は少し濃い目になっているものがよいのです。パンの生地が一様に発酵しておれば焼いたときにも勢いよく育ちますから、軽い感じがするわけです。また、切ってみると、その切り口はうすい膜のこまかな気泡が、すみからすみまで一様になって、つやのあるのが上等です。

日本4H新聞
4Hクラブ 農事研究会 生活改善クラブ 全国弘報紙
発行所 社団法人 日本4H協会
東京都市ケ谷家の光会館内 電話(269)1075 郵便番号162
編集発行人 玉井光
月3回・4の日発行
定価 1部 20円 一ヵ年700円（送料共）
振替口座東京 12055番

クラブ綱領

私達は、実践を通じて自らを磨くとともに、互いに力を合わせて、よりよい農村、よりよい日本を創るため、四つの信条をかかげます。一、私達は農業の改良と生活の改善に役立つ腕をみがきます。一、私達は科学的に物を考えることのできる頭の訓練をします。一、私達は誠実で友情に富む心をつちかいます。一、私達は楽しく暮し元気で働くための健康を増進します。

「女子研」など実施

12月8日から中央青年の家で　次期リーダー養成

全国4Hクラブ連絡協議会（会長、久野知克君）は、九月二十八日から三日間、東京・新宿区市谷船河原町、家の光会館の同協議会事務局で執行部会を開き、後期の全国4Hクラブ中央推進会議、十一月に計画している全国4Hクラブ員沖縄親善交歓訪問、4H会館の建設、来年、愛知県で開く「第七回全国4Hクラブ員のつどい」などについて協議した。

会館建設問題も組入れ

全協、後期・中央推進会議の要領決る

要望多い農業問題も検討

久野会長

全協では、全国4Hクラブ推進会議がクラブ員からも好評で、またリーダー養成の上からも価値が高いものと判断し、今年度から二回開催することを決めて、すでに六月初旬、現役リーダーを対象に東京で前期の会議を開いたが、後期の推進会議については、次期リーダー養成を主眼として開催要領を検討した。

その結果、会議の内容では、全協活動方針の説明、リーダー養成、県連会長会議、日本4H会館の建設、農業問題の検討、海外派遣4Hクラブ員の報告を柱として、とくに、リーダー養成の中では、4Hの本質をはじめとして、プロジェクトの進め方、4Hクラブの組織、レクリエーションの取入れ方、また、昨年初めて別個に開いて好評だった女子クラブ員の研修などを行なうように系統立てて進めることにした。農業問題についての研修は、昨年の会議で行なったアンケートでも多くのクラブ員が望んでいたために、今回から取入れることにしたもの。

会議の進め方では、4Hの本質、プロジェクト、組織についてはそれぞれ分科会と全体会議をもつが、このうち4Hの本質とプロジェクトの分科会、全体会議と並行して会長会議を開き、組織についての分科会、全体会議では県連会長も一緒に話合いをすることにしている。また、プロジェクトについては、クラブ員が問題提起して検討する。

さらに、三日目の午後、女子研修が行なわれている間、男子はレクリエーションの時間として、大いに楽しむようにするなどの計画を立てている。

後期中央推進会議の開催要領案は次の通り。

一、目的

この会議は、4Hクラブ活動の推進をはかる目的で、次期リーダーを対象に、4Hクラブの本質、理念、リーダーのあり方などについての研修を行ない、その実践的な学習を修得するため開催する。

二、主催

全国4Hクラブ連絡協議会、社団法人日本4H協会

三、後援

農林省、全国農村青少年教育振興会（予定）

四、期日

来る十二月八日～十二日（四泊五日）

五、会場

国立中央青年の家（静岡県御殿場市中畑）

六、参加者

①県連会長②県連役員および次期リーダー男女各三名（過去において全協主催の推進会議に未参加のもの）③4H会館推進委員④海外派遣4Hクラブ員、計八名

七、会議の内容（省略）

八、日程

▽一日目＝午前十一時……受付け、オリエンテーション、開会式、午後三時三十分～四時二十分……全協活動方針説明、七時～八時四十分……懇談会

▽二日目＝午前八時三十分～十時……4Hクラブの本質について（講義）、十時～十二時……分科会（4Hの本質）、県連会長会議、午後一時～三時……全体会議（4Hの本質）、県連会長会議、三時～四時二十分……4H会館建設について、七時～八時四十分……海外派遣4Hクラブ員の報告

▽三日目＝午前八時三十分～十時……プロジェクトについて（問題提起）、十時～十二時……分科会（プロジェクト）、県連会長会議、午後一時～四時二十分……女子クラブ員研修、男子はレク講習、七時～八時四十分……全体会議（プロジェクト）

▽四日目＝午前八時三十分～十時……4Hクラブの組織について（講義）、十時～十二時……分科会（組織）午後一時～三時……全体会議（組織）、三時～四時二十分……総括討議、七時～八時四十分……キャンドルサービス

▽五日目＝午前八時三十分～十時……農業問題について（講義）、十時～十一時……閉会式、解散

引続き受付け

沖縄訪問の申込み

出発時間や宿舎など決定

今秋十一月二十四日から二十八日にかけて実施する全国4Hクラブ員沖縄親善交歓訪問の参加申込み者は、まだ、定員の六十名に満たないため、引続いて参加者を募ることになった。

参加申込みは、九月三十日現在四十余名となっているが、末端に沖縄訪問の計画を連絡する時期が遅れた県連もあり、締切予定日後も申込みが続いているなどの状態から、さらに各県連に働きかけて定員にまでふやすよう努力することにしたもの。しかし、少なくとも出発の一ヵ月前、ぎりぎりでも十月十九日ごろまで申込みを受けて手続きに入る必要があるため、なるべく早く申込んで欲しいと全協執行部は望んでいる。

また、日程などについて具体化を進め、ほぼ次の予定で実施することを決めた。

▽十一月二十三日(日)　午後二時…大阪府立青年の家（大阪府三島郡島本町桜井）に集合、二時半…結団式、三時…オリエンテーション、事前研修

▽二十四日(月)　午前八時…青年の家出発、十一時半…大阪・伊丹空港を出発（日本航空＝JAL七二一便）、午後一時半…沖縄・那覇空港到着、琉球政府関係機関表敬あいさつ、夜は宿舎でオリエンテーション

▽二十五日(火)　午前八時…宿舎を出発（途中、海中展望台の見学を予定）、十一時半…名護青年の家に到着、全沖縄4Hクラブ技術交換大会に参加（期間中は技術交換大会の日程に従う）

▽二十六日(水)　技術交換大会に参加、午後一時…民泊地へ出発（受入れクラブ員と同行する）

▽二十七日(木)　民泊、[illegible]那覇の宿舎へ集合、午後一[illegible]部戦跡視察

▽二十八日(金)　自由行[illegible]前十時…宿舎を出発、十二[illegible]…沖縄・那覇空港を出発（[illegible]九〇二便）、午後一時四十[illegible]岡・板付着、三時四十分[illegible]発、四時…大阪着。宿舎（[illegible]ときと同じく青年の家）

▽二十九日(土)　青年の[illegible]後研修、解団式、解散

なお申込みは、参加費五[illegible]円と県連会長の推薦状、作文（県連に通知）を添えて全協事務局へ。

これからの女性のあり方などについて熱心に語り合う女子クラブ員＝中禅寺湖畔で行なわれた栃木県の「女子クラブ員の集い」で

近代女性像追う

栃木県連　中禅寺湖で"女子の集い"

【栃木県＝荒井文雄連絡報道員発】栃木県青少年クラブ協議会（会長、野尻収士君）では、さる八月二十四日から二十六日まで、日光中禅寺湖に、県下女子クラブ員六十余名を集めて「栃木県女子クラブ員の集い」を盛大に開催した。

おもな日程は、衛生講話、バーベキュー・パーティー、ハイキング、女子OBの体験談、分科会、「理想の女性像」と題する座談会、意見発表、選挙についての講話など、聞く、考える、話す、味わうに行動性も盛りこませ、まさに近代女性の追求というにふさわしい内容が、日程にも表われていた。

その中の衛生講話では、婚前におぼえておきたい知識として、生理や病気について、スライドをまじえて聞き、バーベキュー・パーティーやハイキングでは、野外の料理の味を楽しみ、また、湖畔を歩くことで自然の醍醐味を心ゆくまで味わった。さらに、分科会や座談会では、女性のあるべき姿ややらねばならないことなど、大いに話合い、お互いにより深く認識しあえたものと思われる。

それから、意見発表においては、皆で考え、農業に関したことや、人生に関したものなど、内容は多彩であった。最後の選挙についての講話では、「選挙を放棄することは、自分から民主主義を放棄するものであり、また、自分の判断にしたがって選ばないと、日本の社会は決してよくならない」との講師の言葉が、身にしみた。

21日に総会を開く

4H協会

社団法人日本4H協会（松下幸之助会長）は、来る二十一日午後一時半から東京・港区芝四ノ八ノ二の松下電器産業株式会社東京支店で、理事会と昭和四十五年度の通常総会を開催する。

主な議題は、①昭和四十四年度事業報告および決算承認に関する件②同四十五年度事業計画および予算決定に関する件③定款変更に関する件④役員選任に関する件などである。

涼風暖風

ミニ・ミディ・マキシ

この標題をみて、今秋流行のスカートの話しだなと思った方には申しわけないが、私のいいたいのは読んで字のとおり最小・中間・最大のことである。

過日、町の勤労青年の交歓会に招かれたことがある。夕食を兼ねたパーティーは大食堂で行なわれた。百人近い大人数なので、食器のふれ合う音、笑いのまじった話し声、いすを動かす音、会場いっぱいにひろがるバックグランドミュージックなど、何ともにぎやかな集いである。私の近くにステレオのプレーヤーとアンプが備えてあった。

一人の青年がすっとやってきて、アンプのつまみを回わしてボリュウムをグンと上げた。目いっぱいの音量である。高音は天井に舞い上がり低音は腹の中までズシンと響く。壁にかけてあるスピーカーはビリビリと振動しているようにさえ見える。すさまじいまでの迫力ある音響は大食堂を制圧し、もう、人の話しなんぞ耳に手の平をそえても聞きとれないほどである。青年たちは満足気であった。

しばらくして一人の長身の青年がステレオアンプに近づいて、音量のつまみを回わして、かなり低くした。会場の青年たちの間から嘆息にも似た声が上がるが、しかたがない。とでもいうように今度は話しに夢中になる。ガヤガヤ・ワイワイ、まったくにぎやかでステレオ音楽なんぞ、途切れてしまうほどである。中には不満顔の青年もいる。

私は正直にいって、目いっぱいのステレオ音楽には、音量の大きさに閉口しながらも迫力と一種の陶酔を感じられないでいられなかった。しかし、交歓会という場を考えると、低い音楽のほうが常識だとも思った。つまり私の中に、二人の青年がいると同じだ。一体どっちの味方なのだといわれると困るけれど、食事をしながら音楽を楽しめる雰囲の音量が適当であろう。

時と場所に応じて最大・中間・最小をそれぞれ使いわけることでよいはずだ。右でなければ左だときめつけてしまっては、何とも救いようがないではないか。仕事をしながら聞く音楽は、気にならない程度の低い音量でよいし、音楽そのものを楽しむにはボリュウムを上げ、音楽会では大音響が適当であろう。ミニ・ミディ・マキシの特性を十分に生かすことが楽しいのと違っただろうか。

またも一人の青年がアンプに近づく。ミニかミディかマキシか。

（北海道・三輪）

「心に種をまく」つどい記念講演＜4＞

奈良・薬師寺管主　高田好胤

金堂に昭和の心を

建物作るより入魂に価値

・この前、私の知人がアメリカへ行った。行く前に、なにかおみやげを買って来たい、なにがいいですかというから、なにもいらないといった。

二色刷り花模様ついた便所の紙

もし、アメリカへ行って、私のことを少しでも思い出してくれたら、おみやげはいらないから便所の紙を持ってきてくれといった。そしたら、アメリカから持って帰ってくれた。それがこれであります（紙を取り出して）

私はこの紙をみて、もうアメリカはいかんと思った。綿をうすくはいだような、そして、たかがお尻をふくぐらいで、なんで二色刷りの模様まで印刷せないかんかと――。

先ほど申し上げましたように人間には冥利につきるとか、後生ぶろしいとかいうことはありますワ。だが、これは少し行きすぎです。

しかし、アメリカは金持で地下資源もある大きな国です。そのアメリカの金持の大きな国の真似をチッポケな貧乏人の日本人が、うつつをぬかして真似していたら、アメリカが滅びる先に日本の国が滅びてしまうんです。

物で栄えて心で滅びる――。二十一世紀に、はたして日本の国があるだろうか。お互いわれわれが真剣に、この先祖からいただいた日本の国を、大事にわれわれの心がけで次の時代に伝えなければならないと思うのです。

いろいろなことを申しましたけれども、今日、私がここへ参りまして、先ほどの開会式のとき、入ってまず感じたことは、普通、こういう会館などで会合のあるときは、このごろの会合は非常にスマートです。しかし今日の会合には、およそ、そういうスマートさというものはなかった。あえていうなれば"ズマート"でありました。

日本人の精神文化が崩れる危惧

入って来たら土くさいし、そこに私が入ってきたときに、今日の日本に、まだ土くささがあるんだと、それが大きな感動でした。

けれども、そう思いながら、今日、お米というものに対する、お米は日本人の心だという、そういう心を今日の農業青年の人たちが、はたして、ほんとうに持っていてくれているだろうかと思う。どうぞ、お米は日本人の心で、お米を物扱いにしてくれるなということをお願いしたいのです。

それによって、日本人の精神文化が崩れることが、まことに取りかえしのつかないことになると思うのであります。どうか、そうした日本人の、心の支えを預っている、それがお互いわれわれであるんだという自覚を、私はみなさん方にお願いしたいのです。

嫁さんのきてないとは情けない

私のお寺の周囲の農家の人たちの会合の席で、決っていうのは、この頃は、百姓のところに嫁の来てがないといいます。私は、百姓のところに嫁さんの来てがない――この頃の農村青年か百姓青年か知らんけども、なんと情けないことをいうようになったと思う。そんな状態で米を作っていたって、よい米が出来ないのは、あたりまえではないかと思う。

百姓のところへ嫁さんに行くのは、いやだけれども、あの人のところなら私は嫁さんに行きたいんだと、そんな気になろうと心がけても、百姓やよって嫁さんの来てがないといって青年自身が嘆いてなんになる。

百姓のところへ嫁に行くのはいやだけれども、あの人のところへなら嫁さんに行きたい、といわれるような人間になるんだという努力もしないで、ろくなお米も作れないと思います。

「山家育ちのゴロスケが　山家育ちのゴロスケが　くにを出てから三日目に　生まれの里が恋しいと　峠の道に来かかると　もの真似好きのふくろうが　ゴロスケもっと辛抱だ　そうでござるとゴロスケが　いま来た道を後もどり　山家育ちのゴロスケが　くにを出てから五年目に　宝の数を手に持って　峠の道に来かかれば　もの真似好きのふくろうが　ゴロスケようこそ辛抱だ　そうでもないとゴロスケは　生まれの里へ急ぎ足」

こういう詩がありました。

これはなにも、眼にみえる宝物ではない。五年間の苦労のうえ、眼にみえないしあわせを辛抱によって得た、そのしあわせを足どりも軽やかに、ふる里へ錦を飾るゴロスケの姿が眼に浮んでくるようです。

金堂の再建は我らの文化的使命

では、私がいま、どんなことをやっているかということを、みなさんに聞いてもらいたいと思います。

私の寺は、天武天皇が皇后（持統天皇）の病気をなおしてもらいたいと発願されて、薬師寺をお建てになったのであります。ところが、まだ完成しないうちに天武天皇はお亡くなりになり、逆に元気になられた皇后が自ら天皇になり、夫の意志を引き継いで十一年目に完成させたわけです。

その薬師寺の薬師観音は、世界一の観音さまです。その世界一の仏さんをお祭りしてあるお堂が、三百年来、仮建築のまま今日まで来てしまった。まことに嘆かわしい。

戦争が終ってから、外国の人たちがやって来て、この仏像をみて、こんな立派な仏像を、こんなチャチやビルディングの中に入れて、いい気でいるなんて、日本人はあまりにも物の値打ちを知らない国民ではないか、といわれました。このような国の辱しめのことばが胸に堪えかねまして、私が四十二年に薬師寺の住職になったときに、私たちの先祖がつくった世界的な価値のある遺産をどうして粗末にできましょう、金堂を再建するのは昭和に生きるわれわれの世界に対して果たさねばならない、文化的使命だと決意しました。

同じやるなら天武天皇が建てたように宮づくりで、木造で建てたい――。十億円かかります。4H会館と比べて大分高いようです。

そのときに、一年一億円の宣伝費で、十年で十億の金額になる、それでやろうという話がありました。その会社の宣伝費で金堂を建てたら早い、早いけれど、一人でも多くの人たちのしあわせのお手伝いができないようでは、お堂が建っても仏さんは歓んでくれないだろう。宣伝費でお堂を建てたと、昭和という時代の人は、信仰心までも物に替えた、やっぱりエコノミックアニマルの時代であったといわれたら、昭和の人の名誉にならんと思いました。

金堂を再建するというのは単に、立派な建物を創るということではないのです。それにできるだけ多くの人々が参加することによって、多くの人々が仏心に触れてしあわせになってもらうことに意味があるのです。最大の努力をして、大勢の人の力で、昭和の日本人の心を金堂という形で残したい。そうして昭和の心を永久に保存したいと決意したのであります。

そこで、私は百万巻写経による「薬師寺金堂復興勧進」ということを発願したのであります。

（つづく）

友情応援を待つ　小田原のクラブ員

交歓実習生を募る　みかんもぎ手伝い

都市近郊で人手不足に悩む神奈川県・小田原農業改良クラブ（会長、石塚昇君）は、二年前から本紙を通じて全国の仲間に呼びかけみかんもぎを手伝ってもらってきたが、ことしも「仲間ヤーイ」とみかん収穫の友情応援に来てくれるクラブ員を探している。

一昨年、昨年と遠くは岡山や宮城はじめ関東近県から多数のクラブ員がかけつけてくれたが、参加した人たちは、単に実習だけでなく、自己の鍛練や家族との理解、仲間との交歓、地域社会の認識などの面で予期以上の収穫を上げている。

この友情応援で秋の収穫期を切抜けてきた同地のクラブ員たちはことしも次のような交歓実習の計画をたてて、多くの仲間を待っている。

◇募集要領

▽仕事　誰にも出来るみかんもぎ

▽期間　十一月中旬から十二月下旬までの約四十日間

▽定員　二十名（各家庭へ二名ぐらいずつ入ります）、男女不問、受入れはクラブ員の家だけです。

▽賃金　男女とも日給千二百円。ただし、雨天で仕事が出来なかった日や休日は支給しません。

▽旅費　関東、中部、東北地方は全額、その他の地域は片道分を支給します。

▽携行品　身の回りの必需品、作業着など。

▽その他　ドライブをかねて地域の実情案内、交歓会として話合い・ダンスパーティーを三回予定しています。

▽申込み先　神奈川県足柄上郡松田町惣領七四二、松田農業改良普及所内、小田原農業改良クラブ事務局　電話〇四六五―八二―三六一

▽締切　十月中旬、申込みあり次第、受入れ家庭から連絡いたします。

小林寅次郎氏逝く

社団法人日本4H協会理事・小林寅次郎氏（ライオン油脂社長）は、かねて病気加療中であったがその甲斐なく九月二十九日午前十時二十五分、心臓衰弱のため東京都新宿区新宿、朝日生命成人病研究所で死去された。六十八歳。

故人は、日本4H協会創立以来常務理事、理事として協会の運営に力を注がれる一方、会社の社員教育にも4H精神を取入れ、販売面におけるプロジェクト活動やクラブ活動による和の涵養を図るなど、4Hクラブ活動の育成に情熱を傾けられていた。それだけに同氏の死去は、関係者から惜しまれている。

なお告別式は、来る七日午後二時から青山葬儀所で執り行なわれる。喪主は妻シゲさん。自宅は東京都港区南麻布五ノ二ノ二六。

久留島秀三郎氏

（日本4H協会顧問）二十二日午後七時十五分、肺炎のため、東京聖路加病院で死去、八十二歳。告別式は二十七日午後二時から築地本願寺において、ボーイスカウト葬で行なわれた。喪主は、長男小千彦氏。

氏は、四十二年一月、4H協会顧問に就任。ボーイスカウト日本連盟総長、同和鉱業前社長、新生活運動協会長、中央児童福祉審議会長などの職にあった。

心頭技健

秋も静かに深まると、村の鎮守さまの森に祭礼の幟りが立ち並び、笛や太鼓がのどかな村々に鳴り響き、氏子たちの参拝でにぎわった村祭りを思いだす▼この鎮守さまの祭りは、春夏二回行なわれ、とくに、秋まつりは、五穀豊穣を祝い、天地自然の恵みと労働に対する農民の感謝をあらわす日でもあり、村人たちの数少ないレクリエーションの日でもあった。それだけに、村祭りの日が近づくと農作業の合い間に余興の練習などに精を出し、祭りの日が訪ずれるのを、なんともものたのしみにしていたものだった▼しかし近年、時代の移り変わりによる現象から、このような農村特有の情緒は、鎮守さまの祭りなどをはじめとして、村々から姿を消し、農民の心の中からも忘れられようとしている。なにか寂しいかぎりである。神を祭るとか宗教心のあるなしは別としても農村や農民の心から、この情緒までもがなくなってしまうことは、日本民族の象徴の一つが消えることになる▼たしかに、農業そのものの形態が、ひと昔前に比べて大きく変化して来ているし、毎日の多忙な労働の中でお祭りなどとなにをのんきなという声もあろうし、当時の村人たちの楽しみ方とは違って来ているから、やむをえないのかもしれない。また、ある面では、農民の個々の心がばらばらになってしまったことにもよろう▼最近のお祭りといえば、むしろ、農村より都会の方が熱心のようでもあり、ビル街の片隅などで現代的にアレンジされて盛んに行なわれている。これらの姿の中には、やはり、ふる里の鎮守の祭りを思い、一緒にあそんだ幼な友だちを懐しむという郷愁のあらわれである▼しかし、今の農村から、まったくお祭りが姿を消してしまったかというとけっしてそうでもない。獅子舞いを習い、神楽の舞いを練習して、鎮守の祭りに奉納する青年も数多くいる。こういった先祖代々から伝承されて来ている民族の歴史を、若い4Hクラブ員たちが継承して、4Hクラブの一つの行事にしていくことも4Hクラブが地域の歴史の中に生きる一つの手であろう。都会と違った村のよさ、それは、天地自然の恵みと村祭りの情緒にあると思う。

佐村さん(女子部長)を支えた友情

リーダー研修会　熊本県連で女子

OBとクラブ員が「仕事はまかせておけ……」

大阿蘇を背景に語りあう女子クラブ員たち

【熊本県=池田隆美連絡報道員発】熊本県農村青少年クラブ連絡協議会(会長、野中澄美明君)では、①女子リーダーの育成②女子クラブ員の意識の統一③情報キャッチを女性の手での三つを目的として、第一回女子リーダー活動研修を、九月八日から十日にかけて行なった。

秋の気配が感じられる国立阿蘇青年の家に、県下女子クラブ員百名が集い、歌い、語り、踊る姿は青年の家全体をはなやかにした。

計画から運営まですべて女子部で行なって、参加した県連男子役員、各地区会長もただ圧倒されていた。女性自らの計画、運営が今後のクラブ活動に与える影響は大きいものと思われる。

女子リーダーについての講義、4HOBとの話合い、フォルム・フォーラム、キャンドル・サービス、草原ハイクなど、阿蘇の大自然を満喫しつつ、第一回の女子研修は大成功のうちに幕を閉じた。

このように意欲にもえ、はなやかな雰囲気のうちに研修が終った陰には、クラブ員、OBの美しい友情があったことが忘れられない。

今回の研修は、県連女子部長の佐村ハルミさんがリーダーとなって計画されたわけだが、研修の数日前、彼女のお母さんが仕事中の怪我で入院された。クラブ活動と家の仕事とを、両立させようと頑張っていることを知ったOBの河北雅典君をはじめとする仲間たちは、「仕事の方は、俺たちが応援するから頑張れ」と、草刈機を持って駆けつけた。

佐村さんも友の暖かい支援で、心配そうな顔さえみせず、女子部はじめての研修を、無事成功に終らせ、リーダーとしての責任を完うした。リーダーとしての自信を持ち、意欲に燃えた農村女性が、阿蘇の高原から、また各地に散って行った。友の苦しみに対して、励ましに駆けつけた河北君らの友人たち、そんな苦しさを他に見せず、責任を果した佐村さん、「一人はみんなのために、みんなは一人のために」このスローガンのごとく、4Hの精神が、ここに見られたように思う。

「時間がルーズだ」

四日市農業青少年クラブ　親子の集い開く

【三重県=有竹一子さん発】四日市農業青少年クラブでは、九月十二日午後五時から、四日市農芸高校において、参加者六十名を集めて親子の集いを開催した。これは、クラブ員の家庭に、クラブ活動の内容及びクラブ員について、より深く理解してもらうことを目的に毎年開いているものである。

今年は、専門部行事経過報告、二年間のアメリカにおける農業研修を終えて帰国した、伊藤力也君の帰国報告もかねて行なわれた。女子クラブ員の作ったおにぎりを食べながら、親同士交友を深め、なごやかな雰囲気で夕食を終えてから、懇談会に移った。

親の方から「行事に参加するのはよいが、時間がルーズなのは、どうもいかん」と意見が出れば、クラブ員からは「経営内容が異なるため、時間厳守は少し無理である」と答えが出るなど、活発に双方の意見を交換しあって、熱の入った懇談会となった。

また、翌十三日には、同クラブの生活部による、梨狩りをかねた家計簿記帳の研究会も開かれた。十数名の生活部員があざやかな手さばきを見せ、たわわになる梨の実の下で、秋の味覚を味わっていた。昼食後、普及所の先生をまじえ、各家庭の家計簿の記帳結果を報告し、検討を重ね、今後の記帳にあたっての注意、改善すべき点を指摘し、充実した意義のある研究会となった。

どぶさらいで町へ奉仕する

高知県・大月町4Hク

高知県幡多郡の大月町4Hクラブ(会長、松田道明君)では、このほど、会員十五人が町をきれいにしようと、同町弘見でどぶさらいの奉仕活動を行なった。農業改良普及所に集合したクラブ員たちは、それぞれスコップや鍬を持って、溝のふたを上げて、ごみをさらった。集めたごみや泥は、自動車で運んで処理したので、町民から感謝されている。

農林省・農業者大学校　46年度の学生を募集

1、募集

募集人員　約五十名

応募資格　❶高等学校卒業またはこれと同等以上の学力があると認められる者❷学校教育または経営伝習農場、地域営農研修施設などにおける実務研修教育を終了後、昭和四十六年四月一日までにおおむね二年以上農業経営の実務に従事し、卒業後、引続き自営の見込みが確実な者❸昭和二十一年四月二日以降生まれの男子❹都道府県知事の推薦を受けた者

募集期間　来る十月二十日まで

募集手続き　❶応募者は、都道府県農業改良課に入学願書など関係書類用紙を請求する❷応募者は、入学願書一部、身上調書二部、最終学校の成績証明書一部、受験者の身上などに関する所見一部、健康診断書(胸部レントゲン間接撮影の結果)一部などの関係書類を、昭和四十五年十月二十日までに、都道府県知事に提出する❸都道府県知事は、昭和四十五年十一月五日までに、地方農政局長を経由して(北海道は直接)農業者大学校長に推薦する

2、選考

第一次試験　❶期日は、昭和四十五年十一月十七日(火)❷試験科目は、国語、数学、理科、作文の四科目について、高等学校卒業程度の筆記試験を行なう❸試験場は㋑東北農政局(北海道、青森、岩手、宮城、秋田、山形、福島)㋺農業者大学校(茨城、栃木、群馬、埼玉、千葉、東京、神奈川、山梨、長野、静岡、新潟)㋩近畿農政局(富山、石川、福井、愛知、岐阜、三重、滋賀、京都、大阪、兵庫、奈良、和歌山)㊁中国四国農政局(鳥取、島根、岡山、広島、山口、徳島、香川、愛媛、高知)㋭九州農政局(福岡、佐賀、長崎、熊本、大分、宮崎、鹿児島)❹第一次試験合格者氏名を、地方農政局長を通じて(北海道は直接)、都道府県知事に通知するとともに、合格者にも通知する

第二次試験　❶期日は昭和四十五年十二月九日(水)から十日(木)まで❷試験科目は、農業業務経験にもとづく知識、判断力、問題意識、また、将来近代的な農業経営の担い手となり農業を通じて地域社会の発展に寄与しうるような資質の有無について、面接試験を行なう❸試験場所は、農業者大学校

入学許可の通知　昭和四十五年十二月下旬に入学を許可する者の氏名を地方農政局長を通じて(北海道は直接)、都道府県に通知するとともに、入学許可を本人に送付する

なお、学生募集の詳細については、最寄りの農業改良普及所に問合わせること

東京都南多摩郡多摩町連光寺二二〇七番地　農林省・農業者大学校

女学生も特別参加

県連役員とも話合う　長崎県東彼杵地区連つどい

【長崎県=松本政博連絡報道員発】東彼杵郡農村青少年クラブ連絡協議会(会長・山内一宏君)が主催した、第二回郡農村青少年クラブ員のつどいは、九月七日、同郡川棚町城山公園で行なわれた。

このつどいは、郡内の農村青少年が一堂に集まり、隣接市町村の仲間と交流を深め、農業に自信を持ち、地域農業開発を推進する目的で行なわれたもので、当日は、佐世保市、大村市、諫早市、川棚町みのり会の各地区の農村青少年クラブ員及び県連役員など二百名が参加した。

まず八時に受付けを始め、九時から公園内の野外ステージで開会式が行なわれた。この後、技術競技が、果樹、畜産、生活など六部門に分かれ、それぞれ十分ずつの持ち時間で競われた。このあと十時半から、六グループの分科会が持たれ、各地区のクラブ活動の情報交換、あるいは恋愛論に花を咲かせた。午後からは、フォークダンス、ゲームなどで愉快に過した。このつどいには、いつもと変り県立千綿女子高等農学園の生徒の特別参加もあり、女性が多かったため、日頃はブスッとしている男性もこの時ばかりは、彼女たちの手をしっかり握り、ニコニコ顔で踊っていた。なかには、女性の手がとれず、少々すねているようなアブレ組もあったが、結構、時のたつのも忘れるほどであった。このあと、県連役員との話合いが持たれ、県連行事、組織について、広報活動などについて、日頃抱いている要望、不満などが出され、意見が交換された。

四時から閉会式があり、技術競技の優秀者五名が、山内地区連会長、大村普及所長から表彰されてつどいは無事に終った。

第九回 青年農業者会議報告

教育者的な配慮を　青少年指導班の設置

特別参加者第三分科会

1、討議課題

(1)普及者　❶所内の青少年指導体制について❷関係指導機関の連繋・協調について

(2)対象者　❶青少年はクラブ活動に何を期待し、普及者は何をなさねばならないか❷機能集団化する動きの中で、地域社会とどのように関連づけるか❸農村青少年の減少に、どう対処するか

(3)共通　❶農村青少年の育成体系について

2、討議の概要

(1)所内の青少年指導体制について　所内の指導体制を明確にし、つぎのような方法で、青少年担当者を位置づけしたらどうか。❶「青少年指導班」(プロジェクトチーム編成)を設置(地改、専改)し、このチーフになる普及員(次長クラス)が青少年担当者となるのが望ましい❷所内の機能分化(ことに専改)が進み、普及事業本来の教育者的な配慮に欠ける面が大くなってきたので、資質向上のための研究をさらに充実する必要がある。

(2)関係指導機関の連繋・協調について、各種の指導機関はあるが、対象となる青少年はただ一人である。これを踏まえながら、つぎの基本的な考え方で進める必要がある。

❶農業が近代化すればするほど多種多様のクラブが存在してよいであろうし、したがって対象者にこの問題を持ち込むべきではない。

❷関係指導機関共通の育成体系がないところに、問題点がひそんでおり、スケジュールの調整が是非とも必要であろう。

(3)青少年はクラブ活動に何を期待し、普及者は何をなさねばならないか　❶青少年クラブ活動に求める期待は、「仲間づくり」であり、さらにこれを基にした「学習の場」であろう❷多様化する青少年の意識変化を、的確に把握する態度に欠けているのではないか(青少年が考えているプロジェクト、自主性に対して)❸多様化したクラブ員を機能集団のメンバーとして育成する必要がある❹そのための方法、手段はさらに工夫を要する。

(4)機能集団化する動きの中で、地域社会とのように関連づけるか、青少年の減少にどう対処するか、ここでは、就農青少年を「企業志向農家」として捉えた。

❶青少年の発達過程の前期においては、幅広く総合的活動が必要である❷その中で細分化した機能集団として育成すべきであろう❸地域社会との関連づけについては今後の課題である❹青少年の「経営管理能力」を開発するための努力が必要である❺青少年の減少により、広域的グループを必要としているが、普及者が、対象者の意向を十分把握する必要がある。

(5)農村青少年の育成体系について　以上の課題は、それぞれの地域における育成体系が確立されることにより、課題解決は早まるであろう。早期に体系化されるように努力する必要がある。

普及員教育も

特別参加者第四分科会

1、クラブ活動上の問題点を解決するには、どうしたらよいか。

(1)活動のマンネリ化をどうするか　❶グループの広域グループ化❷活動の主体を専門部活動とする❸年齢に応じた役割を考慮する❹課題の難易により年齢別プロジェクトを持たせる❺目的意識を持たせる(地域の問題からの意識づけ)

(2)目的意識を持たせるにはどうするか　❶わが家の営農青写真の配布と記帳❷学校教育を普及所の連繋で、営農設計または生活設計の推進❸生活講座を利用して女子クラブの意識づけを行なう❹学校と普及所で、農業後継者候補者研修を実施する。

(3)リーダーづくりはどうしたらよいか　❶同級性から導く❷留学研修などに参加させ、自らの経験からリーダーの意識づけを行なう❸予算的処置をする。

2、クラブ組織上の問題について

(1)新規加入クラブ員が少なく、広域グループ化する。

(2)他団体との重複をどうするか　❶目的意識をクラブ員自体が自覚する❷他団体(市町村、公民館、農協)との連繋強化。

3、普及所の指導体制について

(1)普及所内部の指導体制をどうするか　❶若い普及員、生改、中堅普及員で育成班を編成する❷全普及員が青少年育成にあたるべきである❸農業情勢からみて、青少年の指導責任普及員を置くべきである。

(2)普及員個人の心がまえ　普及員は青少年をきびしく教育、指導する一方、自身に対してもきびしくあるべきだ。

(3)関連事業の一本化について　❶対策協議会を組織し、各機関が連繋を持ち、活動の窓口を一本化する指導機関が有機的に結合して指導にあたるべきである。

(4)年少者にクラブを理解させるにはどうしたらよいか　❶年長者がクラブを通じて理解させる❷学校在学中から、研修会を持ち理解させる。

単位クラブを越えて鑑定を競う

山梨地区連技術交換会

今後の活動に成果が期待される山梨地区の技術交換大会

【山梨】山梨地区4Hクラブ連絡協議会(会長、五味修君)は、九月十二日、十三日の両日、富士五湖・西湖民宿村において、技術交換大会を開催した。秋晴れに恵まれて、地区内のクラブ員五十二名が参加した。開会式では、五味会長が「本大会を通じて、友情の輪を広げ、仲間意識を培い、積極的意欲で、4Hクラブ活動を盛上げよう」と、力強いあいさつをした。

第一日目の技術競技は、単位クラブを越えた混合チームによって競われ、病害、鑑定、診断、判定などに、全員熱心な態度で取組んだ。夕べのつどい、キャンプ・ファイヤーのときの班別によるスタンツでは、笑いの渦がまきおこり大会気分は最高潮に達した。

第二日目には、プロジェクト発表があり、各単位クラブから選出された代表者は、日頃のプロジェクト活動のなかから得た実績を発表し、最優秀賞、及び本年から設置された甲斐4H杯は、武井邦昭君(笛吹4Hクラブ)の頭上に輝き、優秀賞は、五味丁美君(若竹4Hクラブ)、古屋忠誠君(甲斐4Hクラブ)、市川俊夫君(昇竜4Hクラブ)が受賞した。

「農業と4Hクラブ活動について」のテーマで話しあった分科会では、特に本年4Hクラブに入会したクラブ員が、4H活動について、自分の考えを先輩クラブ員とともに考えあって、活発な討議がなされた。

次いで反省、閉会式と行なわれて幕を閉じたが、この大会を通じて、山梨地区連の団結は、今後、ますます強くなるであろう。

実物で野菜の病気あて競技など

静岡・中部地域で研修会

静岡県の中部地域農村青少年クラブ連絡協議会(会長、紅林資君)と、中部農業改良普及所が主催で、第二回中部地域農村青少年クラブ研修会を、九月二十五日、二十六日の両日、焼津市石津の県立焼津青少年の家で開催した。

これは、農村青少年が日頃の悩みなどを話し合って、仲間づくりをするとともに、技術競技を行ない、農業技術を日常生活の中に取入れようという目的から行なわれた。このため、技術競技には、農業、日常生活のなかから五十の問題が出題されて、問題には全部実物が出された。

たとえば、野菜の病気についても、病名や原因をつきとめるために、実物の野菜を自分の目でみながら解答するので、実際に勉強できるという利点もある。

各家庭に役立つ料理を学ぶ

栃木県・西方村4Hク

栃木県上都賀郡の西方村4Hクラブ、和賀井ソノ子さんら九人は、このほど、鹿沼農業改良普及所で料理の研究会を行なった。この研究会は、農家における食生活の改善のために開いたものであり、生活改良普及員の指導で、各種の家庭において役立つ料理の勉強を、ずっと続けている。

おことわり　湯浅甲子氏の「クラブ活動12ヵ月」は都合により、休載致します。

早くも佐賀のつどいの成果

経営の甘さ痛感

長崎　埼玉　両県クラブ員が話合い

【長崎県=松本政博連絡報道員発】南有馬地区農村青少年クラブ連絡協会(会長、森川政則君)では、さる八月二十八日、佐賀の全国4Hクラブ員のつどい終了後、九州一周旅行で雲仙に立ち寄った埼玉県・北本4Hクラブ(会長、諏訪部彦君)一行と交歓した。これは、つどいに参加した南有馬地区のクラブ員が、北本4Hクラブ員と知り合いになり、同クラブより交歓会の申込みを受けて行なわれたもの。

南有馬地区は雲仙のふもとにあり、当日は同地区から二十名ほどが参加、北本4Hクラブの宿舎新湯ホテルで、午後八時半から十一時近くまで交歓のつどいを行なった。また、同ホテルに宿泊していた、やはりつどい帰りの鹿児島県の二名の女子クラブ員も加わってグループ活動、それぞれの地域の農業事情などの紹介があった。

つどいの二番煎じのようなところもあったが、参加していない南有馬地区のクラブ員にとっては、有意義であった。都市近郊の農業に取組んでいる北本4Hクラブとは、地理的条件が根本的に違うけれども、経営面に関する自分たちの考えが、あまりにも甘すぎることを痛感するとともに、都市近郊農業のきびしさを改めて感じさせられた。

それでも、各地の方言などを紹介しあったりして楽しいものであった。全国のつどいの成果が、早速あらわれたといえよう。遠くの仲間が、膝をまじえて話合えるのは、すばらしい。

◀投稿案内▶

本紙は、みなさん方の新聞として、全国のクラブ員に利用して戴きたいと考えています。それでクラブの催しや個人のプロジェクト、詩、短歌、随筆、写真、悩みや意見、村の話題、伝説、行事その他なんでも原稿にして送って下さい。

お願い　❶長さや形式は自由です　❷できるだけ記事に関連した写真をそえて下さい　❸送り先　郵便番号162　東京都新宿区市ヶ谷船河原町11　日本4H新聞編集部

プロジェクトの進め方《10》

生活態度の訓練を
記録、調査で実態を知る

プロジェクトの取り組み方の順序を一から五までつけましたが、必ずしも、その順序で行なわなければいけないかというとそうでもないのです。むしろいかない方が一般的でしょう。前に述べたようにプロジェクトはどこから始めるかといいうと、現在から始めるより、過去から始めるということを話しました。

つまり、やってきた経験の中から問題を引き出すことです。経験の中というのは、なんだっけな——と考えてもとへ戻ってみる、そういうものの中から問題がつかまえられる。ですからプロジェクトを始める前に、まず、現状の生活を知ることが大事だといった。知るためにもし記録がなかったとすれば、記録を始めるということがプロジェクトの、第一段階になるわけです。

プロジェクトの目標

どうも漠然としていて、目標などを描くわけにはいかないが今のままでいいわけでない。今の生活のどこが悪いかといってもどうもわからない。ならばわかるように今の生活の実態を調べていこう——。そういうことから記録、調査が行なわれ、実態がはっきりとしてきます。

これがはっきりしてくると、漠然としていたものが、わかってくる。また、新しい問題が発見されることもあります。いずれにしても生活の実態というものが記録されていきます。これがプロジェクトの最初の段階であります。しかし、記録だけで終わっていたのでは、簿記をつけています、家計簿を書いています、これだけでは、プロジェクトにならない。

その中から反省、評価して問題が出てきて、目標が立てられる。こういう流れを追って行かなければプロジェクトといえない。また、流れを持たせるようにしていくのがプロジェクト活動だといえます。

人間の頭というのは、信頼出来るようで信頼できない。記憶は、四十八時間たちますと頭の中に入った三分の二は忘れ去ります。忘れることは結構だが、妙な忘れ方をします。記憶の残り方というのは、いろいろな残り方がある。例えば、話しがここから始まってこっちへ流れる。そうすると、最初のことが思い出せないように、其中のことがなにをいっているかわからなくなってしまう。かろうじてなにかやっと、わかってくる。そうして一番最後のことがわからなくなる。大体こういう残り方が多いようです。

だから話しの上手な人、いつまでも印象に残して行くような話しをする場合には、最初の話しの導入と、最後のけじめのところに力を入れてやればよいのです。こういう人が多いようです。話しの進め方にも一つの作戦が必要です。

いずれにしても人間の頭の記憶は三分の二がなくなってしまう。また耳にしても、なんでも聞えるようでそうでない。自分で聞こうとするもの以外は聞こえない。精神的に整理して聞き分けるわけです。ですから頭の中に残る記憶は大事なものを残すことがたいせつです。と同時に忘れてしまっている、気がつかないでいるものが多いのです。そこで、記録が大事だということになります。

記録を読んでいると、その当時の印象が蘇えってくるばかりでなく、その当時の記録が重なって行くことによって、一コマ一コマでは問題はないが、そのコマがつながってくると一つの問題が出て来る。経営上の改善とか生活上の合理化などは、毎日毎日がばらばらであると問題ないが、これがつながっていって初めて問題になる。そういう意味からいっても記録は非常に大事です。

記録だけではプロジェクト活動にならないが、しかし、記録から入るということはかなりある。むしろ、ここから入った方がよいようです。プロジェクトというのは、こういう流れをいうんだと、こういうように考えていただきたいと思います。

プロジェクトというのは、こういう流れを持った動詞、動き方、取り組み方——。ことばを変えれば生活態度、そういうものです。極端のことをいえば、4Hクラブに入っている娘さんから、農家へ嫁さんに行くんだというような話しをしばしば聞くが、私たちは、そうは考えません。むしろ、4Hクラブ活動の中でプロジェクトをやって、ものごとを正しく判断し、正しく処理をしていく、生活のルールというものを身につけて行くならば、その娘さんが、よしんばサラリーマンの家庭に嫁いでも、商人の家に行っても、その家の問題に対しての望み方がチャンと出来ているということです。

ただ農業と商業の違いがあるだけですから。だがプロジェクトというのはたいへん身近な問題を扱うために、4Hで扱うテーマはたしかに、農村の問題であり、農業、あるいは農家の生活の問題であります。ですけれど、プロジェクトの最終のねらいは、いかなる生活条件の中でも、正しく問題を把握し、それを解明して行く、問題解決の態度が身に備って行くということが最終的な目標であります。

ですから4Hの活動の中でプロジェクトをしっかりやった人は、よしんば都市計画法で農業が出来なくなってしまって、転職しなければならない場合でも、あわてず、あせらず、他産業でも立派に成功する青年になるでしょう。

現在、農業経営が順調であっても、五年先にはどうなるかわからない。どうなるかわからないから、今なにもしないのではなくて、どうなろうと、そのときに正しい判断をくだせるような生活態度が、今訓練されていく、身体につけられていくということ、それがプロジェクトの目標であります。

自分の到達させようとする目標を明確にして行くことば、なみたいていのことではない。漠然とした問題意識だけしかないのですから、それをはっきりさせるためには、日常の活動の中で一番単的な方法はほかを見てくるということです。そうすると潜在意識、つまり、自分ではわからなかった問題が見つかる。それによって目標が明確になって来ることでしょう。

そういう方法でプロジェクトが展開されて行けばいいわけです。

（栃木県・専門技術員、湯浅甲子氏の講義から）

私たちの考案したアルプス式ティータイムボックス

長野県松本市今井
今井アルプス4Hクラブ　上条昭子　藤沢麗子

憩いのティータイムを

地域とクラブのあらまし

私たちの4Hクラブは、長野県の中央、北アルプスの玄関口、松本市にあります。クラブは昭和二十六年に発足し二十年になります。クラブ員の最高年齢は、二十一才と決められており、現在、男子十二名、女子八名で、デッカイ村づくりを基本テーマにして、プロジェクト活動を展開しています。

地域の状況は、標高七百㍍、年平均気温一一・八度（摂氏）、総耕地面積七六〇㌶（うち、水田二〇〇㌶、果樹園三〇〇㌶、普通畑二六〇㌶）、農家戸数六百十五戸、一戸当たり平均耕作面積一・二㌶の準高冷地で、畑作を中心とする純農村地帯です。

畑作の主なものは、ぶどう、りんごなどの果樹が多く、普通畑は全国一の加工トマトの産地として知られ、最近は、プリンスメロン、ピーマン、長いもなどが注目されはじめてきました。

動機と目的

私たちが毎日汗を流す農作業の中で、お茶のひとときは、絶対欠かすことのできないものです。とくに長野県は冷涼で、乾燥する気象条件にあり、生理的にもお茶の要求度が高く、お茶の消費量は全国でもトップクラスです。

農業の近代化が急テンポで進む中で、私たちは、忘れられているものが一つあることに気がつきました。それは、小さなことですが毎日の激しい労働の中で、なおざりにされ、押し潰されそうになっている。「お茶のひととき」であります。

私たちは、このお茶の時間をもっと大切に、そして衛生的で、すばらしく楽しいものにしたいと思いました。しかし、広大な畑に自家用車で農作業に行くとき、いつも不便に思うのは、ポットをいかに安全に持ち運ぶかということです。

もう一つは、畑のすみや道ばたでお茶を飲むとき、座る席をどう作るか、これも農村女性にとって大きな悩みであり、負担でもあります。

そこで地域の人たちからアンケートをとったところ、多くの家でたいへん不便を感じていることがわかりました。私たちは、この問題をなんとか解決したいと考え、これを研究課題として取り組みました。

女性の悩みを解決
ポット入れと茶台を兼用

工夫した点

そこで便利で衛生的でポットの安全性を考えた「ティータイムボックス」をつくることにし、次のような工夫をこらしました。

①茶台と安全なポット入れを一つのものにした
②四角のボックスを展開すると一枚の茶台になるようにした
③茶台の足を安定性のあるようにし、それがボックスの底とふたになるようにした
④湯のみ茶わんをセットし、その茶わん台により箱の四角を保つようにした
⑤マジックテープにより、ボックスが開かないための工夫をした
⑥エアーキャップやスポンジなどの材料を使い、ショックなどからの安全確保と断熱効果をねらった
⑦台ふきとビニールシートにより、衛生的な工夫をした
⑧持ち運びが簡単に出来るようにした
⑨自動栓付ポットの場合の湯こぼれ防止を考えた
⑩ボックスにスケールをセットした

このボックスの材料および所要経費、構造の見とり図は別表（図）のとおりです。

材料及び所要経費

材料	数量		経費
板（厚さ15mm）	18cm ×50cm	3枚	
〃	19.5cm×50cm	1枚	280円
〃	18cm ×18cm	2枚	
2cm角の木材	長さ 12cm	4枚	
チョーガイ		6コ	240円
スイジ用スポンジ		3コ	60円
エアーキャップ	36cm ×72cm	2枚	
トタン	17cm ×17cm	1枚	
〃	17cm ×4cm	2枚	
ハッポースチロール	17cm ×17cm	1枚	
マジックテープ			35円
ボンドのり			
くぎ その他			
合計			615円

※作成所要時間　3時間00分

ボックスの作り方

①幅一九・五㌢の板を片はしにくるように四枚の板をチョーツガイで止める
②一八㌢の四角の板を対角線に切り、四枚の三角の板を作り、安定のよいように三角の部分を同じ長さに切り落す（もう一方も同じ）
③八枚の三角の先端を切り落した板を足になるように釘を打ちつける
④底になる方の足の下へ補強のため角材を打ちつける
⑤エアーキャップを箱の内側にはりつける
⑥スポンジを張りつける
⑦トタンを曲げて（1）と（3）の板にとりつける
⑧とりつけたみぞに合わせて両端を曲げ、茶わんがのるようにする
⑨トタンの上に、しきりと茶わん止めをつけた発泡スチロールを張りつける
⑩底になる部分の補強のために釘を打ち、台ふきとよごれ防止のビニールをゴムで止める
⑪タクロンバンドをつけてボックスをさげるようにする——以上の行程で出来上りです。

テイータイムボックスの見とり図

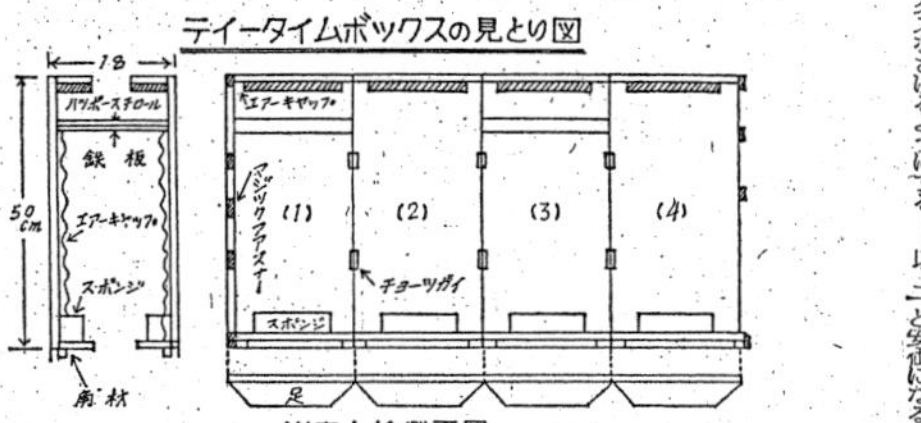

出来上り側面図

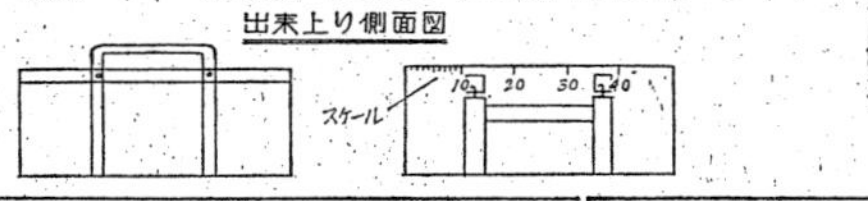

問題点

①ボックスが少々重くなり、大きくなる（ボックス＋ポット＋湯＝五㌔となり、大きさは一八㌢×一八㌢×五十㌢の立方体）です。

しかし、この大きさと重さは、アルプス式ティータイムボックスの数々の利点を考えると、この欠点をカバーするのに十分です。

②持ち運び方法は、たてに持つべきか、よこに持つべきか（安全性と持ち運びの難易）については、たてに持つと長くなり、身長百五五㌢位の人で、ひざ下四五㌢以上ある人でないと持てなくなり、安全性を欠いてくる。

確かによこにすることは、ポットの形態から不自然さと安全性に疑問を生ずるが、よこ持ちで使用してみて別に問題はありません。

③耐用年数や製作費、普及性については、使用をはじめて半年であるが、今までの実績から十分耐用するものと思われるし、一台六百円~七百円の値段は妥当であり、今後、大量生産すれば、もっと安価になると思います。

普及性は十分あります。また、私たちはこのティータイムボックスを活用して、もっと充実した楽しいお茶の時間にしようとする力次第で普及性は十分出てくるはずであり、現に地域の人たちから大きな反響を呼んでおります。

まとめ

最初のアンケートで茶台は、ありあわせのもので間に合うので必要ない——という声があったにもかかわらず、このティータイムボックスを作り、実際に地域の人たちに使用していただいたアンケートの結果、ポット入れと茶台が兼用できる点がたいへん便利で、これにより自動車でのポットの持ち運びが安全となり、今までのように土の上やボロむしろや草の上でのお茶と違って、衛生的でグッドいかすデラックスな楽しい憩いのティータイムを持つことが出来るようになりました。

このような便利さから地域の人たちからも、ぜひ一つ作りたいと好評をうけています。この小さな私たちの行ないが、デッカイ村づくりにつながると、私たちは信じています。

今年は、私たちの4Hクラブも二十周年を迎えます。これを機会に各農家へ、このアルプス式ティータイムボックスを一つ備えてもらい、楽しいお茶のひとときで、楽しい農作業を実現するため努力を続けたいと思います。私たちが作ったものは、ほんとうにささやかなアイデアから生れたものですが、今後も自分たちの生活をとりまく環境を一つずつ改善して、楽しい明るい農村を築くための努力を重ねていきたいと思います。

アルプス式のティータイムボックスの作り方を発表する上条さん、藤沢さん（第10回技術交換大会で）

野ら用座布団

野ら用の座ぶとんは図のようなものですが、材料は、ビニール袋、あさ袋、マジックテープ、糸を使用します。

作り方

①切りとったビニール袋をぬい合わせ、同じ大きさの物を二枚作る
②あさ袋をぬい合わせる
③マジックテープをつける

特長

①簡単にできる
②あさ袋をビニールの中に入れたので、座ったとき冷たくない
③マジックテープをつけたことにより、二つをいっしょにでき、持ち運びに便利
④いろいろの使いみちがある（例えば自動車のシート）など

創意工夫

苺の省力栽培
大和郡山市4Hクラブの村井君たち

研究者　奈良県大和郡山市4Hクラブの村井石功、前川治弘、仲島信司

私はまず第一に、苗床のところにレンザーをうった。それは夏の暑いとき草引きをしなくてもよいためである。第二は、移植後、一坪当たり一㌘のダイミットを散布、第三に、定植後は反当たり二百㌘のダイミットを散布した。

第一の場合、レンザーをうったところはランナーの延びが悪く、液肥二百倍を数回施した。第二の場合、ダイミットを散布したが、ちょっと遅れると利き目がうすい。また、イネ科など先のとがった草によく利くが、葉が丸いどものはほとんど利かない。この後作の麦は、よく芽がでている。第三の場合、散布が遅く、一見草は元気よくみえたが、引くと簡単であった。反当たりの量は確実に守らなければならないが、これからもどしどし薬を作って栽培の省力化をしようと思う。

（大和郡山市4Hクラブ発行機関誌『ともだち』第四号より）

カーネーション栽培に自営の夢

福岡県大川市上白垣
大川4Hクラブ　池末安禧

私が花卉栽培を取り入れた動機は、高校卒業後自営者として農村に残るには従来のような米麦中心の農業ではだめだ。どうせやるなら、自分の土地にないものを生産してみようと考えたのが、カーネーションの栽培でした。

一年間は研修生として学び、栽培技術の修得に努めました。

計画は、三百平方㍍の温室を新設し、五月末の定植から十月中旬の最終摘心、十一月中旬の出荷をはじめ、最盛期を二月の最高価格と定め、百万円の近代化資金と、父から五十万円の借入金、百五十万円で配管設備を持ったガラス温室を建設しました。

最初の年は、暖冬異変でありましたが、一年目から花市場の株を持つことによって一本当り十三円平均で出荷することができました。

反省としては、病気が発生したために葉がいたみ、消毒の徹底を図ることと、茎が細すぎたので施肥の研究をしたいと思います。

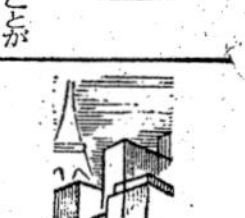

NHK農事番組（10月11日~20日）

テレビ

明るい農村　6・30~6・55総合
12日　村の記録　汚染米その後（富山県黒部市）
13日　きょうの話題　農村医科大学構想をめぐって（全国農村医学会々長）若月俊一
14日　産物往来　はまち
15日　話題の広場　家畜公害追放（神奈川県工業試験場）　アイデア農民（東京都江戸川区）伊藤仁太郎
16日　村をむすぶ　フィルム・リレー
17日　農村新地図　北海道白老町（評論家）半松敏雄
19日　村の記録　天かける花づくり（福岡県古賀町）安部辰己
24日　きょうの話題　農村工業化（通産省立地指導課長）小長隆一

農業教室　7・30~8・00　教育
12~14日　南日本の畑作の課題
15~17日　北日本の畑作の課題
19~20日　これからの農業と農協

あすの村づくり
日　7・00~8・00　教育
再　土　13・00~14・00　教育
11日　▽グループだより＝玉東農業後継者クラブ（熊本県玉名郡玉東町）　▽みかんにかける青春（静岡県農産園芸課）岩田文男　▽ある青年像（山梨県甲府市西下条）伊藤達
18日　▽減反稲作を現地に聞く（栃木県大田原市）

ラジオ

早起き鳥　5・05~6・00　①
11日　すすむ農村工業化計画（農林省農政局長）池田俊也
12日　現地報告　鉱害にゆれる村（秋田県比内町）
13日　人と話題　草地試験場への期待（農林省草地試験場）
14日　通信員の手帳から
15日　人と話題　塩から質への稲もみ産地（富山県庄川町・種もみ生産組合長）西岡外二
16日　現地報告　野菜にも商社進出（福岡県石川町）

農業簿記

京都大学名誉教授
大槻正男

〈拡張計算〉

生産部門計算諸表
採卵養鶏部門計算諸表及びに鶏卵生産費算出表

この項では、養鶏の中でも最も一般的である採卵養鶏部門の部門計算の様式を説明する。育雛または肥育養鶏部門にも、粗生産計算表の主・副産物名をかえることによって、ほぼ同一様式を適用することができる。

後掲の計算において、採卵養鶏を独立した部門とみるときには、その技術的な生産主体であるところの家鶏は、鶏卵生産のための流動供用財である。

しかしながら、年々家鶏の更新のために行なわれるひなの育成は、採卵養鶏一環として行なうのが普通である関係上、家鶏の年度末増減変化を結果財の増加とみなし採卵養鶏粗生産価額の中に加え、他方、ひな調達費は所得的失費の中に加算する方法を採っている。

したがって、鶏卵生産費算出においては、その年度内に飼育羽数が著しく増加した場合には、採卵養鶏と育雛養鶏とに分離して計算する方法をとらなければならない。逆に飼育羽数が激減した場合には、年度末減少額を採卵養鶏費用の一種目として費用中に加算するのを適当とするであろう。

採卵養鶏粗生産計算表

採卵養鶏粗生産＝採卵養鶏粗収益
＝採卵養鶏粗所得＋他部門への仕向け
＝（所得的収入＋家計仕向け＋年度末増加）＋経営内部仕向け

「家鶏年度末増加額」の行には、財産台帳「小動物」欄から年度末増減額を拾い出し、増加した場合は（＋）、減少した場合は（ー）の符号をつけて記入するのである。

採卵養鶏費用計算表

採卵養鶏費用＝採卵養鶏経営費＋内給生産要素費
＝（採卵養鶏所得的失費＋経営内部仕受け）＋内給生産要素費

採卵養鶏所得・採卵養鶏純収益および採卵養鶏企業利潤算出表

採卵養鶏所得＝採卵養鶏粗所得ー採卵養鶏所得的失費
採卵養鶏純収益＝採卵養鶏粗収益ー採卵養鶏経営費
＝採卵養鶏生産価額ー採卵養鶏経営費
採卵養鶏企業利潤＝採卵養鶏生産価額ー採卵養鶏費用価額

鶏卵生産費算出表

鶏卵生産費＝鶏卵負担費用価額÷鶏卵生産数量
＝（費用価額ー副産物価額）÷鶏卵生産数量

採卵養鶏家族労働力純収益算出表

採卵養鶏家族労働力純収益＝採卵養鶏生産価額ー採卵養鶏家族労働力経営費
＝採卵養鶏生産価額ー（採卵養鶏経営費＋所有地手取り地代＋所有資本利子）

採卵養鶏家族労働純収益算出表

採卵養鶏家族労働純収益（1日当り）＝採卵養鶏家族労働純収益÷採卵養鶏家族労働日数（能力換算）

わたしの抱負

スクーリングに出席して

知識プラス実行力を　一度離れて農業を見なおせ

福岡県・八女西部広川4Hクラブ　藤島儀雄

「現在、農業は経営期に来ている」と、農業を行なっている同志は、心のどこかに思い、不安とあせりを感じているであろう。私も例外でなく、その一人なのです。ところが、これらの問題をどんなふうに処理し行動するかが、困難なのです。一般に農業者は、努力・実行及び自分自身の勉強が欠けているようです。自分では知っているつもりでも、実際はほんの少ししか知らないのです。それでいて、自己満足している人が多いようです。私もその一人だったような気がするのです。

そこで私は、通信教育という一つの方法を見つけ、問題の解明に役立てようと思ったのです。そして、この夏、七月二十日から八月二十九日までの四十二日間、東京で行なわれたスクーリングに、出席する機会を得たのです。そこには、全国の若者が仕事を持ち、いろんな考えを持って集っていました。私はこの中での意見の交換に期待していました。そこで、知らなかったサラリーマンのつらさや、事業員の苦労と、今までそんなに感じていなかったところの問題までも、知ることが出来ました。その中には、農業というものを全く知らない人もありました。

しかし、サラリーマンの中に、あるいは他産業従事者の中に、農業に興味を持ち、意欲を燃している人があるということも知りました。おそらく彼らは、今までの農業を知り、自分自身で身につけた他の知識を持ち、実行力を持って、今までにない農業をやり始めるでしょう。しかし、みんなは、あんなことをやっても、きっと成功するはずがないと嘲笑するかもしれません。ところが、みんなは、彼らのやり方に、驚嘆してしまうのではないでしょうか。

戦国時代の戦いは、刀や槍などの一対一の決戦にすぎませんでした。ところが、鉄砲や大砲などが現われてくれば、当然、設備や道具も変わるはずです。そしてまた、武士も今までのように、名門だの力があるからと威厳を現わしていても、だめになってしまうのです、たとえば豊臣秀吉は、水呑み百姓の子として生れ、武士としてはふさわしくないように見えました。秀吉は、至るところで多数の人と出会い、彼自身の武士という形を創り、みんなからは笑われ、軽蔑されながらも、立派な武士として、大将として、日本を統一したのです。

私は現在の農業は戦国時代であると思っています。農業の道具も機械化へと変化しつつあります。また、これに対する体制も変りつつあります。ここで最も必要なのは、これに適応出来るだけの知識と実行力を持った人間が、必要なのではないだろうかと感じます。そこで私は思ったのです。本当に農業を愛するならば、結婚相手でも選ぶ時のように、一度遠く離れて客観的に見て、よいところ、悪いところを知り、それによって判断をくだすべきではないでしょうか。

そうすることが、農業をますます好きになる一つの方法だとも思います。もし、一方からのみの見方だったら、悪い面がたびたび出たら、それでくじけてしまうかもしれません。しかし事前に知っていれば、前もってそれにそなえるだけの準備をするはずです。私は、今日このことが欠けていたことを、つくづく反省しています。そこで思ったのですが、いろいろなことが入って来ても、あふれこぼれないような、器になることが必要ではないでしょうか。

私は、この四十二日間の東京生活により、今まで全く知らなかった都会というものも、いくらかわかるようになりました。そして、農業に対する疑問や不安が、ますます多くなりました。このことは、私が今日まで勉強不足であったためだと思っています。今後は、もっともっと勉強に励み、農業のすばらしさを求めて行きたいと思います。また、自分自身の仕事にくぎりがつき、自分のやって来た行動がはっきりわかってきました。それは、あまりにも無計画で、実行力がなく、知識が不足していたということです。今後は、行動を計画的に、実行力を培ってゆきたいと思います。

このことが、私が学んだ最大のものだと思います。公務員も自衛隊員も、事務員も、労働者も、みんないろいろと悩んでいます。その中で、悩みを解決してくれるのは、賢い人でも、友達でも、両親でもないと思うのです。それは、自分自身にほかならないのではないでしょうか。もし、人間にこのことがなかったら、ロボットと同じだと思うのです。

君らが、本当に農業をやり通そうとするならば、農業というわくに固まらず、大いに外部からの刺激を受入れようではないですか。同志よ、大いに旅をしよう。そうして、その中で、自分を見つめよう。そうすることが、一番勉強になるのではないかと、私は思います。進め！若者よ！わが同志よ！そして、今までにない農業をかたち作って行こうではありませんか。

青春と仲間

そのものの役目を最後まで認めたい

――神奈川・青空クラブ　Y・K――

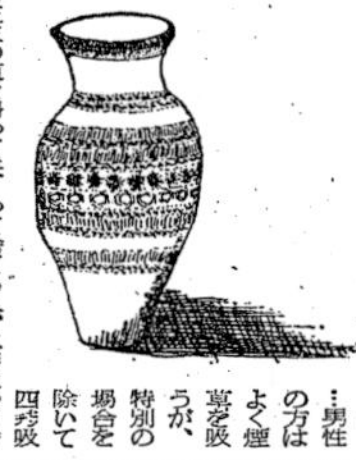

○…体育の時間は、決って教室の横にある非常階段を下り、いつのまにか道になってしまった芝生を、ふざけながら体育館に向かい、そして運動が終るとまた同じ芝生の道を帰って来る。そんなある日、ふと横に目をやると、小さな椿がきれいな花を咲かせていた。それに比べて、足元の芝生は何と哀れな姿をしているのだろう。ただ、近道という理由から、私たちは小さな命を奪ってしまっていたのである。

何気ない自分の行動が、他人にとって迷惑になっていることも、多くあるのではないだろうか。この芝生だって、私たちのやさしい心づかいがあったなら、新入生の来る四月には、去年と同じように緑のやすらぎをあたえてくれるのに……。こんなことがあってから、花、そして一つの物に対して、一個の命を強く感じるようになった。

○…男性の方はよく煙草を吸うが、特別の場合を除いて四cm吸って捨てる人、二cm吸って捨てる人、いろいろあると思う。私の弟も全部吸うのはナンセンスとかいって半分も吸ったか吸わぬうちに捨ててしまうのである。

その点、父の場合は違って、きせるに詰めて最後まで吸う。父は古いしつけで育てられたから、もったいないという観念もあると思うが、私はこの問題を、もったいないという観念ではなく、そのものの役目を最後まで認めてあげると、というふうに考えたい。

（神奈川県青空クラブ発行『六周年の歩み』所収「思うこと」より）

生産費調査など目指す複合経営

都市近郊の有利さ

北海道・旭川市スリーAクラブ　高木桂一

1、私たちのクラブ活動の概要

クラブ結成の動機　昭和三十八年ごろから、地域青年の離農が激しくなり動揺が起きたので、農業に意欲をもつ青少年がプロジェクト学習を中心とした組織を再編成した。

ナスの共同プロジェクトも

結成年月日　昭和二十七年四月農村クラブとして誕生、四十一年十二月、スリーAクラブに改編。

現在の会員　男子十六名、二十歳以上十二名、二十歳未満四名。

主な活動　❶プロジェクトとして、地域意識調査、労働調査、生産費調査、ナスの共同プロジェクト、四班にわけてそれぞれ目標をもつ❷行事として、共同学習に放送を利用、ラジオ、テレビを視聴、田植作業による資金作り、親睦の花見など。

2、課題と取組んだ動機

地域農業の現状分析を行なってクラブ員の農業経営の方向づけを考えるため、プロジェクト特に共同プロジェクトの必要性を、痛感させられました。このため学習手段として、放送利用学習を取上げ、四十二年はラジオ農業学校、四十三年には新たに共同視聴学習を行ないました。

3、本年度の活動を省りみて

❶放送利用学習を取入れて、一般教養に重点をおきながら、四十四年に共同プロジェクトとして取上げたナスの栽培をはじめ、蔬菜栽培の学習も行なって、より以上の効果が上りました。

❷クラブ員の相互の親睦、研修の理解など、年少者と年長者の差をなくするため、プロジェクトでは、年少者を各研究班の班長として、年長者はそれを援助するかたちをとりました。また、放送を利用することにより、年少者の意欲もたかまっています。

このように、クラブ員全員の意思疎通が図られ、地域農業に新しいいぶきを生じています。これからも、さらに水田単作地帯の中に労働配分を考えた蔬菜園芸を盛上げ、主産地化を推進するため、共同学習のほか、府県研修（昨年冬期間二、三名のクラブ員が参加）し、都市近郊地域の有利性を生かした複合経営をすすめます。

4、将来の農業

私たちが、今後、自立農業経営を目指すには、現在の農業情勢を考えあわせ、稲作経営の省力化と品質の向上をはかるため、技術体系を早急に整備し、生産を安定させる必要があります。

施設園芸を大幅に導入して

また、当地域は、経営の安定に必要な規模拡大は非常に困難で、複合経営が中心と考えられます。

すなわち、輸送園芸都市・消費都市として発展してきた旭川市の利点を生かし、野菜類を中心とした施設園芸を大きく導入していきたいと考えます。それには、今後、4Hクラブ活動を柱として、野菜プロジェクトを推進し、共同研究から共同生産・共同出荷体制などを早急に整備し、ひいては一大生産団地を形成、経済高度成長下において、自由競争に太刀打ちできる真の自立経営・企業経営を目標に、研究心を忘れず、計画を一歩一歩実現させていきたいと考えています。

自分の意見をもて

「仲間」というよい言葉

静岡県浜西4Hクラブ　鈴木良吉

自分には、いろいろな友達がいる。山登りが好きな奴、カメラが好きな奴、女友達とつき合いの多い奴、仕事を一生懸命やっている奴、そして彼らは、それぞれ自分を得意になって話す。自分には、人前で得意になって話せることがあるだろうか？　考えてみたい。

つぶれかけてガタガタになったサークルを、最初は役員になったからと、しかたなしにやっていたが、どうせやるからにはやりがいのあるサークルにと、自分自身の精一杯を打込み、まだ満足とは言えないけれど、盛上げることができた。

一番恐れていること、それは、このサークルがつぶれてしまうこと。何のために仕事を犠牲にしていろいろ考え、何のために一年間やってきたのか、わからないからである。先頭に立ってやっていた時はもちろんのこと、今でもわからない人とか、不満を持っている人に対しては、トコトン話し合い、自分たちの考えをわかってもらいたいと思っている。

自分の好きな言葉〝仲間〟何とよい響きを持った言葉だろう。友達という言葉以上に、もっと強いつながりのあるサークルについての自分の理想、何でも話し合える仲間を作ること、友達なんだというより、「自分達は仲間なんだ」そんな感情を一人でも持ってくれるようにと、一生懸命やった。

人前で話せるところまではいかないけれど、今の自分には、それくらいしかないみたいだ。サークル活動をしていろいろなことを学んだけれど、自分の意見を持つことが大切であると思う。今の若い人には、自分の意見を持たない人が多いのではないだろうか。たとえ持っていても、「そう思う」であって、実際に行動しない人が何と多いことか。

今の自分には、どんな生き方がよくて、どれが悪いかはわからないけれど、日頃、自分の心がけていること「今しかできないこと」を「今やらなくては」、そして、「それは何か」を考え、実行に移すようにしている。

（静岡県・農村青年クラブ連絡協議会『緑の仲間』第二号「今思う事」より）

最近読んだことから

大和郡山4Hクラブ　前川治弘

最近の雑誌を読むと、ものすごくおもしろいことが書いてあった。それは、どういうことかというと、八郎潟の干拓をしているところの話である。その周辺では、一戸当りの耕地面積は、平均十アールである。その中に、新聞などによく書かれている横山グループというのがある。雑誌にもちょっと書いていて、今年はじめて十アールの田圃を夫婦で作り、ちょうど八百俵取って十アール八俵の割合。

そして、一番取らなかったのは十アールで二百俵、これは農林省の指導を受けた人たちである。飛行機で種子をまいて、草丈が高いため負けたのである。それで、十アール八俵と二俵との差が出たわけである。去年と今年と来年（一九七〇年）と、三年間の据え置きの後、年賦償還になっている。つまり、トラクター、コンバイン、そのほか農業に要する機械に対して、この八郎潟では、年二百五十万円ずつ償還するわけである。

二百俵しか取らないと、今の米価が維持されたにしても百六十万円。二百五十万円の償還に、粗収入が百六十万円では赤字となることが当然であろう。これは、今後の大型農業だという打診モデルみたいな好例だろうと、だいたいこうしたことが記載されてあった。

農林省は、どう思ってこういうことをやっているのかわれわれの頭にはぴんとこない。

農林省でも普及所でも、このことはいえると思う。ただ省力化といいすぎると思う。これらの人たちは、机の上だけのことをいっているのであって、実際には、とても思いどおりにいかないのが普通である。もう少し、現実に合うようなことを期待している。（奈良県大和郡山4Hクラブ発行「ともだち」第四号より）

農村雑感

新しい農民組織

折原俊二郎

「野菜の値段が日に日に高くなっているため、家計費の支出が増し、生活が非常に苦しくなってきた。いったい農民は何を考えているのかとよくいわれるが、その批判に値するほど農民はもうけているのだろうか、また、消費者の生活を何も考えず、ただ農産物の値段を一方的につりあげているといえるだろうか。最近、新聞その他で都会の人人の声、しかも、にくしみを含んだ声を聞くと、僕自身が攻められているように思えてならない。

農民は生産者だが、消費者がなければ生産者としての役割は果し得ないと考えているのに、こうした生産者と消費者をつなぐパイプが、すっかりつまってしまったのが現在の状態であると思っている。確かに流通機構の未発達、生産計画の組織化の欠陥など、多くの不備な面はみられるが、その不備はどこにあるのか。その不備の面を探し出して改善していくのは誰なのか。

農協はこうした面にタッチして、その打解の道を探し出す、そうした熱意と力を発揮してもらいたいと思うが、それさえやってくれない。農民の組織から成りたっている農協であるとすれば、この面、すなわち、需要と供給のバランスをとるための強力な指導性を打ち出してもらいたい。そうしてもらえば、農協は本当にわれわれのものであると思うのだが……」と、四国のH君が口角泡を飛ばして、私に語りかけたのは昨年の秋、丁度、今から一年位前である。

この青年と今年の三月再び会う機会があったので、その折、丁度よい機会だと思い、この問題をどう解決したかと問いかけたところ、

「農協に対する不満が大きかったので、いろいろ勉強してみたところ、農協それ自体は、需給調整機能を発揮するために、強制力をもって当る。すなわち、農協参加の農民を一つの方向に指向させるため、強制することは出来ないように、しばられていることがわかってきた。しかし、本当に農民側の立場にあるならば、しばられている農協の在り方を改めていくべきであって、いつも制度がどうの、こうのといっているわけにはいかないと思う。

しかし、よく考えてみると、われわれ農民は価格政策という点で政府の保護を受けすぎている。そのため、政府というフィルターを通して消費者を見、まった考えてきたともいえる。そうした意味からいって、本当の生産者としての農民ではなかったと反省している。

農協の在り方については、現実に即した方向に改めていくべきであろうが、他面、農民一人一人が自覚し、まとまり、結集していく、そうした農民組織が生れてこない限り、農協の在り方も改善されないし、生産者と消費者とを繋ぐパイプもうまく繋がらないと思う。これから本格的に農民組織をつくっていこうと思う。青年であるわれわれがやらなければ誰にも出来ないと思う。しかし、農民組織というと、農産物価格の引きあげ、農業に対する補助金獲得を行なう一種の圧力団体と思われがちであるが、そうした意味の農民組織をつくるものではない。農民の本当の姿、真の生産者として結集していく組織をつくりたい。しかし、どの位の賛成者が得られるか、そうした疑問はあるが、やってみないとわからない。じっくり話しあえば、必ずわかってもらえると思うが」といっていた。

あれから半年、郷里で農業にとり組んでいる彼からは何の便りもない。しかし、彼の実行力からみて、いつか必ず実現させてくれるものと思う。本当の農民組織が一地方から発生し、やがて全国段階にまで広がる日のことを、長い目でみようと思うし、その実現に大きな期待をかけているのだが。

（農林省・農業者大学校）

生活もの知りコーナー

◆さつまいもの栄養

さつまいもといえば、でんぷん質だけで、他に大して栄養がないように思われがちですが、実はビタミン類を豊富に含んでいます。中でもビタミンCは、百グラム中三十ミリグラム内外も含み、これは、一日の必要量六十五ミリグラムの約半分にあたります。

しかも、普通の食品に含まれているビタミンCは、熱にあうと約半分は破壊されてしまいますが、さつまいもの場合は、蒸ても七〇%から八〇%残り、油いための場合は、九三%も残ります。また、ビタミンB_1、B_2もかなり多く含み、適当な大きさに切り、七分間熱を加えて食べられるように調理したときでも、八七%残ります。

ただ、脂肪やたんぱく質がわずかしか含まれていませんので、これを補う意味でバターなどをつけて食べると、こどものためにもよいおやつになります。なお、アルカリ性食品ですから、主食を減らして、この分だけさつまいもを食べれば、主食の酸度を中和する働きもあって、一石二鳥の効果があります。それから、さつまいもは、皮をむかず丸のまま煮たり焼いたりするほうが、ビタミンの損失が少なくてすみます。

クラブ紹介

集いを契機に結成

鳥取県青谷町農村青年会議

われわれの青谷町農村青年会議は、現在、クラブ員が約二十九名男性ばかりのクラブです。われわれは、四十三年度、奈良県下で行なわれた、第四回全国4Hクラブ員のつどいをきっかけにして、集まったクラブ員で組織しているのです。

特にクラブに対して、クラブ員同士が責任をもつような方針を、強力に押し進めてきた結果、現在に至っています。去年から今年にかけての主な事業の中に、さといも栽培を行なっていますが、さといも栽培の間の作業と管理を、各クラブ員全員のクラブに対する責任感の増進と、仲間づくりの推進を、青谷町農村青年会議の一本の柱として活動を行なっています。

また、われわれのクラブでは、プロジェクトが主に梨に集中しており、プロジェクト活動自体は割合に活発で、技術的な交換は、他の地区に比べて多いと思われます。

（鳥取県「県連会報」第十三号より）

観光農業を考える

鳥取県江府町農村青年会議

雄大な大山の南壁を毎日眺めながら、農業と取組んでいるわれわれは、現在二十六名のクラブ員から構成されています。活動内容を紹介しますと、毎月の定例会、他町村との交換会、郡内視察、県外研修旅行、勉強会などを行なっています。

和牛団地日本一を誇る江府町においても、最近の伸び悩みのため水稲プラス和牛の形態から、脱皮していかなければならない時期に来ています。その先頭に立って、精力的に農業と取組み、新しい町づくりを行なうために、クラブ員一同、毎日努力しております。

プロジェクトも、どしどし盛込んで、いままで考えてもみなかったものと取組み、未知への挑戦が始められています。最近、裏大山の観光がクローズ・アップされて来ていますが、これを利用しての観光農業の方向も考えています。

（鳥取県「県連会報」第十三号より）

日本4H新聞
4Hクラブ 農事研究会 生活改善クラブ
全国弘報紙
発行所 社団法人 日本4H協会
東京都市ケ谷家の光会館内
電話(269)1675郵便番号162
編集発行人 玉井光
月3回・4の日発行
定価 1部 20円
一ヵ年700円（送料共）
振替口座東京 12055番

クラブ綱領

私達は、実践を通じて自らを磨くとともに、互いに力を合わせて、よりよい農村、よりよい日本を創るため、四つの信条をかかげます。一、私達は農業の改良と生活の改善に役立つ腕をみがきます。一、私達は科学的に物を考えることのできる頭の訓練をします。一、私達は誠実で友情に富む心をつちかいます。一、私達は楽しく暮し元気で働くための健康を増進します。

県連とのパイプ太く
全協、オルグの成果
会館建設へ意欲的
だが円滑欠く事務連絡

全国4Hクラブ連絡協議会（会長、久野知英君）は、さきに中四国、近畿、九州方面へのオルグ活動（役員派遣）を実施したが、このほどその報告をまとめた。それによると、全般的にみて①前年度から今年度役員への事務引き継ぎが確実に処理されていない②上部組織から下部組織への連絡が円滑に行なわれていない③全協の意思が十分に理解されていない―などの点が指摘されている。しかし、このオルグを通じて、相互理解が出来、県連と全協の間のパイプが太くなったことを強調している。

影響大きい県担当者の発言

今回のオルグは、全協の四十五年度の活動方針と事業計画、4H会館建設の募金、全国4Hクラブ員のつどいへの参加、沖縄親善交歓訪問、来春東京で開かれる全国青年農業者会議などについての説明と協力要請を行なうために実施したものである。執行部が二手に分かれて、近畿、中国地方は久野会長と黒沢健一副会長、四国地方は坂井邦夫副会長と松浦幸治事務局長がそれぞれ巡回訪問、県連役員と話合い、各事業について協力を求めた。

しかし、京都、岡山、香川各府県のように担当者とだけ話合ったにとどまったことや、その他の府県でも担当者が出席し発言していることなどから、このレポートの中には担当者の意向が強く影響していることは否定できない。また、これは現実の問題として、各県連の組織活動において担当者の占める位置が大きいことを物語っているともいえる。

各府県連で話合った諸事業のうち、とくに4H会館建設の募金についてだけをみた場合、募金活動の取り組み方が意欲的な県連と、そうでない県連があるようにみえる。しかし、意欲的でないといってもむしろ事務引継ぎがスムーズに行なわれていないために連絡が不十分で、会館建設に関しての理解度が低く、PR不足ということに原因している方が大きい。これは、事業に対する姿勢という以前に基本的な問題として、県連の組織自体について問われるべき事柄であろう。

会館建設について各県連から出された質問は、やはり距離感からくる利用度、土地の高い東京に建設する必要性、会館の使用、用途の方法、今後の見通しなどである。とくに一部担当者からは、全協のための会館に終る懸念があるとの発言もあったようだが、これに対して全協執行部は強く反発、会館は全協執行部が建てようと発案したのではなく、クラブ員の中から、クラブ員がその必要性を求めて決議したものであると訴えている。

また、ある県では、会館建設についての募金目標や方法について再検討し、募金については割りあて制で行った方がよいとの意見も述べられた。

しかし、全般的にみて、全協執行部の説明もあり協力的で、前向きの姿勢で取り組む意向をみせている。とくに、滋賀県での話合いでは、中村同県連会長が「佐賀の全国4Hクラブ員のつどいの講師・薬師寺の高田好胤さんが、金堂復興に当って、そのための資金を大企業が出そうと言ったが、全国行脚して、あくまで人間の善意と浄財で再建を図るのだと断った。われわれも、この例にならって、あくまでも自己を犠牲にしても後進のために尽すこと、すなわち、真の人間性の旧復精神の涵養を図るべきであろう」と述べているが、この発言は大いに注目されよう。

徳島県などでも、独自の方法で募金活動に努力しているので早期実現を望むという声が強く、広島県では、現在、二万六千余円が集まったので近日中に送金したいと述べ、全協執行部を感激させた。

これらの状態から、全協執行部の一部ではオルグの結論として①今年度の募金目標を各県連が自主的に作る②県連における4H会館建設推進委員の役務の徹底を図り活動を促進する③目標額（四千万円）はぜひ達成させる―など今後の方向を打出している。

いずれにしても、このオルグによって相互理解と協調のうえで大きな効果を上げ、県連と全協の間のパイプが太くなったことを強調するとともに、形だけでなく本当に密着した組織強化を図るために直接足を運んで話合う必要性を確認し合っている。

技術も女性上位
山梨県の技術交換大会開かる
青年の手で運営

【山梨県＝桐原宣連絡報道員発】山梨県4Hクラブ連絡協議会（会長、河東哲征君）は、さる九月十五、十六の両日、山梨県北巨摩郡高根町清里の町営「美しが森たかね荘」で、県下のクラブ員百五十余名の参加のもとに、今年度の農村青少年技術交換大会を開催した。

本大会は、県連の今年度活動方針の一つである「主体性の確立」という方向にそって、青年の手で企画、運営した「青年による青年のための大会」を実現した。これまで主催者だった山梨県は後援として、経済的な面と技術競技の問題提起にとどまり、他県の技術交換大会には類をみないものとして県内関係者から高く評価されている。

山梨県の技術交換大会で男女仲良くプロジェクト発表する全国大会参加員

第一日目は、全国大会参加者の報告と分散会、キャンプファイヤーであったが、全国大会の報告は末端のクラブ員の全国大会の参加意欲の向上に役立った。また分散会は、本年度初めて取入れたものであったが、日頃の農村生活、農業経営、クラブ活動に対する諸問題について、普及員さんも仲間に入れて各地区連の状況や普及員さんの青少年指導の悩みなどについて話合った。

先ほどまで落ちていた雨も上がり、いよいよキャンプファイヤーに移った。各地区連、全国大会参加者による出し物など時間を忘れて楽しんだ。キャンプファイヤーが終わると、グループタイム、女子クラブ員となごやかな交歓風景もみられ、午後十時床についた。

二日目は、朝のつどいから始まり、技術競技、講演会、閉会式が行なわれた。朝のつどいは、朝もやの立ちこめる清里高原で体操、奉仕作業などが行なわれ、八時三十分から技術競技に入った。今年度の新しい方向として、必修課目として全員でやるものと、選択課目として個人競技とで実施され、単位クラブ四〜五名で一班を編成し日ごろ磨いた腕を競い合った。

午後からは、北海道大学の狂塚秀雄助教授の「新農村建設のための意欲高揚を図るためには」と題する講演を聞いたあと質疑応答が行なわれ、クラブ員から活発な意見、質問が出された。

閉会式には、山梨県技術総室長さんも出席され、技術競技の成績を発表された。今年度の優勝は、いつも男性クラブ員の影に隠れてしまう女子クラブ「あざみの会」（塩山地区連）が優勝、今こそ女子クラブ員の底力を県下のクラブ員に知らせた。いつも、農業技術に関して女性より上位とばかり思っていた男性は、今年は女子に持っていかれたので、来年度まで研究し、良きパイオニアとして頑張ることを望まれた。

この大会を通じて感じたことは今年初めて県連が主催、県が後援になったことによる自主性の高揚である。以前から組織の主体性の確立をさけびながら、なかなか実現されなかったが、4Hクラブもはや二十二歳。もう一人歩きをしても良い年ではないだろうか。全

おことわり　本紙一面に四回にわたって連載してきた「第六回全国4Hクラブ員のつどい」における奈良・薬師寺管主、高田好胤（こういん）氏の記念講演内容は紙面の都合により二面に掲載しました。なお、同氏の講演紹介は本号で終了致します。

涼風暖風
おばあちゃんのことば

先日のA新聞家庭欄に出ていた見出しである。東京に住む主婦が、二十九年間共にくらして、この四月、七十九才で亡くなった姑のことばを思い出すままに、ノートに書きとめたという。読んだ人もいるだろう。

「年よりがきたなげにしとると若いもんが笑われる」「ゆすきは、もまずに布をふるといいよ」「何かひとつがまんせにゃいけんのなあ」「墓まいりは生きてるもんのつとめじゃ」「こがいなことしたらいけんで」「おかあちゃん、もうええんな」等々。このまま読んだのでは、広島弁まる出しで、何のことだかわからないが、前後の事情やことばの背景を読んでみると、なるほどと、しみじみしたものを感じさせられた。

さて、本欄の執筆をひきうけて丸一年、県庁にいると、とかく農村の現実からはなれて机の上の議論が多くなると自戒しているが、現地にでかけ、農家の人々に会うとつとめて、その人達のしゃべることばを、なまのままひろうようにした。そのなかで青少年の活動に関係あると考えるものを掲載してきた。

この新聞記事を読んで、わが意を得たりという気持ちと共に、人間がしゃべることばというのは、言の葉というように、千万無限に生まれ、散って行くのが、その生まれた契機、機縁というものは、実に興深いものがあり、貴重なものといわざるを得ない。だって、それは、その人の全人格の現われなんだから。

「おかあちゃん、もうええんな」ということばに、次のような説明があった。「夫の留守の夜、ビールでもぬきますかと母にいう。二人でコップ一杯ずつ飲んで、残っていると、おかあちゃん……」と聞かれる。私はもうけっこうですというと、母は残りをおいしそうに飲む。この時に限って私達は嫁でも姑でもない、二人のビール好きの女同志であった」と。

それだけに、いいかげんな、いつわりのことばは、はけないし、ことばを受けとる方もそういう聞き方、受けとり方が必要だと思った。ことばから私は多くのことを学んだ。特に、農村の古老は、物を大切にするように、ことばを大切にする。そういうことばを聞いていることは、楽しかったし面白かった。貴重なもの、光ったものが多かった。そういうことばが聞けた時は、うれしかった。

事情で、本欄と別かれるにあたり、この記事が書けることは幸せだった。いろいろありがとう。

（いばらぎ　はが）

佐賀県連の活躍ぶりに感動
民泊など高い評価
高知県連「全国のつどい」アンケート結果

【高知県＝堀見とし連絡報道員発】高知県農村青少年クラブ連絡協議会（会長、門脇慎夫君）は、さる八月二十四日から二十八日までの五日間佐賀県で開催された「第六回全国4Hクラブ員のつどい」の内容を、今後県連行事を進める上で参考とするために、同つどいに参加した十一名のクラブ員を対象に、つどいの各行事についてのアンケートを取り、このほどその結果をまとめた。それによると、開会式や現地交歓訪問、郷土芸能などについては全員が高く評価していることなどがわかった。

アンケートの質問事項と回答の内容は次のとおり（回答者十名）

一、開会式について
全員が良かったと高い点をつけている。県連旗入場などで盛り上がりがあったことをその理由としてあげている。しかし、寝不足気味になるので、開会式を翌朝にしてもらいたいなどの声もあった。

二、式典、記念講演
良かったが七名、悪かったが三名。悪かった理由としては、全国4Hクラブ連絡協議会の発足十五周年の式典における説明が単純で全協の歴史がはっきりとしなかったことや、全協の歴代会長を集めたなら式典も好評だったと思うなど指摘している（しかし、全協としては二十周年で盛大に式典を行なう考えで、今回は略式の形で行なったので、むしろ、これらの声も当然かも知れない）

奈良・薬師寺管主、高田好胤氏の講演では、われわれ青年期における、人生観の持ち方の指針を掴めた。なかなか人の心をよくつかみ、人の気持をよく見通して話すので大変良かったと高く評価している。

このほか、朗読劇でもやれば、興味がもてたように思うという声もあった。

三、パネル討議
良かった七名、悪かった三名。時間的に少ないし、問題の突込み方ももの足りないという意見があった。

四、現地交換訪問
全員が良かったと答えている。その理由としては①家庭実習は、農業や生活技術の習得以上に人間修養の面でも価値がある②現地のクラブ員、町関係者も非常に力を入れてくれた。クラブ員の活動の地域に及ぼす影響が分かり易くなった③もう一日くらい長くしてもらいたい（今回は二泊三日間）④今後のつどいの中において重要なプログラムだと思う―などである。

五、自由交歓、郷土品の交換
良かったが七名、悪かった三名で、旅館で酒などがはいり、クラブ員として自覚に欠けるものもいた、と反省をうながしている。

六、葉隠の里を訪ねて
良かったと悪かったが同数で、質問のうちでは最も点がからい。プログラムとしては良かったが説明不足によって意味のない時間が多かった、班長を地元の人にやってもらった方がよかったのではーという意見があった。その反面、現地の人のお茶のサービスはとっても嬉しかったという声があった（やはり、説明不足もさることながら、参加者の年令が低く、歴史的な名所、旧跡に興味を示す人と、そうでない人がいるので、なかなか難しいと言えよう）

七、キャンプファイヤー
良かったと悪かったは、八対二の割合。このキャンプファイヤーについては、クラブ員も経験豊富なので、いろいろと注文や意見も多い。

八、芸能
全員が良かったで満点。それぞれ特色を持っていて、いずれも勇壮素朴で地方色豊かなものばかりで大変良かったと、拍手を送っている。

九、閉会式・別れのつどい
良かった八名、悪かった二名。良かった点では、地元県連、クラブ員の苦労のほどがこの一コマで心に残った。キャンドルサービスで会場の雰囲気が盛り上がったなどであるが、そのあと飛入りの踊りなどで雰囲気がこわれてしまったので考えて欲しかったと、残念がっている人もいた。

十、その他
▽クラブ員のためのクラブ員による大会として毎年進歩していることは喜ばしいことである。回を重ねても、あくまでもこのことは忘れることなく前進して欲しい▽最初からグループ別にしたことは良かった▽県ごとの目印があれば良かった▽役員はすぐわかる服装でいて欲しかった▽行事と行事の間が騒がしく、次の行事に入っても余韻が残って盛り上がりが悪かった。少しの時間であるが、役員が何か歌とか次の行事に入る橋渡しのようなことをすれば良かったと思う▽4Hクラブ員のつどいには、全国4Hクラブ員でいる間はなにがなんでも出席したい。

最後に、すばらしい大会としていただき、本当にありがとうございました。佐賀県連をはじめ、クラブ員とご家族、全協のみなさんの努力に心よりお礼を申し上げます。

全協愛知県庁へ

全協執行部は、さる十二日、愛知県庁で、来年同県で開催する「第七回全国4Hクラブ員のつどい」について話合い、翌日、同県三好町三好の久野会長宅に集まり、つどいや沖縄親善交歓訪問などの件について協議した。

山梨で「4Hの集い」
11月1日、県営グランドで
陸上競技など計画

【山梨】山梨県4Hクラブ連絡協議会（会長、河東哲征君）は、来る十一月一日、甲府市和田の県営総合グランドで「第七回山梨県4Hクラブ員の集い」を開催する。

これは、日ごろ地域において活発な活動を展開している4Hクラブ員が自分たちで企画運営し、自主性の高揚を図るとともに、スポーツを通じて健全な体と精神を養い、新しい農業者としての自信と連帯感をつちかおうというもの。

全員参加によるものと、地区連対抗によるスポーツ競技、体力テストなど陸上競技大会的性格が強い内容。秋空の下で、農業に燃やす若いエネルギーをスポーツに託して大いにハッスルすることにしている。また、4Hクラブ文化資料展も開く計画。

参加者は県下の4Hクラブ員約五百名を予定している。スローガンは「若さで集う青年の意気で拓こう明日の農業」

なお、後援は、山梨県、健康山梨推進県民会議、青少年のための山梨県民会議、山梨県農業会議、同農協中央会、同養蚕連、同農村青年組織連絡協議会、同学校農業クラブ連盟などを予定。

一枚50円で販売
長崎県連 ステッカーを作る

【長崎県＝松本政博連絡報道員発】長崎県農村青少年クラブ連絡協議会（会長、元山孝志君）は、かねて県連独自のステッカーの作成を計画していたが、このほどようやく出来上がった。

これは、県下のクラブ員の同志意識、クラブ員意識を高めるために作ったものである。

デザインは、各種の大会の時のポスターや、県連だよりを通じて県下のクラブ員から募集し応募された数十点の中から選ばれたもので、県連のバッチと同じデザイン。上段に「明日の農業は我等の手で」、下段に「長崎県農村青少年クラブ連絡協議会」の文字で囲った直径八㌢の円形のもの。

現在、県連ではこのステッカーを三千枚作り、クラブ員に一枚五十円で販売しているが、先日開かれた県下のクラブ員のつどいの時は、それぞれの自動車に何枚もはりつけてパレードするなど、このステッカーに対するクラブ員の愛着ぶりがうかがえた。

4Hマークも鮮かなステッカー

団員に正式決定
全協推薦の六人
「青年の船」 事前研修を終える

総理府が実施する第四回「青年の船」一般団員の候補に選ばれた全国4Hクラブ連絡協議会推薦の4Hクラブ員六人は、さる九月二十七日から十月四日まで静岡県御殿場の国立中央青年の家で行なわれた事前研修に参加していたが、この研修を無事終了し、一般団員として正式に決定された。

今回の乗船者は、団長、教官、班長、一般団員などを含めて三百二十四名。4Hクラブ関係からは全協推薦の六名のほか各道府県から推薦されたクラブ員多数が乗船する。

今回は、来年二月五日から三月下旬にかけて約五十一日間、東南アジア諸国（フィリピン、インドネシア、マレイシア、インド、シンガポール、中華民国の六ヵ国を予定）を訪問する。

正式に一般団員に選ばれた全協推薦の六人は次のとおり。

福田勝美（二三）埼玉県南埼玉郡白岡町柴山九二二、大山4Hクラブ▽中林正悦（二三）三重県阿山郡伊賀町山畑五六三の一、伊賀町農村青少年クラブ▽三戸保（二三）広島県山県郡豊平町吉木四〇五一、豊平町楽農会▽中町幸蔵（二三）高知県土佐郡土佐町東石原一九九八、高須4Hクラブ▽横尾文三（二三）佐賀市鍋島町大字鍋島一二三一、鍋島4Hクラブ▽岩田乙女（二三）静岡県駿東郡小山町竹之下二三〇の一、北駿4Hクラブ

教育振興会職員の福岡さん、班長に

なお、社団法人全国農村青少年教育振興会（東畑精一会長）の職員、福岡初枝さんは「青年の船」の班長候補として同じく事前研修に参加、正式に決定された。

福岡さんは、農林省から同会に入り、約十年間、春と夏の全国大会や先進地留学研修、講師派遣などの仕事に従事されて、農村青少年教育に情熱を傾けられている。

17日帰国
中国草の根大使 粘さんと管君

さる七月十八日来日し、福島、宮崎、長野各県の受入れ農家で生活していた中華民国（台湾）の草の根大使＝管明正君（二〇）と粘巒娥さん（二二）は、十月九日午後三時五十分、上野着の特急「あさま二号」で上京した。

二人は、十三日午後一時半から東京・港区新橋の共栄火災海上保険相互会社五階会議室で開かれた社団法人日本4H協会主催の滞日報告会に出席したあと、十七日に帰国する予定である。

管君と粘さんは、国際農村青年交換（IFYE）計画に基づいて日本4H協会の招き（全国農村青少年教育振興会が協力）で来日したもので、滞日中、各県の受入れ農家の一子弟として生活、また、大阪で開かれた第十回全国農村青少年技術交換大会、佐賀で開かれた「第六回全国4Hクラブ員のつどい」や各県、クラブなどで開かれた行事にも参加した。

心頭技健

若い人たちの間でボーリングが盛んである。近頃は、若い人だけでなく、年輩者にも大変人気がある。家族ずれや会社の若い人たちにまじった初老の人たちのボーリングを楽しむ姿も珍しくなくなった。家の中にこもっていたのでは早くふけ込むからとゴルフ党の主人の勧めで昼間、隣近所の奥さん達を誘ってボーリングに出かける家庭主婦もいる。ボーリング人口はいま一千万人を越すという▼4Hクラブの中でもなかなか盛んだ。大会を開いて点数を競い合っているクラブ員の話をよく耳にする。それも、かなり腕がいいようだ。昨年、今年あたりの全協執行部の中にも、ハイアベレージが二百点を越す強者が揃っている。家で農作業をしないで、ボーリングの練習ばかりしているのではないかと首をかしげたくなるほどだ▼体を鍛練するということからみると、このボーリングをスポーツと呼ぶことには抵抗を感じるが、ストレス解消にもなる。また、道具もいらず、老若男女が手軽にできることなどが一種のブームを呼んでいる理由であろう。六時や七時の早朝割引きにもわんさと押しかける状態である▼このボーリングは、はじめ、非行少年のたまり場になって青少年の教育によくないという批判があったが、現在のところその心配は余りないようだ。ただ、深夜の十一時半や十二時まで営業していると、うるさいという苦情が付近の住人から出ることについては考えなければなるまい▼ともかく、家族ぐるみや会社の職場ぐるみで楽しめるゲームやスポーツも少ないし、手軽に運動できる広場や施設もあまり見当らない現状では、手ごろなボーリングに走るのも当然かも知れない。しかし、一ゲーム二百五十円から三百円という値だんも馬鹿にできない▼時まさにスポーツの秋。芸術や読書、行楽、収穫、味覚……の秋でもあるが、このボーリングに限らず、大いにスポーツに親しみ、体を鍛えたいものだ。健康は4HのHの一つ。将来の農村を担うにふさわしい体力づくりを、今のうちにしておく方がよいと思う。

「心に種をまく」

つどい記念講演〈5〉

美しい祈りこめて

百万巻写経 生涯のおもいでに

奈良・薬師寺管主　高田好胤

砂漠のような世の中だが—

「百万巻」というのは百万部、「般若心経」というのは、二百六十五文字の般若心経というお経です。「勧進」というのは、信仰心を勧めるということであります。神の心を、仏の心を、祈りの心を、お経の心を、そういう心を人びとの心に勧めるということであります。

こういう心が無くなって、今日、世の中が砂漠のようになってしまった。しかし、どんな砂漠のような人の心の中にも、汚れなき神や仏の心が必ずあります。私は講演に行きまして、常に感動するのは、自衛隊と刑務所へ行ったときであります。

刑務所の場合、どんな悪いことをした人がいるかと思って少年刑務所へ行った。大袈裟にいえば、衣の下に鎧でも着込んでいかなければならないような、そんな気持さえ心の片隅にあった。そういう特殊な場所で、特殊な人間にどんな話しをしたらいいものか……私には皆目見当がつかなかったのです。しかし無我夢中で話しているうちに、そこが、特殊な場所であり、特殊な人間に話しているのだということなど、すっかり忘れてしまい、話しの途中、グーッと胸がしめつけられるように感動してしまった。その後、刑務所の少年たちから礼状が来ました。その礼状をみなさんに読んで聞いてもらったら、感動の涙が出るような内容のものです。そういう素直な人が、ああいうところへ入っていなければならないということは、私たち宗教家の努力が足りなかったということであります。そう思うと私は笞で身を打たれるようなつもりで、いつでもその手紙を、お守りのように持ち歩いています。

訓練なきところに個性なし

また、自衛隊へ行った場合、なぜ、感動するかといえば、自衛隊には訓練があるからです。訓練があってのみ人間は育つ—。個性というものが磨かれます。訓練なきところに、個性はないのです。訓練なきところにあるのは野性です。個性と野性を一緒にしてしまったら困る。われわれが、お互いの訓練を怠ってしまえば、日本の将来は、野性の集団になってしまうでしょう。

刑務所の中でもそうです。どんな悪いことをした人の中にもほんとに素晴らしい心の持主がいるのです。どんな人の心の中にも「浄菩提心（じょうぼうだいしん）」という心がある。自らの心を自らの手で、やがて清らかなものにして行くという心はある。そういう人びとのしあわせのお手伝いができてこそ、お堂を建てる意義があるんだというのが、私の「百万巻写経」による金堂復興勧進計画であります。

真心は永遠にお祀りしたい

そこで私は、日本全国を歩いているのです。納経料を千円ずつ、供養料としてもらって、申し込んでいただいた人に、写経用紙をお渡ししています。

これは奈良に、正倉院というお寺があり、千二百年もの永い間、多くの宝物が大切に保存されていますが、それを見ますと布でこしらえたものはボロボロになっているのに、しかし、聖武天皇や光明皇后の写経された紙は、虫も喰わずに完全に残っております。このたび写経していただく紙は、それとほぼ同じ紙で、やや薄めにした和紙を越前で特別に漉いてもらいました。また、下敷用に書いてある手本は、お経を書いては日本一といわれている田中塊堂（かいどう）先生にお願いしたものであります。

このお経の手本に従いまして、この紙に心を込めてお写経をしていただく。そして家族の名前を書いて送り返えしてもらったら、新金堂の薬師三尊のお膝もとに、その真心を、三千年、五千年、永遠にお祀りさせていただきます。

この写経をする心、それが百万集って金堂の落慶供養を、昭和に生きる多くの人の喜びとともに迎えたいと思うのです。再建費用の十億円は、あるいは最少の努力で集るかも知れません。しかし、ただ形が成ったとしても、その中にこめられる現代の心がなければ、本当の意味で薬師三尊をお祀りするお堂とは申せない。この心を、みなさんの写経という浄業によって込めていただきたいのです。

この間も送られてきた写経を見ていましたら、ボールペンで全部平ガナで、それも大きいの小さいのがあり、中には横になっているのがある。最後まで読んでいくと「たけだのりこ まんごさい」とあるのです。私はその平ガナだけの写経が仏さまの文字のように見えてき、目頭が熱くなってまいりました。私はこの、のりこちゃんの写経も嬉しく思いましたが、それよりも、のりこちゃんに写経をさせてくださった若いお母さんの気持を嬉しく思います。

やがて何十年かたって、おばあちゃんになったのりこちゃんが孫の手を引いて薬師寺を訪れ、復興なった金堂を指さしながら「あそこはなあ、おばあちゃんの五つのときの気持がこもっているんやで」とお孫さんに話してくれるでしょう。そう考えると、のりこちゃんが生涯で得る一番の宝物は、この経験ではないかと思うのです。

また写経の中にはやはり満五歳の女の子で「パパが交通事故に合わないように」と、書いてあるものもありました。こんな清らかな、美しい願いや祈りにめぐり会えるということが、私ども坊主にとって一番大きなしあわせであります。現在、私は毎日、全国を勧進して歩いていますが、多くの人たちが努力によってのみ、苦労によってのみ、遠い道を行ってのみ、本当の人生のしあわせや歓びにめぐり会えるんだと教えをいただいております。みなさんの中からも、心ある方のご参加をお願いしておきます。

「向うお山を猿がいく　前のお猿はもの知らず　後のお猿ももの知らず　中の お猿が賢うて　山の畑に実をまいて　花が開いて実がなった　二匹のお猿はもの好きで　一つ残らず食べ出した　種をおろした連れものは忘れてついに思い出ず」

今日は、他人の心をふみにじって、あぐらをかいている、そういう卑怯者の多い世の中です。どうか他人の苦労の上に、あぐらをかいているような、そんな卑怯者にならないでください。一人でもそうなったときに、日本の国は滅びていくのです。自らが世のため、人のため、国のために種をまく人になろうではありませんか。

心中の神仏に恥じない生活

どんな人でも心の中に、神仏をさずかっております。そういう自らの心の中の神や仏にめざめることを自覚と申します。その自らの心の中の神や仏に恥じない生活を送っていただきたいと思います。みなさん方の心の中の神や仏さまに、般若心経という“国民のお経”を唱えてお話しを終りにいたします。

「かたよらない心　こだわらない心　とらわれない心　広く広くもっと広く　これが般若心経　空の心です」合掌—。

（おわり）

◇……◇

写経用紙は、納経回向料も含めて、一巻千円です。お志のある方は、「奈良市西ノ京　薬師寺金堂復興事務局」まで、お申し込み下さい。

☆　☆　☆

（編集部）

4H会館「募金強制せよ」

女子会員が少なくて

静岡西部地区新人研修会

【静岡県＝鈴木政美君発】静岡県西部地域農村青少年クラブ連絡協議会（会長、名倉恭一君）は、去る九月二十四、二十五日の両日浜松市青少年の家において、第一回新人研修会を開催した。これは活動歴一〜二年のクラブ員を対象に行なわれたもので、二十一クラブから五十八名が参加、真剣に研修を行なった。

第一回目は、講義から始められ、講師に県後継者養成課長中山原次氏が、農村青少年としての心構えというテーマで話した。「静岡県は、東海道メガロポリスの一角として、今後の農業について考えると大変むずかしい。しかし、地域性にあった農業を行なうことが必要で、今後は協業化ということを頭におき、農業をしてほしい。県では、第二回目の農業青年海外研修として、県内から十名の農業青年が西欧で研修している。多くの青年が国際的な視野に立って、農業を考えてほしい」と、大きな宿題も出された。

午後になって班別分科会、クラブ活動の中において直面している問題、経営の中においての問題点など、多くの活発な意見が出された。ある女子クラブ員から、「西部地域では、女子クラブ員が非常に少ない。行事を行ないたいと思っても、クラブ員が少ないのでなにも出来ない」など、切実な問題も提出された。

この研修の中に、県連のオルグ活動が汲みこまれ、県連会長富田君、事務局長鈴木君、理事村松、三谷の両君、それに全協事務局長松浦平治君も出席した。主な内容としては、4H会館募金、本年度運動目標、県連バッチ問題、4H新聞購読の件などについて説明された。

中でも、活発な意見が出されたのは4H会館問題で、あるクラブ員から、「私たちは募金に協力しているが、会館はいつ出来るか。東京は地価が高くて建てられないのなら、富士山のふもとだと地価も安いし、空気もきれいではないか。また、全国で募金はいくら集ったか。県の目標額はいくらなのか。ある人は、私たちクラブ員のシンボル会館だから、強制的に募金するのが当然ではないか」という意見も出された。

この研修会の反省として、あるクラブ員から、「多くの友だち、仲間が出来たのは大変よろこばしい。研修会によって、農業に対する意欲がわいた。今後、私たち青年がしっかりした考えを持ち、農業に取組まなければならない」という声があった。この研修会を機会に、参加した全クラブ員は農業に自信と勇気を持って、農業経営に、クラブ活動にがんばってくれるだろう。

静岡県・浜北市連　変貌する地域農業を語る

【静岡県＝鈴木政美君発】静岡県浜北市4Hクラブ連合協議会（会長、河合能史征君）は、去る九月十八日浜北市農協会館において、高林市会議員と今後の浜北の農業について話し合った。当日は市内クラブ員二十名、普及所から河合松三普及員が出席し、約二時間にわたり真剣に話し合った。まず初めに、高林議員が浜北市農業の現状、今後の農業について、また、浜北市の農協問題の説明などを行なった。それから、クラブ員それぞれが現在直面している問題をめぐって意見を出したが、あるクラブ員は、「今まで当市は田園都市として発展してきたが、ここ数年、東海道メガボリスの一角として産業都市へ移り変わり、今後の農業を考えると、見通しがつかない。これから、浜北市においてはどのような経営をしたらよいか。現在、養豚をやっているが、公害問題で悩まされている」と発言するなど建設的な意見が出された。

これに対して高林議員は、「たしかに、今までは田園都市であったが、今ではもう産業都市として生れ変っている。当市の将来を考えると、農業は大変むずかしい。三年前まで農家戸数五千戸、そのうち専業農家千五百戸、経営内容は酪農、養豚、施設園芸が主である。とにかく、これからは地域性にあった農業を行なうことが必要である。当市としても、農業団地を計画している。これからは、団地化、または協業化を進め、より近代的な農業経営をしてほしい」と話した。

時間の過ぎるのも忘れ、活発な意見が出されて、ある程度、当市の農業ビジョンが把握出来た。これが機会に農協婦人部、農業委員との話し合いも予定されることになった。

ハワイ訪問記〈上〉

レイにどぎまぎ

高橋芳郎

まだ日の高い五時すぎ、富田さんの案内で、六時半から開かれるワイアワの4Hクラブの会に、ゲストとして出ることになった。途中、ラッシュアワーに会って、どこでも見られる車のじゅずつなぎにはさまれて難渋—。

ようやく抜けて山の手へ登っていくと、ハワイでは一ばん広い平原地帯に入り、サトウキビとパイナップル畑を見る。ちょうど植えたばかりの苗と、一年たったもの、実を取ったばかりのものなど、各種の畑を見ることができた。

ワイアワの町へ着いたとき、もう日は暮れかかっていたが、ここは貯水池のあるところ。標高も八〇〇㍍くらいとかで、たいへん涼しく、近くにはさわやかな別荘地帯もあるようだった。

定刻を少しおくれたが、日系の荒川さんが生活改良普及員とかで、このあたりの4Hを指導しておられるとのこと。もう会場には親子そろって席に着いている人たちがいたが、リーダーの山本さんなどがやってきて富田さんと打合わせをし、わたしの紹介もしてくれた。

荒川さんから、この地の三〇〇名くらいいる会員のために挨拶が行なわれた。きょうは、一年に一回行なわれる何かの会だそうで、わたしとしては、この会がうまくいくことを願わないわけにはいかなかった。世話人の山本さんからお祈りが行なわれ、ついで、きょうのゲストの紹介があり、さかんな拍手のなかで富田さんがわたしにレイをかけてくださった。

それから富田さんは、「自分の友人であり、日本人で、アメリカ、カナダと農産物輸入の問題でかけ回ってきた者—」といってわたしを一同に紹介した。そしてまたわたしのことを「彼がやっている家庭雑誌は一三〇万部である。アメリカのファーム・ジャーナルは二一万部である」と述べたてた。

一同は、目をパチクリとした。それが終ると、再びわたしにレイがかけられたので、わたしはどぎまぎしながら一同のほうを向いておじぎをした。

すぐビュッフェの会食がはじまった。料理を、めいめいの皿に取り分けて食べるのである。わたしが隣りの小柳という人に平均年齢をきくと、十六、七歳くらいであるという。リーダーはどうかときくと、いろいろあるが、熱心なのは二十歳前後とのこと。食事が終ると、一同でメェーク・ツウモロウ・ハッピーという唄を二回歌った。はじめは小さい声であったが、二回めからは大きな声で活気があふれてきた。

部屋の真中の幕がおりて十八歳くらいの男二人と女一人で、なにか芝居がはじまった。ナチスの旗をはりつけており、どうもこれはよくないというような印象であったが、わたしは日の丸の旗が出はしないかとびくびくした。

この稿は、高橋氏が、八月に行なわれた日本農業団体訪米代表のひとりとしてアメリカ視察ののち、4H協会副会長の宮城氏の紹介で、ハワイ大学教授の富田氏を訪ねた折の見聞記。富田氏は、普及事業に熱心な二世、4Hクラブの最高指導者のひとりとして、ハワイで重きをなし、数回、来日している。

（家の光協会専務理事）

FFJが全国大会

来月、東京で開く

第二十一回日本学校農業クラブ全国大会（見城一実行委員長・都立園芸高等学校長）は、来る十一月二十三日から二十五日までの三日間、東京都内で開催される。主催は、日本学校農業クラブ連盟、同学校農業クラブ関東連盟、同都学校農業クラブ連盟、東京都教育委員会、後援には、文部省はじめ農林省、建設省、東京都、関東各県教育委員会、全国高等学校長協会など十八の関係機関、団体が予定されている。

この大会は、各種の研究発表や意見交換、測量競技、農業鑑定などの技術競技を行ない、日頃の学習活動の練磨に役立てるとともにクラブ員相互の連帯感を深め、また産業人としての自覚と視野を広めて、将来の日本産業の発展に貢献することをねらいとしたもの。

参加者は、各校生徒代表と県やブロック大会で選ばれた生徒代表一万人、学校長、先生など千人の計一万一千人を予定。とくに今回は全国組織結成二十周年の記念して式典を行なう計画である。

主な事業内容は、日本学校農業クラブ連盟総会、技術競技会（測量、農業鑑定）、プロジェクト発表（各種発表会）、意見発表会、二十周年記念クラブ意見交換会、レクリエーション発表会、二十周年記念式典、記念講演、農業教育機器展示会、見学などで、主な日程は次の通り。

一日目　プロジェクト発表（中野・杉並公会堂）、意見発表（都立農芸高校）二十周年記念クラブ員意見交換会（同）、測量競技（都立農業高校）、農業鑑定競技（都立園芸高校）

二日目　総会（中野公会堂）、プロジェクト発表（前日と同じ）意見発表（都立農業、農芸両校）測量競技（府中市営野球場、府中市営グランド）、農業鑑定競技（前日と同じ）、二十周年記念クラブ員意見交換会（オリンピック記念青少年総合センター）

三日目　記念式典、同講演、レクリエーション発表、閉会式（いずれも都立体育館）、農業教育機器展示会（都立・園芸、農芸、農業各校）

四日目　見学。

第九回　農業者会議報告

青年部会第二十一分科会・クラブ活動1

1、出された課題

（1）今後の農業について

農業の企業化の問題、流通の問題、主婦の労働の問題、家庭生活の問題

（2）クラブ活動について

魅力あるクラブ活動のあり方、他の同種の団体との関連

2、討議の内容

（1）農業について

第一の農業の企業化については一部落一農場で計画販売して行くような、システム化があげられました。そして、農民のためになる農協にするため、農業者が利用できるよう体質改善の必要がある。講師の先生からは、企業化は簿記に始まり簿記に終るといわれるように経理を明確にする必要があるという指導を得た。

第二の流通の改善については、品質のよいものが勝ち残るのだということで、優秀な品質管理をしなければいけない。生産者から消費者への販売ルートを改善して、安い価格で消費者によいものを、大量に供給できるようにすることである。コストダウンをするためには、生産費のむだを省き季節に支配される生産物を貯蔵するか、第一次加工品として販売するなど、貯蔵加工面まで含めた経営の方向が必要である。

これに対して、助言者より情報の予知、処理が大切で、そのためには、基礎的な学習や、世界的視野に立つ必要があるとの助言を得た。

主婦の労働では、女子の労働が農業労働と家事労働と渾然一体化していて、非常に重い状態になっている。従って、労働時間を決め、その中で家事労働と農業労働を分ける必要がある。

環境整備については、都市の生活を、そのまま農業に持ちこんだかたちの生活改善ではなく、生産なりにマッチした合理的な環境に改善すべきである。たとえば、台所でも土間でも炊事ができるようにするなど、農家として主体性を持った改善が必要である。

販売ルートの改善を

（2）クラブ活動について

魅力あるクラブ活動にするためには、仲間の共通の理解なり、人間的な触れあいによって、魅力が出てくるものであり、単なる行事や人数の多少によっていえるものではない。また、活動の仕方やリーダーのあり方、メンバーのあり方などによって、クラブのマンネリ化を防ぐことができるものである。

農村における他団体との関係については、各団体がいりみだれていて、活動しにくい面もあるが、団体の性格を明確に把握し、理解していれば、一人がいくつかの集団に加入しても問題はなく、むしろ、幅の広い人間づくりができるものである。

本紙「涼風暖風」執筆者　芳賀（茨城）氏、ラオスへ農業技術指導に

本紙一面のコラム欄「涼風暖風」の執筆者＝毎月十四日号・いばらき はが＝茨城県教育普及課の専門技術員、芳賀悠爽氏は、来る十一月中旬から約三年間にわたってラオスで農業開発の指導に当ることになったため、同氏の執筆は今号で終了することになった。

同氏は、海外技術協力事業団から派遣されるもので、農林省、平和部隊などの関係者七人のチームの一人として選ばれた。ラオスではタゴンという地区で農業開発のための技術指導に当られることになっている。なお、出発前、一カ月間の研修を受ける。

◀投稿案内▶

本紙は、みなさん方の新聞として、全国のクラブ員に利用して戴きたいと考えています。それでクラブの催しや個人のプロジェクト、詩、短歌、随筆、写真、悩みや意見、村の話題、伝説、行事その他なんでも原稿にして送って下さい。

お願い　❶長さや形式は自由です　❷できるだけ記事に関連した写真をそえて下さい　❸送り先　郵便番号 162　東京都新宿区市ヶ谷船河原町11　日本4H新聞編集部

農林省と全国大会など懇談

全協執行部

全国4Hクラブ連絡協議会（会長、久野知英君）は、九月二十九・三十の両日、農林省と東京・港区新橋の社団法人全国農村青少年教育振興会で、全国4Hクラブ員のつどい、全国農村青少年技術交換会の関連性などについて農林省普及教育課の大塚青少年班長、大沼活動促進係長らと話合った。

成果を地域へ還元

鹿児島県連でつどい

鹿児島の農村青少年クラブ連絡協議会では、このほど、指宿市民会館と国民休暇村さつなん荘で鹿児島県農村青少年のつどいを開催した。4Hクラブ員など自営青年二百名が参加、講演、OBとのシンポジウム、経営部門別の交歓会などを行なったが、閉会式では、「考えて学ぶ青少年となり、地域社会に、その成果を還元するリーダーになる」ことを申合わせた。

農業祭に車20台のパレード

奈良県連が行なう

奈良県橿原市で、去る九月二十九日に行なわれた県農業祭において、4Hクラブ連合会が、二十台のデコレーション・カーをつらねて、パレードを行なった。各クラブでそれぞれ趣向をこらした自動車は、朝九時、県庁前に集り、優良女子青年たちの祝福を受けながら、国道二十四号線を通り、会場の橿原公苑へ向かった。農業祭に色どりをそえた一幕であった。

おことわり　湯浅甲子氏の「クラブ活動12ヵ月」は、都合により今回は休載致します。

私のプロジェクト

盆栽みかんの接木　芽接ぎ

神奈川県小田原市風祭525　秋山幸雄
神奈川県足柄下郡橘町前川　石塚昇

第十回技術交換大会の席上でクラブ員に芽接ぎの指導を行なう石塚君

秋山君

石塚君

私たちのクラブのある小田原地方は、柑橘栽培の北限として、古く大和朝廷時代から栽培されており、朝貢として橘を贈ったといわれている栽培史では、最も古い地方といわれています。

近年当地方の変貌は著しく、住宅、工場が建ちつつあります。このように自然が破壊されていく中で、人間生活に欠せないものがあります。それは、人間の心と目を潤す緑であります。

このため、手軽に住宅、工場などの入口や部屋の中などに置いて楽しめる、みかんの鉢植の接木について取り上げてみました。

私たちクラブ員の殆んどが、みかんの接木技術を身につけていますが、接木は、園の若返りや系統の更新に必要な技術です。

みかんの盆栽は、いずれも珍らしい変ったものが作られますが、これらはすべて接木によって作り出され、まれに、みかんの中から選び出して種子から育てても、これらは枳に近い樹になってしまいます。したがって柑橘類の増殖は系統維持のために樹の一部分を接木して増殖する方法で行なっています。したがって、柑橘類は、品種といわず系統といわれるゆえんがそこにあります。

このように柑橘の鉢植えを作るための接木の時期は、八月上旬から九月上旬までの約一ヵ月が適期だといわれています。接木は芽接ぎの方法で行ないますが、これが他の樹木の接木への手始めとなればと思います。

芽接ぎの道具は、剪定バサミ、芽接ぎナイフ、ビニールテープなどを用意します。これらは、園芸用品店で販売されているもので十分です。

穂木は充実した今年の春枝を選定し、枝は葉柄を切り、めくら芽のある下部と花芽の多い先端は使用せず、中間部を使用します。台木には、樹勢のよい雑柑類では柚を使いますが、普通温州みかんの場合は、細根の多いもので、地上部と地下部の釣り合いのとれる「カラタチ」を使用します。また、とくに鉢植のような場合にも、雑柑類の場合、地上部をいじめるため「カラタチ」を使用します。

台木の作り方は、カラタチの種子を苗床に播いて、一年経たものを、根部と地上部を適度に切り落して定植し、その年の夏になりますとエンピツ大の太さになり、これを掘り取って台木として使用します。

穂木の形成層多く　適期は八月から一ヵ月

芽接ぎの方法ですが、穂木の取り方は、穂木をみるとわかるとおり、柑橘類は右に芽が向いているものと左に芽が向いているものとがあります。穂木を削り取る場合右向きは右へ、左向きは左へ削り込みます。まず、芽の下部から一糎ぐらい切り込み、木質部にわずかにかかる程度に削ぎ、芽の上四糎くらいで止め、穂木の上から直角に切り止めます。

この場合、形成層を左右どちらかの芽より反対側に多く（図1）出すように削ぐことが一番肝心です。つぎに、カラタチの台木に接ぎますが、接ぐ部分は、地上部、土から五糎以内にある白い根に近い方と青い地上部の境付近に接ぎます。

カラタチの台木の青い皮質の部分は、接木した翌年、カラタチの芽を残して剪除した場合、カラタチの芽が出て来て芽かきの労を要しますし、その方に養分をとられ、接いだ芽には養分がいかず、よい成長が期待できません。

カラタチの台木へのナイフの入れ方は、先端で右、左芽に合わせて芽の大きさにより幾分少なめにかぎ形に樹皮を切ります。そしてナイフのヘラで開きます。この開いた部分に、前にとった芽を入れます。

接ぎ方は、接芽の葉柄を持ち、開いたカラタチに挿します。この場合、多少指で押し込む程度がよいと思います。この挿し込んだ部分をテープで巻けば、芽接ぎは完了です。テープの巻き方は、芽の下を止め、下部から上部へ、芽の上を巻いたら再び芽の下で止めます。テープの締め具合は、自分の手を巻いたとき、血がにじむ程度の硬さで十分です。これで接期は完了（図2）です。

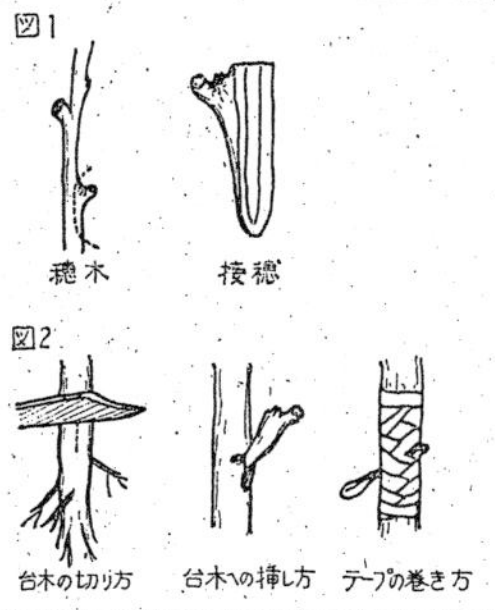

さて、活着したかどうかの判定ですが、植物は葉柄に大きな損傷を受けると落葉します。接いだ穂の葉柄をみると活着したものは、離層が発達し葉柄がとれるか、とれ易くなっています。そして接穂は緑色を呈しています。これが判明する期間は一週間ないし、十日程後になります。したがって、活着していないと判明した場合は、すぐ接ぎ直せばよいわけです。

活着したものは、来年二月下旬から三月下旬にビニールを取り、芽の上一糎位で上部を少し斜めに剪除してやります。すると四月以降芽が出て来ます。それと同時にカラタチの芽も伸びて来ますから芽かきを行ない、接いだ芽のみを伸ばしてやれば、その年には一年生の苗木に成長します。

私が過去三年間の経験から得ました成績（図3）は、一年目はよくわかりませんでしたが、多分形成層の出し方などが悪く八十％の活着でした。二年目は、クラブの友人などに聞いたりして、幾分よい成績になりましたが、色々と研究した結果、三年目には九七％の活着率で自信を得ることができました。

芽接ぎは、なんといっても接芽の取り方が一番重要であり、二糎位の長さで、下部は倒れないよう多少丸みがあって挿し込み易く、ある程度硬めで折れないように、形成層を多く出すことが一番肝心であると判りました。この結果百％近い活着率になり、芽接ぎには自信がもてるようになりました。

鉢植えみかんについて説明しますと柑橘類は殆んど芽が変化したもので、普通、芽条異変といいます。一つの芽から突然他の性質の枝が出て来るわけです。その一つの芽から「斑入りみかん」などが生れるわけですから接木は楽しいものです。このように、系統の変ったみかんを鉢植えにすると、鑑賞用にまったくよいと思います。

図3

		活着率
42年	①2.5cm ②5cm	80%
43年	③2cm	87%
44年	2cm〜2.2cm	97%

㊟ ①は長く取りすぎ形成層がでてない。
②は形成層がでていても幅広すぎ、カラタチ台に合わない。
③は下部に丸みがなく挿入のとき傷みやすい。

プロジェクトの進め方《11》

利用価高い記録を　いも蔓方式で問題探究

プロジェクトの導入法

さて、プロジェクトは、こういう方法で展開されていくということは、ことばの上では判ったと思いますが、実際の面で、どういうふうにするとプロジェクトが展開されていくかというと、いろいろな方法があると思います。

一つには、いも蔓方式――。これは最初に問題を探し、事件、事件屋ともいいますが、事件が起きたら、その事件はなにが原因なのか、原因を探していく。問題が起きたらその原因はなにかと、探していく。その原因は複雑でしょうが複雑な中でもなにが一番の問題なのか。その問題を追求して発見する。それを改善するためには、どうしたらよいか。こういう展開策、つまり問題探し、原因探し、対策探し、こういう方法が、あります。

つまり、プロジェクトの三探し運動であります。

記録が土台になって出来るものもあるし、事件が土台になって出来るものもあります。記録を基にしてやるように提唱しているのは、宮崎県ですが、ここではPP運動というのがあります。これは、二つのPつまり、ペンのPとペーパーのPです。この二つのPを、クラブ員は肌身はなさず持って、たえず記録するわけです。いつでもなんでも記録するという運動です。

私も十二年間ほどPP運動を行なっていますが、これはいつでもカードを持ち歩って記録する。電車に乗っているとき、みんなと話しているときに、なにか気づいたことを記録しておく。記録方法は、日付け、題、内容、分類、内容の導入先などを記入します。

このカードは項目別に分類できますから、例えば、4Hクラブ活動のうちのプロジェクトという場合は、トランプでもやるようにしてプロジェクトの項目のカードを拾い出して、それを見ることによって、忘れていたことも判るし、それをつなげていくことによって、一つの関連づけをしていく。これも一つの記録の方法です。

大学ノートなどに記録している人などもいますが、あまりにもいろいろのことを書いているので、後で役に立ちにくいようです。やはり、後になって利用することを考えた記録の方法を行ないたいものです。そういう記録から入るという方法をとりたいものである。

そして、なにか問題が起きたら、いも蔓のようにたぐり寄せていく、一つの問題を探り、その原因の根本までも探っていくのです。

新しくクラブに入って来た人をプロジェクト活動に誘い込んでいく導入方法はどうしたらよいかというと、あまり、プロジェクト、プロジェクトということで決めつけない方がよい。

また、プロジェクトはこうであるというようなことをいわない方がよい。自然にプロジェクトを始めるようになるのが当り前なのです。

農業をやろうとする人ならば、いても立ってもいられなくなるわけです。そこで初めてプロジェクトがみつかってくるのですから、その時期まで待つべきです。かといって、五年間のクラブ活動の中で、プロジェクトらしいものを行なわなかったというのでは困りますが――。

そこで導入法を考えなければならない。新しくクラブに入ってくる人は、かなり問題意識をはっきり持っている人が多いですから。そこで、四月から六月までの間になにをやったらよいか、リーダーとしてどういう方法をとったらよいか。私が思うには、この期間は放っておいたらよいと思う。プロジェクトなどということは、もちろんいわない。まず、4Hクラブの活動に入ったということと、それよりも、学校生活から開放された開放感を、ゆっくりと味わってもらったらよい。学校の延長のような態度をとらない方がよいと思います。仲間に入って楽しさを味わってもらった方がよいのです。

楽しさといっても、遊んでいるのでなく、この間、生活を体験してもらう時期といいかえてもいいでしょう。あるいは、今まで学校という暖流生活を営んできたわけですから、このへんで社会という寒流の生活を経験させる必要があるわけです。そういう面で、実社会の厳しさということを教えていくことも必要です。

そういうことからこの間は、あまり、ああだこうだといわない方がよい。いわなくたって彼らは、学校時代に学んだことと現実は、こうも違うものかと、学力と実力の中で、右往、左往している。ちっとも、実力になっていないじゃないか――といいながら、学力が実力化する最初の経験をしているときなのです。ですから、あまり、外野は騒がない方がよいのです。

しかし、クラブ活動の中で、やってもらって一番よい方法は技術交換会です。ですから、新加入者には全員参加してもらいます。先輩としては責任を持って全員を引っぱり出してもらいたい。そして、学校時代に学んだ知識なり技術と、本ものの生活の中で動いている知識や技術などを体験させる。これは刺激が大きいです。早く刺激を与えるために、この時期に技術交換大会に参加させるということは有意義なことです。ぜひ単位クラブの段階、地区の段階で技術交換会を行ない、新入者を参加させて下さい。

単位クラブの集会ごとに、技術交換会を行なったらいかがですか。技術交換というものは、本来、そういうものなのです。作目が変るそのつど行なう。クラブ員の中で、問題を出す当番を決めておくのも一つの方法です。単位クラブの定例集会の中でクラブ員が自主的に行なうよう習慣づけていきたいものです。

（栃木県・専門技術員、湯浅甲子氏の講義から）

× × ×

私のレタス栽培

新しい作付け体系を　従来の経営依存から脱皮

埼玉県深谷市人見・藤沢4Hクラブ　馬場茂

私は高校卒業後、農業に従事して一年余りですが、周囲の農家の経営をみますと、いぜんとして昔からの経営に依存しているようです。それは、夏の養蚕、陸稲、小麦などの畑作中心の農業で、農家の収入や労働も養蚕に片寄り、そのため、最近冬季の出稼ぎが急に増えてきています。

また、同じ作付け体系であるため、いわゆる忌地現象が現われ作物の管理も困難をきたしてきました。農業の近代化が叫ばれている現在、この解決策として、私は新作目の導入を考えたのです。

急激に変化している社会、それに伴なう食生活の向上、それにマッチした作物、それは洋菜だと考え、その中でも労力を必要とせず栽培が安易であるレタスを選びました。

レタスは、最近一般家庭の必需品になりつつあり、将来性も大いに期待でき、このような理由で、小規模ですがレタスを、わが家の経営に取り入れました。

わが家の経営規模は、普通畑八十㌃、桑園七四㌃、水田一六㌃です。このうち作付け内容は、ネギ三十㌃、イモ三十㌃、小麦五十㌃を作付けていました。しかし、後作としての小麦の収穫期が、ネギの定植と重なるため、労働が集中して、価格の安い小麦のために、わが家の十㌃当りの粗収入のトップを占めるネギの作付けが御動されていました。

そこで、小麦の作付けを半分に減らして、その分だけレタスを作付けしてみました。レタスは、小麦より早く収穫でき、労力もかからず、収入も多く、ネギの定植が前よりもスムーズに行なえ、ネギの作付け面積を増すことができました。

また、夏の養蚕、冬のネギの後作としてレタスを作付けしています。養蚕は年に三回行ない、春蚕が五月上旬から六月十日前後まで、初秋蚕が七月末から八月二十日まで、晩秋蚕は八月末から九月末まで、年間二七〇㌘程掃立てます。ネギは、三月二十日ごろ播種し、春蚕と初秋蚕の間を利用して定植します。出荷は十月末から二月末まで行ない、小麦は十一月に播種し、ネギの定植前に収穫します。

レタスは三月中旬播種、四月中旬定植、養蚕の上族とともに収穫します。

私の行なったレタスの栽培方法ですが、三月十七日に播種しました。結果的には、播種期はもう少し早い方がよいと思いましたが、早くすると収穫期が、春蚕の上族と重なるため、約十日ほど遅らせました。

四月一日に移植し、二十日に除草を行ない、五月五日、同二十七日に除草、六月十日から収穫をはじめ、収穫期間は十五日かかりました。

レタス栽培の反省としては――

❶結球の悪いものがあった。これは収穫期に温度が高かったためと、肥料関係ではカリ分の不足が原因だと思います。

❷結球期に軟腐病が発生した。この対策としては、病害の防除の徹底を図ることが必要です。

❸出荷にあたっては、深谷市場に出荷したため、価格の変動が大きく、東京市場の新聞相場より大変安かった。これは、事前の市場調査が不十分であったためで、今後出荷前に市場の検討を十分行なう必要があります。

❹以上のような結果から、計画通りの収入が得られなかった。

今後の目標としては、❶ある一定の価格を確保して東京市場への出荷を行なう❷作付け面積の拡大❸私一人の栽培でなく、地域に広めていきたい❹トンネル栽培を行ない、十二月末から四月までのレタスの端境期に出荷目標を持ち、価格が高い時期に良質のレタスを出荷したい――。

以上のような栽培目標をかかげて、新しい農業経営の、新しい作付け体系の確立のために、今後とも研究、努力していきたいと思います。

おしゃれコーナー

秋冬コート二題

☆コートは、ファッションにおいて、一つの独立した地位を保っている。今年のように、ミディやマキシが注目を浴びているとき、コートにこのロングットファッションがどのように演出されるかは、おしゃれ族にとって、この秋、非常に興味のある話題である。

コットンはこれまで、見た目と着心地のよさ、耐久性、染色性などの天然の特性から、コートに最適な素材として選ばれてきたが、ヨーロッパの綿コート・コレクションは、変わり織り、コーティング加工などの技術進歩によって、これがコットンかと目を見はらせるようなファンシーな素材になっていること、コットンが世界のファッションの先導的役[illegible]いることに大きな[illegible]ヨーロッパのフ[illegible]は伝えている。

☆【写真】・（右）[illegible]コットンダックの[illegible]ク。タートルネッ[illegible]を組み合わせなが[illegible]ほっそり着こなせ[illegible]ンの味――。（左）[illegible]グリーンと、いぶ[illegible]古典的なマキシー[illegible]トンベルベットは[illegible]に一番もてはやさ[illegible]――。

NHK農事番組（10月21日〜31日）

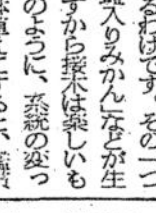

テレビ

明るい農村　6・30〜6・55総合
21日　産物往来　新米（秋田）
22日　話題の広場　▽新しい食糧（食糧研究所）▽農村指導者を育てる
23日　村をむすぶ　フィルム・リレー
24日　農村新地図　大阪府和泉市（評論家）加藤秀俊
26日　村の記録　孤島の女医（石川県舳倉島）内田みつい
27日　現地報告　米のゆくえ
28日　産物往来　小豆（北海道帯広市）
29日　話題の広場　▽ベトナムの子らとともに　石原健太郎　▽女性組合長（福島県田村町）須藤ヨシ
30日　村をむすぶ　通信員報告
31日　農村新地図　長野県佐久市（農村評論家）堀越久甫

あすの村づくり
日　7・00〜8・00　教育
再　土　13・00〜14・00　教育
25日　▽グループだより（青森県上北郡下田村）秋堂4Hクラブ　▽近郊酪農に生きる（大阪府堺市）西陶器酪農組合青年部　▽ある青年像（埼玉県春日部市新方袋）栗原勉

農業教室
月〜土　7・30〜8・00　教育
21日　これからの農業と農協（協同組合経営研究所理事長）一楽照雄
22〜24日　近郊の野菜生産（千葉県園芸課長）坂本石蔵
26〜31日　水稲の収穫から出荷まで（東京教育大学教授）森野一高

ラジオ

早起き鳥　5・05〜6・00
21日　減反その後　❶村消費（石川県下）
22日　❸のび悩む酪[illegible]　❹作つけ転換の課題
23日　❺どうな[illegible]（新潟県下）
24日　❻転換せ[illegible]（佐賀県下）
25日　どうなる[illegible]
26日　現地報告[illegible]くえ（長野市[illegible]）
27日　人と話題[illegible]法（京都大学[illegible]）
28日　通信員の[illegible]
29日　人と話題[illegible]会社（愛媛県[illegible]）
30日　現地報告[illegible]からの報告
31日　村のポスト　フィルム・リレー

番組紹介

25日　▼グループだより（青森県上北郡下田村）[illegible]

[illegible]

菊栽培に成功

米作から脱皮めざす

【滋賀】今津町の農業後継者クラブの桂田[illegible]二郎さん（二二）ら二三人の青年たちは、このほど米作農業から都市近郊農業へ脱皮を図ろうと、今春から[illegible]り花用の菊づく[illegible]後の成育も順調[illegible]れている切り花[illegible]や生け花愛好家[illegible]好評を博して[illegible]

青春と仲間

人づきあい

佐賀県・なずな会　北村和子

私は中学を卒業して、一年の歳月がたちました。なんとなく過した一年でも、誰にも歩けない自分ひとりの道を、半歩いや一歩前に前進したのではないでしょうか。この一年、おとなたちの間にまじり、その中で暮して来た自分を振返って見ると、自分のためになったこともずいぶんありました。けれども、ただ一つ私に疑問を与えたことがありました。

それは、人と人とのつき合いのむずかしさということです。例をあげていうと、初め二人の人が、どこへ行く時もいっしょにいたわけですが、途中から、ひとり仲間がふえたわけです。二ヵ月から三ヵ月は、うまく三人ともに仲よくやっていたのですが、日がたつにつれて二人とひとりに仲間われして、話をするにもくいちがいが出はじめ、くいちがいといっても、ひとりの人があとの二人に憎しみみたいな感情をいだきはじめ、うまくいかず、今はどうもへんな仲間になっているようです。

同じ人間でありながら、「他人だ」ということもあるだろうが、その他人どうしが、世の中で暮していくには、いろいろと信じることができないことがおこり、それがもとで、こんな結果を招くのだろうと思うのです。しかし、同じ人間であって、なぜお互いをみくびり合わなければならないのでしょう。

つどい散策　話合いレポートから

八月、佐賀県で行なわれた第六回全国４Ｈクラブ員のつどいにおいて、催事のひとつの柱であった班別自主行動の散策のレポートが、佐賀県連より４Ｈ新聞に届いた。回収率は、必ずしもよかったといえないらしいが、精粗さまざまな記録のなかには、全国のクラブ員に、紹介しておきたいような内容も含まれているので、数回にわたって連載したい。「葉隠の里を訪ねて」というレポート帳には、「自主的４Ｈクラブ活動と組織の強化について」「家族と地域に理解される４Ｈ活動をするには」「自主経営により豊かな生活をするには」という三つのテーマが掲げられている。しかし、あまりそれにこだわらぬ話題も多いので、まず、それらから順次紹介していきたい。＝編集部＝

被害妄想ではないか？　「百姓」の語に強いこだわり

「われわれ農村青少年は、農業に誇りをもっている」とか、「自信をもっており、明るいあすの農村を背負って立つ」などと、話したり、書いたりしているのにぶつかる。これが、その場の出まかせのうそっぱちとは思いたくないが、それをどれだけ本気になって考えているのか、こういう失敬な問いは、あまり耳にしないのではないだろうか。

現在の農業が、そんなに甘く、簡単なものでなく、むしろ厳しい現実に直面しているという声の方が、重みをもって響くと感じるのは、筆者ひとりの偏見であろうか。たしかに、クラブ員の諸君がそれを知らないはずはなく、それについて具体的に指摘しながら、不安を語る例も決して少なくない。だが、そうした真実を記したすぐあとから「明るい未来が云々」などという言葉が、他愛もなく記されているのをみると、奇異な感じをもたないではいられない。

そうした、矛盾・錯雑したさまざまな思いが混沌として、誰しもの胸に、得体の知れぬ渦を巻いているものと思われる。そのうちのある一部を占める情念のようなものに、なにか先天的というのも大仰だが、農業に対する劣等意識にも似たものがありはしないだろうか。「女中」が「お手伝いさん」と、呼びかえられたように、「百姓」が、「農業」あるいは、「農民」「農業者」という呼称に、変りつつある。

たとえば、二十七班の話し合いをまとめたレポートにも、百姓という呼び方について、いろいろ記している。「自ら百姓というのは自分で農業を軽くみている証拠」という意見に、「呼びやすいし、昔から使用されているので、改まって農業、農民というのは、一般的でなく、いいにくい」という反論が出ている。また、「他の職業の人に、百姓と呼ばれると、馬鹿にされたような感じがする」とか「真剣に農業に取組んでいれば、馬鹿にされても気にならない」といった考えもある。

さらに「一部に、馬鹿にされても仕方がないという者がいると、他産業の者は、農民全体をそう考えるから、自信をもって農業経営をやらなくてはならない」と、気負った考え方も出てくる。多寡はともあれ、いずれにしても、「百姓」という言葉に、かなりのこだわりを抱いていることは、否むべくもない。

しかし、「百姓」という言葉に対して、とかく、貧しく、暗いといったイメージを描きがちであることは、「水呑み百姓」、「土百姓」といった、あまりありがたくない言葉と、どこかで結びつけているのだろうか。「百姓」という語本来には、そうしたものがないにもかかわらず、さながら蔑称でもあるかのようになったのは、それなりの歴史もある。それはそれとして、まだこのあたりに、こだわりを捨てきれないものを、若い諸君ももっているようである。

筆者もまんざら農業を知らないわけではなく、自家の田にも畠にも出たことがあるし、親類縁者にこの職業に就いている者も少なくない。そうした体験にもとづいていえば、「百姓」という言葉に、かなり強くこだわることが理解できないわけではないが、これほどとは考えていなかった。やはり、どこか異常な感じをもたずにはいられない。

ひとつに、以前はたしかに他の職業に比して収入が低いことはあった。だが、現在では、必ずしもそうはいえない。まだまだ生産性が、工業部門などに比較すれば、高くはないだろうが、相対的にみて、並みのサラリーマンなどよりは、よほど裕福な生活をしているだろう。「勤めになんか出ては、食っていかれないから、百姓をやっているんだ」と、筆者の従兄は語ったものだし、他でも大同小異の声を何度か聞いた。

収入は悪くないが、労働条件がきついということもあろうが、それも、劣等意識などに結びつけて考える問題ではあるまい。近ごろ二、三読んだものの中で、物質生活はともかくとして、精神面での貧しさを脱出できないというものを眼にしたが、これも基本的には個々の努力に待つほかないものだ。労働だとか、古い因習だとか、重くやりきれないものに取巻かれているからだ、という反論も予想されるが、それもすべてではないだろう。

ここまできてあえていう。農業あるいは農民であることを、馬鹿にする者など、どこにいるのだろうか。それは、被害妄想にすぎないと。そう、実体のありもしないところに敵をみているのではないか。必要以上と思われるほどに、「百姓」という言葉にかかずらわっているのは、そんなところに原因がありはしないだろうか。

また、農業以外の職業を、なにかよいもの、美しいものとみているらしいのも原因していようが、これは「隣りの花は赤い」ということであって、なんら根拠はない。むしろ、閉鎖されたところから外部をのぞいているような趣きがあり、このことの方が問題だ。ごく普通の「他産業」などという言葉にすら、なにか特別なニュアンスを込めて使っているのは、一考を要する。

多少はあっても、人間は誰しもがなにかのこだわりをもっているものだが、そうして、それがひとつのエネルギー源として働く場合も少なくないけれども、「百姓」という語にひっかかっているのは、どう考えても非生産的だ。流行の言葉を使えば、〝不毛〟ということになる。百害あって一利もないというのは、このことではあるまいか。

創価学会の池田大作氏は、「意識革命」ということを唱えているが、４Ｈクラブの諸君に望まれるのも、正しく意識革命にほかならない。農業をことさらに特殊な職業と考えないこと、「百姓」という言葉に軽蔑を感じたり自虐を加えたりしないこと、これだけでもずいぶん気持は軽くなるはずだ。

これがなくして、農業に対する自信などといくら叫んでみても、空念仏にすぎまい。どっかと腰を据えて考えなおそうではないか。現在、必要なのは、このことではあるまいか。これも流行語だが、〝根性〟という語をこんなときに用いれば、なかなか光ってみえないだろうか。（つづく）

ますますむずかしくなりつつある農業事情を考え、クラブ員相互の連帯感を深めるためには、活動には積極的に参加して、少しでも多くの知識を得て、また、クラブ員同士が技術を交換しあって、いろいろの技術を身につけることが大切だと思います。意義あるクラブ活動は、クラブ員一人ひとりの心懸けで作るのだと思います。

カアチャン農業よなくなれ

将来の農業　現代の農業は兼業化が進み、〝カアチャン農業〟といわれています。兼業になれば、よけい主婦の農業に対する意欲が昂まっていいはずであるのに、現状では、りっぱに主婦農業を果すどころか、その主婦までが現金収入を求めて、ハイヒールと地下足袋のびっこ歩きのようなものになっています。まさしく、「二兎を追う者は一兎をも得ず」のことわざどおりです。

元来、女性は仕事の中にはいりこむのではなく、家庭を守ることが大切であり、主婦としての立場を守ったくらしをしなければなりません。しかし、現代の農業形態は、主婦の労働力を欠くことができないものとされているのが現状です。この現状を打破し、将来は兼業農家、主婦農業というものがなくなることが必要です。

農業に夢と希望を持つ大規模農家がふえ、兼業農家いわゆる〝飯米百姓〟というものがなくなって需要と供給のバランスのとれた社会になること、企業化した新しい農業こそ、これからの農業の姿だと考えます。

第一回　全国農村青少年研修センター　研修生交換大会発表より

わたしの抱負

一律減反は反対　小農の離農策を

鳥取県立農業経営大学校本科二年　勝部　和博

今の日本国内での農業の大きな問題は、米の過剰と貿易の自由化だと思います。米の過剰について政府は作付けの減反という方針をとっています。この米の過剰は、政府の日和見からそうなったのかもしれませんが、米があまっているなら減すのは当然だと思います。しかし、大農も小農も一律に減反というやり方は、よくないと思うのです。小農を何らかの方法で離農させ、その分を減反にまわして、大農を育てるというような方向に向かうのが、日本の稲作を安定させる上で当然だと思うのです。

貿易が自由化されれば、外国の農産物は日本より安いので、いろんな品目について打撃をこうむると、よくいわれています。「日本は山の多い国で、平野が少なく、農業には向かない。むしろ、工業を発展させ、食糧は外国から安い農産物を輸入すればよい」というような考え方が、世間一般に広がっているようであります。

この経済合理主義の考え方に、自分は必ずしも反対ではありません。しかし、自分の国の食糧は、自分の国で自給した方がよいに決っています。生産費の高くつく品目については、輸入に頼るのはやむを得ないと思いますが、生産費を安上がりにできる品目については、発展させて行くべきだと思います。

あちこちで契約栽培などといわれる方法が、よく行なわれています。加工食品会社と農家が契約を結んで、野菜などを取引きするのですが、農家にとっては価格の不安定な市場に出荷するよりも会社と契約する方が安全でよいわけです。しかし、よく考えてみると、この方法は農家が会社の下請けになっているのです。

このように、下請けになる原因は、個々の農家の規模が小さいからであります。小さいならば、寄り集って大きくなればよい。そして、自分たちの力で加工したり、販売したりすべきだと思います。それには、まだ農民の共同意識が足らない面があると思います。とにかく、契約とか委託とかいう方法は、農家が下請けになっているのです。規模が小さいために、販売者が主になって、生産者が従になっているのが現状ですがこれは逆だと思うのです。生産者が主になるべきだと思います。それが当然でしょう。

農村は、構造改善事業などでかなり機械化されてきました。ほとんどの農家は、トラックを所有しトラクターなども共同で購入するなど、技術面ではかなり進歩したと思います。しかし、農業者の農業に対する考え方は、おくれていると思います。農家が共同事業をやって失敗した例や、不満の多いのをよく聞きます。また、簿記をつけない農家も多いのですが、もっと、農業を企業的に考えるべきだと思います。

現在、わが家の経営規模は、豚三頭、葉タバコ五十アール、稲一㌶です。何かを改善しなければ、将来農業を続けるには無理がありますし、やり甲斐もありません。わが家の中で、一番将来性があり、無限の可能性のあるものは何かといえば、養豚だと思います。また、豚が好きでもあるので、これを拡大して行くことを考えています。しかし、現在、飼料会社やマーケットなどの手によって、豚や牛が大規模に飼育され、その傾向はいっそう進みつつあると聞きます。だから、農家が十分に経営を成り立たせて行くのには、個人の力だけでは大資本に圧迫されて、無理だと思います。個人で飼育できる頭数には限りがあります。

自分は協業によって、規模の拡大をはかり、それらの大資本にも対抗できるようにしようと思います。そして、豚肉の販売店の経営もしたいと思います。直接に販売店を持つと、中間マージンが省け安く売ることができると思います。養豚の一貫経営といえば、仔豚生産から飼育までといわれていますが、さらにもう一つつけ加えて、販売まで手懸けると、本当に一貫した経営になると思います。そして、これが当然の姿だと思うのです。

自分の人生を有意義に送るためには、この夢のようなことを、何がなんでも実現させたいと考えています。

農村雑感　言葉

折原俊二郎

Ａ氏は、自称農政評論家であるが、一面、純日本精神？の持ち主でもある。だから、日本語は絶対で、外国のお客さんが日本に来て日本語が出来ないのはけしからん、折角日本に来るのであれば、簡単な日本語ぐらいは出来るように、自分から学んで来るべきである、といって、外国のお客さんを相手にする場合は、相手かまわず日本語で語りあうという状態であった。このため、外国のお客さんの方でこの頃遠慮する傾向があるという。

さらにＡ氏は、今日の日本は世界の日本であるから、英語と同様、世界各国とも日本語を学び、日本語が出来るようにならなければ困るという考え方も、心底にあるようであった。氏は今年五十五歳、戦前派の立派な日本人である。

このＡ氏が、何を思ったか、今年の四月に単身でヨーロッパに出かけた。勿論、私にも内証である。しかも、一般の人とは幾分ちがって、良い意味での臍曲りであるから単に旅行気分で出かけたのでないことは事実である。そのＡ氏と先頃ぱったり会った。会ったのが運のつき、引きとめられて約二時間近くＡ氏の話を聞かざるを得ないはめになった。しかし、その話の中には、多くの教えられることがあった。

「五ヵ月近く、デンマーク、スイス、西ドイツ、イギリスなどの各国を回ったが、この間、あちらの農家の実態を十分知りたいと思い、何ヵ所かの農家に一ヵ所数日間泊りながら見て来たが、どの国のどの農家に行っても、そこの青年は英語で話をしてくれた。それぞれの自国語があるから、その国の言葉で話をしてくれるものと思ったが、まったく予想に反していることにびっくりした。

その根底は、英語が世界共通語というより、世界の中で農業が行なわれており、その国のみでは農業が成立しない。また、そのためにも共通した理解のうえで、農業を営まなければならない。そのため、手近な道具として英語を使うのだということらしい。

次に、男女の別がない。主婦は家事に専念するというアメリカ式の考え方でない。体格も良いし、労働のつらさからみても女は男に決して負けていない。しかも、女が働くということについて、少しもこだわりをもっていない。一家の中で労働分担をするとき、男女平等の労働提供であるため主人であろうが主婦であろうが農業の進め方、計画実行の進度も十分知っている。

このため、主人が病気で寝込んでも、農業の手順には少しも支障がない。考えてみれば、分業形態が明確にされつつあり、しかも、その分業は男女平等の立場でなされている。

第三に、ヨーロッパ農業は非常に困難な立場におかれていると聞いて行ったが、どの農家に行っても、実にくったくのないほど明るい。物事にこだわらないといえばこだわらないが、その根本は彼等の考え方にあるようだ。それは、日本人ならお互いに相手の欠点を見出すことに始まるが、彼等はどんな人でもどこかに良い点がある、その良い点を引き出して交際するから、おのずと明るくなる。これは日本人が学ばなければならない。

全体的にいって、六ヵ月近くヨーロッパにおったが、最初の三ヵ月近くは、相手が何を云っているかに神経を使うことにおわれ、ようやくわかり出したのは、あとの二ヵ月くらいであった。つくづく今日のようなマスコミの発達した時代に言葉というものがいかに大切であるか、相互のコミュニケーションを深める唯一のものは言葉である。日本の農業が世界の農業になるためにも、日本の農業者は言葉というものについて、改めて考えなおさなければならない時だと思った」ということであった。

（農林省・農業者大学校）

女子クラブの活動のために　保存食に野菜の罐詰め

滋賀県日野町農村青年後継者クラブ　松井　圭子

クラブ結成の動機　激動する社会のなかで、昔から続けられてきた４Ｈクラブも、日ごとに都会へと青年が流出して活動ができず、崩壊してしまいました。そのなかで各地に点在していた農村青年を結集して、現在のクラブが発足しました。

結成年月日　昭和四十一年三月

現在の会員数　男子五十四名、女子十八名、計七十二名

主な活動　定例研修会、部門別学習会、先進地研修旅行、農政を考える会、家族教室、宿泊研修会、他クラブとの交換会、プロジェクト発表、定期総会など

仲間作りから始まった活動も、次第に充実したものとなり、ラジオ農業学校による学習活動や、プロジェクトを中心にした部門別学習会の強化へと、活動の輪を広げてきました。

女子部の活動をあげてみると、やはり農作業の技術そのものよりも、日常生活に欠くことのできない衣・食・住についての学習が主になってきます。昨年度は〝住〟についての学習を行ない、特に台所に焦点をしぼって、理想的な改善策を研究しました。改善農家を訪問したり、普及員を囲んで学習して、自分の台所を青写真にしました。今年度は、その台所で作り出す食べものについて、学習をすることになりました。しかし、食生活はあまりにも範囲が広すぎて、ややもすると焦点がぼけてしまいます。ただ、料理を作って食べるだけのやり方ではなく、もっと徹底した学習をと考え、〝食〟の中の保存食について、研究をやりはじめました。一度に多く収穫できる野菜を保存食として調理し、罐詰めにすることにしました。また、農繁期の食物調査をして、食生活の実態を調べました。そして、一年間のデータから、栄養摂取量と食糧構成を算出し、保存食を使った農繁期の献立を作りました。ちょっと考えただけでも、明日の農村をよくするための女子クラブ員の学習はこのほかにもたくさんあります。

生活　もの知りコーナー

◆株式投資の順序

ニューヨーク株式取引所が、大衆に株式投資をすすめるためのパンフレットには、次のようなことが書かれています。

1、株式投資の前に、あなたは、生命保険にはいっていますか。

2、あなたは住宅を買ったときの借金を、返す計画をしていますか。

3、あなたは、こどもの教育資金や、家族を養う貯金をしていますか。

4、あなたは、不時の支出に備えて、一定額を用意していますか。

5、以上を全部実行しているなら株を買いなさいーと。

◆さんまの蒲焼

材料（五人分）　さんま五尾、ほうれん草二百二十五グラム、小麦粉半カップ、砂糖九十五グラム、しょうゆ、塩、しょうが汁、白ごま、化学調味料少量。

作り方　❶さんまは開いて中骨をとり、塩、しょうが汁に浸して小麦粉をまぶし、油で両面を焼きます❷ほうれん草は、塩ゆでにして三㌢長さに切ります❸ごまはいためて軽くすり、砂糖、しょうゆで味つけしたものであえます❹しょうゆ、砂糖でタレを作り、前のさんまを浸して適当に切り、ごまあえを添えていただきます。

日本4H新聞

4Hクラブ
農事研究会
生活改善クラブ
全国弘報紙

発行所
社団法人 日本4H協会
東京都市ケ谷船河原町 会館内
電話(269)1175 郵便番号162
編集発行人 玉井 充
月3回・4の日発行
定価1部 20円
一ヵ年700円（送料共）
振替口座東京12055番

クラブ綱領

私達は、実践を通じて自らを磨くとともに、互いに力を合わせて、よりよい農村、よりよい日本を創るため、四つの信条をかかげます。一、私達は農業の改良と生活の改善に役立つ腕をみがきます。一、私達は科学的に物を考えることのできる頭の訓練をします。一、私達は誠実で友情に富む心をつちかいます。一、私達は楽しく暮し元気で働くための健康を増進します。

よく働く農村女性

中華民国の〝草の根大使〟帰国

親子関係に鋭い目

国際農村青年交換（IFYE）計画に基づいて日本4H協会（松下幸之助会長）の招き＝全国農村青少年教育振興会の協力＝で来日していた中華民国（台湾）の4Hクラブ員代表〝草の根大使〟、粘滋娘さん（二二）と菅明正君（二三）の二人は、三ヵ月間にわたる親善交歓と実習生活の日程を終え、このほど帰国した。4H協会では、二人の帰国に先きだち十三日午後一時半から東京・港区新橋の共栄火災海上保険相互会社五階会議室で、三宅常務理事（振興会・4H協会）、七星国際農友会副会長、金田振興会事務局長ら関係者を招いて滞日報告会を開いた。

青年は快活で〝自由〟

二人の日本での日程は、さる七月十八日に来日し、東京で日本の農業や4Hクラブ活動についてのオリエンテーションを受けたあと福島（七月二十二日～八月十五日）、宮崎（八月二十九日～九月六日）、長野（九月十八日～十八日）各県の受入れ農家に入り、その家庭の一員として生活、また第十回全国農村青少年技術交換大会（八月十七日～二十日、大阪）、第六回全国4Hクラブ員のつどい（八月二十四日～二十八日、佐賀）はじめ各県、地区の集会にも参加してクラブ員と交歓した。

右から二人目が粘さん、その左が菅君、三宅、新田両4H協会常務理事＝共栄火災会議室で

報告会は、新田4H協会事務局長の二人の日程説明に続いて、粘さんと菅君が日本での生活についての体験や感想を次のように述べた。

―日本全体についてどう感じたか

菅君は、中華民国でも日本の実情について紹介されており、自分が想像していたことと余り相違なかった。しかし、日本でテレビのデモなどを見たりしていると、すごく青年が自由であるという感じを受けた。粘さんは、日本の女性は仕事に余り励まないように想像していたが、実際は一生懸命働き、農村ではむしろ男性より勤勉であると感じた。この日本女性の働きぶり、熱意の偉大さを台湾の女性に伝えたい、と述べた。

―滞日中、農業でどのような仕事をしたか。また、それらの生活を通じて日本の農業についてどう感じたか

菅君は、雨の日の草刈りから稲刈り、ビニールハウスの管理の手伝い、粘さんは、子守や炊事から草刈り、乳牛の給餌などの手伝いをした。

日本の農業については、農機具の普及など機械化が進んでいる点をあげている。台湾でも索引機は使用しているが、トラクターや田植機、収穫機などがない。また、自家用車をもっている農家も日本と比べたら非常に少ない。しかし人力では余り変らなく、むしろ台湾の方がよいように思うと指摘している。

―農家の家庭生活について

粘さんはやはり女性の勤勉さをあげているが、親子の関係では、両親の意見を尊重する子供もいるし、そうでない人もいる。親子の間で親しみを感じられないように見受けられたと、ドライになりつつある家庭内における対人関係に鋭い目を向けていた。

―全国大会や県、地区大会などを通じて、友だちができたか。また、日本の青年と接してどういう感じを受けたか

大勢の友だちが出来て嬉しい。毎日突き当る苦しみや難関を乗越えることの出来る力強い青年が多いように感じた。いわゆる克起精神が豊かである。台湾の男性は大人しいように思う、と述べ、日本の娘さんについて菅君は、親切で礼儀作法がよく世界的に有名であるとほめている。

クラブ員数は、台湾でもやはり年々減っているという。

―困った点や強く感じたことは何か

食生活では、やはり生卵や生野菜などの生食、味増汁に不なれなこと（台湾では、煮か煎して食べる）やスープが少ないことをあげ、生活様式では、畳の上の正座に困ったことや日本式と西洋式の風呂の違いなどをあげている。言葉では、口でわからないときは漢字を書いてなんとか通じるようにしてきた。しかし、同じ漢字でも意味が違うときがあって誤解を招く場合もあると、やはり言語の違いによる意思伝達の難しさを指摘している。

このほか、交換計画に対する要望や中華民国と台湾を無差別に使用している点などについて話し合って終了した。

なお、粘さんは、さる十七日午後四時五十分、菅さんは一足遅れて仙台や山形の知人を訪問したあと二十四日午前九時五十分、羽田発のともに日航機で4H協会職員らに見送られながら帰国した。

涼風暁風

地下鉄の広告

電車といわず、バスといわず、近頃の乗り物の中は、やけに広告が目につく。たぶん、経営上の問題で、広告収入に期待するところが大きいためであろうが、美観をそこねるどころか、ときには嫌悪の情すら湧くほどだ。

ところで、毎日地下鉄に乗っていると、窓外の移り変りを楽しむわけにもいかないので、しかたなしに広告に目をやると、いろんなことに気づく。

地下鉄の広告の中で数の多いのは、やはり週刊紙のもので、A男はB子と深い仲とか、C夫妻は必ず別れる、といった調子で人のプライバシーを、臆面もなく、もっともらしく書くのに感心。次に多いのが、不動産、結婚式場、学校の順だろうか、学校はいわゆる各種学校が年間を通じてのお得意さんで、シーズンになると大学、高校が幅をきかせてくる。この学校の広告の多くは、校舎の写真を大きくとりあげる。学校の中味は、教授だとか、図書室だとか、研究・実験室などの好悪しで勝負がきまるもののようにも思えるが、たいがいの広告は、その入れものである校舎を宣伝材料にしている。本末転倒といいたいところだが、しょせん学び舎という位だから、これもいたしかたないのだろうか。

不動産、とくに建て売り住宅の広告になると、これはなかなか手がこんでくる。本質論で訴えないで、からめ手から攻めてくるチャンピオンだ。駅まで歩いて何分とか部屋の数や広さはまず欠かせないものとして書かれてあるが、そのつぎがくせもの。ステンレス流しがついているとか。ポリ風呂があるとかいうのはまずまずとして、階段にじゅうたんが敷いてある、瞬間湯沸し器がある、換気扇がある、門柱がある、灯籠がある、消火器がある等々、建物機能とは余り関係ないもの、入居してから、好みで買ってもいいようなものが、あたかも住宅の真価の如く前面に押しだされている。こんなにこまかいところまで気を配っているのですよ、ということだろうが、何百万円、あるいは一千万円を超える買いものである。一万円で買える瞬間湯沸し器があるということで心証をよくし、換気扇に心をうばわれて、二十万、三十万円も割高のものをつかまされては実もふたもない。

買う気になっている人は、意外に枝葉のところで決断を下してしまうもの。大局をみる目を失った大衆をあやつるものだとしたら、広告心理の悪用といわれてもやむをえないだろう。悪徳業者のいないことをねがうのだが。

さてさて、この広告の心理に似ているのが結婚である。頭の中身や心の大切さを忘れて、校舎に目がくらむのがメンクイ。仲人口にのせられるのが週刊紙広告、部分に目をうばわれて人間全体をみず、こんなはずではなかったに、というのが建て売り住宅組か。結婚シーズンを迎え、先ずはゆめゆめ油断なさるな。（文部省　伊藤）

中四国で推進会議

11月14・15日、高知県で　現リーダーを再訓練

中国四国ブロック農村青少年クラブ推進会議は、高知県農村青少年クラブ連絡協議会（会長、門脇慎太君）の主催、全国4Hクラブ連絡協議会と高知県の後援によって、来る十一月十四、十五の両日、高知県香美郡野市町東野の高知県立青少年センターで開催される。

この会議は、4Hクラブ活動を推進するために、現役リーダーを対象として4Hクラブの本質や理念、リーダーのあり方などについて研究するとともに、中国・四国ブロッククラブ員の相互の連帯を強めることをねらいとしている。

主な行事内容は、4Hクラブの本質についての講義（講師は、日本4H協会の新田事務局長）、全協活動についての説明（事業計画や4H会館建設など）、中国ブロック各県連の活動報告、分科会「農村青年に期待する」と題する酪農家、岡崎正英氏の講演、現地訪問としてのビニールハウス地帯の視察などを計画している。

参加者は、中国四国ブロック各県連役員、全協役員、4H協会など百余名を予定している。

「全国のつどい」誘致運動　いよいよ本格化

協賛マッチ一万三千ケース作る

北海道連

【北海道＝赤松宏連絡報道員発】北海道4Hクラブ連絡協議会（会長、奥村秀宏君）では、さる八、九日の両日、札幌市において三役会議を開いた。

三役会議には奥村会長、中山書記長、小栗広報局長、赤松事務局長が出席し、昭和四十六年度のプロジェクトレコードブックとクラブレコードブックの改訂と、プロジェクト活動の手引き（三輪敏道専門技術員著）の改訂版の発刊、第八回全国4Hクラブ員のつどい開催に関する誘致運動の展開について協議され、次のように業務の執行に当った。

プロジェクトレコードブックについては、全面的に改訂し、考えるプロジェクト活動に適した方式を採用している。特に、今までと変った点は、ルーズリーフを利用し各自が必要資料や不足用紙などが自由に添付できるようにしている。また、クラブレコードブックは例年通りで、改訂は四十六年度に見送った。

代金は、プロジェクトレコードブックが百五十円、クラブレコードブックが二百五十円で印刷費などの値上りで値上げを考えている。

印刷出来あがりは十一月末の予定で、今年度中には道内のクラブ員に配布される予定である。府県のクラブ員でレコードブックの必要な者は二十冊以上まとめて申し込んでほしい。

また「プロジェクト活動の手引き」は、著者に依頼して改訂を願い、八ページ増頁して発刊する。一部三百円で販売の予定で、二千部印刷することを決めた。発刊は十一月末。

第八回全国4Hクラブ員のつどい誘致について、今後の運動方向を確認するとともに、つどい開催までのタイムテーブルを作成した。また、先の総会で決定しているつどい誘致協賛マッチの図案を作成し発注した。十一月二十日頃出来あがり、誘致活動に一役を果す。五個組、一万三千ケースで道内一クラブ員一ケースの割で配布されることになっている。このマッチ製作から全国4Hクラブ員のつどいの誘致活動が本格的にスタートしたわけである。

「準備委」発足へ

愛知県連

【愛知】愛知県4Hクラブ連絡協議会（会長、冨永博君）は、来年の夏、同県で開催が予定されている「第七回全国4Hクラブ員のつどい」の受入れ準備を進めるため、さる九月二十五日、同つどいの準備委員会を発足させ、その初会合を二十日、岡崎の愛知県追進農場で開いた。

全協執行部、会館建設の土地問題を協議

全国4Hクラブ連絡協議会（会長、久野知英君）は、このほど愛知県三好郡三好町の久野会長宅で執行部会を開き、4H会館建設の土地問題や今後の募金方法、事務局強化のための専従事務員の設置のほか全国4Hクラブ中央推進会議、沖縄への親善交歓訪問などについて協議した。

第十回全国会議の要領決る

新しい農業への歩み（共通課題）

来春三月二日から四日間、東京で　主催者が運営

来春三月、東京都内で開催される「第十回全国青年農業者会議」の開催要領がこのほど決定され、各都道府県に通知された。以下は開催要領の要約である。

一、ねらい

この会議は、発展してゆく日本農業の中核者として、実践活動を推進している農村青年と農業経営者たちが、農業や農村生活の技術や経営について実地に体験した成果を発表し、これについて当面する問題、あるいは将来の方向などについて研究討議し、知識や技術の交換・交流をはかり、近代的農業および農村の建設に資することをねらいとして開催する

二、主催

農林省、NHK、全国農村青少年教育振興会、全国農業改良普及協会、日本4H協会、全国4Hクラブ連絡協議会、全国農業研究会協議会

三、開催期日

昭和四十六年三月二日（火）～五日（金）四日間

四、開催場所

オリンピック記念青少年総合センター（第一日～第三日）と国立教育会館虎ノ門ホール（第四日）

五、参加者

各都道府県は次により参加者を選出するものとする。なお、参加者は都道府県担当職員（青少年・普及係および専門技術員）を除くほか、全員発表概要（レポート）を必ず提出するものとする

（一）正式参加者の資格と人数

ア、農村青年

（ア）おおむね二十五歳以下で現在、自主的な農業研究集団活動に参加しており、本年度、都道府県段階で開催された、農村青年会議、プロジェクト実績発表会、放送利用農業集団大会およびそのほか農村青少年を対象とする大会または研究会などのいずれかに参加し、都道府県の代表として選出された者とする

なお、代表者の選出にあたっては、農業後継者育成資金の借受者または、部門経営をはじめている者を参加させることも配慮する

（イ）一県（都道府）男四名、女四名、計八名

イ、農業経営者夫婦

（ア）おおむね二十五歳以上三十五歳未満の研究心が旺盛で実行力のある新進の農業者であって、原則として自営者冬季学校（農業部門）に参加した者とする

（イ）一県（都道府）夫婦一組（必ず夫婦であること）

ウ、指導者の資格と人数

（ア）現在、農村青少年クラブなどの外部リーダー（篤志指導者を含む）

（イ）農村青少年担当普及員

（ウ）一県（都道府）四名以内とする

（二）担当職員

ア、都道府県担当職員（青少年・普及係および専門技術員）

イ、一県二名以内とする

六、会議内容

（一）部会の設置

会議の部会は、農村青年、農業経営者と指導者の三部会とする

（二）農村青年部会の会議の課題および運営方法

ア、会議の課題

会議の課題は選択課題と共通課題とする

（ア）選択課題

水稲作、野菜作（露地）、野菜作（施設園芸）、花き、果樹作（落葉）、果樹作（常緑）、酪農、肉牛、養豚、養鶏、特用作、わが家の健康、わが家の住い方、くらしの計画化、クラブ活動

（イ）共通課題

「新しい農業へのあゆみ」

イ、会議の方法および運営

（ア）会議は、参加者のとりくんだ農業経営または農村環境あるいは農家生活の改善などの実践活動（いわゆるプロジェクト活動）の課題に応じて、前記アの（ア）の選択課題別の分科会に分かれて行なう

（イ）分科会においては、参加者があらかじめ提出した発表概要を中心に発表し研究・討議する

（ウ）分科会は、参加者のなかから座長と書記を選び、進行および記録を行なう

ウ、発表概要

参加者は、発表概要を前項アの（ア）の選択課題のいずれか一つと、（イ）の共通課題について、別に定める実施細目によって記述し提出する

（三）農業経営者部会の会議の課題および運営方法（省略）

（四）指導者部会の会議の課題と運営方法

ア、会議の課題

（ア）選択課題

単位クラブの組織化、活動、指導方法

（イ）共通課題

「指導者の役割」

イ、会議の方法および運営

（ア）現在、農村青少年クラブの外部リーダー（篤志指導者）と農村青少年担当普及員に分かれて分科会を編成する（以下省略）

（五）各部会共通会議

ア、前夜のつどい（第一日夜）

イ、自由交歓会（第二日夜）

ウ、村のはなし懇談会（第三日夜）

わが村や町に伝わる民話、民謡、伝説、歴史や地理、村のよもやま話を通して村の文化の伝承と発展に寄与する

懇談会は分科会ごとに行なうこととし、この際あらかじめ用意した郷土色豊かなプレゼント交換を行なう

エ、農村青年と農業経営者交換討議（第四日午前）

第二日目の午後と第三日目に研究・討議された内容を、農村青年と農業経営者の両部会間において交換討議を行なう

（ア）交換討議の方法は、農村青年部会と農業経営者部会の同一課題をもつ分科会が合同して行なうものとする

（イ）指導者交換討議（第四日午後）

オ、代表討議（第四日午後）

「共通課題」について分科会で研究・討議した結果をもとにして、農村青年と農業経営者のそれぞれが果すべき役割についてパネル討議を行なう

代表者の員数は、農村青年部会四名、農業経営者部会二組計八名とする。なお、司会者は参加者以外からあてる

カ、担当職員の会議については別に定める

七、会議の助言者

（一）分科会の助言者（省略）

（二）代表者の助言者（省略）

八、合宿（省略）

九、運営

（一）全国青年農業者会議主催者代表者会議

本会議の基本方針を決定するため、全国青年農業者会議主催者代表者会議（以下「代表者会議」という）を置く。代表者会議は、全国青年農業者会議主催者をもって組織する

（二）全国青年農業者会議実行委員会

会議全般の運営を円滑に進めるため、全国青年農業者会議実行委員会（以下「実行委員会」という）を置く。実行委員会は全国青年農業者会議の主催者をもって組織する

（三）全国青年農業者会議連絡委員

会議行事の円滑化を図るため、各分科会に連絡委員を置く。連絡委員は、各分科会の参加者の中から選出された農村青年、農業経営者および指導者とする

十、表彰

（一）模範農業研究集団の表彰

（二）農村青少年農業研究集団の篤志指導者への感謝状

（三）農村青少年農業研究集団の育成協力機関への感謝状

（四）放送利用農業集団育成功績者への感謝状

（五）農業研究集団の育成協力機関への感謝状

十一、会議成果の広報（省略）

会議の日程

第一日（3月2日）　オリンピック記念青少年総合センター

午後1時……受付け
3時……宿舎入室、宿泊オリエンテーション
4時30分……夕べのつどい
5時10分……夕食・入浴
7時……前夜のつどい
9時……環境整理
10時……就床

第二日（3月3日）

午前6時30分……起床、洗面、朝のつどい、朝食
9時……入場
9時30分……開会式、会議オリエンテーション
11時……分科会々場へ移動、分科会編成
12時……昼食
午後1時……分科会研究討議
4時30分……夕べのつどい
5時10分……夕食・入浴
7時……自由交歓会、環境整備、就床

第三日（3月4日）

午前6時30分……起床、洗面、朝のつどい、朝食
9時……分科会研究討議
12時……昼食
午後1時……分科会研究討議
4時30分……夕べのつどい、夕食、入浴
7時……村のはなし懇談会
9時50分……環境整備、就床

第四日（3月5日）

午前6時30分……起床、洗面、朝のつどい、朝食
9時……農村青年と農業経営者交換討議
11時……国立教育会館虎の門ホールにバスで移動（昼食）
午後1時……代表討議　虎の門ホール
2時40分……表彰式、閉会式
3時30分……解散

心頭技健

十月十七日午後、全国の交通事故死者数は、ついに一万三千人を越した。これは、昨年より十二日早く悲しい記録を更新したことになる。秋の交通安全週間も終ったが、あまり効を奏しなかったようである▼このように交通事故は年々増加の途をたどり、それぞれの不注意から、運が悪ければ尊い人間の生命をなくしたり、一生を不具者として人間としての機能さえも失ってしまうことが少なくない。もし、あなたの縁者や知人の中で、このような事故に遭遇した人がなければ、お互いにしあわせといわなければならない時代である▼何年か前、自家用車は三種の神器の一つに数えられ、ネコもシャクシも、マイカーに夢をはせ、車を買いあさった。その結果、道路事情の悪さから街には車があふれ、交通の渋滞を示し、近頃では、排気ガスの問題をも含めて、もはや車というものは、人間の敵にもなりかねない。しかし、車自体はなにも事故を起すものでなく、その車を動かし、運転する人間の不注意が悲惨な事故を招くといってもよく、モラルの問題でもある▼もはや、日常生活の中で必要欠くべからざるものになり、使い方によっては便利なものであるが、その使い方に問題があるわけで、人間は便利さだけを考えて、もう一面の車の恐しさを忘れている面もある。いまや車万能主義に陥り、人が動くときはなにがなんでも車を使う。この使い方をもう少し考えたら、交通事情の緩和に役立つだろうし、事故も減少するに違いない▼クラブ活動の中でも車を使って行事に参加する機会が多くなったが、ある県では、行事に参加するとき車に乗ってくることを禁止したとも聞いた。車を使うということは、少しでも労力と所要時間を少なく目的地に着くことにあり、車に乗ること自体は目的でなく、あくまでも手段である▼のんびり歩く時代でもないが、バスや電車に乗って目的地につく間、その車の中で展開される人間模様、車窓から眺める自然の美しさや農作物の移り変わり、このように目的地に着く間にも、計り知れない多くのことが学べるということを忘れてはならない。もっと自らの体を動かす行動で人生を歩むことを考えよう。

第二十二分科会 クラブ活動Ⅱ

料理講習など だけでは—

女子クラブ活動にかたより

1、真の仲間づくりはどうあるべきか

我々の仲間づくりは時として、仲好しづくりに終っているのではないか？という問題提起がなされ、その区別が話合われる中で、真の仲間づくりは、心のつながりと共通の目的をもった活動のバランスであり、会員の質的な変化とともに、友情——共通の目的——共通の利益追求——という、段階的な発展をさせる必要があることが話合われた。

2、女子クラブのあり方

現在の女子クラブの立場、問題点、あるいは女子クラブに対する男子の要望が話合われる中で、今までの活動が、料理講習といったものにかたよりすぎている点が特に指摘され、今後の方向としては、もっと幅のある、広い視野に立った活動の必要性が認められる。

3、農村における他の組織クラブとの位置づけについて

クラブ員であり、同時に他の組織の会員であるという会員の重複が、時に問題点として上げられ、討議される中で、クラブと他の組織は、その地域における位置づけを明確にし、お互いによさを認め、協力するのが大切なことを明らかにした。そして、青年団などに対しては、その有用性と限界を考慮することも、大切であることが同時に指摘された。

4、グループ活動と農政活動

これからの農業は、農政と切り離しては考えられないということが確認され我々のクラブ活動に対しても、技術、経営中心的な活動に対する反省がなされ、これからの方向として、農政問題にも積極的に取組んでいく必要性が説かれた。

5、全国的な組織づくりについて

農業者の全国的な組織づくりの立遅れと必要性が指摘され、これからは、農業者のためのより自主的な組織づくりが必要であると話合われた。そして、4Hクラブとか、全国青年農業者会議には、組織としての限界（農政活動にタッチできない）が問題となった。

6、まとめ

これからの農業情勢は大きく変るだろうし、それによってクラブ活動も、大きく変ることが予想されるが、これに対処するためには、従来の技術、経営中心的な活動に農政の学習（活動）を加えて、三身一体となった、慎重にしてかつ大胆な活動が要求されていることが確認された。

☆　☆　☆

第九回 青年農業者会議報告

特別参加者会議 第五分科会

「兼業青年」の育成も

目的グループ化が必要

1、共通した問題点

（1）夜間学習活動の要望をどうするか

（2）出稼ぎ青少年の対策

（3）普及所の指導体制とその方法、普及員活動のあり方

（4）関係機関との連係

（5）青少年担当普及員のあり方

（6）農業諸情勢にどう対処したらよいか（普及員として）

（7）青少年育成の対象をどこに置くか

（8）クラブ組織の育成をどうするか

上記の項目の共通点を分類すると、およそ大きく三項目になるので、それに従って討議することにした。

2、討議の概要

（1）対象

まず青少年育成の基本的問題として、企業的農業経営農家を育成して行くためには、青少年の階層のどこに焦点を置くかが討論された。

❶専業農家で、将来、企業的農業への意欲がある青少年を中心に育成を行なう❷農業に対する熱意ある青少年であれば、兼業農家であっても、育成していく必要がある。以上二つの問題で討論が行なわれたが、結論として、将来は、専業農家の後継者を、中心に育成することが望ましいが、現時点では、農業の移り変りも激しいので兼業農家の後継者で熱意ある青少年は、指導育成すべきだということになった。

（2）女子グループの育成はどうしたらよいか。各県とも女子の育成は非常に困難である。現在の状態では、女子クラブ育成の優良事例もないのが実情であった。

（3）育成方法

❶基本方法　育成方法の基本的問題は何かについて討議したところ、次の二点に集約された。第一として、仲間づくりをやり、次に課題解決をして行く方法によるクラブの育成。第二は、当初から目的グループを育成して行く方法。

❷夜の学習活動に対する要請について　夜の会合は、できるかぎりやらないように、当初からしつけをすべきだという意見と、夜間の要請にも応じるべきだとの意見に分かれたが、一応、基本的には昼に行なうことを原則としていかなければならないが、夜間活動も現在、廃止することは時期的になお早いのではないか、こうしたことについては、リーダーシップの考え方を明確にして行くことが大切。

❸リーダーの育成（核づくり）　クラブ活動を活発にするには、自ら立上らねばならない。そのためにも、リーダーの育成が欠くべかざる条件である。できれば、学生時代から、関係の学校と連絡して、これに努めるべきだと思われる。

（4）指導体制

現在の農業体勢にどう対処するか、行政活動か、農業側に立った指導か。普及員は正しい情報を的確に伝え、その判断を農家とともに考える（米の生産調整など）。青少年担当専門普及員の設置について、広域普及所のなかに、青少年専門普及員を望むという県も若干あり、また設置についての慎重論もあった。たとえば、長野県にはテストケースとして、これの設置をみている。それから、普及所内でも、全員、青少年指導に協力してほしいという意見が、多く出された。

行事とプロジェクト

クラブ活動12ヵ月

新しいクラブ員を中心に

栃木県・普及教育課　湯浅甲子

〈27〉

あるべき姿で行なえば マンネリ招かない

クラブリーダー研修会などでいつも、問題になるのは、プロジェクトの理解と、導入をどうするかである。プロジェクトとはどういうものであるかについては、今までの各号に述べてきたから、おおよそ理解されたと思うが、そのプロジェクトに、クラブ員をどうして誘導するかが、なかなか難しい。

前号では、そのうち、手順の第一歩として、身のまわりの問題から、しぼっていく方法をのべてみた。そこで、もう一つ、方向を変えて、クラブの行事とプロジェクトの結びつきについて、考えてみよう。

今春、卒業して、クラブに入ってきた諸君にとって、クラブ行事の参加は、最大の愉しみであるに違いない。娯楽性の高い行事、学習的性格の強い行事、仲間づくり活動のような行事、話し合いを中心にした会合、そして、定例集会など様々な体験を積んできた。

その中で、学生時代に味わえなかった、青年群像の、いろいろな姿を見た。あるときは、自分の未熟を悟り自覚を深めたりあるときは、これでいいんだろうかと疑問を抱いて迷ったり、グループ活動のたのしさに酔ったかと思えば、そのわずらわしさに困惑するなど、思えば、いろいろなことがあった、という実感であるにちがいない。

そうした、行事の流れに乗って、今日まできた自分を、この秋の冷気に身をひきしめてみると、あなたは、この半年間、なにをやってきたのだろうか。ただ、流れに流される泡のようにくるくる舞いをしながら、どんどん川下へ流されていったのではないだろうか。

私は、しばしば、クラブは、マンネリ化してしまって、ちっとも面白くないという声を聞かされるが、こういうクラブ観を持つクラブ員の多くは、この流れに乗った水泡のような人たちであるように思うのである。行事の何であるかを考えないで、ただ、面白おかしく、好奇心でついてきた人たちなのではあるまいか。

行事は、一種のプロジェクトの動機づけをする場所であると私は考えている。プロジェクトの課題は、一人ひとりの生活、経営の中に存在するものだが、井の中の蛙で、渦中にあると、その存在に気がつかないのが、普通である。だから、行事参加者の中で、異なった生活、経営、人生観、職業観、情報などに接してみると、はじめて、わが身の中にある課題に気がつくもので、行事とは、そういう効能を持つものである。

そこで、行事に対する理解をもう一度、整理してみれば、こういうことになるだろう。

マンネリ化したというクラブ活動は、毎年まいねん、全く同じ内容の行事を繰り返していることからおきる受けとめ方である。行事を、あるべき姿で行なっていれば、一見、毎年、同じような行事をやっているように見えても、その中身は、常に新しく、刺戟に富んだものになっているはずなのである。例えば、こんな行事のあり方はどうだろうか。

月例集会（十一月四日）

19・00　集合（公民館）出席調べ（十六人）

19・00〜19・30　コーラス練習（指導・公民館主事）

19・30〜20・30　情報交換

①農政、農業経営、農業生活

②他産業、一般経済、時局、社会

③友だち情報、よもやま話

④伝達事項（会長）——交替制で①から③を分担するといい

20・30〜21・30　話し合い（主題）または

21・30〜22・30　助言者（クラブOB、指導者、先輩の中から毎回、主題にあった助言者をえらぶ）

主題は、クラブ会長がいつでも中心になるという型を破って、クラブ員の交替により、主題を運営する。主題は、前回のときにきめておく。

主題の話し合い方は、上役を二人以上おいて、主題が特定なものに固着してしまわないようにする。例えば「この地域の農業振興は、どう進められるか」を主題とするならば、A君は、農政面から、新都市法、農業振興法、村の農政施策を担当して調べてくる。

B君は、村の先輩、生産団体農協、学識経験者、普及所などの意見を集めてくる。C君は、他地域の事例を調べてみる……といった具合に、分担して集会に備えるのである。従って、助言者には村役場の農林課長さんにお願いするということになろう。こうして行なわれる月例会はどんな結果を生むだろうか。想うも心が踊るではないか。

次回は、文化関係のことをやろう。では、その内容と、分担は……と、集会を重ねたら、こんなにたのしく、有益な行事はないことになるだろうし、月例集会と月例集会の間が、空白にならないから、生活の中の課題が、むりなく、つかめるにちがいないのである。

10月

山梨県連、第七回集い

併催の活動展示会

仮装行列もきまじめに

【山梨県＝河東哲征君発】既報のとおり、県連主催の第七回山梨県4Hクラブ員のつどいは、十一月一日に開催される。後援は県をはじめ合計八団体。会場は県営総合グランド陸上競技場（雨天の場合は北中学校体育館）で、4Hクラブ員、OBはじめ各関係機関、団体、農業高校、農業大学の学生を予定している。

内容は、体力バランス、全員参加競技、地区連対抗競技（仮装行列、男子八百㍍、女子二百㍍リレー）など、4Hクラブ活動展を計画しており、参加者経費は一人二百円、他は県連が負担することになっている。入場行進、仮装行列、リレーが地区対抗で、ことに仮装行列は、テーマに「明るい農村建設のために」と謳っており、大会スローガンの「若さで集う青年の意気で拓こう明日の農業」の線にそったものである。

4Hクラブ活動展は、地区連、単位クラブの状況を展示発表するもので、写真の部、資料の部（機関紙など印刷物、事業資料など）創作品の部に分けられている。つまり、オリンピックのとき、芸術関係の展覧会があったのと、かたちは同じようなものである。

このつどいの主旨を、末端まで徹底させ、クラブ員の八〇％の参加を目標に、オルグも展開してきたし、「つどいの主役はあなたです」というキャッチフレーズを流して、つどいのアピールをするとともに、各クラブ員のアイデアをつどいのなかに盛りこもうという努力もつづけてきた。また、当日は、生活部を中心に、おでんバザー（一枚五十円の券を売る）を行なって、つどいのアトラクションと同時に資金とするための配慮もしている。

成功にみちびくために、九月六日（事業部長宅）、九月二十九日（県立青年の家）、十月十、十一日（同青年の家）の三回、実行委員会を開いており、開催間際の十月二十七日、三十一日と、あと二回の実行委員会も計画されている。また、つどいへ向けての「つどい速報」も発行した。

藤津地区連で 機関誌を創刊

【佐賀県＝吉田秀隆連絡報道員発】藤津地区4Hクラブ連絡協議会（会長、井上利幸君）では、このほど、地区内に散在する農村青少年の意見交流を図り、さらに連携を密にしようと、機関誌「四つ葉・ふじつ」の創刊号を発行。

藤津地区4Hクラブは、昨年結成され、現井上会長が事務局長のときからの懸案であったが、機関誌を作ろうとの機運は盛り上らず発刊できずにいた。しかし、今春の総会で事業の一つに加えられ、現山口貝二事務局長以下、役員数名の編集委員で準備を進めて、このほど創刊をみたものである。

記念映画の「明日がある」完成

家の光協会

雑誌『家の光』は創刊四十五年を迎えるが、その記念事業の一環として、セミ・ドキュメンタリー映画「明日がある」の製作を進めており、このほど完成した。

サブ・タイトルに「金浦町農協ものがたり」とあるが、この映画は、最近の農業、農村を取りまく厳しい諸情勢に対し、秋田県金浦町農協とその組合員が一体となりどのように対処してきたか、苦難の歩みと、輝かしい成果を描いたもので、イーストマン・カラー全四巻芸術祭参加作品でもある。

この試写会が、二十三日、午後一時半からと三時からの二回、銀座のヤマハホールにおいて行なわれた。

北陸ブロック農村青少年のつどい

十月十四から三日間、高岡市の二上青少年の家で、北陸農村青少年のつどいが、北陸農政局、富山県、県農村教育振興会の主催で開かれ、富山、石川、福井、新潟の四県から4Hクラブリーダー八十人が参加した。

静岡西部地区 ソフトボール大会

コーラなど300本売る

【静岡県＝鈴木政美君発】西部農村青少年クラブ連絡協議会（会長、名倉恭一君）は、去る九月二十五日、日本三大砂丘のひとつ、中田島運動場において、第一回西部地域農村青少年ソフトボール大会を開催した。

二十一クラブから百三十五名が参加、市連、郡連から選抜された十三チームと普及員一チーム、計十四チーム、試合のルールにより各チームに女子一名を起用することになっており、熱戦が展開された。

この日は天気もよく、コーラ、ファンタコーナーが設けられ、一本五十円で販売、約三百本が売れた。一本につき二十円のリベートがあり、これをソフト大会の運営費に使用した。

小、中学生が遠足に来ており、応援する光景もみられたが、注目の決勝戦は午後三時から行なわれて、庄内4Hクラブと細江4Hクラブの対戦となった。練習量と若さを誇る庄内が一〇対八で優勝した。

参加したあるクラブ員は、「西部地域の農村青年が一堂に集り、大会を行なったことは、今後のクラブ活動の中において、大変プラスになると思う。このような大会は西部だけでなく、県連で行なうべきではないだろうか」と語っていた。

ハワイ訪問記 〈下〉

親子の4Hクラブ

高橋芳郎

やがてプログラムに従って、4Hのリーダーの表彰がはじまり、感謝状とレイを授けた。リーダーとして長いのは十一年であるが、つづいて七年、六年、四年と順々に表彰状が贈られて、胸にバッヂが飾られていく。

ジョンソン夫人などは、夫が偉人だとかであるが、もう二〇年もリーダーをつとめており、自分の息子もメンバーで活動しており、きょうもメダルを二回ももらっていた。気品のある人であった。

一年組には小柳さんその他、これからハワイ大学にはいるという人たちも入っており、リーダーには困らないようであった。

OAHU COUNTYの4H賞の授与が行なわれ、自分の作ったプロゼクト（計画・案）が審査の結果よかったとかで表彰されるのであった。

シンシア・原口という十八歳の子は、ことし大学へはいるのだが、九つのプロゼクトを終えて九つのメダルを貰ったのだった。それを見せて貰うと、一つごとに模様がかわったメダルであり、小さなボール紙にきちんと納まり、美しい色で光っていた。G・Hとは、そこには「消費者教育」というプロゼクトの名が書いてあった。

ジョンソン夫人の娘さんも二つ貰ったが彼らの貰うのは4Hクラブの手帳やエンピツや緑のリボンなどがあって、これらを貯めておくことがよろこびであり、誇りなのであるらしかった。いろいろとそれを貰いに行くのが、考えてみるとたいへんかわいらしい童話的な行事のように思われた。

これが与えられるとき、いつも一同はさかんに拍手した。お互いに喜び合って貰うのだ。

話にきくと、4Hクラブは両親の理解がないと、うまくすすまないとのこと。また一つには両親教育でもあるということだ。そんなことからか、たくさんの親ごさんも見えていたし、原口さんのごときは、両親がおそろいで見えていた。この人は、熊本出身だという。日本では4Hが役所の手になり、両親から断絶しているようである。むかしから、若者の運動には、親がはなれたことはなかったはずだ。

これが済むと行事は終ったのか、一同はバラバラと帰りはじめた。近くの小柳さんにきくと、彼はワイピオという、ここから五マイル離れたところから来たという。みんなの中には、近い人もいるが、たいていはそんな遠くから来ているらしい。

われわれが荒川さんと握手して外へ出て車のたまり場へ来ると、きょう集った十八〜二十二歳くらいの人たちも車を運転してきたらしく、おもいおもいに自分の車へ入って始動の音をひびかせていた。

時刻は予定のとおり、八時であった。

【家の光協会専務理事】

再度、みかんもぎたのみます

——神奈川県・小田原農業改良クラブ——

【神奈川県＝鈴木時保連絡報道員発】小田原農業改良クラブは、今年もみかんもぎ交換実習生を募集しています。こうして、全国のクラブ員に呼びかけを始めて、今年で三年目を迎えることになりました。今までは予定した人数が集まりましたが、今年は、「全国クラブ員のつどい」に参加した時に、資料などを配布したところ大変な反響があったので、楽観していましたが、今のところ、まだ数名の応募者しかなく、困っています。

クラブ員一同、全国の仲間の友情応援を期待しています。どうかよろしくお願いします。

これまでに、友情応援に出かけて下さった全国の仲間は、農閑期の有効な利用と考え、地域社会の認識、自己の鍛練、友情交歓のため、自分の仕事をおいても出かけて下さいました。当クラブでもたびたび反省会を開いて、皆様の好意に感謝し、引受け態勢を検討、本年にそなえました。精神鍛磨と友情とを期待し、左記の要領で多数のご応募をお待ちいたしております。

仕事　誰にでも出来るみかんもぎ

期間　十一月下旬から十二月下旬まで

賃金　男女とも日給千二百円　雨天、休みの場合は支給しません。旅費は関東、中部、東北は全額、他の地域は片道支給します

持物　身回り品、作業着など

定員　二十数名（各家庭へ二名くらい）、男女不問、受入れはクラブ員の家に限ります

その他　ドライブを兼ねて地域の実情案内、交歓会として話合い、ダンスパーティーを三回予定しています

申し込み先　神奈川県足柄下郡松田町惣領七四二、神奈川県松田農業改良普及所内　小田原農業改良クラブ事務局　会長石塚昇　電話〇四六五—八二—二三六一

締切　十一月十日、申込み次第受入れ家庭から連絡いたします

私のプロジェクト

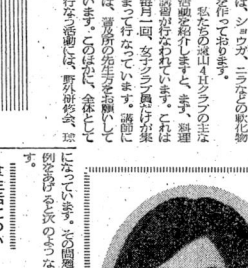

調査から始めた食生活改善

献立ての設計を研究

"バッカリ食"改める　栄養的なバランス保つ

千葉県成田市天神峰　遠山4Hクラブ　関根愛子

私が住む千葉県成田市は、成田山新勝寺の大本堂のあるお寺の町です。この静かな地域にも、現在新空港が建設され、昭和四十六年四月には、一番機が飛び出すという計画で、工事も急ピッチで進められています。

私たちの遠山4Hクラブ員は、成田市新勝寺から東に六キロ離れたところに住んでおり、クラブ員の農地の大半は、空港敷地にすっぽりかかってしまったのです。

遠山4Hクラブは、昭和二十九年に結成され、現在クラブ員数は、女性十三名を含めて三十名ほどおります。クラブ員の平均耕作面積は二百五十アールで、畑作経営です。主な生産物は、落花生、里芋、冬作には麦を作り、旧態依然とした農業経営をしてきました。しかし、最近では、施設園芸が取り入れられ、ビニールハウスには、ショウガ、ニラなどの軟化物を作っております。

私たちの遠山4Hクラブの主な活動を紹介しますと、まず、料理講習が行なわれています。これは毎月一回、女子クラブ員だけが集まって行なっています。講師には、普及所の先生方をお願いしています。このほかに、全体として行なう活動には、野外研修会、球技大会、女子研修会、先進地見学などがありますが、必ず毎月一回の定例会を行ない、これらの行事の企画や連絡調整を図っています。

私たちのクラブの特長は、女子クラブ員が他に比較して多いので、定例会のときには、いつも生活関係についての問題が多く話題になっています。その問題点の一例をあげると次のようなものです。

食生活についての問題

これは、農作業が忙しく、炊事時間が少ないことと、材料の準備が思うように出来ないなどから、いつも"ぱっかり食"になりやすい。また、老人と若人との間に嗜好の差があるため、毎日の献立てが思うようにたてられない——ということであります。

住宅についての問題

これは、台所の問題が出てきました。昔のままの台所で、かまど、流しなどの配置が乱雑で、働きにくく、そのうえ排水、下水などの処理が完全でない。また、三点セットなどを取り入れても、母などは調理台の使い方を知らない——などの意見もありました。

家庭管理についての問題

作業衣の収納場所がない。ただ働くだけに追われ、生活管理を見直す暇がない——ということでした。

以上のような問題のほかにも、数多くの生活についての問題が出てきましたが、その中で、みんなが共通して切実に感じていることは、食生活の問題で、とくに、農作業が忙しく、炊事の時間が少ないことと、材料の準備が思うように出来ないので"ぱっかり食"になりやすいという意見でした。

女子クラブ員の中で、本人が炊事を担当している人が六〇%、担当していない人が四〇%の割合いであります。しかし、どちらにしても、自分が炊事を担当していく場合は、バランスのとれた食事にしたいという希望を持っている人がほとんどです。そこで、実際に自分の家の食事調べから、食生活の設計までを研究していこうということで、この問題をプロジェクトにしました。

まず、事前調査として、私の家の食事内容はどうなっているかと思い、四日間記帳してみました。これは、朝、昼、夕の献立てと材料名、分量(g)を調べましたが【表1】のような結果が表われました。

この結果をもとにし、栄養診断を行ない、はたして、農業従事者として、栄養が足りているかどうかを、みんなで検討しました。その結果、私の家の場合、家族七人のめいめいの必要量を計算しました。

また【表1】は、私の家で食べた量と、家族の必要量を合わせてみてどこに足りない分があるかを栄養診断表で調べたら、このような点があることがわかりました。これを円グラフに表わしてみると一目瞭然です。

この円グラフをみますと、足りないものがはっきりします。調査期間の四日間に、たまご、乳類が全然とられず、次に油脂、砂糖がわずかしかとられていません。反面、多くとられているものは、穀類、海草、魚・肉類であることがわかりました。この結果をみて、私の家の食生活は、非常に片寄っていることがわかりました。そこで、この片寄った食事を改善するため、献立ての計画を立て一人一回の必要量を出して、現状と、その差の目安を出してみました。

これをもとに、一日の献立てを作り実行しましたが、【表2】はその一例です。

しかし、これを実行してみて、やはり毎日の炊事でも「私の家ではどの食品が足りない」ということが、いつも頭にあるため、以前とは違った献立てが立てられるようになりました。家族の中でも、「近ごろは、色々変った献立てが食卓に出て来る」と、よろこばれるようになりました。

一応私の家の献立てを立てられるようになりましたが、いざ、実行する段階になると、買物計画から炊事時間の確保まで考えていかなければならないことなど、いろいろ残された問題がありましたが、このように食生活の改善に取り組んできた結果、以前に比較して、どのように変ったかを、六月を例に栄養診断したところ円グラフの改善後にみるようになり、栄養的にもバランスがとれてきたことがわかりました。

私たちがプロジェクトを行なった結果を発表しましたが、これからも健康を保ち、元気で働くための食生活の研究に励むとともに、農村の生活改善に取り組んでいきたいと思います。

(表1)　養栄診断表　(単位グラム)—7人家族—

	魚・肉類	豆製品	卵	乳類	緑黄野菜	淡色野菜	穀類	いも類	油脂	砂糖	果実	海草
家族の必要量(1日)	830	525	190	1,260	820	1,020	2,250	560	175	265	850	19
私の家の摂取量	1,100	320	—	—	570	800	2,620	750	—	30	500	50
診断	+270	−205	−190	−1,260	−250	−220	+370	+190	−175	−235	−350	+31
4日間の平均量	1,120	355	—	—	551	905	2,670	480	49	28	250	38
4日間の診断	+290	−170	−190	−1,260	−279	−115	+420	−80	−126	−237	−600	+19

(表2)　献立て例

	献立て名	材料名	分量　7人分
朝	みそ汁	馬鈴薯	3ケ
	野菜の卵とじ	わかめ　煮干、みそ	15g　5尾　おたま1ぱい
	つけもの	玉ねぎ	2ケ
		さやえんどう	140g
		卵	2ケ
		にんじん	200g
昼	みそ汁	大根　ねぎ　油揚	150　3本　枚3
	ピーナツみそ	ピーナツみそ	150
	納豆　サラダ	納豆　人参　マヨネーズ	3包　100g　大さじ3
	即席づけ	大根	400g
夕	五目たきこみごはん	米　とり肉　のり	5カップ　300g
		人参　ごぼう	150g　150g
		しいたけ　グリンピース	6ケ　50g
	サバの竜田揚	サバ　油	500g
	けんちん汁	豆腐　小松菜　里芋	1丁　140g　5ケ
	つけもの		

(表3)わが家の栄養のとり方

4日間の平均(単位g)

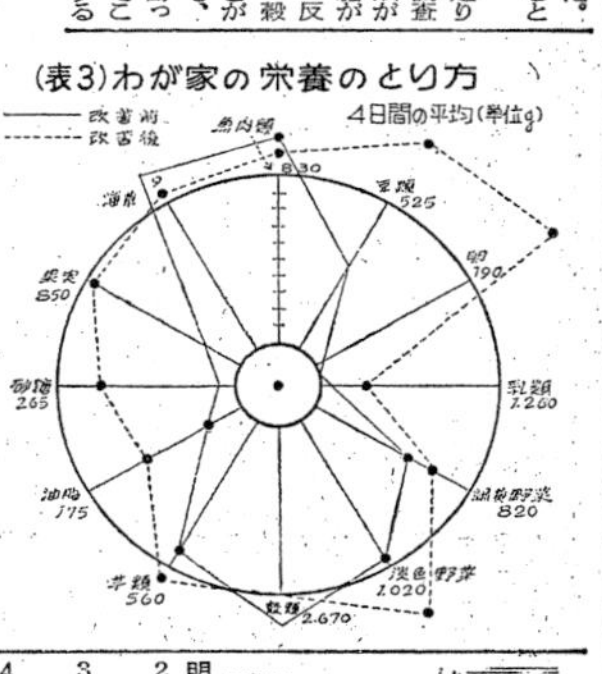

焼コテによる除角法

すでに百頭余を実施する

北海道上川郡清水町熊牛　吉田昇・田中憲政

私たち熊牛青年会の活動の一環として、仔牛の除角を取り入れたのは四十三年の十二月からです。その動機は、昭和四十三年、熊牛地区に百二十頭の牛がアメリカから輸入されましたが、一頭も角がなく、慣れない牛に対しても安心して、管理ができることを実際に知ることができました。

その後、誕生する仔牛は全部除角するようになりましたが、個人個人で実施していたために、なかなかうまくいかず、停滞の傾向でありました。そこで、私たち青年会で話し合った結果、地域の仔牛の除角を青年会活動の一環として行ないました。

除角の種類と方法は

一、断角機法＝若成牛どき＝夏季に実施困難、施設も必要で素人では困難

二、苛性加里法＝幼牛＝薬品のあつかいが難しい

三、ゴムリング法＝成牛＝時間がかかる。途中でおれ、出血が多い場合がある

三、コテ法＝電気コテ法(失敗が多い)、焼コテ法

これらの除角法の中から、私たちは焼コテ法を行なうことにしました。コテ法には、電気コテと焼コテ法がありますが、電気コテでは、価格が高くなり、配線が必要で、失敗例が多い。それに比較して焼コテ法は、価格が安く、コテを焼く場所さえあれば、特別な施設がいらず、素人でも容易にできる点で、この方法を実施しております。どくべつに注意することは焼けているコテの扱い方に十分気をつける必要があります。

必要な用具

除角用焼コテ(幅二センチ、深さ二センチ)、手袋、ヨーチン、保定用ロープ(長さ三～四メートル)

実施期間は、生後五十～百日(適齢期は六十日前後)で、夏季は三十～四十日前後

牛の保定法

用意してあるロープの片方の端を牛の前肢にしばり、後の方から両肢にまわし、腹の下からもとのロープにくぐし、人の位置は前肢をしばった側に立ち、背の上からロープを取り、手前に引きたおし後肢から保定し、前肢二本の順で保定し、肢を地面から浮かします。

焼き方

あらかじめコテをまっ赤になるくらい焼いて除角に入るが、人の位置は、保定された牛の鼻のところに立ち、まず片足を首のうえにのせ、もう一方の足は顔のうえにのせる。手は片方に除角用コテを持ち、もう一方は耳を持ち、除角の際にじゃまにならないようにし、コテは自分自身で一番持ちやすい方法で持ち小さく回し、角の部分に押し当て大きく回しながら、手首でコテの先が骨にとどくまで焼く(ゴシゴシとした感じがあれば骨までとどいている)。

以上のような方法で除角を行なっていますが、最近地域においても年年多頭化の傾向にあり、この除角により、つぎのような利点があります。

イ、除角牛は女子供でも安心して管理できる　ロ、多頭放牧で牛同士の闘争による傷害や流産を防げる　ハ、放牧の際、牛の強弱により十分な採食ができず成育に差が生ずることがない　二、性質が温順になる

私たちは焼ゴテを用いて四十三年十二月から、二人くらいのグループをつくり、雨の日などを利用して、地域内の仔牛百余頭の除角をしてきました。こん後も、これらの活動を通して地域の人たちとの結びつきを深めていきたいと思います。

プロジェクトの進め方《12》

新入者の導き方

さて、七～八～九月、この時期は比較的のんびりできるときですが、この時期になにをやったらよいか。これは導かれながら考えるときです。この時期は先輩が、うーんと引っぱりまわして下さい。

「きみはクラブに入ったけども、クラブ員の家へ全部いったことがあるかい。われわれの仲間もすてたものでない。立派な経営をやっている人もいるから、ひとつ一緒にいってみようじゃないか」とか「農協というところはなにをやっているか知っているかい。農協へいって聞いてこようじゃないか」とか、いうように、自分の眼で見て歩いて考えさせる時期だと思います。その中にキャンプやレクリエーションがあることも結構です。

このような活動を体験すると農業や農業をやっている人の苦しみもわかり、励みを持って農業に従事している人もわかってきて、なるほどなあーというようになってくる。十月も秋風が立って涼しくなってくる頃、頭の整理を行なう。つまり、目標を明らかにする活動を行ないます。

「なるほど、学校時代考えていたことは甘かったかな。これは、もっと違った方向でいかなければならないと思う人」という人も大分多いようです。卒業するときすでに、プロジェクトを持っている人のうち、三分の二ぐらいはこの時期に変更するようです。

一年の計は12月に　関係ある資料、データー集めから

私のところで、先進地留学の報告会がありましたが、ある娘さんが、花の勉強をしようと埼玉県へいったところ、受け入れ農家では、自分が学ぼうとした花は栽培していなかった。という報告がありましたが、ほんとうに有意義な研修であったといっていました。そこで私は、あなたがねらっていたものと違うのではないかと聞いたところ、やっぱり私の考え方が甘かったことに気づいたというのです。そこまで気がついた研修なら、すばらしい体験をしたことになります。

この時期は、そういう体験のできるときです。もちろん、学校時代の力が基礎になって、現実の中でどうしたらよいかという見当がついてきます。

そして十一月——。これは、十月で目標が決って、すぐプロジェクトに入らないことです。これが実は、プロジェクト発表会を聞いていて、いつも残念であり、困ったことだと思うことは、大事なひとつのものがぬけていると思うことがあります。なにがぬけているかといえば、十一月に、やるものがぬけるのです。

例えば「私はハウスで、トマト栽培を行なうのだと前から考えていたが、これでいくんだと思ったら、トマトに関するデーター、資料を試験場、先進地農家などから、ありとあらゆるものを集めるんです」これをやらないからだめなのです。

これらの資料やデーターが集ったあかつきには、人のふんどしで相撲を取れるんです。自分が無駄をしないで、人がやった結果を利用できるのです。試験場の結果の上に自分のやりかたを乗せてできるのです。この方法をやらないと、自分で一生懸命やって、やっとこの結果がでて発表しても、すでにわかっていることを苦労してやったことになります。

プロジェクトの発表会で、助言者からの講評のとき、必ず、「この問題と取り組む前にもう少し、そのことについての資料やデーターを調べておけばよかったですね」と、いわれています。そういう問題に取り組むのが十一月です。これをやらずにプロジェクトをはじめると、せっかくやったプロジェクトが、あまりよい成績でなく終ってしまいます。

そして十二月——。ここで、決定をするのです。計画を立てる。一年の計は元旦にあり、といいますが、元旦に計画を立てたのでは遅いのです。十二月に計画を立てて元旦から始めなければいけないのです。つまり、個人プロジェクトの型が、はじめてはっきりしてくるわけです。

この個人プロジェクトを、一月、二月と三月くらいまで実施してきますと、クラブの総会が行なわれます。この総会のときには一人ひとりが問題を持って参加できるようになります。ですから4Hの総会として、どういうことを一年間の計画を立てなければならないかということを、きわめて、具体的に、合理的な提案なり、協議ができるわけです。そういう体験を持っていないために、発言もできず、役員が決めたことだからいいでしょう——ということになってしまうのです。そういうことをくり返しているのが、今までのやり方です。

こういうことで、新入クラブ員のプロジェクトの導入法は、十二月の段階で設計ができ上るという作戦で行なってみたらどうですか。こういうオーソドックスなやり方ですが、もちろんプロジェクトとは、大きな問題ばかりではありませんから、考えて気づいたものから発想して始めるものもありますから、必ずしもこういう規制をする必要はありませんが、内容は同じだと思います。こういう手順で、プロジェクトというものに、新入クラブ員をさそい込んでいくことです。

この中には、少しもプロジェクトは、こういうことである——。という説明を行なう必要はありません。やらなくても、いつの間にか、プロジェクトになっているのです。あえていうならば、プロジェクトの設計をする場合、その内容のところでプロジェクトの五段階を追っていけるようなことを、先輩として助言してやればいいでしょう。

あの五段階法にしても、プロジェクトという大げさな名前をつけなくても、だれだって生活をよくするためには、ああいうものの考え方の手順でやっているのではないですか。あのプロジェクトの方式だって、学者が机の上で考えたのではなく、いろいろの実験、体験、実証の中から整理されて、プロジェクトシステムというものが出来上ってきたものです。ですから、極めて実際的な生活的なシステムだといってよいでしょう。

そういうシステムで、若い人たちを、われわれの仲間の中に引き込んでいけば、いつの間にか、自然にプロジェクトが身についていくと思います。

(栃木県・専門技術員、湯浅甲子氏の講義から)

稲作中心から養豚へ　五年後は収入の半分を

栃木県下都賀郡野木町赤塚　野木4Hクラブ　針谷正一

概況

私の家は、栃木県の最南端、野菜地帯として知られる野木町で、南には消費都市古河市、北には工業都市小山市をひかえ、国鉄東北本線、国道四号線が町の中心を貫通しております。

私の家の経営概況は、水田二・五ha(うち開田一・八ha)、畑〇・五ha、しいたけ三千本、豚(繁殖三頭、肥育二十頭)、山林三十a、このほかしいたけ用の資設としてビニールハウスがあります。

動機

私の地域では、土地の基盤整備が実施されておりません。このため、農繁期ともなると、小さな農機具を、あちらの畑、こちらの水田へと移動しなければならず、余計な労力を必要とし、稲の植付け後も水管理にひと苦労要するありさまです。

そこで私は、都市近郊の特徴を生かした、企業化しやすい養豚を導入しようと考え、高校在学中からホームプロジェクトとして勉強してきました。しかし、私の家の収入は六割ほどを稲作に依存しているため、急に稲作から養豚に転換するわけにはいかず、そこで、畜産部門を伸ばしつつ、稲作の改善にも力を注ごうと考えました。

実施

昨年、田植機の購入とともに、水田の区画を拡張し、田植労働力の大幅な省力を行なってみました。これは、五十aを私に任され、機械で植付けましたが、成績は順調で、稲作栽培技術の自信を深めることができました。本年は、水田の全部を田植機で植付ける計画です。

養豚については、昨年の十一月に後継者育成資金を借り受け、豚舎を建て、繁殖豚三頭を中心に、肥育豚を飼っておりますが、少なくとも五年後には、収入の約半分は養豚で占められるようにしたいと思って努力しています。

反省

稲作の改善については、田植機の導入が成功し、労力の省力化が図られ、田植どきの余った労力を他の部門に活用できるようになりました。

養豚部門については、はじめたばかりですが、これを伸ばしていくためには、自信ある飼育技術、施設などに関連した畜産公害の問題、また、企業的な養豚経営から考えて規模の拡大、販売方法など大きな課題が山積しております。が、一つひとつを捕えて、プロジェクトを行ない解決していきたいと思います。

また、将来は、養豚部門の拡大にともない水稲を徐々に減らし、都市近郊の利を生かして、蔬菜栽培を行ないたいと計画しています。

NHK農事番組(11月1日～10日)

テレビ

明るい農村　6・30～6・55　総合

2日　村の記録　減反農作(秋田県湯沢市)

3日　きょうの話題、米の文化史　篠田統、大森志郎

4日　産物往来　大規模集団稲作への道(秋田県羽後町)

5月　話題の広場　転作その後(愛知県下)

6日　村をむすぶ　配給制度

7日　食管制度　倉石農林大臣ほか

9日　村の記録　遺跡とハウス群(奈良県高市郡明日香村)

10　きょうの話題　世界酪農会議から

農業教室　7・30～8・00　教育

2～7日　果実主産地の動向(全販連)小倉栄三ほか

2日・カキ、3日・モモ、4日・ウメ、5日・クリ、6日・ブドウ、7日・ナシ

9～10　地域条件と稲作の動向(協同組合経営研究所)桑地文太郎

あすの村づくり　日　7・00～8・00　教育

9日・北海道　10日・東北

1日　▽グループだより(京都市右京区桂)レキ耕研究会　▽「十四・五円団地牛乳論」～生産者が考える安い牛乳～(北海道阿寒郡鶴居村)鶴居村農友会　▽ある青年像(北海道阿寒郡弟子屈町)坪井嗣雄

8日　▽グループだより(広島県神石郡三和町)青年酪農会　▽「専業養鶏への道」～都市近郊の場合～(福井県鯖江市)農業後継者クラブ　▽ある青年像(茨城県水海道市坂手町)杉山佳弘、古手嘉雄

ラジオ

早起き鳥　5・05～6・00　①

1日　▽農協新三ヵ年計画をきく(全国農業協同組合中央会長)宮脇朝雄

2日　現地報告　期待される牛乳の本州送り

3日　▽特集　農業と文明

4日　通信員の手帳から

5日　人と話題　ブラジルのぶどう作り(コチア産業組合)脇田俊勝

6日　現地報告　迫られる水利用の再検討(千葉県江戸川周辺)

7日　村のポスト

8日　世界酪農会議から(畜産振興事業団)李子一雄

9月　現地報告　山村に生きづくしいたけ団地(高知県十和村)

10日　人と話題　色彩と野菜栽培　浜田国彦

ラジオ農業学校　月～土　6・40～7・00　②　日　6・30～7・00　②

1日　▽グループの集い「農業のよさをみつけよう」九州地区農業振興親子会議出席者代表

8日　▽経営手帳「これからの生糸需要と養蚕」(日本絹業協会)石川正夫　「商業化農業への道」(農業評論家)松下満雄

番組紹介　あすの村づくり

1日　▼グループだより(京都市右京区桂)レキ耕研究会　会員は七名。レキ耕栽培は昨年からはじめ、深さ十二センチという従来のものより浅い床が特長で、施設費、管理費は従来の三分の一ですみ、十アールの共同施設を中心に、トマト、きゅうり、レタスなどを作り、新しいレキ耕栽培の研究にとり組んでいる。

▼生産者が考える安い牛乳(北海道阿寒郡鶴居村)鶴居村農友会　酪農地帯をひかえた釧路市では、農協牛乳や生協牛乳など、大手メーカーにくらべ安い値段の牛乳が出まわっている。生産者として、こうした消費者の動きに無関心であっていいのだろうか。番組では消費者の安い牛乳に対する意見を素材にしながら、もっと飲まれる牛乳を生産するにはどうしたらいいのか話し合ってもらう。

「つどい」に参加して

仲間の姿に感激
農業に生きる逞しさ

高知県・佐川女子青年生活講座生　森　敏子

「"心頭技健"磨くわれらが未来を拓く」を大会スローガンに掲げた、「全国4Hクラブ員のつどい」が開かれる佐賀市民会館、記念演説も済ませて開会式、過日の台風十号で約四百十億円の被害を受けた高知県からの参加者は、参加申し込み者の半数たらずの十一名でした。私自身、このような大きな大会への参加は初めてですが、やはり、現地交歓訪問に期待と、魅力と、ちょっぴりの不安を感じていました。

奈良薬師寺管主・高田好胤先生の記念講演「心に種をまく」の後は、「地域農業とクラブ活動」というテーマで、テレビ公開録画のパネル討議が始まりました。その熱心さ、真剣さに、よく冷房のきいた館内も熱くなるようでした。

そして、いよいよ現地交歓訪問への出発です。私の交歓先は、小城郡芦刈町という所で、佐賀市から車で四十分、有明海の近くの耕地面積、水田九百五十六㌶、畑はゼロの水稲中心に、有明海でののり養殖や、裏作にビール麦、タマネギなどを作っている、広々とした田園の静かな町です。

もうすっかり暗くなった一日目は、芦刈町公民館で、芦刈4Hクラブの人たちや公民館長さんに迎えられて、自己紹介の後は歓迎の夕食会などを開いていただきました。

二日目は、昨夜からお世話になっている新納さんの案内で、近所をひとまわり、最初に目に入って来たのがヨシブキ屋根が多いことあちらこちらに見られます。すぐ隣りのおばさんは、柄が短く細長く、平になった大きな木のスキで畑を耕しています。「あんなに柄が短いのに……」と不思議な気がします。

どこへ行っても、親切に素朴な暖かさで迎えてくれますが、一番こまったのが言葉で、少しテンポが早く、耳なれないせいか何を言っているのかわからず、「もう少しゆっくり言って下さい」と注文をつけても、三度くらい聞き返さなければ、全部の意味がわかりませんでした。

驚いたのは有明海の"ムツゴロウ"という魚、泳ぐのではなく水面をぴしゃぴしゃと飛ぶ。飛んでいるかと思うと、今度は岩の上へはい下って日光浴、捕えてやろうと思って手をのばすと、とたんにぴょん、なかなか捕えられません。この魚、岩の上だけでなく木の上までも上っていくようです。驚いた顔で見ていると、目玉をぎょろっとさせて水の中へ入っていきました。

午後からは、昨日の公民館に集って、現地の4Hクラブの皆さん方との交歓会、米の生産調整だとか、農産物の貿易自由化だとか言われている現在の厳しい農業情勢にもかかわらず、農業に対する情勢を、瞳を輝かせながら熱心に語る仲間の話を聞いているうちに、一生懸命に農業に生きようとする心意気、たくましさを肌で感じることが出来ました。農業経営の専門的なことなど、何もわからない私ですが、同じ土に生きようとする者として、限りなくたのもしく心強く思ったことでしょう。

三日目、お世話になった交歓農家に心からの感謝とお礼をのべ、「マタキンシャイネ」という言葉に送られて、小城郡での全体会の会場になっている清水という所へいきました。その名のとおり、冷たくきれいな滝と緑の木々があり、わりあい涼しい所で昼食を食べながらの会は、あまり時間がなかったためか、一部の人の意見交換で終ったようです。

全体会後は、宿泊地へのバス移動になっていたのですが、私たちのグループは、現地の人たちのご好意で、県立公園北山ダムまで足を延ばして、現地交歓最後の日をおもいっきり、心ゆくまで楽しみました。今日でお別れの人もたくさんいる泊の間いっしょにいて遠く唐津までつれていって下さり短い間だったけれども、たくさんの楽しい思い出を作ってくれた人たちと、お互いの変りない友情を誓い合って宿泊地へ—。

宿泊地は、熊の川観光ホテル、夕暮れが迫ってくる頃には、ホテルの裏を流れる川の音が聞えてくるだけの、静かな環境の良い所です。夕食後は、大広間に集って郷土品の交歓や、明日の散策についての話し会いが行なわれ、残り時間は自由交換ということでした。

四日目は、「葉隠の里をたずねて」の自主的班別行動ですが、大会四日目にもなると、つかれが出てきたのか大分元気がなくなってきました。春日みかん団地というみかん園の中を通ったり、高城寺で国宝の仏像を見たりの散策も、現地訪問での感激があまり大きかったためか、皆あまり感激がないようでした。

太陽がカンカン照るというのではないけれど、やたらにのどが乾く。そんな時、散策コースのあちこちでの地元の皆さん方のお茶の接待がうれしい。「この暑い中をわざわざ私たちのために……」と思うと、自然に頭が下がる思いです。夜は古湯でキャンプファイヤー、あかあかと燃えるファイヤーを囲んで、各県ご自慢の郷土芸能におしみない拍手が送られる頃には、約千名の心が一つに溶け合って素晴しい雰囲気です。

大会最終日は、佐賀の代表的な民芸、浮立面（鬼面）をつけて踊る、"面浮立"という郷土芸能と閉会式が行なわれ、五日間の大会の幕が下されました。長いようで短かったこの大会で、何よりも仲間の多いことを知り、その仲間と楽しく集った五日間を思うとき、また、現交歓での数々の思い出に浸るとき、新たな感激の中で思うのです。「よかった、佐賀の大会に参加してよかった……」と。

青春と仲間

「4H」との出合い
いつ入ったんだろうか？

天理市4Hクラブ　中尾万州夫

僕が初めて「4H」という言葉を耳にしたのは、中学生のころだったろう。いや、もっとそれ以前のことだったように思う。そのころ、4Hとは、農業をやっている田舎臭い人々ばかりだろうなあと思っていただけだった。

高校へ行くようになったら、身近な青年団の先輩などが、よく4Hがどうのこうのと言って、明るく、そして楽しそうにいろんなことを話しあっているのを、耳にするようなことが時々あった。

そして、ある先輩がなにか行事のあるたびにさそってくれたが、まだ学生だし、農業をやる気もないし、田舎臭い所だと思っていたので、そのたびに断わっていた。

なにかのきっかけで、一度、奈良である行事へ先輩についていったときに、頭で描いていた4Hクラブとは、あまりにも違うのでびっくりした。というのは、第一に田舎臭いと思っていたのが、まるっきり違っていたということ、第二に、クラブ員の皆さんが熱心で活発に意見を出し合っているのにはびっくりした。というより、感動させられたと言ったほうが適当であった。

農業学習取入れよ

そして、今、お前いつ4Hに入ったのかと言われたら、三年前と言って良いのか、五年前と言って良いのか、自分でもいつ入ったのかわからないままに、現在にいたったのである。さて本題で、皆さんもそうだと思うが、僕は4Hとはもっと農業のことを話し合い、たとえば米作とは何か、作物を作るにはということだと思って参加させていただいたのである。

考えていたのと少々ちがっていたと言うのは、行事が六〜七分、そして学習が三〜四分と思われることである。少なくとも、今以上に農業学習をふやしたら、もっと人数もふえ、すばらしいクラブとなり"集めるクラブ"から"集まるクラブ"となるのではないかと、僕は思う。（奈良県連十五周年記念誌「若い力」より）

「10年のあゆみ」
中央青年の家で刊行

国立中央青年の家は、昨年九月、開所十周年を迎えたが、このほど「10年のあゆみ」と題する記念誌を刊行した。内容は、各関係者の文章や、十年間の記録をまとめたものである。

この国立中央青年の家は昭和三十四年、御殿場市に開設されて以来、施設の拡充、職員の増員などに力を注ぎ、ことに建物は、四十二年から三ヵ年計画で、旧米軍施設にかわる新築工事に取りかかり、四十五年春に竣工をみた。また、ここでの研修生も、満十周年の四十四年九月十九日現在、百四十六万六千三百六十二人となり、年間平均十数万人に及んでいる。

家族で読書を

宮城県栗駒町機能集団　後藤峯子

動機　あまりにも忙しい生活の中で、私たちはただそれにまかせて、毎日、惰性のようにして過ごしていないだろうか？　頭の回転をにぶらせ、テレビのクイズ番組とか、新聞の見出しくらいに、目を走らせて終りという明け暮れではちょっとさびしい感じがしてならなかった。それと、"広い視野にたっての物事の考え方"ということを選びたいと思った。そこで、まずは、家族の間だけでも読書という習慣をもつことにした。

計画　❶とにかく、自分でヒマを見つけては"活字"を読むようにすることである。これからは、知るべきことが多い。専門書、雑誌、小説などをどんどん読む。❷読むと同時に書くことも大切だから、日記をつけることにした。

かえりみて　❶家族間で話し合うチャンスが多くなった。❷いつの間にか、新聞などの字のウラにある"コト"を感じとれるようになった。

今後の計画　このように、言葉としては言い表わしにくい読書の良さというものを、家族内だけでなく、これからはクラブ活動の中にも、盛り込んでいきたいと思う。

☆　☆　☆　☆

花によせて

佐賀県・塩田　吉武京子

「花は自然のエッセンスである」と、ある華道家が言っていた。花に対する感覚が、もう慣れてしまっていると思っていた専門家が、こんな自然の中から生み出されてくる言葉を使うことに、深く興味を持った私だった。

鳳仙花の種をパチパチ鳴らして回った幼い日。花物語にあこがれたときもあった。高校のとき、教卓の紫陽花ばかり見つめていた授業。花瓶の水仙が、黄色くなるまで取りかえずにいたら、授業に来た古文の先生が、このクラスには「たけくらべ」なんかを読む人はいないのですかと言われ、花を取り替える寂しさを憶えた日、どっちみち、花の運命はいろんな人にもらわれたり、買われたりする身だとか—。

お盛花に、桐の実を活けながら「桐の花とカステラの時季となった。私はいつも桐の花が咲くと冷たいフルートの哀音を思ひ出す」という北原白秋の「桐の花」に思いをはせ、桐の花もフルートの音も、私には響いて来ないけれど、嫁入りダンスも桐の木だと喜び、心の中に、花のロマンをいっぱい与えてくれる。田んぼの中の野道に咲き並んでいる野菊を、胸いっぱい摘んで、好きな人にあげたいナと、ふと思う秋の日。

武者小路実篤はスケッチに書きそえている。「花ありて人生たのし」と。

カッコ悪さも大切に
仲間作りは"ひとり"から

佐賀のつどい　葉隠の里散策　レポートより

「葉隠の里を訪ねて」のレポートにも多く見かけ、また、つねづね見聞する言葉に、「友達」、「仲間意識」とか「友人」とか「連帯感」といったものがある。友人をもつこと、他の人間と連帯感を確めうる状態にあることは、掛値なしにひとつの幸福だといってもよかろう。

ただし、以上のような、またはこれと近似した言葉に接するとき、どうも率直に聞き、読むことができない。友人でもない者をつかまえて、何となく友人と呼んで済ましているのか、あるいは友人だと思い込んで呼んでいるのか、よくわからない。さらに考えられるのは、友人という存在に対する考え方がいつしか変質しており、同じ言葉を使いながら、相異なったイメージを抱きあっているのだろうか。

そんなしちめんどうくさいことはどうでも、友人であればよいではないかといわれそうだが、一日や二日、顔を合わせていたくらいで、人間が互いに理解しあえるものだろうか。世の中には、一目惚れという現象もあるから、友達などは、朝飯まえに作れると考えているわけでもあるまい。瞬時にして、十年来の知己のごとくなれる場合が皆無だとはいえぬが、希有なことと考えた方が間違いは少なかろう。

4H活動をしていくうえでも、仲間がなくてはどうにもならぬことは当然である。友人と仲間とはニュアンスの違いはあるが、いまはイコールで結んでおく。同一のクラブにいる場合、会う機会も多く、少しずつでも互いが互いのことを知り、次第に近よりあって、Aに対しては、Aの像というものを作りあげるための時間というものがある。はっきり意識はしないが、その像を作りあげるのは手さぐりであり、ほんのわずかずつ組立てる作業である。

友人とのつきあいはじめを憶い起してみると、だれでもがこんなことに気づくのではなかろうか。だとすれば、これが、何ヵ月、何年と長時間でなく、数時間から数日くらいで、同じように友人はできないものか。前述のごとく皆無だとはいわないが、可能性はごく小さい。顔と名前がわかったからといって、それはいわゆる「理解する」というところまではいっていない。

それぞれがひとりであることを知らないで、どうして友人を作りもっと大きい連帯感などを生みだして行かれるであろうか。あまりにも手軽に、互いが友達呼ばわりをすることによって、本当の意味での結びつきを見落してしまってはならないのだ。

冒頭に記した疑問は、あまりにもすばやく友人を作ったり、連帯感を深める"カッコよさ"に、何やらうそっぱちなにおいをかぐからである。人間関係なんてものはそもそもそんなにスマートにいく筋合いのものでないことは、二十年も生きていれば、誰でも身にしみて合点しているはずだ。その、"カッコわるさ"に耐えなくて、どうして仲間が一緒に活動などできるものか。ここには、いわゆる服飾界におけるようなファッションなぞ、微塵もないことを再認識しなくてはならぬだろう。クラブ活動も、そのうえに立ってのことだ。

農村雑感
折原俊二郎

或る花卉栽培者の悩み

過日、全国の花卉栽培農家の代表が東京に集り、全国集会を開いた。その集会の目的は、聞くところによると、諸物価の値上げが続々となされているが、花の価格はここ数年来据置きの状態となっている。他方、米の生産調整の波紋を受け、現在の花卉栽培農家にも大きな影響を与える状況になりつつある。

こうした中にあって、今後どのようにやってゆけばよいか、大きな不安を抱いている。その不安を不安としてチッとがまんし、だまっていることではいけない、ということで集会がもたれたとのことであった。結局、花の価格安定について、政府として何らかの法的措置を講じ、安心して花卉栽培ができるように、とりはからってほしいという陳情を行なったということであった。

この集会に参加したN氏は、個人的に私に話をしてくれたが、その中で、「花卉栽培農家の一員として、自分の経営をみていると、農業形態がここ数年で大幅に変っていくように思う。それは、農業以外からの圧迫でなく、農業自体の中から変革を求められる形となり、その影響が直接的に、われわれにかかってくる。

そのときがすでに目の前まで来ているといえる。この不安を解消するためには、やはり政府が何らかの手段を講じ、安心して花卉栽培が続けられるようにしてもらわなければならない。稲作農家だけが農家ではないはずである」という。

さらに「今の農業政策はどんとんとしている。日本経済は依然として急成長しているが、その中で農業だけが直接被害を受けている状態で、この辺に根本的な問題があると思う。農業政策の方針が十分たたない原因もそこにあるかも知れない。今陳情をやってみても大きな期待はむずかしいだろう。しかし、困難だから農家自身のみで解決せよといわれても困る」と強い言葉で語ってくれた。

そばで、一緒に今回の集会に参加するために上京して来たという三十歳位の人が、次のように語ってくれた。「確かに何らかの対策を政府が考えてほしいと思う。しかし、良く考えてみると、政策のみにたよっておってはどうにも解決ができないと思う。例えば、今回集って来た人の中で、完全に経営簿記を記入し、収支決算を明確にしながら、経営改善を進めている人が何人おるだろうか。

そうした経営を棚上げにして上部機関にのみ依頼しても、本当の解決にはならないと思う。それにしても、つくづく自分自身を考えてみて、満足な教育を受けていないので、何とか自分で勉強をしなければならないと思うが、どれから手をつければよいか、その方法がつかめず迷っている。

これからは、自分の経営のみを考えていては成立しないと思う。新しい品種の栽培、普及状況、出荷と流通関係、需要状況など、考えれば考えるほどむずかしく、ひいては日本以外の外国の実情まで知っておく必要があると思う。今からでもおそくはないかと思うが、教育の必要がつくづく感ぜられる」ということであった。

そして「政府の対策には期待できないと思う。どうしてもわれわれ仲間が協力し、その中で個人個人が成長する。それは、自分の小さい枠をこえて、広い視野で見、考え、判断し、行動できる農家でなければ、これからは本当の花卉栽培農家になれない……」と。

（農林省・農業者大学校）

花嫁修行は
農業技術の体得

千葉県・山田町　農村問題研究会　高野和江

私の住む千葉県香取郡山田町は県の北部、利根川に沿った水田単作地帯です。純農村地帯だったこの地域も、西に成田国際空港、東には鹿島臨海工業地帯の開発、米価据え置き、米の生産調整などの影響もあり、農閑期には出稼ぎに行く人もふえています。そのためのどかだった田園風景も年々消えてゆきつつあります。

こんな中で、農家のお嫁さん不足は深刻な問題です。私は次のような原因を考えてみました。一つは、嫁さん達の漠然とした都会へのあこがれ、農村社会における古い習慣です。

私は昨年十一月、町の農業祭の時、「嫁入り道具の移り変わりと米の価格と結納金」というテーマで、実態調査を行なった結果、次のようなことに気がつきました。

第一に、明治二十年頃、米一俵が六円だった時、結納金は二円くらいで、米の約三分の一でした。ところが昭和四十三年では、米一俵八千円に対し結納金はなんと米の二十五倍の二十万円です。

第二に、嫁入り道具に洗濯機、ミシン、バイクなどは、嫁ぎ先にあっても持って行くし、また、冷蔵庫、ストーブ、電気コタツまでも持って行く人もあります。第三に、結婚は二人の門出を祝福するよりも、家と家との結びつきを大切にして、ごちそうをたくさん並べ、飲めや歌えの大さわぎをするというのが、一般的な傾向です。

二年ほど前に結婚した人で、こういう例がありました。「結納金は差し上げません。そのかわり支度もいりません。本人だけで十分です」といい、彼女は、当座に必要な衣類とタンス一つで嫁いで行きました。

彼女は、物質ではなく、すばらしいものを持って行きました。養豚の技術を持って行ったのです。この話を聞いた人たちは、「いいことだ。これがほんとうだよ。だけど、やっぱり嫁にやるなら、少しぐらい金がかかっても……、第一、世間の目が……」と言う。

技術は肉体労働だけでない

学校を卒業し、和裁や洋裁、編みものを習うことは、決して無意味だとは思いません。しかし、実際農家に嫁いできた人に聞いてみると、「祖母や母に言われて習ったが、実際やっている暇がない」と言う。そして「和江さん、あなた本当によかったわよ。親の反対を押し切ってまでも農業のことを勉強して。今になって自分の浅はかさがわかった」と言う。

以上のような点から、私は花嫁修行として、すぐ、しかも実際に役だつ農業の技術を、何か一つ学んだ方がよいと思います。女性にとって、技術を学ぶというのは、ただ肉体労働をするというのではありません。農業簿記や農業日誌をつけることだって、農業に参加することだと思います。

生活もの知りコーナー

◆台所用品の使い方

鉄製フライパンや中華なべは、使う前に必ず油引きの処理をしておきます。まず、なべについている油気を、食器・野菜用の洗剤を使って、湯できれいに洗い流します。次に、水気をすっかり拭きとり、なべを火にかけて油を少し入れて煙がたつくらい熱します。煙が出たら火を止めるか、なべをおろし、しばらくそのままおき（三〜四分くらい）、また油を入れて熱します。これを四〜五回くりかえし、最後に油分を布か紙ですっかり拭きとっておきます。こうすると、油がなべにしみこんで、使いやすくなります。また、フライパンは、翌日もう一度油びきをしておくとよいでしょう。

アルマイトのなべは、食器洗いの洗剤で洗い、水を入れて一度煮立たせる程度でよいでしょう。ガスコンロは、火口がすぐさびついてきますから、ゴミやほこりを拭ったあと、布に油をしみこませ、すみずみまで拭きこんでおきます。火口の穴がさびると、火力の点でも大損ですから、ときどき手入れをする必要があります。

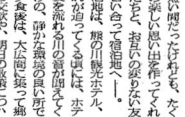

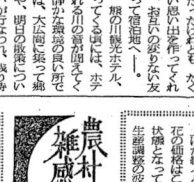

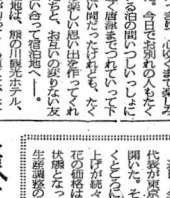

日本4H新聞
4Hクラブ
農事研究会
生活改善クラブ
全国弘報紙
発行所 社団法人 日本4H協会
東京都市ケ谷家の光会館内
電話(269)1175 郵便番号162
編集発行人 玉井 光
月3回・4の日発行
定価 1部 20円
一ヵ年700円（送料共）
振替口座東京 12055番

クラブ綱領

私達は、実践を通じて自らを磨くとともに、互いに力を合わせて、よりよい農村、よりよい日本を創るため、四つの信条をかかげます。一、私達は農業の改良と生活の改善に役立つ腕をみがきます。一、私達は科学的に物を考えることのできる頭の訓練をします。一、私達は誠実で友情に富む心をつちかいます。一、私達は楽しく暮し元気で働くための健康を増進します。

会長に宮城氏（前副会長）選出

日本4H協会 通常総会開く
松下氏名誉会長に
常務理事に伊藤氏 理事は全員が留任 副会長 三宅氏

社団法人日本4H協会（会長、松下幸之助氏）の昭和四十五年度通常総会は、さる十月二十一日午後一時半から東京・港区芝の松下電器東京支店六階会議室で理事会をかねて開催された。今年度は、役員の任期満了に伴う改選が行なわれた結果、松下氏が名誉会長に推薦され、新会長に宮城孝治氏（前副会長）、副会長に三宅三郎氏（同常務理事）、常務理事に窪田角一氏（同、留任）、伊藤末吉氏（同理事、新任）、新田健吉氏（同常務理事・事務局長、留任）が選任され、また、松下会長を除く全理事の留任を決定した。

松下名誉会長

宮城会長

窪田常務理事

三宅副会長

新田常務理事

伊藤常務理事

理事会をかねた総会は、農林省農政局の田所普及部長、大沼普及教育課青少年班活動促進係長らを迎え、松下会長が議長となって進められた。

新田事務局長の司会で、まず松下会長が開会のあいさつ、理事会と総会をかねることで了承を求め続いて新田事務局長が理事会と総会の成立を報告、このあと松下会長が議事審議に先立ち、本会顧問の久留島秀三郎（ボーイスカウト連盟理事長）同理事、小林寅次郎（ライオン油脂株式会社々長）の両氏が最近死去されたことを報告し、冥福を祈って出席者全員が黙祷を捧げた。

ついで理事会と総会の議事署名人を各二人ずつを選んで議事審議に入り、第一号議案の四十四年度事業および決算について新田事務局長、また、監査結果について藤巻吉生監事が適正であることをそれぞれ報告、審議のあと承認された。

続いて第二号議案、四十五年度の事業計画および予算について新田事務局長が説明、カナダから来日した4Hクラブ員の受入れなどについて質疑応答が行なわれたあと原案通り可決した。

次に、役員改選に移り、松下会長から一身上の都合で会長と理事を辞任したい旨の発言があってこれを了承、松下会長を除く理事全員の留任を決定し、松下電器からは新たに理事を選出してもらうことにした。このあと新会長に、松下会長が強く推挙した宮城前副会長を満場一致で選出した。ここで議長を松下前会長から宮城会長に交替し、宮城会長が「かねて、松下前会長から、永年会長の任にあり、老齢であるなどの理由から辞任したいとの考えを示されてきた。これに対し、会長の職に留まっていただくよう強く懇願してきたが、ご決意が固く、しかも従来と同様に援助したいというお話があったので、辞任は止むを得ないということに落着いた」とこれまでのいきさつについて述べ、しかし、何らかの形で残ってもらうために、定款を変更して名誉会長という称号をつくり、松下前会長を推挙したい旨の提案がなされた。

これに関し、松下会長からわざわざ定款を変更しなくともという発言とともに、理事から、協会が今日あるのも松下前会長の永年の努力に負うところが大きい。顧問でも悪くはないが、名誉会長は総会の決議をもって推挙することを総会で決めるようにして私たちの気持を率直に表現したい。それでなければご退任を了承できないなどの意見が述べられ、満場一致で松下前会長を名誉会長に推挙することを決めた。

宮城会長から、常務理事を中心に理事、会員とともに協会運営のために努力したいと就任のあいさつがあったあと、副会長に三宅前常務理事、空席となった常務理事に伊藤理事を選出、窪田、新田両常務理事の留任を決定した。

このあと農林省の田所普及部長があいさつ、農村青少年の育成に尽力している日本4H協会に対する感謝のことばとともに、農林省が行なっている農村青少年育成も4Hを精神的な寄り所にしていると述べ、また最近、新規学卒就農者は四万足らずにぐんと減ってきているが、量より質の問題が大切で、4H精神に基づいて努力していくなら農業にとって不足ではない、今後も農村青少年の育成に尽力してほしいと協力を求めた。

4H協会役員の新陣容成る

名誉会長	松下幸之助	松下電器産業㈱会長
会長	宮城孝治	共栄火災海上保険相互会社社長
副会長	三宅三郎	全国農村青少年教育振興会常務理事
常務理事	窪田角一	東洋瓦斯化学工業㈱専務取締役
同	伊藤末吉	伊藤建設㈱社長
同	新田健吉	日本4H協会事務局長
理事	岩佐凱実	㈱富士銀行取締役頭取
同	江崎利一	江崎グリコ㈱社長
同	奥原潔	㈳家の光協会副会長
同	笠村一延	久保田鉄工㈱専務取締役
同	鈴木万平	三共㈱社長
同	福井信吉	㈶富民協会理事長
同	土岐定一	全国販売農業協同組合連合会常務理事
同	徳安健太郎	日本てん菜振興会理事長
同	十井正治	住友化学工業㈱社長
同	佐藤貞	NHK農事部長
同	織井斉	全国購買農業協同組合連合会常務理事
同	安井三郎	農林中央金庫理事
同	穂田久	全国農業協同組合連合会専務理事
同	山中義教	全国共済農業協同組合連合会専務理事
同	吉田宏	IMC日本代表
同	高田正明	三菱重工業㈱機器部長
監事	松野幸吉	松下電器産業㈱常務取締役
同	小林寅次郎	農林漁業団体職員共済組合理事長
同	藤巻吉生	横浜精糖㈱常任監査役

なお、理事のうち、ライオン油脂㈱と松下電器の代表者は未定。

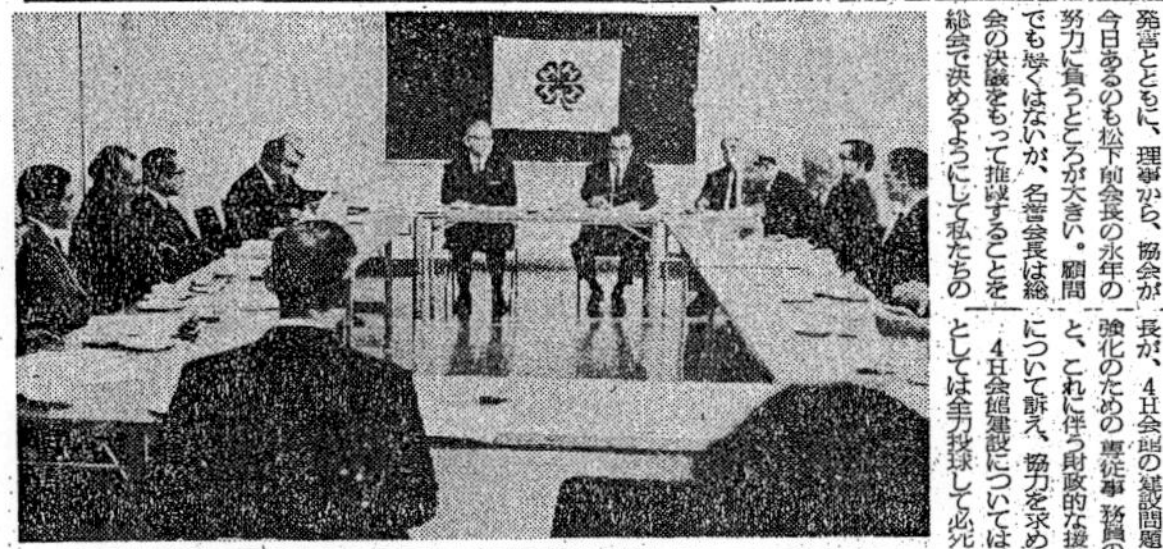
日本4H協会の通常総会で45年度の事業計画や予算などについて審議する各会員＝松下電器東京支店で

全協執行部 会館問題など訴え

また、この総会には、全国4Hクラブ連絡協議会の久野知英会長はじめ黒沢健一副会長、松浦幸治事務局長が出席、冒頭から議事進行の成行きを見守っていたが、総会後、全協執行部と協会々員との話し合いがもたれた。久野全協会長が、4H会館の建設問題、組織強化のための専従事務員の設置と、これに伴う財政的な援助などについて訴え、協力を求めた。

4H会館建設については、全協としては全力投球して必死になって頑張っているが、まだ土地のメドがついていない。土地の目安がつかなければ4H会館が建つかどうか信用が置けないと、募金を集める上でも支障をきたしている。また、国有地などを借り受ける場合などでも、法人格が必要となるので、土地確保に協力してほしいと訴えた。

これに対し、松下名誉会長は、額のお金を協会でも出すと以前に確約している。しかし、これは土地も建物も合わせて考えるべきで半額は自力で集める必要がある。問題はみなさんの努力、募金であって、土地は金さえあれば買うことができる。何か頼っているのではないか。これは、いま農村だけでなく、日本全体の思想としてみられる。これを農村の中から打破するためにも努力してほしいと激励した。

なお、松下名誉会長は、日本4H協会の創立以来副会長の任にあり、死去した杯初代会長の後を受けて、さる三十一年会長として選ばれ、今日までの約十四年間、財界の大御所として公私ともに多忙の中を日本4H協会の発展、4Hクラブ精神の啓蒙のために尽力してきた。このたび、同じく永年副会長として松下前会長を補佐してきた宮城氏にバトンタッチされたことは、4H協会の歴史の上で大きな一つのエポック（時期）であるといえる。

スローガンを募集
来春の全国青年農業者会議 第十回を記念して

来春二月二日から四日間、東京・渋谷区代々木のオリンピック記念青少年総合センターを主会場として開催される「第十回全国青年農業者会議」の主催者（農林省、全国農村青少年教育振興会、全国農業改良普及協会、日本4H協会、全国4Hクラブ連絡協議会、全国農業研究会協議会など一官庁と六団体）では、同会議のスローガンを全国から広く募集する。

主催者側では、同会議の第十回を記念してスローガンを募集する方針を決めていたが、このほど、その募集要領を各都道府県主管課長に振興会の金田事務局長名で通知した。

これは、同会議の実施細目の中の一つとして掲げられているもので、都道府県に連絡されたスローガン募集の要領は次のとおり。

▽会議スローガンの募集

第十回を記念し、会議スローガンを全国から募集、入選者（採用された者）に対して主催者から記念品を贈呈することに致しましたので、左記により、ふるって応募するよう周知徹底方よろしくお願いします。

一、募集締切期日
昭和四十六年一月三十一日
二、応募資格
農村青少年育成にたずさわっている指導者および農村青少年クラブ員
以上

スローガンの内容は、同会議の共通課題に決まった「新しい農業者への歩み」を加味したもの、また、農業者会議の性格を強調したもの、あるいは第十回を記念したものなどが考えられているようである。

なお送付先は、次のとおり。

東京都港区西新橋一―一五―一 二・佐野ビル 全国農村青少年教育振興会 郵便番号一〇五

埼玉で初の集い
来る14・15日、加須市で 意見発表や民宿

【埼玉】埼玉県農業研究団体連合会4H部（部長、絅川信夫君）主催の「第一回埼玉県4Hクラブ員のつどい」は、来る十四、十五の両日、加須市総合レクリエーションセンター「むさしの村」、北川辺村の「渡良瀬遊水池」と加須農業改良普及所管内一円で開催される。埼玉県農業の改良協会、加須地区4Hクラブ連絡協議会、むさしの村、加須市などの後援で、県内クラブ員四百名が参加の予定。

主な内容は、クラブ員の意見発表（男子クラブ員三人、女子クラブ員二人）はじめ「人生をすばらしく生きよう」と題する若い根っこの会々長、加藤日出男氏（総理府青少年問題審議会委員）の講演、クラブ員宅への民宿、話し合い、レクリエーション、地元クラブ員による歓迎レセプション、記念品の交換などで、日程は次のとおり。

一日目は、午前九時半から受付け、十時から歓迎レセプション、十一時開会式、十二時から休けい、自由交歓、午後一時から講演、二時半から意見発表、四時に民宿へ出発し、各クラブ員宅で交歓。

二日目は、民宿から戻り午前十時半から話し合い、午後一時からレクリエーション、二時半から閉会式を行ない解散する。

涼風暖風
べったらづけ

秋、それは漬ものの季節である。北海道ではどこの家でも、長い冬ごもりに備えて大量の野菜を漬ものにして貯蔵する。漬もの用の野菜は、だいこんが大部分を占める。寒風の吹きさらす裏庭で、だいこんを水洗いし、軒下や干しもの竿に数日つるして干したあと漬け始める。マーケットはだいこんの山だ。

鯡づけ・みそづけ・たくあんづけ等いろいろあるが、どういうものか私はあまり好きではない。だいこんの漬ものさえあれば飯のおかずはいらないという人もいるのに、と、私の家族たちは不思議がる。しかし、好きでないものはどうしようもない。とくに、「べったらづけ」には困る。だいこんを「こうじ」で漬けたもので、うす塩で甘味が強いというあれだ。

べったらづけの風味は別としても、ベッタラとかベタリという語感が、密着や粘着を想起させる。どちらかというと、私は「さらさら」とか「サッパリ」とかの感じのほうが性に合う。同じ漬ものでも、キャベツやかぶを一日くらいうす塩で漬けたのが好きである。これは生野菜を食べるのに似ている。

青年グループの中にも、べったりの雰囲気をもったのがある。会員はまことに親密で、もめごとは一つもない。仲間の誰れかが提案すればすぐに満場一致で決まる。仲間のことはすべて知りつくしており、誰れかが困ると全員で助ける。ちょっとでも会わないでいると不安になるので会合の出席率はいつも百％である。つまり、仲よしグループだ。

しかし、どうも何かものたらない。仲よしそれ自体は望ましいことに違いないが、討議に火花を散らすことはないし、異質の考え方や見方で互いに啓発されるわけでもない。それほど同質なのだ。少々不合理なことでも仲間の意見だからという理由で認められる。協力が高まり過ぎて個性が消えてしまい、仲間以外の青年は寄せつけないほどの団結は、閉鎖的な雰囲気をつくり出す。いいかえると、べったりの人間関係が生まれるわけだ。

青年グループは、もっと生身の人間同志の結びつきでありたい。意見の対立も、もめごともあるが、感情で論理が支配されず、それでいて仲がよい、そんな「さっぱり」した人間関係のほうが、問題と取り組む仲間、創造性豊かなグループに発展するように思う。

だいこんの漬ものに「さっぱりづけ」というのがあってもいいだろう。

（北海道・三輪）

安値即売も実施 富山県連
7日から滑川市で 4H実績展示会 研究成果を一堂に

【富山】富山県4Hクラブ連絡協議会（会長、五十里国明君）と滑川市主催の第十九回富山県4Hクラブ実績展示会は、来る七日から九日までの三日間、滑川市民会館と体育館で開催される。

これは、日ごろ4Hクラブ員が進めている農業の改良や農家生活の改善についてのプロジェクトの成果を一堂に集めて展示し、クラブ員相互の技術の研究、意見交換を行ない知識技術の向上を図るとともに、広く一般にも公開して地域農業や農家生活の向上に寄与しようとするもの。とくに、今年度は県連発足二十一周年を迎えてこれを機会に新しいあゆみの第一歩にしたいとしている。

出品展示の内容は次のとおり。

一、実績展示の部
❶教育展示❷工夫展示❸写真展示❹衣類展示
二、一般展示の部
農産物の外観、品質ともに優秀さを競う農産物品評会で、穀、葉菜、根菜、いも、果実、卵、加工品の各類などに分類する。
三、特産展示の部
四、参考展示の部
〔一〕4Hクラブ員で、今までに展示会、演示会、発表会で秀位（一位）賞を受けたものと、大型共同プロジェクトの成績などを参考展示して一般公開する。
五、特別展示の部

これら一般展示、特産展示の非売品を除いて全品を即売することにしている。

また、農産物大廉売コーナーを設けて、野菜、果実などを参観者に型破りの安さで販売して消費者への奉仕と大会ムードの盛り上げを図り、これと同時に、同県の特産物の大廉売コーナーを設け、特産物の紹介やPRとともに消費者に奉仕販売する。

さらに、腕だめしコーナーを設けて、農業と生活に関する全体にわたって実物をみて解答する問題（審査、診断、判定、鑑定）を提示し、成績優秀者参観者に賞品を贈ることにしている。

“みちのくの香”贈る
岩手県連で全県下一人二株運動を展開 国体に里芋

【岩手県＝高見館花江さん発】岩手県農村青年クラブ連絡協議会（会長、及川正紀君）は、このたび岩手で開かれた第二十五回国民体育大会において、全国から集まった選手、役員にクラブ員が丹精こめて作ったサトイモを無償で提供して大変喜ばれた。

岩手県連では、秋季大会に参加する二万五千人を越える選手や役員を迎えるに当って、これら多くの国体関係者に“みちのく”岩手の土の香りと豊かな味覚に親しんでもらおうと以前から計画し、この春から、秋の香り、土の香りの充満する里芋の生産に、全県下一人二株栽培を進めてきた。その結果五百㌔を上回る生産量がまとまった。

この里芋は、根毛を取り除き、水洗いをしてビニール袋で包装、クラブ員の手によって各旅館に届けられた。そして「澄みきった秋空に土の香り、秋の味覚、クラブ員みんなで国体に心を寄せました」——という文章を刷り込んだ絵ハガキ＝絵＝と一緒に夕食の食卓にさっそく、イモノ子汁として出された。各選手は“岩手のイモノ子汁は格別の味”と舌づつみを打っていた。

岩手県連では、この里芋運動を契機に来年の技術交換大会をぜひ成功させようと張り切っている。

初の農村青少年大学を開講 富山県連

【富山】富山県4Hクラブ連絡協議会（会長、五十里国明君）は激動する農業に対処して農業についての知識を深めるため、県農産普及課と共催で「第一回農村青少年大学」を五ヵ月間にわたって開講することを計画、その開講式をさる十月二十三日富山市奥田の銀鶴荘で行なった。

同大学は、十八歳から二十五歳までの県下の4Hクラブ員を対象として、水稲、酪農、養鶏、養豚、そ菜、花卉、果樹、生活の八部門に分かれて学習している。

期間は来春二月二十八日までの五ヵ月間で、県農協会館を会場として、毎日午前十時から午後三時まで開く。受講者は四時間ずつ三日間部門別に、そのほか一日は全体学習をしている。なお、講師は県農業専門技術員や農改普及員などに依頼している。

全協で11、12日に執行部会を開く

全国4Hクラブ連絡協議会（会長、久野知英君）は、来る十一、十二の両日、東京・新宿区市谷船河原町、家の光会館内の同協議会事務所で執行部会を開く。

心頭技健

全国4Hクラブ連絡協議会の十五年の歴史の中で、いまほどクラブ組織の真価や、OBとは何かについて問われているときはなかった。これを全国のクラブ員とOBが当面する切実なみずからの問題として受け止める必要があろう。4H会館の建設に関する限り、この問題を無視して通り過ぎることはできない▼全協は、今年度中に会館の土地確保にメドをつけるよう努力すると県連会長会議で言明してきた。しかし、一本の頼みの綱としていた4H協会から、このほど開かれた総会の席上でつき放された状態になった。いよいよぎりぎりのところまで来たという格好である。これから全協執行部は、どのような方法で土地を探して歩き回ろうとするのか▼松下名誉会長は、クラブ員自身の自主的精神を強調する。募金活動が開始されてから今日まで集まった募金額を聞いて、どこかに問題があるのではないかと指摘し、何かに頼っているのではないか、その問題を根本から考え直す必要があるのではないかという。昔、農民は貧しかったが、そこにはもっと開拓精神、エネルギーがあったではないかと▼4H会館が果して建つかどうか疑念を持っている人が少なくないことは事実である。しかし、土地確保が募金活動の前提として送金を見送るケースもあるが、これは消極的で主体的な行動ではないと思う。集まった金を送って、全協執行部の尻を叩く方がずっと青年らしい態度ではないだろうか▼それに、OBの協力体制はどうなっているかの疑問もある。じっと後輩たちの動きを見守っているのかも知れないが、表面だった動きがないだけに無気味だ。どのような事態になったときOBが一丸となって助け舟を出すか、それは同時やってくるのか判断は出来ない。それとも逃げ腰でいるのか▼OBの中には、全国的なOB組織を望む声も少なくない。しかし、なかなかそれが出来ないのが現状のようだ。だが、このようなときにこそ実現出来る機会があるのではないだろうか。限られた範囲の中で懸命に努力している全協執行部を見殺す結果にならぬようみんなが考える必要がある。

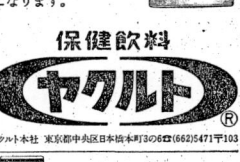

行事とプロジェクト

クラブ活動12ヵ月 新しいクラブ員を中心に　<28>

栃木県・普及教育課 湯浅申子

先輩と結びつきを 地域の行事と日常活動

十一月は行事が多い。そして稔りの秋、秋祭りといったお祭り気分もあるだろう。米を初めとして、農政の動きに不安はあるが、収穫の秋は、農村を包んで、喜びが理屈ぬきに農家の顔をほころばせている。青く澄んだ大空に、どとやらの花火のはじける音が、毎日のように聞えてくる。農業祭、体育祭、青年祭、文化祭、そして品評会などの催しものが、全国的に繰りひろげられる季節である。

4Hクラブも、きっと、その主催団体の一員として、何やかやと忙しい毎日を送っているにちがいない。今年の秋は、農業者にとって、何とも感情を感じる、例年にない複雑な心境ではあるが、青年まで沈滞してしまっては救われない。いつの時代にもピンチはあるものだ。そんな時にこそ、青年のパワーがものをいわなければ、青年不在の農業になってしまうだろう。こんな時こそ、青年が青年を主張しなければならない時である。

秋祭りの太鼓を青年奮起の合図にして、数の少なきを嘆かず、静かに己れの剣を磨く余裕を諸君に期待したい。そこにこそ、4Hクラブの相互研鑽の場が必要なのである。

農業祭や品評会は、諸君ら日頃の活動を、世に問う絶好のチャンスではないか。私は、毎年この時期になると、地方の品評会を見る機会が多く、そのたびごとに思うことは、なるほど、4Hクラブのプロジェクトの成果が、作物になって出品されているのだが、どうも、青年の主張というものを、感じとることが少ないのである。親達の農産物に埋没するように陳列されていて、クラブの名前さえ明示されていない。

どうして、日頃のクラブ活動とつないだ出品をしないのだろうか。えてして、この種の催しものは、個人的な特技がもてはやされる傾向が強いものだが、このカベを破ってみようと考えてみたことはないか。また、農醸物を見世物のように扱い、あとは即売して、全部さばければよいといった無味乾燥な形式を打ち破って、村あげての技術交換会に変えることは不可能だろうか。

クラブ員にとって、農業祭、品評会は、村の先輩の努力を明らかに目で見、手にとって触れることのできる絶好な時であるはずだ。この機をのがさずに、出品物の仲間が手わけをして、品評をし、教えを乞う人をチェックしておくべきではあるまいか。そして、品評会終了後のクラブ活動の計画に、それらの人をたずねたり、クラブにおいでを願って、その人の農業観や技術論、人生観などを聞かしてもらい、一緒になって意見の交換をすれば、どれほど効果的であるか、想像に難くはあるまい。

一日や二日の催しものを、ただ、単に恒例の形式行事にしてしまうか、それとも、この機をのがさず、永くクラブ活動、特にプロジェクトにつなぐかは、クラブ員の催しものに対する取組み方一つである。

行事は、活動と活動の間に節を打ちこむ役目を果たすものであるから、その節の役目を、村の農業祭や品評会に果たしてもらうことは、極めて有意義である。そのためには、農業祭を中にはさんで、かなり事前から計画に取組まなくてはいけない。わずかな開催期間中に、クラブ員が総動員で、これにあたらなければならないだろう。

また、農業祭終了後も、先輩とのつながりを深め、プロジェクトリーダーとして、助言にあたってもらうとか、篤志指導者として、クラブの後見役になってもらうなど事後の活動もまた、ひきつづき展開していかなければならないと思うのである。

出稼ぎとクラブ活動

この時期になると、クラブ員の掌握が一段とむずかしくなるようだ。それは、出稼ぎ、日稼ぎ、習いものが多くなるからである。

出稼ぎ問題は、社会生活への欲求が根底にある根の深い問題だから、クラブ活動とつないで考えることは、少々無理はあるが、出稼ぎが、クラブ活動をやりづらくしていることは、事実である。

クラブ員が村に落着いていないということは、折角、クラブに入って、勢いづいてきた新入クラブ員にとっても、また、やる気充分のクラブ員にとっても、どうも、歯がゆいことである。リーダーは、これまたクラブの掌握や活動に、ハタと行き詰まってしまう。

いわば、クラブ活動が一時頓挫した格好になってしまい、これが、活動の停滞の口火になってしまう危険を、感じざるをえない。まさに、一年のうちで、一番心配なときである。この時期をどう突破したらよいものだろうか。みんなで考えてみようではないか。

☆　☆　☆

11月

「恋愛と結婚」話す ミスパイオニア教室で

宮城県矢本町農業後継者クラブ

現代の農村女性としてのあり方を学んだ

【宮城県＝城桃とみえ連絡報道員発】矢本町農業後継者クラブ連絡協議会の生活部（部長、瀬野裕子さん）が主催して、去る十月五・六の両日（一泊二日）、第四回ミスパイオニア教室を開いた。これは、日常生活における諸問題についての話合い、また、能力向上に努め、相互の親睦を深めるとともに、共同精神を養うことを目的としたもので、町内の女子クラブ員ばかりでなく、他の地区の一般女子にも呼びかけ、三十数名が参加した。

女子だけの宿泊研修だが、レクリエーションには、男子クラブ員も参加してもらった。研修内容は開会式に始まり、映画鑑賞、キャンドル・サービス、プロジェクト発表、室内装飾、話合い、全体討議、レクリエーションなど、みな気軽に学び、楽しめるような企画を立てた。

映画は、「サークルと恋人達」「正しい男女交際について」という二つの短篇を見て、一人ひとりが数枚の紙に感想文を書き、整理したものを、次の日の話合いの資料とした。プロジェクト発表は、八月の全国技術交換大会で惜しくも一位を逸した臨文生活改善クラブの「作業衣の改善」（近く本紙掲載の予定）を発表してもらったが、アイデアに感心し、大変参考になった。

室内装飾では、折り紙を使って舞鶴を作った。雑談しながら、なごやかな雰囲気の中で、お互いを知り合うのにとても役立ち、次の話合いへスムーズにはいることができた。「恋愛と結婚」をテーマにした話合いは、身近な問題でもあり、前日に見た映画を参考にして、活発な意見がかわされ、女子クラブ員だけで存分に話合いができた。

中には、男子もまじえた方がよかったという意見もあったが、女子だけで言いたいことを話せてよかったという意見が、多かったようである。また、三度の食事は、料理講習をかねて行なったが、短い時間にもかかわらず、献立を作ったり、楽しい食事が行なわれた。

これらの研修内容は、すべて女子会員の手で企画し、運営されたもので、少ない女子クラブ員がそれぞれ役務につき、慣れないながらも、一人ひとりが自主的に行なったので、運営もスムーズに進行できたのだと思う。アンケートなどの意見を参考に、これからも毎年新鮮味のあるミスパイオニア教室を続けたいと思う。

県下で初めて

福岡県八女西部女子研修会

【福岡県＝八女西部女子研修会運営委員発】八女西部女子クラブ員並びに専修学級生の集いが、去る九月二十六、二十七日の二日間にわたり、瀬高町清水青年の家において行なわれた。この研修会は女子クラブ員の相互理解とクラブの発展、農村女性の地位向上をはかることを目的に、五十名が参加した。

一日目は、開会式の後、「現代農村女性の生き方について」の講演があり、その講演について分科会で、さらに夜は各単位クラブとの話合いが行なわれて、活発な意見が出された。

二日目は、「農家の食生活について」の講演があり、そのあと、調理実習を行なった。午後からはレクリエーションで楽しみ、記念植樹、閉会式と行なわれた。

県下で初めての女子研修会でもあり、特色としては、男子クラブ員を、各単位クラブ二名あて参加させ、一緒に自炊しながら、なごやかな研修ができた。次回のためにアンケート調査を行なったところ、「友人ができた」「自分がみつめなおされた」「もっと女子クラブ員をふやし、自主的、積極的に飛躍しよう」といった意見もあったが、現代の農村女性の生き方について考えさせられ、勇気づけられたことと思う。

公害問題を検討

大分県連で第五回のつどい開く 体力づくりも

【大分県＝原良富行連絡報道員発】大分県農村青少年クラブ連絡協議会（会長、安藤敏真君）では、このほど二日間にわたり大分県湯布院スポーツセンターに県下のクラブ員約四百名を集めて「第五回大分県農村青年の集い」を開催した。

一日目、開会式では、安藤県連会長が力強く開会のあいさつ、続いて県農振局長、また先輩の松崎正勝君（四十三年度大分県連会長、同年全国4Hクラブ連絡協議会の事務局次長）から激励のことばがおくられた。

このあと分科会に入り、「日本の農業を語る」というテーマで、現在、農村青年が一番不安に思っている今後の農政について十分科会で話し合われた。ひき続いて、岩尾靜一県農政部次長、佐藤太一九州乳業社長、竹村修一大分大学教授を招いて、同じテーマで全体討議が行なわれ、今後の農政、県政に青年の意見を反映してもらうために討議した。

工場進出による公害によって農作物や人体はおかされ、そのあげくの果てには立退きにあい、工業発展のため農業が犠牲になっているではないか。また、流通機構の改善や生産物の過剰、嫁問題、親子関係などの問題についてパネル式で活発に討議された。

夜の部では計画していたキャンプファイヤーが雨のためにできず急きょキャンドルサービスに切りかえ、厳粛な中で儀式を進めた。このあとのレクリエーションでは各地区の特色あるいろいろな出しものが興じられ、大変なごやかな雰囲気の中で有意義に過ごすことができた。

二日目は、雨も上がり、朝から体力づくりやスポーツ大会が行なわれた。各地区対抗による綱引き、リレー、フラフラ競技、三人四脚、二百㍍競争などでグランド狭しと元気いっぱい飛び回った。

閉会式を最後に、参加者全員が一人残らず握手しながら、よりよい明日の農業を築くためにクラブ活動を活発に行なうことを約束して大会々場をあとにした。

青少年育成国民会議 グループ活動の論文募る

青少年育成国民会議で、グループ活動に関連する作文と論文を、全国の青少年から募集している。テーマは「わたくしとグループ活動」（作文）と「グループ活動の意義」（論文）、四百字詰原稿用紙十枚以内（作文は五枚程度でもよい）、応募資格は、八月一日現在で、作文の部は満十六歳未満、論文の部は満十六歳以上、満二十七歳未満の者ならだれでもよい。締切は昭和四十五年十一月三十日（当日消印有効）、入賞者には次のような賞を贈る。

▽最優秀賞 内閣総理大臣賞と副賞五万円、一名
▽準最優秀賞 総理府総務長官賞と副賞三万円、二名
▽優秀賞 青少年育成国民会議会長賞と副賞一万円、二十名程度
▽奨励賞 青少年育成国民会議会長賞と副賞記念品、二十名程度、ただし、作文の部の副賞はいずれも記念品

その他、詳細については、郵便番号（一五一）東京都渋谷区代々木神園町三の一 青少年育成国民会議 電話（〇三）（四六〇）四一五一へ問合わせること。

農村青年研究所を作る

長野県上村4Hクラブ

長野県下伊那郡上村では、農業後継者たちのために、「上村農村青年研究所」を建設中である。このほど、コンクリートの基礎づくりも終わり、年末までには完成の予定。

鉄筋コンクリート二階建て、延べ約三百平方㍍、一階には茶、活け花用の和室、調理実習室、家畜や農作物の病虫害の資料実験室があり、二階には図書室と百人収容可能の会議室がある。工費一千万円、六〇%が県の補助。

上村4Hクラブ（会長、野坂要平君）では、リンドウやイチゴなど、高冷地に適する農作物や病虫害の研究をしている。このため、村から年間五千円の援助を受けているが、いままでは会合をする満足な場所もなかった。村外流出をくいとめるためにも、この研究所が計画されたもので、一般にも開放される。

4Hから渥美君ら

青年海外研修団が出発

静岡県

【静岡県＝鈴木政美君発】静岡県（後継者養成課長、中山源次氏）主催の第二回静岡県産業青年海外研修団員に、4Hクラブ関係では、県連役員の渥美憲康君（雄踏町）をはじめ、勝亦和久君（沼津市）、古橋富三君（浜松市）、山口泰彦君（御殿場市）の四名が選出された。この海外研修は、次代の静岡県を担う産業青年を海外に派遣し、国際的な視野を身につけさせ、職場や地域のリーダーとして、活躍してもらおうという目的をもっている。

このため、農林、水産、商工業合わせて約三十名が選出された。農業関係からは、四十五名の応募者があり、十名が選ばれた。資格は年齢二十歳から三十五歳までの男女、市町村あるいは職場の推薦書が、審査の資料となった。

一行は西欧六ヵ国（オランダ、フランス、西ドイツ、スイス、イタリア、ギリシャ）を訪問するが、八月に三泊四日の事前研修、パスポートの申請を行なって、九月十八日県庁で結団式、二十一日午後十時三十分、KLMオランダ航空で羽田を出発した。

オランダでは、花市場、農業大学、試験場、干拓事業、西ドイツでは、ライファイゼン信用共同組合、プレスブルクの構造改善事業、商工会議所、一般農家訪問、フランスでは、ランギ市場、ショッピングセンターなどを視察、スイスでは、ミグロ生活協同組合視察、ユングフラウ登山など、多くのスケジュールが組まれている。

「地域集団リーダー」育てる

静岡県連の研修会に六十名参加

【静岡県＝三谷俊宣連絡報道員発】本年度第一回の静岡県農村青少年リーダー研修会が、このほど、県立焼津青少年の家において、十八歳から二十三歳の男女、合わせて六十名が参加、二泊三日の日程で行なわれた。

目的は、❶グループ活動の進め方❷リーダーとしての必要な知識の習得❸地域集団のリーダーとなる農村青年の養成であり、研修終了後は、農村青少年の中堅となり農業及び生活改善に活躍してもらうことになっている。なお、研修の企画、運営のすべてを、協議会の手で実施して注目された。

今回は第一日目に、栃木県専門技術員の湯浅申子氏による「プロジェクト活動について」と題した講義が行なわれ、一生懸命に聞いた。日程は次のとおり。

第一日目 ❶プロジェクト活動について❷リーダーの基本的姿勢

第二日目 ❶農村青少年クラブ活動のあり方❷定例会のもち方及び実技指導（フィルム構成）❸グループ活動の進め方❹組織活動について

第三日目 ❶バレーボール大会❷全体発表

反省会では、活発な話合いがかわされ、❶今後も計画してほしい❷みんな参加させてほしい❸講義の内容がむずかしかったが、勉強になった❹フィルム構成がよかったなどの意見が出された。最後は、なごやかな雰囲気のうちに閉講したが、参加者たちは、りっぱなリーダーに育ってくれるものと思う。

リーダー研修に集った諸君

スタミナ作りに ジンギスカン焼き

――小田原農業改良クラブ―― みかんの収穫にそなえて

【神奈川県＝鈴木時保連絡報道員発】小田原農業改良クラブ（会長・石塚昇君）では、クラブ員のほとんどがみかんの収穫期を控えており、忙しくなる前に、スタミナを貯え、親睦を深め、農繁期にも連帯感を持ちつづけるために、去る十月十九日午後五時から「ジンギスカンの夕べと各種発表大会」を行なった。参加者は三十六名。

発電機で灯をともし、みかん山の上でジンギスカン焼きの夕食をとり、七時から各種発表大会を行なった。これは、各人が発表能力を身につけるとともに、各自がプロジェクトなどで勉強したことを発表し、互いに疑問をぶつけあった。発表内容は「クラブ員になって」「プロジェクト発表」の二つで、「クラブを考える」「アメリカ柑橘視察」「全国技術交換大会」「全国4Hクラブ員の集い」などの発表があった。

クラブの方針として、各人の成長をはかるために、役員会、各種行事の運営委員などにも広く当るようにしたせいか、気軽に引受けてもらえたが、簡単な発表になってしまって、来賓の普及所長から「もう少し話の目的、順序などを考えたら……」とアドバイスを受けた。

また、この交歓会には、以前に全協の事務局長を務めたことがあり、当地4Hクラブの大先輩の大津一太さんもお招きして、「4H活動と私」という題で、話していただいた。参考になったのは、大津さんが草の根大使となったのをはじめ、四回も外国に行き、「これはクラブにはいることにより、自分自身をみがき、自分の考えを育てて行ったからです」と、4H活動のよさを強調されたことであった。

なお、食事は、各班ごとに炭をおこし、空腹だったクラブ員も、次から次へと焼きあがる豊富な肉の量に、さすがの猛者連もダウンしてしまった。はじめぶどう酒でもと思ったが、酒類は駄目と決定してがっかりしたものもいたが、星空の下、みかんの見える場所とあって、なかなかよい雰囲気で、話合いに熱中した。

カナダクラブ員との交歓も

去る九月三日、カナダクラブ員レオ君とブレンダさんとの交歓会を開催した。これは、今年度の方針である、「海外活動を活発に」という主旨によったものだが、また、カナダはみかんの輸出国でもあり、小麦の余剰問題などを抱えているので、大いに意見交換を行なった。

優勝は三潴地区が

筑後四地区の体育大会開く

【福岡県＝江崎君発】八女西部地区、八女東部地区、三潴地区、山門地区の四地区連絡協議会主催による、第四回目の筑後地区農村青少年クラブ体育大会が、去る十月十一日、柳川市の柳城中学校において開催された。

昨年までは、実績発表会と体育大会と、みんなの集まる機会が年二回あったが、今年度から広域普及所になったため、実績発表会は各地区内で行なわれることになった。それで、四地区のクラブ員が集まるのは、この体育大会だけになった。

十時から開会式が始まり、午前中に、男子三千㍍、百㍍予選、女子百㍍予選、宝さがし、あわてずゆっくり、女子四百㍍リレー予選、男子八百㍍リレー予選が行なわれて、午後は、仮装行列、フォークダンス、男子百㍍決勝、女子百㍍決勝、百足・二人三脚、アメ食い競争、恋人さがし、女子四百㍍リレー決勝、男子八百㍍リレー決勝が行なわれた。

仮装行列は、各地区ともアイデアに富んだ演出で、来賓の方に審査をお願いしたが、いずれも、甲乙つけがたく、わずかな差で三潴地区が優勝。また、地区対抗リレーもすさまじく、選手と応援団が一体となって頑張った結果、総合優勝は八女西部地区に決定した。いずれにしても、若さと熱気に満ちあふれて、さわやかでなごやかな楽しい一日であった。

ミカン経営の改善

分割採収で好結果

一致団結で主産地形成を

愛媛県温泉郡中島町粟井
中島町農業後継者協議会　金子　裕

☆地域の概況☆

私の住む温泉郡中島町は、瀬戸内海の西部にあたり、忽那七島と呼ばれて、七つの島からなっています。戦後、瀬戸内海国立公園に編入され「観光の島」として、また、最近では「ミカンの島」として知られているところであります。年間平均気温は一六~七度で、降雨量の年平均は千百㍉~千二百㍉、土質は大部分が花崗岩の砂質土であり、柑橘類の栽培に適しております。

中島町のミカン栽培は、戦後急速に伸び、現在は、耕地面積の九五%に当たる千六百㌶に柑橘が栽培されており、約三万㌧の生産があがっています。

農家戸数は約二千戸で、四十%に当たる八百戸の専業農家があり、約百社あまりの法人農家ができました。しかし、一戸当たりの経営面積は八十㌃と少なく、耕地の大部分が傾斜地や段畑で基盤整備も困難なところが多く、省力化がさけばれている現在の大きな問題点となっています。しかし、傾斜地ということが利点となって、うまいミカン作りにはよい面もあるようで、今後の中島町は、良質のミカンを作ることによって、国際競争に耐えていかねばならないと思います。

☆わが家の経営☆

私の父は公務員で、一㌶のミカン園を経営していましたが、私は高校卒業と同時に後継者育成資金を借入れて八十㌃を開園し、ミカン部門を開始しました。今年は二年目に当たり、本年から結果させる予定で管理作業、肥培管理に重点をおいています。来年度はさらに二十㌃を開園する予定で計画を進めています。現在の粗収入は百四十万円くらいですが、将来は規模の拡大と経営の改善によって三百万円くらいにしたいと考えています。

☆作業の省力化☆

現在栽培している柑橘園は一・八㌶で、労働力は父と私の二人で管理するには、どうしても省力化を考えなければならず、成木園には二年前に園内作業道を設けて省力化に努めています。除草は除草剤を使用しており、摘果には本年から摘果剤を使用しています。この結果がよければ将来も使用するつもりです。

この方法で一般の管理作業は二人で十分ですが、採収時には雇用労力を入れています。現在は、早生温州十㌃、普通温州百五十㌃、伊予柑二十㌃ですが、将来はこれに甘夏柑を入れて、採収労力の分散を考えた栽培形態に改めたいと思います。

☆品質向上に努力☆

最近ミカンの消費傾向は良質のものが高価格で販売されており、品質の向上には最大の努力をはらわなければなりません。また、土壌管理については、タコツボを掘り、有機物の投入、隣酸肥料の深層施肥、石灰の施用などを行ない土壌の改良を行なっています。とくに夏期の降雨量が少ないため、かん水施設を設置してかん水をしていますが、味のよい、甘いみかんを作るために九月以降のかん水はやめるようにしています。

また、ミカンの外観もよくしなければならないので、風の強いところには防風林を植えたり、防風網を張ったりして、ミカンにすり傷などをつけないように注意しています。昨年は労働力のことを考えて分割採収したところ、品質、着色、玉太りなどよい結果を得ましたので品質向上のために今後も続けたいと思います。

☆将来への計画☆

現在ある山林を開墾し、二㌶の栽培を計画していますが、できれば隣接地の購入を行ない経営規模の拡大を第一目標にしています。農薬散布は園内の配管を利用し、スプリンクラーによって能率を上げたいと思います。現在、普通温州が中心で収穫時に労働力が不足してくるので、今後は早生温州、伊予柑、甘夏柑を組合せて収穫期の労働力を分散し、合理的な省力化を図りたいと思います。また、九州など平坦地で大型機械を導入している産地に比べると、かなり生産性が低いので、省力化のために基盤整備が必要であり、とくに農道の設置が急がれます。

これからの農業は、商品生産を行なうのでありますから、品質の向上はもとより、企業的には省力化により生産コストをさげ、規模の拡大を計り、労働生産性を高めなくてはならないと思います。

また、個々の農家が単独行動をとっていたのではだめで、共同化、協業化を行ない、一致団結して主産地の形成を行なわなければならないと思います。私も農業をはじめて三年目ですが、他産地に劣らないように、傾斜地での省力化の方法を研究して、ミカン栽培に努力していきたいと思います。

私のプロジェクト

花だん作りを事業に

草花の育苗と栽培

花いっぱい運動に着眼

床土の培養に注意

福井県坂井郡三国町加戸
三国町農村青少年クラブ　西尾　貢

私の部落は、福井県の北方、米どころ坂井平野の北端にあたる、水田地帯と丘陵畑地帯の境目にあります。農家戸数百四十戸、水田百㌶、畑五七㌶で水稲プラス畑作の複合経営で成立っています。水田は、ほとんど圃場整備が終っていますが、丘陵地帯の畑は起伏が多く、しかも、小区画で作業能率が上っていない状態です。

この地帯の年間平均気温は十四・四度（摂氏）で、最高気温三十一・三度（八月）、最低気温一・三度（一月）で、降雨日数は、平均二百二十三・四日であり、積雪期間十三日、積雪量三十㌢という気象条件であります。

また、附近には、天下の名勝地、東尋坊、芦原温泉があり、観光道路が部落の真中をはしっています。

観光地の利　生かし花栽培

私の家の経営概況は、水稲百五十五㌃、ニンジン二十㌃、玉ネギ二十㌃、甘しょ十㌃、茶二十㌃、トマト（パイプハウス）三㌃、花卉三㌃で、労働力は、母と祖母、私の三人で、父は会社勤務です。

現在、この地帯の畑作は、ニンジン+玉ネギ、甘しょ+なたね、と粗放的な作物が栽培されており、土地生産性が低いので、稲作と合わせた農業だけでは自立できかねる状態です。そのため、部落の若い青年の殆んどが勤めに出ています。

しかし、農業で生きようとする青年も部落には数名おりますが、クラブを結成し、この地域農業の発展をと各自がプロジェクトのテーマをもって取り組むことにしました。

その中で私たちは、観光地に近いという利点を生かしたものを栽培しようと思い、花卉栽培を取り入れようと決め、昭和四十年からはじめました。

花だん用の苗と鉢物から

花卉栽培は、高度な技術が必要なため、まず、簡単なものからと考えたところ、ちょうど県で花いっぱい運動を展開しており、各地で花だん作りが盛んに行なわれているおりから、この花だん用の苗作りから手掛けることにしました。このほかに、労力的にみて割合にバランスのとれている鉢物も少々手掛けてみました。今後は、切花、花木の類を導入して、畑の高度利用を考えています。

花の種類の選定にあたっては、ごく一般的なものを選びました。また、余地を利用して、果菜類の苗も作ることにしました。

花の苗

デージー……六千本、パンジー……四千本、アスター……一万三千本、サルビヤ……一万二千本、マリーゴールド……七千本、その他……三千本―の合計四万五千本

果菜類の苗

西瓜……二千五百本、トマト……四千六百本、ナス……三千五百本、その他（ピーマン、キュウリ）六百本―の合計一万一千二百本

床土は前年から培養する

苗の生産にあたって、とくに注意した点は、床土の培養でした。このために、用土をホルマリンで消毒を行ない、堆肥には石灰を十分に施して、無病で保水力、保肥力のある床土を、前もって前年に用意しておきました。

花だんの植付けを請負う

花の苗の販売先は、官公庁や観光業者が主で、一部は花だんへの植付けを私たちが請負いました。しかし、今後は苗の販売だけでは販路の拡大が望めないため、花だん作りの設計、植付け、その後の管理のすべてを請負うことによって、花だん作りを一つの事業にしたいと思っています。

この花だんの請負いによって、苗の生産も計画的に行なえるし、また、農閑期を利用して花だんづくりを行なえば、副業としても成立つと思います。

ハウス内で定植を待つ草花の苗

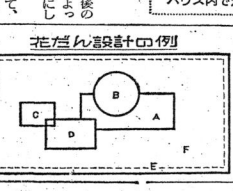

一つの色を中心に植付け

参考までに、花だん作りについての一例を述べてみます。

花だん設計の例

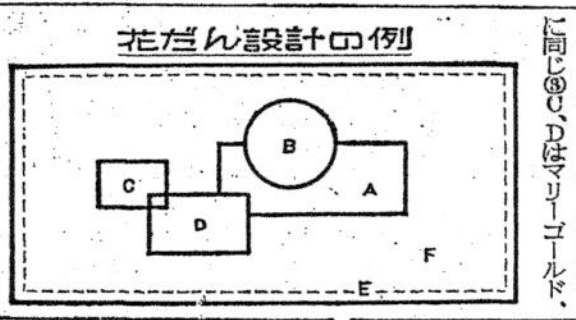

春花だん

①Aの部分にはチューリップ、ヒヤシンス②Bの部分にはドラセナ、背の高いもの③C、Dにはパンジー、デージ④Eはツツジ、ツゲ⑤Fには芝を配植します。

夏~秋花だん

①Aはサルビヤ②Bは春花だんに同じ③C、Dはマリーゴールド、ペチニュヤ④Fは春に同じ―このように花だん設計の一例があります。

花だん作りの注意点

一、花だんは草花の一本一本の美しさでなく、集合美によって豪華な美しさを出すものである。

二、草花は複雑な形や花の大小があるので、細かい図柄では図柄どうりの線や形を表わすことが困難である。

三、植える草花の種類を少なくする。あまり数多くの種類を入れるとゴチャゴチャになってしまう。

四、色をあっさりとする。一つの色を中心にして、その色が映えてくるように配色しなくてはならない。

五、草花の性質を知ること。デザインや配色がよくても、その草花の草丈や花の大小を知っておくことが必要である―。

ハウス内で栽培されている鉢物

将来の計画

現在使用しているビニルハウスをガラス温室に改造して暖房施設、かん水施設を完備し、年間を通じて花の栽培を行ないたい。また、現在少々手掛けている鉢物の栽培を拡大することと、球根類の促成の切花栽培を導入したい。畑の利用については、苗ものの仮植床に使用するほか、花木、露地切花をとり入れ、年間を通じて販売していきたい。

また、収入面では、年間粗所得が、水稲、畑作、苗ものを合わせて約二百五十万円ですので、これを四百万円くらいまで伸ばしたい。

このように私は花栽培に大きな希望を託していますが、その実現のために、いかなる苦労をも辞さず、努力していきたいと思います。

プロジェクトの進め方《13》

体験通して理解を

欠かせぬプロの経過交換

新入者の導き方

いままでの話の中で、具体的な問題でなにか困っているようなことはありませんか。質問して下さい―。

問　愛知県の場合ですが、私たちは五月の下旬に新入クラブ員の研修会を行ないました。そのときの内容は「4Hクラブとはなにか、プロジェクトとはなにか」ということについて話し合い、先輩からの助言もありました。最後にアンケートをとり、新入クラブ員の人たちが、なにを求めているかということを調べてみました。そしたらつぎのようなことがわかりました。

①規則正しい学校生活から開放されて、心になにかむなしさがあって、なんでもいいから求めたい、吸収したいという気持があって、それを求めるために研修会に参加した―②もっと広い視野にたって考えたいのだが、4Hクラブの人たちはどういう考えを持っているか―③仲間をつくりたい―というような意見でした。

ところが、いま話を聞いてみると、四月から六月にかけてはそっとしておいて、その後、自からが考えて行動するようにさせるということですが、私たちのやり方が間違っていたのではないかという疑問を持ちましたが、いかがでしょうか―。

湯浅　この時期に新入クラブ員研修などを行なって、4Hクラブとは―プロジェクトとは―こういうものである、ということを、はっきり引導を渡すように焼きつけておくことが必要ではないか―放っておくことは理解できない―こういう質問ですが、たしかに、よくわかります。

私が申しあげた、放っておいた方がよいというのは、すべてクラブ活動に参加させないという意味ではなく、この時期には新入クラブ員を迎えるための行事もあるでしょうし、新入者だけを対象にしたものもあるでしょう。そういった一般のクラブ活動的なものはむしろ行なって、そこへできる限り参加していただいた方が、むしろいいのです。学校時代はクラスメートが大勢いたのに、卒業してバラバラになってしまい、それだけでも、不安と焦燥にかられている。反面、ほっとしている、という複雑な心境を持っている時期ですから、この時期に、クラブの集会や行事にさそい、クラブ員としていろいろな機会に接してやることは大いによいと思います。

私が申しあげたいのは、プロジェクトというものを自然に導入する方法として、この段階で無理にプロジェクトとは、こういうものである―とか、あるいは4Hクラブ員としてプロジェクトを持たなければならないんだ―ということを、強固に教え込んでも、結極は、ここでプロジェクトをはじめることにはならないのです。やはり、やらなければならないような条件が、周囲に揃ってきなければならない―。

かといって、なげばなしではいけないので、計画的な段階を踏んで、自然にプロジェクトをはじめるように持っていく、これが4Hクラブとして一番だいじな活動のあり方であり、それこそ、これがほんとうのプロジェクトのあり方であるんだ―ということを、体験の中で知らせていった方が定着するし、よくわかってもらえるのです。

それが最初の段階で、教科書的に教えても―なんだ、こんなものか―とか、なんとむずかしいことをやらされるんだ―と考えてしまうし、そういうことで、生活の中にのっていかない。例えば、新入クラブ員を集めて新しい自覚を促すとか、4Hクラブ員らしさを持せる場合も、この段階でやるときは、あまり固い内容を組まずに、私たちの仲間はこんなに大勢いるのか―というようなことをわからせるような行事の方が、むしろ、プラスになると思います。

とくに、七月などはキャンプなどが適当だと思いますが、大きな集会で―こんなにもたくさん仲間がいたのか、私と同じようなことを考えている人が、こんなにいるのか―という気持になり、そういう点で非常に仲間意識なり、クラブに対する安心感を持ってきます。ですからむしろ、こういうものに、この時期の焦点を合わせた方がいいと思います。

例えば―4Hクラブとはこういうものである―ということを教えるとすれば、あまりくどくなく、パンフレット式のようなものでも渡して、内容をサラッと教えた方が、無理がなくてよけいな抵抗を持たれないと思います。

私もいろいろな体験を郷里でしたことがありますが、技術交換会を六月と十一月にやったことがありますが、やはり十一月にやった方が、だいだい4Hクラブの内容をわかってくるためによいようでした。その中でもこんなことでよいのかというような人もあります。そこへ―正しい4Hとはこうなんだ―と教えますと、体でわかってくれる。そういう感じがします。あまりこの段階で、強力な押し込み方はしない方がいいようです。

つぎの段階ですが、この段階までやってきた、そのつぎの年に、この段階が流れていくわけです。そうなったら[illegible]ジェクトの進め方な[illegible]し方ですが、ここまで[illegible]り積みあがっていけば[illegible]クトのテーマが、内容[illegible]違うでしょうが、一年[illegible]をたててやらなくては[illegible]ものもあるでしょうし[illegible]短かいもので途中から[illegible]てやることになります[illegible]

いちばん大事なこと[illegible]クラブなり、専門別活[illegible]そういう中で、お互い[illegible]ェクトの経過の交換が[illegible]ていかなくてはいけ[illegible]す。例えば―定例集[illegible]に、お互いのその後の[illegible]過、新しい情報や知識[illegible]どを話し合う―そう[illegible]が、定例集会のプログ[illegible]に入っているようでな[illegible]けない―。定例集会[illegible]中に、プロジェクトの[illegible]告がある。こういう形[illegible]集会に改めていっては[illegible]います。

（栃木県・専門技術[illegible]甲子氏の講義から）

NHK農事番組（11月11日~20日）

テレビ

明るい農村　6・30~6・55　総合

11日　産物往来　くるまえび（山口県吉敷郡秋穂町）

12日　話題の広場　▽新しい省力苗代（静岡農試）池谷保緒　▽廃坑の村を写す（岩手県松尾村）工藤杉男

13日　村をむすぶ　フィルム・リレー

14日　農村新地図　福島県本宮町（成蹊大教授）伊藤[illegible]

16日　線引き公聴会（東京都八王子市）

17日　きょうの話題　ふえる農機具事故（北大助教授）渡辺隆（道試機械部長）渡辺寛也

18日　産物往来　りんご（青森県弘前市）

19日　話題の広場　▽ハウス病追放（埼玉県熊谷農高）▽組合牛乳五十年（神奈川県山北町）杉本好永

20日　村をむすぶ　フィルム・リレー

農業教室　7・30~8・00　教育

11~14日　▽地域条件と稲作の動向（協同組合経営研究所）[illegible]文太郎　11日・北陸、12日・九州、13日・都市近郊、14日・まとめ

16~20日　▽優秀農家の経営発展　16日　酪農（北海道札幌郡）高根辞治　17日　酪農（北海道室蘭市）森田正　18日　全面協業経営（秋田県金浦町赤石生産振興組合代表）伊藤喜太郎　19日　梨（千葉県白井町）秋本季　20日　水田酪農（新潟県弥彦村）木村三千雄

あすの村づくり

日　7・00~8・00　教育

再　土　13・00~14・00　教育

15日　▽産地拡大の条件「第三回中四国若い農業者のつどい」から（農政調査委員会国内調査部長）石川英雄

ラジオ

早起き鳥　5・05~6・00　①

11日　通信員の手帳から

12日　人と話題　ヨーロッパの畜産をみて（元九大教授）岡本正幹

13日　現地報告　ゆらぐ共同体制（宮城県金成町）

14日　村のポスト

15日　ふえる出かせぎ

16日　▽青果物の流通をさぐる①　生産者価格と消費者価格

17日　同　②市場を考える

18日　同　③産地と出荷体制

19日　同　④小売りの問題点

20日　同　⑤新しい流通経路

ラジオ農業学校

月~土　6・40~7・00　②

日　6・30~7・00　②

15日　▽優秀農家の[illegible]上道郡上道町[illegible]

番組紹介

あすの村づくり

15日　▽産地拡大の条件「第三回中四国若い農業者のつどい」から

番組では、同つどいで「産地づくりにどう取り組むか」に重点をあわせ、[illegible]酪農産地づくり、[illegible]レンコン産地づ[illegible]的な事例としな[illegible]拡大の諸条件に[illegible]

レタス産地づくり成功

和歌山・天野4Hで初出荷

【和歌山県】伊都郡かつらぎ町の天野4Hクラブ（会長、赤阪岩男君）では、レタスの栽培と取り組んでいたが、成育結果は順調で、このほど出荷規格などの打合せ会を開き、さる二十日から初出荷をはじめた。

天野地区は、国道二十四号線から約三十㌔南に入った山間にある過疎的村落で、海抜四百五十㍍から、五百五十㍍くらいの高地。気温が低く平たん地との農作物生産競争では不利を免がれず、なにか特産物を生み出す必要にせまられ普及員の指導により、同4Hクラブ員たちが中心となり、同地区で春に栽培しているタバコの後作と水田休耕地の利用から、秋どりの準高冷地レタス（八月マキ、十月収穫）の集団栽培を取り上げ、主産地形成をめざした。

昨年は各品種を試験栽培した結果、成績のよいプレミア・グレートレス種にきめ、ことし、五㌶を栽培したが、十㌃当たり、百五十ケース（十㌔入り）、合計七千五百ケースの出荷が見込まれている。

ニューホンダ77新発売

ホンダ技研で月産二千台

本田技研工業株式会社では、このたび新しいファミリーセダン〈ニュー　ホンダ77〉を開発、十一月二十日から全国一斉に発売を開始する。

この〈ニュー　ホンダ77〉の主な特徴は、スタイリングを一新し、①直線の美しさに加え、ソフトな"丸み"で全体を包んだ②リアビューは、フルワイスのテールランプを採用し、低く幅広く、より安定したものとするとともに、見易い二色のランプにより、安全性を考慮している③バンパーにオーバーライダーを新設し、外観および安全性を向上させている―などがおもなもの。

このほか、ファミリーセダンにふさわしい快適設計、安全設計がなされ、ボディカラーは豊富で十色。

エンジンは、強制空冷で四サ[illegible]出力九五馬力を[illegible]最高速度一七〇[illegible]ッター当り二十[illegible]

価格＝スタン[illegible]九万八千、デラ[illegible]七万八千、カス[illegible]万五千（いずれ[illegible]し現金価格）で[illegible]月産二千台をめ[illegible]

新発売される　ニューホンダ77

青春と仲間

小さい命

富山女子4Hクラブ　中村志磨子

おまえは青海の泡だったのか
おまえは波に打ち寄せられた貝殻だったのか
いや
おまえは昔母の汗　母の涙だった
遠い昔
おまえはめざめた
おまえの小さな手が小さな足が
長い間母の心　母の体であったおまえが
おまえの新しいノートが次から次へと埋められて行く
真白いノートよよごれないでおくれ

（富山県連二十周年記念誌「はたち」より）

〝お上に弱い〟を返上
はっきりものを言う農民に

奈良県大和郡山4Hクラブ　中津太朗

私が4Hクラブに入って早や五年。先輩にさそわれるままに、入会した当時のことを考えると、ずいぶん変ったなと感じる。あの時は、農業というものに、不安を持ちながら日々を夢中で過した。それから四年、自分自身が栽培している作物、農業の情勢がやっとわかってきた程度です。そして現在、農業は構造改善に次ぐ第二の大きな転換期にきていると思う。

それは、新都市計画法が実施されるということである。これは、良きにしろ悪しきにしろ将来、農業地域として指定し、農地を虫食いから守るという状態の転用をさけて、農業投資を集中的にしようというもので、農地は農業以外には向けられないように、転用を制限することだと思う。現在、クラブ員の中で、本当の意味で農業の実権をにぎっているのは、何名いるだろうか。クラブ員自身は農業をやって行こうと思っても、親はどのように思っているのだろうか。

また、クラブ員と親との対談で今後の農業をどのようにもっていくかを話しているクラブ員は、どれはどいるだろうか。

中途半端な投資ではだめだ

そして、ここで問題は、農業地域として指定をうけた農家が、どのような利益を与えられるかということだと思う。農業の投資をする場合、中途半端な投資がどのような結果になるか、すでに構造改善事業で、いやというほど知らされている我々である。集中的な投資とは、どの程度までやってくれるかということだと思う。

しかし、もう一つこわいのは、県、市、村の顔役の間で指定を決められかねないことだ。このようなことをいえば、大目玉を食うかもしれない。クラブ員の中にも、二つの意見を持っているものがあると思う。その一つは、現状のまま農業をしていき、土地の売れた場合はそれを資金に、さらに土地を求めて、農業をやって行こうという通勤農業と、もう一つは、早く指定をうけて、集中的に農業投資をし、規模拡大、農業基盤整備開発を行なって、公害になやまされない農業をやって行きたいと思っている人もあるだろう。

しかし、江戸時代から続いた農民の悪い慣習で、お上の発言に対し、異議を申立てるのが得策でないだけに、いやがる人がいても、うやむやになるのではないだろうか。我々若いクラブ員は、良いことは良い、悪いことは悪いと、思っていることをはっきり口に出して言わなければ、これからは通用しないのではないだろうか。

考えてしゃべるということは、人間にだけある最大の武器で、意思表示の方法であると思う。そのためには、本を読み、人の話を聞くことが良いのではないか。そうした上で、これからの自分というものを、見つめていかなければならない。（大和郡山市4Hクラブ『ともだち』第四号より）

幅広く深く
農業大学講座開く

新潟県・東蒲原農業大学講座生　斎藤孝一

農業大学講座の概況
開設期間　四十四年四月から四十五年三月まで、二十回
受講生　郡内一円の二十七名
講座内容　農業及び生活技術全般、一般教養、レクリエーション、話合い、一日五時間

私達の地域は、山間地で経営規模も非常に小さく、出稼ぎ、日稼ぎも多く、青少年で農業に従事している者は、非常に少ない現状です。

最初、農業大学講座に出るようにさそわれた時、どんな人達が集まり、どんな内容で運営されるのか不安でした。しかし集まってみて、住んでいる地域やその目的としている内容が違っても、共通の話合う仲間がいることに勇気づけられ、楽しく参加していけるようになりました。

近くに仲間達がほとんどなく、家にばかりいた私にとって、共通の話題、つまり郷土の発展のために独自の経営をめざす人との討議は、はてしない夢を、さらにより高い理想を呼びおこすために、専門的、実践的に追求できるという期待を抱きたせました。

一年間経過して感じられたことは、稲作がどうしても中心となり他の部門が少なく、また実験や実習などが少なかったことに不満でしたが、運営面で話合い、レクリエーションなどのなかから、受講生同士の意思の交流と仲間づくりという面で、大きな成果があったと思います。

初めてのこころみとしては、十分の成果だと考えていますが、今後は、さらに部門別に内容を分けて、もっと幅広い視野から専門的に深く勉強するとともに、お互いに討議のできる場を是非つくり、継続していってもらいたいと思いますし、私達も今後いっそう頑張ります。

つれづれなるままに

鈴木民江

ある集まりに参加した時です。「きれいな人って得ね」と、同意を求めるように聞かれました。その時は何も考えず、「そうね」と簡単に返答した私です。

人は誰でも、第一印象は外見を見て判断しやすいものだと思います。しかし、そうした外見のよさだけで求めた友情は決して長続きしないでしょう。何といっても外見より心——すなわち精神です。それと同時に、ものの考え方、性格を大切にしたいと思います。〝顔は自分で作る〟と人はいいます。ほんとだナーとつくづく感じた時がありました。

当時、学生だった私は、よくバスから一人の女性を見かけました。これといって目立ったわけでもなく、きれいだとほめるほどでもなく、ごく平凡——というより、足が不自由な方でした。しかし、彼女はいつ見ても、顔には笑みが浮んでいるようで、さわやかな、すがすがしい感じを与えました。これこそ、彼女の心から出てくる美しさだったのでしょう。

暗いことより明るいことを、悲しいことより楽しいことを、というように、いつも前向きな姿勢でいることが、真の美しさを生む第一歩ではないでしょうか。ほんとうの美しさは、生まれながらに授かった顔ではなく、各々の心から出てくる美しさをいうのではないでしょうか。気持の持ち方一つだと、私は思うのです。

農業を手伝って一年半余り、この間にいろいろ悩みました。BG生活を送る友達をうらやましく思ってみたり、自分だけが取り残されるように思われてなりませんでした。思い切って、友達に話してみました。すると皆同じだったのです。仕事は違っても、悩みは同じに、どんな職業にもあるのだとわかりました。他人ばかりうらやましがっていた私は、心が狭まかったのです。

現在では、「今私がおかれている立場の中で、よりよい面を見い出そう」と思い直し、毎日、農業をしている私です。

（浜松市豊西4Hクラブ）

クラブ紹介
力注ぐ新部員の研修

埼玉県・妻沼4Hクラブ

私達の町は、県北最大の都市熊谷から北へ約十キロに位置し、群馬県との境には利根川が豊かな流れをみせています。この利根の流れによってもたらされた肥沃な土地は、昔からネギ、大和芋、ホーレン草など多くの産物を生み、特に近年は前者に加え胡瓜、短根人参などのトンネル栽培が急激な伸びをみせています。

私達のクラブは、現在、クラブ員八十二名（うち女子八名）、みな農業に夢を託している若人で構成されています。月一回程度の集会を開き、話合いをしたり、またプロジェクト発表会や実物鑑定競技会を行なったり、県大会、全国大会などには、より多くのクラブ員を送り出すようにしています。

それから、ボーリング、野球などのスポーツ大会や、一般教養、マナーを身につけるために、料理講習会、テーブルマナー講習会なども行なっています。こんな私達のクラブの数多い行事の中で、いちばん印象的な行事は、以前から行なわれており、またこれからも続くであろう研修会、新クラブ員の入会する四月に行なう一泊二日のこの催しです。

これは、新入クラブ員の歓迎もかねて、クラブ員相互の和をはかると同時に、農政、町・県政などの把握に町長、県会議員などの話を聞き、また、普及員、青年の家所長を助言者として、クラブ員共通の悩み、意見交換など、話合いを行ないます。そして夜には、寸劇、歌、ゲームなどのレクリエーション大会もあります。研修が終って帰るころには、緊張気味だった新入クラブ員たちの心がほぐれるのは、お互いの意見交換によって、友情が深められたことを物語っています。

以上のように、クラブ員の和、農業、一般知識の向上をはかると同時に、昨年度新設された園芸部により、普及所員や優秀な農家を呼んでの農業講座、先進地見学を行なっています。特に施設園芸においては、前述の通り、私の町は肥沃なため、昔から何の作物もよい品物が出来たので、かえって施設園芸の発展を妨げていました。それが、五、六年前の霜害によって、露地野菜が大被害を受けたのに対し、ハウスなどの施設園芸は、非常に軽い被害ですんだということで、4Hクラブ員やOBの方々を中心に、施設園芸が始められ、現在、年々増加しつつあります。ともかく、私達は、妻沼農業の見本になるように努力して行きたいと思います。（『埼玉の4Hクラブ』の吉田稔君の文章より）

若い友への手紙
遊びも大切だけど……

浦和農業改良普及所生活改善普及員　吉田桂子

今朝、新聞をひらいたら紙面いっぱいに、農機具会社の大きな広告が目に飛びこんできた。N君も見たかな？　この間いろいろ話しあったばかりなので、左足に大きな地下足袋をはき、高々と上げた右足に、カッコいい革靴をはいたマンガの青年の顔がN君そっくりに見えて、思わずニヤッ。

広告にいわく「五時をすぎたらさっぱり着がえてお出かけ。魅力ある農業にイメージチェンジするお手伝いを、K農機具にお任せ下さい」ということだった。だけどとっくにコンバインを導入して、御両親と経営の合理化をすすめている君でさえ、なかなかこの絵のようにはなりにくい。だからこそ、工業高校を出て、たった一人畑ちがいの農業に就職した君が、学校時代の友達との交際に悩んでいるのだもの。

日曜ごとに休む友達の遊びの誘いに、とてもつきあいきれない現実、仕事を終ってから夜長を語りあかすその中身も、何だかずれてしまって、だんだん離れてしまいそうだっていってたね。農業をやっているから、農業の友しか持てないのでは、あまりにも淋しいと。

あの時、まわりにいた先輩達は「いろんな友達がいた方が楽しいが、離れていっても、それはそれでいいのではないか」とか、「毎日逢っているから友達だとは限らない。ちっとも逢わなくても、友達は友達だ」だって、「友情なんてそんな安っぽいものじゃないはずだ」とか、——その通りさ。「相手にとってお前が大事なら、こっちで離そうとしても、離れるものじゃない」本当にそうだと思う。

いろいろいわれていたけれど、N君には、そうあっさりと割りきれないだろうな。私だって、むかしそういう時があったからわかるんだ。「どうしても、仕事と友達づきあいを両立させたい」というけれど、君は友達を、ボーリングやスケートの遊び相手としか、考えているんじゃないだろうね。

もちろん遊びも大事さ。でも本当の友達っていうのは、いつでも心が通じあえて、お互いに大事な時には力になれる、そんな関係じゃないだろうか。この間、Yちゃんのお父さんが、脳溢血で倒れて入院したとき、農作業がおくれているのを見かねて、4Hクラブの皆が手伝いに行ったんだってね。

一人ずつの小さな力も、まとまると大きな仕事ができる。同じように、一人で悩むよりも皆で話しあう、そんな泥と汗のつきあいの中から、「本物の友情」を育ててほしい。これからも、人のために使える力を、精いっぱいの体験のつみ重ねによって、蓄えていってもらいたいと思っている。

成人式を迎えた〝オトナホヤホヤ〟の君たちに期待して、さようなら。（二十周年記念『埼玉の4Hクラブ』より）

佐賀のつどい散策　レポートより〈3〉
「書く」と「考える」
言葉を大切にしたい

アンケートの内容そのものの紹介をせず、いやがらせばかり書きつけて来たが、いやがらせついでに、いまひとつ意地の悪いことを記す。どこやらのへぼ教師めいた口調になって、われながら気がさすが、アンケートの文章のひどいこと、誤字の多いのにはあきれるほどだ。どうしてなのだろうか。

大学を卒業しても手紙一本書けないと、大人たちから嘆かれる現在の若者たちだから、別に驚くにあたらないのかもしれないが、同じ年ごろの筆者も呆然となることから考えて、これはやはり問題だ。現行の国語教育云々などということではなく、われわれの生活そのものに、重大な欠陥がひそんでいるのではあるまいか。

「考える農業、考える農民」というスローガンのようなものを、よく見かける昨今だが、考えるというのは、ただぼんやりともの思いにふけることではない。ただ漠然と考えても、それは実体がなく、なにの役にも立たぬものだ。「考えるには書かなくてはだめだ」という文学者がいる。それはそれとして、少なくとも、「書くことは考えることだ」とはいいうる。考えるという観念的な作業は、書くという肉体的な作業を通して、はじめて確実なもの、明確なものとなる。

書くこと、話すことによっては、ほんとうのことは伝わらぬとか、体験することの方が大切で、言葉は信じられないという声のあることも知っている。なるほど、一応はもっともに聞える。たしかに、伝達の可能性に対する疑問はだれしもが持っている。だが、言葉に対する不信を、あまりにも過大視しすぎている憾みはないだろうか。

言葉がふたしかなものだとしても、われわれは、これなしでは生活もなにも出来ない。書くことが考えることとほぼ同じだとするなら、書くことは、稲や野菜を育てることと同じではないかと、提案してみたい。言葉は稲や野菜と違って、手応えのないもののように思われがちだが、どっこいなかなかそうではない。

野菜を育てるのと同じ

文章はきれいごとだから困るといわれる。それは、ほんとうに考えていないから、ほんとうに自分の声を聴いていないから、言葉をただ羅列するだけだから、そういうことになる。つまり、書いている人間と文章とが別々の生き方をするためだと思う。そこに臍の緒のようなつながりがないためだ。ほんとうに考えたこと、考えられた言葉には、臍の緒がちゃんとある。

書くことはむずかしいが、ちょうど、稲や野菜に手をかけるように、考えがまとまるのを、じっくり待たなくてはならない。むろんテクニックの問題もあるが、テクニックだけで解決するわけではない。言葉が勝手に動き出して、書き手の手に負えなくなる生きるものだからでもあろう。それにしても、言葉が、大変なものであることは、改めて考えてよいだろう。

クラブ活動のなかでも、記帳をやかましくいっているが、これは単にデータ作りではなく、日誌などと同じことで、着実に考えるという目的があるはずだ。書くことがめんどうで億劫なのは、考えることが辛いからである。書かずに考えることも全く不可能だとはいえないが、それは困難である。書くことを毛嫌いするのも、恐れるのも、軽蔑するのも、ともに得策ではない。

クラブ活動のなかで、書くことがもっと重要視されて、「書く農民」が生れて来たとき、はじめてほんとうの「考える農民」が誕生したといえるだろう。そうした意味からも、文章は正確でなくてはならぬし、誤字を平気で書いているようでは先行きが思いやられる。つまり言葉、文字を馬鹿にしはじめたとき、クラブ員であることばかりでなく、人間であることからも失格するからだ。（つづく）

農村雑感
結婚さまざま

折原俊二郎

東北の或る村で、公民館が集団見合という洒落た行事を催した。しかし、一般に行なわれている見合という固苦しいものではなく、むしろ公民館としては、最近の在村青年のコミュニケーションが非常に悪いので、こうしたユーモアを含めた行事名にして青年たちに招集をかけたわけである。

こうした趣旨を解して、多くの青年男女が公民館に集ってきた。会合は和気藹々のうちに楽しく進められた。スクエアダンスなどの行事も行なわれたし、話合いや恋愛論や結婚観など、いつまでもつきることのないほど議論が続けられた。会合の終り頃になって、一人の青年から「折角集団見合という名称でこの会合がもたれたのであるから、このことを考えてみようではないか」と提案された。ところが集ってきた青年たちをみると、男は長男、女は長女で、どちらも農家の後継ぎばかりであったという。これでは集団見合にならないということになったという。

四国の青年と九州の女性が全国大会に参加しその大会で知りあいとなり、これが機会となって恋愛するようになった。二人は結婚を約束した。ところが両人とも農家の後継ぎである。両方の親はどちらも、自分の方に来るなら許すということになって、もめにもめた。その争いは一年以上もかかったが、女の方が家出するような形で、男の方に嫁いで落ちついたということである。

同じ村の中で、両方とも後継ぎの青年男女が恋愛し結婚することとなった。当然のこととして両家から異議が出た。両方の家で自分の方に来て経営をみてもらいたいという理由からである。そこで両家を合体して一つの経営体にしようと青年の方から提案したが、これには、祖先伝来の土地であり、家名を絶やすことは出来ないという。

結局最後に、若夫婦が両方の経営をみるということで、ようやく結婚することとなった。若夫婦は、結婚する折、両家の姓の頭文字をとって、新しい家族を構成しようとしたが実現出来なかった。しかし、将来は両家を合体して大きくしようという考えはすてていないという。

A君は学生時代を都会で過し、その学生時代に配偶者になりうる女性と恋愛し、結婚する約束をした。彼女は今まで農業をやったことがない。しかし、彼の農業への情熱と希望を聞いているうちに、農家の嫁になろうと決心した。彼の家では、都会の人ではと最初大分難色を示したが、数回会っているうちに家族の者はすっかり彼女が気に入るようになった。やがて結婚する日も近いという。

農村の後継ぎは、土地と家という動かすことのできない重いものを背負っている。そこから解放されて新しい土地を求めて新規に開始することは容易なことではない。こうしたことを考えると、農村青年は自由に恋愛し、自分で築いていく家庭をつくりあげることは、むずかしいのではないかと思われるが、現実は、ここに述べたいくつかの事例のように、農村の青年は自らの手で新しい道を切り開きつつある。それが新しい農村をつくる夜明けの一歩といえるかも知れない。

（農林省・農業者大学校）

☆　☆　☆

新年号原稿募集

いまは十一月のはじめで、まだ正月まではだいぶ間があります。それでも、そろそろ正月の特集号の計画を、立てなくてはならない時期になってきました。

そこで、例年のことですが左記のような要領によって、原稿を募集したいと思います。どうか、お友だちの方々にも声をかけ、ふるってご応募下さい。

〈募集要領〉
▼原稿の内容　新年の抱負、年頭所感、随筆、詩歌、その他絵画や写真など、新年にふさわしいもの。作品とともに顔写真や関係写真、絵図などを添えて下さい。
▼原稿の分量　四百字詰の原稿用紙五枚（二千字）以内。ただし、あまりこだわらなくてかまいません。
▼応募資格　4Hクラブ員、および関係者。
▼募集締切日　十二月十日。
▼送り先　東京都新宿区市ヶ谷船河町十一、家の光会館内、日本4H新聞編集部
※なお、掲載原稿に対しては、粗品を用意しております。

生活の知りコーナー

◆歯石について

食物のかすが歯の間に残っていると、一晩のうちに苔のような細菌がふえて、そこに唾液の中のカルシューム塩類が沈殿するので、食べかすが固くなって、機械でもなかなか取りにくくなります。

これが歯石といわれるものですが、初めは歯と歯肉の中にかくれて、外から見えないことが多いので、知らないうちに増えていることもあり、放っておくと、歯槽膿漏のいちばん大きな原因になります。

日本人は、四十歳くらいになると、ほとんどといってよいくらい歯槽膿漏になる傾向がありますので、歯茎から血が出るような時には、歯石があるものと思って、よく掃除してもらうようにして下さい。また、食事のあとにはよくうがいをして、歯石の出来る原因を事前に防ぐようにしたいものです。

◆糟糠の妻

世間のご主人方が奥さんのことを、よく「糟糠の妻でして……」などと紹介する場合がありますが、糟糠とはカスとヌカのことです。といっても、一般に思われているように、「糟糠の妻」とは、ヌカミソ臭い、いっこうにパッとしない妻という意味ではありません。貧乏で満足な食事も出来ず、カスとヌカばかりのような粗食にも耐え、夫と労苦をともにして、今日に至った妻ということで、夫から妻への暖かい感謝の意がこめられているのです。

日本4H新聞
4Hクラブ
農事研究会
生活改善クラブ
全国弘報紙
発行所 社団法人 日本4H協会
東京都市ケ谷家の光会館内
電話(269)1075郵便番号162
編集発行人 玉井 光
月3回・4の日発行
定価 1部 20円
一ヵ年700円（送料共）
振替口座東京 12055番

クラブ綱領

私達は、実践を通じて自らを磨くとともに、互いに力を合わせて、よりよい農村、よりよい日本を創るため、四つの信条をかかげます。一、私達は農業の改良と生活の改善に役立つ腕をみがきます。一、私達は科学的に物を考えることのできる頭の訓練をします。一、私達は誠実で友情に富む心をつちかいます。一、私達は楽しく暮し元気で働くための健康を増進します。

派中クラブ員が帰国

民間大使の役果し

南国焼けした二人（橋本君と広島さん）

南国焼けして元気に帰国した橋本君（前列中央）広島さん（後列左から二人目）と出迎えの人たち＝羽田空港到着ロビーで

社団法人日本4H協会（宮城孝治会長）が、国際農村青年交換（IFYE）計画に基づいて、中華民国（台湾）へ派遣していた昭和四十五年度の日本代表の4Hクラブ員＝橋本好男君（二三）福島県・中田4Hクラブと広島誉江さん（二三）大分県・宇佐4Hクラブ＝の二人は、三ヵ月間にわたる同地での交歓と実習生活を終え、草の根大使としての多大の成果を収めて、先月二十九日無事帰国した。羽田空港には、地元クラブ員や4H協会職員らが出迎え、三ヵ月間にわたる南国での生活に日焼けした顔をほころばせた元気な二人を迎えた。

橋本君と広島さんは、さる七月三十日に台湾を訪れてから、現地の農家の一子弟として受入れられ農業に従事するほか、4Hクラブの会合に出席して、日本の農業や4Hクラブ活動の実情を紹介するなど、民間外交官としても大いに両国の相互理解と親善につくした。

二人はこの後、東京・新宿区内の宿におちつき、翌日は日本4H協会を訪れて帰国のあいさつと報告を行ない、協会職員にともなわれて農林省、全国農村青少年教育振興会などの関係機関を訪れ、帰国のあいさつをした。以下は、二人の三ヵ月間にわたる台湾での生活の感想である。

日本と似ている外国　広島

この三ヵ月間は長いようで、たってみると短いような気がする。いま、感想は?と聞かれると、一口に言って余りにも日本と似ていて外国にいるという感じがしなかったことです。言葉は通じるし、同じ東洋民族で顔、格好も似ているので親しみ易く、台湾全島に沢山の友だちができました。一般に人々は、日本人と友だちになりたがっています。しかし、台湾はいろんな点で実際に生活してみないとわからない複雑な国でした。

今回の訪問で五軒の農家で生活しましたが、一農家での滞在は平均二十日間でした。生活の中で一番残念に思ったのは、全部の農家とも客様扱いで、われわれは家族の一員といっても特別な存在だったことです。農作業の見学はあっても、われわれが農家の人やクラブ員と一緒になって働く実習はほとんどありませんでした（橋本さんの方は、一農家で実習があったそうです）。

最も農閑期の時が多かったのですが、それにしても、三ヵ月間、このことに疑問を持ち、それを質問してもはるばる日本から来たのにという程度で詳しい理由は返事して貰えませんでした。向こうの受け入れ方が違うのだと言えばそれまでですが、このことについては一考を要すると思います。

さて、私の方の生活改善について少し紹介します。

農会に家政指導員が一～二名いて、農家の主婦を対象に家政班が作られています。ある日、家政指導員と一緒に家政班の会議に出席したのですが、日本に比べると幾分レベルが低いようでした。生活上のごく基本的な事柄の内容のように感じました。

また、最後の二十日間は、台北市で生活しましたが、ここでは農会が活花の先生を雇って家政指導員や家政班員を対象に講習会を毎週一回行なっていました。農閑期の時だけで、これは家庭の美化の推進のためです。料理についても各地区に分かれて、同じ材料を使って、いかにおいしく、上手に早く作れるかという競技会があり、三人一組でそれぞれの腕を競っていました。

簡単なペーパーテストも行ない日ごろ農会が指導していることがどの程度家政班員に理解されているか試します。このペーパーテストも生活上の基本的なことばかりです。

行く前に食生活の中における油の摂取について研究したいと抱負を書いたので少し報告しますと、すべての料理には油を使うといってよいでしょう。

動物性は豚脂、植物性は落花生油、ナタネ油が多いようでした。気候が暑いために彼らの食生活には油脂は欠かすことができないのです。このほかお土産話は沢山ありますが、また他の機会にゆずらせていただきます。

惜別、頬伝う涙　橋本

ある日の日記から

▽八月二十日　THU　悲しみと不安の日

今日は大甲最後の日、この間来たばかりと思っていたら、もうここを離れなければならない。住み慣れた家族と別れる悲しさと、知らない土地へ行く不安とで何だか複雑な気持である。

この辺の見慣れた風景も見おさめと思い、その辺をぶらつく。その後家族全員で写真を撮り、家族

母親が急に泣き出した。いつもニコニコして片言の日本語で話しかけてくるのに今日は何も言わない。自分の目にも涙が溜ってきたので、日本男児ここで泣いちゃいけないと思い、サングラスをかけてごまかそうとしたが、頬を熱いものが伝わるのを感じた。

今日、台南で全省指導員の会議が開かれていたので、指導員にそ送ってもらい、ここでわれわれは高雄県の指導員の手にひき渡された。約一時間ほどバスに乗り高雄県農会へ着いた。われわれの各農会の指導員が待っており、ここで広島さんと別れ、広島さんは北部、自分は南部の小港という所へ向う。ここは中部とは違い、沢山のサトウキビ畑が目立つ所である。

小港農会で総幹事などへあいさつをして、一緒に夕食をご馳走になる。今までは脂肉の多い中国料理ばかり食べていたので、日本料理がおいしかった。

▽九月十一日　FRI　僕らはお客様

毎日、農会の指導員が来て、あちらこちらと案内してくれるが、IFYEの目的から少し離れているように感じる。

今日も、新竹市の冥部の賢山という所に養蚕を視察に行く。ここの農会の農事指導員と四健会指導員が迎えてくれ、一緒に案内してくれる。ここは、山間地で傾斜地などに桑が植えてある。桑の種類を聞くと、これは日本統治時代に日本から持って来た種類で「作間一号」と呼んでいるそうである。

ここの指導員も日本語が上手で日本の養蚕のことについていろいろと聞かれ、また、台湾の養蚕の現状について説明してくれた。この地方では、未開発の山地を利用してこれから養蚕地帯にする計画とのことであった。この指導員も来年日本へ養蚕を視察に行く予定になっているそうである。蚕を見せてもらったが、まだ稚蚕飼育の段階で、それも土蔵のような所である。この近くに近代的な共同稚蚕飼育所を建設する予定という。

良いと思った点は、ここの農会が経営する製糸工場を持っていることである。農民の生産物を農会が加工までするということは少し感心させられた。

沖縄訪問団員51名に

いよいよ24日、大阪から出発

全国4Hクラブ連絡協議会（会長、久野知英君）主催の第二回全国4Hクラブ員沖縄親善交歓訪問の参加者は、その後の働きかけによって、予定の六十名には満たなかったが、五十一名（うち女子八名）に達した。府県別では、八名の参加申し込みがあった長野をトップに一府十九県に及び、急きょ実施した昨年（二十三名）より大幅にふえて広範にわたっている。募集定員に満たなかったのは、一部の府県でちょうど米の収穫期とかち合ったことなどが理由として考えられる。

全協執行部では、これら参加申し込み者に対して、渡航に必要な手続き方法などについて通知した。参加者は十日後に迫った出発のために準備を急いでいる。

参加者五十一名は、来る二十三日午後二時、大阪府三島郡島本町桜井の大阪府立青年の家に集合し結団式と事前研修を行ない、翌二十四日午前十一時十分、大阪国際空港発のJAL（日本航空機）で那覇へ向けて出発、午後、琉球政府関係機関へ表敬あいさつ、夜は宿舎でオリエンテーション。

二十五日の午後から二十六日にかけて名護青年の家で開かれている全沖縄4Hクラブ技術交換大会に参加、午後から翌二十七日の午前まで沖縄クラブ員宅での民泊交歓、二十七日午後は南部戦跡視察。

二十八日午後、那覇空港を出発して大阪着。宿舎で事後研修を行ない二十九日解団式を最後に解散する。なお、全協からは執行部五名が参加する。

日ごろの悩みや抱負などについて話がはずむ女子クラブ員たち＝山梨県の女子研で

潤いある生活を

山梨県連で『女子研』開く　参加者申込み上回る

【山梨県＝桐原宣道連絡報道員発】山梨県4Hクラブ連絡協議会（会長、河東哲征君・生活部長、木曽川陽子さん）は、このほど甲府市内にあるダイタビルと遊亀会館を会場として県女子4Hクラブ員研修会を開催した。

この女子研は、近代的な教養を深め、毎日を楽しく、潤いのある生活を送れるようにということがねらいであるが、過去何回か開かれた同研修会の反省の中に「女子クラブ員の集まる機会を多くもってほしい」という意見が圧倒的に多いため、本年度は女子研を二回開くことにし、今回がその第一回目。

初めての日帰り研修とあって、運営委員一同「みんな来てくれるかしら?」と心配していたようであるが、事前に申し込んだ以上の六十名の参加があった。

研修内容は、料理の基本的知識と実習、レクリエーションの実技などが中心。気軽に参加できる女子研ということで、講演などは次の宿泊研修の時に実施する予定である。

「県連や地区連の事業への女子クラブ員の参加率が低く、参加する人はいつも同じ」－こんな悩みを持っていた県連執行部も、今回の女子研によって女子活動についての考え方を改めさせられたようである。

運営メモに従って指示し行動する運営委員、それに従って行動する女子クラブ員＝参加者全員がこの研修会を有意義なものにしようと真剣に取り組み、午後四時、次回への参加を約束して散会した。

なお、次回は来年一月十六、十七日の一泊二日間、県立青年の家で開く予定である。

募金など中心にオルグ実施

静岡、西部地区連

【静岡県＝鈴木政美君発】静岡県西部地域農村青少年クラブ連絡協議会（会長、名倉恭一君）は、さる十月三十一日に開いた西部地域代表役員会においてオルグ活動（役員派遣）を行なうよう決定した。

主に、市連と郡連を回る予定で十一月六日に浜北市連、中旬に湖西郡連、下旬に引佐郡連、十二月上旬に浜松市連の予定になっている。このオルグは、県連では行なったが、地区連としては始めてで、これには、西部地域の役員三役（会長、副会長、事務局長）が出席する。

このオルグでは、とくに問題となっている4H会館建設の募金、日本4H新聞の購読、県連バッチ作製など西部地域と県連の活動方針が取り上げられるものとみられるが、数多くの建設的な意見が期待されている。

なお、西部地域としては、4H会館建設の募金運動については、四十五年度を最終目的として募金するよう積極的に働きかける予定である。

まれな内容

熊本県連で「4H手帳」発行　会員名から経営の手引きまで網羅

【熊本県＝池田隆実連絡報道員発】熊本県農村青少年クラブ連絡協議会（会長、野中登美男君）では、クラブ員自身の手でクラブ員としての自覚を高めるため、七月から「4H手帳」の作成を急いでいたが、このほど出来上がり、県下のクラブ員に配布した。

濃いグリーンに「4H手帳」と四つ葉のマークが金文字で描かれた立派なもの。A六判（一〇・五㌢×一四・八㌢）で三百二十二頁、五㌢の厚さ。農業機械や農薬、肥料、種苗会社の協力によって一冊百円でクラブ員に手渡された。

内容は、4Hクラブの歌に始まり、県連会則、クラブ活動をすすめるための知識、家族の状況、生活の目標、経営の動向を記入する欄、集団活動、行事、研修会、プロジェクトの記録欄、また、農業をするうえで必要な知識として制度金融の概要、生活改善の資料、肥料、農薬、農業気象、そして一般的な教養としてのエチケット、さらに郵便関係、自動車の安全運転、人名漢字、若人の歌、換算便法など日常の生活やクラブ活動をするうえで必要なことがらがまとめられている。

それに、もう一つの特色は、県下のクラブ員三千余名の氏名、住所、年齢、プロジェクト、基幹作目などが各クラブごとに全部掲載されているということである。これだけ多人数の氏名から経営内容まで掲載されているクラブ手帳は全国でも珍しいといえる。この手帳は、クラブ員はもちろん農業高校や伝習農場などの生徒にもわけることにしている。

農業と生活、クラブ活動の手引き、若者の歌の本でもあるこの「4H手帳」は、いま県下のクラブ員の間で大評判となっている。

プロジェクトの発表など

12月7日、須賀川市で「4Hのつどい」開く　福島県連

【福島】福島県農村青少年クラブ連絡協議会（会長、斉藤賢一君）、福島県、須賀川市の共催、岩瀬地方4Hクラブ協議会の後援の四十五年度「福島県農村青少年4Hのつどい」は、来る十二月五日から七日までの三日間、須賀川市体育館と岩瀬地方クラブで開催される。

主な内容は、四人の代表者によるプロジェクト発表をはじめ「私の農業経営と今後の方向」をテーマとしたシンポジューム、「若い農業経営者に期待するもの」と題する県農業改良課・相楽課長の講演、このほかクラブ員宅への民泊も計画している。

一日目は、午後一時から開会式に続いてオリエンテーション、プロジェクト発表、四時から民泊のオリエンテーションのあと民泊に出発する。

二日目は、午前九時から講演、十一時から今年度、日本4H協会から台湾に派遣された日本代表の4Hクラブ員（草の根大使）橋本好男君の報告、昼食のあと全体交歓、二時からクラブ交歓会をひらく。

三日目は、午前九時からシンポジュームを行ない、十一時半から反省のあと、閉会式を最後に終了する。

悩み、努力は同じ

福岡・筑後でリーダーの合同研修会　坂井全協副会長招き

坂井全協副会長の話に熱心に耳を傾けるリーダーたち

【福岡県＝角築男君発】福岡県筑後地区の山門、三潴、八女西部、八女東部の第一回四地区合同4Hクラブリーダー研修会は、全国4Hクラブ連絡協議会の坂井邦夫副会長を迎えて、さる十月二十一日、城島町の中央公民館で開かれた。

これには、四十三年度の筑後地区の後藤元会長や四十四年度の田中前会長のほか各単位クラブの執行部が参加、開会式のあと、筑後農林事務所の安部次長の講演があり、続いて全協の坂井副会長から「組織とリーダー」などについて午後から開く分科会の問題提起のかたちで講義が行なわれた。

午後から分科会が開かれ、この講義の内容を中心にそれぞれの悩みについて話し合いがなされ、終了後、先輩諸氏をまじえての全体討議が行なわれた。

リーダーである以上、だれもが同じ悩みを持っているが、お互いに苦しみながらクラブ発展のために努力していることがわかり、わずか一日であったが有意義な研修会だった。

今後とも、先輩をまじえてのこのリーダー研修会をずっと続けてもらい、ここで学んだことをクラブの運営の上に生かしていくことが望まれている。

涼風暖風

若人たちのひげ

若い女性のミニやマキシに対して、いま若い男性の間では、ひげを伸ばすのが流行している。中にはひげが似合って、カッコいい人もいるが、大方は、うす汚れてきたなく、乞食同然の不精ひげが多いように目に映る。

最近のひげの流行は、そもそもヒッピーから波及したものだろうが、大部分の若者は自己主張というより、ひげに対する認識などにはおかまいなしに、みんなが伸ばしているから生やしているといった方が当っているようだ。ある父親は、自分より息子の方が偉そうに見えるときがあると語っていたが、まさにこっけいでもある。

それにしても、ひげに対する認識や感情が急にガラリと変ったものである。つい最近まで、ひげは権威の象徴のように思われて、みんなが反発を感じ、復古主義といって嫌ったものだ。それが、いまでは権威に反抗し、崩壊させようとしているゲバ学生までが生やしている状態である。

人気がなくなり、忘れたころに、ひげを伸ばしてカムバックした流行歌手がいた。また、最近は、十九億円の横領事件で騒がれた富士銀行の前支店長、當沼も逃亡中にひげを伸ばして変相していた。このように最近のひげは、イメージチェンジや変相術の一つとして流行しているのではないだろうか。

今日は、無思想時代、あるいは多様化の時代といわれ、何が正しいか、正しくないか迷うことが多い。昔というより、いま正しいことが、次の瞬間には正しくなくなる例さえある。また、ゲバ学生のように、自分たちの主張だけが正しいという極端な場合もある。このため、信念さえ見失って、途惑いを感じている親たちは多い。自分の経験がストレートに子供たちに当てはまらなくなり、長い間かかって蓄積してきた人生の知恵を十分に生かしきれないでいるように見受けられる。

いまは、ひげだけでなく、価値観全体に変化が起っている。夫婦や友人の間で重要な位置を占めるといわれるこの価値観まであやしくなっては、どこに基準をおいて判断し、人を信頼してよいのだろうかと思う。

早く言えば、精神的な支柱を見失っているといえる。人がマキシをはけば自分のスタイルもおかまいなしにマキシをはく。猿真似でも、もっと自分というものを見つめることが必要なのではないだろうか。（K）

八ッ頭技健

秋も深まり、初冬の日差しも軟かい、この頃である。殺風景な部屋に花でも飾ろうと思って、花屋の店頭を久しぶりにのぞいてみた。見事な大輪、可愛い小輪の菊の花が、色とりどりに配色されて、絢爛である。しかし、見事な割に、花の香りのないのに気づいた▼菊の花といえば、桜の花と並んで、日本の代表的な花として知られ、その芳香は、花の大小を問わず、一輪部屋に飾るだけで、花の所在を知る以前に、その香りだけで、菊の花とわかるほど特徴のある香りを持っているのに、ところが、街の花屋の店頭におかれている菊の花には、その特徴であるべき芳香が全然ない▼一輪を手に取って、しばらく考えてみたら、このごろの菊は、ハウスなり、温室で栽培されているのが原因で、あの菊特有の香りがなくなっているのだと結論づけてみた。そういえば、秋だからといって、菊の花が店頭に並べられるのでなく、四季を問わず、菊の花が店におかれている。しかし、楽しいことだが、色や形だけ整っていても、その花の特徴さえ失っている花には、花としての価値がないのも同然にしか思えない▼そういえば、菊の花に限らず、ほかの花類にしても、四季を問わずに栽培されているのに気づく。それほどに近頃の菊栽培をはじめとする農業の姿は、季節や自然を乗り越えて人工的なものに変わってきているのだ。しかし、いくら農業の生産技術が進歩して、人工的に菊の花が栽培され、見事な花が咲いていても、ハウスや温室育ちでは、あのなんともいえない菊特有の香りは人の手では作り出せない。やはり、自然の雨や風に耐えて咲いてこそ、価値のある香りもつくのである▼人間にしても、温室育ちでは、世の荒波に耐えていく力強さは身につかないという。やはり、苦難の道を乗り越えてこそ、価値ある人間として成長するのである。いまも変わらず、農業の後継者づくりが盛んだが、あまり手厚い保護を加えた後継者づくりだと、やはり人工的となるし、温室栽培の菊と同じで、色も香もない、ただ人間の形だけ整った、もやし的な人間にしか育たない。かえって放置して自然の中で、自らが育つ知恵と力を養わせることが必要だと思うが。

こんなことをしています　各種農業団体

自主路線を打出す

総合三か年計画も　緊張ムードの農協大会

全国農業協同組合中央会

三年毎に開催される全国の農協大会の年を迎え、主催者である全国農協中央会では年度当初より、全国の農協機関、都道府県中央会、連合会と協議を重ね、その準備を進めて参りましたが、一〇月二七日から二九日までの三日間、東京日比谷公会堂に、全国からの農協代表者二〇〇〇名の参加をみて盛大に開催されました。

大会での審議は、七〇年代を迎え農協の進むべき基本方向を確認し、具体的な三か年の重点施策の決定がその内容でありました。

提案された議案は(一)総合三か年計画(二)農村生活の課題と農協の対策(三)基本農政の確立ならびに農政活動体制の整備について(四)沖縄農協との一体的活動の促進の四つでありましたが、大会二日目の二八日には八つの分科会に分かれて、慎重なしかも熱心な審議が行なわれました。

今年度の大会のスローガンは系統農協の「自主建設路線の確立」と「総合力の発揮」でありますが、農業・農協をめぐる厳しい諸情勢のなかで組合員の期待と、社会経済のなかでの役割を果すため、従来の経緯にとらわれることなく、協同組合の理念に立ち英断をもって日常活動に当ることの確認でありました。この点について大会では、農協の役割を従来になく次のように明確にしております。

「自主建設路線」とは、安易な政治依存を排し、自主・自立・互助の精神に徹し、こんごのきびしい内外の環境変化にたいして、農協として主体性をもって対処していく内部体制を確立することである。具体的には①国民食料の安定的供給をはかる責任ある立場の確立②自然環境の保護と地域開発にたいする主体性の発揮③新しい地域社会の建設④消費者との連帯性の回復と国民的理解を深める農協運動の展開⑤自主性の強化と総合力の発揮⑥内外の協同組合との提携強化をめざしている。もとより「自主建設路線」は農協の農政活動の重要性を否定するものではない。むしろ自主建設路線を達成するという前向きの姿勢にそってそれを強化し、政策への影響力を強めていこうとするものである。

「総合力の発揮」は、専門化・高度化・大型化にすすむ農業経営等への農協の事業対応力を強化し、また、農畜産物の加工等付加価値を増大させる分野への進出をはかり、さらに、よりよい農村地域社会建設への課題と取り組むことをねらいとしている。このため組織・事業運営の弾力化をはかることとあいまって、農協組織のタテ・ヨコの連携により、農協の総合力を発揮し、激化する資本攻勢に対処していこうとするものである。また、これらの事業に取り組む役職員に対しては、きびしい事態に対する認識の統一と、それにもとづく意識改革が先決であり、また、各段階を通ずる総合的かつ統一的な推進体制の確立をはかることが重要だという厳しい反省も行なわれました。

今年の農協大会が従来のような一種のお祭的な行事としてではなく、議案の細部にまで慎重な審議討議が重ねられ、決意を新たにして今後の組合運動を進めることが確認されたことは、情勢がきびしいだけに大きな意義があったと思われます。

大会は、最終日の二九日、総合三か年計画の実践に関する決議、生活基本構想の実践に関する決議、基本農政の確立ならびに農政活動体制の整備に関する決議、沖縄農協との一体的活動の促進に関する決議の四つの決議を採決し、夫々の実践を誓い合って散会しました。

(教育広報課)

ムダ、ムリ、ムラなくす

『家の光』新年号に家庭管理学の別冊

社団法人家の光協会

第十二回全国農協大会においては、農業・農村をめぐる厳しい現情に対処していくため、オール農協組織をあげて取組んでいく「総合三か年計画」「生活基本構想」が決議された。

この計画を実践していくために、家の光協会では、新年号以降の『家の光・地上』の編集内容をさらに充実刷新して、教育・生活文化活動基盤拡充の資料としての使命を達成していくことを考えている。

当面、『家の光』新年号には農家の実生活に密着した暮らしの設計をたてるための基礎資料として「生活設計ガイド──かしこい主婦の家庭管理学」を別冊付録として企画、日常生活の問題点とムダ、ムリ、ムラを改善し実行していくために不可欠なテキストとして発行することになっている。どうか、生活活動の資料として活用されることを念願している。

記念映画「明日がある」が完成

『家の光』創刊四十五年記念事業の一環として製作してきた映画、「明日がある」──金浦町農協ものがたり──が、このほど完成した。

この映画は、農業・農村をとりまく厳しい昨今の現状にあって、農協設立以来、今日まで農協本来の活動を地道につづけ、着実な成果をあげてきた秋田県金浦町農協の諸活動をセミ・ドキュメンタリー風に描き、この厳しい七〇年代にたち向かう方向を探ったものである。

なお、この映画は、四十五年度の芸術祭参加作品に選定され、関係者からも大変利用されている。

(文化部)

家族と家族関係＜1＞

大妻女子大学教授　山本キク

結婚は子供のため

家政学にも新しい波

最近は、社会情勢がいろいろの意味で変わってきましたが、家政学についても、いろいろの説が出てきました。たとえば、家政学で世界の先進国のアメリカでは、これまでのHome Econics(家政学)が変えられようとする機運にあり、先行する大学では、Human Developmnet(人間発達学あるいは開発学)とか、Human Ecology(人間の生態学)に変えたところもあります。

日本でもA「家庭を中心とした人間の生活研究」と考えている人が多数を占めておりますが、B「人間生活の研究」として生活学(Living Science)とすべきだという人も相当あります。なお最近は、C「家庭を経営体とみて家政学の中心は家庭経営である」とする説もあります。

アメリカの新しい考え方の中にも、家族の研究という内容が含まれてはいますが、家庭という概念で、全体を扱った従来の考え方から変りつつあるとみられます。わが国の場合は、前に記したAとCの説は、家庭を基盤として考えていますが、Bの説は、衣食住などの研究を家庭という枠の中で扱うのでは領域が狭くなる、今は宇宙食、宇宙服を考えなければならない時代だから、人間の衣食住の研究をすべきであるというのであります。

こういう生活学の考え方になると「家庭」の立場が弱くなるわけで、古来、人生に重要な役目を果してきた家庭を、そのように軽視してよいかに問題があります。そこでA説では、家庭を中心として関連事項については延長研究する立場をとっております。

民主主義社会では、個人を尊重します。それならば私生活の場、つまり個人生活の場としての家庭が尊重されなければなりません。また、家庭は社会の単位集団として重要な役目を果しております。ところが多くの人びとに、「家庭は余り考えることなしに生活するところだ」と、思われています。そこでまず、家庭をどう考えるかを課題にする必要があります。

(1) 家庭の成り立ち

家庭は婚姻によって成り立ち、婚姻は、人間の自然な基本的欲求(Basic needs)である種族保存、愛情、所属、独立の欲求に基づき社会の承認によって成立します。そして夫婦その他の家族は、衣食住などの経済生活を共同で営むのが常道であります。この意味から家庭をどうみるかを検討して、家族関係の問題にはいることにしましょう。

(2) 家族の性格と家族関係
──家庭は愛情や血縁につながる自然的集団生活で、愛情を育てるところ

夫婦関係は愛情に基づくものであり、血縁と愛情につながるのが、親子、兄弟姉妹の関係であって、その集団である家族は、自然に形成される集団であります。したがって、家族は自然に愛情でつながるはずでありますが、愛情で結びついたはずの夫婦間にひびが入って、離婚になったり、少しの行き違いがもとで、母子中心になったり、人生の悲劇が起こります。

最近は週刊誌が離婚問題を賑やかにとりあげて、離婚数が多くなったような感じを与えていることは、そのために結婚、離婚を軽く考える風潮を生じはしないかと、その社会的影響が憂慮されます。離婚の場合に気の毒なのは子どもで、どのような立場に置かれようと、両親の正常な愛情を受けられないわけであります。

「親を選ぶ権利のない子ども」の宿命を、結婚の際に充分考えてほしい。すなわち結婚には、親としての責任が伴うことをしっかり考えてほしいと思います。評論家の大宅壮一氏は、昭和三十九年、週刊新潮に、「母の条件」と題して次のように書かれていました。「結婚とは、自分の妻をもらうことではなく、自分の子の母親をもらうんだ。子どもが自慢できるような母を与えてやることだ」、これはご子息に与えられた言葉でありますが、同様の言葉が娘たちにも与えられましょう。

これまでわが国では家庭でも学校でも、結婚準備期の教育がとり上げられていないところに問題があります。アメリカでは、中・高等学校・大学の家庭科教育の家族関係の中で扱われ、大学では「結婚」の講座が設けられ、男女の学生が選択履修しています。それでも離婚が少なくないようであります。

(全国農村青少年育成研究会『農村青少年教育』第六号より)

☆　☆　☆

部門別の研究を

佐賀・藤津地区連「4H学級」を開講

【佐賀県=吉田秀隆連絡報道員発】藤津地区4Hクラブ連絡協議会(会長・井上利浩君)では、このほど塩田町中央公民館で「4H学級」の開講式を行なった。この4H学級は、今年度の大きな行事として計画していたもので、開講式には、百名をはるかに越す出席者があり、会場はいっぱいになった。

今年度の一大行事として、井上会長がこの学級を取上げたのは、次のような理由による。

従来、各単位クラブごとに技術学習を行なってきたが、最近は、農村青少年の都市流出が目立ってきて、地域に残る青年が少なく、4Hクラブ員も減少しつつある。そのために、完全な技術研修やプロジェクト学習もだんだん出来ないような状態になってきている。

そこで、作物、畜産、果樹、生活、茶、一般学習の各部門別の学習を、地区内のクラブ員全員がいずれかに所属して、学習会や研究会を持ってはどうかと、今春の総会の折に打出したところ、満場一致で決議されたことによる。そして、各指導機関からも援助を受けている。

開講式は、午前十時に始まり、まず井上会長が「今後の農業は、各方面にわたり検討を要するところも多く、農業を営む私たち自身が、農業者としての確固たる心構えが必要であると思います。この4H学級を通じて、生産や経営技術の研さんを積んで下さい」とあいさつ、つづいて各部門の担当者の紹介、来賓の祝辞、藤津農業改良普及所の馬場所長の農政についての講話があって終えた。

出席者は、昼食をとりながら、各部門間で今後の学習について話し合いがなされ、午後三時から部門別のソフトボールも行なわれた。

交通安全碑を

南波多4Hクラブ

【佐賀】伊万里市の南波多町4Hクラブでは、青年団と協力して町内外から募金を集め、農協、交通安全協会などの寄付金など、合計十一万円で、農協倉庫前に「交通安全の碑」を、このほど完成させた。

碑は自然石で高さは三メートル、除幕式後に、女子クラブ員たちは碑前の国道二〇二号線を通る自動車の運転手たちに、自分たちで作った花束を贈り、交通安全を呼びかけた。

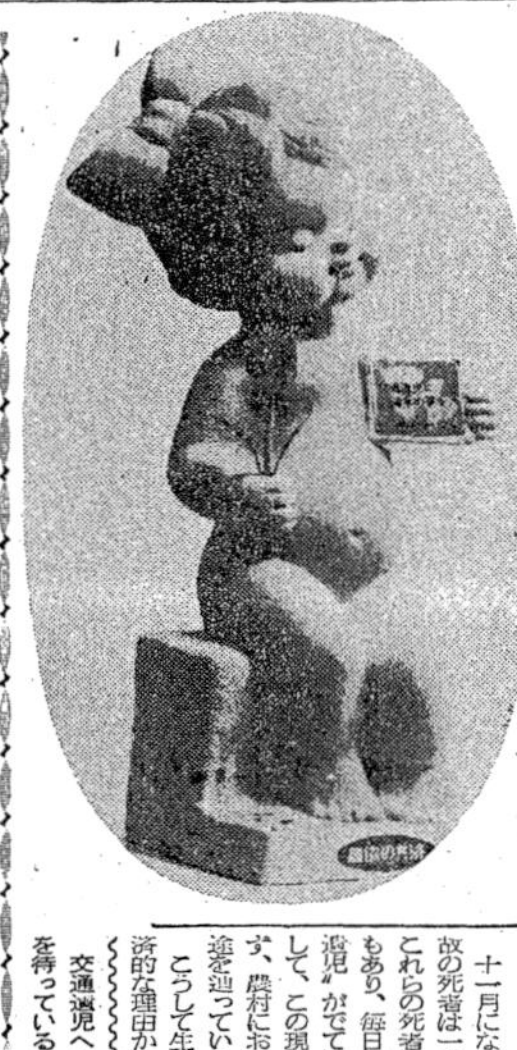

交通遺児への愛情をこめた名前を待っている人形

人形にペットネームを募る

共済連　交通遺児進学のために救いの手

十一月になって、全国の交通事故の死者は一万四千人を越えた。これらの死者には、子供がいる人もあり、毎日、二十人もの"交通遺児"がでているといわれる。そして、この現象は都市部のみならず、農村においても年々増加の一途を辿っている。

こうして生ずる交通遺児は、経済的な理由から、上級学校への進学も思うにまかせない。これらの子供たちに進学の機会を与えるため、全国共済連では、交通遺児育英会の募金へ全面的な協力に乗出した。秋の全国交通安全運動を契機に、四十七年三月末日までの約一年半にわたって、募金活動を展開する。

その活動に使用する、"募金人形"(写真)のペットネームを、左記の要領で募っている。

方法　ハガキは横書きで上から①ペットネームと記してその下に交通遺児への愛情を示し、親しみのもてる名前を書きその下に②住所、郵便番号③氏名④年齢⑤職業の順で記入。

送り先　東京都千代田区平河町二の七、全共連ビル、全共連普及部「ペットネーム」募集係宛。

締切日　昭和四十五年十二月三十一日。

発表　「農協の共済」「日本農業新聞」「家の光」誌、その他テレビなど。

賞金　入選者(一名)十万円、当選者(五名)一万円。

農協運営に参加すべき

南薩で青少年会議

【鹿児島】南薩西部農村青少年クラブ連絡協議会の主催、加世田農業改良普及所後援の会議がさる十月二十八日、加世田市本町公民館で開かれた。

この日は、各地からクラブ員約百人が集まり、普及所長らのあいさつ、来賓のことばのあと、クラブ員の意見発表と分科会が開かれた。

分科会のテーマは、農村青少年活動と農協、これからの農家のレジャーはいかにあるべきかーについて。農協に対する若者の批判は多いが、批判ばかりでなく、積極的に運営に参加して、われわれの意見が生きていくように取り組むべきだということになった。

また、レジャーでは、伝統ある部落行事に参加するのも有意義であり、単なる遊びでなく生産活動にプラスになるレジャー、先進地視察などをもっと考えてはどうかなどの意見が出て、かなりの成果を収めて終了した。

生活の知恵　こうしてみたら…

山梨県塩山地区連の共同プロジェクト

◆ゆで卵を上手にゆでる法　ゆで卵は、数が多いと互いにぶつかったりして、カラにひびがはいり、白身が外に出てしまったりします。それを防ぐには、あらかじめ水の中に塩のほか酢を少し加えてゆでると、きれいなゆで卵を作ることができます。

◆ゆで卵をきれいにむく法　卵をゆでて、冷水につけたのに、きれいにむけないのは、卵が新しすぎて水に入れても、中身が全然収縮しないためです。氷水を作って、その中にちょっとつけるときれいにむけます。

◆タタミのくぼみを直す法　机などを動かすと、前に置いてあった脚のあとがタタミについて、そこだけくぼんでしまいます。そのようになったとき、くぼんだところに、湯または水をしみ込ますようにふくと、タタミは水分を含んで直ります。一度で直らないときは、二、三度くり返すことです。

◆靴ズミが固まったとき　靴ズミが固まって、ひび割れて使えなくなったとき、靴ズミの上にほんの少し牛乳をたらすと、スミが溶けて、また、使用することが出来ます。

◆ボールペンのインキをとる法　白い服などに、ボール・ペンのインキをつけたとき、薬局で売っている蓚酸をぬるま湯でといて、インキのついたところに塗ります。何回かくり返し色が薄くなったところで、さらし粉をといて塗ります。そのあとは水洗いをするだけです。

◆履物の鼻緒が切れたとき　下駄、ぞうりの鼻緒がゆるんだとき、また切れたとき、ヘアーピンを利用すると便利です。前鼻緒だったら、ピンで緒をはさむようにさします。横緒だったら、緒をさし通して、ピンを曲げれば応急処置になります。

◆醤油をびんから上手に移す法　醤油などを一升びんから、別のびんに移すとき、じょうごを使いますが、そのとき、じょうごとびんの口がぴったりついてしまい、空気の逃げ場がなくなって、いっぱいにならないうちに、あふれ出してしまうことがあります。そんな場合、じょうごとびんの間に、マッチ棒を挟むと、すきまから空気が抜け出し、上手に移しかえられます。

◆少量のご飯をおいしく蒸す　電気釜は、ご飯のむし返しもおいしく炊けますが、量が少ないと器についてしまって、取りにくくむだにしてしまいます。こんなときは、ご飯を茶碗に移し、茶碗ごと蒸します。

◆輪ゴムでクレヨンを　すりガラスに描いたクレヨンの落書は、消しゴムなどではなかなか落ちません。そこでゴムを何本かくしゃくしゃにまるめてこすると、きれいになります。

(『くらしのアイデア100』より)=つづく=

"10マイル"へ出場

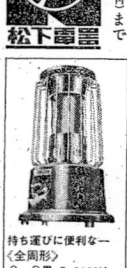

スポーツ熱が盛んに　浜名4Hクラブ

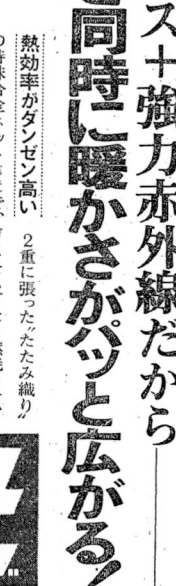

【静岡県=鈴木政美君発】浜名4Hクラブでは、陸上競技を通して多くの友、仲間を作っているが、今年度も、駅伝六回、ロードレース三回、全国青年祭県予選、その他各種スポーツ大会に積極的に参加している。

十一月二十九日、藤枝市で行なわれる十マイルロードレースには、浜名から、野末敏夫、鈴木政美、鈴木次郎、金山政義の四君が出場する。当日は、県内の高校、大学、一般から八十人の選手が参加、正午、藤枝市大手をスタートし、葉梨新田折返しのコースで、熱戦が展開される予定。

浜名のエース野末君は、マラソンのフルコース四二・一九五キロを、二時間四十分台で走るスタミナ、十キロを三十二分台で走るスピードを持っており、今回は調子がよいので、上位入賞が期待されている。また、両鈴木、金山君も、五キロ十六～十七分台の記録を持っており、現在、練習量も多く、夏場は主にトラックでスピード練習をしたので、スピードはあるが、スタミナが心配である。

しかし、近ごろは、主にロードで練習しているので、かなりの記録が期待できる。毎日、練習は夜間、それぞれの仕事が終わった八時から十時ごろまで、自動車のライトを照らしながらやっている。

片岡氏、かかし今昔展開く

16日から21日まで

農林省官房相談室長の片岡千治氏が、十一月十六日から二十一日までの六日間、東京都中央区丸の内の三菱商事のショールームにおいて、写真による「かかし今昔」展を開くことになった。

片岡氏は、古くから農村で行なわれてきた鳥追いに関心を持ち、戦後、写真におさめてきた。

昨年九月に開校

将来の組合役職員を教育

中央協同組合学園

中央協同組合学園(東京都町田市相原町四七七二)は、昭和四十二年十一月、第十一回全国農協大会において、「農協教育の振興と新学園の設立」が決議されたのにもとづき、四十三年度事業として設立に着手、四十四年九月、開校の運びになったものである。

建設資金は、全国の農協、連合会、及び関係中央機関が拠出する「農協役職員教育振興基金」によってまかない、運営は全国農協中央会が当たり、学園長は、中央会の理事の中から選出されるが、現在は森晋氏が就任している。運営機構としては、学園長の下に、総務、教務、研究の三部があり、諮問機関として学園運営委員会を設けている。

この学園設立の背景には、現代のはげしい経済、社会の変動に対応し、万人のしあわせを協同組合運動の前進によって、実現しようということがある。そのためには、将来中核として働く組合役職員の教育訓練が、第一の重要課題であるという認識が農協関係者の間に高まったからである。

こうした認に添うため、教育方針は、「農業および農協をとりまく諸情勢の変化と科学・技術の高度な発展に即応し、農協が本来の使命を達成するために、役職員および組合員のリーダーとなる者に対し、ひろく協同組合の原理・原則に関する理解を深めるとともにいっそうの資質の向上をはかる」と謳っている。

(つづく)

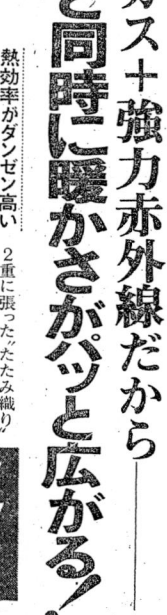

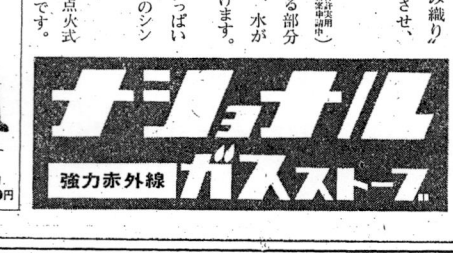

ぶどうのビニールハウス栽培

大阪府羽曳野市駒ヶ谷
駒ヶ谷4Hクラブ　植野博

私の地区、駒ヶ谷は、河内ぶどうで名高い、大阪府羽曳野市にあります。

隣接する太子町と合わせてぶどうの栽培面積は、約五百三十㌶で年間約七千㌧のぶどうを生産しています。

栽培品種は、九八㌫までがデラウエアーで、一戸当り平均一㌶ほどを栽培しています。

◆◆◆労力要すジベ処理

栽培方法も年々改良され、昭和三十五年からジベレリン処理による種なしぶどうが出来るようになり、現在、当地では百㌫近くジベレリン処理がされています。

しかし、このジベレリン処理の作業は、開花前後の二回、それも適期に施さなければならないのと、第一回処理の前に他の労働と重なるために、五～六月に労力が一時的に集中する結果になり、こうなると自家労力ではまかないきれず、多くの人手を必要としなければならなくなりました。

ところが、最近人手不足や人件費が高くつくため、なんとかこの労働のピークをなくしたいと考え、数年前から当地では、ビニール被覆による促成栽培が考案され、ジベレリン処理や出荷期の労働調節と、所得の向上が図られてきました。

一面にビニールをはりめぐらしたぶどう園

私のプロジェクト

予想以上の効果が

労力集中のピーク崩す

◆◆◆ビニールは共同被覆

私の家では、家族三人の労働力で一・七㌶のぶどう園を経営しています。そこで昭和四十四年度にプロジェクトとして、ぶどうのビニールハウス栽培をとりあげました。

ビニールハウスは、共同でビニールの被覆を行ない、適宜潅水を行なう。また、温度管理は、サイドビニールや屋根を開いて調節します。

ビニールハウス栽培と露地栽培の労働量（十㌃当たり）の比較は第一図のとおりで、ハウス栽培では四月、七月、十一月がピークとなり、四月の場合は、新梢管理作業、ジベレリン処理など、七月は収穫と出荷作業、十一月は初年の組立て作業となります。露地では五月、六月、八月がピークとなり、五～六月の新梢管理、ジベレリン処理、八月の収穫、出荷となります。

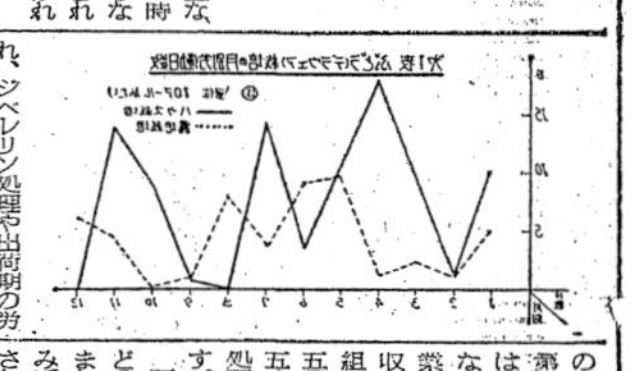

昭和四十四年度は、二十㌃のぶどう園をビニールハウスにしてみましたが、四十三年度と比較してみて、たいして労働ピークが改善されませんでした。そこで本年度は、思いきってハウスを五十㌃にふやしましたが、予想以上の効果があがり、労働のピークを崩すことができました。これは、ハウスの面積をふやしたことによって効果があらわれたものと思います。

この労働日数をみますと、増加していますが、その増加は、今まで労働日数の少なかった三月、四月、七月がふえ、もっとも忙しかった五月と七月は、かえって減少しています。

◆◆◆来年は加温栽培を

私の家の労働力は三人で、一ヵ月に七五日くらいの労働です。これは都市勤労者の一週間に一日程度の休日のある労働と同様であります。今後も、この家族労働力にあわせて、わが家の経営改善計画を立てたいと思いますが、さしあたって来年度は、ビニールハウスの加温栽培を十㌃ほど試作し、四十七年度には、三十㌃にする計画です。

この計画によって私のぶどう栽培は、露地九十㌃、無加温のビニールハウス五十㌃、加温三十㌃の規模となり、労働日数は多少ふえますが、労働ピークは大幅に改善されると思います。

◆◆◆労働報酬は増加

ぶどう栽培の収支面をみますと第二図のように、四十三年度は、露地ぶどう百七十㌃で、粗収入二百五十五万円、支出は百三十六万円で純収益は百十九万円。労働日数は八百五十八日で、一日当たりの労働報酬は千三百八十六円となりました。また、ビニールハウスを取り入れた四十四年度は、ハウス二十㌃と露地百五十㌃で、粗収入三百四万三千円、支出百五十六万五千円となりました。純収益は百四十七万八千円、労働日数は九百七・五日となり、一日当たりの労働報酬は千五百十八円とふえてきました。

今年度は、ビニールハウス五十㌃、露地百二十㌃で粗収入三百八十一万円、支出百九十六万円、純収益は大幅にふえて百八十五万円となり、労働日数は、わずかに増加して九百二十一日となり、一日当たりの労働報酬は二千円となりました。さらに、四十七年度の収支を最低に予測してみますと、加温三十㌃、無加温五十㌃、露地九十㌃で、純収益は約二百七十一万五千円、労働日数は約九百九十・五日で、一日当たり労働報酬は二千七百三十円と増加することが予想されます。

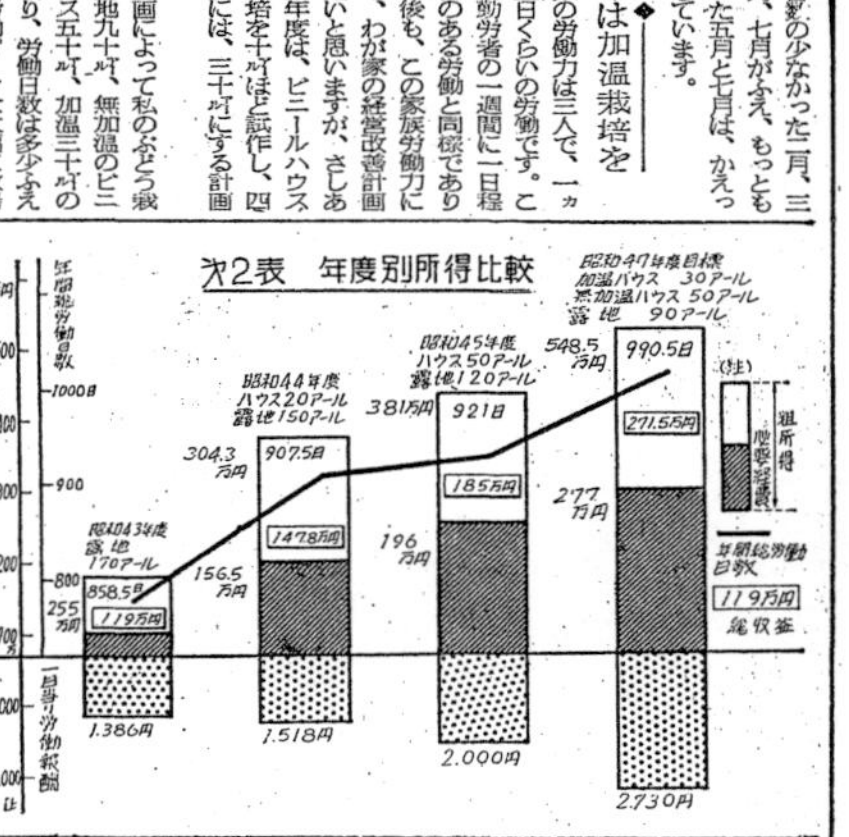

◆◆◆規模は労力で調節

このように私は、ぶどうの露地栽培をビニールハウス栽培へと改善してきましたが、労働ピークの問題、収入の増加などに一応の解決策がみいだされてきました。今後も万国博のテーマであった「進歩と調和」のように、わが家の家族労働力に調和した労働で、経営を改善、進歩させるために努力していきたいと思います。

ぶどうのビニールハウスの模型

料理コンクール開く
富山・立山4Hクラブで

【富山県】立山町4Hクラブでは、このほど、農業改良普及所、北日本新聞などの共催で〝料理コンクール〟を開いた。

コンクールは、スコッチエッグの作り方を生活指導員に習い、これを中心に各自のアイデアで盛りつけて審査したもの。その結果、萩生悦子さんら五人が入賞した。

「梨」袋かけの省力化

佐賀県伊万里市南波多町
南波多4Hクラブ　松尾清美

止金使わぬ袋かけ
パラフィンの特性生かし

私が住んでいる地域は、佐賀県の西北部に位置し、水稲作をはじめ、山林原野の開発による畜産、果樹を基盤とした純農地帯です。当地区の中心部を国道二〇二号線が北西に走り、福岡、佐世保、長崎を結び、極めて交通の便に恵まれています。

気候は温和で年平均気温一六度C、降雨量二千㍉内外で、台風による被害はほとんどない。農業経営規模は一戸当たり一・一四㌶、農家所得九六万円と低く、将来の地域振興計画で、山林原野を開発して果樹、畜産による七十年代の農業所得二百万円～三百万円を目標に規模拡大を進めています。

地域の梨栽培農家戸数一五八戸栽培面積三五㌶ですが、この梨栽培は立地条件に恵まれ、収入の大きな割合をしめています。

○袋かけの省力化○

4Hクラブの梨部員は、三年前から梨栽培の中で一番困難で、一時的に多くの人手を要する袋かけの省力化と取り組んできました。

一回目の袋かけは、四月下旬から五月上旬にかけて、三㌢×六㌢のパラフィン袋を使い、二回目は一番袋が終ってから間もなく行ない、二重になった二五㌢×二一㌢位のパラフィン袋を使っていますが、一日一人わずか、千三百枚位の能率が普通で、私の家の五十㌃の成木園でも三～四人の人手では適期に袋かけが済ませられませんでした。

そこで、袋かけの省力化を研究していましたが、まず、一年目には、一番袋をかけずに、二番袋を直接かけることにし、研究園として梨部の全員が、自分の梨園の六本の樹に試験することにしました。

赤梨系統と青梨系統に分けて調査してみると、赤梨は品質的にも劣らず、落果も少なく、十分な成果をあげることができました。青梨は、梨の果柄部が弱いため、熟する前に風などによる落果が多く、品質的にも肌が悪くなり、青梨としての商品価値が落ちてしまいました。

○止金使わない袋○

青梨には、一番袋の省略は不可能であるため、二年目の課題として、一番袋かけに止金を使用しない方法を研究しました。

一番袋の意義である果皮の保護のため、落果直後の果皮の羽毛が落ちないように、急いで袋かけをしなければなりません。そこで、一番袋は①小さな軟かい果実を痛めないように小さく軽いもの　②二番袋をかけるまでの間、玉が大きく成育してきても破れない程度の大きさ　③経済性――などの三点について注意しました。

従来は六㌢×六㌢のパラフィン袋に止金を使用していましたが――①労力を多く要する　②果柄部にきずをつけて品質を悪くする――などの難点がありました。

止金を使用しない場合　①止金使用の二倍の能率で袋かけができる　②果柄部にきずがつかないために早期から袋かけができ、品質向上に役立つ――などの利点があります。

一番袋に使うパラフィン袋は、折目をつけると型がついて、もどりにくい性質を持っており、この性質を利用して、止金を使わない袋かけを考えついたわけです。しかし、二番袋をかけるまでの間、風雨などの天候に左右されて、袋の折り目がもどり、落袋するものがありますが、落袋していない袋の中の果実は、省力の割には果実の肌も美しく、一応の成果を収めることができたと思います。

○親も一緒に研究○

三年目を迎えて研究にも熱が入り、袋の折り方にも工夫を凝らし、三重折りを考え出しました。これによって、雨、風などの天候に左右されることもなく、本年度は予想以上の立派な結果を得ることができました。

三年間のクラブ員のチームワークにより、親も一緒になって研究に取り組んできた結果、この成果が得られたと思いますが、本年は地区内でも止金を使わない袋かけが普及し、袋かけの省力の半分を、私たちの手でつかみとることができたという実感を強く心に止めています。

○来年は二番袋を○

私たち4Hクラブの梨部員は、一番袋の省力化をなしとげましたが、来年からは、さらに二番袋の省力を研究課題として取りあげ、この問題解決にあたりたいと思います。

× × ×

プロジェクトの進め方《14》

成果を総会で報告
プロ活動促進の経費を

例えば、地区協議会の総会が開かれるとき、総会資料がつくられます。この資料を見てたいへん残念だと思うことは、資料の中には規約、事業・決算報告、予算・事業計画の承認というのがありますが、その事業・決算報告の内容の中に、何月何日になにをやったという行事の報告ばかりで、クラブとしての行事報告のみに終っているのです。

行事と{プロジェクト}の関係

これはもちろんお金のこともありますし、行事もクラブ活動の一つでありますから、やらなくてはなりませんが、一番だいじなことは、あなたの家で、あなたの地域で一年間にどういう活動の経過があったという――そういうプロジェクトの経過発表が行なわれていないのです。端的にいって、個人や単位グループのこともありましょうが、そういう結果が事業報告、あるいは資料の中に入っていなければいけないのです。

そういう方法で総会をやっているクラブがありますか。少なくても4Hクラブの総会であるなら、この報告がなかったら、他の団体の総会と、なんら変わりがないのです。

ここで行事とプロジェクトの関係について述べてみますと――。

私たちの家庭なり、地域の生活があります――。前に述べましたように、プロジェクトというのは、身近な問題で、そのプロジェクトが回転するということは、そのプロジェクトを解決するために、自らが飛び出してみんなの意見を聞いて参考にするということを、お互いにやっているのですから、個人のプロジェクトの回転は、クラブの活動の回転に歯車が合っている。これがぐるぐる回れば、それに合わせてお互いに回ります。

ところが歯車がはずれてしまっているのです。自分の問題とクラブの問題が別々になってしまっている――。なかにはそういうものもあっていいですが、奉仕活動などは別々の場合もあるでしょう。しかし、基本的なクラブの性格からいったならば、とくにプロジェクトからはずれてはいけないのです。

ですから、プロジェクトというのは、いわば三百六十五日が活動だということになります。

そのプロジェクト活動を効果的に展開するために、クラブの行事があるわけです。行事はせいぜいやっても月に三回くらいでしょう。定例集会は別として行事はかなりひんぱんに行なわれています。そういうひんぱんに行事をやっているのも、問題はプロジェクトがうまく展開されるように、行事から行事の間、あるいは、ことしの行事から来年の行事の間に、その行事をやることによってプロジェクトが成長していく――。こういう性格のものであるべきなのです。

ですから、いろいろな面で性格分けすると、下が行事で上がプロジェクトだとすれば、プロジェクトは一人で、行事は多人数でやる。プロジェクトは自分の家でやる。行事は集会所でやる。集合しなければ出来ません。プロジェクトはむしろ家の活動ですから、昼間行なわれます。行事は夜やったっていい――。こういうように、行事とプロジェクトの比較対象が出来ます。

しかも、プロジェクトと行事の関係は、プロジェクトに中心があるわけですから、家での活動が強くなっていく必要があります。ところが、総会にはこの話が全然出てこない――。行事の話だけが出てくる――これです。おかしくはありませんか。

もし、総会をやるとするならば、総会の中でプロジェクトの経過がどうなっているかということを、みんなで話し合うことがたいせつです。したがって、予算を考えても、予算を大きく分けると、組織費、活動費、その他の経費になりますが、どうも4Hクラブの場合は、組織的な活動に使われる予算が多い。

オルグであるとか、会議費、旅費、そういう組織活動に使われる金が非常に多い。もちろん4Hクラブは組織ですから、これらについても使われなければいけませんが、プロジェクト活動に十分お金が使われるようにならなければ意味がないのです。

ところが予算書というのは上手に出来ていまして、組織活動費といっても、実際にこれに該当するのは、会議費くらいしか計上していない。会議費だけではたいしたことはないので、後は全部活動費になっているから活動費は三分の二で、組織費が三分の一くらいになっている。

ところが、活動費の内容をみると、例えば、クラブの役員の集会の経費であるとか、未結成地域のクラブ活動を促すための経費であるとか、そういうふうに、内容的には組織的な面での活動を促すために使われている場合が、かなりあります。

では、プロジェクト活動の促進に使われている経費が、どのくらいあるか――そう考えてみると、4Hクラブの予算の組み方について、いろいろ考えて工夫を凝らすべきだと思います。

いずれにしても、4Hクラブの行事とプロジェクトの関係は、こういう関係であって、行事も必要です。どうも4Hクラブは行事ばかりやっておる――という声もありますが、しかし、相手のクラブ員は毎年交替して新陳代謝があるのですから、毎年行事をやる必要があるのです。毎年同じ行事で、あきてしまうという人もいるでしょうが、やはり、やるべき行事はやるべきです。

やらなければならないけれども、その間に流れているプロジェクトというものの、この強化を忘れてしまったのでは、話は逆なのです。ですから、中間、中間にプロジェクトの成果を話し合う。また、専門別活動ということで、同じ専門的な勉強をする人たちが、クラブの定例集会なり、行事なりでなく、プロジェクトの活動を目的にして、専門別に集まってくる。そういうふうにして――お互いにゆがみがちな気持を引きしめる――そういうことをしていくことで二年、三年クラブ活動をしていく人たちのプロジェクトを強化させていけるのだと思います。

（栃木県・専門技術員、湯浅卓子氏の講義から）

ハウスいちご　後作にメロン
施設解体の不合理から

奈良県桜井市茅原
桜井4Hクラブ　山本広幸

奈良県におけるいちご栽培は、毎年増加の一途をたどり、昭和四十四年には千三百㌶と全国一の産地として大きく発展しました。しかし、ハウスいちごの後作として殆んど水稲を作付けしているのが現状で、この時期は田植期と重なり、ハウスの施設解体には多くの労力を要し、経済的にも不合理であります。

そこで私は、春のハウス栽培として九州地方で普及している「キンショーメロン」を六月下旬に播種し、九月下旬に収穫できないものかと研究しましたが、その栽培が可能であることがわかりました。そこで、農業試験場や普及所の助言を得て、栽培にふみきりました。

播種は六月二十六日で、畦幅二・五㍍、株間〇・五㍍の直播とし、一㌃当り八百本の栽培本数で、三本支立とし、一本のつるに三果着果させ、それ以外は摘果しました。

肥料は、栽培全期間を通じて、N＝二一㌔、P＝一六㌔、K＝二三・四㌔施し、病害虫防除は、ベト病、キャンカーにはキャプタン剤、ヒスダイセン、サニパーなどを、ウドンコ病には、モレスタンを散布しました。また、ウリバエには、アルドリン乳剤を一㌃当り一㌔をかん注しました。

開花はじめは、七月二十五日頃で、収穫はじめが八月三十一日で、十㌃当りの収穫は二千五百㌔でした。このうち出荷したのは、四㌔入りで五〇二箱、平均単価五七三円で、約二十九万の収入をあげることが出来ました。

資材費などの支出合計は、約一二万五千円で、労働費を含みますが、約一六万六千円の収益を上げることができました。しかし、最初の計画の半分にも満たない収益でありました。

このような結果に終った原因は、ウリバエの防除期が遅れ、ウリバエによる被害株が半数以上もあり収穫以前に枯死した欠株のためであります。また、市場価格が不安定であったことも考えられます。

今後さらに研究を重ね、本県が直面しているより有利ないちごの後作として、キンショーメロンの栽培をつづけ、これが県下に普及することを望むとともに、さらに本格的な施設園芸に取り組みたいと思います。

NHK農事番組
（11月21日～30日）

テレビ

明るい農村　6・30～6・55　総合
21日　農村新地図　岡山県備中町（岡山大教授）河野通直
23日　▽勤労感謝の日によせて～村の労働戦線～（青森県下）
24日　きょうの話題　産地直結～RFD現地報告
25日　産物往来　みつば、うど（大阪府堺市）
26日　話題の広場　ホルスタイン共進会から（愛知県豊橋市）
27日　村をむすぶ　通信員報告
28日　農村新地図　和歌山県粉河町（東京教大教授）中野卓
30日　村の記録　都市農協（兵庫県伊丹市）

農業教室　7・30～8・00　教育
21～30日　▽優秀農家の経営発展
21日　養豚（東京都日の出村）並木真一郎
23日　柿（岐阜県糸貫町）松尾重雄
24日　水稲・養鶏（富山県城端町）
25日　水稲・野菜（滋賀県豊郷村）北川乙彦
27日　たばこ（鳥取市）大久保登
28日　酪農（広島県廿日市町）西尾通夫
30日　みかん（愛媛県吉田町）幸渕文雄

あすの村づくり　日　7・00～8・00　教育
22日　日本のみかんを考える（愛媛県北宇和郡吉田町）宮口博孝（愛媛県温泉郡中島町）大西晃
29日　▽グループだより（三重県南牟婁郡紀宝町）農業青少年クラブ　▽過疎の中のグループ活動（宮崎県東臼杵郡南郷村）椎葉SAP研究会・横田はまよ　▽ある青年像（栃木県芳賀郡芳賀町）斉藤惣一

ラジオ

早起き鳥　5・05～6・00　❶
22日　▽青果物の流通をさぐる⑥消費者の課題
23日　これからの青果物流通（京都府大助教授）藤田築次
24日　特集　▽「米」～多元座談会　▽天皇杯を受賞して　①農産部門
25日　同②　園芸、蚕糸部門
26日　同③　畜産部門
27日　人と話題　高たんぱく米をつくる
28日　山村センターの一年（島根県匹見町）
29日　村のポスト
30日　全国学校農業クラブ大会から（東京都下）
30日　現地報告　謡曲耕作この三年（富山県下）

ラジオ農業学校　月～土　6・40～7・00　❷　日　6・30～7・00　❷
22日　▽農業講演会「日本農業進歩への道」（農政調査委員会国内調査部長）石川英夫
29日　▽農業ゼミナール「これからの農業と青年の役割」第三回中・四国地域若い農業者のつどい出席者代表

ひるのいこい　0・30～13・00　❶
21日　めん羊の冬ごもり（北海道）
26日　神農さんの薬まつり（大阪）
30日　大根のせり市（浜松市）

一年をふりかえって

夢中でトマト作り
背広を着てもみじめだ

奈良県・郡山4Hクラブ　堀川照夫

ぼくが農業をはじめてから一年になりました。学校時代には、農学校へ行っているのに都会の会社に勤める人が多かったので、農業をやるというのが、恥しいくらいでした。農業とは、そのぐらいみじめなものなのかと思うこともありました。でも一年間やった今では、農業をやってよかったと思うように、なってきました。

会社へ行っている友だちが、パリッとした背広をきこなしてくると、ぼくはカッコイイナーと思うこともあるが、やはりだれにも気がねしないで働いている姿の方がカッコイイと思うようになってきました。背広をきこなしても、会社へ行けば汗を流して人の機嫌をうかがい、ペコペコ頭をさげて働いても、人のために働いているだけで、自分には、月にきまっただけの月給しか入ってこない。

でも、農業は月々きまって入ってこないが、自分で働いて労働さえすれば、それだけの報酬が入ってくるのだから、いっそう喜びがまします。現在、なにもわからないなりに、父に手伝ってもらい、トマトを作っています。種まき、育苗はどうにかうまくいき、本田定植を終わり、成育管理をやっているのですが、湿度、温度、日照などの管理調整がうまくいかなかったので、病気をだしてしまいました。

父に見てもらうと、ベト病（灰いろかび病）だといわれました。一段の実を全部とってしまわなくては、というようなものもでました。これで、栽培管理のむずかしさがわかってきました。今まで、作物の栽培されている所へ見学に行って感じたのは、その作物に対して、愛情、愛着心を持っておられることでした。ぼくもこれからは、もっと人と接し、いろんな話をきいて学んでいきたい。

農村雑感

折原俊二郎

集団結成

或る青年から次のようなことを云われた。何事も深刻に考え過ぎると、結果はうまくいかないものである。そのため、物事に対処する場合は、広い視野にたって判断し、どのような場面にも対応しうるだけの気持をもっていないと、うまく進まないのではないかということであった。

実は、この話が出たのは、彼が自分の村に残っている青年を集め、新しい研究集団を結成することとした。しかし、この場合、どのような形で進めるべきか、その具体的内容について相談したということで話しあったときの言葉である。

私は集団の性格なり、成長の仕方、そして運営上における対応策などについて、これまで見てきたいくつかの集団をもとにして、それを分析しながら説明し、こうした点は十分検討しておかなければならないとか、集団の性格はこのように明確化していくべきであるなどの点を指摘しておいた。

そうした点を考えておかないと、折角集団を結成しても、途中で集団の活動目標が不明確となり、それが会員に影響し、結果的に集団が分解することとなる。何とかしてよい活動を持続し、成長させていかなければならない。そのためにも、集団結成前にその集団が集団としてもっていなければならない内容なり、意義などについて十分検討し、明確化していくべきであろうということを話した。

ところで、話の中で私が云った、集団を結成したら、その集団が良い意味で持続していくべきであるという点については、彼はどうも納得がいかないらしい。そこで、この点について彼の意見を聞いてみると、別の新しい考え方をもっていることがわかった。

それは、集団を結成するとき、各方面から検討し、内容を吟味しなければならないが、結成した集団が必ずしも長年月にわたって継続維持しなければならないという、その考え方には賛成しかねるということであった。

仲間が集って集団を作る。その集団がうまくいけば継続し、まずかったら解散するのが当然で、それを何とかして継続維持させることにこだわるのは、本当に良い意味の集団を育てることとはちがうのではないか。駄目ならば解散し、改めて別に集団を結成していく、そうしたくり返しをやっていく中で、本当の良い集団が生れてくるのではないか。集団の維持継続にこだわることは、物事にこだわることと同じで、結果はうまくいかないのではないか、ということであった。

云われてみれば、確かにそういう考え方もあるし、今の青年の中には、こうした考え方をもっている者が多くあるようである。しかし、その考え方には一つの落し穴的な意味も含まれているようであり、全面的に賛成することができかね、こだわりを感ずる。それかといって、結成された集団は何でもかんでも維持しなければならないという考え方も、正しいものではない。

新しい農村の中に、最近目立って多くなりつつある集団結成のことを考えた場合、こうしたものの考え方もあるということを、青年自体も指導者も十分認識したうえで、それぞれ対応していかなければならない。些細なことのようであるが、他面、重要な要素を含んでいるので、この機会に十分考えてみる必要があると思う。

（農林省・農業者大学校）

青春と仲間

団体名簿と役員行政は終った！
犠牲ないとダメ

若い根っ子の会会長　加藤日出男

グループもしくは集団でとらえることは、数学や、実績上、エフェクトが大きい。したがって、青少年行政は、参加団体と、参加するであろう団体名、ならびにその代表者を、じつに大事にあつかってきた。

いまなお、こうしたセンスが通用するのは、万博に数珠つなぎで、ぞろぞろやってきた農協いがい、あまりなかろうと思う。おそらく、ノーキョウでさえ、こんなセンスには、激怒するにちがいない。

ぼくは、はやくから団体単位のものの考え方、また、そのボス的代表者によってつくる○○青年協議会の組織に、首をひねり、ついに、そうした一さいの路線から、孤独の道をだまって歩きだしていた。

たとえば“仲間づくり”などということばが、いとかんたんに行政上、つかわれたことがある。ぼくは、じつに、むなしいと思っていた。

若ものたちは、ひとりびとりかけがえのない自分だけの“いのち”と“不安”をいだき、こんなに日本列島におなじ世代の若ものたちがいるのに、誰ひとり“自分”をわかろうとはしないのだ！というさびしさと孤立感をいだいている。

ぼくは、そうした不特定多数のひとりびとりに、どこから近づくか。それは決して組織ではないと信じている。

どっかに“生きがい”を見出そうとする人間に、組織は、かならずしも有効にはたらかない。

いつのまにか組織があるから自分があるのだと思いこむ。そのとき、彼は、ふたたび、組織の中の小さなひとりぽっちの存在を意識し、しだいに組織活動からはなれてゆく。

大切なことは、オレがいるからこのグループがあるのだという自己存在の確立である。このオレだって、まんざらでないのだ！という“よろこび”を発見することである。

では、それは、どこから生れてくるか。

犠牲をはらうことである。わかりやすくいえば、まるがかえでは、かえって苦労もないが、たのしみもない。どこにも、はらうべき犠牲がない。人間、犠牲のないところに、よろこびがあるであろうか。

ズバリいえば、会費とカンパと生みだす犠牲によってグループを支えてゆく。つまり、このオレのこの犠牲がなければやっていけないのだという誇りこそが大切なのである。

青少年のための有効な研修会でさえ、なんら自己負担がない。まるがかえでは感動もわかない。わいてもすぐきえる。つくり出す苦労がないからである。

青年の家といえ勤労青少年ホームといえ、会館利用がいっさいタダというのは、若ものたちにとってむなしい。彼らは高いカネをはらってもレンタカーを借りたり、ボーリング場にゆく方が、より魅力的なのである。

若ものたちは、いま、しんけんに、しかも不安なまなざしで、自分の将来と生きがいを模索している。

豊かな中で、貧困な選択に悩んでいる。

もはや、団体名簿行政は、まったく終ったといっていい。青年の一見、かっこよさそうな表面とはうらはらの、あせりと、いらだたしさと、むなしさを、“個”としてとらえる真実の青少年行政がとられねばならない。（青少年育成国民会議『青少年』九月号より）

〈おねがい〉

新年号原稿
ふるってご応募を

五日には、年賀状も発売になりましたが、まだ、正月まではだいぶ間があります。それでも、そろそろ新年号の特集の計画を、立てなくてはならない時期になりました。

ついては、例年のことですが、原稿を左記の要領で募集したいと思います。どうか、広くお友だちの方々にも声をかけ、ふるってご応募下さい。

〈募集要領〉

▼原稿の内容　新年の抱負、年頭所感、随筆、詩歌、その他絵画や写真など、新年にふさわしいものなら、どんなものでも結構です。作品とともに、顔写真や内容に関係ある写真、図表なども添えて下さい。

▼原稿の長さ　四百字詰めの原稿用紙五枚（二千字）以内。ただし、あまりこだわらなくてもかまいません。

▼応募資格　4Hクラブ員、および関係者。

▼募集締切日　十二月十日。

▼送り先　東京都新宿区市ヶ谷船河原町十一　家の光会館内　日本4H新聞編集部宛。

※なお、掲載原稿に対しては粗品を用意しております。

佐賀のつどい　散策レポートより（4）

4Hクラブは君にとって本当に必要か

「あなたにとって、ほんとうに4Hクラブは、必要不可欠のものですか」と、全国のクラブ員の諸君に尋ねてみたいと思う。レポートの課題にも出されていなかったし、報告されたものでみるかぎりでは、こうした問いがクラブ員のなかにあるものかどうかも、よくわからない。すでに、そんなことは解決されていて、自明のことなのだろうか。

いま一度、4H精神の根本に立帰って考えなおす必要がある、という意見はどこにもあるが、さらに一歩進めて、4Hクラブという組織の存否を問いなおすことのないのは、存在するのがあたりまえだというのであるのか、また、そんなことを考えるのは無駄だというのであろうか。それとも、他に理由がひそんでいるのだろうか。

「同世代の仲間がほしい」「知識、技術、経営方法を学びたい」などといった希望は多くみられるが、クラブにはいりさえすれば、それらのことが苦もなくかなえられるわけではない。もし、そう早合点するなら、一種のあまったれというものだ。人間が何人か寄れば、なにかできると思いこむのもひとつの錯覚にすぎない。仲間を求めたり、勉強したりする場は、必ずしも4Hクラブのみではあるまい。

こんなことをいえば、クレームがつくかもしれないが、ここはよく考えてほしい。どうしても、4Hクラブでなければ、また、4Hクラブがなければ困るというものがあってこそ、その組織の存在理由が確かなものとなる。そういうかけがえのないものでなかったならば、わいわい集まってみたところでなんの役にも立つまい。

どうしても必要だ、どうしても参加しなくてはならない、という素朴な欲求から生まれたものならば、いまさら、「自主的な4Hクラブ活動と組織の強化について」などという質問が前面へでてくるはずがない。この一番はじめのところがいいかげんになっているから、つまらぬ問題も生じてこようというものである。

4H精神を体してなどと、聞いたふうなことをいってごまかしていないで、いまこそ、なにがなんでもなくてはかなわぬものであるかどうか、おのおのがとくと自問自答してみるときではなかろうか。別に精鋭主義をふりまわすわけではないが、4Hクラブはこれこれだからなくてはならない、と考えるものだけに絞ってしまうべきではあるまいか。

それは、組織の衰弱になるとか、おおげさすぎるとか、よけいなことは考えないことだ。4H活動の綱領は気恥しいくらいよいことづくめだが、こうした理想と、現実の生活とを結びつけるのは、根本の問いがすんでからの仕事ともいえよう。かなりの回り道だが、文字どおり、急がば回れであると考えたい。

（つづく）

おことわり　「生活ものしりコーナー」は、都合により休載いたします。

出稼の影響について

クラブ活動12カ月　新しいクラブ員を中心に　〈29〉

栃木県・普及教育課　湯浅甲子

新しい現実の中で
集会活動を考えなおせ

出稼という言葉のもつイメージは、時代の移り変りで大分変ってきたように思える。一時は、農業者の風上にもおけぬ奴らといった意味が、どこかにかくされていて或る意味では邪道扱いにされていたものだ。だから、出稼にいかないことが、農業者の誇りでもあった。

しかし、それならば出稼しない農家は、農業で充分生計が立っていたのかといえば、そうでもない。その中には、出稼に出たくても出られない人達が多くあったのである。「家のウチじゃ、出稼にでられていいや。息子が一人前だからのう」「一人前の農業後継者がある家ほど出稼農家になる例が多くなった。そしていまは、農業と、農外収入が逆転したり、二筋道を、うまく渡る農家が多くなってきた。そして、そうすることが、社会生活の常道のようにもなってきたようである。

専業農家が稀少価値をもつようになってきたこんにちでは、兼業化や出稼は、農家の大部分を占めることになってきたわけだが、そういう傾向の中で、有為な農業青年が、本人の意思を無にしてまで他産業に就業していく姿を見聞きすることが多いのは、少々気になることである。

懸命に農業と取りくんでいる諸君らのまわりから、一人減り、二人減りして、クラブ活動から姿を消す仲間が増えていくことは、いいしれぬさびしさと、やり場のない憤りを感じることだろうと思うのである。そこで、そういう実態の中で、4Hクラブをどう運営し、どう活動していったらよいものだろうか。

いま、実際に現われている現象は、夜の集会や、日曜集会といった、集まれるときに、集まるといった形式の集会が多くなってきたようである。集まりは、なかなかよいようだし、にぎやかになってきた。何しろ、話題が多彩になったのだ。従来は、特定の範囲内で生活している農業青年の集まりだったから、話も一方づくことが多かった。

しかし、いまは変ってきた。都会の話、他産業の話、労力の話といった広がりがでてきた。異性の話まで、展開のしかたがちがってきたようにさえ見えるのだった。中には、仕事の厳しさを身をもって体験したと、感想をもらす人もあるし、農業に見切りをつけたような人もいる。

そういう中にも、農業に対する見方、考え方をほり下げている人もあるようである。こういう形の青年集会は、それなりに、有意義だろうし、従来のカベを破る何かが期待できるにちがいないと私も思うのである。しかし、この姿が4H活動の一つの集会活動といってよいかどうかは、もっと考えてみなければならないように思う。

そこで、この型の集会を、4H活動らしいものにする方法を考えてみることにしよう。まず、私の考え方で、この集会を診断すると色々な問題がでてくるので、それを、初めに挙げてみるから、諸君も一緒に考えてほしい。

（1）4H活動は、集まることが原則ではなく、日常の生活の中に、4H活動がある。……この点で、この集会は、集まることが、最大のたのしみであり、価値があることになる。それでいいだろうか。

（2）4H活動は、一人一人の生活の中にプロジェクトをもち、それを理解していく活動の中に、定例集会の位置づけがある。……この点で、この集会に、問題解決の計画的意図があるだろうか。

（3）情報を交換しあうことは4H活動のなかでも大切なことである。しかし、色々なニュースを自分のためにどう役立てるかということは、自分の主体性が、つまり、俺は何をなすべきかが、しっかりしていないと、情報としてキャッチできないのである。…その点で、おもしろい話が聞けるだけの、集会でよいだろうか。

（4）4H活動は、同志の有機的組織体で、各々が、役割分担をしながら、青年の社会的、経済的、職業的分野での位置づけを高めようとしているのである。……その点で、この集会には、組織的な結ばれ方があるだろうか。

さて、諸君は、この問いに、どう考えてくれるかたのしみである。そこで私の考えだが、この四つの疑問は、即ち、この種の集会を、4H活動的ではないと断定する気持はないのである。

それどころか、いい、わるいの以前の問題として、この種の集会は存在するし、さかんになっているのが現実である。こういう社会の変化をみとめた上で、この集会の会合に4Hクラブらしい集会活動のあり方を、探求してみなければならないのではないだろうか。そういう見方で、この四つの疑問をもう一度考えなおしてみれば、この種の会合にも、4H的価値を見いだし、生みだす方策は、必ずあると思うのである。

11月

クラブ紹介

奈良県　御所4Hクラブ

普及員なく、活動は自力で

私達の御所市に4Hクラブが発足したのは、昭和三十五年十二月一日でした。当時、4Hクラブといえば、その地区担当普及員の指導で生まれるのが常識であり、単位も大字とか部落であったのと異なり、同志の盛上りによって結成された。従って、担当普及員がなく、会員の意思でその都度、指導者や普及員を講師として招き、助言を得ていた。

このように活動してきたが、御所4Hクラブ連絡協議会も、時代の流れとともに農業の斜陽産業的ムードは深まり、農業と他産業との所得格差が増大してきたころから、農業者数の減少と、農業の上にのしかかった数々の問題は、いろいろに影響を与えはじめた。残ったクラブ員は、専業化の道へ入り、クラブ員の中で話題が専門化するために、統一をはかることは非常にむずかしくなった。

こうした苦悩の中で読書会が取入れられ、今までの農業技術の問題から、農政や農村生活、農村社会の問題について、話合いが進められるようになった。このように、クラブ活動が混迷の状態にある時会員の年齢問題が起った。当初、会則では会員年齢を二十五歳以下としてあったため、この年齢になれば退会することになる。農村青少年が減少し、クラブが困難に直面する事態で、経験者を失うことは、ますます弱体化するおそれがあるため、正会員二十五歳以下、特別会員二十五歳以上に分けた。

さらに、部門別の活動をして技術の向上をはかるため、あゆみ会と碧空4Hクラブが合併、御所4Hクラブ連絡協議会を、御所4Hクラブとした。しかし、農村青少年は減少する一方で、部門別に分けようとしたが会員数が足りず、講師を招くこともできなかった。

現在の会員をプロジェクト別に分けると、酪農七名、園芸九名、養鶏五名、花卉三名である。これでは集会に参加しても技術的なことでの活動ができなくなった。また、中間年齢層のクラブ員がいないため、二十四、五歳のクラブ員の出席率が悪くなり、十七〜二十二歳のクラブ員の活動が主になっている。

活動の内容としては話合いが中心で、農業のあり方、農村青年の悩み、クラブのあり方、簿記講習会などのテーマで行なっている。しかし、話合いばかりしていると団結がかけてくる。やはりクラブ員がともに苦労し、いっしょに悩むこと、そしてその中から解決の方法を見つけ出して行く時こそ、真の団結が生まれると思う。

そこで、何とか自らの企画で運営するために、御所4Hクラブは共同プロジェクト活動をこれから行なおうと思っている。特色としては、今までのように、すぐ技術面に通じないかもしれないが、どの部門にでも応用できるような共同プロジェクト活動をして行く計画です。（奈良県4Hクラブ連絡協議会の十五周年記念誌『若い力』より）

日本4H新聞
4Hクラブ
農事研究会
生活改善クラブ
全国弘報紙
発行所
社団法人 日本4H協会
東京都市ケ谷家の光会館内
電話（269）1675郵便番号162
編集発行人　玉井　光
月3回・4の日発行
定価　1部　20円
一ヵ年700円（送料共）
振替口座東京　12055番

クラブ綱領

私達は、実践を通じて自らを磨くとともに、互いに力を合わせて、よりよい農村、よりよい日本を創るため、四つの信条をかかげます。一、私達は農業の改良と生活の改善に役立つ腕をみがきます。一、私達は科学的に物を考えることのできる頭の訓練をします。一、私達は誠実で友情に富む心をつちかいます。一、私達は楽しく暮し元気で働くための健康を増進します。

初の「4Hのつどい」開く

埼玉県農研連・4H部

都市近郊の悩みも　民宿や話合いで交流

【埼玉】埼玉県農業研究団体連合会4H部（部長、綱川信夫君）主催の「第一回埼玉県4Hクラブ員のつどい」は、さる十四、十五の両日、加須市の総合レクリエーションセンター「むさしの村」内共済連研究所講堂と北川辺中学校体育館で盛大に開催された。これには、県内各地から4Hクラブ員と関係者四百五十余名が出席、意見発表やクラブ員宅への宿泊、話し合い、レクリエーションなどを通じて交流し、有意義な二日間を過ごした。また、二日目には恨みの雨に悩まされたが、若さと明日の埼玉農業を担うファイトを互いにぶつけ合い、熱気で寒さをはね返えしていた。

このつどいは、昨年行なった埼玉県4Hクラブ二十周年記念大会の成果を足がかりとして、県下のクラブ員が交流し、クラブ活動の自主性を高めて地域からも理解される4H活動を推進するためにもたれたもので、青年の手によって企画運営され、経費も自分たちが負担した。また、地域社会から理解される活動という主旨も反映し埼玉県、農業改良協会、加須地区4Hクラブ連絡協議会、むさしの村、加須市、騎西町、北川辺村、大利根村、また、加須市はじめ志多見、騎西町、北川辺村、大利根村の各農業協同組合が応援した。

一日目、午前十時過ぎから加須地区連4Hクラブ員によるコーラスや琴演奏などで歓迎レセプションがにぎやかに行なわれ、定員の二倍以上のクラブ員をのみこんだ講堂は若さではちきれんばかり。熱気こもる中で、オリエンテーションのあと開会式が行なわれ、まず綱川部長があいさつ「昨年、県内のクラブ員約千六百名の参加のもとに埼玉県4Hクラブの二十周年大会を行なったが、この体験や意義をムダにすることのないよう各地区の意見を聞き、今回、つどいをもった。参加されたみなさんも大会の主旨を理解され協力してほしい」と呼びかけた。

会場は県下からつめかけた450人の4Hクラブ員で埋まった（あいさつするのは栗原埼玉県知事）

埼玉県4Hクラブの歌の合唱に続いて県農業研究団体連合会の飯田諦男会長のあいさつ、つづいて加須市長、全国4Hクラブ連絡協議会の松浦事務局長、日本4H協会職員ら来賓から激励のことばがあって終了し昼食。

午後一時過ぎから栗原埼玉県知事が、これまで生産第一主義できたが、工業の自滅さえ招きかねる今日である。農業においても、単なるエコノミックアニマルでなく『生きがいのある農業』を求めていく必要があると考える。4H精神を生かして郷土の発展のために頑張ってほしいと激励した。

寒さ、若さで消す　恨みの雨に残念がる地元

魅了した加藤氏の講演（若い根っ子の会々長）

ひき続いて、若い根っ子の会々長、加藤日出男氏（総理府青少年問題審議会委員）の「人生をすばらしく生きよう」と題する講演が行なわれた。背広をぬぎ、壇上から下りてクラブ員の中に入り、苦境を歩んできた自分の半生を披露しながら青年の可能性などについて情熱的に語りかける加藤氏は話し方も巧みで、クラブ員を魅了するのに十分であった。

三時過ぎから意見発表に移った。騎西4Hクラブの斎藤定良君ら五人の代表がそれぞれ「プロ農業マンとして」（斎藤君）「プロの精神で築こう自立農業経営」（本郷4Hクラブ、飯野宏一君）「都市近郊農業に生きる」（小林4Hクラブ、島田文夫君）「4H活動への提案」（大宮4Hクラブ、大熊博子さん）「私が埼玉のつどいに参加したわけ」（大和4Hクラブ、富岡澄子さん）と題して、日ごろの悩みや抱負などについて発表し拍手を集めた。

ともに、農業への不安感などを隠し切れなかったが「赤く咲くのはケシの花、黄色く咲くのがキュウリの花、俺たちゃどう咲きゃいいんだ、夢はいつ開く—こんな私でよかったら生命あずけてくれる人はいませんか」と、いま人気の流行歌の替え歌で訴えるクラブ員には、共鳴の笑いが起っていた。

夕闇迫る五時過ぎ、参加者は、加須、騎西、北川辺、大利根各地区のクラブ員とともに民泊へ向い深夜までクラブ員や家族とともに農業経営やクラブ活動、結婚問題などの話に花を咲かせた。

二日目　冷気をもたらした昨夜からの小雨が止んだり、また思い出したように降るぐずついた空模様。クラブ員を乗せたバス六台が利根川の水を堰止める渡良瀬遊水池の河原に集合。身震いするような寒さの中、地元クラブ員が作った櫓の周辺で話し合いに入ったが、雨足が強くなったため、急きょ会場を北川辺中学校の体育館に移して話し合いが続けられたが、準備を進めてきた地元クラブ員をガッカリさせた。

体育館の中には、二十を超す大小の輪ができ、それぞれがおみやげの交換をはさんで結婚問題やクラブ活動、農業経営などについて話し合ったが、ここでも農業の将来への不安感、都市近郊の悩みなどが出ていた。

このあとレクリエーションに移り、男女クラブ員が手をとり合いながら会場狭しとダンスやゲームなどに興じた。そのハッスルぶりは屋外の雨音も打ち消すほどだった。つづいて地元クラブ員が八木節などを披露、盛んな拍手がおくられた。

最後に閉会式が行なわれ、三十名に近い運営委員の紹介のあと綱川部長、農研連の小沢副会長のあいさつ、地元北川辺村長の来賓あいさつがあり、四時前、友情で温まったからだをバスに乗せて加須駅へと向った。

なお、この第一回のつどいを記念して、全参加者にメダルが贈られた。

中央推進会議の日程

毎日	午前6.30〜8.30…朝のつどい、朝食
	12.00〜午後1.00…昼食
	午後4.30〜5.00…夕べのつどい
	5.00〜7.00…夕食、入浴
	8.40〜9.40…フリータイム
第1日（8日）	
	午前11.00〜午後1.00…受付け
	午後1.00〜同　3.30…オリエンテーション、開会式
	3.30〜4.30…全協活動方針の説明
	6.00〜7.00…夕食・入浴、4H新聞連絡報道員会議
	7.00〜8.40…懇談会
第2日（9日）	
	午前8.30〜10.00…4Hの本質について講義
	10.00〜12.00…全体会議（同）
	8.30〜12.00…県連会長会議
	午後1.00〜3.00…プロジェクトについて講義
	3.00〜4.00…分科会（同）
	7.00〜8.00…全体会議（同）
第3日（10日）	
	午前8.30〜10.30…4H会館建設についての説明と会議
	10.30〜12.00…組織とリーダーの講義
	午後1.00〜4.00…レクリエーション（男子）女子クラブ員研修会（女子）
	7.00〜9.00…海外派遣クラブ員報告
第4日（11日）	
	午前8.30〜10.00…組織とリーダーについて（全協会長の説明と各県連からの問題提起）
	10.00〜12.00…分科会（同）
	午後1.00〜2.30…全体会議（同）
	2.30〜4.00…農政についての講義と学習
	7.00〜9.00…キャンドルサービス
第5日（12日）	
	午前8.30〜10.00…全体学習（総括討議）
	10.00〜11.00…閉会式
	11.00…………解散

各県連から問題提起

全協執行部会　推進会議の細部検討

全国4Hクラブ連絡協議会（会長、久野知英君）は、さる十一日から三日間、東京・新宿区市谷船河原町、家の光会館内の同協議会事務所で執行部会を開き、二十三日から二十九日まで実施する第二回の全国4Hクラブ沖縄親善交歓訪問の最終的な打合わせや、十二月八日から静岡県御殿場市の国立中央青年の家で開催する後期全国4Hクラブ中央推進会議の運営などについて協議した。

また、十二日、全国農村青少年技術交換大会と全国4Hクラブ員のつどいの関連について農林省との話合いを霞が関の農林省普及部長室で行なった。

後期中央推進会議に関しては、開催要領の細部的な打合せと運営面について話し合い、次の事項を決めた。

一、参加者のうち、県連役員と次期リーダーの中に、日本4H新聞の連絡報道員を含めることにし、日程の中で同報道員の会議をもつ。また、会議の速報作成に連絡報道員が当るとともに、各県連ごとに機関誌（紙）を持参し、相互にその内容や作成方法について研究、協議する。

この会議の中では、日本H新聞に送る原稿の書き方や取材についての考え方、新聞の購読者増加の方法などについても協議することにしている。

一、日本4H協会から派遣されて米国や台湾で生活してきた4Hクラブ員（草の根大使）、総理府で実施する青年の船の団員に選ばれた全協推せんのクラブ員にも参加してもらい、草の根大使の報告会を開く。

一、会議の内容について、各県連に通知した開催要領では、4Hの本質とリーダー、組織、プロジェクトの進め方となっていたが、①4Hの本質②プロジェクトの進め方③4Hクラブの組織とリーダーについてとすることにし、会議の進め方では、プロジェクトと組織・リーダーについては分科会と全体会議をもち本質では全体会議だけとして質疑応答をする。

また、本質についての講義や会議の時間帯では、同時に県連会長会議をもつ。

一、組織については組織論として組織そのもののパターンについての講義と、全協会長、各県連からの問題提起の二つの時間帯をもち、それをもとに分科会と全体討議で話し合いをする。

問題提起については、各県、地区のリーダー研修会などで話題になり、解決できなかったことや、重要な問題を出し合い、その解決を図ろうとするもの。

一、講師は、4Hの本質については日本4H協会の新田健吉事務局長、プロジェクトが栃木県普及教育課の湯浅甲子専門技術員、組織については総理府青少年問題審議会委員の末次一郎氏（健青会顧問）を依頼する。

一、女子クラブ員研修会には、助言者として、農家の主婦になったOBにも参加してもらう。

全国大会で農林省と会談

農林省との話し合いは、これまでにも度々もたれてきたが、今回も、農林省は二つの全国大会の一本化を強調、また、全協は、あくまでも青年の自主的な全国大会の開催を主張し、話し合いは平行線をたどったもようである。

民宿、家族ぐるみの交歓　現地で専門研修

宮城県連　11月1日から4日間　農業の総合研究集会開く

【宮城県＝蔵桃とみえ連絡報道員発】宮城県と同県農村青少年クラブ連絡協議会（会長、千葉和典君）主催の総合研究集会が、来る十二月一日から四日までの三泊四日間、仙台中央青年の家などを会場として開催される。

内容としては、水稲、野菜、畜産、生活改善の四つの各部門をもうけ、県内の主産地（現場）において実際に研修することとともに、各クラブ員が相互に話し合い、専門研修の意義を深めることにしている。また、研修期間内は、各部門ごとにクラブ員宅に民泊して地元のクラブ員はもちろん、各家庭でその経営や生活状態を見聞したり体験して、仲間ぐるみ、家族ぐるみ地域ぐるみの交流を行なう。

ややもすると、井の中の蛙になりがちな農村青少年もこのような研修会によって、激動する七〇年代の農業を背負うにふさわしい優秀な青少年になるものとこの研究集会は大いに期待されている。実施要領は次のとおりである。

▽会場
水稲　佐々君治山報恩会研修所
野菜　宮城県蚕業研修館
畜産　大和町公民館
生活　宮城県仙台中央青年の家

▽参加者
現に農村青少年クラブ員で、一市町村一部門一名代表者

▽参加者受付
十二月一日午前十一時から十二時まで、各主産地において行なう。

ほかに研修内容としては、一九七〇年代の農業のビジョンをテーマにした講演や各部門の経営についての講義、体験発表、現地見学、研究討議、全体討議、また、レクリエーションを通じて参加青少年の交流を深める交歓の夕べなど、三泊四日の研修を充実した内容にする考えである。このため、主催者で早めに参加申し込みを行なってほしいと県内のクラブ員に望んでいる。

相互の連帯感強まる

高知県連でキャラバン隊

【高知県＝堀見とし連絡報道員発】高知県農村青少年クラブ連絡協議会（会長、門脇槙夫君）では県連役員八名とクラブ員三名でキャラバン隊を組織し、さる十月二十八日から三十日までの二泊三日間の日程でオルグ派遣を行なった。

今回のキャラバン隊は、主に次の問題について現地に出向き、解決を図ると同時に県連とクラブ員相互間の連帯意識を強め、親睦を深めることを目的として行なわれたものである。

一、県連活動状況の説明と県連への要求、要望などを聞く
二、県連、ブロック、地区連のあり方
三、今後のクラブ活動をどのような方向で進めていったらよいか
四、全協活動の説明
五、その他

各地区での話し合いでは①青少年が少なくなり、クラブを作るのに苦労している②青年団、農協青年部などとのかねあい③クラブ員としてのつながりが薄くなって、クラブ員を一つにまとめることが難しくなった—など、それぞれの地域におけるクラブ員としての悩みが出された。

県連への要望としては①県の技術交換大会の開催場所に変化をもたせ、技術検討にも工夫を凝らしてほしい②キャラバン隊を多くしてもらいたい③青年議会を開催して欲しい—などである。

また、反省としては①地区連、単位クラブの強化が必要である②行事だけの県連ではなく、各クラブ員の悩みを解決していくように努力すべきである③山間地、経営規模の零細的な所を重点においてキャラバン隊を進めたらどうかなどの意見や感想も出された。

クラブ員一人ひとりの悩みは難しくて、県連役員としても解決できない点もあったが、クラブ員と県連役員相互の連帯感、親睦は深まり、成果は大きかったようである。

なお、各クラブへの訪問は次の日程で行なわれた。
▽二十八日　午前十一時、県庁から出発、香川、檮原東津野両地区▽二十九日　葉山、須崎、土佐各地区▽三十日　伊野地区。

紺のネクタイ統一

沖縄訪問団員は52名に

第二回の全国4Hクラブ沖縄親善交歓訪問団は、いよいよ二十四日大阪伊丹空港から出発するが、参加人員はその後全協役員が一名加わったため、最終的には五十二名（うち女子九名、全協役員六名）となった。府県別では十九県に及んでいる。

この沖縄訪問では現地交歓訪問の記念品として、五百円程度のおみやげを各自に用意し、ネクタイと、ネッカチーフを統一（ともに紺色）することにしている。

御殿場で研修

山梨県連　帰りにみかんもぎ

【山梨】山梨県4Hクラブ連絡協議会（会長、河原哲征君）は、来る十二月十一、十二の両日、静岡県御殿場市の国立中央青年の家でリーダー研修会を開く。

同県連では、これまでリーダー研修会を他の行事と一緒に開いてきたが、ますますリーダーの果す役割が大きくなってきているため他の行事と切り放して単独にもつことにしたもので、十一日は、ちょうど同所で開かれている後期の全国4Hクラブ中央推進会議と一緒になる。

また、十三日には、人手不足のため本紙を通じて「仲間ヤーイ」と声援を全国のクラブ員に呼びかけている神奈川県の小田原農業改良クラブを訪問し、みかんもぎを手伝うことにしている。

なお、リーダー研修会では、日本4H協会の新田事務局長の講義を予定している。

涼風暖風

理想は高く　手は低く

昨日、国立江田島青年の家の大友所長さんから、いろんな資料を送っていただいた。その多くは、所長さんが青年の家の夕べのつどいで話された内容をプリントしたものである。

大竹所長さんは、戦前、ある有名な出版社に勤められていたことがあり、吉川英治とも親しく、吉川作品の中の登場人物に名前を借用された程の人である。それだけに夕べのつどいでの話の内容も豊かで、含蓄に富んだものばかりである。全国から集まった青年諸君が、つどいの広場に会して、所長さんからこんな話が聞けるとは、なんて素晴らしいんだろうと思う。このように青年の家では、いろんな形で、数多い青春時代の感激の積み重ねができるようになっているわけだ。

いただいた資料の中に、一葉の写真があった。国立青年の家のひろびろとした体育館のフロアーに、剣道具をつけた青年たちが正座している写真である。板の間にすわらされて、若ものたちは閉口しただろう、とも思った。若ものたちの前には、同様に剣道具をつけた所長さんの、姿勢正しい正座姿がある。

写真の裏に、「動よりも静の方の修練が不足しているように思われましたので、毎日、稽古（けいこ）が終ると床上に正座させました。いささかこたえたようです。」と書かれてあった。年輩の所長さんが率先して板の間にすわっては、竹刀を振りまわすことに興味が片寄っている人もしかたなくすわったことだろう。

キップという学者は、指導者のもつべき望ましい特性として、自信の強さ、知性、雄弁、首尾一貫した態度、人間性への洞察力、の五つをあげている。ストックディルという学者は、これをさらにくわしく分析し、能力—知性、機敏さ、発言能力、独創性、判断力、業績—学識、知識、体力、責任感—頼もしさ、主導性、忍耐力、攻撃性、自信、他に優越しようとする欲求、参加態度—活動力、社交的能力、共働性、適応性、ユーモアの感覚、地位—ソシオメトリックな地位、人気をあげている。

一葉の写真をみて、改めて指導者のもつべき望ましい特性を考えた。青年たちと一緒になって剣道に打ちこみ、ともに正座されている大友所長の姿に、一つの指導者像を発見したからである。

正座している若ものたちは、動より静（理想）の意味が、あるいはわからないかも知れない。でも、正座した体験は、若ものたちの一生から消え去るものではない。いずれはその体験がプラスのものとして頭をあらわしてくると思う。そのとき、大友所長が黙々として、一緒に正座した指導法（低い手）も理解されるだろう。何故なら、理想は高く手は低く、という有名な言葉があるから。（文部省　伊藤）

心頭技健

ニコポンリーダーという表現がある。ニコっと笑って肩をポンと叩き、難しいことは抜きにして、まあまあ主義で行くリーダーを指したものである。

このニコポン型は、全体がうまくいっている時は、まとめ役としての力をもっているが、何か問題が起こったり、新しい段階に前進しようとする時には甚だ頼りない場合が多い▼これに対して、積極的に、ややもすると強引なくらい全体をひっ張って行く型のリーダーがある。これにみんなが同調し、力を合わせている時は、ぐんぐんと前進し、すばらしい力を発揮する。しかし、このリーダーが去ったあと、次に続くリーダーがいなく、まとまりがつかなくなるという危険性がひそんでいる▼ともに一長一短があり、どちらがよいかは、クラブ発展の段階やその時の状況において変ってくると思う。また、クラブや組織は一人のリーダーだけでなく、多くの人たちが責任を分担して運営しているので自然調和されていくが、伝統（思想）を受け継いで組織的に伸ばしていく場合、どちらかといえば強力なリーダーがいたほうがよいようだ▼ここ数年、リーダーについて「リーダーは、リーダーであって、リーダーでないリーダーが本当のリーダーである」という表現が使われてきた。表面的には目立たなくとも実践において、みんなをリードしていくようなリーダーを理想像として描いているわけである。しかし、その裏には、仲間のねたみや対抗意識などにも気を配っているようで、この表現がかえってリーダーの性格を曖昧にしていないとも言い切れない▼また、この理論が、果して地区連や県連、全協という組織まで当てはまるかというと甚だ疑問だ。全協の会議などで実際自分が運営に当ってみると、県連とは勝手が違って遠慮っ入が多いことをみてもわかる。それは単位クラブでは普及所、県連では県に頼っていることも一面にあるようにみえる▼最近は、クラブ員のクラブに対する意識も変り、毎年新しく入ってくる農村青少年も少なくなってリーダーとしても大変苦労しているようだが、リーダーや組織のあり方についてはもっと深く検討していく必要があるような気がする。

こんなことをしています 各種農業団体

農村と台所を結ぶ 安定した販売の実現を

全国販売農業協同組合連合会

今回は販売事業の第一回目ですから、まず、全販連の役割りと、その活動の内容についてお話しましょう。

農産物、畜産物では、その生産の単位が比較的小さいこと、また生産がお天気に左右されやすいことがその特徴です。このため、生産や出荷が小さい単位のままバラバラに行なわれると取り引きが繁雑になるばかりでなく、出回りも不安定になりやすく、それにつれて価格変動も激しくなります。これでは生産者はもちろん、消費者も迷惑します。

そこで、安定した販売、安定した価格を実現するためには、どこかで、誰れかが生産と出荷の調整をしなければなりません。しかも、出来るだけ大きな単位で、一元的に行なわれることが理想的です。

全販連は、そうした考えかたから、系統農協の組織のなかで農産物の販売を受け持っている全国機関です。つまりその事業は、農産物の安定した販売の実現がおもな目標です。そこで全販連は、現在全国に五十ヵ所以上の販売所、処理場などの事業所をもって、目標の実現に努めています。取り扱い品目も青果物や、肉、タマゴ、米、麦、穀類から花、その他あらゆる農産物におよび、年間一兆五千億円に達しています。

しかし、はじめにもあげたように、安定した出回りと販売を実現するためには、まず、生産の段階で、市場に対応できる品物、需要に見合った生産が行なわれなければなりません。そこで全販連は、販売面だけでなく、生産面でも系統組織を通じて生産農家のお手伝いをしてます。例えば養鶏部門では全国に四ヵ所、いずれも大規模な種鶏場をもって、ここで出来た生産性の高い、優秀な採卵鶏やブロイラーのヒナをそっくり系統を通じて生産農家に供給しています。このほか、消費市場や海外農産物の動きなど、いろいろな情報を提供して、生産農家に役立ててもらっています。

近ごろ農産物はすでに買手市場になっているといわれます。それとともに"消費の拡大策"がともなわなければ、円滑な販売が出来なくなってきました。このため、各品目の主産地と協力して、活発な消費宣伝活動もすすめています。

全販連の事業はこのように生産から販売まで、幅の広い分野におよんでいるのです。（広報課）

交通遺児に進学募金運動

全国共済農業協同組合連合会

近年、モータリゼーションの急速な進展にともない、都市・農村をとわず悲惨な交通事故は年々増加の一途をたどっています。

しかもこの結果、親や保護者をなくした、いわゆる交通遺児が年々増加し、警察庁の推計によると、交通事故による今年の死傷者数は、史上最悪の一〇〇万人の大台を突破することが予想されますが、これは実に国民一〇〇人に一人が交通事故の被害者になる勘定で、他人ごとではありません。

昭和四三年一一月に発表された総理府の調査によると、全国で約一、四五〇万人の小中学生のうち約二万八〇〇〇人が交通遺児であり、その九割が父親を失い、四割が生活保護や就学扶助を受ける貧困層に転落していることが明らかにされています。このなかには、貧困遺児が一〇万人も生まれていることを、みすごすことはできません。

交通遺児問題、これはひとごとではありません。農村からひとりでも多くの交通遺児を救うために、この募金運動にご協力をお願いいたします。（普及部）

農協の共済では、このような実情をふまえ交通安全対策の一環として、交通遺児育英会の提唱する募金趣旨に賛同し、一〇月一日から四七年三月三一日までの期間にわたり募金運動を全国の農協組織をあげて実施しております。

農協の共済では、三八年自動車共済（保険）を実施していますが、年々多発化する交通事故の惨状を迎えて、四十三年から交通安全スローガンの募集をはじめ、交通安全教室用資材の贈呈、ドライバー性格診断および車両診断運動等の広範な事前対策につとめています。

一方、全国の共済連には交通事故相談所を開設して事故者の相談に応ずるとともに、近く静岡県と大分県にリハビリテーションセンターを建設し、被害者の社会復帰につとめています。

しかし交通事故は増える一方です。とりわけ都市周辺から農村部にかけての事故の発生は目をおおうばかりです。交通遺児育英会の調べによると、農家の子弟の交通遺児が三割といわれています。

家族と家族関係 <2>

技巧は許されない 人柄むきだしの血縁関係

大妻女子大学教授 山本 キク

最近の新聞に、夫がマージャン遊びで帰宅が遅れるのが原因で、母子心中したという事実、前には東北地方の出稼ぎ農民の妻子が心中したという事実が報道されました。いずれも夫婦間に理解の足りないところがあり、また、夫婦間の魂のふれあいの断絶のために、尊い人命が失われるという底深い悲劇が生じています。したがって夫婦の愛情は自然につながるということに、依存してはいられないのであります。

そこには、夫も妻も互いに「愛情を育てる」努力が大切であります。神戸大学教授の淮留宏氏は、次のようなうがったことをいわれています。

家族が本来の自己に帰って生活をともにする家庭では、一人一人の家族の生の人柄が最もむきだしのまま触れあうだけに、人間対人間の影響が相互にいちじるしいわけである。家族間では技巧はゆるされない。

また、厚生省人口問題研究所人口資質部長の篠崎信男氏は、「家庭が人間形成の根本的な場所で、しかも人間それ自身、はだかでぶっつかりあい、いわば皮膚で感じとる感覚として重大な役割りを果す機能を持っている」といわれています。いずれもうがった言葉であると思います。

要は、夫婦の生活の場は違っても、離れていても相互理解と心のふれあいが問題であります。第二次世界大戦で戦犯に問われ、フィリッピンで裁判になった本田雅春氏夫人は、夫の裁判の席で、「私は生れ変わっても本田雅春の妻になりたいと思います」という言葉を、夫への最後の餞とされたときいています。そこには次の世までも夫妻の心が通じあう実感があふれています。

最近は農村の出稼ぎの夫の蒸発ばかりでなく、都市では働きに出た妻が蒸発して、母のない子を父親が保育所に預けにいくケースもみられ、母性愛は自然であるという考え方が変ってきたようであります。近ごろの学者の説では、「焼野のきぎす、夜の田鶴」など、動物にも母性愛があると考えたのは過去のことで、今日では、動物の母性愛は母性ホルモンのある期間だけだといわれています。

したがって、人間の場合もそう考えられるが、人間の子どもは母親に面倒を見て貰わなければならないことが多く、しかも期間が長いので、その接触が母子の愛情を濃厚にするといわれています。こうなると、親子の愛情を育てるにも皮膚のふれあい＝スキンシップ（Skin sip）がたいせつで、授乳が奨励され、抱くことがすすめられています。ハンモックや揺籃でゆすってやるよりも、抱き上げて下さい。授乳による皮膚の接触、抱き心地による感じを子どもは快く感じ、そこに愛情が育つといわれています。また、また話のわからない子どもに母が話しかけることも、声による快感が愛情を育てるともいわれています。

とかく農村では忙しさにかまけて、子どもの面倒をみることがおろそかになりがちでありますが、農業も家事もできるだけ能率的な方法にして、子どもたちのために充分労力と時間をかけたいものであります。そこで夫婦の間でも、親子兄弟姉妹の間でも、互いに信頼しあい、愛しあうことがたいせつでありますが、それには互いに自己をさらけ出して見て貰い、かくし立てのないことがたいせつであります。

この場合、人間は誰でも完全でないことを頭におき、自分も不完全であるという自覚をもたなければなりません。そこには自分を向上させようとする努力と、他をゆるしながら、互いに適応しあうという、柔軟性がたいせつであります。家族みんなが、生涯磨きのかかる可能性と柔軟性を持ち合わせていれば、そこには頑固な老父母も家長もなく、若さのあふれる朗らかな家族集団が出現することでありましょう。

最近の児童学では、幼年時代の情緒の安定感が、青年期や成人になってからあらわれる。何となくずるい人、どことなくゆだんのできない人、何かたいへん冷やかな人は、幼時親に愛されなかった人に多く、他人のいうことを信じ、他人を好意的にあたたかくみ、不遇の時にくじけないような人は、幼時親に愛され信頼された人に多いといわれています。

また、脳生理学では、人間の大脳の新しい皮質部は百四十億の細胞から成り、一つ一つの細胞が電子計算機のトランジスターの働きをし、それらの細胞は三歳で六〇%でき、四～十歳で四〇%できる。そのうち考える働きをする前頭葉はとくに五歳のころ発達するといわれています。そして現在の人びとは、もっともっとこの脳の働きが発達する可能性があるとみられています。

（『農村青少年教育』第六号より）

各地で農産物展や即売会

22分で4トン売切れ 福井県連 市価より20%安く

【福井】福井県連（会長、山田佐九治君）と、県園芸振興組合が共催の農産物展示即売会（一日青空市場）は、十一月二日、福井市中央公園で開かれた。

県内の農村青少年クラブ員が育てた二十品種が、七つのコーナーに分けられて展示された。これらの野菜は約四トンにのぼり、価格は一週間の福井青果物御市場の平均で、市価よりも二〇%安、コーナーによっては一人一本などと制限がつけられていたが、行列を作っていた千人、開店間際にどっと押しよせた五百人のために、十時開店からわずか二十二分で、全部売切れるという盛況だった。

日ごろ、野菜の高値に悩まされている主婦が殺到したわけだが、あまり混雑していたし、品数ももっとほしかったという意見もあった。こうした主婦の声に対して、県連の山田会長は次のように語っていた。

山田佐九治会長の話 こんなにたくさんの人が殺到するとは考えておらず、午後の三時ごろまでに捌ければ、成功と思っていた。その予想が外れたので、みなさんにご迷惑をかけてしまったが、次の機会には、品数や量目を増やし、販売方法も検討したい。

4H協会長賞も出さる 富山県連、実績展示会

【富山】富山県連（会長、五十里国明君）と滑川市の主催による第十九回富山県4Hクラブ実績展示会は、十一月七日から九日までの三日間、滑川市民会館大ホールで開催された。この展示会には、県下二十四クラブ（クラブ員七百六十名）が参加した。

出品物は、大根、かぶ、葱、白菜、キャベツ、蕪など、野菜だけでも八十種にのぼり、柿、梨などの果物、また、あきドラム罐を利用した簡易蒸気消毒機、古タイヤを使った子豚の給餌器、安価に出来る育苗用ワラばちなどの工夫展示物、さらに、女子クラブ員の改良農作業衣や家庭衣に改良を加えたもの、その他研究実例の図式発表など、合計三十項目一千二百点の展示が行なわれた。

これら展示物は、初日の午後から審査、二日目の八日には一般に公開、農産物、特産物の即売を行なった。また、最終日の九日の午後に、出品各部門の入賞者の表彰があった。なお、知事賞、滑川市長賞などと並び、日本4H協会長賞に次の三人が選出された。

▽教育展示の部 ナスの利用法 滑川4Hクラブ ▽蔬菜の部 白菜 県羽4Hクラブ 大場利之 ▽生活改善の部 こたつかけの考案 滑川4Hクラブ 岩田明子

松阪地区連では 手芸品も加えて

【三重】松阪地区連主催の第二回農業祭が、十一月七、八日の両日、市民会館で行なわれて、松阪市、多気、宮川、明和、勢和、飯南の各クラブから約百名が参加した。

七日は、午前中に農産物の審査があって、米、野菜、果実、茶、卵、鉢、手芸品など百二十七点の中から入賞者を選んだ。午後は、その表彰式のあと、「松阪地区の農業を考える」のテーマで、話合いと意見発表が行なわれた。また、会場では、即売コーナーやバザーが催され、八日には、展示、即売のほか、演芸会のアトラクションもあった。

農作物の展示即売会や青年会議 伊勢地区の青少年祭

【三重】伊勢地区農村青少年クラブ連絡協議会は、伊勢農業改良普及所と共催で、さる十月二十六日、伊勢市岩田町の県伊勢庁舎三階大会議室で同地区の農村青少年祭を開いた。

この日、約五十人が持ち寄った米、麦、野菜、果物などの農作物七十三点を展示し、午後から市価の二割安で即売会を催して喜ばれた。

また、午前十時から農村青年会議を開き、代表五人が「現代の農業はどうあるべきか」などの意見を発表、活発な討議が行なわれた。そのあと「地域開発が地域住民に及ぼす影響について」と題する県企画課・滝沢涌課長の講演が行なわれた。

農家生活終る 米国4Hクラブ員 27日に帰国 24日に滞日報告会

国際農村青年交換（IFYE）計画に基づく米国代表の草の根大使として、社団法人日本4H協会（会長、宮城孝治氏）の招きでさる六月十八日に来日し、全国各地の農村で生活していた4Hクラブ員＝ラリー・ラーウッド君（二三）オレゴン州と、ビューラ・スパローさん（二二）ケンタッキー州＝の二人は鹿児島県を最後に全日程を終了して、九日上京、いよいよ来る二十七日帰国する。

この帰国に先立ち、日本4H協会主催による二人の滞日報告会が二十四日午後一時半から東京・港区新橋一丁目の共栄火災海上保険相互会社会議室で開かれる。

ラーウッド君とスパローさんは埼玉県の農業経営研修所で約十日間研修を受けたあと秋田を皮切りに栃木、佐賀、鹿児島、山口、和歌山、岐阜各県の受入れ農家の家族の一員として、佐賀を除いてそれぞれ約三週間ずつ生活。その間大阪で開かれた第十回全国農村青少年技術交換大会や佐賀で開かれた第六回全国4Hクラブ員のつどい、また、各地の4Hクラブの会合などに参加して交歓、農業、クラブ活動、生活慣習などについて日米両国の相互理解に努め、民間外交官としての役割を果たしてきた。それだけに、日本での生活が青い目にどう映ったか報告会での感想が大いに注目される。

なお、この米国クラブ員の受入れは全国農村青少年教育振興会の協力を得ている。

農業祭開く

農林漁業の技術、および経営の振興をはかるとともに、農林漁業に対する国民の認識を深めるために、財団法人日本農林漁業振興会（会長、倉石忠雄氏）では、第九回農業祭を、十一月二十三日、明治神宮、日比谷公園などにおいて行なった。午前中、明治神宮において新嘗祭、収穫感謝の集いがあり、午後は日比谷公会堂で、式典が行なわれた。このほかに、全国第十七特産即売展、パレードなども催されたほか、全国各地においても、さまざまな催しがあり、4Hクラブ員も参加した。

農業・生活普及員の研修会 九百人が参加

全国農業改良普及事業協議会、全国改良普及職員協議会、全国農業改良主務課長協議会の三者は、農林省、全国農業改良普及協会の後援で、第十九回全国農業・生活改良普及職員研修大会を、十一月二十、二十一日の両日、東京都新宿区の日本青年館ホールにおいて開催した。

稲作調整の強化、総合農政の推進など、日本農業をとりまく厳しい諸情勢に対処した政策を押しすすめ、新しい日本の農業を確立するためには、国の強力な施策と同時に、農業者の意欲と、創意に待つところがはなはだ大きい。そうして、この農業者に直接接して普及活動に従事する普及職員の役割も、大きくまた重い。こうしたとき、農業改良普及事業本来の使命を達成するために開かれたのが、この研修大会である。

このため、参加者は、都道府県の農業・生活改良普及職員関係者八百名、来賓その他百名、合計約九百名にのぼった。第一日目は、開会式のあと農政評論家の団野信夫氏を講師に迎えた講演があり、つづいて分科会についてのオリエンテーション、昼食があって、午後は、「危機にたつ日本農業と普及事業の役割」を共通課題に、専門技術員、普及所長、農業改良普及員、生活改良普及員の職種別の分科会を、パネルディスカッション形式で行なった。

第二日目は、前日の分科会報告それによる全体討議があって、次に普及功労者授与、退任県協議会長への感謝状の贈呈があって、終了した。

職員大会も開く

また、この日の午後一時より四時まで、全国改良普及職員協議会の主催で、全国農業・生活改良普及職員大会が開かれたが、この大会の議題も、研修大会のテーマと同じく「危機にたつ日本農業と普及事業の役割」であり、サブタイトルに「普及事業の問題点とその対策」と謳われていた。

新潟の農村青年が大宮4Hクを訪問

【埼玉】さる十二日、米どころ新潟県の農村青年五十人が大宮市4Hクラブを訪問した。ことしの夏、大宮のクラブ員五十人が新潟を訪ねたが、これはそのお返しで大宮4Hクラブが招いたもの。三日間にわたって大宮や浦和のクラブ員宅に分宿し、農業経営や施設を見学、またクラブ員や家族の人たちと交流を深めた。

生活の知恵 こうしてみたら…

山梨県塩山地区連の共同プロジェクト

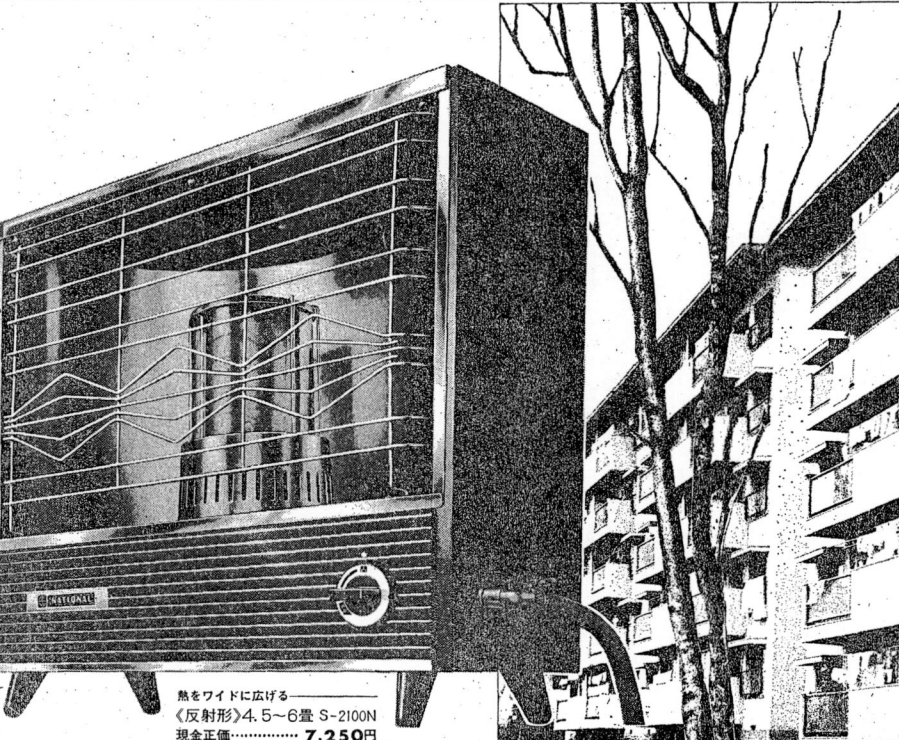

◆泥のよごれ取りに

[illegible]などがぬかるみの中を歩いて来た足で、座敷にあがられてはたまりません。特に白いものの上に足跡をつけられてしまうと、石けんで洗っただけでは落ちません。石けんで洗ったあと、亜塩素酸ソーダを五倍くらいにうすめて、歯ブラシのようなものでこするときれいにとれます。

◆毛糸のよごれをとるには

セーターなど毛糸のものは、ほこりを吸いやすい上に、ブラシではよくとれません。といって、洗たくばかりしてもいたんでしまいます。そこで、セーターはあまり汚れないうちに、ぬれたタオルで両側からたたくようにして汚れを取ると、洗たくの回数も少なくてよく、毛もいたみません。

◆靴べらを忘れたら

靴べらは、男性にとって必需品です。外出したとき、うっかり忘れて困ることがあります。そんなときは、四角に折ったハンカチを靴べら代りに使ってみてはどうでしょうか。

◆茶箱の利用

季節の変り目の衣類整理に、湿気を防げる茶箱（約七百円程度）を利用し、周囲にきれいな紙や布を糊づけすれば、立派な整理箱になります。

◆壁の模様変え

季節の変り目には、部屋の雰囲気を変えたいものですが、そんなときには、家具の移動、カーテンやじゅうたんの取りかえとともに、壁を変えることにより、ずいぶん部屋の気分が変わるものです。冬はコール天などの厚手のあたたかそうな色の布を張りましょう。画鋲で充分です。

◆電話にカバーを

ハンカチ大の厚目の布に、アップリケ、ししゅう、縁どりをして清潔に保ちましょう。

◆靴下の廃物利用

伝線したストッキングは困るほどありますが、利用法も意外とあるものです。エナメルシューズなどをしまうときに入れると、つやが落ちません。また、つまさき、靴下止めの厚いところを切りとって、何本もつなぎあわせ、みつあみにして荷ひも、洗たくひもに利用すると、雨にぬれても乾きが早く、軽くて便利です。さらに、細々に切りクッションやまくらの中へパンヤなどを混ぜて利用したり、細く切り、伸ばして巻いておいて足ふきにしたり、マットなどにあみこんでもよいでしょう。

◆あみ棒の仕末

既製の帯などじめの残り箱に入れます。長いものは、箱に穴をあけて入れます。

（『くらしのアイデア』N・O・ーより）＝つづく＝

中央協同組合学園 自主学習が自慢 農協の教育センターとしても

この学園は、新しい時代の要請にそう人材を養成するため、農協が自主的に設立したものなので、制度上の「大学」ではない。中央会直営の教育機関で、従来の学校教育、企業内教育を目指し、本科は三年制だが、四年制大学に劣らぬ教科、課程を組込んでいる。研修科は農協在職者の資質向上に必要な研修を重点的に行なう。

協同組合の本質を究め、理想を追求する新人の学習と研究の場であるとともに、現在の職員に対する実践的教育研修の機関でもあるから、学園の専任教員の大半は、計画的に職場との交流をはかり、一般大学にない生きた教育を行なっている。同時に、農協の総合的な教育センターとしての役割を果すため、都道府県段階の農協教育施設と役割を分担し、一体的な運営がなされている。

学園が、教師中心、教室中心、講義中心とならぬように、少人数で演習、事例研究など討論を主体として、学園生の自主学習で進められるという試みをしている。また、生活面でも、全寮制を採り、自治を基本とする協同生活を行なっている。なお、奨学資金貸与の制度があり、希望者には選考の上、月額五千円を貸与している。

（つづく）

4Hくん NO.223

私のプロジェクト

わが家の特効薬

梅、さくらんぼを使用

疲労回復に効果

添加物なしの果実飲料

青森県三戸郡福地村福田
福田4Hクラブ　池田恭子

私は新産都市、八戸市の近くの小さな村に住み、高校を卒業と同時に農業に従事しましたが、揺れ動く社会情勢の中にある農村にはあまりにも改善点の多いことがあることを知り、とくに生活改善の重要性は、いうまでもありません。

とくに、毎日の食事は、私たちの生活に欠かせない重要なもので働くために必要なエネルギー源となり、また、健康を維持し、農作業への意欲を高めてくれます。

夏の健康を快適に

夏になると、とくに温度、湿度も上昇し、そのため食欲は減退して疲れやすく、夜寝苦しい状態が続き、農作業に励む私たちにとって、しのぎにくい季節です。そして暑くなると、身体に悪いと知りながらも生水をガブ飲みする傾向があります。また、誰でも食欲が進まないので、食事はあっさりしたもので簡単にすませてしまうように、どこの家庭でも、とくに食生活の面において、いろいろ工夫し、夏をいかにして健康に、また快適にすごすか大きな問題となっています。

そこで私は、夏に欠かせない飲みものについて考えてみました。飲みもののよさは、食欲を増進させて、また、食欲の進まないときの栄養摂取の手段として用いられ、胃腸に負担をかけないという利点があります。また、現在は人工着色剤、防腐剤、漂白剤などの添加物が、ほとんどの食品に使用されており、人体に与える害も少なくないといわれ問題となっております。私は以上のようなことを考慮し、手近にある自然のものを利用して夏まけしないように体力をつけ、病気にかからないよう安心して利用できるものはないかと考え工夫した結果「梅、すぐり、さくらんぼ」を使った、わが家の特効薬を作りました。

現在、梅酒はみんなによく知られております。しかし、飲用はほとんど大人だけで、家族みんなに利用されておりません。また、すぐりは以前よく食べたものですが現在は、いろいろな食べものが豊富に出回ってきたために、あまり価値のないものになってきて、樹も段々少なくなってきています。これらを生かし、みんなが簡単に作れ、利用できるものと思い梅、すぐり、さくらんぼなどにどういう成分が含まれているかを調べてみました。

梅には糖が一〇％含まれ酸はりんご酸およびクエン酸を主として酸味が強く含まれています。仁にはアミグダリンを含みますが、未熟の果実は核が軟かく、砕けやすいため、共存する酵素エルムシンのために分解され、青酸を生じ中毒することがあります。この梅は古くから薬用が主とされており、中国では漢方薬に使われているそうです。

また、すぐりは甘酸味があり、酒石酸を多く含み、その他りんご酸、クエン酸が含まれております。すぐりには、栄養分が全然ないものと思っていたところ、意外なことに、他の果樹類と比べてビタミン、ミネラルが多く含んでいることがわかりました。しかし、すぐりは食用になるというだけで、量が少ないことなどから、あまり利用方法が知られていないことがわかりました。

さくらんぼは果汁が糖分で、酸は主にりんご酸であり、成熟するに従って糖分が増すとともに、酸もわずか増加するという特徴を持っております。すぐりだけでなく、梅もさくらんぼとも果実類の中で、多量のビタミン、ミネラル、カロリーを含んでいることがわかりました。これらを参考にして、梅の砂糖漬、すぐりジュース、さくらんぼジュースを作ることにしました。

別々の容器で保存

梅は青梅を使い、洗って水分を切っておき、かめに梅と砂糖を交互に入れ、空気が入らないよう厳重に密閉します。梅と砂糖の割合は、同量または砂糖を少なめにしても結構です。こうして保存しておきますと梅の汁が出てきますので、これを利用します。一週間くらいでも梅の味がでてきますが、二～三ヵ月位い置かなければなりません。

すぐりは赤いすぐりと、青いすぐりの両方を作って実験してみましたが、作り方や熟度で味、色、汁のすみ具合などが違いました。その結果からみて、赤くなる少し前の青すぐりが適していることがわかりましたので、今回もそれを使い、塩少々を入れ、煮て布でこし汁を取ります。その汁に砂糖を加え、一度沸騰させ、布でこし、さめてからびんに入れて保存しておきます。

これらの保存場所として冷暗所が適しています。また、これらを保存する場合、最初から全部ミックスした場合、数日間ならよいですが、長期間保存しておきますとどうしても味が変わりやすく、長もちしませんので、三種ともども別々の容器に入れて保存し、飲むときにミックスして飲んだ方がよいようです。これらには添加物は全然入っておらず、農林規格では果汁飲料で最高が、果汁分四五％以上とされていますが、これらは果汁一〇〇％のものです。

出来上った梅汁とすぐりジュース、さくらんぼジュースをミックスし、その割合は、梅糖漬六対すぐりジュース三対さくらんぼジュース一となり、必要量は一五cc～二〇cc位いです。これが薬になるわけです。これは清涼飲料とは違い特効薬ですので少し位ならよいですが、あまり一度に飲みすぎると薬の飲みすぎと同じようになります。梅の味とすぐり、さくらんぼの甘酸味はなんともいえない味といえましょう。

重要な薬の役果す

わが家では、これはよいものだといって、いつも愛飲しております。この三種に含まれているりんご酸は毒性がなく、グリコーゲンの源ともなり、エネルギー源ともなる有用な有機酸です。また、クエン酸は疲労回復に効果があり、これらの酸は強い殺菌力を持っているために、重要な薬の役目も果します。また、汁を取った後の梅は、そのまま食べてもおいしいですが、梅ジャムを作りますと、とてもおいしいものが出来ます。

梅糖漬の利用方法として、卵の黄身に梅糖漬と砂糖を混ぜ、食パンにぬって食べますと、色もきれいで、しかも栄養的でおいしいです。すぐりは、この他の利用方法として、ジャムやゼリー、すぐり酒を作ることができます。さくらんぼは、さくらんぼ酒、砂糖漬などがあります。このように、いずれもすべて捨てるところがなく利用できます。自然の新鮮な果実を利用し、そのものの特色を出すことができます。

摂取後15分で吸収

果汁は有効成分の消化吸収が容易に行なわれ、胃腸の負担が軽く効率が高く、空腹のときに飲んだ場合、摂取後十五分以内で吸収され、また、体内を浄化するといわれています。栄養剤や高い薬を買って飲むようききめがあります。

以上のことについて、その利点をまとめてみますと、①自家生産のため経済的②特効薬として利用でき、下痢、神経痛、かぜ、夏負け、食欲不振などにききめがある③だれでも手軽につくれる④保存がきく

今後、注意し工夫する点 ①あく抜きの方法と発酵防止について③材料は新鮮なものを使用する。

これらのことを改善しながら、よいものを作るために研究し、今後とも一般の方々にも普及させていきたいと思います。

私たちの身近にあるもので、こんなに重要なものがあることを私たちは忘れてはならないと思います。ただ、薬局で売っているものだけが薬ではありません。暑い夏に、そして冬の寒さに負けないように、また、病気にかからないように普段から体力をつけておかなければなりません。私たちの若若しい生命力や美しさも、新鮮な血液から生まれるのです。私たちの周囲にはんらんしている人工食品からは、新鮮な血液は生まれません。健康で能率的な活動も維持できません。自分の健康を増進し、丈夫で働くためにも、みなさんもどうぞこの特効薬をお試し下さい。

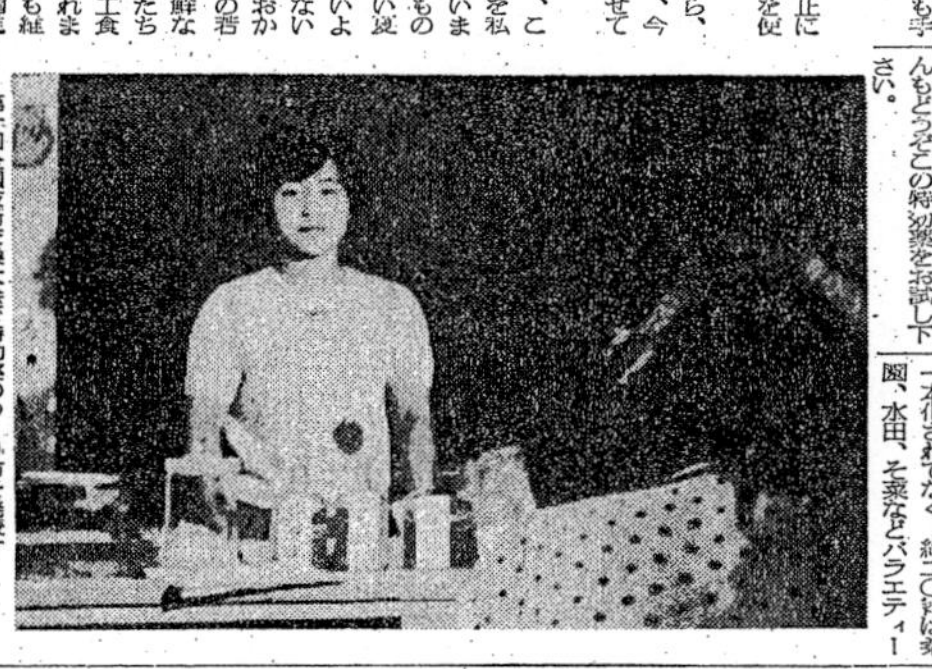

第十回全国技術交換大会で特効薬のつくり方を発表する池田恭子さん

プロジェクトの進め方 《15》

磨き合う仲間たち

信頼とライバル感

協同意識の発展に繋がる

話しは、いよいよ最後に入りますが、もう一度、基本的なものから考え直してみたいと思います。

クラブという若い人たちの仲間、こういう仲間が、どういう発展過程でしっかりしてくるのか、例えば、4Hクラブとして結成しても、なかなか4Hクラブらしいものにならない。ただお互いにやる気だけで集まっている。ほんとうに、やる気のある人たちが集まり――仲間というものはいいものだという実感が、胸にくるような、そういう仲間への発展は、どういうふうな過程であるのか――これを考えながら、プロジェクトについて考えてみたいと思います。

仲間というのは、いろいろ性格がありますが、最初は、おつきあい程度のあそび仲間、ボーリングが好きだからといって、ボールが中に入る。ダンスが好きだからといって、リズムが中に入るというように、なにかが間に入って、そのことによって繋がっていく、そういう楽しみ仲間です。こういう繋がり方が出来てくるわけです。

ボーリングが好きな人は、私たちはボーリング仲間だというけれど、最初の段階はボーリングがあるから仲間であって、こんどは、そのボーリングのボールを野球のボールに切り替えるとなると、そのメンバーはガラリと変ります。したがってボーリングのボールが仲間を支えているということになります。

同級生仲間というのも、そういうことがいえます。同じ学校、同じ学年のクラスメートだから仲間であって、それが卒業したり、クラスが変ったりすると、ブッツリ縁が切れてしまう。そういうつきあいなのです。それも一つの仲間であるでしょう。仲間意識というのは、そんな形で最初出来てくるでしょう。

ところがこれが、例えばボーリングのボールであっても、そのあそびをとおして、相手の技術を教わるようになってくる。そこで、相手を知るようになってくる。これは、ただ、ボーリングそのものが結びつけているのでなくて――それをとおして相手を知る――こういうように仲間に発展していき、お互い知りあうということになります。

これは、ボーリングのルールや技術から入るわけですけれど、これをとおして、相手のテクニックや考え方が、わかってくるようになります。そういうことで相手を知る。そうすると、ボーリングだけでなくて、それ以外のもの、例えば、頼れるものをお互いに見つけ出し合うようになってきます。

これは、ボーリングで知りあったけれども、ある過程を経ると必ずしもボーリングばかりではなく、なにか違う面においても知りあえて通じあうように発展していきます。そういうことから、ある部分の話しが深まっていきます。

単なるゲームであそんでいたプレイ仲間同士ではなくなるのです。そして、お互いが磨きあいをしていくような仲間に成長していきます。この磨きあいをするようになる以前の段階は、まったく遊び仲間であったわけです。それが成長していく過程で――ちょっと、意見を聞かしてくれ――というようになってきます。

つぎに、お互いに磨きあうようになってくると、仲間と会うことが楽しみになってきて、信頼感が生まれてきます。信頼感が出来てくると、――さすがいい考えを持っている。おれだって、出来ないわけはない――というよい意味でのライバル意識が生まれてきます。場合によっては――一緒にやろうじゃないか――という協同意識への発展に繋がることもあります。

そうなってきますと、自分だけの問題であっても自分だけで処理するよりも――ヤツの意見を聞いてみようか、カレならば、この問題とどういうふうに取り組むだろうか――というふうに、自分の問題を自分だけで考えずに、相手の頭の中で考えるようなものの考え方をするようになります。

つまり、相手のことも一緒に考えるような活動のし方になってきます――自分のことは、自分一人で考えるというのではなくて、自分のことを考えれば考えるほど、ヤツはこの場合どう考えるだろうか。この問題はカレに聞いてみなくては――というように、自分にとって相手がいなければならない相手になってきます。こうなると、例えば、自分ではこれが一番いいなと思っていても、相手に話してみて相手が――それはいい。さらに、こういうことを注意してやればさらによくなるじゃないか、なるほど――というふうに、いままでの自分の考え方とあなたの考え方をプラスして、この段階よりも、もっと高い段階の結論をつくり上げていく、こういう仲間になっていきます。

――つくり出す仲間――あそび仲間、楽しみ仲間が磨きあい、あるいは励まし仲間になっていく。それがつくり出す仲間になっていく――。これが人間の自然な仲間づくりだと思います。

いま、普及所で仲間づくりということばが行政上に使われていますが、たいへんアピールしています。なんとなく4Hクラブは固苦しいことが行なわれていたのが、仲間づくり――などということが出てきたので、ソレッということで取り組んでいます。ところが、ソレダという仲間づくりが、残念ながら二の段階に入ってこないで最初の段階でから回りしているのです。

それではいけないのです。これが二から三までの段階にいくことによって、あの仲間づくりの事業が完成するわけです。集団はまた、こういう契機を通ることによって、人間が集団の必要性もあるし、集団に対するところの確信も出来るわけです。

そういう一つの仲間というもののグループの発展のし方、これがそっくりプロジェクトの一つの発展のし方だと思います。

初めは、あそび仲間ですが、それが段々わかりあっていくうちに、プロジェクトが出来上っていく、テーマが出てくるわけです。そして新しい結論をつくり上げるようになるわけです。

ここに私は、クラブというもののあじわい、よさ、必要さというものがあると思います。

（栃木県・専門技術員、湯浅甲子氏の講義から）

牧草地の施肥技術 ①

まず、土つくりを

施肥　元肥より追肥が重要

牧草施肥――の重要性

牧草は、自然に生えている野草とちがい、草地を新規に造成するときには、必らず肥料をやらなければならない。このことは、すでにわかっていることであり、また、牧草を十分生育させるのに必要な土つくり（石灰・リンサン質資材・推厩肥などの施用）を、牧草の播種前に行なっておくことも、たいていの人が実行している。

しかし、このようにして作った牧草地を、高い収量をあげながら維持していくための肥培管理が十分に行なわれず、七～十年ももつ牧草地を三～四年で更新しなければならないという事態もでている。

牧草は、イネやムギやマメ類のように子実の生産が目的でなく、栄養体の生産を目的とし、年に何回も刈取られるものであり、しかも、多年にわたって高い収量をあげるときには、驚くほど多量の養分が土から奪われている。たとえ、その一部が牛尿や厩肥の形で牧草地に返されても、とうてい養分の収支計算は合わないから、刈取ったり、牛が食べたりして、その土地から持去られた牧草の養分は、肥料の形で返してやる必要がある。

それが行なわれないと、せっかく造成した牧草地は、数年もたたないうちに、すっかり瘠せてしまい、使いものにならなくなってしまう。牧草維持のためには、施肥はなくてはならないもので、それも牧草地づくりの元肥よりも、むしろ、追肥のほうが重要である。

牧草には、いろいろな種類があるが、肥料に対する生育のひびき方（感応性）という面からみると、イネ科牧草類とマメ科牧草類の二つにわけられる。

肥料に対――する感応

いま、四種類のイネ科牧草、三種類のマメ科牧草について、五年間つづけられた肥料三要素試験の結果をみると図のとおりである。この試験で用いられた牧草の種類は、イネ科牧草は、オーチャードグラス、チモシー、ペレニアルライグラス、ケンタッキー31フェスク、マメ科牧草は、ラジノクローバー、アカクローバー、ルーサンで、図は四種類あるいは三種類の平均値を三要素区を一〇〇とした指数で表わしてある。

この試験が実施された場所は火山灰土壌の新墾地のため、リンサンの効果がとくに高くでている。イネ科牧草ではリンサンだけ、あるいはリンサンとカリを併用しても、チッソが入らないかぎり、その効果はきわめて小さく、三要素区に対してリンサン単用区は三三％、リンサン・カリ併用区（無チッソ区）は三六％にしかすぎない。このことからイネ科牧草は、チッソ要求度がきわめて高いことがわかる。

マメ科牧草については、リンサンの効果が大きくでており、リンサン単用区で要素区の六一％の収量が得られている。リンサンについで、カリの施用効果も大きくでているが、カリだけでの効果は少なく、リンサンとカリを併用することにより効果があらわれてくる。チッソだけの効果は、イネ科牧草とちがってはっきりしない。

このように肥料に対しての感応性がちがうのは、マメ科牧草は根りゅう菌の働きで、チッソ養分の天然供給があるためである。しかし、牧野造成の段階（元肥の段階）では、マメ科牧草に対してもチッソの施肥が必要なことは、他の試験結果からも確かめられており、図の無チッソ区の収量が八〇％以下であることから、根りゅう菌がつくからといって全然チッソ肥料を元肥にやらなくてよいというものでなく、マメ科牧草のうちでも、ルーサンはチッソの要求度が大きく、マメ科牧草でありながら、イネ科牧草とよく似た性質を持っているので、ルーサンに対しては元肥にも追肥にもチッソの施用効果が大きくでる。

混播の場合に、リンサンの施用量をかえず、チッソ量を増していくと次第にイネ科牧草の比率が高くなってくる。逆に、リンサン、カリの施用量を増せば、マメ科牧草の比率が高くなる。この牧草の種類によってちがう施肥感応性を利用すれば、混播牧草地の割合をいつも理想的な状態に保つことができる。

（農業研究会提供）

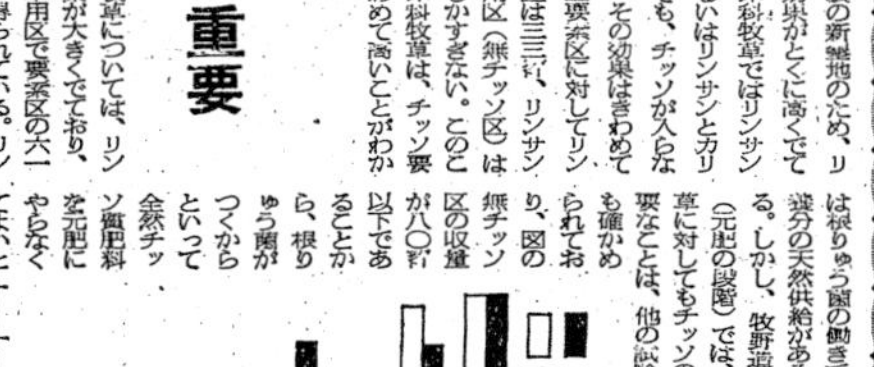

牧草の生育に対する肥料の感応性（畜産試験場草地部成績より）

土質調査に乗り出す

山梨塩山4Hク　ぶどう産地めざし

【山梨】塩山市大藤4Hクラブ（会長、早川一政君）は、将来の近代的な農業経営に、意欲を燃やし、大がかりな土質調査を進めている。

大藤地区は果樹地帯だが、まだ一本化されてなく、約二〇％は桑園、水田、そ菜などバラエティーに富んだ経営に取り組んでいる。果樹の中でも、その八〇％は桃、残りの二〇％がブドウ、スモモで桃が主体をなしている。しかし、地帯はやせ地が多い火山灰地帯でぶどう栽培には適していない。

実際に十アール当りの収入は、ほかに比べてみても、年収四十万円から五十万円に対し、大藤地区は十万円から二十万円と大幅に低い結果がでている。

これは、連作のへい害、土壌の劣勢、適地適作の不備などが理由とみられる。このため、同4Hクラブでは、その問題点を重視し、農業の基礎となる土質調査を昨年の九月からはじめていた。

すでに、この調査は終了し、全域の土質を調べ、この結果をもとにして同地区の土壌の分布、適性作物――などを地図に書き込むため、このほど調査を再開した。

「この調査によって、地域農業形態のあり方を明確化し、生産に結びつけていきたい。また、どうせ調査するなら適当なやり方でなく、正確なものを作り[illegible]先、二十年先に、きっ[illegible]は生きてくるだろうと[illegible]クラブ員たちは語り、[illegible]ラブ員は真剣に土質調[illegible]んでいる。

20部以上一割引き

「農業ジャーナリスト手帳」発売　家の光協会

社団法人家の光協会と農政ジャーナリストの会では、共編で一九七一年度の「農業ジャーナリスト手帳」を作成し、農業、農政、農業関係の希望者に販売する。

この手帳は、グリーンの表紙、A六変型判、三百二十ページからなり、内容は、日記編（月間行事予定表・日記）、名簿編（全国の農業関係官庁と関係機関）、協力団体編（全国の農業関係団体）、資料編、便利帳、住所録などが豊富に収められており、農業関係者には必携の手帳である。

手帳の販売価格は一冊二百三十円であるが、とくに、農村青少年（4Hクラブ員）に対しては、各所属の県連絡協議会をとおして、二十部以上申し込んだ場合は一割引き、なお現品を一括送付（県連へ）の場合は、発行者の負担となっている。購入希望者は早めに申し込まれるよう希望している。

申し込みの場合は（東京・牛込局区内　社団法人家の光、郵便番号一六二・振替　東京四七二四番）

乳用オス子牛で年間一千万

【山形】河北町谷地の後藤[illegible]君は、先月大寶市で開かれた[illegible]農業青少年技術交換大会で[illegible]千万円をめざす畜産経営[illegible]し、最優秀賞を受けた。

後藤君は、三年前から[illegible]で、乳牛オス子牛の育成[illegible]その経過と結果、こん[illegible]を自分なりにえがいて発[illegible]ので、同じ農業青年に[illegible]あたえた。

発表によると、四十[illegible]農協のはたらきかけで[illegible]が必要とする肉用素牛の[illegible]当、常時二十頭飼育で[illegible]生後七十日の乳用オス[illegible]入、三ヵ月育成し素牛と[illegible]していた。ほ乳は普通の[illegible]の一ヵ月足らずで切り[illegible]離乳の方法をとってい[illegible]成方法で仕上げられた[illegible]育効率がよく、素牛と[illegible]クラス。

現在まで農協を通して[illegible]素牛は二百六十五頭。[illegible]し出荷したのは三十[illegible]の計画は、年間収入一千[illegible]模で、ここ一～二年の[illegible]できる見通しをたてて[illegible]

NHK農事番組（12月1日～10日）

テレビ

明るい農村　6・30～6・55　総合
- 1日　きょうの話題
- 2日　産物往来　みかん（佐賀）
- 3日　話題の広場　▽みかん園のプレハブ道路（静岡県柑橘連）▽農村、内と外（東京大学）大野盛雄
- 4日　村をむすぶ　フィルム・リレー
- 5日　農村新地図　山形県余目町
- 7日　村の記録　原野の歳月（北海道幌延町）
- 8日　きょうの話題
- 9日　産物往来　のり（福岡）
- 10日　話題の広場　▽米を語る（食研）西丸震哉　▽いたち先生活躍

農業教室　7・30～8・00　教育
- 1～2日　優秀農家の経営　1日・みかん（香川県三木町）石原収　2日・養鶏（福岡県八女市）上村茂
- 3～5日　選果場の運営（農林省農業技術研究所）平山完二
- 7～9日　りんご生産の課題（長野県園芸試験場長）後沢憲志
- 10日　かんきつ生産の課題（熊本県農政審議員）中村貴吉

あすの村づくり　日　7・00～8・00　教育
- 6日　▽グループだより（群馬県新田郡新田村）木崎4Hクラブ　▽二代目の協業経営（山口県豊浦郡豊田町）浮石原酪農組合・油良浩　▽ある青年像（山梨県甲府市普光寺町）植原宣紘

ラジオ

早起き鳥　5・05～6・00　①
- 1日　人と話題　メークインにかける（北海道帯広市）奥村善十郎
- 2日　通信員の手帳から
- 3日　人と話題　沖縄農業の現状と将来（農林省農地局調査官）中江淳一
- 4日　現地報告　離農あと地の買い上げ（京都府下）
- 5日　村のポスト　これか[illegible]
- 6日　話題の窓（農林大臣）倉石[illegible]
- 7日　現地報告　山村[illegible]（埼玉県秩父郡小鹿野[illegible]）茂
- 8日　人と話題　花の[illegible]とり組む（東京都生[illegible]理事長）磯村民夫
- 9日　通信員の手帳から
- 10日　人と話題　南米の[illegible]て（九大教授）青峰[illegible]

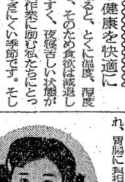

ラジオ農業学校　日　6・30～7[illegible]
- 6日　日曜課外講座　▽[illegible]のつどい「近郊農業を[illegible]るには」（大阪府北[illegible]ラブ）

出稼の影響について

クラブ活動12ヵ月　新しいクラブ員を中心に　<30>

栃木県・普及教育課　湯浅甲子

問題点をはっきりさせて　情報ふまえ検討

出稼をする理由にはいろいろあるらしい。生活のためにどうしても……という面もある。しかし、単純ではない。仕事がヒマなのに遊んでいるわけにいかない、欲しいものがあるので出稼ぎしたい、ちがった社会をのぞいてみたい、自分に自由になる時間とお金がほしい、農業が不安定で安心していられない、いずれ兼業か転業の方向にあるのだから、農業は儲らない……など、数えあげればきりがないが、その底流には、社会の動きの激しさに、落ちつけない不安感がよどんでいるようである。

それは、こんな青年の言葉にもうかがえるのだ。

「出稼ぎしているとな、村の仲間と、無性にあいたくなるよな。休みのときなんか、他のうちの仕事のすすみ具合が気になってしょうがねえや」「正月には同級会をやらないか。卒業のとき、大分ちがってきているだろうからな」「どうしたらいいんか、といっても考えつかないんだ。勤めたって、あまりよくないみたいだし…」「俺は、農協へ手伝いに出たんだけどさ、ちっとは農業のことが幅広くわかると思って。だが、期待ハズレさ」

「この間、市会議員がきてさ、こういうんだ。この辺は市街地だから、結局は百姓ができなくなる。だから若い者は、一日も早く他の仕事につかないと、立ちおくれてしまうぞ、とハッキリいうわけだ。頭へきちゃうなあ」……みんな、不安と焦燥である。家で働くものにも、外へ出稼するものにも、ひとしくのしかかっている重くるしい困惑である。

こういう気持を軽くしたいという気持が、集会の中にハッキリ見える。そういう意味での集会も、また、意味のあるものに違いはないであろう。しかし、その話のすすみ方を見ていると、これでいいのかという疑問がわいてきて仕方がないのだ。ピンポン玉のように、ただポンポンポンと、受け応えのある話だが、その内容がちっとも深められないのだ。

「結局は、政治が悪いんだ」「経済の異常成長の犠牲になったのサ」「転作したって、今年のかんぴょうみたいじゃ、骨折り損さ去年の半値だもんなあ」「第一農業には魅力がもてないよな」「よいというから使ったんだ。それが、いまさら悪いといって、使用禁止じゃ、何を使ったらいいんだ」「米があまるといっても、今年の米は豊作じゃないぜ、マスコミが、さわぎすぎると思うんだ。田んぼには、堆肥が、もうずい分前から入っちゃいない。だんだん収量は減っていく一方だ。雀、イナゴなどの害虫も反動的にふえてきた。一体どうなるんだろう」

こういったやりとりが大部分で、あとは車の話と結婚の話で埋められる。わたしは、こういう話題が、無価値だといっているのではない。いや、むしろ、最も重大なことなのだ。それだけに、ただ、うわっ面をなでまわすだけの話はもったいなくて残念なのである。ウサ晴らしもよいが、これでは、問題のありかさえ探ろうとしていないではないか。

極めて、浮き上った議論である。農業青年はいままで、みんな一色の生活をしていた。従って、その集まりでの話題も、かなり片寄っていた。農業青年のワクの中でしか話が展開しなかったのである。ところが、いまは、同じ農業青年でも生活が多様化した。考え方は、さらにもっと千差万化したのだ。

こうなると、一つの話題を深めることは、一見むずかしいように思えるが、むしろ、それは逆である。従来は、一種類のスコップで、一生懸命に掘り上げをしようとしていたのだが、いまはちがう。ショベルローダーもあり、掘鑿もあり、鑿岩機もある。つまり、沢山のちがった角度から掘り下げのできる構造を、農村青年が持ってきたということなのだ。このチャンスをつかんで、問題にとりくむ態勢をとってみてはどうであろう。

そこで「出稼とクラブ活動」という主題を考えてみよう。一見、両立をはばむこの二つの内容を、ごちゃまぜにして議論すると、前述のような浅いダベリにしかならない。ところが、出稼もしなければならないし、クラブ活動の大切さもわかるとするならば、出稼の実態を洗い出す班とクラブ活動の実体を分析していく班に区分して、自営者、出稼者が役割分担をきめ、調査や情報収集活動を始めるのだ。

まず、半月をそれに当てる。そして、集めた情報を持ちよりに整理してみると、更に、この主題の問題点がハッキリしていくに違いない。そうしたら、次の半月を、問題点ごとに分担して情報集めや研究をやり、半月後に持ちよって検討する。これを繰り返していくうちに、青年の手で解決しうる問題が、つかめてくるにちがいない。そうなれば、あとは自動的に、諸君たちの活動の分野なのだ。

わたしは、いまこそ、問題にとりくむチャンスだと思うが、諸君の意見はどうだろうか。

11月

青春と仲間

ある朝のこと

佐賀県和多4Hクラブ　吉田広光

薄い氷が一日中、古い水がめの底の方でたまり水を覆っている。氷は暗緑色の藻の中にとけ込んで、よく見ないとわからない。長靴の先の方で軽く踏んでみると、ギシッと鈍い音を出してヒビが入った。久しぶりに静かな朝だ。

冷気の中にまどろんだ朝の太陽が姿を見せる。吐く息の白さが、そのたびに躍動しながら冷気の中に吸い込まれる。静寂を覆っている薄氷に亀裂が生じ始め、弱々しく一日が進行し始めている。ほのかな暖かみが淡い光の一筋毎に増していく。

一台のテーラーが威勢のいい白い息をはきながら、朝のまだまだるっこさの中から一気にかけ出していった。

鋭いエンジンの音に呼応して、あちこちで静寂が破られ、いよいよ一日が動き出した。みそ汁をすすりながら配達されたばかりの新聞に目を通す。別に目新しい記事はないようだ。少し泥のついたジーパンのバンドをしめ直し、愛用の黄色いヤッケの首元のチャックを上げて立ち上がる。外に出て腕を腰に当て、前と後に二回ずつ上体を倒し、軽い運動をする。

向こうの方から近所のおばさんたちがペチャクチャしゃべりながら、リヤカーを引いてくる。荷台の上に積んだ野菜の新鮮さが揺れるたびにはじける。少し前かがみになり、土を踏みしめる足に力が加わる。「おはよう」のあいさつを交わして、ゆっくりとリヤカーが通り過ぎて行く。

「さあーて」一人口の中でつぶやき、白い軍手をはめる。

(佐賀県4Hクラブ連絡協議会『四つ葉』第三号より)

☆　☆　☆

中央推進会議の思い出

積極性、実践力をつけた

福岡県連副会長　角　繁男

私が推進会議に参加したのは二年前だった。当時、4H活動に対して、特に本質、プロジェクト活動、それにクラブリーダーのファイトに対して、疑問を感じていた。

そのような私が、時の会長北原元彦さん(本年度、全指連より南米に派遣留学された)より会議への参加の要請を受けた。4H新聞により、その内容は知っていたし、私自身、参加したいと思っていたので、両親を説得してOKとなった。

会議は、想像以上にきびしかった。中でも、4H協会の新田局長の本質に関する講演、プロジェクト活動に関するシンポジューム、丸山会長による全協の現況説明など、思い出深いものとなっている。短い間の共同生活だったが、全国から参加した百五十余名の男女のクラブリーダーの中に、多くの仲間を得た。たとえば、その中に、本年度、高知県連会長の門脇貞夫さん、長崎県連会長の元山孝志さん、昨年度、高知県連会長だった川村雅士さん、それに、本年度、佐賀県連女子副委員長の吉武京子さんなどを覚えている。

クラブ活動に疑問を抱き、逃避的な考えであった私を変え、そして、積極性、実践力を身につけるきっかけを与えてくれたこの会議に参加して、ほんとによかったと思っている。今の私は、会議に参加していなかったら、ありえないとさえ思うことがある。

全国のクラブの仲間よ、特に次期県連リーダーの仲間よ、一人でも多く参加してもらいたい。資金の不足するクラブは、カンパしてでも参加させるぐらいのファイトと、共同で助け合う精神、つまり仲間意識が、4Hクラブ員にはあってもよいと考える。

食事に変化ない　保存食調査を行なって

熊本県西合志クラブ　小森せつ子

動機　私達の住む西合志は、西瓜、白菜栽培が比較的多く、それが他の作物のピークと重なり、農繁期が長びきます。私達十二名の女子クラブ員は、チームプロジェクトとして、長期間の農繁期における食事のとり方を調べてみることにしました。

まず、各家の農繁期、農閑期、特別期(冠婚葬祭)の食事を調べてみたところ、特別期を除いて、農繁期と農閑期の食事の内容にあまり変化がみられませんでした。軽労働の農閑期と重労働の農繁期の食事とが、同じようなとり方で良いでしょうか。労働とつりあった食事をとるのが、本当だと思うのです。

目的　そこで、農繁期の食生活に保存食を取り入れて食事を①手軽で②おいしく③栄養的で④安価であり⑤バラエティに富ませるには、安い時期にいろんな品物を保存します。これで、ある程度解決できると考えました。

調査計画　第一回は西合志町を範囲とし、聞き取りで、各部落から一戸を選び、農家、男子クラブ員を協力者、依頼先として行なう。第二回は熊本県全域、通信により、十一地区(県事務所)を対象に、各地区普及所に協力を求める。第三回は全国にまで範囲を広げ、通信によって、四十六都道府県を対象とし、各都道府県農業改良課に協力してもらう。

実施　計画に基いて、第一回調査を二月に行ないました。農家二十七戸、クラブ員宅二十五戸、合計五十二戸を対象にして、品目、原料、副材料、製造時期、保存期間、用途、特色、製造法、備考(一回製造量)などについて調査すると、五十二戸に六十種の保存食がありました。

次に第二回調査を、県内二十七ヵ所の普及所に依頼しましたところ、その内十八ヵ所からの協力をいただき、女子クラブ員一同力づけられました。

検討　保存食を八項目に分けて比較、分析した結果、次のことがいえます。

①県内においては、各地の特色を生かした保存食が多く、町内においても、白菜漬、たくあん漬など、生活にとけ込んだものも多い。

②香辛料を上手に使用してあって、食欲増進に効果が大きい。

③加工手段としては、手間のかからない固形のまま漬け込むが多い。

今後のプロジェクトの課題　①西瓜利用のぬか漬、みそ漬②ビン詰類などの密封ものの利用③畜産物利用が少ない。以上の点を考えながら、栄養豊かで原料が手に入りやすく変化に富んだものを作り試食してみます。

普及への第一歩として、①試作品を、まずクラブ員の家に紹介する②婦人会に伝えたり、広報にプリントして紹介する。それとともに、第三回調査として、全国の保存食を調査したいと思います。

将来への展望　農村で案外忘れられがちな食生活のため、農家を対象とした給食センターを建設し、その運営には離農者があたる。そのために、次のような条件を満たす施設を作りたい。

①栄養のバランスのとれた献立②材料は農家から新鮮なものを安価に仕入れる③何千人もの人が同じ食事をとることで、食事の面からは貧富の差もなくなる④農繁期の賄いについて、主婦が頭を痛めることもなくなる⑤週一日は休日とし、家庭の味を楽しむ。

こんな施設を作るためには、私達青年が、その企業の持つ社会的な役割と、健康な身体と精神を築く要因ともなると思います。給食センターの必要性を町当局や他の団体にも認識させ、実現できるように微力を尽したいと考えています。

出稼ぎをなくして

石川県輪島農業青少年グループ　浜田春子

私の家は、小規模経営で、水稲、茶、葉たばこが主な作物です。輪島市の茶畑は現在約五十㌶で年々面積が増し、茶の主産地となるように、農業団体は意気込んでいます。

奥能登の農業の特徴は、

1、一戸当りの耕作面積が少ない(平均五十㌃)。

2、山間部や段階の水田が多い(四枚田)。

3、農業による収入が少なく兼業農家がほとんどである。

4、主婦の過労と家庭生活上の問題が多い。

私の家は、将来、茶畑二㌶をつくる計画を練っている段階です。家族の労力不足と土地基盤整備資金に問題があります。しかし、これらの条件を克服して、自立経営をめざし頑張ります。

これからの問題として

1、土地基盤を整備し、土地の交換分合などにより、農地の集中化を進めるとともに、省力機械化を図って行く。

2、兼業を重点にする農家が、出稼ぎをしなくても豊かな暮しが出来るように、工場誘致や道路網の整備など、農村全体の環境をよくし、住みよい村づくりを推進することが必要である。

農村雑感　折原俊二郎

不信

米が生産過剰で、今年は一割減反の方式を実施したが、例年にない好天候に恵まれ、減反政策が必ずしも成功というわけにはいかなかった。

過日NHK総合テレビで秋田・山形・宮城および新潟県などの米作代表農家と自民党西村総合農政調査会長との懇談会が開催され、その模様が放映された。その中で、農家側の云い分として、一割の減反をやったが減反以上に収量をあげるつもりで、今年は稲作に取り組んだという発言があった。

総合農政調査会では来年度以降の米作については、二割の減反政策をとると共に、他方、古古米は家畜の飼料に無償して、その解消に努める方針であるという。都会の一般消費者の中では、この様子をみて、いたちごっこであると酷評している。即ち、減反すればそれに負けまいとして増産を考えるという、そのことを評しているのである。

O君は高校を卒業して、今年で四年目、今では一家の農業経営推進の中心的立場となっている。彼の経営は米作専業であるため、食管問題をはじめ、今年のような減反問題については大きな関心をもっている。しかし、今後自分の経営の方向をどのように進めればよいのか、という点になると、とても結論づけることは出来ないという。

農林省は、今後の農業の方向を、どうして示さないのだろうか。農政は、極めてあいまいだという。米以外の分野を拡大しようというのであれば、思い切った補助政策をうちだすべきである。農業の今後の方向を示し、それに平行して、転換していくための強力な補助政策をやるべきである。ただ減反のみを指示し、転換作目についても明確さを欠いておきながら、あとは農民自身の意識にまかせるというのは納得できない。と、農政批判を私に云ってきた。

私は彼の基本的考え方はわかるが、具体的な問題についてはわからない点がある。それは農政を批判する反面、補助金政策を強力に行なうべきである、という考え方である。相手をさかんに批判しながら、批判した相手に強く依存していることである。

一割減反をする反面二割の増産をはかろうとすること、農政批判をやりながら補助金政策の強化を叫ぶ、常識的に考えれば割り切れないものを含んでいるようである。その根本はどうも農政に対する不信というところにある。そうした不信の中で、かつ、農政の推進を希望する。こうしたことは他産業ではみることができないようである。農政不信は今にはじまったことではない。何百年来、一度も解消しないで今日にいたっているともいえる。

こうした状態のままで進んだ場合、不信を抱いたままで過す農民側が得なのか、不信の念をもたれたままで進める農政者側が損をするのか。そして、第三者側にある一般市民や他産業などの人は、この状態をどのようにみているのか。考えてみると両者の関係には、悲しい運命的なものが存在しているようでもある。この両者の溝を埋める方法はないものだろうか。

(農林省・農業者大学校)

新年号原稿募集

▼原稿の内容　新年の抱負、年頭所感、随筆、詩歌、その他絵画や写真など、新年にふさわしいものなら、どんなものでも結構です。

▼原稿の長さ　四百字詰め原稿用紙五枚以内。

▼応募資格　4Hクラブ員、および関係者。

▼募集締切日　十二月十日。

▼送り先　東京都新宿区市ヶ谷船河原町十一　家の光会館内　日本4H新聞編集部宛。

※なお、掲載原稿に対しては、粗品を用意しております。

乞食根性は捨てなさい　資金獲得もプロジェクトだ

佐賀のつどい散策レポートより

クラブ組織の活動資金に対しても、レポートで多少触れられている。その中で「市、農協からの財政援助が少ない。請求してもそれだけ貰えない」というあたりには、多少ひっかかりを覚える。なにか肝腎なことを忘れ去ってはいないだろうか。

現実に、行政機関や農協その他の団体からの援助がなくては、クラブ活動に支障をきたすことはたしかだろうが、だからといってこのままでよいと考えることは、クラブ組織を自己崩壊させる大きな原因となる。つまり、最終的目標としては、会費によって賄うようにしなくてはならないと思う。それが自主的活動ということではないだろうか。

いつまでも、乞食同然に他人の金をあてにしていては、本当の活動ができるわけがない。そういう甘えを残しているうちは、なにをやったところで碌なことができるものでもあるまい。貰えるものは貰った方が得だという、薄汚れた考えは捨て去り、身銭を切ってもやりたいか、やらなくてはならぬかを検討してみることだ。結論は前号と同じところに落着くだろう。

皮肉をいうようだが、資金不足なら、それをどう解決するかも、ひとつの立派なプロジェクトではないか。耳にたこができるほど、プロジェクト、プロジェクトと叫んでいる諸君に、こんなことをいうのは釈迦に説法だが、どうして真剣に取組まないのだろうか、不思議でならない。会費をそう値上げできないなら、それに替る方法もありそうなものだ。

たとえば、つどいに参加するために、佐賀県の三田川4Hクラブで、水田の請負い耕作をやっていたことは、本紙で既報のとおりである。また、レポートにも、共同作業によって資金を捻出しているという報告もある。これらはそうした一例にすぎないだろうが、いろいろなことを実施しているクラブも少なくないだろう。請求しても、その額だけを貰えないなどという泣きごとは、いい若い者のすることではあるまい。

金額の多少でなく、他からの金で活動をやろうという、さもしい根性を持ちつづけるかぎり、クラブ活動そのものの将来に、明るい見通しは立てられない。基本的な姿勢が乱れていては、よい成績の挙げられないスポーツと、同断であろう。資金といった一番根本のところで、まず正常な態度をとることがやはり必要なのである。

ただし、念のためにつけ加えるならば、他からの金は全部シャット・アウトせよといっているわけではない。ただ、その貰う姿勢、受ける態度を正しいものにしなくてはならないというのである。そういうことをきちんとしなくては、いかにえらそうなことをいってみても始まらないと思うのだが――。

(つづく)

生活　もの知りコーナー

◆暖房用電気器具

電気器具は、移動や振動によって接続部分のネジがゆるむことがありますから、まず、ネジ止めの部分がゆるんでいないかどうか調べます。ゆるんでいると、そこの電気抵抗が大きくなり、その結果過熱して故障の原因になります。

次にコードの取りつけ部分がしっかりしているか、差し込みプラグやコンセントのぐあいはどうかなどを調べ、接触不良のものはすぐ取り替えます。点検がすんだら必ず電気を通してみます。最初にちょっと焦げるようなにおいがしますが、これはほこりの焼けるにおいで、すぐとれますから心配はいりません。あらかじめほこりをとっておくと、使うときいやなにおいをかがなくてすみます。

電気を通してみて、もし安全器のヒューズが切れるようなら、暖房器具のほうに絶縁不良の箇所があって、多量の電気が流れるのですから、もういちどその箇所をさがしてみます。わからない場合や手のこんでいる箇所は、専門店に直してもらうのが安全です。

事故防止としては、ソケットやテーブルタップから、いくつものコードをのばして使う、いわゆるタコ足配線や、柱などにテーブルタップを打ちつけ、そこからいくつも電気器具を使ったり、コードを引戸と柱の間を通して、隣の部屋にひっぱったり、釘にひっかけたりすることは、事故を起こすもとで、危険ですからやめましょう。

日本4H新聞
4Hクラブ 農事研究会 生活改善クラブ 全国弘報紙
発行所 社団法人 日本4H協会
東京都[illegible]家の光会館内 電話(269)1075 郵便番号162
編集兼発行人 [illegible]
月3回・4の日発行 定価1部20円 一ヵ年700円(送料共) 振替口座東京12055番

クラブ綱領
一、私達は、[illegible]

民泊交歓などに成果
沖縄親善訪問団元気で帰る

素顔の沖縄を見る
復帰後に不安抱く青年

さる十一月二十四日、沖縄・那覇へ向けて大阪から出発した第二回全国4Hクラブ沖縄親善交歓訪問団（団長、久野知英君）の一行五十二名（うち女子九名）は、沖縄クラブ員との交流を終えて、二十八日午後、大阪国際空港着のJAL（日本航空機）で全員元気で帰ってきた。

畑でパインをがぶり

久野全協会長

この沖縄訪問は、全国4Hクラブ連絡協議会に加盟している全沖縄4Hクラブ連絡協議会（会長、大城正行君）のクラブ員が全協で催す行事に殆んど参加できない現状から、沖縄クラブ員との交流を図るため全協が全国のクラブ員に呼びかけて実施したもので昨年に続いて二回目。

一行は、二十三日大阪府三島郡島本町の大阪府立青年の家で結団式と事前研修を行なったあと、翌二十四日午前十一時十分、大阪国際空港から那覇へ向けて出発。沖縄到着後、知念副主席はじめ農林部長など琉球政府関係機関関係者に表敬あいさつし、二十五日午後海中展望塔を見物したあと名護青年の家で開かれている全沖縄4Hクラブ技術交換大会に参加した。

二十六日午後、同大会に参加していたクラブ員とともに民泊に向かい、二十七日の午前中、家族とともに交流し、沖縄農業の実情などについて学んだ。午後は南部戦跡めぐりして戦没者の冥福を祈った。

二十八日午後、沖縄クラブ員に見送られて那覇空港を出発、福岡の板付飛行場を経由して大阪に到着し、事後研修と解団式を行なったあと、二十九日に解散した。

この沖縄訪問は、沖縄クラブ員との相互理解と親密感を深めたばかりでなく、参加者同士の親睦や同志意識を強めるなどの成果を上げた。

とくに、今回の沖縄訪問で参加者が強く感じたことがらの中で主な点は次のとおりである。

一、那覇空港、技術交換大会、民泊などでクラブ員はじめ家族の人たちや関係者の大歓迎を受け、あたたかく迎えられた。

民泊では、結婚式などに出す特別の料理でもてなしてくれた家庭もある。また、海水浴を楽しんだり、パイナップル畑でパイナップルをかじったり楽しい思い出は多い。

都市近郊で民泊した人たちは翌日市場に出かけた。早朝三時ごろから始まり、値段は生産者がつける。いわゆる生産者と消費者の直結であり、沖縄農業の一つの姿をみた。

一、沖縄の農業は、基幹作物であるサトウキビ、パイナップルに加えて、そ菜や畜産を取り入れてきている。本土に比べて機械化や技術面では立遅れていることは実情であるが、将来、気候温暖などの有利性を生かし、技術面で向上してくれば強敵となる。しかし、やはり、七十二年に迎える本土復帰後の沖縄農業に不安を抱くクラブ員が多かった。

一、沖縄のクラブ員は、苦しい環境の中にあるが、やる気が十分で根強い力を持っている。かえって甘えている本土クラブ員が反省させられた。沖縄でも農村青少年の減少がみられ、人集めに苦労しているのが現状のようである。

一、米軍基地には驚きというより、戦争という問題を身近かに感じて、むしろ恐怖感さえ抱く人もいた。南部戦跡とともに、その過去と現実を認識し、沖縄へ強く心を結んでいる。

一、海と空と島の美しさに、殆んどの人がびっくりしている。普段、汚れの少ない自然の中で生活しているクラブ員たちも、その姿に、"自然とはこんなに美しいもの"かと改めて目を丸くしているようだ。

一、昨年にひき続いて、出発から帰着まで班別行動をとったが、この班別行動とクラブ員の自主性は高く評価され、組織についての認識を深めた。これまで参加した多くの会合の中で、最高の班別行動と述べているクラブ員もいる。

また、青年だけでやれる自信やその尊さを痛感し、全協との距離感も少なくなったという声もあった。各県の参加者同士がこの一週間の共同生活を通じて相互に親密感を深めることができた。

きゅう屈な日程ではあったが、その厳しさはかえって充実感や楽しさをもたらしたようである。

心打つ勤勉な若者
米国4Hクラブ員の滞日報告会開く
日米農業の差を指摘

社団法人日本4H協会（会長、宮城孝治氏）では、十一月二十四日午後一時半より、東京都港区西新橋の共栄火災海上保険相互会社の会議室において、アメリカから来日していたクラブ員、草の根大使のラリ・ラーウッド君とビューラ・スパローさんとの滞日報告会を開いた。

出席者は、農林省生活改善課の嶽間沢さん、全国農村青少年教育振興会の金田事務局長、協会側からは宮城会長、吉田理事、高原顧問、新田事務局長など、また、ゲストに、同じ草の根大使としてアメリカへ派遣されていた坂本、古川さんの二名も加わっていた。

ラリー君、スパローさんの六ヵ月間のスケジュールは、北は秋田から南は鹿児島にまで及ぶ広い範囲にわたるが、そのなかから得た印象は、おおむね次のようなものであった。

まず、日本の農業は米作に頼っており、しかもその生産過剰に悩んでいる。こうした弊害を改めるために、野菜、果物などへ作目転換をはかる努力がみられ、それによって収入もより高いものになっているようだが、一般的に、農業は工業などに比較して低収入である。しかし、次第にその差が縮まりつつあることも感じた。

土地の使用に関しては、その無駄のなさに感心させられたし、技術、設備面でもよくなりつつあると思う。ただ、技術的な面において、アメリカのものをそのまま導入することはできないだろう。気候風土など、土地条件が異り、農業形態も同じでないから、当然のことかもしれない。

小規模農業から大規模農業へ転換する過程にあり、みなが協力して行なう農業というものに向かいつつあると考えられ、たとえば、取引センターとか、研究所などにおいて、若者たちがよく勉強している姿に心うたれた。今後の問題として残るのは、土地をいかにマネージメントするか、また、土地以外における収入方法をいかに見つけだしていくか、ということがあると思われる。

坂本、古川さんたちからも、日米農業の差異が指摘され、規模やマネージメントや生産方法の違いなどが挙げられた。たとえば、農家生活における主婦のあり方が、両国のクラブ員によって話合われた。アメリカにおいては、家事に専念して、ほとんど農業に手を出さないものと、男性と同じようにトラクターなどの機械を扱うものと、二通りあるのではないかというところに落着いた。

主婦のあり方は、季節にもよることで一概にはいえないが、家族の関係、しつけの問題など、日米両国の間には、六ヵ月くらいの短期間では把握しきれない違いのあることを、双方クラブ員は如実に浮きたたせた[illegible]る。クラブ活動において[illegible]はいえるだろう。

また、草の根大使派遣の問題、それと関係する語学の難しさについても、考え[illegible]ることを指摘された。

米国クラブ員離日

なお、二人は二十七日[illegible]から帰国した。

活動を家族とも密着
長崎県連　花やかに「4Hの集い」

【長崎県=松本政博連絡報道員発】長崎県農村青少年クラブ連絡協議会（会長、元山孝志君）と佐世保市農村青少年クラブ連絡協議会（会長、吉田健之君）主催の第三回「長崎県4Hクラブ員のつどい」は、長谷川元農林大臣を迎えて、このほど三日間にわたって西海国立公園の一角、西海の地で盛大に開かれた。

長谷川元農林大臣を迎えて

「農業にこそ生きる道があるという気概を…」と語る長谷川元農林大臣

ふだん観光客でにぎわう西海橋付近も、この日県下各地から訪れた五百名のクラブ員たちで、さらに活気にみちた。参加者は、この感激を胸に地域社会の発展に努力することを改めて誓い合った。

▼一日目　各地区からパレードして来た参加者は、会場の西海橋ピユーロッジに集合、正午すぎには五百名の若人の意気と情熱が会場いっぱいにあふれた。

今回は特に長谷川元農林大臣の講演が行なわれ、「この暖いという恵まれた気象条件を十分生かし、地域に合った特産品を作り出して欲しい。また農業にこそ自分の生きる道があるのだ、と気概をもって、腰をすえて取りくんでもらいたい。やろうと思うことは絶対やれないことはない」という話を真剣なまなざしで参加者たちは聞いていた。

次に、講演のお礼として八地区連から、クラブ員の手によってできたサツマイモ、ブドウ、お茶、みかんなどの特産品が、各代表のユーモアあふれる目録が読み上げられる中で贈られた。

講演につづいて全国技術交換大会、全国4Hクラブ員のつどい、九州農村振興親子会議の参加報告が行なわれた。また、全協の坂井副会長を迎えて4H会館建設についての説明会がもたれた。

四時から開会式が行なわれ、元山県連会長は「この激動する社会にあって、われわれは農業青年の一人として一生懸命頑張っている。今後もお互いに手を取り合って『一人はみんなのために、みんなは一人のために』を合言葉に頑張って欲しい。さらに、この大会が有意義に終るよう、みなさん方の奮気を望む」と参加者に力強く呼びかけた。

夜は佐世保市連による歓迎の夕べが行なわれ、歌、舞踊、浮立などに時間のたつのも忘れた。

▼二日目　観光客で連日にぎわう西海橋付近の公園で、十班に分かれグループ活動の情報交換などの話し合いがもたれた。

午後から雨もようの空を気にしながらソフトボール大会決行。決勝戦間際になり本降りになったが選手、応援団ともに大張りきりで雨の中を泥んこになりながらプレーした。結局気力に勝る島原地区チームが優勝した。終了後、五時半から現地交歓訪問先へとそれぞれ向かった。

この夜、民泊先へ別れた参加者は、それぞれの受入れ側の家族と心ゆくまで話し合いをして、家族や地域と密着した4H活動を進めようというこの大会の大きなねらいを少しずつでも達成できた。

▼三日目　朝から各農家で奉仕作業。中には酪農家に泊まって朝五時頃から起きて草刈に行ったり初めて乳をしぼったりして感激する者もあって、それぞれの民泊先で家族をまじえての交流が行なわれ、交歓訪問の成果を上げた。

参加者は、感激と新たな決意を胸にいだいて各地へ帰って行った。

親善に尽した民間大使

左から二人おいてラーウッド君、スパローさん、坂本さん、古川さん

坂本さんら帰国
米国派遣の草の根大使

四十五年度の国際農村青年交換計画に基づく米国派遣の草の根大使として日本4H協会から選ばれ、さる五月十三日羽田から出発し、米国で約六ヵ月間にわたって交歓と実習の生活をしていた4Hクラブ員代表＝坂本真子さん（二七）山口県・岩国グリーン4Hクラブと、古川みどりさん（二〇）岐阜県・小泉4Hクラブ＝の二人は、十一月二十一日午後、羽田着の飛行機で無事帰国した。

二人は、民間外交官として農業の実習のかたわら多くの人たちとの交歓を通じて日米間の相互理解と親善に努めた。なお、二十四日に開かれた来日アメリカクラブ員の滞日報告会に出席した。

結婚の準備に
鳥取県連で12日から「女子研修」
女子の要望実る

【鳥取県＝山本哲嗣連絡報道員発】鳥取県農村青年会議連絡協議会（会長、中島正幸君）では、来る十二日から二泊三日間にわたって東伯郡関金町の県立営農研修館で女子研修を催すことを決めた。

この女子研修は、鳥取県連に属する女子のクラブ員が、共同生活の中で研修し、話しあいを通じて親睦を深め、明日の農村婦人に必要な知識を身につけることを目的にしたもの。県が主催する女子研修は三年ほど前までは行なわれていたが、その後しばらくとだえていた。こんどは、県連が自主的に計画し、しばらくぶりに行なわれるもので、今回は約四十名の参加者を予定している。

研修の内容をみると、「結婚へのウォーミングアップ」という講演を、鳥取県倉吉保健所予防課長田後操子さんに依頼して、結婚の本質、また結婚までの必要な予備知識を学ぶほか、より良い生活への努力をする先輩の体験を聞く。

また、二日目には、分科会で自主的な話しあいを行ない、現代女性の在り方を追求する予定で、特にこの話しあいには、男子クラブ員も交える。

このほか、正月料理の実際を県の専門技術員から指導をうける。

鳥取県連に属する女子クラブ員は約百名いるが、これまで自主的に女子クラブ員が一堂に会して心ゆくまでおたがいに意見を交えることがなかったように思われる。わずかに、夏、冬と二度の県連の主催するつどいの後に顔をあわせていただけ。しかしその時も、心をうちあけるような話ができなかったのが実状で、このたび、末端の女子クラブ員たちからの意欲によって研修が催されることになったのであるが、今後の女子クラブ員の活動の方向を見出す一つのきっかけになるものと、各方面の期待を集めている。

分散会も
8日からリーダー研

また鳥取県連では、県などと共催で来る八日から三日間、東伯郡関金町の県立営農研修館に県下のクラブの次期リーダーを集めて農村青少年リーダー研修会を開く。

これは、農村青少年の育成指導を強力に推進し、その効果を農村社会に広く反映するため、農村青少年の地域集団、機能集団の活動の中心となるリーダーの資質をはかることをねらいとして毎年一回行なわれているもの。

放送利用、レクリエーションの取り組み方などが内容に盛られているが、今年初めて分散会がもたれ、各クラブから活動状況を発表しあって、リーダーの本質を学ぶことになっている。

静岡・西部地区連でオルグ
「建設委」にも風当り
4H会館建設の募金で論議
"くじけず頑張れ"

【静岡】西部地域農村青少年クラブ連絡協議会（会長、名倉泰一君）は、現在、西部各地区連へのオルグ活動を実施しているが、これまでに浜北市連（十一月六日）を皮切りに、湖西郡連（同十日）、引佐郡連（十六日）を回った。

今回のオルグは代表役員五名で編成、とくに問題となっている4H会館建設の募金を中心に、県連バッチ、4H新聞、地区連活動の方針などについて説明と話し合いが行なわれた。

このうちとくに、4H会館建設の募金についてみると各地区連での話し合いの内容は次のとおりである。

浜北市連では、四十三年度県連を通さずに直接、全国4Hクラブ連絡協議会事務局へ送金している。今回で二度目の募金なので余り協力できないが、新入クラブ員に一人当り五百円を協力してもらう。また、OBの人たちにも、県連で十月に発行した会館建設のパンフレットを配り、あとに続くクラブ員のためにも、ぜひ協力してもらうよう呼びかけて、十二月末日までに募金した全額を県連に送金することになっている。

また、湖西郡連では、浜北市連と同様に一～二年前から募金をしているので、二度目の協力は難しいという意見が出されたが、四十五年度の西部地区連の事業計画に組み込まれていなかったオルグ活動が十月の役員会の席上、急きょ実施したので、役員の人たちにもできるだけ協力するという全員一致した意見が述べられた。

さらに、OBあるいは関係指導機関の人たちにも家を訪問して説明し、積極的に募金を推進したいとしている。

一方、引佐郡連では、非常に多くの建設的な意見が出され役員が返答に戸惑う場面もあった。

あるクラブ員は「本年度中に土地確保ができるか。土地が高価で建てられないのなら、富士山の麓に建設したらよいのではないか。募金してもし建設不可能な場合はどうするのか」と。また、他のクラブ員は「佐賀県や鳥取、北海道などの各道県連が積極的に募金しているのに、当静岡県は、東京から二百キロ以内なので、もっとクラブ員一人ひとりが責任をもって協力しなければ、ならないのではないか」と意欲的な発言をしていた。

また「もう、ここまできたのだから、全協、県連がくじけず、今後の農村青少年のためにも頑張ってほしい。4H会館建設委員会があると聞いているが、委員会は何をしているのか。もっともっと後継者のためにも、全協同様、積極的に動くのが当然ではないか」などの強い意見もあった。

オルグ活動は、浜松市連を残すだけとなったが、とにかく今まで内容をはっきり掴めなかったクラブ員が多かったことは事実である。今回のオルグによって末端のクラブ員まで具体的に把握できたことは確かである（鈴木政美君発）

涼風暖風
失った万年筆

[illegible]の日曜日、締切りの迫った原稿を仕上げようと思って、朝から机に向った。八分ほど書き上げたところで万年筆をおき、休憩ついでに昼食をすませたあと、手持ちの原稿用紙が残り少なくなったので散歩がてら街の書店に買いに出かけた。

帰宅後、さて残りの原稿を書こうと思って机の前にすわった。ふと見ると、たしかに、灰皿のそばに置いたはずの万年筆がない。机の上に広げた資料や参考図書を一つ一つ取り上げてもみたが見当たらない。念のため、机の下に頭をつっこんだり、散い[illegible]と思ったら、今度は、たばこが一本もないときている。思わず箱をにぎりつぶして、くずかごの中にたたき込んだ。不愉快である。

別に極上等の万年筆ではないのに、失ったとなると急に惜しくてたまらなくなる。そういえば、書きぐあいはまことによかった。手に持つと指先きにピタリと吸着するように安定し、ペン先は紙面をなめらかに走る。インキもれで手や用紙をよごすことは一度もなかったし、私の筆圧にもすっかりなじんだ万年筆だった。それに、私が海[illegible]上着のポケットに入れておいたのを、手帳や財布を取り出す時に落したとも考えたからだ。しかしどこにもなかった。

平常、これほどまで大事に思っていたわけでない。むしろ、どこにでも置き放しだったし、書きぐあいなど気にもとめなかったほどなのに、なくして初めてその価値を思い知ったわけである。病気になってから健康の尊さを知っても、おそいのと似ている。まったく身勝手なことだ。そういえば、いつも年末になって初めて時の流れの速さを思い起こす私自身にも、ほとほと困ったものと思う。（北海道・三輪）

心頭技健

早くも日[illegible]西高東低の[illegible]圧配置に姿[illegible]寒気団は日[illegible]は大雪、大[illegible]きびしい冬[illegible]もたらし、雪は"雪国[illegible]れる越後湯沢で六十[illegible]たほか、各地とも十[illegible]は珍しい大雪▼木枯[illegible]び、まっ白い雪の世界に[illegible]る季節、いよいよ冬[illegible]だ。みどりが茂り、木[illegible]しかった夏は終り、大[illegible]びしい冬の長い眠りに[illegible]てつく寒気、太陽の[illegible]に耐えて、春の訪れ[illegible]そりと息づく草木。は[illegible]然の掟に逆らうことな[illegible]は芽ぶき、秋の訪ずれ[illegible]を散らす。しかし、この[illegible]上の寂しさと裏腹に、[illegible]地中に自らの力で根を[illegible]来るべき春の成長のた[illegible]貯えておくことをけ[illegible]はいない▼この草木が[illegible]然の法則を、われわれ[illegible]活にあてはめたらど[illegible]人間は春光の輝きと[illegible]心も軽く活動的になる[illegible]初雪の便りを聞くころ[illegible]閉じこもりがちにな[illegible]例えるならば、春から[illegible]ては行動（ゴウ）で、[illegible]は静止（ストップ）[illegible]だろうか▼だが、同じ[illegible]草木と人間の違うと[illegible]でも地中に根を張って[illegible]える草木に対し、人間[illegible]惰性で冬を生きのび[illegible]だろうか。人間も来る[illegible]のために、この静の[illegible]いかに生活するかに[illegible]の行動が力強くもな[illegible]く静止のままである[illegible]い。いわば、人間に[illegible]は、このきびしい冬[illegible]り、知識なり、体力[illegible]かりに貯え、詰め込[illegible]季節だと思う▼とか[illegible]面的な行動面にのみ[illegible]がちになるが、必ず[illegible]動をなす人たちの裏[illegible]木にも劣らぬ努力が[illegible]忘れてはならない。[illegible]も一段落し、プロジ[illegible]も成果はともかくと[illegible]の集計、反省の時期[illegible]一ヵ年の行動を反省[illegible]なにものかをプラス[illegible]の段階に発展する▼[illegible]入したが、けして[illegible]てはいけない。静か[illegible]開き、全智を鍛えて[illegible]べき行動力が養える[illegible]

こんなことをしています 各種農業団体

営農と生活を守る 流通の改善にも力注ぐ

全国購買農業協同組合連合会

全購連は、全国購買農業協同組合連合会の略称です。昭和二十三年十月、農協法に基づき、組合員農家の生産能率をあげ、社会的・経済的地位の向上に寄与することを目的として設立された全国農協の中央機関です。

全購連の事業は、これらの目的を達成するために、肥料、飼料、農薬、農業機械、自動車、燃料などの生産資材や、組合員の必要とする衣・食・住にわたる生活用品の供給をおこなう他、農業技術の指導、農業経営の向上のための教育指導、農村生活、農村文化の改善、さらに運輸などの事業をおこなっています。

その活動は、全国四十七の各県経済連とともに全国一円の広がりの中で展開され、過去二十二年の長きにわたって組合員の営農と生活面で大きな貢献を果してきております。

しかしながら、今日、日本の農業をめぐる情勢は、極めて厳しいものがあります。

農村の都市化とともに、農業労働力の流出や兼業農家の増大をはじめ、米の生産調整など深刻な諸問題が、いま農家の前に大きく立ちはだかっているのです。

農協は、そのような状況のなかで、農業経営と農家の生活を守るため、より大きな「協同」の力によって道をきりひらこうとしています。

全購連は、その意味で積極的な活動を日々広範におこなっています。

組合員の営農と生活を守り育て、ゆたかな明日の農業をきりひらくために、農業生産技術の指導や生活指導を徹底し、各種指導員の人づくり、組合員の組織づくりをはじめ、各種施設づくりに力を注いでいます。

北海道、東北、岡山、福岡さらに平塚に設立されている各講習所と農業技術センターでは、技術者の養成をおこなうほかに製品の性能試験、品質検査をおこなうとともに、新製品の研究、開発をおこなっています。

また組織づくりは施肥設計協力員、農薬の防除指導員、生活では賢い消費者づくりなどの面で急速に進んでいます。一方施設面では、肥料、飼料において専用船を設けた産地と直結した輸入方式のなかで新潟、東灘、東海、鹿島に大規模なサイロ基地工場を設け、農機、自動車、生活面では全国各地にSS、SC、給油所、農協スーパーなどが設けられています。

このように全購連では、輸入生産、供給とそれぞれの面で信頼できる製品を供給するとともに、価格の安定をはかり流通の改善に力を注いでいます。今後はさらに生産面の充実拡大をはかるために豊富な品揃えの近代店舗の設置、チエン化をすすめるなど、また流通の合理化をはかるために、全国の主要都市に配送センターを設けるなど組合員の生産から消費を完結する地域の農業振興へと大きな歩みを続けております。農家の生産面さらに畜産、園芸などの生産面で大きな力を発揮するのはもうすぐです。

農協マークに象徴される協同の力、それは全購連の限りない努力を続ける象徴でもあるのです。（広報課）

電算機で生活設計

農林中央金庫

情報化時代の主役コンピューターが、あなたの生活設計をお手伝いする。農林中金と県信連が共同して今年の四月から開始した「コンピュータによる生活設計診断」は、これまでに一万五千件もの申し込みがあって人気をよんでいる。

診断を受ける方法はいたって簡単。農協信用部の窓口で申し込み用紙に、わが家の生活環境・家計のあらまし・将来の計画などを記入すればよい。あとは農林中金のコンピュータが、農協から送られてきた申し込み用紙のデータを読みとって診断し、その結果は「生活設計提案書」として直接あなたのもとへ郵送される。あなたは、これを参考にわが家の生活設計を組み立てていくことができる。

診断料は今年の十二月末まではテスト期間につき無料サービス、来年からは百円ぐらいとなる見込み。

ものはためし、新年を迎えるにあたり、あなたも一度、コンピュータにおうかがいを立ててみませんか。

改善がのぞまれる貸し付け相談

農家に農協の貸し付けについてどんな希望をもっているだろうか——農林中金が全国各地の農家約千戸について調べたところによると、こんご一年間に新たに農業経営に資金を投下しようと考えている農家は全体の約五〇%、そのうち土地の取得を計画しているものは六・五%で一戸平均約百万円の借り入れを予定している。また生活改善資金を必要としている農家は全体の三七%、そのうち住宅の新改築を計画しているものは二一%で、平均六五万円の借り入れを予定している。

農家が資金の借り入れを行なう場合、九三%の人が農協に相談している。しかし、農協の相談態度を「親切」と答えた人は三六%しかなく、相談の結果について「満足」と答えた人もすくなかった。また借り入れ手続きが「むずかしい」とか「おそい」と不満をうったえている人が一五%ほどあり、農協の貸し付け相談の改善や強化をのぞむ声が多い。

これからの要望としては、農業資金貸し付けの積極化と、中長期資金の貸し付けをのぞむ農家が最も多い。それについで相談機能の充実（三三%）、住宅融資（三〇%）など。

農林中金では、この調査結果をくわしい報告書にまとめて全国の信連、農協に送り、こんごの貸し付け業務改善のために役立てることとした。（総務部）

家族と家族関係〈3〉

膝つきあわせて
話しあいの場をつくる

大妻女子大学教授 山本キク

一方身体的にも、日本人はイギリス人ぐらいまで体位（身長、体重）が向上する可能性があるという学者もあります。こうなると現在および将来の親たちは、日本人の体位をよくし、ずっと頭脳の発達した子どもを育てることを目標としなければならないのであります。

アメリカの家政学では、すでにこのような考え方をとり入れて、家政学を人間の発達学とし、「家族の可能性を開発する」という研究科目をもつ大学もあります。終戦後、日本人の体位は向上したと喜んでおりますが、これは世界的な傾向であるということであります。そうなると日本は、従来の遅れをとり戻し、その上、さらに向上をめざさなければならないことになります。

頭脳の働きについても、日本人は素質がよいといってばいられないものがあります。それは働く頭脳は遺伝（素質）だけでできあがるものではなく、環境が大きく影響を与えるのであります。そして家族は互いに環境として影響しあい、夫婦間、親子間の影響は特にいちじるしいことを頭において、互いによい刺戟を与えあう生活のくふうがたいせつであります。

現代は家族間でも、指導者と指導を受ける者との間でも、ほんとうにふれあう機会が少ないというのが一般的な見方であります。それは仕事が忙しいということもありましょう。教育や普及事業などのマンモス化、広域化の問題もありましょう。レジャーの社会大衆化の問題もありましょう。

しかしこれからは、少人数でほんとうに膝をつき合わせて、赤裸な人間と人間とのふれあいの場、話しあいの場を持たなければならないと思います。何といっても、人格と人格との愛情につながるふれあいは、親しい接触の雰囲気の中で得られることが多いのであります。知識は講演、テレビ、ラジオなどでも得られますが、人格としての刺戟を受けることはむずかしいと思います。

愛情を受け、かつ与えるということは、人間の基本的欲求で、人はその芽ばえをもって生れるのでありますから、その芽をまず育てるのは、何といっても両親、家族の任務であります。それから友だち、学校、社会ということになりましょう。ところが、現代の過保護で育った子どもたちは、愛情を受けることを求めて、与えることを知らないのが多いのであります。

また、受けた愛情に対する反応を示さないのであります。つまり受けた愛情に対する感謝・感激がうすいのであります。ここにも夫婦・親子の離間の原因があるのではないかとも思われます。欧米の家庭では、子どもにまず「Thank You」と「Excuse me」という言葉を覚えさせるときいています。アメリカの民主主義教育の一項目に「社会的感受性」（Social Sen-sibility）を養うこととありますが、このことは家庭人としても、社会人としてもきわめてたいせつなことであります。

イ、家族は馴れあうことが多いために、親近感が強いが、わがままも出やすい

家庭は、物的生活と心的生活とのからみあった生活であって、家族は毎日の生活で、全面的にふれあっているので、自然に理解しあい、親近感も増すわけで、理解のあるところに、思いやりもあり、心から心に通ずることにもなり、真の協力もできるわけでありますが、かえって欠点が気にかかったり、慣れっこになってわがままが出たりという場合があります。

そこで求婚期、婚約期は、本人同士また双方の家族とも互いに知りあう期間として、重視されなければならないのであります。デートの中止、婚約破棄は望ましい結婚のためには、やむを得ないことと考えられます。「The girl and hes home」という本に、「家庭の幸福は、家族全員の協力によらなければ得られない。しかし、ただ一人の力で幸福が破壊される」とあります。

なお、家庭については、ウ、子どもを生み育てる場、エ、衣食住・休養などの生理的生活の場、オ、家庭は私生活の場としてプライバシーが守られ、また集団生活の場として、共同生活体としての条件が必要である、カ、家庭は教養の基礎をきずき、人間形成の場、キ、家庭は社会の一単位として重要な役割を果している、ク、家庭は環境に適応し、時の流れの中に生活しているのです。

（『農村青少年教育』第六号）

結婚後も集りを
愛知の第八回農業者会議出席者 「やつで会」開く

【愛知県＝井村明美通信報道員発】愛知県において、第八回の全国青年農業者会議に参加した九名のクラブ員たちは、会を作っているが、このほど、三回目の集会を開いた。

彼ら九名のクラブ員は、互いに励ましあい、助けあいながら、巡回ノートを回し、それぞれの現状や悩みなどを相談しあっていた。巡回ノートだけで、県下各地にバラバラに分散しているという距離的に不利な条件を克服して団結、すでに過去二回の集会を持ってきた。

九名のうち一名が結婚、そしてもう二名も近く結婚する予定になっている。結婚後も夫婦で出席、年三回の集会を持ち、同じ農業仲間として、話合いを続けたい、いつまでも、友情をきずなとして結びつきを深めて行きたいとしている。

いままで、この集まりに名称がなかったので、第八回の農業者会議にあやかって、「やつで会」と命名された。この日、豊橋で、ガスも包丁もない会場に、自分たちが持ちよったバーナーや包丁で料理をし、ゆっくりと十分に話合いが行なわれた。

また、来年の正月には、この九名が再び集まって、年頭に当って、それぞれの抱負を語りあうことにしている。

町民へのPR 運動会 文化祭

香川県満濃4Hクラブ 松園雅彦

課題と取組んだ動機

私は大変クラブ活動に関心を持っているから

計画と資金

桧の造林などのような、クラブ員ができる範囲のアルバイトなどをして、会費または資金に当てる。

実績をかえりみて

運動会、文化祭において、クラブの存在価値を示した。

今後の計画

クラブ員誰しもが楽しめる運動を取入れ、広く農家の人達と一緒になってやれるものを入れる。

活動の内容

クラブ活動において、マンネリという言葉を良く耳にする。毎年毎年同じ行事、活動の繰返しばかりやって、その一年の活動にあまり進歩も変化も無い集りのことである。誰しもこれではいかんと考えていると思う。そこで私達の地区においても、このマンネリ化から脱皮しなければいけないということで、何か毎年新しい気持でその年度の最初に今年の目標、これを決めて今年は皆この目標を目指して活動して行くというように、一年間あるいは二年くらいで達成できる目標を作って、今後のマンネリ化からの脱出を考えました。

全員が目標へ 一丸となって

その最初の今年は、目標をまず私達の4Hクラブを、町民にPRしようではないかということで、大きな所で運動会、文化祭などにおいて、4Hクラブの存在価値を示そうと、運動会では仮装行列を、文化祭では一部屋を4Hクラブの部屋として、資料を展示しました。そうすることにより、自然とPRにも、クラブ員の知識向上にも、また、一番農家の問題点である仲間作りにも、大いにプラスになりました。

文化祭という一つの目標を持つと、クラブ員全員が目標に一丸となって取組み、それを無事成し終え、町民より好評を博しました。この時の気持は、全く言い表わせないくらいです。このようにして、クラブがだんだん向上するにつれて、活動ばかりではいけない、自然、今度は運動的なものを取入れようではないか！ということになり、私達クラブ員は、毎月十五日を農休日として、この日は農家全部が農休日を楽しもうと、運動を目下進めています。私達のクラブは、毎年毎年、より良い仲間とのスローガンで活動しています。

農村雑感 農協

折原俊二郎

H氏の住宅は都心にあるが、近く高速道路が出来るため、立ち退きを迫られている。H氏は年齢的な面から、この機会に田舎に引き込みたいと考えた。これまでのH氏は農業に関した仕事を長いことやってきた。

そのため田舎に引き込んだら農協にでも勤めて、最後の奉公をしてみたいということであった。

或る日、このことを家族に相談した。ところが、日頃おとなしい娘さんから猛烈な反論が出た。その反論の理由というのは「農協などにお父さんが勤めることになれば、私はとてもはずかしくて、今の職場に勤めておることができない。肩身が狭くなるので、農協だけには勤めてもらいたくない」ということであった。

H氏はもともと農村に生れ、農村に育った人である。そして一生の仕事として農業問題に手をかけてきた人である。それだけに農村の実態を知っておるし、農協の在り方にも関心をもってきた。そのため、農協という職場に入ることについては、何等抵抗を感じていなかった。

田舎に帰って農協に勤めるということは、特にむずかしいことでもないし、まして、自分の仕事を見ている自分の娘から、猛烈な反論が出るなどは予想だにしていなかった訳である。

しかし、都会で育った娘さんにしてみれば、テレビや新聞、雑誌などでさかんに伝えられている農協のイメージしかない。こうした娘さんの認識、それはひいては都会に住む一般社会の人々の認識でもある。まず、農協といえば広く海外まで知られる金持の団体である。その反面、礼儀の知らない代表的なものという印象を強くもっている。

一種の新興成金という蔑視の見方しかもっていない。ですから、娘さんにしてみれば、そうしたところの職場に自分の父がおるということは、たまらなくいやでならないらしい。

農業をやる人が、広く海外に足をのばし、世界の様子を実際に見てくるということは、今後の農業を進めるうえで欠くことのできないものである。海外旅行といっても、その本意はこうした重要な意味を含んでいるはずである。しかし、一般社会の人々は農協という海外視察旅行団としか考えていない。農協の宣伝が効果を発揮すればするほど、農協の評価は低下していく。

いったい、このようなことになったのは、誰の責任だろうか。或る人はマスコミが悪いのだという。確かに、マスコミの取り扱い方が片寄っているといえよう。しかし、反対があれば賛成もあるのが社会の通常、ところがどのマスコミも相談しているかの如く、同じ内容で伝えている。とすれば、それは何を物語っているのだろうか。

文字や言葉に現われない根本的なものが、裏にあるように思える。だとすれば、農協に対するマスコミの不認識ということで、一方的に決めつけることが果して正しい解釈であろうか。反省してみる必要があるように思う。

何故このようなことをいうのかといえば、農協という一般社会のイメージを通じ、善良な農民まで、何か異質な人として取り扱われるようになることは悲しいことであるし、そうあってはならないと思うからである。

（農林省・農業者大学校）

サボテンのことなど

佐賀県三谷4HC 田島彰一

いま夕刻、仕事を終え一人いすにかけて、サボテンを見つめる。

私の家のサボテンは、もう百年を越していると思う。……私の見上げるサボテンは、前向きに素直に天を向いて伸びている。風が吹き、雷が降り、霜が降りて折れようと、また新たにより多くの葉をつける。

サボテンの面白い点といえば、一つの葉から大きくなってゆくわけだが、一つの葉だけが大きくならないで、次々に新たな手「葉」を作ってゆくということだ。そしていままで葉だったものは幹となる。

……私は思う、我々は忘れてはいないだろうか。すべてに基礎が大切であるということを……、その基礎というものは、何によって得られるのかと考えてみると、外へ目を向けることによってである。私達は太良町の住民である前に日本人であり、そしてさらに人間である。よって人間の社会へ目と体を向けるべきだと思う。私もサボテンに見習いたいと思う。

社会へ「天へ」うで「葉」を出し、そしてそれを一つずつ充実させていく姿を。

どんなに伸びても、天を支配することはできないけれど、ゆっくり確実に伸びていく姿を。

一つの蓮種が完成すると、すばらしい心、大きな花を咲かせる姿を。

そして、サボテンの花の私をひきつける姿を。（佐賀県藤津地区4Hクラブ連絡協議会「四つ葉ふじつ」創刊号より）

熊本県連で8、9日初の4H祭

【熊本】熊本県農村青少年クラブ連絡協議会（会長・野中鉄男君）は、来る八、九の両日熊本市の県立図書館ホールを主会場に初の4Hクラブ祭を開く。

農産物の即売を通して流通機構の学習を行なうと同時に、民泊によって仲間づくりを進め、地域社会の理解を深めようというのがねらいで、市内の住宅団地でクラブ員が作った農産物を安い値段で即売したり、民泊交歓をするなどのスケジュールが組まれている。

生活 もの知りコーナー
◆ストーブの手入れ

燃焼筒の空気を吸い込む網の目のようなこまかい穴に、ホコリや煤がたまると、不完全燃焼してにおいが出ますから、歯ブラシの古いものでも使っていねいに網の目のほこりをとり、あとは乾いた布でふいておきます。

ガスストーブでは、ガス穴がつまっていることがありますから、先のとがったものでよく穴をあけて、まわりをやはり歯ブラシのようなものでこすります。ついでにスケルトンの煤もとって、金属の部分はみがいておきましょう。こうしておくと、たいてい気持よく燃えます。

手入れのさい手がよごれると、煤はなかなか落ちませんので手袋をするわけですが、軍手のようなものは、よごれが中にはいってしまうことがあります。使い古しの皮手袋があると、いちばん理想的です。手袋、ブラシ、布などひとまとめに空箱を入れて、おっくうがらずにときどき手入れをすることは、器具を長持ちさせる上からも、熱効果を高める上からも大切です。

4Hくん No.224 桜井はじめ

プロジェクトの進め方 《16》

優れたものを持て 正しい生活態度養なう

いままでいろいろなことを申しあげましたが、総体的にまとめてみますと、4Hクラブ活動というものはどういうものであるか——4Hの誓いでいうように四つのHがある。あるいは、四つのHをとおして最終的に、なにを求めていく集団なのであるか——。

4Hクラブの性格

私は話しの中で学習的性格が強いといったが、しからば4Hは、学習集団であるか——といえば、私はそれだけはない——と答えます。もちろん学習的な要素もありますが、そういう受身だけでの研修する場だけではありません。では研究をする、集団なのか——そうでもありません。農研クラブや米のグループという性格だともいいきれません。

では、儲けるための経済集団か——それだけでもありません。4Hとは——いかなる集団で、4Hの中心となるものは、なんでしょうか。

それは、いかなる事態に直面しても、正しい判断をすることができる力をつくるということであります。そして、新しいことを生み出すことのできる創造力、この二つを4つのHをとおして養なうことを目的とした集団であります。

その最終的な目標に到達するために、一つは提案活動があり、また、宿題活動もある——もちろん提案活動や宿題活動の中の内容は、いろいろなテーマ、問題を扱っています。要するに、ためになるものならば、なんでもテーマになっていきます。そして、若い人たちですから、楽しみ仲間という性格もあります。しかし、レクリエーション集団とはいえません。

ためになる活動とは、場合によっては、経済的活動であるかもしれません。また、行事活動なり一般活動もあります。そして、お互いがしあわせになる楽しい生活を送るために、お互いが手を取り合って地域の仲間としての活動もあります。また、ハウスを作り野菜を栽培する、酪農にとり組むということから知能集団、機能集団にもつながっていきます。

また、人と人が集団をつくる場合、ものとつながる場合と精神的につながる場合がありますが、心でつながる意識結合があります。ものと心でつながる、こういう性格があります。そして、それらの活動の究極は、自分のための問題であります。自分のためということは、正しい生活態度をつくるということであります。

そういう自分のために、正しい生活態度をつくるということは、ひいては、家族のためになり、地域のためにもなっていきます。そういう自分になるために、お互いに力を合わせていかなければなりません。で、しかも若いみなさん方ですから、できる限り広い視野で、ものごとを見極めるということが大切です。

4Hクラブ活動というのは、以上のような性格のものであると思います。そして、これらの性格を軸にして、四つのHが輪を描いて回っていく、こういうものであります。

また、キャッチフレーズ的に4Hとは、なんぞや、4Hとはどういうことを謳っているかということは、一言でいうならばこういうことがいえると思います。「だれよりも優れたものを一つ持て」ということであります。

みなさん方の4Hクラブ時代というのは、長い人で五～六年、短かい人で二年くらいで終ってしまいます。これは、人生全体からみたら、ほんの一コマであります。その一コマを、どう生きようと、それは、その人個人の勝手ではありますが、しかし少なくとも自分のために、社会のために、歴史の一員として責任を果す自分になるためには、このわずかな二年ないし五年の間に、だれよりも優れたものを一つ持つぐらいの努力をするぐらいのことは、やって損なことはないと思います。どうか、これらのことを理解したうえで、今後の活動に励んで下さい。

以上で終りますが、プロジェクトを一つの柱として、4Hクラブ活動について、お話しいたしました。（おわり）

（栃木県・専門技術員、湯浅甲子氏の講義から）

十六回にわたって掲載しました「プロジェクトの進め方について」は、今回をもって終了させていただきます。なお講義の途中、内容を一部省略させていただきましたことをおことわりいたします。（編集部）

私のプロジェクト

私たちが考案した 男女ペアの作業着

兵庫県神戸市兵庫区淡河町　北神戸農業青年クラブ

竹中貴美子　中西喜志子　中谷　好江

研究通して連帯感が

既製作業着はイヤ 個性、機能性を考えて

私たちの住む神戸市は、兵庫県庁の所在地で、人口百十一万人、貿易額は全国一の神戸港を有し、裏には六甲山地を望み、清酒で有名な灘があります。

私たち北神戸農業青少年クラブは、有馬温泉の西北、六甲の裏側に位置し、山田、有野、道場、長尾、大沢、八多、上淡河、淡河の地区からなり、約六十名のクラブ員を有し、それぞれが酪農、蔬菜、養鶏、花卉、生活の五部門に属して活動を続けています。また、昭和四十二年には、農業研究集団として、農業および農家生活に関する活動を積極的に実践し、地域の発展に寄与したことに対して、農林大臣から栄誉ある賞を頂きました。

生活部の今年度の活動計画は、これまでのマンネリ化したものを一新するため、仲間づくりから一段階上の研究心を養ない、実践的な部活動を進めていこうということに決め、その重点を各部間の仲間の経営状態の視察勉強と、プロジェクト研究におきました。そこで私たちはプロジェクトの課題選定にあたり、身近な問題である作業着の改善「男女ペアの作業着」を選びました。

男女がペアの作業着で一緒に働き、汗を流せるのも、農業に従事する私たちの楽しみの一つではないでしょうか。

最近の作業着は、手作りより、市販のものに頼られすぎており、作る喜びや、着て楽しむことも少なく単一的なデザインで、着る人の個性や機能性も、まったく無視されていることがわかります。そこで市販されている作業着について調査したところ、次のような不便な点や改善しなければならないことがわかりました。

一、他の外出着には経費をかけているのに対し、作業着にはあまり経費をかけず、おろそかにしている

二、機能性が低く、生地が適当でない

三、紺色の場合、色が落ちて下着が染まりやすい

四、身体に合わないのに既製服で間に合わせている

五、デザイン、色合いが若向きでない——以上の点があげられました。そこでもう一度、作業服を考えてみようということになり、まず生地の選定にあたっては

①激しい作業に耐えられる丈夫なもの②洗たくに耐え、縮まず色が落ちないもの③汗の吸いとりがよいもの④軽くて風通しのよいもの⑤汚れの目立たない色合いのもの——などが考えられます。

これらの生地をもとにしてのデザインおよび改善点は——

上着（女子）　袖丈は長めにする・袖山を低くする（腕を動かしやすくするため）・袖口をゴムにする（調節が出来るように）・衿はファスナーをつける（普段は折っておき、作業時にゴミが入らないように上までファスナーをしめる）・ポケットは袖にもつける（アクセントと機能性）・後身頃はヨークをとってタックを入れる・背丈を長めにする・ウエストにゴムを少し入れる（動作しやすくするため）

男子の場合　肩のゆるみを女子より少し多めにとる・ポケットはウエストあたり二つと、胸に左右一つずつ

スラックス（女子）　また上にゆとりをもたせる・ベルト仕立・ゴム仕立・すそはストレート（ほこりがたまらないように）・すそに中からひざ当てをつける・ポケットは後に二つつけ上ぶたをつける・胸当てのひもは調節が自由にできるようにバックルを使用する（ひもは少し太めにして首あたりがよいようにする）・春先から秋にかけて着用出来るように胸あてとスラックスの取りはずしができるようにボタンホールを作る。

男子の場合　胸あてをつけない・全体的にゆるみをもたせる

以上のようなデザインで製作しました。

私たちクラブ員は、全員が農協や郵便局に勤めており、休日などを利用して活動しておりますが、この作業着の研究をとおしてお互いの連帯感がいっそう強まり、恵まれた郷土と周囲の人たちの温かい理解の中で、この研究の成果が大きく根をはり、成長していくことをしあわせに思っています。私たちはさらに活動をとおして自らを磨き、より立派な農村女性になるよう努力したいと思います。

▼全国大会で発表した竹中さんと作業着を身につけた中西さんと中谷さん

▶自分たちで考案した作業着を身につけて田んぼに立つ竹中さん

展示のあと即売会

三重鈴鹿農青ク 研究の成果展開く

【三重】鈴鹿市農業青少年クラブ（会長、瓜生和郎君）では"私たちの研究の成果をみてもらおう"と、さる二十一日、同市労働会館で「第三回農業展」を開いた。

同展示会には、一年間クラブ員たちが取り組んで栽培した野菜、お茶をはじめ、自分たちの趣味で作った花器、灰ざらなどの陶器、さらに女子クラブ員は、レース編みや羽織などの手芸品など二百種、千点余が出品され、農業改良普及員と市農協職員によって審査された。

同展のあと、即売が行なわれたが、一般主婦たちは、卸し値より安いとあって飛ぶような売れゆきで好評だった。

来年は町ぐるみで開く

山元町ク 初の共進会

【宮城県】宮城県山元町農村青少年クラブ（会長、阿部均君）主催の第一回農村物共進会が、このほど同町山下公民館で開かれた。

この共進会は、農業後継者の育成をはかり、地域の人たちからクラブ活動に対する理解を深めてもらおうというのがねらい。当日は、ダイコン、ハクサイ、キノコ、リンゴなど百余点が出品され、展示のあと即売されたが、アッという間に品切れになる売れ行きであった。この共進会は、初の試みだったが、予想以上の成果に「来年は一般の人たちの協力を得て、スケールの大きいものにしたい」と、町ぐるみの共進会を目ざして早くも張り切っている。

コンバインで実習田の稲刈り……

奈良・桜井4Hクラブで

【奈良県】桜井市4Hクラブ（会長、大井勇雄君）では、さる十七日、恒例の実習田の稲刈りを行なった。これはクラブ員三十人が出席して、コンバイン二台、バインダーなどを使っての作業で、黄金色に稔った水稲はみるみるうちに刈り取られていった。

この稲刈りは、新入クラブ員にコンバインの使い方も教える目的もあり、また、今年の収量を当てるクイズも企画されている。最も近い数字で当てた人には賞品が贈られる仕組で、総面積七十五アールに対し、収量三千七百㌔が予想されている。この収入総額は、約四十五万円が見込まれ、必要経費十五万円を差し引いた残り三十万円は同クラブの運営資金にあてるほか年末には施設の「飛鳥学院」を訪れ、持ち寄ったモチ米で、園児といっしょにモチつきをする計画を立て、その費用にもあてるという。

牧草地の施肥技術 （3）

チッソ全面散布で 養分収奪還元の釣合いを

牧草の栽培様式は、散播・条播・ドリル播・交互畦播などいろいろあるが、土壌が痩せていて、施肥濃度を高めた効果のある場合は条播がまさり、土壌がきわめて肥沃か、あるいは、多肥栽培の場合は散播がまさる。リンサン・カリは栽培様式にあわせて施用し、チッソは栽培様式には関係なく、全面散布をしてもその効果には大きな差がない。

種類	チッソ	リンサン	カリ	石灰	苦土
イネ科牧草類	0.4	0.1	0.6	0.1	0.1
マメ科牧草類	0.6	0.1	0.4	0.5	0.1
混播	0.5	0.1	0.5	0.3	0.1

牧草の養分含有率（生草％）

施肥配分、つまり年間の予定施肥量を全量元肥とするか、一部を追肥にまわすかは、土壌の肥沃性・肥料の種類および施肥量・牧草の種類・季節別収量などにより異なる。年間収量の増大には、牧草の生育適期に施肥効果をあげることが必要であるが、元肥にはリンサン、追肥にはチッソ・カリを重点的に施用する。追肥効果は、元肥量が少量のときほど高い。また、高温、早ばつどきの追肥効果は期待できない。追肥のやり方としては、一般には全面散布が多い。

牧草を播種するときに施用する一般的にいう元肥は、一番刈りの牧草に吸収利用される。一番刈り後の牧草生育は、元肥の施用成分量から、一番草中に含まれて持ち出された養分量を差引いた残りの養分量が働き、三番草には、一、二番草で収奪された残りの養分が働く、したがって、元肥に多量に施肥しても一番草の収量が多ければ土中に残っている養分量が少なくなるので、二番草以後の収量が減ってくる。

このように、牧草の収量あるいは維持年限は、気象条件などで牧草に生理的阻害要因のないかぎり、土壌中の養分含有量に影響される。したがって、草地の生産力維持は、収奪された養分と還元してやる養分とを常に釣り合いのとれたようにしてやることが必要で、このことが牧草栽培の基本的な考え方である。

施肥設計をたてる場合は、家畜の飼養形態、草地の面積および生産目標を、まずはっきりさせる必要がある。目標収量は年間総収量とともに時期別収量などに分けて考え、家畜飼養上、必要なときに必要な量を不自由なく生産するのでなければならない。また、施肥料の算定には各牧草の養分吸収量・施肥料の吸収利用率・天然の養分供給量などの基礎にする。

牧草の養分吸収量　牧草の養分吸収量は、牧草の種類・生育程度および時期・栽培方法・施肥条件・土壌・その他の要因によって複雑な違いを示す。したがって、厳密な養分吸収量を分析以外の方法で算定することは困難であるが、実用としては、表の生草中の養分含有率が一応の目安になる。

この生草中の養分含有率をもとに、牧草の収量が50、100、150トンの中の養分吸収量を計算すると、牧草の養分吸収量は、一般畑作物にくらべると、きわめて多くの肥料を要求することがわかる。

天然の養分供給量　施肥設計の作成において、もっとも問題になるのは土壌の肥沃性にもとづく天然の養分供給量で、この量はいろいろな要因が関連しており、養分吸収量のうち何％が天然養分から供給されるかを決めることは至難のことである。したがって、後記の施肥設計に示している、天然の養分供給量の数字は、あくまでも推定にすぎない。

施用肥料の吸収利用率　目標生産物中の成分含有量から、天然養分供給量を差し引いた成分量が、補給必要量となる。しかし、施用した肥料が牧草に全量吸収利用されることはきわめて少なく、この吸収利用される割合にしたがって、施肥量を加減しなければならない。

牧草の肥料吸収利用率は、牧草の種類および収量・施用方法・土壌の性質・気象条件などがすべて影響する。したがって、いかなる場合にもあてはまる数字をあげることは困難であるが、一応の目安として右表のとおり吸収利用率を示す。（草地研究会提供）

種類	収量目標（t／ha）	チッソ 初年目	チッソ 2年目以降	リンサン 初年目	リンサン 2年目以降	カリ 初年目	カリ 2年目以降
イネ科牧草類	50	60～80	50～70	20	10	70～90	70～80
	100	60～70	50～60	20	10	70～80	60～70
	150	60～70	50	20	10	60～70	60
マメ科牧草類	50	—	—	20	10	60～70	60～70
	100	—	—	15～20	10	60～70	60～70
	150	—	—	15	10	60	60
混播	50	80～90	50～70	20	10	60～80	60～80
	100	70～80	50～70	20	10	60～70	60～70
	150	60～70	50～60	20	10	60～70	60

牧草の肥料吸収利用率（％）

石灰チッソの効用 —上—

友広　勇

殺草、殺虫、殺菌力 肥料であり農薬である

見直された石灰窒素

最近石灰窒素のことで、質問してくる人が急に多くなった。質問は石灰窒素の農薬効果や使い方から、農薬として効くわけなど、農薬に関係したものが多いのに驚く。

おそらくこれは、最近農薬の問題がやかましくなっていること、とくに、農薬事故や残留毒性など、いわゆる農薬公害と関係があるように考える。一時、遠のいていた石灰窒素が、心ある農家に見直され、脚光をあびてきたといった感じが強い。

石灰窒素は、古くから苗代のユリミミズ、ザリガニ退治に不可欠であったし、ワイル病、日本住血吸虫の防除に、それと雑草の駆除に効果があった。農薬の効果を試験した成績も、古くから非常に多い。これが裏付けになって、昭和三十二年に農薬として登録され、以来、石灰窒素は肥料であり、農薬であることが、広く公認されていることはご承知であろう。

質問に答えて

さて、質問者の多くに野菜作農家の方、と見つけられたので、以下それに関連づけて質問に答えてみよう。

一、第一は「石灰窒素が農薬として効く理由」であるが、石灰窒素の主成分はシアナミド石灰、あるいはカルシウム、シアナミド（分子式＝$CaCN_2$）つまり石灰とシアナミドの結合したもの。これが土の中でシアナミド（CN_2H_2）と石灰（CaO）に分離（分解）するが、このシアナミドの毒性が農薬としての主役をなす。

これと石灰は、最初殺菌力の強い生石灰であるから一、石灰窒素の農薬性は、シアナミド＋石灰の相乗作用で、殺草、殺虫殺菌効果を同時に果すことになる。農薬と肥料を混ぜて、農薬肥料というのが市販されているが、石灰窒素は混合物でなく、それ自身肥料であり、農薬であるのが特長。

二、第二は「どんな害虫や病気に効くか」であるが、これは一応土壌病菌、害虫のほとんどのものに有効（害虫には忌避剤の場合もある）とみてよい。とくに、菌核、白絹、立枯、軟腐、腐敗、根腐れ、疫病病菌などに効果があり、くわの萎縮病、りんごモリニア病には、とくに早くから利用されていることはご承知であろう。試験の結果土壌線虫（根腐線虫）によく効くといわれ、地虫、針金虫、シントメタマバエ、貝ガラ虫、ナメクジと適用害虫は多い。

土壌線虫には、一〇アール当たり百キロ以上で効果があるので、隔年連作障害の防止に役立つ。

三、第三は「石灰窒素の毒性は土に残らないか」という質問であるが、野菜作農家には、残留毒性が敏感に反応していることがよみとれた。

石灰窒素のシアナミドは、土の中でだんだん分解して、尿素→アンモニア→硝酸（畑）に変わって肥料になる。シアナミドにくっついていた石灰は、土の酸性をなおしたり、消毒の役目を果すが、作物にとっては大切な肥料養分でもある。つまり石灰窒素は分解して肥料になるだけで、原物として残るものは全くない。

石灰窒素の農薬としての効き目は、土の中で分解し終らない前、シアナミドの残っている期間ということになる。普通は施して十日か二週間ぐらいたつと分解してしまうから、この期間をみはからって播種、移植することになる。しかも分解の期間は、温度の低いときは遅く、高い夏は早い。また、施肥量が多い場合は、少いときより遅れるし、畑の乾いているときは分解にてまどることがある。このほか土の種類などいろんな条件で、分解に遅速があり、農薬効果にも影響することになる。

さて以上で、質問者への紙上回答を終わるが、この機会に肥料について感じていることを、次回に少しつけ加えておくことにしよう。（つづく）

（日本石灰窒素工業会・技術顧問）

NHK農事番組（12月11日～20日）

テレビ

明るい農村　6・30～6・55総合

11日　村をむすぶ

12日　農村新地図　愛知県渥美町

14日　村の記録　五年目の水銀中毒（新潟市ほか）

15日　きょうの話題　災害の村から

16日　酪物往来　師走の市場

17日　話題の広場　放射線園芸

18日　村をむすぶ

19日　農村地図　千葉県君津町

農業教室　7・30～8・00　教育

11～12日　かんきつ　生産の課題

14～16日　果実の貯蔵と工加

17～19日　畑作機械化の問題点

あすの村づくり

日　7・00～8・00　教育

13日　▽過剰時代の米づくり

20日　▽チューリップと青年たち（京都府竹野郡網野町）

ラジオ

早起き鳥　5・05～6・00　❶

11～12日　現地報告　自主流通米と農民（宮城県下）

13日　話題の窓　やま場にきたみかん販売～多元座談会～

14日　現地報告　米の安売り合戦

15日　人と話題　味のよい米を求めて（福井県農試）石黒慶一郎

16日　通信員の手帳から

17日　人と話題　みかんの天敵開発（山口県農試）野沢悟

18日　現地報告　協業りんご園の十年（岩手県花巻市）

19日　村のポスト

20日　話題の窓　農薬使用の再検討

ラジオ農業学校　6・30～7・00　❷

13日　▽経営手帳　暴落するか豚肉市況▽バインダー導入の経済性

20日　▽優秀農家に学ぶ　電照菊づくり（福岡県八女市）上村茂

他の団体との比較

クラブ活動12ヵ月 新しいクラブ員を中心に <31>

栃木県・普及教育課 湯浅甲子

判断力と創造性だ 4Hがすべてではない

この春、卒業したが早いものである。今年も終る月を迎えた。この一年間、わたしは、月月の4H活動にできるだけあわせて、いろいろと書いてきたが、それが果して新任クラブ員や、その外のクラブ員にどれだけお役にたったかは、全くわからない。しかし、この連載も間もなく筆をおく月になったので、ここで、しめくくりを考えなくてはならない時と思う。

そこで、今までの執筆の中でわたしは一度も、4Hクラブとは何か、という問題を正面からとりあげなかったことに、お気づきだろうか。わたしは、敢えて、それに触れなかったのである。それでは、ここで、そのことについて述べることにしようとするならば、全国の愛読者はどう思うだろうか。

「もう大体わかったよ」「これ以上にまだ新らたな分野があるのかしら」といったつぶやきが、わたしに聞えるような気がする。じつのところ、わたし自身も、もう必要ないのではないかと思うのだ。4H活動の実際上の問題は、大体ふれてきたつもりなのである。ただ、一つ、とりあげてないのは、四つの日についてである。しかし、これについても、日本4Hは、既に根強く、日本農村の青少年層に定着したし、また二十年余の歴史ができた。従って、4H信条は、もう既になんら矛盾なく、農村青年の心の中におさまっているのである。諸君も、先輩や、普及所から、信条を渡され、そこに何の疑問も抱かずに4H綱領として唱えているわけだから、今更、改めて解説の要はあるまいと思う。

要は、十一ヵ月にわたって書いてきた内容が、ひと言でいって4Hなのだと、理解をしてほしい。

さて、それはそれでよいとして、4Hクラブを見定める方向を、農業青少年が加入している他の各種集団と対比する形で、明らかにしてみようと思うのである。

4Hクラブは、青年団や、出荷組合と比べて、どんな特色があるのだろうか、という角度で、4Hクラブを再確認してみようと思うのである。そこで、その比較論に入る前に、誤解を防ぐ意味で、次の前提を、まずご理解いただきたい。

その一つは、比較しやすくするために、他の集団と同じ条件をもつ部分は、敢えて削除するが、決して、4H活動のすべてが他集団と全くちがうものと考えることのないように願いたい。

その二つは、日本4Hの歴史的過程から考えても、また、今後の発展を期待する面から考えても、4Hクラブは、青少年の成長に役立つような機能を、すべて備えているものではない。従って、一人の青年が、4Hクラブに加入してさえいれば、他集団には加入する必要はないと考える考え方は間違いである。或る方がこんな例えで話していたのを聞いたことがある。

「野球チームは、野球に強くなるために野球に専念するのが本当だ。野球チームが、野球をやっているうちに、いつの間にか、サッカーになってしまったというようなチームでは困る」と。4Hクラブは、なんでも屋でなくて、専門店だということである。

それでは、4Hクラブを、青年団と出荷組合と比べて、特色を浮きぼりにしてみよう。

1、人の結びつき

❶4Hは、農業を生涯の職業として、その仲間、有志が意識で結合した集団(やる意)の面とみてよい。最近では農外者が入ってきたり、女子クラブ員の確保のために、ワクを拡げていく傾向がみえるが、それにも限界を考えないと組織の一番大切な内面構造にヒビが入るおそれがある。

❷青年団は、社会の有為な構成員としての素質をみがきあう集団だから、該当青少年は、できうる限りもれなく参加することが望ましく、いわば網羅的な地域の結合体といえよう。

❸出荷組合は、同じ生産物をできるだけ有利に売りさばくことを主眼にして活動する経済結合集団である。だから、経済圏の変動に従って組織も伸縮し、有利性が、組織をまとめる唯一の力である。

2、活動の目的

❶4Hクラブは、問題解決のできる生活態度を作ることが、主眼である。プロジェクトを重視する理由もそこにある。今後の農業や農家生活に、どんな問題がおきてくるか、何びとにも予測はできないが、何がおきても、正しい判断を下し、創造性を発揮して、前進しうる能力を培うのである。

❷青年団は、地域青年の全人格形成に、多くのチャンスを与える集団である。従って、活動内容は、教養、生産、体育、奉仕と多面にわたる。

❸出荷組合は、利潤追求が、最大の目的である。利潤のためには、手段をえらばないから、時には、その矛盾が、自分を追いこんでしまうことさえある。

12月

青春仲間

北海道連座談会

結婚! そろそろお年ごろ

二十歳の希望

【北海道＝赤松宏道連絡報道員発】北海道4Hクラブ連絡協議会(会長、奥村秀宏君)では、八月、大阪で開かれた全国農村青少年技術交換大会に参加、今年二十歳になる仲間に「二十歳の希望」のテーマで、いろいろと語ってもらった。いわば、青春の素顔であり、未来である。

青年の像のまえの草原で結婚について語る

出席者

後志支庁管内	小松平哲蔵
渡島支庁管内	佐藤尋子
十勝支庁管内	有岡 繁
釧路支庁管内	佐藤心夫子
根室支庁管内	平井友子
網走支庁管内	吉野千鶴子
宗谷支庁管内	樋渡俊一
宗谷支庁管内	石塚麗子
司会(道連事務局長)	赤松 宏

来年は考えようかな お嫁さんには早いかしら

1

司会 皆さん御苦労様でした。今日は二十歳になった皆さん方に集って頂き、意義ある二十歳という年齢を考え、語ってもらいたいと思います。ところで、二十歳という年をどう感じますか。まずは平井さんから。

平井 二十歳ですか。(無言のままてれる)

司会 女性であればお嫁に行きたいとか、周囲がさわぎ始めるとか、はずかしい、そんな年頃ですか。他の女性の方は。

男性一同 何となく下を向きたい年頃ですか。フフフフ……。

佐藤 中学卒業後、二十歳になるまで親であるとか、先輩であるとかいった面から、研究や指導などを受けて来たが、近頃になるとそんな方面から離れて、試練の道へ旅出たされる様な感じがします。まあ、今のところ、二十五歳位になったら経営を受け継ごうとしています。これから五年あるがその間、短い期間であるが凹ったものを、つぎ込んで行く覚悟です。今、この二十歳という年齢を"受身学"から訓練の場への出発としてもって行きたい。何年か後の自分の素晴しい姿のために。

山川 二十歳になると知りではお嫁になんかといったいい方をしますし、現に言われたことも有ります。でも、自分ではまだ、早いような気がします。もっと大人になってから行きたいです。二十歳になったからってすぐ大人になれるというわけじゃないしね。いろいろな世の中の事を知りたいし、やはり不安なところがあります。何か二十歳と言われると少しはずかしい感じがしますね。

佐藤 昨年、高校を卒業して、まだ、二年で、今、遊び盛りなんです。二十歳という年をまだ、あまり考えたこともありませんが、二十一、二歳になったら、来年あたり考えてみようかと思っています。

一同 二十一歳になったらお嫁に行くの!(佐藤さん下を向いて顔を赤らめる)

石塚 私の場合は中学校を卒業し三年間、洋裁の方を勉強して来ましたが、何と言おうか、実際に農業を一年半近くやって来たんですが、今までの農業のあり方に対する何かの不満、不安に対し反発を感じ、入って来たような感じがします。こんな言い方をすると両親にしかられるかも知れないかな。内緒にしておいてね。(一同笑う)

2

女性「私をお嫁に貰って」 男性「奥さんは家事を…」

司会 まあ、人間は何かに対しての反発であるとかが、力強い闘志として行動を作り出すものであると思います。有岡君の場合は?

有岡 二十といってもまだ三ヶ月ありますが、昨年、高校を卒業し、農業学園の高等科へ入ったり、青年会や4Hクラブに入っていろいろ行動しています。特に二十歳を意識してそれらの活動をしていませんが、若いうちに何でもやってやろうと思っています。そんな気がまえが人いちばいあると思います。何でも見てやろう。この集りにもそんな意味が含まれています。現在を素晴しく生きたい、今年の場合は二十歳という年代を素晴しく生きるということかな。

渡辺 今のうちに、若いうちに特に研修なんかに出れるうちに出ておこうと思っています。経営なんかまかされるようになると無理だしね。まあ、二十歳という年齢にかけてですか。

樋渡 十六～七歳の頃から先輩の二十歳の姿を見て非常に素晴しく感じて来たが、今、自分が二十歳になってみてどうかといわれた場合、子供っぽくて未熟なんだよね。まだ、なぜ二十歳になってもこんな姿なんだろうかと不思議な位です。

所得税も払っていることだし、頑張ってやろうかなんて思っているんだが、二十歳になってどうだと言われても、法的に二十歳になったという感じしかないんです。ただ今まで生きて来た延長で行きたいと思っています。この場で先輩達と比較出来、自分を反省する機会を得たことを二十歳の収穫にするとしたら、出来ると思います。

司会 次に結婚の年代になりますと家庭、その中における人間関係とかに非常に興味を覚える頃と思います。現に私自身も興味を持ち、いろいろ考えたものです。みなさん方の、考えを聞かせて下さい。

佐藤 そうだね、今のオヤジオフクロの夫婦を見ていて、それなりに良いところもあるがね(どんなところかな?)、でも、その反面、まあ、親達はどう考えているか判りませんが、私なりに常に評価しています。そして、その反省、改善すべき点を抽出し、それを良くし、考えたものを、自分の理想的な家庭作りの根底に流れるものにしていきたい。親達の生活は、僕らの生活の基礎と思っています。僕の理想かも知れませんが奥さんは家事に専念してもらい、また余暇を家族ともども楽しめるような環境を作りだしたいと思っています。

(私をお嫁にもらってくれないかなあ、私好きだね佐藤さん——参加女性一同曰く)

小松平 まず、二十歳になったということで、親達が仕事などの面で責任をもたせるようになって来たようです。一つは役割を分担するといったような方法です。家族、家庭の中における、自分の位置づけというものがなされることによって、張合いが出て来ます。むしろ自分ばかりでなく、家族全員がそんな中で一日一日生活して行きたいです。家族関係のすぐれていることは素晴しいものですし、第一の条件と思うし、それは自分の責任であると思う。迎えるお嫁さんのためにもね。

オヤジ主権を排す

有岡 事あるごとに言っているんですが、精神的労働を奥さんが肉体的な労働は省力化して、自分がやる時には忙がしい時は多少は応援を願うといった位に、アメリカ型の考え方、方法が必要だと思っています。高校時代、あるパイロットファームの姿を見て特に感じています。

司会 有岡君から、今までのようなオヤジ主権の農業から、共に助けあって行くという素晴しいビジョンが打ち出されましたが、この辺で女性の方ですが、それらの考え方をどのように受け入れていくか、という点に入りたいと思います。また、こんな男性であれば良いとか、こんな男性とビジョンを語ってみたいだとか、求めてみたいとか、理想のものがあると思うんですが。

家族と家庭大切に

平井 私はようするに一生懸命仕事に、何事にもあたれる人であれば良いと思います。

司会 何事にも一生懸命あたれる人なら、どんな人でも良い(一同笑う)。それまでとはいわないにしても、平井さんのキラキラ輝く瞳には彼の面影が浮んでいるような気がします。もうこれ以上聞かないようにする。(ごちそうさまでした)

山川 やはり、仕事に情熱をもっている人がいいですね。でも仕事、仕事と、それはかりにとせこせする人はいやです。心にゆとりをもって家族、家庭を大切にする人であってほしい。やさしい人ね。それが理想かな。

(どうかな、小松平君は!?意見があっね?)

お知らせ 座談会特集のため、「農村雑感」その他は、二面へ移しました。

3

町議も半数は女性に

佐藤 農業の場合は、今のところでは一般的に共稼ですよね。理想と云えば先に誰かも云ってましたが、経営の方は主人にまかせて、私は家庭の中で家事一般や育児などといった仕事をしていたいですね。

吉野 人生に生きがいを感じている男性は魅力ですね。(ウウン……一同) もちろん農業という立場で力を発揮してほしいが、それにも増して、広い立場に立って行動の出来る人間性を持ってもらいたいと思います。

司会 それでは私のような感じの人間ですね。まあ、冗談はさておいて、今度は男性の立場として、女性の理想の姿というものを聞かせてほしいのですが。

樋渡 その前に一言云いたいのですが、女性は家庭にとじこもってはいけないと思う。むしろ経営にどしどし参加してもらいたいと思います。それは労働面ではなく簿記であるとか、労働簿であるとか、記帳をしてもらったり、社会における外務的な行動をしてもらいたいですね。現在なら町村議員にしても、農協の理事にしても、ほとんどは男性であるが、半数ぐらい女性の村議があるとか、町議であるとか、組合長が女性なんていうふうになってほしい。これで理想的な女性といったら、高く言えばきりがないことですが、まず人間として第一印象からいって女らしい人ですね。

司会 "女らしい人"それはそれぞれその言葉の難しさと言うものは女性自身みんな知っていると思います。また、男性においても女性から言われる"男らしさ"という陰に、みんな泣いたり笑ったりしていると思います。今、ここで話すというより、二十歳のプロジェクトの中で、課題の中でもっと勉強してほしいような気がします。まあ、この問題はこの程度にしておきましょう。次に、農村と結婚について話してみたいと思いますが、自分達を含め、周囲を見つめどう思っているんだろうか。見合結婚がかなり多くの数を含めるという点も考えて。

4

相手は本人次第ね 見合には見合の味が

渡辺 まだ考えたことがないんです。みんなのことは判らないんですが、自分の気持がはっきりしないせいか、心にある人にも、素直に表現出来ません。はっきりいって結婚というより、むしろ、まだ目うつりのする時期です。(選定期と表現しようか、一同)

佐藤 初恋の経験あるんだが自分でお互いに通じあうものがあって、それをはっきりつかんだ時、どうしても男の人というものは言いたがるものです。僕の場合は、そうであったんだが、女性の場合は逆に、そういうものをあたためたいというか、心に秘めてもっていたいという気持があると思うんです。そんなことでこわれ易い結果が多いようです。恋愛では、あまりまとまりにくいんでないですか。年をとっていっそのことてっとり早いといった具合になるんじゃないかと思うんです。

小松平 恋愛にこしたことはないと思いますが、見合も、見合の味があると思います。むしろ中味と言うより出合いにあると思います。内気な僕らに(一同ニヤニヤ)とっては、この上ない方法だと思いますし、見合後の方法を考えると結構なものではないですか。

有岡 昨年でしたか、僕の町連協でアンケートをとったことがありましたが、その一部でこの問題に触れていました。ほとんどが恋愛結婚支持でしたが、現実的に僕らの周囲を見たら、ほとんどが見合結婚なんですね。組織というか、地域の中で恋愛の発展を阻止しているような要素があるんじゃないかと思うんです。

樋渡 自分の好きな人と結婚するのが本当だと思います。その選定の過程に、恋愛あり、見合があるのだと思います。恋愛、見合、気にすることのないように思いますが。

司会 ところで結婚の対象として農村の男性はどうなんですか。女性諸君!?、本当のところを聞せて下さい。

山川 私は学校を卒業して一年間、他の仕事についていました。昨年まで、農家にいるよりは、勤めていた時の方が良いように思っていましたが、今では全然、わからなくなってしまいました。よく結婚するなら都会へ行くか、農村へ行くかと聞かれるんですが、都会でも農村でも、どちらでも良いような気がするんです。

(本人次第ですね 一同)

佐藤 私も、本人次第です。

平井 私の高校のクラスメートのうち家で手伝っているのは二～三人です。中には労力が余って出なければならない人もいますが。嫌って出る人も多いですね。私の場合は農業が好きで残ったんですから……。

司会 好きな農業と好きな男性のため一生懸命頑張って下さい。まあ、とにもかくにも、二十歳という年を有意義に使うことを確認して、今日のお話を閉じたいと思います。皆さんどうもご苦労さまでした。また、元気に頑張りましょう。

おわり

日本4H新聞

4Hクラブ
農事研究会
生活改善クラブ
全国弘報紙

発行所
社団法人 日本4H協会
東京都市ケ谷家の光会館内
電話(269)1175郵便番号162
編集発行人 玉井光
月3回・4の日発行
定価 1部 20円
一カ年700円（送料共）
振替口座東京 12055番

クラブ綱領

私達は、実践を通じて自らを磨くとともに、互いに力を合わせて、よりよい農村、よりよい日本を創るため、四つの信条をかかげます。一、私達は農業の改良と生活の改善に役立つ腕をみがきます。一、私達は科学的に物を考えることのできる頭の訓練をします。一、私達は誠実で友情に富む心をつちかいます。一、私達は楽しく暮し元気で働くための健康を増進します。

盛大に4Hクラブ祭
土佐山田4Hクラブ

【高知】香美郡の土佐山田町4Hクラブ（会長、小松俊一君）は、さる十一月二十八日、中央公民館で「土佐山田4Hクラブ祭」を開き、農産物の品評会や即売、意見発表など行なった。二十七日は前夜祭として町内をパレードした。

近畿で第7回の「つどい」

来年1月下旬、滋賀県で開催

意見発表や座談会
民宿、スキー教室も計画

テーマは「明日の農業を考える」

近畿農村青少年クラブ連絡協議会（会長、中村利男君）と全国農村青少年教育振興会（会長、東畑精一氏）は、来春、滋賀県で開催する第七回「近畿地方農村青少年のつどい」の実施要領案をまとめた。それによると、同つどいは、来年一月三十一日から二月二日までの三日間、滋賀県大津市の大津商工会議所、草津市民会館、高島郡今津町などを会場として開くことにしている。

これは、近畿の農村青少年が相互の親睦と連帯意識を深めるとともに、リーダーシップを養い、農業の将来を考えようというもの。参加者は約三百名を予定し、営農に従事している農村青少年であれば誰れでもよいが、できるだけ就農経験の深い人たちを歓迎している。

農協問題など討議

テーマに「明日の農業を考えよう」として①都市化に対応した農業のあり方②グループ活動の生かし方③われわれの農協のあり方④われわれのめざす生活設計―などを掲げ、次のような行事を計画している。

一、講演（講師は学識経験者）

一、意見発表（四つのサブテーマについて各府県代表が発表）

一、グループタイム（グループごとの自主的な話しあいや民宿による共同生活を通じて、お互いの親睦、融和をはかる）

一、座談会（意見発表をもとにお互いに意見を出し合い話しあう）

一、体力づくり（冬期スポーツの花形、スキー教室を開き、初心者には基礎を、経験者にはさらに進んだ技術を習得させ、体位の向上とリーダーとしての素養を身につけるようにする）

一日目は、大津商工会議所で正午からオリエンテーションに続いて開会式、講演、意見発表、このあと民宿に向かう。

二日目は、午前八時半ごろからロープウエイを利用してゲレンデに移動、箱館山スキー場で体力づくりとしてスキーを楽しみ、夜は同じく民宿、統一テーマに基づいて座談会。

最終日は、草津市民会館で座談会報告のあと閉会式を行ない、午後一時ごろ解散する。

なお後援には、近畿農政局はじめ滋賀県、京都、大阪両府、兵庫、奈良、和歌山各県、今津町、全国4Hクラブ連絡協議会、NHKを予定している。参加費は一人五千円。

リーダー研修
山口県連

行事追い本質見失う
日常の活動を内部から指摘
レクなど訓練積む

【山口県＝松尾耕助連絡報道員発】山口県農村青少年クラブ連絡協議会（会長、神田勝敏君）は、さる十一月二十六日から二十八日までの二泊三日にわたって萩市堀内にある萩青年の家でリーダー研修会を開いた。

農業の近代化を進めるためには、すぐれた知識とたくましい実践力をもった農村青年に期待されるところが大きい。そこで、自主的に組織し、自ら地域の課題解決に取り組んでいる農村青少年のクラブ活動を維持促進するため、将来組織の中核となるクラブリーダーを養成することを目的としたもので、県下十五地区から約四十名が参加した。

一日目　受付、開会式、オリエンテーションのあと、情報交換に入った。これは、各クラブ活動の現況やこれまでの活動において感じた疑問点を提起し、互いに意見を交換し合い、今後のクラブ活動の発展に役立てるというもので、参加者は三分科会に分れて熱心に討議していた。

夕食、入浴後の全体討議で各分科会の報告があった。どの分科会でも、一様にプロジェクト活動がうすれ、行事にこだわっていて内容がない。また、4Hクラブの目的がクラブ員に徹底していないから活動に参加する者も少ないなどが意見として出された。

続いて、フォークダンスの進め方に移った。これはフォークダンスを楽しく行なうために、場所、人数にあった選曲のしかたなどを学ぶもので、助言者として萩青年の家職員・本永氏にお願いした。県連役員の指導ではじめ、気づいた点などを助言者から指導を受けながら進行。参加者も真剣にメモをとりながら踊り、楽しいひとときを過ごした。

二日目　起床、洗面、朝食をすませ研修に移った。まず「話し合いの進め方」について。

最初にフィルムによって〝司会者編〟をみて話しあいの進め方を研究した。また講師として県普及教育課専門技術員、浜野氏を招き司会者としての心得などを聞いて、分科会に分れて実際に話しあいを行ない、参加者全員が司会者になって進行した。

昼食後はレクリエーション。レクリエーションを全員で実際に進めながらレクリエーションにおけるリーダーのあり方などを研究、体得しようというもの。最初に助言者の萩市中央公民館、宮本公民館主事からレクリエーションの意義を聞いて実施に移った。前半はゲームや歌、後半は野外活動として県連役員が司会、進行し、気づいた点、また進行する者にとって注意しなければならない点などの助言を受けた。

夕食、入浴後、フィルムフォーラムの進め方。助言者として田布施農業改良普及所柳井支所の木原博氏を迎え、フィルムフォーラムについての講義、また討議方法などもフィルムを実際に見ながら指導を受けた。

今回のリーダー研修会のフォークダンス、話し合い、レクリエーション、フィルムフォーラムなどの進め方においては参加者が全員リーダーシップを体得できるようやさしい基礎的な内容について十分トレーニングを行なうとともに実際の指導、進行は農村青少年クラブ連絡協議会役員があたり、講師、助言者から助言を受けるという方法をとった。

三日目　朝食のあと県の農村青年対策（農村青年活動推進方策と諸事業）について県普及教育課松本係長から説明を聞き、県への要望や意見などを交換した。反省会のあと、清掃、閉会式。最後に参加者全員がフォークダンスをして解散した。

なお、反省会で出た意見のいくつかを上げてみると次のようなものである。

一、この研修会において、4Hの本質ということをもっと深く理解したかった。

一、今、一番リーダーとして必要な問題を話し合ってみたかった。

一、研修会で学びとったことを思い起こして、もっと勉強をしてクラブに参加したい。

この意見を参考に、来年度の研修会はもっと充実した研修会にするよう役員一同張り切っている。

米作農民として思うこと
農政が強いのか、農民が弱いのか

栃木県黒磯市鍋掛　荒井丈雄

今年は米の一割減反が実施され、また来年は三割減反とか、転作しなければ奨励金が出ないとか耳にするこのごろですが、なんともやりきれない気持です。

聞くところによると、農林省の役人さんは十年も前に、今日のような状態がくることを知っていたというのです。しかし僕は、米が余るなんて想像もつきませんでした。つい昨年までは開田を奨励したり、一割増産だのと増産一色だった。それが今年になって百八十度も変わり、作るなというのですから、ショックもさることながら政治について強い疑問をもち、それとともに、自分たちがいかにのんきにかまえていたかがわかり、いけないなと気付きました。

なぜ、余ることが予想出来たのに、それなりの調整をしなかったのかについても、「米一俵は票一票」ということからして、たぶんに政治的考察からやらなかったといえると思います。この他にも理由はあることと思いますが、これ一つと取上げてみても、一見政治は弱いな、と思われがちですが、僕は、その反対だと思います。

現政府の基盤になっている農民は、政府を動かすどころか、逆に政府の思いのままに動かされているのではないでしょうか。なぜ動かされてしまったのか、その原因は私たち農民の考え方にあると思います。僕の地方でこうした現象が見られます。

「政府に売る米は、味よりも多収穫のもの、それも生脱穀の火力乾燥のものを……。そして自分で食べる米は、とれなくても味のよいもの、しかも稲架がけしたもの……」という具合です。

つまり、売るものと自分で食べるものとに、差をつけているのです。しかし、なんともケチな考えだと思うのです。米は政府に売るのじゃなく、消費者に食べてもらうのです。米も商品であり、売れなければ経営は成立ちません。あまりに食管制度を悪用していると思います。このままでは、農民は自分の首を自ら絞めつけることになりかねません。

私たちは、過去の農民の苦しみや、暗かった農村を知っていればこそ、これからの農業、農村をより明るいものにしようと思っているはずです。しかし自動車を買い、テレビを買い、家を新築したからよいということではないと思います。そんな形ばかりの明るさではなく、それらを十分使いこなせる真の農民、真の農村社会人となることが先決でしょう。

来年は、現在の積み重ねたとすれば、私たちは消費者の身になって農産物を生産し、なによりも消費者の心をガッチリつかんでおかなければ、来たるべき農産物の自由化に対しても対処できなくなってしまいます。そして、こう考えることは、していえば、食管制度のあり方、農政のあり方、まして農民運動などに対し、どう取り組み、何をすべきかという、幅広い道が開けてゆくものと思います。

（本紙連絡報道員）

樋口氏の話に真剣に耳を傾けるクラブ員とその親たち

クラブ活動に親の理解深める
「親子の集い」開く　福岡・八女東部地区連

【福岡】八女東部農村青少年クラブ連絡協議会（会長、小松保夫君）と同地区農業改良普及所主催の「第一回八女東部農村青少年クラブ親子の集い」が、このほど、黒木町役場で開かれた。

この集いは、発展していく八女東部農業の担い手として実践活動を推進している農村青少年クラブ員が、親と真剣に意見交換することによって、地域の問題を積極的に解決する自信と実践力を養成し、力強く農業に取り組む姿勢をつくり、明るい豊かな農村の建設を進めることをねらいとしたもの。この日は来賓として樋口県会議長をはじめ、役場、町議会議員、教育委員会、農協など関係機関、団体から代表者を招き、親子あわせて六十四名が参加した。

午後から開会式に入り、小松会長、北原宏普及所長のあいさつ、来賓の祝辞のあと、九州親子会議について同会議に参加した親と子の代表から報告があり、続いて分科会に移った。

分科会は、クラブ員が自分の親と一緒にならないようにして三分科会に分け、それぞれ①わが家の親と子の対話②わが家の経営に対する親と子の考え方③これからの村づくりというテーマで討議した。

ついで全体討議が行なわれ、分科会の報告をもとに質疑応答して親とクラブ員で意見を交換した。

最後に閉会式が開かれ、クラブ員代表のことばに続いて4Hクラブの歌を斉唱、このあと会長と普及所長のことばがあって閉じた。

この話しあいの結果、4Hクラブ活動というものが親たちによく理解され、親側からは「自分の家の仕事に責任を持って活動するなら大いにクラブ活動をやってもらいたい」「仕事とクラブ活動を区別するなら、クラブ活動を通じて大いに研究し、技術を身につけ、お互いが力を合わせて、一人でも取り残されないような優秀な農業後継者になってほしい」という希望や「機会があるなら、このような親子の話し合いはもっとやってほしい」などの要望が出ていた。

クラブ員たちも、このように親に認められて「今後の活動に自信と希望がもてるようになった」と語っている。

なお、八女東部農村青少年クラブ連絡協議会は、黒木町と上陽町からなっている。黒木町のクラブは昨年発足したが、一方の上陽町は今年の七月発足、これをうけて当協議会が今年の八月に発足したばかりなので実績も経験もなく役員は必死になって運営に当った。ともに新しいクラブであるが、家族ぐるみで4Hクラブ活動を盛んにしていけるものと大いに期待されている。（八女東部農村青少年クラブ親子の集い運営委員、中村正彦君発）

4H会館協賛のパーティ
収益を建設費に
山梨県連

【山梨県＝桐原卓連絡報道員発】山梨県4Hクラブ連絡協議会（会長、河東吉征君）では、日本4H会館建設協賛のダンスパーティをさる五日、甲府市川田町の県立勤労青年センターで開いた。

会場の県立勤労青年センターは4Hクラブ員など県内勤労青年の長年の願いが漸くかなえられ、勤労青年の余暇善用の総合施設として、十二月一日にオープンしたばかりで、全国的にも類がないほどの施設。開館記念週間の催し物の一つであったこのパーティは、県下の青年団体のトップを切って会館が使用されたとあって五百枚の前売券は発売開始後数日でたちまち売り切れてしまうほどだった。

このパーティの収益金は、日本4H会館建設費の一部として、また会館建設推進委員会の運営費として活用することにしている。

なお、県4H会館建設推進委員会は、各地区連の会館建設推進委員と県連執行部で構成されているが、これを機会に、さらに他県連の会館建設のペースに一歩でも近づくよう張り切っている。

今年度中にメド
4H会館募金の目標額
静岡県連

【静岡県＝神尾徹連絡報道員発】静岡県農村青少年クラブ連絡協議会（会長、真田勝君）は、昨年度に引き続いて4H会館建設募金運動の推進を今年度の県連事業活動の大きな課題として取り組んでいるが、その成果もあって募金額は順調に伸び、いま、今年度中に目標額達成にメドをつけるよう努力している。

昨年度は、各地区連を中心に募金活動を推進した結果、十万六千三百八十円の額にのぼった。そして、今年度は、静岡県の募金目標額を年度内に達成させるという方針で進めてきた。

募金活動の推進方法としては、五つの地区連に対し、県連役員が一丸となってオルグ活動を実施した。また、県連独自のパンフレットを作成しクラブ員に配布するなどしてクラブ員に会館建設について周知徹底を図るとともに、各地区連に対して募金活動を協力に呼びかけてきた。

その結果、各地区連とも募金運動を強力に押し進め、十一月[illegible]年、募金額はかなりの伸びを[illegible]ている。また、今年度中に募[illegible]にメドをつけ、静岡県の4H会[illegible]募金の目標額達成に努力する[illegible]を約束した。

こうして、静岡県における[illegible]会館建設の募金運動は最終的[illegible]に入り、クラブ員に一層の協[illegible]求めている。

凉風暖風
引越し荷物

動きがないようで動きの激しいのが、住宅公団の賃貸住宅に住む人々の移動である。日曜や祭日の休日となると、一DK・二DKの棟の間の道を引越しの車が忙しく往きかう情景をしばしば見かける。引越していく人、引越して来た人、各々であるが中型トラック、大型トラックが家具一さいを満載して出たり入ったり……。

この情景を見る度に驚いたり、考えさせられたり……。それはトラックに積まれている荷物の量、凡そあの狭い住居の容積を上回るのでないかと思われる程のかさである。まず洋服ダンス、和ダンス、整理ダンス、電気洗濯機、電気掃除機、電気冷蔵庫、デコラ張りの食卓、食事用のパイプ椅子、食器棚、本箱、ミシン、子供用ベット、ベビーサークル、オルガンかピアノ……これ等のものがどの家も印で捺したように、そしてことにミカンやリンゴの空箱につめこまれた数々の荷物である。

これだけのもの（家財道具）が一体どんな具合に並び、おさまっていたのだろうか、そして使われていたのだろうか。住いの外に出ていなかったのだから、また外に放っておくわけにもいかないのだから一応限られた住居空間の一DK、或いは二DKの中におさめられることであろう、とすると、この中でどんな暮しをしているのだろう？

夜寝る時には、ふとんはどんな具合いに敷いているのだろうか、家族はどんな寝み方をしているのだろうか。食事はどこでどんな風に、そして掃除機はあれだけの家具がおかれたところをどんなにして使われているのだろう。子供はどこで遊んでいるのだろうか。ピアノはどこに置かれているのだろうか、と疑問がつづく。ねているお互の足がつかえたり、机の下に足を伸ばしたり……他人様のことだからどうでもよいのであるが、心配しつつ想像をする。

「でも、お嫁にいく時にはあれだけの道具を揃えるのはあたりまえなのよ」と誰かが傍でつぶやく声が聞えて来る。

こうなると一体住いは？　生活とは？　とあらためて考えてしまう。そもそも住いは生活の場であり、道具はその生活を便利に、快適にするためのものであるはずである。そして、生活の場である住いの中にどんな生活が営まれるかということは、各々の家族によって創り出されて来るものであろう。まず家具があり、それを限られた住いの中に持ちこみ、その中で暮す人々、何かが少しくるっていないだろうか。或る日曜日の朝のことである。（T）

心頭技健

ヒッピー、世代[illegible]断絶、大学紛糾な[illegible]のあとを受けた万[illegible]博覧会の年、一九七[illegible]〇年も公害問題、[illegible]価上昇、米作減反[illegible]どで激しく揺れ動く中で、三[illegible]由紀夫事件のショックを残し[illegible]まもなく暮れようとしている[illegible]街にはジングルベルの音楽が[illegible]り響き、それにつられたよう[illegible]買物客が右往左往する。あた[illegible]には、ボーナスという字や[illegible]やたらと目や耳に入り、す[illegible]いなどの新年を迎える準備[illegible]なわれる。いやおうなく心が[illegible]りたてられ、何となくせわし[illegible]年の瀬である▼官庁のボーナ[illegible]が出た翌日のさる六日は、都[illegible]のどこのデパートも歳暮用品[illegible]どを求める買物客でごったが[illegible]した。お客は、朝の交通ラッ[illegible]ュのように綱によって足止め[illegible]くい、店員の手旗信号の合図[illegible]それっとばかりに動き出す[illegible]ようである。毎年のことなが[illegible]何んと凄まじい光景であろう[illegible]しかし、この景気は、本当[illegible]物なのだろうかという疑問が[illegible]く。ことしは、経済全般にか[illegible]りが出て、物価高にへきえき[illegible]ているというのが本音では[illegible]だろうか。とくに、欠陥車[illegible]薬問題、家庭電器などがや[illegible]にあがった。また、公害問題[illegible]苦しい立場に追い込まれて[illegible]業界も少なくない。これら[illegible]ても、デパートの好景気は、[illegible]物かということになる▼これ[illegible]の動きの中で、昨年から今年[illegible]かけてクローズアップされて[illegible]たのが、企業優先への反省と[illegible]人間復興、自然保存という問[illegible]である。外国でも、公害問題[illegible]いうより、環境整備の問題と[illegible]て取り上げられてきている[illegible]だが、今後ますます強まって[illegible]くものと予想される。とい[illegible]り、これは、われわれが常に[illegible]え、その改善に努力しなけれ[illegible]ならない大きな問題である。とい[illegible]して、それを社会、文化、科[illegible]進歩とどう調和させて[illegible]いくことはわれわれに[illegible]きな課題であるといっ[illegible]農業でも〝儲ける農業[illegible]〝生きがいのある農業[illegible]声が強まってきている[illegible]生きがいある農業とは[illegible]うなものであるか、こ[illegible]とっても大きな課題で[illegible]た。これら移り変る情[illegible]クラブ活動をどう進め[illegible]という問いも、クラブ[illegible]指導者に投げかけられ[illegible]

「推進委員会」を設置

総合3か年計画　委員長に宮脇全中会長

全国農業協同組合中央会

今年開かれました農協の全国大会で、自主建設路線の確立と総合力の発揮を基本にした総合三か年計画の樹立実行が決議されましたが、全中（全国農業協同組合中央会）では、この決議の実行に農協の組織を挙げて取組む体制として全国総合三か年計画推進委員会を設置いたしました。

推進委員会は、宮脇全中会長が委員長に当り、全販連、全購連、全共連、農林中金、全国信連協会、家の光協会、全国新聞情報連、全畜連、全国厚生連の会長または理事長をもって構成しております。委員会を補佐し更に計画の実行を具体的なものとするため幹事会を設け、これには委員を出している団体の常勤役員、参事が担当します。

また、事業の推進が全国機関の独走になったり、単協、県段階との間隙を防ぐための拡大幹事会制を採り、拡大幹事はブロック代表の中央会、経済連、信連、共済連の専務、常務または参事の方々を委嘱いたしております。

農協中央機関の支所段階（東京、札幌、名古屋、大阪、福岡）にも、各機関の支所長、担当者によって構成するブロック推進班を編成し、管内都道府県の総合三か年計画との調整と総合的な推進をはかる体制も決定いたしました。

全国総合三か年計画推進委員会で協議する主要な事項は、（一）総合三か年計画にもとづく重要な事業の推進具体策に関するもの、（二）総合三か年計画推進上必要な総合調整に関するもの、（三）新規に開発する事業に関するもの、（四）総合三か年計画の実績検討などですが、この委員会で協議決定した重要な事項は必ず関係機関の理事会に諮り実行して行くという強い方針です。

東パキスタンに救助金

未曽有の災害に苦しむ東パキスタンに対し、宮脇全中会長は十二月七日東パキスタン大使館を訪れ、心からの見舞いと、再建のための激励を行ない、日本農協からの救援として百万円を贈った。（教育広報課）

こんなことをしています　各種農業団体

“3か年計画”に焦点

「家の光」「地上」の編集方針　新年度

社団法人家の光協会

○『家の光』

『家の光』は、農協組合員の家庭雑誌であり、創刊号から一貫して

（イ）農協運動の理解を深める

（ロ）農村の生活文化の向上をはかる

この二つを基本の編集方針としてやってきました。新年号以降は、この基本の編集方針を堅持するとともに、誌面構成をさらに充実刷新して、一般記事、生活記事、農業記事の三本を柱としてそれぞれの記事を掲載していきます。

〈一般記事〉

ことしは、第十二回全国農協大会で決議された「総合三か年計画」の第一年度であり、真に農協運動の原動力となる記事に重点をおき、今後の協同組合運動の発展に寄与していく考えです。

〈生活記事〉

人間だれしも健康で、しかも毎日の生活が快適であることを望んでいるはずです。生活記事は、その具体化をねらい、衣、食、住、保健、教育、家計診断などのテーマをとりあげていきます。

〈農業記事〉

高能率と高所得農業の方向を追求していくとともに、“主婦農業”の現実を直視して、記事の平易化と視覚化をはかっていきます。

なお、当面『家の光』二月号には、第十二回全国農協大会を起点に展開する「総合三か年計画」のすべてをわかりやすく解説した別冊付録「農協総合三か年計画・早わかり」を定価据え置き（一六〇円）のままおとどけすることになっておりますので、ぜひご購読ください。

○『地上』

意欲的に農業に取り組んでいる青壮年の方々ならびに農協役職員の知的武装と逞しい行動力を発揮するための資料となるよう、つぎの柱を基本に編集します。

（イ）総合三か年計画の内容解説から出発し、その実施状況、実績分析など、三か年計画達成まで随時取材、掲載します。

（ロ）特集企画は、毎号二本を基準とし、テーマは農政、農協、農業経営、農業技術、時事問題などからタイムリーなものを選んでいきます。

なお、新年号よりの新企画シリーズとしては、「ニュース・レビュー」、「農協青年部のページ」、「農協役職員講座」、「農村文学のふるさと」などを企画しております。（文化部）

クラブ活動への問い　富山県連のリーダー研修会から

学習と遊びの調和を　やはり中心はプロジェクト

4Hクラブ活動も、周囲の変化によって、その内部にいろいろの問題がなげかけられてきている。農村青少年とくに女子クラブ員の減少、クラブ加入の目的意識やプロジェクト活動認識の不足、リーダー不足などはその一つであり、これらの問題解決と今後の活動のあり方については、どの県連でも真剣に取り組んでいる。そこで今回、富山県4Hクラブ連絡協議会のリーダー研修会で話し合わたことがらについて取り上げてみた。（同県連の二十周年記念誌「はたち」から抜すい。なお、女子クラブ員の問題については今号では省略しました）

◆ホームプロジェクトの問題

4Hクラブ活動の中でのホーム・プロジェクトの意義というものは、実践的な活動によって課題を解決するもので、農業の改良や農村の生活改善に、欠くべからざる重要な位置を占めることは今も変りはないのである。しかしながら、ここでも社会状勢の変化が生んだクラブ員の減少ということと平行して、ホーム・プロジェクトの実施者の減少ということ、しかも実質のないものや長続きしないものなど、今一番大きな問題となっている。

要は、千名足らずのクラブ員の中で、本当に農業と取組んでいるクラブ員が、一体何人存在するかという本質的な問題である。その上に立って、指導者の問題やPR不足ということが指摘されよう。

このことも、会社などへ勤務する女子クラブ員が増え、実際農業と取組んでいるクラブ員の絶対量の減少ということであろうが、4Hクラブ活動はホーム・プロジェクトぬきでは到底考えられないのであるから、もう少し自分自身が自覚を持って、4Hクラブに加入している以上、どんな課題でもよいから、ホーム・プロジェクトと取り組んでもらいたいということである。豊かな農村社会建設のために、クラブ員の奮起を期待したい。

◆クラブリーダーとしての問題

クラブ活動の活発、不活発はリーダーによって大きく左右されるものと思われ、現実においてリーダーの不足が、単位クラブ活動の停滞を招いているところもあるという。どれだけ後続者が悪くとも機関車さえ立派に引っ張っていったならば、ある程度汽車は走るはずである。

立派なリーダーということを定義づけるとすれば、リーダーであってリーダーでないリーダーである、ということではなかろうか。それが青少年活動のリーダーとして非常に大切なことではなかろうか。その他にクラブ員の心をつかみ、新入クラブ員も積極的に加入させ、会を上手に運営していくことが秘訣である。

また、プロフェッショナル的なリーダーであるということや、大きな要素である。

しかし、あくまでも、リーダーだけのクラブ活動であってはならないことである。

◆資金源の問題

どんな行事をするにも、資金調達にはいろいろあるが、クラブ員の会費はともかく、父兄から徴収しているところもある。また、事業収入というものも多い。例えばチューリップの切り花を販売して、その収益を資金源としたり、共同プロジェクト（水稲や蔬菜）であげている単位クラブもある。とにかく、資金は会費ばかりでは負担が大きいし、助成金ばかりでは活動が出来ない。しかし、あくまで公けなものであらねばならぬし、健全な使途も、4Hクラブの精神として大切なところである。

◆クラブ活動全体としての問題

何度も述べて来たが、社会事情の変化はクラブ員を減少させ、4Hクラブ活動を根底からゆす振り発足二十年にして、体質改善を余儀なくされようとしている。4Hクラブは、学校教育で出来なかったものを、青少年活動の一環として要求され、何らかの方策を講じて盛り立てていかなければならない。

しかし、時代に即応したクラブ活動でありながらも、何のために4Hクラブに加入しているのか、青年団活動でなく、4Hクラブの中で要求するものであってほしい。レジャーを楽しむことにはこと欠かない時代ではあるし、しかも多忙の中での活動であるなら、当然賛るものであってほしいということである。

しかし、クラブ員の減少ということは、実際は質が向上したということも考えられる。というのも、やはり4Hクラブ活動は、ホーム・プロジェクト中心であり、農村青少年の集りという幅広い活動団体でありながらも、現実として農業者が集まっていることは事実である。そして、そこには技術中心のクラブ活動がなされているのである。

そういうことで、女子クラブ員や一般農業者以外のクラブ員の参加が制限されるような結果も招いている。また、こうした農業後継者の活動でありながらも、近年、水稲プラスアルファー的な農業経営が多く、後継者は大部分アルファー的な部門を受け持っており、クラブ活動の部門別研修となると一、二名しかおらず、クラブ員の集会を持っても共通点が見出されないという結果も生じている。

ただ農業後継者としての同志ということだけで、技術を話しあっても、また研修会に出かけても問題が残るのである。

これらのことから考えられるのは、農業者として共通のテーマで読書会などで農政の勉強をするとか、広域会域の交歓会や、合同研修会などが考えられる。とにかく魅力あるクラブ活動であることが先決であるから、勉強と遊びを上手にミックスして、活発化することが必要である。

しかし、あくまでクラブ員一人ひとりの自主的な参加と、自覚を強く持っていただきたいということである。

那覇空航での歓迎　先月下旬行なわれた第二回全国4Hクラブ沖縄親善交歓訪問の際における沖縄クラブ員と琉球政府関係者の出迎えに、訪問のあいさつをする本土クラブ員（全国4Hクラブ連絡協議会事務局提供）

プロジェクト活動に　マンネリ化はない

自主性を損う助成金依存に批判

第9回全国青年農業者会議報告

クラブ活動　青年部会・23分科会

1、出された課題

（1）クラブ活動　❶マンネリ化、出席率の低下をどのように解決していったらよいか❷プロジェクト活動をどのように進めるか❸行事とレクリエーション活動のあり方　❹資金の問題

（2）クラブ組織　❶男・女の構成員の問題　❷構成員の年齢および人員数の問題　❸クラブ員と役員　❹上部組織とのつながりの問題　❺他団体との関連・協調・連絡

（3）都市化の問題

（4）放送利用の取入れ方

2、討議の概要

マンネリ化、出席率低下の打開方法として、親睦行事を取入れようとする傾向が強いが、それだけでは問題の解決はありえず、方法は違っても、プロジェクト活動を積極的に進めているクラブには躍動があるが、親睦活動に熱心なクラブは運営がかたより、行きづまりを来たしている感じが見られた。

資金については、助成金などで割合に潤沢なクラブが多くみられたが、他面、自己資金のみで堅実な活動をしているクラブも見られた。いずれにしても、助成ばかりにたよったり、自主性を損うような助成の受け方には、批判的であった。

男女別々のクラブと、混合のクラブのどちらが良いかについては意見が分かれたが、各々の地域社会・年齢層・その他の条件で一律には決められないが、女子会員ももっと積極的にやらなければ、自己を失ないやすく、また深く研究するには、別々の活動もあった方が学びやすい。

人員は十数名が最も活動しやすく、その内では目的をはっきりさせ、連絡を密にする中で役員のみが活動して浮き上がることのないように、会員一人一役の責任運営が非常に効果を上げているという点で意見が一致した。

他団体との関連については、目的が違うのだから、安易に一緒に活動をするのは低滞をまねく。

都市化の進展により、会員の構成や活動の内容について悩んでいる例が出されたが、時間が無く、十分な討議は出来なかった。

放送利用学習については、北海道からの積極的な活動の紹介がなされ、今後大いに研究、取入れて学習を進めるべきであるとの意見が出た。

3、私達が築く十年後の農業

農業の現状把握が十分になされていないという反省があり、まず現状把握の上で、十年後の農業ならびに他の経済社会の動きを想定し、意義のあるものにしていかなければならない。

規模拡大では、現実には兼業農家が、専業農家の足を引張っているという意見が多く出された。将来の方向では、自立経営を目指す者と協業経営を志向する者とに意見が分かれた。また、中には、観光農業を志す者もあったが、いずれにしても、全員で力強く専業農業者として進む決意が出ていた。

女性はもっと家事を大切にし、また経理面を担当するように学習して、農家生活を潤いのあるものに導き、人間性の高揚をはからなければならない。（おわり）

生活の知恵　こうしてみたら…

山梨県塩山地区連の共同プロジェクト

◆冷蔵庫の氷皿に工夫

冷蔵庫では、氷が意外と少量しか作れません。真夏など沢山の氷を欲しい場合があります。そんなとき、日ごろさまざまなパックに、穴をあけないようにとっておき利用すると、深くて手頃です。

◆洗濯バサミの始末

物干し台または竿の端に、一本のビニールひもを輪にして下げ、それにはさんでおくと便利です。

◆乾電池の保存法

乾電池は高温多湿をきらいますので、予備電池は冷蔵庫に保存しましょう。

◆トイレに灰皿、暖房器を

とかく軽視しがちなトイレ、冬も暖かく、日々快適にすごすために、灰皿をおいたり、暖房器を備えてはいかがですか。

◆湿った菓子の乾燥法

菓子は袋のまま電気釜に入れて、スイッチが自然に切れたら缶に移します。熱いうちはシケっているようですが、さめればパリットします。

◆アイロンの糊には塩を

糊づけした洗濯ものにアイロンをすると、ネバついてかけにくくなることがあります。ネバリを防ぐためには、糊の中に塩をひとつまみ入れてから使うと大丈夫です。

◆肉のまるめ方

ハンバーグや肉ダンゴをまるめるとき、手にべとついてなかなかまとまりませんが、あらかじめ手に油をぬっておくと、簡単になめらかに作れます。

◆トースターのさび

歯みがき粉を布につけてこすり、そのあとロウを引いておくと効果的です。

◆手を汚さない蕗のむき方

蕗はアクが強く、皮をむくと指先が黒く汚れるうえ、なかなか落ちません。そこで、皮をむくときに、器に酢を入れ指をぬらしながらむくと、手は汚れません。また、蕗の味が変ることもありません。

◆蚊取線香を途中で消す法

寝床に入った後、何十分かして中途で火を消したいと思うときがあります。こんなとき、消したいと思うあたりに、金属の洗濯バサミをはさんでおくと、消えて心配がありません。

◆使い残した口紅で

使い残りの口紅をまとめて、小さな空缶に入れ、下からローソクで泡立つまで温めます。それを冷やしておくと固まり、個性的な色の口紅ができます。

（『くらしのアイデア』NO・1より）＝つづく＝

約1千人の前でブラジル農業実習の報告をする元筑後市4Hクラブ会長、北原君

“ブラジル農業からも学べ”

筑後市4Hクラブで北原君の実習報告会

【福岡】さる一日、第十回ブラジル農業拓殖実習生、北原元彦君（元筑後市4Hクラブ会長）の報告会が筑後市4Hクラブの主催によって、午後七時から筑後市々民会館で開かれた。同日は、市内や佐賀県などから約一千人が集まるという盛大さであった。

この報告会で、北原君は次のように語った。

七ヵ月の研修を終えて帰ってまいりました。ブラジルにおいては現在、粗放的な農業が行なわれ、家庭生活では家庭同士の対話が非常に多い。4Hクラブは、自警によって運営されている。日本においては、利己主義が強く個人がバラバラのうちに農業経営が行なわれているが、学ばなければならない点が多いのではないだろうか。農業は、もっと長い目で見る必要があると思う。（筑後市4Hクラブ連絡報道員、中村美津雄君発）

知事賞には野田君

四日市農業青少年クラブで農業祭

【三重】四日市農業青少年クラブで、今年で六年目の農業祭をこのほど二日間にわたって開いた。

これは農業に取り組んでいるクラブ員の日ごろの実績を農産物の展示などによって、市民の人たちに理解してもらうことを目的としたもの。

会場には、野菜、卵などの農産物のほか、女子クラブ員たちの出品した手芸品、生花などが陳列され、また、装飾用として置かれていた昔とう品まがいの古びた農機なども、この農業祭の雰囲気を盛り上げていた。

同日は、一般農業者の協力も得て約三百点余りの農産物が出品されたが、即売が始まってわずか一時間後にはそのほとんどが売り切れてしまうほど好評だった。

また、茶業青年団が本場水沢のおいしいお茶を市民の人たちに味わってもらおうと開店した無料喫茶は、かすりの着物に赤だすきのミス水沢のサービスとあって、クラブ員もお客さんも大喜びだった。

なお、受賞したクラブ員は次のとおり。

▽知事賞　野田九郎（白菜）▽市長賞　瀬野正義ほか二名（米）▽農協組合長賞　萩善隆（梨）▽経済連賞　伊藤力也（鶏卵）▽県連会長賞　有竹正博（きゅうり）▽一等賞　稲垣つぎ子（シイタケ）▽二等賞　岩間こずえ（大根）▽三等賞　加藤竜男（メロン）▽優等賞　田中美津子（手芸）

子供たちに希望を

市内の施設を慰問　浜松市連

【静岡】浜松市農村青少年クラブ連絡協議会（会長、倉田知孝君）では、来る二十三日に、市内にある和合寮、清明寮、小羊学園などの施設を慰問することを、このほど開かれた同市連絡協議会の役員会で決定した。

この施設慰問は、三年前から行なわれているもので、市内の十二クラブの正副会長らが、恵まれない人たちを慰問するもので、クラブの代表は、それぞれ家庭で栽培しているメロン、セロリー、レタス、キュウリ、トマトなどを持ちよって施設にプレゼントすることになっている。

（静岡県浜北市内野、鈴木政美君発）

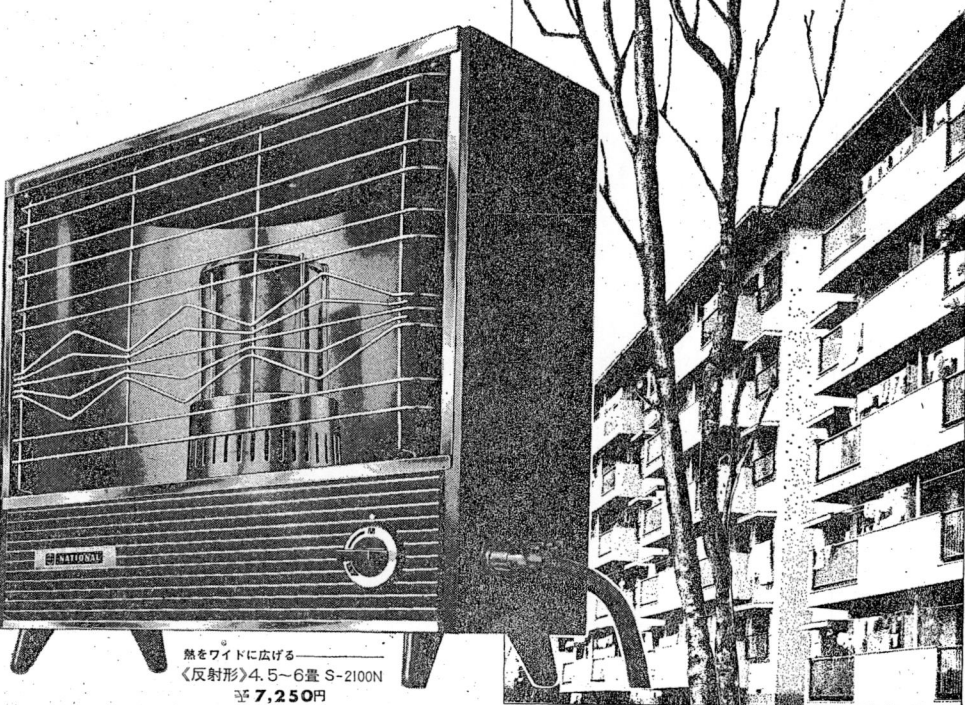

プロジェクトの意義と教育的価値 ＝1＝

海外農業開発財団専門家　中田正一

「教育とはなにか」ということを問うまえに、さらに根本的な「人生とはなにか」という問いを発してみよう。この問いに対して満足に答えられるものはほとんどいないかも知れない。

この問いは、私たち個々の日常生活の問題にふかく連がるものがあるし、かつ古くから哲学者や宗教家が正面から取り組んできた大問題でもあった。また若い、まじめな青年たちが思いなやんだ末に行きつく問題でもあったわけだ。

学問的な議論はさておくとして、一応、私たちが現に生きていること、先祖の残した文化財や私たちをとりまく社会のおかげで、現に生きていることを肯定してみよう。

私自身がこの社会に生きている以上は、私個人の持っている能力を十分発揮して、お世話になっている社会に対し、なんらかの形で貢献したいものだと思う。できれば、今まで、私たちの先輩たちが築きあげ、遺してくれた文化や文化財の上に、さらに、一つでも、二つでもプラスするようなものを新しくつけ加えて死んでいきたいものである。先にも後にも私一人の、ただ一回きりの人生であってみれば、独自の他人がまねの出来ないものを遺したいものである。

こんな、ささやかな願いは、人間誰しもが持っているひそかな願いではなかろうか。

"教育"とはなにか

さて、それでは、私の持っている能力を発揮できる場は、いったいどこにあるのだろう。と考えてみると、それは私の職業、現に私が働いている職場といってよいだろう。朝から晩まで私の身も心も、全力をあげて働いている職場でこそ、私の、私個人だけに与えられた可能性を発揮出来るのではあるまいか、と私は思う。

職業をとおして、職場の中で私の人間性も能力も十分に表現し、発揮出来るとすれば、私の生きていることに、また、私の職業に対して張りを感じることが出来よう。ある人は、職場だけではない、家庭も私のすべてをフルに出しきれる場だというかも知れない。いや、職場や家庭だけでない、いま、私が住んでいる社会そのものも、私が全力をあげて活躍出来る場だという人があるに違いない。

三つの能力、頭・眼・手　「人間の可能性を引き出す」

話しをもとにもどそう。教育（EDUCATION）ということばは「引き出す」という語源である。私の能力を引き出す、私の可能性を引き出す、そのことが教育のもともとの意味である。とすると、私がこの世に生を受けて、職場で、家庭で、社会で私自身の能力を十分に発揮するためには、私の可能性を限りなく引き出してくれる教育が、ぜひ必要だということになる。教育を受けなければ、私の可能性はかくれたままで終ってしまうかも知れない。

教育が個人の能力を開発するとするならば、いったいどんな能力を開発するのであろうか。私はここで、人間の持っている諸能力のうち、とくに、三つの能力をあげてみたい。素朴な表現をお許しねがってすれば、第一に頭、頭の生産力のことである。頭の生産力というのは、考えること、考え出す力のことである。この能力は人間だけの持つ、すばらしい能力であるが、教育を受けることによって、この力を無限にのばすことができる、といえよう。

教育とは「先生が教え、生徒が覚えることだ」といわれた時代もあった。いや今でも多くの人はそう思いこんでいる。教科書に書いてあることや先生の話すことを、一字一句まちがいなく覚えている人が優等生だ、なんて考えている教育者さえ、まだあちこちにいるようだ。

教育とは「考える力を養なうこと」だとすれば、学校へいった年数と教育そのものとはおよそ、なんの関係もないことになりそうだ。

第二は眼、眼の生産力を高めることがたいせつである。眼の生産力とは見つけ出す力のことで、観察力、さらには発見する力のことである。農業はもともと「見つけること」から始まったといってもよい。われわれの祖先たちが、生いしげる雑草の中からイネ種を見つけたことから、イネの栽培が始まった。イネの種をとっておいて、まず雑草を除き、土を耕し、種まきしてイネだけを作ってみた。それが作物としてのイネの起源であろう。

麦も豆も牧草も、およそ作物と名のつくものは、みんな私たちの祖先や先輩たちが雑草の中から見つけ出したものである。見つけ出す力を養うことから、農業教育がはじまるといえよう。

第三は手、手の生産力、すなわち作り出す力を養うことである。器用な指は人間だけが持つ秘宝である。器具や機械は私たちの手の延長であるといってよい。考える動物である人間が手の延長としての器具、機械をつくり出したわけだ。これが人間の文明をつくり出したといえる。

ところが、上級学校へいった人ほど手が小さく、指が細く、手の生産力に欠ける傾向がみられる。これはいったい、どうしたことであろうか。ある国の学校では、頭の中へつめこむ教育はあるが、手の訓練は皆無であるという。日本にだって、大きい手や節高い指をはずかしがる迷信がいまだにつよく残っているようだ。

頭・眼・手の生産、つまり考え出す、見つけ出す、作り出す力を養う教育こそ、私たちのもてる能力を開発し、私たちの人間としての可能性を無限にのばす教育といえないだろうか。

（つづく）

（全国農村青少年育成研究会誌「農村青少年教育」から）

私のプロジェクト　肉用牛飼育の問題点

石川県鳳至郡門前町大生　門前町あけぼの会　柴田芳治

五ヵ年計画　五十頭を目標に　市場価格の変動に疑問

私は北陸の能登の生まれで県立高校を卒業後、今年の三月から農業をはじめました。農家の長男として生まれたことも原因して、もの心がついたときから、俺は大きくなったら百姓をやるんだ、そして、牛を飼うのだと心に決めていました。それが実現の段階になり、希望にもえているところです。

地域の紹介をしますと、能登では、米作および葉タバコの生産が主体をなしており、とくに、奥能登方面では、これらの主幹作物の他に、一～二頭の和牛を舎飼いしている状態です。また、部分的には、果樹、養蚕、養畜などを大規模に経営しているところもあります。

能登の農業に対する自然的な条件と地理的な条件をのべますと、平地が少なく、全体的に丘陵地帯で年間降雨量は多い方です。また、霜期間も平均三ヵ月と雪国としては当然ですが、年間平均気温が一六・三度と比較的温暖です。このため、山野の野草も五月中旬から十月下旬まで盛んに生育しています。地理的にみて奥能登から金沢市までは車で三時間ほどでいかれ、生産物の輸送の面でも、あまり支障はないでしょう。

放牧主体の育牛を

以上のような自然的、地理的条件の中にあって、私が肉用牛の繁殖および肥育の経営に着手したのは、まず第一に、現代の食生活における食肉の増加であり、第二に地域は丘陵地といっても起伏が多く、野菜や果樹を大規模に行なうにしても、機械化が困難な状態にあります。そこで私は、最初から牛を飼いたいと思っていたこともあって、家畜を導入し、放牧を主体とした畜産経営を考えました。

増体重は一日一キロ

現在私の経営規模は、百十八平方メートルの畜舎に十一頭の牛を導入しております。畜舎の収容能力は二十四頭ですが、まだ放牧地の施設も十分にできていない段階であって、今はこの十一頭の牛を舎内で飼育し、野草を刈り取ってきて給与しています。濃厚飼料は、ふすま、大豆かすを使用しております。

牛の発育状況ですが、大体生後八ヵ月から一年のものが、一時流感にかかったこともありまして、現在小さいもので二百キロ、大きいので三百キロに育っています。一日当りの増体重は、一キロ足らずでして、実際はもっと多いものだと聞いておりますが、なにしろ、肥育技術そのものも未熟なために今後大いに研究を重ねたいと思います。また、飼養管理上の機械化についても、カッターが一台あるのみで、これも今後に残された問題であります。

多額の資金に悩み

今後の経営の抱負について述べますと、一応の目標としましては年間農業所得を二百万円とした場合、牛の年間出荷が五十頭、そのうち繁殖二十頭、肥育三十頭とし、これらに対する放牧地および採草地が二〇ヘクタールから二五ヘクタールを必要とみております。これを私は五ヵ年計画で進めていく予定ですが、なにぶんにも多額の資金を要するために、この点に一番の悩みがあります。結局は、制度資金や国庫補助金に頼る以外はないと思います。それだけに計画を綿密に立て、慎重に行なうつもりです。

この計画が実現するようになれば、五人程度の家族なら十分生活出来る収入だと考えております。

飼料代引くと赤字

一応私の経営の内容と、その抱負について概略を述べましたが、ここ数ヵ月間を通して、現在とくに感じていることを述べてみます。というのは、子牛の生産者価格の変動と、市場の一断面についてであります。これは能登の場合ですが、春に二度と夏に一度の市場が開かれ、そこで感じたことですが、たった三～四ヵ月の間に、子牛の価格が大きな変動をみせたことです。

これを詳しく申しますと、春、最初の市で平均七万円程度のものが次回では八万円となり、これはまだ差が少なく、うなずける点もありますが、著しいのは同じ市場で七月中旬に開かれた市では、平均価格五万円といった下り方をしていました。春の場合でさえ、新聞などでは、子牛価格は大暴落と記載されていたのに、この七月の市況価格はどのように判断したらよいでしょうか。

試みに、そのとき牛を売りに出した人に聞いてみたら「これじゃあ、飼料代を差し引けば赤字だ」となげいていました。それでは、なぜこのような変動が起こるのでしょうか。詳しくはわかりませんが、その筋の専門家に聞いたところ、つまり、仲買人の質およびその数によって「セリ」の状態が変ってくるのです。

このことは、従来からの条件として市場に備わっているものですが、生産者の側などから見て、いやな相手とでも申しましょうか、困るのはどの市場でも見られるように、大手商人の息のかかっていない仲買人たちは、その資本家の顔色をうかがいながら「セリ」を行なうといった具合で、そこに大きな変動を起こしてしまう原因があるようです。

自らが改善方策を

このように、一部の人たちに市場を支配されるようでは、いつまでも、われわれ農民は安定した生産を続けることは出来ないと思います。さいわいにして本年から子牛の生産者価格が保障されるそうですが、農産物の価格の問題は、多少の保障があっても、それで解決するものではないと思います。

これは、われわれ自らが自覚して、改善の方策を考えなくてはならない問題であると思います。そして自分たちの組織である農協を最大限に活用し、この力を持って私たちの生活を確保することが、今後の課題であると思います。

おねがい

本紙では、プロジェクト活動推進のために、プロジェクト欄を設け、クラブ員の活動や記録を掲載しておりますが、本年も一年間の活動をまとめるときになりました。

つきましては、みなさんの活動を紹介し、プロジェクト活動の実態に役立てたいと思いますので、次の要領で原稿を送って下さい。

①原稿の長さは自由です②関係写真、図表、顔写真も忘れずに③住所、氏名をはっきりと（送り先）東京都新宿区市ケ谷船河原町十一、社団法人日本4H協会

青空市場開く　奈良県連・経済連に協力して

【奈良】奈良県4Hクラブ連絡協議会（会長、中津甚之丞君）では、同県経済農協連に協力して、"青空市場"を開いた。これは、年末年始の物価値上がりに挑戦し、生産者自らが団地住民らに、新鮮で安い野菜を提供しようというもので、日本住宅公団などのバックアップを得て、このほど実施したもの。これは、はじめての試みで好評なら県下全域の団地に広げ、物価値上がりのブレーキ役をと意気込んでいる。

同県は近郊農業が盛んだが、県内に大規模の青果卸売市場がないため、生産物の大半が大阪市内の市場に出荷されたあと"逆輸入"され、農業県なのに消費者は高い野菜を買っていた。

すでに"青空市場"は、奈良市内の団地二ヵ所で店開きされたほか、年内にも数回開店する予定。このため、同4H連協では、ダイコン、ハクサイなどを市価の三割安程度で提供している。

牧草地の施肥技術 ③

減少成分量を補充　土壌によい中性肥料を

上表に利用初年目、下表に利用二年目からの施肥設計を示した。この場合、利用初年目とは、牧草を播種する場合の一般的にいう元肥と、利用初年目の刈り取りごとの追肥量との合計である。この元肥と追肥量の施肥配分は、土壌の性質・肥料の種類および施肥量・草地の利用形態などによって異なり、施肥技術はこの面で活用されなければならない。また、造成どきには土壌の酸度矯正やリンサン質材の投入はもちろんのことである。

利用二年目以後の施肥量とは、利用年次の最終刈り取り後の施肥料と、翌春からの刈り取りごとの追肥量の合計である。

一般に、牧草地は混播が主体であるので、表には混播の場合の施肥設計を示してある。イネ科牧草類単播の場合には、この施肥設計よりチッソの施用量を三〇キロ以上増し、マメ科牧草類単播の場合には、チッソの施用量は五分の一から十分の一位に減らし、リンサンとカリは三〇キロ程度増す必要がある。

もちろん、施肥にあたっては、牧草の養分吸収の特徴にあった肥料の種類を選び、合理的な施用方法をとることが前提である。

これらの施肥設計は、化学肥料による場合であるが、放牧や牛尿散布などによって、家畜ふん尿を土地に還元する場合は、その含有養分量だけ、化学肥料が節約できる。

なお、堆厩肥、牛尿厩肥料成分含量は千差万別であるが、厩肥（牛ふん）は、窒素〇・五％（利用率三〇％）、リンサン〇・三％（利用率八〇％）、カリ〇・六％（利用率九〇％）、牛尿はチッソ〇・五％、リンサンこん跡、カリ一・五％（利用率各一〇〇％）として施肥設計をたてる。

また、飼料中に含まれている成分の回収率は、ほぼチッソ七五％、リンサン六〇％、カリ八五％、石灰八〇％、苦土九五％といわれているので、この減少した成分量も補充することを忘れてはならない。

糞尿還元の場合には、大づかみには、家畜の排泄量から還元養分量を算出してもよい。排泄量は一日当り、家畜の糞は五キロ、尿は二キロとする。

利用初年目の施肥全量

●開墾地での混播牧草の施肥設計（成分ヘクタールあたりkg）

項目	目標とする収量（haあたり）50トン チッソ	50トン リンサン	50トン カリ	100トン チッソ	100トン リンサン	100トン カリ	150トン チッソ	150トン リンサン	150トン カリ
牧草の成分吸収量	250	50	250	500	100	500	750	150	750
天然の養分供給量	150	0	170	270	0	300	430	0	350
補給必要量	100	50	80	230	100	200	320	150	400
肥料の利用率（％）	(80)	(20)	(60)	(70)	(20)	(60)	(60)	(20)	(60)
施肥量	130	250	130	330	500	330	530	750	670

利用2年目からの追肥全量（化学肥料による場合）

●開墾地での混播牧草の追肥の施肥設計（成分ヘクタールあたりkg）

項目	目標とする収量（haあたり）50トン チッソ	50トン リンサン	50トン カリ	100トン チッソ	100トン リンサン	100トン カリ	150トン チッソ	150トン リンサン	150トン カリ
牧草の成分吸収量	250	50	250	500	100	500	750	150	750
天然の養分供給量	150	40	110	300	70	250	400	100	450
補給必要量	100	10	140	200	30	250	350	50	300
肥料の利用率（％）	(50)	(10)	(70)	(50)	(10)	(70)	(50)	(10)	(60)
施肥量	200	100	200	400	300	360	700	500	500

施肥による土壌の化学性の変化

牧草の多収穫を維持するためには、多量の化学肥料を毎年施こすことが必要であるが、肥料の種類によって土壌の酸性化・塩基の溶脱などに差が出来ることが試験結果から確められている。この内容を紹介する。

（試験場所）栃木県西那須野町・畜産試験場草地部

（土壌）火山灰質洪積層、腐植に富む砂壌土

（ほ場の沿革）約二十年間飼料生産ほ場として利用し、昭和三十四年から三十六年までは混播牧草地、三十七年および三十八年は青刈りデントコーンを栽培した。三十八年八月にデントコーンを収穫後、表土の深浅を均一にするため、深さ三十センチを堀り返し、以後適宜除草しながら、四十一年八月に再度耕起し、10アール当り苦土石灰二千キロ、チッソ・リンサン・カリ各々二百キロを化成肥料（10・10・10）で施用して、オーチャードクラスとラジノクローバーの混播草地とした。

四十二年六月二十七日、10アール当りチッソを百グラム（尿素）を追肥し、四十二年は適宜刈取りを実施し、九月二十二日に掃除刈り後追肥し、三要素の施肥試験に供試した。この三要素試験のうち参考として、窒素肥料の種類をかえて土壌の化学性の変化を調査した。

試験区の施肥量と最終刈取り後のあと地土壌の化学性を下表に示した。

表で認められるように、酸性肥料の施用よりPHの低下、置換酸度の増加が顕著で、土壌中の塩基―とくに石灰―溶脱が甚だしく、塩基飽和度も低くなっている。これに対して尿素を施用することにより、この傾向が軽減されている。

また、東北農業試験場（岩手・火山灰土壌）で実施した結果でも、同様な傾向が認められている。

これらの結果からわかるように、チッソ肥料の種類によって土壌の化学性に差が認められるので、土壌の酸性化を助長したり、塩基の溶脱を促すような肥料の連用はできるだけ避けて、土壌を悪くしない中性の肥料を使用することが望ましい。

（おわり）

（尿素研究会提供）

最終刈取り後のあと地土壌の化学性（0～10cm）昭和44年11月14日採土

区名	pH H_2O	pH KCl	置換酸度（％）	置換容量 me/100g	置換性塩基 me/10g Ca	Mg	K	計	塩基飽和度％ Ca	Mg	K	計
無肥料	6.4	5.3	0.2	20.0	12.2	1.2	0.1	13.5	61.0	6.0	0.5	67.5
尿素―過石―塩加	5.3	4.1	2.0	21.1	8.8	0.2	0.4	9.4	41.7	0.9	1.9	44.5
硫安―過石―塩加	4.8	4.1	7.9	20.0	6.2	0.2	0.4	6.8	31.0	1.0	2.0	34.0

石灰チッソの効用 ―下―

友広　勇

土壌消毒に役立つ　石灰窒素　化成や単肥と併用

肥料は量から質へ

稲作の転換に伴って、これからの農業は畑作中心になり、園芸作物や特用作物、飼料作物の作付けが多くなる。野菜や果物など商品作物では、味や品質のよいものを作り、市場性を高める技術が大事である。つまり、これからの作物生産は、量より質の時代といった感が深い。

この事情を反映してか、最近の肥料も量より質に関心が強いようである。例えば、魚肥や油粕など有機質肥料は、価格高から一部の園芸作農家に使われてきたが、いまではほとんど普通的に需要は大きい。一方、高度化成の需要は、このところ停滞ぎみであるのに、緩効性とか硝酸化抑制剤、農薬など混入した化成が、代わって大きく伸びる傾向が強い。

さて、石灰窒素であるが、肥料として主要な特性は――

一、窒素が緩（遅）効性であることと、硝酸化成抑制作物のあること。従って肥持ちがよいので、生育に高低がなく、追肥の手が省けること、肥焼けの心配がないのが、肥効の高い理由である。

とくに化成や単肥と併用すると、硝酸に変わるのを抑えるから、それらの肥料の効きめをよくする。施したチッソが、硝酸になって逃げ易い畑では、石灰窒素は高く評価される理由である。

二、六〇％以上の石灰を含む唯一のアルカリ性窒素肥料であるから、肥料であり、土壌改良剤でもある。石灰は大部分生石灰だから、農薬的効果を高め、土壌消毒に役立つ。

三、農薬性が高く評価され、先に書いた残留無毒農薬として、とくに、野菜作農家の関心が高く、消費漸増の傾向を示す。

最近、地拵えに切ワラと同時に施し、トラクターで全面全層（一部層状）に鋤き込む方法が露地および施設野菜（果菜）に行なわれている。露地春・夏作には年内に、施設では一～二ヵ月前に、切ワラ一トン、石灰窒素百五十キロ以上早期施用である。この土壌消毒兼施肥法は、農家によって創造された技術であり連作障害防止に役立つとして好評である。

以上、石灰窒素の主要な特性を書いたが、一つの肥料で、この三つの性質を同時に持つものは、他にはおそらくない。この意味で石灰窒素は、質的な肥料といわれるゆえんだし、総合的な資材として関心も高いのであろう。

ともあれこれからの肥料は、量より質といった考えが強く、価格は余り問題にしていないようである。新しい農業に意欲を示す農家には、肥料は豊富低廉の通念では、対応できないように考えるがどうであろうか。

（おわり）

（日本石灰窒素工業会　技術顧問）

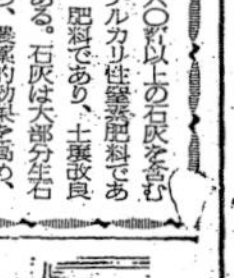

NHK農事番組（12月21日～31日）

テレビ

明るい農村　6・30～6・55総合

21日　村の記録　米の周辺

22日　きょうの話題　第十九回農村医学会から

23日　産物往来　たまご

24日　話題の広場　世界のお茶を集める

25日　村をむすぶ　チャボと乳牛

26日　農村新地図　福島県本宮町

28日　世界の農業を見て　吉川正光、中村靖彦、（司会）市村純一

29～31日　年末特集　農村この一年　29日・その①現地報告　30日・その②移りゆく村　31日・その③ある農家の三百六十五日

農業教室　7・30～8・00　教育

21～23日　市場と生産者（東京農業大学助教授）竹中久二雄

24～26日　花生産の課題（東京教育大学教授）横木清太郎

29～30日　水田土壌の改良（農林省農事試験場）出井嘉光

あすの村づくり

27日（日）7・00～8・00　教育

▼グループだより（石川県金沢市）金沢農業青年グループ

グループ員は十名、次第に都市化の波がおしよせる金沢市周辺にあって、三年前から逆にその都市化を利用して収益をあげていこうと花栽培をはじめている。水稲単作地帯で規模拡大もむずかしく、集約的に収益をあげていくには、冬を利用したハウスが一番いいと始めたもので、シクラメン、サイネリアなど、クリスマスをひかえて出荷の準備に忙しい。雪国という悪い条件を克服し、都市化の中で積極的に生きるグループを紹介する。

▼村の青年活動（秋田県北秋田郡北内町）こがねグループ

秋田県で全県的に行なわれている「農業近代化ゼミナール」活動、生産第一、技術本位の学習活動である。こうした活動から一歩を進め、もっと幅をひろげ、人間的なふれあいの中で、これからの農業、農家生活を考えていこうと生まれたのが「こがねグループ」である。農業青年だけでなく、兼業青年も含め、種々の活動を進めている。小誌「こがね」を出すようになって五年、七〇号を数えるという。ともすれば生産第一主義になりがちの農業、経済成長の中で村には村の生き方があるのではないか話し合う。

ラジオ

早起き鳥　5・05～6・00　①

21日　現地報告　干拓地のゆくえ（石川県河北潟）

22日　人と話題　三年目を迎えた農協のコンピューター（熊本県天草地域農協参事）山崎斌夫

23日　通信員の手紙から

24日　人と話題　新しい米消費の開拓（埼玉県大宮生協組合長）山本恒

25日　現地報告　みかん列島と計画出荷（愛媛県下）

26日　村のポスト

27日　話題の窓　農家経済の動向（東京大学助教授）佐伯尚美

28日　現地報告　木炭生産の近代化（北海道標茶町）

29日　人と話題　人工降雨実験の成果（国立防災科学技術センター）小沢行雄

30～31日　農村この一年

ラジオ農業学校

日　6・30～7・00　②

27日　農業講演会「日本農業の将来」（農業総合研究所）並木正吉＝四国地域放送利用農業集団リーダー研修会で収録

農村雑感

酒

折原俊二郎

久し振りに田舎から従兄が上京してきた。十数年振りで、本当に久し振りのことである。かつて三十二~三歳頃には、はちきれるほどのエネルギーをもった人であったが、その従兄の頭髪に、今では白いものが多くみられ、顔にも年輪を示す皺が多くなっていた。しかし、腕は艶があり、健康そのものである。東京のようなスモッグに毎日悩まされているところで生活してると、こうした健康な色艶をもった人には、とてもお目にかかれない。

ふっと、子供の頃、一緒になって野山をかけずりまわったときのことが思い出された。彼は小学校時代は優秀で、クラスではいつも一~二位を占めていた。もし、都会に生まれ育っておれば、当然大学を卒業し、今頃は中堅サラリーマンになっていたことだろう。

高等小学校を出ると早速家業の農業を継ぎ、経営規模の拡大に励んだ。二十歳の終わり頃から青年団活動に力を入れ、飛びまわった。青年団活動は農業研究会の性格に発展し、それが実践に移された。そしてできたのが共同飼育牧場である。雪の多い地方なので、山地にある牧場には春に和牛を放牧し、秋に集める方式でこれは今でも継続しているという。

しかし、最近ではあまりうまくいかなくなっているらしい。その原因はいろいろあるらしく技術面や経営面からの問題点を説明してくれるが、結局は仲間同士の利己主義にあるということであった。しかも、それは極めて些細なことで、ちょっとした意地と利欲をすてれば解決することであり、そのことは誰でも知っている。知っておりながら、妥協ができないものだという。

この前、山形県の庄内地方で成果をおさめている、水田の協業組織を見に行ってきたというが、そのとき一番印象に残ったのは、あまりにも酒をのみすぎることであったという。一つの協業体で年間の酒代が三十数万円にのぼることで、これでは、毎日酒ばかりのんで協業などとてもうまくいきそうもないと思ったが、事実は予想に反して人間関係が実にうまくいっておることにびっくりしたという。

日本人は何かといえばすぐ酒をのむ。酒をのまなければ心をうちあけて語り合うことができない。それは日本人の欠点であるともいわれている。しかし、事実は酒を通して人間関係が深められていることが多い。それは日本人の精神的風土ともいえる。

このように考えると人間関係がうまくいけば酒代が何十万円かかろうが、安いものであると思ってきたということであった。農村では昔からよく酒をのむといわれてきた。娯楽らしい娯楽がなかった時代は、酒を飲み交わすことは重要な娯楽の一つであった。それが、ここ十数年来交通機関が便利になり、いろいろの新しい娯楽が農村に入り、また、近くに求めることができるようになってきた。

そうなると酒を飲むということは娯楽の意義がうすれ、他の意味をもつようになってきた。例えば選挙のときなどは、どの家にも酒があふれ、飲もうと思えばただ酒が自由に飲める。しかし、そのときの酒はいくら飲んでも、仲間意識の高揚にはならない。むしろ、人間の利害関係を深めるだけである。そして選挙が終われば、そのあとに仲間同士の不信だけが残るということであった。庄内地方の協業体では酒を有効に生かしたが、自分のところでは、酒は悪く使われている。酒を飲んで酒に飲まれているのかもしれない。酒を何とか有効に生かしていきたいということであった。

(農林省・農業者大学校)

この道を歩く

高知県・大方4Hクラブ 宮川久美子

この道は、私が選んで決めた道
誰が決めたものでもない
好きで歩き出した道でもない
今の道が私には見えるけど いつの日か
私の前に山となり壁となって 立ちはだかる
ものがあるだろう でも 恐れてはいけな
い 弱気になってはいけない あくまでもや
り通すのだ 心ゆくまで
打ち込む事は出来ないかもしれない
でも それに近い状態にする事は出来る
勇気を出すのだ
自分をぶっつけてみるんだ
それが青春というものでもあり 私という
人間が成長する時なのかもしれない

青春と仲間

仕事と家庭を分離

先輩の言葉「これが仲間だよ」

埼玉4Hクラブ員のつどいに 参加して

埼玉県・大和4Hクラブ 富岡澄子

私がこの「つどい」に参加したのは、私と同様に農業に従事している友だちを、ひとりでも多くつくりたい、と思ったわけです。

私の住む和光市は東京都に隣接しており、農業に従事する仲間が年々減ってきて、今年は4Hクラブの新加入者がひとりもなく、私はクラブにはいって二年目になりますが、一番若いことになります。先輩も今年は八人もやめ、少ないクラブ員がますます少なくなってしまい、現在は十三人足らずのクラブ員で活動していますが、昨年の多人数での楽しかった活動が懐しく思い出され、寂しい気持にさせられます。

反面、人数が少ないので仲間意識が強く、まとまりがあり、ほのぼのとした暖かさがしばしば感じられ、「4Hクラブにはいっていて良かったなあ」と再認識させられます。そんなとき、もっと多くの人と、出来れば、日本のいたる所に仲間がいたらなあと思い、機会のあるごとにこのような仲間の集まるところに参加しよう、という気持になったのです。

今年の八月、正丸峠で開かれた「埼玉青少年キャンプ大会」に、また、佐賀県での「全国4Hクラブ員のつどい」に参加して、仲間っていいなあ、としみじみ思いました。

仲間と夜遅くまで語り、第一印象の全く外れた友、だまって人の話を聞きながら目を輝かせていた友、農業よりも漫才師になった方が出世するのでは、と思わせるような友……といろいろな人がいましたが、今でも懐しく思い出しては、冗談ばかり言っていたけど、彼らも家に帰れば一家の担い手として一生懸命働いているのだろうと思うと仕事にも身がはいり、つらい仕事も楽しくなります。こんなところに仲間の良さがあり、仲間が一ヵ所に集まり行動をともにする意義があるのだろうと思います。

今回のつどいで特に私が期待していたのは、同じ埼玉県に住み農業に従事している仲間に会い、話しあうということです。都市化の影響を受け、農業をやめてゆく若者や兼業農家に移りゆく農家が多くなっている和光市で、私はどう生きていったら良いのか不安で、誰かに教えてもらいたいという気持でいっぱいです。

こういう気持は私ひとりではないと思います。同じような環境で同じような農業の問題をもった仲間と話しあい、今後の農業の動きを少しでも見つけられたら、と思っています。私は仕事と家庭生活を分離させ、本を読んだり、音楽を楽しんだり、旅行をしたりという文化的な生活をしたいと考えていますが、仲間はどう考えているのかも知りたいと思っています。

私が積極的に仲間づくりをしようと思ったもう一つの動機は、先輩のよい手本が私たちのクラブの中にあったからです。私が初めて4Hクラブにはいった一年前の三月二十二日に、「たとえ農業技術の面でのプラスはなくても、仲間を得たというプラスの面が残り、農業をやってゆく上に自信と誇りをもつことが出来るから、一生懸命に活動に参加するように」と、体験を交えながら、やめてゆく先輩が語ってくれました。

また、職場で草むしりをしながら話したり、お茶うけには座を囲んで笑ったりして、心が一つになっているのを感じて、私の心も暖かくなっていたとき、先輩が、これが仲間だよ、と教えてくれました。だから、今、私がこうして4H活動に参加できるのだと思っています。そして、4Hクラブにはいって良かったと思っています。

このようなわけで、この「つどい」に参加しましたが、また友だちが増えることを願っています。

柑橘の品質調査

クラブの限界を打破る

和歌山県・下津4Hクラブ 岡本正弘

▼課題と取組んだ動機 現在、下津4Hクラブは、会員三十名を持つクラブとして、下津地区の農業近代化の原動力となっており、主なプロジェクトとして会員が協力して打込める、地域の主産物たる柑橘の品質についての調査プロと、それに関連する研究を行ない、より合理化された農業への道を押し進んでおります。柑橘生産を科学的に裏づけ、次の発展の導く基礎とし、クラブ活動をより高水準なものにして行くため、発展的な気運の中で、確信を持って進められております。

一分のスキもない活動計画

▼計画と資金 クラブ員の能力の最高を求めるように、と設計され、4Hクラブの限界という概念を打ち破るとも見られるもので、クラブ共同プロとしても、資金作りから始まり、農村におけるクラブの地位を築くものとして、一分の隙もないものと思います。

▼実績をかえりみて 三ヵ年計画の二年目である昨年度(四十四年)は一昨年度の調査の継続に加え、さらに調査範囲も広く充実したものになり、また、同一の目標を持った活動が続いたため、これと平行した他の行事の内容も進歩充実を見せ、県、全国単位の大きな大会へも積極的に参加でき、また、その参加したことが、反対にプロジェクトの方に役立ち、各方面より大きな反響がありました。

▼今後の計画 来年度は、この調査の一応の形が確立されますが、今後は、このプロジェクトの進行中に、新しく出てきたプロジェクトの枝葉について、個々にプロジェクトが設定されるとともに、基礎資料となったこの調査研究を実際に役立てる応用への研究を進め、より一層の発展を求めて行きます。

おせち料理は手作りで

美濃市4Hで講習会

【岐阜】美濃市4Hクラブと白さぎ会(女性)は、このほど市公民館で、クリスマスケーキとおせち料理の講習会を開いた。

男性たちも、前かけをかけて、熱心に研修。一足早いクリスマスに、自作の料理に舌づつみを打っていた。

クラブ活動12カ月

新しいクラブ員を中心に <32>

栃木県・普及教育課 湯浅甲子

他の団体との比較

中心となる「生活」

組織の広がり、活動も

3、構成員

❶4Hクラブは、いうまでもなく、農業青少年である。ただし、この意味も現在は複雑になってきた。兼業化への傾斜、農業の流動化からくるものであろうが、所によってはかなり緩和して幅をもたせている地方と、この際だから厳しく同志を精鋭にしぼろうとする所と、両極があるようだ。私は、いまこそ、農業青年の根性の見せ所と考えているので、得手に帆を上げていた時代の4Hより、いまこそ農業青年の存在意義を強調したい。それゆえにも、農業をやろうとする青年の糾合が必要と考える。

また、年齢については、二十五歳程度までというのが、従来の常識であり、理解し易い目安である。しかし、現実の上限は低くなりつつあるようで、平均年齢は二十歳、或いはそれを割っている所が多いだろう。私は年長者が多くなることは今後ないだろうと見ている。4Hは、おおむね二十歳以下の所に活動の重心がかかってくるのが本当だと思う。

まして、結婚して以後も、4Hに入っているということは、好ましいとは思えない。それはたしかに、結婚後加入できるグループの適当なものがなかったり、4Hへの愛着が断ちきれなかったり、後輩の期待がかけられていたり、いろいろと、4Hを抜けられない理由はあるだろうが、冷静に後輩のためを考え、4Hグループ活動を考えると、脱会を奨めたいのである。

もともと、4Hクラブは、農業青少年の自由意志で、自発的に加入したのだから、脱会もまた、自由意志できめられるのが立前であろうが、私は敢えて、4Hクラブのために、結婚を契機として脱会を奨めたい。

❷青年団は、おおむね二十五歳までで、地域社会の青年は、だれでもが加入できる。メンバーが多彩多種多様であるところに、青年団の魅力がある。

❸出荷組合、同一作物の栽培者同士の集まりである。従って年齢は制限されない。

4、集団のひろがり

❶4Hクラブは、原則として個人尊重、個人活動といった身近な、足元の問題解決にあたる集団であるから、集団のひろがりは、生活に直結できる範囲内に制約されることになる。ただ生活に直結できる範囲というものの考え方が、統一しにくい、部落単位と考えるのか 旧市町村単位と考えるのか、いろいろ議論があろう。

しかし私は、少なくとも、クラブ員の人数が少なくなったから、新市町村一村にまとめようとか、指導上都合がよいから、まとめようという角度で、そのひろがりを規制することは間違いだと思っている。また、有線放送があって連絡しやすいから、農協単位でいいだろうという見方も、同様に賛同できない。

4H活動は、五感(見、聞き、嗅ぎ、話し、ふれる)が同時に作用しあえる距離で結びつかなければならないのだ。従って、近隣組織であることを原則として貫きたい。

❷青年団も近隣組織の一つには違いないが、支部体制であるので、一支部の人数は多いほどよいという見方ができよう。

❸出荷組合は、経営類型や経営の特色によって、同一型の人達の集まりだから、その組織のひろがりは、時によれば、行政区画をとびこえて広域的つながりになるし、その方が、経済活動のうえで、強化され、生産団地としての安定性ができていくことになる。

5、活動の中心

❶4Hは、前述のとおり、活動の中心はプロジェクトである。即ち、毎日毎日の生活の中に、クラブ活動の舞台がある。

❷青年団は、職業の異なる人達の集団なので、統一行動の閾値にその特色がある。一つの行事を、いろいろの立場のちがう青年が協力しあって行なうところに、青年団の教育性があると思う。

❸出荷組合は、ズバリ販売活動である。

6、体質

❶4Hクラブは、農家の長男、長女のグループで極めて等質性が高い。これは、結集力を高めたり、目的を明らかにしたりするのには容易であるが、一方、経営すぎて、行きづまり易いこともある。なにしろ、思考のしかたが、実に似ているのである。

❷青年団は、その点、全く反対で、異質性の高い集団だ。それだけに、まとまりにくい難点はあるが、立場の異なる、人達の集まりなので、何か問題をかかえこんだときなど、その解きほぐし方は、4Hクラブに見られない雰囲気の中で行なわれるようだ。4Hは、すぐ深刻化するが、青年団は、軽快に事を処していくように見える。

❸出荷組合は、複雑である。利益追求については、4H以上に、同質一体的になるが、その内面には、同床異夢といおうか、疑心暗鬼というか、表面と内面が、必ずしも同体であるとはいえないものがあるといえよう。

12月

クラブ紹介

姉妹クラブ提携第一号

=奈良県・郡山4Hクラブ=

私達の郡山は、トマトとイチゴに代表されるほど農業の盛んな所です。その反面、工場、住宅など他産業の進出が激しく、その中で郡山4Hクラブは活動を続け、その概要は、広い心を育てるために、異なった農業を持つ若者や、他クラブ員との交歓会、クラブ員と親睦を図るキャンプ、近代的な農業経営技術を身につけるべく、先進地視察、新農薬・肥料や大型機械利用などの実験をするため、稲作試験田の設置、年間を通じてのプロジェクト及び活動の成果をつづる機関紙の発行などをしております。

クラブ員数は三十六名(女子四名)の小さなクラブですが、先輩達の活躍によって、その名は、全国4Hクラブ員の間に知れわたり、今や全国の郡山として発展しつつあります。全国に先がけて、福島県郡山市4Hクラブとの姉妹クラブ提携、グループによるプロジェクトの実施などをおこなって、現在、発足以来十六年になります。

その間、農業基本法が制定され、一時曲り角に来た農業などといわれながら、先輩達が一歩一歩歩んだ道は、何ものにも替えがたいものだと思います。我々のクラブもこのような地域の中にあり、地元農業の先覚者として活躍しています。「一人はみんなのために、みんなは一人のために」、心と技の分ち合い」を合言葉に、先輩からうけ継いだ助け合いの精神をこれからも後輩へ伝え、そして消えることなく郡山4Hクラブの伝統として育てゆきたい。(同クラブ機関紙「友だち」より)

生活 冬の知りコーナー

◇冬花の扱い方

シクラメン、桜草などの鉢ものは、温室栽培ですから凍らせないことが第一で、寒い夜中などは、ポリエチレンの袋をかぶせます。反対に、ストーブのそばもよくありません。冬は部屋の中は乾燥しますので、三日か四日に一度、暖かい日の午前中に水をたっぷりやります。できれば、生ぬるい水を鉢がかぶるくらいバケツに張り、その中に鉢ごと入れて二~三分水を吸わせます。くれぐれも水を花や葉の上からかけないことです。葉にホコリがたまったときは、霧ふきで葉だけに水をかけてとります。

つぎつぎに咲く花を長く楽しむコツは、しぼんだ花や枯れた葉を早目に根元から指先でつまみ取ることです。日光にあてるのはもちろん結構ですが、冷たい風をきらいますので、日あたりのよい縁先や窓辺で、ガラス越しの日をあてるようにしましょう。

生きるのは自分だ

結婚についてなど

佐賀のつどい散策レポートより ⑥

クラブ員の年齢から考えても、結婚が関心の大きな部分を占めることは、至極当然なことである。いわゆる農業後継者と呼ばれる人たちは、長男、長女に多いため、結婚に際して有形、無形の制約が大きく、障害も少なくないと聞いている。このことを避けてよいわけはないが、しばらくおいて、アンケートにおける、結婚に対する考え方を拾ってみよう。

たとえば、「嫁をもらう場合、全然農業をやったことがない者の方がよい。少しでも農業をやったものは、自分の経験だけで目先のことばかり主張し、夫に対して理解援助してくれない」などという声がある。正確にはどういうことなのか、わからぬところもあるが、かなり一般的にいえることなのだろうか。

農業を変に特殊なものと思いこむことの愚さを、まえに述べたかと思うが、ここでも、それを指摘しておきたい。農民の視野の狭さは、あまりにも誇大にいわれすぎた嫌みがあり、それがどれだけ事実にそったものかどうかはわからない。だから、農業をやっている若い女性が、目先のことばかり主張するということも、いま一度考えなおす必要がある。

この回答者の見聞に、たまたまそうしたケースがあり、それが印象に強く残っているということかもしれないのだ。むしろ、女性というものが、男性に比して現実的であり、自分の身のまわりのことには、驚くべき注意力を働かせるため、とかくこまかな利害にも無関心でいられないのではなかろうか。また、体験したことだけを固く信じこみ、その体験からでは理解できぬことに対して、なかなか踏みだせないのだ。

こうしたことは、くわしく述べても嫌われるだけだろうから、深くは触れず次に移ろう。「他産業のものたちと交際した場合、農民がもっと近代的な習慣をもち、明るい姑との関係ができれば、農家に嫁ぎたいというものもいる。あまり、むかしいわれた嫁姑ということは、問題がなくなっており、次第に若いものと話合うようになっている」という意見もある。

農業にたずさわっていない若い女性が、農家へ嫁ぐことをどう考えているか、そのへんの事情については知らない。こういう問題は一般にどうのこうのといってみても、仕方のないことだろう。もっとそっけなくいえば、生きていくうえでの問題は、なにひとつとしてお手本などないと考えた方が、まちがいないだろう。

たとえば、嫁と姑の問題があるといっても、必ずどこにでもあるわけではないし、そのあり方もすべて異なっている。そのときに、それを解決するに、どういうケースをまねすれば、必ず解決するというものがあるだろうか。そんなものを頼ったところで、大した効果はないはずだ。

それぞれのケースのなかで、その原因を考え、解決方法を見つけだすしか、どうにもならないということ、このあまりにも平凡な結論を、もっと大切にしなくてはなるまい。結婚のみではなく、すべてについていえることだが、自分の生活は自分でするしかないということを、改めて考えなおしてみることも、無駄ではないはずだ。本を読むのも大事だし、忠告を受けるのも悪いことではないが、実際にそれを行なうのは、自分よりほかにないことは、忘れないようにしようではないか。

4Hのマークと共に

クラブ活動用品の案内

(単価)

品名	単価
4Hバッチ	50円
レコード盤(4Hクラブの歌・4H音頭)	150円
クラブ旗 大(72cm×97cm)	400円
クラブ旗 小(36cm×49cm)	200円
手拭	100円
ハンカチ	60円
ネクタイピン	200円
女子用ブローチ	200円
クラブ員専用便箋	100円
〃 封筒	70円

◎荷造り送料代百円です。
◎ご注文は代金を振替口座へお払込みを願います。代金着き次第ご送品致します。

社団法人 日4H協会代理部
東京都千代田区外神田6丁目15~11の705号
振替口座 東京72082番

１９７１年（第６２９号～第６４６号）

日本4H新聞

4Hクラブ
農事研究会
生活改善クラブ
全国弘報紙

発行所
社団法人 日本4H協会
東京都市ケ谷家の光会館内
電話(269)1175郵便番号162
編集発行人　玉井　元
月3回・4の日発行
定価　1部　20円
一ヵ年700円（送料共）
振替口座東京.12055番

クラブ綱領

私達は、実践を通じて自らを磨くとともに、互いに力を合わせて、よりよい農村、よりよい日本を築るため、四つの信条をかかげます。一、私達は農業の改良と生活の改善に役立つ技をみがきます。一、私達は科学的に物を考えることのできる頭の訓練をします。一、私達は誠実で友情に富む心をつちかいます。一、私達は楽しく暮し元気で働くための健康を増進します。

新年特集号

45年12月24日号と46年1月4日号を合併、増頁として特集号としました。

文化のふるさと

歴史の重みを秘めたワラぶき屋根、郷土色あふれる民芸品、日本人が智恵と汗で築き上げてきた伝統と美だ。それはわれわれの心のふるさとであり、日本の文化を創造する源泉でもある。（イノシシは長野県の一刀彫）＝共同通信提供

日本の個性

伝統をいつくしむ心を

藤島泰輔

私は、仕事の関係で外国へ行く機会が人並み外れて多い。多いときは年に八回という年もあった。

だが、近年、外国を知りたいという気持が、日本をもっとよく知らねばという気持に変って来た。あるとき、帰国してすぐ、東北地方へ講演旅行に出かけた。夜行列車に乗って、朝、食堂車へ行って朝食を摂りながら、ふと車窓から沿線の風景を眺めたとき、突然私は何と美しい国だろうと思ったのである。

その唐突な心の動きを、言葉で説明することはむつかしい。日本が美しい国だということぐらいとっくにわかっているではないか、といわれればそれまでである。だが、そのときに、私が再発見した日本の美は、それまでに感じていた美とは違う、胸を打つような美であった。

その後、私は、それまであまり引き受けなかった地方講演を積極的に受けるようになり、時間が許せば、講演の前後にその地の周辺を出来るだけ歩くようにして来た。最近印象に残った地方の市町村では、秋田の角館、滋賀の彦根をはじめいろいろとある。それらの町のたたずまいは、東京のスモッグの中で暮らしている私たち都会の人間をこの上もなく休めてくれた。

しかし、私たちが良いと感じる、伝統的な日本の美に対して、その地方の人々の中にはそれが機能的でないという理由で不満を洩らす人が少くない。

「なにしろ、道りが狭くて……」

と、弁解する車の中で弁解とも何ともつかぬことをいった人が長野にもいたし、会津若松にもいた。戦災に遭わなかった町では、大なり小なりこうした悩みを抱いている。

そうして、テレビの普及等で、大都市の機能が余すところなく地方に伝えられるので「東京は便利でしょうが、何しろ田舎のことで……」という言葉が飛び出して来る。半分は謙遜もあろうが、半分は本気である。

私は東京生れの東京育ちで、いまだに東京を離れられずにいるけれども、それは、私には故郷と呼べる場所が東京しかないからである。東京をはじめとする六大都市が、機能化の一途を辿るのは、それが大都市の宿命だからで、そこに住んでいる人間が、それを望んでいるということでは決してない。

従って、そうしたマンモス都市の持つ機能や活気に憧れた若者たちが、地方の市町村から続々と出て来る現象を見ると、私たち東京っ子は苦笑をせざるを得ないのである。私など、作家生活十五年で、いまだに自分の土地も家もない借家住いで、それもだんだん自前の家を持つ希望が失せて来ているのが現状である。そして、東京の町は、町名も変り、歴史的な建造物もどんどんとりこわされて、無性格な、コンクリートの、機能優先の都市になってしまった。

私は「日本の個性」というものが、やがて農村にしか残っていない時代が来ると思う。

そして、その「日本の個性」を守るのは、はっきりとそうした自覚を持った青年たちであろうと思う。

私は、いつだったか、松下幸之助会長（当時）と4Hクラブについて話したことがある。4HのHはいかようにも解釈出来るのだから、ハートは、日本の伝統をいつくしむ心でもあって欲しいというようなことを、お話した。これからの農業はあくまでも科学的であらねばならぬが、その地域の伝統美を守ることは、農業面での機能化と決して相反するテーマではあるまい。

そういう意味では、日本の美を再発見するために、日本の農村青年が、一度は外国に行ってつぶさに見てくることをすすめたい。彼我を比較するところから、公平な目も生れて来る。

世の中で土地に根の生えた文化ほど、根強いものはない。マンションの生活から、伝統は生れないのである。

（作家・ふじしま　たいすけ）

新春によせて

誇りと自覚もて

農林大臣　倉石忠雄

明けましておめでとうございます。新しい年を迎えるに当たり、私の所信を申し述べたいと存じます。

近年、わが国経済社会は、急速な発展をとげてまいりましたが、その中にあって、農業は、種々の困難な問題に直面しつつも、その生産性を高めながら発展し、食料の供給、他産業への労働力の供給、国内市場の拡大、国土の保全などの面で、経済の発展と生活の向上に重要な役割を果たしてまいりました。

私は、農業が健全な発展をとげ、産業として確立されることなくして、わが国経済社会の均衡のとれた成長発展は期待しえないと考えております。

最近における農業の動向をみますと、農業をめぐる諸情勢には容易ならざるものがありまして、米の需給、農業構造、農産物価格、農産物貿易、公害などの面において種々困難な問題に直面しております。これらの問題に対処するため、長期的な視点に立って農業の構造改善を促進するとともに、その過程で農産物の需給を調整するなど、あらゆる角度から検討を加えつつ、総合農政を本格的に展開いたしております。

農業生産の方向としては、現在、必ずしも需要に対応した生産が行なわれているとは認められませんので、今後は、米の減産と需要の増大する農作物の生産に努めることといたし、このために必要な種々の条件を整えるとともに、各地域についてその地域特性に応じた農業生産を誘導してまいりたいと思っております。

その際、物価対策を重視し、農林漁業の近代化を推し進めるとともに、経済の国際化に十分対応していく考えであります。

農業の近代化に重要な役割を果たす農業構造の改善につきましては、農業が困難な問題に直面しつつも経済の高度成長の過程で機械化等により労働生産性が向上し、一部には高度化された農業経営が形成されつつあることも十分評価して、改正農地法などの適切な施行を軸として、構造政策を強力に展開し、生産性の高い近代的な農業経営を確立してまいりたいと考えております。

さらに、農薬対策その他公害問題に積極的に対処して国民生活にとって健全な環境の保全に、努めたいと思っております。

米の過剰問題につきましては、過剰傾向が恒常的なものであると認められますので生産調整を長期的計画的に実施して、この間にわが国の農業を需要構造の変化に十分対応できる体質に改めてまいりたいと考えております。米の減産により生ずる余剰米田は、需要の増大する農産物の生産の拡大に極力利用することとし、これら転作を推進するために、土地改良事業、試験研究や普及体制の整備を行なうとともに、必要な価格対策についても検討してまいる考えであります。また、生産調整と関連して、食糧管理の制度・運営の改善についても検討を加えるとともに、国民の重要な食糧である米の生産が合理的に行なわれ、生産コストを低下しうるよう必要な諸施策を講じてまいる所存であります。

一方、近代的農業が成立するためには、これを支える新しい農業のすぐれた担い手として、高度な専門的知識・技術と企業的経営管理能力をそなえた農業者の養成確保に努力することが必要であると考えます。このため、後継者対策を含め、各種の研修・教育等に関する各般の施策を一層拡充強化して参りたいと考えております。

このほか、農業振興地域の整備、農村地域への工業の計画的導入の促進、農林業のもつ自然保全的機能の活用、農山漁村の生活環境の向上を通じて、世界の大国に数えられるようになったわが国にふさわしい近代的な農村の建設に努めてまいる所存であります。

農業は、その性格からして一朝一夕にしてその施策の効果があらわれるものではありません。それだけに政府をはじめ関係者のたゆまざる努力と協力が必要であります。特に、これからの日本農業を担うという誇りと責任を自覚し、その輝かしい未来に向ってまい進されている青年農業者諸君の一層の精進とご活躍を心から期待し、新春に当っての私のごあいさつといたします。

組織を考えよう

全国4Hクラブ連絡協議会々長　久野知英

全国4Hクラブ員の皆様あけましておめでとうございます。ご家族そろって新しい年を迎えられたことと存じます。

振り返ってみますといろいろなことが脳裏をかすめますが、ある意味においては、昨年は万博に始まり万博に終った感がないわけでもありません。しかし激動期の幕あけといわれた七〇年代は、全協にとっても、同じく厳しい試練への出発でありました。

開催が危ぶまれた全協の重点事業〝つどい〟も、紆余曲折しながら、全国クラブ員の理解と佐賀クラブ員の協力のもとに無事終了いたしました。しかし、この紆余の起因したところは、クラブ組織の弱体、すなわち組織人としての感覚の低さにあったといっても過言ではないと思います。それと同時に、昭和三十八年度より叫ばれてきた4H会館建設についてみても、それがいえると思います。会議ごとに毎年同じ質問がくり返され、これが果して全国段階の組織かと疑いたくなるような場面が、多々あったことを記憶しております。

これはやはり国策によって導入され、行政によって進められてきた4Hクラブ活動が、現在においてもなお自主独立することができずに、行政の力に頼りきっている現状が大きな原因であると思います。こうした中で4Hクラブ活動を展開しているクラブ員は、果して4Hクラブをどのように考え受け止めているのか、非常に疑問な点が多いように見受けられ、クラブ員でありながら4Hの本質もわからず、ましてやプロジェクトなどは持っていないという人が、意外に多いことは、まことに憂うべき問題であります。

そうした意味あいからも、新しい年の初めにあたって、いま一度4Hクラブ組織について、皆さまと共に考えてみたいと思います。

先にも述べたように、青少年の健全育成の名のもとに取り入れられた4Hクラブ活動は、連絡組織の必要から、昭和三十年に各県の有志が集まって全協が結成されて以来、組織強化が叫ばれて久しい。しかしながら行政の指導のもとにおいては技術指導が中心となり、それが前面に押し出されたために〝一人はみんなのために、みんなは一人のために〟という基本が忘れられてしまったようです。

農業技術の習得の場とのみ考えられていたり、また教えられていた? 結果、他人のことよりも自分個人のことしか考えることの出来得ない人がふえてしまったのでは?……。こうした土壌の中からは決して組織というものは育っていかないし、また、こういう中で生活する人はあまりにも不幸であると感じます。もっと大局的な見地に立って、ものを見、考えそして行動する、そうした人になってほしいと思います。しかし誤解してもらっては困るのは、自分自身を粗末にしてはいけないということ、個人を粗末にする人は組織をも粗末にする人になってしまうからです。

しかしながら、現実においては、クラブ組織を真剣に考えれば考えるほど、現時点における経営とのギャップに悩み、苦しむ人が多いと思います。けれども、それはどうすることも出来ない当然のことであると思うし、本来、両立させようとする方が無理なのだと考え、若い時のそういった悩み、経営面でのマイナスは一応肯定した上でのクラブ活動、組織活動でなければならないと思います。同時に、自分自身の勉強と訓練とが、いつの日か、マイナスを埋め合わせてもなお余りあるだけの人に成長しなければいけない、またそうすることが、ほんとうの意味の4Hクラブ活動であると思います。

クラブ活動、組織活動の中での訓練は、現時点においての価値評価がむずかしいけれども、やがてそれが無形の財産として、すばらしい価値を生みだすことに気づく時が来ると思うし、そのように努力していくことが大切であると思います。

年頭に当り、所感を述べさせていただきました。

先取りの精神を

日本4H協会々長　宮城孝治

全国の4Hクラブの皆さん、明けましておめでとうございます。心静かに新春を迎えられましたこととおよろこび申し上げます。すがすがしい新春を迎えるたびに、やはり、気分が新たまるのを感じますが、皆さんも、未知の世界へと心をわき立たせ、希望や夢で大いに胸をふくらませていることと思います。

ご承知の通り、私は、昨年、日本4H協会の総会におきまして、計らずも会長にご推挙戴き、松下前会長からバトンを受け継ぐことになりましたが、松下前会長はじめ協会の役員、会員と関係者の方方のこれまでのご努力を無にしないためにも、微力ではございますが、関係各位のご協力を得て協会の発展に努力したいと思っております。

4H協会は、日本4Hクラブが発足して間もなく設立され、以来、約二十年にわたり、4H精神とクラブ活動の普及、啓蒙を目的として努力してまいりました。しかし、また、協会としての基礎も不十分であり、協会のあり方とともに検討していかなければならない問題が多々あります。

また、農村は著しく変貌し、これまで曲り角に来たと言われた農業も、曲らずに、いまや断崖に立たされた状態にあり、いまだかつてない重大な時期に直面しているといっても過言ではありません。そして、このような中で、農業を受け継ぎ改革していく農村青少年の育成は大きな問題であります。この現実を認識いたしますとき、4H協会といたしましても、これを援助するため真正面から取り組まなければならないと考える次第でございます。

4H協会は、農業と次代を担う青少年の育成に理解ある人たちの協力によって運営されておりますが、さらに力を合わせて一層その機能を強化していく必要があり、その基礎固めは七〇年代の課題であるともいえます。

農業の現状をみますとき、いろいろの問題を打開し、新しい道を進むためには農林省はじめ関係者が一丸となって努力しなければなりませんが、とくに、農業者自らがこれらの問題解決と取り組む必要があると思います。とりわけ、将来の農業、日本を背負っていく青少年がどうあるべきかということは大きな課題であると思います。

そのためには皆さん同士がお互いに手を取りあって考え、問題を究明して打開していく必要があると思います。また、その用意をすること、そこに4Hクラブの重要な存在意義があると考えます。

とくに、私が、ここで申し上げたいことは、政府の施策もさることながら、農業者自らが今後の農業をどのような方向で進めるべきかを検討し、先を見通してその準備をすることが大切であるということです。従いましてこの際、農村青年は国際的視野や日本経済全体などを洞察しながら、日本農業を先取りして、それに対処していくという心構えが必要であると思います。このような先取り精神が旺盛であれば、目的をなくし、ただ目先きだけに走って転職したり右往左往するといった状態がなくなるのではないかと思います。これは、青少年諸君にとって七〇年代の大きな課題であると考える次第です。

また、4Hクラブは、生産や増産第一主義に傾き、人間形成や同志意識、地域社会への奉仕などの面がおろそかにされてきたため、このところ、その反省期に入っておりましたが、この両者を切り離して区別すべきものではなく、常に車の両輪のごとく調和させていく必要があると思います。

どうか、クラブ員の皆さんも、これらの点をよくご理解され、均衡のとれた活動を推進され、物心両面ともに大きく伸びることを期待いたします。

最後に、全国の4Hクラブ員の皆様のご多幸と健全なクラブ活動の推進を祈念し、年頭のごあいさつとさせていただきます。

新春を迎えて

幸福をつかむ

文部政務次官　西岡武夫

あけまして、おめでとうございます。

人生、ややもすると、のんべんだらりとなり易く、イージーゴーイングに堕する危険性をもっております。その点、正月というものを設け、人生に節を与えて心を新たにするという習慣は、生活の知恵として、すばらしいことだといえましょう。クラブ員の皆さんも、正月をむかえていろいろ反省し、計画をたて、決意を新たにされたことと思います。

私もまたこの正月をむかえ、これを人生の節として心を新たにするとともに、人として生きることの価値や、幸福などについて考えてみました。

先日、国立江田島青年の家の大友所長が次のような話をされておりました。大友所長については、前に本誌で私のところの伊藤俊夫君が紹介したように、ある雑誌の編集記者をしていたことがあって、話はそのとき吉川英治さんから伺ったものだそうです。

「ある日の夕方、自分が庭にでて、ぼかんとした気持で煙草をくゆらしていた。台所から家内が夕餉の仕度をするまな板の音がきこえてくる。

それをききながら、自分は、幸福というのは、今こうしておるこの現実が幸福なのだ。今までは、あの時が楽しかった、あの時が幸福だった、といつも過去の幸福を追っかけて、あとから味わっていたが、そのときから幸福は身近な、現実の状態においてつかむことを覚えた」としみじみ話されたそうです。

幸福をつかむということは、その人、その人の立場によって違うと思います。若い人は、夢や希望にぞくぞくしたり、未来の可能性に生き甲斐を見出したりするでしょうし、老いた人は、過去の栄光の想い出にうっとりしているかも知れません。しかし、幸福というものは、正しい現状認識の上にたってみつめたものこそほんものだ、といえると思います。

この現状認識ということについては、わが国の新しい青年団体活動を軌道にのせた下村湖人先生が、これを運命に置きかえて、その作品「次郎物語」の中で示唆に富んだ説明をしております。

従来、運命については、あきらめ、ともいうべき東洋流の諦観か、あるいは、あたってくだけろ式の両極端の考え方や指導が多かった。しかし、運命というものは、岩山に生えた松の木のように対処すべきである、とさとしているわけです。水もない、根を張る余地さえないような岩の上に落ちた松の実が、己れのおかれた立場を認めた上で、あきらめることなく、やけっぱちに自爆することなく、「生き抜く」という目標をめざして岩のわれ目をさがし、根をのばし、風雨に耐えて成長していき、いずれは岩をも割ってしまう。この岩こそ運命であり、松こそ人の生き方を示すものだ、ということです。

わが国は、戦後の荒廃した国土に豊かな社会を建設することを念願しその目標にむかって国民の総力を結集して参りました。そして、今日、ようやくその目標を達成しようとしておりますが、反面、国の内外にわたって、新しい幾多の問題が山積しております。クラブ員の皆さん個人にしても、いろんな難問をかかえていると思います。しかし、いかに困難なことがあるにしろ、幸福は他人がもってきてくれるものではありません。自らが、それぞれの立場、立場に最も適した方法と着実な努力によって、積極的につかみとっていくものではないでしょうか。

正月をむかえ、改めて自己のおかれた位置をみつめ直し、人として生きることの価値を探りながら、もてる力を存分にぶっつけて、自分の幸福、みんなの幸福を創り出していきたいものです。そのためには、これからめまぐるしく変る社会の動きに対処できる力、変化を前むきのものとしておし進める原動力となる力を身につけることが必要であり、これは生涯にわたる日々の学習の積み重ねによって初めて可能になるものだ、ということを正月にあたり、皆さんとともに確認したいと思います。

〝心の紐〟強く

総理府青少年対策本部次長　清水成之

新年おめでとうございます。

誰しも同じことと思いますが、前の年を送り、新しい年を迎えるにあたって、過ぎし一年をふりかえり、今年は、こんな考えのもとにこんな事をしようと、それぞれ希望と決意を新たにしておられることでしょう。殊に、皆さんにとっては、若々しい抱負をもって、七〇年代の第二年目を迎えられたことと思います。

わたくしは、皆さんと同じく、農村に生まれ、農村に育ちました。そして、土の香りと田舎の方言もなおわたくしにしみついております。

しかし、わたくしの育った時代の農村と皆さんの生きている農村とでは、大へんな変り方だと思います。わたくしが日本の農村全部を知っているわけではありませんが、自分の田舎のことを見聞するにつけ、いつもそう感ぜずにはおれません。

戦後の農地改革、これは、経済的にも社会的にも大きな変化をわたくしの田舎にもたらしました。今では皆が自作であり農業経営者で、いろいろの機械が使用されております。昔はなかったテレビ、ラジオも各家庭に普及しています。電話も相当入っています。山の薪を燃料にしていた頃は過ぎ去って、プロパンガスがこれに代っています。自動車をもつ家も増えています。また、山や丘は公害を避けるため都市の住宅用地と化しつつあります。

さらに、青年は、都市に働きに出て、田舎に残っている者は減っています。また、田舎に残っている者でも、専ら農業に従事するのではなく、他に業をもっているものが少なくありません。世帯全体からみれば、兼業農家が殆んどになっています。このようなことは、何もわたくしの田舎だけのことではありますまい。わが国全体の経済構造、社会構造の変貌のもたらすものでありましょう。

わたくしは、自分の田舎の青年団の昔のことは多少知っていますが、農村の変貌とともに、今どの程度の団員があり、どのように活動しているのかを思うと淋しい気がいたします。そしてまた、田舎の中心であった若者が減り、その組織が弱まっていれば、勢いお祭りも気合が入らないのではないかと思うのです。

わたくしがこんなことをいうのは何も回顧趣味に耽けろうとするのではありません。農村で育ったわたくしにとって、幼友達、青年団、村の人人、言いかえれば地域社会がもつ「心の紐」が大切なものだからです。今日式の言葉でいえば「連帯感」です。

戦後、皆さんの4Hクラブが発足したことも、当時田舎にあって承知しています。また、某県で社会教育の仕事に携っていましたので、皆さんの4Hクラブの目的や活動も、じゅうぶんとはいえませんが、かなり知っているつもりです。

わたくしは、4Hクラブが農業経営・技術や、農村生活の改善を狙っているという意味では、職能的な組織であり、その点で青年自身による学習活動として活発な働きをしておられることを高く評価している一人であります。しかしそれ以上にまだ農村を基盤として、皆さんの綱領の中にある「一、私達は誠実で友情に富む心をつちかいます」という項目とその実践に深い敬意と大きな期待を寄せています。

若い同僚がドンドン村を離れてゆく中にあって、取り残されるのではないかという不安感、孤独感が襲うこともありましょう。しかも、農業後継者としての皆さんが、クラブ活動を通じて自らを磨くとともに互いの心の紐を強くしながら、これらの不安感、孤独感を吹き飛ばし、励んでおられることの尊さをヒシヒシと感じます。

わたくしは、皆さんの活動が、個人のみならず、よりよい農村、よりよい日本を創るための活力となることを信じております。今年もまた新しい抱負のもとに4Hクラブの活動も推進してください。

総合力の発揮を

全国農業協同組合中央会々長　宮脇朝男

昭和四十六年の年頭に当り、全国の農協に心から新年のお祝いを申しあげます。

いまや、わが国の高度経済成長は寡占、独占をますます強化し、産業公害の多発、物価の高騰、過疎過密の進行等民生の安定を阻害する大きな社会問題を発生させております。

このなかで日本農業は、いまだかつてないきびしい局面に遭遇しております。とくに、米の過剰は深刻であります。計画生産による需給の均衡が要請されております。しかし、これは農民の生活を左右する大問題でもあります。また、経済の国際化の進展のなかで、工業製品の輸出増大は一方に農畜産物の輸入に圧力をかけ、日本農業の存続と発展を大きく制約しております。

このようななかで、われわれは昨年十月、第十二回全国農協大会を三日間にわたり開催し、総合三か年計画をはじめ生活基本構想の決定など農協理念を基本に自主建設と総合力発揮を基調とする協同運動をますますさかんにし、組合員の営農と生活を守り向上させていくための諸施策を、全系統が一体となって実践し、激動する諸情勢に対処せんとしたのであります。

総合三か年計画の基本施策の第一に、われわれは生産販売一貫体制の確立を掲げました。これにより営農団地の造成を一層計画的総合的に進め、消費需要に対応する生産・供給、消費者の好みにかなった品質、市民生活を守る安定価格、この三拍子揃った農畜産物の生産の実現のために努力いたしたいと思います。

同時に生産から加工、流通消費に至るまで、系統農協が一貫して取扱う体制を固め、全国ネットワークにより団地間協同を進めるなど高能率高所得農業の建設へと進んでいきたいと思います。

しかし一面、組合員の所得構成は年々農業所得の割合を減じております。農外所得が農業所得を上廻る状況になっております。これは日本農業が高能率化への道を歩みながら、なおかつ高所得を実現することが困難となっている事情を物語っております。われわれが第十一回全国大会以来掲げてきた農業基本構想の実行推進だけでは組合員の社会的経済的利益の向上につながらないということであります。これが昨年の第十二回全国大会において、「生活基本構想」を決定した所以であります。ここでわれわれは生活全般にわたる協同活動を強化し、組合員の生活の安定向上のために、消費生活、健康、共済、財産等の管理面の活動にとどまることなく、積極的に安定した農外就労対策を進め、高所得の実現と生活の向上とが両々相まって目的を達するよう努力する必要があると思うのであります。

申すまでもなく、農協運動の目的は、組合員にたいする最大の奉仕であります。組合員が協同活動を通じて経済的に、あるいはひろく生活の面において、よりよき利益を確保できるよう運営することにあります。先ず〝組合員ありき〟であります。ついで〝単協ありき〟です。連合会は単協機能補完のための組織であり初めに全国連がありその役員の生活安定のために県連、単協があるのではないのであります。

しかし組合員にたいする奉仕は、その時限りのものではダメであります。安定継続した奉仕でなければなりません。組合員のためだからといって家をこわして一夜の暖をとるごときは、組合経営を破壊するものであり、ひいては協同活動の母体を弱体化するものであります。安定なきところに奉仕なしです。特にこれからの農協活動は、国際的な規模において行なわれます。外国農業のみならず、世界の政治経済の変化は、日本農業を左右するほどに影響をもちます。一市町村、一府県段階だけの活動ではゆきづまります。ここに連合活動の必要性と重要性があります。特に国際化時代を迎えるにあたって、わが農協は、そしてわが全国連は何をなすべきかを冷静に考えるべきであります。

われわれは、第十二回大会において「自主建設路線の確立」を今後の農協運動の基本方向として決定しました。

協同組合運動は自助と互助の精神で進めるのであります。しかしまず自助であります。万人は一人のためにという前に、自ら立つ精神が大切です。それでなお出来ないものを互助連帯の精神、つまり組織の力で対処し解決してゆく、これが協同組合運動の基調であります。われわれは基本農政の確立を国に要求し、食糧の国内自給率、生産の地域分担目標、競合農畜物の輸入抑制、農業基盤整備等日本農業を守り発展させるための基礎条件の整備を求めております。が、一切を政府の施策に依存するというのでなく、その基礎条件の整備の上にたって、われわれ自らが努力し建設すべきことを明確に打ち出し実践してゆく、これがわれわれが提唱する自主建設運動の基本であります。

あわせて、われわれは大会において「総合力の発揮」を決定しました。系統農協が有するあるべき力の総和を最大限に高め、生産、加工、流通、あるいは金融また生活全般にわたって、間隙のない仕事を進める、それが総合力の発揮であります。われわれは系統農協のタテ・ヨコ十文字に機能の完全な発揮を目指し、ともすると生じやすい団体セクショナリズムを抑え、組織一体の力で遅れをとった分野への積極的な開発、進出を図っていこうとするものであります。

全購、全販の合併をはじめ、わが系統農協の各般にわたる組織整備、事業の刷新はこの意味においても、誠に急務であります。

かように、われわれが総力をあげて、困難な局面打開と新たなる建設を開始せんとするとき、何をおいても重要なのは人の問題であります。人材の確保、育成、教育の重要性は、古くしてつねに新たなる問題であります。当面の難事にのみ目を奪われ、百年の大計を誤まることのないようにせねばなりません。

また、われわれは、中央会発足以来監査を実施してまいりましたが、現状はまだ不十分であります。われわれは三か年計画の推進を契機として、系統農協自らが自主的に事業運営、会計の点検調整を中央会監査により実施し、農協活動にたいする信用を内外ともに高め、つねに厳しい姿勢と節度ある運営に徹していくことが極めて肝要であると思います。

他面、わが農協にたいする世論、市民感情は決して満足できるものでなく、農畜産物の最大の顧客である消費者は農協の社会的役割について十分な認識をもっているとは思えないのであります。われわれは、一方に生産販売一貫体制の確立を努力することにより、実践を通じて消費者の利益につながる農協の活動を知らせ、一方に対外広報を積極化して農協の存在価値を周知徹底するなど、農協にたいする社会一般のイメージアップに努めたいと思っております。

さいごに、難局の打開と、積極的な新規開発のために、新たなる勇気と希望をもって、一層のご活躍とご協力をお願いして、新年のご挨拶といたします。

新しい農業経営

昨年の日本農業を取りまく社会情勢は、ことのほか厳しかった、日本農業史上はじめて体験した米の減反公害による汚染米の続出。一方、他産業の繁栄による農村人口の流出で、山村の過疎化現象は激しい。このため都市には人口が溢れて逆流し、都市のドーナツ化現象が現われてきた。新都市計画法は制定されたがはたしてよいものか、悪いものか。ただ一ついえることは、ますますこの現象は進み、都市は雪だるまのように大きくなって、自然を蝕ばみ、農村を脅かすだろう。

そういう悪条件下にありながらも、過疎地帯で、あるいは都市近郊で、農業に意欲をもやす青年たちは、けして少なくない。新しい農業経営、企業的な農業が呼ばれている中で、最近、都市近郊で話題を呼んでいる観光農業を営んでいる田中稔一君（23歳）を紹介します。田中君は「観光ぶどう富士見園」を経営するかたわら、4Hクラブ活動にも熱心で、現在、浦和地区連絡協議会の会長を務めております。（編集部）

"観光ぶどう"に賭ける

野菜農家から脱皮

地の利生かし観光農業を

埼玉県新座市菅沢　新座4Hクラブ　田中稔一君

東京・池袋から東武東上線で約三十分で志木駅に到着。最近になって開けた駅前にはストアーや店商街が建ち並んでいる。この志木駅の乗降客の数は池袋駅についで多いとか。駅前の広場には、各方面に発着バスが行きかい、バスを待つ人が群れている。

めざす新座市は、県道・浦和、村山（東京都）間で、西に向って約十分、地図でみるとわかるように、ほとんど埼玉県というより、東京に入り込んでいて、東京の郊外とでもいいたいところだ。この新座市は、昨年から人口の急激な増加に伴って市に昇格したところで、ところどころに武蔵野の面影を残した雑木林があるとはいえ、そのほとんどが蝕ばまれたように住宅や工場が林立し、東京に隣接した新生都市の誕生をもの語っている。

きょうお尋ねする田中君の家も従来から野菜専業地帯の農家であって、幸か不幸か新都市計画法の調整区域とはなったが、すでに専業農家は減少しはじめ、農家は農業より他産業へと移行し、工場や住宅に農地を売却するほか、農家自身が貸し倉庫などを建て、生計を営みはじめたという。とはいえ地帯には、まだまだ農地の部分が多く冬野菜が作付けされているが、この状態もそう長つづきしないと思える。

ということは、あまりにも東京に近く交通に便利なことと、四十七年度には、国鉄・武蔵野線が開通し、ものの五百メートルもないところに新駅ができるということからも想像できよう。また、家の前方には関越高速道路が設かれ、工事も急ピッチで進んでいる。ちなみに、道路と畑を隔てた東方には有名な平林寺があり、年間を通しての参詣人が、マイカーを連ね家族ぐるみでやってくるという。

田中君の家は、県道の両側にあり、最近になって新築され、玄関前には築山が作られ、有名な三波石（群馬県産）が二つ、でんとおかれて豪勢な雰囲気をかもし出している。はじめての訪問にもかかわらず、心よく応待してくれた。

田中君は、昭和三十九年春、埼玉県立農業経営伝習場を卒業後、両親や姉さんたちを手伝って専業の野菜作りを行なっていたが、十八歳のとき新座4Hクラブに入会した。当時野菜の暴落にあい小型トラック一台の野菜の値段が、わずかに一円か二円という話しにもならない悪状態を体験し、苦い思いをしたという。そんな矢先自分でもなにか新しい経営をやってみたい、なんとか現在の経営から脱皮して、二度と野菜の暴落で味わった苦しみから抜け出したかった、と当時の思い出と、現在軌道にのってきた「観光ぶどう」の栽培をはじめた動機とを語ってくれた。

そのころ、地区の4Hクラブの新年会があって田中君も出席したが、その席上で友だちと経営について話し合っていたが、たまたま同席していた小林普及員さんと話し合うことがあって、そこでいきづまった野菜経営や今後の打開策についての悩みを打ち明けたところ、都市近郊という地の利を生かした"観光客を相手にしたぶどう栽培をしたらどうか"という助言を受けたという。

その後、このぶどう栽培について思案したあげく、両親に計画を打ち明けて相談したが、はじめ両親は、なにもそんな危険なものをやらなくても、野菜さえ作っていれば生活はできる。といっていたが、田中君の熱心さに動かされて次第に賛成してくれた。そしてこの計画は実行に移されたが、ぶどうの栽培技術に十分な自信があるわけでもなく思案していたところ県内でも梨やぶどう栽培の第一人者である本田さん（北葛飾郡鷲宮町）を友だちから紹介され、技術的な面をみっちり学んだ。

また、ぶどうの先進地である山梨県にも出向き、新しい栽培技術を身につけた。

ぶどう狩りのシーズンには賑ぎわった駐車場と販売所も、いまはひっそりとしていた

来年の収穫を考えながら、真剣な目つきで剪定作業

一日千人の入園者

客のマナーに泣くことも

昭和四十一年二月、これまで野菜畑であった一・三㌶の畑に、コンクリートの支柱が立てられ、針金で棚が作られ、十㌃当り八十本のぶどう苗を新植した。いよいよぶどう作りの計画が実行に移されたわけである。すでにこのところ近所では、観光ぶどうの栽培を手がけている人があったが、たまたま親戚関係にある人で、現在は四人でやっている。

この計画を実施するために、当然に資金が必要であるが、農業後継者育成資金を第一回目に五十万円を借入した。ぶどうの収入の見込がなん年か先になり、返済期限の問題があって、はじめは思うように借入できそうもなかったが、小沢普及所長らの図らいで、特例を認められ、借り入れることができ、第二回目の借入の百万円と合わせて百五十万円、自己資金五十万円の合計二百万円。

この資金の使途については、まず棚作りがあるが、このほかに観光客相手のぶどう園ということで付属の施設が必要であり、トイレット、販売所（木造）、駐車場（二ヵ所）を作った。これらの施設は、県道に面したところにある。

その後、百㍍ほど離れた自宅の前に七十㌃のぶどうを新植して現在に至っているが、栽培面積は二ヵ所で二㌶になり、栽培されている品種別の面積は、巨峰・六十、ナイヤガラ・六十、タノレット・三十、キャンベルス・一五、デラウェアー・一〇、ポートランド・一〇㌃、その他となっているが、巨峰についてはぶどう狩り用でなく、あくまでもお客に対しての販売用で、ナイヤガラを主力にし、キャンベルスの早生との組み合わせで、ぶどう狩りの期間を長くするようにしているという。

また、そのほかの品種について、現在は巨峰にきり替え中であるが、バラエテーに富んだ品種があることも、お客に対するサービスの一つであるとして一部残したいといっている。

また、必要資材の肥料、レッテル、かご、農薬などは、同志の四人で共同購入しており、技術的な面などについても話し合って、けっこううまくいっているという。

最初の開園にあたっては、PR用に、新聞のチラシを三〜四千枚を使ったが、客の誘致に苦労はなく、平林寺入口に園があるため、参詣の人たちで、けっこう客足している。その後、とくべつのPRはしていないが、開園を知らせる意味で新聞にチラシを折り込んでいるが、最盛期の日曜日には、延べ千人を越える人が訪れてくるというから、まさに売り手市場という感じがしないでもない。都内の観光会社がバスをなん台も仕立て申し込んでくるというが、経済的に見合ないものは断わるという。客の主力は、マイカーを連ねてやってくる家族づれにあるようだ。

"観光ぶどう富士見園"の開園は八月十日頃からで、このころは早生種のキャンベルが収穫できる頃である。その後、ナイヤガラに移っていくわけである。

最盛期にはアルバイトの学生を二〜三人雇っが、そのほかはすべて自家労力で賄っている。

入園システムは別掲のように決めているが、最近のお客は、品質のよい高価なものほど喜ぶ傾向にあり、むしろ価格の問題よりも、管理者はお客のマナーに細心の注意を、払わなくてはならないという。それは、お客に鋏みを持たせて、自由にぶどうを狩らせることにあり、それがミソでもあるが、反面切らなくてもよい枝まで切られる恐れがあり、損害も大きいという。

昭和四十一年に新植以来四年、地の利ということもありながらも消費者の心理を上手につかんだ観光ぶどう富士見園は、着実に発展し成長してきた。あるお客の中の一人は、銀座の千疋屋からぶどうを買っていたが、富士見園の方が品質がよいといって定連になったほどだという。また、田中君自身も山梨県の本場ものより自信があると誇らしげにいっていた。

規模は現状維持

客の要望で"巨峰"主力に

最後に、今後の経営方針について伺ってみたが、まず、規模的には現在の二㌶の現状維持をするという。

その根本は、労力的な面が多分に関係するが、果樹の場合全般にいえることであるが、剪定という特殊な技術が必要で、だれでもできるというものでない。現在ある二㌶は、田中君一人で消化しやすい面積だという。いわゆる自家労力で賄っていきたいという考えのようである。

また、品種については、観光にあうものをという考え方から、いまあるものを整理して、巨峰を主力にしてナイヤガラ、ベリーA、キャンベルスに統一して、品質がよければ高価でもよいという客の要望をつかんでいきたいといっている。

栽培技術の問題については、たえず山梨県などの先進地に出かけて学ぶという積極性があり、一応の技術面は習得されているが、とくに、摘粒、摘房は十分に行ないぶどう樹本の衰退がないようにしなければならないといっている。また市場出荷と違って、観光ぶどうの場合は、ジベレリン処理をしない方がよいという。

これは処理しないことによって収穫期がいくぶん遅れるが、お客が多くなったとき収穫ができるので、その方がよいようだ。また処理作業も省力できるという利点もある。

シーズンオフのぶどう園には、初秋の頃の人影で賑わった面影はなく、大きな房をいっぱいつけたであろうと思われる枝が棚のすみずみまで伸びわたっている。すでに剪定がはじめられており、二月くらいまで続くという。田中君は「来年は、この樹に千二百房くらいなると思いますよ」と、剪定鋏の音を響かせながら、ぶどう棚に眼を移していた。

野菜の暴落という苦い体験、なにか新しい経営をしてみたいという情熱が、ぶどうを新植し、それが現代の新しい感覚にマッチした観光農業へと進み、成功の途上にある。

今後、このような形態の農業経営は形こそ違え、ますます殖えていくと思われる。そのためにも先駆者となることを願ってやまない。

年間の管理作業

1〜2月	剪定作業
2〜3月	整枝（枝のしめつけ）
3月下旬	追肥（芽立ち、葉の大小などの状態をみながら）
3〜4月	消毒（芽立ち前3回行なう、とくにトラカミキリ虫の防除には、特効薬のT7・5乳剤Bを使用している。そのほかカイガラ虫にはクロン、石灰硫黄合剤をそれぞれ別に散布する）
4〜5月	芽かき作業
5〜6月	「開花」誘引作業
6〜7月	摘粒、摘房作業
7〜8月	袋かけ作業
8月上旬	ぶどう狩り開園（8月10日から40日間）入園者の管理、直売、園の清掃管理）
9月下旬	あとかたづけ 元肥施肥（鶏糞10㌃当り 150Kg）
12月〜	剪定作業

入園システム

入園料金	大人1人150円、小人同100円（2Kg入りのかごと鋏を渡し、それぞれの量によって買上げてもらう）
直売方法	主力は巨峰で時価により（1Kg150円から500円）、このほかに、ぶどう液の販売も行なっている

46年度農村青少年育成事業

大賀課長補佐にきく

年も押し迫った昨年十二月十九日、場所は官庁街として名高い東京・千代田区霞が関の農林省新館一階、普及部普及教育課。二十三日から始まる大蔵省との来年度予算についての折衝を控えているためか、気ぜわしい。

土曜日にもかかわらず、青少年班では、来年度からスタートする通信教育講座のテキスト作戦について大学教授らとの話し合いが行なわれる。大賀忠直課長補佐が出張先きの埼玉からかえってきたばかりで、その会議に臨む。——その合い間をぬって同課長補佐に通信教育講座や、来年度の青少年育成事業計画などについて訪ねてみた。

この通信講座は、今年度から予算をとり、かねて準備を進めてきたもので、いよいよ来年度から開講するが、実際の開始は遅れて、八月か九月ごろになる予定だという。テキストの執筆者には、農業者大学校に劣らない一流の大学教授をそろえている。

講座は三ヵ年制で、年に二回のレクチャーをする。テキストは希望者に配布する。

「この通信講座は大々的にやる計画だが、非常に希望者が多ければ、何回かにわけてやらなければならないとも思う。畜産の専門をやる人は畜産、作物をやる人はそうしたコースで、仕事をしながら勉強してもらうように考えている」

課目は、専門と共通課目にわかれ、専門課目は畜産と作物園芸の二つ。共通課目は、社会・法律、経済・経営、人文の三つに分かれている。レベルもかなり高い。農業大学校に行けない人たちにも広く学習の場が与えられるというわけである。

"通信教育講座"スタート

執筆陣に一流大学教授

「これからの農村青年は総合的で、非常にレベルの高い知識が望まれている。企業者、経営者ですからね。そこらの会社の社長よりもっとレベルの高い人がいていいじゃないか。端的にいえばサラリーマンは与えられた仕事をしていれば月給貰えるが、農家の人たちは、全体の経営を考え、資金を調達し、それで作物を育て牛を飼ってこれを売り、いくら儲るか、借金をかえしたらどれだけ利潤が上るかまで計算しなければならない。内部的にも、また対外的にも非常に高いレベルが要求されるんだから……」

では、質問に対する解答や添削、講座終了後の資格はどうなっているのか。

「質問なり添削、論文を書いたりすることはしない。だから、あとは普及員さんに指導してもらわなくてはいかんね。普及員さんにも勉強してもらわなくては……。これからの農業はそれくらいの勉強をしてもらわなくては——。資格はない。だから普通の通信教育とは違うんですよ」

「4Hクラブのクラブ員全員が読んでくれれば何万部出るか。そういう勉強をグループの中でやっていく機会があるんだから。それでね、普通の専門書と違って、できるだけそういうものに近いように、読み易く実際にあったものを作るというのが先生方の考えだから、学術書とは違うんですよ。そういう意味で大いに期待してもらって、グループでも読書会などで勉強して自分たちの能力を高めてもらおうというように考えていただいてよいと思う」

では、いよいよ本題の来年度青少年育成事業計画についてというわけだが、大蔵省との折衝前であるため、詳しいことは折衝が済み次第という前置きをして。

「言えといえば、青少年、就農者に対する研修教育の機会をもっと強化していくということで、去年に続いて高等農業教育施設の設置を計画している。それで近代化を図ろうということが一つで、青少年の要望に応えられるというふうに私どもは思っています。いま全国で民間を含めて五十二ある研修教育施設を近代化して、教育内容を高度化していこうという計画が一つある。それは新しい就農者に対する対応ですけれどもね」

それから「既存の就農者、在村青年に対しては、いまの活動促進事業があるが、それに新しい事業を加えながら、もっと重点的に青年の研修教育の機会なり、或いは集団活動の機会なりを作ってやろうというふうに考えています。やはり、重点化をしないと非常に散漫化する。身になっていかないということがあるので、最終的なこまかいところまでいっていないけれども、あの青少年育成大綱（本紙既報）に基づいて、重点化を図りながら育成強化をしていこうというふうに計画していきます。

まあ、ビデオとかいろいろあるが、予算が通らなくては——と、さすがの、大賀課長補佐も歯がゆい感じ。だが……。

「やはり、一つは成長段階における研修教育の柱を一つ立てること、集団活動も、活動促進事業の中には仲間つくりとかいろいろあるけれども、それなんかも一本線を通して、積み上げていかなければならないんではないかな。たとえば、卒直にいうと、今の青少年は一般集団活動から機能集団活動へ変わる時期が非常に早くなっている。

そうすると一般集団活動も大切だが、機能集団活動の促進をどう助長していくかということも考えてやる必要があると思う。そういう意味では、やはり基礎的な集団活動をやりながら、一方では機能集団活動へとすぐ発展しても問題がないようにして、彼らに能力をつけてもらうこと。ただ、これは教えるというだけではダメで、彼ら自身が学び取らなくてはならない」

「それから三番目に、企業経営ができる能力を持たせるということ。三番目には、やはり、そうした人格を形成させるという、この三つが、青少年教育の柱ですからね」

「いわゆる、立派な人格者であるということ、非常に高度な専門的な技術を持つということ、企業経営の能力を持たせるということを、青少年の段階で与えてやらなくてはならない。そのためには、一の問題を解決し、二の問題で整理、活動を強化していく。その二の中には研修教育と、集団活動で積み上げていくものと この二つに別れる訳です」

その両方ともが重要な柱であるという。いわゆる学校教育と違って、教え込むということではなくて、自らが学び、研修するという姿勢にならなければならないと説明する。そうした意味では、研修教育と集団活動というものを併行させながら、二本の柱で青少年の育成を図っていくというのが、基本的な考えのようである。来年度の事業に期待するところ大である。

（編集部）

NHK農業番組

（1月1日〜20日）

テレビ

明るい農村　6・30〜6・55総合
1日　年始特集「年始対談」宮脇朝男、永野重雄
2日　年始特集　村への年賀状
4日　村の記録　過疎地に生きる
5日　きょうの話題　ことしの農政（農林大臣）倉石忠雄
6日　産物往来　かずのこ
7日　話題の広場　国民生活と農業（農総研）内山政照
8日　村をむすぶ
9日　農村新地図　兵庫県竜野市
11日　村の記録　養鶏王国
12日　きょうの話題
13日　産物往来　バナナ（大阪）
14日　話題の広場　出稼ぎに休暇を、天敵をつくる
15日　成人の日特集　村の若者たち
16日　農村新地図　長野県中野市
18日　村の記録　転職あっせん
19日　きょうの話題
20日　産物往来　牛乳
農業教室　7・30〜8・00　教育
4〜9日　新時代の経営をめざす
11〜13日　林業経営と木材販売
14〜16日　育林と植林の実際
18〜20日　肉用子牛生産の課題
あすの村づくり　日　7・00〜8・00　教育
10日　新農業経営論　小原広司（愛知県稲沢市）
17日　自立への道　麻生浩一（大分県宇佐市四日市町）吉田六順（日本獣医畜産大学教授）

ラジオ

早起き鳥　5・05〜5・57　❶
1〜3日　特集　新年おめでとう
4日　現地報告　流通近代化ととりくむ（全販連）榊春夫
5日　人と話題　天敵テントウムシの増殖をはかる
6日　通信員の手帳から
7日　人と話題　期待される農地管理公社
8日　現地報告　集落再編成の波紋（広島県双三郡作木村）
9日　村のポスト
10日　話題の窓　発足した農民年金
11日　現地報告　託児所のある農協千場（清水市庵原）
12日　人と話題　農協が進める交通安全
13日　通信員の手帳から
14日　人と話題　国産鶏開発にとりくむ
15日　成人の日の特集
16日　村のポスト
17日　話題の窓　地域分担の課題
18日　現地報告　ひらけゆく農住都市
19日　人と話題　野菜のくん炭胞培を進める
20日　通信員の手帳から
ラジオ農業学校　6・30〜7・00　❷
10日　グループの集い　酪農振興をめざして
17日　経営手帳

ＯＢはこう語る

女性にほれなくちゃ
農村青年よ、もっと強くなろう

山口県・農業　宮垣達彦氏

宮垣氏の概略
年齢　三十一歳　独身
肩書き　山口県連合青年団副団長（組織担当）
経営の種類と規模　水稲、煙草、夏みかん、全部で一・七㌶
兼業　とくにないが冬はときどき、日雇い人夫をする

——現在の経営の問題点とその解決方法は何んですか。

答　経営規模が小さいうえにタバコや夏みかんは自然に左右されて波が激しいので収入が不安定なのが悩みだ。その解決方法については、いろいろと議論をしているがなかなかうまい解決策が見つけ出せない状態です。

企業的センスとアイデアを

——これからの目標、抱負について聞かせて下さい。

答　いまの状態では、規模を大きくし、また、比較的に有利なハッサク（みかんの一種）を取り入れるなど、いろいろと試みられているが、結局、兼業農家とならざるを得ないでしょう。

——では、農業者として最も大切なことは何であると思いますか。

答　企業的なセンスとアイデアだと思う。また、組織の必要性を再認識することも大事だ。

——農業は、これからどう変ると考えますか。

答　自由化の時代、大資本で対処していこうという時代に、少しばかりの耕地を持って作物を作ったところで、到底おいつけない。結局、昔の地主制度のように資本家が株式組織とすると思う。

——それにどう対処していったらよいと考えますか。

答　組合組織の強化だと思う。だけど、農民の足並みがそろわない現状では〝長い物にまかれろ〟だろう（少し悲観的かな）

——農業を他産業に比べて、どういう感じを抱いていますか。

答　自然相手にすばらしい職業だと思う。その反面、他産業に比べ、昔と少しも変らぬ稲刈り、田植（機械化されたとはいえ）少々こっけいだと思う。

——では、話題を変えて、クラブ活動についてお聞きしますが、クラブ活動をやって、よかったと思うことは何ですか。

答　なんといっても、友だちが沢山できたこと。

——現在のクラブ活動についてどう思いますか。

答　相変らず人集めばかりに熱中し、本来の目的は失なわれてしまっている。集めることより集まった人をどうしていくかということだ。また、運営論ばかりをやっているように思う。

——県庁や普及所などに頼り過ぎて、農村青少年の自主性が失なわれている面もみられるが……。

答　頼り過ぎではなしに、県や普及所が青少年を自在にふりまわしている。また、青少年はそれが当然だと思っている。そして、すぐ経営優秀だと表彰したがる。そんな青年の中には、一、二年後に農業をやめる連中が多い。もっと青少年の心の支えになるような指導者が必要だ。陰で見守り、行きづまったとき、相談に行く程度の県や普及所であってほしい。

——クラブ活動はこれからどうあるべきだと考えますか。

答　生産とか仲間つくりばかりでなしに一組織として、政治学習、ときには政治活動も取り入れるべきだ。しかし、過激な行動や大衆に支持なきことは慎しむべきでしょうね。

—次に、組織についてですが、組織強化といってもなかなか思うように進まないのが実情です。そこで、組織を強化するための一番よい方法をお聞かせ下さい。

答　過去を反省してみると、というより現在も恐らく同じだろうと思うが、人集めばかりに熱中し、何人集めたから成功だ、人が少なかったから不成功だという考え方が強かった。まず集まった連中が来てよかったと感激させる内容の検討、そして、あまりにきれいごとすぎる。もっとひざをつき合わせ指導的立場にある人はなんでも聞いてやる。また、大衆の中にどんどん入って行く（オレは役員だと偉そうな顔をしないで）ことが必要だと思う。そして、その中で随時、組織の必要性を説き、あの役員は（出席したら）なんでも聞いてくれる。また、皆と話せるという楽しみをつくることが大事でしょう。

—クラブを退くと、クラブとの関連が弱まる傾向がありますが。

答　やはり、年齢ということが一番問題だろうし、家庭に帰ると妻子（または夫子）との関係もあるし、学習から実践もある。結局、OBを利用—これは悪いいい方かな—しない現役にも問題があると思う。

—4Hクラブを退いたあとの集団（組織活動）について。

答　農村の場合、一人の人間があまりに業務が多過ぎる。まず、ボクの場合を例にとると、農事研究会、消防団、部落体育部長、青年部、夏柑同志会、煙草町体協役員など、とにかく身動きができないのが現状だ。

—OBの組織づくりを現在やっているわけですね。

答　そう、農協青年部にしても前にふれたが、煙草、夏柑、農研にしても、過去にクラブ活動をやった連中だということです。しかし、それが県や全国段階だとしたら、無理かも知れないが。

—4H会館の建設については宮垣さんも、いろいろご苦労されたわけですが、募金が思うように進んでいないのが現状です。そういう中で、OBとして会館建設に取り組む姿勢はどうあるべきだと思いますか。

答　OBとしては、県連の会長とときどき電話連絡をとるなり、逢うなりして、側面から応援する必要があると思うし、私個人としては実際にそうしている。

いまは嫁の方が威張ってる

—最後に、生活面についてお聞きしますが、農村の嫁、ムコ不足は、若い人たちの深刻な悩みです。それをどうすれば解決できると考えますか。

答　とにかく、恋をすること（恋愛）女性にほれること。堂々と胸をはり、女性をくどき落す勇気が必要だと思う。「自信、勇気、決断」

ムコ不足の問題は、女性は都会に出る（就職する）こと。そして結婚相手をさがす。また、ボクの地方では、若い間は都会で生活している。いつも相談されているが、とくに方法がみつからないのが現状です。

—長男と長女、いわゆる〝あとつぎ〟同士の愛はどうしても悲恋に終るケースが多いようですが、その解決方法の名案を一つ……。

答　結婚すれば良い。そして二つの家の経営くらいやれるはず。自動車一台あればやれる。あとは両家の話合い。

—嫁と姑の問題をどう思いますか。

答　嫁と姑といった問題が生じたのは昔の話。現実には嫁の方が強い。また、いばっている。問題が生じたら夫、つまり男が中にはいり、うまくやるのが役目だと考えます。

—では、これからの夢や生活設計についてちょっと聞かせて下さい。

答　とにかく、明日のこともわからぬというのが正直な話。夢とか設計は毎日が夢であり、設計ですね。

—いま、声を大にして叫びたいことは

答　農民（とくに農村青年）よ、もっともっと強くなろう。そして、組織の力で上に向かって発言しようということですね。

農村雑感

人間性の復活
＝それは農業でも必要である＝

折原俊二郎

一九七〇年代は六〇年代に急速に発達した新聞、雑誌、出版、放送などのマスコミ関係をはじめ、株式や商品市況、果ては消費者への買い物情報など、各種の情報が提供されてきた。他方、これらの情報はコンピューターの発達によって情報収集や伝達方式がオートメーション化し、複雑かつ多様化する中で、一つの産業という形をとるようになった。いわゆる情報化社会の時代である。

このような新しい分野の発達は人間を[illegible]にし、仕事の効率を急速に高めたことは事実である。しかし、他方において人間として最も大切な、人間のみがもつところのあたたかい気持ち、即ち人間性が徐々にうしなわれつつあることも事実である。いわば繁栄の中の喪失といえよう。

そうした意味から七〇年代は情報化の時代であり、人間性復活の時代である。そうした新しい時代を迎えて、これを如何に社会生活の中に生かしていくか。今年は、この課題を解決していかなければならない重要な年といえよう。

しかしながら、現実には情報化という言葉の綾におどらされ、その本質を十分とらえず、日本人らしい新しがり屋の域を越えていない感さえある。まして、人間性の回復ということになると、実感の伴なわない、どこかよそ事のような受けとり方をしているようでもある。

このことは、単に都会の出来事だけではなく、農村といえども別個の立場にあるものではない。今日の社会では、多くの部面で、都会と農村の区別は存在しなくなってきている。それだけに、こうしたことは抽象的な問題と思われがちであるが、農村でも、現実のものとして確実にとらえていかなければならない、重要なことであると思う。

昨年は、農業にとって過剰という難問を背負い、その具体的対応がなされたが、それは昨年のみで解決したものではない。今年も、また来年もというように、相当長期に亘って解決しなければならないことであり、しかも、単に米の問題のみならず、他の分野をも含めて、年を追ってきびしさが増してくることと思われる。

それの解決のためには、現状の農業形態を根本的に改めなければならないこととなろう。何故ならば、単なる過剰問題という表面的なものの、一時的な解決で済むものではないことを意味し、端的な表現を使えば、農業が一つの産業としての地位を獲得しなければならないことである。そこには、これまでのような甘い考え方では農業が成立しないことを意味する。本当に農業をやろうとする者のみが農業をやる。しかも、大きな資本力と農業を好み、情熱を傾注できる人に限られることである。

そのため、これからの農業者には、優れた能力がまず要求されることは当然である。それとともに、人間性の豊かさが求められよう。しかも、豊かな人間性を通して、人間関係を上手に育てることこそ農業経営者として必要欠くべからざる条件である。このことは、すでに、他産業の優れた経営者が備えている必須条件であり、それらと同じく要求されるものである。

今年は、農業にとって解決しなければならない問題があまりにも多い年である。しかもその解決は単に農業の一分野のみではなし得ない、非農業部門との深い関連において解決されなければならないことが多い。それは、日本経済全体の中でゆがめられてきた農業が、その解決への道を歩む場合にも、他産業との関連の中で進められるということでもある。

こうしたむずかしい情勢の中におかれている農業であるが、その中で、自ら積極的にその解決への道を求めている農村青年が各地に生れつつある。そうした立派な青年が一人でも多く、一日も早く生れ育ってくれることを期待している。（農林省・農業者大学校）

〝亥年は体力づくりを〟

若狭良一

農業に従事する人は、体力が都会人よりもすぐれていると、これまで自信と誇りをもっていた……。事実、朝から晩まで、力まかせの重労働をよくやりとおしてきたのだから、体力がなければできないはず。

しかし、体力を科学的に評価する測定法があって、盛んに各地で試みられている。

昭和三十年ころから、米国や欧州などに派遣されて、先進農家の実習生活を学んできた頑健な（昔の甲種合格級のつわもの）若者たちが、誰しも肌で感じとった教訓として述べていることは、一日に十三時間くらいは平気で重労働をこなしているという。

もちろん、食習慣や、生活様式にちがいはあろうが、とにかく労働に強いことは確かである。たとえば、ドイツなどでは、朝四時から夜の九時ごろまで働いても平気でいる。このことは、労働と栄養のバランスをリズミカルな生活の軌道にのせているから別に不思議とも思っていない。だから日曜日には、家族全部で教会にいくこともできるだろうと誇っている。

体力づくりは、東京オリンピックを契機に、青少年から農業者に[illegible]て広がり、つ[illegible]経営理事業へ[illegible]操、ふれるよ[illegible]カ所で実施し[illegible]事業」では、[illegible]の四つの項目[illegible]とじ片足で立[illegible]て伏せ③徹操[illegible]持久性……急ぎ足で千米歩く。

この事業では、年齢に見合った体力かどうかを知り、体力づくりと農作業の適正な管理をはかるものであるが、ある調査によれば、男子三十代の体力年齢は四十歳台、女子三十代では二十代という判定で、男は若い年齢にもかかわらず、老化現象を示している。また種目別では、筋持久性がよく、労働で鍛えた腕力で、ずば抜けている反面、平衡性、敏捷性がわるく体力のアンバランスをきたしている。

最近の農業は、機動化し、鋭い感覚と機敏さが要求されている。アタック№1ではないが、回転レシーブによって、こどもを自動車事故から救う場面がある。運動で鍛えたため、こうした瞬間、役立った話をよく聞くことがある。

あなたもいますぐできることは、①仕事の始めと終わりの体操②作業間の休けい③姿勢をかえた作業の工夫など、体旧には「カネがかからない。」

（秋田県農産普及課普及教育係）

友へ

桑本　隆昭

友よ
私を信じてくれる友よ
見つめようではないか
さがしつづけようではないか
幸わせというやつを
友よ
私の側らに立ってくれる友よ
見つめようではないか
さがしつづけようではないか
一つの山脈を

（佐賀県）

字合わせ

いわき市・TK

み　みのりの秋
の　みのるよろこび
り　農業の
の　利益あがりて
あ　のびる財産
き　あすへの人生
　　君と一緒に

新春のバイブル

全国4Hクラブ連絡協議会副会長　坂井　邦夫

〝一握の土〟に心のふるさと

全国の4Hクラブの皆さま、新年おめでとうございます。新しい年を迎え、心に新なる可能性を秘めたエネルギーを感じることができるのに感謝し幸福を感じます。

そんな新春の日、久しぶりにコロラド州のウッドワード家から便りが届いた。そこには、家族五人がロッキーのゲレンデでスキーを楽しむ写真が同封されていた。いつの間にか美しく立派に成長した子供たちの逞しさに驚いた。

つい先頃、IFYE（国際農村青年交換）生として渡米したような気がするが早や六年目を迎えようとしていることに気付くとき、新春の香りが、私に静かに思考する時間をプレゼントしてくれたように思える。

あの一年たらずの生活の中で、最も強烈な感銘を受けたのが、彼らの宗教的倫理観として絶対的権威と影響力を持っているキリスト教の存在であった。私はいろいろな階層や職業の家庭に滞在したが必ずその家庭での食前のお祈りの言葉をマスターして述べることで、心の交流が始まり、充実したアメリカ生活を送ることができたように思う。

日曜日の教会では、子供たちは幼い手にしたバイブルを胸に、牧師の説教に耳を傾ける。そのあどけない神秘的光景は今でも私の胸中深く刻まれている。彼らにすれば、日曜日とは教会に行くための休みであって体を休めるための日ではない。休日とは享楽の日ではなく『ホリデー』即ち『聖なる日』なのである。私はキリスト教的倫理観を基礎とするアメリカ的感覚が絶対的普遍的であるとは考えないが、その根源をなすものは神であるとする、その倫理的観点にわれわれは、謙虚に学ぶべきことが多いように思われてならない。

今日の社会では、お金を払いさえすれば自由に欲する物を購入できるようになった。しかし、私たちはそこにある本質的意義を、ともすれば忘れがちではないだろうか……？　私たちの日常生活や農村社会にもそのようなことが顕著に見受けられる。あの夏の炎天下に汗を流し、水車を苦労して踏むことなく、ボタン一つで水を注ぐことが可能となり、馬のケツを打ちながら代かきすることなく、トラクターに乗ってハンドルを握る時代へと発展した。それは発展と云う表現よりむしろ、変化とか推移とも云える要素も一面では感じられてならない。

雨が降れば水害、日照が続けば旱害と踠き、喚き、打ちひしがれたわれわれ、自然の厳しさを真ともに受けて来た農村の逞しき祖先が、未来を信じて闘い、耐えて来た長い歴史的積み重ねがそこにあることを、とくに現代のわれわれ青年は今一度真剣に思考したいと思う。

あの敗戦の廃墟と化した日本が、今日世界驚異の的とされるような経済大国に発展しながらも、その敗戦による一種の精神的虚脱状態から脱却できずに今だに苦悩し、日本を否定することだけが進歩的文化人であるかのような錯覚を抱く幼稚な風潮が台頭していることは淋しく思う。

アメリカの子どもたちとともに（5年前、全国4H代表の草の根大使として日本4H協会からアメリカに派遣されたときのもの）

とくに、日本の歴史と伝統によって長くつちかわれて来た倫理観が私たちの周囲からいつの間にか忘れ去られ、それが過去のことのように評価されていく現状をそのまま肯定することはできない。

現在ともすれば人生のカベに直面し、挫折感を感じざるを得ないとき、農村という大自然の中に人間として美しいものに感激し、実践によって未来を信じて生きる仲間を知っている。それを信頼し探究する過程として私は多くの仲間と4H活動を展開してきた。

アメリカの良識ある人々は、次の世代を育てることにとくに関心があり、健全なアメリカ人となるために、豊かな社会人としての4H活動を人間形成の過程として高く評価している。

とくに、シカゴの世界最大のヒルトンホテルで開催された4Hクラブ大会が、『若いアメリカと国際情勢』のテーマであったことでも考えられる。それに当時のハンフリー副大統領が、未来のアメリカを担う青年に、世界的リーダーシップを委ね、国家の盛衰を青年の双肩にあると訴えた情熱的な大演説に私が、強烈なる感激に浸ったのも流調なスピーチとともに、4H活動が市民教育、社会教育としてとくに重視され、社会的に幅広く推進されていることに、感銘したからだろう。

アメリカには農業後継者という言葉はない。そこにフューチャーファーマー『未来の農業者』という言葉があるように、農業というものは継承するものではなく、一人の人間として新しく人間を開拓する職業として評価されているように思う。

それは夢にすぎないのだろうか……。お互いに、日本に在り農村に生きる人間として素直に心を寄せあい、手と手を握りあって大自然の中に倫理的感覚を育みたい。

大自然の懐に抱かれ、母なる大地は知っている。新春の太陽の下、エネルギーが躍動するとき、限りない前進を信じて英知と勇気が生まれる。どんなに時代が推移し、物質的欲望が変化しても、人間がその本質に基づいて生きる限り、そこには〝一握の土〟の香りを愛することのできる「心のふるさと」があることを信じる。静かに目を閉じると、青い目の子供たちがお別れに歌ってくれた讃美歌が、神秘的にそして強烈に胸に響いて来る新春である。

（佐賀市本庄町大井橋）

織強化を語る

▶青年の自主的な運営で行なわれる4Hクラブ員のつどいは、クラブ員に組織に対する自覚を促した

F　現在クラブに参加している人は、専業農家でもあるし、恵まれている人が多いと思います。でも実際の農村には、二種三種兼業の人が多くいて、そういう人のことも考えなくては、農村の生活は考えられないわけです。しかし、新都市計画法などが施行される中で、おれは農業に残るんだということと、おれが吸収するんだという考え方が強いと思うのです。こういう考え方の中で組織や運動体ということには、一つの問題があると思います。それは一部の恵まれたクラブ員にいえることは、親から世襲される財産や土地があるということで、利己的な考え方でものごとを進める場合があると思います。

また、全協役員という立場からも、はたしてわれわれには、全国のクラブ員の上に立って指導していく力があるのか、そのへんのところを謙虚に反省しなければならないと思います。

G　私たちがよくクラブ活動に飽き足らないといいますが、クラブというものを否定していうのでなく、活動そのものが飽き足らないということなのです。例えば県連活動などについて。

F　それは一つには人材難だといえると思います。家の光の十二月号に"農協とは"ということについて、いろいろな人がいっていましたが、金が貯まれば、車を買うとか、海外旅行をするとかという感覚での農協や農民でしかないわけです。例えば、土地が値上りしたのも、自分が努力したから値上りしたのではないわけです。自分たち以外の産業が発展して、土地を必要としたから土地の値上りがあったわけです。ですからこういう現実の厳しさを見つめた上で、自分自身の立場を反省して考えなくてはいけないと思います。

H　私もそういうことがいえると思います。自分が農村の一住民として、あるとき地域のグループ員と、サラリーマンの人たちの意見交換を開いたことがありました。そのとき私たちが"農村の女性をどう思いますか"と問いましたところ、その人たちがいうのには、農村の女性は経済観念がないというのです。それに農村の女性として反発して議論しましたけども、それは月々決ったお金で生活する人と、年に一度の収入で生活する人の経済観念は、はっきり違ってくると思います。そういうことからいって、農村の人はお金というものに対して、他産業の人に比べて観念は、おくれていると思います。

運動体の県連も
4H精神実践のため

農村の周囲をみると、たしかに家を新築して、車があって、カラーテレビがあるというように、外面的な豊さに満足しているように見えるけど、もっと人間として考えるべき方向に眼を向けるべきではないですか。

F　話しを元にもどしますが、そういう状態の中にあって活動をしているわれわれに比較して、例えば、都市で働く青少年たちは、なにもない状態の中でグループ活動をしているわけですよ。すべてなにをやるにも自分たち以外に頼るところがない中で、それでも立派に活動できるんだということを、われわれは知らなければいけないと思います。

A　しかし、いまの話しを聞いていまして、おれたちは恵まれすぎて云々、そういう都市の勤労青年は恵まれていないんだと、だからおれたちは、そういう人たちのことも考えていけば、もっと自分たちの活動はよくなるんだと、私は受けとったんですが、しかし、おれたちの現在の存在を否定しても意味がないと思います。現在おれたちは恵まれているんだと思っている人もいるし、また、おれたちは不幸だと思っている人も中にはいるかも知れません。そうした中で、現在のおれたちのおかれている立場を否定してみてもどうにもならないことで、現時点の中で組織強化を図っていかなければならないのではないか。

B　そういう中で組織の強化を図らなければならないということはわかりますが、どういう方法が考えられますか。

A　私がクラブに入りましたときは、組織などということは考えていませんでした。そうした中で組織ということをいわれつづけてきて、私自身の考えは、4Hクラブの組織は運動体でなくてもよいと思っていました。しかし、最近になって4Hクラブ組織そのものは、運動体として活動しなければならないというように変ってきました。その原因は、やはり連絡協議会というのは、クラブ間の連絡協調の機能のみであって、しかし、4Hクラブの精神そのものを進めていくためだけには、連絡協議会であってもよいかもしれないが、その精神を実践に移し、行動する段階になった場合、運動体としての組織系体の必要性が生まれてくると思います。

B　末端の組織はそこまで必要かどうか知りませんが、全協、県連、地区連は末端組織が伸び、地区連が伸びることを願えば願うほど、運動体としての組織が充実しなければならないと思うのではないですか。

F　私は組織についての考え方の整理をすることが必要だと思いますよ。例えば、自主性を持つことが運動体だと考えている人がいるのではないかと思う。これもその一つだと思うが、活動資金の負担金などを全部個人が出すにしても、それまでに自発的に機が熟すまでの段階を抜きにして、組織の強化とか、運動体にするということは考えられないのではないですか。

A　整理をするというか、結局、全協そのものには、4H活動を個人的にとらえる考え方しかなかったのですよ。そういうことで専門委員会を設けたわけですよ。

G　連絡協議会の性格そのものは、わかるわけですよ。しかし、運動体についてはどういうものか、私には理解できないのですが。

A　連絡協議会というのは、全協がなんら上からの意志をもって、きみたちはどうしろ、こうしろということはいえない性格があるわけですよ。

B　しかし、現在の全協は、連絡協議会の性格から一歩出ているのではないですか。

A　そうです。中央推進会議の事業などについては、あきらかにそういえると思います。全協では名称は連絡体であっても、県連では運動体的なものが、すでにあるわけです。そうしたことで、活動自体は、運動体に近いものをやっている。上部が一つの意志をもって指導したり、引っぱっていくのが運動体ですよ。

G　わかりました。

「組織人の自覚」を
行政指導に頼りすぎ

あまりにもショッキングなニュースで明け暮れた一九七〇年にも終りを告げ、新しい年を迎えました。ことしこそ、人間が安心して生活できる幸な一年であることを願ってやみません。ことしも、みなさまには、クラブ活動や地域農業の発展のために、大いに若い情熱をたぎらせていただきたいと思います。最近4Hクラブ員の間では、自主的な活動とか、自主的な組織運営などということばが唱えられてきていますが、これらのことについて全協をはじめとする各リーダーは、どのように考えているのか「4Hクラブの組織」を中心に、組織人の自覚、組織体制、OB組織、会費などについて誌面座談会の形式で話し合っていただきました。クラブ員同士の語らいの材料の一つにしていただければ幸いに思います。（編集部）

編集部　今日は4Hクラブの内外に横たわる諸問題、とくに組織の自主性について、また、現状の問題点を探り、正しい解決策を見い出していただきたいと思います。はじめに組織の問題点を提起して下さい。

E　私が一番強く感じていることは、例えば、つどいなどの行事に参加を申込みをした場合、実際は当日になると、一割か二割の人が欠席するという事態が起こりますが、これは約束を守らないということのほか、組織人としての自覚が欠けていると思いますし、非常に残念なことだと思います。今後はこういう自覚を持ったリーダーを育てていく必要があると思います。

B　欠席する理由はなにが原因ですか。

E　理由というか行事の種類に関係があると思います。それは、県などが主催する行事は行政的な指導があって、参加者も決まった人数、申込んだ人のほとんど全員が出席しますが、自主的に行なっているつどいなどは行政指導も少ないし参加者が約束を守らないということになるのだと思います。したがって現在のクラブ活動は、あまりにも行政に寄りかかりすぎていると思いますが。

D　それでは、ある種の行政的な指導がなければ、現在のクラブ活動は維持できないわけですか。

E　現状はそうだと思いますが、それを自分たちの努力で解決しなければならない問題だと思います。

F　その問題の打開のために、具体的な方策を行なったことがありますか。

E　方策というより、自分たち自身の問題が起きた場合、積極的な行動を表わすのではないかと思います。

F　活動自体が行政に寄りかかっているといわれましたが、どういう面で強く感じましたか。

E　そうですね、私の県では青少年の指導要綱を作製していますが、それによると4Hクラブ員だけが農村青年ではない、他の青少年グループをも含めた農村青年の組織を作るということで、県連の名称を改めましたが、こういうことで、どういう面でも行政の力が働き、青年自身も頼っていると思います。

F　その後、どのような成果が現われてきていますか。

E　県連の役員の間では、かなり自分たちの意見を活発に発言するようになりましたし、自主的に全国的な大会にも参加するようになってきました。

B　あなたの県の場合、そういう雰囲気がいままで少なかったのではないですか。

D　それは自分の周囲だけにとじこもっていて、全国的な大会に出る、また出た場合の楽しさを知らなかったのではないですか。

B　私が感じていることですが、沖縄交歓派遣などの場合、もっと広いところへ出てみたい、もっと違ったものを体験したい、ということで、意識の高い人も多くなっているのは事実だと思います。

A　それを意識が高いと見るのか、珍らしいことには参加してみようという単純な気持ちなのか、それが全国4Hクラブ員のつどいのように、趣旨をよく理解して参加するのか、そこに自覚の違いがあると思います。

F　つどいの参加者の場合、会員が趣旨を理解しているとは思いませんが、例えばリーダーのいうことを信用して参加する人もいるだろうし、どうしても参加したいが仕事の都合が悪くてという人には、参加している間、仕事を手伝ってやるとか、両親に協力を求めるために話してやるとか、また、経済的な面で参加できない人には、埼玉県でやったように共同防除の収入を当てるようにしてやるというリーダーの配慮が必要だと思う。こういう過程に意義があるんだと思いますし、立派なリーダーもこういう活動の中で育てられるのではないですか。しかしあなたの県において現状は、つどいに一人か二人の参加者だということで悩みがあると思いますが。

E　たしかにそこに問題があります。立派なリーダーを育てることによって解決する方法が一つはあると思います。

B　いままでのつどいで、愛知や佐賀県は参加者が多いですね。

D　こういうことがいえるのではないですか。とくに、全協で催す行事については、ある県連では毎年伝統的に大勢参加させているところがあるわけですよ。伝統を築いたという努力もあるし、また予算面においてもそれだけの額を獲得できるということ。

その反面、参加者が少ないという県連では、前にも述べたように参加する楽しさと雰囲気を知らない、同時にAさんがいっていたように組織人としての自覚がないという、いろいろなことが原因していると思います。

ですから、こういう原因をほり下げてその対策を考えるべきではないですか。

E　Aさん、あなたの県連では毎年大勢参加していますが、このようになるにはたいへんな苦労があったのではないですか。

A　私の県連は、そのためにとくべつの苦労はしていません。私が会長をしているときに第三回のつどいが開かれたわけですが、このとき県下の三地区から十数名はじめて参加して、つどいはよいという好評があり、その三地区の参加者が中心となって三地区合同で、つどいを開くようになりましたが、けっきょく、この人たちが核となって大勢になったものと思っています。

F　私の県連の場合は最近になって大勢参加するようになりましたが、以前は農林省などで開催する大会などは、参加者数に限りがあったわけです。また、県の代表というたてまえから、代表の選考権は、県の担当者や普及員であって選考にも抵抗があったわけです。

こんな考えが強って第四回のつどいのときから、参加者は全部自己負担としてユニホームなどを作って、バス一台借りきって参加したのです。しかし、ユニホームの代金については県連で補助しましたが、これは4H新聞の還元金をそれに当てました。

B　県連の呼びかけに、クラブ員はすぐ応じて参加者が決まったわけですか。

F　そうでもなかったです。ということは、クラブ員はつどいの内容についてはじめは知らなかったし、このために両親たちに対しても説得して理解を求めたこともあります。

また、私個人で、新入クラブ員には4H新聞を一年間プレゼントして頑張れよと励ましながら、接触を深めて、リーダーとして育てるよう心がけたために、心のかよいあうものがあったのではないかと思います。

また、参加者には「あなたを県連の代表として推選します」という文書を、本人と地元の市町村、農業に対して出して本人と地域の人の自覚にうったえたこともよかった原因の一つではないかと思います。

広い会員層を　4H協会
全協　連絡体か運動体か

A　このへんで、4Hクラブの組織強化は、どのようにしたらよいか話し合ってみましょう。

F　組織といいながらも現実には、負担金などを値上げすれば参加をしぶりますが、4Hクラブの信条に共鳴して、入っているのであれば、進んで負担金も納めると思うし、自主的な行動がめばえるのではないですか。これからの日本や農業をよくするために、自分たちのことは自分たちの力でということで、完全に自分たちだけで会費も集めるし、運動体としての組織になることによって、農村もよくなるのだという考え方があると思います。

B　いまのクラブ員は、普及所などで行なっている農村青年対策によってクラブに入ったのでしょうか。

E　クラブ活動のはじまりが、普及員から指導されて、農村青年だからということでクラブに入り、毎年同じような指導を受けるということで、そういう面からも影響が大きいと思います。自分から進んで活動しようとする人が少ないのではないですか。

F　それはそれでよいと思いますが、農村青年であれば農林省の行政下において万遍なく均等に恩恵を受けるのが当然なわけですが、そういうものと、一つの運動体としての組織というものは、整理をして考えなければならないのではないですか。

E　そういう立場にクラブを置いて活動するということは、リーダーの考え方によってどうにでもなることではないですか。

F　そういうリーダーに恵まれていないクラブは、普及員の指導を受けることも必要だと思いますが、そういう行政的な指導は万遍なく受けるべきであって、つねに行政的な指導はあってしかるべきであるが、リーダーはその指導を的確な判断によって受けとめる広い心を持つべきだと思う。また、そのリーダーがいなくなったら活動が停滞してしまうとか、クラブの名称を変えてしまうというようなことでなく、活動の方針に一貫性がなければならないと思う。

そこには4H精神という、基本的なものが貫ぬかれていなければならないのではないか。

また、4H協会が民間の立場で指導をされているのは大いに結構だと思うが、その構成メンバーがある特定の人、企業だけだということに問題があると思う。われわれが去っていって一人の農業経営者となったものが、協会の会員となって会費を出して、ボランティアー的な立場で後援を指導する必要があると思います。ですからいまの協会としては、もっと底辺の広い会員を持って、そこには農業をやっている人もいるし、他の職業に就いている人もあるというような構成づくりがたいせつではないですか。

ですから協会のあり方としては、政府から金をもらわないし、長い眼でみた社会教育的な指導体制を作って存在する。そして行政との関係については、ときの流れによって行政は変化しやすいものがあるが、一面それでもよいと思う。両方を受けとめるだけのリーダーを、4Hのリーダーとしてだけでなく社会的なリーダーを作るように、全協とか自分たちの態度を考えなければならないのではないか。

A　Fさんのいわれるような態勢が作られることはたいせつだが、それまでの段階として、全協の組織でいえば、全協の組織はどんな組織なんだといわれたときに、非常にあいまいになってくると思うのです。全協の組織形態のあいまいさが弱点につながっていると思うのです。全協の組織は例えば、連絡体なのか、あるいは運動体なのか、はっきり決っていれば、運動体ならそれとして活動の方法もあると思う。しかし、最近になって会の性格を運動体にしなければならないという意見があちこちから出てきました。

B　一つの方法としてはよいと思いますが、現実にはそういう形にならないということがあると思います。

A　Fさんのいっていることは現実としてはむずかしいと思いますが、そのような方向に移行していかなければいけないと思いますよ。

C　たしかにFさんがいうように巨視的な観点から考えなければいけないが、それ以前の問題として、もっと一人ひとりが人間としての付合いの中で、時間を守るとか約束を守るとか、そういうことが守られれば、けっこう今の状態の中でも、やっていけると思います。

A　Cさんのいわれるのもわかりますが、しかし、Fさんのいわれるような各々の自覚の中にそのようなものがあってこそ、小さなものも生きてくると思います。

D　Cさんは個人個人がしっかりすればよいといわれましたが、問題はそこにあると思いますよ。要するに、組織の根本はなにかといえば、人だと思います。一人ひとりがしっかりして、その人同士の結び付き、連携がうまくいけば問題は解決されるはずですよ。

B　ですからこの問題については、両方から考えなければならないですね。下からは個々が自発的に伸びようとする努力と、上からは立ち上ろうとする人たちを引張る作用の両面が必要ですよ。

A　だからこそ、今は順序を問題にするよりも、むしろ全協が、一方的にビシッとした4Hクラブの組織という形を作って、推進会議などで行なえば一つの体制ができ上ると思いますよ。そうした中で下から盛り上りを作れるように、上からの指導が必要ではないですか。

覆面座談会 「4H」の組

事務局の整備へ
末端へパイプを太く

D 全協では第一回のつどいを開いた当年に、4Hクラブの組織改革を考えたことがありますよ。そこでいち概に改めることには危険があると思いまして、実をとって名を捨てようということで計画したのが、第一回の東北ブロック4Hクラブ推進会議ですよ。これは、4Hクラブを伸ばすために、クラブ員の核となるリーダーの理論統一を図るということでリーダーの養成を目的としたのです。これが予想以上に受けまして、ブロック版と全国版の中央推進会議に分けてリーダーの養成を図ったわけですが、ブロック版の方は、都合で、現在は関係が薄れていますが、全協ではそうしたリーダーを育て、そのリーダーを通じて、全協の意図を末端クラブ員に周知徹底させていきたいと考えたわけです。

G しかし、現在のリーダーの中に、4Hクラブの理念を一つ話せないという問題がありますよ。

F 現実的になりますが、そうなるためには、全協組織中の事務局体制の問題、例えば、専従の事務局員を置くというように、全協が運動体になればなるほど、考えなければならないことがあるわけですよ。もちろんこのことは組織人全体の問題として、全員が考え取り組んでいかなければならないことですが、一方外面からの行政的な指導、あるいは先輩たちからの指導も現に行なわれているし、これからも必要なわけですよ。そういう中で、われわれは必要に応じて、それぞれの人から指導されてよいと思いますが。

A ですから4Hクラブの組織のことについて、理論的に話してもらえる人が必要ですよ。専属の講師が。

B 専属の講師がいないということは指導されるものの立場に立っていえば、毎年違った人から違った話しを聞くということで、組織としての意志の伝達ができないということです。積み重ねや流れがなくなってしまう。

G しかし、理念を語ろうとか、学ぼうとする態度がないのではないですか。

F 全協のあり方として、4H協会に頼りすぎてはいけないといわれるけれどある意味では反対に頼ってもよいのではないかと思う。ということは、こういうことが考えられると思います。それは、われわれも含めて、全協の役員なり、県連の役員を退めたら協会の会員となって全協なり県連の指導助言をする、こういう形に協会がなれば理想だと思います。そういう形態の中で、物心両面にわたって、全協活動をバックアップしてやることが必要だと思います。

そういうことで、まず協会そのものを強化する。現在行なわれている財界面からの援助も必要ですが、われわれも含めた4HクラブのOBの立ち上りが必要ですよ。

B その考え方には賛成ですが、OBは4H協会の中に入ってもよいし、あるいは、OB自体でそういう組織というか体制を考えてもよいですね。

F OBの中でそういう体制が作れないということは、かつて4H活動をしたものとして自覚が薄いというか、忘れてしまったということで、社会的にみても、4Hクラブが悪い評価を云々されるおそれがあると思いますよ。

また、青少年教育を社会的にみても、その関心が一般に薄いのではないですか。ということは、一般的な社会的傾向かもしれませんが、例えば、テレビの番組などを見ても、くだらない番組に莫大なコマーシャル料を払って自社の製品を宣伝していますが、かえってそれを広い面で見たとき、社会的に悪影響を及ぼしていると思うのです。この莫大な金をもっと、人間を、青少年を育成するためにつぎ込んでくれたら、社会はもっと繁栄すると思いますね。そういう意味で企業でもめざめてほしいし、そういうことができる法的な処置を政府は考えてもらいたいですね。

D 先ほど4Hクラブの推進会議について、当時の全協の考え方を話しましたが、今年から全協は、中央推進会議を前期と後期にわけて、現役リーダーと次期リーダーを対象にして行なうようになりましたが、これは結構なことだと思います。しかし、ブロックの推進会議に全協の意図が入っていけないということで、一面後退したのは残念なことです。

全協では、この二つの会議を通してリーダーを養成して、全国的に全協の分子を作り、その各地のリーダーと全協の連携を密にし、リーダーとリーダーとの連絡強調、そういうことで縦と横のパイプを敷き、大きくしたいと考えていたわけです。しかし、現実はそうあまくなく、ブロック版の方は命が短かかったわけですよ。その短命の理由はなにか、このへんの問題を打開する必要が、組織として発展していくために必要ではないですか。

また、推進会議に参加した人たちにいえることですが、推進会議のための参加者であって、実際に自分たちで学んだことが末端のクラブ活動で十分に活用されていないということ。ここにもパイプを太くすべきリーダーである人が、かえってパイプを細くしているのではないですか。

ですから全協では、そのへんのことについてリーダーの任務を明らかにしてやるべきではないですか。そしてもう一つ積極的にやらなければならないことは、会議に参加したリーダーの動向をつかむことと連絡を取り合うこと、また、リーダーの追跡調査なども行なう必要があると思います。

B 推進会議の参加者は、クラブのリーダーということで、青会議などの参加者とは違うのですからね。

E ですからリーダー研修会などに参加する場合は、一人より二人というように複数で参加することがよいと思います。ということは、一人で参加すると、どうしても末端に帰ってからの発言力が弱い、自分一人では弱いところがあるわけです。

A しかし、現実には大勢参加するということは無理なことですよ。しかしながら考え方としては、推進会議に参加した人が核になればよいわけですよ。そういう活動家を作ることが必要だと思います。

D そういう一人の活動家が地域のクラブ員の中にあって、全員を共鳴させてめざす方向に、みなを向かせていく運動が必要ですよ。こういう核を作るということが組織体としてなりたっていく上にたいせつなことですよ。

G そういうことができるようになれば、あえて、運動体として打ち出さなくてもよいのではないですか。

D 全協では運動体としての名前を打ち出す以前の行為として、行動をうえつけたかったのだと思いますよ。そして行動の中から自然に、そういう名前を持てるようにしたいと考えたのではないですか。

A 名称はどうであっても現実には、そういう行動をしているのだから、それでよいとしても、しかしながらリーダーの中には、連絡協議会だからそんな行動をしなくてもよいという考えを持たれるおそれもありますよ。

D ですから前に述べたように、全協がブロックの推進会議の主催から後援に回った事態を、私は重視したいのです。こういう組織が組織を維持するための事業として、思うようにできない理由はなにか、そのへんをはっきりさせたいですね。

F 全協は金も出すが、口も出すようにすべきですね。しかし、活動資金も必要なことはわかりますが、まず、信念を持ってやるということが必要ですよ。そうすれば必ず組織はよくなると、私は確信しています。

G リーダーには、それだけの信念と確信を持つだけの理論と行動が必要なわけですね。

D いま信念とか理念とか核心にふれてきましたが、4Hクラブ員としての信念があるかどうか考えた場合、はたしてそういうものがあるかどうか、たいがいのクラブ員にいえることは、4Hクラブに入って仲間を作りたい、経営をよくしたいという考えのこれだけが願望の人が多いわけですよ。そこにそもそも問題があるのです。それらのことは、あくまでも手段であると思うのです。

B その手段を目的であるかのように思っている人がいるわけですね。それらを打開するために全協が方針を決めて、末端に流すということが必要ですよ。そのためには全協そのものが確立されて、事務局体制を整えて、県連も同調していく。

そして各県連では、4Hクラブという名前の机を一つ持つことです。また、予算的にも、たとえ百円でも二百円で、県などに予算化させるわけです。予算化したということは、その組織を肯定したことにもなるし、次は、その百円を二百円に、二百円を三百円に伸ばしていけば、やがて専従の事務局員までも置くことができるようになる。こういうような形で伸びていくことが必要ですよ。

F 信念をもって行動し、その行動を伸ばして行くことですね。それには、現在ある組織形態がよいのか、あるいは、はっきりとした運動体としての組織に改革する必要があるのか、このへんのことを真剣に考えるべきだと思います。

B そのためには4H協会も進んで資金的な面でも、全協に対して援助をすべきですね。

B 協会も事業面やその他に他にマンネリ化したところがありますよ。もっとやらなければならないことがあります。リーダー研修会や講師の派遣、全協や県連に対しての援助など考えられるわけですよ。

そういことで4H協会は、専属の講師をおいて4H活動の普及発展に積極的にのり出すべきですよ。

A 4Hクラブ活動のために、ぜひそうなっていただきたいですね。

▶リーダーは組織のパイプ役である。組織とクラブ員間の連携を密にすることは、組織に対する自覚を促し、強化にもなる

OBとの連携強化
まず話あう機会作る

K また、OB組織の問題があるのですが、たしかに、現実の生活がある中で組織を作り活動をするということは困難だと思いますが、とにかく、4Hクラブの組織強化に関しては、OBの組織というのは絶対必要だと思うのです。そういうことで、全協活動を経験したもの同士でOB組織をまず作ってしまうことが必要ではないですか。

OB組織の中核となるものをまず作って、その人たちを中心に、前後の人たちを抱して拡充していくことが先決です。それを運動体として進めていき、下部を促して全国的なものに育てるべきですよ。

そうした組織ができれば、4Hクラブの中で問題が起きたときでも、県連からOBへ、また全協からOBへというように問題を持ち上げて解決を図るということも可能になるわけですよ。そんなことで現役とOBの連携を深める意味で、年に一回でも二回でも会って話し合うということが必要です。そういう機会を、ぜひつどいの中で持っていただきたいものですね。

D OBとして、どうしてもそのような形態を作るように努力すべきですよ。しかし、現実の問題としては、全協も結成されて十五年経ったいま、当時の先輩たちが中心になって立ち上るということは、不可能ではないかと思いますよ。ですから、全協の比較的新しいOBが核となって行動を起し、新しくOBになっていく人がそれに加入していくというような形を強くし、また県連でも同じ方法が行なわれることが好ましいと思います。

A 比較的新しいOBで組織した方がよいという話しですが、私の考えでは、もっと過去の人たちにも呼びかけるべきで、たとえ、その人たちの中からは大勢の賛同者がいなくても、ただ一人であってもその人の組織に対する感覚は貴重であるし、やはり広い大勢の層からの参加を求めるべきではないですか。

昨年も一月にそういったOBの人たちとの会合がありまして同席しましたが、あのような機会を数多く設けることによって、全協役員との交流も深まっていくことが一つのめばえになるのではないかと思いますよ。

D ですからはじめは五人でも十人でもよいわけですよ。この人たちが核となって賛同者を殖していく行為自体が運動であり、組織の充実が図れるのですよ。

A そういうことです。また、その人たちが各地域なり県に帰って、地域や県の組織を作っていくという波及行為がたいせつだと思います。でも、たしかに全OBが参加するということは、むずかしいし、女性の問題もありますね。

D ですからこの問題は、各人の立場や事情もあるでしょうから、それぞれの人に適した方法があると思いますよ。

E 私たちの県では、現実にOBとの連携もありますし、今年あたりは体系づけた方法で行なう計画を立てますよ。

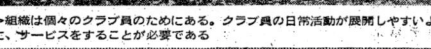

▶組織は個々のクラブ員のためにある。クラブ員の日常活動が展開しやすいように、サービスをすることが必要である

自己資金は何パーセント
会費は組織人の責任で

D 話しを全協なり、クラブの内部にもどして、まず話動資金のうち、会費の問題について話してみましょうよ。

たしかにクラブの事業を消化するということは、莫大な費用がかかるわけですが、必ずしも予算が多いからクラブの内容が充実しているかというと、けしてそうだとはいえないと思います。ところが、その組織の良否を判断する材料の一つとして、自己資金、いいかえれば、クラブ員の会費が予算全体のなんパーセントを占めているかでわかると思います。ということはクラブ員の各自が組織を通して、なにかを求めたい。そして、そのためには組織活動に必要な資金は、自分たちで出そうという考え方が強く働くと思うのですよ。

しかし、現実はそうはいかないです。例えば、全協の会費にしても、過年度未収金が年々殖えるという事態では、組織人として基本的な態度が欠けているといってもよいと思うのです。また、会費の全体の額が少ないということも指摘しなければならないでしょう。そして納めるというか、会費の集め方にも問題があるのではないですか。

例えば、現在の全協の会費にしても、会員が県連ということで、各県から分担金という形で全協に納められていますが、これらの方法についても、集める方法はどうであれ、各クラブ員が自分たちの組織である全協に納めるという形をとり、クラブ員は必要なものを組織から還元してもらうという方法を考えていくことが必要ではないですか。

E すでにある県では、単位クラブ員対県連という形で、そういう会費の徴収をやっているところがありますよ。それを全協に当てはめればよいわけです。そういう方法によってクラブ員も、全協は自分たちの組織なのだという意識が強くなると思います。

F そうですよ。クラブ員は組織に対して会費を出すし、組織は個人に対して見返りをもたらすという上下間の作用をお互いにはたさなければなりませんよ。また、組織は個人に対して、平等に恩恵を与えるということがたいせつですね。

D そういうことがいえます。金額の大小は問わなくても、個人が組織に会費を出すということ自体がたいせつだと思うのです。そういう感覚を全員が持つことによって組織強化を図れるし、全協とクラブ員、クラブ員と全協というパイプも太くなるし、一体化された形の組織が作られていくと思います。

C そういうことが組織体としての基本だと思いますね。

G 現在の全協の形では、そういう方法をとることはできないのですか。

F 現実にできるかといえば問題は多くありますよ。その一つは、全協の会員が県連であるということですね。規約改正が必要ですよ。そういう意識を培うということが先決ですよ。

D また、クラブの事業費についても、各自が分担するということが必要だと思いますよ。全協では、そう考え方を広めるために、つどいや推進会議の費用の一部を参加者から負担してもらうという方法をとっていますが、これについても、最初は抵抗がありましたが、現在ではこ[illegible]

いうことで、今日のように、いろいろ話したり、意見の交換ができるし、勉強もできますが、せっかく話し合った内容について末端にどのように波及させ、理解してもらうということは困難のことだと思います。

しかし、私たちは組織の役員として考えることは、一にも二にも、クラブ員のために組織をよくしたいと願うばかりです。そのためには、全協や県連の役員の責任としてやらなくてはならないことは、クラブ員と深く接し、人と人の心ある接触の中で、心の通じ合った組織を作り上げることにあると思います。そういう意味で、全協や県連は積極的に末端組織に対して、オルグ活動を進めることが強く望まれると思います。

編集部 本日はお忙しいところを、長[illegible]

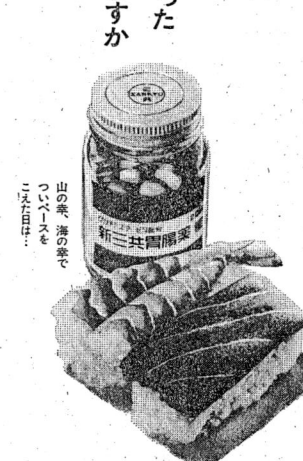

昨年11月23日から29日までにわたって、全協が実施した第2回沖縄親善交歓訪問は、52名と第1回よりも大幅に参加者が増えた。来年に沖縄は日本へ返還されるとあって、訪問団員にもさまざまなことを感じさせたようだ。いずれ全員の感想が冊子にされるらしいが、その一部をここに紹介してみたい。

65馬力もエンスト
トラクタが参る南部の固い土質

新潟県 山田 源治

今度、交歓訪問に参加したのは、沖縄農業の実態をつかむこと（経営面から気象面、若い人々の農業に対する熱意まで）、4Hクラブ員の活動状況を知ること、また沖縄の人々の生活面について、本土と比較しながらできるだけ正確につかみたいと思ったからである。

まず農業の面であるが、自分の所は佐渡の最南端に位置し、果樹の柿を中心に稲作、蔬菜、花卉の採種を取り入れた。年間平均気温一三・九度、東京と同じくらいである。冬は暖流、夏は寒流に囲まれ、本州とは全く異った農業形態である。

沖縄農業も北部は、PH4という強酸性の土壌で最近パイナップルが栽培され、肥育牛が育成されている。名護の丘は、開墾された赤い土が一面に広がり琉球松の濃い緑が点在する中に、白っぽい緑の植物がある。これがパイナップルなのである。これは七〜八月収穫するが、今でも少しずつ収穫が行なわれている。一個安いもので三十六円から百円くらいまである。その八〇％は缶詰工場で缶詰され、本土へ送り込まれている。

中部では水稲とサトウキビが栽培され、南部へ下るとサトウキビを中心に野菜を栽培している。南部の土質は灰白色でものすごく固く、マッシーファーガソンの六十五馬力トラクターがエンストするほどだという。トラクターの後輪のチューブの中には、ドラム缶で二本の水を入れ、けん引力を増しているのである。

こんな畑でサトウキビは栽培され、一坪当り約五十キログラムの収量があり、一トン十五〜十七ドルとのことであった（糖度により異る）。野菜はキャベツ、人参、ジャガイモ、キュウリ、トマトなどが主であるが、土質が固いのと高温のため病気などが、非常に多く、それとともに技術の低いことが重なり、本土では想像もつかないような収量なのである。総面積の方は想像していたよりも多く、ほとんどの家が一町前後である。だが千九百七十二年本土復帰後、もし本土と同じ価格で米が売れれば、サトウキビは誰も栽培しなくなるだろうと話していた。

次に生活面であるが、家は少なくほとんどの家が平屋建てであったが内部は思ったよりも立派になっていた。瓦がセメントで固められているのは、たえず台風の進路となる沖縄の人々の生活の知恵であろう。また沖縄の一六％をしめるアメリカ軍基地については、平坦な良い水の出る所を全部所有している。下水が整備されていないのもひどいと思った。

4Hクラブの技術交換大会に参加したが、これはすべて現地クラブ員の運営で行なわれ、スムースに行かない面もあったが積極性はあったと感じた。プロジェクト発表にも熱が入っていたが、経営技術面のおくれ、図表のない発表者などアンバランスな面もみられたが、活発な活動がなされているのにはおどろかされた。4Hクラブ員との深夜までの話し合い、そして現地見学を通して自分の知ることすべて話し、また沖縄青年の話を聞き、数多くの友達を作り、すばらしい交歓訪問であった。

ある単位クラブでは、三百坪の土地を借り本土における試験場の仕事をしていた。すなわち、レタスなどいろいろな作物の試作をしていたのである。これからの活動にも活発な姿勢がうかがえる。

真紅のハイビスカスがさき乱れる沖縄、目のきれいな彫りの深い女性、エメラルド色の海、沖縄はすばらしい所である。

民泊 従姉と同じ家へ

静岡県 水口 吉子

元来旅行の好きな私は、沖縄派遣の話を聞いても何考えず飛びつくように申し込みをしたものの、今回の旅行については、しっかりとした連絡もないまま、一抹の不安と期待が入りまじっての参加でした。でも今は違います。一日、二日と枕を並べて、寝起きを共にするうちにたくさんの仲間を知ることができたのです。

でも常にあるべきはずの時間励行が、ちょっとした不注意から集合時間をはるかに過ぎてしまい、こうして、私の沖縄親善交歓訪問の第一日目が始まりましたが、青年の家での研修は、短い時間の中で、次から次へと、とても忙しいスケジュールではありましたが、内容のあるものだったと思われます。

遠く南の海に浮かぶ沖縄も大阪よりわずか二時間足らずの所にあり、あまりにも近かったので、おしゃべりをしている間に着いてしまった感じです。しかし、一歩外に足を踏み入れた途端、人と車に目を奪われ、今私のいる所は沖縄なんだという実感にかられる。海や空を毎日眺めて暮している私ではあるが、海岸線の美しさと空の青さには驚いてしまいました。手にすくってみたいような澄みきった水、時間があったら海岸に出てどこまでも歩き続けて行きたいくらいでした。

名護の青年の家での技術交換大会もなごやかなうちに、二日間の幕を閉じた。が、本土のそれとはあまりにも開きが感じられた。しかし、彼等は彼等なりに一生懸命にやっている姿が、印象的でした。

沖縄に渡って三日目が、民泊だった。私の行った所は豊見城村の運天洋子さんのお宅でした。こちらに来る前に、従姉より那覇の近くに知人がいることを聞いたのですが、連絡もしてなかったので、名前だけでも尋ねてみたいなと思っていたところ、従姉の民泊した家が、運天さんのお宅だと聞かされ、二人とも驚いてしまいました。

こうして私も運天さんのお宅に泊ることになったのです。運天さんの家族を囲んで話をする。お姉さんも言われたように「静岡とは縁がありそうだ……」。まさか、こんな所でお目にかかれるとも考えていなかっただけにとても嬉しかった。夜の過ぎるのも忘れておしゃべりに花がさき、あくる日予定していた市場行きも時間が遅くなってしまうほど。

それでも眠い目をこすりながら出かける。朝もやの中を走る車で太陽、をとてもまぶしく感じた。自家生産した農産物を自分達の手で売り捌かなければならない人たちにとって、市場は活気に満ちていた。本土のようにしっかりした機構がないだけに、たいへんなことと思われる。

短い時間の中で少しでも多くのことをと思ったのですが、なかなかそうもいかず時間ばかりが過ぎてしまい、今こうして最後の研修をしている。もう一週間もたってしまったのかと思う程の早さで、交歓訪問は終ろうとしている。せっかく仲間を知り、友達になったのにまたみんながバラバラに別れて行く。いつの世にも別れはつきものであるが、またいつか逢うことを願いつつ、さあまた明日から仕事が待っている。

帰って来た草の根大使

アメリカから坂本重子さんと古川みどりさん、中華民国から橋本好男君と広島春枝さんが、草の根大使として、それぞれ六ヵ月、三ヵ月の滞在を無事終えて帰国した。さまざまな経験を、これからのクラブ活動の公私にわたって役立てていただきたいが、まずは帰国の印象などを聞いてみることにしよう。

ホストファーザー「天国で会えよ」
神を信じられるように—

派米クラブ員 古川 みどり

「さあ、今日からまた頑張ってやろう！」と思いながら、Gパンに作業着で鶏のエサをやりに行って、とにかく驚いた。富士のごとく形を整え、高くなっている鶏糞の山。一目でわかる廃鶏の数。鶏舎自体が、何となく汚れ、荒れた、感じがするのだった。

「あれー、一年間も家をあけちゃったのかな？」と、真剣に思ったほどであった。考えてみれば、私自身も「人はいったい何を考えているだろう」と自問するほど、頭の中はボケている。

「この半年を人生大学に！」とあの半年間への心構えをかかげ、とにかく鶏舎（二千五百羽収容）を建て直し、自動給餌機を導入して、「半年間、家のことは心配するな」という両親に甘えて、家を出たのは、昨年五月であったことにまちがいない。

だが、この半年は短くなかった。出発前に、地域で広がった鶏のニューカッスルは、多くの小さい養鶏家を全滅させ、私達の鶏をも三百羽うばった。そして、祖父は三人の孫が全員、外へ出ていた間に兄の国際電話を待たずにこの世を去った。

帰って来た私に、誰もがこう声をかける「どうだった？」、私は今、アメリカという国の人達を、良く働き、良く遊び、良く食べる人間だと思う。日本人は、やはり働く人間であるが、生活を楽しむことを知らないのだと思われる。

ホストファミリーと楽しむ古川さん（左から二番目）

しかし、広い土地、多くのものにかこまれているとしても、単純にアメリカの農家には問題がないかといったら、大あり。そして表面下の農家の生活は決して甘くはない。いわゆる"機械化貧乏"である。アメリカでの農業は、やはり二百エーカー（九十ヘクタール弱）は必要であり、そのためには最低限の機械は必要なのである。だから日本と同じく、若い者は農業をあまり好まない。

何の資金もなく、農業を始めることは、まず不可能に近いのである。しかし、多くの人々に語られているとおり、アメリカの農業の中には、親にたのまれて、親に土地を与えられてやっている者はいない。自分で選んだ農業者の道であり、父や親戚から買い入れたり借りている土地であるから、確かに根性がある。実力と頭の世界なのだと思う。

宗教とは一体何かという疑問は全く果てしないものだ。しかし、恐ろしい。日本人は、一種の無宗教の時代に入ってきているが、このことを私のホスト・マザーが知ったら、何と言うか、想像もつかない。無信仰だという私に、彼女が「オー、なんと貧しいミドリの心か！」となげいた言葉が今も心から離れない。

「ベトナム戦争はどう考えるのですか」という私の問いに、「神は、正しい者の味方をする」と言う。「アメリカが発展したのは、それだけ国民が神に忠実であるから……」と言う。黒人の差別は、「神の子として、黒人は十分でないから……」と言うのである。だが毎食前、家族と、私と、日本の家族の健康を祈ってくれた、最後の若い家族。別れる時、「いつかきっと会おう。しかし、もし会えないようなことがあったとしても、心配しないでほしい。天国できっと会えるから……」と泣き声でそれぞれに、最後の祈りをささげたホスト・ファーザーの胸の中で、私は心から神を信ずることができるように……と、思わざるをえなかった。

寂しい老人たち
家庭生活の一面

派米クラブ員 坂本 重子

五月十三日午前六時三十分頃、希望を胸一杯にふくらませ、岐阜県の古川さんと共にシアトル空港に着く。私の知っているアメリカは、ニューヨーク市とカリフォルニア、ナイヤガラの滝、グランドキャニオンと観光地的な所ばかりで、町は大きく、車と人で一杯の国を想像していたが、アメリカは大国だった。

ホスト家庭として入った家庭はほとんどが田舎で、隣り町は遠く車なしでの日常生活はありえないといった状態だった。特に日本の家庭と異なって、結婚後は両親と一緒に住まないこの国では、親が一生懸命働いて築いた大きな農地も家も、相続人がなければ全部売られ、兄弟でその金額を等分し、両親または片親は、自分達の生活にふさわしい家や土地を探して移って行く。土地や家に愛着心の強い我々と比べて、割り切っていると言ってしまえばそれまでであるが、年老いて田舎で誰一人話し相手もなく生活しておられる老人の姿を見て、何とも言えない寂しさを覚えました。

この問題について何軒かの家庭でたずねたところ、「彼らは子供達に侵入されずに自分達だけの生活ができるから……と喜んでいます」とか、「若い時から子供は子供、親は親という考えで生活を行なっていますから、別に問題にはしていません」などという返答が返ってきましたが、「日本のように、誰かが両親と暮す方法を我我も取り入れることができたら良いのに……」と言われた方が、沢山おられました。

年の多い人と若い人の間には、数々の難かしい問題はあるでしょうが、それを一緒に耐え抜いてこそ、真の家庭生活を作ることができるのではないだろうかと、私は思います。定年から後の十〜二十年間を老夫婦だけだったら、孫の世話をすることもなく、気楽な生活を送ることができるかもしれませんが、その後の生活を考える時には、寂しさがおそってくるのではないでしょうか。

現に一人で生活を送っておられる老婦人が「今までは隣の人が、車であちこち一緒させて下さったけれども、昨年亡くなられて今はそんな人もなく、車にも乗れないので、朝は適当な時に起きて食事も簡単に済ませ、夜も早くから寝て、何の張り合いもありません」と言われたのを聞いて、何人かの子供さんがおられるのだから、どうにかしてあげたら良いのに……と腹立たしく思いました。

日本から見て、気楽そうに見えるアメリカの生活の中にあるこういう点を見て、人と人とのつながりが、薄れていっている姿を見たような気がしました。「断絶の世界」と言われている今の社会の中で、このことは我々が一番考えて行かなくてはいけない問題点ではないだろうかと思います。

第二の故郷

派中クラブ員 広島 春枝

長い人生のわずか三ヵ月間ではあったが、中華民国での生活は、第二の故郷として一生、私の心を離れることのない思い出となった。"ヤシの葉がおい茂り、さんさんと太陽の輝く楽しい南の島台湾"こんな観光客への宣伝文句にふさわしい、本当に自然に恵まれた国である。農家の庭先にはバナナ、竜眼、木瓜（パパイヤ）、蕃石榴（ナプラ）などの南国の果物が、いたるところに見られる。

しかし、反面社会はうまくいっているようですが、その複雑さは日本では見られないものがあります。一例に、言語について触れてみたいと思います。

中華民国の人々は千三百万人余りで、戦後大陸からきた外省人と呼ばれている人が三百万人で、残りが本省人ですが、その中でも福建人と広東人がいて、それぞれ福建語、広東語を使っているのです。この国の国語は北京語です。最近義務教育が九年になり、教育を受けている若い人はよいとしても、三十五歳以上の人は、自分のことばしか話せない人が多いようです。しかし、新聞、ラジオ、テレビは北京語を使っているため通じないことはないのです。

私が三番目の受け入れ農家に滞在しているときこんなことがありました。そこは、台北から汽車で一時間位の湖口郷という地で広東系の住民が多いところです。お母さんは台湾生れの日本人、お父さんは広東人でした。同じ交換生の橋本好男君（福島県）は、福建人の農家でしたが、私の方の農会の指導員が橋本君の会の農会に電話したところ、話しが通じなくて、かえって日本語で話したら通じたということがあり、同じ国の中で笑い話しのようなことがありました。

三十五歳以上の人で教育を受けている人は、ほとんど日本語を話せますが、いかにして現在の国語を習ったかという苦労話を、よく聞かされました。ことば一つをとりあげても、このように現状は複雑であるが、このことは今の強力な教育により時間がたてば解決されていくと思います。

この原稿を書いている最中に、第一の受け入れ農家のお父さんから便りがきました。達筆な日本語で書いているので、内容がよくわかります。私が帰国するときは、丁度旅行中で見送れなかったこと、また、家のすぐ横に栽培している甘しゃは来年一月早々収穫すると製糖会社から通知があったことなどが、手紙に書かれ、受け入れ農家のなかで一番家庭的な雰囲気だったことを思い出します。

この家は入口を入ったところに縁側があり、応接間兼居間兼食事の場になっていて、夕食後はいつも十一時頃まで家族とともに過しました。何よりも安心したのは、お父さんがある公司（会社）に就職が決ったことでした。甘蔗六十アールの農業経営では、一家七人とうてい生活できません。子供が成長して一人前になるまでお父さんは兼業農家として頑張るだろうと思います。

☆ ☆ ☆

千九百七十年は中華民国五十九年でした。五十年代の最後の年に、我々が国際農村青年交換の計画で訪問できたことは、何かしら意味が深いように思われます。農村各地をまわって多くのクラブ員、多くの人々と交歓してきましたが、今後も草の根となり、人々の友情を育ててゆきたいと思います。最後に、中華民国の人々は、真の意味での自分達の平和を望んでいることを、つけ加えたいと思います。中華民国（台湾）についての御質問があれば、お便りを下さい。

"日本的台湾人"の存在
思い出に残るひとびと

派中クラブ員 橋 本 好 男

私達は時々、農会の指導員に連れられて、全く知らない人から、ものすごい待遇を受けることがしばしばあった。「今日はごちそうしてくれる人があるから一緒に行きましょう」というので行ってみると、テーブルに何十種類もの料理が並べられて私達を待っているのである。主人は私達を旧知の友を迎えたような歓迎ぶりで握手を求め、そのテーブルのごちそうは大臣か社長が食べるようなものと思えば間違いないだろう。

私はすすめられるままにごちそうを食べ、ビールで桜色に変った顔をつねりながら、「何故、私達をこんなに歓迎してくれるんですか」と尋ねてみた。ある人は「日本人である君達とこうして話をすることが楽しいのだ」と答え、ある人は「君達と話しをすることは呼吸することだ」と答えた。また「我々は日本教育を受け、日本精神を持っているから、私は中国人でなく日本人だ」と答える人もいる。

私には何が何だか理解できないが、私達には心から親切な人々であり、日本に対し、親しみを感じている人々であると思った。私はこれらの人々を、"日本人的台湾人"と名付け、いろいろと彼らの考え方をまとめてみることにしました。

彼らは日本統治時代に生まれ、日本人の先生から日本語は勿論、日本精神を教えられた。そして成人に達すると、我が母国のために一命を捨てようと決心し、第二次世界大戦中、日本軍に参加した。そして、フィリッピン、ボルネオ、中国大陸にも行った人々がある。だが彼らの愛する日本は敗れてしまった。そして大陸から、同胞だと言って、昨日まで敵であり、言葉も違う（大陸人は北京語、台湾人は福建語）将介石一派がやって来た。

これらを向うでは外省人とよんでいるが、この外省人と日本教育を受けた本省人との間には、いまだに断絶が残っているのである。現在、政治的実権を握っているのがこの外省人なのである。"日本人的台湾人"は言う。「台湾は独立国ではない、三百万人の外省人に支配された中華民国の植民地である」と。彼らにとって中華民国は生みの母であり、日本は育ての親なのである。中華民国は、彼らが成人となった時「本当の母は私だよ」といって現れたのである。だから彼らは育ての母を常に懐しく思っているのである。

親切で人情味溢れる彼らに接して、私ははずかしいような気がした。彼らは日本人よりも日本人らしい人々なのである。日本人が今忘れかけているものを、彼らはいまだに保持しているのでいる。

私はこういう人達と時々手紙を交換することを約束して来た。私が皆さんに知ってもらいたいことは、海のかなたに日本を心から愛している人々がたくさんいるということである。この事実を私が仲間達に知らせることが、私達を歓迎してくれた彼らに対する報いであるかも知れない。

心頭技健

麻薬患者は農村にいない

激しく揺れ動く一九七〇年代の二年目を迎えた。この七〇年代がどのような意味を持ち、どれほどの歴史的重みがあるかはそれぞれの判断によって違ってくると思うが、これからどうあらねばならないかということは共通した課題である▼4Hクラブ員も、すがすがしい新春を迎えて、未知の世界に新たな冒険心を燃やしていると思うが、農業経営やクラブ活動、結婚、青春の生き方などの問題と解決に真剣に取り組んでいく必要があろう。そこで、ものの考え方の基礎として、ここに4H協会の松下幸之助名誉会長の含蓄ある言葉をお届けしたい。これは、ある雑誌の新年号の中で、日本改造「瀬戸内海を魚に返そう」と題して評論家と対談したもので、人生の知恵にあふれ、われわれも大いに考えねばならない問題が多く含まれている。

×　×

北欧三国はそうとう繁栄している。しかし、気候は北海道みたいなところだから、あまり住み心地はよくない。もし、あれが独立国でなしに、欧州の一県であれば、あれだけの繁栄が興ったかどうか。人間は住みよい南の方に行ってしまうから、案外、あの繁栄はなかったかもわからない。

どうしてもそこで、繁栄を興さなければいけないというところに自信が湧いて、繁栄しているんです。独立性とか自主性がいかに尊いものかがわかると思う。

×　×

日本の最近の都市計画にしても、アメリカを見習いすぎますな。千年、二千年の伝統ある日本の都市計画と、建国二百年のアメリカとは違うはずですよ。

×　×

いま、いちばん大きな問題は何かというと、やっぱり人心の頽廃だと思いますな。これはゼニ金で買えないでしょう。現在ヒッピーが五百万人いるというんですね（アメリカに）。麻薬患者が五百万、そういう連中は農村に生まれていない。大都会に生まれているんですね。

×　×

文化、文化といって、文化に追われているわけですね。文化というものは、生活を高め、人生を高めるものには違いないが、いまの結果は逆になっているんです。いいかえると科学に追われて、精神面が低下している。

大都会生活というものは、人の心をそういう傾向に持っていくんですね。農村や田舎では素朴に働いている。素朴な働きというものは人間に非常に尊いのではないだろうか。大都会がいいというが、大都会でエライ人たちが集まって何をしておるのや。昼アクセク働いて、夜マージャンしとるじゃないか。

×　×

はっきりわかりませんけれど、つまり、小事は損得勘定でやっていただいてよろしい。大事はソロバンを無視しなければいかん。もっと高い、損得を度外視した真に立脚したところ、とでもいうか、そういうものを探して人間の尊さを求めなければいかんと思う。

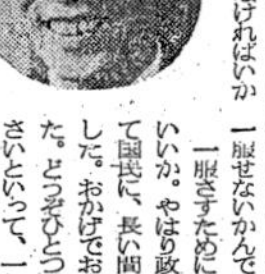

×　×

相互調和が欠けている。総合して互いに調和をとっていくという電子計算機を、同時につくったらよかったのですね。最近、民族のよさを非常に軽視するような傾向がある。対立はいい。しかし、調和を忘れた対立では、闘争に明け暮れ、物を失なって貧困につながるということになるから、対立思想が高まれば高まるほど調和思想を生み出さなければいけない。日本は本来は一民族として調和しているのだが、アメリカを見習っているところに問題がある。

×　×

日本人は、戦後二十五年間働いてきたんですから、この際、一服せないかんですよ。一服さすためにはどうしたらいいか。やはり政府が音頭とって国民に、長い間ご苦労さんでした。おかげでお金もできました。どうぞひとつ、ご一服ください といって、一年間は税金もタダにしましょう……。

×　×

これは、対談内容の一部分であるが、われわれもまた、新年に当り、何をなすべきかを熟考する必要があろう。

剣の心と平和を探る

NHK・今年の大河ドラマ　春の坂道

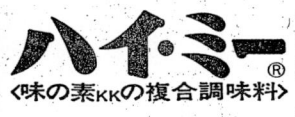

NHKは、日曜夜のお茶の間の人気番組「樅の木は残った」に続く連続ドラマとして、ことしは山岡荘八原作の「春の坂道」（柳生宗矩の生涯）を一月三日から五十二回にわたって放送する。

これは、さる三十八年の「花の生涯」から始まったNHKの大河ドラマの九作目（「赤穂浪士」「太閤記」「源義経」「三姉妹」「竜馬がゆく」「天と地と」「樅の木は残った」まで）

このドラマは、徳川幕府創成期、徳川家康、秀忠、家光と三代の将軍に側近として仕え、身をもって体得した剣禅一如の兵法の世界を政治の場に生かした武人政治家であり、人間教育者、平和思想家であった柳生但馬守宗矩の生涯を、戦争から平和へ大きく転換して行く戦国末期から江戸時代初期を背景に描き、柳生の剣の心と、平和の条件を探る。

それによって、従来の武力中心の戦国英雄物語とは異なって、平和を推進する時代の人間と政治思想、禅に根ざす日本人の精神文化に焦点をあてた新しい時代劇を創作しようというもの。

ドラマのあらすじは、元亀二年（一五七一年）、剣聖柳生石舟斎の五男として柳生の里に生まれた宗矩が、修業時代を経て、家康に仕官、教育者、思想家として人間改造の思想に目ざめ、秀忠を助け、家光を教育する。晩年には、幕府の大目付になり、島原の乱などで政治家としての手腕を発揮、家光に惜しまれながら七十六歳で生涯を閉じるまでを、家康、秀忠、春日局、沢庵、荒木又右衛門、柳生十兵衛、家光ら、多彩な人物とともに描く。

主人公の柳生宗矩に紛する中村錦之助（中央）と、田村高広（沢庵、右側）長門勇（弥さ、左側）

配役陣としては、主人公の柳生宗矩に中村錦之助（中村プロ）がなる。二十四歳から登場し直情径行型で明朗かっ達。三十代は豪放らい落、四十代は細心にして大胆、五十代は孤高、晩年は枯淡に加えて、青年時代の明るさをとりもどす。

宗矩の父、柳生石舟斎には芥川比呂志（劇団雲）、豊臣秀吉に中村芝鶴、徳川家康に山村聰（東京アーチスト）、宗矩生涯の友、沢庵に田村高広（松竹）、石舟斎、宗矩、十兵衛と柳生家三代に仕える〝弥さ〟に長門勇（栄和プロ）という陣容。

このほか青山哲也（徳川秀忠）市川海老蔵（徳川家光）原田芳雄（宗矩の長男・柳生十兵衛）高橋悦史（黒田長政）京塚昌子（宗矩の母・春桃御前）小林千登勢（宗矩の正室・おりん）松本留美（島丸順子、宗矩との間に一子を生む女）倍賞美津子（弥さの女房、おさめ）上月晃（お万の方、関白秀次の側室）岸田今日子（淀君）木村菜穂（千姫）若林豪（荒木又右衛門）というわき役。

放送は、日曜午後八時から総合テレビ、カラー。

冬の北海道

しばれる中で雪像作り

農閑期はクラブ員の〝脳繁期〟

北海道4Hクラブ連絡協議会書記長　中山寿雄

十一月を過ぎると、北海道ではちらほら雪の便りが聞こえ始める。一番早く雪の便りを聞くことができるのは北海道の屋根「大雪山」である。遠くの山なみが白い帽子をかぶり始めると、農家はとり入れに大わらわ。冷い北風をほほに受けながら、雪が地上に見えるものを覆い尽す前にすべての仕事を終らせようと一年中で最も忙がしい季節となるのである。

十月、十一月に降る雪は一度降ってもすぐ消える。春までとけない雪を根雪というが、クリスマスの頃には根雪となり、美しいホワイトクリスマスを迎えることができる。その頃、道内の4Hクラブは、プロジェクトの発表会とクリスマスパーティーを併せて行なうところが多い。

しんしんと降りしきる雪の中、部屋には、赤々とストーブが燃え、クラブ員の手作りの料理で行なわれるこの時のパーティーは、外の寒さと対照的に若さと熱気に満ちあふれ、ラストダンスの頃には、互いに熱っぽい視線でみつめあうカップルが生まれることも少くない。

そんな甘さと裏腹に、農作業を終るか終らないうちに道内外に出稼ぎに行く青年も多い。部落全部出稼ぎに出かけ年寄り子供だけで寂しくお正月を迎える所もある。一人二人の青年が残ったとしても雪に閉ざされた単調で刺激の少ない生活に耐えられる人は少ない。

残った青年としていかにクラブ活動を推進すべきかと悩んでいる青年は多いはずだ。さらに、雪の深い地域では交通の不便さも手伝って、クラブ活動の広域化などの解決策を疎外する要因もある。

しかしながら、誰かが何かをしない限り事態の進展はあり得ない。だから今、必要なことはビジョンを作ることである。行政が、あるいは指導者が描くビジョンではなく自らの手で作りあげたビジョンが必要なのである。

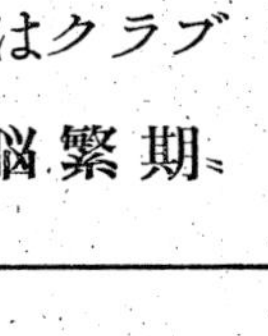

北海道の冬は厳しく長い。山や畑が深い眠りにつく頃、農閑期は〝脳繁期〟となる。各種の研修会、農業学園の合宿教育、青年の家の研修会などキッシリと研修のプログラムが組まれてはいるが、ただ単に、受身の形で何かを求めるのではなく、同じ参加するのならその中で何かを生み出す積極的な姿勢がほしい。

単調な冬の生活の中から北海道は数多くの冬のカーニバルを生み出した。札幌の雪まつり、網走の流氷まつり、旭川の冬まつりなど数限りない。流氷がオホーツクの海を閉ざし、まつげが凍りつくような冬に、大きな雪像を作り冬の祭典を行なう。朝陽にキラキラ輝く雪と氷。北海道でなければ見られない厳しさの中の美しさである。〝しばれる〟冬のさ中に雪像を作りあげる苦しさとその感激とは比例して大きくなる。

厳しい冬のあとにはやがて春がくる。草や木がいっせいに芽をふき、生けるものがすべて活動を始める。北海道に生きているものはすべて、長い冬の間にやがて来る春に花を咲かせようと、厳しい試練の中に目を磨いているのだと声を大にして叫ぶことのできる4Hクラブの活動を、明日からとは言わず今から始めたいものである。

（斜里郡小清水町字中里）

百姓の博物誌

＞1＜

荻原　茂

戦況不利の〝将軍〟か

（蝶）

オレンジ色のちっちゃいゼリー・ビーンズの時限爆弾を、はっぱからはっぱへと仕掛けてとぶ。かれらのじゅうたん爆撃は、食事と睡眠の時間をのぞいて執拗に続けられる。

やがて、キャベツ畑を襲った花吹雪がしずまると、時限爆弾は、音もなく炸烈する。

青虫どもは、生みの親の、あの優雅な羽根ほしさに、夢中になってキャベツを食う。

キャベツは穴だらけにされたみどりのシャツを脱ぎすてながら、中へ中へと逃げ込んで、固くしまる。なおも食いつめられると逃げ場を失って、苦しまぎれにとうをたてるやつもでてくる。

罪の意識におびえる虫どもは、ちょっとからだにさわっただけでも、みどりのうまけをおいて深荷の底へ、みずから身を投げる。

こんなとき、くすぐったがりやのキャベツは、あの光沢のあるはっぱをこすり合わせてキュキュッと笑う。

啓さんは肩かけ噴霧機で、はっぱの表から裏まで、くまなく薬をかける。

青虫どもは、抜け目なく、数匹の犠牲を提供して啓さんの顔も立てる。

青虫どもは、かれらの社会が、決して自分たちだけでは成立たないことを知っている。全員皆殺しにされてしまうわけにはいかない。小鳥や蜂たちの分を残しておかなければならないことをちゃんと知っている。

キャベツも、これに協力し、消毒液を丸めて、せっせと、ころがしおとしてしまう。

「キャベツは、いったいぜんたい、キャベツのやつは人間に食われるのと、虫に食われるのと、どっちを望んでいるのかなあ。キャベツにとってどっちがしあわせなのかなあ。」

もうそろそろ肩の痛くなってきた啓さんはひとり言を言う。

啓さんには、とても蝶は二つ折りの恋文にはみえない。

「薬代と種代の二つ折りの請求書め、あっちへ行け」噴霧口を振りかざしながら啓さんは怒鳴る。

（尺取虫）

ひといちばい、身体の調子に神経質な尺取虫は、毎日の歩行距離を測っている。

「今日の予定は、あと五十歩」五十歩百歩だ、などと省略することはない。彼らのきちょうめんは有名だ。

右にするか、左にするか、散歩の途中で道に迷うと、楽譜をたたく指揮棒のように気取る。

「気取りだって？ ぼくのことを楽譜の辞書で引いてみたまえ。きちょうめんだって？ 身についた教養のほんの一端さ」

goeomter、幾何学者。「おわかりかな？」

彼は彼の呼称にメートル法が適用されないのが、いささか不満だが、わめいたりはしまい。なにしろ教養があるのだから。尺貫法で幾何を解くだろう。

散歩が終わると、お得意の思索のポーズに入る。

「檻の中の熊のように、動きながら考えるのは、金ぐりに万策つきた実業家か、戦況不利の報にあわてる将軍か、選挙違反におびえる政治家か、下等な連中の思考形態だ。

静止して、小枝に化けた彼には、もうピタゴラスか、ユークリッドの外に何もない。

それにしては、彼が桑の葉を盗食するとき、幾何学模様とは関係なさそうだし、だいいち、彼は自分の身体に、黄金分割をどのようにあてはめるのだろう。

次期リーダー養成の後期中央推進会議

〝年齢別組織〟で湧く

会館、1人300円募金へ

全国4Hクラブ連絡協議会（会長、久野知英君）主催の昭和四十五年度後期中央推進会議は、さる十二月八日から十二日までの五日間にわたり、静岡県御殿場市の国立中央青年の家において、百四十名を集めて開催された。前期、後期の二回に分けられたのは、本年度が初の試みであり、今回は特に次期リーダーを対象にした研修に重点をおいて行なわれた。

内容は、全協の活動方針の説明、4Hの本質について、プロジェクトの進め方について、県連会長会議、4Hクラブの組織について、女子クラブ員研修、その他海外派遣（アメリカ、中華民国）クラブ員報告、青年の船乗船団員の会合、4H新聞報道員打合わせ、佐賀のつどいの報告、沖縄親善交歓訪問の報告などが行なわれた。なお、予定していた農業問題についての講演は、農林省青少年教育班長の大賀忠直氏の都合がつかず、中止された。

今回は事前に計画した研修会議などは一応消化したが、かなりスケジュールの変更があった。それというのも、第二日目、会長会議はこの午前中だけであったものが、午後いっぱい伸びたことがあげられる。久野会長の語るところによると、これほど会長会議でじっくり話しあったことは、あまりないのではないかということであった。

つまり、内容がそれだけ重要であったわけで、会費徴収・未徴収のこと、クラブ員実態調査、役員派遣（近畿、中・四国）、4H新聞の購読、専門委員会、会長会議（本年から四国）、推進会議、つどいと技術交換大会のこと、沖縄訪問、青年農業者会議、会館建設問題など多いが、何といっても一番論議を呼んだのは、会館問題であった。

当初の完成目標が四十五年度であったから、当然会議の中心議題になるのは自明の理であったが、いまだに募金の足並みはそろわず各県連まちまちであり、関東ブロックのように各県が目標額をかかげ、本年度中に目標達成するというところから、ほとんど募金活動らしきものが行なわれていないところまで、さまざまである。

会館の必要性云々という、振出しへ逆戻りするようなジグザグな話しあいのなかから、ともかくも来年度（四月）の総会までに、全協は土地についてははっきりさせる、確保の目安をつけること、また、各県連としても、クラブ員一人あたり三百円見当の募金運動を展開すること、この二つが決議された。ただし、その募金方法は各県連にまかされている。また全体討議でも、にぎやかに話された。

第三日目、組織についての末次一郎氏（青少年問題審議会委員）の講演（次号に掲載予定）、第四日目の午前中、4H組織についての問題提起（北海道、長崎、埼玉、高知、大阪）があり、つづいて分科会、さらに午後には全体討議と従来になく、真正面から組織問題に時間がさかれたのは、クラブ活動そのものが改めて考えなおされる時期にきているためだろうか。

会館問題と組織問題が、今推進会議のハイライトであった。なかでも、もっとも反応の大きかったのは分科会からの報告であった。

つまり、現在の年齢差のあるクラブを、年齢別、あるいは理解度やプロジェクト段階による編成がえをし、それぞれのブロックの交流も考える。そこに内部リーダーが育つ地盤も生まれ、今回も大きな問題となったOBとの断絶も避けられ、生涯を通じての活動組織が作られるのではないかという点である。これを組織の組みかえとするか、活動方法の問題とするか、また、現在の組織でもなんとかなるなど、変革、改革という言葉はかなりの刺激であったようだ。

ともかく、内部リーダー、この上に指導者、顧問のかたちでリーダーを作る機関を持つこと、事務局体制も、単に行政機関にもたれかかる、あるいは一方的指導を受けるのでなく、最終的には独立を目指して段階的に進むこと、クラブ員はすなおに受けいれ、身につけようという態度を持ち、リーダーは彼らに位置づけをする。

そうして、組織が強化されたとき、家族ぐるみ、地域ぐるみの4Hとなり、たとえば、出稼ぎなどが大きな問題となっているが、こうした人たちもそれぞれの出先でその地のクラブとともに活動がつづけられるなど、今後、こうした問題をどのように消化して、組織強化をするか、注目される。

女子研修会（これも次号でまとめる予定）も、OG二人を招き三時間余にわたって行なわれた。また、4H協会の宮城会長は、4Hクラブと協会、協会の今後について語り、昨年度全協会長の黒田保氏も、組織問題、女子研修において、励ましの言葉を述べた。

農業者会議　関連放送決る

第十回の全国青年農業者会議の共通課題関連番組が、「あすの村づくり」（NHK教育テレビ午前七時～八時）で次のように決定した。

一月十日　新しい座標を求めて――新農業経営論――

一月十七日　新しい座標を求めて――自立への道――

一月二十四日　新しい座標を求めて――都市化の中の農業――

一月三十一日　新しい座標を求めて――新いきがい論――

なお、再放送は、一月十六、二十三、三十一日、二月六日の土曜日、教育テレビ午後一時から二時まで放送される。

第十回全国青年農業者会議事務局

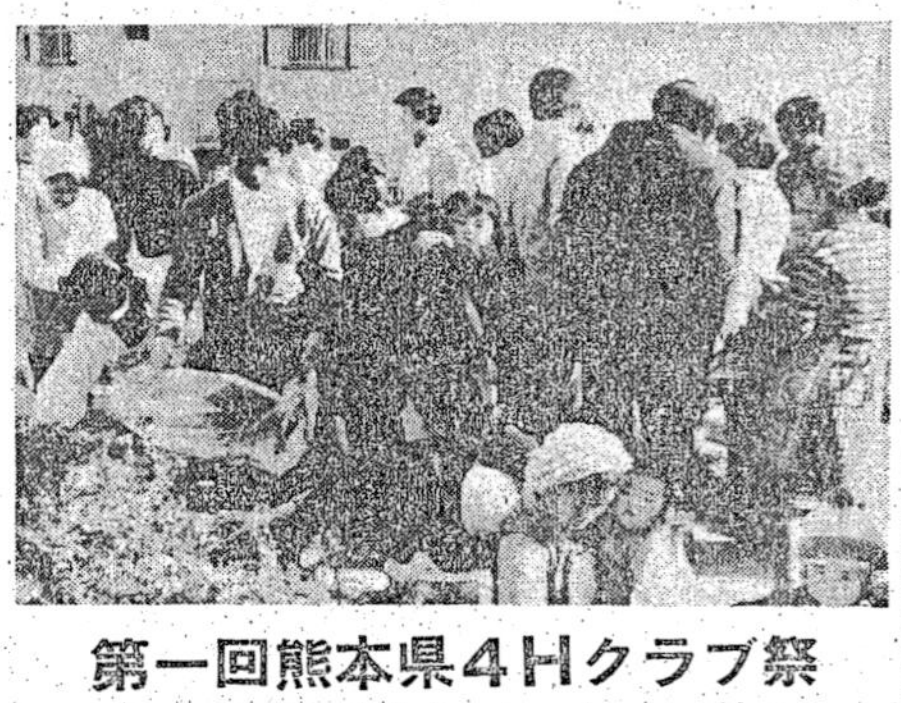

第一回熊本県4Hクラブ祭

消費者は敏感

盛況の即売会で学ぶ

【熊本県＝池田健美連絡報道員発】熊本県農村青少年クラブ連絡協議会（会長、野中喜勇君）では、十二月八、九日の両日、県下4Hクラブ員の一大祭典である「第一回熊本県4Hクラブ祭」を開催した。

この4Hクラブ祭は、熊本県農業の新しい担い手として努力している4Hクラブ員が、自らの手で企画、運営し、自主性の高揚に資するとともに農産物の流通機構の学習、クラブ員相互の民泊、交換による仲間づくりや、地域社会から理解されたクラブ活動を推進するという主旨で開かれたものである。

第一日目は、午前十時半から県下千名のクラブ員が県立図書館ホールに集まって開会式。各地方の紹介で始まり、野中県連会長、熊川県農業改良課長の挨拶があり、オリエンテーションのあとの歓迎のつどいは、ばってん劇団による〝肥後にわか〟に、場内笑いの渦と化した。午後は農産物の即売会とシンポジウムに分かれた。

即売会は、熊本市内三つの団地に県下各地から運んだ野菜、果実などを、クラブ員自身で価格を決め、販売した。事前のポスターなどによるPRもきいてか、安くしかも新鮮ということで、団地の主婦達が買い物かごを下げ、子供を連れて会場に来られ盛況だった。

クラブ員は、即売の中から消費者の声を直接きくことにより、流通機構の現状、今後の課題などについて学んだ。

一方、図書館ホールにおけるシンポジウムは、「今後の流通機構を考える」というテーマで、生産者であるクラブ員、経営者、消費者代表として熊本市内の主婦を二名、販売業者として青果市場、小売店の代表が出席し、助言者に熊本商大教授の小山内先生を迎え、それぞれの立場から活発な意見がかわされ、さらに会場のクラブ員からも意見が出された。

一日目の日程が終ると参加クラブ員は、会場近くのクラブ員宅に全員民泊し、家族ぐるみの交歓でにぎわった。

二日目は、午前中民泊先における先進農家や風物を見学し、なお一層の交換を図った。午後、その民泊先から再び会場に駆けつけ、今大会の締めくくりともいうべき全体会議に臨んだ。前日、三ヵ所で行なった即売会の状況や結果の報告、シンポジウムの内容報告があり、全体で協議した。

その中で、「消費者が価格や品質について、非常に詳しく敏感なのに驚いた」「販売方法について工夫の必要があった」、さらに、「自分で生産した農産物に自信をもて」などの意見が出された。そして「農産物即売会の益金の一部でもいいから、歳末助けあい運動に協力しよう」ということを満場一致で決定し、幕を閉じた。

一クラブ員の提案から始まった4Hクラブ祭が、流通機構の学習、クラブ員の友情交換、クラブ活動の地域社会への波及という目的をはたし終了した。

「現在、活動は低下している」

静岡県浜北市連　農協婦人部と話合い

【静岡県＝鈴木政美連絡報道員発】浜北市4Hクラブ連合協議会（会長、河合能史征君）は、十二月九日、浜北市農協会議室において、市農協婦人部との交流を行なった。当日は、市農協組合長でもある河合多三県議会長、高橋市議、河合、松下両普及員らが出席し、今後の浜北市、農業の方向、農業青年としての心構え、結婚問題など、二時間にわたり話した。

初めに河合多三組合長は「五～六年前の4H活動とくらべると、現在クラブ活動は低下している。この点、クラブ員は深く考えてほしい。このめまぐるしい社会情勢の中にあって農業をやっていくのは、なかなかの度胸がいるが、頑張ってほしい。4H活動の中で、人間形成、人間教育の面も勉強してほしい」と話された。

婦人部のある人は「現在の農業青年は私達の若いころより経営もしっかりやっているし、考えも立派だ。しかし、もうすこし人間形成の面で勉強してほしい」と話され、あるクラブ員から「実際、奥さん方の青年時代は戦争で、青春時代はあったにしろ大変だった。平和な社会がつづいている現在、あまりにも自己主義的な人達が多い。自分本位な人間にならないよう、4Hクラブ、青年団などの活動の中で、いわゆる集団活動の中で、勉強しなければならない」と発言があった。

互いに熱の入った意見が出された末に、ついに結婚話まで話された。婦人部の方から「クラブ員の皆さん、結婚は何歳くらいでしたいですか。相手としてどのような人を選びますか。結婚したらどのような家庭を築きますか」と質問があり、この問題について、あるクラブ員は「私は結婚についてはとにかくヨーロッパのように、奥さんが農場で全体に働かず、家事の仕事をしており、夫だけが農場で働いている、何年先のことだかわからないが、ヨーロッパのような農業の方向に向っていきたい」と語った。

また、別のクラブ員は「この二度と来ない青春時代において、農業経営も大切だが、集団活動の中に入って、勉強しなければならない」と話していた。

他団体との比較・まとめ

クラブ活動12ヵ月　新しいクラブ員を中心に　<33>

栃木県・普及教育課　湯浅甲子

物を通しての教育

さあスタートラインへ

7、集団のきまりごと

❶4Hクラブは、入会、退会ともに自由で、自分が入会したければ、いつでも入会できるし退会もできる、いわゆるインフォーマル集団といわれるグループの一つである。ただ、青年団と比べてみると、青年団よりは少々、条件らしいものがある。同志精鋭だとか、やる気のあるものだけがとか、農業青少年のグループだなど、他の集団とは違う気概みたいなものがある。

しかし、これは、クラブ活動のしやすさや、強化を許るために、期待される条件ともいうべきもので、あまり厳格に規制するものではあるまい。例えば、農業青少年でなければならないとしても、今後、他産業についている若者で、農業を志す人が現われないとも限らないが、その場合、4H加入を拒否する理由はない。また現に、女子クラブ員の中には、就農していない娘さん達が、かなりいるようである。

❷青年団も、やはり、インフォーマルな集団の一つであることに違いはない。自分自身の必要性から加盟する集団である。ただ、4Hのように、同志結合を強調しないだけである。だから、入会は勿論、会員としての活動にも自由さは4H以上だ。だから、4Hは硬すぎる、青年団の方が肩がこらなくていい、などと比較されるわけである。

❸出荷組合は、前二者とは全く異なる集団だ。入、退会にもかなりの条件がつく。例えば、その組合の商品農産物を作っていなければメンバーの資格がない。作っているだけでもダメで、販売のための規約に違反しないことを誓う必要がある。そして仲間の組合員と品質の等しいものをつくらないと、みんなに迷惑をかけることになる。

8、活動の分野

❶4Hは、生産や生活についての技術や経営について学習をしたり、問題解決活動を行なったり、一般教養を身につける。

❷青年団は、文化、体育、生産、奉仕などの活動を行なう。

❸出荷組合は、生産、販売、購入など経済活動である。

9、教育面

❶4Hは、職業人教育というべきもので、仕事をとおして行なう教育の場である。言葉を変えれば、物をとおして行なう教育という性格が4H活動の本体である。だから全人教育というか、人格全体に影響を与えようとするものではない。

❷それに対して、青年団は、全人教育、人間教育がねらいである。人の人たるべき道を求めるための集団活動である。

❸出荷組合は、基本的に教育性は持っていない。時には、出荷活動をとおして、色々と学びとることはあっても、それを終局の目的にはしていない集団である。

以上、九項目にわたって、大胆に対比してきたなかには、少少無理に押しひらいて違を明確にしようとした点も、なきにしもあらずだが、おおむね、三つの集団の特色はつかんでいただけたと思う。

このように書いて較べれば、その違いに気づけるが、実際には、同じような活動が多く、しかも、一人の青年が、三つの集団に、ダブって加入している場合が多いから、その渦中に入ると、どれもこれも、同じものに見えてしまうのも止むをえないことかもしれない。しかし、この際に、その本質の違うことを正しく理解して、各々のもつ特色を十二分に味わい分けをするぐらいに、成長してもらいたいものである。

さて、十二月も終りに近づいた今こそ、今年一年をふり返って静かに考えを深めるときである。外は師走の狂奏曲が年の瀬を、一層あわただしくしているが、諸君にとっては、一年間の予備体操が終って、いよいよスタートラインにつく時がきたわけだ。固くならずに、ゴールをしっかり睨んで、息を整え、合図を待つ境地であってほしい。

諸君の後方には、もう後継の気配が感じられる。あともどりは許されないのだ。一九七一年は諸君の実力をためす年である。

私の相も変らぬ拙文も、まる一ヵ年を経て、ここに無事終了することになったが、これも、みなさんのご声援の賜と深謝する次第である。途中、何度か中断の危機はあったが、時たま会う見知らぬ4Hクラブ員から、激励され期待されて、やっとこんにちに至った。

書いた内容は、いわば私見に類するものである。だから、間違っているところもあるに違いない。それでも敢えて書いてきたのは、多くの人々から、批判検討をいただきたいからであった。そして、また、このクラブ活動12ヵ月を、来年も諸君の体験で補完修正して完全なものに合成していってもらいたいと思っている。

では、諸君の4H活動が、ますます発展しますことを祈って筆をおくことにする。（了）

日本4H新聞

4Hクラブ
農事研究会
生活改善クラブ
全国弘報紙

発行所
社団法人 日本4H協会
東京都市ケ谷家の光会館内
電話(269)1075 郵便番号162
編集発行人 玉井 光
月3回・4の日発行
定価 1部 20円
一ヵ年700円 (送料共)
振替口座東京 12055番

クラブ綱領

私達は、実践を通じて自らを磨くとともに、互いに力を合わせて、よりよい農村、よりよい日本を創るため、四つの信条をかかげます。一、私達は農業の改良と生活の改善に役立つ腕をみがきます。一、私達は科学的に物を考えることのできる頭の訓練をします。一、私達は誠実で友情に富む心をつちかいます。一、私達は楽しく暮し元気で働くための健康を増進します。

今夏7月12日から5日間

第7回 全国4Hクラブ員のつどい

開会式は名古屋で

ブロック行事に地方色

来年度、愛知県で開催される全国4Hクラブ連絡協議会（会長、久野知英君）、愛知県4Hクラブ連絡協議会（会長、富永博君）、社団法人日本4H協会（会長、宮城孝治氏）主催の「第七回全国4Hクラブ員のつどい」の期日は、このほど、七月十二日から十六日までの四泊五日間に内定した。

期日は経営などとかね合い 農林省とも話合う

同つどいの開催要領案は、つどいを引受けた愛知県連の度重なる会合によって、すでにかなり具体的な点まで煮詰められてきており、また、昨年十二月二十五日、愛知県庁において主催者と愛知県担当者の四者によるつどいの打合せがもたれるなど着々と準備が進められてきている。しかし、その中で開催期日については、全国農村青少年技術交換大会とのかね合いからその決定には慎重な態度をとり問題点として残されてきた。

このため、さる六日、久野会長ら全協執行部、富永愛知県連会長、4H協会の坂本渉外部長ら主催者代表が、東京・千代田区霞ケ関の農林省普及部長室で普及教育課の大西課長補佐、大沼青少年班活動促進係長らと会い、この開催期日を中心に話し合い協力を求めた。その結果、今後とも技術交換大会とつどいの間隔が接近しないよう考慮し、事前に協議するということを申し合わせ、つどいの開催期日を愛知県連が示した七月中旬に内定したもの。

愛知県連がこの期日を選んだ主な理由は、宿泊地が海水浴場なので、学校の夏休みになる七月下旬から八月下旬にかけてのシーズンに旅館の確保が困難であることや愛知県内で田植えが済むのは七月上旬以前である―などによるようである。

いずれにしても、観光・海水浴シーズンと旅館確保、農業経営などの関係から、このつどい開催期日の決定は、難しいといえる。

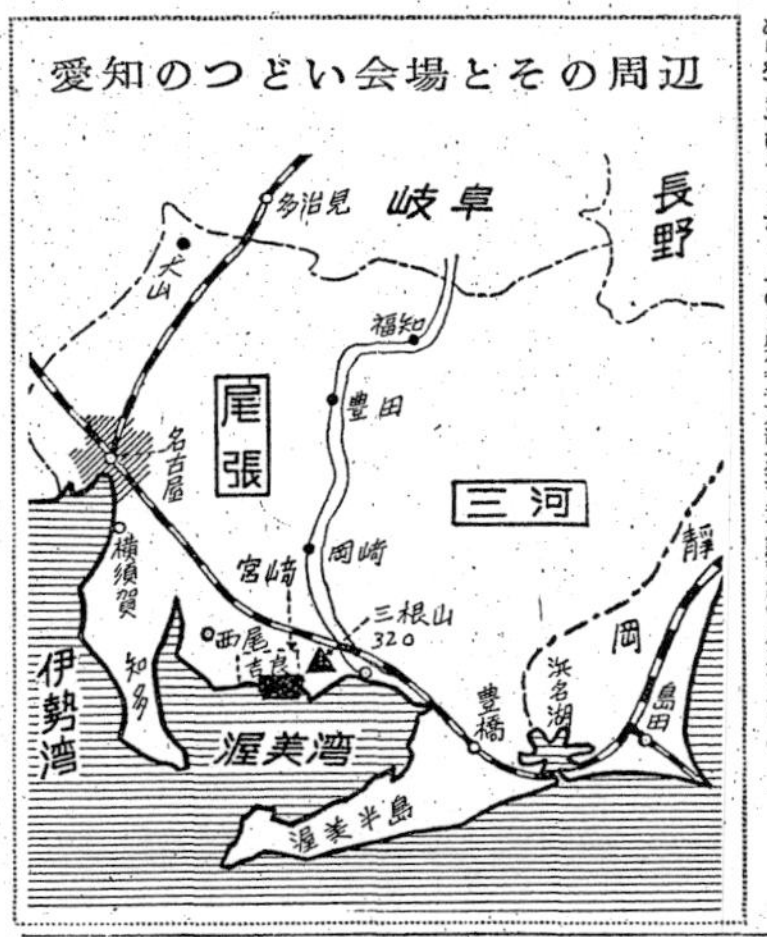

張切る"愛知県連"

富永愛知県連会長

地元愛知県連では、つどいの準備委員会を設置してクラブ員が役割を分担、現地調査を行なうなど着々と準備を進めている。今月三十日に開く同委員会には、民泊受入れの申込みやブロック別の行事計画などが出そろうことになっており、さらに意志統一と徹底を図って努力する構え。

また、つどいの準備に必要な県連独自の運営費としてクラブ員一人当り二百円を出し合うことも決めており、つどいのムードはいやがうえにも盛り上がりをみせようとしている。

愛知県連を中心にして、これまでまとめた実施要領案によると、会場は名古屋市の愛知文化講堂（開会式）、豊橋市の同市公会堂（閉会式）、ブロックとして同県内農業改良普及所単位の公共施設、宿泊場として幡豆郡幡豆町の宮崎海岸旅館街、三ケ根（さんがね）山のほか民泊として県下一円を予定している。

行事面では、開・閉会式はじめ記念講演、二泊三日間の現地交歓訪問による家族ぐるみの4Hクラブ活動推進と農業の実習、奉仕活動、一泊二日のブロック交歓による視察、優良農家との話し合い、単位クラブ別の話し合いや行事、県内視察、三ケ根山頂のつどい、キャンプファイヤーなどが計画されている。とくに今回は、ブロックごとの行事に重点が置かれ、愛知の地方色を全国のクラブ員にご覧に入れようという趣向。愛知県連が考えた今回のつどいのキャッチフレーズも「肌で感じる愛知の農業」―次代を担う若人の心意気を示している。

参加者は、県外から約千名、県内から約五百名の一千五百名を予定し、愛知県連では、民泊の調整、参加クラブ員との事前連絡などから早目に参加者を知りたいと望んでいるので、佐賀の「つどい」よりも、募集を早めに行なうとの考えで進めることにしている。

参加経費は、宿泊費、バス代などが前回より高くなっているため六千円近くなるのではないかとみられている。

これまで、つどいに大量のクラブ員を動員してきた同県連は、その経験を生かしてさらに素晴らしいつどいを開いてくれるものと期待される。

富永愛知県連会長談 県連の執行部と前年の役員が「第七回の全国4Hクラブ員のつどい」受入れを決定きた時点から準備を進めてきたが、クラブ員一人ひとりに周知徹底させるのに時間がかかった。いま、細部にわたって検討しているが、つどいの気運は盛り上ってきた。愛知県の特色を十二分に生かして、いままでのつどいにない味を出していきたい。また、自由参加といいますが、規律ある中での自由という考えにもとづいて行動するようにと思っています。そのためにも、ライフキーパーも設けるよう計画しています。行事では、大、中、小人数といくつかの機会で話し合ったり、交歓できるように工夫し、参加クラブ員の要望にそいたいと思います。

愛知県連 つどい準備委員

愛知県連のつどい準備委員会の編成とその役員は次のとおり。

【行事】二宮直子 愛日 つどい理事、社本規久夫 江南 副会長、山本賢二 豊橋、鳥居久雄 西尾 常務理事、岡本哲郎 渥美

【輸送】伊藤正光 額田、山内信和 海部 団体理事

【会計】西田博見 知新 経理々事、岡部たみ子 碧海 事務理事

【連絡】

【庶務】浅井清 張 岡崎、平岩義幸 碧海、内藤吉行 設楽 つどい理事、山本善博 知多、阪野公寿 愛日、富永博 西尾 会長

【連絡】小嶋光彦 豊田 監事、近藤勝保 足助

【事務局】山田銀一（県庁農業技術課）、奥田勝己（名古屋）、大脇弘（刈谷）、鈴木良憲

中・四国県連が手握る

「連絡協議会」を結成し協調

【高知県＝堀見とし連絡報道員発】昨年の暮、静岡県御殿場市の国立中央青年の家で開かれた全国4Hクラブ中央推進会議の中において、中・四国ブロック4Hクラブ連絡協議会が結成された。

中国、四国各県連相互間の連絡協調と親睦をはかり、クラブ活動の向上発展をめざすために結成されたもので、昨年十月十四、十五の両日高知県立青少年センターにおいて開かれた中・四国ブロック4H推進会議の中でもたれた会長会議において協議会規約を決め、中央推進会議で発会する運びになっていたもの。

同協議会の規約は次のとおり。

一、名称

この会は、中国、四国ブロック4Hクラブ連絡協議会と称する。

二、目的

本会は、中国、四国4Hクラブ（農村青少年クラブ）の連絡と親睦をはかり、よりよいクラブ活動の向上発展をはかることを目的とする。

三、組織

この会は、中国四国各県の4Hクラブ（農村青少年クラブ）連絡協議会をもって組織する。

四、事業

この会は、次の事業を行なう。

▽総会 全協総会前に行なう。
▽中国四国ブロック4Hクラブ推進会議
▽各県情報交換

但し、必要な会議があれば開催する。

五、役員およびその任期

役員は総会において選出する。但し、協議会の会長は、全協の評議員をかね事務局並びに推進会議の開催県とする。

会長は、本会の会務を総括しその任務を遂行する。

役員の任期は、一年とする。

但し、再選は妨げない。

六、経費

この会の経費は会長の県の負担とし、必要に応じて各県より徴収する。

七、付則

この規約は、昭和四十五年十一月十四日以降適用する。

これによって、全国で連絡協議会がまだ結成されていないブロックは、東海と北陸を残すだけとなり、全国的に組織がさらに強まっていくものと思われる。

高知県で開かれた中・四国ブロック推進会議に参加した人たち

なお、中・四国ブロック4H推進会議は、全国4Hクラブ連絡協議会の久野会長を迎えて開かれ、一日目は全協活動の報告のあと、各県連の活動紹介、高知県4Hクラブ員の意識調査報告、「私たちのクラブ活動」と題する分科会と全体会における討議、二日目は、「農村青年に期待する」と題する岡崎正英氏の講演、三里ハウス地帯、桂浜の現地視察などを行なった。

4月13・14日 東京・家の光会館で

全協の通常総会日程決る

全国4Hクラブ連絡協議会（会長、久野知英君）は、四十五年度の通常総会を来る四月十三、十四の両日、東京・新宿区市ケ谷の家の光会館一階会議室で開催することを、さる五日から同会館内の全協事務所で開いた今春初の執行部会で内定した。

このように総会開催の期日を早目に決めたのは、四月に入ると大学の入試や各種の行事などによって都内の旅館が満員になることや、総会までの準備を円滑に進めると同時に、各県連の総会とのかねあいなどを考慮して早々と手を打ったもの。

総会に上提される主な議案は昭和四十五年度の事業経過と収支決算の報告、四十六年度の事業計画と収支予算の決定、役員改選、4H会館建設に関する審議などになる模様である。

30日に「事務所開き」

全国青年農業者会議へ始動

今春三月二日から東京・渋谷区のオリンピック記念青少年総合センターで開催される第十回全国青年農業者会議の主催者代表協議会と実行委員会が、来る三十日午前十時から東京・港区西新橋、佐野ビルの全国農村青少年教育振興会で開かれる。

主な協議事項は、実行委員会構成員の役割分担、役割分担ごとの業務内容などで、同時に青年会議の準備を進めるための事務所開きをする。これによって、いよいよ三月二日の開幕を目ざして始動することになる。

当面の大きな仕事としては、各県の参加者、レポート集の作成などがある。

埼玉で青年農業者会議開く

26・27日入間青年の家で

【埼玉】埼玉県と同県農業研究団体連合会（会長・飯田隆男氏、4H部長・細川信夫君）主催の県青年農業者会議は、来る二十六、二十七の両日、入間市小谷田の入間青年の家で開かれる。

主な日程は、一日目に開会式、午前と午後にわたる分科会（選択課題）討議、講話、交歓の夕べ、二日目は、共通課題による分科会討議、午後から代表討議を行ない、農業経営や生活などのプロジェクト、全国共通のテーマ「新しい農業の歩み」について意見を交換する。

モチつきの慰問

【栃木】恵まれない子供たちの施設や老人ホームなどへ慰問する4Hクラブは全国的に多いが、小山市4Hクラブ（会長、斎藤好夫君）でも、昨年の暮、市立養護老人ホーム「延寿荘」で老人慰問のモチつき大会を開き喜ばれた。

涼風暖風

和服の盛装に思うこと

ふだんはミニスカートやパンタロンで街を闊歩している娘さん達も、正月や成人式となると大方は振り袖姿に一変してしまう。今年の正月も、街に花が咲いたように和服姿で華やいだ雰囲気がみなぎった。

また大安吉日には、江戸褄模様の紋付姿に何人となく出会うことである。これらの情景は常々見慣れているもので、社交や式のために格調の高いこれらの和服が着用されるについて誰も疑問を持たないであろう。

ところが不思議に思うのは、あわただしい激しい人の動きの路上では適わしくないように思われる。外国の人々が、これに類すると思われるところの服装を、国際会議のレセプションなど社交の場で着用していることであろうが、裾まであるイヴニングドレスや、民族衣裳のまま路上でみかけることはない。

きものは、目的、場、着る人にかなったものが最も美しいものであるということについて誰も疑いを持つ人はないでしょう。こう考えてみると、社交の場や、式のために着た服装のまま（長いたもとに大きな帯、裾長く着た振り袖や紋付のまま）満員電車の人ごみの中や、ゴミゴミした道路を歩くところに何としても適わしくないところがある。

最近は交通安全という観点から駅や道路にやたらと階段が多く、上がったり下がったりすることが甚だ多い。ここを、さきの服装で上げたり下げたり、いくら裾をからげても、持ち上げても限度がある。あたかも道路を自分のきものの裾で拭っているような様である。一日着たところが裾がうす黒く汚れ、やっとの思いで作った一張羅のきものは大なしである。

盛装して目的地に向うまでにその道中いかにして行くかということは、それなりの道具だてなり、身づくろいが必要である。道具だてとは、いまの時代は自家用車なり、タクシーで出向くことであろう。この道具だてができなければ着るのを止めるか身づくろいで考えるより方法がないであろう。

折々紋付の上にコートを着用して目立たないようにしている人があるが、これは一つの工夫であろう。着物の裾をからげてコートを着ている人があるが、色っぽい長襦袢の裾がちらついて目に入り戸惑うこともある。

そこで一つの提案である。最近でもおじいさんが袴の裾をしぼった、一見モンペ風の長袴を着用しているのをみかける。かつて東北地方では、馬に乗って嫁入りする娘さんのために花嫁衣裳に着用するモンペが工夫されていた。戦時中、和服が活動的でないとモンペの着用を強いられたことはまだ記憶にのこっていることであるが、これらのものをもう一度見直してみるのもよいのではないだろうか。

足の裾さばきがよく裾が汚れないようにするために裾の低いモンペを着用したらどうだろう。モンペといえば木綿のゴツゴツした働き着というイメージがあるであろうが、それは足さばきの好さのみいただいてイメージチェンジをし、すべりのよい絹の布で格好よく作ってはどうだろうか。これを着用すれば一応身づくろいが整うであろう。機能的なものは美しいはずである。（T）

北陸地方へオルグ 全協

北海道、東北方面も考慮

全国4Hクラブ連絡協議会（会長、久野知英君）は、二月一日から四日にかけて北陸ブロックの四県連へオルグ（役員）派遣をする。

これは、今月三十一日から滋賀県大津市の大津商工会議所などで開かれる「第七回近畿地方農村青少年のつどい」（主催は近畿農村青少年クラブ連絡協議会と全国農村青少年教育振興会）に出席したあと、これまで役員派遣の機会がなかった同ブロックを巡回して各県連の意見を聞く一方、全協事業に対して協力を呼びかけることにしたもの。

計画によると、坂井邦夫副会長と松浦幸治事務局長が福井、石川、富山、新潟の順にまわり、各県連役員などと協議することにしている。

また、今月末に予定されている北海道連の総会において四十七年度に開催する「第八回全国4Hクラブ員のつどい」誘致が正式に決定されることになっているため、久野全協会長がこの総会に出席して協力を要請、そのあと東北ブロック六県連を巡回することも考えられている。

女性のあり方などを検討

福岡県連でリーダー研修会

【福岡】昨年十二月十五、十六の両日、福岡県志賀島の「しかのしま荘」で県農村青少年クラブ連絡協議会（会長、荒渡宏君）主催の県農村青少年指導者研修会がクラブの次期リーダーを対象として開かれた。

一日目は「会議のすすめ方」や「青年の心理とグループ活動」について講義、室内レクリエーションの方法と実技、また「ある青春とサークル活動」についての映写があり、このあと夜遅くまで分科会討議が行なわれた。

二日目は、二つのクラブの代表による事例発表のあと質疑応答、さらに全体討議では前日の分科会で話し合ったことがらについて報告、問題点を整理し、討議が進められた。

午後から、女性だけが、「新しい家庭と女性」と題する講義を聞いたあと話合いが行なわれたが、女性ばかりとあって日頃の悩みや女性のあり方などについて活発に意見がかわされた。

一方、男性はソフトボール試合で楽しんだ。わずか二日間の研修ではあったが、学ぶ点も多く、これからクラブを運営していく上に大変有意義であった。（福岡県、江崎君発）

徳島で実績発表大会ひらく

20日、徳島市内で

【徳島】県農山漁村グループ実績発表大会が来る二十日午前十時から徳島市幸町三の徳島県医師会館で開かれる。主催は、徳島県、同県農村青少年クラブ連絡協議会（会長、正木久之君）、同農事研究団体連合協議会、同農村生活改善グループ連絡協議会の四者。

主な行事は、農事研究会、生活改善グループ、若妻大学、青少年クラブ、生産組織の代表者七名による実績発表、「情報と生活」と題するNHK徳島放送局大井副部長の講演、各種の優良グループと大会発表者の表彰、レクリエーションなどである。

心頭技健

東京都内で、暮から正月にかけて郵便配達のアルバイトをしていた中学生二人が、年賀状約一千百通を配達の途中、用水堀に捨てていたという。高校生だと名乗ってきた二人をよく確認もせずに雇った郵便局にも手落ちがあったようだが、みんなが楽しみにして待っている年賀状を、配達の途中、めんどうくさいからといって捨てて平然としている心は、やはり異常であるというほかない▼このほかにも、まだ配達されていない、ゴム輪でまとまった年賀はがきを拾ったという届け出があった。また、来るはずなのに来ないと思っていた年賀はがきが、近くのゴミ集めの場所にモミクチャにされて捨てられていたという新聞の投書があった。年賀状に対する認識という以前に、心を失ったしわざという以外ない▼投書の場合は、誤配されたものを、誰かが届けたり、ポストの中に入れる親切心を持たなかった、またはめんどうくさくなって捨てたものに違いない。年賀状の誤配は都会より田舎の方が多いといってよい▼それは同姓が多いことや、次々に新しい家が建ってきているためだが、それでも、わざわざ届けたり、また、外へ出かけたついでに立ち寄ったり、わからない場合はポストに投函する。これは、親切心という意識よりむしろ、当然のこととして行なっている。一面には自分の方でもそれを望んでいるからかも知れないが、この気持までを悪魔に奪われたくないものだ▼さいきんは「心の時代」「心の飢餓時代」といわれ、文明の進歩の中に、新しい一局面を開こうとしているが、技術や経済成長のように、はっきりした目標も成果もつかみにくいし、それを示してくれる人もなかなか見当らない。それだけに昏迷もするし、一人ひとりが考えなければならない問題であると思う▼人間の歴史をみると、政治も、科学も、哲学も、思想も、そして芸術も宗教も、みんなが「人間の幸福とは何か」を追求し、血と汗を流してきたといえる。文学も音楽も世に警鐘を鳴らしてきた。それが日本を創ってきた。青年もまた日本人の心を支え、創造する一役を担っていると考えるが…。

アメリカに於ける4Hクラブ （上）

東京農大生 阿部 幸雄

日本の4Hクラブは、アメリカより輸入されたものであるが、独自の歩みをして久しい。そしてさまざまな問題点が露呈してきているおりから、一昨年、アメリカに留学し、4Hクラブ活動にも関心をもって視察してきた東京農大の阿部幸雄氏に、アメリカの事情を記していただいたが、何らかの参考になれば幸いである。ちなみに、阿部氏は、派中草の根大使の広島春枝さんの従兄にあたる。

職業選択も課題に

平均年齢は12.4歳、活動は2.7年

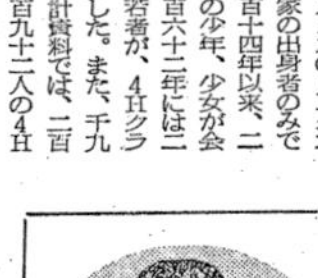

いかなる産業でも、その産業の将来はその産業で働こうとしている後継者の質に依存している。農業においてもそうである。農業の将来は農業後継者の質、つまり彼らの農業経営能力により大きく左右される。私はアメリカにおいて4Hクラブの活動が優秀な農業後継者の養成に大きく貢献していると思う。日本においても同じことが言えると思う。

それでは、アメリカにおける4Hクラブとはどのようなものであろうか。4Hクラブは、日本でいえば農業改良普及所にあたるコーオパラティブ・イクステンション・サービスという政府機関の下で指導されている、一種の教育活動である。教育対象は、原則として十歳から十九歳までの成長期の少年、少女である。4Hクラブの教育活動は非形式的で、本質的には学外教育であり、特に実行することによって新しいものを学ぶことに重点が置かれている。

つまり、家庭や教会そして学校教育で学ぶことの出来ない教育効果を補足するために、4Hクラブの活動を通じて実践的に、経験的に習得させることである。農業後継者の養成は、単に理論のみでも単に実践のみでも成功せず、両者のバランスがうまくとれなくてはならない。実践的な教育分野を4Hクラブの活動は提供している。

ところで、アメリカの4Hクラブの会員は、農家の出身者のみであろうか。千九百十四年以来、二千二百万人以上の少年、少女が会員になり、千九百六十二年には二百三十三万人の若者が、4Hクラブの活動に参加した。また、千九百六十一年の統計資料では、二百二十八万五千五百九十二人の4Hクラブの会員がおり、彼らの五七%は女性で占められ、四三%が男性であった。

また、五一%が農家の出身者であり、二九%は農村に住む非農家の出身者、残りの二〇%が都市家庭の出身者であった。

4Hクラブに初めて参加する年齢は実際には十歳より若く、彼らは会員として平均二・七年間活動する。このことは4Hクラブの活動メンバーの平均年齢が、十二・四歳であることを意味する。私はこのように若い時代から実践的な教育活動が行なわれることは、意義深いものがあると思う。それでは、具体的にはどのようなプロゼクトが実際に指導されているのであろうか。代表的なものとしては次のものがある。

（1）農産物の生産と流通に関するプロゼクト――畜産部門、園芸部門、酪農部門、養鶏部門、作物部門

（2）工学的なプロジクト――電機系統、自動車、トラクターなどの修理及び維持

（3）天然資料の保全に関するプロゼクト――森林、土壌、娯楽用地、野生動植物の管理、昆虫に関する研究活動

（4）家庭生活に関するプロゼクト――食物、栄養、被服、室内装飾に関する研究活動

（5）人間形成に関するプロゼクト――指導性、芸術、工芸、職業選択、公共問題の研究活動など

会員は以上のような4Hクラブの活動を行なって、次のようなことを習得することを期待されている。

①第三者との協調性を養うこと

②社会的に責任ある行動をとること

③同年輩の友を理解し、尊敬すること

④自主独立の精神を養うこと

⑤結婚、そして家庭生活の準備をすること

⑥職業選択の機会を探求し、職業に対する準備をすること

⑦積極的に詮索する精神を養いそれを実行すること

⑧市民生活を送るために必要な知識や教養を身につけること

⑨体制内での行動に対する価値観や倫理観を身につけること

⑩個人として最適な体力の増進をはかること

4Hクラブの活動を確実に実行した十代の後半の若者は、4Hクラブなどの活動を経験しなかった若者と、どこか違ったものがあることは事実である。4Hクラブの目的は、教育的な経験を提供することにより、社会的にうまく調整された、能力のある、そして責任ある若者を育てることであった。

新春雑感

元旦に働く人たち

北海道・農業改良課 三輪 勲

先年、家族の者が病院に入院したまま新年を迎えたことがあった。

それまで病人に付添って世話をしてもらっていた親類の人には、正月だから帰郷を願い、私が交替して病室に泊まりました。幸い病人は快方に向っていたので、男の私でも用はたりる程度の世話である。

除夜の鐘が鳴るころであったろうか、病室の窓の外が急に明るくなった。消灯してある病室までもカーテン越しに光がさしてくる。外をのぞくと、道路をへだてた真向いの新聞販売店の照明であった。あかあかとした店内では、何人もの少年たちが働いている。元旦の新聞に、ちらし広告を折り込んだり配達の区わけをするなどの作業のようである。そんなようすを二階の病室から眺めながら、元旦に働く新聞少年に力強さを感じないではいられなかった。

そういえば病院にも、正月休みなしで働いている人が多いのに気がついた。もちろん、平常の勤務ほどの人数はいないが、元日の朝だって看護婦は病室を巡回するし、給食係からボイラー管理まで、当直医師のほかに実に多くの職種の人が働いている。病院だけではない。年賀状を配達する郵便局員、バスやハイヤーや電車の運転手、パトロールの巡査、早朝から道路の除雪をするブルトーザーなど、いちいち数え上げたらキリがない。それに、どの一つの職種を考えても、それに関連する職種の人たちが働いていることを意味する。

テレビの正月番組を楽しめるのは放送関係者のほか、発電所や変電所の勤務者が欠かせないし、元旦の新聞が読めるのは新聞社はもちろんのこと新聞輸送の列車やトラックなど運輸交通関係者の手がいる。正月だといって休んでしまって困まる。

農家だってそうだ。元旦だって搾乳や飼料給与をしなければ困まる。温室での花づくりは、給水や温度調節の仕事がある。

元旦は、勤務から解放されて、祝い酒でも飲んで年賀状を眺め、おせち料理を食べてゴロ寝をしたり、家族そろってカルタやテレビを楽しむ、晴れ着で新年あいさつに出かけるなど、まさしく正月である。これも、元旦に働く人たちがいるから可能なことだろう。

「わが家の元旦で一番忙しいのは食事づくりの私です」と妻がいい出しそうなので沈黙することにした。

こんなことをしています 各種農業団体

消費拡大で価格安定を ―全国的な視野で積極活動―

全国販売農業協同組合連合会

農・畜産物が、かつての売り手市場から、最近では完全な買手市場にかわってきていることはいまさらいうまでもありません。米をはじめ、いろいろな農産物が生産過剰の傾向にあり、価格も伸び悩んでいます。

例えばタマゴは、一年間にすでに三百億個前後の生産があり国民一人当たりの消費量からみると欧米並みになっています。一部では生産過剰という声も出ていますが、そのせいでしょうか。価格は昭和二十年代から殆んど変っていません。もちろんその間にエサ代、設備費などは、ほかの物価と同じテンポで大きく値上がりしています。つまりその分だけ養鶏農家が生産経費の合理化に努めてきたことになります。しかし、合理化には限界があります。合理化でどうしても防ないきれなければ生産を押さえなければなりません。かといって経営がなりたたなくなって養鶏から手を引く農家が出ることを待つなどというのは、とてもいただけない話です。そのまえに積極的なもうヒトツの努力として、消費を大きく伸ばす工夫をしてみる必要があるわけです。

全販連の仕事は、生産された品物を、系統共販にのせて出来るだけ有利に販売することはもちろんですが、このタマゴの例のように、生産や経営の合理化に対する技術、経営の面からの農家に対するお手伝い、また、生産の調整や万一不当に値下がりしたばあいの価格補償、さらに、消費者市場を積極的にひろげるための消費宣伝にいたるまで、大変に幅のひろい分野におよんでいます。現在、生産調整や価格保証の具体的な対策としては「鶏卵価格安定基金制度」「ブロイラー価格安定基金制度」を、関係県連や全国機関と協力して設けているほか、国に要請して設けた「野菜の価格補償基金制度」や「豚肉、牛乳々製品などの安定標準価格の制度」「ダイズ・ナタネの交付金制度」などがあり、これらを有機的に運営して、生産と価格の安定にも積極的に努力していきます。

また、消費の拡大という点でも消費者むけにテレビ番組「河内桃子のクッキングサロン」を提供、時季ごとの生鮮食品の適正な利用やその応用料理を紹介したり、一般の新聞、放送など各種のマスコミに対する記事提供などを通じて積極的な消費の拡大に努めています。もちろんこうした生産の調査とか消費の拡大といった仕事は、全国的な視野にたって行なわれなければなりませんから、今後そうした意味での全販連の役割りは、ますます大きく、また重くなっていきます。（広報課）

本格的リハビリテーション（社会復帰センター）の幕あけ

全国共済農業協同組合連合会

かねてから静岡県中伊豆町に建設準備をすすめていた「社会復帰センター」は、一七億六千万円の資金を投じ、本格的リハビリテーションセンターの着工にとりかかりました。

このリハビリテーションセンターは、全共連が東西二カ所（もう一ヵ所は大分県別府市）に建設計画を進めていたうちの一つです。農村における交通事故、身体障害者を対象にしている、このリハビリテーションセンターは、社会復帰施設として各方面から期待されています。

"もらい事故"に泣く農村

厚生省の調査によると一〇万人当たりの自動車事故による死亡率は、七大都市では一二・七人、郡部では一七・八人と農村地帯での事故率が高くなっています。この最大の原因は、農村および農村近郊に車が急激に増え、このため農村地帯を通過する車がひんぱんに事故を農村に落としています。この交通事故、驚くことに全国の四〇%余りが農村地帯で発生しています。

遅れている救急医療体制

農村における交通事故死のうち、病院に収容された人は七一・九%。一日以上たって収容された人が三三・二%もあります。これが東京都の場合は、事故発生から収容まで三〇分以内がほとんどです。このようなことから、特に農村地帯における救急医療機関の整備、救急医療体制の確立が強く望まれていたものです。

このような背景のもとに中伊豆リハビリテーションセンターの建設が開始されました。

全敷地面積は、約二百万平方㍍（六〇万坪）で、そのうち同センターは、約一〇万平方㍍（三万坪）を使用することになっています。収容人員は開始時に百名、将来はその二倍の人員を予定しています。

施設と機能はつぎのとおり大別されています。

①医学的リハビリテーションを実施する医的施設

②社会的、職業的リハビリテーションを実施する訓練施設

③前記施設の管理、運営に必要な施設

これら医学的施設と訓練施設は、近代的で理想的な設備をととのえ、真のリハビリテーション機能を発揮できるよう考慮されています。

そのうえ、気候、風土にもめぐまれ、快適な精神状態で社会復帰ができるよう配慮してあります。日に日に複雑化する現代社会の中でこのようなリハビリテーションセンターの必要性はますます高まっています。その意味でこのリハビリテーション事業は混沌とする未来社会に前進するうえで大きな力となっていきます。（普及部）

男性のシリ叩く

鳥取県連の女子研修会 結婚話しなどに気炎

【鳥取県＝山本哲嗣連絡報道員発】鳥取県農村青年会議連絡協議会（会長、中嶋正幸君）では、十二月十二日から十四日までの二泊三日の日程で、昭和四十五年度鳥取県連女子研修会を開催した。

この研修は、県下の農村女性が共同生活の中で研修、話し合いを通じて親睦を深めるとともに、これからの農村婦人に必要な知識を身につけることを目的に、鳥取県連が自主的に主催して行なったもの。会場の東伯郡関金町、県立営農研修館には、県下全域から二十歳前後の若い農村女性約四十名が参加した。

第一日目は、まず正午からの開会式に始まった。この自主的な女子研修の開催にあたり、前田賢県連副会長が開会の挨拶で、困難な農業情勢の中における女性の役割を説き、激励した。続いて、倉吉保健所保健予防課長、田後操子氏の講演。「結婚へのウォーミングアップ」と題して、結婚の意義や必要な予備知識を説明されたが、真剣にメモをとる参加者の姿が印象的であった。このあとバレーボール。夜はレクリエーションを楽しみ、かけつけた中嶋会長、山本事業部長を囲んで、県連の活動について話し合った。

二日目は、午前中に正月料理の実習、午後は先輩の体験発表、現代女性のあり方を語る分科会、海外派遣の報告が行なわれた。分科会の中に助言者として入った県連の男子役員たちは、男性たちはもっとしっかりする必要があるなどとやりこめられる一コマもあった。

また、夜の自由交歓では、女性同士、時間のたつのも忘れて、各各がもつ種々の問題を熱っぽく語り合ったが、これまで、女性同士が心からうちとけて話し合える機会がなかったことから考えて、今後、重点的に鳥取県連としての女子活動を考える必要があることを示しているように思われた。

第三日目、女性だけの参加であり、地理的にも遠方からの人もいるので、午前中、二日間の反省を全体討議で話し合って、有意義な成果をあげて散会した。

女子研修会で熱っぽく意見をかわす全体討議のひとこま

世界的動向も学ぶ リーダー研修

鳥取県連では、女子研修会に先き立ち、昨年十二月八日から二泊三日間の日程によって、鳥取県、NHKなどと共催で、東伯郡関金町、県立営農研修館に県下のクラブの現リーダー、次期リーダー約五十名を集めて、昭和四十五年度農村青少年リーダー研修会を催した。これは、農村青少年の機能集団、地域集団の意義を認識し、その中心となるグループリーダーの資質の向上を図ることを目的に、毎年開かれているもの。

今回は、「世界的農業の動向と青年の今後の取り組み方」朝日新聞社山本文二郎氏、「鳥取県の地域開発」鳥取県企画部長反敬己氏の講演、放送利用、レクリエーション活動の取り入れ方と実際、自主的な参加者の話し合い、分散会などが計画の中におりこまれ、有意義に進められた。

また、第一日目の夜は、会長会議をもって4H会館建設募金の進め方、オルグ活動の進め方なども話し合ったが、会館の募金については、改めてクラブ員に会館建設の意義を説いて、全面的に協力を要請することを確認した。

募金のPRを

山口県連で会長会議開く 会館建設など話合う

【山口県＝松尾耕助連絡報道員発】昨年十二月十七日、県農村青少年クラブ連絡協議会（会長、神田勝蔵君）主催の今年度第二回目の会長会議が、防府市牟礼の経営伝習農場新生館で開かれた。

当日は、県下十五地区会長、県連役員など約二十名が出席、午前十時から議事に入り、まず今までの事業報告があり、このあと4H新聞購読の件について協議した。

これは、年度初めの総会において、4H新聞購読五百部達成を目的として、県下のクラブ員に各県の活動内容やクラブ員の意見を知ってもらい、今後の活動に役立ててもらうとともに、新聞を通して全国の友と仲間づくりをしようということ、さらに、還元金（一部につき三百円）を県連活動費の一部に当てることになっているが、現在、購読者が目標に達していないため話し合われたもの。

新聞に対する要望などが出され長時間にわたって熱心に協議した結果、各地区連とも、さらに、できるだけ購読の増加を推進することを約束した。

続いて、4H会館建設の募金について協議、神田会長が中央推進会議の報告をしたあと、県連としての募金方法を話し合った。その結果、従来通り募金箱を設けて募金をすることにしたが、目標はクラブ員一人が三百円程度の募金を目標としている。さらに、各地区に帰って話しても納得できないクラブ員のために4H会館建設についての資料を配布することにした。

28・29日、光市で青年会議

最後に、県青年会議について協議し、来る一月二十八、二十九の両日、光青年の家で開催することを決めた。内容は、クラブ員の体験談、分科会、先輩とのパネル討議、また今年度、日本4H協会からアメリカに日本代表として派遣された"草の根大使"坂本重子さんの「草の根大使の任務を終えて」と題する報告などを予定している。

佐賀の「つどい」が刺激

八女4Hクが機関誌『心』を創刊

【福岡県＝大石賢一君発】八女市4Hクラブ（会長、樋口清文君）では、機関誌『心』を発行することになり、その作成を急いでいたが、十二月七日、創刊号ができあがった。発行のきっかけは、昨年佐賀で行なわれた全国4Hクラブ員のつどいであり、誌名も高田好胤氏の講演にちなんだもの。

八女4Hクラブは、昨年発足したばかりであるが、会員は九十六人をかかえている。そこで、つどいに参加した者がクラブ活動に役立てようとの意図から、機関誌創刊を提案した。

『心』の内容は研修出席者の報告、4H事業に対する意見または感想など、原稿は県外からも募集し、発行は年三回を予定。

これによって、クラブ員の心に何か感じるものがあればと思っているが、会員の数が多くて4Hクラブを理解し、活動を活発にするための浸透力が弱まりがちなので、今後、ひとつのよりどころにしたいという願いをこめている。

滋賀の青年会議は長浜市で開かる

【滋賀】滋賀県の農村教育青年会議は県と同県農業後継者クラブ連絡協議会（会長、中村利男君）の主催によって、昨年十二月五、六の二日間開いた。

私のプロジェクト

私のめざす酪農経営

千葉県君津郡大佐和町　大佐和町4Hクラブ　白石英男

授精師の資格をとる　粗飼料の確保に努力を

私の住む大佐和町は、千葉県の房総半島の中西部に位置し、東京湾ぞいの町です。この町ではまだ小規模ながら酪農が盛んです。大佐和町の酪農家戸数は一三〇戸、一戸平均七・九頭で、千葉県の平均五・六頭を上回る飼育頭数です。

私の家の経営内容は、水田一㌶、飼料畑二十㌃、牧草地三十㌃、果樹園二十㌃、搾乳牛六頭、未経産牛三頭、育成牛四頭を飼育しています。私の家の酪農経営は比較的古く、昭和二十五年に一頭の乳牛を導入したのがはじまりで、現在にいたっています。しかし、これまでは家の手伝いにすぎなかった私が、酪農を受け継ぎ、自分の経営部門として伸ばしていきたいと考えたのは、ただ「以前から飼育していたから」というだけではなく、自分で責任の持てる部門をほしかったからです。また、いままで生計を米に依存していたため、米作農業から脱皮しなければいけないと考えたからです。

そこで、他の部門に比べて、経営が安定している酪農を選びました。

昭和四十四年度の収支概要は表のような結果になりましたが、このうち、授精費が安くなっていますが、これは自分で授精師の資格を取り、自分で授精を施したために種の代金だけ計上しました。この酪農収入が他の農業収入の中で占める割合は下表のとおりです。これを四十二年に比較してみますと、酪農部門において二〇㌫の伸びを示すことができました。

こんごの計画として四十七年度には、酪農収入が七五㌫台になるようにしたいと考えていますが、搾乳牛十四頭は、私がいままで体験してみて一人で飼育するのに適当な頭数だと考えたからです。

一昨年の末に近代化資金を百五十万円を借り入れ、十四頭入りの牛舎を建築しました。しかし、将来、多頭飼育技術を身につけることができた場合のことを考えて、この牛舎は三十頭まで飼育できるように設計してあります。

また、この計画をみますと、生産乳量八万四千㌔、これは十四頭搾乳し、一頭平均六千㌔生産した場合ですが、多頭化したとき、さらに乳量の増加を望むことは困難なことです。では、なぜ一頭六千㌔に目標をおいたかといいますと、経営耕地面積の少ない私の地区においては、いたずらに頭数を殖すより、個々の能力を高めた方が、現時点では有利であると考えたからです。そのためには、飼育管理技術はもちろんですが、乳牛の資質の向上と、粗飼料の確保に努力したいと考えています。とくに資質の改良については、さいわい私の家に能力の高い"コロニー"の系統がいますので、この牛を基礎牛として、優良な雄牛を交配することによって、自家繁殖をはかり、自家育成を行なっていく考えです。

粗飼料については、現在五十㌃程しかありませんが、こんご頭数の増加とともに、いかに耕地を確保し、粗飼料の自給をはかっていくかといいますと、近年兼業農家が激増していますが、それらの人たちが、もてあましぎみの耕地を借用して粗飼料を作付け、自給をはかっていくことができると考えられます。そして、四十七年度を目標に粗飼料の給与体系を作りたいと思います。

昨年は夏に粗飼料の不足をきたしてしまい、ほとんど雑草と稲わらで備なってしまいました。そのため、こんごの課題の一つとしてローズグラスという夏に強い牧草を取り入れ、イタリアンライグラスと組み合わせによって、粗飼料の年間給与体系を確立していきたいと思います。

現在、水田の裏作にレンゲ草とイタリアンライグラスの混播を行なっていますが、これを裏小作という形で、さらに二㌶程増し、現在二基あるサイロをさらに二基増し、サイレージ詰として、冬期間の粗飼料として給与していきたいと思います。

牛舎の建設にあたって、つぎのような点に注意をはらいました。

第一には通風、採光ですが、これらが不十分ですと、牛舎が不潔になるばかりでなく、乳牛の受胎に及ぼす影響が大きく、このため窓を大きくとりました。

第二は作業の能率です。牛舎の場合は牛体の後での作業が全体の七〇㌫を占めるので対尻式複列牛舎としました。

第三は牛体の清潔を保つことです。いままでの牛舎は、床が長く糞尿口は浅く、狭いため、牛体が非常に汚れやすかったです。私はこれを、牛床一㍍五十㌢、糞尿口は床の側を九㌢、通路側を六㌢の高さとし、さらに尿口を一段下げてふたをし、糞と尿の分離をはかってみました。

この方法ですと牛体の汚れが少なく、糞の処理も能率的に行なうことができ、牛の出し入れにも危険性がありません。

前方には飼そうを設けましたが、牛の状態を考えて、床より三㌢程高くし、その上にタイルを張ってみました。これはコンクリートの減りを防止するためです。この牛舎の建設費は約百万円、その他の設備に十七万円要しました。

こうして、私は職業に酪農を選び、こんごさらに伸ばしていく考えですが、現在の社会情勢からみても、決して酪農の将来は明るいものばかりではありません。

しかし、酪農で自立の道を選んだ以上それに対処しながら、一歩一歩確実に歩んでいきたいと思います。

昭和44年度収支概況

〈収入の部〉項目	金額	〈支出の部〉項目	金額
牛乳販売額	1,843,650	飼料費	618,600
自家消費額	13,500	種苗費	12,000
仔牛販売額	60,000	肥料費	37,000
その他	67,700	衛生費	13,000
		授精費	9,100
		光熱費	15,000
		共済掛金	56,000
		畜舎償却費	33,000
		その他	10,000
合計	1,984,850	合計	803,700

差引収入　1,181,150円

収入の割合

42年度
酪農40%　水稲40%　果樹10%　その他10%
○搾乳中4頭　○育成牛2頭　○牛乳販売額 940,520円
○生産乳量 23,513kg　○経営費 415,000
○1頭当り平均年間乳量 5,878kg　○収入 525,520円
乳飼比約40%

44年度
酪農60%　水稲30%　その他10%
○搾乳牛7頭　○育成牛3頭　○乳飼比約40%
○生産乳量 40,970kg
○1頭当り平均年間乳量5,852kg

47年度（目標）
酪農75%　水稲15%　その他10%
○搾乳牛14頭　○受胎率 90%以上
○育成牛3頭　○粗飼料1頭10アール
○生産乳量 84,000kg　○乳飼比約50%以内
○1頭平均乳量 6,000kg

プロジェクトの意義と教育的価値 =2=

海外農業開発財団専門家　中田正一

能力は訓練で開発　具体的な実践を通して

問題解決への学習

私たちは一人ひとりの能力はどんな場合に発見するか。私たちの経験からいって、第一にあげたいのは学校教育である。学校教育が人間の能力を開発する力があることは誰も疑わないだろう。学校教育の効果については、ここでは説明を省きたい。次にあげたいのは訓練（TRAINING）である。

訓練によって能力が開発される。たとえば、スポーツの選手などは、その人のもっている素質も大切だが、訓練、練習によって能力がのびる。芸術、芸能の世界も同様だ。早期教育などといって幼稚園にもいかない子供がバイオリンのレッスンを受けている。訓練というものは、恐ろしいものだと誰もが感じている。

第三には、問題解決学習である。私たちの能力は、困難な問題に直面し、これと正面から取りくむ過程で発見することを、私たちは身をもって経験している。私にもこんな力があったのか、こんな知恵がよく出たものだと、われとわが身をうたがうほどの力が、問題と取りくみ、もがき苦しむ過程を通して生まれてくる。

もちろん、問題を解くための道具や材料は学校教育で仕入たし、自分の過去の問題解決の経験があずかって大いに力があることはいうまでもない。

じつは、私たちの生活は毎日毎日が問題解決の連続だといってよいかもしれない。私たちは一人残らず問題状況という環境の中で問題意識をもって生活している。私たちは職業生活、家庭生活、社会生活を通して、四六時中問題と対決しているといってよい。

だいじなことは、その問題への取りくみ方、解決のし方である。こうした問題解決のし方は人によってそれぞれ異なるといってよいだろう。

ここに提起されている「プロジェクト法」なるものは、こうした私たちの問題解決を、今までの慣習や常識によってでなく慣習や常識を破る方法で処理するために持ち出されたもので、問題解決学習の基礎型といってよい。

プロジェクト法

プロジェクト・メソッドなるものが確立されてきたのは一九〇〇年代の初期であったといえる。一九一八年アメリカのキルパトリックがプロジェクト・メソットなる論文を書き、小学生でも、誰でもできる問題解決学習の方法として体系づけた。キルパトリックの考え方はもともとデューイの思考方法論から流れ出たものであるといえる。また、デューイの学説はジェムスなどのプラグマチズム（実証主義の哲学）に基をおいたものである。

さて、デューイについて若干ふれてみたいが、彼は「考える」すじ道を次の五つの段階に分けてたどろうとした。

一、困難をばく然と感ずる
二、困難な点を検討してはっきりさせる
三、解決への思いつき、着想仮説をたてる
四、着想の内容を推論によってはっきりさせる
五、観察と実験によって着想の是非をはっきりさせる

デューイはこうした過程をたどる問題解決的思考を反省的思考（REFLECTIVE THINKING）とよんでいる。これは一般の常識的な考え方を否定することから始まる創造的な思想だといってよい。

プロジェクト・メリットはこうしたところにふかく根をおろして体系づけられたもので、キルパトリックは問題解決を次の段階に整理している。

一、目標をはっきりさせ
二、問題解決のために計画し
三、計画にしたがって実践し
四、実践の結果を反省、評価する

私たちが問題解決をする場合無意識的にではあるが、こうした四段階をくりかえしているわけだ。

この四段階の各過程を意識しながら、具体的な実践を通して、確実に遂行していくことが大きい教育的意義をもつ。そのことは、農業学校のホーム・プロジェクトや4Hクラブのプロジェクト活動によって力づよく証明されてきた。それは、アメリカだけでなく、ソ連にさえ導入されたし、日本でも、その他の国々でも大きい効果をあげている。プロジェクト活動を中心とする4Hクラブが、世界六十カ国余で、それぞれ活動していることをみてもうなづける。

さて、それではプロジェクト方式なるものが、かなり広い解釈をされながら、幅広く実施されているが、日本の農村青少年クラブのプロジェクト活動というものに限定した場合に、プロジェクト活動を支える骨ぐみ、または骨格となる要素は、いったいどんなものだろうか、その点について以下に考えてみたい。（つづく）

（全国農村青少年育成研究会誌「農村青少年教育」から）

牧草の上手な利用　1

調整は十分慎重に　飼料に変化ない飼養法を

牧草つくりが上手に出来ても生草で利用できる期間は、せいぜい五〜六ヵ月にすぎないところが多い。家畜の故障も冬を中心にした期間に多くなる。一因は、良質な粗飼料が不足するためである、といわれている。牛のような反すう家畜では、第一胃に棲息する微生物の働きが、採食した飼料の消化に大きな影響をおよぼす、といわれる。

これらの微生物は、それぞれの飼料に特有のもので、飼料が急に変わると微生物は対応しきれないので、しばらくの間、飼料の利用効率は低下するという。したがって、たえず与える飼料が変わる場合には、つねに飼料の利用効率が低い状態ですごすわけである。

このため、最近では品質のよいサイレージや乾草を準備し、一年を通じて粗飼料に変化のないような飼養法が提唱されている。サイレージや乾草のような貯蔵飼料も、品質が悪くてはその価値がない。調整の原理を知り、技術を習熟して品質のよい貯蔵飼料をつくり、家畜の持っている能力を十分活用する。

貯蔵飼料の重要性

畜産の盛んな欧米やニュージーランドなどは、家畜はもっぱら放牧によって飼われている例が多いという。オーチャードグラス、チモシー、レッドクローバー、ホワイトクローバー、ライグラス類などの牧草は、特性として摂氏二十度内外のとき、その成育は、もっとも良好であり、収量が多い。

日本の気候は夏は暑すぎ、冬は寒すぎる。とくに、冬を中心とした約半年間は、寒さのために生草の利用はほとんどできない。このようなとき、海外の先進的畜産国では、草のよく成長する時期に、あらかじめ準備しておいた乾草、またはサイレージを与える。

わが国では、大牧場や北海道の熱心な酪農家を除いては、貯蔵飼料を十分に準備する例はあまりみられない。反面イナワラは実によく使用されている。都市に近い酪農家はもちろん、府県などではむしろイナワラを使わない期間が、少ないほどである。

このような実情を見るにつけても、貯蔵飼料の調製は飼料作物や牧草の栽培管理に劣らず重要なことが思い知らされる。それにもかかわらず貯蔵飼料に対して関心のうすい農家が多いのは、どうしたわけであろうか。

畜産経営が年を追って大型化しつつある中で、飼料生産基盤の拡張がこれに伴わないこと、牧草の最盛期が梅雨季と一致して雨の日が多く、サイレージや乾草の調製作業に不便なこと、梅雨あがり晴れた日が続くようになると、牧草はひどく夏枯れして収量低下を起こすことなど、貯蔵飼料の調製に不利な条件が多いことは事実である。

反面、イナワラは米の調製に際して、苦労を意識せずに自然にできる副産物であるし、わが国ではどこにも比較的簡単に、しかも豊富に手に入れることができる。また、同じ乾物量ならば軽いから、生草やサイレージに比べて、運搬や給与の際にも手軽に扱うことができて、きわめて便利である。嗜好性もそう悪くないなど、たしかに、わが国の独特な飼料資源として貴重な存在であるから、イナワラの効果的な利用には今後も十分な研究を加える必要があろう。

しかし、表に示すように、その資料成分は、牧草の乾草やサイレージに比べてはもちろん野草の中でも品質が劣るといわれている山野や原野草に対しても、遠く及ばないことがよくわかる。

したがって、もしこの品質の悪いイナワラの代りに牧草の乾草やサイレージを使うことができるならば、単に家畜が喜ぶばかりでなく、その飼料成分から見ても濃厚飼料が大幅に節約できるはずであるし、効果はただちに自分の利益となってはねかえってくるにちがいない。しかも前記のように、その期間が長いだけに、家畜の健康と経営収支の改善に役立つことは、はかり知れないほど大きなものがあると考えられる。反面その調製は十分慎重に行ない、品質のよいものを作らなければならない。（畜産研究会提供）

イナワラと牧、野草の乾草およびサイレージの飼料成分

飼料成分	イナワラ	野乾草 山地,原野産	野乾草 あぜ,どて産	牧草乾草 イネ科主体	牧草乾草 マメ科主体	サイレージ イネ科主体	サイレージ マメ科主体	サイレージ イネ科マメ科
乾物 DM	86.3%	86.3%	86.3%	36.3%	86.3%	86.3%	86.3%	86.3%
可消化粗蛋白質 DCP	0.3	2.0	3.6	7.9	12.3	6.0	9.2	8.0
可消化養分総量	36.4	40.5	46.4	58.8	58.8	51.1	55.0	56.3

注）農林省畜産試験場特別報告第3号より換算（DMを統一）

生活の知恵　こうしてみたら…

山梨県塩山地区の共同プロジェクト

◆竹竿のひび割れ防止法
洗濯ものを干す竹竿は、使っているうちにひびが入ってしまいますが、それを防ぐには、一つ一つの節の近くに穴をあけておくと、中の空気が抜けてひび割れを防ぎます。

◆食器戸棚の整理
洗いたての茶わん、皿などを食器棚にふせるとき、テーブルクロスなど、ビニールの悪くなったものをブリッジに切り、敷くと清潔で見た目もきれいです。

◆旅行にエプロンを
泊りがけの旅行に出かけるとき、サロンエプロンを一つ持ってゆくといろいろ便利です。洗面や小さなものの洗濯のとき、パジャマやねまきの前がぬれるといやですし、また宿屋のゆかたもエプロンをしていると、はだけずきちんとしていられます。

◆果物を冷やす
桃やビワのような果物は、冷蔵庫の中で冷やすと、どうしてもまずくなりますし、中までつめたくなって味がわからなくなります。こうした種類の果物はボールに氷水を作り、そこへ入れて冷やします。お客様の時など、氷をたくさん浮かして、そのまま出し、ナイフやお皿を別にそえると涼しげですっきりします。

◆帽子にブローチを
いつも同じ帽子で、変りばえしないと気にしている方は、帽子のフチにブローチをつけてみましょう。ちょっと、おしゃれが楽しめます。

◆豆腐の水切り
豆腐の水切りをするとき、まな板を斜めにしてやりますが、お皿の上に巻寿司用の巻簾を広げ、その上に豆腐を並べても、簡単に水切りができ、豆腐がくずれません。

◆みかんの網袋の利用法
台所、洗面所など、水分の多い所の石けんの消耗ははげしいものです。水はけをよくするために、網袋に石けんを入れて使うと便利です。

◆レモンの印刷
レモンの皮に押してある「サンキスト」という緑の印刷は、使う前にそこだけうすく削りとっておきましょう。紅茶にそえて出されたレモンの輪切りに、この印刷がついていることもありますが、あまり気持よいものではありません。

◆ミルクの空缶利用
赤ちゃんの飲むミルク缶の残りは、たくさんあって困るものです。まず、周囲に布、千代紙、包装紙などを貼って、ごみ入れ、トイレ汚物入れ、茶入れ、砂糖ケース、せんべい入れ等々に利用してみましょう。（了）

NHK農事番組　あすの村づくり・教育テレビ

来る三月二日から五日まで、第十回全国青年農業者会議が、農林省など七団体の共催で開催されるが、この会議の共通課題「新しい農業へのあゆみ（新しい座標を求めて）」が決まり、NHK・教育テレビ（日曜・AM7・00〜8・00）の時間で放送される。この番組は四回に分けて行なわれるが、すでに第一回目は終了（再放送は土曜日の16日、23日、2月1日、教育テレビPM13・00〜14・00で放送される）したがって、七日以降の番組内容について紹介します。（編集部）

全国青年農業者会議　共通課題　〜新しい座標を求めて〜

ねらい

昭和三十六年に「農業基本法」が制定され十年になる。——国は家族農業経営を近代化して、その健全な発展をはかるとともに、できるだけ多くの家族農業経営が、自立経営になるように育成するため、必要な施策を講ずる（第十五条）——。基本法が描いたバラ色の農業ビジョンが消え去ったいま基本法農政のニュールックとして登場した総合農政が、果して追いつめられつつある日本農業に、活路を与える新座標たりうるだろうか。

現在、農民と呼ばれている人たちの大多数は「菜園を持つサラリーマン」化し、わずかに十五万戸の農業者による食糧生産が行なわれておれば十分だといわれている。そして従来の農村はわずかの農業者とサラリーマンが混在する都市ではない地域、緑地地域にかわるだろう。ではそのとき、どのような農業者がどのような形の農業を営んでいるだろうか。

番組では、個々の方向を模索する青年の生き方を紹介し、それを素材としながら、専門家による問題提起を含めて、七〇年代の農業を鋭く志向する農業者自身に話し合ってもらう。

◇　◇　◇

17日「自立への道」出席者＝原生浩一（大分県宇佐市四日市町）吉田六順（日本獣医畜産大学教授）神谷克己（日本経済調査協議会）

現在は一・八㌶のみかん経営農家で、4Hクラブの県連会長、県農政審議会委員などもやったことがある。みかんの生産過剰が伝えられるようになった昭和四十三年キロ当り三十円のみかんを作り専業でやっていこうと、果振法の「特別認定」をつけ十二㌶一枚のみかん園造成に着手した。

そのご、地元農協の同意が得られず、融資をつけることができなくなり、現在事業はストップしている。

造成費四百五十万円が借金として残っている。この借金を返済しようと、薬品会社と契約し、うさぎを飼育中である。計画によれば月収三十万円の売り上げにはなるという。

自立経営農家の育成を目指した基本法農政のもとで、その意図がくずれさろうとしているとき「自立経営」とは一体どういうことなのか、「自立」を支えるものはなにか、生産性の高い競争力のあるこれからの専業自立経営を育てるものはなにか、それを支える組織・制度はどうあったらいいのか、農家の意志、意欲はどう反映されるのか話し合う。

24日「都市化の中の農業」出席者＝田島政市（埼玉県行田市小針）柏祐賢（京都大学教授）中津川富嗣（芳松園組合長）

田島氏は一・六㌶の水稲中心の農業を営んでいたが、昭和三十九年ごろから、野菜をとり入れ、現在は千八百平方㍍のハウスでポットマムを栽培し、一千万円に近い収入をあげている。アメリカの農家で栽培技術を学び、今でも世界各地の人と情報交換しながら技術を維持し、開発している。このため、花の質がいいということで、買い手の方からやってくるという。

これからの農業は「都市近郊ほど有利だ」という考え方で、たえず都市から情報を得、新しい需要を開発している。

農村地域の都市化、農村生活の都市化、それはこれからの農業にどのような影響を与えるだろうか。都市化と農業（都市に働きかけ、都市から情報を得、新しい需要を生み出していくには、どうしたらいいのか、兼業は進み、農地が蚕食されていく中で、農業はどうかわっていくのか農工両全とはどういうことなのか）に焦点をあわせこれからの農業にどのような意味を持つのか話し合う。

31日「新・生きがい論」出席者＝市川英雄（群馬県甘楽郡南牧村下仁田）松原治郎（東大助教授）和田金次（前千葉県中堅青年養成所長）

群馬県と長野県の県境、文字通りの山村である。この十年間に五人に一人が離村し、青年は市川さん一人である。水田はゼロ、一・六㌶の畑で、にら、こんにゃくいも、養蚕などをやり、肉牛を二頭飼っている。

以前、労務者としてカルフォニアで三年間生活した経験があるが「人間が人間として生きるには、農村しかない」という考え方を持ち、「先祖から受けついだ土地、生れ育った土地を離れず、その土地の振興につとめるのが、青年の生きがいである」「どうなったら本当にダメなのか、自分はそこまでやってみたい」と、一人くわを握っている。農業に生きるということはどういうことなのか、生産第一主義、技術第一主義の中で、これからの生きがいは、なにに求めたらいいのかが話し合う。

北海道連、農業とクラブ活動を語る〈上〉

食糧基地を目指す

「第三期開発計画」によって

北海道4Hクラブ連絡協議会（会長、奥村秀宏君）では、一月二日、奥村秀宏会長、榊原常人副会長、中山寿雄書記長、赤松宏事務局長の4人が札幌に集まり、昭和四十六年度の北海道4Hクラブ連絡協議会の事業、予算などの審議を行なった。その後、赤松宏本紙北海道地区通信員の司会で、三君に「北海道農業と4Hクラブ員」というテーマで、今後の農業王国・北海道をどう作って行くか、そのための青年の役割は何か、4Hクラブの役割はなど、それにあわせて大きな意味での今後の北海道4Hクラブのすすみ方を示唆して頂きました。

【カット写真提供はデーリィマン社】

出席者
会長　奥村秀宏
副会長　榊原常人
書記長　中山寿雄
司会、事務局長　赤松宏

司会　明けましておめでとうございます。

一同　おめでとうございます。

司会　一九七一年という新しい年がはじまろうとしています。十二支にちなんで誓いをたてるとしたら、イノシシのように一直線にまっしぐらに進んで行く一年にしたいと願い、また、努力することだと思います。ところで、皆さん今年の初夢はいかがでした。

榊原　それが大凶の夢なんですよ。もう嫁さんのほしい時期になって、こんな初夢ですから、夢も希望もない年になりそうです。何か未来が厳しく感じます。

奥村　残念ながら、まだなんです。頭の構造が榊と違うのか見られなかった。寝る前に初夢はこんなやつだと組み立ててからフトンの中に入ったはずなんだが……。

中山　僕は榊と反対にもてても、もてて困る程もてた夢なんだよ！　初夢をまともに信じると一九七一年、何とか嫁さんの一人くらいあたるかなあと思っているんだが…

…でも、夢はあくまでも夢さ。昨年の道連の総会で「全国4Hクラブ員のつどい」北海道大会が終るまで、嫁さんは駄目だっていわれていたんだったしね。

司会　まあ、それぞれ都合のよい初夢だった者もいたようだが、初夢はこの程度にして、今年、一九七一年はどのような年になるだろうか。七〇年に比較してというか七一年展望で考えてもよろしいですが。

奥村　僕は今年も七〇年と余り大きな意味で変化はないように思う。ただ、いろいろな意味で、七〇年に問題になっていた事柄が尾を引き議論され、それらのものに方向づけがされていくと思うが、その進展度には大差ないと思う。

そんなことで、変化のある年と表現していけないような気がする。

榊原　一言で今年を予言するとしたら「良いものは良くなるし、悪いものは悪くなる」だと思う。例えば米なんかもその例にはずれないでしょう。適地適作の方向づけがそれによってなされて行くだろうと思う。地域の各々の条件により色別されて行く方向づけが農業経済の力によって成立させられる年度のように思う。

奥村秀宏君

榊原常人君

中山　離農問題とか、米の問題であるとか、輸出入自由化の問題だとかいろいろ農業問題の多くある社会状勢の中で、それぞれがどう方向づけられるか僕自身、全くわからないが、今の問題により強く加速度が加わり、状勢の明確化が余儀なくされると思うし、それによって方向づけがされていくような気がします。

司会　七一年を予想してもらったわけですが、次に北海道の農業の位置というか、また、今後どんな形で進んで行くか展望してほしいと思います。

奥村　僕の場合、米を作っているので一番米に関心をもっているんですが、現在、米の過剰で、特に北海道は悪い立場にあることを忘れてこの問題を語ってはいけないと思う。

今までの多収だけを考えて来た米作りから、米質を考えた生産に除々に近づいて行く傾向にあるようだが、今や、今までの食糧としての米でなく、商品としての米といった考え方に立っていかなければならないと思う。

榊原　「食糧基地、北海道」と長くいわれて来たが、すでに食糧基地としての使命を考える必要がある。今までの食糧基地という表現の中では米を連想しがちだ。しかし、それだけに頼っては駄目な時期にきている。今後は輸送を十分に考えて作物の選定に当るべきだと思うし、その輸送力の発展は大きいものと考えて良いだろうし、鉄道にしても東京―札幌間六時間と短縮される構想があるらしいですね。超過密化する地域を考え、ただ単なる米作だけといった形でなく、総合的な食糧基地としての役目を北海道は果さなくてはならないと思う。たぶん現況からみて努力はしているのだが全体的にみて北海道の米は味の面で批評されがちだ。不利な点はいうまでもない。そんな点からも転向する必要があるし、今、それによって基地の方向づけがなされるべきだ。

中山　酪農をやっているので、米のことはよくわからないが、食管制度があるなしによって相当変って来ると思う。今、食管制度を守って行くべきかどうか疑問もあるが、北海道の米作りの特徴も判断する必要がある。大規模経営により、コストダウンさせ、競争の中に立てるのは北海道の米だけのようにも思う。高いものか、安いものかとなれば、やはり安いものになると思うし……。

奥村　米の場合は何といっても価格と味に全てがあると思う。価格が他府県より安いとして、味の割合で、どの程度までなら北海道米を食べてくれるだろうか、そこいらへんだと思う。まあ、その対比より今一番大事なことは味の良い米作りへの挑戦であり　また、どの程度まで生産費の低減が出来るかの戦いであることはいうまでもない。最終的には安い味の良いものだと思う。今は何せ、「北海道米を食べてもらおう」にあると思う。何が何でも……。

中山　米ばかりでなく酪農といった面でもいろいろ問題もあり、考えなければならない。今までの乳製品一本やりの方向から転向も考え、乳肉の生産を伸ばす必要があると思う。それは乳製品の伸び悩みからだけでなく、今までの炭水化物中心の食生活から脂肪、たんぱく質を多く取り入れた食生活への傾向を考えて行かなければならないからだ。大きな意味で語るとしたら現在の農業は食生活の方向を考え、経営を考えなければならないといっても過言でないような気がする。

中山寿雄君

司会　まあ、方向づけを大別するとしたら三つに分けられるように思うが、まとめて語るとしたら今や北海道の農業は、われわれが自由競争の中に飛び込み、打ち勝つだけの力を蓄わなければならないということであり、北海道は新時代農業の先駆的な役割を担う使命があるということだろう。それらをもう少し具体的な形で表現してほしいのですが……。

奥村　まず、一道民として考えてみると昨年発表され、七一年度より始まる第三期北海道総合開発に沿って行くのが道民としての道だと思うし、その目標に向って進むべきだ。それが道連が農業をやって行く目標にもなると思う。

また、僕の所は苫小牧近くにあるわけだが、人が集中すると、それに従い準じて農産物の消費は伸びてくる。要求するものも数多くなると思う。特に札幌を中心として広がる道央メガロポリス（帯状工業地帯）を形成する近郊市町村の農業は変化を見せると思う。

司会　僕が口をはさむのはおかしいかも知れないが、僕の村では現にそんな傾向が三～四年前から出て来ている。以前は、米と畑作で、作目も飼料作物が多少と、主に豆作中心でしたが、過疎対策事業も加わってか、札幌から七十㌔の近郊町村として野菜の生産がなされるようになって来た。現在野菜の各種の研究会的なものが五～六組出来ているようで、大根やトウモロコシが相当の量であるが、スイカ、メロンなども伸びている。また、イチゴなどは「旭いちご」の名で全道的に知名度は高くなって来ている。村ぐるみで野菜の札幌を中心に考えた生産団地化を推進している。こんな方向づけが地域地域で考えられているようだ。主産地形成には広域生活圏の考え方は見のがせないことだと思うし、その機構は無視出来ないだろうが、どう思いますか。

赤松　宏君

榊原　僕は旭川市に住んでいますが、旭川市を中心にして一つの生活圏を形づくっていると思います。人間の意識が全て中央中央ということはないと思うし、身近なところで一つのものを形成している。その中心が中核都市と表現されるものだろう。

そんな点から、その都市の機能を考えていかなければならない。また、その地域（広域生活圏内での）の農業地図はチューネン理論によるもので、北海道全体を考えた時にもそれがいえそうだし、そのように、はっきりした色分けがより強く出るのではないだろうか。

中山　チューネンの理論から行くと、僕らの住む所は三等辺地かな？　まあ三等地論は別にして、道央から離れる地帯であるが、十勝、網走を中心とする畑作、根釧、天北の酪農に色わけされる。いろいろ問題があるようだが僕なりに考えてみると、今後、畑作地帯では、経営規模の拡大と正しい意味での機械化に拍車をかけなければならない。

同時に、土地生産性の向上をより深く追求すべきだ。酪農地帯においては欧米に比敵する基盤の整備が必要である。もう一つ、この地帯では畑作、畜産を断片的に考えるのでなく、有機的に結びつける必要があると思う。例えば畑作と乳肉、畑作と養豚とか、地域的にバランスのとれた主産地形成へもって行くべきだ。

奥村　赤井川の野菜への生産団地化が出たが、現実に、道南、道央地区にそんな傾向が見え出しているのは事実だし、団地化と組織化は、今後の農業産地作りに大きく示唆する問題だね。

中山　それとともに、機械化への道もプラスされると思う。人の手だけの農業には限度があるし、小清水町に例をとると、ビートなど移植、除草、防除、収穫、工場まで全てが機械化されている。このように各々が大きく育っている。この期を十分に考え主産地化を計らなくてはならず、その中核的リーダーの必要性も感ずる。

榊原　また、別の点だが、都市近郊農業の中でも、新都市計画法下にある地域農業の方向も今後重要視される問題でもあり、見のがせない。それは、食糧基地の総合化とは別に、我々の仲間がそこにいるといった点からであり、それらの対処も考えなければならないそんな考えからだ。（つづく）

女子クラブ活動を考える　―1―

農業者に限るか

会員減少が選択を迫る

4Hクラブ活動もいろいろな問題点、解決をはからなくてはならない課題を抱えているが、そのなかの重要なもののひとつに、女子クラブ員の問題も当然数えられる。それが意識されてか、各地で女子クラブ員の研修会がかなり開かれ、全協主催の中央推進会議にも取入れられている。全国的にみて、女子クラブ員の全体に占める比率は、二〇%に達しないようだが、そうした数の問題を越えて、今後のクラブ活動を進めていくためには、どうしても等閑視できないものがある。そこで、十二月の中央推進会議のおりの話合いをまとめながら、昨年一年間に報ぜられた女子研修会をふりかえりつつ、さまざまに考えてみたいと思う。

後期中央推進会議女子研修会には、参加者のほぼ三分の一に近い四十三名が出席、それに地元御殿場に住む先輩、鈴木さん、斎藤さん、前年度全協会長の黒田氏などを迎えて話し合いが行なわれた。そして「著しい農村の都市化の中での女子クラブ員活動には」というテーマをかかげ、それに対し、「女子クラブ員の減少」「プロジェクトの問題点、着眼点」という問題が提起された。ことにクラブ員の減少については、他産業の女性を交えての活動、後継者（むことり）だけによる活動などが問題となった。プロジェクトは、みなでやること、地域社会を視野に入れたプロジェクトを重んじ、クラブ活動を財産としているという。

少人数だとクラブ員をはっきり把握することができるが、一方、農業従事者以外の女性と一緒に活動することは、女性としての連帯感を高められるという利点もあって、一長一短である。女子クラブ員の減少傾向は一般的なものであるが、「クラブ活動をするには、女性も必要だ」という再認識もされてきている。そうしたなかで、少人数ではあっても、身近な生活改善問題と取組み、地域住民からよろこばれている。

クラブ活動における女性の必要性が説かれる一方、女性自身のなかに、「色どりをそえるためでもよい」といった声もあり、また、「広い視野から女性として、クラブ活動は花嫁修業の場でもよい」と、よくいえば柔軟な考え方が示されたのは注目される。それと同時に、男女の別を判然とさせた活動に対して、否定的な空気もないわけではなかった。

鈴木さん、斎藤さんの二人は、助言者の立場から「身近な問題を共同プロジェクトとして取上げ、みなで活動するのが魅力であった。主婦としての現在、嫁と姑という暗い問題もなく円満に生活している。これは〝知っていても知らぬふりをする〟という態度が、自然に出ているためで、これはクラブ活動を通じて身につけたと思う」と語って、さらに、「4H活動としたところがなつかしく、機会を見つけて地域に主婦の集まりを作りたいと思っているが、母となったいまはなかなか難しい。農業は家族と一緒に働けるので、主人の協力を得て自分の時間を作っている。ともかくクラブで学んだことが役立っているし、女性としての一生のプロジェクトは、家庭だと思う」と話していた。

こうした話合いから、総括として、「農業人口の他産業への流出の著しい今日、クラブ員の量よりも質の向上をはかり、〝農業が好きだから農業をやっており、4H活動をしている〟ことを自覚し、女性として主婦という立場を考える場合、自分のちゃんとした考えを持ち、男子クラブ員にも女子クラブ員を理解してもらわなくてはならない。また、ともに農村社会の農家生活を改善し、女性として自分の息子には、娘さんが笑顔で嫁いでくるようにしなくてはならない」という結論が出された。

―こうした報告をみた限りでは、特別に目新しいこともなく、問題点の所在も確かではない。実際には、どうにもならぬ問題をいっぱい抱えこんでいるはずであるのに、それが明確なかたちで浮びあがってこない。これは、なにも女子研のみのことではない。毎号の本紙に載る報道面の報告にもそれはいえる。

たとえば、別掲の富山県連のレポートからも、昨年、あちこちで行なわれた女子研の報道でも、クラブ員の減少は疑うべくもないようだ。単に女子クラブ員ばかりではなく、男子クラブ員も減少しているのだが、農家戸数自体が減っているのだから当然だし、今後、どこかの時点で一定化するだろうが、増加することはまず考えられない。

その原因はさまざまだろうが、それを前提に踏まえていなくてはクラブ員の増加をいくら謳ってみても空念仏にすぎない。これが現実であり、4Hクラブのありようからいっても、ひとまずこれを事実として受入れるほかあるまい。

だからこそ、農業従事者以外の女性をクラブ活動に勧誘するといった道も考えられるわけだ。

4Hクラブの綱領をすなおに読めば、農業者のみのものでないことは間違いないが、少なくも従来のあり方をみると、ほとんど例外なく農業者のものであるかの観を呈していた。だから、もしほんとうに農業者だけのものではない、もっと開かれたクラブにするならば、活動そのものの質も変ってくるだろう。それでもよいのかどうか、そのへんを選択、決定するのは、現に活動しているクラブ員（むろん男女ともに）であるはずだ。

自分でやれることは

あるいは、そのまえにひとつははっきりさせておくことがあるかもしれない。つまり、各自がそれぞれに解決しなくてはならぬことと、クラブ活動で行なうべきこととをきちんとけじめをつけるべきだ。クラブ活動に加入したら、なんとかなる、束になればなんとかできるというものぐさ、怠惰がクラブ活動を阻害している面はないかどうか。

そういう甘ったれた気持を持っている以上、組織活動などができるわけがない。なにかといえば他人に依存して、本来、自分でとるべき責任すらも回避するところには、組織そのものが成立しないだろうし、それらしきものがあったとしても様なものであるわけがないと思う。はっきりと問題点をおさえることもおぼつかない。

問題提起とか、現状の把握とかいうことを、聞きあきるくらい聞いてきたが、各自が直面しているほんとうの問題が、明確に捉えられた場面に行きあったことは、残念ながらなかった。どうでもよいようなむしかえしばかりで、「わたしたちは、こうこうであり、これをどうしたらよいか考えて、こうしているけれども、もっと他によい方法はないだろうか」という発言に接したこともない。

少なくも、なにが困るのか、どう困るのか、それだけでもきちんとさせないでは、解決方法を考えようにも考えられない。急ぐまえに、なにが問題か、その問題をはっきりさせ、自分の問題としてしっかり捉えることだ。主体的ということも、こうした具体的なものがないところにはないはずだ。

つまり、だれもが一人の人間として自立すること、こうした抽象的ない方では満足してもらえまいが、具体的な問題にあたるのはそれに直面した人間しかいないのだから仕方ない。そんな遠まわりは困るといっても、個々のケースがはっきりしていない以上、他からとやかくいえない。次回からはなるべく具体的に、考えられるだけは考えてみよう。（つづく）

おことわり

今回は、北海道連の座談会と女子クラブ員問題の特集のため、平常の四面記事は休載致します。

富山県の場合

むずかしい〝女同士〟

幹部養成の必要性も

現在、県下総クラブ員数は九百十八名と千名を割り、しかも女子クラブ員となると百十二名の一二%にしかならない状態である。単位クラブによっては、女子クラブ員が全然いないところもある仕末である。農村青少年の活動クラブとして、女子クラブ員の必要性は言うまでもあるまい。

それでは、女子クラブ員の加入が少ないということは、一体どこに原因があるのだろうか。まず第一に考えられるのは、社会状態の変化が考えられ、農村に存在する女子は今日ではほとんど会社に勤務しており、ホームプロジェクト中心という、クラブ活動自体に対する関連性の問題があり、また、それに伴なって、活動日の問題や必要性の有無についても原因があろう。

さらに、女性には女性同士の仲間意識が強く、女性独得の集団性というものによって、クラブ加入が、大きく左右されているのである。また、女子クラブ員のいないある単位クラブでは夜の会合や平日の研修、農業技術的な活動が中心となり、女性クラブ員の入る余地が全くないという問題点もある。

これらの問題点を解決するには社会状勢の変化に伴ない、クラブ活動を根本的に考えて見る必要があろう。これは非常に大きな問題で、女子クラブ員の不足だけではなく、4Hクラブ全体の問題とし考えなければならない。また、女性の幹部養成ということが大切なことではないだろうか。

女性は結婚によって幹部が去ったあと、活発だった女子活動が急に皆無の状態におちいった例も聞かれ、後継者の養成と同時に、継続的な活動が切に要求されてくる。また、女子クラブ員でも、参加しやすいように日曜日の活動にしたり、夜の会合でもできるだけ送り迎えしたりして、家族の人たちへの4Hに対する理解ということも、考えていく必要がある。

女子クラブ員の活動が活発な単位クラブほど、男子クラブ員も刺激になり、全体として理想的なクラブ活動が展開される。というのは人間本来の男と女という意識から来る欲求というものを、クラブ活動の中へ盛り込んで行けばよいということである。例えば、具体的な例としてダンスとか料理の講習会があげられる。つまり、女子クラブ員の加入の成否が、クラブ活動を大きく左右するということである。

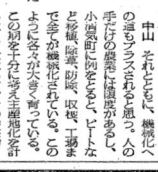

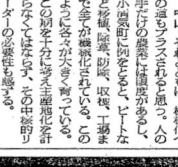

（富山県連二十周年記念誌「はたち」より）

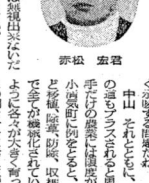

日本4H新聞
4Hクラブ
農事研究会
生活改善クラブ
全国弘報紙
発行所 社団法人 日本4H協会
東京都市ケ谷家の光会館内
電話(269)1075 郵便番号162
編集発行人　玉井　光
月3回・4の日発行
定価　1部　20円
一カ年700円（送料共）
振替口座東京　12055番

クラブ綱領

私達は、実践を通じて自らを磨くとともに、互いに力を合わせて、よりよい農村、よりよい日本を創るため、四つの信条をかかげます。

一、私達は農業の改良と生活の改善に役立つ腕をみがきます。
一、私達は科学的に物を考えることのできる頭の訓練をします。
一、私達は誠実で友情に富む心をつちかいます。
一、私達は楽しく暮らし元気で働くための健康を増進します。

収益を善意銀行に

【熊本】山鹿市の鹿本地区、菊池市の菊池地区、下益城郡松橋町の宇城地区の各4Hクラブは、熊本市で開かれた県連主催の4Hクラブ祭の農産物即売会の売り上げから助け合いの一部にと熊本善意銀行に六千余円を預託した。

強い心のつながり

4Hクラブ活動の意識調査　高知県連

仲間を求めるクラブ員

活動内容に工夫が必要

【高知】県農村青少年クラブ連絡協議会（会長、門脇槙夫君）は、昨年十月二十八日から三十日にかけて県内の土佐、須崎市などを中心としたクラブ員を対象に「4Hクラブ活動に関する意識調査」を実施したが、このほどその結果をまとめた。それによると、クラブ員の中に、仲間が欲しいという意識が強く①クラブ活動に対しても人間関係、青年としての連帯感、友人、異性関係などに期待し、また、それらが自分のためになっていると感じている②女性は、男性にくらべて農村社会の理解と改善、生産（生活）技術の習得、余暇利用、教養などをクラブ活動に期待している③これに対し男性は、農業に対する職業観や農業経営への意欲の面で高く評価し、クラブの雰囲気、仲間との気持のつながりなどに魅力を感じている。しかし労力的なロスも多い④約四割のクラブ員が、クラブの目標、目的、活動計画などに不満を感じ、その改善を望んでいる――ことなどがわかった＝城見とし高知県連絡報道員発

この調査は、これからのクラブ活動を進める上での参考資料とするために、県連事業であるキャラバン隊派遣のとき行なわれたもので、対象地区は、須崎、土佐両市をはじめ池川、梼原、春野、伊野の各町と吾川、仁淀、東津野、葉山の各村。回答者は男性七十一、女性十五名の計八十六名で、一項目について一人三つ以内で回答してもらった。調査結果は次のとおりである。

1、あなたがクラブへ入会したころ、クラブ活動に何を期待しましたか

イ、農業に対する職業観、農業経営への意欲　男　一三・四%　女　七・五%
ロ、人生観、青年としての教養　男　一一・九%　女　二五・〇%
ハ、青年としの連帯感、友人関係、異性関係　男　三一・六%　女　三五・〇%
ニ、生産、生活、経営に関する技術　男　一五・一%　女　七・五%
ホ、処生のための生活の知恵、あるいは社会性　男　三・九%　女　二・五%
ヘ、余暇利用　男　三・九%　女　二・五%
ト、農村社会の理解と改善　男　九・二%　女　二〇・〇%
チ、家族関係（話し合いの雰囲気や家族協定など）　男　一・三%　女　なし
リ、その他　男　〇・七%　女　なし

▽その中で、期待がかなえられたのはどんなことですか

	男	女
イ	一六・九	六・三
ロ	一〇・八	一二・四
ハ	四四・六	四三・七
ニ	一二・一	六・三
ホ	三・六	なし
ヘ	三・六	六・三
ト	七・五	二五・〇
チ	一・二	なし

クラブに入会して期待がかなえられたもの

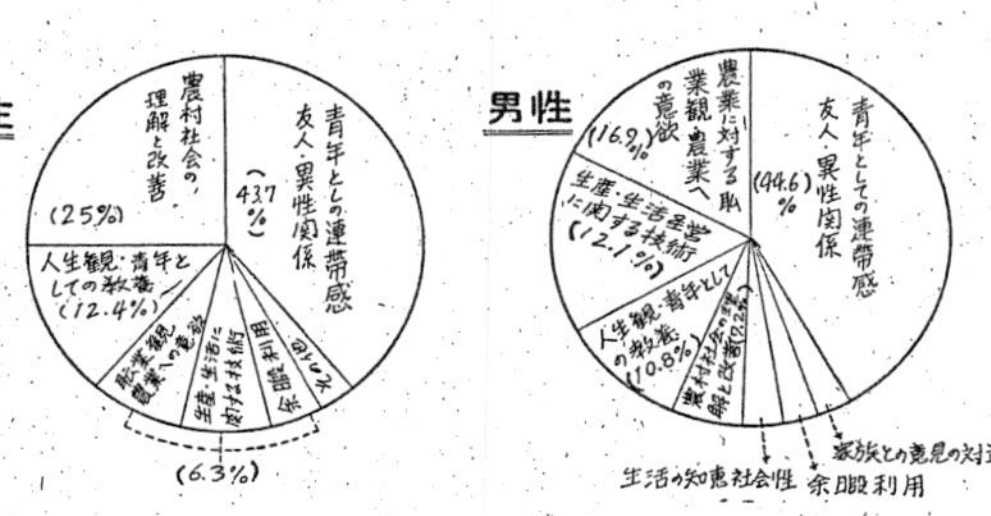

2、あなたがクラブに入会して、マイナスになったと思われるものは何ですか

イ、労力的なロス　男　二九・九%　女　なし
ロ、時間的なロス　男　三三・三%　女　二三・四%
ハ、経済的なロス　男　一八・四%　女　なし
ニ、交友、異性関係　男　一一・一%　女　なし
ホ、人間関係での劣等感　男　二・三%　女　二三・八%
ヘ、農業経営への自信そう失　男　一・一%　女　一四・三%
ト、社会的な評価の低下（うわさ）　男　五・八%　女　一四・三%
チ、家族との意見の対立　前項に同じ
リ、その他　男　二・三%　女　九・五%

3、あなたは、現在のクラブ活動に魅力を感じていますか

▽魅力を感じている場合

イ、クラブの雰囲気　男　一四・三%　女　なし
ロ、クラブのレクリエーション　男　一四・三%　女　二二・二%
ハ、クラブ員の気持のつながり　男　三六・三%　女　二七・八%
ニ、クラブのプロジェクト　男　六・六%　女　なし
ホ、生産（生活）技術の習得　男　一四・二%　女　十七・八%
ヘ、クラブでの学習活動　男　六・六%　女　一六・六%
ト、県連、地区連活動との関連　男　六・六%　女　五・六%

▽不満に感じている場合

イ、クラブの目標、目的、活動計画　男　三六・二%　女　四〇・〇%
ロ、クラブの人員、男女の割合　男女ともなし
ハ、クラブの活動資金　男　二一・三%　女　二〇・〇%
ニ、クラブリーダーの資質　男　八・五%　女　なし
ホ、関係機関、団体との結びつき　男　一七・〇%　女　二〇・〇%
ヘ、クラブの地域社会からの評価　男　八・五%　女　なし
ト、改良普及員などの指導者　男　八・五%　女　なし
チ、その他　男　なし　女　二〇・〇%

男性　経営への意欲向上
女性　農村の改善に期待

4、現在のクラブ活動へ、さらに魅力を持たせるにはどうすればよろしいでしょうか

イ、クラブ活動の目標、目的、計画　男　一七・九%　女　二〇・〇%
ロ、クラブの雰囲気　男　八・一%　女　一一・一%
ハ、クラブ員の気持のつながり　男　一五・二%　女　二〇・〇%
ニ、クラブのプロジェクト　男　七・一%　女　六・七%
ホ、クラブのレクリエーション　男　〇・三%　女　四・四%
ヘ、クラブでの学習活動　男　四・三%　女　一七・九%
ト、クラブの資金　男　四・九%　女　なし
チ、クラブの地域社会からの評価　男　三・三%　女　なし
リ、生産（生活）技術の修得　男　六・〇%　女　六・七%
ヌ、人員、男女の数　男　四・三%　女　なし
ル、クラブリーダーの資質　男　一・一%　女　なし
ヲ、改良普及員などの指導者　男　三・八%　女　なし
ワ、関係機関、団体との結びつき　男　三・八%　女　四・四%
カ、新入クラブ員と先輩クラブ員　男　三・八%　女　二・二%
ヨ、県連、地区連活動との関連　男　三・三%
タ、統合的な地域集団か作目中心の機能集団化　女　四・四%
レ、その他

5、あなたが、クラブに入会して自分のためになったと思われるのは何ですか

イ、農業に対する職業観、農業経営への意欲　男　二四・三%　女　三・六%
ロ、人生観、青年としての教養　男　一二・九%　女　一七・九%
ハ、人間関係、青年としての連帯感、友人関係、異性関係　男　三一・八%　女　四二・八%
ニ、生産、生活、経営に関する技術　男　九・九%　女　七・一%
ホ、処世のための生活の知恵、あるいは社会性　男　九・一%　女　なし
ヘ、余暇利用　男　三・〇%　女　一七・九%
ト、農村社会への理解と改善への課題　男　六・八%　女　七・一%
チ、家族関係（話し合いの雰囲気や家族協定など）　男　二・三%　女　なし
リ、その他　男　なし　女　三・六%

意識調査を終えて

歴史の移り変りとともに、農業を取りまく諸情勢の厳しい中で、郷土を愛し、新しい農業を樹立しようと頑張っているクラブ員、仲間の少なくなった過疎の地で新しい農業経営をいとなんでいる4Hクラブ員の姿を見たとき、キャラバン隊一同が意を強くした。そして、この調査の中で最も感じたことは『仲間が欲しい』ということであった。このアンケート対象地域は、山間と平野地帯がほぼ同数であり、調査結果には県内農村青少年の平均的な意識が出ていると思われる。小範囲ではあったが、新しいクラブ活動の方向を見出す一つの資料となると思う。

もう一つの姿

【解説】この調査結果は、ふだん漠然としているクラブ活動に対するクラブ員の意識を数字的にとらえた点で高く評価される。クラブ員の考え方をみる上で一つのバロメーターになると思われる。

しかし、クラブ員の意識とクラブのあるべき姿は必ずしも一致しないことを忘れてはならないであろう。クラブ活動の主体は、行事よりも、むしろクラブ員の日常の活動、いわゆるプロジェクト活動であって、クラブは「ためになる」と「楽しい」という要素のどちらを欠いてもならないと思われる。

凉風暖風

豊かさの中の

ことしの正月も、いろんな方々から年賀をいただいた。それぞれ趣向をこらしたもので、古い想い出、新しい想い出が一ぺんによみがえった。

沢山舞いこんだ年賀状の中には、差出人不明のものも幾通かあった。年賀状は差出し局のスタンプが省略されているので、どこの誰のやらわからないから仕末におえない。

差出人不明のものはまだ愛きょうがあるとして、活字印刷のものはどうもいただけない。郵政省がお年玉つきの年賀ハガキを売り出すようになってから、年賀状の交換は年々盛んになるようで、数の多い人はやむを得ず印刷するのだと思う。ただ、余り知らない人から、形式的な、印刷された年賀状をもらうと、虚礼はやめてくれ、と叫びたくなる。

お互いに、昔に比べると、経済的、物質的には豊かになってきたようだ。年賀状なども、枚数をそれ程気にもせず、気軽にあちらこちらに出せるようになった。印刷代も結構高く、うっかりするとハガキ代金の倍近くするのだが。

しかし、心のこもらない年賀状は、もらっても気がめ入るばかりだ。心の豊かさの裏づけがない物質的豊かさは、余りにもみじめだ、ということである。

今日では、物質、いいかえれば金がすべてを解決する時代ではなくなってきたようだ。ヒッピーとか呼ばれている連中は、現に生きている、ということに限りない幸福感を発見するという。物質的な豊かさの中で失われたものを、彼等は非社会的な行動の中で探し出し、確め合っているのだろう。ヨットで大平洋を渡る連中も、世界を放浪する連中も、山登りに命を懸ける連中も、青少年団体の幹部としてかけずりまわっている連中も、みんな己れの体で、生きることの価値、心の大切さを探しているに違いない。生きがい論がブームをまきおこしているのも、やはり同じだろう。手書きの年賀状がもつ「まこと」の味を見つけ出そうとしているわけだ。

旧冬、徹夜続きの作業が続いたが、ある日、珍しい差し入れがあった。フルーツ入りの乳酸製品で、値段は知れたもの。ところが、どんな高級品よりも、涙が出る程嬉しかった。毎日、テンヤ物やインスタント物でうんざりでしょう、これでさっぱりして、元気を出して下さい、という意味のことを書きつけたカードを差しはさんで、その品物は自らの手でリボン結びにしてあった。贈り主は、中央青少年団体連絡協議会の椋本治子委員長。

物質的な豊かさは、ややもすると心の豊かさを忘れさせる。心の豊かさは、他人をおもんぱかる心であり、これは自己を真正面からみつめられる態度から生れる。心の豊かさの裏づけがあってこそ、物質的豊かさもなるものだ、とつくづく考えさせられた。

（文部省・伊藤）

8月1日から4日間に

第11回全国農村青少年技術交換大会
盛岡（岩手）を中心に
キャンプや自然観察など特色

第十一回全国農村青少年技術交換大会は、社団法人全国農村青少年教育振興会（会長、東畑精一氏）、岩手県、同県農村青少年クラブ連絡協議会（会長、及川正紀君）の主催、農林省、NHKなどの後援によって今夏八月一日から三泊四日間にわたって岩手県盛岡市を中心に開催されることに、このほど決定した。

同大会は、日ごろ農業経営や農家生活の改善について研究実践している全国の農村青少年の代表が一堂に集い、お互いの知識、技術や意見を交換、野外活動を通じて親ぼくを深めようというねらい。

日程は、はじめ従来の大会より一日長くして七月三十一日から八月四日までの四泊五日間が考えられていたが、結局、これまでと同じく四日間に決った。

会場は、盛岡市の岩手公園、県教育会館をはじめ岩手郡滝沢村・根子平野営場（自衛隊演習地）、雫石町の小岩井農場、松尾村の八幡平頂上などで、自衛隊演習場にテントを張り全員がキャンプ生活する。

主な行事内容としては、各県代表によるプロジェクト研究発表（展示発表）、技術競技、キャンプ村における話し合い、自然観察などを計画している。地元では、これまで野外キャンプ、農家分宿、自然観察を岩手大会の三本の柱としてかかげてきたが、このうち農家分宿は都合により中止することになったようである。自然観察は従来の大会で行なわれてきたバス教室に似たもので、岩手県の自然美を参加者に観賞してもらおうという趣向。

また、野外キャンプには自衛隊が協力、テントの設営から食事の仕度までしてくれることになっているが、参加クラブ員も一日一回は自炊することも考えられているという。昨年、大阪の青少年野外活動センターで開かれた第十回の大会でも参加者は自然の中でテント生活をしたが、岩手大会では本格的なキャンプ生活が行なわれることになるわけで、夏の大会の特色が強く打ち出されるものと思われる。

参加者は、沖縄や海外代表をふくめて各県代表約一千五百人が予定されている。

開会式であいさつする小見山県連会長＝岡山県農村青年研究集会で

七〇年代に意欲

岡山県協で研究集会開く
体験をもとに討議

【岡山県＝三島関子連絡報道員発】岡山県農村青年クラブ協議会（会長、小見山義治君）は、県と共催して、さる十二月二十一日から三日間、倉敷市の山陽ハイツで県農村青年研究集会を開催した。

これには、県内九地区から選ばれた青年代表七十名をはじめ、農業経営者七名、指導機関の関係者や来賓などが出席、参加者全員一人一役をもって自主的な運営をくりひろげた。

初日は午後一時から開会式に入り、主催者のあいさつとしてまず小見山会長が「いまや農業を取りまく環境は厳しいが、われわれは若い力とたゆまざる創造力で明日の農業を拓いていこう」と参加者に呼びかけた。

続いて、長門県普及教育課長の「岡山県農業の動きと農業施策」と題する講演があり、このあと、「若い農業者の主張」をテーマにそれぞれ実践してきた成果が九人の代表者によって発表された。ついで、南部農業地帯と、中北部農業地帯とに分かれ、地域に適応した農業経営発展の方向について研究討議した。

夜は、「映画の夕べ」で花つくり五年生という、観葉植物の経営にとりくんでいる若い農業者、大村清次君の歩みをスライドで紹介。そしてレクリエーションをまじえての自由交歓で過ごした。

二日目は、午前中、普及教育課の岸本専技によって、リーダー研修、リーダーとして必要な4Hクラブの本質や運営、組織強化、リーダーのあり方などについて研修が行なわれた。

ひき続いて、青果物卸売市場連合会の冨本会長から「どうやったら儲かるか」と題して講演があった。午後に入り、甘日市観光農園の鍛治岡社長から「わたしのやっている農企業」と題して講演があった。

このあと分科会に移り、部門別に七分科会に分かれてプロジェクトや経営投資などについて話し合った。

夜は全体討議で、①分科会の報告②討議③反省評価を行なった。

三日目は、朝食後ただちにバスにのって、三菱自動車工業、水島自動車製作所へ。生産状況を視察見学し、前夜スライドで紹介された大村消光園で、観葉植物の栽培状況を視察見学して、この会議の幕を閉じた。

いよいよ2月5日　東南アへ出発

＝青年の船＝

総理府が実施する第四回「青年の船」は、いよいよ来る二月五日午後二時、東京・港区の晴海ふ頭から出発する。

今回は三月下旬にかけて（五十一日間）フィリピン、インドネシア、マレイシア、インド、シンガポール、中華民国など東南アジア六カ国を訪問する。

乗船者は、団長、教官、班長、一般団員を含めて三百四十七名。4Hクラブ関係からは全国4Hクラブ連絡協議会から推せんを受けて選ばれた六人のほか各都道府県から推せんされたクラブ員多数が乗船、また、全国農村青少年教育振興会職員の福岡初枝さんが班長として乗船する。

乗船者は、出発に先立って来る二月二日から東京・渋谷区の東京オリンピック記念青少年総合センターで事前研修を受けることになっている。

心頭技健

日本4H新聞の編集に携わっていて、ひとつ残念に思うことがある。それは、この新聞が、全国クラブ員の機関紙的な存在として購読されているが、はたして、ほんとうの意味で機関紙として活用されているかということである▼ということは何年か前から連絡報道員制度を設け、クラブ活動の生のニュースの提供や、購読者の拡張が行なわれ成果をあげつつあるが、この新聞や記事の内容に対する読者の反応、いいかえれば、読者対編集部、あるいは読者対読者間の、積極的交流や記事に対する反応が少ないのが残念でならない▼これは、ある種の意見や体験などを掲載した場合、日刊紙などを例にとれば、すかさず反論なり、賛成なりの投稿や寄稿が舞い込んで議論の場となるが、クラブ員の場合は、それがまったく少ないといえる。これは、新聞そのものが読まれていないのか、クラブ員自体に自分たちの機関紙だという自覚がないのか定かでないが、せっかく購読している以上、なんらかの反応を示してほしいというのが、編集者の願いである▼最近のクラブ員は大学卒業者も混じるほどの教育を受け、それなりの教養を身につけ、弁論や文章力も身につけていることだし、もっと、ものをいい、文章も書き、そして人の文章にも眼を通して、感動もし、激情もしたりする青年らしい心と姿を、この機関紙上に表わしてほしいと思う。そして、この紙面を通してお互いを磨き上げる、そこに機関紙としての存在価値があるのではないか▼たしかに、ヒマをみつけて文章を書くことは苦痛でもあるが、自分の考えや体験を文章に表わすということは書く能力を養う以上に、自らの成長記録になるであろう。また、一つの提案を基にして、お互いが議論を交わし、それを大きな世論に盛りあげていけるのも新聞の利用方法の一つでもあろう▼現代はフィーリングの時代だといわれているが、ただ感覚でものを感じ、判断するのみでなく、お互いが心を通じて感じる態度こそ、身につけたいものである。4H新聞が全国クラブ員の唯一の機関紙である以上、読者の積極的な反応を願ってやまない。

アメリカに於ける4Hクラブ (下)

東京農大生 阿部幸雄

独立心や責任感養う

みんなにプロジェクト持つ機会を

それでは、具体的に酪農部門におけるプロジェクトを紹介しよう。酪農プロジェクトとは何か。酪農プロジェクトの目的は何か。主に次の五つのことが指導される。

全体の中の重要性を知らす

1、4Hクラブ員に酪農部門をよりよく理解させ、酪農部門のアメリカ経済における重要性を認識させる。

2、会員が酪農について充分な知識をもち、将来、彼らが成功した酪農経営者となるように指導される。

3、酪農牛のミルク生産の機能を科学的に理解させ、科学が人間に果たす役割を理解するよう指導される。

4、動物は管理の方法によって影響され、酪農牛の性質や牛乳生産能力は、管理者により影響を受けるということが指導される。

5、人間の消費のための牛乳は衛生的に生産されねばならず、酪農牛と一緒に働くことによる楽しみと満足を、経験を通して習得すること。

なぜ行なうかの問題に関心

以上のことを中心として、4Hクラブの会員は、酪農部門を成功的に経営するために必要な情報や技術を習得するのである。多くの若者は4Hクラブの酪農プロジェクトを、どのように行なうかということと同様に、なぜ行なわなければならないかということに関心を持っている。

このプロジェクトを行なうためには、通常、親から一頭、もしくはそれ以上の酪農牛を与えられ、クラブ員は可能な限りの牛の管理を自分自身で、独立して飼わなければならないのである。その牛に関する限り、彼はすべての仕事を親から任かされ、餌をやるのはもちろんのこと、牛の手入れ、運動、そしてその牛に関する記録、つまり一般的情報から、飼料の供給量及び牛乳の生産に至る記録を必要とするのである。

親から独立する時期が早い

彼らは単なる部分的な作業を手伝わされるのではなく、完全に親から一貫した作業を任かされているため、責任を持って自分で作業を終えなければならない。少年時代から、以上のような教育が行なわれることにより、独立心の強い責任感の強い、また高い農業経営能力を持った農業後継者が養成されるのであろう。皆さんの子供には、是非このような仕事を少年時代から責任を持たせて完了させるような機会を与えてやって欲しいと思う。

アメリカ人は自主独立の精神が強く、特に経済的に親から独立する時期は日本人より早いようである。例えば、ミシガン州立大学でも多くの学生が、自分の学資つまり授業料と生活費は自分で夏休み中に働き、年間経費の三分の二を稼ぎ、残りは奨学金や親からの送金で大学教育を受けている。この精神はやはり4Hクラブ活動や、ボーイスカウト、ガールスカウト、その他の団体活動の活動を通して少年時代から培われたものであろう。

よりよい農業世界創るため

私は4Hクラブについて、ずっと以前に聞いたことがある。四つのHが、何を表わすかも知っていた。つまりHEAD(頭)、HEART(心)、HAND(手)、HEALTH(健康)を表わすのである。しかし、これだけでは何も深い意味を持たない。私が本当に4Hクラブのモットーを理解したのは、昨年、ミシガン州内の農場だった。皆さん、この言葉(モットー)を正確に理解し、実行し、より良い農業経営を営みより住みよい世界を創ろう。

「私は、仲間たち、部落、国、世界のために、
明せきな頭脳
忠実な心
(人のために)役立つ手
生活の向上に必要な(よりよい生活を営むための)健康
を磨き鍛えることを誓います」

農村雑感

選挙と断絶

折原俊二郎

今年は例年にない選挙の当たり年である。四月に行なわれる統一地方選挙に引き続き、参議院議員選挙も行なわれる。こうした選挙の当たり年は十二年に一回繰り返されることで、今年は、その十二年目の選挙の多い年に遭遇したものである。

選挙は公示から始まり、候補者が出て、有権者が投票し、その結果、当選者が決まるもので、その行為は、あたかも先のようであるが、実質的には、選挙戦はすでに昨年から始まり、今では中盤戦に入ったとか、われわれ一般大衆の目のとどかぬところで、はげしい選挙戦がなされているといえよう。

また、選挙は金のかかるものであると一般に言われている。何とかして金のかからぬ選挙はできないものか、と考えるのは有権者のみならず、候補者は直接の体験者として、さらに骨身にしみて強く感じていることであろうが、それでも、金のかからぬ選挙は容易に出来るものでないが実態である。

こうした選挙も、都会に住んでいると、特定の人を除いては直接その渦の中に入ることが少ない。候補者と有権者との直接接触が少ないためである。それが反面に、浮動票という特定の政党や候補者に投票するものが決っていない票となる。それは選挙がいかに重要な要素をもっているかを知ろうとしない無関心にある。しかし、それでも誰からも責められない。

しかし、大都市から中・小都市、そして、農村部の小さな集落単位になるに従い、候補者と有権者との間が緊密になっていく。いや緊密になるというよりは、いやが応でも渦中に引きずり込まれるというのが正しいかも知れない。事実、候補者を推す特定の者が親戚、縁者、知人と手を広げ、一網打尽にして渦中に引き込むのである。その中では、大都市でみられる浮動票とはまるで反対の、自分の考えに沿った候補者を選ぶことさえむずかしい状態に追い込まれる。

過日の新聞に、鳴門市の或る地区で、市議選立候補予定者を住民の直接投票で選んだことが報ぜられていた。公平で金のかからぬ選挙をやりたいということから、地区推せん希望者の立候補者を受けつけ、立会い演説を開き、そこで投票をして、最高得点者を地区推せん候補にしたという記事である。一寸聞くといかにも新しいやり方で公平のようにみえるが、よく内容をみると、投票は有権者の大半が行なったものでなく、一家から一人の代表が出て、その人が決めたということである。

どうも、その点になると必ずしも公平であったのかどうか疑問になってくる。まして、若い者の考え方が出てきているのか、もし、若い者が入らないで四、五十歳前後の一家の主人のみでなされたのであれば、事は選挙のみでなく、その他のことで、もっと大きな問題を含むこととなる。

現在は、特に、年代差による断絶ということが盛んに云われている。その断絶を何とかして埋めていかなければならないときである。そうしたときに、選挙という目前の事象のみにとらわれ、人間の心のふれあいまで隔絶することがあっては、決してならないことである。事の真相は十分知るべくもないが、こうした心配をもったのは、私一人だけはないと思う。

選挙という特別の機会であるからという意味で云々しようとは思わないが、選挙はより直接的な行動を伴なって行なわれるものであるため、このようなときに、さらに断絶を深めるようなことだけは起さぬようにしてほしいと思う。そのためには、壮年や老年のみならず、青年自身が、自ら心して行動すべきときであろうと思う。

(農林省・農業者大学校)

☆ ☆ ☆

全国購買農業協同組合連合会

消費者との直結をめざして

「エーコープ福岡店」大好評

全購連と福岡県購販連の共同出資による大型スーパー「エーコープ福岡店」が十二月十一日福岡市の繁華街渕川町で開店されて以来好評を博しています。

このスーパーは、一、単協店舗指導の基盤づくり、店舗活動のリーダー的核店舗づくり、二、農畜産物流通の改善合理化、三、広域需要を対象とするインテリアセンター設置などの実現を目的とした、連合会直営による店舗設置の第一号です。

スーパーの中には買い物かごをさげた主婦たちがいっぱい。野菜コーナーで新鮮な白菜やニンジン、玉ネギなどを手にとってみている主婦達にきいてみると、一様に「非常に安い。今日はつけ物用にたくさん買っていきます」とニコニコしながら語っています。

しかし、やはり買い物客にとって一番の関心事は生鮮食品コーナー。農協スーパーだから、新鮮な青果物、肉、卵を安く豊富に買えるだろうという期待を持っているからでしょう。そのため、広い青果物コーナー、精肉、卵コーナーも身動きがとれないほど。

店内は、中央フロアに青果、一般食品、日用品など八コーナーが並び、それを囲むように精肉、鮮魚、果物、卵などのコーナーが配置されています。また軽やかなBGMが店内に流れ、すっきりした照明が、生鮮食品、冷凍食品、日用雑貨品など各商品をあざやかに浮き出させています。

同店の売り場面積は六百九十三平方メートル、資本金二千万円で、年商は初年度三億九千万円を見込んでいます。

取り扱い品目は青果、精肉、鮮魚など生鮮食料品を中心に①みそしょうゆなど一般食品②洗剤、衛生用品など日用品③菓子など系統農協オリジナルブランド商品も大幅に備えています。

商品仕入れは当面、全販連を通ず直接仕入れ方式と、既存の中央卸売り市場を通す方式を併用していきますが、産地直送というメリットを生かすため、来年度からは組合員農家に栽培契約を結び徐々に直接仕入れのウエートを高めていく方針です。

なお「エーコープ福岡店」に続いて九州ではこの四十六年末までに大分、宮崎、鹿児島、熊本、長崎、佐賀にそれぞれ大型の直営店舗ができる予定です。

(広報課)

こんなことをしています

各種農業団体

農林中央金庫

6兆円の大台を突破

協農貯金 増加のテンポ早く

全国の農協貯金残高は、昨年十二月末で六兆一千七百七十三億円となり、六兆円の大台を突破した。農協貯金が五兆円をこえたのは一昨年(四十四年)十二月だったから、ちょうど一ヵ年で台がわりしたことになる。

これまで農協貯金が台がわりに要した期間をみると、一兆円から二兆円まで三年、二兆円から三兆円まで二年九ヵ月、三兆円から四兆円まで一年二ヵ月、四兆円から五兆円まで一年一ヵ月、そしてこんどの五兆円から六兆円まで一年、とそのテンポはしだいに早まってきている。

しかし、昭和三十九年以来の農協貯金の歩みをふりかえってみると、農業所得の低迷により農村地帯の貯金の伸びはしだいに低下しており、また都市化地帯でも、四十五年になってからは土地代金の減少を反映して増勢は鈍化している。

一~三月の農協貯金の見とおし

米の減反によって農家経済は大きな転機に直面しているが、その中で農協貯金や貸し付け金はどんな動きを示すだろうか――。農林中金の調査部では、四半期ごとに全国の農協資金の動向を予測しているが、このほど今年一月から三月までの期間の見とおしを発表した。

それによると、この期間は農村地帯では農業収入が少なく、農外収入に依存する割合が大きくなる。また、都市化地帯でも今年は土地代金は頭打ち。これを反映して全国の農協貯金は減少カーブをえがくが、農村での消費の手控えや、北海道・東北での米の豊作によって、その減少幅は昨年同期よりも小さい見とおしである。このため農協貯金は昨年十二月末の六兆一千七百億円から一月、二月と減少するが、三月には横ばいとなり、三月末の残高は五兆九千三百億円になる見込み。

いっぽう農協の貸し付け金は、一月から三月までの間に一千億円ふえて、三月末の残高は三兆一千八百億円に達する見込み。しかし、農村地帯では貸し付け金の伸びは大幅に減少する。これは農業経営の先行き不安が強まっており、農家の投資が影をひそめているためとみられる。これに対し都市化地帯では、貸し付け金は逆に大きく伸びる見とおしで、これは農協が貸し家やアパート経営などの農外事業にも、多面的に貸しつけを積極化しているためとみられる。

(総務部)

島根県連「冬季大会」開く

農薬問題など発表

畳六枚分の大パノラマ展示 農業祭

「意欲ない者は去れ」 県連会長が訴える

【島根】県農林改良青年会議連絡協議会(会長、清水敦君)と県主催の第三回県農林改良青年会議冬季大会が、さる十二月十七、十八の両日、県民会館で開かれた。(県連事務局長、奥野憲明君発)

一日目の開会式には、青年会議員のほかに農林総合研修所生や農林高校生も参加して会場がふくれあがった。

開会にあたり、まず清水県連会長が次のように訴えた。「島根の農業は、とくに斐川平野を中心に台風九号と十号で大きな被害を受けた。米の収量でいうと同地方においては、四、五年分の減収を一年で終えたぐらいの減収であった。しかし、来年度は、二割とも三割とも言われる米の減反に対して、ほとんど米に依存してきた島根の農業は根本から新しい道を求めて考えなくてはならなくなった。米は作る。しかし、それ以上に新しい農産物に対して取組む必要があるが、それには若い力しかない。だが、その若い力も後継者不足で甘やかされている農村青年にはとてもとてもその力はない。農業に対して積極的に取組む意欲のない青年は、さっさと農村から立ち去ってほしい」

ひきつづいて記念講演、活動事例発表と進められた。

とくに今年は、活動事例発表は個人でなくグループのプロジェクトとして実践してきた成果を対象に、改良普及所単位の予選、さらに県段階で書類審査が行なわれ、その結果、優秀事例として選ばれた五グループの代表が発表した。さすがに二つの予選を通ってきただけに目を見張る活動内容であった。

その中でも、優秀に選ばれた津和野町農林改良青年会議の農村問題研究会は、同町の農業の実態と将来の課題を青年らしくきびしくとらえ、その結果を青年の手で開いた町の農業祭で町民に訴えた。また同時に、津和野町大パノラマを展示した。これは畳六枚の大きさで延べ百七十人の会員のアイデアと努力によって出来たもので、農産物と同様、訪れた人たちの目をひいた。持時間二十分をフルに活用して活動を紹介するためにスライドに記録して訴えた。

また、斐川町農林改良青年会議酪農グループは、稲わらサイレージ作り、ヘルパー制度の実施、牛舎消毒などの報告、中でも抗生物質による残留薬物を重視し、それを防ぐため牛舎消毒を会員だけでなく町内の酪農家を対象に実施し乳房炎発生を従来の三分の一に減少させたことを発表するなど、それぞれ特徴ある発表がなされた。

夜は十一の分科会に分かれ、各経営部門別に「これからの農業経営をどうすすめるか」「農村青年の生き方」という二つのテーマについて、助言者を含めて約三時間つっこんだ話し合いが行なわれた。分科会終了後も夜遅くまでそれぞれの悩みなどをお互いに語り合った。

翌日は、これからの島根農業についてのパネル討議を行なった。

パネラーには、クラブ員代表のほかに島根大学の安達教授、県農林部次長、農業会議会長なども出席し、激しく意見をたたかわせた。

また、それに先立ち、NHKから提供をうけたビデオ「崩れる食管」を視聴してパネル討議の参考とした。

最後に「農業の前途は厳しいけれどもお互いに助け合い、若さで新しい農業を切り開いていこう」と大会声明を発表して大会を終えた。大会参加者の中から三月の全国大会参加者も決定され、今春の女子研などの研修会での再会を約束して別れた。

価格変動にブレーキ

農林省 野菜の「対策本部」つくる

野菜の価格が不安定であるため、農林省はさる十四日、「農林省組織をあげて生鮮食料品の価格安定に取りくむ」と発表した。これは、これまでの生鮮食料品行政がバラバラで、価格安定の効果を上げることができなかったため、総合農政の柱の一つとして農林省が総合力によって野菜の価格安定を図ることにしたもの。

その主な内容は▽野菜の安定な供給をめざすため価格安定制度を根本的に再検討する▽森本事務次官を本部長として、各局長などで構成する生鮮食料品価格安定対策本部をつくる▽当面の対策として出荷の促進、輸入の増加などを急ぐ▽生産から消費までの追跡調査をし、不当な形で価格ができている場合は行政介入もする――などである。

同本部が発表した野菜の安定策は次のとおり。

当面の対策

一、当面の生産と出荷の動向を早期かつ的確に把握するため統計調査組織、生産出荷協議会、市場組織などをもちらした情報把握活動を充実強化する。

二、これに基づく計画的安定出荷の確保①出荷団体の最高責任者に対し、出荷の安定化について協力を要請する②野菜広域需給調整緊急対策会議を開き、だいこん、はくさい、キャベツなどについて広域にわたる需給調整の可能性を検討し需給圏の広域化に努める。

三、輸入の促進など①台湾産たまねぎの輸入数量の増加を図る。

四、当面の生産、出荷動向に基づき、先行き不安などによる価格の過度の騰貴の防止および卸売価格水準の上昇どきにおける適正な小売価格の決定などについて、卸売関係者と小売業者について指導を強化する。

五、実態調査と情報の提供①主要野菜の段階別価格の追跡調査を、重点品目と時期を選び実施する②主要野菜の毎日の小売価格の調査結果を関係方面に提供する。

今後検討する具体的事項

一、生産、流通、消費などの構造変化の把握 ①最近の野菜生産は、都市化の進展、雇用機会の拡大と賃金の上昇などにより、都市近郊から中間遠隔地への産地移動過程にあり、また、消費についても所得水準の上昇に伴って多様化高度化しつつ需要が増大するなど構造変化が進んでいる。これらの需要構造の変化を十分に把握する③野菜生産総調査を主要品目別、季節別に拡大する③野菜の主産地における作付計画および生産状況の早期把握に努めるとともに生産出荷量の的確な予測を行なう。

生産対策

前記のような需給構造の変化に対処し、主要野菜のうちでも問題の多い品目、時期、対象地域を重点的にとりあげ、以下の事項について検討する ①稲作転換に伴う野菜の集団転作の推進と地域指標に沿った野菜の新産地の育成②指定産地制度の拡充③野菜に関する試験研究の強化と普及制度の活用。

三、流通、消費対策 野菜の生産および消費の態様と商品の特性の変化に対応して、以下の事項について検討する ①産地共販体制の強化、計画出荷の推進②貯蔵期間、貯蔵方法などに対する基本的な試験研究の充実とストック機能に対する助成制度の強化③現在国会で継続審査中の卸売市場法案の早期成立を図り、卸売市場の計画的整備および取引の改善合理化を推進すること④総合食料品小売センターの設置など小売業の近代化の促進⑤適切な品目、時期などを配慮した産地直結取引、生産者直売などの実施⑥冷凍、加工食品などの商品の特性の改善およびこれらの消費の促進⑦消費者モニターを活用した物価監視の強化⑧消費者と流通の疎通を図るための消費者との懇談などの実施。

ブラジルへの派遣者を募る

＝全拓連＝

全国拓殖農業協同組合連合会では、第十二回(昭和四十五年度第二次)農村青年ブラジル国派遣を次の要領で実施する。

▽派遣人員 八名以内

▽派遣時期 往路は、昭和四十六年三月二十六日羽田空港発、三月二十七日サンパウロ空港着。帰路は、昭和四十六年十月三十日サントス港発(汽船)、十二月十日横浜港着

▽推薦期限 昭和四十六年二月十八日

▽選考 昭和四十六年二月二十日、選考を受ける者は午前九時三十分までに全拓連(東京都港区赤坂、三会堂ビル 電話(五八二)七四五一)へ出頭のこと

▽渡航前の講習 前期が昭和四十六年二月二十一日から五日間、後期が三月二十四日から二日間

▽派遣費分担金納入期日 昭和四十六年三月十五日

出版物と青少年の関係懇談

国民会議が20日に開く

社団法人青少年育成国民会議(会長、茅誠司氏)では、来る二月十日、東京都千代田区平河町の麹町会館において、出版物と青少年に関する懇談会を開催する。

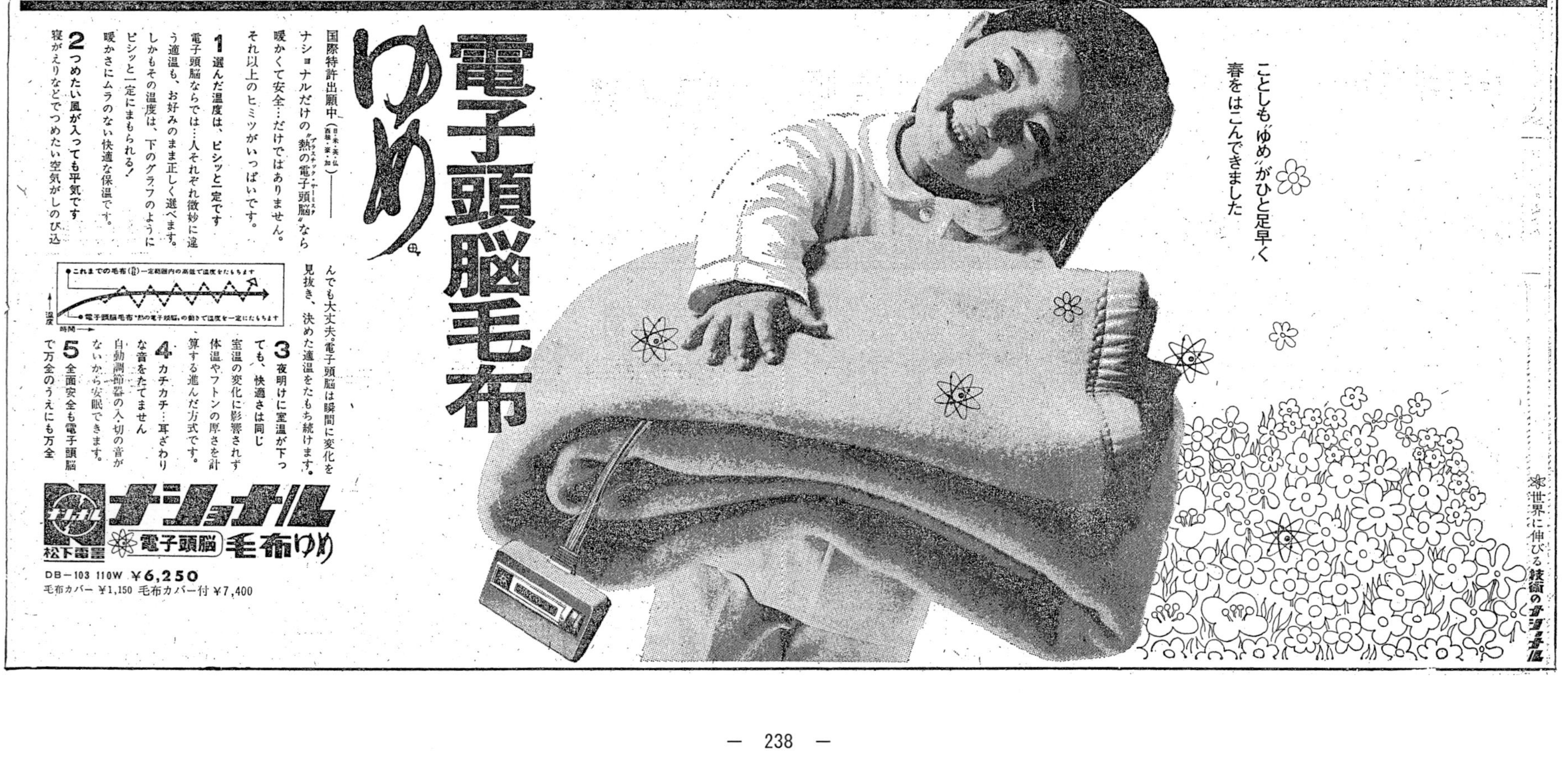

私の養豚経営

無看護分娩で省力図る

滋賀県蒲生神崎西部地区　今井　順

私の経営概況は、繁殖豚六十頭、種雄豚六頭、育成豚十頭であります。これに要する養豚施設は、成豚用放牧場二五㌃、同建物百三十平方㍍、分娩豚舎三百三十平方㍍、離乳後の仔豚舎百八十平方㍍、同運動場四㌃、ほかに堆肥舎、飼料室があります。

私たちが養豚を経営する上で、分娩どきに、いかに労力軽減を行なうか、また、それにともなって分娩してからの圧死を防ぐため、特殊分娩柵の考案、仔豚の下痢を防ぐための保温設備の必要性、これらのことを考えながら、一連の管理状況を折りまぜて説明していきたいと思います。

まず、日常の管理ですが、第一に種付後一週間目から放牧場に出し、分娩一週間前に分娩豚舎に入れます。私が養豚を行なっているところは、水田地帯ですので、放牧場にはある程度面積の制約を受けますが、放牧した場合には、糞尿処理がたやすいことと、給餌が非常に楽であること、豚本来の運動、とくに過肥が避けられ、使用年数を長くすると同時に、豚舎設備費が軽減されます。

第二に分娩でありますが、分娩時の労力軽減を行なうため、私の家では、その対策として分娩柵をつぎのようにしています。

従四㍍、横三㍍の豚房の出入り口の方に一・七㍍、奥には一㍍と、その点を柵で渡すわけです。また圧死防除柵として地上から三十㌢側面から二十㌢のところに取り付けてあります。つまり形は、上から見ると台形を二つに割った片方の形になるわけで、奥の狭いところでは、母豚のターンが出来ず、仔豚に欠陥がない限り、母豚が仔豚を踏むということはありません。

この分娩柵の考案で、夏季、冬季を問わずいずれも、無看護分娩であります。とくに冬期は、仔豚の凍死を防ぐため、室内暖房設施が必要となり、これは、無看護の利益分と同時に、哺乳回数を増すことが出来るという利点があります。

第三には、種付けでありますが、確実な適期をのがさず、また、空胎期間を出来る限り少なくすることだと思います。種付け後一週間目から放牧場で運動させると述べましたが、ここで問題なのは、放牧場へ出した後の再発情であります。放牧場に出すと、豚が汚れてドロンコになってしまい、再発情を発見することが困難になる場合があり、頭を痛めています。

仔豚の育成については、下痢対策が必要ですが、そのため、保温箱を用いています。とにかく、産まれた仔豚に鉄剤を注射することも発育をよくする一因だと思います。

以上が私の養豚の管理技術でありますが、まだまだ改善すべき点は多くありますが、今後は規模の拡大、一貫経営の実現、飼育方法の改善を目ざして、充実した養豚経営を行なっていきたいと思います。

私のプロジェクト

みかん栽培に取りくむ

香川県中多度津郡多度津町白方白原4Hクラブ　渡辺　信久

生産目標10アール十トン

農道敷き管理労力を節減

「私の住んでいる多度津町白方地区は、傾斜地あるいは水田を利用した種なしぶどうの集団産地として、本県でも特異な存在として知られています。しかし、最近では地域の特産であるぶどうを捨て、みかん専業経営を計画しています。その理由は、ぶどうは典型的な労力集約型作物であり、労力的にみて規模拡大に限界があります。

また、収益増加のためには、省力栽培が可能で、大面積経営が可能な作物が必要なことなどから、私は高校へ入学以来一貫して、みかんの専業経営を目指して取りくんできました。

以下、現在私のプロジェクトの現状と将来の計画について、その概要を述べます。

経営の概況

私が高校入学当時のみかん栽培は、面積においても収入の面においても、野菜に比較して占めるウエートが高く、そのほかにぶどうも栽培していたために、労働のピークが一時に集中してしまいました。しかも、野菜は価格が不安定なために、その年による収入の変動が大きく、経営の中心作物である野菜の価格変動は、非常に経営を不安定にしていました。そこで私は昭和四十三年度には、後継者育成資金五十万円を借りて、みかん園四十アールを新植しました。

この計画の基本構想は、長期間安定的な経営を組み立てるため、野菜に代えてみかんの面積拡大を計り、しかも、品種、系統をうまく組み合わせて収穫労力の平均化を図るように計画しました。

また、みかんは地域的にも広域共販体制が確立されており、私の土地も安山岩系で耕土も深く、温度も高いので立地条件に恵まれ、良品の生産技術の確立が容易であることなどから、みかん専業経営を目指したわけであります。現在栽培面積は野菜畑の転換や購入などで、幼木、成木を併せて一・三㌶のみかん園を持っており、これからの収入は約七十万円あります。

産地間の競争に勝つ

ぶどうから……みかんへ

経営・栽培上の留意点

一、みかん作りに土地条件が恵まれている

地域では、みかんの広域共販体制下にあり、販売組織が確立されています。また、個人的には土地条件に恵まれて、みかんの品質がよく、生産性が高いこと。また、私が二年間試験場に学んだ技術を生かし、十アール当り八～一〇トン生産できる自信があり、将来の供給過剰に対する良品生産技術をさらに研究し、産地間の競走に打ち勝つよう努力したいと思います。

二、労働生産性が高い

生産コストの低下のために、最も大きなウエートを占める労働力を減らすには、みかん栽培が適しています。つまり、私は園の農道を四列ごとに入れて管理労力を省力し、収穫期は、品種系統を組み合わせて三ヵ月間に伸ばすようにすることで、家族労力で十分間に合うようにする。将来は、雇用労力をあてにした経営は成り立たないと思われるので、そこで十アール当り二百五十時間かかるものを二百時間以下、できれば百五十時間にする計画です。

経営概況の変遷

	みかん 面積	みかん 収入	ぶどう 面積	ぶどう 収入	野菜 面積	野菜 収入	面積計	収入計	備考
高校入学時（S38）	10	5	20	40	85	80	180	125	他に山林60a
現在	130	70	20	65	30	100	180	235	水田65a→みかん 野菜55a→みかん へ転作
5年後	250	350	20	60	—	—	270	450	畑90a購入→みかん畑へ

当面野菜を収入源に

将来の計画

以上のような計画のもとに、みかんの導入に着手しましたが、こん後の計画としては、現在栽培している野菜畑五五アールをみかん畑に転換し、新たに九十アールの畑を購入して、五年後には、約二・五㌶のみかん園を栽培し、粗収入三百七十万円を目標にしています。また、ぶどうについても十年後には全部みかんに転換して四㌶を栽培し、年間粗収入一千万円を得るように努力したいと思います。

この計画の遂行にあたっては、野菜、ぶどうをみかんの幼木育成時代の収入源にしながら、次第に規模の拡大を図るようにしたいと考えています。

まとめ

米の生産過剰に伴い、野菜への転作が多く、野菜の置かれている位置は、ますます苦しくなりました。総合農政が打ち出されたものの、こん後の農業経営を担うわれわれにとっては、農業の基盤の弱さと不安定性に、いちまつの不安を持っています。要するに、こん後の農業経営を組み立てる上において、自分の経営をしっかり見つめることが必要です。

そのためには、広い視野に立って、わが国や世界の動きを広く勉強し、農業に変動を与える諸条件を広く分析した上で、自らの経営を計画して実践しなければ、いまから農業に取り組む私たちの将来は安定しないと思います。

私は私が現在置かれている諸条件を十分ふまえて、品質のよいうまいみかんをたくさん作って、みかん専業農家として、三万㌦経営を目標にして取りくんでいきたいと考えています。

ミカン作業別労働時間の現況と目標（時間）

管理作業	我家 現在	我家 将来	国の基準目標
整枝剪定	24	8	7.2
土壌管理	42	18	15.2
かん水	—	4	
施肥	2	4	6.0
防除	36	14	2.8
摘果	—	14	6.4
防風	—	2	1.5
収穫収納	80	50	61.8
貯蔵出荷	24	8	5.0
その他	8	8	10.1
計	216	130	116.0

牧草の上手な利用　2

乳酸発酵法が最上

家畜の生理、健康によい

サイレージの作り方のポイント

サイレージを一言で定義するならば、貯蔵性を持たせた多汁質の飼料であるとしてもよいであろう。多くの場合、貯蔵性は乳酸発酵の結果できた乳酸により、腐敗菌、不良微生物の繁殖を抑える方法で付与される。乳酸のほかに塩酸や硫酸のような無機酸や亜硫酸ガス、クロールピクリン液が用いられる場合もある。簡単に調整ができて、家畜に給与する場合にも危険がなく、好んで食べ、家畜の生理、健康に悪影響のないことはもちろん、畜産物を通じて人間の健康をそこなうことのないような方法を選ぶ必要がある。それには、乳酸発酵による方法が最上である。

乳酸発酵法で品質のよいサイレージを作るポイントは、乳酸発酵が順調にすすむような条件すなわち乳酸菌が繁殖しやすい条件を整えてやることである。

乳酸菌の性質

乳酸菌といっても多くの種類があって、材料の種類や発酵の条件に応じて、各種の乳酸菌が活躍するわけである。共通な性質は糖類から多量の乳酸を作り糖類を唯一のエネルギーとして生活し、嫌気条件のもとでよく繁殖する点である。これから記す具体的なサイレージ作りの手順も、乳酸菌が持っているこの性質を活用することにほかならない。

乳酸菌が酸素（空気）のない嫌気条件を好むといっても、酪酸菌のように空気のまったくない絶対嫌気条件でないと、繁殖できないほどでない。

水分の多い材料を用いると、酪酸の多い不良サイレージができやすいのは、絶対嫌気条件になって、乳酸菌よりも、むしろ酪酸菌の繁殖に好都合になるためである。

水分の多い材料を用いる場合におもしを軽くするのは、汁液の過重な浸出をおさえるほかに絶対嫌気条件を緩和し、酪酸菌に先立って乳酸菌の繁殖を促すためでもある。

サイレージの調製

材料作物と刈取りの適期　サイレージ材料には、乳酸菌の食物になる糖類含量の多い作物が適する。トウモロコシ、ソルゴーをはじめ、イタリアンライグラス、オーチャードグラス、ライ麦、エンバクなどが古くからよく用いられたのはこのためである。サツマイモのつる、ビートトップなども使われている。

わが国ではレンゲのほかは、アルサイドクローバーが千葉県安房郡の一部に用いられている以外、マメ科作物を材料にしている例は少ない。外国にはアルファルファを材料にした報告がきわめて多い。乳酸菌の性質を理解し、サイレージ作りの原理を知り、必要な条件を整えてさえやれば、マメ科作物を材料にしても立派なサイレージを作ることができる。

刈取りの適期は、材料作物の糖分含量が多くなる時期のほかに、養分収量が最高になる時期をねらい、同時に天候および後作物に対する影響や、牧草ならば刈取り後の再生に及ぼす影響なども考慮してきめる。

また、材料作物の含水量の多少も、刈取り適期をきめる重要な条件になる。サイレージの調製には七十～七五％が適当であるといわれている。以上の諸点を考えて、主な作物の刈取り適期を示せば、およそ次のようになる。

トウモロコシ……糊熟期
ソルゴー……糊熟期
エンバク……乳熟期～糊熟期
ライ麦……乳熟期
イタリアンライグラス……出穂期～開花期
クローバー類……2分の一開花期
アルファルファ……十分の一～四分の一開花期
ダイズ……サヤ形成期
スーダングラス……開花初期

子実が成熟するように十分な間隔をとって栽培したトウモロコシは、この時期になれば収量もほぼ最高に達し、含水量も大体七五％前後になるものであるが、その他の作物では水分が多すぎ、順調な乳酸発酵によって品質のよいサイレージを作るには、水分の調節が必要であろう。

水分が多すぎると、酪酸発酵を起こし、品質不良のサイレージができやすい。浸出してくる汁液を排出すれば、汁液中にある蛋白質、炭水化物、あるいは無機質などの栄養分の損失になるし、そのままにしておけば不良微生物が繁殖して失敗の原因にもなる。

水分を測定するには、米の水分をはかるための簡易測定器を利用すればよい。測定器のない場合にも、細かにきざんだ材料を握ったとき、汁液の出る様子や握った手をふたたび開いたときの材料の形によって、おおよその含水量は判定できる。

その基準を示すと表のようになる。

（尿素研究会提供）

サイレージの含水量

握ったとき	開いたときの材料	大体の水分含量
水がしたたり落ちる	ボール様の形を保っている	75％以上
水がにじむ程度	ボール様の形を保っている	70～75％
水は出ない	形は間もなくくずれる	60～70％
水は出ない	ボール様にならない	60％以下

初収穫に"大喜び"

多収願いぶどう園の管理

共同作業にはりきる

青森県名川4Hク

【青森】三戸郡名川町平4Hクラブ（会長、佐藤博文君）では、このほど同クラブの共同ぶどう園二十アールの剪定を行なった。

このぶどう園は、同クラブ員が二年前にさし木した百五十本の苗木を育成したもので、いきとどいた管理で見事に成長している。栽培管理はクラブ員が共同で当り、年二回の除草と、剪定一回、まだ未成園であるため、間作にトウモロコシを作付けたりしている。

昨年はクラブ員の念願がみのって四本のぶどうの木に、実がちょっぴりなり、初収穫に大喜びした。本年は三年目になるので追肥を施し、どっさり収穫をあげようと手入れに余念がない。

同クラブの活動は、同町の八クラブのうちでも一番活発で、毎月十日と二十五日に町の公民館で定例会を開き、さる十二日は土壌検定、リンゴの剪定などの地域農業と結びついた活動と取りくんだ。

クラブの創立は四十一年九月十一日で、ことしは五年目を迎え、クラブ員は名久井農高卒業生の十一人（うち女性三人）と中卒三人で、平均年齢二十三歳と若い人ばかり。一昨年は知事賞、農林大臣賞を受け、県下の模範4Hクラブとして、県内でも名が知られるようになった。

創立五年目というマンネリ化するクラブ活動の中で、新しい活路を自ら開き、自らの人間形成と、地域農業の発展に役立ちたいと、若いクラブ員たちは希望を胸に、きょうもはりきっている。

プロジェクトの意義と教育的価値 =3=

海外農業開発財団専門家　中田正一

問題に向って挑戦

関連ある補助活動加え

プロジェクトの骨格

全我的活動　問題と取りくむ態度が全我的であることをまず挙げたい。全力投球ということばがあるが、私たちの全身全霊をあげて問題と全力格闘する、それがプロジェクトによる全我的活動である。

創造的思考　デューイの反省的思考、創造的思考がプロジェクトの中に姿を現わす必要がある。常識の否定、人まねの拒絶ということから新鮮な思考が生まれるというものだ。したがってプロジェクト活動のいたるところに、頭をしぼって考えだした新工夫や新アイデアが芽を出していることこそ望ましい。逆にいえば、新しい考えや新しい工夫のないものはプロジェクトといえないかもしれない。

自主独立　プロジェクトは自らの計画で、自らの責任で、自らの労働で実施することが建前である。資金も資材も自分の責任で整えなければならないが、得られた利益もまた自分のふところに入ってくるわけである。

親子契約　プロジェクトが自主独立の精神で貫ぬかれるものであるからには、家庭の中ではっきりと親と子の間に、資本や労働や土地についての契約が結ばれていなければならない。ホーム・プロジェクトはもともと親子契約から出発するといえる。これをプロジェクト契約といってもよい。さらに進むと、豚とかビニールハウスとかの部門についての独立企業プロジェクト、すなわち一部門についての部門契約となる。いま一歩進めば、親と子の共同経営の形となるが、これを利益配分契約とよんでいる。

親子契約というものが、最近日本の各地で始められるようになったので、われわれははじめてプロジェクトが親子契約そのものであったことを再認識する段階にきたといえる。親子契約はことばを変えれば、子供が親から精神的にも、経済的にも独立する一つの過程だといえよう。もちろん、独立というからには責任も加重するわけである。

具体的で行動的　農業や家庭プロジェクトは、物を扱うこと、すなわち具体的に、また、実践を通して、行動的に問題を解決する。具体的、行動的というのは物的、身体的ということで、抽象的、観念的な問題解決と区別される。行動は体を通し、皮膚を通し、五官を通して行なわれなければならない。

計画的・継続的　プロジェクト活動は具体的、行動的であるとともに、それが計画性をもち、計画にしたがい、当初の目標に向って実践されるものであるから、相当期間の継続事業になることが考えられる。イナ作のプロジェクトであれば、少なくも苗代作りから刈取りまでの数ヵ月間の継続事業となるだろう。豚肥育のプロジェクであれば、仔豚から始まって、豚の生育期間中つづけなければならない。こうした過程を経て獲得される知識は、単なる概念としての知識でなく、実践によってきたえられた知識といってよい。ここで知識の質が問題とされなければならない。

問題の一かたまり　教育の方では、問題の一かたまりのことを単元といっている。プロジェクトの内容にはいろいろある。イネの生育相を調べるような調査的なプロジェクトもあれば、三十アールのイネの生産プロジェクトもある。また、イナ作を含んだ農業経営全体を一企業単位としてプロジェクトする場合もある。いずれも、当面する問題の一かたまりであることは変りない。

プロジェクトは個人やグループだけでなく、県や国でも取りくんでいる。八郎潟の干拓と大型機械営農の試みなどは、まさに国のプロジェクトだといえる。国は国としての力を注いでこの問題解決に正面から取りくんでいる。この場合でも、プロジェクトは一つの問題領域をもったかたまりで、他の事業とはっきり区別されている。

問題解決には問題の領域がはっきりし、その焦点がしぼられていなければならないし、領域と焦点のはっきりした一かたまりの問題に向って、われわれは挑戦するわけである。挑戦するからには、目標をはっきりきめて計画的に、集中的に、実践的に立ち向かわなければならない。

問題群　一つのプロジェクトを完遂するためには、これを取りまく数多くの補助的なプロジェクトを片付けていかなければならない。一つの問題領域は、数多くの問題群が含まれている。たとえば、豚のプロジェクトには豚舎を建てるプロジェクトやエサのプロジェクトも含まれるし、イナ作のプロジェクトには、肥料、農薬、かんがい排水、土地改良、農機具などのプロジェクトが含まれる。

演示の課題として取りあげられているものや、技術競技の問題として提出されているものなどは、いってみれば主プロジェクトの中にふくまれる副プロジェクト、または補助プロジェクト群といってよい。したがって一つのプロジェクトと取りくむためには、それに関連した数多くの補助プロジェクトや、さらにこれに連なる大小の事項を調査したり、学習したり、検討を加えて明らかにしなければならない。

NHK農事番組（2月1日～10日）

テレビ

明るい農村　6・30～6・55総合

1日　村の記録　ソビエットの農業（NHK農林水産）吉川正光
2日　きょうの話題　未定
3日　産物往来　とうふ
4日　話題の広場　ごはんのかんづめはいかが（鈴留県経済連）川島哲司
5日　村をむすぶ　フィルム・リレー
6日　農村新地図　神奈川県厚木市（NHK農林水産）中村靖彦
8日　村の記録　山村解体（富山県西砺波郡福光町）
9日　きょうの話題　未定
10日　産物往来　鉢花

農業教室　7・30～8・00　教育
1～3日　主婦労働を考える（労働科学研究所）沼尻幸吉
4～6日　土地条件と機械利用（京都大学教授）松田良一
8～10日　専業養鶏の課題（日本養鶏協会）木村唯一

あすの村づくり　日　7・00～8・00　教育　再　土　13・00～14・00　教育
7日　▼グループだより　香川県種豚改良研究会　▼仲間とともに「草地酪農安定の条件」（福岡県系越町農協酪農青年部）　▼先輩と語る（長野県小諸市みまき原）七星正人

ラジオ

早起き鳥　5・05～5・57　❶
1日　現地報告　自由化にゆらぐ競走馬産地（北海道室蘭）
2日　人と話題　工場進出と環境保全（愛知県南知多町）
3日　通信員の手帳から
4日　農工一体化への提言（東北大名誉教授）須永重光
5日　現地報告　カドミウム汚染その後（広島県福山市）
6日　村のポスト　投書・たより
7日　話題の窓　転機に立つ協業経営（全国町村会）大久保毅一
8日　現地報告　ひらけゆく農住都市（神戸市白川ニュータウン）
9日　人と話題　洋蘭の工場生産（三重県楚原村）赤塚充良
10日　通信員の手帳から

ラジオ農業学校　日　6・30～7・00　❷
7日　グループのつどい「転かん期の農業とグループ活動」（高知県土佐郡土佐町松ヶ丘4Hクラブ）佐賀野富雄

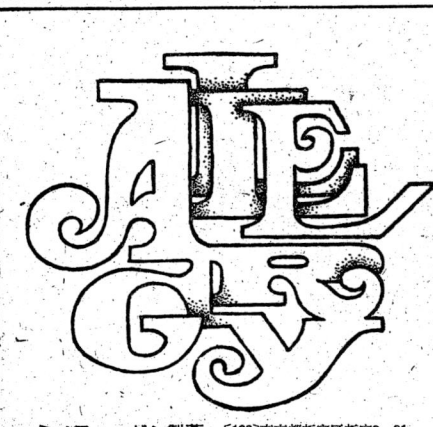

女子クラブ活動を考える —2—

問題を直視せよ

結論を急いではいけない

前回は、まず問題となっていることがらを、はっきり掴えなくてはならないというところで終ってしまったが、このことは、くどいようだが、いま一度確認しておきたい。問題を明確に浮きたたせる作業の上に立って、そこから解決への道を探す段階にはいるわけだが、ある意味では、クラブ員が問題点を自分のものとして掴えたとき、半分近くは解決されたときさえいってよいのではなかろうか。

問題点は、できるかぎり具体的に把えなくてはならないが、クラブ員個々のものと、クラブとして考えなくてはならぬものとの区別も、しっかりつけておく必要がある。そういう混乱を起さないために、いかにそれが辛く苦しいことであっても、眼をそこからそらしてはならない。外からみていると、こんなに大変な問題を抱えこんでいるのに、あすの生活は文字通り"しあわせいっぱい"というような結論を、どうしてすぐ出してしまうのだろうかと、疑問になることが少なくない。

たとえば、あまりよい例ではないが、前回紹介した中央推進会議の総括の部分でも、考えてみれば不思議になる。女子クラブ員の減少という問題ひとつだって、切実な、どうにかしなくてはすまないことなのにどうなった原因や現状をきちんと押さえず、他の話題がはいってきたりして、これがどうなったのか見失われてしまう。多人数でひとつのことを考えていくのはむずかしいことだが、そうして、話合う技術、マナーについても反省しなくてはならぬが、それらのことをしばらくおいても、指摘しうることがある。

たしかに、総括でいわれていることは悪いことではない。クラブ員は量より質の向上をはかるべきだろうし、立場と考えをきちんとしなくてはなるまいし、農業・農家の改善により息子の嫁が笑顔できてもらえるようであってほしいと、だれでもが考えるだろう。しかし、こうしたことが、いままでの話合いとどこで結びついているのだろうか。

現在、直面している問題は問題、将来の夢は夢とそれぞれ別ものであって、そこに懸けられるべき橋がない。途中の問題解決の過程に眼をつぶってしまって、現在から直接的に遠い彼方の夢とを結んでしまう。この性急さ、この辛棒の無さ、あなたがたはほんとうに生活しているのかと、反問したくなる。目標を語ることはよい。しかし、はなはだいいことずくめの夢のようなことを、ただそれだけを唱和して叫んでみても、なにの足しにもならない。

こうして、実に多くの夢をみんなしてみたところで、家に帰れば打ちかえさなくてはならぬ田が待っており、逞しくはびこる雑草を除かなくてはならないのだ。豚や鶏が空腹をかかえ騒ぎたてているのに、餌を与えなくてはならないのだ。こういう日々の仕事と、クラブでの話合いの喰いちがいを、もっとじっくりと見つめなくてはいけない。考えるということも、そうしたことをいうのだ。

つまり、結論を急いではいけないということ、そうして、ひとりになって、いまなにを一番さきにやらなくてはならぬかを、とくと考えること、あなたがたの夢に水をさすようないじわるはしたくないが、一度は冷静に考えなくてはならないことだから、あえていっておく。また、夢をみるのもよいことだ。ほんとうに夢を信じたならば、必ずそこへ到着する方法も考えだすだろうから。

以上のことは、なにも女子クラブ員のみでなく、全体で考えてもらわなくてはならないことのように思われる。(つづく)

鳥取県の場合

跡取り娘、立上る

県主催から自主開催へ

女子研修会は、三年ほど前まで毎年、県の主催で行なわれて来た。最初のうちはかなり盛りあがりもあったようであるが、だんだんと参加者が減り、それ以後途絶えている。そうした中で昨年来、こんどは女子クラブ員から自主的に女子研修の必要性を認識し、研修計画を立て、実行に移し、参加者の大半が参加して良かったと言っているように、大きな成果を収めた。

このことは、めまぐるしくて困難な農業の中に、力いっぱい生きようとするこれら若き農村女性が、何を必要とするか、何を求めているのかを考えないで一方的に研修を計画した県当局の大きなミスで、今後も農業に取り組む若者の指導機関として改善されるべきだと思われる。

参加者の声を聞いてみると、いずれも、有意義だったこと、もっと回数をふやし、経営的な内容も取り入れてはといった、今後に大きな期待をかける感想が多かった。言葉をかえて言うならば、幸せな家庭に嫁いで、幸せな生活を送っている体験発表に対して、養子をむかえてこれからの生活の改善に努力している体験をもということであろう。

案外、これまでかけごえだけで、具体的に跡取り娘たちに何が必要なのかが、なおざりにされている状態に対して、結局、その道は自分たち自身が開くべきであるという認識が高まってきたものであると思われる。そして、単に今回(昨年十二月)の参加者のみならず、県下すべてのクラブ員が考えていかなければならない問題でもある。いずれにしても、大きな成果を収め、今後の課題を改めて認識させて研修会は終った。

なお、この研修会開催にあっては、日夜動きまわり、計画遂行のために献身的な努力を惜しまなかった田中久恵県連副会長と、松本睦子運営委員ら四名の動きは高く評価されている。

(鳥取県、山本哲嗣連絡報道員発)

北海道連、農業とクラブ活動を語る

「去るもの去る―」 プロ意識に徹すべきだ

「北海道農業と4Hクラブ員」というテーマの、道連の座談会も、いよいよクラブ活動のあり方について、話が熱気を帯びてきた。なにかの参考になればさいわいである。

出席者
- 会長　奥村秀宏
- 副会長　榊原常人
- 書記長　中山寿雄
- 司会、事務局長　赤松宏

右から、榊君、奥村君、中山君、赤松君＝御殿場の推進会議にて

司会 われわれの判断するところの北海道農業のすすむべき方向というか、道があげられたようだが、われわれ青年に要求されるものは何だろうか。道民として、北海道のたくましい二世紀を拓く青年として、農業人としての使命は何だろうか。

中山 まず、個人能力の開発だと思う。その能力も、大きな意味での社会全体の情報、情勢を早くキャッチし、それを的確に判断し、処理出来る力だと思う。その能力の中で自分なりに判断し、オーソドックスな全体の方向づけをまず考え出し、主体性をもったものを見い出して行かなければならない。それが北海道を開発していく力になると思う。

榊原 農業人としての職業意識を明確にすることであり、決断の時期だと思う。今の状況を見ると過疎で出ようか出まいか、過密地域の中で方向が限定され希望がなく止めようかなど、迷いが多くあるようだが早く決断をつける必要がある。「去るものは去る、残るものは残る」そんなふうに決着をつけるべきだ。判断の是非は未来への青年としての創造力にかかると思うが、農業への本当の闘志をぶつける仲間にみんなが成長してほしい。

奥村 緊迫した状況にありながら、何かまだ、実際にわれわれの仲間が現実を正しくとらえ考えているかどうか疑問である。

何とかなるのでないかという考え方が多分にあるようだ。いろいろな問題に正面からぶつかって行く、そんな姿勢がほしい。あいまいな考えで農業をとらえると、自分一人だけでなく農業全体が窮地に追いやられると思う。

そこいら辺を的確に判断するなら、やはり系統だてた組織、機構としての方向づけが要求される。それらを考え出すための訓練が、青年期に必要とされるだろう。その訓練はわれわれが組織している4Hクラブでなされるべきだと思う。これらの学習組織に農業青年全員が参加してほしい。

司会 奥村君から4Hクラブのことが出されたので、この辺で4Hクラブに関する話題に移りたいと思います。大きな意味での4Hクラブについて言われましたが、具体的にどのような行動をし、どのような役割を持たなければならないかについて……。

中山 まず、基本的に考えて、第一番目に現状把握活動からだと思います。調査することです。今どのような状態にあるか明確につかんでいないことが、問題を軽くみたり、逆に必要以上に表面の苦しみだけを見つめ、絶望的になったりしている。ただ感傷だけで動いている風潮が多分にある気がするが……。

専門能力の開発を

榊原 いろいろな会議、発表会研修会では、相当素晴しいビジョンが打ち出されるようだが、全体からいって少ない。末端での行動は、波に乗っているくらいにしか考えられない。大なり小なり、全体的に系統だてたビジョン作りの出来る仲間に、みなが成長していかなければならないのでないか。そんな意味から創造できる仲間を育てて行く必要性が、4Hクラブ活動の中に要求されてくると思うね。その訓練は、4Hクラブの行事企画などの面から、各々に与えて行くべきだ。つまり、考え出せる力を養うことだな。

奥村 もう一つあるような気がする。それは各々の持ち場をみいだす、発見する活動、学習だと思う。何故かと言うと、社会活動では分担がたてまえで、自分の立場、持ち場をつかめない者は不幸だと思う。自分の持ち場をさがす訓練の出来る場は、農業の中では4Hクラブ以外になく、あまり重要視されていない。

中山 同時に、農業の分野において、より専門的能力の開発をし今後の方向を見つめて行かなければならない。

司会 一つは現状把握活動、一つは創造性の開発、もう一つが立場・持ち場の発見だということだね。その上にたって専門的な能力の開発をしていかなければということだが、その方向づけをするために、学習方法、行動はどうしたら良いのだろうか。

榊原 僕なりに考えてみると、簡単に言えば、プロジェクト活動に結論づけられると思う。一つ一つの積み重ねがいろいろなものの発見になり、考え、創造する力となり、その活動がその人間の位置を作り出すことになるだろう。

奥村 今、我々はプロジェクト活動をいかなる観点からみていくか、推進していくか、重大な時期にきているし、新しい方向づけを要求されているのは見のがせない。大げさかも知れないが、道連としての組織リーダーの責任を果さなくては……。

中山 現に今までと変って来ていることだけは確かである。網走支庁管内においては北見市のように、全市一クラブ百数十名のマンモス化したクラブも出現している。これは大きい例だが、一町一クラブ、一村一クラブ的になる傾向は他にもまだまだ多くある。

奥村 一地域一クラブまでは行かないにしても、事業が地域的に大きくなり、単位クラブの規模から抜け出しているのは事実だね。

榊原 それに、近頃、単位クラブの合併も多くなって来ているようだが。

道連協はサービス機関

司会 後志管内にも、一地区一クラブ制の町村が二～三あるようだが、その他に新しい動きはないだろうか。

僕らは広域大型専門化という意味で、実験的にクラブの運営をしたことがあるんだが、八名の仲間の四名は年長、四名は年少者で構成し、内部リーダーの点だとか、事業だとか大きな収穫がありました。年間予算も四十五万円以上でした。組織は目的が達成されたので解散したが、今でも仲間はいろいろ集まりやっています。

中山 部内を専門的にわけた活動態型をとっているのはたびたび聞いたが、僕らの知らないところでもっと進んだ考えでやっているところがあるように思う。

榊原 われわれ自身、もっともっと道連一万三千余名の現況を把握して、展望しないといけないような気がするね。

司会 今まで各々語って来たことを、道連協の事業や行事の中で今後、クラブ員に対してどう方向づけて行くべきだろうか。大きな問題だろうと思うが、現在の道連の姿勢に対比させて……。

奥村 基本的にはプロジェクト活動の展開にあると思う。その活動ができるための方向づけ、組織の組み立て方、内部の環境作りを考えてやることにある。

榊原 まず、道連の七十一年への形づくりは、レコードブックの内容改訂に含めてであるが、それだけでなく、普及を「プロジェクト活動の手引き」と併せて進めなければならない。これにはオーソドックスな形で、プロジェクト活動の方向づけを示しているから。

中山 僕は「プロジェクトレコードブック」「プロ活動の手引き」の普及と同時に、それを使えるシステム化を計らなければいけないと思う。それは本会だけでなく、道などの協力を得て指導の線型を考え、その体制の確立の方向づけをしなければならない。リーダー研修会などの中で組み立てていく必要が今後はある。

奥村 当然、青年会議や技術交換大会などについての考え方も問題視されるし、そのあり方もプロジェクト活動の補助的活動にふさわしいものに整備して行かなければならないであろう。むしろ現況では、青年会議や技術交換大会といった行事のためのプロジェクト活動に見えがちである点、十分考慮しなければならない。そして、今形成されかかっているブロック化は、今後の方向づけからいって重大な位置、役割を果たしてもらいたいし、七十一年の事業の中で特に進めたい事業の一つです。

中山 今、会長がブロック化をあげましたが、地区―支庁―ブロック―道連の一つのルートとその位置づけ、その行動の範囲を明確にして、道連の独特の形を組みたてなければならない時期に来ている。四十六年度事業は、そこにマトをしぼって良い気がするのですが。

榊原 横の関係も幅広く内部でつかんで行く必要もある。組織のアドバイザーとしてのOBの援助も忘れてはいけないと思うし、連繋を考えなくてはならない。

組織の位置明確に

奥村 総合的に今後の道連協の役割は、混乱した組織体の改革にあると思う。道連協のように一万三千余名のクラブ員数を持つと、一つ一つ少さく個々に当ることは不可能であるし、4Hクラブ活動の本質のサービス的な色彩を打ち出して良いと思う。本質的なものは、支庁段階において徹底して行なう。そこから地域の本当のプロジェクトが出て来、前に述べた広域生活圏の考えにも準ずるものが生み出せる。ブロックは、道連協との一つのクッションとして、大きな意味でブロック農業の位置づけをする場になるだろうし、そうすべきだ。最後にサービス機関として、道連協は何をするのかとなるだろう。

それは各支庁段階の本質推進の手伝いである。その一つが、プロジェクトに関する面ではレコードブックの発行、手引書の発刊などあるが、もっとプラスしていかなければならないものが多い気もする。プロジェクト活動を離れるかもしれないが、情報交換や全国4Hクラブ員のつどい開催も、一つのサービスだろう。

中山 今後、道連も支庁連と同一的なものでは価値がないし、無駄だと思う。組織としての位置を考えて行く姿勢が大切である。雑然とした中で、本当の4Hクラブ活動を叫ぶのは筋違いかも知れない。もっとその位置を考えなくてはならないことを認識すべきだ。

司会 もう少し聞きたいのでこの辺で打ち切るのが残念ですが総合的にまとめてみますと、北海道の農業の展望は、食糧基地として総合的な面から役割を果さなければならない。その中で北海道に住む青年の役割は、各方面に対して先駆的な使命を担っているのだということ、現実を考え、プロジェクト活動にその方向を見いだして行こうということで、その手伝いを道連協という組織が行なわなければならないということだったかと思います。そして、最後のまとめとして、今、道連協はその立場上、本質を見つめて行かなければいけないということだと思う。

もう一言と言ったら、みなさんが多分、こんなふうな言い方をするだろうと思うことを、私なりにまとめてみますが……。今や、道連ばかりでなく、全国の4Hクラブの中で、新しい組み立て方を要求されている時期であることと、今後の4Hクラブ活動、組織の総合的な五ヶ年計画、ビジョンを作るべき時期なのではなかろうかということですか。リーダーならすべてが……。

本日は忙しいところを、本当にありがとうございました。(了)

百姓の博物誌 >2<

荻原　茂

きゅうりのニキビ

(きゅうり)

足音がしても顔を出してはいけない。

「たのむから、うまく隠してくれよな」

ニキビをいっぱいふきだしている、年頃のきゅうりは、はっぱに頼んでいる。

「そんなこといったって無理だよ、おれにも栄養を廻してくれなくちゃ、大きくなれないよ。こんな身体じゃ、きみを隠しきれないよ」

「なにいってんだい。いつも太陽をひとり占めのくせに」

「太陽だけならいいが、こっちは虫と病気もいっさいがっさいひとり占めだからな」

「いいから、いいから、静かにしてくれよ、鬼がこっちへくる」

かくれんぼはもうおしまいだ。きゅうりはみつかってもがれてしまう。彼は、ニキビをトゲにかえて抵抗するが、しょせん、むなしいあがき。きゅうりはそれでも頑張って苦汁を身体いっぱいに吐き出す。その返礼として、きゅうりは水責めにされ、その上塩まで振られる。きゅうりは鳥肌立てて観念する。

鬼の眼をかすめて、畠に残ったきゅうりは盛期までにぐんぐん太くなる。朝露をふんでやって来た鬼は、中年ぶとりのきゅうりをみ向きもしない。

「おかげさまで残れたよ」きゅうりははっぱに礼をいう。

「よかったなあ、おれの栄養もやるから、立派なあとつぎをつくってくれよ」はっぱがきゅうりにいう。

きゅうりは熟して黄色くなり、はっぱはつかれて黄色くなる。

(雨)

あの子には、ほんとに困ってしまいますわ。

それは、それはひどい冷え性なんですよ。いつも氷のように冷たくって。だけど、元気はいいんですよ。ぴょんぴょん一日中はね廻っているし、ケロケロ、ケロケロ、そのうるさいことといったらないんですよ。

恥ずかしいわ、あの子のオシッコの近いこと。ほんとに、跳びはねる度にピッ、ピッとおもらしなんですから。冷え性が原因なんですよね。それに、最近は顔色もすぐれませんしね。

この子ったら、蛙のくせに、泳ぎが下手なんですよ。水かきと、吸盤と取り換えたのが、あの子の人生の岐れ道だったんですよ。蛙のくせに泳ぎが下手だってことを本人もひどく気にしてましてね。

あれからですわ、お天気の日は、はっぱの陰にひっこんでばかりいて、雨が降らないとおもてへ出なくなってしまいましたの。

だから、あの子の冷え性は、ますますひどくなるばっかりですわ。もう、ああなったら慢性ですわね。

一度でいいから、あの子を、池の真ん中の蓮の葉の上で、思いっきりなかせてみたいわ。

「なにいってんだい。蛙の子は蛙だい」

(にわとり)

二羽のおんどり。

「どうですか？ 調子はいかがですか？」

フラメンコのポーズをとりながらいう。あんまり、そっくりかえるので、足もとがちょっと乱れる。

「一日いくつぐらいやりますか」

臆面もなく例の大声でいう。

「そうさなあ、別に数えたこともないけど、たいしたことないですよ」

「そんなこともないでしょう。ぼくのところへせんだって若いかわいい子が入りましてね。やっぱり若い子はいいですね。精が出ますよ」

油ぎった真っ赤な鶏頭をぶるるんと振るわせて誇示する。

「ぜひ紹介して下さいよ、どこにいるんですか」水を飲むときのように嘴をのばして、キョロキョロする。

いっぽうのおんどりは、もう胸毛を逆立てて喧嘩の体勢に入る。

これを盗み聞きしていためんどりがいう。

「まったく人間と同じだわ。あの話題きりないのだから―。あの大声でわたしたちの待遇改善を叫んでくれるとありがたいんだけど―」

☆　☆　☆

日本4H新聞
4Hクラブ 農事研究会 生活改善クラブ 全国弘報紙
発行所 社団法人 日本４Ｈ協会
東京都市ケ谷家の光会館内
電話(269)1075 郵便番号162
編集発行人 玉井 光
月3回・4の日発行
定価 1部 20円
一ヵ年700円（送料共）
振替口座東京 12055番

クラブ綱領

私達は、実践を通じて自らを磨くとともに、互いに力を合わせて、よりよい農村、よりよい日本を創るため、四つの信条をかかげます。一、私達は農業の改良と生活の改善に役立つ腕をみがきます。一、私達は科学的に物を考えることのできる頭の訓練をします。一、私達は誠実で友情に富む心をつちかいます。一、私達は楽しく暮し元気で働くための健康を増進します。

天井知らずの結納金

農村の結婚の実態

高知県窪川町・すずなクラブの共同プロジェクト

一年間に約五万円

グループで愛の芽ばえ

【高知】農村の望ましい結婚のあり方はどうあるべきか—と、高岡郡窪川町のすずなクラブ（会員、農家の未婚女性十二名）は、共同プロジェクトとして「農村の結婚問題」を取り上げ、昨年、地域の人たちを対象に結婚の実態調査をしたが、このほどその結果をまとめた。それによると①見合いより恋愛結婚がわずかに多く、グループ活動や仕事関係で恋が芽生える率が高い②結納金は、十万から二十万円が多いが、毎年相場は上昇する傾向がある③結婚式の日どりは、約四割まで周囲の人が決めている④結婚前のけいこは、昔の洋裁、和裁から編物、料理、運転の練習などがふえている⑤嫁入り道具は親類などから揃うようなことが多いため、安くついている—ことなどがわかった。この実態調査は、簡素化と言われる中で、年々はでになる結婚を反省し、これからのあるべき姿を探ろうとしたものであるが、女子クラブの共同プロジェクトとして興味ある取り組み方であるといえよう＝同クラブ、杉本計美さん発

すずなクラブの共同プロジェクトは、先日、県立青少年センターで開かれた県青年農業者会議の席上発表されて注目を集めた

一、「因習」や「しきたり」

因習やしきたりについて、気になったかどうかをみると、「気になった」という答えが男女とも五六%で過半数となっている。また「気になったことがら」についてみると、"血統"や、"日取り"が圧倒的に多く、ついで、家柄、方角、年齢、相性の順となっている。

二、結婚までのいきさつ

結婚の方法として「見合い」と「恋愛」に分けてみると、わずかに恋愛が多い。

また、見合いと恋愛結婚について、その契機や交際期間を調べてみると、契機は恋愛では「グループ活動」や「仕事の関係」が七〇%を占め、4Hクラブ、青年団などの活動の中で、男女間の愛が芽生える率の高いのがうかがえる。このほか友人の紹介などがあるが見合いの場合は、知人や親類の紹介ということが含まれ、恋愛結婚の場合は、同じ部落とか、なんとなくという答えもあった。

交際期間については、見合結婚では「一年以内」と答えた人が八七%を占めている。これに対し、恋愛では五六%、半数以上の人が「一年以上」交際していることがわかる。

三、結納

四十一年から四十五年までの五年間をひっくるめたのをみると、大体十万から二十万円という幅の間が多い。ところが、これを年度別にみてみると、回答者数の差はあるが、一年ごとに約五万円ずつ単位が上がってきていることがわかる。ことに最近では、二十万から二十五万円に上がっているといわれている。

この結納金の額を決めた根拠をさぐると、たとえば、窪川町では「このくらいだろう」とか「あそこの家がこのくらいだったから、家でもそのくらいに」というような決め方が多いようである。

四、結婚式の日取り

結婚式の日取りは、周囲の人が決めた場合が約四割で最も多く、このほか自分（たち）の意志と、両家の話し合い、自分と仲人と家族との話し合いが同じ比率となっている。

次に、日取りを決定するうえで最も重点をおいたことでは、男女を比較すると、男性の場合は「農閑期」が六四%で一番多いのに、女子は一八%。これとは対照的に「吉日」で決めた人は、女性の場合八二%で、男性は五〇%という結果が出ている。男性の場合、やはり農業経営の忙閑と密着してくるが、農業に従事している女子青年の少ない窪川町では、女子が農閑期を余り重視しないのではないかと推測される。

草刈機なども 嫁入り道具

運転の練習も花嫁修業

五、結婚前のおけいこごと

何年か前までは、嫁入り前のおけいこごとといえば、洋裁、和裁といわれていたが、この調査結果では、編物、料理、自動車運転の練習（免許をとる）などがふえてきて、現在の傾向をあらわしている。

準備した道具類では、多い順から上位十点をあげると、整理ダンス、鏡台、下駄箱、和ダンス、ミシン、アイロン、茶ダンスとなっている。このほかでは、温水器、草刈機などが目立つ。

また、結婚のために家屋の準備をしたかどうかについては、「した」という答えが六四%で、家の新築よりも、改築、夫婦部屋の改造などが多い。

六、結婚式の場所や様式

式、披露宴ともに、全員が自宅で行ない、服装についても、和装が圧倒的に多く、しかも貸衣装という人が大部分を占めている。

七、新婚旅行

約六五%の人が「行なった」と答えている。

その行先きは、九州が圧倒的に多くずば抜けている。このほか、瀬戸内・山陽などがあった。

日程は、二泊三日から九泊十日まであるが、三泊四日と四泊五日が多い。ここらあたりが適当な日程ともいえる。

八、道具の購入、式、披露宴、新婚旅行の費用

道具の購入では二十万円以上が四〇%で最も多く、ついで十万から十五万が一四%、十五万から二十万が一〇%など。披露宴では、十万から十五万が多く、ついで二十万以上、十五万から二十万となっていてすべて十万以上かかっている。新婚旅行には、五万から十五万の間が圧倒的に多い。

道具の購入については、嫁入りのときに、親類などからタンス類をもらったり、また、ミシンや編機などは持っていることが多いため、嫁入り道具の数が多くとも経済的には安くついている。

九、結婚後の暮し方

大部分の人が同居生活で、同居の人については全員が自分たちの部屋をもっていると答えている。また、自分たちの部屋も、半数以上の人が別棟にある。

次に、"さいふ"と"仕事の分担"の関連をみてみると、右表のとおりであるが、家事作業、農作業ともに、さいふをまかされている人の方が分担をしている割合が高いという相互関係がある。

「さいふ」と「農作業」の関係

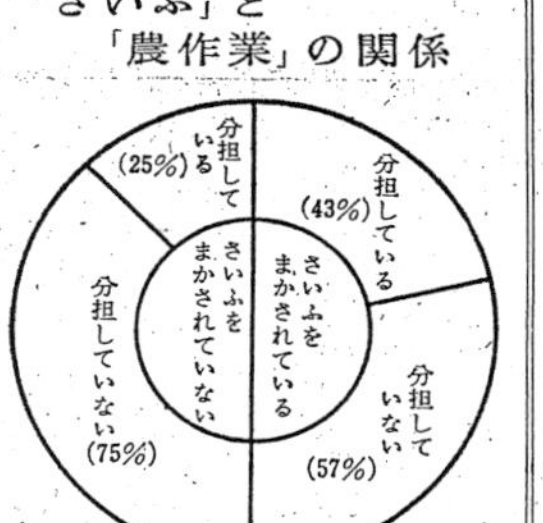

十、結婚後の生活

半数の人が「学習の場がない」と答えており、多くの人が「学習の場がほしい」と答えている。

また、嫁入道具についてみると役立っていると答えた道具は、ミシン、洗たく機、掃除機などであるが、持っていた人の割合と比較すると、すごく低い。ところが、草刈機、温水器などになると持っていった人は少ないが、百%役立っている。逆に、持ってくればよかったものとして、作業着や現金などがあげられているのも注目される。

新生活の設計資金に

第一段階のアンケート調査であげられた問題点の一つ「結納金」について、青年、両親、老人という三つの層に分けて意識調査した結果は次のとおりである。

一、結納金の上昇に対する意識

イ、経済が成長しているので必然的に上がる。

ロ、見栄や世間体から上がる。

イとロの二つの理由のうち、青年、両親、老人ともに（イ）と答えた人が多かった。中でも青年について男女別にみると、男子では（ロ）と答えた人が五六%とわずかながら半数を上回るのに対し、女子の場合は反対に（イ）と答えた人が全体の六八%を占めている。

二、結納金の必要性に対する意識

親の意識としては、娘を持つ人も息子を持つ人も百%結納金は必要と答えている。ところが、青年では、五六%の人が必要でないと答え、これは、男女別でも同じ結果だった。

三、結納金の必要性

親の意識としては、みんなが必要と答えているが、青年層では、わずかながら必要でないと答えた人が必要と答えた人より多かった。また、老人の中には、必要でないと答えた人もあり、必要と答えた人でも、大部分の人が結納金という習慣がなくなってしまうことはよくないが、かといって、二十万、三十万円と結納金が上昇することは好ましくないという意見である。

この結納金が「必要」とする主な理由は"仕度金"としてあげており、「必要ない」理由としては"単なる習慣で根拠がない"というもので、本当の生活資金として二人で出しあうべきであるという意見もあった。

以上の結果から、現在のような結婚式がある以上、結納金の習慣をなくすことは困難ではないかということであるが、依然として"結納金イコール仕度金"という考え方が強いことがわかる。

結納金を、本当の意味での新生活へのスタート資金にするためには、結納金の生かし方を考えなくてはならないと思われる。

「これだけの結納金を貰ったから、これだけの荷物を持っていかなくては……」という考え方ではなく、結納金イコール生活設計資金という考え方に変えていく必要がある。

嫁ぎゆく友へ

農村青年の妻より

榎本みさ子

寒い寒いと思っているうちに、わが家のビニールハウスの中はもう、すっかり春。トマトやキュウリの苗が元気よく春を告げております。大変ごぶさたいたしておりますが、おいそがしい毎日をお過ごしのことと思います。

独身時代もあとわずかとなってしまいましたね。嫁ぐ日を前に、大きな期待と数々の不安とが複雑に入りまじりながらも、あわただしい中に最高の幸福感を味わっていることと思います。その幸せいっぱいの姿を想像しております。

私も、早いもので農村青年の妻となってから一年余りたってしまいました。無我夢中で過ごした長いようで短かかった一年、年の瀬の結婚記念日に、久しぶりに二人きりで伊豆の温泉宿にひたりながら、幸せを新たにしました。

二人だけの甘い新婚生活とちがい、両親、妹弟との一緒の生活では、三食昼寝つきといわれるサラリーマンの奥さんに比べたらやはりいろいろの面で大変です。夫のための妻だけではなく、農家の嫁として、また、姉として、農作業から家事いっさいが責任となっておおいかぶさって来るのですから…。

それに、農村のつきあいとか、家風、しきたりなどまごつくことばかりの私でしたから、独身時代の自由な生活がとても懐しくなったり、うらやましくなったりしました。とはいえ、いつまでも一人者でいるわけにもいきませんものね。夫の良き協力者として二人して助けあいながら働けるということは、農村に嫁いだ私たちにだけ与えられる喜びかもしれませんね。私たち夫婦にまかされたビニールハウス五百坪、夫と共にこの中で作物の生長を見る時、農業を選び農家に嫁いで良かったとつくづく思います。そして、今までとちがった農業への愛着を感じるようになったのです。

あなたもあとわずかで、農村青年の奥様ですね。こんなちっちゃな壊われそうな幸せですが、あなたにも早く味わってもらいたくてしかたありません。

「心の整理をして嫁がねば……」と言っていたあなたの気持、立場のちがいこそあれ、私にも私なりにわかるような気がします。お互いにあとを継がねばならない長男であり、長女であるという非常にむずかしい結婚にむかうあなた方の勇気には頭の下がる思いです。苦しんだことだろうと思います。あなただけでなく、あなたの彼、そしてあなた方のご両親と妹さん。「愛情さえあれば……」これが私の4H時代常に頭をはなれなかった未来の理想の結婚であり、夫婦の姿でした。

しかし、いざ結婚を考えた時、愛情だけではどうにもならないことがたくさんあることに気づきました。そのために苦しんだのも事実ですが、それ程、もろいものだけに大切にしなければいけないと思うようになりました。今では、そういう苦しみを与えてくれた4Hクラブに、単なるクラブ活動だけではなく、私を成長させる課題をなげつけてくれた4Hというものに感謝しております。

あなたのように若い時代を同じ目的のためクラブ活動に情熱をもやしたクラブ員同士が結婚されるということはうらやましい限りです。日本中のあちらこちらの農村でも、あなた方のような幸せなカップルがたくさん誕生すると素晴らしいでしょうね。急に、あなたの花嫁姿が見たくなってしまいました。ご活躍は耳にしておりましたが、あなたの彼を私はよく知りません。でもあなたの選んだパートナーですから心配はありません。きっとあなたを幸せにして下さると信じております。あなたも、あなたの彼も、そして私たち夫婦も4Hクラブ員だったのですもの。

しばらくペンを持たなかったためか、文がまとまらず申しわけありません。それに、すっかり筆不精になってしまいました。だんだんとペンを持つ時間が少なくなって来てしまいました。

これではいけないと思いながらも、結局だめなものですね。あなたはこんな奥さんになってもらってはこまります。4H時代のように常に考え、ものを描き、行動力のある奥さんになって下さい。何の力にもなってあげることの出来ないたよりない先輩ですが、あなたの新しい門出に何かの勇気づけになってくれれば幸いと思いペンをおきます。あなたを待つ良きパートナーの胸に思いきりとびこんでいって下さいね。心からお幸せをおいのりいたします。

（旧姓、砂川　埼玉県大宮市飯田新田五四七）

―◇―

榎本さんは、かつて本紙の連絡報道員として活躍していただいたほか、政府が明治百年記念事業の一環として実施している「青年の船」の第一回目に「全国4Hクラブ連絡協議会から推せんされて乗船し、東南アジア諸国を訪問。また、鳥取で開かれた「第五回全国4Hクラブ員のつどい」では、全国から代表の一人として選ばれて4Hクラブ活動の体験を発表し、参加者に深い感銘を与えるなど、4H活動を通じて自分を磨かれました。

涼風暖風

ヘンなエイゴ

雪の降る町、札幌は、来年二月開催の冬期オリンピックの準備でおおわらわである。この札幌の姉妹都市、アメリカのポートランド市を、私は三年前に訪れたことがある。

民泊で家族の人たちと交歓できたが、私の持ちものであるカメラ・時計・たばこなど、日本製なのに英語の表示ばかりで日本字がないのを不思議がられた。そういえば、着ていた背広の内ポケットの上のほうに付いているメーカーのラベルも、携行のノートの表紙にある金文字も、これまた英語ではないか。私は答えた。「わが国の製品は優秀である。世界の人々に何時でも使ってもらうために、すべて英語で表示してあるのだ」といって納得してもらった。しかし、納得できないのは私自身である。

私は、職業がら原稿を書くことが多いが、使用する鉛筆は国産品なのに、どれもこれも、英語しか書いてない。製造会社名のローマ字はともかく、柔らかい接触だの、すばらしい筆跡だの、超優秀の品質だの、その鉛筆の特長を表示した文字は、すべて英語である。テレビ受像機だってそうだ。つまみの部分に表示してある文字の、音量・音質・色調・映像の明暗など、どれも英語である。トランジスタラジオから消しゴムに至るまで、文字という文字は英語である。

私の老母などは、カレンダーの日曜日を見るとき、赤字で印刷してある日曜日から順に数えて、きょうは何曜日かを知るしまつである。それは、カレンダーの曜日が英語で書いてあるからだ。いったい、どこの国のことかと不思議な思いがする。

私は、英語を特別にけぎらいするわけでもないし、国粋主義者でもない。国際親善のうえからも万国共通語としての便利さからも、英語の標識は結構である。国鉄の駅名にローマ字が書き加えてあるので、外国人でもわかるにちがいない。よいことだと思う。

だからといって、日本で製造して日本人が日本で使うものに、何も英語で表示する必要はないではないか。カタカナでも漢字でも、ひらがなでもいい。国語を使って表示すべきだと思う。私が行った理髪店の看板にBARBERまではよいが、SEOPとていねいにもHをEに誤って書いてあった。大看板であるだけに苦笑ものだ。ちかごろ気になることの一つだが、これは私だけだろうか。（北海道・三輪）

体を鍛え交流図る

静岡県連　3月8日静岡市で　初のスポーツ大会開く

【静岡】県農村青少年クラブ連絡協議会（会長、真田勝君）は、さる一月十四日の県連役員会において県連主催の第一回スポーツ大会を開催することを決めた。

このスポーツ大会は、県連はじまって以来初めてのもので、日時は三月八日、会場は静岡市草なぎ総合グランドと静岡農高グランドを予定している。

これは、県下九十五のクラブ、千九百名のクラブ員が一堂に集まり、スポーツを通じて相互の親ぼくを深めるために行なわれるもので、大会当日は、五地区連から選手六百名の出場を予定し、バレーボール、ソフトボール、卓球の球技三種目で技を競うことにしている。計画では、九時に開会式に入り、九時三十分に試合を開始することになっている。

このスポーツ大会の開催にあたって、さる一月二十日、県連理事の河村多喜男君宅に真田会長はじめ名倉、植松同副会長と鈴木事務局長、松浦、瀬美、石川各理事、それに松浦幸治全国4Hクラブ連絡協議会事務局長が集まって企画委員会が開かれた。

このスポーツ大会が一月十四日の役員会で急きょ決定したので、大会当日まで日がないためPRに問題はあるが、各地区連の青年教育会議や役員会議の席上PRし、一人でも多くのクラブ員が参加するよう呼びかけている。参加資格は県内のクラブ員であればよく、一人一種目だけ出場できる。

各種目ともトーナメント方式で行なう。参加費は一チーム千五百円とする。一位から三位までトロフィや賞状などを出すことにしている。後援は県はじめ農協中央会、イハラ農薬、各農機具メーカー、静岡新聞、NHKを予定している。

参加申し込みは、参加者の氏名、出場種目を明記のうえ来る二十日までに県連事務局へ。なお、監督会議は二十三日午後一時から県職員会館で行なうことにしている。（静岡県連・鈴木政美事務局長発）

川又是好氏

社団法人日本4H協会参与・川又是好氏（ダイキン工業㈱東京支店顧問）は、一月二十五日、出張先の山口県の旅館で、心筋梗塞（こうそく）症のため逝去された。享年五十七歳。

川又氏は、戦後、わが国に4Hクラブ活動が入った当時、農林省農政局普及部の普及教育課長として、普及部長だった三宅三郎氏（現4H協会副会長）とともに4Hクラブの育成に尽力され、退任後も三十五年から4H協会理事、四十一年から参与として活躍された。また、農業改良普及事業に対する同氏の功績は関係者から高く評価されている。

なお、葬儀は、二十九日午後一時から武蔵野市西久保二の十七の十二の自宅でしめやかに執り行なわれた。

長崎でも第四回の「つどい」

【長崎】県と県農村青少年クラブ連絡協議会（会長、元山孝志君）主催の「第十回県青年農業者のつどい」は、さる一月二十五日から三日間、北松浦郡の田平町中央公民館で県下のクラブ員、農業経営者、農家主婦らが参加して開かれた。

鳥取では「冬のつどい」

【鳥取】県と県農村青年会議連絡協議会（会長、中島正幸君）主催の第十回県農村青年会議冬のつどいが、さる一月十九、二十日の両日、米子市の皆生温泉観光会館弓ヶ浜荘で、県下の約二百五十人と佐賀県のクラブ員五人も特別参加して開かれた。

意見発表など

静岡県の青年会議

【静岡】県農村青少年クラブ連絡協議会（会長、真田勝君）は、さる一月二十八日から二泊三日間の日程で県と共催の第十一回静岡県農村青年教育会議を県立三ヶ日青年の家で開いた。

一日目は、意見発表、交歓の夕べのあと研修（ヨーロッパ＝高橋富三君、全国4Hクラブ沖縄親善交歓訪問＝鈴木正男君、第六回全国4Hクラブ員のつどい＝中安幸恵さん）の報告が行なわれた。二日目は、部門別の分科会討議、講演、共通課題の分科会、レクリエーション、三日目はレポートのまとめのあと、全体討議が行なわれた。

なお、今年度も各地区連から運営委員が選出され、運営がスムーズに行なわれた。（静岡県連＝鈴木政美事務局長発）

心頭技健

「東京がダメなら大阪があるさ、大阪がダメなら名古屋があるさ……」—これはご存知の通り水前寺清子の歌の文句。「ウハハ、ハヤシもあるでよ」—これは、いま若い人たちの間に人気があるテレビのコマーシャル。タレントの南利明が名古屋弁まるだしでコミカルに言う。聞いていてもなかなか面白い▼愛知といえば、先日はある週刊誌に、ことし活躍が期待される人の出身県としてあげられていた。読んでいないので中味はよくわからないが、現在の全国4Hクラブ連絡協議会の久野知英会長も愛知県出身であるからうなずけないこともない。農業面でみても渥美半島は国内でも先進地といわれる。また、トヨタ自動車の本社があるせいか—自動車の事故発生件数で全国一だったが、このほどその汚名を返上した▼もう、おわかりの方も多いと思うが、その愛知で今年の七月十六日から四泊五日間の日程で「第七回全国4Hクラブ員のつどい」が花々しく開催される。地元の愛知県4Hクラブ連絡協議会（会長、富永博君）では、これまで以上の内容のあるつどいにしようと張切っているが、今回は各ブロックごとの行事に大きな特色を出すという。参加者同士の交歓の機会を多くして、肌で愛知県の農業を知ってもらおうという計画である▼愛知県連は、これまでも佐賀県連などとともに、つどいに大勢のクラブ員を送り込んできたが、その反省のうえに立って、参加者が満足できるつどいを、と考えているわけだ。名古屋で開会式をして、現地交歓訪問に入るが、開会式に先立って市内のパレードも計画し、農業に生きる青年の意気を示すという▼また、現地交歓訪問は、ブロック、地区、クラブ員宅と各段階で交流できるように工夫している。そして三ヶ根山頂でのつどい、海水浴場での宿泊と閉会式などが、考えられており、大いに期待される。旅館や記念品、また民泊などの関係で、参加者を早く知りたいので、申し込みのしめ切りを早目にしたいとの意向である。全国のクラブ員も、いまから、このつどいに参加する準備を始めよう。

OBは語る

政治家は何をしてる

クラブ活動は"量"より"質"でいくべきだ

和歌山県 鳥羽真一氏

鳥羽氏の概略
現住所 和歌山県海南市鳥居七九
肩書き 和歌山県青年農業経営者協議会幹事▽同和海支部長▽同県果樹振興対策委員会委員▽同地区実行組合長
経営の種類と規模 果樹（みかん）一㌶、水田六〇㌃・ソ菜

自分の技術に自信持つこと

—現在の経営の問題点とその解決方法は?

答 みかんの生産過剰と米作の頭打ちの問題です。みかんについては、経営の合理化で乗り切るつもりですが、水田の稲作は、ソ菜に変えて行くつもりです。

—これからの目標や抱負について……。

答 最終的に、ソ菜はハウス作に持っていかざるをえないと思います。

—農業者として最も大切なことは、何であると考えますか。

答 自分の農業技術に自信を持つことですね。

—農業は、これからどのように変ると思いますか。

答 もう、すでに大部変ってきていますが、農業人口は、まだまだ少なくなり、後に残った者は、農業を続けてやっていけると考えます。しかし、農業人口が少ないので、国全体の発言権は弱まるのでは……。

—その変化に、どう対処していったらよいと考えますか。

答 時代の流れに乗らなければダメ。

—他産業にくらべて、農業に対してどういう感じを抱いていますか。

答 金銭的にはあまり恵まれないが、幸せという点では、他産業より恵まれている。まあ、このほかいろいろ考えることがありますが、それらについては、一度みんなと話し合って、じっくり研究してみたいと思っています。

個人が活動に自覚と誇りを

—次に、クラブ活動についてお聞きしたいと思いますが、クラブ活動をやって、よかったと今になって感じる点は。

答 やはり、人と人のつきあいを通じて仲間づくり、組織づくりができたことだと思いますが、そのほかいろいろの面で役立っていることが多い。

—現在のクラブ活動についてどう思いますか。

答 クラブ員の減少がクラブ活動に影響していると思うが、しかし、余り人集めにムリをしない方がよいと考えます。量よりも質でいくべきですね。

指導機関に対しては、時と場合でいろいろと変ってくるので、その時に応じて変化してもよいのではないかと思う。しかし、クラブ員個人個人は、自信と自覚、そして誇りを持って活動しなければ、よい活動は出来ないといえますね。

—では、クラブ活動から一歩進めて、組織について考えますと、組織強化といっても、これがなかなか思うように進まないのが実情ですが、それを強化するための一番よい方法を教えて下さい。

答 会員それぞれが自覚と誇りを持たなければ、組織は強まらない。また、組織づくりとは仲間づくりだと思います。それには、まず会員相互の親ぼくをはかることであるが、共通の目標を見つけることが大切であると思います。

—全国4Hクラブ連絡協議会がさる三十九年から「全国4Hクラブ員のつどい」を開き、参加者は増加の一途をたどっています。しかし、農林省が主催する技術交換大会と一本化という話しが出ていますが……。

答 われわれも全協にお世話になったのだから、いろいろ苦労する面も理解できるが、いまの通りでよいと思います。しかし、対農林省の問題となるとなかなか難しい問題であると思う。自分には、現在の全協の組織がどこまで進んでいるかわからないので、何とも言えないが。

組織はまず仲間づくりから

—クラブ員がクラブを退くと、クラブとの関連が弱まる傾向がありますが、その原因はどこにあると思いますか。また、その解決策は……。

答 クラブを退くということは自分が一家を持ち、経営の中心となり、そのほか地域の役職を持ち、そして家計にも責任を持たなければならないので、とてもクラブ活動、後輩の世話にまで手が回らないのが実情ではないですか。また、クラブ員であるという自覚が失なわれるからで、これも難しいといえます。

—4Hクラブを退いたあとの集団あるいは組織活動についてはどうですか。また、OBの組織づくりは無理だと考えますか。

答 和歌山県では、六年前、OB4Hクラブが発足しました。現在は、県青年農業経営者協議会という組織が出来ているし、活動も行なわれています。

—和歌山県の場合、実際にやられているわけですが、では、どのような方法でOBの組織づくりができるかご意見を……。

答 だれもが家庭を持ち、仕事を持っているのだから、初めは余り無理をしないことですね。やはり、この点を考えなければならないわけですね。私は、まず仲間づくりということから始めればよいと思いますが。

OBクラブが出来れば、次は全国—協議会という組織に、ぜひ発展させたいものですが……。

—全国クラブ員の殿堂、4H会館の建設が、いま、日本4H会館建設委員会と全協が主催となり、全国のクラブ員が一丸となって進められていることはご承知だと思いますが、その募金が予定通り進んでいないのが実情です。

そこで、募金をふやすためにはどのような方法をとるべきか、また、募金上の障害となっているものは何であると考えますか。

4H会館の建設はPR不足

答 会館の規模が大き過ぎるのではないかとも思いますが、募金では、まだまだPR不足のように思います。和歌山県の場合でいうと、末端までPRが行き届いていない。これはどうかとも思うが、東京に4H会館ができても、末端のクラブ員は利用できないので、あまり乗り気がしない者もいる。

—OBとして、4H会館と取り組む姿勢をお聞かせ下さい。

答 われわれの誇りの4H会館であるから、もちろん努力するつもりですが、規模が大きいので、私としての責任を果すことができるかどうか疑問もあります。また全体の盛り上がりがみられないのではないかと感じます。

農村の嫁、ムコ不足は宿命か

—最後に、話題をガラリと変えて、生活面についてお聞きしますが、クラブ員が直面している農村の嫁、ムコ不足はどうすれば解決できると考えますか。

答 ひと口では言い表わせませんが、経営の安定していないところや、生活に不安が見られるようなことでは、根本的に改革しなければならないと思う。このことは農村青年の宿命かも知れない。私にも経験があるし、農業青年は一度はつき当る問題です。しかし、これも、時と場合でいろいろ変るのではないかと思います。

—長男と長女、いわゆる"あとつぎ同士"の恋は、悲恋に終るケースが多いようですが、その解決方法の名案は。

答 私にもよくわからないが、時の流れにさからわないようにすればうまくいくと思う。また、たとえ悲恋に終っても、お互いの良い思い出になるし、良い経験にもなるだろうと思う。

—嫁と姑の問題を、実際にどう解決していますか。

答 まず、自分が犠牲になる、次に嫁を犠牲にする。しかし、嫁のいない（外出などで）時、自分は、母の実の息子であることを忘れずに……。

—これからの夢や生活設計について、その一部でも聞かせて下さい。

答 夢もあるし、いろいろと思うところもありますが、しかし反面、自分は、百姓のおやじになってしまうかもしれませんね。

—いま、声を大にして叫びたいことは。

答 政治家は、われわれのために何をしてくれるのか。政治家個人個人は、嫌いではないのだが。

× ×

この質問に応えながら、4H活動をしていた時代を思い出し、いろいろなつかしくなりました。

こんなことをしています 各種農業団体

全国農業協同組合中央会

営農団地の造成など 46年度事業の重点を決める

米の買入れ制限、米価の据置き、貿易の自由化、商業資本の農業部門への進出、各種公害の発生など農業に対する不安と混乱はますます強まってきております。農協の役割はいよいよ重要となって参っておりますが、反面、運営のきびしさは切実なものとなっております。

このような情勢をうけて、昨年開催された全国農協大会では自主建設路線の確立と総合力の発揮を基本とした「総合三か年計画の実践」が決議されました。

現在、全中ではこの決議を具体的に推進するため、全国機関の会長によって組織されている全国総合三か年計画推進委員会を中心に体制の整備を進めておりますが、全中自体の事業方針が挙げてこの運動の推進にあることは、当然のことでもあります。このような基本的な考えから、全中では、昭和四十六年度の事業の重点を次のように決定し、効果的な事業の展開を期しております。

一、高能率・高所得農業の実現を期し、営農団地の造成を推進するとともに各種事業の諸機能を有機的に結集し、農畜産物の生産から販売にいたる一貫体制の確立をはかる。

二、新しい農村地域社会の建設をめざし、生活基本構想にそって他産業就労等による所得の増大、生活の防衛と向上をはかる協同活動を推進する。

三、農協の合併、連合組織の整備、都市農協活動の強化および自己資本の充実など組織経営の充実をはかる。

四、中央会・農協ともに自主監査体制強化の必要性にかんがみ、中央会監査体制の整備、農協における監事監査の強化ならびに内部検査体制を確立し、農協経営の健全化につとめる。

五、総合三か年計画の実践を基調として農政活動体制を整備し基本農政の実現を期する。

六、組合員教育の徹底と役職員教育を計画的に行なうとともに組織内外に対する広報活動を積極的に展開する。

（教育広報課）

社団法人家の光協会

過去から展望まで 『地上』創刊25年記念特大号（5月号）を発刊

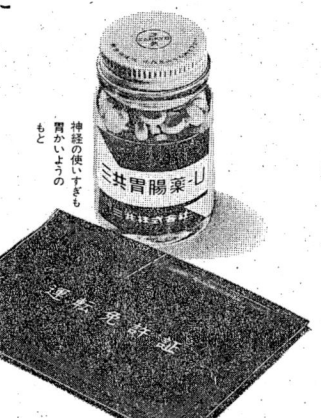

意欲的に農業に取り組んでいる方々の知的武装と逞しい行動力を発揮するための資料として編集発刊している『地上』は、創刊二十五年を迎え、つぎのとおり記念特大号を発刊することになりました。

この『地上』創刊二十五年記念特大号は、米の強制供出から生産調整まで激動を続けてきた日本農業・農村に焦点をあてて戦後二十五年間の農政、農協運動、農業技術、経営、生活等の反省と現状および将来への展望を中心に編集を行ないます。

◎特集のおもな内容

○座談会……農協運動の反省と将来の展望—農協運動の二十五年

○日本農業二十四年の歩み……米作り・果樹・畜産・酪農等

○ある農村の二十五年……開拓苦闘の物語

○二十一世紀の日本農業をめざして

○〈図解〉農家の暮らしはどう変ったか

また、（A）「わたしの目ざす農業経営」、（B）（総合三か年計画にどう取り組むか）の両テーマで募集した論文と、先に募集した記録写真を『地上』五月特大号に掲載する予定。

第十三回全国家の光大会を開催

都道府県代表の市町村農協家の光文化指導員、都道府県農協中央会家の光事業担当部課長ならびに関係者約二千名が一堂に会し、普及および記事活用体験発表を通じて組合員家庭の生産と生活の向上をはかり、組合員の教育活動の充実を期する目的で、第十三回全国家の光大会を二月十九日渋谷公会堂で開催します。

体験発表のほか、東京大学名誉教授の[illegible]誠司先生の記念講演、アトラクションなどを催し、楽しい有意義な大会とするよう計画しています。

（文化部）

友情応援に19人

「仲間ヤーイ」の呼びかけに応え

小田原農業改良クラブ 三回目のみかんもぎ

「仲間ヤーイ」と本紙を通じてみかんもぎの友情応援を全国のクラブ員に呼びかけていた小田原農業改良クラブ（会長、石塚昇君）に、昨年十一月、全国から十九名のクラブ員が手伝いにかけつけてくれた。おかげで小田原のクラブ員の家では無事、みかん収穫のピークを切り抜けることができたと、各家庭から感謝されている。

このみかんもぎ手伝いの呼びかけを始めたのは三年前。都市近郊で人手不足に悩む小田原農業改良クラブでは、毎年、職安などを通じて労務者を頼んでみかん収穫を切り抜けてきたが、最近でも思うように人が集まらずピンチの状態にあった。そこで、本紙を通じて全国のクラブ員に呼びかけたところ、これに応えて、第一回目は六名、そして、昨年はその倍近い十一名が関東近県を中心に岡山、宮城などからかけつけてくれた。

4Hクラブ員は日ごろ着などと違ってハートのよさも抜群で、日ごろ磨いている技術を生かして懸命に働いているため、クラブ員の家族からも評判がいい。

とくに、ただ働いて金をもらうというだけでなく、他地区クラブ員との交歓、余暇の利用、心身の修練などの目的をもっているだけに一局何石にもなるというわけである。

最近は、山梨県4Hクラブ連絡協議会の人たちが、静岡県御殿場の国立中央青年の家でリーダー研修会を開いたあと、同クラブに立ち寄ってみかんもぎをするほどまでになった。

このようなことから、同クラブでは、昨年からこれを「みかんもぎ交歓実習」と名づけて続けることにしているので、本年もまたよろしく、と語っている。

昨年のみかんもぎの模様を伝える次のような便りが、このほど神奈川県の鈴木時保連絡報道員から編集部に届いた。

ご苦労さまでした

みかんもぎ交換実習生のおかげで、各クラブ員の家庭では無事収穫を終えることができました。全国から集まったクラブ員は全員で十九名。それぞれ各クラブ員の家に入ってもらい、自分の手と目で神奈川の農業や生活を感じ、みてもらいました。そして仕事のあい間や食後にはクラブ員の家族をまじえて話し合い、その家庭について率直な意見を述べてもらいました。

十一月二十五日には、実習生の歓迎会を開き、このみかんもぎ交歓実習生を迎えるためにご尽力してくれた、普及所長のあいさつなどがあったあと、話し合いにうつり、まず、小田原の印象と応募した動機について全員に発言してもらいました。

その中のいくつかを拾ってみますと、まず印象については①急傾斜な山でみかんを栽培しているのにビックリ②水稲の農繁期にくらべてノンビリ③農道が良く完備されている④男子ばかりのクラブというのにビックリ⑥小田原農業改良クラブは、あまりにも学習的要素が多いのでは……もっと、行事の中にレク的なものを入れたら……ということでした。

また、動機については、「社会勉強のつもり」「自分の人生になにかプラスになればと思って」、「農閑期を有意義に利用するために」などでした。

わがクラブの悪い箇所をズバリと言われ、クラブ員一同苦笑する場面もありましたが、活発な意見の交換が行なわれ、わがクラブの前進の足がかりになるものを実習生諸君に教えられたような気がしました。

十二月十五日には、われわれクラブ員と実習生の交歓と、当地方を見学してもらう目的で箱根方面にドライブに行きました。

当日は、快晴に恵まれ、紅葉の箱根はとくに素晴らしく見えた。富士の裾野を眼下に、富士山を真正面に見る乙女峠・箱根が温泉の宝庫であることがわかる大涌谷・芦ノ湖では遊覧船に乗ったり、また、箱根ではもっとも眺望のよい十国峠、時間が早くて百万ドルの夜景は見られなかったが、湯の街・熱海などへ足をのばし、みんな大よろこびで終日楽しく過ごすことができました。

さらに、帰る日が各家庭の都合でみんな別々になるため、十八日に送別会を県立小田原青少年会館で開き、それぞれ楽しかったことや苦しかったことを思い出として笑いをまじえて語ってもらったあと、お国自慢の民謡なども飛出した。別れる時には、お互いに「大変お世話になりました」「ご苦労さんでした」という言葉が交わされ、わずか一ヵ月足らずという短い期間ではありましたが、同じ農業に生きる若者の気脈が通じあったのではないかと思いました。

全国の各クラブにおいても、このような有意義な交歓実習を実施したらよいのではないかと思います。お互いの農繁期に助け合い、また、自分の精神鍛錬にも、そして、4H精神を各クラブ員に植えつける意味においても……。

最後になりましたが、この実習に参加に参加して下さったクラブ員のみなさま、本当にご苦労さまでした。今度の経験が、みなさんのこれからの人生のプラスになれぱと、われわれクラブ員一同願っております。地元のクラブに戻ってからの活躍を期待し、この紙上をお借りして心からお礼申し上げます。

また、今年も、みかんもぎ交歓実習生を募集する計画をたてていますのでよろしくお願いします。

白銀を滑ろう

農村青年のスキー大会

農村青少年だけのスキー大会が来る十六日から二泊三日の予定で長野県の白馬山麓・栂池高原（長文協「青年の家」）で開かれる。

これは、財団法人長野県農村文化協会がさる四十二年に同地に建設した「青年の家」を広く農村青少年の交歓の場にしようと、長野県、同県農村青少年クラブ協議会（会長、小宮山治夫君）や全国4Hクラブ連絡協議会（会長、久野知英君）の後援で昨年から開いているもので、今年で二回目。

会費は、二泊四食、暖房費、指導講習会費などを含めて一人当り三千五百円（一泊の場合は千六百円）

十六日は午後一時から開会式のあとスキーの指導講習、夜はミーティングとレクリエーション、十七日は午前中、講習、午後からチーム別競技、夜はレクリエーション、十八日は午前中スキーを練習し、正午に閉会式。

なお、貸しスキーも準備してあるので、初心者も歓迎している。

希望者は、長野市南県町農業会館内の長野農文協へ（電話＝三三＝一二一一）

高知で第十回

【高知】第十回高知県青年農業者会議は、県と県農村青少年クラブ連絡協議会（会長、門脇慎夫君）と共催によって、さる一月十二日から三日間、香美郡野市町の県立青少年センターで開かれた。

これには、県下の4Hクラブ員はじめ農業改良普及員など約百五十人が参加、開会式で溝渕県知事から激励を受けたあと、プロジェクト発表や研究討議が行なわれた。

和歌山は4H実績発表大会

【和歌山】県と県4Hクラブ連絡協議会（会長、谷寿夫君）主催の第十九回県4Hクラブ実績発表大会は、一月二十四日から和歌山市の県福祉センターで開かれた。

若者、羽ばたけ

茨城で今春卒業の農高生を励ます会

【茨城】みんなが新しい感覚で茨城農業の発展を—と、今春、県内高校の農業科を卒業する生徒を励ます県教育委員会主催の「第七回はばたくつどい」が、さる一月二十二日午前十時から那珂郡那珂町の水戸農高体育館で開かれた。

同日は三十五校から約千五百人の生徒たちが参加し、岩上知事の激励を受けて、水戸農高の小田倉文者が「若さと情熱で大地に挑戦し、大きく羽ばたきます」と力強く決意を述べた。

私のプロジェクト

4時間あれば掘上る

——用水路は公害で使えない——

簡易ボーリングの考案

奈良県大和郡山市池之内町・郡山4Hクラブ 東口益夫

私は現在十九歳と若く、毎日を希望にあふれたものにしたいと頑張っています。さいわいにしまして、私の住む大和郡山市池之内町は奈良まで車で二十五分ほど、法隆寺へ車で十五分ほどと、古都奈良を仕事しながら見られるほど近くです。

農業面においても、大阪市場を近くにひかえ、軟弱野菜、苺、トマトが作られています。特に苺につきましては、大阪市場の六〇〜七〇%を産出し、奈良の苺作りは全国的にも大規模な、愉快な栽培形式でしられています。「冬になれば海のない大和平野にビニールトンネルにより白波が立つ」ともいわれ、これを聞いていただくだけでいかに大規模か、わかっていただけるかと思います。

水に苦心する都市近郊

このような、恵まれた環境の中で育った私ではありますが、この十九年間をごく平凡に、そしてのんびり育ってまいりましたが、最近、都市近郊農業で一番困っているのは何かと考えたところ、やはり公害による水の汚濁でした。植物の成長に必要な水、光、温度、このうちの一つが都市近郊農業では失われようとしているのです。

近所で、また私の家で灌水をするため、用水路から水を引いたところ、植物に害が出たということを多く耳にし、経験しましたので同じ全国のまたクラブ員の中にも良く似た人達が、やはり多くいるのではないかと考え、私は地下水をくみ上げるための井戸掘りを発案したものではありませんが、我我の地域で多く普及しかけ、良い成果も上ってきましたので、一人でも多くの人に知っていただきたいと考えたのです。

ポンプ 口径二十五〜四十㍉のもの

鉄管 口径十六㍉のもの、水道管でよいが、一番先端の管だけは口径を十二〜十㍉に溶し、長さ二〜三㍍のものを全長にして十〜十五㍍分

パイプ 口径四十㍉のものを二本ないし三本用意、長さ五㍍

その他 L継、ソケット、ジョイント、ホース（口径四十㍉）

以上のような道具により、井戸を掘るわけです。

ポンプで鉄管に水を送ることにより、早く土層を見きわめ、なるべくならば粘土、砂利、粘土というような層まで掘るわけです。二〜三㍍掘れば鉄管を継ぎ、また二〜三㍍掘れば継ぐというようにして掘るわけです。早ければ十㍍程度を三十分たらずで掘ることができます。

鉄管で良い砂利の層が出て来たならば良く砂利を洗うわけです。そして、小さい砂利を上へあげてしまいます。良くなれば鉄管を抜き、すぐに塩化ビニールの管をその中へ入れるのです。そして、塩化ビニールのパイプを入れながら、また良く砂利を洗い、パイプの下に大きな砂利を集め、その大きな砂利を粘土との間にパイプを止めるのです。地下水の多くある所の砂利は、色も水に洗われた色をしているので、すぐわかります。

パイプが入ると、最後に反対に水を下から上げるのです。最初は多少砂利も上がり、また水も上から送ったものが出るために濁りますが、二〜三時間くみ上げることにより、非常に美しく、冷たくなります。このように、原理は簡単ではありますが、やはり層の当て方、また砂利の洗い方と、何度も繰り返すことによりわかります。

所要時間は約二〜四時間を平均としたい。そして出る量は四㍉のポンプで一日くみ上げても、水の切れないものもあり、非常に我々の農業、潅水を助ける役割大なるものがあります。このような、簡単な井戸掘りで水が出ることは、公害の増える今日、農業をする我我には大事なことだと思います。

実に簡単な説明で申しわけなく思うわけですが、この私の発表が今日の百人に伝わり、明日の千人となり、一万人になるのだと思います。「一人はみんなのために」これも、4Hの真髄であると考えます。このような簡単なものでも、皆さんに喜んでいただけるなら、私としてもこれ以上の幸せはありません。私はこれからもアイデア工夫をし、地方にあるものも、クラブ員の皆さんに知らせるべく頑張りたいと思います。

牧草の上手な利用 (3)

乳酸醗酵の促進を

予乾し過剰水分を調節

水分が多すぎると、不良サイレージが出来やすい理由は、前記の通りである。材料の水分が不足の場合も同様で、予乾して水分を調節すれば糖分が濃縮されたかたちとなって、良質なサイレージを作ることができる。マメ科牧草の多くまじった材料を用いる際には、予乾による過剰水分の調節は、絶対に省くことの出来ない作業であると考えてよい。

また、ビートパルプ、フスマ、脱脂ヌカや粉砕したトウモロコシなども過剰水分の調節によく用いられる材料である。天候に恵まれないと予乾が不十分になるから、約二〇%程度のこれらの添加剤の使用を考慮したい。

最近、乳酸発酵を促進する上からも、糖密混合飼料を用いて好成績を収めている例が多い。糖密飼料は米ヌカ、フスマなどのカス類に四〇%内外の糖密を吸着させたものである。これを一〇%添加すれば、確実に良質なサイレージが出来るといわれているが、二〜三%程度の添加例が多い。もちろん、材料の含水率に応じて加減すべきである。

従来、水分調節にイナワラがよく使用された。比較的安く、手軽に使える長所はあるが、飼料価値からみても好ましいものでないことは明らかである。

一方、材料の水分が不足の場合には、水をかけて水分の調節をはかる方法がとられてきた。

て、簡単に気密が保てるようになった。

密封して、ミルカーや真空ポンプを用いれば、材料の間にある空気も簡単に排除できる。もちろん、踏圧は不要である。嫌気条件さえできれば乳酸菌が繁殖するので、この方法によれば水分が過少で失敗するようなことはない。むしろ、気密サイロに水分五〇%以下の材料を詰めて作ったサイレージをヘイレージと称して、その利用が推奨されているくらいである。

材料の切断と踏圧

材料作物を切断して踏圧しながら詰込む作業は、同じ容積のサイロで大量のサイレージを作るためにも、材料間の空気を排除するためにも、汁液を浸出させて乳酸菌の繁殖しやすい条件を作るためにも大切である。

切断は、普通カッターを用いて一〜三㌢位に切断する。水分の少ない材料を用いたり、踏圧に人数が不足の場合には短く、水分の多い材料を用いる場合には長目にしてよい。若刈りの牧草をトレンチやバンカーサイロに詰めるときは切断しないで、長いままのものをトラクターで踏圧する場合もあるが、平らに均らしたり、でき上ったサイレージを給与したりする際には、骨が折れる。取出しにはヘイナイフを用いてブロック状に切断するか、家畜に直接採食させる方法をとれば、後者の問題は解決する。

大規模には、刈取りと細切が同時にできるフォレージ・ハーベスターの使用が便利である。

密封と加重

材料を詰め終ったら、プラスチック・シートで被覆し密封する。シートは露天のバンカー、トレンチ、スタックサイロなどでは変質防止の上から、また、屋根のあるサイロでも、トウモロコシを材料にした場合などは、風害の防止上から、透明のものより黒色のものを使用したい。

密封は、材料の呼吸と発酵によって発生する炭酸ガスを保持すると同時に、空気の侵入を防ぎ、速かに嫌気条件を作るためには欠かせない作業である。

加重も空気の排除と侵入を防ぐためのもので、自動車の古タイヤ、ビニール袋に砂を詰めたものなどが便利でよく用いられる。ビニール袋の水袋は、密封と加重の二役を同時に果すことが出来て、注水、排水が簡単に出来るところでは便利であるが、水もれしないよう十分注意しなければならない。また、ドラム缶に水を注ぐ方法も、材料が平均して詰めてないと、傾いて水がこぼれることがあるから注意を要する。そのほか雨水が入り込まないように、必要があれば屋根を設けたい。

農村青年研究センター建設

富山県の上市町で

【富山】上市町では、農村青年が長靴のままでやってきて、いろいろと語り合う場とするため、農村青年研究センターを今年建設することになった。

規模は、鉄筋二階建て二百三十平方㍍で、建築費は千八百七十万円。そのうち県費七百八十万円、国庫三百四十万円、地元が敷地と七百五十万円を負担する。この建物に、展示、実験研修、事務の各室を作る予定。

いろいろときびしい情勢のなかで、農村更生に取組む熱心な青年がおり、こうした若者たちの研究機関、いこいの場になるセンターがほしいと、斎藤上市農改所長が中心になり、農協婦人部、同青年部、農村青少年クラブなどが、町当局へ三年まえから陳情していたもので、それがこのほど実現のはこびとなったものである。

生活の中の花

手を加え贈物、壁かけに

新潟県加茂市・加茂農青サークル 田中久子

【動機】

年ごとに生活が向上し、成人式などははでになりましたが、頭につけるアクセサリーも安いものではありません。そんなことから今話題になっている、生の花を使ってのアクセサリーなどに興味を持ち、どんな花でもすばらしいものが出来ることを知りました。

花は私達農家の庭先に、いつも四季を通じて咲いています。また草花も野良仕事に行く途中に見かけた時などは、疲れを和らげ心をやすませてくれます。花はどんなものでもちょっとあるだけで、室の感じ、気分が違ってくるものです。生活とそれだけ密着しているのです。そこで、ちょっとした工夫により手近にあるものを生かせたらと思い、また、作っていて楽しいので、皆さんからも楽しみながら利用していただけたらと考え、作ってみました。

【作品と材料・道具】

▽葉だけを使ったブーケ

▽菊のコサージュ

▽高知県の花のコサージュ

▽菊、雷椿の葉（大小）、雷椿実、あおいの葉（大小）、花しょうぶの葉、まゆたまの実、しゃがの葉、山ももの花（高知県の花）はさみ、針金、紙、テープ（防水兼接着用）

【作り方】

葉の裏を半分より少し下を二針縫って、手元でからげる（図1）。

細くて葉のしゃきんとしたものは、手元でからげる（図2）。

ねぎぼうずなどの堅いものや、ゆり、グラジオラスの花などのように、花を中心に入れるものは針金を交差させる（図3）。

花一個をそのまま使うものは、針金を通してその先を少し曲げて下で引く（図4）。

あじさいのように、花びらが一つ一つわかれているものは、針金を半分に折って花びらの上からかける（図5）。

花びらを三、四枚重ねて紙をまき、針金でからげる。紙は水もちをよくする（図6）。

これらの方法で材料に針金をかけ、テープをまきます。テープも細いものは半分に切ってまく。針金は、重いものは太い針金二、三本一緒に、花や小さい葉には細い針金を使う。組み合わせ方は、❶自分の好きな形に組み合わすのですが、色彩は二、三色以上あまり使わない❷同系色でまとめた方がすっきりと見た目にもきれいです❸葉は大小混ぜる。その時、小さい葉を先端に持ってくるようにするとよいでしょう。

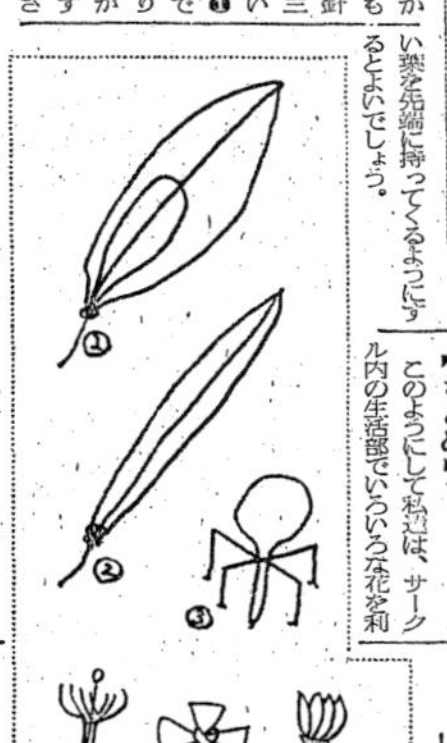

【使い道】

ブーケ（花束）は結婚式など、コサージュ（胸飾り）は贈物、訪問用、壁かけ、テーブル・デコレーション、誕生日などに、その他いろいろ考えて下さい。

【使用後の手入れ】

毎日霧吹きで水をかけ、ビニール袋に入れ冷蔵庫に入れておく。

【まとめ】

このようにして私達は、サークル内の生活部でいろいろな花を利用して、工夫しながら趣味と実益を兼ね、生活を明るく楽しくするために、サークル員を中心にいろいろな集会に参加して広め、多くの人からも楽しんでもらえるようなものにしたいと思っています。

プロジェクトの意義と教育的価値 =4=

もてる能力引出す

問題と格闘する開拓者

海外農業開発財団専門家 中田正一

プロジェクトを推進する人

①目標をたて ②計画し ③実践し ④評価する——というプロジェクトの四段階をくりかえしながら大きい問題、小さい問題とたえまなく取りくむ。こうした問題との取りくみを通して、どんな人間が形成されるか、ということが私たちの大きな課題である。

前部でプロジェクトの骨格について述べたが、いま一度その一つひとつをくりかえしてみよう。全我的活動、創造的思考、自主独立、親子契約、具体的で行動的、計画的・継続的、問題の一つのかたまり、問題群。これらプロジェクトの骨組みになるものをならべてみると、およそプロジェクトなるものが、それに取りくむ過程でどんな人間が形成されるか、だいたい見当がつくような気がする。

プロジェクトという学習の形が、若い国アメリカの開拓時代を背景として育ってきたことに留意したい。辺境の開拓地には問題が山積していた。それらの問題と全力をあげて取りくむことが、開拓者の日々の仕事にほかならなかった。そうした開拓者的風土の中で育ったプロジェクト法であるとするなら、プロジェクト法の実践は逆に、開拓者的人間を形成する教育法だといえるかもしれない。それは上品な一つの教育方法論ということで片付けられるものではなさそうだ。

裸一貫で大自然に挑戦する。頼りになるのは自分自身だけ。そうした状況の中では、個人の能力、可能性がギリギリの線まで引き出される結果となるかも知れない。

プロジェクトする人とは「問題と格闘する開拓者」といってよい。その格闘のし方は、頭をしぼり、力をしぼって、計画的に、行動的に取りくむ、すなわち、頭と体の両方で取りくむ格闘法だといえるだろう。

教育のコペルニクス的転回

教師中心の教育から、生徒中心の教育へ移ったことを教育のコペルニクス的転回という。教科書の頁を追って教えこみ、つめこんだ教育から、生徒の生活や活動を中心とし、生徒自ら学習させる教育、これもコペルニクス的である。また、生徒を記憶機械にする記憶中心の教育から、問題と取りくみ、問題を解決する過程で自ら学習させる教育、これもたいへんな転回ぶりであるといえよう。

プロジェクト・メソッドは、これら一連のコペルニクス的転回のすべてを含んだもので、新教育の最たるものであるはずである。

したがって、プロジェクト学習の指導者やアドバイザーは完全に新教育思想の洗礼を受けた者でなければならない。古い頭が新しい方法をこなすことは、まったく不可能に近いといってよいかもしれない。形だけ整っても、それは似て非なるものという外あるまい。

ことにプロジェクトは、民主主義の考え方に根をおろしている。他でもない、民主主義の考え方とは人間尊重の考え方である。個人の尊厳性をいやが上にも、高めようとする考え方である。したがって、そこから、個人のもてる能力を限りなく引き出し発揚しよう、という考え方が出てくる。

人間を粗末に扱うような考え方や、そんな社会環境の中では、ほんとうの意味のプロジェクトは育ちえない。では、教育の基礎である個人の尊厳が、どの程度にまで考えられるべきか。という問題が次に来る。

☆ ☆ ☆

増乳効果も

電気掃除機利用のカウブラッシャー

島根県簸川郡斐川町併川・斐川町農林改良青年会議 遠藤善夫

私の経営規模は、水田一㌶、畑五㌃、乳牛成牛四頭、育成中のもの一頭、水稲の裏作に五十㌃の飼料作物を作っています。家族は母と私の二人、労働力もそれしかないが、結婚して三人で成牛七頭、育成牛三頭くらいの水田酪農の経営にもっていきたいと考えています。

私が「電気掃除機利用のカウブラッシャー」を考案した動機は、酪農家の日課の一つ、牛体の手入れを清潔かつ簡単に、しかも早く行なうにはどうしたらよいかと思ったことからです。真夏の暑さに牛も人間もバテてしまいますが、牛は自分で環境の温度変化をできないので、ブラシをかけて垢を取り、汗腺から少しでも多く汗が出るようにして、暑さを防いでやらなくてはなりません。

また、冬にはブラシをかけ、摩擦により血行をよくして、体が暖まるようにしてやらなくてはなりません。これらの手入れが酪乳量に影響を及ぼすことになります。まず、牛体がきれいにならなくてはならず、ブラシをかけただけでは、とったつもりの垢や抜毛が再び牛体につき、充分な効果がありません。

そこで、何とか垢や抜毛を完全にとり去る方法はないかと考えたところ、電気掃除機はほこりをたてずにごみを吸い込むのをみて、これを利用できないものかと考え作製してみました。これを使うと作業衣を汚すこともなく、作業時間も従前の毛ブラシと金グシで行なっていたときの約三分の一で、しかもよりきれいになり、増乳効果も認められました。

経費は、洗濯機排水ホース一本二百円、金グシ八十五円、溶接手間賃二百円、その他（接着剤、エルボ）五十円、合計五百三十五円でした。

私の家へ立寄った一般酪農家の評判もよく、すぐ作った人もありました。また、ブラッシングを一度も行なったことのない人が、私の機械を持ち帰り試みた上、その後、ブラッシングを行なうようになった人もあります。

注意する点は、牛が慣れるまではスイッチを切ったまま牛をなでてやり、中途からスイッチを入れないと、牛が驚くことがあります。また、多頭飼育の場合は、牛体の上七十㌢くらいの位置に架線を張り、掃除機を吊りさげ、移動出来るようにすると便利でしょう。

シクラメンに賭ける

失敗して、鉢代がやっと

香川県白鳥町・双葉会 大山円賀

取り組んだ動機

高校時代花卉担任の先生の進めにより始めた。

計画と資金

昭和四十三年度、後継者育成資金を五十万円借り受け、ビニールハウス六十坪を建設、シクラメン栽培と取り組んだ。（四十四年度七千本）

昨年（四十四年）は事故、栽培技術の未熟により腐敗させ、収益はほとんどない状態でした。今年は昨年の失敗を大きく生かして行こうと思っています。

私は現在、阿讃山脈の中心部、五名という山間地に居住してシクラメン栽培を主体とした温室園芸に取り組んでいます。私が花卉園芸を始めた動機は、高校時代の先生がシクラメン栽培をやってみてはどうかと勧められ、また自分も小さい時から花が好きだったので、どうせ農業をやるならシクラメン栽培に賭けてやろうと思い、踏み切った訳です。昭和四十三年度に後継者育成資金を借り受け、二百平方㍍のビニールハウスを建設しました。建てるにあたり、普及所の方々をはじめ、友達の協力を得て、ようやく昭和四十四年三月二十日に完成したので、シクラメンの苗七千本を購入し、栽培をはじめたわけですが、七月下旬より腐りがひどく、九月までに半数近く腐らせてしまいました。九月になりようやく腐りもとまりかけた頃、不幸にも、交通事故にあい、二ヵ月余り病院生活をし、十一月十一日に退院してハウスへ足を踏み入れた時はさすがの私も愕然としました。

シクラメンの生育は入院当時とあまり変っておらず、ハウスは荒れほうだいだし、どうしようかとしばらく考え込んでしまったのです。しかし考えてみれば母と祖母の二人であの忙しい農繁期を切りぬけて来たのだから、なかなか花にまで手がまわらないのも当然であろうと、気を取りもどし毎日ハウスの中で手入れを続けました。どうにかいけるだろうと思っている時に、また私の全身の力を抜かしたのは市場へシクラメントを出荷した時でした。なんと市場価格が鉢代がやっとという価格だったのです。これではいけないと思い、あの手、この手とやっておりますが、なかなか難しく、何か良い方法はないものかと思っている現状です。これからは昨年の失敗を生かして一歩一歩前進して行きたいと思います。

年収五百万へ

ビニールハウスで花栽培

香川県白鳥町・双葉会 植田忍

取り組んだ動機

花が好きであると同時に、花卉園芸が適地であるため。

計画と資金

資金は後継者資金五十万円を借入れ、ビニールハウス三百坪を建て、花卉栽培に取り組む。

本年度の実績

労力と生産がうまく計画とおりいかなかったので、成績があがらなかった。

今後の計画

五年計画でビニールハウス千坪に規模拡大し、所得三百万円をあげるべく計画している。

私達の地域は、香川県の最東端にあり、瀬戸内海に面した目の前に淡路島、また小豆島を望み、風景明媚で気候に恵まれ、古くから手袋の産地として知られた所である。現在、兼業化が進んでいる中で私達は、引田町、白鳥町、大内町の三町で大内双葉会として、構成員三十名でクラブ活動を行なっています。

私達の地域での花卉栽培は、仏花用として古くから栽培されていたが、農業経営の中に取り入れられ、本格的に営利栽培が行なわれるようになったのは、比較的新しい。この地域は、海岸線の温暖な立地条件を有し、消費市場である京阪神都市に近いということ、それに、以前から花卉部門に関心があったという理由が重なって、私は昭和四十二年に、後継者資金を借入れビニールハウス三百坪を建て、切花栽培に取り入んできました。

現在までの栽培経過の問題点をあげてみると、情報化時代という今日において、マスコミが完全に利用されていないのではないでしょうか。生産者の増減による価格の変動、災害によるそれ、業者による協定価格の変動など、わかっているようにみえても、当人はそれをどうしようもない。是か非か。その時の運によるということになる。また、流通機構のコントロールシステムの工業生産物のように、うまくやれないものだろうかと思います。

不安定だから、やりがいがあると、いえばそうかもしれないが、しかし、一定の基準というものがあって当然ではないでしょうか。これからは、お互いに後継者同士が同じ花卉栽培について技術の交換や情報の交換、共同作業などを行なって、一人前の花卉栽培者として、努力していきたいと思います。

◀投稿案内▶

本紙は、みなさん方の新聞として、全国のクラブ員に利用して戴きたいと考えています。それでクラブの催しや個人のプロジェクト、詩、短歌、随筆、写真、悩みや意見、村の話題、伝説、行事その他なんでも原稿にして送って下さい。

お願い ❶長さや形式は自由です ❷できるだけ記事に関連した写真をそえて下さい ❸送り先 郵便番号 162 東京都新宿区市ヶ谷船河原町11 日本4H新聞編集部

NHK農事番組（2月11日〜20日）

テレビ

明るい農村 6・30〜6・55総合

11日 話題の広場 ▼同窓会の回覧帳 木村三千雄 ▼トウモロコシの源流をたずねて（京都大学）田中正武

12日 村をむすぶ フィルム・リレー

13日 農村新地図・新潟県入広瀬村（NHK農林水産）森山孝治

15日 村の記録 一千頭酪農（大阪府堺市）

16日 きょうの話題 未定

17日 産物往来 雪下かんらん

18日 話題の広場 ▼なめこ栽培繁盛記（栃木県今市市小倉）▼ひげの生活改良普及員 鈴木伸夫

19日 村をむすぶ フィルム・リレー

20日 農村新地図 三重県熊野市（NHK農村水産）中山晃一

農業教室 7・30〜8・00 教育

11〜13日 農家養鶏の方向（農林省岡崎種畜牧場長）鎌田治一

15〜17日 ブロイラー経営の課題（中央畜産会）藤岡勝次

18〜20日 鶏の病気と衛生（中央畜産会）松下維浄

あすの村づくり 日 7・00〜8・00 教育 再 土 13・00〜14・00 教育

14日 ▼グループだより「LFサークル（レディー・ファーム）」（北海道河東郡上士幌）▼仲間とともに 村の工業化をめぐって（鳥取県智頭町）▼ある青年像 川上方一郎（愛知県西尾市）

ラジオ

早起き鳥 5・05〜5・57 ❶

11日 人と話題 大気汚染と樹木（林業試験場）千葉修

13日 村のポスト 投書・たより

15日 現地報告 期待される建苑農場（広島県下）

14〜20日 シリーズ「どうなる地域分担」

14日・九州、15日・四国、16日・中国、17日・近畿、18日・東海北陸、19日・東北、20日・北海道

話の広場 6・10〜6・30 ❶

14日 NHK優秀農家に聞く（群馬県代表・神奈川県代表）

新しい農村 6・00〜6・30 ❷

14日 農村工業化への課題（全国農業会議所）葛井定男

ラジオ農業学校 日 7・30〜7・00 ❷

14日 経営手帳 ▼これからの稲作と機械化（暁星短大教授）守田志郎 ▼需要からみたりんごの成長品種（日園連参事）大石芳久

農業の兼業化に思う

人間不在の文化生活
農外所得に依存して

新潟県吉田町本町 瀬戸治齊

かつて私の高校在学中、農業課目の諸先生方は自立経営を前提とした経営方法を我々生徒に教えてきた。例えば水稲単作地帯である西蒲原においては、水稲プラス養豚であったり、あるいは果樹であったり、蔬菜であったりして、それらの栽培方法や経営の計画を綿密に指導して下さった。

それに対して我々、いや少なくとも私はそれをうのみにして、卒業後、水稲プラス養豚の型で選択的拡大を行ない、現在に至っている。しかし、当時を回想して思うことは、指導的立場にある諸先生方が、農業が兼業化してはならない、農家の後継者が他産業に従事してはいけないと、耳にたこができるほど、言われたことを忘れてはいない。

ようするに、農業者が農業外所得をあてにして生活してはならないと指導されたのである。あれから六年の歳月が流れ、農業をとりまく諸情勢は大きな転換をした。農地流動により過剰労力が生じ、第二種兼業農家の増大、農村の過疎化現象、日本人の主食である米の生産過剰、それに伴う生産者米価の据え置き、さらには生産調整と六年前には誰も教えてくれなかったことが、洪水のごとく我々農業者の前におしよせてきている。

半面、文化生活と称して衣料品は着すて、車は人々の足同様に生活の必需品となり、三Cが文化生活の基準とまで言われるようになってしまった。物価上昇率七%と生産費補償方式の米価と、どれだけの差があるだろうか。昔と同じ所得で、昔の数段上の生活、つまり文化生活のための経費はどこからどうやって出てくるだろう。逆立ちしても出てくるはずもない。我我農業者は経営のためでなく、文化生活のために兼業を強いられているのである。最も身近で容易な手段として……。

しかし文化生活の道具はあっても、それを一〇〇%使う人間をめったに目にすることはない。つまり、人間不在の文化生活である。

過日ラジオで今後二十年の話をしていた。それによると農地の大半は、レジャー農園となるという身も細るような話をしていた。すでに長野のリンゴ地帯では、リンゴの木を年間いくらかの値段で都会の人に貸し、樹木の栽培管理だけを農家が行なって、果実は資本を出した人のものというレジャー農園の前駆的なものが生まれてきている。

第一次産業が第三産業に移行しつつある農業情勢の中で、我々農業青年は数百年の間、春風秋雨風雪に耐えて大空に伸びて行く大木の如く生きて行かなければならない。それは決して人間不在の文化生活、つまり文化に人間が使われるのではなく、我々人間のための文化生活を築いて行かなければならない。どんな型であろうと、それを計画実行するのが、手に手を取りあって未来を築く我々農業青年の使命であると思う。（新潟県農業改良クラブ連盟『農業改良クラブだより』より）

青春と仲間

過程

佐賀県 木須正子

山があっても
登ってはならない山もある
道があっても
歩いて行けない道もある
それが悲しくて
泣いたあの日
——遠い思い出
二十歳の夏も過ぎ
頬をなでる秋風は
私に
そんな昔を思い出させる
あの時泣いたから
今の私がいる
あの時見つめる事が
できたから
今の私がいる
それは不思議な事にも思えるけれど
なんでもない
誰にもある一つの過程
幼くてフワフワしていて
すぐに壊われてしまいそうな
そんな少女の日の
一つの過程
頬をなでる秋風は
私に
そんな昔を思い出させる
（『四つ葉』第四号より）

誓う

佐藤 正

皆さんが、もし公園のベンチに腰をおろし、眼前に桜の枝があったなら、枝をおり、家へ持って行きますか？ それとも、芳香を楽しみますか。

桜、「国木」と称賛され大変美しいものです。

心身より美しいことを、あなたは味わい楽しむことができましょうか？……

公害と騒がれる今日、私達の心身までが公害に満たされ、美しいものを美しいと見、味わえない心、私は残念に思う。

私達はもっと素直になるべきではないでしょうか？

心の豊かさを味わい、遠くから自分自身を描けるなら、その人は、きっと桜のように美しく芳香を持たれることでしょう。

（『4Hふくしま』より）

女子クラブ活動を考える —3—

花嫁修行ということ
つまりは生活技術の習得である

推進会議の報告のなかに、「広い視野から女性として、クラブ活動は花嫁修行の場でもよい」とあったことを話題にしておいたが、女子クラブ員自身の発言として、いわば柔軟性のある考え方と記したのには、少し説明を加えないと誤解を招くおそれがある。全体会議に報告されたとき、男子クラブ員のなかに賛同するものが多く、双方の間に、同じ言葉を使いながらギャップのあるのを感じた。

また、「花嫁修行」という言葉自体に対しても、さまざまな解釈があるようで、肯定的に考えたり、否定的な見方をしたりさまざまである。確言はできないが、従来、とかくなまぬるいとか、問題を避けている態度であるかのように感じられていたのではあるまいか。

それは、花嫁修行の内容が、実生活の上でどれほど重要かわからない稽古ごと、—茶の湯、活花など（こうしたものとて、役立たないと考えてよいかどうかは別だが）ばかりを思い描いていたためでもあろう。

もっと先にすべきこと、さらに切実なことがあると考えられていたわけで、なるほどそれも一理ある。茶や花のみならず、和裁、洋裁、編物、料理なども実際には大して役立てる機会が少ないのもわかる。農機具の使用法だとか、農業技術を体得する方が賢明だという意見もある。いかにも合理的な考え方だが、ここまで性急に思いつめることが正しいかどうかはまた別であろう。

推進会議での男子クラブ員の反応は、男女が同じ仕事をすることはないし、結婚後、女性には家事に専念してほしいといったところにあったと思う。つまり、女子クラブ員の活動が、花嫁修行的な色彩を帯びてもかまわないということである。むしろ、女子クラブ員のなかに、そうしたところへ逃げこまず、男女差を少なくするような活動をすべきだという、生真面目で一本気な意見が多かった。

結婚に対する物心両面の準備というものには、おそらく、必要を認めるだろうが、従来から使われて来た狭い意味での「花嫁修行」という言葉に反発があるかもしれない。そのためか、「結婚へのウォーミング・アップ」などという呼び方も、近ごろは出て来ている。女性にのみ一方的に花嫁修行を課して、男性にはそれがいわれないという不公平に、不信を抱いているのかもしれない。

かつて社会の通念がそんなかたちをとらせたことは、否めない事実だが、別なかたちで、男性にも物心双方にわたる準備があったことも、忘れてはならないだろう。

つまり、花嫁修行にどのような意味を持たせるか、あるいはいかなる実質を与えるかに懸ってくるだろう。この言葉に、あまりにも狭い固定観念を作りあげてしまったところで、"花嫁修行的な活動"の是非を論じてみても無駄である。

なにが結婚以前の準備に必要かは、それぞれ考えなくてはならないが、そもそも生活している以上はなんらかの技術の習得を欠くことはできない。だから、結婚に際しても身につけるべきことがらはあろう。クラブ員がちょうど結婚する年齢にあれば、そうした生活技術（むろん職業的な技術も含めて）、つまり花嫁修行をしようとするのは当然である。

「花嫁修行」の受取り方の違いを云々するよりは、それをどのような内容のものにするかが大切であろう。この言葉が適当でないならば、他に替えてもよい。日本語としても、長い歴史を持つと思われず、立派でもないから。この語にある有閑的、退嬰的な情緒と馴染めないなら、いっそ死語としてもかまわないだろう。

冒頭で、柔軟性云々といったのは、もしかすると「花嫁修行」という言葉への抵抗感は持ちながらも、ほんとうに自分の生活を見つめたときに、身につけるべきことの数々に心づき、堅実に、積極的にそれを体得しようという姿勢が生れてきたのではないかと考えたからである。自主性のある活動といおうか、こんなことをいうべきであろうと。また、変に居直った発言と受取りたくなかったからである。

ただ心配なのは、「色どりをそえるためでもよい」と女子クラブ員が、ほんとうに考えているとしたら首をかしげたくなる。彼女たちの意識にあろうとなかろうと、女性が潤滑油の役割を果していることはある。それを職業とする女性も存在するが、クラブ活動においては考えられない。色どりになるためだけに、クラブ活動に参加するとは、どういうことか。

附随的にそんな効果が生じたとしても、最初からそれを目的として参加されては、男子クラブ員としても、他の同性のクラブ員としても、はなはだ迷惑であろう。少なくも、それぞれがプロジェクトを行なっていくのがたてまえだとすれば、色どりのためだけの存在などというものは、全くおかしなものといわざるをえない。

心には余裕を

色どりでもよろしいなどというのは、いかにもものわかりのよい大人の考え方かもしれないが、少し行きすぎではなかろうか。もっとも、どんな雰囲気のなかで発言されたものかわからないが、もしかすると、こんな冗談がいえるような柔軟さ、心の余裕があったと考えたいが、どうもそうは考えにくいところがあるようだ。

クラブ活動が花嫁学校的になってきているが、それでもよいではないかとの意見も、出されていたが、これも花嫁修行云々と同じことである。この言葉も貶しめられて使われるが、英語では、フィニッシング・スクールがこれに相当して、花嫁学校の意と同時に「女子の完成学校」という意味がある。「女子の」にこだわらなければ、そんなに悪くない。「花嫁学校」にしたところで、結婚後の生活のための準備であることはたしかである。クラブ活動が花嫁学校的だと呼ばれることを承知しながら、花嫁学校でもよいではないかというあたりには、したたかな強さを感じて頼もしくなる。（つづく）

クラブ紹介

全員にブレザーとハッピ
静岡県小笠4Hクラブ

私達、小笠4Hクラブは、途中から中遠連絡協議会へ参加しました。つきましては、ここで小笠4Hクラブの紹介をさせていただきます。

小笠4Hは、会長以下十三名で構成され役場産業課の力を借り、現在活動しています。年間行事として県内視察研修旅行、県外視察旅行、主幹経営別雑談会、レクリエーション、奉仕事業として御前崎県立自然公園指定内の丹野池の清掃、植樹など、また毎月一回の定例会と忙しい作業の内で行事を行なっています。

クラブ員の主幹経営は、茶業九名、水稲三名、畜産（養豚）三名と経営部門は別ですが、おたがいに協力しあい、楽しくできる農業に育てて行こうと努力し、一歩一歩前進しています。

私のクラブでは、役場産業課の協力で全員ブレザーコート、染めぬきハッピを揃えました。ブレザーには富士とクローバーを組み合わせたワッペンをつけ、ハッピには富士と茶園、茶の葉を染めぬき、定例会や、奉仕事業には必ず着用するように決めてあります。制服が統一されていると、行事も一段と活発になり、小笠4Hクラブ員であるという、誇りを持っています。

中遠連絡協議会に参加したとはいえ、私達小笠4Hクラブは誕生して一年にまだなりませんので、何かにつけ至らぬところがあります。今後ともよろしく御指導、御支援をお願いします。（会長・植田光）

農村雑感

目的意識

折原俊二郎

先頃、私の学校に百人近い農村青年がバスを連ねて見学に来られた。みんな若さではちきれそうな、健康で明るい青年たちであった。その中には女性も三分の一近く入っていた。これらの若い青年男女をむかえながら、私はふとこんなことを思い出していた。

それは三十数年前のことである。「お伊勢参りができたので、これで何も思い残すことがない」といって、満足そうにして喜んでいた祖母の顔であった。そのころ、子供心にお伊勢参りというのは大変なことで、それは遠いところまで行かなければならないことで、容易なことではないという印象であった。

たしかに東北の一寒村から伊勢神宮まで行くことは、何日もの日数を要することであり、また、それにともなう経費も、当時としては相当の出費で、誰でもが簡単にできるものではなかった。それだけに、お伊勢参りは一生の中で一度は実現してみたいという大きな念願であったといえよう。それは今の時代でいえば世界一周以上の念願であったかも知れない。

このようなことは、今の時代の若い人に話をすれば一笑にふされることであろう。もう、日本の国内はあたかもわが家の庭くらいにしか考えられない。新婚旅行にしても、東北の人は九州に、九州の人は北海道まで足をのばしている。そればかりか、日本の国から脱出して、ハワイのワイキキの浜辺で、のんびりと異国情緒を味わっている例もすでにめずらしいことでなくなったからである。

さらに世界一周なども、そうむずかしいことでなくなった。かつては、外国に行くなどといえば、出発前に親戚一同が集って別れの盃をくみかわしたという話も聞かれたが、今では、行っていらっしゃいと、あたかも、ちょっとした旅行に出かけるくらいにしか思わなくなった。実に便利な世の中になったものである。「すべきことは長生きである」などと考えるほど、進歩が早く、変化の激しい時代である。

このことから考えるならば、多くの仲間が集団で、しかも泊りがけの旅行をすることくらいは朝飯前のことであるし、また、何十人という集団でなくても、思いたったら簡単にできる。

さらに、一人であっても行きたいところに自由に行ける。忙がしい世の中になって、一日一日が貴重であるといっても、それ以上に、交通が便利になり、忙がしさを十分カバーできるだけの時間短縮ができる時代である。そして、経済的な面でも十分耐え得るだけの高収入が得られる時代になっている。

さて、こうして自由に見聞をおさめることのできる良き時代になったが、それと平行してみんなが利口になっただろうか。たしかに物知りにはなったが、単にその域にとどまっているように思えてならない。「目的を追求して過す一日は、無目的で過す百日以上の意義がある」といわれるが、本当に目的をもって、その解決を求めるための努力をしていけば、今日ほど有効に学び、自分のものとして吸収できるときはないと思う。

集団であっても、また、個人であっても、自由に各地を見聞できるときであるだけに、その一つ一つの目的意識を明確にして対処していかないと、それは何も見聞しないことと同じになろう。

広く見聞しておけば、何時か役にたつときがあるという考え方も正しいことであろうが、めまぐるしく変り、進歩発展する今日の社会の中で、それを十分乗りきるためには、無目的ですごしてはならない。今日の社会は想像以上にきびしくなってきていることも忘れてはならないことであろうと思う。（農林省・農業者大学校）

百姓の博物誌 =3=

荻原 茂

日本中に撒いた媚薬

（いもり）

米価闘争に上京した皆さんのポケットには、請願書と、いもりが入っていた。いもりの背中よりも黒い腹をもった連中に噛みつかせるために——。

「たとえ首がなっても、はなすなよ。公約が実行されるまでは、死んでも、はなれるなよ」と、いいきかせて、皆さんは、いもりを放った。いもりもあふれる闘志で腹を真っ赤にしていた。

請願書は、機動隊に破られ、編みあげ靴に踏みにじられてしまった。いもりは、うまい具合に、腹黒い連中の喉笛にくらいついたようだったのだが——。

さしものいもりも、連中の二枚舌の前には赤児同然だったのか——。なんなくもぎとられて、黒焼にされてしまった。

連中は、その媚薬をヘリコプターで、日本全国の農村の上空に撒布した。

近頃、皆さんは田んぼのヘリに立ってへんな咳ばかりしている。媚薬が喉をくすぐるのだろう。皆さんは、稲の穂波に頬を打たせて、うっとりとしている。

いもりの黒焼が、もう効き目をあらわしてきたのか。

（とうもろこし）

とうもろこしの皮むきは、きせかえ人形の着物をぬがせる、ままごと遊び。誕生日の贈り物の包装を解くたのしみ。だから、なんでも、舌でものを確かめた幼児期にかえって食う。

うすみどり色の着物は、もめんの手ざわり。しかし中味は、黄色のブレザーに身を包んだデリゲーションの一糸乱れぬ堂々たる行進。

隊列の最後尾は、かすんでちいさくみえるほど長いパレード。

突然の開会式に、行列のしっぽは、ちょっぴり、列を乱すときもある。

ぽつんぽつんと空いているのは役員席。

だからだれでも、黄色いハーモニカでは、行進曲をふく。

（乳牛）

牛舎は、野外音楽堂だ。

曲目は、クラッシックから、さのさまで。

同じレコードを何べんもくりかえしたって、飽きることは絶対にない。なにしろ、わたしたちは、くりかえすことには慣れているんだからと、お昼に食べた藁を、また噛みかえす。

ヴァイオリンの弓がわたしの首根っこを、こしこしとこする。

「もう、ちょっと上、うん、そこのところ」

ヴァイオリンがなりだすと、おとなりさんはいつも放尿する。その気持、よくわかるんだが、わたしは聴衆のマナーとしてこらえる。

ピアノは軽快な肩たたき。すべり台のような肩の肉がほぐされて、霜降りになっていくのが、わたしにもわかるようだ。乳量だって、ぐうんとちがってこようというものですよ。

ときには、ゲェの出そうな音楽だってありますよ。そんなときは、遠慮なくやらしてもらって、噛みかえすから、心配無用ですよ。

だけどね。うっかりBGMに乗せられちゃって、お乳を全部搾られてしまわないように気をつけているんですよ。

あの、加工乳というしろものだけは、子供にのませたくないですからねえ。

（西瓜）

きょうは、ひとつ西瓜の食い方を伝授しよう。

西瓜の縞模様は、切断指示線だが、あんなものは無視してかまわない。

拳をふりあげる。そんな拳で割れるわけがない。じゃ、膝だ。両手でもって、思いきり膝に叩きつける。

膝が痛いって。じゃ安心、脚気でない証拠。

それでも割れないって、じゃそいつはまだ西瓜が若いんだ。

赤児を喰う鬼のように、顔中皿だらけにして食うこと。

汁を、あごから足のつま先まで流しながら食うこと。

種は出さないこと。あんなものをいちいち気にしていたら、とても喉ごしの痛快さは味わえない。鼻の孔に入った種は、手ばなをかんで出す。

これを手際よくやってもらわないと、この饗宴は台なしになる。

食い終わったら、皮は、盲腸法に思いっきり遠くへ投げすてること。

顔と手は、シャツで拭うこと。

要するに何事にも、もちろん、いまいったことにもこだわらずに、ただひたすらに食うこと。

（かやぶきやね）

赤、青、緑の瓦の屋根にまじって、かやぶき屋根がぽつんとひとり。

瓦たちは、太陽と張り合って、光線をはねかえしている。蓮っ葉女の首飾りのように、きらきらと光っている。そばの欅の大木が「まぶしくて、やりきれねぇや」と厭世的な恰好で、肩をおとして呟く。

雨が降る。

かやぶきやねは、吸取紙のように雨を受けとめる。襟首から背中のほうまで、もぐりこんで、いたずらする雨を、そっと、集めて静かに地面におろしてやる。

決して、瓦のように、雨を蹴落すようなことはしない。

雪がふる。

雪は、ゆるやかな曲線がよく似合う。かやぶきやねは、なで肩をいっそう落として雪の居心地に気を配る。

雪は甘えて、どんどん降り積もる。

かやぶきやねは、雪の中に、木立の中に、いつのまにか消えてゆく。

生活 もの知りコーナー

◆暖かい住居

経済的で効果もよい暖房をするには隙間風を防ぎ、あたためられた空気をにがさないように工夫することが第一です。

床下 和室の部屋には大掃除のときなど畳との間に、新聞紙を三、四枚重ねて余分に敷くか、建築材料店に売っている黒い厚紙を敷くと、畳の敷き合わせから来る風を防ぐことができます。

壁、柱 幅広のセロファンテープをはることですが、少し体裁をよくするには新聞紙を細かくちぎって練ったものや、石膏やパテなどをすり込んで、その上からポスターカラーのような絵具で同じ色に塗っておきます。壁と床との境も、セロファンテープなり、壁紙や布で腰張りをおすすめします。

天井 隙間には、やはりセロファンテープを張るのがいちばんかんたんです。最近出はじめた熱を通さない断熱性のボード類を、打ちつけると熱の逃げぐあいが違います。

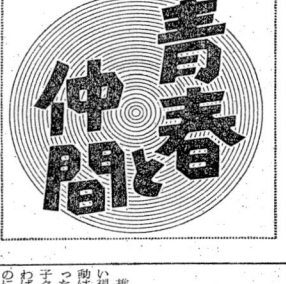

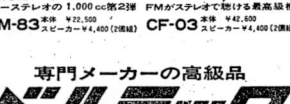

日本4H新聞
4Hクラブ 農事研究会 生活改善クラブ
全国弘報紙
発行所
社団法人 日本4H協会
東京都市ケ谷家の光会館内
電話（269）1075郵便番号162
編集発行人　玉井　光
月3回・4の日発行
定価　1部　20円
一ヵ年700円（送料共）
振替口座東京　12055番

クラブ綱領

私達は、実践を通じて自らを磨くとともに、互いに力を合わせて、よりよい農村、よりよい日本を創るため、四つの信条をかかげます。一、私達は農業の改良と生活の改善に役立つ腕をみがきます。一、私達は科学的に物を考えることのできる頭の訓練をします。一、私達は誠実で友情に富む心をつちかいます。一、私達は楽しく暮し元気で働くための健康を増進します。

「つどい」の要領煮詰る
閉会式場を岡崎に
市中パレードなど計画

全国4Hクラブ連絡協議会（会長・久野知英君）は、今夏七月十二日から十六日までの四泊五日間にわたって愛知県で開催する「第七回全国4Hクラブ員のつどい」（愛知県4Hクラブ連絡協議会＝会長・富永博君、社団法人日本4H協会＝会長・宮城孝治氏の共催）の開催要領を、今月中に各県連に配布する計画で準備を進めているが、このほど地元愛知県連からその具体案が示された。

同つどいについて、愛知県連が報告してきたところによると、豊橋市の公会堂で行なう予定であった閉会式を岡崎市で行なうことに変更したほか、市中パレードなどを計画している。

愛知県連がその後、具体化した事項は次のとおり。

一、開会式会場　名古屋市の愛知文化講堂

一、閉会式会場　岡崎市民会館ホール（岡崎市六供町出崎）定員千六百名、補助席四百名の収容能力がある。

一、受付け（七月十二日）

（1）第一次受付け案内所＝国鉄名古屋駅構内、西口壁画前（新幹線側）

（2）第二次受付け＝名古屋城正門駐車場（名古屋中区本丸）、テント張り受付け所設置

一、市中パレード　バトンガール・音楽隊を先頭に、名古屋城から県庁、閉会式場の愛知文化講堂まで参加者全員がパレードして農業に生きる若人の意気を示す。

一、参加申込み（名簿）の様式　氏名、年令、住所、部門（経営種目）などを明記すること。とくに、参加者の報告は、部門（経営種目）別にまとめ、備考欄は、受入れクラブ員の住所、氏名を記入するので、なるべく欄を広くとること。

また、名古屋着の時間、列車名を記入すること。

日程案

日程案は次のとおり。

一日目
午前十時……受付け、昼食
午後一時……入場行進、市中パレード
二時……オリエンテーション
二時三十分……開会式、バンド演奏
四時三十分……バス移動（各ブロックへ）
七時……入浴、夕食
八時～十時……ブロック歓迎の会

▽二日目
午前六時……起床、洗面、朝食
八時三十分……オリエンテーション、地区紹介
九時三十分……単位クラブグループ討議（部門別）
十二時……昼食
午後一時……視察（優秀農家との話し合いも行なう）
六時～十時……民泊へ

三日目
午前六時……クラブ員宅での農業と生活の実習、話し合い
午後八時～十時……単位クラブ別行事
十時三十分……民泊

四日目
午前六時……起床、洗面、朝食
八時三十分……県内視察（バス）ブロック別にコースを考える。
三ケ根山頂に集合
午後三時三十分……三ケ根山頂のつどい
四時三十分……旅館（宮崎）へ移動
五時……夕食、入浴
七時三十分……夕べのつどい
十時……自由時間
十一時……消灯

五日目
午前七時……起床、洗面、朝食
八時三十分……バス移動
九時三十分……記念講演
十一時……わかれのつどい
十二時……閉会式

涼風暖風
野菜に向って動く

このところ、野菜のバカ高値が続いている。さる三日開かれた物価安定政策会議の席で提示された最近一年間の値上がりブラックリストでも、タマネギ（前年比一三二・五％）を筆頭に、ジャガイモ、夏ミカン、ハクサイ、ダイコン、キャベツ（五〇％以上）、するめ、ほうれん草、あずき、胃腸薬、ネギ（四〇％）など、生鮮食料品がずらりと上位を占めており、これが物価上昇に拍車をかけている。

総理府統計局がさる一月二十九日に発表した四十五年の全国の消費者物価をみても前年に比べ七・七％という大幅な上昇率。これはこの統計をはじめた昭和三十八年以降で一番上昇率の大きかった四十年の六・六％をさらに上回るもので、朝鮮動乱の時の二十六年に次ぐ高騰ぶり。二十年来の最悪のペースとなった。

このため、農林省は、生鮮食料品価格安定対策本部を設置して野菜の追跡調査をはじめたが、供給不足が原因なので、今後野菜の増産対策に全力をあげることにしたようだ。しかし、緊急輸入したアメリカタマネギが何処かに雲隠れしてその行方がつかめなかったが、大部分は「仲間分け」と呼ばれる業者間の私的な取引を通じて地方の小市場や、小都市への八百屋へ散り、その一部は、まだ倉庫や市場の片隅に眠らされているというし、ハクサイのように産地仲買業者の青田買いなどがある。そこで、行政監理委員会はさる十一日、行政管理庁に対しさらに監察を強めるよう要望している。

一方、東京都でも、産地と直結する「契約栽培」の検討をはじめた。これも、果して契約してくれる産地があるかなどの問題点があるが、これが実現すれば安く消費者に提供できるという。

この野菜の高値は、作付面積がこの十年間ほんのわずかしかふえていないことや、中間マージンのはね上がり、指定生産地の効果、卸売市場の機能の問題があり、その解決を図る必要があるが、農業者はこれについてどう思うか。今春、東京で開かれる全国青年農業者会議では、水稲の分科会が減った変りに野菜や特用作がぐんとふえているが、これらについても十分に検討してほしいと思う。（K）

資本集約的農業
愛知の特色

【解説】木曽川、矢作川、豊川などによってつちかわれた豊かな平野、温暖な気候、そして名古屋をはじめ京浜、京阪神などの大消費地を控え、その恵まれた立地条件を生かして、愛知県では古くから全国的にもすぐれた農業を展開してきた。なかでも、野菜、花キ、果実、鶏卵や生乳は全国屈指の生産を誇っている。

しかし、名古屋をはじめとする都市の発展や商工業の伸長はめざましく、県勢全体の中における農業の地位は、むしろ下降の傾向をたどっている。このことが、農業部門にも良かれ悪しかれ、大きな影響を及ぼしつつあることは否めない事実である。いわば、愛知県の農業は、商工業の急速な伸長の中にあって、その近代化を余儀なくされているわが国農業の典型的な一つの縮図であるといえる。

（この中にあって、全国にさきがけて「夢の用水」であった愛知用水、豊川用水が完成され、ひきつづいて濃尾用水第一農業水利事業が完了し、第二期事業は新しく水道方式による配水が計画され、木曽川総合農業水利事業は湿田地帯の用排水分離にともなう基盤整備が行なわれることになっている。なお、矢作川水系では、「[illegible]用水」を含めて矢作川総合農業水利事業も計画され、すでに水源の矢作ダムが、岐阜県との[illegible]に完成されようとしている。[illegible]ように、県下の農業地帯の[illegible]どが大規模用水事業の恩恵[illegible]ている）

愛知県の農業の特色を要約[illegible]と、狭い耕地に比較的多くの[illegible]が生活を営んでおり、一戸当[illegible]耕作面積の規模は、全国平均[illegible]まわる零細経営である（愛知[illegible]平均耕地面積は〇・七五㌶、[illegible]平均一・一〇㌶の六八％）

その反面、農地の流動化は[illegible]農業を志す農家は、耕地の規[illegible]拡大するより、いきおい投[illegible]の大きい施設園芸、畜産部門[illegible]資本投下によって経営規模の[illegible]を行なう方向がとられてい[illegible]わゆる資本集約的な農業で[illegible]

このような愛知県の農業を[illegible]に目で見、肌で感じとって[illegible]ために、クラブ員はもちろん[illegible]ラブ員の家族や周囲の企業[illegible]の経営の状況を、参加した[illegible]の頭に、手にすいとってい[illegible]たい。

世界結ぶ虹のかけ橋に
4H代表が乗船

快晴に恵まれたさる五日、全国から選ばれた青年男女など三百四十七名を乗せた第四回「青年の船」さくら丸は、大勢の関係者に見送られて午後二時、東京・晴海ふ頭から出発、五十一日間にわたる東南アジア六ヵ国への訪問の途についた。この青年の船には、全国4Hクラブ連絡協議会から推せんされた4Hクラブ員六人のほか五十名を上回る農村青年が乗船した。

この日、午前十一時まで家族など関係者による船内見学が行なわれたあと、午後一時二十分過ぎから岸壁で出港式がにぎやかに行なわれた。

鼓笛バンドの演奏、国歌斉唱に続いて湊総理府副長官が「広くものを見る目を養うのによい機会である。みのり多い旅に」と激励、また、青年の船の会代表が、青年による国民外交によって友情の灯が広がり、虹のかけ橋になるようにとはなむけの言葉をおくった。これに応えて団員代表が「素直な心で世界をみつめ、みんな協力して頑張ってきます」とあいさつ、花束贈呈などのあと、春風に別れのテープが舞い、興奮のさめやらぬ中、ドラの音を残して岸壁を離れた。「4H精神でがんばれ」と大書きした山梨県連の横断幕がひときわ目についた。

また、今回も総理府の招きで研修していた東南アジア五ヵ国の青年三十人も乗船、国際色をそえていた。

今回の訪問国は次のとおり。

フィリピン（マニラ）＝2月10日に到着（4日間滞在）▽シンガポール（シンガポール）＝2月17日（給油）▽インドネシア（ジャカルタ）＝2月19日（4日間）▽マレイシア（ポートスウェッテンハム）＝2月24日（5日間）▽インド（マドラス）＝3月4日（4日間）▽シンガポール（シンガポール）＝3月11日（6日間）▽中華民国（高雄）＝3月20（5日間）▽神戸＝3月27日午前7時着。

なお、この青年の船には、全国農村青少年教育振興会の福岡初枝さんが班長として乗船したが、全協推せんの団員は次のとおり。

福田勝美（二三）埼玉県南埼玉郡白岡町柴山、大山4Hクラブ、県連4H部理事、特技＝機械体操、空手、ギター、茶道、大型特殊自動車免許、青少年相談委員

中林正悦（二三）三重県阿山郡伊賀町山畑、伊賀町農村青少年クラブ、県農村青少年クラブ連絡協議会長、特技＝サッカー、トランペット、大型特殊自動車免許

三戸保（二三）広島県山県郡豊平町吉木、豊平町楽農会、山県郡東部農業後継者連絡協議会副会長、特技＝マラソン、農業改良普及員資格、中学校教諭二級普通免許

中町幸蔵（二三）高知県土佐郡土佐町東石原、高嶺4Hクラブ、前嶺北（土佐）地区農村青少年クラブ連絡協議会長、特技＝柔道、相撲、歌、家畜人工授精免許

横尾文三（二三）佐賀市鍋島町大学鍋島、鍋島4Hクラブ、県4Hクラブ連絡協議会広報副委員長、特技＝マラソン（駅伝）、ベースギター（佐賀4Hク・リーダー）

岩田乙女（二三）静岡県駿東郡小山町竹之下、北駿4Hクラブ（生活改善部長）、東部青少年クラブ連絡協議会書記、特技＝バレーボール、粘土細工、珠算

70年代の農業に挑む
近代化など討議さる
山口県の農村青年会議

【山口県＝松尾耕助連絡報道員発】県農村青少年クラブ連絡協議会（会長、神田勝徹君）は、県と同県農林業研究グループ連絡協議会と共催で、さる一月二十八、二十九の両日、光市室積の光青年の家において第十回県農村青年会議を開いた。

この会議には、県下の農村青年はじめ林業青年、農業高校生徒、それに育成指導者など約百七十名が参加。一九七〇年代の農業経営はどうあるべきかーに重点を置いて会議が進められた。

一日目　オリエンテーション、開会式のあと農業技術振興賞の表彰式が行なわれ、機関誌やプロジェクト活動で、活発な活動を続けている長門大津農村青年クラブ連絡協議会が表彰され、満場の拍手を受けた。

続いて、午後二時二十分から講話に入った。講師として「大地に生きる」という本の著者で、山地酪農の第一人者である高知市の岡崎正英氏を招き、「近代化のための農業経営」と題する話に約二時間にわたって耳を傾けた。現在に至るまでの苦労など体験をまじえた話に、参加者は真剣にメモをとりながら聞き入っていた。ついで、記念撮影したあと全員でレクリエーションを楽しんだ。

夕食後は、分科会を行ない、農業関係は畜産、果樹、ソ[illegible]キの四分科会に分かれ、各[illegible]がプロジェクト発表をした[illegible]経営投資などについて研究[illegible]した。林業関係も、育林、[illegible]の経営などについて話し合[illegible]

二日目　朝食後、一日目の分科会の報告に続いてパネル討論が行なわれた。パネラーは、農[illegible]活躍している夫婦二組、親子[illegible]農業・林業青年各一人で、[illegible]「これからの農業を考える」[illegible]もとづいて熱心に討議され[illegible]

東南ア訪問の途へ
青年男女など347名を乗せて
青年の船

花やかな船出　4Hクラブ員たちは全協旗を背に、東南アジア六カ国訪問の途についた

横尾君

「4H」を実践で
横尾

今回、私の青年の船乗船については、全協ならびに県連4Hクラブ、その他関係者各位の暖いご支援とご指導をいただき、身に余る光栄とただ感謝しております。

船は一路、東南アジアに向けて出発いたしますが、皆様にいろいろご迷惑をおかけしたことも忘れ、すでに南の国へとはやる心を押さえることができません。

農業に取り組んで早や四年目、私はこれまで4Hクラブを通していろいろの事柄を学ぶことができました。しかし、激動する国際情勢下において、私たちのめざす農業は厳しさをまし、総合農政が推進される中で、私たちは何をしなければならないかということを認識しなくてはならないと思います。そして現実には、個人でやってもどうにもならない時もあります。このような時だからこそ、4Hクラブという組織活動の必要性を今さらのように強く感じるのです。

私は、現在、リーダーとしての立場にありますが、運営の面、また学習の面と、なかなかスムーズに行かない面が多く、リーダーとしての難しさを痛感します。

このような時点において、青年の船体験で、このような自分にある示唆が与えられ、幅広い視点に立って物事を判断する感覚を養うことが出来ると思うし、また、いかにしたら大きな組織体がスムーズに運営されるかを学ぶことができる、と同時に、4Hクラブの本質を実践的に習得する最良の機会であると思います。

さらに、各国の寄港地においては、多くの外国青年と接し、自分自身の目で確め肌で感じるならば、ただ単なる体制批判や反対で終っている現状から一歩進んで、広い視野に立ち、何をしなければならないかを認識することができるのではないかと考えます。そして帰国後、その問題と4Hクラブを通じて前向きの姿勢で取り組んで進めて行くことが、今回、青年の船に乗る私に課せられた責務であると思います。

最後に、今回の乗船に際し、いろいろご迷惑をかけ、お世話いただいた方々に心からお礼申し上げます。＝東京・オリンピック記念青少年総合センターにて

人間性を養う
私の「4H観」
高木瀬4Hクラブ　小林秀敏

私の4H活動も、表向きには三月で終わる。昨年暮の中央推進会議（全国4Hクラブ）は、私にとって得る面が多大であった。現在、わが県協（佐賀県4Hクラブ連絡協議会）でも、組織の今後の運営の方法、考え方について討論を重ねている。そして、4Hクラブの組織がただの連絡体でいいのか、それとも運動体に進むべきなのかという段階にまで話が発展する。

わが県協の場合、昨年、「つどい」を開催した関係で、末端クラブ員の意識が高揚したのは、喜ばしいことであったし、各方面から注目をあび、ときに農業情勢の変化に伴い、関係団体の4Hに対する考え方も、前向きになってきた。四十六年度には、これが具体的な形で表われるであろう。

しかし、4Hクラブというものについて、基本的に認識してもらっているだろうかというと疑問である。

佐賀県4Hクラブも、はや十五年目を迎えた。でも、農業の変化とともに歩いてきた4Hは、本当の姿で活動がなされてきただろうかと疑問を抱く。

各関係指導者の中には、一つの農村青少年の運動体として進むべきだと強調する人が多い。だが私は、4Hを次のように考える。

決して運動体ではいけない。もし、そうなったら4Hの本当の姿はなくなり、異質の組織となるだろう。

現リーダーには、確かに、このままではいけない、もっと大きな、そして生活に結びついた運動をしなくては……と思う人もいるだろう。

だが、しばし待て！　4Hクラブとは、そんなものばかりではないのだ。

諸君が部落へ、地域社会へ帰り、今やらなくてはいけないと思っている自分の考えや、意見を述べ、それに従わせようとしても、ついてくる人は何人いますか！　ごく少数です。

私たちは、4Hを卒業すると、また一年生の社会人と思わなくてはいけない。そこで4Hで得た体験を生かしながら、ときには盃をくみかわし、バカ話しもして、そして自分の意見を述べ、じわじわと人の心にくい込んで行かなくてはいけない。

そうするには年月がかかる。でも、決してあせってはいけない。そして、部落、地域の人を一人でも多く自分の味方にして、そこで自分の考え方（社会から見ても正しい考え方）を浸透させ、身近かな問題から解決してゆかねばならない。現実に、この世が事務的にばかりは動かないのを、余りにも多く体験するでしょう。人間関係――これはむつかしい。でも絶対避けられないことであり、必要です。

自分が、部落で大型機械を共同で導入するのが望ましいからと、部落民のためを思って努力してみても、一朝一夕にして決まるものではない。しかし、人の心をつかみ、自分に人をついてこさせるようになったときこそ、最大の力を発揮することができるのだ。だから、そのような幅広い視野と能力、人間性を養うのが4Hクラブだと思う。

私は、現在、水稲二㌶と乳牛二十五頭を飼っているので労働は大変です。しかし、何とかして時間を生み出し、4H活動に精を出しています。自分の4H活動で得たものを、一生のうちどれだけ出せるかは課題だが、4H活動の成果が出るのは死ぬ時です。

具体的に、細かい活動に対する考え方、方法はありますが、今回は略します。私の考え方に対する意見を乞うしだいです。

（佐賀県4Hクラブ連絡協議会々長）
・佐賀市高木瀬町百石

心頭技健

[illegible]

蛙道

幼児の自閉症と青年の目

最近、自閉症の幼児がふえてきているようだ。この児たちは親とも口をきこうとはしない。発育期の自閉症は、言葉すら忘れさせ知能の発達を遅れさせる。しまいには、取り返しのつかないほど人間性を崩壊させるという。

こんな傾向は、大人にも見受けられないだろうか？ 心なしかこのごろの流行歌は、「閉じた心の……」「人の仮面の……」と、《ディス・コミュニケーション》を歌ったものが多くなっているような気がするのだが……。そうでなくとも、毎朝一つの密室状態にギュウギュウにつめ込まれながら他人とはよそよそしい都会の通勤電車などこのことをよく示している。

浜野安宏という二十九歳のファッション・ディレクターがいる。この男は、日本にサイケデリックやゴーゴーをはやらせ、繊維メーカーと組んではミニスカートの流行を引き出し、また「フィーリング」という言葉を蔓延させた風俗犯の元祖。

彼は、その著書「ファッション化社会論」で自閉症的な論理や、固定的な概念に鋭く挑戦している。〈認識の拡大〉、〈感覚の解放〉、〈石よりも花をなげよう〉。これが彼のテーゼである。また彼は、世界の流動の状況や変化を感ずるままに身につけるため、一年のうち二ヵ月を海外旅行ですごすという。ともあれ、そのタフな姿には頭が下がる。

海外旅行といえば思い出されるのは青年の船。さる五日、今年もまた「さくら丸」はたくさんの若い夢を積んで冬の海に出港していった。晴海埠頭に大量の五色のテープと見送り人の興奮の渦を残しながら……。この船には、五十余名の農業従事者と全協推せんの六名の4Hクラブ員が乗船している。

マニラ、シンガポール、マドラス。そこで、4Hクラブ員たちは、何に接し何を見て、何をクラブにもたらしてくれるだろうか。望みたいのは、先入観や決めつけをすてて〈心をひらいて〉外国を見てきてほしいということだ。青年の船こそ、アクティブな「青年の眼」を育てる場所だと思うからだ。（栃）

「世代の断絶」をなくそう

押された"若い力"

山口・長門 大津地区連 「親子のつどい」開く

4Hクラブ員の親たちは、4H活動やクラブ員たちをどう思っているか―山口県・長門大津地区農村青少年クラブ連絡協議会（会長、藤川義久雄君）主催による初の「親子のつどい」が、さる五日、日置農業改良普及所で開かれた。

さいきん、農産物の生産調整や貿易の自由化など農業情勢の移り変りも激しく、兼業農家や離農業がふえてきているが、このような中で、親と子（青年）がお互いに胸を開いて、悩みや問題点を話し合い、真の農業者として農業を充実、向上させよう―と行なわれたものである＝山口県連絡報道員・松尾耕助君発

この日は、地区内の青年とその父兄、農業改良普及所の職員など二十五名が出席して午後一時から開かれた。

まず、藤川会長から「さいきん親子の断絶という言葉を耳にするが、農村にそういう問題があってはならない。これからの農業は、親子が一緒になって問題解決に取り組む必要がある。日ごろ、話さないことでも双方から活発に意見を出し合い、このつどいが意義あるものにしてほしい」というあいさつがあり、このあと、さっそく親と子の話し合いに入った。

まず、日常、親と子の話し合いがされているかという質問に対しては、家庭によって話し合いがされているところと、されていないところとまちまちであった。

つづいて、親から青年に対する要望として次のことがあげられた。

一、将来に希望をもって、早く一人前の経営主になってほしい。
一、農業に対して意欲と研究心をもってほしい。
一、技術面に関しては、親から指摘されることなく、責任をもってもらいたい。
一、早く結婚してほしい。
一、子供から早く信頼されるようになりたい。

この間、青年は終始下を向いたまま。相当頭が痛かったにちがいない。しかし、親と子の話し合いの場を多くもって、これからの経営を盛り上げていきたい、という青年からの"やる気"のある声が出たところで次の議題に移った。

農村生活について、まず親から「私の子供は起床時間がおそいが他の青年はどうですか」という質問。出席したクラブ員は、また痛い点を指摘されたといった顔で沈黙。

結婚には余裕

それにかまわず、次のような意見が出た。

「青年らしく、規律正しい生活をすべきだ。親を頼りすぎて、一つの仕事に対して責任をもっていない。安易な考え方があるからではないだろうか」などのきびしい親の口調に、こればかりは何を言われても弁解のしようがないといった表情であった。

初めての親子の話し合いで青年はコチコチ。しかし、時間がたつにつれて、次第に活発な意見がかわされるようになった。

農村の労働時間の問題に対してクラブ員は「現在の農村には、労働時間のけじめがない。私は、一日の仕事の量を決めて計画性をもってやりたい」という意見。これに対して、親の方から「親も働きすぎで時間に対してルーズなのではなかろうか。労働時間をとやかく言うより、一日の仕事の量に重点を置いたらどうだろうか」という青年と同じような発言があった。

農休日の問題については、次のような意見がかわされた。

一、経営形態が変ってきたので地域ぐるみでの農休日は無理ではないだろうか（親）
一、クラブ員が推進するようにしてほしい（同）
一、現在では、いろいろなグループに出ていて、農作業も休むことが多いので、別に決めなくてもいいと思う（青年）

また、4Hクラブ活動に対して親の意見や希望は次のとおりである。

一、突発的に出ることが多すぎるのではないか。
一、グループ（4Hクラブ、青年団など）に出ることが多すぎて農作業にさしつかえることが多いが、できるだけ両立するようクラブとして検討してほしい。
一、クラブの会合に出ると、夜おそくなることが多いが、この点もよく考えてほしい。
一、行先き場所、また連絡などを確実にして、家の人を心配させないようにしてほしい。

これらの話しを聞きながら、クラブ員は真剣な表情でメモをしていた。

次に結婚問題について討議した。

これも、親の方から「親の方からみると、農家に嫁ぐ人が少ないように感じるが、青年の人はどう思っているか」という質問に対して、「そんなに心配する必要はない、自分なりにいい人がいたら見つけてくる」という答えらしきものが出され会場は爆笑。この問題に関してはなごやかな雰囲気で進行したが、親からの意見として次のようなものが出された。

一、親としては少しでもよい嫁を。そして家族計画を立ててやってもらいたい。
一、子供自身が養う能力、経済的なものがあればよい。親に負担をかけないで…。

クラブ員は相手がいるかのように、笑みをうかべながらも、その中に真剣さがうかがえた。

子は経営主で親は作業員に もっとしっかり！

さらに、現在最も深刻な問題として頭を悩ませている減反、作付転換の問題に入った。

これについて、青年の方からは次の意見が述べられた。

一、私は酪農をしているので、考え方によっては都合がいい。休耕地を利用して牧草地のことを考えている。
一、転作を利用して、他の作目を取り入れ、思い切った経営も考えている。

親の方からは「地域性、市場性などをよく考えて、計画的に研究した方がよいのではないか」という意見が出された。

この問題は深刻なだけに、親子ともに、熱心にメモをとりながら協議していた。

最後に、青年から親に対しての意見では「小遣いの額をアップしてほしい」という現代の若者らしい？発言で話し合いは終了した。

日頃から話し合いがされていないためか、この日は終始、親に押されどうし。しかし、これを機会に、親と青年が気軽に話し合いができるようになりたいものである。

なお、この親子のつどいに先きだって、親から「4H活動についての考えと子に対する意見」をアンケート調査した。その結果の一部は次のとおりである。

一、日ごろ親と子の話し合いがないので、どんなことがあるのかよく知らない。
一、4Hの名の通りいろいろと学び、助け合い、悪い農村の風習を打破し、新しい農村を建設するための若い力に大きい期待をもっている。
一、活動については大いに奨励するが、青年団などの活動と重なって出ることが多すぎる。
一、4H新聞などを読むと、立派な活動しておられるようですが末端のクラブ員まで主旨が徹底するように。本村（日置村）でも集会がありますが、集るだけでも良いと思います。そこで得るものがあると思うし、何よりも友だちができるのが良い。
一、4Hクラブ活動と自家経営の両立に精神的にも肉体的にも人一倍の努力を望む。
一、子が経営主になり、親が作業員となったらというが、子がその気にならない。もう少し将来に対しての希望をもってほしい。
一、エネルギーの発散、研修の場として良いと思う。今後大いに活躍してほしい。
一、農村の青年として修養、研究に良いことだと思っている。クラブ員である子供が、もう少し自分のものにして、修養、研究に実質化したらと思っている。
一、もう少し専門的な技術指導の必要を感じる。

以上が4Hクラブ活動についての親の考えである。次に子（クラブ員）に対する要望。

一、苦しい経営ですが、何とか生きる道を開いてもらいたいと思います。
一、農業経営はほんとうに希望を持って経営に取り組んでもらいたい。
一、実現可能な夢、農業に対する考えをもってほしい。
一、健康が第一。
一、もう少し研究心をもち積極的になってほしい。
一、これからも、グループ（4Hクラブ、青年団）の活動を生かして大いに農業に専念してもらいたい。

女子部を結成 徳島・あけぼの会

【徳島県＝斎藤佳子連絡報道員発】郡土成町あけぼの会（会長、渋谷元春君）では、さる一月十日地元の阿波商校で女子部を結成した。

これは、女子クラブ員がお互いに親睦を深めるとともに、生活の改善、女性のエチケットなどの知識と教養を高めて、これから農家生活を豊かに向上させるよう努力しよう―と発足させたもの。会員は全員で十二名で、部長には親見智恵子さんが選ばれた。

行事としては、毎月一回会合を開いて料理や生花の講習などを含めた勉強をしていくことにしているが、これからの活躍が期待されている。

あすの農業語る

高知県の青年会議 募金（4H会館建設）なども協議

【高知】県と県農村青少年クラブ連絡協議会（会長、門脇傑夫君）主催の第十回県青年農業者会議は、既報の通りさる一月十二日から三日間、（二泊）県立青少年センターで開かれたが、このほどその模様を伝えてきた。

好評だったクラブ紹介展

この会議には、県下各地からクラブ員など約百六十人が参加し、一日目は「青年の発言」から始まった。十名の代表がいずれも自分の経営や地域社会の問題点をとらえて、日ごろの研究成果や抱負などについて発表した。夜は、VTR「新しい農業への歩み」を視聴し、その後、日本海外派遣団・中央コースに参加した四十五日間の体験が報告された。また、全国4Hクラブ連絡協議会が主催した第二回沖縄親善交歓訪問に参加したクラブ員の報告もあった。

二日目は、研究実績、放送利用集団などの発表が午前中に行なわれた。午後は、七分科会に分かれ①新しい産地作りにどう取り組むか②生産と流通販売をどう結びつけるか③農家生活と生活環境の改善にどうとり組むか④これからのグループ活動はどうあるべきか―などについて、三時間余にわたって討議された。夜は、分科会別のチームで、バレーボールの試合に汗を流した。

一方、会議室では地区連会長会が開かれ、四十五年度県連事務の中間報告や三月八日～十日の日程で行なわれるキャラバン隊の説明がなされた。

また、4H会館の募金について協議された。その結果、目標額を七十万円とし、各地区連へクラブ員数で募金額を割り当てることになり、三月上旬に開かれる総会を期限とした。PR方法は、クラブ員一人ひとりに理解してもらうため、チラシが作成されることになった。

最終日の十四日は「新しい農業への歩み」をテーマに、男女六名のパネラーによって熱心に討議された。この後、表彰と閉会式が行なわれ全日程を終了した。

なお、今大会初の試みである図表や写真によるクラブ活動紹介の展示会は好評であった。

高知県青年農業者会議の開会式であいさつする溝渕高知県知事

熱気はらんだ静岡・西部の青年会議

離農政策の推進を 農作物の「世界協定」結ぼう

【静岡】西部地域農村青少年クラブ連絡協議会（会長、名倉泰一君）は、さる一月二十二日、浜松市青少年の家で同地域教育青年会議を開いた。

当日は、地区内の二十五クラブから百十一名が参加した。午前中の青少年の意見と体験の発表につづいて、午後からは「海外農業事情を聞いて私たちはどうするべきか」と題して、五分科会に分かれて話し合いが行なわれた。

まず、昨年と一昨年、ヨーロッパとアメリカに派遣された六名のクラブ員と指導者が各分科会でそれぞれ体験し見聞してきた外国の農業について報告し、それらに基づいて討議されたが、ある分科会では次のような意見が述べられた。

西ドイツでは、離農者には年金を支給し、離農がスムーズにいくように配慮している。日本も就農人口を七％くらいまでにすることが明日の日本農業の進むべき道ではないか。

これに対し、海外に派遣されたある青年は「みなさんが言う通り日本も、どんどん離農政策を進めてほしい。現在、就農人口は一七％といわれているが、今後は六％まで下げることが必要だと思う。そして企業的（会社組織）農業を進めるべきだし、これが青年に与えられた義務であると思う。静岡県は東海道メガポリスの中核都市として発展している。この中における農業は、非常にむずかしい状態にある。しかし、東京、大阪という大消費地を近くに控えているので都市近郊農業を行ない、そして、いかにコストダウンに耐えるかということが最大の問題ではないか。さらに最終的に、農作物については世界協定を結ぶべきである」など多くの意見が出されていた。（鈴木政美君発）

こんなことをしています

各種農業団体

全国販売農業協同組合連合会

第一線"販売所" 全国に50余の事業所もつ

全販連が、農家の生産のお世話から、生産された農・畜産物の有利な販売まで、幅の広い事業に取り組んでいることは、前回までにご紹介しました。そこで今回は、全販連の販売体制についてお伝えしましょう。

全販連には、東京・大手町の農協ビルにある本所のほかに札幌、東京、名古屋、大阪、福岡に支所があります。こうした本所や支所では、おもに大口の販売、例えば、東京やそれぞれの都市に本拠をもつ加工メーカーなどとの一括取り引きとか、各市場ごとの出回わりの調査などがおもな仕事です。このほか、本所では農林省など政府機関との折衝なども重要な仕事です。

しかし、全販連の仕事、とくに販売面では、なんといっても第一線は"販売所"です。全販連はいま、全国に五十ヵ所を越える事業所をもっていますが、その大部分が"販売所"です。札幌、仙台、茨城、千葉、埼玉県下、東京都内とその周辺、横浜、川崎、名古屋市内やその周辺、四日市、岐阜、大阪市内、京都、神戸、尼ヵ崎、小倉、福岡など、いずれも大消費地にあって、青果物や鶏卵、肉などを専門に扱う販売所や、特産物まで含めて総合的に扱う販売所など、それぞれの消費地の実情にあわせて設けられています。いずれも、事業に必要な貯蔵、荷捌きなどの施設を備えています。このほか、加工メーカーの工場は必要に応じて駐在員をおき、原料の安定した供給を促進したり、搬入される原料の品質や数量の確認をするなど、キメの細かい仕事もしています。

また、東京などの大消費地には、いくつもの事業所、販売所がありますが、青果市場のなかに独自の荷受機関（(A)青果市場）を経営したり、流通近代化の期待を担なう集配センターを設けたり、現代の流通をリードする仕事にも積極的に乗り出しています。

こうした事業所では、それぞれの市場の習慣にあわせたり、また取り引きさきの要望に応じて早朝から深夜まで休みない作業が続きます。

例えば、青果物関係の事業所では、六時からのセリにそなえて毎朝五時半に出勤したり、集配センターでは早朝からの生協やスーパーの引き取りにそなえて夜通し品揃えをします。肉販売所では、産地から送られた牛や豚の屠殺、解体から正肉加工まで、すべて全販連の職員の手で、少しでも有利な販売をめざして、日夜努力が続けられています。（広報課）

全国共済農業協同組合連合会

全共連では、組合員子弟の将来のために、計画的に教育資金・独立資金を準備し、また家庭の不時の災難に際しても、この希望を手折ることのないよう、農協共済の普及運動を展開しています。

そして、この運動の一環として農村の隅々にまで農協共済の趣旨を広め、あわせて小中学生の書道教育に役立たせる目的で「農協共済全国小中学生書道コンクール」を毎年開催してきましたが、第十四回を迎えた本年度は全国から三十万点にも及ぶ応募があり、応募点数では日本一の折り紙をつけられるとともに、作品の内容も年々充実してきています。

さて、本年度は二月一日全共連ビル会議室において最終審査会が開かれ、晴れの入賞者が決まりました。

腕の上達目立つ 年々盛んになる書道コンクール

審査会は、日展理事青山杉雨先生、同評議員伊東参州先生、文部省藤原宏先生をはじめ農林省、全国中央会、家の光、全国新聞情報連から出席いただいた諸氏、および全共連の代表によって行なわれましたが、青山杉雨先生は当コンクールに対して次のような賞賛を与えています。

「本年とくに目立つことは、技術的な成果が非常に顕著であったことである。

これは、あらかじめ出題語句を専門家に依頼して選んでもらったことも影響したと思うが、ともかく上手になったことは歴然としていた。とくに低学年部にそれが目立ち、これが果して本人の字かどうかと疑われるくらい立派なものが多かった。

日本一を誇るこのコンクールを審査する責任の重さは毎年経験しているが、児童たちを督励して参加させて下さる関係の皆さんのご苦心も、これに数倍するものと思う。一層のご精進をお願いしたい」

なお、文部大臣奨励賞と金賞の入選者は次のとおり。

文部大臣奨励賞
【半紙の部】板野篤子（群馬県小学三年）▽天野久美子（愛知県中学一年）
【条幅の部】尾崎孝子（高知県小学六年）▽片岡緑（佐賀県中学三年）

金賞
【半紙の部】あかおしゅうじ（大分県小学一年）▽すずきせいいちろう（茨城県小学二年）▽溝口洋一（愛知県小学三年）▽嶋田邦彦（三重県小学四年）▽工藤公誠（青森県小学五年）▽川原菊子（佐賀県小学六年）▽溝渕英伊（高知県中学一年）▽森佳子（福井県中学二年）▽結城悦子（三重県中学三年）
【条幅の部】のむらたかこ（静岡県小学一年）▽まるたかつこ（徳島県小学二年）▽青山敏之（福井県小学三年）▽古沢泰之（佐賀県小学四年）▽石谷共美子（鳥取県小学五年）▽千葉茂樹（岩手県小学六年）▽飯田久子（福井県中学一年）▽星野菊子（埼玉県中学二年）△松並美美子（山口県中学三年）（普及部）

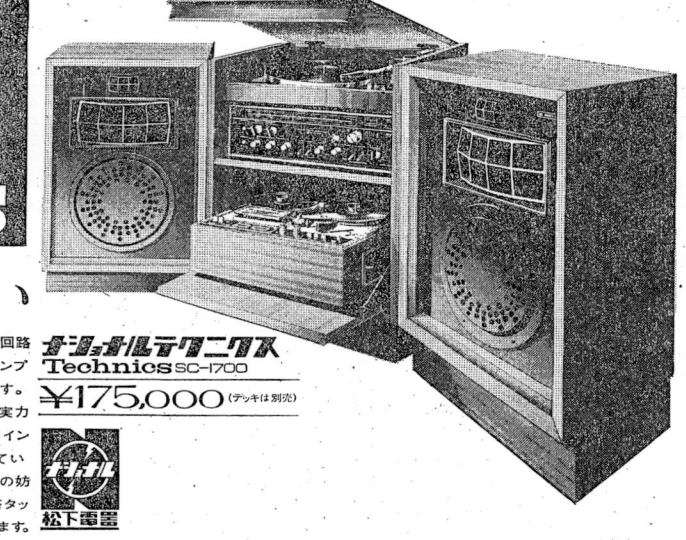

望ましい結婚とは?

高知県窪川町すずなクラブ　杉本計美

身回品で十分　嫁入道具　婚前に話合いを

本紙二月四日号に「農村の結婚問題」（高知県窪川町、すずなクラブの共同プロジェクト）のアンケートを掲載したが、そのおり同封されていた杉本計美さんのレポートには、全国各地で共通な問題とされていることもあるので、前回のものとあわせて読んでいただき、みなさんが考えるうえでの参考として載すことにする。

結婚調査について発表する杉本さん

私のプロジェクト

私の所属する「すずなクラブ」は、窪川町全域を対象に、農家の未婚女性十二名で構成されています。もともとは、農業に従事している女性ばかりでしたが、従事する人の少なくなった今日では、農業という職業にとらわれず、女性ばかりのクラブとして活動しています。

その活動も、昨年までは「衣」「食」「住」を中心に調理実習、被服製作というような、一度一度で終ってしまう活動でした。しかし、昨年までの苦い経験から、私達は、活動に対する新鮮さ、今までとちがった活動を求めました。そこで、今年は、何か一つの課題を決め、年間を通じて共に学び研究し、その課題解決の糸口を見つけようという活動、いわゆる共同プロジェクト活動に取り組みました。

私達は、年々はでになる結婚について着眼し、課題を「農家における望ましい結婚のあり方」と決めました。これには、「自分達に一番身近な問題」で、「皆に興味があり」「余りかた苦しくないこと」という三つの条件を考慮したのです。そして、活動は、今年を「問題点を把握するための実態調査」、来年を「問題解決のための活動」とした二ヵ年計画でスタートしました。

そして、次に、私たちは、第一アンケート調査の追跡調査として同居生活をとりあげ、複合家族のお嫁さん十名を抽出し、アンケートを取りました。これは、問題点を把握することにあたり、同居生活をしている人が多いことと、反面、感想欄に、両親との同居による問題、嫁としゅうとめの感覚のズレを上げている人が多かったためで、もう少しほり下げた内容がほしかったからです。

これは、対象者が少なかったこともあって、はっきりとした数字はつかめません。おおまかな傾向としては、両親との世代のズレは多かれ少なかれほとんどの人が感じています。なかでも、義理人情、食生活の上でのズレが上げられていました。また、両親と意見が衝突したときは、自分の意見も言い話しあうという人もありましたが、大部分、親の意見に従うと答えています。自分の意見を言っても、"天に向ってツバを吐くようなもの"と書かれた人もあり切実な嫁の立場を感じました。両親と意見が衝突したときの夫の態度も、結婚一年目ぐらいまでは意見を出していますが、年月がたってくると黙っている人が多くなり、考えさせられました。

式は茶、菓子で

同居の良さについては、子供の世話とか、労働力としての重宝さだけで、精神的な良さは、まったくあげられていませんでした。

このような二度にわたる調査結果から、私達は、次のような問題点を取りあげてみました。

一、結納金について
一、嫁入道具について
一、式、披露宴にかかる費用について
一、同居生活からおこる、嫁としゅうとめの問題、世代のズレについて

まず、結納金についてですが、これは、調査結果からわかるように、年々うなぎのぼりにあがる結納金について、本来の結納金の姿はどうあるべきものなのか、上昇はくいとめることができないものかということです。嫁入道具についても、タンス類からベッド、洗たく機にいたるまで、何十万というお金をかけて持って行き、本当に役立っているものが少ないとい[illegible]備や、農家生活を営んでいる家に嫁ぐことなどを考えた場合はたしてふさわしい嫁入道具と言えるでしょうか。

つぎに、式、披露宴の様式についてですが、百％の人が自宅で盛大に行なっているわけですが、公民館結婚とか、お茶とお菓子でもって、二人の門出を祝福するといったことはできないものか――。ようするに、娘のためにではなくて、結婚のために多くのお金を使っているということです。

さらに、同居生活からおこるいろんな問題については、追跡調査からもわかるように、嫁としゅうとめの問題がまずあります。そこで、昨年十月、私達はこの問題解決の糸口発見の場として、行政の立場の方、青年の方にお集りいただいて座談会をもちました。

これらの問題は、一朝一夕に解決できることではありませんが、"若い私達の力で、一つずつ、小さなことから解決していかねばならない"ということを中心にいろんな方面から話しあわれました。

そして、現段階での私達なりの望ましい結婚のあり方としてつぎのように考えてみました。

結納金については"人身売買"と言えるような金額の上昇をくいとめるために、どうしても、本来の結納金のあり方を考えなくてはいけない。農家で、何十万という現金を準備するのは大変なことでもあります。私達は、お金の多寡によって、結婚をどうこうというものではないし、なにもそんなにお金をつむことはないという結論がでました。

嫁入道具についても、農家という日常生活を営んでいるところに嫁ぐのだから、多くの余分なものを持って行かなくても、婚前交際の中で、嫁ぎ先の両親などとも話し合い、予算をたてて、計画的に持って行くことが大切ではないでしょうか。また結婚するというとすぐ多くの着物を持って行くが、これも、農家では、そんなに着物を着ることは多くないし…（これはしゅうとめさんの意見）余分なものの中に入るということです。

ようするに、自分の身のまわりのものと、それを収納するものをもって行けばよいということです。

式、披露宴については、若い私達は、公民館結婚とか、パーティ側（会費制）結婚などを考えますが、農村社会の中にあって、これはむずかしいことではないか。つまり若い人の中にも、義理人情を重んじ、隣近所、部落づきあいを大切にする農村社会を、農村の良さとして保っていく必要があると考えている人もあり、この風習を打ち破ることは困難といえましょう。そして、結納金や嫁入道具に使うお金があるならば花嫁衣装をつけて、皆に祝福される方が良いということです。

新婚旅行はぜひ　経営、金銭面で別居はムリ

また、新婚旅行についても、現在では、外国に行く人もあるようですが、十万とか二十万とか多額のお金をかけなくても、二泊三日くらいの日程で、二人で将来のことについて、ゆっくりと話しあえる時間があればいいのではと、青年自身も考えている。座談会の中でしゅうとめの立場からも、これから先を、親とともに生活するのだから、新婚旅行には、ぜひ行かせてあげたいという話がされた。

同居から起る問題については、別居してしまえば問題も少ないようですが、経営的なこと、金銭的なこともあり、いちがいにどちらが良いとも言えないでしょう。現状では、食事は一緒にするが、いつもは別にということが望ましいのではないでしょうか。

このように、現段階でまとめてはみましたが、これはあくまでも理論上のことであり、実現させるためには、まだまだ多く問題がひそんでおり、障害があります。

二ヵ年計画に基づいて、さらに来年は、どうすれば、これらのしきたりを変えてゆくことができるのか、同居の問題についてもまた私達の目で見、考えるとともに、それぞれの世代の意見も参考に学習していく計画です。

これまでの、プロジェクトをまとめながらクラブ員の中には"お嫁に行くのがこわくなる"といった人もあり、結婚後の暮し方をはじめとして、この活動は、いずれ嫁いでいかねばならない私達にとって、"嫁いでいくことの重大さ、家族生活を営むことのむずかしさを"教えてくれました。

どれをとっても、長い間続いてきた農村社会構造の中にあって、一朝一夕に変えてゆくことは、困難なことでしょう。でも、誰かがやれば、きっと後に続く青年がいると思います。どんな小さなことでもいい、若い私達の力で、改善していかなければならないでしょう。

プロジェクトの意義と教育的価値　=5=

海外農業開発財団専門家　中田正一

個人に至高の価値　民主主義、教育のもと

最後に、アメリカ教育政策委員会編『アメリカ民主主義教育の基本方針』のなかから引用してみよう。

……「人間各個人はそれぞれ至高の価値をもっている」……これは大たんな人間解放の考え方であって、それ自体の中に、あらゆる圧制に対する絶えざる挑戦を含んでいる。各個人は、彼らが生活するこの世界以上に貴い。彼らを支え温くする食器や衣服以上に貴重である。彼らが生を営む農園や工場や船舶以上に高価である。絵画や彫像や交響曲や、彼らを感激させるような大芸術作品以上に価値がある。個人は国家や主権以上に貴重であり、慣習や制度以上に、科学や技術以上に、哲学や思想体系以上に、権力や名声や栄誉以上に値うちがある……。人間に高貴さを与える偉大な理想や抱負のためならば、人は必要ならば死をも辞すべきでないが、そのことを除いては、人は地上でもっとも貴重なものである……」

以上に引用した「人間各個人はそれぞれ至高の価値をもつ」ということが、民主主義の出発点であり、かつ教育の出発点であることはいうまでもない。

幅広い解釈を

何ものにも比較を許さない至高の価値をもつ人間だからこそその人間のもてる能力を、可能性を引き出す教育が必要になってくる。

すでに、述べたように、人間の能力を開発し、可能性を引き出す教育として、問題と取りくみながら自ら学ぶ方法としてのプロジェクト法が、きわめて効果的な学習法であることを明らかにした。

こうしたプロジェクト法が、学校教育で効果をあげるだけでなく、社会教育の面でも、農業改良普及事業の中でも、きわめて効果的であることが、すでに数多く実証されている。

私はこの小文で、プロジェクト活動が、日本のこんにち、および将来の農村青少年クラブ活動にとって中心的な活動になるべきであると言及した。プロジェクトの考え方は幅の広いものであるから、現実に則しながら、弾力性をもって考えてよいと思う。プロジェクトの中で親子契約を強調するようなことは最近になってやっと可能となったことである。また、地域課題と取りくんでいるグループ・プロジェクトを一歩進めて事業体にすると、協業経営や集団栽培や産地形成が生まれるといったことも、最近になって強調されはじめたことに属する。

プロジェクト活動の内容は、年齢や環境によっても異なり、時代とともに変化するものであってよいと思う。たとえば、年少者には学習的プロジェクトだが、年が進むにしたがって、問題解決的プロジェクトのニュアンスが次第につよくなる。ある人は調査プロジェクトを、他の人は実験プロジェクトを実施している。さらに生産プロジェクト、経営プロジェクト、企業プロジェクトなどと、プロジェクトの内容も、様相も変ってくる。それでよいと思う。

われわれの直面する問題や課題が人によって、地域によってそれぞれ異なることは当然である。したがって、プロジェクトにあまり狭い解釈を与えることには、私は不賛成である。（おわり）

☆　☆　☆

牧草の上手な利用（4）

関心よぶ「スタック」　プラスチックシートの普及から

サイロのいろいろ

サイロということばには、入れものという意味がある。最初は土に掘ったくぼみや穴のことをサイロといい、これに食物や飼料を貯えたといわれている。

サイレージには、塔型サイロ（タワーサイロ）、トレンチサイロ、バンカーサイロ、フェンスサイロなどが用いられ、最近では鉄製（スチール製）の気密サイロが各地に見られるようになった。

トレンチ、バンカー、スタックの各サイロは経費がかからない長所がある反面、空気に触れる面積が大きいために、詰込みと密封を上手にやらないと失敗する場合がある。プラスチックの活用により、詰込がやりやすくなったことと、詰込み、取出しに便利なためにかなり普及するようになった。

トレンチサイロは地中に溝を掘ってつくる。傾斜地を利用して、一端を地表面と同じ水準になるようにつくると、作業がやりやすい。出来上ったサイレージは手前から取り出す。屋根には車がついていて、詰込むときは移動させる。また、詰込みのときは、草地から刈取った牧草をダンプトレーラーで運んで、おとすだけで詰込みができるのである。

床面をやや中高にして、手前にゆるい傾斜をつけておくと、水分の多い材料を用いて、しかも水分を調節できないような場合でも、比較的品質のよいサイレージができる。雨の多い梅雨期には牧草もすみやかに成長する。水分が多すぎるからといって、天候の回復を待っていると牧草は倒伏して、地面に接する部分が腐ったりする。刈取り能率はさっぱり上らないし、牧草は使いものにならないのみならず、その後の再生をひどく害してしまう。

サイロの構築にあたっては、このように水分過剰な材料を用いる場合にも十分対処できるようにしておく必要がある。塔型サイロでは底部に排水口を設け必要に応じて開閉できるようにしておくとよい。また、底部に水溜を作り、材料詰込みの際に硬質ビニールのパイプを入れておき、溜った水はこのパイプのなかにホースを降してポンプで吸み出すか、サイロが高台にあればサイフォン式で取除けるようにしておくと便利である。

バンカーサイロは底部を地表面と同水準か、やや高くしておく場合が多い。側壁には通常板ブロック、コンクリートが用いられるが、底面はコンクリートにする方がよい。スタックサイロは側壁にも床にも特別な材料は使わない。サイレージを積上げた後に踏圧して表面を封ずるだけである。簡単にどこでも作られる長所がある反面、空気にさらされる面積が大きいだけに密封がむずかしく、従来、腐敗やカビによる損失が多かった。このため、サイレージの材料資源に乏しいわが国では、これまでほとんど普及を見なかった。

近年になって、プラスチックシートが安く入手できるようになり、ニュージランドで開発されたパラスチック（ポリエチレン、ビニール）バキュームサイロが紹介されるにおよび、スタックサイロに対する関心がにわかに高まってきた。

この方法は、平らにならした地面にシートを敷き、牧草などの材料を積上げ、おわったら上からさらに一枚のシートをかぶせ、合わせた二枚のシートを雄クリップで雌クリップにおしこむ。これで、サイレージの材料は上下のシートによって完全に封じ込まれる。ついで排気バルブから真空ポンプまたはミルカーで吸引して中の空気を排除する。空気を吸引するとサイレージ材料の容積はたちまち縮少する。

完全に空気を抜けば、一気圧のとき一平方㍍当り実に一〇・三三〇㌔㌘の大気圧が加わることになる。したがって、このような方法で空気を吸引することは、サイレージ材料を大気圧によって加重することを意味する。

この方法によれば、踏圧も加重も必要ない。含水量の少ない材料は弾力性があって、踏圧しても緊密な詰込みと空気の排除がむずかしいものであるが、この方法でやれば簡単にできる。とくに低水分サイレージの調製にすぐれた方法であるといわれるのはこのためである。

（[illegible]研究会提供）

功労者を表彰　静岡県連でOBなど10名

【静岡】県農村青年クラブ連絡協議会（会長、眞田勝君）は、四十五年度から功労者表彰事業を行なうことになり、その功労者表彰が、一月三十日、県立三ヵ日青年の家で開かれた県青年教育会議の席上行なわれた。

これは、県内農村青少年クラブ組織の強化育成とクラブ活動の発展にとくに貢献のあったリーダーを表彰し、その功績をたたえるとともに指導者としての意識の高揚をはかるために行なわれたもの。

功労者は、次の基準によって選ばれた。①農村青少年クラブ組織の強化育成に多大の貢献のあった者②クラブ活動の発展に貢献し多大の成果をおさめた者③その他選考委員会において適当と認められた者。なお、選考については地域連絡協議会々長から推せんされた人たちである。また、今まで大いに活躍したばかりでなく、今後のために、よきOB、サブリーダーとして、さらに指導者として期待される次の十名が選ばれた。

鈴木実（賀茂郡河津町元シトラス4Hクラブ初代会長、31歳）▽宮沢静雄（三島市元東部地区連会長、23歳）▽勝又和久（沼津市元県連理事東部地区副会長、26歳）▽長谷川文子（藤枝市元志田青年会々長、24歳）▽青島功（静岡市元中部地区連会長、県連理事、29歳）▽藤森義和（豊岡村元県連役員二期中遠地区会長、現在・県農業経営士、29歳）▽鈴木信好（豊田村元中遠地区役員、青年大学委員長、23歳）▽伊藤康子（浜北市県連理事、市連副会長、24歳）▽金原啓行（引佐町元西部地区連会長、奥山4Hクラブ会長、26歳）▽高柳邦彦（湖西町元県連会長、25歳）

＝鈴木政美県連事務局長発

年収の平均化へ　労働時間もまた

千葉県・旭園芸研究会　八木均

取り組んだ動機

水田は稲の単作、畑は露地のトマト、スイカ、プリンスメロン栽培を行なっていて、スイカは約五十㌃、プリンスメロンは三十㌃の作付面積です。しかし、この経営形態では、農繁期と農閑期が極端になってしまい、また、収入もある一定の時期に限られてしまう。

そこで、この農繁、農閑の差をなくし、年間を通じて平均した収入を得るためにトマト、キュウリのハウス栽培を経営に取り入れた。

計画と資金

労力といままでの経営とを見合わせて、栽培方法（半促成栽培、抑制栽培）と、作付計画を立て、また、資金については、後継者育成資金を借り受け、不足分は親より出してもらった。

本年度の実績

昨年（四十四年）十二月二十四日から二十五日にかけて定植したトマトが、ハウスにおいての最初の作付なので、まだハウス栽培についての実績はないが、いままでの農閑期であった十一月から二月までの間に、育苗定植、管理などの仕事があり、いままでハウスの面積の分だけの作付の労力が、農閑期に配分され、労力配分が多少なりとも改善されたと思う。また、ハウスの収益性については、まだ収支集計が終っていないが、目標を達成できる見込みである。

にんにくを栽培　りんご品種転換のため

取り組んだ動機

りんごの品種更新期間中の所得の減少を補う手段として取り上げました。にんにく栽培が、りんごとの労働の競合も少ないということで、取り組むことにしたのです。

計画と資金

後継者資金五十万円、自己資金四万七千二百四十円で着手。計画の失敗から、約二万二千九百八十円を超過しました。

実績をかえりみて

まだ収穫もしていませんが、堆肥の集め方、耕土、植付けなどを、もう少し考えなければならないと思います。

今後の計画

私はりんごの品種更新と平行してにんにくを作付けし、それから得た収益を規模拡大の資金に投資し、私の夢である三㌶以上（果樹専業）の経営面積に規模拡大をはかりたいと思っています。

ところで、わが家の経営概況は水田八十㌃、普通畑十㌃、果樹園百五十㌃、開墾地四十㌃で、合計二百八十㌃。その他に、肥育豚三頭、繁殖豚一頭、採卵鶏十羽となっております。

これからは、他人を頼るということでなく、経営者自らが勉強研究し、またともに助言をしあっていかなくてはなりません。

【青森県浪岡町郷山前・農業クラブ『暁』　原田勝則】

◀投稿案内▶

本紙は、みなさん方の新聞として、全国のクラブ員に利用して戴きたいと考えています。それでクラブの催しや個人のプロジェクト、詩、短歌、随筆、写真、悩みや意見、村の話題、伝説、行事その他なんでも原稿にして送って下さい。

お願い　❶長さや形式は自由です　❷できるだけ記事に関連した写真をそえて下さい　❸送り先　郵便番号 162　東京都新宿区市ケ谷船河原町11　日本4H新聞編集部

NHK農業番組（2月21日〜28日）

テレビ

明るい農村　6・30〜6・55　総合
22日　村の記録　バイパスの村（埼玉県北本町）
23日　きょうの話題　RFD座談会「地域分担の波」
24日　産物往来　みかんジュース
25日　話題の広場　▼ジャンボ施肥機（岐阜県）信田守雄　▼湖を守るパトロール　木村市郎
26日　村をむすぶ　フィルム・リレー
27日　農村新地図　東京都日の出村（NHK農林水産）大岡慶三

農業教室　7・30〜8・00　教育
22〜24日　果樹園の整備と管理（千葉大学教授）永沢勝男
25〜27日　生産組織と機械利用（農林省農事試験場）向井三雄

あすの村づくり　日7・00〜8・00　教育　再土13・00〜14・00　教育
21日　▼グループだより　美浜4Hクラブ（福井県三方郡美浜町）▼仲間とともに　村のグループ活動（高知県土佐郡土佐町）川村稚士　▼ある青年像　五味田昭生（神奈川県秦野市寺山）
28日　出稼ぎを考える　❶作木未来会議（広島県双三郡）❷ひばり4Hクラブ（茨城県猿島郡境町）

ラジオ

早起き鳥　5・50〜5・57　❶
21日　どうなる地域分担　農業の将来と地域分担　三神茂
22日　現地報告　豪雪センター三年目の課題（山形県小国町）
23日　人と話題　農協の多角加工進出（香川県大川郡）松原降一
24日　通信員の手帳から
25日　人と話題　花ひらく離島農業（福岡県古賀町）安武辰己
26日　現地報告　都市化の中のタケノコ産地（京都府乙訓郡）
27日　村のポスト　投書・たより　話題の窓
28日　話の広場

新しい農村　6・10〜6・30　❶
21日　NHK優秀農家に聞く（埼玉代表、栃木県代表）
28日　NHK優秀農家に聞く（茨城代表、千葉県代表）

ラジオ農業学校　日　6・30〜7・00　❷
21日　▼優秀農家に学ぶ　宮川浄さんを訪ねて（福島県二本松市）
28日　▼農業講座「変貌する農村社会と家族」講師（東北大学助教授）塚本哲人

わたしの青春

通信教育を
開拓部落見つめて

永石久枝

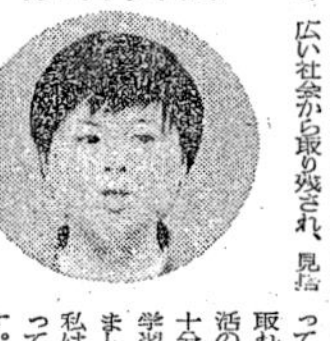

一月十五日、成人の日にNHKが開催した青年の主張全国大会出場者の「発表文集」ができた。今回、農業従事者からは九州代表永石久枝さん、関東甲信越代表伊藤一男君が、それぞれ最優秀、優秀賞に入賞した。

NHK青年の主張全国大会より

福岡県と一口にいえば、九州では先進県だと直感的に考えられますが、私の住んでいる所は、福岡県の片隅の標高六百㍍もある山の中です。私の両親は敗戦によって外地から引き揚げ、十数戸の人達といっしょにこの開拓部落に住みつき、厳しい条件と懸命に戦いながら私達兄弟を育ててくれました。両親は自分達の体だけを頼りに無一物から出発して、ふつうの農業はとても成り立たないこの山の中でさまざまな試行錯誤をくりかえしながら、どうやらお茶の栽培を中心にした経営によって、家族の生活を軌道にのせるまでに漕ぎつけました。

そして今、開拓部落の仕事は私達子供の世代に引きつがれようとしています。私も三十九年に中学を卒業すると同時に、決して丈夫ではない母に代り、家族の労働の三分の一を受けもって、父や兄といっしょに精いっぱい働いてまいりました。毎日の労働は骨身にしみる程苦しいものですが、それが苦しければ苦しいだけ、私は両親が汗と脂で切りひらいた耕地に強い愛着を感じ自分の土地で働くことに大きな喜びを覚えることができました。

ところがそうしているうちに私達の開拓部落の近くにも過疎の波が押し寄せてきました。離農する人がふえるにつれて猪の害が激しくなり、家の経営の中でお茶と並んで大切な作物であった、こんにゃくいもの栽培が成り立たなくなったのです。そのために減少した収入約三十万円程を何か別の方法で補わなくてはなりません。私と兄とは冬の間約四ヵ月程、有明海ののり取りの仕事に働きに行くことにしました。真冬ののり取りの仕事は辛いものです。のりが大量に揚がる時には、夜中の十二時、一時まで仕事が続き、一日が働いて眠るだけという毎日が続くことがあります。しかし、それに耐え抜かなければ、私達家族の生活を守っていくことはできないのです。この出稼ぎの経験は私にいろいろなことを考えさせてくれました。それをまとめて言えば、開拓部落がおかれている条件の厳しさは、単に自然条件ばかりでなく社会的な条件からもきているということです。山の中にあるということは広い社会から取り残され、見捨てられがちになるということです。両親は自然条件と戦いながら生活の基礎を築いて来ました。私達子供はその基礎の上に立って、もっと広い社会的な視野から自分達の生活を考え直し前進させて行かなくてはならないのです。

そんな考えから、私は四十一年に通信高校に入学しました。夜中までかかってまとめたレポートは四㌖ほど離れた小学校に通う部落の子供達に頼んで出してもらい、月二回のスクーリングには朝暗いうちに起きて、バイクで駅まで急ぎました。冬の出稼ぎにはテキストや学習レポートをかかえて行きました。やってみると、初め勉強時間など取れそうにもなかった自分の生活のなかでも、工夫しだいで、十分とはいえないまでも一応の学習は続けられることがわかりました。四十五年卒業と同時に私は短期大学の通信教育部に入って、現在も勉強を続けています。勉強を通じて私は、開拓部落の生活が、今までの社会的な立ちおくれを取りもどし、人間の真の生活の場となることができるような道を見いだしたいと願っています。

▽——△

第十七回NHK青年の主張全国大会の「発表文集」をご希望の方は、一部につき六十円の郵券同封のうえ、下記へお申込み下さい。〒100 東京都千代田区内幸町二ー二ー三 NHK青年の主張文集係宛

青春と仲間

女子クラブ活動を考える

教養についてなど
余裕と柔軟性とを持つことが大切

前回、花嫁修行は生活技術の習得と考えてはどうかと記した。生活技術の習得という言葉に対しては、単純にテクニックを思い浮かべて、抵抗感があるかもしれない。そうした誤解を生じさせる危惧を感じながらも、あえて使った理由は、花嫁修行という言葉からあいまいなベールをひきはがして、もっとすっきりしたかたちで、考えなおして貰いたかったからにほかならない。

そういう意味において、クラブ員の諸君、諸嬢がよく使う「人間形成」だとか、「教養を身につける」という言葉についても、考えなおしてみることが必要ではないかと思われる。文章を見るかぎりでは、4Hクラブ員というものが、真面目一点張りで、えらく建設的な人達の集まりかと見える。息がつまりそうなほどストイックな毎日を送っているかのようだ。自分を磨き、地域社会のために、明るい農村建設のために、日夜、精いっぱいの努力をつづけているのだから——。

実際の日常生活が、もし、それと寸分ちがわないとしたら、そういう人間とは附合いたくない。いや、附合えない。逆説的ないい方だが、こんなに真面目過ぎるから、だめなんだ、いろいろな問題も解決できないんだといったら、おそらく色をなして怒りだされるだろうか。そうだ、頭どころか、トサカにまでカッカカッカとくるほど怒ってほしい。やがて、怒り疲れる。その時になったら、話が通じやすくなるだろう。

心底から怒ることができたら、立派な人間だ。ほんとうに不満を持つことができたら、真人間だ。そうして、怒りや不満を、たしかに自分のものだと意識することができたら、その時から、以前の自分とは異なった生き方がなされるだろう。クラブ活動がどうのこうのということに関しては、かなりの発言もあるが、それを突きつめて考える自分というもの、主体というものを見つめることには、生真面目なはずの諸君が、はなはだなまけものではなかろうか。

他人とのつながりのなかで

クラブ活動に対する自分の位置や関係の仕方も大切だし、それを考えないところに、クラブの発展もなにもあったものではない。つまり、自分と他人との結びつき、繋がり方のなかでしか、自分というものをたしかめる方法はない。しかし、同時に、自分と他人、内と外という関係を作りだす本体の自己というものがなくては、それらのことは崩れ去ってしまう。

4Hクラブにおいては、自己形成とか教養などという、近ごろでは古風となった言葉が多く使われる。これは外から見ると、少し奇異に感じられないでもない。単に実践を通じて自分を磨くということが、4Hの信条にあるからといった理由だけではなしに、ひとつの欲求として各自が持っているらしいが、つまらぬあせりでなければよいがと思う。

肩肘張った人びととは付合えないと、さきほど記したが、たとえば、教養ということについて考えてみるとよくわかる。古風といっても、現在、痛切に求められるべきものは、あるいは教養をおいてはないのかもしれない。そうだとすれば、ひとまず教養とはどんなものか、押えておく必要もあろう。

農村女性としての教養、一般教養などと、使いわけているのをよく見かける。通常、どう考えられているか知らないが、これは誤りといっておきたい。本来、教養はそうした仕事や生活の違いによる区別がない。知識には、専門的なもの、固定化したもの、それぞれ図表なり文章なりにして、他人に伝えることが可能な要素がある。しかし、教養は、そのように固定化できないもの、むしろ心の働き、感じたり、判断するなどの作用をさしていう言葉ではないかと思う。だから、ある意味では、きわめて個性的な場合もあるだろうが、むしろ、まともな人間として、生き方のかたちを決める作用をするもので、それを特殊性と呼ぶことはない。

つまり、いかなる知識、学識、すなわち学びとったものの質の違い、換言するなら、教養の生れてくる源泉、基礎となるものの違いは、色合いの異なった教養を作りあげるかもしれないが、教養が働く場合においては、柔軟であるはずだ。高いあるいは深い教養とは、すべてのことがらに視線が行届いて、総合的な判断を導きだすものであろう。だから、知識は多い方がよいだろうが、知識が必ずしも教養の有無を決めることにはならない。

教養は、くりかえしていうが働き、作用であり、それを働かしうる自己と密接にかかわりあって、別々に考えることができないものだ。ひとりの人間として、深浅の差はあっても必ず具えているものだし、その意味では独自性を云々してもよいが、かたちとして取出せない以上、どのように働いたかでそれを見るしかない。どうもごたついて来たが、教養の質の違いはあっても、教養を生みだす作用、その教養が働くに際しては、あくまで、普遍性が貫いていることを、いいたかったにすぎない。

もう少しはっきりさせるために教養という語の語源にさかのぼるとよい。教養は、カルチュアの訳語だとされており、もとはラテン語あたりに源をもっている。英語でも教養、修養などとともに、耕作、培養などの意味がある。カルチュアの動詞形カルチベイトは耕す、栽培する、精神・技能を磨く、養う、交際を深めるといった意味を含む。

つまり、自分自身を耕すこと、畑を打ち、田を打つのと同じく、通風をよくしさまざまな働きを活発にさせるということだろう。知識のように積みあげるものではない。書物を読むこと、人の話を聞くことなどをも含めて、より自分が自分らしくなるように、自らを耕すことだ。作物にいつも接している諸君だから、よく知っていようが、作物は一定期間がないと成熟しない。促成栽培があるといい、それにも限度はある。間引きや摘果、病虫害予防の薬品散布、栄養素補給の施肥などが必要だ。そうした手数をかけて、成長するのを辛棒強く待たなくてはならない。一日や二日の研修くらいで、教養を得ようの高めようのなんていうのは、あまりにも虫がよすぎる。人間の場合は、作物と違ってはっきりした期間が定まってはいない。技術や知識の習得にも時間はかかるが、それよりもやはり教養が身につくには長時間を要する。急がず、待たなくてはいけないのだ。あまり手軽にそれを得ようと望んでも無理だ。

皮肉をこめて、あなたがたを生真面目で建設的だとひやかしたのは、すぐになにもかも手に入れたがる態度、あたかも幼児がみるものみるものを欲しがるさまに、あまりにも酷似しているため、そうして、現実にはともかく、いつもぎりぎり背伸びをしていなくてはいけないかのように、思いこんでしまっているのではないかという印象を拭えぬためであった。

張りつめた弦は、それ以上力が加わると切れるほかない。余裕のない人には、見えるべきものも見えない。昔話のものぐさ太郎は、空腹をがまんしながらも、落した餅を、国守に拾って貰うのを待っていた。そして、いざ自ら行動を起さなくてはならない時に至ると、人に倍して積極的になる。都で自分が見染めた女を追いまわすのは、まさに執拗そのもの、ものぐさ太郎の面影はなくなっている。

大石蔵之助は昼行灯だった

やらなくてすむことなら、やらなくてもよい。しかし、どうしてもやらなくてはならぬことに対しては、敢然として行動を起す。ものぐさ太郎は、そういう男だ。ぐうたらしているのはよろしくないという、堅い人には叱られようが、大石蔵之助の昼行灯というたとえもある。まあ、のんびり、ぼんやりする時間を持ってみようじゃないですか。

話は横道へそれたが、教養には余裕が欠かせない要素だといいたかったわけで、ついものぐさも悪くないと口がすべってしまった。こんなことを書いていると、教養なんてものはあまりにもなまぬるく、漠然としていて、どうしようもないではないかという反論が予想されるので、ひとつのエピソードを記そう。

まず雑巾で拭く
茶をこぼしたときには

ある禅宗の坊さんのところへ、ひとりの武士が修行に来ていたと思っていただきたい。座禅を組んだり、問答をしたり、公案に取組んでいたが、なかなか大悟徹底するに至らなかった。ある日、僧侶と武士とが茶を飲みながら話していると、ひょっと、坊さんが湯呑み茶碗を床に落した。そしてすかさず、武士に「おてまえ、いかがなされる」と質問したものだ。

武士は、長いこと坊さんに師事しており、深淵な教理について考えていたから、この質問に対しても、どう答えてよいか、どう行動をとったらよいのか、途惑ってしまうばかりであった。すると、くだんの坊さんの喝がとんで、「雑巾じゃ。雑巾を持って来て拭うんじゃ。早くせい」と、こっぴどくやられて、武士は言下に悟ったということである。

ここからなにが引き出せるか。禅の問答さの喩えでもあるが、茶がこぼれたら雑巾で拭うという常識の大切さへの照明か、むろんそれもある。しかし、それはごくあたりまえのことだが、実際の場面に直面して、少しも騒がず雑巾だという判断の下せる余裕、柔軟な臨機応変の心の動きを可能にするもの、そんなものが教養だといってみてはどうだろうか。

武士も、湯水をこぼした時には、雑巾で拭わなくてはだめだということを知らなかったわけではあるまい。ただ、現実にぶつかった時、他のことに心をとらわれていて、適切な処置ができなかったのだ。考えることが、行動と同じようにためらわずにできなかったのだ。冷静に、ものごとを見てとった僧侶には、即座にその判断がついたのである。

ことに直面して、ものに即して十全に的確に心を動かしうるように、また同時に体を動かしうるようにするもの、それが教養だとすれば、なかなかきびしいではないか。つまり、知識を生きたもの、自分の肉体のような有機的なものに変えるなにかだといってもよい。考えることがそうであるように、たしかな対象物に対して働くもので、教養ある態度は、なにかがないと現われることがないのだ。

知識を生きたものにかえる

だから、ひとつの用意といってもよいのだが、身構え、待ち構えているいやらしさ、もの欲しさからは遠く、あるかないかさえも平常はわからない。しかし、なにも茶をこぼした時にどうするといったような、実用的な面だけに働くのではなく、なにに対しても柔軟に働きかけるものとみたい。いわば人間としての心得、たしなみに近いものだと理解しておいたってかまわない。どんなふうにもいえるし、どういってみても全面的に捉えることができないもの、教養とはそんなものだ。

漫才なども、教養がこぼれているなどといって笑わせるが、あれは笑ってやらなくてはいけない。どのくらい深く高い教養だとて、いや、深いほど高いほど、にきびのように吹出したり、贅肉のようにせりだして来るものではない。漫才師は、そのことを知っているから、おかしなことであるのを知っているから、また客もそういういい方がおかしいから、笑わせ、笑っているのだ。

笑いながらに漫才は聞こう

教養に大小をいわず、高いとか深いというのは意味のあることかもしれない。大小なら、おさまらなくなることもあろうが、高低、浅深は距離であり、容積を持たないから。むしろ、教養を見せびらかすことは、はしたない下司のすることで、教養なんてものはどんなものかといった、なにくわぬ顔をしておる人に、存外、教養は宿っている。教養はどういうものかなどと、馬鹿なことはいわない。

そういう意味では、まことに頼りないと見えるほど、ひそやかな存在でもある。

いうなれば、ボンサンス、つまり良識という側面を持ちながら、それと同時に、「もののあはれ」を知るという調和のある状態、バランスのとれた人間をこそ、教養ある人と呼ぶわけであろう。おそらく、教養そのものは、ものごとの推進に直接役立つことはあるまいが、もし豊かな生活というようなものがあるとすれば、そうした豊かさを導きだしてくる働きを、奥深いところでするのではないかと思われる。知性と行動との間にあって、それをなめらかに結びつけ、人間をほんとうの人間へと変えて行くものとでもいおうか。

自己を耕すこと

自己を耕すことは、このように気長でなくてはできない。読む、聞く、書く、話す、こうしたことは、すべて考えることでもあり、もっと一般的に、日々の生活そのものを大切にすることの積重ね、持続のなかから生みだす、あるいは生れてくるのを待つほかない。いわば努力だといいたいが、また、しかつめらしく受けとられそうなので、教養をつけようなぞと思わないこと、教養を深めようなんて、妙に目的意識を持って頑張らないこと、といっておこうか。

ついに、自己形成については書きそびれたが、もういいだろう。このほか、女子クラブを考える場合、人間関係、結婚、プロジェクトなどといっぱい問題はある。それらについて考えてもよいが、実際に茶がこぼれた場合に、雑巾がいいか、ハンケチがいいか、吸取紙がいいかを決めるのは、あなたがた以外になく、ほんとうに手を汚すのもあなたがたである以上、いくらはたからあれこれいってみても仕方ない。

今度で四回、押しつけがましいことばかり、落語の小言幸兵衛のような口ぶりばかりみせて来たので、ひとまず切上げよう。曲りなりにも、教養について語ってしまえば、あとにもういうことはない。このように、ぐだぐだと書きつけて来たのは、野暮といえば野暮だが、なによりも教養がないからに違いない。教養がないと、人に不快感を与え、爪はじきされるが、悪い見本としてみて貰えば、役立たぬこともあるまい。また、役立てうる敏捷さ、寛容、思いやり、いたわりなど、そういう度量も教養のひとつの属性であろう。

カルチュアは、教養のほかに文化の意味があり、文化とは、学びとることにより社会から習得した生活の仕方、つまり、技術、学問、芸術、道徳、宗教に至る物心両面にわたって、どのような生き方、生活のかたちを作るか、また、その形成された生活そのものをいうのだから、教養もまた広義の生活のなかから育ってくるとみるべきだ。

どうも結論は、いつもつまらぬところに落着いてしまう。しかし、どうせ生きていること自体、大して楽しいものではなく、八十何年も生きたゲーテですら、よろこびに満ちた時間は四十日ほどしかなかったというのだから、推して知るべしだ。だが、そこに教養があることによって、生きることに、なにがしかの慰めが生じ、豊かさを加えられるとしたら、それは大切にしたいものだ。

しかし、深刻な顔をしてみてもはじまらない。まあ、ぜいぜい自分を自由な場所に置くように心がけ、おかしなこだわりやこわばりに、とらえられないようにしようではないか。教養があろうとなかろうと、死ぬまで、ともかく生きていなくてはならぬのだから。そんな、一歩退いたところから、クラブ活動を眺めなおすことを、最後にお勧めしておこう。

小さな願い　木須正子

いつか思い出してくれるなら
可愛いいやつだと言って
一生懸命がまんして
あいつ　無理してたって
いつかぐうぜん逢ったなら
元気かって言って
私の好きなやさしい瞳に
私が写って見えたなら
「はい」って素直に言えるから
小さな小さな一つの願い
小さな小さな私の願い
（佐賀県連『四つ葉』第四号）

農村雑感

折原俊二郎

心の満足

NHK総合テレビの「日本診断」は、私の興味ある番組のひとつである。この放送形式は、百名の解答者がおり、その解答者が、アナウンサーの質問に対し、定められた解答のボタンを押して答えるもので、ボタンはコンピューターに連結されており、コンピューターは解答者の指示に従い、直ちに解答比率を数字で画面に表示するものである。

過日放映された日本診断では、今年成人式を迎えた東京都内のある区の青年、男子百名、女子百名、計二百名が解答者として出席していた。質問が順次進んで、最後の質問に入って「現在の日本の平和と繁栄は今後も続くと思うか」というのに対し、楽観的に続くと解答したのは約二十七㌫しかなく、悲観的な見方を示していた。次に「現在の人間関係はうまくいっていると思うか」という意味の質問に対し、七十数㌫の青年が、うまくいっていないと解答していた記憶がある。

話は変るが、一昨年高校を卒業して東京の工場（中・小企業）に就職したA君が遊びにきた。だいぶ東京の生活になれたが、どうも東京の人は冷たいという。それというのは、彼が泊っている家の隣家に過日不幸があった。隣家ということでもあるので、何かおてつだいをしようと思い行ったところ、特に用事がないので、香典を持っていき、焼香だけをやってきた。数日してデパートから香典返しの品物が届いた。何もこんなことをしなくても、一寸足をはこべばすぐこれるのだから、一言でよいからわざわざ焼香に来ていただきありがとうといってもらった方が、香典返しの品物よりはるかに心が暖まるか知れないのにと。

東京に来て、人と人とのつきあいが事務的で、冷たく割りきる考え方に、まごついているということであった。

私の田舎から昨年H子さんが集団就職で、川崎市にあるS工場にきた。会社の厚生施設は極めて完備されている。全員が寮生活で、寮は一部屋四人となっている。食堂は清潔で、食事は栄養士がカロリー計算をして、毎日変った献立となっている。洗面の折は暖かい湯も出るし、洗濯機も備えられている。もちろんテレビもステレオも備えられている。まったく至れり尽せりであるという。そのうえ、寮と工場との距離が近く、交通ラッシュや交通事故はよその世界の出来事のような環境にある。きまった時間に寮を出て、きまった時間に工場を引きあげてくる。極めて便利にしかも合理的な生活である。

一般の人からみれば実に贅沢でうらやましい限りとみえることだろう。しかし、こうした生活も最初のうちは楽しいが、月日がたつに従い、何となく生活がけだるくなってくる。まるで工場の生産物のような立場に個人がおかれ、人間として扱われないように思われてくる。人間が生きていくうえで最も必要な人間性が、便利で贅沢で合理的な生活の中に埋れてしまったようで、何とも自分を処理しきれないようになってくる。生活にムダがあってよいということではないが、人間らしい生活、心の満足が得られる生活がほしくなるということであった。つきつめてみると、よそからみると何も不服のない生活そのものが不満であるということである。それは、もので解決できない心の問題であるといえる。

さて、農村生活では心の満足が得られるだろうか。

（農林省・農業者大学校）

日本4H新聞

4Hクラブ
農事研究会
生活改善クラブ
全国弘報紙

発行所
社団法人 日本4H協会
東京都市ケ谷家の光会館内
電話(269)1075郵便番号162
編集発行人 玉井 光
月3回・4の日発行
定価 1部 20円
一ヵ年700円(送料共)
振替口座東京 12055番

クラブ綱領

私達は、実践を通じて自らを磨くとともに、互いに力を合わせて、よりよい農村、よりよい日本を創るため、四つの信条をかかげます。一、私達は農業の改良と生活の改善に役立つ腕をみがきます。一、私達は科学的に物を考えることのできる頭の訓練をします。一、私達は誠実で友情に富む心をつちかいます。一、私達は楽しく暮し元気で働くための健康を増進します。

愛知で「4Hの祭典」

交流の場を多様に
申込み締切は4月10日

「第7回全国4Hクラブ員のつどい」要領

今夏七月中旬、愛知県で開かれる全国クラブ員の一大祭典—全国4Hクラブ連絡協議会(会長、久野知英君)、愛知県4Hクラブ連絡協議会(会長、富永博君)、社団法人日本4H協会(会長、宮城孝治氏)共催の「第七回全国4Hクラブ員のつどい」の開催要領がこのほど決定した。全協では、さっそく全国各県連はじめ各県担当課、関係機関・団体に連絡するとともにクラブ員の参加、協力を呼びかけることになった。

今回は、つどいの大きな柱である現地交歓訪問が、昨年に続いて統一行事(開閉会式など)の中にはさんで行なわれ、しかもその中で、ブロック、単位クラブ、クラブ員と大・中・小の規模で交歓する機会をもたせていることや、農村青年の意気を示す名古屋城からの市中パレードなどが特色となっている。とくに、地元愛知県連ではスローガンとして「肌で感じる愛知の農業」をかかげており、地方色豊かな趣向が打ち出されるものと期待される。

開催要領は次のとおり。

一、趣旨

このつどいは、日本農業の担い手として、日夜、農業の改良と生活の改善に努力している4Hクラブ員が自らの手で企画運営し、自主性の高揚に資するとともに、新しい技術の研鑚とクラブ活動状況の話し合いや現地交歓訪問などを通して青少年の仲間づくりや地域社会から理解された家族ぐるみの4Hクラブ活動の推進を図るため開催する。

一、後援(予定)

農林省、文部省、総理府、愛知県、名古屋、岡崎両市、吉良町、社団法人全国農村青少年教育振興会、NHK、全国農業協同組合中央会、富民協会、青少年育成国民会議、全国中央青少年団体連絡協議会

一、協賛(予定)

日本農業新聞社、社団法人家の光協会、その他各種団体

一、開催期日

今夏七月十二日〜同月十六日(四泊五日)

一、会場

愛知文化講堂、岡崎市民会館、吉良町、愛知県下一円

一、参加者

4Hクラブ員・OBとその家族、追進(?)農大学生、農業高校生、外国クラブ員、青成指導者、農業関係者 計千五百名

一、つどい事務局

▽七月九日まで=東京都新宿区市ヶ谷船河原町十一、家の光会館内 全国4Hクラブ連絡協議会事務局(電話=〇三—二六九—一六七五)▽十日から=名古屋市中区栄一ノ一八ノ八号、愛知県青年会館(電話=〇五二—二二一—六〇〇一)

一、運営

別に定める方法により全協、愛知県連と次期開催県連(北海道)の各役員および4H協会職員が当る。

一、参加者経費

一人六千円 宿泊費三千円(旅館二千円、ブロック宿泊千円)、交通費千七百円、弁当代八百円、運営費四百円、保険料百円。

一、参加者受付

(1)第一次受付け案内所 国鉄名古屋駅構内、西口壁画前(新幹線側)

(2)第二次受付け所 名古屋城正門駐車場(名古屋中区本丸)、テント張り受付け設置

一、参加者申し込み

(1)各道府県連会長は指定様式により来る四月十日までに参加者をとりまとめ、申し込み金(前納金)一人当り二千円をそえて、つどい事務局に申し込むこと(ただし、不参加の場合は返済しない見込み)

(2)愛知県以外の各県連は十五名以上参加のこと

一、現地交歓訪問

(1)目的 愛知県下のクラブ員の生活や経営状態を視察し、体験するとともに、仲間づくり、家族ぐるみ、地域ぐるみの4Hクラブ活動を実践する。

(2)内容 ❶愛知県下のクラブ員の生活を体験する❷家族や地域の指導者との話し合い❸クラブ活動状況の話し合い❹地域への奉仕活動。

(3)日程(例)▽七月十二日=ブロック別の歓迎会と交歓会▽十三日—生活体験、活動状況の話し合い▽十四日=地域への奉仕と学習、単位クラブ別行事

(4)注意 ❶生活(農業の学習)を体験をするため、作業衣を用意すること❷単なる儀礼的な現地交歓に終らないように努めること❸この交歓訪問の旅費は自己負担とする❹常に4Hクラブ員として自覚と誇りをもって行動すること❺集団生活を通じ新しい友と努めて交流し、自己を高めるとともに、人間関係の尊さと楽しさを体得すること。

一、携行品

(1)洗面用具、筆記具、雨具、運動靴、作業衣、トレーニングパンツ、懐中電灯、ビニールふろしき、その他日用品と健康保険証。

(2)郷土品の交歓を行なうので、各自二百円程度のものを持参すること。

一、その他

(1)参加者は、全日程参加し、期間中の個人行動は認めない。

(2)つどいの意義を良く理解して、自主的で規律ある行動に努めること。

(3)保険に該当しない医療関係についても、応急処置をとるが、費用は自己負担とする。

(4)県外参加者は、車による参加は遠慮すること(ただし、貸切バスだけを認可する)

(5)参加者は、つどい期間中保険を契約するので、参加申し込み様式通りに必ず記入すること。

一、日程 省略

なお、記念講演の講師については目下検討中である。

来年は北海道に決る

全国のつどい

「準備委員会」を発足

会長に中山君 北海道連で総会開く

【北海道=赤松宏連絡報道員発】北海道4Hクラブ連絡協議会(会長・奥村秀宏君)は、全国の各県連に先がけて昭和四十六年度の定期総会を、さる一月三十一日、札幌市の労農会館で開いた。総会は、奥村会長のあいさつ、来賓の道農務部農業学園係長から祝辞が述べられたあと、議長団を選出して議事に入り、まず四十五年度事業と決算報告を承認、続いて四十六年度の事業計画と予算、また、四十七年度に開催する「第八回全国4Hクラブ員のつどい」の準備委員会の設置を原案どおり可決し、会長に中山寿雄君を選んだほか新役員を決め、意欲も新たに新年度へスタートした。=関連記事2面にあります

特別会計も組む

中山道連会長

これによって、四十七年度に北海道で「第八回全国4Hクラブ員のつどい」が開催されることは本決りとなったわけで、今夏、第七回のつどいが開かれる愛知から海を越えて北海道にレールが敷かれることになった。

北海道連のつどい開催誘致は、さる四十四年の夏以来、全国4Hクラブ連絡協議会から意向打診が行なわれ、また、これとともに北海道連の内部にも、つどい誘致を要望する声があったために呼吸が一致していた。

そこで、同連では、昨年度、つどい誘致運動を展開、協賛マッチ一万三千個を作成するなどしてPRに努めてきたが、道内全体にムードが盛り上がり、つどい開催可能性の見通しがついたので、このほど開かれた総会で正式に決定し、その準備にとりかかることにしたもの。このため、本年度に誘致協賛マッチ作成費として百三十万円の特別会計を計上した。これからの北海道連の活躍が期待される。

赤川、前川、沢田君のトリオで

なお、今年度の新役員は次のとおりである。

会長	中山寿雄(網走)
副会長	二川健司(後志)
〃	阿部美智子(宗谷)
書記長	赤松宏(後志)
〃	前川英明(日高)
広報部長	沢田義夫(空知)
事務局長	飛岡良成(胆振)
〃次長	中尾克美(留萌)
評議員	小野寺俊幸(網走)
〃	倉千代子(空知)
〃	吉田澄子(石狩)
〃	宮鍋敏一(上川)
監事	大西信子(留萌)

胸に焼きつく大会に

愛知県連

【愛知県=鳥居久雄連絡報道員発】さる一月四日号の本紙で詳報されたとおり、「第七回全国4Hクラブ員のつどい」は、今夏愛知県で開催されるが、これに備えて、愛知県4Hクラブ連絡協議会(会長、富永博君)では、つどいの運営とあらゆる行事を結びつけて行く方針で進めている。

さる一月二十七、二十八日の両日、岡崎市の県青年の家で開かれた幹部研修会は、各ブロックのレクリエーションリーダーの養成をねらいとしたものであったが、同時に、つどいの周知徹底を図り、協力を要請した。また、二月十七日から三日間、同県立青年の家と農民文化会館で開かれた愛知県青年農業者会議の中でも、つどいについての新しい試みが行なわれた。

このように、あらゆる機会を通じて、部分的なPRが試みられ、積み重ねられていくのも、「参加者の胸にいつまでも残る大会」にしようという意欲の現われで、愛知県の特色が十分発揮される大会になることが期待されている。

山形の青年会議は県農業の方向など

【山形】第十回県農村青年会議は県内から百人余のクラブ員が参加して、さる一月二十六日から四日間、天童市の県青年の家で開かれた。

県農業の現状と方向についての講演や経営部門別の分科会討議、クラブ員代表による新しい農業への歩み発表、シンポジュームによる研究討議が行なわれた。

大阪で6回グループ員大会

【大阪】大阪府と同府農業・生活研究クラブ連絡協議会(会長、高橋保夫氏 4H部長、原田正夫君)主催の第六回府農村青年婦人グループ員大会は、二十三日午前十時から泉佐野市の同市民会館ホールで開かれ、式典のあと、代表による実績発表、パネル討議「一万ドル農業をめざすために」、アトラクションなどが行なわれた。

酪農がブーム

佐賀の新経営者会議終わる

【佐賀】県、同4Hクラブ連絡協議会(会長、小林秀敏君)主催の県農業新経営者会議は、さる一月二十六日から三日間、佐賀郡大和町中央公民館に約五百人のクラブ員が集まって開かれた。

代表によるプロジェクトの実績発表や分科会討議、全体討議、レクリエーションなどが行なわれたが、とくに、クラブ員の間で酪農が一つのブームを呼んでいる姿が浮彫りにされた。

意志の疎通欠く

全協が北陸へオルグ 各県連も諸問題かかえる

全国4Hクラブ連絡協議会の松浦幸治事務局長は、滋賀県大津市で開かれた第七回近畿地方農村青少年のつどい(近畿農村青少年クラブ連絡協議会と全国農村青少年教育振興会の主催)に出席したあと、さる一日から北陸ブロック(福井、石川、富山、新潟各県)へオルグ活動を行なった。

各県とも、県連役員、県青少年担当者が出席、松浦事務局長は、4H会館建設の募金、全国4Hクラブ員のつどいなどを中心に全協の活動方針や事業計画について説明、協力を要請したが、ここでもやはり意思の疎通を欠き、全協の考え方がよく理解されていない面がみられた。

また、各県連の実情をみても、石川県連が再発足してからまだ四年しか経過していない、富山県連の場合も、今年度移転した事務所を来年再び変える予定であり、福井県連では、県庁宛に出された全協の文書が県連に十分流れていない、新潟県連も地区連、単位クラブという結びつきがスムーズに行なわれていないなどの問題をかかえており、さらに新規就農者の減少、県への依存度が強いなどの傾向も隠せない。

このため、全協に対する質問も総会などでこれまでに出された内容から外へ出ていないようだが、各県連とも納得すれば前向きに協力するという姿勢をみせており全協としても積極的にバックアップし、テコ入れしていく必要がある。

"大地に足、両手に未来を"

全国青年農業者会議 第10回記念のスローガン決る

来月二日から東京・渋谷区代々木のオリンピック記念青少年総合センターで開催される「第十回全国青年農業者会議」のスローガンがこのほど決定した。

農林省など同全国会議の主催者七団体(機関)は、第十回を記念して全国の農村青少年クラブ員とその育成指導者から会議のスローガンを募集していたが、応募作品三十九点の中から選んだもの。

選ばれたのは、島根県安来市安来町、安来農業改良普及所の前田学氏が応募した「大地に足を 両手に未来を 私達で築こう日本の農業」である。

応募作品は、会議の成果を持ち返って頑張ろうと呼びかけたものや、青年の意気を示したもの、仲間との団結を訴えたもの、また、地域農業や生産、販売などと直結させたものなどがあった。

なお、会議事務局は、現在、全国各都道府県から送られてきたレポート、プログラム、参加者名簿などの整理や作成、案内状の発送などに大わらわ。開幕に向って着々と準備を進めている。

ウーマンリブ? 寄鍋を囲んでハッスル

山梨県連の「4H女子研」

【山梨県=桐原宣連絡報道員発】県4Hクラブ連絡協議会(会長、河東哲征君)は一月十六・十七日の両日、甲府市内の県立青年の家で、山梨県女子4Hクラブ員研修会を統一テーマ「心と生活」のもとに開催した。本年度二回目の女子研であったが八十余名が参加した。

最近、「親子の断絶」とか「人間疎外の社会」とかよくいわれているが、今回の女子研では、これらのみなもとになっている「心」の問題について特にとりあげて考えてみた。また、男子クラブ員にも参加してもらい、女子だけでは解決できない数多くの問題を一緒に考えてもらった。

一日目 開会式のあと女子クラブ員の映写操作によるフィルムフォーラム「心と生活」が行なわれた。そして、県社会教育主事の講話「現代社会のエチケット」のあと、分科会が開かれた。

各グループでは「恋愛と結婚」「女性と職業」「習いごと」などについて活発な意見をかわした。とくに、「恋愛と結婚」については独身女性ばかりのせいか延々と就寝時間まで話が続いた。

二日目 日本愛農会の教育主任の「心と生活」と題する講演があり、人間とは、愛するとは—などユーモアをまじえた話が二時間にわたって行なわれた。続いて、この講演会をもとにした分科会は、寄せ鍋を囲んで男性クラブ員ともども和気あいあいと話し合われた。"日頃の腕の見せどころ!"と女子クラブ員は、味つけに大いにハッスルしたが、中には男子クラブ員が味つけをしたグループもあり、わが県連にもウーマンリブ来たりの一コマが見られた。

その後、ゲームやフォークダンスを行ない、最後に「より明かるい農村建設をめざして」のスローガンをバックにした記念撮影で二日間の研修の幕をとじた。

未来の主婦をめざして勉強する女子クラブ員=山梨県連の女子研修会

農業の前進に"若さ"を示す

長崎の「つどい」

【長崎】「若さでつくろうわれらの農業」をスローガンに、第十回県青年農業者のつどいが、さる一月二十五日から三日間、北松田平町で開かれた。

初日は、県下各地からクラブ員など約三百人が参加して午後二時から町中央公民館で開会式が行なわれ、十二人の地区代表の地域紹介やあいさつ、講演に続いて、午後七時からは平戸口運輸ホールで歓迎の夕べが開かれた。

二十六日は午前中、「新しい農業への歩み」をテーマに七分科会で意見交換し、午後から二十五人が二会場で実績発表を行なった。

最終日の二十七日は午前八時半から全体会議を開き、三日間の討議をまとめた。

新潟では21回 実績発表大会

【新潟】県農業改良クラブ連盟(会長、熊倉国衛君)は、県、県教委と共催して、「第二十一回県青少年実績発表研究大会」をさる六日から三日間、西蒲原郡巻町越前浜の県立青少年研修センターで開いた。

涼風暖風

厚化粧に投票するな

統一地方選挙が近づいてきた。参議院選もこれに続いている。

出たい人より出したい人、とは選挙のたびにいわれることだが、こんどの選挙はどうだろうか。ただ、選挙運動がスマートになり、上手になった、とは、おおかたの評。

ダイレクトメールや後援会結成などの微妙なものから、代議士ソングやシンボルマーク等々、情報メディアを駆使し、大衆心理をあやつり、正攻法からゲリラ戦術まで、さまざまな戦いがくりひろげられている、といわれているのだが。

選挙の演出といえば、これは昔からあった。ある候補者が、原稿を読みながら演説していて「…であります」と言ったあと「ここで水をのむ」とやって、聴衆の爆笑をかったという例があるという。たぶん、つくって貰った原稿を棒読みしているうちに、演出用の「ト書き」まで読んでしまったのだろう。

自分が票を入れた人が当選しないと、自分の票が死んでしまうと考えている人も多いらしい。だから、当選しそうな人に投票するという。当選させようと祈りをこめて投票するならともかく、当選しそうな人に投票するのでは、本末転倒もはなはだしい。

ところで、当選しそうな人に入れるという心理をうまくついたのが、動員作戦である。近頃は、いろんな大会や会合が開かれているが、昔のそれは「エプロン作戦」である。真白いカッポウ着をつけたご婦人方を選挙事務所に動員し、かいがいしく炊き出しなどをして、景気を盛りあげる手である。ニギニギしい事務所のほうが、というわけだろうが、近頃は、何俵分のにぎりめしをつくった、といっても、これに左右される人は少なくなったと考えるが。

大衆操作の古いのが、義理・人情のしがらみにかけるやつである。これは単純思考型の人によくきく方法で、おどしや泣きなど、理性を必要としない便利さがある。

ともあれ、いよいよ選挙が近づいてきた。選挙運動も手をかえ、品をかえてくりひろげられるに違いない。ただ、ムードや一時的なもので投票の基本が動かされるようでは、選挙民として一人前ではないだろう。今こそ、じっくり腰をおちつけて、本物かにせ物かを見わけたいものである。(文部省 伊藤)

心頭技健

ことしは、農家の人たちの出かせぎが前年よりぐんとふえ、いま、全国で百二十万の人たちが家族と離れて働いているといわれる。高速道路、地下鉄、下水道などの工事現場で働いている十人のうち六人までが農民で、それも、都会の人間がいやがる危険度の高い作業を受け持っていて、それだけに事故に巻き込まれることも多い▼このように出かせぎ労働者がふえているのは、やはり、物価上昇の中で、二年連続の米価据置きや米作の減反によって、農外収入に頼らざるを得なくなっているからだ。ことしも、二百三十万ト[illegible]九州七県と山口県にも匹敵する面積の米の生産調整が行なわ[illegible]ようとしており、さらに拍車をかけることにもなりかねない▼ある農民はこうつぶやく。「都会の文化は、われわれ出かせぎ者の犠牲の上に咲いている[illegible]じゃないのか」と。かつて、農村の二、三男が企業の働き手として都市部に吸収され、経済成長の底辺を支えてきたが、いまそれを農家の大黒柱や次代の担い手が演じているわけである。それがまた、農外収入として農家収入の五割を上回わってい[illegible]のだから矛盾を含んでいる▼[illegible]の都会の繁栄を支えている"孤独な労働者"たちが「もう泣きねいりはやめよう」と、このほど全国的な組織を結成した。これをトリデに事業主に対して値上げや労働条件改善の団交もすることにしている▼しかし、この出かせぎは、多くの問題を内蔵しているといえる。家に残された主婦は「夫婦生活が半年もとざされるということは、人間破壊です」と訴えている。子どもたちにしてもそうだ。初めは毎日泣いていたが、淋しくなんてありませんとしだいに自[illegible]の心をいつわっていく。この出かせぎによる送金は、年間平均一人約三十万円といわれるが、ゆがめられた中での収入であ[illegible]▼そして、もぬけのカラにな[illegible]たような村は、動きも鈍く[illegible]る。クラブ活動が冬期間、一[illegible]的にストップするところも[illegible]る。農業の企業化、近代化が[illegible]けばれる裏側にこのようなゆ[illegible]められた世界があることを忘[illegible]てはならないし、その解決へ[illegible]道を捜さなければならないと[illegible]う。

俺たちがやらねば――

熊本県の青年会議 雪の阿蘇で活発に意見交換

「俺たちがやらねば…」と真剣に農業問題などと取組むクラブ員＝熊本県の青年会館で

【熊本県＝池田隆美連絡報道員発】さる三日から三日間、県と県農村青少年クラブ連絡協議会（会長、野中富美男君）主催の第十回県農村教育青年会議が、国立阿蘇青年の家に県下の農村青少年三百名を集めて開かれた。

一日目 前夜からの雪で、受けつけに飛び込む若者もコートの襟を立て顔はまっ赤。銀世界の阿蘇は、私たちの汚れのない純粋な心ときびしい情勢に打ち勝つ心を求めているかのように思えた。開会式は、4Hクラブの歌の大合唱で幕をあけ、田尻農政部次長（知事代理）、杉本県農協中央会々長から「この現実の中で諸君らのこの会議の意義は大きい、期待に添うよう頑張って下さい」と激励のことばがあった。続いて野中県連会長もあいさつし、若い力の心意気のほどを示した。夜は、零下二、三度という体育館で明日からの研修を意義あるものにするため、交歓の夕べが催された。寒さを忘れゲームや歌、フォークダンスに興じ、すっかりうちとけて明日からの会議に期待を持たせた。

二日目 普通作、野菜、果樹、畜産、生活改善、グループ活動、指導者の七分科会に分かれ、お互いに問題や悩みを少しでも解決しようと一日中討議し、夜は、指導者（普及員）とクラブ員が「グループ活動」について交換討議した。

お互いに少しでも理解しあおうというこの試みは大好評だった。続いての自由時間は食堂で、果物、菓子、飲み物を前に各テーブルごとに交歓会。食堂はまるで大パーティーのようだった。

三日目 前日の分科会のまとめや会議の反省などを話しあう全体討議が行なわれた。活発な意見に時間も少々オーバー気味。そして、最後の閉会式で、三月に東京で開かれる全国青年農業者会議参加者六名を推薦し、参加者は雪の阿蘇をあとに各地へ帰っていった。

今回の会議が問題点を残しながらも、成功のうちに終わったのは「俺たちがやらねば…」という農業情勢に立ち向う意欲と研究心をそのままぶっつけたからだと思われる。なお、この会議では、毎日のニュースや面白いできごとなどを書いた速報（根子岳だより）も三回発行され、会議を盛り上げるために役立ち、好評を得た。

減反問題など討議

福岡で「あすを築く農村青少年のつどい」 新卒就農者をまじえ

【福岡県＝江崎君発】県と県農村青少年クラブ連絡協議会（会長、荒渡宏君）の共催による昭和四十五年度「あすを築く農村青少年のつどい」が去る一月二十五・二十六の二日間、県福祉センターと農協会館において開催された。

一日目は、県福祉センターで農村青少年代表百五十名参加のもとに実績発表会、分科会討議が行なわれた。実績発表は、今年度から各普及所単位の代表選出のため発表者が多く、二会場に分かれて行なわれたが、やはり時代を反映してか米の生産調整などに真剣に取り組んでいる姿が見受けられた。夕食が終ってから、六分科会に分かれ、それぞれなごやかな雰囲気の中で話し合いが進められた。

二日目は、農協会館において新規学卒就農者四百六十名をまじえて行なわれた。前日の実績発表者の中から選ばれた代表三名によるプロジェクト、クラブ活動発表がなされたあと、前日の分科会代表者によるパネル討議が行なわれた。午後、県知事による激励のことば、新規学卒就農者代表による決意表明のあと、京都大学・柏教授の「日本農業の課題と農業青年」についての記念講演が行なわれた。

この大会二日間をふり返ると、年々マンネリ化の傾向にあるので内容の工夫がほしい。さらに、時期が新規就農者の卒業試験直前のため参加者が少なかった。本当に新規就農者を激励するための会であるならば、開催時期や内容をもう少し改善すべきだとの反省の声も聞かれた。ここらで、県、県農村青少年連絡協議会当局ともこの大会のあり方について、今一度検討する余地があるようだ。

北海道連の総会

三百万円越す 大型予算

一万三千の会員を擁す 実態調査など計画

北海道4Hクラブ連絡協議会の定期総会は、各支庁代表の男女各一名の合計二十八名の出席のもとに開かれた。午前十時半から議事審議に入り、まず四十五年度の事業経過報告が中山書記長から行なわれ、ひき続いて、赤松事務局長から四十五年度の収支決算報告があった。高橋監事から監査報告を受け、提出どおり承認された。そして午後から四十六年度の事業計画の審議に入り、四十六年度の道連の事業は次のとおり可決された。

活動基本方針

経済の高度成長によって、日本の国際社会における役割は非常に重要な地位を占め、世界の注目を集めるに至った現在、われわれは何をなすべきかを自らに問わねばならない。この時にあたって、有能な社会人を世に送り出そうとする4Hクラブの意義は大きい。小さな実践の積み重ねこそが、より大きな発展の原動力たることを疑わない。全道一万三千名のクラブ員と共に4Hの本質をみつめ、生産と生活の調和のとれた未来社会の建設にまい進するために次の事業を行なう。

事業計画

一、4Hクラブの組織強化

(1) 支庁連絡協議会との連携を深める。

(2) ブロック活動の助長 十四支庁連協のブロック活動を助長し、4Hクラブ活動の助長を図る。おおむね三ブロックにわけ各ブロックに対しオルグの派遣を行なうとともに一万円の研修助成を行なう。

▽第一ブロック（主に道南方面）石狩、後志、桧山、渡島、日高、胆振 ▽第二ブロック（主に道北方面）宗谷、留萌、上川、空知 ▽第三ブロック（主に道東方面）根室、十勝、網走、釧路

二、4Hクラブ活動の充実強化

(1) 4Hクラブ活動実態調査 クラブ活動助長のため道、普及所などと協力して連携を密にし実施する。

▽調査内容 クラブ数、クラブ員数（男女別）支庁連協役員名、また普及所が実施、または実施予定の青少年カードも利用する。

(2) 青年農業者会議および農村青少年技術交換大会の開催 農村青少年の実践活動とその成果について発表しあうとともに、研究協議や技術と意見の交換を行ない、今後の実践活動を助長するため、道との共催によって効果的に運営を図る。

なお、技術交換大会については今後、全道の大会は仲間づくり的な方向を考えて行く。支庁大会には現在までの道大会方式を企画するように指導したい。

(3) レコードブックの発行 内容の充実を図るとともにプロジェクト活動の助長を図るため、レコードブックの普及を行なう。また、本年度はクラブレコードブックの改訂とプロジェクトレコードブックの手直しを行なう。

(4) リーダー研修会の開催 支庁連クラブリーダーを対象として、4Hクラブ活動推進に必要な知識、技術の修得とプロジェクト活動の実施率、達成率を高めるための研究協議などを行なう。

(5) 全道4Hクラブ活動記録写真展、機関誌（紙）展の開催 広報活動の充実強化を図るため各支庁、市町村、単位クラブ発行のものを対象とする。

(6) 優良参考図書の紹介 仲間に読んでもらいたい図書を互いに紹介しあい、クラブ員の読書運動の展開を図る。

三、4Hクラブ相互の連携

(1) クラブ便りの発行 連絡報道員制度を一層強化しクラブ活動の事例紹介、情報交換などを中心に編集し、機関紙として一年三回発行する。

(2) クラブ員の交換、研修に対する協力 クラブ員の道内外研修交換、青少年海外派遣、海外4H代表、沖縄4Hクラブ親善交歓訪問などについて積極的に協力する。

(3) 日本4H新聞の普及 一クラブ一紙を目標とし、目標数を二千部と定める。

(4) 支庁連協活動集の発行 支庁連相互の連携と活動助長を図るため発行する。

(5) 北海道4Hクラブバッチの普及 バッチ普及を図り、クラブ員の意識高揚を助長する。

四、第八回全国4Hクラブ員のつどい開催準備 4Hクラブ員のつどいを、効果的、しかも成功裏に終らせるため準備委員会を組織して充分な計画検討を行なう。

五、会議の開催 (1)小総会 (2)執行部会 (3)評議員会 (4)各支庁連々絡調整会議 (5)特別委員会

六、その他の活動

(1) クラブ活動の啓蒙 マスコミ、その他の機関を通じてクラブ活動の紹介啓もうを行ない、広く地域社会からの協力と理解を深める。

(2) 加盟団体の活動に対し、積極的に参加協力を行なう。

(3) 北海道青少年会館建設運動を積極的に行なう。

また、本年度は特別会計として第八回全国4Hクラブ員のつどい誘致協賛マッチ百三十万円、プロジェクト活動の手引き六十万円、総額百九十万円の特別会計を起した。

また、その他、リーダー研修会、技術交換大会、青年農業者会議などで、そのつど特別会計を起すことになるが、それらのものは約八十万円が見込まれている。

予算は、一般会計百六十九万八千七百円（旅費三十万二千円、事務費三万五千円、広報費十万円、会議費四万円、事業費五十六万円、リーダー研修費、負担金など）、特別会計百九十万円の大型予算となった。

蛙道

「おらが村さ」とテレビ

あれは二十歳の頃だったか。〈辺境〉を夢みて、雪の奥能登へ旅をした。毎日、人のいない海岸線を歩いてみた。そしてある日、湖に焦げた岩石のあいだの浜宿に泊まった。宿に入った瞬間、だれもいない土間でブラウン管が白々と光っていた。その中では見なれた歌手がうたっていた。その春、今度は、南の島へ船に乗ってみた。だが、そこでも同じ光景があった。青く広い海が見渡せる民家の縁側に、ブラウン管に見入っている少女がいた。またもや同じ歌手なのだ。その時、もうどこにも〈辺境〉なんてないのだなという感慨をもたざるを得なかった。あれからだ。旅をする気がしなくなったのは。

「われらは遠くより来た、そして遠くまで行くのだ」。これは、白土三平のマンガ「カムイ伝」の一節である。僕らもまた子供の頃、よく遠くまで出かけた。親にしかられることも忘れて。花、虫、鳥…、そこではじめて覚えることができた。いま子供たちは遠くへ行くことを止めた。テレビが、代って遠くを経験させてくれるからだ。もっとすごく、もっと空想をはたらかせて。このとおりに、テレビジョンには〈TEL＝遠く〉を見るものという意味があるそうだ。だが、この「TELE・VISION」は、私たちから、遠くへの冒険心ばかりでなく、遠く想像する力まで奪いはじめたようだ。

◇

テレビのもう一つの性格は、遠くに生起した出来事を、〈いま〉、人々に見せてくれることである。月の表面―ヒューストン―東京―農村も一つになった。そこには、もう「都市と農村」などという古い構図はない。距離と時間が零なのだ。しかし困ったことに、七、八年前にテレビが、都市からの使者のように各農家に入りはじめた頃から、農村の何かが狂いだしたような気もする。「おらが村さ」の誇りの喪失や方言の標準語化がその例だ。そのうえ、都市の欲望までもが、生々しく〈同時〉に農村に伝わってくるのでは、タチが悪い。（栃）

通勤農業など話合う

静岡県の青年会議 情報化時代に対応

【静岡】県農村青少年クラブ連絡協議会（会長、真田勝君）は、去る一月二十八日から三日間、三ヵ日青年の家において県青年教育会議を開催した。当日は、県下九十九クラブから選ばれた百十名が出席、レポート提出のない者は参加できないという厳しい条件のもとに行なわれた。

一日目 地区連から選出された十名の意見・体験発表では、やはり県大会出場者とあって昨年以上に内容的な充実がみられ、「市街化区域に入ったため、今後は他の地域に土地を買い求め通勤農業をするしかない」という意見や、女子代表の「現在、女子青年として農業を行なうには大変むつかしい条件にあるが、いち早くいろいろな問題をキャッチして情報化時代に対応した農業経営をしていきたい」など時代の変動を反映した力強い意見があった。

二日目 特別講師として、日本農業の先駆者である愛知県刈谷市の稲垣恒夫氏を招き、「七十年代の農業経営」と題する講演を聞いた。稲垣氏は、元登山家で昭和三十五年にはヒマラヤで雪男の足跡を見つけるなど冒険家としても有名である。講演では次のようなことが述べられた。

(1) 政府が推進している共同経営化はおかしい、他人同士でうまく経営が成り立つわけがない、私は会社組織の企業的農業を進めている、また借地耕作を行なうべきだ。(2) 失敗して多くのことを学ぶのが大切である。安全経営では伸びない、技術は金で買えるが人間の能力は無限である。そして、一流農家になるためには関係指導機関を最大限に活用することが課題である。(3) 日本は離農政策が必要である。離農者には相当な年金を支給し、離農がスムーズになるようにするべきだ。(4) 農作物の過剰を防ぐため、穀物、乳製品、食肉について世界協定を結び、コストダウンに耐えることが最大の目標である。(5) 工業の発展した所ほど農業は伸びる。静岡県は、東海道メガロポリスの中核都市であり、その上東京・大阪という大消費地が近くにありめぐまれている。また、都市近郊にあった農業は施設園芸である。(6) 二度と来ない青春時代にいかに学習するかが大切である。多くの青年が海外研修し、国際的視野を広めてほしい、それが今日の情報化時代ではないか。

以上、多くの話がなされたが、質問に入り、各クラブからもさまざまな建設的な意見が出された。一時は、質問ラッシュで、時間が過ぎるのも忘れるほどであった。続いて、共通課題と選択課題の分科会に入り、それぞれで意見がかわされた。

三日目 参加者に共通選択課題のレポート提出を求め、それをもとに全国大会代表八名を選んだ。このレポート作成についてあるクラブ員は「きびしいことであったが、クラブの代表だから当然であると思う」と語っていた。最後に全体討議に入り、分科会において話し合った問題などについて活発な討議が行なわれ、二泊三日の青年会議の幕をとじた。

なお、県連では4H会館建設募金運動の一部にしようとこの会議でバザーコーナーを設けた。一日目はしるこ、二日目はあま酒が研修のあい間や自由交歓の時に販売された。また、この募金活動について県連役員は、東北オルグの打ち合せのため訪れた全国4Hクラブ連絡協議会の久野会長、松浦事務局長と話し合った。その席で真田県連会長は「これまでのオルグ員からの協力を得て約二十三万円が募金された。まだ目標額までは達成できていないが、募金活動ばかりでは他の活動も思うようにできないので、県連としては一月末をもって終りにしたい」と県連の方針を伝えた。（鈴木政美君発）

（親子の対話）周囲が騒ぎ過ぎる

山形県上山市の市内には、約七百人の農業青年がいて、その中で二十代は四百人をこえる。この青年たちの意欲を高めようと、このほど同市農業委員会が市内七ヵ所で座談会を開いたが、そこでもやはり結婚や農業青年の流出問題について話し合われていた。

結婚問題については、この座談会に先立って行なったアンケート調査によると、市内に未婚者が三百三十人（うち女性三十人）いる。その九割近くがまだ結婚の相手が決まっていない。しかし、話し合いでは、クラブ員たちは比較的に楽観的な発言をしている。農業を好む若い女性はかならず見つかると自信をもち、周囲であまり騒ぎたてるのはかえって困るという。これは、本紙の前号で紹介した山口県長門大津市連主催の「親と子のつどい」における対話と同じ内容であった。

また、後つぎ対策については、ここでもやはり親と子の対話が少なく、意見のくい違いがみられ平行線をたどっている。しかし、理解しあえば「家族協定農業」も実現できるという結論であった。家族ぐるみの4H活動が強調されるゆえんでもある。

こんなことをしています 各種農業団体

全国購買農業協同組合連合会

個別対策が必要

特別推進運動中間報告 生産資材取扱い

昨年十二月から肥料、農薬、農業機械など生産資材の"特別推進運動"を展開している。これは、米の生産調整、農薬残留問題に対処するため、生産資材購買事業の再結集をはかることを目的としているが、このほど中間報告がまとまった。

肥料部門 県連、農協ともに肥料取り扱いに危機感を認め、作物別対応に積極的である。全購連―県連―農協間の接触も不十分で、組合員農家の多様化に対し具体的、個別的対策が必要と考えられる。一方、商系への売り込みは、生産者組織、大農家などを個別にあたり、技術サービスと資材のセット販売をしており、営農指導の不十分な農協管内に指導もしている。組合員農家に、農産物販売を主体とする所要生産資材の購入が認められ、農外収入増大により金融面の結びつきが弱まり、業者に走る傾向があるので、農協からの営農指導と農協自体の経営の再検討が望まれる。なお問題点は、❶園芸、桑茶、肥料対策❷（作物別）面積予約の徹底❸粉末、液肥の開発、検討などである。

農薬部門 一部に、生産資材取り扱いに対するマンネリ化、予約に対する意識低下があり、取り扱い体制の再強化が必要である。また、有機塩素剤の残留対策を早急に望む声もあるが、総体的に調査、推進資料、マーケット・リサーチの不足が指摘された。

農業機械部門 この運動の中で、早期予約受注の取りまとめを徹底する"機械化営農強化運動"を推進、このため、機械導入三か年計画、体制整備三か年計画の作成、SSの総点検をはじめている。しかし、特別推進がはじまったばかりなので、十分でないところもある。全購連に、より以上の購買対策強化を望む意見も強い。

生活部門 この運動と並行して、カラーTVを中心とした独自の運動がある。推進期間を定め、訪問推進、電化ジョウ、DMなどを実施している。現在までの特別推進運動で評価できるのは、農協での不買運動に対する不安感の払拭、市況対応で安心して推進できるようになり、事業への厳しさが浸透、特別推進委員（全購連から、各段階まで）が農家巡回したことである。だが、メーカー依存が強く、電気、耐久財への取り組みに消極面がみられ、マーケティング活動の活発化、顧客台帳の整備などを急ぐことが、課題として残っている。（弘報部）

農林中央金庫

切実です所得確保

農家生活のアンケート 出かせぎふえる

農林中金では、全国二千戸の農家の協力を得て「農家の生活について」のアンケートをまとめた。

農業や農村をとりまく環境の激しい変化の中で、農家はいま生活についてどう考え、どう行動しているだろうか。「あなたの生活にとって、いま最も重要な問題は何か」という質問に対して一番多かった答は「所得の確保」だった。その割合を地域別にみると、北海道（五五％）東北（五二％）九州（四七％）と農業地帯で高い。これは、米の生産調整による農業所得の先行き不安を反映しているものと思われる。とくに専業農家のうち四七％が「所得の確保」を生活上の最も重要問題として上げていることが注目される。

生活上の重要問題としては、このほか「子供の教育」（三一％）「子供の結婚」（一〇％）「後継者」（一四％）「老後」（一二％）をあげている。このうち「老後」の生活を重要問題として考えているのは兼業農家に多い。また「後継者」については、専業農家が多い。

つぎに、「出かせぎ」については調査対象農家の一三％が出かせぎに出ている。出かせぎ先は県内が六割、県外が四割で、期間は三か月以内（四七％）六か月以内（二八％）六か月以上（二五％）となっている。出かせぎの最も多いのは東北で、十軒のうち三軒が出かせぎに行き、そのうち二軒は県外となっているが、期間は全国平均より短かく三か月以内が五二％と半数を占めている。

出かせぎ農家を階層別にみると、一・五㌶から二㌶までの層が最も多いが、二㌶以上の農家でもその一七％が出かせぎに出ており、最近は経営規模の大きい農家も出かせぎに出るようになった。

農家の生活で「この一年間でよくなったものは何か」という質問に対しては「食生活」と答えた農家が三三％と最も多かった。しかし「よくなったものは何もない」と答えた農家が一六％、無回答が一三％もあったことは注目される。

「こんご一年間に、よくしたいものは何か」という質問に対しては「貯蓄」と答えた農家が三三％もあり、多くの農家が将来の生活について真剣に考えている。さらに、生活面で「こんご切りつめるものは何か」という質問に対しては、三〇％の農家が「交際費」を上げている。

このように、ひところ消費ブームとマスコミにさわがれた農家の生活も、いま重大な転機に立たされている。（総務部）

訂正 前回の見出しで「協農貯金」となっていたのは「農協貯金」でした。お詫びして訂正します。

私のプロジェクト

稲作省力化による経営改善

福島県飯坂農協青年部　安斎忠作

大幅に時間短縮
田植・稲刈機導入して

昨年十二月、福島県農村青少年クラブ連絡会が行なった、第五回農村青少年4Hのつどいにおいて、日本4H協会長賞を受けた安斎忠作君から、「稲作省力化による経営改善」の原稿が送られて来た。安斎君の場合、水田よりもむしろ果樹栽培が基本だが、労働力不足の深刻なおりから、彼の改善方法もひとつのケースとして参考にしていただきたい。

私の住む県北地区は、皆様御承知の通り果樹生産の盛んなところです。しかし、現況を見たところ果樹専業農家は少なく、果樹プラス水田、または果樹プラス養豚などの複合経営が大多数を占めております。

我が家の経営内容は、リンゴ四十㌃、モモ四十五㌃、カキ十㌃、オウトウ十㌃、イチゴ十㌃、水田九十㌃と、複合経営の形態をとっています。そのため、経営上の問題として、作物間における労働競合があげられます【図表I】。五月上旬から下旬にかけての労働競合は、上旬にリンゴの人工授粉、中旬に田植えとゴールの小袋かけ、下旬に桃の摘果とイチゴの収穫があります。また秋は、九月上旬から十月中旬までリンゴの収穫、十月に稲刈り、十月下旬から十一月にかけてイチゴの定植と、労働競合関係がはげしいのです。その結果、農繁期と農閑期の差が生ずることになります【図表II】。

ところで、今までの労働対策は臨時雇傭に頼っておりましたが、今日のように労働力の不足、労賃の高い時代においては、臨時労働力に頼ることはむずかしくなったと思います。実際、我が家において自家労働力は父母と私の三人です。三人がフルに労働しても、十日間に二百五十時間が限界だと思われます。図表IIIで表わした労働ピークのうち、一旬二百五十時間を越える季節が問題なのです。

そこで対策なのですが、雇傭労働力に頼ることが出来ない以上、機械化かもしくは作付転換を行なって、労働の省力をするか、競合を避けるほかありません。そんなところから、今年（四十五年）我が家においては、機械化の容易な水田部門を機械化して省力化を計り、その余った労働力を、基幹作物である果樹へ向け、品質の向上を目指しました。

つまり、田植えと稲刈りを機械化しました。田植機の導入は他の農機具と異なり、この機械を使用することによって、作物の栽培体系が慣行法と大きく変り、収穫、その他経済面に及ぶ影響が大きいのです。機種はヤンマーの種まき機を使用しました。本機を使用した場合の栽培は次の通りです。

催芽機で二日間催芽してから、ビニールトンネルに移した

頼れぬ臨時労働力

栽培品種は、ササニシキ、コシヒカリ、セキミノリ、マンゲツモチ、播種を四月十五日に行ないましたが、まず苗箱に播き、催芽機で二日間催芽した後、ビニールトンネルに出し、五月六日に二十日苗を定植しました。元肥は、N四・四㌔、P九・八㌔、K三・六㌔、追肥を七月二十八日に、NK化成、N成分で一㌔を施しました。

管理作業は、除草体系として田植え前にMO散布、二週間後にスエップMを使用、また病虫害防除のため、七月三十日に、イモチ、紋枯防除用にタフジンを使用、八月十日にツマグロヨコバイ、イモチ防除を行ないました。以上が栽培の概略です。

次に収穫ですが、ここに「ササニシキ」を調査したものがありますので、表にしてみました【図表III】。

育苗器は四万五千円（耐用年数五年、残存価格ゼロ）、年間償却費九千円、年平均利子千四百六十三円、年間修理費九百円となり、年間経費合計は一万一千三百六十三円となります。田植機は十四万九千円（耐用年数五年、残存価格ゼロ）、年間償却費二万九千八百円、年平均利子四千八百四十三円、年間修理費二千九百八十円となって、年間経費合計は三万七千六百二十三円となりました。

育苗経費（十㌃当り）は、電気代七十五円、テープ・育苗紙・その他千二百七十五円、育苗箱百五十三円、合計千五百三円となりますが、十㌃当り総経費をみると、育苗機（年間百五十㌃使用）七百五十八円、田植機（年間三百㌃使用）九百四十一円、育苗費千五百三円、田植労賃（一時間二百五十円で四時間）千円となり、総経費四千三百二十四円となりました。

・田植機の導入により、田植時間は十㌃当り慣行の二七・三時間に対して四時間と八分の一近くに省力が可能です。また、機械化にともなう経費も十㌃当り四千三百二十四円になり、慣行賃金一人当り二千五百円として、十㌃当り五千円以上かかるのに比べて、かなり経済的です。

次にバインダーについてみますと、バインダー（一条刈り、耐用年数五年）十七万円、年間償却費三万四千円、年平均利子五千五百二十五円となり、十㌃当り（年三百㌃使用）の経費は、バインダー千百三十三円、年平均利子百八十四円、ヒモ代千円、燃料費百五十円、労賃（一時間二百円として三・五時間）七百円となり、十㌃当り総経費が三千百六十七円と計算されます。

バインダー導入によって、慣行法だと今まで十六時間かかっていたものが、わずか三時間三十分に短縮出来て、経費もまた慣行法による労賃三千二百円より安い三千百六十七円ですので、経済的だと思われます。

以上のように田植機、バインダーの導入は、目的とした省力を達成し、また、より安い経費で各作業をすますことが出来るので、一石二鳥の効果があります。

田植機導入により、労働時間は八分の一になった

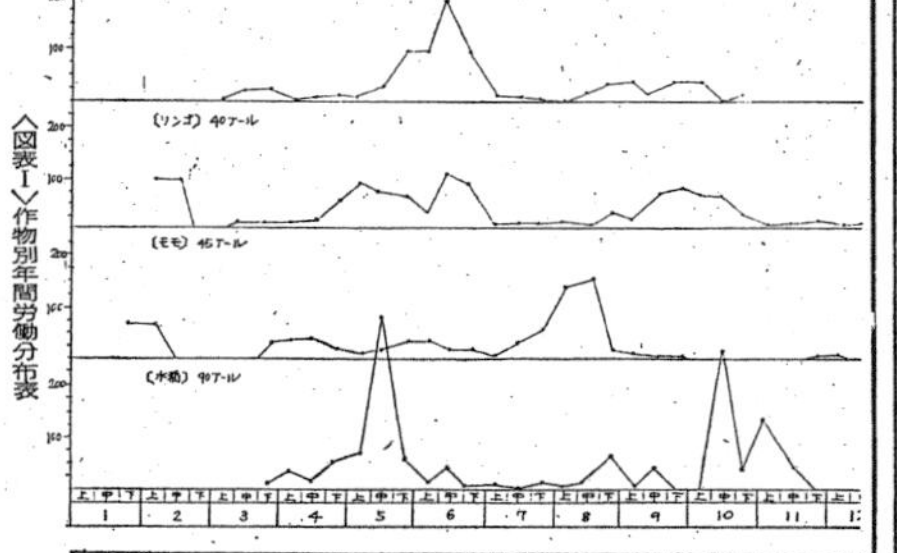

〈図表I〉作物別年間労働分布表

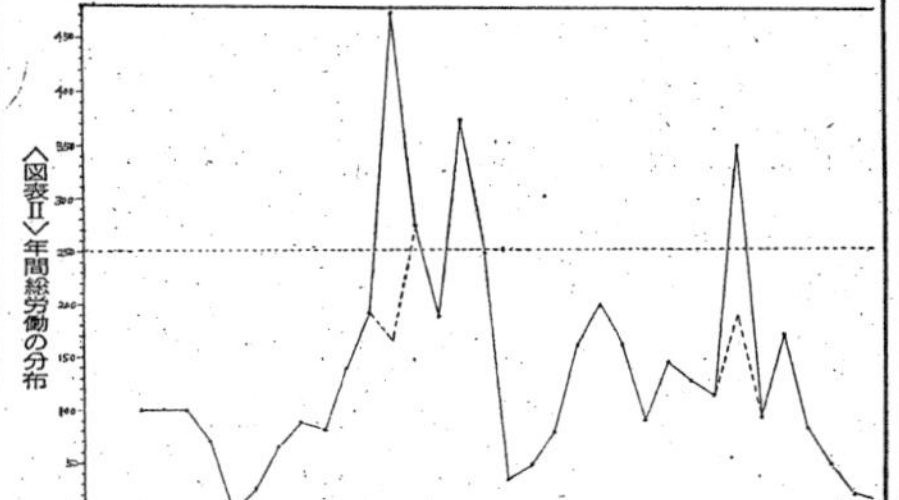

〈図表II〉年間総労働の分布

ササニシキの調査

ワラ重	モミ重	登熟歩合	玄米重	籾摺歩合
540.0Kg	738.0Kg	69.2	570.3Kg	77.3%

米径別

22㎜以上	21～20㎜	19㎜	18～17㎜	17㎜以下
0%	48.5%	22.0%	13.0%	16.5%

精玄米重　476.2キロ　〈図表III〉

共同利用を
個別の機械化はマイナス

そこで導入後の労働力配分ですが、図表IIにおいて、五月、十月の点線で結んだところが、機械化によって省力出来た労働時間を示したものです。

このように、今までのピークを大きく崩すことが出来るのです。水稲部門にこれだけの余剰労働力が出たので、これを基幹作物の果樹に向け、よりいっそう果樹の品質向上、並びに安定した農業経営を行なえる一要因とすることも可能でしょう。

最後に、このような機械化を行なう場合、個々の農家独自ではかえってマイナスになります。私の地区においては、農協を中心に田植機、及びバインダーの共同利用を行なっております。今後の農業経営においては、このように、個個の農家が寄集まり、共同その他の方法を考えて、より安いコストで、より良い商品を、より均一に、より多く生産することが大切ではないでしょうか。

牧草の上手な利用（5）

出産も順調に
工夫次第で良質なほし草

乾草とその品質

多雨の気象条件からわが国では、乾草は作れないものと決めてかかっている農家が多い。長野市の郊外、戸隠の山麓に飯綱牧場がある。農事組合法人による協業経営のうち、数少ない成功事例の一つとして知られている。牧草栽培にもすぐれ、第五回全国草地コンクール（昭和四十一年度）において既耕地の部で、みごと東日本一賞を射ちとめた。

代表者米倉隆夫氏は、昨年はじめて乾草を作ってみたが、こんなに良いものだとは思わなかったと語り、怪しげな空模様を気にしながら、乾草作りの指揮に余念がなかった。昭和四十四年の七月四日のことである。六人で百四十六頭の搾乳牛を管理し、一頭当り日平均乳量一九㌔、粗飼料としては予乾して作ったサイレージ三〇㌔を一頭の日量として与え、牧草のない時期にはこれまでイナワラを与えていた。

昨年、はじめてイナワラの代りに牧乾草を用いて、その大きな効果にびっくりしたという。概括的には牛の調子がよくなり活気が出てきた。乳量がふえ、故障の減少が目立ち、出産が順調になったことを具体的なよい現象としてあげ、これらが今年の乾草作りにハッスルする原動力になったと語った。

確かに良質な乾草は、家畜の嗜好に適し、生草やサイレージにくらべて、固形物と栄養分の必要量を摂取しやすい。栄養価値が高くても過食のおそれは少ない。また、自動給与方式の採用によって飼養労力の節減が出来るなど、乾草には多くのすぐれた長所を、見出すことができる。

不良環境を理由に易きにつくことなく、工夫を凝らして品質の良い乾草調製につとめたいものである。品質の良い乾草は、適期に刈取った草を速かに乾し上げることによって得られる。特長としては濃い緑色を保ち、芳香があり、葉の割合の多いことである。アメリカでは、マメ科草の混入割合の高いことも、すぐれた乾草として評価する一つの基準にしている。乾草とは記すまでもなく、乾草させて水分を約十五％以下にして、貯蔵性をもたせた牧・野草のことである。

乾草のポイント

乾草調製法は、自然乾燥法と人工乾燥法の二つに大別できる。自然乾燥法は場乾燥法、または陽乾法ともよばれ、主として太陽光線、風、発酵熱などの自然現象を利用して草を乾かす方法である。人工乾燥法は火力を用いて熱風を送ったり、常温通風して草を乾かす方法である。また、自然乾燥法はさらに天日・架上・発酵の各乾燥法に細分できる。

実際には、状況により各種の方法を併用して行なうことが、経済的に良質な乾草作りに通ずる場合が少なくない。自然乾燥法では、刈取り直後の高い水分状態から五〇％程度の水分にするのは簡単で、晴天ならば半日もあれば十分であるが、その後が問題で安全に貯蔵できるといわれる十五％以下の水分には反転、集草、堆積を繰返しても、なお二～三日かかるのが普通で、天候を見ながらの作業は並大抵ではない。逆に、人工乾燥法では刈取り直後から五〇％程度の水分にするまでが大変である。刈取り直後の八〇～九〇％以上も水分を含んだ草は重く、運搬に苦労する。せっかく運んでも通風能率が悪く、労賃、燃料費がかさんで、経済的な乾草などできるものではない。

自然乾燥法により、まず三〇～四〇％位に、少なくとも五〇％程度の含水量にしてから、人工乾燥法によって仕上げるやり方をとれば、作業はきわめて能率的に進行する。

三〇％以下の水分になった草に対して、さらに、自然乾燥法を適用すると、折れやすくなった葉の脱落などによる機械的ロスが急上昇する。とくに、蛋白質や無機物に富んだマメ科草の葉部は折れやすくなる。この点人工乾燥法か、架上乾燥法に切換えれば、ほとんど完全にこのようなロスは防ぐことができる。

（酪農研究会提供）

☆　☆　☆

自主的運営へ
北海道連の青年農業者会議

【北海道】道4Hクラブ連絡協議会主催の四十五年度北海道青年農業者会議は、二日から三日間、札幌市の赤れんが庁舎で行なわれ約四百人が参加した。

昨年までは、運営面に道の援助が大きかったが、本年度からは、道連の自主運営に切りかえられ、二日目に「なかまづくり交歓会」という、連帯感を深めるための行事を組んでいた。

一日目に、グループ活動、畑作、畜産、生活改善の四部会に分かれて、九十六人が実践活動について十分ずつの発表、三日目は会場を道自治会館に移して全体研究討議、優秀発表者の表彰式などを行なった。

実績発表会開く
福島　郡山市連

【福島】郡山4H協議会と郡山農業改良普及所は、十五日から二泊三日のスケジュールで、猪苗代町の国立磐梯青年の家において、郡山市農村青少年実績発表集会を開いて、農業改良、プロジェクト活動などの実績を発表を行なった。参加者は、市4Hクラブ員、女子後継者など百数十名であった。

手弁当で労働奉仕
山梨県一宮地区連　自殺した仲間のため

【山梨】一人むすこを失なって農作業に手が回らず困っている農家のため、地域の4Hクラブ員が労力奉仕した。一宮町千米寺、橋田富雄さん方では一人むすこの義雄君（二〇）が一月一七日に自殺した。モモ、ブドウを中心に一㌶の畑を耕しているが、父の富雄さんは病弱、祖父の直義さんも高齢と病弱で、農作業が無理な状態。死んだ義雄君が一人で切り回していたが、その働き手を失なって困っていた。

これをみた義雄君の仲間、4Hクラブ一宮地区連（久保寛会長）の人たちは「義雄君の悩みも聞いてやれなかった。せめて農作業の手伝いをしよう」と六日、久保会長ら二十人が四十㌃のモモ畑と三十㌃のブドウ畑で、せん定作業の労力奉仕をした。クラブ員は、昼の弁当も持参で午前八時半から午後四時半すぎまで、休けい時間も忘れてハサミを振るっていたが、遺族は「よい友だちをたくさんもってよかった」と喜んでいた。

家の光大会開く
記事活用体験発表など

家の光協会では、十八日、同会館において、第十三回全国家の光大会を開いた。これは、同協会の雑誌『家の光』『地上』などの記事活用体験と普及体験の発表会であり、東日本から、記事活用体験十八名、普及体験五名、西日本から、それぞれ十六名、六名が発表した。

審査には、評論家の丸岡秀子氏、家の光協会専務理事の高橋芳郎氏など二十六氏があたった。

農校卒業生と話す
山梨県東八代で

【山梨】この三月、園芸高校を卒業して農業に従事する四十人の高校生と先輩の4Hクラブ員、東八代農業改良普及所が話し合う会・新規就農自営者懇談会が二月五日、甲府市川田町の勤労青年センターで開かれた。

まず全体会では、生産技術研修農林青少年技術交換会、4Hクラブなどの説明がなされた。昼食後は地域ごとに二つの分科会が行なわれ高校生と先輩の4Hクラブ員たちや普及所員とが話し合った。

ここで遠慮勝ちだった高校生も、後の4Hクラブ員との対話では活発な質問を行なった。

財団法人　富民協会
科学的農業の普及がねがい
出版と農業コンクールなど

「富民協会」は、毎日新聞社を母体として昭和二年、本山彦一（毎日新聞社五代社長）によって設立されました。農家の利益とその生活水準の向上を図るため、科学的な農業を幅広く普及させようとして設立された公益法人です。このため次のような出版、事業を行なっています。

『農業富民』〈月刊〉

「農業富民」は、農業者のより豊かな生活を実現するための技術指導を主とした教養雑誌であり、時代の変革、農業技術の変化に対処し、充実した誌面を展開して読者の要望にこたえています。

『農業と経済』〈月刊〉

「農業と経済」は、意欲的な農村指導者層に幅広い農業経済知識を提供して行動力を拡大する雑誌です。経済の高度成長にともない激動する農業経済事情にどう対処するか、また今日と明日の農業問題を中心に専門家の寄稿を集録、農業経営の指針と同時に資料となるよう編集されています。さらに学術雑誌としては、『農林業問題研究』〈季刊〉があります。

日記類

「農家経済の発展は、記帳にあり」、この観点から日記と経営帳簿に使用できる『新農家日記』を発行、「たて書き普及版」「よこ書きデラックス版」、「三年対照新農家日記版」の三種があります。

これらは〝農家日記なら富民協会〟といわれるほど農村に定着、愛用されています。ほかに農政、経営、技術など数十種の農業専門書も発行しています。

事業には次のようなものがあります。

『全国農業コンクール』

このコンクールは毎日新聞社、富民協会、都道府県との共催事業で、農林省、農林漁業振興会の主催する「農業祭」の参加行事であり、すでにコンクール上位入賞者の中から、多くの「天皇杯」受賞者を出しています。

コンクールのねらいは、希望のある農業、豊かな生活を目標に、農家が日ごろ、研究し実践している農業技術、経営方法、生活体験などの成果を発表しあい、そのうちから、それぞれの地域の営農発展に力となっているうえに、他地域でも普及の可能性のあるものを表彰しています。なお、昭和四十六年度の全国大会は、山形市で開催いたします。

『毎日富民農業教室』

市町村または農業者グループの要請により随時随所で開くものに「毎日富民農業教室」があります。新しい農業技術、農業経営のカンどころ、激動する内外情勢講座、などを演題に、二〇〇～三〇〇名の参加者を単位に各地で開催しています。

なお、前記各項についてのお問合せは、東京都千代田区一ツ橋、または大阪市北区堂島の毎日新聞社内、富民協会へお願いします。

NHK農事番組（3月1日～10日）

テレビ

明るい農村　6・30～6・55　総合
1日　村の記録　試験管の歳月（東京都内農業試験場ほか）
2日　きょうの話題　第十回全国青年農業者会議から
3日　産物往来　温室野菜
4日　話の広場　NHK優秀農家にきく（九州ブロック代表）
5日　村をむすぶ　NHK優秀農家にきく（四国）
7日　農村新地図　NHK優秀農家にきく（中国）
8日　村の記録　NHK優秀農家にきく（中部）
9日　きょうの話題　NHK優秀農家にきく（関東甲信越）
10日　産物往来　NHK優秀農家にきく

農業教室　7・30～8・00　教育
1～3日　近郊酪農の課題（東京都畜産会）近藤俊蔵
4～6日　これからの畑作経営（農林省農林水産技術会議）一戸貞光
8～9日　草地酪農の課題（酪農学園大学教授）久米小十郎

あすの村づくり　日　7・00～8・00　教育
再　土　13・00～14・00　教育
7日　▼「日本農業の新座標」第十回全国青年農業者会議から

ラジオ

早起き鳥　5・50～5・57　❶
1日　現地報告　沖縄農業の課題
2日　人と話題
3日　通信員の手帳から（丸山繁雄）
4日　人と話題　NHK優秀農家にきく（北海道）
5日　現地報告　NHK優秀農家にきく（東北）
6日　村のポスト　NHK優秀農家にきく（関東甲信越）
7日　話題の窓　第十回全国青年農業者会議から
8日　現地報告　NHK優秀農家にきく（東海北陸）
9日　人と話題　NHK優秀農家にきく（近畿）
10日　通信員の手帳から　NHK優秀農家にきく（中国）

話の広場　6・10～5・30　❶
7日　養殖どじょうの新商法（栃木県下都賀郡岩舟町）

新しい農村　6・10～6・30　❷
7日　▼農村青年にのぞむもの（日頃農村青年と接している指導者達は、現代の青年達をどうみているか、その意見と注文をきく）

ラジオ農業学校　日　6・30～7・00　❷
7日　▼グループの集い　二度目の減反稲作をどうする（福岡県朝倉郡朝倉町　4Hクラブ）　助言者（山口大学助教授　山本陽三）

青春と仲間

4H組織における力の論理
不満に具体性を

佐賀県・諸富産研クラブ　池田義正

一個の生命が誕生する時に、何億という精子の中より、一つの精子が卵子と結合する。動物が生まれながらにして、闘争心を持つというゆえんでもある。

4Hという組織のなかにおいても、力の論理は強く働くものだ。現在、4Hを含めて、多くの青少年団体の力というものは弱体化していると思う。私が今もって残念に思うのは、執行部に対する文句は多いが、具体性のある内容が乏しいことだ。それは現在の農政をみてもわかることだ。青少年活動は、人づくりの基盤であるということぐらいは誰しもが知っていなくてはいけない。組織活動を行なっていて一番困るのは、そのなかに入っておれば、一人前になるという気持の人間が多いことだ。時間的パーセントで、多くて何パーセント活動を行なっているというのだ。生活の中で時間的に、そう多くないと思う。

なのに、忙しい、忙しいというのは、気分的なムードから来るものが多かろう。人間が偉くなるか否か、あるいは農業経営が軌道に乗るか、外れるかのポイントは、その時、その時の心掛けが、大きく左右する。今の私達に必要なものは、青年として、いかに現在に生きるべきかという点であると思う。4H活動を行なう際にも、一応客観的見方に立たねば、満足出来る活動を行なうことは出来にくい。

青年期というのは、五月の若葉の芽が伸びるような時期であり、あらゆる知識を吸収したり、経験をする時でもある。農業経営を立派にと努力することも大切であろうし、組織活動をすることも大切だし、大いに遊ぶことも若者の特権でもあるのだ。血気盛んな青年であればある程、世の中という大きい動きの中で、挫折をする場合が多い。純粋な夢が打ち破られ、期待していたものは、遠のき、恋をした相手からさえも避けられる。そんな時に、家出をしたり自殺をしたくなるものだ。青年の力はふえたぎった時には、非常に強くなるけれども、普通は、小さいものだ。

これからを期待される青年であるならば、今現在の自分の姿というものを、正しく把握するように努め、無知なる己を知り、それをどうすれば、よりよくなるのかを考えることが大切である。

挫折するが

農業経営の自信がない場合は、どうなるか。人前で思ったことも、いえない、自分自身、何であるのか、わからないといったような場合、現在の自分が、非常に不安になってくるものだ。そういう青年のためにプロゼクトがある。どんな状態にあってもよい。少しずつ改善し、向上するための、上昇しようと意識することが大切だ。長い人生のなかにおいて、常に向上心を持つということは、不可能に近い。だからどうすれば、よりよいものが求められるかを考えなければ、いけない。私の信条のなかに、読書は、充実した人間をつくり、論議は覚悟の出来た人間をつくり、書くことは、正確な人間をつくるというのがある。このことばは青年期を送る若者に、特に大事なことばと思われる。

人生とは、何であるかというようなことが、研修会などで盛んに論議される。けっこうな会議である。私が考える人生というのは、生きがいのある生き方をすることだと思う。あいつらしい……という独特な人生行路であると思う。現在でも、生活のテンポが不規則だ。酒を飲みすぎる。農業経営に対する認識不足だ。人付き合いが雑だ。といったような欠点がおおい。そのなかで改善しようと思っていろいろ工夫をしてみるが、どうもうまく行かない。波のように上下の振幅をくり返しているが、良い方向へは、流れない。しかし私は、これが人生であり、青春であると思っている。踏まれても、起きあがろう、起きあがろうと努力する。そこに人間らしさがあるので、なかろうか。

青年活動を行なっていると、いつのまにか社会正義が自己の体内に溶け込んでくるものだ。しかし、それは、組織活動のなかでの調和、あるいは、社会の現状という波の中で、挫折をし易いものだ。

ケネディーが言ったことばのなかに、正しいことでも力がなければ通用しないといった意味のことがある。現代は日々の実践活動を通じて、常に力を貯え、社会悪、あるいは、さまざまな矛盾、激動する七〇年代の農業、青少年活動の推進などに、役立てることが大切な時期であると思われる。

（佐賀県4Hクラブ連絡協議会『四つ葉』第四号より）

空談―、無駄話、また、根拠のない話、実行のできない話のことをいう。このような話を、そんな頼りない名にするのはけしからんといわれるだろうか。無駄か無駄でないかを決めるのは、そんなにやさしいことではないが、遊びというものが、人類の築いて来た文化の根底にあるとの説を立てた学者さえいて、生真面目のみが最善な生き方だと考える人々には、一種の戸惑いを与える。

生活には、無駄も必要であるなどといわれるが、それは近視眼的、実用的な尺度を忘れて、もっと大きな尺度による価値判断に立っての考え方であろう。無駄

前口上にございます

話といえど、おしゃべりが楽しいものであれば、無駄とかなんとか馬鹿なことを思うまえに、それを満喫する方がかしこくはないか。

根拠がないとか、実行ができないとかいっても、それをどういう観点から判断するかによって異なって来るだろう。ともかく、人間には想像力というやっかいな、また、おもしろいものがある。それを刺激させることが、生きているという証しになる場合もある。どんな小さなことでも、どんな浮世ばなれしたことでもよいから、それをクラブ員の諸君に書いていただきたい。

この欄は、そのために、締切りぎりぎりまであけて待っている。晴れがましいことでなく、なにか外に向かってしゃべってみたいとか、つぶやいてみたいといったことでもかまわない。六百字ほどにまとめてほしい。どんな性格の欄になるかは、あなたがたが決めることである。

送り先　東京都新宿区市ケ谷船河町11　家の光会館内　郵便番号162　日本4H新聞　編集部

『空』『談』

私の農業経営

沖縄小浜4Hクラブ　成底隆

過疎化は幸い
土地整備も容易に

私は八重山石垣島の石垣市より十二キロ離れた離島の小浜島で生まれ、八重小農林高等学校を卒業後農業を始めたものです。農家の長男に生まれたこと、近年、若者が当小浜から離農するのとは逆に、私は農業こそ男のやる仕事だと魅力を感じるとともに、自分でやるだけの広い面積をもっていることなどから、将来を農業に託してみようと決心し、農林高校で学び、現在、他産業におとらぬ高所得を目指して頑張っています。

ただ高所得を目指すだけでなく技術面、経営面に対しても改善を要するところはいろいろ工夫勉強し、より良い農業経営ができるよう努めるとともに、これからの小浜の農業、沖縄農業の発展のための一翼になるため希望に燃えています。

小浜では島の経済の六〇％がサトウキビ、三五％が水稲、五％が畜産その他となっております。これからみましても、小浜の経済（農業）はキビ作が主となり、島全体をうるおしています。

私の農業経営は、畑が三百二十アール、水田が九十アールでその合計の耕地面積が四百十アール（四町一反）と、それに繁殖牛三頭、肥育牛二頭となっております。

畑のほとんどがキビ作中心の経営であります。その理由は、❶経営面積が広いのでキビ作に適している（二人の労働力に対して三町二反のキビ面積）❷流通面に関して苦慮する必要がない（製糖会社が買い取る）❸粗放的な経営でも成立するなどの有利な点があるからです。

次に労働状況はどのようになっているかというと、母は家事と店をみているので、農業には全くタッチしていません。それで父と私と二人で四百十アールの耕地面積と畜産をみるため労働力は非常に不足して、四百十アールの耕地面積に対して労働力が効率的でないので、生産が低くなる（労働力生産性が、低くなる）。

必然的に、土地から上がる生産も少なくなる（土地生産性が低くなる）。また、これまで父は、他人の機械（耕耘機）を利用しておりましたが、自分の思うように適期に仕事ができないなどで、収穫にも大きく影響しました。これら諸要因を是正するためには、ぜひ機械を導入しなければならないと思います。

農家の人の中には、それだけの経営面積で機械類を購入した場合果して、採算があうのか、購入するのは問題でないかと言う人もありました。しかし、文化が発展し時代が発達するとともに、当小浜におきましても離農者がふえ、過疎化の傾向は著しく、それは私にとっては幸いなのです。

なぜかといいますと、離農者が土地を手離し本島の方へ移住し、そうでなくとも町有地があちこちにいくらでもあります。そうなると土地の購入がしやすく、交換分合もでき、機械を効率的に利用できるようになり、土地基盤整備もやりやすく、一、二ヵ所にまとめることができるのではないでしょうか。

それで、将来、規模拡大するとの前提のもとに父と話し、昨年の九月（四十四年）に耕耘機を農協を通して購入、使用してみて、現在の耕地面積でも充分効率的に利用できるようであります。昨年、耕耘機のため次の利点が生じました。

1、他人の機械に依存することなく、サトウキビの植付けが適期にできた。

2、肥培管理も徹底して、またたやすくできるようになった。

3、時間的に余裕ができ、畜産の方により多くの労働力を注ぐことができた。

4、機械に対する興味もわき、知識も高まった。

このように、時期的にも時間的にも有利になったことは、私の農業において大いなる未来があり、期待しています。反収の方も以前は七～八トンしか収穫できませんでしたが、今年の収穫予想は十トンを下らないだろうと、普及員や工場の調査員が認めています。このように、機械を導入し、労働力面において大変助かったわけですが、キビ作上の今一番の課題は、収穫機です。現在、開発中ですが、まだ改良すべき点があるのです。価格の面でも、農家の人が購入できるような価格にし、早く普及できるよう開発してもらいたいものです。私は今後も農業機械を駆使し、それによる農業上の困難性を克服し、頑張って行きたいと思います。

農村雑感
折原俊二郎

人間生活

H君は、昨年の十一月、農家実習のため広島県に行ったが、先頃彼から長い便りをもらったので、その概略を紹介しよう。

広島県S農場は、全国共同経営農場として、全国的に有名である。この農場が世間の注目をあびた要因としては、共同経営実施に際し、その基本的な考え方を、人間生活向上と生産性向上を同時に高め、近代的営農協団の確立をはかることに視点をおいて開始されたことと、この共同経営農場の確立が極めて短い年月でなしとげられたことにある。

もちろん、この共同経営農場を開始するために、多くの障害があったことは事実で、特に、土地の取得が最大の問題であった。それは、土地の取得意識の問題である。従来の農業経営に際しては、自作農経営意識が先にたち、経営拡大はまず土地所有の拡大であり、土地を所有することによって、自立経営が成立するという考え方である。しかし、そういう考え方のみでは経営は成立しない。そこで、土地は自分の所有のものでなくても経営が拡大でき、自立した農業経営ができるという考え方に改めることであった。

しかしながら、自立経営方式を主体にしてきた従来の日本農業では、共同経営方式の経験が乏しく、確立していない。そうした中にあって、あえて共同経営にふみきった事例はいくつかみられるが、その多くは失敗に終わっている。すなわち、共同経営では生産性が低く、個人の考え方が統一しにくく、人間関係がうまくいかず、結果として失敗するという認識を生むことになったといえる。まず、このまちがった認識を改めなければならないが、これは容易なことではない。しかし、どうしてもこの壁を越えなければならないことでもある。

そこで、この農場では、共同経営実施の際の基本的な考え方を、生産性の向上と人間関係の円滑化をはかるために〝人間生活〟をどうするかということを基礎としたことである。この人間生活を無視しては、新しい組織である生産集団は維持できないし、高い生産性も望めないという考え方である。このため、個別生活と共同生活をいかに調整し、計画的に進めるかにあった。

従来の農業経営者には三つのタイプがある。

第一は、金をもうけること、もうけた金で土地を買い、規模の拡大をはかることである。このため、生活は犠牲にしてもよいというタイプである。第二は、もうけた金で農機等の生産財への投入をはかるほか、家を建てかえるなど、社会的体面の満足感を充足するタイプで、このタイプでは、まだ生活そのものが犠牲となっている。第三のタイプは、生産性と生活とを平等に考えるもので、労働意欲は楽しい生活があってこそ成立するものなので、生産と生活は表裏一体となっているものであるという考え方のタイプである。このタイプの生活実態は、従来の農家生活の様式からみれば例外的なものといえよう。

実は、第三のタイプの考え方をこの農場で導入し、加入農家が実行してきたことである。その結果として、むずかしい共同経営にふみきらせ、成功させ、維持させているものである。

こうしたものの考え方は、これからの農業経営をやるうえでどうしてもとり入れていかなければならないことであると、つくづく考えさせられた、ということであった。

（農林省・農業者大学校）

〝良識的抵抗〟に賛成
知識と実行力を結ぶ

社会や農政に対して、多くの矛盾を感じ抵抗する姿は、都会に限らず農村にも多く見られるが、それは自然の姿であり、青年が健全である証拠ともいえる。

私達農村青年は、これらの純粋な抵抗をただ一人、空にむかってはきだすのは無意味なことで、4Hクラブというグループの中で堂堂と主張し、同志に訴えたいものだ。そうすることにより、おのれの意見が正当か否かの判断もできて、一人で考える孤独からも救われるのではなかろうか。

「どうせ……」という投げやりな考え方では、自分自身も進歩せず、社会の進展も望めない。仲間の中には、案外、同じ悩みで苦しんでいる人が多いものだ。組織という固苦しさにとらわれず、青年として純粋な意見を交換し、友と接することがクラブ活動のよさであり、それが結局、組織の強化につながるのではなかろうか。

ある人は、「人というものは、自分が思っているほどは自分を知らない。そのことは社会はもちろん、残念ながら、家族・肉親の中でもある程度これがいえる。

この現実は、時には若い君達にとっては冷たく、酷しいものとして映るかもしれない。

しかし、現実は現実として知らねばならない。そして、この現実はむしろ、世間の常識の中にありあなたの環境のみに限ってある悪条件ではない、という理解を持たねばならない。

私は、この若い人の前向きの意見、良識的抵抗については賛同者であり、激励こそすれ、非難はしない。

ただ、このせっかくの無垢な心情を、単なる小さな私見として葬り去られることは、残念でならない。もっと、それに客観性を持たせ、理論と実際の裏づけとし、衆知を集めて合理性を持たせ、人も納得して認めるし、おのれも十分に理解できるものに仕上げたいものである。

その方途こそ、青年がたどる道であり、あらゆる抵抗を通して、求めている道ではなかろうか。そうして、そこに4Hクラブ活動のすべてがあると信じる」とのべている。

私達には、現実の矛盾やみにくさを、青年特有の純粋な気持でとらえ、現実から目をそらさず逃げることなく、敢然と立ち向かう勇気が欲しい。

この現実をみつめるということは、自分が、あるいはまわりの人がやっている行動、考え方を客観的に判断することだと思う。

そういうわけで、前述の自分の意見を他人にぶっつけることが大切になってくる。私達の心のあせりを、多くの仲間がいる4Hクラブの中で整理し、解消してもらいたい。

悪条件や矛盾の重なる農業の中で、私達青年に寄せられる期待は大きく、私達もそれを自覚しなければならない。それでは、若い農業者に、今後、求められるのは何であろうか？

ある経営学の本の冒頭に、「農業者には次のような要素が必要である。勉強、信念、勇気、馬力、経験、熟練、責任。これが持てるならこの本を読まなくてよい」と書かれている。

農業者は、営農に必要な知識と実行力、つまり理解と実際が伴わなければならない、ということではなかろうか。「あいつは口ばかり達者で……」といわれるようでは駄目なのだ。

（熊本県連機関紙「ひのくに」第五号より）

わたしの青春
町史編纂手伝う
また、春には空白だった農業へ

伊藤一男

この十年、私は農業に従事するかたわら郷土の歴史調査を続けてきました。中学二年生のとき仲間とサイクリングに出かけその帰りみち中世のとりでがあった城山へ登り、みんなで昼ごはんを食べました。遊び回っているうちに草のしげみの中に堀や土塁の跡があることに気付いたのです。歴史に興味を持ち始めていた私には大きな驚きでした。「なんという荒れようだ、これではいけない」と思ったのです。それ以来、私は城山に心を奪われ調査をはじめました。伝説あつめからとり組み家々を回るうち、その周囲の人々が城山を誇りにしていることを知ったのです。時には古い文書を見せられることもありました。でも全然読めません。このくやしさが農業高校へ入ってから、本格的に歴史を学習するきっかけとなったのです。三年間、ほとんどの日曜をつぶして、高校の先生から古文書の読み方や整理の仕方、それに遺跡の測量の方法などを学びました。

高校を終え農業を継いだ私には古文書さえみる時間すらない毎日でした。ある日、農作業の暇をみつけて城山へ登ってみたのです。その姿の変りように思わず息をのみました。その頂上には梅の木がたくさん植えられ古墳はブルドーザーで平にされて、土塁も一部崩されていました。中学生の時、「これではいけない」と思ったことが現実となって迫ってきたのです。そして再び訪れた家々では母屋の新築などで古文書を燃してしまったりしていました。そこで私は城山の盛衰をまとめて町の公報に連載してみたのです。反応は確実にありました。町内には、「郷土の歴史を知ろう」という雰囲気が生まれ、十五人の有志によって史談会が結成されました。私も幹事役を引き受けました。その翌年には歴史の編さんが企画され、今年で三年目になります。

工業化、都市化の中で歴史的な遺産がその姿を消している現在、みんなに正しい郷土の歴史を知ってほしい、このことが私の心をかりたて、農民という立場をこえて町史編纂室に臨時就職させる動機となりました。毎日ほこりだらけで、史料の整理にとり組んでいます。じみだけれど張りあいのある毎日です。でも冬がすぎ、春になれば、再び私は野良に帰ってゆきます。

この半年ちかいブランクはわが家の農業に大きく影響するでしょう。不安の多い稲作から野菜栽培へと、経営転換をはかる大切な時期なのです。充分悩みました。でも今やっておかなければ、郷土の歴史的な史料はますます姿を消してしまいます。こうして身を切られるような毎日の中から、私は町史編さんの仕事を選びとったのです。

空港の建設や地域開発のすすむ環境の中で、歴史公園の具体化など地域ぐるみの保存がなければ、遺跡を守ってゆけない現状にあります。将来は農業生産に励みながら、ぜひそうした仕事にも力を尽したいと思いますが、今はそのための基礎づくりです。郷土の歴史の発掘とその保護に、私は青春の情熱をぶっつけます。（関東甲信越代表）

▽―――△

これは、成人の日にNHKが開催した青年の主張全国大会で優秀賞に入選したもの。このおりの『発表文集』の希望は、一部につき郵券六十円分を同封のうえ　〒100　東京都千代田区内幸町二の二の三　NHK青年の主張文集係へ、申込んで下さい。

4Hのマークと共に
クラブ活動用品の案内

（単価）

4Hバッチ	50円
レコード盤（4Hクラブの歌・4H音頭）	150円
クラブ旗　大（72cm×97cm）	400円
クラブ旗　小（36cm×49cm）	200円
手拭	100円
ハンカチ	60円
ネクタイピン	200円
女子用ブローチ	200円
クラブ員専用便箋	100円
〃　封筒	70円

◎荷造り送料代百円です。
◎ご注文は代金を振替口座へお払込みを願います。代金着き次第ご送品致します。

社団法人　日4H協会代理部
東京都千代田区外神田6丁目15～11の705号
振替口座　東京72082番

◀投稿案内▶

本紙は、みなさん方の新聞として、全国のクラブ員に利用して戴きたいと考えています。それでクラブの催しや個人のプロジェクト、詩、短歌、随筆、写真、悩みや意見、村の話題、伝説、行事その他なんでも原稿にして送って下さい。

お願い　❶長さや形式は自由です　❷できるだけ記事に関連した写真をそえて下さい　❸送り先　郵便番号162　東京都新宿区市ヶ谷船河原町11　日本4H新聞編集部

生活もの知りコーナー
◆接客の心得

来客の多いときとか一度におおぜいの客があると、つい目の前の接待だけに追われがちですが、つぎのようなことにも気をくばりたいものです。

トイレの手ぬぐい　おおぜい来客があると、よごれが早いものです。こまめにとりかえて、清潔な乾いたものがかかっているように気をつけましょう。

灰皿　吸いガラが山のようにたまらないうちに、かわりの灰皿を用意してとりかえましょう。出す前に、灰皿の回りに水気がついていないか注意したいものです。

はきもの　もともとはきものはつぎにはくときに、はきやすいようにぬぐのがエチケットですが、念のためにお客様が帰るまえに確めておきます。人の出入りがはげしいと、そろっていたはずのものが乱れていることがあります。また、すみのほうにぬいであるものは、はきやすい位置にそろえ直しておきます。

忘れもの　帰りぎわに、「忘れものはありませんか」とちょっと声をかけ、座ぶとんの回りやテーブルの下などをのぞいてあげましょう。

玄関のドア　客の足が遠のいてから、静かにしめましょう。

日本4H新聞

4Hクラブ 農事研究会 生活改善クラブ 全国弘報紙

発行所 社団法人 日本4H協会
東京都市ケ谷家の光会館内
電話(269)1675郵便番号162
編集発行人 玉井 光
月3回・4の日発行
定価 1部 20円
一ヵ年700円（送料共）
振替口座東京 12055番

クラブ綱領

私達は、実践を通じて自らを磨くとともに、互いに力を合わせて、よりよい農村、よりよい日本を創るため、四つの信条をかかげます。一、私達は農業の改良と生活の改善に役立つ腕をみがきます。一、私達は科学的に物を考えることのできる頭の訓練をします。一、私達は誠実で友情に富む心をつちかいます。一、私達は楽しく暮し元気で働くための健康を増進します。

春の全国会議幕開く

第十回全国青年農業者会議

皇太子殿下ご臨席

「あすの農業」など討議

「大地に足を、両手に未来を、私たちで築こう日本の農業」をスローガンに、第十回全国青年農業者会議は、東京・渋谷区代々木のオリンピック記念青少年センターを会場として、さる二日開幕した。

主催は、農林省はじめNHK、社団法人日本4H協会（会長、前田義徳氏）、社団法人全国農村青少年教育振興会（会長、東畑精一氏）、社団法人全国農業改良普及協会（会長、徳安健太郎氏）、社団法人日本4H協会（会長、宮城孝治氏）、全国4Hクラブ連絡協議会（会長、久野知英君）、全国農業研究会協議会（会長、大橋文男氏）の七者。これには、全国都道府県代表の農業青年、経営者、篤志指導者、農業改良普及員など約千五百名が参加、農業経営や農家生活、クラブ活動などについて日ごろの体験をもとに発表し、近代的農業と農村の建設をめざして五日までの四日間、研究討議する。

とくに今回は、第十回を記念して、最終日に皇太子殿下をお迎えして国立教育会館虎ノ門ホールで代表討議と十周年記念式典が行なわれる。皇太子殿下は、以前、農林省、4H協会など主催の全国4Hクラブ実績発表大会にご臨席されたことがあるが、この青年農業者会議では今回が初めて。

また、この会議の中心となる分科会をみると、ことしは、米の減反問題や価格据置きなどが影響して水稲がガタンと減り、これに替ってバカ高値で注目されている野菜や果樹などの増加が目立っている。なお、分科会の構成は次のとおり。

▽青年部会 水稲一、野菜（露地園芸）二、同（施設園芸）二、特用作（合同）二、花き（同）二、果樹（落葉）一、同（常緑）二、酪農二、肉牛、養豚（合同）二、養鶏一、わが家の健康と住まい方一、くらしの計画化二、クラブ活動三

▽経営者部会 水稲一、野菜（施設園芸）一、果樹（落葉）一、同（常緑）一、酪農一、肉牛一

▽指導者部会 クラブリーダー一、改良普及員四

会議の日程は次のとおり。

日程

一日目（二日）
午後1~3時 受付け（スポーツ研修館玄関）
3~4・30時 宿舎入室、オリエンテーション
7~9時 前夜のつどい（第一・二体育室）
9~10時 環境整理
10時~就床

二日目（三日）
午前9~11時 入場、開会式、会議オリエンテーション（第一体育室）
11~12時 分科会々場へ移動、分科会編成
12~午後1時 昼食
1~4・30時 分科会の研究討議
7~9・45時 自由交換会（各宿舎）
9・45時~ 環境整備、就床

三日目（四日）
午前9~12時 分科会の研究討議（各分科会々場）
12~午後1時 昼食
1~4・30時 分科会の研究討議（同）
7~9・45時 村のはなし懇談会（各分科会々場）
9・45時~ 環境整備、就床

四日目（五日）
9~11時 農村青年と農業経営者の交換討議（各分科会々場）
11~午後1時 国立教育会館虎ノ門ホールに移動（バス利用、途中昼食をとる）

虎ノ門ホール
1~2・45時 代表討議
2・45~3・30時 表彰式と閉会式

なお、毎日、朝六時半に起床、朝のつどいのあと朝食をとり、午後四時半から七時まで夕べのつどいのあと夕食、入浴することになっている。

涼風暖風

コーヒーはまだか

私はコーヒーが好きである。この前、帰宅の道すがら喫茶店に立ち寄った。席にすわるとすぐやってきたウエートレスにコーヒーを注文した。店内は、かなりすいており音楽も静かで、ひと休みするのには打ってつけの雰囲気である。テーブルのコップの水を一口飲んでから煙草に火つけ、備えつけの新聞に目をとおす。

ひとわたり新聞を拾い読みしたころ、店内の客も混んできた。ウエートレスも忙しそうである。もうコーヒーがきてもよさそうだと思いながら、たいくつしのぎに壁の絵や棚の民芸品を眺めたり、熱帯魚の水槽をのぞいたりして待った。だが、コーヒーはこない。

ほかの客のところには注文の飲みものを運ぶのに、先客である私のところにはこないのだ。時計を見ると、注文してから十分もたっている。ウエートレスが現われるたびに、今度こそ私の番だろうと思うのだが違う。煙草をすったり店内を眺めたり水を飲んだりするのだって限度というものがある。イライラした気分が腹立ちに変わってくる。しかし、依然としてコーヒーはこない。

ウエートレスが忘れたのか、他の客の注文で混雑しているのか、一人客はあと回しにしたのか、考えていても仕方がないので、席を立ってカウンターの方を見に行った。何ということだ。コーヒーポットに湯を注いでいる最中ではないか。ポットのコーヒーが品切れになったので、コーヒー豆をひいて新しいのを作っているわけだ。これでは時間がかかるのは当然である。何度も暖めなおしたコーヒーよりも新しいほうが味も香りもよいし、それに、これほど待ったのだから徹底的に待ってやれと思って、席にもどった。

やっとコーヒーが運ばれてきた。注文してから十五分である。前もって時間がかかることを知らされていれば、帰宅のバス時刻表を見ながら、注文を中止して店を出るか、それともコーヒーが出来上がるまで待つか、何れにするか判断できよう。お知らせ、つまり情報が得られないと行動や意志が決められず、ただイライラすることになる。場合によっては誤った判断や行動をすることにもなりかねない。情報の収集・整理・伝達など日常生活に欠かせないことを一杯のコーヒーをめぐってしみじみ感じさせられた。

店を出る時、またどうぞといわれたが、またなんか来てやるまいと思った。（北海道・三輪）

「草の根大使」を募る

日本4H協会

米・中（台湾）両国に派遣

4H代表男女各二名

申込みは3月17日まで

社団法人日本4H協会（会長、宮城孝治氏）は、国際農村青年交換（IFYE）計画に基づいて、四十六年も米国と中華民国（台湾）両国に4Hクラブ員代表の男、女各一名ずつ計四名を派遣することになり、広く全国からその希望者を募集する。この交換事業は、日米、日中それぞれの4Hクラブ員代表を相互に派遣、クラブ員は受入れ国の農家の一子弟として生活、その間、農業技術や農家生活、4Hクラブ活動などを学ぶとともに、4Hクラブ員を中心とする地域の人々と交歓し、相互理解と親善に寄与、また、帰国後はクラブリーダーとして活躍することをねらいとしている。このように実習だけでなく、地域の中に深く根を張った民間外交官的な役割を果すため、別名「草の根大使」と呼ばれており、今年度で米国は十八回、中華民国は五回目。

四十六度の草の根大使の派遣要領は次のとおりである。

一、派遣の目的　わが国の4Hクラブ員をアメリカおよび中華民国にそれぞれ派遣し、両国の農業、農家生活、クラブ活動などを実地に体験させ、その経験を帰国後のクラブ活動に役立たせるとともに、わが国と両国との相互理解を深め国際親善の増進をはかろうとするものである。

二、実施機関　派遣機関　社団法人日本4H協会。派遣先国の受入機関　アメリカ＝ナショナル4Hクラブ財団、中華民国＝四健会協会。

三、派遣員数　アメリカ　男子一名、女子一名、計二名。中華民国　男子一名、女子一名、計二名。

四、派遣の時期および期間　アメリカ　五月中旬から約六ヵ月間。中華民国　七月初旬から約三ヵ月間。

五、派遣先国での行動概要　派遣された4Hクラブ員は、当初数日間のオリエンテーションを経て、数戸の農家に次々と滞在し、その農家の子弟として農家生活の実際を体験するほか地域の4Hクラブ行事に参加したり、学校などの集会に出席してわが国事情の説明などを行なう。この間、アメリカでは例年八月に開催される中間会議に出席して、数十ヵ国の4Hクラブ員と交歓の機会を持ち、中華民国では、全国大会に参加することになっている。また、両国とも、滞在日程中に若干の自由期間があり、見学旅行も可能である。

六、派遣される者の資格　（1）現在4Hクラブ員であって、これまでに三ヵ年以上4Hクラブ（学校農業クラブを含む）活動に参加し、プロジェクト活動の実績をもつ者。（2）年齢は昭和四十六年四月一日現在満二十歳以上二十三歳までの未婚の者。（3）健康で人柄などがこの派遣にふさわしい者。（4）中学校卒業程度の英語を修得している者。（5）帰国後わが国4Hクラブ活動の伸展に協力する者。

七、派遣される者の選び方　派遣される者は第一次、第二次の審査を経て選ばれる。

（1）第一次審査　第一次審査は書類審査とする。審査を受ける者は、これに必要な次の書類を、三月十七日までに日本4H協会に提出するものとする。（イ）履歴書（自筆のもの）、一通。（ロ）戸籍謄本、一通。（ハ）健康診断書、一通。（ニ）写真（三ヵ月以内に撮影した無帽正面上半身、縦横五㌢位で背景白無台紙のもの）三葉。（ホ）両親またはこれに代る者の同意書、一通。（ヘ）クラブ歴の明細書、一通。（ト）プロジェクト実績報告書、一通。（チ）知事の推せん状、一通。（リ）派遣希望国名とその理由（八百字以内）一通。

（2）第二次審査　第二次審査は第一次審査の合格者について行ない、作文、英語および面接審査とし、三月下旬に実施の予定である。

八、派遣される者の研修　派遣される者は出発前数日間の事前研修を受けるものとする。

九、派遣に要する経費　（1）わが国と派遣先国との往復旅費は日本4H協会が負担する。（2）派遣先国での経費は派遣される者の個人的経費（自由期間の見学費、帰国に際しての土産物購入費など）を除きすべて派遣先国の受入機関で負担する。（3）派遣される者は出発前の研修費、諸手続費などの一部として金二万円を日本4H協会に、また、国際農村青年交換日本協議会の入会費として金一万円を同協議会にそれぞれ納入するものとする。

4H会館建設

募金にあの手この手

街頭で作物を即売

高知・六方町クラブ　今月、貸切りで映画会

【高知県＝田辺尚実連絡報道員発】高知県の西部、大方町農研青少年クラブ（会長・坂本寿美君、クラブ員数六十名）では、このほど二度にわたって4H会館建設の募金活動を行なった。

一回目は、昨年十一月二十九日にクラブのプロジェクト発表会と同時に、街頭で農作物展示即売会を行なった。即売会では、売上げの二割を募金にまわすということで、ミカン、椎茸、キュウリなどを市価の一～二割安の大出血サービスで販売した。即売は、思っていたより好評で午前中に売切れてしまい、途中で取りに帰ったものもすぐ売切れ、断わるのに苦労するといった一幕もみられた。

二回目は、十二月十五日にクラブが主になって大方町産業祭を行ない、当日、会場内に募金箱を置き、町民の方々に募金を呼びかけて、少ないながらも心のこもった募金を得ることができた。

今までに行なった募金活動はこの二回であるが、また、三月上旬には、隣の中村市4Hクラブと合同で中村市内の映画館を一日貸り切って映画を上映し、それで得た収入を募金することに決定した。目下、クラブ員すべてが、前売券一人二十枚売上げを目標に頑張っている。これらの募金は、三月に行なわれる県連総会の時に、県連にまわすことにしている。

大方町のような東京からはるか離れたこの地でも、このようにクラブ員みんなが力を合わせ募金集めに頑張っているということは、心強いことであると思う。一日でも早くわれらの殿堂・日本4H会館が建設されることを望んでやまない。

なお、いま全国各地で4H会館建設の募金活動が続けられているが、南国の一農村で意欲的に展開しているこれらの方法は、募金活動推進のうえで大いに参考になるものと思われる。

OBが連盟を結成

富山

【富山】このほど、県連OBなど県下の農業青年四十人が「富山県青年農業者連盟」を結成した。

これは、さる二月十五日、富山市の県農業共済会館で開かれた富山県農業会議主催の県下農業青年懇談会の席で、これからの農業とどう取り組むか、行政機関や農業団体に何を望むかなどについて話し合った結果、農業の混迷期を乗り切るには自立経営農家の青年がまず頑張らなければならないと、出席者全員で結成に踏み切ったもの。

これから、自立経営をめざす青年に参加を呼びかけることにしてさっそく規約や事業計画、役員などを決めた。

事業計画によると、近代的な企業農家樹立の研究を中心にして、十二月には大がかりな研究会を開き、また、この日開かれたような懇談会を、これからは同連盟が自主的に行なうよう計画、七月と来年二月の二回開くことを決めた。

当日決定した青年連盟の役員はつぎのとおり。

▽会長 山口清（富山地区）▽副会長 大川豊作（黒部）松本幹男（高岡）▽委員 竹松幸夫（小矢部）清水瀞（立山）関野義輝（富山）▽監事 水元次（氷見）南部惺雄（福野）▽事務局長 久保博（県農業会議）

なお、この日の意見交換では、青年側から県が富山県農業の方向を早く示してほしい。生産調整にともなう転作作物を早く示すとともに、野菜の価格保証、流通の改善対策の確立を図ってもらいたい、県の農業改良普及制度を改めて、水稲、畜産、園芸など種目別に専門化してほしいなどの要望が出された。

ヤングパワー燃える

愛知県の11回青年会議　「つどい」行事の試みも

【愛知県＝鳥居久雄連絡報道員発】愛知県と県4Hクラブ連絡協議会（会長、冨永博君）共催の第十一回県青年農業者会議は、二月十七日から三日間、岡崎市の県青年の家と同農民文化館で開かれた。

これには、県下から選ばれたクラブ員百二十余名が出席、閉会式には全国4Hクラブ連絡協議会の久野知英会長もかけつけ、激励してくれた。

今回はとくに、参加者全員から「自分の持っている問題点、それに対する解決策とその解決の度合いや問題点の背景」をレポートにまとめて提出してもらい、少しでも分科会での話し合いが進めやすいように配慮され、分科報告は小冊子にまとめられ、最終日に参加者に配布された。

また最終日には「企業農業の経営者として」というタイトルでパネル討議が行なわれた。出席者は名古屋大学の真継隆助教授（農業経済学）、新城高校の加藤道明校長（後継者教育）、松浦毛織副社長（工業経営者）、農業者として小原広司（企業的請負耕作実践家）、鈴木信吾（大規模カーネーション生産者）両氏の五人で、追進営農大学の早川浩校長の司会によって進められ、各氏の意見発表のあとクラブ員との間に、規模拡大や価格構成の問題などについてかなりつっこんだ質疑応答が行なわれた。

さらに、会議速報の「めざめ」もユニークな記事によって、大会のムードを盛り上げていた。

しかし、参加者の胸に最も強く残ったものは、二日目の夜行なわれた「懇親のつどい」における部屋別対抗の出し物大会。クラブ員間の交流を深めるのに大いに役立ち、優秀作品には冨永会長から賞品がおくられた。また、この懇親のつどいでは、今夏七月、愛知県で開催される「第七回全国4Hクラブ員のつどい」で計画されている行事が試みられ、かなりの成果をおさめることができたので、今後の計画立案のうえで大いに役立つものと期待される。

なお、参加者は、この会議の期間中に、「自分と同じ悩みを持つ仲間が多勢いて、その悩みを自力で解決した仲間がいる」ことや、「共通問題をグループで話し合いヤングパワーとして地域から認められている仲間たちもいる」ことなどを知り、悩んでいるのは自分だけではないという励ましと、自分たちもやれば出来るんだという自信をもって、それぞれ自分の家へ散って行った。

民泊研修など

27・28日直方市　福岡で3回目の集い

【福岡】県農村青少年クラブ連絡協議会（会長、荒渡宏君）、筑豊地区農村青少年クラブ連絡協議会の主催、県、直方市などの後援による「第三回福岡県農村青少年クラブ員の集い」は、来る二十七、二十八の両日、直方市の市民会館で開催される。

参加者は、県内の4Hクラブ員、4HクラブOBやその家族、育成指導者、農高新卒者など二百五十名を予定、夜は、筑豊クラブ員宅に分泊して交歓することにしている。

日程は、まず一日目、午前十時から受付を始め、オリエンテーションのあと十二時から開会式に入る。開会宣言、4Hクラブの歌、主催者と来賓のあいさつなどに続いて午後一時半から筑豊地区の紹介があり、このあと民泊に移動、各単位クラブによる筑豊地区の農家紹介、意見交換などを行なう。

二日目は、クラブ員宅で現地研修のあと午前十時に市民会館に集合して全体会を開き、十一時から県社会教育課・河原氏の講演、午後一時からアトラクションなどを行ない、閉会式を最後に四時に解散することにしている。

7日に10周年大会

東村・稲穂4H

【茨城】「楽土"東"はわれらの手で」、「大地に築うわれら青年」をスローガンに、稲敷郡・東村稲穂サークル4H（会長、香取勝美君）の十周年記念大会が、来る七日午前十時から東村中学校体育館で開かれる。

同クラブは、全国4Hクラブ連絡協議会の黒田保前会長らが中心となって、さる三十六年に旗上げしたもので、現在、基礎学習からプロジェクトを主体とした活動、さらにエコノミッククラスと、年齢に幅をもたせ、クラブ歴によって段階的な事業を行なうなど特色ある活動を続け、地域農業や村づくりに活躍している。

大会は、記念式典として十年の歩み報告、感謝状、功労賞の贈呈、これを機会に新調したクラブ旗の披露や誓言など、また、「苦について」と題する資生堂相談役、森治樹氏の記念講演を予定、記念植樹や記念撮影、記念パーティーとして模擬店の出店、宝くじ大会などを計画、十周年の記念誌を発行することにしている。

参加者は、クラブ員とその家族はじめ村の農家の人たち、他地区クラブ員、来賓など約百五十名を予定。

心頭抜健

ここ何年かの傾向として、日本を、古くからの日本そのものを見直そうという気運にある。明治維新以降、西欧諸国に追いつけ追い越せという一種の至上命令が常に頭にあったが、どうやら物質面において、西欧諸国と肩を並べるに至った証左であろうか▼そして、日本を改めて振返ろうとするとき、従来の歴史、文化の研究は、裏面のいうなればエリートたちの系譜であったとの反省から、その陰にわだかまっていたはずのもうひとつの歴史、文化に対する関心が高まってきた。ブラック・カルチュア、つまり、人間の持つすさまじく、また、まがまがしいもの、あるいはエリートを間接的に支えた庶民、民俗学でいう「常民」にスポット・ライトが与えられている▼柳田国男翁などがいう文字に表わされなかった歴史、また竹山道雄氏などがいう、本当に大切なことは、かえって文献として残されなかったというような部分が、次第に掘り起こされつつある。いつの時代でも、エリートよりは、常民が絶対数を占めていたことは間違いない▼常民の実態が判明することは、学問的意味と同時に、さらに深い意味において、必ずしも同じ生活をわれわれがしていなくても、ひとつのなつかしさ、共感を呼ぶことになる。似たような生活をした人々の存在を知り、広々とした世界に眼が開かれることが重要なのだ▼明らかにされた事実をもって、現代のさまざまな弊害を斬るのではなく、そうした弊害に対処して行くひとつの勇気のようなものが得られるのではないか。世にいう歴史に学ぶということと少し違うが、やはり、それぞれの時代の制約の中で、努力しつづけた人々を認めて、結ぼれがちな心を開くということにほかならない▼そんなことがなにの役に立つかとの疑問もあろう。直接には、サゼッションにもエネルギーにもならない。小説が、ぼくらの生きて行く上での教師とはならないように。しかし、他の存在を見出すのが喜びであることは、たしかである▼なぜなら、人間が、宿命的に全く隔絶されては生きられないからであろう。たしかドイツ語の「存在」には、開かれたものという意味があったはずだ。

「組織」について

規律と動きを 共通の目標に
リーダーは誇り、自信持て

末次一郎

昨年十二月、御殿場の国立中央青年の家で行なわれた全国4Hクラブ後期中央推進会議において、総理府青少年問題審議会委員の末次一郎氏が『組織について』と題して講演された。以下はその要旨である。なお、末次氏は、戦後ずっと青年問題と取組み、日本健青会などのリーダーとして活躍された経験がある。

組織というものも、結局は人が作るものであるから、組織人、リーダーとしての心構え、運動をするための課題といったものを考えてみたい。

組織論はいくらでもむずかしくできるが、一般的に組織はどういうものかというと、一つの秩序を持ったもの、組合わされたものをいう。個々の人間、社会、についてもいえるが、元来、自然の有機的な結びつきをいう言葉である。

しかし、いまは狭義の人間の組織が問題である。

秩序がなくては、つまり、共通の目標を持った集団でなくては、組織化された集団とはいえない。

次に、その集団には一定の規則、規約、定めといったルールがなくてはならない。単なる野次馬は、群衆であっても共通の意思、規律がないから組織とはいえない。さらに、共通の目標と規律を具えた上で、その集団がなにかをなし、行なおうとする動き、換言すれば活動の計画によってこそ、活力が生じ、脈絡が生まれてくる。

共通の目標、一定の秩序、動きという不可欠の基本原則がそろって、それが組織の構成員全体に消化、理解されたとき、組織と呼びうる。そうして、そこに活力が再生産される。詳細に論ずれば、リーダーの必要性、リーダーの計画の浸透のルール、活動の手段、機動力の必要性、広報・宣伝活動、基礎資料の蒐集や定期発行の機関紙（誌）発行による共通理解、以上の活動を行なうための財政面の裏づけなどがある。しかし、まず基本原則を踏まえることが大切である。

従来、日本には理論的な組織論がなく、国家秩序の命令や指導によって、〝お上にまかす〟姿勢が強かったが、戦後、大衆の中に組織の自覚が生まれてきた。わけても、進んでいるのは共産党の組織論である。組織の原理と思われる点を述べれば、共産党にはフラクション、つまり細胞と称される活動家がいる。地域や企業に入る場合最低三人が単位とされる。

一人だと気ままになって、疲れやすく、目標に前進しつづけることが困難で、芽が枯れやすい。二人でも呼吸の合っているときはよいが、意見が対立したりして、活動が中断される。三人になってはじめて、活動が持続する。三人が三様になることは稀で、どちらかに第三者が加担して、他の一人をひきずっていくことが可能となる。だから、三人というのが基本的な数字である。

組織は人が作り、人が動かすものであるが、その意義や狙いは、なにをするかにある。ここにリーダーの問題が出て来る。指導者だからと浮上り、上から見下す姿勢になったとき、すでに指導力が失われているといわれるが、当然のことである。そのため、前に立たず後から押して行くべきであるとか、集団の前に、それもあまり出すぎぬように、半歩ずつ先を歩くべきだとかいわれて来た。

しかし、どちらと規定出来ぬし、また決めるべきものではなく、各リーダーの個性によるべきものと私は思う。いろいろなリーダーがあって、それぞれに適した方法をとればよく、かたちは問題ではない。むしろ、リーダーたるべき内実、中身を具えているということが大切である。

人と人の関係をうまく取りもって、仲間作りの得意なもの、計画を立案の際に旺盛な企画力があり、アイデアが豊富でひらめきの鋭いもの、ぐいぐいと先導して破綻にかまっていないもの、逆に後始末、尻ぬぐい専門のものなど、いろいろである。しかし、こうした多彩なリーダーの個性、機能を統括し、全体へ堅く結びつけるひとつの力が要求されて来る。

そのためには、二つの要素がある。一つは共通の目的に向かって強いスクラムが組めたとき、大きな力となる。いまひとつは、それは理屈であり、前述の多様な小リーダーを総括する、人間的なリーダーシップが要求されて来て、ここに組織の力が十分に発揮される。こう考えて来ると、リーダーに要求される要件は、次のようになろう。

リーダーは、組織の上に君臨すべきものではなく、仲間の中にあって、自分の持味、個性を生かし、それについての誇りと自信を持つことが大切である。そのためには人一倍の努力と研鑽がなくてはならず、また、自分の信条、信念を持たない場合、リーダーシップは生まれない。つまり、主体性を確立することが最大のポイントとなるのである。

ヨーロッパ農業に学ぶ ①

静岡県の4Hクラブ員たちが、昨年、同県産業青年海外研修団の一員として、九月二十一日から十月六日までの十六日間にわたって、オランダはじめフランス、西ドイツ、スイス、イタリア、ギリシャなど六ヵ国の産業事情について視察してきた。とくに、クラブ員たちの農業班は、農産物の過剰問題に悩むEC諸国の実態や、国境を越えて新しい一つのヨーロッパをつくろうとする情熱、古い歴史を守りながら新しい流通路線を築こうとする各国の農業関係者の努力を見聞し、ヨーロッパ農業を肌で感じとってきた。以下はその報告である。

オランダ

花を１日に百万本
アルスメール市場をみる　時計式セリでこなす

九月二十二日、オランダのスキポール空港に第一歩をふんだ。ヨーロッパの雄大な風景にみとれながら、アムステルダムからバスで三十分くらいの所にある、アルスメール花市場をわれわれは見学した。

ここの市場経営は、国や行政機関から補助金を全然受けないで、組合員、つまり二千の農家で経営している。日本の市場のように、第三者的立場の人間が株式会社として経営している型とは全然異なる所に大きな興味をひかれた。まず農家が、朝の四時から五時の間に市場に花きを直接持って来る。そして、六時半頃からセリが始まる。順番はクジで決めるということである。ヨーロッパ内に八〇%（うち西独に六〇%）の輸出をしている現状からセリは貿易会社の人間がする。農家つまり経営者は、一日の価格に対してタッチはできないということになろう。しかし、経営が組合員ということで、生産調整等の出荷体制はかなり高度なところまで可能と思われる。

そして、畳一つくらいの大きさのトロリー台（回転する）の上に乗せられた花きが、セリ場に運ばれると、競売人が生産者番号（数字）と数量を知らせる。そして、直径が三㍍もあろうと思われる時計式のセリ盤（数字はセント）の針が下がる。日本のセリ上げ方式と異なり、オランダはセリ下げ方式（タッチ・オークション方式）である。仲買人は、席にある電子ボタンを自分の希望価格のところで押す。つまり日本でいう先取りと同様である。このセリ能力が、一時間に五百盛りをこなす。そして一日に百万本の品物がせられ、年間、約八千ギルダー（日本円約八十億円）を扱っているとのことである。

そして最低価格制度が確立されていて基準価格に達しないものは廃棄処分（焼却）される。これが年に二%と意外に少ないのにおどろかされた。これは生産者が良心的に、無理な希望価格を出さないためであろうと思われる。また、この廃棄処分された品物への価格補償は品質の良いものだけに限られる。例としては、バラのファーストクラス（丈六十糎位の物）に対して一・五セント（一円五十銭）とのことである。なお、生産者の希望価格の七割以下にせられた物が廃棄処分される。生産者から三・五%の手数料をとって、これを最低価格補償制度の補償金に積み立てている。

この立場で扱っている花は、バラ（小輪が多く、丈も日本に比べて短いが、これは生け方の違いであろうと思われる）ガーベラ、グラジオラス、カーネーション、ユリ、キクなどであり、これらが大きな別の部屋の台の上にいっぱい並べられている。その割合に静かで人が少ない。時計式のセリ、これなどまったくの能率本位であって、日本のように、シャガレ声を張り上げるような、興奮はまったくない。当日の市場売立価格はバラ上物一本三十五～四十セント（三十五円～四十円）、カーネーション一本三十セント（三十円）、キク二十本七十セント～一ギルダー（七十円～百円）程度であった。園芸国オランダを発展させたと言われるセリ方法、経営方法など、われわれ生産者が学ばねばならない点がおおいにあった。（四十五年度静岡県産業青年海外研修団農業班）

転作に楽観ムード
藤津地区連のプロジェクト発表大会　鮒越4Hなど表彰

【佐賀県＝吉田秀隆連絡報道員発】若い農業経営者を対象にした藤津地区4Hクラブ連絡協議会（会長、井上利幸君）主催のプロジェクト発表大会は、さる一月十八日、藤津郡嬉野農協で百六十名の出席のもとに開かれた。

大会では、各4Hクラブの活動状況の報告や、会員が現在どんな試みで農業に取り組んでいるかなどを発表しあった。そして、クラブ運営、農業経営、生活改善の発表者の中からそれぞれ次のものを選び表彰した。

クラブ運営　▽最優秀賞　鮒越4Hクラブ▽優秀賞　農生会▽優秀賞　三谷4Hクラブ

農業経営　▽最優秀賞　堀勝（北鹿島4Hクラブ）▽優秀賞　川良文男（三谷4Hクラブ）▽優秀賞　徳永孝憲（川原4Hクラブ）

生活改善　▽最優秀賞　平富美子（鮒越4Hクラブ）▽優秀賞　迹元多恵子（農生会）▽優良賞　団トモエ（同）

なお、藤津地区には十一の4Hクラブがあり、百七十六名の若い男女が農業経営に励んでいるが、農業は、稲作の一割減反から今年は二割減反など大きな危機に直面している。しかし、この地区は、米一本やりの農業でなく、ミカン、酪農、お茶など多角経営者が多いだけに「一～二割減反といってもそれほどの打撃もなく、転作もしやすいだろう」といった楽観ムードもあるようだ。

農産物の品評会も
農村青年大会開く

【佐賀県＝吉田秀隆連絡報道員発】このほど、藤津地区4Hクラブ連絡協議会主催の農村青年大会が、日本三大稲荷の一つとして知られる鹿島市祐徳稲荷神社参集殿で開催された。

この日は、意見発表やパネル討議のほか、プロジェクト生産物の品評会などを行なったが、出品された農産物は、自分たちで審査しようと4H学級の各部門の部長五人で審査した。大会には、小林佐賀県連会長や長崎県東彼杵地区連の山内会長が出席、また、来賓も多数あり盛会であった。

なお、発表者、品評会出品者のうち次のクラブ員が表彰され、賞品として4H協会代理部から購入したネクタイピンが贈られた。

意見発表者（発表者二十一名）▽最優秀賞　宮崎憲治（北鹿島4Hクラブ）▽優秀賞　宮崎マキ三（同）▽優良賞　井上榮（鮒越4Hクラブ）、堀勝（北鹿島4Hクラブ）。

▽プロジェクト生産物（出品二百二十点）▽果樹の部　平富美子（鮒越4Hクラブ）▽米の部　宮崎憲治（北鹿島4Hクラブ）▽野菜の部　溝上清治（同）▽雑穀の部　秋月健二（農生会）

白糸駅伝大会で上位入賞の賞状を手にする浜名チームのクラブ員＝東名高速道路富士川サービスエリアで

3位に食込む
浜名4Hク、駅伝でチームワーク発揮

【静岡県＝鈴木政美君発】さる二月七日、富士宮市で白糸駅伝大会が行なわれた。浜名4Hクラブは、この大会に「浜名青年チーム」として参加、堂々青年の部三位に入賞した。タイムは、一時間五十八分三十三秒であるが、一区野末君、六区鈴木君が区間最高記録をマークした。

レースは、午前十時、県下の強豪七十チームの参加のもとに富士宮市浅間神社をスタート、雪舞う白糸の滝折返しの六区間三十四㌔で展開された。一区、二区、三区はすごい上り坂で各チームとも苦しいレースはこびとなったが、応援の市民も多くゴール地点では約五千人がさかんに声援を送った。

このように浜名4Hクラブではスポーツ（陸上競技）を通じてより多くの仲間をつくっている。毎日、クラブ員たちは、農作業を終えた夕方から夜間にかけて自動車のライトをてらして練習している。また、このクラブは、地域青年団との連けいを密にし、チームワークをモットーに数多くの活動をてがけている。今後も、浜名4Hクラブは地域青年活動のリーダーとして大活躍していくものと期待される。

畦道

流亡する農民の将来

アメリカ映画・「俺たちに明日はない」をご覧になった方もあると思う。実在したといわれる青年ギャング・グループの物語である。ピストル片手の青年たちは、生産不況の嵐が吹きすさぶ一九三〇年代のアメリカを荒しまわる。その映画で気にかかる風景があった。血まみれの男女が広大なキビ畑を逃げまどう場面である。そこでは、見渡すかぎりのキビが立ち枯れのままに放置してあった。

話は変わって、一九七〇年代の日本。ここはとある米作地帯であるが、いつもの年とは違った風景が見られる。生産調整をうけた水田が、荒れるにまかせて放置されているのである。ここには、逃げまわる青年ギャングこそいない。しかし、この二つの風景、どこか妙に似かよってはいないだろうか？

◇

「崩れゆく風景」。このごろよくこんな言葉を耳にする。その言葉を聞いて、まず目に浮んでくるのは公害の村々。たとえば、カドミウム汚染の安中である。そこでは、まだ青々とした稲をトラクターがなぎ倒してゆく。わずかな補償金との引きかえに。そして、次に浮んでくる風景は、やはり、人々が去ってしまった廃村である。各地の山村は、不可抗力のペストのようなこの現象におそわれているという。つめたい谷風が吹きぬける村。ただ、永遠にその土地を離れることができない祖先の御霊のみが住み遊ぶ。この二つにもまた、何か目に見えない所で働く糸を感ずることができる。

◇

一九六九年・島根県邑智郡。この山間地で、十人の老人が首つり自殺をとげた。交通事故の死者がたった三人という年に。からだの自由がきかなくなった老人たちは、かさむ医療費や出稼ぎにも行けない家人を見かねて、死を選ぶという。このように日本列島をつらぬいていま、農山村から平地農村へと音もなく一つの事態が進行している。それは、何十年と食ってきた農業が、食えなくなってきたという事実である。さらに、これに追い討ちをかけるように「就農人口十七%から六%へ」という近代農業政策も唱えられる。ここでは、私たちは追われゆく農民一人一人の将来へ深く思いをはせる必要を感ずるのだが。（栃）

こんなことをしています
各種農業団体

全国農業協同組合中央会

消費者向けの新聞を発行
農産物の栄養や流通の知識などPR

昨年十月に開かれた第十二回農協大会では、農協をとりまく環境の変化、組合員の多様化などに対応するため広報活動の積極的な展開を決議いたしました。そしてその内容は、従来ややもすれば手の回らなかった一般大衆・消費者に対する働きかけに刀を入れた広報活動を進めることとしたものでした。

このことは、ご承知の通り農協に対する世論が極めて厳しいことであり、しかもこの世論は正しい農協の認識と事実から生まれたものでなく、巨大な農民の組織というイメージと、例えば最近特に問題となった農畜産物など生鮮食料品の高騰といった極めて直接的な問題とを結びつけた感情論であったり、零細な多数の生産農民によって組織されている団体であるという最も基本的な事実とはなれ、農民とは別な経済団体としての農協観であったりしているのが現実です。

組合員一人一人がしっかりと農協を理解し、その力を農協に結集すること、このための農協の日常運営が重要なことは当然のことですが、現在のような情報混乱時代には、積極的な一般対策活動の必要性も一段と高まってきている訳です。大会決議もこのような事態認識から出てきたものです。

全中では、農協の中央機関・ブロック代表中央会・連合会と協議を重ね消費者向け対策を検討し、この際、直接一般大衆に対する新聞を発行することになりました。この事業には農林省も生鮮食料品の消費拡大という立場から賛成し、来年度の予算に委託費を計上しております。

この新聞は、当面タブロイド版四頁のものを企画しており、内容は、農畜産物の栄養や料理の知識、生産される過程、生産から消費者までの流通の知識、生産者と消費者との話題、上手な家計のやりくりなどを中心に農協活動に対する理解を深めて行きたいと念願しているわけです。そしてこの新聞が、生産者のサイドからは計画的な生産指標になり、消費者サイドからは生活組織活動の指標になり、本当に理解のうえに立った協調による農畜産物の生産・消費の直結のお役に立つまでになりたいと思います。

発行部数は七〇万部で発足し東京、大阪、名古屋においては直配方式をとり、その他では、生活協同組合、公営生活センター、農協直売コーナーを中心に配付して行きます。（教育広報課）

家の光協会

情報化時代の新しいチャンネル
家の光カセット・テープ

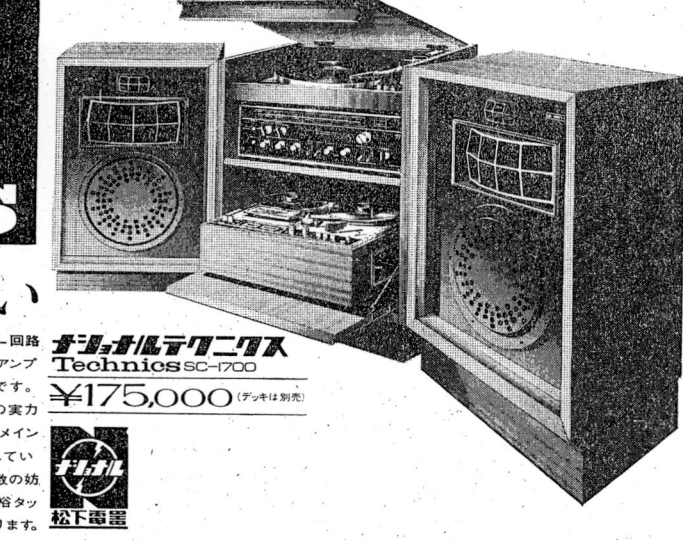

音のかん詰といわれるカセット・テープ・レコーダーは、音楽や英会話の分野で早くから活用されていたが、昨年にはいって、その分野はさらに広がり、企業内教育、幼児教育、文芸ものなどへと健実な発展の途を歩ゆんでいます。

家の光協会でも、昨年来カセットテープの活用の意義・方途などについて研究を重ね、その結果、組合役職員の研修、農協組織相互間の情報連絡、組合員の営農生活両面にわたる啓発活動など、利用の範囲のひろいこと、テープ・レコーダーのマンス・ツー・マン（一対一）即ち対話の媒体としての特性などを確認、これを新規事業としてとりあげることにしました。

この事業推進は、府県農協中央会を通して、全国の農協に「家の光カセット会」加入促進をはかり、加入した農協には、テープレコーダーを送るとともに、月二本ずつのテープを送付することになっています。

テープの内容は七つのシリーズ、つまり協同組合、時事、営農、生活、教養娯楽、学習、PRの部門に分れており、毎月のテープはこの各れかの部門に関連したものです。これまでに発行したテープは、

一、一人は万人のために　全国農協中央会々長　宮脇朝男

二、緊迫化する日本農業　農政評論家　団野信夫

三、未来社会と農村の暮らし　未来学者　坂本二郎

四、七〇年代農業のパイオニア　天皇賞受賞　山形、下川原富農組合　静岡、芳松園

の四本となっています。

テープの企画に当っては、現在のところ、一応、組合役職員を想定しています。しかしテープによっては、組合員―ことに青壮年層には興味と感心をもって聞かれるものと思います。すでに部落座談会や農協青年部、婦人部の集会に活用し好評をはくしたとの会員からの報告をうけています。

ことに、前記のテープは4Hクラブの会員にも必ずや感銘を与えるものと思いますので、ぜひテープに耳を傾け、それを話題に考えをさらに深め、明日の行動の原動力とされんことをお勧めします。

今後のテープの企画としては時事関係では「農業白書」「農産物価格」「景気動向」など、また婦人向けとして「子どもの教育と仕つけ」すでに作制の段階にはいっている「いつまでも若くチャーミングな農村婦人」（石垣綾子）などがあります。（文化部）

分宿し研修と交歓
八女西部が「集い」　8・9日 広川町で

【福岡】八女西部地区4Hクラブ連絡協議会、広川4Hクラブ、八女西部農業改良普及所主催の同地区「4Hクラブ員の集い」が、来る八、九の両日、広川町農協、広川町中央公民館、広川町一円で開かれる。

参加者は、同地区の4Hクラブ員やOBなど約二百人を予定。

一日目は、午前九時から開会式に入り、オリエンテーションのあと十時から松丸志摩三氏の講演、午後一時から「新しい農業への歩み」と題する映画の鑑賞、三時から分科会を開き「今後の農業を考える」というテーマで話し合う。五時から現地交歓訪問に出発し、広川町の4Hクラブ員宅に分宿して家族とともに交歓する。

二日目は、午前中、クラブ員宅で現地研修を行ない、午後一時半から部門別の分科会を開いて意見を交換、四時からアトラクションを行なうことにしている。

なお、現地交歓訪問では、広川町クラブ員宅での生活体験、家族や地域指導者との話し合い、クラブ活動状況の相互紹介、地域への奉仕活動、部門別研修を行なう。

BHCの土中埋没処理など
農林省が通達

農林省は、二月二十七日、BHC農薬汚染で問題になっている有機塩素系農薬の野菜畑での使用禁止、飼料用作物への使用禁止、未使用BHCの土中埋没処理などについて、各地方農政局、関係農業団体に通達した。

通達の主な内容は次のとおり。

一、稲や乳牛など家畜の飼料にする作物については、有機塩素系殺虫剤は使用しない。

一、ドリン系農薬は土中残留性が強くキュウリなどウリ類、イモ類、根菜類などを汚染する可能性が強いので、輪作、間作でこれらの作物が栽培される畑でこれらの農薬は使用しない。

一、野菜くず、いもづるなどを乳牛などの飼料として使う場合、有機塩素系殺虫剤は使用しない。

一、林地や果樹園などで有機塩素系農薬を使用する場合には、飛散によって他の作物が汚染しないよう十分注意する。

一、有機塩素系殺虫剤でこれから使用しないものは、毒物劇物取扱責任者の指導のもとに小規模単位で地下一㍍以上の深さに埋没させる。

なお、これによるメーカーなどの損害は約七億五千万円にのぼるといわれる。

出荷不適品が20％も

てきめんに食欲増進

香りの保存が問題に

鹿児島県串良町若士会　迫田　美代子
市来　房子

等外メロンの梅酢漬

私たちの住んでいる串良町は、鹿児島県の東側にあたる大隅半島のほぼ中心にある。全国に知られている東京大学の内之浦ロケット基地は、私たちの町から、二十五㌔しか離れていない。また「二十一世紀の農業の展望」と題して、万国博覧会場に展示された笠之原台地は、私たちの住む地域でもある。この台地に近代農業をになう若者三十五名で、若士会というクラブを結成し、それぞれのプロジェクトと取り組んでいる。

町の概況を述べると、耕地面積は水田約七百㌶、畑約三千五百五十㌶、農家戸数三千二百戸で一戸あたりの耕地面積は百三十㌃、県の平均をはるかに上まわっている。また、田と畑は二対八の割合で、畑作農家の割合がきわめて高い純農業地帯である。笠之原台地は昭和四十年から国営事業で大隅半島の中央を縦断している肝属川の上流に畑地かんがい用のダムが建設され、一市三ヵ町に広がる笠之原台地の四千八百㌶にかんがいする事業が進められ、昭和四十七年までに全耕地にかんがいされることになっている。すでに一部は、スプリンクラーが設置され、水と農業の営農体系が組み立てられつつあり、日本の食糧供給基地鹿児島の生産拠点として、また近代農業の展開基地としての発展が約束される地域である。ここでの私たちのプロジェクトは次のようなものである。

等外メロンの梅酢漬

材料		器具	
メロン	1個	まな板	1枚
梅酢	1カップ	包丁	1本
砂糖	大さじ3杯	ボール	2個
シソ	20枚	どんぶり	2個
塩	小さじ1杯	保存びん	1個
化学調味料			

準備	メロン、シソは中性洗剤で洗っておく
作り方	1．メロンはたて4つ割りにし、種を除き皮をむいて1センチ厚さに切る 2．シソは塩でよくもみ、アクを捨て、少量の梅酢でもむ 3．梅酢の中に砂糖、シソ、化学調味料を加え、メロンをつけ込み1晩おく

取りあげた理由

私たちの町は、施設園芸や露地園芸また畜産も盛んなところである。特に露地園芸が盛んで、中でもメロンの栽培面積が多く、畑地かんがい実施後は、年ごとに面積も多くなり、現在では県内でも指折りの産地となって、県外市場に多く出荷されている。私たちのクラブでも、プロジェクトにメロン栽培を取りあげているクラブ員が大半をしめている。メロンは他の作物に比べて商品性の良否が強く問われる作物でありたんねんに栽培しても二十％前後は出荷されない等外品が残る。従来は、このような等外品とつる先に着果した未熟ものは、つるが枯れても、果実はそのまま圃場で腐るまで放置していた。そこで、メロン栽培をプロジェクトに取りあげているクラブ員たちで、このような等外品や未熟ものの利用方法について検討をかさねた結果、梅酢漬はできないものかと考え、その漬け方をプロジェクトに取りあげた。その結果をクラブプロジェクト発表会で発表したところ、好評を得た。一般の農業者の方も等外品メロンの利用ができることによって、出荷終了後はすみやかに圃場が整理され、土壌病害虫の住みかをなくすことに役立つと同時に、後作の作付が計画どおり実施される点でも好評を得ている。

作り方

まず、材料は、メロン一個に対し、梅酢一カップ、さとう大さじ三杯、紫シソ二十枚、塩小さじ一杯、化学調味料を準備し、下準備としてメロンと紫シソを中性洗剤で洗っておく。作り方は

(一) メロンは縦四つ割りにし、種を除き皮をむいて一センチの厚さに切る。

(二) シソは、まず塩でよくもみアクをすて、少量の梅酢でもむ。

(三) 梅酢の中に砂糖、シソ、化学調味料を加えメロンを漬け込み一晩おく。

私たちが、メロンの加工をすることにおいて第一の問題点となったのは、どのようにして未熟品のにが味をなくすかということであった。いろいろ考えたが、梅酢に漬けてみてはという意見が出て、さっそく試作してみると、なるほどにが味はまったくとれていた。しかし、ここであまり梅酢の酸味が強いという問題がでてきたため梅酢に砂糖を加えることにした。また、これに少々色をつける方法として、紫シソを用いた。

効果と利用

この等外メロンの梅酢漬は、夏の食のすすまない時の食欲増進に役立ち、またお茶うけの漬ものとして適している。この応用としてメロンの代わりに、キュウリなども利用できる。このメロンにしてもキュウリにしても、地域の農家には広く利用してもらっている。

今後の研究課題

これからの研究課題としては、メロン独得の香をどのようにして残すかという問題があげられる。梅酢やシソを利用すると、どうしても、メロンの香よりも梅酢の香の方が強くなり、メロン独得の香が消されてしまう。この香を失わないように加工するということが今後の研究課題として残されているので、もっと工夫研究してよりおいしいメロンの梅酢漬にしてゆきたいと思う。ひいては、南国特有の漬物として、広く商品化してゆくことも考えられる。また、たくさんの等外メロンを有効に利用してゆくため、農産加工の勉強をしてもっとメロン産地に広く普及させ農家の食生活をより豊かにするよう努力したいと思う。

私のプロジェクト

借入金の損得

愛知県半田4Hクラブ　戸嶋　基之

私は、最近、総合資金という制度資金を借入れました。そして、昨年十一月に、ある農場へ視察に行ったのですが、驚いたことにその農場には、借入金が全くなかったのです。そこで、借入金は損か得かについて考えてみました。

まず、制度資金は、普通金融の利息より安く、長期であることがあげられます。農業は、一般的に資本回転が長く、そのため、返済期間が長期であるということが、ぜひとも必要なのです。そこで、この制度資金を借入れて、普通金融に貯金したとしたら、どうなるでしょうか。このようなことは、現実には出来ないことですが、一応考えてみたいと思うのです。

この場合、問題になるのは、貯金に対する税率です。それならば、郵便局の定期貯金にすれば、問題解決です。また、制度資金（総合資金の利息は年五分五厘）の利息率は、普通一般の金融銀行の貯金よりも低く、一分～二分の利益が得られるのです。単純に考えると、普通金融より制度金融の方が得であることは明白です。

それでは、別の考え方をしてみて、仮に現在一億あったとすると、貯金をした方が得か、固定資産にした方が得かについてです。この場合、実質物価上昇率より貯金の利息上昇率が、高いか低いかを調べてみれば、よくわかることでしょう。年々物価は上昇して行くのは明らかだが、利息の上昇は年々みることはないのです。

もし、双方が同率であったらこの利息の支払い分だけ貸付けで利益を上げねばならないのです。とすれば、貸付けの利息率は、実質物価上昇率より、高くなるのは必然です。また、その場合でも、見込みとして、返済期間に貸付け時点の利息率に見合う以上の物価上昇していなくてはならないのです。そうでなくては、借入れる人は決していないと思うのです。

結論的には、貯金をするよりも、その時点において固定資産に転化させた方が得であり、利益が多いのです。また、実質物価上昇率よりも、借入金利息率の方が低いごとになり、現在、諸条件からみて借入れは得なのです。したがって、借入金をしないということ自体、損失になるのです。

手数いらぬ栗

本年度収量は五千キロ

東京都八王子みどり会　飯田　常雄

私の家の経営概況は、水田四十五㌃、普通地三十五㌃、栗園八十㌃、山林五反、肥育豚八十頭、採卵鶏十羽、豚舎三十七・五坪となっている。

「我が家の栗栽培」という課題に取り組んだ動機は、次のようなものである。つまり、私のところの栗園は北面にゆるく傾斜した土地で、戦前から作っていた。しかし、戦後、クリタマバチの大被害を受け、成木はほとんど枯れたりあるいは伐りたおしてしまった。北面のため、他に該当する作物、果樹はなく、その後もクリタマバチに抵抗性のある品種を植えて、現在に至っている。

栗を植えはじめて、今年（四十五年）で七年目を迎えたが、栗は熟期に手がかかるほかは、別に大した手間も資金も必要としない。

本年度の生産量は、約三千㌔を見積っていたが、実際の収穫は四千八百㌔であった。予想していた量よりも多かったのは、夏期四回にわたるディプテンクス粉剤の散布をしたこと、また、台風がなかったからであるが、生理的な果実の熟し過ぎのロスがなければ、さらに収量は増えたと思う。

こうしたことから、四十六年度には、目標収量を五千㌔においている。

花粉確保に袋かけ

アブなどの飼育で時間の短縮へ

りんごの人工授粉

盛岡市営農学園　熊谷　峰男

最初、花粉を準備しなくてはなりません。それには早く花を咲かせ、早く花を取って開約させることです。早く花を咲かせる方法として、私はりんごの枝にビニールの袋をかぶせました。ビニールの肥料袋で充分です。その袋をよく洗い、裏返しにします。それをあらかじめ準備しておいた枝にかぶせます。そうすると、開花が三、四日早まります。

袋は開花十日前くらいにかけ、開花直前に外します。一つの袋に約五十～六十花そう入ります。それを十カ所くらいやると、約十㌃分に授粉出来ます。袋をかける枝は、あらかじめ剪定のときに残しておいて、花を取った後に切り落します。花は採集して開約させるのに二、三日要するので、授粉予定日より三日程度前に採集するようにします。

開約は、盛岡市農協が経営する開約施設に依託しました。一かご三百円で、今日、花を採集して持って行くと明後日には花粉が出来る仕組です。花粉の取り扱いには充分注意しなくてはなりません。花粉を死なせては、大きな損失です。短期貯蔵の場合は、光を通さない密封容器に乾燥剤を入れて保存します。温度を二〇％前後に保つこと、〇度以下の低温にすることが大切です。

花粉が準備出来たら、授粉作業にはいります。花粉一に対して、着色石松子三～四をまぜ合わせます。少々雨が降っている場合は、花粉一に対して石松子二くらいとします。蕾に授粉する場合、授粉器を使用します。白味の増した蕾に授粉器の針をつきさし、花びらの間から花粉が少しもれる程度の強さで行ないます。

開花後の授粉は、開花三日後くらいまでが、授精力が強いといわれているので、めしべの注頭がぬれていて、黄緑を呈しているものに授粉します。一本の樹でも、開花が上下の枝でちがうから、咲いた順で新鮮な花に授粉し、一本を三日くらいにわたって行なうのが望ましい方法です。これに要する労力は、成木園で十㌃当り二、三人です。

この授粉によって、品質的にはかなりの効果がありますが、年々労働力が不足し、かつ労賃が高まるので、もっと時間のかからない方法を考えたいと思います。たとえば、訪花昆虫のアブの飼育など、まだ実施されていませんが、地域の仲間と進めたいと思います。

牧草の上手な利用　(6)

多雨の日本で望ましい

「架上乾燥法」を

自然乾燥法

もっとも古くから行なわれている方法である。小規模には草刈鎌を用いるが、規模が大きくなるにつれて、耕耘機かトラクターにつけたモアーを用いるようにする。

イ、天日乾燥法　何といっても天候が第一である。気温が高く、光源が強く、微風があれば申分ない。以上の条件は夏に得やすい。一番草は青刈り、放牧またはサイレージ用にして、乾草調整を夏に合わせるのも一法である。少なくとも三～四日晴天が続くことを見越してから刈取りたい。日中二～三回の反転を行ない、夕方には堆積をつくり、上には雨露が当らないように、ムシロかビニールシートなどでカバーする。

堆積は水分が多いときは小さく、少なくなるにつれて大きくするのが常道である。雨や夜露にあてると、いちじるしく品質が低下する。翌朝カバーを除き、堆積をくずして拡げ、前日同様の作業を行ない、所定の含水量になるまで、毎日この作業をくり返す。出来上った乾草は、梱包機（ヘイベーラー）にかけてベール（梱包）すれば、品質の低下を防ぎ、運搬、貯蔵および給与に便利である。

大規模にはトラクター（刈取り）―ヘイコンデショナー、（草の圧砕）―ワッフラー、（予乾）―サイドレーキ、ウインドローレーキ（反転、集草）―ベーラー、ルーズベーラー（梱包）などの機械を使う一連の作業体系ができていて、能率的に作業を進めることが出来る。小規模には小型の機械を用いるか、一部の機械作業を人力作業に置換することになる。

刈取り後のヘイコンデショナーは、ローラーで茎葉の組織を圧傷して乾燥能率を促進する機械で、良質な乾草づくりに有効である。農林省北海道農業試験場で行なった試験成績は、効果図表のようになっている。

ロ、架上乾燥法　三角乾燥法、八寸掛乾燥法も含めて、この方法は古くから行なわれており、地方特有のやり方さえ工夫されている。原始的で労力はかかるが、ヘイコンとテッダーをかけて、半日～一日ほど予乾してから草架にのせるほうが楽で能率があがる。

草架にかければ、草を動かさないでよいから、機械的なロスは他の方法より少ない。したがって、マメ科草の混入割合の高い場合に用いたり、雨の多い時期に用いれば、他の方法には求めることの出来ない成果を、収めることが可能である。

積みあげた草の上に、ムシロやビニールシートをのせて雨水の浸入を防げば、長期間にわたっても安全で、通風によって徐々に乾燥する。晴天の日を見はからって仕上げ乾燥すれば、品質のよい乾草に仕上げることが出来る。雨の多いわが国では、もっと採用されて良い方法であり、省力化についても、さらに積極的な研究を加えてほしいものである。

ハ、発酵乾燥法　一～二日ほど圃場で陽乾して、水分が五〇％程度になったら大きな堆積をつくり、発酵させる。発熱したら堆積をくずして拡げ、仕上げ乾燥すればよい。発酵熱を利用するところに特長がある。乾草は褐色に仕上がるので、ブラウンヘイ（褐色乾草）とも呼ばれる。糖分とカロチンの損失が大きく、また、過度の発酵による失敗も、少なくない。雨天続きの際における最後の手段として考えたい。

人工乾燥法

火力を使う方法も、単に常温を通風するだけの方法も、いずれも欧米で開発されたものである。アルファルファミールの輸入は年々増加して、ついに七十億円以上に達した。主産地はアメリカのネブラスカ、カリフォルニアなど中北部および西部の諸州で、大部分は火力乾燥法によって製造されたものである。

まだわが国では、この方法で乾草をつくっている農家はほとんどないといってよい。前記のように予乾した後にこの方法を採用すれば、経済的にも成立つ可能性は十分に考えられる。

とくに各地に出来た穀物用乾燥機は、秋の短期間に稼動するだけのものが多い。工夫して、乾草調整にも利用したいものである。ただ、出来上った乾草は火を呼びやすい。火力を使うだけに、火災にはくれぐれも注意することが肝要である。

常温通風乾燥法も、水分の少ない乾燥した空気を送ってこそ生草から水分を取除くことが出来るのである。わが国のように湿潤な気候では、大きな効果は期待出来そうもない。もっとも困る梅雨期には、ほとんど絶望的であるといってよい。ただ、長期にわたって通風することにより、安全に貯蔵出来るまでに仕上げる方法は、大規模な経営には実用化の可能性がみとめられている。

ヘイコンデショナーの効果

区分	7月5日 10時	13時	16時	7月6日 10時	13時	16時	10時	13時	16時	水分20％までになる時間
ヘイコン処理	63.5％	43.0％	35.0％	28.3％	21.6％	18.5％	―	―	―	30時間
無処理	66.0	45.4	43.9	37.5	29.8	29.6	24.8	20.6	―	52

（おわり）

（尿素研究会提供）

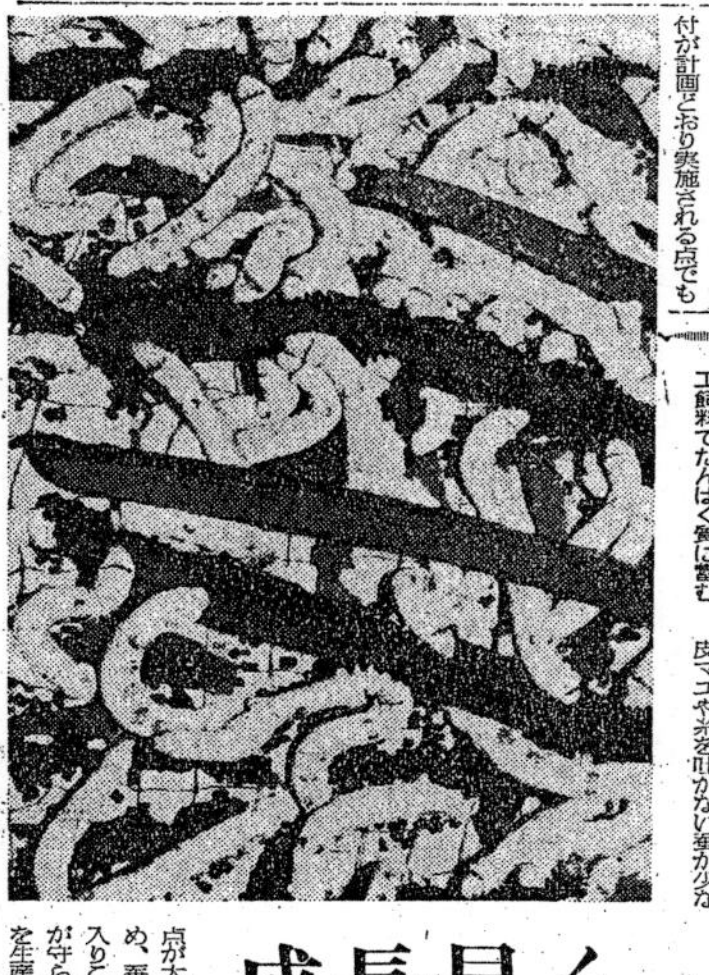

黒い部分がクロレラ利用の人工飼料でたんぱく質に富む

蚕にクロレラ有望

成長早く、よいマユに

これまで、蚕は桑以外の葉は食べないというのが通説であった。例外的にチシャなどを食べても、丈夫に育たず、ほとんどマユを作らないといわれてきた。また人工飼料で育てることが養蚕家の夢であり、大豆たんぱくの利用などが研究されている。

ところが、このほど、ヤクルト研究所長・日本クロレラ研究所長の代田稔博士は、クロレラが蚕の飼料として有望であることを、明らかにした。

同博士は、クロレラの栄養、わけても豊富で良質なたんぱく質の有効利用に、長年、取組みタンク内無菌培養法の発明、量産化に成功している。蚕の人工飼料もその一環で、クロレラ粉末に桑の葉の乾燥粉末を混合したものである。

このクロレラ人工飼料の特徴は、❶蚕がさかんな食欲を示して、体のツヤがよく、たいへん健康である❷成長が早く、そろっていっせいにマユを作る❸薄皮マユや糸を吐かない蚕が少なく、ほとんどの蚕がよいマユを作る❹実験ごとの成績に変動が少なく、これは飼育に高い熟練技術を必要としないわけで、つまり飼育がやさしいなどとなっている。

また、これが実用化された場合、養蚕の季節性が問われなくなり、人工飼料の貯蔵が可能になって、輸送も容易になるなどの利点も生じてくる。桑のみで飼ったときと変わらず、初秋蚕に匹敵するとなれば、大きなメリットだといえよう。

クロレラが蚕をよく育てる理由としては、栄養価が高いこともあるが、タンク内で無菌的に純粋培養したものを用いている点が大きな要因である。このため、蚕が食べやすく、病源菌が入りこむことがないので、健康が守られ、平均した品質のマユを生産するものと考えられる。

千葉　ミス農業

4Hからも小宮さん他

【千葉】県、県農協中央会など主催の第十回ミス農業選定会は十六日行なわれ、十七日県庁十階ホールの表彰式で審査委員長・沼田県農林部長から発表された。

このミス農業選定会は、農業を愛し、農村に生きようとする女性の中から「あすの農業をになう明るくたくましい女性像」を選び、農村後継者の育成を図ろうというもの。

選定会は、前日の十六日、千葉市の県農業会館で各地区の農協や農業改良普及所から推せんされた代表二十七人が参加、歌やフォークダンス、将来の生活設計、農業に対する抱負、男性への注文などの話し合いの中で選定が進められた。その結果、十七日、代表がきまった。

同日は、友納知事のあいさつや沼田審査委員長から選考経過の説明があり、ミス農業の宮崎さんら参加者全員に表彰状と記念品が贈られた。さらに知事を囲んで記念撮影を行なったあと、お互いにあすの農業づくりのため「がんばりましょう」―と堅い握手をかわして散会した。代表、準代表者は次の通り。

▽代表＝宮崎道子（二〇）▽準代表＝小宮範子（一九）、山本とし子（二〇）、高橋久子（二〇）、繁田三由紀（一九）。

なお、このうち小宮さん、山本さん、繁田さんの三名は4Hクラブで活躍している。

農業高卒者に助言

減反などで動揺のため

熊本芦北地方連協

【熊本】「芦北農業に新風を送ろう」―と芦北地方4Hクラブ連合会（谷口秀一会長）の音頭とりで十六日午前十時から芦北農林高で「新卒自営者を励ます会」が開かれた。

今年の農業科卒業生は四十二人うち十八人が自営者。最近の減反旋風で動揺、大半が県外へ就職、農業に従事する生徒は、家庭での説得、父母の病気などやむえぬ事情で残るものが多いといわれる。

きびしい農業の現実の中で、明るい夢のある農村づくりに励んでいる同校の先輩である芦北4Hクラブ員が助言者となって新卒者と話し合った。

「農業に不安を感じている」、「経営規模、技術取得、経営への取り組み方」など新卒者から質問が出され、先輩一人一人体験を通して学んだ教訓を披露、共感を呼んだ。

農高卒者と父兄が話す

福島　4Hクラブ員も参加

【福島】岩瀬農業高校は、十六日午後一時から高校体育館で、ことし卒業する農業後継者と父兄の合同懇談会を開いた。

公的な場でないと真剣な発言ができず、また、責任も持たないのではないか、ということから卒業前の実習時間の中で行なったもので、先輩として活躍している4Hクラブ員も特別出席をした。

同校の卒業生はことし四百十八人。このうち自営業につく者が二百四十八人、就職百三十一人、進学三十一人など。

科目別では農業科の六〇％が自営で、これに対し食品加工と家政（女子）はほとんどが就職を決定し、家を離れることにしている。

同校がまとめた調査によると生徒の家庭の六九％は専業で、しかもこのうち三五％が、年収三百万から五百万円と答え、五百万円以上が二六％もあり、豊かな生活をしていることがわかった。

また農業のうち水稲経営が三九％をしめ、続いて野菜、園芸の三三％、畜産一六％となっている。

生徒の農業観では、農業自営者に決めた理由を、①長男だから（三九％）②家庭の事情（二三％）③好きだから（二二％）④有利だから（一三％）と答えており、経営参加の報酬としてはこづかい程度でいいというのが三五％、月給制を主張する声は二九％あった。

NHK農事番組（3月11日～20日）

テレビ

明るい農村　6・30～6・55総合

11日　話の広場　NHK優秀農家にきく

12日　村をむすぶ　NHK優秀農家にきく

13日　農村新地図　熊本県大矢野町（熊本商大教授）長野敏一

15日　村の記録　赤字線廃止（福井県大野市）

16日　きょうの話題

17日　産物往来　メロン

18日　話題の広場　山に生きる若者たち　林業青年会議から

19日　村をむすぶ　札幌、名古屋、大阪、松山、東京

20日　農村新地図　大阪府千里（京都大学教授）柏祐賢

農業教室　7・30～8・00　教育

11日～13日　輸送地帯の野菜生産（高知大学教授）門田賞太郎

15日～17日　世界の中の日本農業（農業総合研究所）持田恵三（日本大学講師）宮崎宏（農業技術研究所）小野誠志

18日～20日　経営拡大と金融（日本獣医畜産大学教授）吉田六順

あすの村づくり　日　7・00～8・00　教育　再　土　13・00～14・00　教育

14日　▼「グループだより」長崎県福江市（下大津青年団）▼「親子農業教室」高岡市（農村青年クラブ）田保繁司ほか▼森裕（五十六才）千葉県館山市

ラジオ

早起き鳥　5・50～5・57　❶

11日　人と話題　NHK優秀農家にきく（四国）

12日　現地報告　NHK優秀農家にきく（九州）

13日　村のポスト　NHK優秀農家にきく（沖縄）

14日　話題の窓　牛乳販売合戦と酪農民（駒沢大学教授）松尾幹之

15日　現地報告　河北潟干拓のゆくえ　石川県河北潟

16日　人と話題　南欧の果樹生産をみて（香川大学教授）森和男

17日　通信員の手帳から　中島好見

18日　人と話題　東南アジアの畜産をみて（農林省畜産経営課）北川雙夫

19日　減反返上　宮崎県大崎地方

20日　村のポスト投書・たより

話の広場　6・10～6・30　❷

14日　人気をよぶ植木市（川口市安行）

新しい農村　6・10～6・30　❷

14日　▼農村生活の課題　農山漁家生活改善実績発表大会出席者（3月9日～11日まで大会が開かれるが、都市近郊、平地、山村などに分れグループ討議、分科会が行なわれる。農村、農家の生活の課題をきく）

ラジオ農業学校　日　6・30～7・00　❷

7日　▼経営手帳「経営改善を阻むもの」第十回全国青年農業者会議から（出席者代表）

おねがい

本紙では、みなさんがたの研究成果を、広く全国のクラブ員諸君に知っていただくため、報告原稿を募っています。図表や写真などを添えて、日本4H新聞編集部まで、お送り下さるようにお願いします。

青春と仲間

町の先頭に立つ

成果を月一回発表

グループ活動

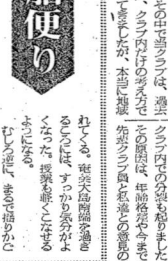

大阪府太子町4Hクラブ 村井総夫

農業を自分の進むべき道と定め日頃研究し実践活動している者にとって、現在の農村青年や農家の地すべり現象は、簡単にかたづく問題ではなく、幅の広い底の深いものではないかと考えます。

しかし、国や地方の農政が悪いのではなく、直接農業に接し働く者の考えが浅いのではないでしょうか。その中で当クラブは、過去数年間、クラブ内だけの考え方で活動して来ましたが、本当に地域の人々が4Hクラブというものについて知っているか、疑問に思うようになりました。また、数年前クラブ内での分裂も起りました。その原因は、年齢格差や今までの先輩クラブ員と私達との意見の対立などです。いろいろな問題をかかえ、本来の仲間作りと逆の方向へ発展する太子町4Hクラブ（名目だけで活動不能のグループ）に、悲しくなってしまいました。しかし三年前、前会長のときからクラブに新風を送り込むようになり、心のつながりを持った残ったクラブ員でグループの再建に努力しました。

グループ活動をするうえでは、人と人との和が一番大切です。少数になればなるほど力を合せ、個人個人の人間というものを鍛えなおし、自然の心にもどり、人間対人間、心と心の付合いができるようになるのではないでしょうか。これこそ真の仲間作りであり、理屈なしのグループの魅力が出てくると思います。我々はクラブ員の手でこれらを作り出しました。当クラブは各自の経営が異なっているため、個々別々になりがちですが、農業の専門的なことは普及所や農林センターが近くにあり、本当に恵まれています。実際に農業をやろうとする気持をもつ若者を一人でも多くこの4H活動で育てなければならないと思います。

また、クラブ活動を通し地域に浸透しなければ、なんの意味もありませんので、我々は勉強したことを、毎月一回ごと提示するようにしました。そして、昨年暮れから一年間は今後の農業その他二十項目にわたるアンケートを、太子町の農家一軒一軒から取りました。思ったよりも大変な仕事でしたが一つ一つ計画が進むにつれて私たちのクラブが、一人の人間の構造のようになってきました。その間、町役場、農協普及所の協力もあって、三百戸の「農民動向実態調査第一報」を発表するようになりました。これを通し、地域住民に4H活動の活発さを認めて頂きました。そのうえ、その立場から町役場、農協、町民の先頭を切っていかねばならない難かしさを教えられました。今後これをもとにしてこれからの太子町農業の発展と4H活動の地域に対する考え方などを研究しあって、努力しなければなりません。同時に、大切な農業経営を忘れないよう今後努力して行きたいと思います。さいわいにして、町が農業経営の研究に対しては、いくらでも補助できるそうですので、グループ活動の発展のためにも、より多くの人々と心ゆくまで話し合い、そして一人でも多くクラブに参加して頂きたい気持です。

私自身まだ仕事に対し、またグループ活動の上においても自信がありませんが、できる限り頑張って行きます。

空談

地球だって滅びるさ

風の強いこの季節、舗装路の砂埃が吹きとばされる。自然というものには強力な浄化作用があって、酔漢の吐瀉物や猫の屍などがへばりついていたのも、いつの間にか、きれいさっぱりどこかへかたづけてしまう。自然を保護しようなどと、人々は甘っちょろいことを考えているが、自然はもっと恐しいものだ。

いまに、砂埃や猫の屍ばかりか、路上を歩いている人間も、立ちならんでいるコンクリートのビルも、小気味よいほどにどこかへ吹きとばして、諸々の元素に還元させてしまうに違いない。東京や大阪といった巨大な都市さえ廃虚となり、やがて太古さながらの密林か、草原に再び戻って行く。

ヘドロ公害が進めば、海は死んでしまって、地球上の酸素が不足する。そうすれば、人類の数十パーセントが滅びると、北欧の学者は警告している。しかし、動植物が絶滅したところで、自然が滅びたことにはならない。そこには、限りなく深い沈黙の世界が現出して、さしずめどこかの天体の想像図のような、荒涼たる空間になるだろう。

じたばたしたってはじまらない。いずれ、地球も崩壊する運命にあるのだ。ただ、ぼくらがそれに立合わないだろうとしても、必ずその時は来る。そんな視点から、もう一度、ぼくらの日常を眺めてみたいと思う。——ある日、銀座を歩いていた時の夢想であった。そうして、ふと、空を見上げたら、白々とはかなげな昼の月が中天にかかっていた。

募集 この欄の原稿を募集します。送り先は、東京都新宿区市ケ谷船河原町11 家の光会館内 〒162 日本4H新聞編集部

一万ドル農業へ

大阪府三島4Hクラブ 中村勤

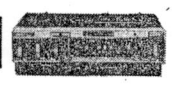

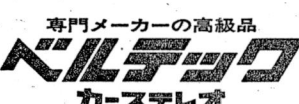

▽はじめに

最近、巷で企業的農業経営の実態が紹介され、"一万ドル農業"というものが決して夢物語ではなくなってきている。そこで、大阪という大都市の近郊地帯で、この一万ドル農業をめざしてどのように日頃の活動を進めていけばよいかを、私の経営主体である観葉植物を中心に、今後の生活設計や、グループ活動のあり方も考慮しつつ考えてみたいと思う。

大阪といった大都市近郊では、諸種の事由から農地の狭小化が今後とも進み、耕地の面積的規模拡大は望むべくもない。したがって勢い限られた面積での高度利用農業を求めなくてはならない。第二には、サラリーマンと同様、年間の労働が平準化するとともに、毎月定った高収入のある農業でなくてはならない。これらの要素を具備したものが、高度の施設園芸であり、畜産経営であり、しいたけ栽培であると考えられる。ただ、畜産経営の場合、都市近郊では公害の問題が解決されなければならない。現在私が経営主体にとりいれている観葉植物を眺めるとき、これらの要求にぴったりした主幹作目といえるのではないか。

▽都市化に対応した一万ドル農業へのとりくみ方

いま、私は父とともに千㎡の温室を経営している。観葉植物の栽培の場合、一㎡当りの粗収入が平均四千五百円と考えられ、その収益率は約三五％である。したがって、現在の経営から考えるとき、温室面積を二倍の二千㎡に拡大して、一㎡当りの粗収入を今の四千五百円から千円アップの五千五百円に引きあげられたら、一万ドル収益以上の農業が実現するのである。これは、私たちの今後の温室経営のとりくみ方、すなわち、経営改善や、労働配分、省力技術等の経営と生産と販売との技術革新により、決して夢ではない実現可能な農業と考えられる。

▽一万ドル農業経営への今後の生活設計・グループ活動

観葉植物経営の場合、一夫婦での経営可能面積は、普通八百～千㎡といわれている。したがって、将来結婚したら、われわれ夫婦と父母で、二千㎡の温室経営を実現したいと考えている。そのため、現在、普及所の肝入りで年間の労働調査と資材調査を行ない、観葉植物の種類毎、鉢の大きさ毎の一鉢当りの原価計算にとりくみ、将来の経営の指針に励んでいる。

現在、三島の4Hクラブ員の中に五名、OBで二名の観葉植物経営の同志がいる。府下でも有数なこの三島の観葉植物経営の次代を私達同志で飛躍したものに育てていきたい。他面、あらゆる部門で相通ずるものがある各種農業経営従事クラブ員と、精神面、経営面の充実をはかり、一万ドル農業をめざして邁進していきたい。

青年の船便り

船酔いには梅干し

"25時間の世界から"

青年の船は、2月5日に出港したが、このほど、全協推薦の団員、中林正悦君の太平洋上からの第一便が届いた。

二月五日、東京湾を出航したわれわれ青年の船団員一行は、一路まだ見ぬ常夏の国、東南アジアへと南下を始めた。その四日間、見るものすべてが、海また海。行きかう船もほとんどなくすべての世界から、まったく隔離された第四次元の世界が展開される。

その中でわれわれはまず船酔いと戦わなければならない。一万二千トンの船も、太平洋の荒波にはその威厳もなさそう。かなり揺れる。歩く時、座る時、そのリズムに合わせなくてはならない。東京を出て二日目くらいからそろそろ船酔いの仲間が増えてくる。授業中にも何人か犠牲者が出る。もちろん教える教官も船酔いと悪戦苦闘しながら授業を進めて行くのだから。

こうなると、毎回毎回のかなり豪華な料理も、かえってあだになる。この時ほど、梅干しの美味しさがわかる時はなかった。それでも食べる、また苦しくなる、食べる、苦しくなる。この繰り返しを何回か繰り返すころ、次第に船のリズムにもなれてくる。奄美大島南端を過ぎるころには、すっかり気分がよくなった。授業も軽くこなせるようになる。

むしろ逆に、まるで揺りかごの中にいるようで、いつのまにか教官の声が子守唄になることもしばしば。沖縄を通過するころから、次第に気温が暖かくなってくる。船内はすでに冷房に切り換えた。時間も日本を出てから、すでに一時間時計の針を遅らせた。つまり、われわれは「二十五時間」の世界で生活していたのだ。

二月九日朝、船内放送の指示で甲板に出る。嬉しかった。島が見えたのだ。それは、われわれが第一に訪問するフィリピンのルソン島なのだ。写真で見た、あのヤシの木や部落の家々が、そっくりそのまま飛び出してきた感じだ。明日はいよいよ上陸。まだ踏まぬ外国の土地に、私の夢はふくらむ。

（中林正悦君発）

農村雑感

折原俊二郎

家族の和

K君は、北海道の北端、宗谷の酪農家に、U君は、兵庫県の淡路島の酪農家に、それぞれ半年近く、実習生として入り、最近帰ってきたので、この両君と炉端に入りながら、雑談をした。その話の中で次のようなことが大きな話題となった。

K君が入った酪農家では三十数頭の搾乳牛がおり、これを一家の主人が一人で飼育している。奥さんは、労働的には極めて補助的な立場にあり、主体は家事である。酪農家では一年中休む暇もないほど多忙であり、そのため酪農家では家族総がかりで労働に当るのが、一般的な姿である。そうしたことから考えてみると、K君の入った農家は極めて特異な存在に見えたということである。

さらに、K君の入った酪農家には、子供が二人いるが、二人とも高校を卒業して、近くの町に勤めており、朝家を出て夕方帰ってくる。兼業農家の形態をとっているが、本来的に兼業農家で進む意向ではなく、近い将来、さらに頭数をふやして、本格的な酪農家になろうという考えであることが、徐々にわかってきた。というのは、実は、この家で夕食後、町に勤めに出て行っている子供たちと主人夫婦が一緒になって、家族全員の話しあいが、ほとんど毎晩行なわれていることである。

しかも、夕食後の話しあいは極めて自然な形でなされ、誰も強制したりしない。当たりまえのことをただ単に進めているにすぎないが、その中で話しあわれることが、家族一人一人の心を強く結びつける形となっている。農家では家庭の話しあいが少なすぎる。親と子供との話しあいがないところに断絶が生じ、これが経営面にも生活面にも影響し、一家がうまくいかないものであるといわれてきた。

ふり返って自分の家のことを考えてみると、必ずしも、こうした自然の状態で、家族全員が話しあうことは少ない。結局、この家に実習生として入って、一番よく学んだのは、技術でも経営でもなく、実は、家族の和ということであるということであった。

U君の入った農家はやはり、搾乳牛が二十五頭おり、酪農家としては大きい経営に属する。家族は夫婦と小さい子供（幼稚園前）二人である。この農家では奥さんが経営の主体を占めており、主人の労働力を一とすれば、奥さんは一・五という状態で、K君が入った農家とはまるで逆である。従来考えられてきた日本の農家の典型的な姿である。

しかし、U君がこの農家で学んだ第一のことは、やはり、K君と同じように、家族の和であるという。この農家でも、夕食後、家族で話しあうのが通例で、それが当然の姿という状態である。奥さんの方が主人よりはるかに多く働いており、また、牛のことについても実にくわしく知っている。時には、主人の方がうなずきながら奥さんの話に耳を傾けていることがある。それでありながら、主人の尻をたたいている様子もみえない。その心の交った夫婦のあり方、これが、この一家を支えている根本であるように思われたという。

両君とも、あとで顔をみあわせて、立派な経営をやっている家では、家族の和が基本になっており、それは、家族の十分な話しあいにある。しかし、平凡なこの話しあいが、実は大変むずかしいのではないかということで一致したようである。

（農林省・農業者大学校）

昆虫も交通事故死

誰も一人で生きられぬ

新潟県燕市佐渡こぶし会 江村隆平

カエルの死——

収穫の忙しい秋、毎日、車を運転するたびに悲しいことに出会う。フロントガラスにセミがぶつかる。チョウがぶつかる。ハチがぶつかりカマキリがひかれ、カエルがつぶされる。人間の交通事故から犬や猫、そして最近はカエルや昆虫の交通事故？が目立って多くなっている。素朴な田舎に車が入り、生活が便利（楽とは違う）になったのをただよろこんでいいのか。つぶされたカエルの死骸を見て、つくづく考える。

皆のために——

個人の利益と公の利益が一緒にならなくてはだめだ。会社だけが儲かって、社員がその恩恵を受けなくては少しおかしい。また、その逆も十分ある。

公の発展と個々の繁栄は、一緒のものでなければならないし、国の繁栄が国民の幸福につながらなくてはならないと思う。我家だけが裕福で隣の家庭が貧しいのを見て、「ああ俺は幸福だ」とだけ思える人がいるだろうか。

文明が進むほど、人間は、一人で生きていくのが難しくなってくる。たとえ「俺は誰の世話にもならず、一人で生活する」といっても、食べる米は農民が作り、魚は浜の人が獲ったものだ。また、服、靴、紙、電気など……、みな目にみえないところで、他人の世話になっている。

自分が一生懸命生活していけるのは、社会から、他人からいろいろな恩恵を受けているからである。そういうことならば、自分も隣りの人のため、村のため、国のためにと尽くすのが当然ではなかろうか。それが微力なものでも、人間としてのすばらしい姿だと思う。そして、みんなのために尽くしたことが、いつかは何らかの形で自分のもとへ返ってくるのではなかろうか。——おいしい米や野菜を作るのもみんなのためにと思いつつ——

青年と夢——

自分が、もし他の職業に就いていたらということを考えるのは、楽しいことだ。サラリーマン、ジャーナリスト、船員、運転手、作曲家、キコリ、教師、刑事、県知事、カメラマン等々……。これらひとつひとつに、自分の姿をあてはめてみて、どんな姿になるか、何を感じるか考えるのは楽しい。

また、自分の将来はこうありたいということを、夢みるのも楽しいことだ。経営面においてはもちろん、俺の彼女はあの娘かな、それともこの娘かななどと考え、ひとりひとりを自分の妻として夢の中にあてはめてみられるのは青年でなければ出来ない楽しみだ。

最近の青年はよく「夢がない」と言われるが、すばらしい夢を持っている。その夢が一日も早く現実のものとなるように、お互いに努力したいものである。（新潟県農業改良クラブ連盟『農業改良クラブだより』三十二号より）

文芸

セロリーの切口

静岡県磐岡4Hクラブ 村松利通

先日、ある本を見ていたら、こんな詩がのっていた。

旅

旅の朝はセロリーの切口のようであった
ひかるすじ雲をひいて
小梨の木立を抜ける風が
揺れる思惟の葉うらを返すと
ふいにほとばしる熱いめまい
山脈の残雪は胸をわけてなだれ
わたしは見てしまった
絡む糸のようにわたしをいらだたせ
言葉を忘れた人のように
激しくひとり旅へと誘ったものだ

この詩を読んで内容がいいとか、感想がどうのというわけではない。また言っても、私にはよくわからない。私がこの詩を見てなんとなく気に入ったのは、最初の一行、一行の中のカタカナ四文字の「セロリー」という字がのってたからである。また、私がセロリーを栽培していて、セロリーの一番のポイントをこの詩がのべていると思うからだ。

「旅の朝はセロリーの切口のようであった」などと、旅の朝をセロリーにたとえるところは、ちょっとにくいね。まあさすが詩人。

ここでセロリーについて、諸君に植物学的に説明してみよう。さんけい科二年草、芳香を有し、葉は羽状複葉、畑に栽培し、若い葉、茎を西洋料理に用いる。オランダみつば、セレリーとも言う。なおこの情報には、一さい責任を持たないからそのつもりで。また、この情報は、自動的にタイプ印刷、もしくは手書き印刷にかわる……などとバカを言っていないで元にもどろう。

いったい、セロリーの切口とはどんなだろう。セロリーの切口、それは株の根本をスパッと切りおとし、白くまるいセロリーの株の尻を見、想像して作者が言ったのであろうか……。いや、そんなセンスのないことではないだろう。野生美のグラマーに実ったセロリーの茎をもぎ取り、その茎をスパッと切った切口を見て、作者が言ったのであろう。

その切口は、ちょうど、だれかがぬかるみで尻餅をついたとき、だいじな所が地面にうつりそうでうつらない型、それがセロリーの切口である。余分なじょうだんはさておいて、セロリーの切口を作者が想像し、旅の朝をセロリーにたとえたのであろう。旅の朝は、セロリーの切口のようにみずみずしく、光り輝き、新鮮でさわやかな感じを朝にたとえて、うたったのであろう。

私も旅は好きだ。一人で行くより、みんなで行った方がなお楽しい。また、旅の夜は実に楽しく、そうして、すがすがしい朝はいいものだ。諸君、みんなで楽しく旅に行こう。（静岡県中遠地域農村青少年クラブ連絡協議会『あぜみち』第六号より）

クラブ紹介

埼玉県入間市4Hクラブ連合会

親子で話合う

女子部員は大部分OL

発足して三年目を迎えた入間市4Hクラブ連合会は、藤沢、宮寺、金子の三クラブ、クラブ員七十七名（うち女子二十名）からなりたっている。単位クラブの活動は、人数が少ないので連合会を中心として行なわれる。そのため連合会というよりむしろ三つの単位クラブが一つになったクラブといえる。

発足後、日が浅いので、まだ思うような活動はできないが、市農政課、農協、普及所などの協力のもとに、表面的でなく、心の底から話しあえる本当の友情を育てようと、全員が団結努力している。

女子クラブ員のほとんどが、農協なり会社なりに勤めているが、農業に従事している女子クラブ員が少ないということから、農業に理解ある人、興味をもっている女性には、特別に入会してもらう。行事の実行面で多少マイナスもあるが、全員がクラブ員意識をもってくれているので、むしろプラス面が多い。

アメリカのある地方では、4Hにホーム（HOME）をつけて、5Hなどといっているところもあるそうだが、私達のクラブでは、過日、「子は親に何を望むか、親は子に何を望むか」というテーマで、親と子の話しあいの会をもって、家庭内での親子問題、家事の分担などについて話しあった。よい家庭を築くという面と、これからのプロジェクト活動をすすめる上で、非常に有意義であった。

それから行事の一つであるが、私達がウエイトをかけた仕事は、市農業祭で一般農産物品評会と即売会を、クラブで受持ち、全員が責任を分担して4Hの存在価値を示し、この行事を通じて社会に奉仕したことである。

このほか、農閑期の二月に、十日間の講習会を開き、入間市の農業や一般教養について勉強し、プロジェクト活動は、畜産、作物、生活の部門別活動の中で実施し、全員が一体となって、明日の埼玉農業を目指して頑張っている。

（加藤敏夫君）

◀投稿案内▶

本紙は、みなさん方の新聞として、全国のクラブ員に利用して戴きたいと考えています。それでクラブの催しや個人のプロジェクト、詩、短歌、随筆、写真、悩みや意見、村の話題、伝説、行事その他なんでも原稿にして送って下さい。

お願い ❶長さや形式は自由です ❷できるだけ記事に関連した写真をそえて下さい ❸送り先 郵便番号162 東京都新宿区市ケ谷船河原町11 日本4H新聞編集部

生活 もの知りコーナー

◆アスピリン

アスピリンは昔から解熱剤として、家庭常備薬の一つに数えられてきました。しかしこれも熱が出たからといって、原因も確めずにしろうと療法するのは危険です。熱が出るのは、からだが病気に抵抗している証拠なのですから、熱を下げてしまうと、医者がきたときに病気を判断することが困難になる場合があるからです。肺炎を起こしていないときのカゼとか歯痛、生理痛や頭痛に鎮痛剤として用いてききめがあります。リューマチ、神経痛にはコーチゾンを用いますが、これは使用法がむずかしいので、アスピリンを〇・五グラム用いた方が安全でよくきく場合もあります。このようにいろいろな方面によくきく薬ですが、湿気は禁物ですからびんのセンをきっちりとしめ、直射日光を避け、涼しい場所に保存します。においをかいでサク酸のにおいのするものは用いないようにしましょう。

日本4H新聞
4Hクラブ
農事研究会
生活改善クラブ
全国弘報紙
発行所
社団法人 日本4H協会
東京都市ケ谷家の光会館内
電話(269)1675郵便番号162
編集発行人　玉井　光
月3回・4の日発行
定価　1部　20円
一ヵ年700円（送料共）
振替口座東京　12055番

皇太子殿下ご夫妻ご臨席

華やかに第10回全国会議

農業の変貌を反映

米作減反などで揺れる

第十回全国青年農業者会議は、さる二日から五日までの四日間、東京・渋谷区代々木のオリンピック記念青少年センターと霞が関の国立教育会館虎ノ門ホールを会場として、農林省、NHK（会長、前田義徳氏）、社団法人全国農村青少年教育振興会（会長、東畑精一氏）、同全国農業改良普及協会（会長、徳安健太郎氏）、同日本4H協会（会長、宮城孝治氏）、全国4Hクラブ連絡協議会（会長、久野知英君）、全国農業研究協議会（会長、大橋文男氏）の七者共催によって開かれた。とくに今回は、第十回を記念して、最終日には皇太子殿下、美智子妃殿下をお迎えして虎ノ門ホールで代表討議と記念式典が行なわれた。この会議には、全国の各都道府県代表として選ばれたクラブ員を中心に、農業経営者夫婦、篤志指導者を含めたクラブリーダー、青少年担当普及員、担当職員など約千名が参加し、農業経営や農家生活の改善、クラブ活動の推進などについて真剣に討議した。

一日目は、まず前夜のつどいが午後七時からスポーツ研修館体育室で、竹腰美代子女史の指導によって賑やかにくりひろげられた。つどい開会のことば、会議実行委員の紹介、同委員を代表して山本たい子さん（全協副会長）のあいさつのあと、竹腰女史の軽快な司会で健康度のテストやフォークダンス、歌などで肩ほぐしをした。ドスーン、ドスーンと揺れる床に、林立する足の間で体をすくめ、親にしがみつく子どもの姿もみられた。

また、竹腰女史の主人、クレージーキャッツの安田伸氏も歌をサービスするなど仲のよいところをみせていた。

二日目は、午前九時から体育室で開会式に入り、県旗、県連旗の入場とともに、竹腰女史によって県や参加者数が紹介された。続いて、開式のことば、国歌斉唱のあと農林省の田所普及部長、宮城日本4H協会長、久野全協会長から主催者あいさつ、来賓の紹介と祝電披露があり、ついで、第十回を記念して全国から募集した会議のスローガン「大地に足を、両手に未来を、私たちで築こう日本の農業」を斉唱、4Hクラブの歌を合唱して終了した。

会議オリエンテーションのあと午後一時からいよいよ日程の中心となる分科会研究討議に移った。

皇太子殿下ご夫妻をお迎えして記念式典　教育会館虎ノ門ホールで

熱こもった代表討議

青年部会は、水稲（1）野菜作（露地2＝経営者と合同、施設2）特用作（2、経営者と合同）花き（2）果樹作（落葉1、常緑2）酪農（2）肉牛（1）養豚（2、経営者と合同）養鶏（1、経営者と合同）わが家の健康（2、住い方も含む）くらしの計画化（2）クラブ活動（3）の二十五。経営者は、水稲（1）野菜作（施設1）果樹作（落葉と常緑2）酪農（1）肉牛（1）の六、指導者はクラブリーダー（1）、農業改良普及員（4）の五分科会、計三十六の会場に分かれて、それぞれ日ごろの実践活動をもとに選択課題と今回の共通課題「新しい農業へのあゆみ」について、意見を交換した。

この日は、自己紹介やレポートをもとにした発表でまずこてしらべ。共通する問題を選び出して翌日の会議にそなえた。この分科会は三日目の午後まで続けられ、また最終日の午前には、この分科会討議のまとめを持ち寄って青年と経営者の交換討議が部門ごとに行なわれた。

ことしは、とくに米作の減反問題が共通話題になり、そのための転作や生産地形成のための仲間づくり、いかに有利に競争するかなどについて助言者をまじえて真剣に話し合われた。

「村のはなし」も

また三日目の夜は、村のはなし懇談会として、茶菓子を囲んで仲間との交流をはかり、郷土品の交換を行なった。なお、これと併行してセンターの外で倉石農林大臣を囲んで農業経営者懇談会が開かれた。

最終日は、交換討議のあと、会場を虎ノ門ホールに移し、皇太子殿下ご夫妻のご臨席のもとに、「土に生きる」と題した代表討議と記念式典が行なわれた。

代表討議は、各分科会から選ばれた二十八名と三人の助言者をまじえて進められ、減反問題や出かせぎ防止のための工場誘致の是否、また、仲間の減少は淋しい反面、規模拡大のチャンスであるなどの意見がたたかわされ、土に生きる若者の意欲をみせた。皇太子殿下ご夫妻も、中央座席でこれらの発言にうなずいておられた。

記念式典は、農林省普及教育課の矢野課長の司会で、田所普及部長の開式のことば、国歌斉唱に続いて渡辺美智雄農林政務次官、NHKの川上総局長のあいさつ、このあと皇太子殿下から別記のとおり激励のおことばが贈られた。

ついで、青少年育成国民会議会長の茅誠司氏（元東大総長）から「自分の決めた仕事に全精力を打込んでほしい」と激励のあいさつがあり、琉球政府の屋良主席や日本4H協会の松下幸之助名誉会長からの祝電が披露されたあと参加者代表男女二名による明日の農業への誓い、同じく女子代表の先導でスローガンを唱えて式典を閉じた。

ひき続いて表彰式が行なわれ、農林大臣賞（青少年技術農業研究集団）はじめ農林省農政局長感謝状（篤志指導者）、振興会と4H協会の両会長感謝状（育成協力機関）、NHK会長感謝状（放送利用グループ育成功績者）、改良普及協会長感謝状（農業研究集団育成協力機関）がそれぞれ贈られて閉幕した。

なお、会議の運営は、これまで各県から選ばれたクラブ員によって行なわれてきたが、今回は主催者の代表が実行委員として運営に当った。

この会議は、例年、二日目ごろから雪に見舞われることが多かったが、ことしは二日目と三日目の分科会のとき春雨が肩を濡らす程度で、最終日は好天に恵まれた。

皇太子殿下のお言葉

あすの農業をきずく青年農業者の全国会議がここに十周年を迎え、みなさんと一堂に会することは大きな喜びであります。

わが国経済の健全な発展と国民生活の安定をはかるため、近代的農業の確立がつよく求められている今日、青年農業者の果たすべき役割は、きわめて大きいと思います。みなさんはこのことを十分に自覚し、必要な知識と技術を進んで身につけ、新しい農業をきりひらく推進者として、立派にその役割を果たされることを希望します。

また、指導にあたる方々は、青年農業者に対する深い理解と信頼をもって、その育成に熱情を傾けていただきたいと思います。

この記念式典を契機として、皆さんがますます力をあわせ、努力とくふうをかさねて、わが国農業の発展に貢献されるよう心から期待してやみません。

4Hの本質に迫る

佐賀県連の後期リーダー研修会　キャンドル討議試み

【佐賀】佐賀県4Hクラブ連絡協議会（会長、小林秀敏君）では、毎年二回リーダー研修会を行なっているが、ことしも後期のリーダー研修会をさる二月二十一日から三日間にわたって開いた。

農業情勢が揺れ動く中で、4H活動が考え直されてきているが、今回は、次期リーダーを対象に、4Hの基本的な考え方と、それに基づくリーダーのあり方などについて学んだ。

この種の研修会は、これまで約千円の参加経費で、場所も県の中心部で開いていたが、今回はおもむきを一変して、佐賀の最北端、海中公園に指定され玄海国定公園内の波戸（はど）岬国民宿舎を会場に、経費は従来の二倍の二千円で行なったところ、予定通り五十名の参加があり執行部の意を強くさせた。

まず一日目は、開会式のあと予定していた講義が、講師の都合で出来なくなったため、県連会長はじめ同副会長、全国4Hクラブ連絡協議会の坂井副会長、県連OB二人をパネラーにして討議を行なった。その内容は、現状を分析しながら4Hクラブの本質に迫り、この研修の大きな問題提起となった。

夜は分科会を開き、パネル討議について話し合った。この分科会をキャンドル討議と名づけて、一班の十数人が中央のローソクを囲んで話し合うという形をとった。これは意見を出し易いように初の試みとして行なわれたが、腹を割った話が出され充実したものになった。

二日目は午前中、組織について、午後は、「集団のしくみとリーダーの働き」というテーマの講演を聞いたあと、それぞれ分科会を開き、講演の内容をもとに熱心に討議した。この夜は、頭冷やしにレクリエーションで楽しんだ。

三日目は、午前九時から前県農林部次長、江口氏の「現在の農業情勢と今後の展望」についてと題する講演を聞いたが、終始"農業に自信をもって頑張りなさい"という呼びかけに参加者は勇気づけられた。

午後は、組織委員長の司会で全体会議がもたれ、全日程のまとめがなされた。

従来は、クラブリーダーのためのリーダー研修が多かったが、今回のように、4H理念を中心として行なわれたのは初めてであった。参加者からは難しいという意見も出されたが、農業情勢の変化とともに、各方面から4H活動に対する批判、要望もあり、また、クラブ員自身からも、機能集団活動を重点に進むべきであるという意見も強いので、こんご4H活動を進めるうえで、まず基本的な考え方を十分理解してもらわないとその応用も誤ったものになって、リーダーとして身動きがとれなくなる恐れもあるので、この研修をもったものである。

農業人口の減少とともに、佐賀県でもクラブ員は減少の一途をたどっているが、そのような中で、今回この研修を受けた各地区のリーダーたちが、下部組織を強化してくれるものと大いに期待されている。

前夜のつどいでは、竹腰美代子さんの指導で楽しく過ごした

思い出を写真集に

昨年七月、大阪で開かれた第十回全国農村青少年技術交換大会の思い出を残そうと、このほど大阪府連の原田正夫会長らが同大会の写真集を作成した。

クラブ綱領

私達は、実践を通じて自らを磨くとともに、互いに力を合わせて、よりよい農村、よりよい日本を創るため、四つの信条をかかげます。一、私達は農業の改良と生活の改善に役立つ腕をみがきます。一、私達は科学的に物を考えることのできる頭の訓練をします。一、私達は誠実で友情に富む心をつちかいます。一、私達は楽しく暮し元気で働くための健康を増進します。

"草の根大使" 募集

社団法人日本4H協会は、国際農村青年交換計画に基づいて四十六年度に米国と中華民国両国に派遣する4Hクラブ員代表（草の根大使）各男女一名ずつを、各道府県担当課を通じて募集している。申込み締切りは三月十七日。

涼風暖風

創り出そう、住みよい農村を

満天の星―星がこんなに沢山あったのかと思う程、青白く大きく光るもの、奥深く砂のように無数に光るものなど、この満天の星あかりをたよりに、小川に添った路を足もとに注意しながら我が家に―、半年ぶりに母のもとに帰ったのは、今年の正月のことである。

翌朝、霜柱をふみながら庭先に立って驚いた。常にながめることの出来る朝日が昇る八幡宮の山を、真正面にさえぎって、部落でも指折りだった真前の立派な田んぼが荒れ放題、その真中に、何と殺風景な、鉄骨ブロック積みの家が建ちかかっている。一体これはどうしたことかと聞けば、何でもない町の医者が高値でこの田んぼを買い取ったとか……。そしてまた目を左の方にやると、県道づたいにプレハブ造りの工場とも倉庫ともつかぬものが、ずらりと並んでいる。隣接の町の漆器工場が団をなして越して来たとか。

山裾を通って、溜池のあたりまで朝の散歩に出歩いてみた。ところがまたして驚いたことは、この間まで松の木が昼も暗い程茂った山が切り崩され、赤土そのままの切り通しとなり、およそこんなところに人が住むなどと考えてもいなかったところに、建売住宅が同じ形で十数戸ズラリと並んでいる。一方では近々この村を横切って高速道路が南に向ってつくとかで、つい一、二年前、高速道路絶対反対と立札のたっていた田んぼや畑も、もう荒れるにまかせ、今日は坪いくらになった、この分だと○○まではという噂で持ち切っている。

不便さから便利さへ、静かな、この村にも都市化の波がどんどんおしよせて来ている。考えるいとまもないままに、失なってはいけない農村に住む人々の特権を簡単に捨てていないだろうか。そして、その心の荒れ方に、このまま進むと一体どうなるのだろうと気がかりである。といっても、こんなことは日本中、どこでもおこっていることで珍しいことではないだろう。

一方農村計画とか、農村集落整備とか、最近、身近に論じられたり聞かれるようになった。そしてこの節の専門家と称する人々が青写真を描いたり、現地に繰り出されているのは結構なことである。そこで言いたいことは、その村や部落を住みよくしていくのはこれらの専門家ではなく、そこに住む人々であると。

"ここはよい水が出るところだ" "この山のふところはどんな台風でも、瓦一つ飛ぶことはない" "この地盤はどんな地震にもびくともしなかった" "この部落の溜池の水は絶やすなと言い伝えられている。そのおかげかそれともこの部落の護り神のおかげで、これまで火事を出したことがない" など、そこに住む人が話を語り伝えている。これは、日常一番恐れられていた天変地異にともなうことに対することであるが、これらの言い伝えは一笑にふせないものがあるように思われる。

保たれた自然環境の中で無事に気持よく生活をしていくために、長い歴史の中で多くの体験の中から創り出されて来た、ここに住む人のみ知っている立証であろう。これらのことはきっと科学的に裏づけが出来るものだろうと思う。また環境整備を考える場合、大切にしたいし、またこの裏づけが基本ではないだろうか。

そしてそこに住む各自の生活を基盤にしてどんな村にしていきたいのか、創造の上に恵まれた自然環境を特権として描き、実現させて欲しいものである。それはどこにも手本のないものであり、そこの人が創り出すものであろう。農村に住む人々は創る喜びを知り、創り出す力を無限に持っている。それは特権といってよいであろう。私はこれを信じている一人であり、仲間の一人にしてもらいたいと、この正月にしみじみと思ったのである。（T）

全国会議の裏側

渦巻はどこに―

現実はもっと濁々と

皇太子殿下ご夫妻のご臨席という華やかさと重みの中で第十回記念の全国青年農業者会議は幕を閉じた。とくに初め予定されていなかった美智子妃殿下のご臨席が会議の途中で突如決定したことは、参加者に感銘を与えた。

では、参加者は、この会議全体を通して、どのように受け止めたであろうか。あるクラブ員は、意欲的に取り組んでいる仲間が全国に多勢いる事実を知って刺激され、意を新たにしたことであろう。また、夫婦づれの若い農業経営者の話しも大いに参考になったことであろう。

しかし、その反面、現実の農村はこういうものでない。もっと濁々しく、渦を巻いているという声を打ち消すことはできない。その切迫したナマナマしさはどこで途切れてしまうのか。

また、実際に農業経営やプロジェクトと真剣に取り組んでいる人よりも、発言能力のある人の意見が表面に強く出て、それが全体の姿のように受けとられているともいわれる。本当の農村青年は、もっと違うところにいるというわけである。表面的に画一化され、美化されて行くうちに、日常活動の基本的なものが見失なわれていないか―われわれは常に反省する必要がある。

そのためにも、この会議参加者の選出方法に問題があるし、この会議の成果が、自分だけでなく、地域の人たちにも波及するように努力しないと、多くのエネルギーを注ぎ込んだこの会議の効果も半減してしまう。そして、来年の会議が、今回の会議の成果の積み重ねの上で演じられなければならない。

レポートの書き方、分科会における司会者のあり方、助言者の役割など個々にも問題があるが、さらに重要なことは、この会議そのものの性格について、原点にかえって考えなければならないことである。

この会議は、はじめ「全国農村教育青年会議」という名称で開かれていたが、その後、別個に開かれていた4Hクラブのプロジェクト実績発表、NHKのラジオ放送利用、青壮年の農業経営者会議などとそれぞれの全国大会が次々に合併し、昨年度から名称変更して開かれているものである。

この点から考えると、規模の拡大とともに、全体のものを一度に消化でき、多くの人たちとの交流が可能になったという相互関連や便宜性が出てきていることは確かである。

しかしその反面では、内部構造が複雑化し、内容的にも多様性をおびてきているといえるし、そしてそれぞれの大会の個性、特色などを、いかに生かし、さらに伸ばしていくかという問題を内蔵しており、この相互関係を無視するわけにはいかない。

また、いま農業戸数全体の九割までふえてきた兼業と、専業農家の質的差異をどう埋めていくかも問題の一つである。

この十周年を契機として、充実、発展させていくためには、さらに検討していく必要があると考えられる。

「つどい」など農林省と懇談

全協執行部と評議員

全国4Hクラブ連絡協議会（会長、久野知英君）は、来る十六、十七の両日、東京・新宿区市ケ谷の家の光会館内、の事務局で執行部会を開き、来る四月十三、十四の両日、家の光会館で開催する四十五年度通常総会の準備をする。

なお、全協執行部と評議員は、さる五日まで開かれた第十回全国青年農業者会議の実行委員として運営に当ったあと、六日、東京・霞が関の農林省普及部長室を訪ねて、矢野普及教育課長、大賀課長補佐と全国4Hクラブ員のつどいを中心に全国青年農業者会議、同農村青少年技術交換大会などについて話し合った。また、これに続いて全協事務局で、四十七年度に北海道で開催する「第八回全国4Hクラブ員のつどい」や4H会館建設などについて懇談した。

今回の全国青年会議には、全協から久野知英会長（愛知）はじめ坂井邦夫（佐賀）黒沢健一（埼玉）山本たい子（青森）各副会長、松浦幸治（静岡）事務局長、中野正義（神奈川）阿部邦芳（福島）両事務局次長ら執行部。奥村秀弘（北海道）原田正夫（大阪）両監事。また、赤松宏（北海道）旗倉国衛（新潟）二宮直子（愛知）中村利男（滋賀）川村雅士（高知）各評議員が、実行委員として活躍した。

心頭技健

押しつけがましい教訓はいただけたものではないが、食堂や飲屋などでみかける教訓には、なかなか味なものがある。

話し相手がいないときには、結構、目のサカナにもなり、人生の知恵をつんだ老人の話を聞くように、ある種の抵抗を感じながら、つい読んでしまう▼金のたまる人（1）感謝の生活をする人（2）収入以下で生活する人（3）夫婦仲の良い人（4）金や物を大切にする人（5）健康に心掛ける人（6）独立自尊心の強い人（7）仕事を趣味とする人（8）一つの仕事をつらぬく人（9）常に節約する人（10）正しく儲ける人▼金のたまらぬ人（1）常に不平不満を云う人（2）見栄を張りぜいたくする人（3）夫婦仲の悪い人（4）物や金をそまつにする人（5）悪友を持つ人（6）依頼心の強い人（7）道楽の多い人（8）三日坊主の人（9）常に借金する人（10）一攫千金を夢見る人▼これなど、わが身に照して、なるほどとうなずけるものがある。これは、金の成る記として列記されたもので、これにはさらに「御縁に此身寄して大切に　金の成る木ぞ数え導き」という前文と「徳は元、財は来るぞよ徳つめば　金は自由になるものと知れ」という後記がついている。学者が統計的に割出し、科学的に証明したものではないが、庶民の経験哲学的なところがかえって面白い▼もちろん、これだけで金がたまるわけではない。とくに情報化の現代は、アイデアで勝負する時代といわれ、消費者の嗜好を一早くキャッチする必要もあるし、綿密な調査が前提条件となってきている。また、買う意欲をあおるために、CMも欠かせない。最近は、一般の会社でもプロジェクトチームを編成して能率を上げてきている▼しかし"企業は人なり"という言葉がある。また、昔から「芸は身を助ける」といわれるように、どの職業でも、その道にとことんまで打ち込めば、大方はメシが食えるのが事実であろう。要は個人個人の生き方、考え方が問題になってくるわけだ。そして「生きがい」と「儲ける」をどう結びつけるかがカギである。

ヤクルトを飲んで　おくんだっった…
もう一発というとき、腹の力がものをいう。
ヤクルトは食べた物の栄養を力強く吸収する
丈夫な腸を助けます。スタミナを誇り、保ち、
もう一息を見事に乗り切るためにヤクルトを
飲み続けてください。
保健飲料
ヤクルト
ヤクルト本社 東京都中央区日本橋本町3の6 ☎(662)5471 〒103
ヤクルトはこの看板のあるお店でもお申し込みできます
健康の輪を世界に広げよう

② ヨーロッパ農業に学ぶ

オランダ

薬剤はまかない

ナールビクの温室農家 重油から天然ガスへ

アルスメールの花市場を見たあと、ナールビクの温室農家ファンアルフェルト氏を訪れた。このナールビクは典型的な温室地帯であり四千戸の農家が四千二百㌶を持って、トマト、キュウリ、レタスなどを栽培しているが、最近は将来性のある花き栽培が増加している（花きの売り上げは十年前十八百万ギルダーであったが、現在は一億ギルダー）となっている。

この地域の平地面積（一戸あたり）は〇・七〜〇・九㌶である。私たちの見学した農家は〇・七㌶のガラス室を三人で管理し、今後もさらに増築したい意向をもっていた。作付しているものはトマトの〇・六㌶、ピーマン〇・一㌶の周年栽培である。少ない労働力でこれだけの面積をやれるのは、自動灌水、天窓の自動化、作業機の工夫によって、ハウスにあわせるなど省力化にかなり力を入れいるからである。

また、温室内の土壌は入れかえず、化学肥料を入れて混合するだけで土壌消毒をすませる。そして病害虫の薬剤散布はしないということである。これは乾燥した好条件の気候に支えられているからであるが、常に室内を清潔にしている努力も見逃せないことだと思われた。ただ品種改良、栽培技術などはけっしてすばらしいものではなかった。しかし、トマトの年間百㌧に近い出荷量には目を見はった。これらの一級品は外国に輸出され、高値の時はキロ当たり六百円もする。安くて出荷できない時は牛のえさやジュースなどに回すそうである。

ホルモン処理の進歩、さらにワクチン処理と技術の高度化の実験がすすめられていると共に、薬剤散布はしないという驚異的な事実がある。この研究がみのると大幅な省力化になるものと感じた。

現在、トマトのコストはキロ当たり百二十五円位であるが、果実は非常に小粒で、しかもすっぱく、北欧、西独、英国へ向けて輸出されている。制度資金は担保があれば借りられるが、特筆すべきことは金がなくても普及所でその人の計画を検討して、経営的に保証できれば借りられるということで、かなり幅広い行政が行なわれている。利息は年利八・五〜八・七五㌫である。マンスホールドプランについていろいろ質問してみたが園芸関係農家は、関心が薄いように見うけた。

労働者の賃金は週給百六十ギルダー（一万六千円）で、休みは週二日あってその休日の間はやはり主人が管理するようである。

オランダには温室がなぜ多いのか、どうして露地でトマトを作らずガラス室で使るのか不思議に思っていた。その理由は、第一に緯度が高くて日照が不足し、温度も足らないため必要不可欠の条件としてガラス室を建てなければならないものと思われる。それは温度が低ければトマトは赤くならないからである。第二は、ガラスも安く、ガラス室といっても経費が安くなるので発展したものと思う。

近年は室の高さが高くなっており、彩光、室内空間を多くとるために努力している。ほとんどが〇・七〜一㌶の連棟である。

今までは重油が安かったが、今度八〇%の値上があるそうで、それで日本と同じ位のねだんになるそうである。しかし、今後は天然ガスに変えようと計画していた。

（四十五年度静岡県産業青年海外研修団農業班）

一人百円で会費

静岡県連で会長会議開く 事業計画を検討

【静岡県＝鈴木政美者発】静岡県農村青少年クラブ連絡協議会（会長、真田勝君）は、さる二月二十三日静岡市草さなぎの市立青少年センターで四十五年度二回目の単位クラブ会長会議を開催した。当日は、午後一時から会議が行なわれ五十三名の会長が出席した。

議題は、四十六年度の事業計画、収支予算の検討、また数年前から問題になっている県連会費徴収の件などであった。とくに真田会長は会費徴収の件について「現在、県の助成金だけで運営されているが、今後クラブ員の自主的な活動や県連独自の事業を行なっていくためにも、四十六年度から助成金と同額位の運営費を全体から集める必要がある」と述べた。また、この件に関して一人一人集めるのではなく地区連別にクラブ員の人数によって徴収するようにという要望もあり徴収額や方法について検討した結果、ほとんどの会長の間で、クラブ員一名当り年間百円で会費徴収することが妥当であるとの意見が多数を占め、静岡県連ではいよいよ四十六年度より実施するはこびになった。

事業計画（案）については次のように決った。技術交換大会は、昨年同様キャンプ方式で実施するが、今年は八月上旬の全国大会と地区連大会がかちあったため、全国大会の予選会を地区連大会前に一日の日程で行なう予定である。また、県大会には県下から五百人くらいの参加者を予定して、地区連別のキャンプ村をつくり対抗で競う。ゲーム、歌、マラソン、写生大会なども予定している。その他の事業計画としては、五月の県連オルグ活動、現職リーダー研修会（二泊三日）、六月の会長会議、一月の功労者表彰事業、二月の次期リーダー研修会（二泊三日）、三月のスポーツ大会（三球技）一駅伝大会も組み込まれる予定。

"豊かさ"への疑問も

第19回農山漁家生活改善実績発表大会開かる 農家主婦が討議

農林省主催、生活改善グループ全国連絡研究会（会長、西林佐余子さん）協賛による「第十九回農山漁家生活改善実績発表大会」は、三月九日から三日間、東京・内幸町のイイノホールや農林省会議室で開催された。大会は、農村の主婦が、ゆたかな農村生活や自然と人間のふれあう農村生活をきづいていくため毎年春に開かれているものである。本年は、全国各地の生活改善グループから四百五十名の出席者を得て、テーマ「人びとの創意できづくゆたかなくらしとすみよい社会」のもとに実績発表や討論がなされた。

第一日目から二日目の正午までは、グループ協議会で、農林省会議室にてテーマ「農村のくらしの変化について」にもとづいて活発に意見が交換された。第二日目の正午からは会場を内幸町・イイノホールに移し総合公開発表会が行なわれた。発表会では、まず倉石農林大臣のあいさつにはじまり、続いて個別体験発表に入った。発表は、神奈川県みどり会の鳥海仲さん（五十一）が「都市化する農業に対処して」、岩手県はまなすグループの千代川サツさん（五十）が「健康生活をめざして」、広島県栄木路農婦人グループの前田府子さん（四十四）が「無理のない動き方をめざして」などについて、各々さまざまな図表やデータを駆使してなされた。そのあと座談会「くらしのゆたかさを考える」に移り、司会の農政調査会・石川英夫氏以下七名のパネラーでユニークな討論が展開された。統計上の農家世帯家計費は上がってきているが、バランスのとれた真のくらしのゆたかさとはなっていないのではないかなど、現在のくらしのゆたかさに対して根源的な疑問が出されていた。また、発表会は、国民生活センター会長・大浜英子氏のはげましの言葉や記念品授与などもなされ参加者に感銘を与えていた。第三日目は、近郊農村、平地農村、山村、漁村、農業構造改善事業実施地域など五つに分かれて研究分科会が行なわれた。プログラムの最後として三日間の発表、討論のしめくくりを全体会議で行ない、三日四時三十分、大会の幕をとじた。

日常活動の成果が花開く

村をあげて祝う

茨城・稲穂サークル4Hの十周年記念大会

さる七日、茨城県稲敷郡の東村稲穂サークル4H（会長、香取勝美君）の発足十周年記念大会が、午前十時から東村東中学校体育館で盛大に開かれた。これには、地元の東村はじめ同村教育委員会、同農業委員会、農業協同組合、青年会、婦人会、江戸崎地区農業改良普及所などが協力、クラブ員とOBの家族、茨城県連役員、隣接地区のクラブ員、来賓など全国でも例少ない三百余名の関係者が出席し、文字通り、家族ぐるみ、村をあげてこの十周年を祝った。

だが、工場誘致など問題に

稲穂サークル4Hは、さる三十六年、前全国4Hクラブ連絡協議会々長の黒田保君ら数人の同志が結成した。初めは仲間つくりから入っていったが、徐々にプロジェクトを中心に各種の研修を重ねて行事、活動ともに充実させ、二年後の三十八年には、その実績が高く評価されて農林大臣賞を受け、また四十三年には県下の4Hクラブとしては初めての県知事ぼう賞も獲得した。

とくに、4H活動に幅をもたせるため、低年齢層を対象としたラジオ放送利用学習からプロジェクトを主体としたクラス、さらに経済活動を中心とするエコノミッククラスの三段階に分けて特色ある活動を続けて地域農業や村づくりにも活躍、二年前には地元婦人会とともに中央公民館の建設に奔走し、それを実現させるなど実績を上げている。会員も現在、創設期の十倍に近い五十名にふえている（実際に動いているのは約半数）。

また、東村の根本久夫村長も同クラブの参与としてクラブ活動に側面からバックアップしているのも注目される。日常活動のほか埼玉、奈良、鳥取で開かれた全国4Hクラブ員のつどいにクラブ員とともに参加し、とくに、鳥取では指導者として体験発表するなどクラブ活動に理解をよせている。

このような日ごろの積み重ねがこの十周年記念大会となって現われたといえる。

式典をみても、村長、江戸崎農改普及所長代理のあいさつ、橋本運輸大臣代理はじめ衆議院議員二人、県会副議長、県会議員、村会議長、農協組合長、日本4H協会の新田延吉事務局長、全協の久野知英会長らの激励のことば、運輸大臣、茨城県知事、丸山元全協会長、他地区クラブからの祝電と、ちょっとした県連でも顔負けするほどだった。

しかし、ここにも悩みがないわけではない。

年々新しく入ってくるクラブ員が減ってきていることだ。農業従事者の減少は規模拡大にはチャンスだが、やはり仲間が減ることは淋しいと香取会長はいう。それに先輩の活躍が光っているだけに、それに続くクラブ員も努力しなければならないということもある。

また、これから農業や村全体がどう進むのかという大きな課題が投げかけられている。水郷や全国一の早場米地帯として知られ、米作一本で通してきた同村も、いま、米作の減反や米価据置などの影響で揺れている。連帯感を崩す出かせぎを喰い止めるために工場を誘致すべきか、それとも多額の農家負担によって完成させた基盤整備を生かし、田園を守るか意見は二分され、村全体のビジョンが求められている。

このような動きの中で、クラブ員たちは、どう対処すればよいのか。若い力は、常に固定化したものに対する流動化、新しい息吹きを求めるが、ここでも、クラブ員たちの力が期待されている。

記念式典で行なった「私たちは4H精神を土台として大地に根を張り、ガッチリ腕を組み、大いに羽ばたくことを誓います」という言葉も、実践してこそ生きていくるわけだ。

式典では、会長あいさつや来賓祝辞のほか、十年の歩みの報告、育成指導関係者に感謝状、歴代会長に表彰状が贈られ、また、根本村長から新しくデザインしたクラブ旗が贈呈された。

このあと「苦について」と題して資生堂相談役・森治樹氏の記念講演があり、続いて記念植樹や女子クラブ員が腕によりをかけて作った手料理を囲んで記念パーティが行なわれ、福引きなどで楽しく過ごした。

なお、八十頁におよぶ記念誌を作成し、記念品の飾皿とともに参加者に配った。

会場にはクラブ員たちの両親もかけつけた

畦道

ぼくらは青枯れ派だ

男は熟さず 老い込んでゆく

これは、題名も忘失してしまったが、たしかエリュアールの詩句だったと思う。なにかの拍子に、ふっと口をついて出てくることがあるのは、おそらく、二十歳を過ぎてからの時間の流れが、奇妙に早く感ぜられるからであろう。

しかし、必ずしも、なにもしないうちにという道徳的な反省や焦躁からではなく、むしろ、退屈しのぎもみつからぬまま、肉体は中年肥りのごとくに弛緩しつづけており、そのくせ、大人になったという意識が、みじんも湧いてこないためではないか。つまり、ぼくは、時間においてきぼりを喰らっているのではないかと、強く恐れる。

柴田翔なんどという小説書きは、われらは老いやすい世代だといったかに記憶するが、どうしてなかなか、ぼくらは老いることすら拒まれているかのようだ。たとえば、幕末の志士たちの没年を調べたらわかるが、ほとんど二十代、三十代である。写真などでみると、風貌には、実に老成したものがある。

そうした偉人を例に引かずとも、子供のころ、三十歳に近い男は立派にみえたものだが、近ごろ、同年配で感服させる面魂を具えた男はあまりいない。子供が持った錯覚だともいえようが、そうばかりではなく、全人的な成熟が不可能になっている証拠ではあるまいか。

そうはいっても、以前、徹夜など平気だったのに、最近はおっくうだというぶうな衰えはある。「老い込んでゆく」予感はあっても、円熟とか老成へという道行きは遮断されている感じだ。精神は、時間とともに成熟することなく、肉体は醜悪へと確実に向かっている。これは一種の悲劇と呼ぶべき状態で、なにか、とてもやりきれない気持に誘われて仕方がない。

いわば、青枯れしか許されておらないぼくらは、「男は熟さず 老い込んでゆく」と呟やきながら、きっと、死ぬまで生きつづけてしまうのではないだろうか。——野坂昭如の「焼跡派」に次ぐぼくらは、「青枯れ派」と称すべきだろうか。（人）

明るい農村めざし

山梨県連で共同プロの発表会 四年間の研究報告

【山梨県＝桐原宣連絡報道員発】山梨県4Hクラブ連絡協議会（会長、河東哲征君）は、去る二月十四日、甲府市若松町・県立青年の家で共同プロジェクト発表会を開催した。この発表会は、過去四年間「明るい農村建設のために」をスローガンにして、各地区連、単位クラブが調査、研究したものが地区連単位に発表された。

当日は約百名のクラブ員の参加があったが、山梨県連では去年八月に共同プロジェクト推進会議を持ち、末端クラブ員までの浸透をはかってきたせいか、かなり専門的な意見の交換がなされた。

日程は、午後十二時から九時までであったが、受付、開会式、オリエンテーション、発表、そして熱のこもった質疑応答のあと、六時からは、共同プロジェクトの取り組み方とその意義を主な内容としたフィルムフォーラム・「青年のこだま」が上映された。続いて各分科会に分かれてフィルムフォーラムや発表された内容を中心に単位クラブの共同プロジェクトについて問題点を提起し合った。また、七時三十[illegible]や各分科会か[illegible]それについて[illegible]の質疑応答が[illegible]ジェクトを実[illegible]結果が一層か[illegible]や、また反面[illegible]内の意見集約[illegible]う単位クラブ[illegible]れた。集約と[illegible]かな所にある[illegible]し、着実に一[illegible]地味な活動が[illegible]して地域に密[illegible]クトでなくて[illegible]った。また、[illegible]トについては[illegible]ではなく、一[illegible]実践して行か[illegible]とであり、各[illegible]ーガンにある[illegible]ため」に向け[illegible]い合った。

会議は、[illegible]長し熱っぽい[illegible]十分幕をとじ[illegible]

原田君（全協監事）華燭の典

全国4Hクラブ連絡協議会の監事・原田正夫君（二十五歳）は、このほど同府の由上綾子さん（二十一歳、会社[illegible]来る四月十日[illegible]林会館で挙[illegible]

こんなことをしています

各種農業団体

全国販売農業協同組合連合会

米の"売り込み"へ 畜産は精肉作業まで広く

農家が生産した農産物の販売を一手に引受けて、おもに都市に供給し、"農村とお台所（需要者）を結ぶ"役割を果たしているのが全販連です。特に農産物の場合、安定、継続した出回りと規格化、またそれによる価格の安定が第一に要求されますから、こうした要求にこたえるため、全販連は需要や市場の移りかわりに応じて、農家の生産のお世話から生産品の適正な販売まで、系統農協組織の協力をえながら、広い分野で活躍しています。

この結果、昭和四十五年度の全販連の取扱い金額は、一兆五千億円ほどになる見込みです。同時に市場での発言権も強まり安定した販売が実現しつつあります。そしてこの安定をさらに充実させるために、四十三年秋に東京に生鮮食品集配センターを発足させ、青果物、肉、タマゴなどの流通事情の変せんにいちはやく対応しながら、販売体制を強化、さらに併行して、徹底した価格安定対策や、CA貯蔵などの新しい技術開発もすすめています。

また、優秀なヒナや仔豚の供給、各種の生産指導などを通じて、生産性、農業経営の向上にもお手伝いしています。

つぎに、各部門別の仕事の特長を紹介します。まず米では、系統農協を通じて集荷した米を政府に売渡す窓口になっています。現在全販連を通じて政府に売渡される米は、全体の九四%を占めています。昭和四十四年産米から自主流通米制度が始められましたが、全販連は米の販売体制を、これまでの「政府への売渡し」から、さらに積極的な"売りこみ"へと強化しました。米の優良品[illegible]改良を促進した[illegible]の基盤確立につ[illegible]

青果物では、出荷[illegible]を通じて、出[illegible]規格の統一、[illegible]をよびかけな[illegible]系統内向け販売[illegible]います。

畜産では、消[illegible]地の枝肉センタ[illegible]枝肉を、主要[illegible]じて、問屋、加[illegible]に供給していま[illegible]精肉にするため[illegible]ほか、タマゴ、[illegible]販にチカラを入[illegible]のほかいも類、[illegible]メなど、農家の[illegible]る農産物の共販[illegible]す。

全国共済農業協同組合連合会

"さっちゃん"に決る

交通遺児募金 人形のペットネーム

昨年十月六日から"かわいい人形"が、全国の農協を訪れる人に窓口で、「交通遺児に愛の手を」と無言の呼びかけをおこなっていたが、その"かわいい人形"にこのほど"さっちゃん"という名前がつけられた。

これは、広く全国の人々に対し、「交通遺児募金人形」のペットネームを募集していたもので、このほど行なわれた「交通遺児募金人形ペットネーム審査会」（審査委員長・須藤博忠氏）で審査の結果、応募作品三四〇〇点のなかから大阪府の門真農協職員表口政文（一九歳）さんの"さっちゃん"という名称に決定した。

この名称の命名は、三月四日首相官邸において佐藤総理大臣によって行なわれた。

表口さんは、愛称募集の応募の動機についてつぎのように話している。

「昨年二月交通事故にあい、三ヵ月に入院生活で身をもって交通事故の恐ろしさをしみじみと感じた。そこで、この募金運動を通じて被害者が一人でも多く救われ、"幸"わせになることを願って"さっちゃん"と命名した」

ICA保健委開く

ICA（国際協同組合同盟）保健委員会（委員長、アール・メール氏＝ビルキー）の四十六年度執行委員会およびオールネーションズ株式会社の株主総会が、一月十一日から十三日まで東京・平河町の全共連ビルで開催された。

ICAの執行部会が、日本で開かれたのはこれが初めてである。執行委員会は、十一、十二の両日開催され、十三日午前中は、オールネーションズの株主総会、午後は全[illegible]センターなどを[illegible]では、全共連と[illegible]害共済組合連[illegible]A保健委員に[illegible]連はオールネー[illegible]である。

なお、ICA[illegible]委員会は、全共[illegible]務を同委員会の[illegible]「保健開発局委[illegible]ことを決めた。[illegible]

具体策乏しい分科会報告　第10回全国青年農業者会議

三月二日から五日まで、東京・代々木で開催された第十回青年農業者会議において、各分科会のレポートが提出された。分科会の構成は、昨年と比較すれば、水稲作がたったひとつに減ったなどという変化はみられるが、水稲、野菜（露地、施設）、特用作、花卉、果樹（落葉、常緑）、酪農、肉牛、養豚、養鶏、わが家の健康・住い方、くらしの計画化、クラブ活動など、農村青年部会が二十五分科会、農業経営者部会が六分科会、指導者分科会が五分科会行なわれた。各分科会ではいろいろ話合われたはずだと思われるが、レポートでみる限りでは、あまり具体的な報告がなされていない憾みがあり、現在、直面している問題はなんなのか、それに対してどのような解決方法を考えているのか、あまりはっきりしたことはわからない。分科会の方法そのものに問題があるのか、報告書の作成がずさんなのかよくわからないが、一考を要する問題であろう。それはともかく、以下はレポートの一部の紹介である。いずれ、レポートがまとめられるので、そのおりには、また順次掲載することになるであろう。しかし、まず概略を読んでいただこうか。

水稲　第一分科会

部分から全面請負へ　規模拡大の解決策として

参加者は二十三名、助言者は真中多喜夫氏（埼玉県、稲専門技術員）と上田忠氏（徳島県、普及活動青少年専門技術員）の二人で、この分科会は構成された。構成員の耕作規模をみておくと、三㌶以上九名、一・五～三㌶二名、三～五㌶が十一名となっている。

まず、はじめに、事前に各自が提出しているレポート、スライドなどによる体験発表、事例発表を行なうことによって、問題提起とした。さきにみたように、比較的経営規模が大きいため、技術的な問題よりも、むしろ経営問題について多く話された。提出された十二の問題を整理して、次の四つに重点を絞った。

1、省力方法としての機械化の問題
2、規模拡大の問題
3、資金について
4、将来の方向づけについて

そして、機械化の問題については、まず秋田の小西君の生産組合の事例を聞き、これを素材に討議されたが、次のようなところへ落着いた。

1、協業の場合において
A、経営試算を立ててから計画をする
B、労働の利益配分を考える
C、あまった労働力を他の作目へ向ける
2、自立経営の場合は
労働時間を短縮するために機械化をはかる。そのためには、必然的に規模拡大が要請される。

二番目の規模拡大については、その方法として
1、開田によるというもの、ただし、これには地域差が出て来る。
2、田の購入をはかる
3、協業組織によって、実質的な拡大とする

こうした結論へ導かれたが、購入の件に関しては、五年後のことを考慮して、経済の計画を立案する。また、協業組織とは、請負耕作などを指している。ひとつの打開策ではあるが、米の休耕奨励金がガンとなっている。しかし、請負耕作については、後継者が少なく、経営規模の小さな地域においてはことに適当であり、部分請負から全面請負へと進めて行くべきであろう。

三番目の資金問題については、多くの人々が制度資金を利用しているが、これらの借入資金額の上限をもっと高くして、有効な利用をはかりたいという声が多かった。

四番目の将来の方向づけについては、農家生活における労働時間を明確にさせ、また、男女の役割分担をすることにより、健康で楽しい生活が可能となるといったまとめかたがされている。

最後に、やはり生産調整がいろいろと論議を呼んだものとみえ、報告されている。それによると、参加者二十三名のうち、生産調整はやむをえないだろうとするもの二十名、必要ない・反対だというもの三名と出ている。生産調整を機に規模拡大、農業の拡大のチャンスにしたいという意見がある一方、東北地方においては、転作する方法がないといった悩みもある。こうして、さまざまな反応をみせ、戸惑っているようだが、なかには、この政策を前向きの姿勢で捉え、過剰割合分だけ減らしても、米価収入は確保出来るとか、高生産農業者の自然選択をはかるべきだという意見もみえる。

ついでに、経営者部会の報告をみると、生産調整と食管問題が議論されており、生産調整に対して批判が多かったとしている。食管制度については、意見がわかれ、良い点もあるのだから根幹を残すべきだというものと、廃止すべきであるとの声もあったらしいが、くわしい内容については触れられていない。

プロの稲作は企業経営化を

今後、プロとしての稲作経営は、規模拡大をはかり、企業経営へと移行させなくてはならない。その手段として、買う、借りる、請負、開田などの方途を考えているのは青年部会と、ほぼ同じである。そして、開田は一応別にして、買うか、借りるか、請負かに議論が集中、立地条件によって考え方に相違があった。

それでも、借用、請負による拡大を望む傾向が強かったが、青年部会と同じく、生産調整奨励金が障害になっていると指摘されている。また、農地法の関係から、なかなか安心して貸してもらえないといった事情が挙げられた。これに対処するため、ひとつの戦術として、部分請負が突破口になるのではないかと提案され、評価されていた。

露地野菜　第二・三分科会

単品目は不安　田畑複合経営が論点に　通年所得をめざす

参加者は十七名の青少年、三組の夫婦、助言者が塚原章氏（茨城県、谷田部地区農業改良普及員）と市川昌彦氏（埼玉県普及活動青少年専門技術員）で露地の野菜作は第三分科会も同じだが、青年部会、経営者部会が合同で行なわれた。

最初、各自が三分間程度の問題点提起をしたが、それらをまとめると、次のように多岐にわたる。

1、水田転作
2、労力と規模拡大、露地野菜の機械化
3、連作障害
4、組織づくり
5、作業体系の組立て
6、技術革新
7、野菜価格をどう考えるか
8、販売対策
9、残留農薬
10、市街化と高冷地

討議の内容をみると、水田転作については、水田にしか適さぬところはどうするか、また、適地適作を考慮した上で転作を推進しなくてはならないとされた。労力と規模拡大についても、規模拡大の可能なところと不可能なところがある。拡大そのものはできても、労働力の面で不可能に近いとの結論である。そのためか、作付品目を少なくして、経営の単純化をはかるという意見がある。

機械導入は、省力化を進めるのに必要だが、個人では過剰投資になりがちであるため、国の開発資補助を求めている。一方作業体系の組立て（技術革新）をめぐっては、通年所得をいかに増大するかが問題となり、適地作物の導入をはかり、畜産、永年作物（果樹、キノコ栽培など）、また、施設を利用する作物を考えるべきだとしている。

組織づくり（販売対策）に関しては、今後の農業には産地形成の必要があり、そのためにも技術、品質の統一をしていかなくてはならない。若者として、パイオニア精神を大いに発揮すべきだと結んでいる。

第三分科会をみると、今後の露地野菜作と畑作単一経営、及び田畑複合経営がひとつの論点となっている。畑作地帯の作目は、一品目では価格が不安定なために、収入の不安定につながる。さらに、専門栽培（一品目のみ）では、価格が暴落したとき、倒産の恐れすらある。また露地栽培は、むかしから天候に左右されやすい欠点があり、近年は、米の減反で野菜作の産地が増加するだろうといった問題もある。

農地移転も考えねば

これら諸問題に対して、米作地帯では労力がかからず、高度技術を必要としない作目を選択すべきだとか、市場や消費者の要求に応ずる作目の栽培へ踏みだすべきだといっている。また、広い視野に立って、主産地形成や市場における信頼度を高めることにより、有利な販売ができる。たとえば、品質の向上をはかるとともに、共同選荷に努めるといった具体策が示された。

公害問題で大きく騒がれている残留農薬については、安価でかつ使いなれた農薬が使用を禁止され、新薬は高値であり使用上の不安もかなりある。一方、消費者に対する要望として、外見のみにとらわれず、野菜本来の味をたしかめてほしいとの意見もみられる。

価格決定に関する疑問、むしろ不満があり、価格のことながら、農産物の価格決定のみが、生産者によってなされていないと訴えている。それと、生産者価格と小売価格との開きがありすぎるのは、流通機構に欠陥があるのだと指摘しているが、くわしい説明はない。

価格の安定をはかるために、民間企業をなくし、法的企業を設置したらどうかという提案がある。いま少し具体的なものとしては、農協組織との連繋によって、直売システムを確立したいとか、団地やスーパーマーケットにおける直売方法を考えて行くのも、解決策につながると報告している。

こうしたことから、農政の担当者は、もう少し農民自身の意見を聞き入れてほしい。また、そのための場を作るべきだとしている。

都市化現象にも触れており、この現象を利用して、農外所得を求めるとか、農地の移転を考えるなどの意見がある。また、都市近郊特有の野菜を育成しなくてはならねといい、一方、こうした事態に直面しては、後継者同士の団結が肝要だと呼びかけている。

養豚　第十六・十七分科会

飼料、アメリカに依存　中共はどうか？

共通問題として出されたのは、
1、公害問題
A、し尿処理
2、農政に関する問題
A、販売ルート、コストダウン、飼料購入
B、規模拡大
C、農協の問題
D、自由化の問題
3、技術的な問題

これらが取上げられた。公害問題という場合、ことにし尿処理だが、現在は、田畑への還元の方法をとっているものが多く、尿だけレンコン畑へ利用する、桑園に使う、穴をほって流しこむなどが挙げられている。また、専業養豚の省力化とも関連して、多頭化されてきたら、固形物を除き尿だけを還元する方法、振動ふるいなどにするべきだとしている。

規模拡大については、農協との契約、資金の借入れ、流動機構の改善などを考えるほか、豚舎をフル回転させること、合理的な豚舎にすること、品種改良の必要性などが捉えられている。

飼育の技術的な問題として、離乳時期のこと、飼料による発情時期の調節、放牧によるミネラル補給、子豚の白痢対策、クロレラ飼料の利用の方法などが話題になった。それと、自主検定を行なうとか、屠殺場で自分の豚を確認する必要のあることなどが、報告されている。

次に流通機構の問題に関して、キロ三百四十五円の最低価格の問題、豚肉の自由化ともつながる問題で、日本においては輸入飼料にたよっている。ことにアメリカに対する依存度が大きいが、中共からの飼料輸入を考えていく必要などが指摘されている。

農協問題は、販売ルートの確立から考えなくてはならぬが、食肉の需要は今後ますます伸びるとの立場をとっている。外国と食生活の相違はあるが、だんだん洋風化する傾向をとらえての意見である。このために、ハム、ソーセージに重点を合わせたらという意見もみられ、消費者に対するPR不足を訴える声もある。

計画販売を

今後の経営のために、簿記の必要性が上げられて、自分に応じた記帳方法を行なっているとか、決算期における棚卸し評価価額をつけるのがむずかしいなどといわれている。簡単な記帳から徐々に本式な簿記へ移行させるとか、記帳後の結果の検討をするなどの点も指摘している。

水田転作に関連して、畜産奨励のおりから、養豚家もいま一度考えなおさなくてはならないとし、前述の消費者問題ともからむが、所得水準の向上につれて、消費は増大するであろうと見通しを立てている。

また助言者の吉岡功氏（農林省農業技術研究所主任研究官）から、インテグレーションについて説明を受けて、現在、養豚家は商社の下請けを行なっている状態だとも記している。

十七分科会も、十六分科会と同じく、青年・経営者が合同で討議をして問題点を考え、結論を出そうとしている。

養豚の将来の展望については、企業化をはかっていく必要性があるが、飼料はほとんど輸入に頼っているのが現状である。これらの問題に対処するためには、組織の強化、団結の重要性が強調されている。

経営の形態をめぐって、一貫飼育、肥育のみ、繁殖のみなど、それぞれの利点と欠点について討議された模様だが、その内容については全く報告されていない。多頭化に対して生ずる諸問題として、糞尿処理、病気、粗飼料などが数えられているが、これまた報告には、具体策はみえていない。

流通問題には、販売ルートの改善とか、農協との関係の問題があるとしており、そのためには、計画的生産による計画的販売をすることだと考えられている。

これからの経営の推進にあたっては、記帳をすること、各自それぞれの地域性を十二分に活用して、改善をはかって行かなければならない。また、経営規模を大きくすると同時に、内容の充実をさせていくことが大切だともいうが、よい豚を買うことが必要だという、きわめて原則的なところへ帰って考えてもいる。

花き　第八・九分科会

強い生産組織へ　大切な継続的出荷

花つくり仲間づくりをいかにするか、こんなテーマで話合いがあり、生産組織の結成されている場合、単独で行なっている場合、低価格対策などにわけてまとめられてある。

まず、生産組織（出荷組合）がすでにある場合、つまり、生産から出荷までを仲間で取り組み、産地づくりをしているところには、いろいろな問題が生まれてきている。たとえば、共選共販を進めようとしても、質の悪い花を作る仲間がひとりでもあると、全体の価格が低くなりみんなが迷惑する。また、逆にとびきりよい花を作っている仲間は、個人出荷の方が有利だといって、共選共販に参加を希望しない傾向がみられる。いろいろなケースがあるので、生産組織の結束をかためていくには、よほどしっかりしなくてはならない。

そのためには、若ものたちがリーダーとなって、実際にやってみせて、具体例を示して仲間をひっぱっていくのが第一ではないか。そうして、悪い花を出荷したものには、組合の厳しい規制により、出荷停止にするくらいの強い生産組織が大切ではないか、資本主義社会にあって農業に生きるには、このことが肝要だとしている。

ひとりで花つくりに取組み、都市化の進む地域、都市近郊で個人出荷の花卉経営を行なっているものは、天狗や一匹狼になることが多い。また、こうした都市近郊といった立地条件をもたない地域で、ひとりきりで黙々と打ち込み、孤独に悩んでいる青年もある。

こうした場合は、広域にわたってもよいから、仲間と交流をかさねて、技術、経営、情報の交換の必要がある。つまり、仲間づくり、研究グループづくりが大切である。仲間がいない、みつからないなどといっても、花の市場へ行けば若い仲間はいるだろうし、学校や普及所などを通じて、花をつくっている青年を教えてもらうといった方法もある。ともあれ、仲間、研究交換のグループをつくる必要を説いている。

次に、花の価格が安いのをどうしたらよいかとして、六点ほどの対策を掲げている。第一によい品物を継続的に出荷することの可能な産地づくりをする。二番目には、消費者の動向を見極めて、好みにあった花を栽培し、三番目に、適地適作の考え方で、地域の環境条件にそった作目の導入を挙げている。

高めたい若者の発言力

四番目として、専門分化した経営へもって行き、経営規模を拡大し、粗収益を増加させ、経営費を低下させる。五番目に、市場の機構を、近代的なものに組みかえて行くことが必要であるが、そのためには、若い生産者たちが強くなり、市場に対する発言力を高めて行かなくてはならないだろうと考えている。

六番目に、花の価格にある程度の高低の波があることは、自由経済の原則からいってもやむをえない。そこで、経済の動き、市況の見通しなどについての新しい情報を、早くつかむ勉強をすると述べている。

経営調査が不足してる

最後に、講師の講評が書き加えられてある。それによると、適地適産で地域の条件がよく生かされていること、それぞれに創意工夫された点も多々あってよろしい。しかし、経営調査はなされていないケースが多かった。これからは簿記記帳を行なって、決算までしっかりできるように成長してほしい。また、経営指標をつくり、経営設計を立て、将来の展望を考えてほしいと評されたようである。

第九分科会の報告は簡潔すぎて、内容がつかみにくいが、経営体質の改善が必要になってきている時期だとか、栽培のための資材類の動向をつかむこと、経営規模の決定、税務対策などが挙げられ、仲間づくり、地域社会のビジョンづくり、新しい農業の生きがいなどについて討論されたようである。

なにも花のみには限るまいけれども、組織を強化することによって、発言力を高め、市場に対するイニシアチブを取るような傾向が、農業においても出てきている。ことに、花のような特殊な性格のある農産物においては、その必要性も高いと思われる。ともあれ、単独にやっているものに対しても、研究会などの組織づくりを強調していることは注目される。

分譲イチゴ園をひらく

甲府の山城新生4Hク

【山梨】昭和村4Hクラブ、甲府山城新生4Hクラブの二つが、観光農業推進の一環として、分譲イチゴ園を開園することになった。昨年から始めている甲府二川地区に続くものである。

イチゴ園は一区画約十平方㍍に三十株を植え、これを二千五百円で一般の人に自由に摘んでもらおうという計画。二川地区でも予想以上の好成績を上げており、昭和村、山城地区の二ヵ所の場合も、五月九日の開園が期待されている。

山城新生クラブでは、十人のクラブ員が、約三十㌃（二百区画）のイチゴ園を作ったが、指導した峡中農業改良普及事務所でも、若い後継者が積極的に取り組んでいることを、高く評価している。

NHK農事番組（3月21日～31日）

テレビ

明るい農村　6・30～6・55総合
22日（6・10～6・55）村の記録　みんなで選んだ優秀農家（放送記念祭特集）
23日　きょうの話題
24日　産物往来　すけそうだら
25日　話題の広場「和紙の生活器具」島根県八束村・阿部栄四郎
「青年に農地を」
26日　村をむすぶ　札幌、仙台、大阪、福岡、東京
27日　農村新地図　北海道訓子府町（北大助教授）黒柳俊雄
29日　村の記録　農業者大学校　東京都下
30日　きょうの話題
31日　産物往来　カーネーション

農業教室　7・30～8・00　教育
22日～24日　集団栽培の組織と運営（農政調査委員会）石川英夫
25日～27日　果樹経営の課題（農業技術研究所）平山完二
29日～31日　農業の発展と土地利用（東北大学農学研究所）馬場昭

あすの村づくり
日　7・00～8・00　教育
再　土　13・00～14・00　教育
21日　▼「アジアと日本農業」（東大教授）川野重任ほか
28日　▼「グループだより」福岡県甘木市（甘木4Hクラブ）
▼「2年目の減反稲作」～北海道上川支庁稲作農民の不安～北海道（旭川）放送利用農業グループ
▼長嶋隆司（25才）埼玉県鴻巣市糠田

ラジオ

早起き鳥　5・50～5・57　❶
21日（5・05～57）話題の窓　内助の功をきく　NHK優秀農家主婦
22日（5・05～57）現地報告　農村・北から南から（農事放送通信員報告）
23日　人と話題　農薬使用の新段階（東教大教授）深谷昌次
24日　通信員の手帳から　宇都宮太
25日　人と話題
26日　現地報告　通年施工の波紋（青森県木造町）
27日　村のポスト　投書・たより
28日　話題の窓　米生産の動きをさぐる（農協中央会常務）松村正治
29日　現地報告　すすむリレー耕作（岐阜県下）
30日　人と話題　棚田の改造（広島県西城町）下宮悟
31日　通信員の手帳から　老田剛

話の広場　6・10～6・30　❷
21日　移転したマンモス養鶏団地（神奈川県高座郡座間町）
28日　農事放送通信員座談会（野菜産地の表情）

新しい農村　6・10～6・30　❷
21日　▼卸売市場法の改正をめぐって（農林省企業流通部長）森整治ほか「大正12年につくられた卸売市場法が改正される。ポイントは、荷うけ会社の集荷機能を強めるための相対売り（一部）と買いとり販売を認めること。地方卸売市場の整備の二点である。果して青果物流通にどの程度の効果を発揮しうるか……」
28日　▼畜産物の政府指示価格きまる（農林省畜産局長）増田久ほか「畜安法にもとづく畜産物の指示価格が三月末に決定する。ことしは去年について飼料の値上げも考えられ、情勢は予断を許さない。畜産振興とこれに結びついている価格問題を検討してみる」

ラジオ農業学校　日　6・30～7・00　❷
21日　▼優秀農家に学ぶ「徳島市鎌田穂稲さん（ポットマム栽培）を訪ねて」徳島市鎌田穂稲ほか
28日　▼農業ゼミナール「むらのはなし」第10回全国農業者会議から―出席者代表―

青年の船便り <2>

日本が憧れのまと フィリピンで家庭訪問

——中林正悦——

二月九日午後九時、フィリピンのマニラに入港、船内で夜明けを待つ。甲板からは東京と少しもかわらない色とりどりのネオンが見える。気温はかなり暑く、夕涼みには最適の夜だ。十日午前、いよいよ下船だ。初めての寄港地であるという喜びと、感激と、ちょっとした不安との入りまじった複雑な気持で船内を降りた。

ここフィリピンには四日おりました。首都マニラ市を中心に数々の史跡を見学したり、両国の芸能交換を行なったり、かなり厳しい日程が続きました。最後の十三日には、マニラ市内の家庭訪問もさせていただきました。私の訪問した家庭は、主人が中華料理店のコックさん、奥さんは中学校の教師をされている家庭で、マニラではかなり裕福な家庭でした。

こうした四日間の日程でフィリピンの事情を自分の目で見、耳で聞き、肌で感じ、ほんとうに勉強になりました。

その印象は第一に対日感情のいいことだ。しかもフィリピンにとっては、日本があこがれの的になっているらしく、日本語はかなり普及しているようです。とにかく思わぬ町角で、思わぬ時に「こんにちは」「さようなら」などの言葉がしきりに飛んできました。

第二は貧富の極めて激しい国だ。これは貧富の差だけではなく、すべての面で、たとえば、日本にないような綺麗で広く整然とした公園があるかと思うと、そのすぐ横が見るからにゴミのような町もある。ピカピカの外車が走っていると思うと、馬車が荷物を運んでいく。ずいぶん豪華な邸宅があれば、そのすぐ横にトタンの穴だらけの家もあるといった風に、これでよく問題が起らないなあと思うほどでありました。

しかし、いったん農村地帯へ入ると、どの家もこの家もさすがに南国を思わせる質素な家ばかり、ヤシ、ココナッツ、パパイヤ、マンゴなどの木にかこまれた中で、子供達がたのしそうに遊んでいる姿がとても印象的でした。

第三に日本の企業の多いことである。サンヨー、日立、ナショナル、味の素、ダイキン、ソニー、トヨタ、日産など数え上げればきりがない。熱海モーテルまであるしまつである。しかも市内のタクシーはすべて日本製の車であるのには驚かされた。

第四に道路の整っていることである。どんな山中に入っても農村地帯へ行っても、ほとんど完全舗装をしてある。その上をカラバウと呼ばれる水牛の一群が、のんびりと散歩している光景もしばしば見られ、外国ならではのことかもしれない……。

たった四日間という短かいフィリピンでの寄港地活動ではあったが、その中で我々はフィリピンの人達の暖かい心に接し、数々の好意を受け、ある断面に過ぎないかもしれないが、フィリピンという国を知る機会を得られたことは、ほんとうに光栄であり、心からフィリピンの人達、それに私を導いてくれるすべての隣人に心からお礼申し上げます。

この後、赤道を越え、インドネシアのジャカルタへ寄港してまいります。

取り留めもないことばかり書きましたが、一応報告させていただきました。小生少し風邪気味ですけれど、元気で暮しております。

青春と仲間

どうまちがったか、せっせと百姓をしている

夫婦で仕事してこそ…

新婚時代「鶏がコワイ」 いまはもう農家の嫁に

山口県柳井地区農村青少年クラブ連絡協議会生活部（部長、田坂恭子さん）では、文集『つりはし』を"農村に生きて"の課題で編集中、それに寄せられた女性の意見が、松尾耕助君から送られて来た。「農家に嫁いで」と題され、恋愛結婚をした女性だという。

「毎日が忙しく、自分の時間もない」と、いつか里の母にグチッたことがある。そしたら、「人間にとって、忙しいということはありがたいことだ」と言われてしまった。

なるほど、ものは考えようである。もし、自分がサラリーマンの奥さんになっていたらどんな生活をしているだろうか、とよく考えることがある。『いつも側に子供をおいて、ひなたぼっこをしながら、好きな編み物でもしているだろうか』『部屋を飾ったり、料理の本を読んだり……』でも、やはり私には今の生活が似合っているようだ。毎日、チョロチョロ動きまわり、夜になればぐったりして、子供を寝かしつけながら、自分の方が先にコックリやり出す生活。

私の場合、いつのまにか農家の嫁になっていた。そしていつのまにか、鶏を飼うようになっていた。そのうち欲が出て、何年後には何千羽にして……と、将来の生活設計までして……、こういう農家に自分で考えるようになったのである。

結婚前、4Hクラブに入っていながら、農家に嫁ごうなんて思ってもいなかった。それがどこでどうまちがったものか、今では、せっせと百姓をしている。

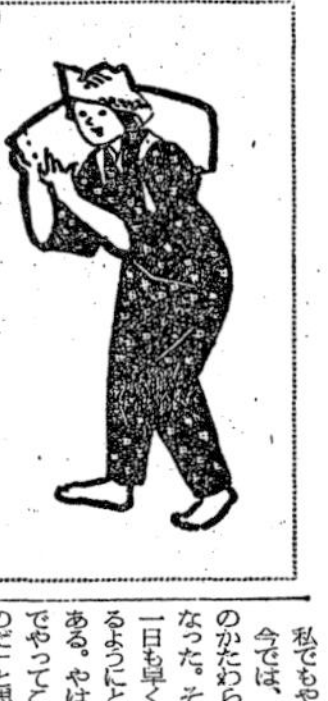

結婚した頃の私は、「鶏舎の中の臭いがイヤ、鶏がコワイ、重い物は持てない」と、ただ、主人のあとをチョロチョロついてまわるだけ。主人が将来のことをいろいろと私に話して聞かせてくれても、チンプンカンプン、ただ、だまってうなずくだけ。そのうち、ハウスもやめ、養鶏一本で生活するようになると、千羽やそこらでは、とうてい食べてはいけない。

そこで主人が外に働きに出ることになった。家のことは全部、私にまかされたのである。朝は、主人が鶏に餌をやってくれるので、それだけ助かるのだが、時々寝坊をして、「たのむ!」の一言でとびだしてしまうことがある。主人を送りだして、あとの忙しいことといったら……。

ヒヨコの世話、そして洗たく。オシメの山を見てためいきがでる。サオにズラリと干した時はやはり気持がいい。それから、卵を箱につめ、家の掃除、時には子供が泣いたり、何もできずにお昼になってしまうことがある。

この頃では、私も大きい気になって、子供のことは、すべておばあさんに見てもらうことにし、ひどい時には、一日中、母親の手に抱かれることなく、寝かされていることもある。とにかく細々とした仕事の多いこと、それに時間仕事だから、少しでも仕事の手順が狂うと、テンテコ舞いをすることになり、家族にもめいわくをかける。

私だってやればできるんだ

私でもやればできるのだ。今では、鶏フンも運ぶし、養鶏のかたわら露地野菜も作るようになった。それも、これもすべて、一日も早く二人で鶏を飼う日が来るようにとがんばっているためである。やはり農業は、「夫婦二人でやってこそ、やりがいがあるものだ」と思う。

『空談』

甲羅に似せ穴を掘る

俗諺に「蟹は甲羅に似せて穴を掘る」という。それは、蟹の本能だからだなどと、こざかしい知恵を振りまわしてはつまらない。ほんとうは、自らの掘った穴によって、おのれの風姿に心づくべきであったし、もしかすると、蟹もそこではじめて自分に出会ったのかもしれない。

蟹は馬鹿な哲学者で、自己というものについて、つねづね考えをめぐらせていたから、あますところなく知りつくしており、ほかのやつらに、自分のことがわかるわけがないと思いこんでいた。どの蟹もどの蟹も、そうした自意識を後生大事に持ち歩いて、海岸の波打ちぎわで何千年も暮してきた。

しかし、自らの甲羅を見たことがある蟹はおらず、互いに「きみの背中は、赤くて色っぽいねえ」とか、「あなたは堂堂としているけれど、ちょっと甲羅に傷がついていますわよ」なんぞと、批評をしあって、うれしがったり、腹を立てたりしていたのだ。

あるとき、穴を掘っていて、ふと蟹は悟るところがあった。いままで気にもとめずに、何度となく穴を掘ってきたが、このかたちこそ自分本来のかたちではあるまいかと。それ以来、甲羅の良しあしは、ほかの蟹でなくてはわからないし、自分の姿は、穴を掘ってみることによってしか知られないのだと気づき、重苦しい自意識から解放された。

俗諺は、人が分相応の願望を持つことの比喩だが、そう窮屈にばかり考えることもあるまい。たとえば、蟹は、横這いしかできないものと決めつけるのは誤りで、ちゃんとまっすぐ這う種類もあるのだから——。（山）

募集 この欄は、皆さんがたからの投稿を切にお待ちしております。どしどしお送り下さい。

日記が「履歴書」に

茨城県・東村稲穂サークル4H 黒田徹

日記をつけ始めてから今年で八年目である。高校二年の一月に志を立てて以来、今日まで続いている。古い日記帳が七冊たまった。一年目は既成のものを使ったが、二年目からは、大学ノートを使った。どうやら、今日まで続いた原因の一つは、この辺にありそうだ。というのも、余り書きたくなかった日、怠った日は、日付けと天気のみの所が、何日かある。おそらく後日つけたしたものであろう。こうして七冊の日記帳を見ると、何か、余りにも歳月が早く過ぎ去ってしまったようで、一体自分は何をやってきたのだろうかという一種の不安を感じるのである。自分の日記をつけた経験をもとに、感じたことを書いてみたいと思う。

最近の日記のつけ方は、日付け、天気、その日の出来事、最後に、明日の予定、そして、時々気のむいた時は、感想文めいたものを、一ページ位書く時もある。つけ始めたころと比べれば、質、量ともに、多少の向上を見い出し、一人で喜んでいるわけである。

この七年間、日記をつけて良かった点は何かと言えば、先ず第一に、自分の過去を判断する材料として参考になることである。事実が書き記されているわけであるから、非常に詳しい自分の履歴書である。自分の進むべき方向、成すべきことは何か。過去の経験をふり返って、自分のあるべき姿、使命を見い出す好材料である。

第二に、日記をつけることにより、毎日机に向う習慣が作れたことである。習慣は、一度作ってしまうと、どういうわけか、それを一日でも怠ると、何か忘れものをしたようで、一日のけじめがつかないような気分になるのである。

第三に、手にペンをもって物事を書きながら考えるという訓練が出来たことである。

八年間の思い出 ありありと浮ぶ

やはり物事を考える場合、筋道を立て、理論的に考え、判断することが大切である。ペンをもって紙に書くという習慣を作れたことも、日記の効用と思われる。まだつけ始めて八年目ではあるが、古い日記帳を開くたびに、あの頃はこんなことで悩んでいたのかと、今になっては、おかしく思うことがある。

思い出を、ありありと思い出せるのも日記があればこそである。これから先、何年続くか知らないが、とにかくこれからも、できる限り、自分のその日の出来事、感想を素直に、一日一日書き記して行きたいと思うのです。

（十周年記念誌『稲穂』より）

農村雑感

折原俊二郎

生産と出荷

私がたずねた野菜作農家は、長男が学校に入っており、来年卒業だといっていた。この頃つくづく労働力がほしいと思うことがあり、そのためにも、長男の卒業が待たれてならないといっていた。主人は四十五歳で、今が働き盛り、奥さんも元気で、一緒に働いているので、長男の労働力を早急に求める理由がなさそうに思えたのでその理由を聞いてみると、次のようなことをいっていた。

今年は野菜不足で、このため出荷価格は、平年に比べて幾分良い。しかし、新聞などでさわいでいるほど、農家の懐には現金が入っていない。ホーレン草を三百坪ほど作っており、或日出荷組合から、明日は値が高くなるので、今夜中に準備するようにとの指令が入ってきた。

その晩は、奥さんと二人でほとんど徹夜で出荷準備をしたが、畑から夕方とってきて、水洗いし、それを一定の大きさに、藁で束ねる作業は、思うように進まない。結局、その晩は思ったほどの作業が出来ず、次の機会に十分出荷しようと思いがまんした。出荷したホーレン草の値段は倍級通り良い値で市場は引きとってくれた。

翌日も出荷しようと思ったところ、駄目だという。とても、前日のような価格では引きとってくれないので、数日様子をみたらということであった。しかし、それからは前のような値にはならないため、ホーレン草は未だに畑に残っている。組合から指令のあった、あの夜に人手が多くあったらと悔まれてならない。そのとき、長男がおってくれたらどんなに助かったことかということであった。

こうした農家の人の気持は良くわかる。たしかに、野菜作農家では労働力が、他の作目の生産農家に比べて多くかかることは知っていた。また、こうした一発勝負というような状態に置かれることも、幾分わかっていたつもりであったが、これほど切実な形で農家に影響しているとは思っていなかった。しかも、それはいつ必要となるかわからない。出荷に要する緊急な労働力の確保という問題となると、とても、一戸の農家はもちろん一つの地域でも解決できない問題である。

A君にこのことを話したら、A君は次のように答えてくれた。

今まで農家が自由に作物をつくり、つくったものを有利に売るために、協同販売という形式をとってきた。協販方式はこれまで確かに成功してきたし、今でも、その効果は大きいと思う。しかし、この形態がいつまでもつづくとは思えないので、この考え方を根本的に変えなければならないときが来るのではないか。いや、もうそうした、必要性が出ているのではないか。

日本は極めて大きな消費市場をもっている。その消費市場を十分考え、一定の農産物を一定の時期に、しかも長期間にわたって、同一規格のものを提供していく、そうした生産と出荷の組織に変えていかなければならない。それを、政府だけに要求しても実現するものではない。要は、そうした組織を農民自らつくっていくことこそ必要なのではないか。

アメリカのスーパーマーケットに納入する農産物は、実にきびしい形で、規格なり、時期が定められている。そこには農民が自由に農産物を作るという形態はみられない。その形態が、そろそろ日本にも適用されなければならないときにきたのではないかと。

（農林省・農業者大学校）

明るさに戸惑う

10回 農業者会議に出席して

青年農業者会議の最終日、虎ノ門ホールで開かれた代表討議の模様が、六日午後、NHKテレビで「土に生きる——その新しい意味を求めて」と題して放映された。さまざまな反響を呼びおこしたといわれるが、たまたま管見にはいったのは、八日付の毎日新聞の放送番組のページの「見て聞いて」欄で、沢開進氏が次のように書いているものである。

いまさらながら、土に生きる新しい意味が問われるわけだがきいていて実に、すがすがしい感じがした。農業青年たちが、みな農業こそ、自分の能力を自由に発揮できる、食糧を供給する喜びがあると模範青年らしい信念を発表するからである。成田とくらべて、つくづく明暗二筋の道を痛感させた。

はたして大会参加者たちが、また、全国の農業に携わる若い人たちが、さらには一般の人々が、沢開氏のような感想を抱いたであろうか。参加者のなかにすら、自分たちの問題意識とは隔絶した別世界の"きれいごとのお話"と、捉える声のあったこと、この一事からも、一時間二十分の放送の内容を楽天的に受けとめることに、ためらいを持つ。

本当に見通し明るいか

たしかに、「土に生きる新しい意味」を問いかえす必要は、従来に例をみなかったほど大きい要請ではある。しかし、減反、出稼ぎ、農産物の自由化、過疎と都市化といった、文字通り変動する現在にあって、そんなに簡単に将来への明るい見通しを持つことが出来るのであろうか。また、そういった「模範青年らしい信念を発表」するのを聞いて、「実にすがすがしい感じがした」と安心していられるものであろうか。

ほんとうに、全国の農村青年が「農業こそ、自分の能力を自由に発揮できる、食糧を供給する喜びがある」と断言するならば、傍からとやかくいうことはない。しかし、現状を少しでも知っているものには、こんな手放しの発言がどうしてでてくるのか解せないと思われる。現実とは噛みあわぬところでの、たわごとのように聞えてならない。

たとえば、過疎化現象や離農現象が進むのは、ひとつのチャンスであり、今後、経営規模を拡大していくうえで好都合だという意見も少なくなかった。一見、はなはだ現状分析が的確であり、その意気込みは大したもののようにみえる。だが、農業という狭い範囲内で考えたこと、あるいは自分の身辺のみをみた場合のことであり、思い描いた構想が、ストレートにすんなり実現するとは考えられないのではあるまいか。

とかく、この世はままならぬものだなどと、したり顔でせっかくの意気込みや希望に、水をさすつもりはさらさらない。ただ、個々に抱えている問題が、単に個人のものにとどまらず、もっと根深く深刻なものであることを忘れてしまって、現実を自分の都合のよいように解釈し、あるいは甘く見くびっていはしないかという危惧がある。あっけらかんとして、不安がないというならばともかく、どうにも解決のつかぬことは、おそらく数多いだろうに……。

かけ声だけではだめだ

農業を、単に農業のみの問題として捉える時代は終ったといわれる。就農人口を全人口の六%まで引きさげるという政府の方針が打出されており、どれほどスムーズに進行するか否かはともかくとして、当然、離農者対策が確立されなくてはならない。また、兼業農家の増加は、農外所得への依存度を深め、五〇%を越えさせることになってきた。

今後、農業者間における競争が必然的に激化するであろう。それは火をみるより明らかであるが、単なる一時の空元気やかけ声だけではどうにもなるまい。分科会の報告レポートをみても、どこまでその認識があるのか、少々疑問を覚えざるをえない。

その意味では、むしろ、沢開氏とは逆に、たしかに成田問題は暗く悲惨であるが、古来、土に執着しつづけた人々が、現代の波のなかで、自らの生き方をつきつめて考えている姿と写る。農業ばかりではないが、汚辱にまみれなくては生きられない口惜しさを、いま一度かみしめてみる必要があるのではないだろうか。（Y）

冬の木

ほろみクラブ 新妻新一

冬の木は なつかしい
桜の木の肌は あづき色
朴の肌は 青い月のしずく
白樺は 深海魚の 金ダイの目玉
マツから樹ヤニが 泌み出ている
冬の木を見ていると、
命の 張りが
ワシの つばさのように
ぐんぐんのしてきた。

（北海道平取町4Hクラブ連絡協議会『青春』より）

波戸岬にて

佐賀県連 小林秀敏

リーダー研修会を行なった波戸岬は、玄海の荒波が打ち寄せる素晴らしい所ですが、この辺一帯は上場台地（うわばだいち）と呼ばれ、水が少なく、佐賀のチベットといわれています。しかし最近、原子力発電所が出来たり、海中公園に指定されたりして、この上場開発も進んでいます。

観光開発として建てられた国民宿舎で研修を行ない、その時に、短歌を作ってみましたので送ります。

玄海のきびしき丘に立ちみれば
水仙一輪可憐にも咲く

生活もの知りコーナー

板ガラスの掃除

まずハタキや古い布で、表面に付着しているほこりをよく払い落します。つぎに、ぞうきんに水をたっぷりつけて、泥、ほこりなどを洗い落します。きれいになったら、乾いた布でからふきするわけですが、このとき糸くずができやすい布（木綿のタオルなど）を使うと、糸くずがガラスにこびりつきますから注意してください。

戸外に面している部分は油ジミなどがこびりついて、表面がくもっていることがあります。こんなときには、水とアルコールを半々に入れて、その中に掃除用の洗剤を混ぜたもので洗うときれいになります。このとき注意しなければならないことは、なるべく薄めの液を使うことです。液が濃いと、からふきするとき力をよけい使わないときれいに仕上がらないからです。

日本4H新聞
4Hクラブ 農事研究会 生活改善グループ 全国弘報紙
発行所 社団法人 日本4H協会
東京都市ケ谷家の光会館内 電話(269)1675番 郵便番号162
編集発行人 玉井光
月3回・4の日発行 定価 1部 20円 一ヵ年700円(送料共)
振替口座東京 12055番

クラブ綱領

一、私達は、実践を通じて自らを磨くとともに、互いに力を合わせ、よりよい日本を創るため、四つの信条をかかげます。一、私達は農業と生活の改善に役立つ腕をみがきます。一、私達は科学的に物を考えることのできる頭の訓練をします。一、私達は誠実で友情に富む心をつちかいます。一、私達は楽しく暮し元気で働くための健康を増進します。

夢託す4H会館建設

新局面へ進展か

焦点しぼられた土地入手

OBに募金の積極策

四十五年度中に完成を目標として進めてきた日本4H会館の建設は、募金が予想外に伸びなかったことや、建設予定地として考えられてきた東京都内の土地入手が、地価の高騰などの悪条件によって困難になっているため、現在、その見通しがたたず、建設予定年度を延期することは必至の状態になっている。しかし、建設をいたずらに引き伸ばすことは、組織的にマイナスの面も出るため、全国4Hクラブ連絡協議会としてもここで何らかの新しい手を打つ必要性に迫られている。

4H会館建設は、さる四十三年以来、四十五年度完成を目標として募金活動が展開されてきた。しかし、募金の伸びが予期以上に遅れているため、すでに昨年四月に開かれた総会において、今年度中に着工、あるいは完成させることはムリであると判断、少なくとも土地の確保だけでも年度内にメドをつける方向で進んできたが、建設を予定している東京都内での国有地入手は、その後の調査によって困難な状態にある。また、私有地も地価の高騰によって、その購入には募金額の大部分を投入しなければならない状況にあり、これも殆んど不可能に近い。

しかし、建設年度を伸ばし、募金を長期間続けることは、組織的に、逆効果の面も出ることが予想されるため、ここにきて、現状を打開し、新しい局面を切り開くためにも、新たな手を打つことが必要な段階に立ち至っている。

だが、最近、各県連の募金に対するムードが急速に盛り上がり、かなりの額の募金を集めている県連が続出していることなどから、ここで一気に会館建設への短距離を歩む必要があるとの声も出てきている。

これらの実情から、これまで鳴りをひそめてきたOBへの働きかけも活発となり、このほど日本4H会館建設委員会（委員長、岩崎茂全協初代会長）と全国4Hクラブ連絡協議会（会長、久野知英君）の連署で、全協の歴代役員に協力の呼びかけを行なった。この呼びかけに対し、どの程度の反響があり、募金が集まるかは、会館建設にとって一つの大きな指針ともなるだけに注目される。

また、これら局面の打開策が、来る四月十三、十四日の両日、家の光会館で開かれる全協の総会においていかに打ち出されるかも関心が寄せられる。

この4H会館建設は、さる三十八年、和歌山県の高野山で開かれた4Hクラブ員の全国大会で、参加したクラブ員のなかから自発的に提唱されたもので、この大会に出席していた4H協会の松下幸之助名誉会長（当時会長）からも、農村の青少年がどこまでやれるか力をみせてほしいという激励があり、これを発端として、会館建設の夢は拡大したわけである。

その後、同問題について検討が重ねられた結果、翌三十九年「日本4H会館建設委員会」が結成され、会館建設推進のための具体策が練らねてきた。

この殿堂建設は、単に研修や交流の場となる建物を築造するという事象だけでなく、この旗印の下に、全国のクラブ員とOBが結束し、ここを心の寄りどころとしてクラブ活動の発展を図ろうという大きなねらいがある。しかも、この会館建設は将来の農業を担う全国農村青少年の意気が示されるものとして注目されている。

このような考えのもとに、会館の構想が検討され、募金活動へ突入していったが、いざその段階に入ると、末端へのPR不足、利用価値だけを問題にする近視眼的な見方や、会館建設委員会と全協の関連などの問題が表面化し、募金活動は難航を続けてきた。

しかしその後、主導権は、実際に募金活動を展開する全協に移り、全国各県連に会館建設推進委員を設けるなどして、募金に力を入れてきたが、各県連の足並みが揃わず予想外に募金が伸び悩んでいるのが実情である。とくに、PRするための具体的な材料を求める県連が多く、青写真とともに、土地の確保が先決の問題となり、その解決にせまられていた。

募金面では、すでに約九十万円を集めたといわれる県連もあり、ここにきてその機運は上昇してきているが、さらに全国クラブ員の一層の奮起が望まれる。

なお、松下4H協会名誉会長は4H協会の総会席上、全協執行部に対して、青年が集めた募金と同額の金を協会として出すことを再度にわたって確約している。

久野全協会長　岩崎建設委員長

ミカン販売し募金

滋賀県連

滋賀県農村青少年クラブ連絡協議会（会長、中利男君）では、4H会館建設募金活動の一環として昨年、和歌山県から購入したミカンをクラブ員に市価より安い値段で販売し、その収益金二十万円をこのほど募金した。

同県連は、他県連に比べて募金活動の出足が遅れていたが、これによってそれをばん回、募金の一つの方法と、やれば出来るという例を他県連に示したといえる。

募金は、現在、各県連の段階だけでなく、地区連や単位クラブにおいても活発に行なわれ、農作物の街頭即売や映画会、各種行事における牛乳売上げの収益金を当てるなど参考になる例は多い。

会費値上げ迫らる　全協

OB招き意見聞く

全国4Hクラブ連絡協議会（会長、久野知英君）は、さる十六日から三日間にわたって東京・新宿区市ヶ谷船河原町の家の光会館内の同協議会事務所で執行部会を開き、来る四月十三、十四の両日、家の光会館で開催する通常総会の準備をした。その中でもとくに、財源の逼迫から各県連の負担金（会費）の値上げについて検討された。

これは、組織の強化、事業の拡充に伴い事務費や運営費が増加している一方、交通費はじめ通信費、印刷代、事務用品など諸経費の高騰によって台所が火の車で、円滑な運営が困難になってきているためである。

このような状態のなかで、各県連の負担をできるだけふやさないよう極力値上げを避けるために努力し、会費は過去七年間据置きのままだったが、ここにきて財政が窮状を告げているので、値上げもやむを得ないとの状態に立ち至っている。しかも、全協予算に占める各県連負担金の占める割合はわずか五％に過ぎず、主体性を確立するためにも、増加が望まれている。このため、かねて一部の県連に対して非公式に意向打診してきたが、総会に先立って各県連に検討してもらい、総会で意見を調整する方向で進める手順をとることになったようである。

また、これに先立ち、十五、十六の両日、全協の歴代役員を招いて、4H会館の建設をはじめとしてOB会の結成などについて意見を聞いた。

助成金などに論議

三重県連のリーダー研修

自主性の喪失危ぶむ

【三重県＝竹尾剛連絡報道員発】三重県農村青少年クラブ連絡協議会（会長、中林正悦君）は、次年度、クラブ活動を活発にし農業者としての自覚を高めるためにさる十一日、農業技術センターでリーダー研修会を開催した。これには、クラブ員約九十名が参加し、放送利用のつどいと合わせて行なわれた。

主な内容は、「農業外から見た農業経営者への提言」と題する詩人、村田治男氏の講演とディスカッション。クラブの本質とリーダーについて、全国4Hクラブ中央推進会議の報告。今後のクラブ活動をどう進めるかについての全体討議。クラブ活動とリーダーの役割について、専門技術員・西村謙二氏の講演などで、西村氏の講演は、二十一世紀の農業に夢をいだき英知で切り開いてほしいというもの。

中林県連会長

また、全体討議では「人を集めるためにレクリエーション主流のクラブ活動にならぬように、本質にそった活動をしていこう」という意見が強かったが、その反面、「目立った行事をやらないと助成金がもらえないから、人を集める」などの意見が出された。しかし、他県にくらべ県下の助成金は少ないことも知らされ、これに関し助成金が少ないから活発な活動ができないのか？自主的な活動ができなくとも良いのかなどを考えさせられたようだ。

クラブ活動についての講義の内容は、リーダーとは、（一）もっとも多く作用を出す人、（二）もっとも多く作用を受ける人、（三）もっともいいアイデアを出す人、（四）集団をひっぱって行く人、（五）もっともメンバーから好まれている人、などである。また、これらのうち、どれか一つだけでも持っていれば、リーダーとしての資格があるのだから、自分の個性を生かして活動すればよいとのことであった。

最後に、県連からの伝達事項として、全国4Hクラブ員のつどい開催要領の説明と四月九、十の両日に県連役員改選の新旧理事会を開くことを申し合せ、リーダー研修会を閉会した。

九月、東南アへ

第5回「青年の船」団員を募集

希望者は各県連へ

さる二月五日、東京・晴海ふ頭から出発した第四回の「青年の船」は、五十一日間にわたる東南アジア諸国の歴訪の旅を終えて、来る二十七日に神戸港に帰港するが、全国4Hクラブ連絡協議会（会長、久野知英君）では、四十六年度に実施される第五回「青年の船」の一般団員候補者を総理府青少年対策本部に推せんするため、広く全国のクラブ員から希望者を募集することになり、このほどその旨を各県連に通知し、候補者の推せんを依頼した。

＝関連記事2面にあります

この青年の船は、次代の日本をになう青年の視野を広め、幅広い教養を身につけさせようと政府が明治百年記念事業の一つとして行なっているもので、これまで、毎回、東南アジア諸国を訪問し、国際親善や視野の拡大、規律ある団体生活による訓練と研修などいろいろの面で成果を上げてきている。

今回の実施期間は、九月中旬から十一月中旬にかけての約五十五日間。毎年、この時期に実施されてきたが、第四回だけ遅れたため、現在巡行中でありながら早々と第五回の団員募集となったもの。

今回の訪問国は、中華民国（台湾）、タイ、シンガポール、マレイシア、ビルマおよびセイロンの六ヵ国が予定されている。

全協がこのほど各県連に通知した第五回「青年の船」一般団員候補の募集要領は次のとおり。

一、応募資格と人員
クラブ員で、満二十歳以上～二十六歳未満（昭和四十六年四月一日現在）の男女各県連一名。

二、中間選考
応募者の中から十名以内を全協と日本4H協会で構成する選考委員会で選考し、総理府に推せんする。

三、応募しめ切り期限
来る四月二十日までに必着のこと。

四、提出先
東京都新宿区市ヶ谷船河原町十一、家の光会館内 全国4Hクラブ連絡協議会（〒一六二）

五、応募方法
次の書類を添えて期限内に申し込むこと。
（1）申込書　二通
（2）団員候補者に対する推せん状　一通以上
（3）作文
①テーマ「青年の船」に応募して（この青年の船団員に応募した理由と団員に選ばれた場合、帰国してからその体験をクラブ活動や地域の発展のためにどのように生かしていくかという点を中心にまとめる。とくにこの作文は選考のうえで大きな比重を占めるので注意すること）
②二百字詰原稿用紙（B5版）五枚以内（タテ書き）、氏名、住所を明記すること。
（4）戸籍抄本　一通
（5）履歴書　二通
（6）健康診断書　一通
公的医療機関の医師によるもので、三月一日以降のもの。
（7）写真　二葉
上半身正面脱帽、タテ・ヨコともに3㌢で、さる三月一日以降に撮影したもの。申込書に貼付すること。

六、選考結果
総理府における選考の結果、一般団員に内定したものについては、推せん者と本人に対してその旨を通知する。

七、研修
総理府が実施する事前研修（九月中旬）と出航前研修（六月中旬）のほかに、全協の行なう各種の研修、行事に参加するものとする（正当な理由なくして出席しない場合、推せんを取り消すこともありうる）

涼風暖風

アテンションプリーズ

大きな力がぶっつかり合うと、そこに新しい力が生まれたり、ひずみが生じたりする。新しい力が、それぞれの前進のためにプラスになるものであればいいが、現実は必ずしも望みどおりにはいかない。両者の間に生じた力関係の結果は、その後の両者のきんこうを保つための配慮要因だけを強調したりする。ボス争いの後のサル仲間みたいなものだ。

両者がせっかちにぶっつかり合うと、その結果はさらにすさまじい。

こんな話がある。日本の会社がアラスカだったかにパイプラインを敷設することになったところ、地元の人から、パイプは地上三尺にして欲しいといわれた。理由は、地上に直接太いパイプを敷設すると、野生の熊が迷惑するからという。地上三尺では余りにも割高になるので、パイプライン計画は断念した、という話だ。開発、ということだけにせっかちにぶっつかっていっては、そこに生じる公害も大きいということ。熊のことも一しょに考えられる対決であれば、そこにひずみは生まれてこないだろう。

話はかわるが、先日、福岡から夜の直行便で羽田へ帰った。このルートは、日航と全日空が乗り入れている空の幹線である。ところが、二社が飛んでいるルートは、比較、競争、なれ合い、等々、いろんな問題を生じ易いように思う。

今度のフライトは、仕事の終り具合をみての申し込みであったが、私は会社で便を左右したことはない。しかし、航空券をとりついだエージェントは、全日空ですがよろしいですか　ときた。外野席、静かにしろ　といいたかったが。広い機内には十五人の客しかおらず、スチュワーデスも心なしか元気がない。制服がやぼったいね、と後の席からささやきがあったが、これはテレビの見過ぎかも知れない。

羽田までひと寝入りしようと思って、持参のウイスキーをとり出し、スチュワーデスに水を所望したところ、機内は禁酒です、とけんもほろろにやられた。はて、国際線では、アメリカの国内線では、ヨーロッパでは、と過去の経験を想い出してみる。さて日航はどうだったろう。

日航、全日空が、フェアに競争してくれることを客はねがっている。外野席が足をひっぱって、敗け犬をつくることはつつしむべきこと。競争原理を大切にしたいものだ。

ところで、青少年グループでも、うっかりすると、仲間のだれかをのけ者や笑われ者、さげすまれ役にして、そのぎせいをグループのきんこうを保つための配慮要因にしている場合も少なくない。心を配りたいものだ。

（文部省　伊藤）

インスタント訓練

静岡県連でリーダー研修

実践活動に備える

【静岡県＝鈴木政美連絡報道員発】静岡県農村青少年クラブ連絡協議会（会長、真田勝君）は、さる二月二十二、二十三の両日、静岡市の青少年センターにおいて四十五年度二回目の県リーダー研修会を開催した。今回はとくに、次期役員候補者を対象にし、研修後、地域に帰ってすぐクラブ活動に役立つ内容が組まれたが、県下各地から五十五名の男女代表が参加し真剣に研修をつけた。

まず一日目は、沼津盲学校の塩川甫校長の「青年の生き方―ころんでもただでおきるな」の講演があった。塩川氏は、元社会教育課に勤務され、青少年活動の指導者として十七年間、青年団、パイオニア大学などの普及指導にあたってこられた人である。講演では、次のように述べられた。「農業青年は、他の産業の人達と違い視野がせまいので、もっともっといろいろな場に出席して多く他の産業の人達と交流してほしい。また財界、政治家などの一流人との接触は本を通してできるのであるから常に本を読むように心がけることが必要だ。そして、家にいてテレビなど見ているのでなく、ある程度、いい意味で遊ばなければ将来ものにならないと思う。とにかく明日を考え何事に対しても全力をつくしてほしい。その時こそが、自分のいちばん美しい姿である」など有意義な内容であった。

夕食後は、日本レクリエーション連盟の中村奨之氏によるキャンドルサービスで、パーティのやり方、クラブ活動におけるゲームなどを指導していただき、歌なども まじえて楽しいレクリエーションであった。「本当に勉強になった。地域に帰ってクラブ活動に取り入れることが多い」などのクラブ員の声も聞かれた。

二日目は、六班に分かれて、単位クラブの運営方法についての分科会が行なわれた。とくに実践活動に役立つ方法が用いられ、班別でインスタントクラブを結成してクラブ名の決定、役員構成と選出、年間事業計画と収支予算書の作成などの実技が行なわれた。続いて午前十時からは東京言論科学研究所の斎田博氏による話し方教室。日ごろクラブ員は、どのような話し方をしているか？　とくに農業青年は言葉の使い方があらいが、人の前で話すことのためにも話し方の学習をする必要があるのではないかなどが語られた。

閉会式では、県後継者育成課の田中課長補佐があいさつに立たれ「今年で三年目を迎える静岡県農業青年海外派遣（ヨーロッパ六ヵ国）事業の面接、筆記試験が、四月にあります。この研修会を受けた皆さんが多数応募され、一人でも多く派遣されるよう望みます」と激励の言葉をかけられた。こうして、一泊二日の研修会の幕をとじたが、それぞれ地域に帰ったクラブ員が、青少年活動や農業建設に一層の活躍をされることが期待される。

農作業のアイデアを交換

山梨・北巨摩地区連

【山梨】北巨摩地区4Hクラブ連絡協議会（会長、三井利武君）は、このほど「4Hクラブアイデア集」を発刊して、アイデアの交換を始めた。

これは、農業経営の技術について日ごろの研究成果をお互いに交換し合って、農作業の能率を高めようというもので、いわば、農作業の"アイデア銀行"。

創刊号は三十頁で、そ菜、畜産、果樹、養蚕、生活、機械の六部門に分け、古自転車を改良した野菜のは種、野菜の長期貯蔵法、回転もずボールの結束など三十五人がアイデアを披露している。

このアイデア集について、三井会長は「現在、社会で、アイデアはそのものの商品性を左右する。毎日の農作業の中でもちょっとしたアイデアが作業の能率を高め、商品価値のある農産物を生み出すもの」と冒頭で述べている。

この種のアイデアは、全国の4Hクラブでも、プロジェクト活動の中で創意工夫として取り上げられているが、このようにアイデアが交換され、青年たちの手で実用化していく必要があろう。

水泳の実習も

北海道南で「集い」開く

経営者の役割学ぶ

【北海道＝赤松宏連絡報道員発】北海道4Hクラブ連絡協議会（会長、中山将雄君）に加盟する道南地区の六支庁4Hクラブ連絡協議会では、第三回道南農村青少年の集いをさる三月八日から三日間、南北海道青少年センターで開いた。

この集いには、同地区内の4Hクラブ員や関係機関の指導者など約九十名が出席、また、全国4Hクラブ連絡協議会から青森県の山本たい子副会長もかけつけ、津軽の海を越えて二泊三日の日程を最後まで仲間とともに過ごした。

一日目は、地区紹介「道南の農業」のあと「農村青少年の課題」と題して北海道教育大学の板東義教授の講演があり、夜は、室内温水プールで水泳の実習。

二日目は、北海道専門技術員・松目直行氏の「明日の農業と経営者の役割」と題する講演、「ぬり変わる日本農業地図」のテーマで放送を取り入れた学習、交換会など、最終日は赤松道連書記長による「これからの農業に対応する青少年の役割について」のテーマを中心に全体討議のすすめ方についての講義があった。

最後に本年は第四回の集いを日高管内で開くことと、すぐれたリーダーになるため互いに研鑽を重ねることを約束し会をとじた。

みんなで築こう
われらの殿堂
日本4H会館建設委員会
全国4Hクラブ連絡協議会

20人がトラクター運転の免許をとる

富津町4Hクラブ

【千葉】君津郡富津町4Hクラブ（会長、長嶋彦士君）では、長嶋会長ら三十二人のメンバーが、大型トラクターの運転技術を身につけようと、二月十五日から二十日まで、富津農協所有のトラクター五台を利用し富津公園内の広場で練習、そのうち二十人が、このほど技術、学科試験にパスした。

心頭技健

このほど、朝日新聞が、米国の世論調査機関ルイス・ハリス社を通じて行なった「米国人の対日意識」についての全米調査結果は、沖縄返還や安保自動延長、繊維問題などで注目されている現在、米国人が日本についてどの程度理解しているかを知るうえで興味深い▼日本人をもっとも端的に表わしている性質を二十二項目から選んでもらうと、「精力的」四四％、「礼儀正しく控え目」四四％という回答。これを一歩進めて日本人の好きな点や感心する点をみると、「よく働く」三三％、「親切で礼儀正しい」一七％、「伝統と習慣を大切にする」一三％、「優れた製品を作る」一三％、「頭が良い」一〇％などの賛辞が続いている▼逆に、日本人のいやな点としては、四四％の人がいやな点があることを認め、「卑劣で信用できない」一一％、「真珠湾を奇襲攻撃した」七％、「日本は米国経済に損害を与えている」七％などをあげている▼また、米国の対アジア政策をめぐる質問では、四人に一人が「日本人を含めて東洋人はこうかつでひねくれている。東洋人を信用したり、同盟国として頼ったりしてはならない」との不信感を表明する。ところが信用できない日本に「米国は太平洋の平和と安全維持のため、その友情を必要とする」と、大多数の八五％が答えている▼では、米国人がどの程度日本を知っているかというとはなはだ頼りない。日本についての本を読んだり、日本の映画を見たことがある人は三五％以下。日本語や人物について知っているのは、八二％の着物をトップに柔道（六五％）さよなら（六五％）すき焼（五四％）カミカゼ（三七％）で、人名となるとほとんど知られず、三島事件を四三％の人が知っているのに、作家三島由紀夫を知っているのは五％に過ぎない▼日本の繁栄や民主主義化を認めながらも、真珠湾攻撃を連想し、日本製品の進出で「市場が混乱し、仕事が奪われる」と心配する。日本人が米国を理解しているほど、米国から日本が理解されておらず、文明という大きなワクの中でもっとPRしていくことが必要がある。

46年度「青年の船」実施要領

今回は55日間の旅 20〜26歳の青年男女対象に

総理府がこのほど発表した昭和四十六年度「青年の船」事業の実施要領は次のとおり。

一、事業の概要

(1)使用船 社団法人日本産業巡航見本市協会の「さくら丸」を傭船し、「青年の船」として使用し、その運航は、商船三井客船株式会社に委託する。

(2)運航日程 昭和四十六年九月中旬から十一月中旬までの約五十五日間にわたり、東南アジアへ航海を行なう。

(3)活動

▽船内活動

【船内研修】①英会話②各国事情③リーダー養成④体育レクリエーション⑤その他

【団体活動】①全体行事②班・組別活動クラブ活動④寄港地活動の準備。

▽寄港地活動

寄港地における視察・見学および交歓。

▽事前研修 国立中央青年の家(静岡県御殿場市)における事前研修(昭和四十六年六月中旬)とオリンピック記念青少年総合センター(東京渋谷区)における出航前研修(昭和四十六年九月中旬)

二、「青年の船」の団員と組織

「青年の船」には、一般団員のほか、管理官および管理要員ならびに団長、副団長、教官、班長と渉外団員を乗船させる。

三、参加者負担金

参加者に対しては、参加費用として一人五万円を徴収するものとする。このほか、参加者は旅券発行手数料、出入国にともなう経費事前研修等の参加費用、旅行保険料等の経費を負担する。

四、募集選考

(1)一般団員の募集選考 一般団員の募集選考は下記一般団員募集要領によるものとする。

(2)団長などの選考 団長、教官、班長、渉外団員などは、総理府において選考する。

一般団員の募集要領

一、資格要件

(1)国籍・年齢など 日本の国籍を有する満二十才以上二十六才未満の男女(年齢計算の基礎は昭和四十六年四月一日現在とする)

(2)身体条件 長期の船上生活に適応できる健康な者、とくに伝染性疾患のない者

(3)規律遵守 ①事前研修から解団式までいっさい主催者の計画に従って規律ある行動のできる者②協調性に富み、団体生活に適応できる者

(4)語学 中学校卒業程度以上の英語会話能力のある者

(5)社会への貢献 将来、職場、地域、青少年団体等で中堅的な活動を期待できる者

(6)欠格条件 ①海外渡航の経験のある者(沖縄へ渡航した者を除く)②原則として、大学(短期大学を含む)、高等専門学校または高等学校に在学中の者③都道府県会議員または市町村議会議員の職にある者④近い将来において海外渡航をすることがほぼ確実である者

二、募集人員

一般団員の定員は、約二百八十人とし、都道府県知事より推薦された者から百六十人〜二百人、全国的な組織をもつ青少年団体より推薦された者から八十人〜百二十人を選考する。

三、募集方法

都道府県と全国的な組織をもつ青少年団体を通じて募集する。

(1)青少年団体の行なう中間選考①全国的な組織をもつ青少年団体の代表者は、会員中の応募者について選考のうえ、団員候補者を総理府総務長官に推薦する②一団体からの団員候補者の推薦人数は十人以内とする③特別事情の場合を除き青少年団体から推薦する団体候補者のうち、女子は、おおむねその三分の一とする。

(注) ここにいう全国的な組織をもつ青少年団体とは、次の条件をそなえたものとする。

1 青少年を主たる構成員とする団体またはその連合体であって社会教育、社会福祉または社会奉仕のため活動を行なうことを主たる目的とするものであること。

2 会員が一万人以上。

(2)提出書類 都道府県知事または青少年団体の代表者が総理府に団員候補者を推薦する場合には男女ごとの推薦順位を付した団員候補者一覧表と団員候補者それぞれについて、書類(省略)を提出するものとする。

四、総理府における選考(省略)

五、決定およびその取消

(1)一般団員に内定した者が良好な成績で事前研修を修了した場合に、一般団員として正式に決定する。

(2)一般団員として決定された後であっても、出航前または出航後において、団員として不適当と認められた場合は、一般団員としての決定を、取り消すことがある。

(3)出航後、一般団員としての決定を取り消された者は、下船させることとし、その帰国に要する経費などは本人負担とする。

性の問題も話合う

山口県で「女子クラブ員のつどい」開く 男性はオミット

【山口県=松尾耕助連絡報道員発】山口県農村青少年クラブ連絡協議会(会長、神田勝徳君)主催の「女子クラブ員のつどい」が、さる二月二十六、二十七の両日、防府市牟礼にある県経営伝習農場新生館で開かれた。

このつどいは、女子クラブ員相互の親睦をはかり、女子クラブ員のあり方について学ぼうというもので、県青少年クラブにとっては初の試み。それだけに、女子クラブ員のつどいへの参加呼びかけや、内容などに対する女子役員の力の入れ方は大変なもの。男子役員も頭の下がる思いだった。県連副会長の坂本道子さん(四十五年度米国派遣クラブ員代表)は「参加者は二十余名であったが、農閑期で各方面へ出かせぎに出ている女子クラブ員が多いので仕方がないと思う。しかし、こじんまりしている中にも大きな夢と、建設的な意見が出され、ほんとうに良い話し合いができました」と感想を述べていた。

体験記もとに「結婚」考える

話し合いでは、最初からむつかしい話題と取り組むと意見も出にくい恐れがあるという配慮で、一番身近かな問題である「結婚」と「女子クラブ員のあり方」の二つをテーマとしてあげた。

結婚については、今まではクラブ員同士お互いの中から問題点をあげたり、先輩女性を招いて話を聞いたり、というスタイルで大きな会議の中へ取りいれていたが、今回は「農家に嫁いで」と題して柳熊地区生活部が共同プロジェクトとして取り組んでいた主婦の立場の体験記が発表された。

これは、戦争時代に見合結婚をして、姑に一生懸命につかえてきた嫁の姿や、4Hクラブ員同士で恋愛結婚をし、夫婦一緒で働くことの楽しさにかける若い妻の夢、そして娘の幸福を第一に思いながらも、長女は後継者として出すべきではないと考え、婿養子を迎えた母親と、娘の幸福のためにはと嫁がせた母親、また長男の嫁には立派な花嫁道具よりも、健康で明るく強い精神の持ち主を……と願っている母親の立場など、農村に生きているさまざまな主婦の意見を取り上げたもの。日頃、あこがれから「結婚」について話し合っているクラブ員にとって「結婚」という新しい人生の持っている数多くのきびしさと苦労、そしてその中にある楽しみと生がいなどを教えさせられた。

立派な子供生み主人と共に

これとあわせて、北海道で研修を受けて、帰ったクラブ員に、届いた、受入農家の奥さんの手紙をもとに、女子クラブ員が考えていかなければならない問題についても発表があった。

この手紙の中で「働くのみが女の仕事ではない。料理、縫物はもちろん、対人関係の上手なこと。頭がきれ、何でも理解でき、立派な子供をうみ、育てる能力、そして家庭内を明るく、上手にまとめて主人と一緒に考えて働き、それでいて主人より一歩さがって生活できるような人、この中にはよくない面もあるかと思うが、自分としてはこれが理想的な嫁の姿であると思う」と言っている。

これは、女子クラブ員の胸に大きな波紋を投げかけたようである。

婚前の知識など学ぶ

夕食後の研修は、「婚前教育のすすめ」「結婚の日のために」というテーマのフィルムを見て、現在大きな問題となっている性教育について、県普及教育課の生活改善普及員を講師として招き、結婚を前にして知っておかなければならないことやしなければならないことなど、男女交際の正しい姿について各人が、持っているなやみを打ちあけながら、先輩女性二人の経験談も含めていろいろな話が出された。この間、県連の男子役員は、会場からオフリミットされブツブツ。内容については詳しくはわからないが、女子クラブ員によるまとめは次の通りである。

「恋愛から結婚へもっていくまでの段階のむつかしさや性生活が行なわれることによってお互いの評価点が、結婚前よりも二十点〜三十点上るはずです、と言われる講師の話にほおを染めながら、性の持っている本当の意味をつかみとろうと、みな一生懸命に耳を傾けていた」

この話が終っても、各部屋でそれぞれの悩みを語り合い、夜のふけるのも忘れさせた。

よいリーダー(男性)いない?

二日目は、午前八時三十分から「女子クラブ員のあり方」について、各人のもっているクラブに対する意見を出し合った。その中で、クラブ員としての自覚と存在価値を認識することの重要性とクラブ員とリーダー間にあるミゾについて話に花がさき、真剣に語り合っていた。

このほか、活動内容などについて、将来、役立つ物を何かしたいとか、嫁としての心構えを養う、友だちを見つけ見聞を広める、また、女子クラブ員の活動がスムーズに行なわれにくいのは、女子を会合の中へうまく溶け込ませることのできる男性、よきリーダーがいないからでは?とか、女子の価値や性格を知って、女子の行ないやすい作業をとりあげていったら男子と一緒の中での女子活動も行ないやすいのではなかろうか、という方向にまで発展し、自分が責任をもって仕事(農作業)をしている人ほど、クラブの中へ溶けこみやすく、男性側としても、自分たちの出した線に女性が盛りつけをし、協力しながら一緒に進むことによって、本当のクラブの意味があり、男女一緒の活動の素晴らしさがあるのだろうという結論らしきものに達した。

今後の活動には新しい気持で接し、夢を実現できるようにと、参加者全員が決意して、今回のつどいの幕は閉じた。

なお、初めてのつどいとしては、内容が豊富であり、意義深いものであった、という反省文の多いのが役員一同を大いに喜ばせ、さらに次回のつどいへの意欲もうかがわせた。

花嫁修業はまず心から

山口県 柳熊 地区 連で 女性だけの文集を作成

【山口県=松尾耕助連絡報道員発】柳熊地区農村青少年クラブ連絡協議会生活部(部長、田坂恭子さん)では、いま、"農業に生きて"という課題で、文集「つりはし」の編集に入っている。

これは、クラブ員やクラブの先輩、農家主婦など女性だけの意見を集めたもので、内容をみると、「私の結婚」では、見合い結婚と恋愛結婚の二人の体験をもとにした考えや、農家主婦の立場から、長女の結婚と長男の結婚に対しての意見などまとめられている。

嫁に対して「立派な花嫁道具よりも健康で明るく、強い精神力の持主の方が望ましく、花嫁修業をするにも、まず心の修業から」などという要望のほか女としての幸福、母の教えなど、あらゆる角度から農村に生きる女性としての意見が書かれている。

③ ヨーロッパ農業に学ぶ

異る後継者の感覚

干拓事業 国をあげての大事業

オランダは、国土の三分の一以上が干拓地で「世界は神が作ったものであるが、オランダはオランダ人が造ったものだ」という言葉があるというだけに干拓はオランダ国民あげての大事業であった。

その中でも特に大きなアイゼル湖の干拓地を去年九月二十四日にわれわれは視察して、その言葉が誇張でないことを痛感した。干拓は、ドクター・レディの提案で六十年間国民(千二百八十万人)一人当り八百円の税金を財源に今は最終場面へと来ている。

干拓のシステムは次のとおりである。干拓というと、われわれはまず埋め立てを連想するが、ここでは湖の周囲に堤防を築き、その中の水を干し上げるだけであって埋め立てはしない。アイゼル湖は昔は湾で海水であったが、一九三二年湾の入口に三十四㌔の堤防を完成し、湖の流れを止めた。堤防を作る場合、砂を二〜三㍍盛り上げその上に道路を作るが、土壌が軟弱のため、石を使用したり(石はオランダ国内にないので、ドイツ、ベルギーから輸入する。一個百円程度である)、パイルを打ち込まなければならない所もあった。

その後、ライン川から水を引き五年間で海水を押し出し、現在は真水となっている。土中の水分を取るために飛行機などにより、空中よりあしの種をまき、葉の蒸散作用によって水分を取る。それからも、溝を掘って水をポンプでくみ出し、あしをなくすために、二〜三回刈り取り、それを燃やして耕し、ルーサンをまいて土を肥し、その後やっと耕地とする。この間約十年が必要でありこの事業がすべておわった時点で国民に入植させる。

入植条件は、中等以上の農業学校を卒業した者で二十五〜五十歳までの妥帯者でなお両者の年齢をプラスして五十歳以上の者とされ資金の調達能力のある者に限られている。その金額は一㌶当り穀物農家で二千五百ギルダー(二十五万円)、畜産農家で三千五百ギルダー(三十五万円)であり、一般的には四分の二を知人親戚などから借り、四分の一を銀行から借り、四分の一を自己資金として用意するようである。銀行から借りる利息は八・五%である。

オランダ

契約期間としては、長期と短期にわかれており、短期が十二年で農具舎、住宅に至るまで政府で貸し、規格にはまった建物である。長期の九十九年の方は、農地以外はすべて自分で建てる、この二つの形である。これらの土地はすべて国有地のため後継者の無い場合は政府に返すことにしている。政府では、これを近くの人に貸しつけるので周囲の農家の経営面積がふえる。

東干拓地は五万四千㌶、東北干拓地が四万八千㌶で両方ともすでに入植が完了している、南干拓地四万三千㌶、西干拓地六万㌶がまだ残っている。一戸当り平均二十四㌶であるが、最低はその半分十二㌶、最高は七十二㌶の所有者もいる。干拓地の中でも場所により肥沃度が異なるので、その土壌に合った作物を作っているが、大体中心地に野菜や穀物、果樹などが栽培され、周囲で酪農が行なわれている。穀物農家の平均的作付体系は四分の二が穀物、四分の一がビート、残り四分の一がジャガイモで種用と食用が半々である。

オランダは元来農業国として歩んできたが、EECの農産物過剰により頭うちとなり、最近は工業化の方向を打ち出しつつある。現に農業地帯として造られた東北干拓地帯でも工業用地として用意された所もあり、新しい干拓地では工業用地として計画変更された所もあるという。

この様な条件の中で後継者が農業を嫌って勤めに出る傾向も、十年程度前から出始め、特に八〜十㌶程度の小規模農家に多くその傾向が見られ、その結果現在の農業人口は八%となっている。しかし日本のような世襲ということはなく、親が子供に農業を継がせるために特別に努力すると言うことは無いようで、後継者の問題に関する感覚は日本とは大分異るようである。(四十五年度静岡県農業青年海外研修団農業班)

畦道

村のやさしさと拳銃

永山則夫、その当時十九才。昭和二十四年網走市生れ。いわゆる拳銃〈連続射殺魔〉である。いま、彼は東京拘置所で憑かれたようにエッセイを書き続けている。「あの頃、なんでやらなかったらいけないか…自分でいまでもわからない」(第十回公判の発言)と言う。その〈わからないこと〉を執拗にわかろうとしているのだろうか?

また、彼の拳銃は、彼の〈言語〉であったと解説する人もいる。だが、私たちは、集団就職で上京してきた少年の都市に対する心象を、わかることができない。ただ、五歳のとき母親が去り、次いで父親が蒸発してしまったという事実に何かを感じることができる。都市が繁栄し続けている間にも、網走では、一把のウドンに兄弟四人と過ごしていたという事実に。

◇

『人も無き古りにし郷にある人をめぐくや君が恋に死なする』これは、男に蒸発されてしまった女の万葉の歌である。だんだん人が住めなくなってきた旧都に残された女は、狂おしく歌っている。

蒸発。いつもそれは、残された人々に暗い心を育てているようだ。「ある日突然に」、これは都市型。「それまでの便りがプッツリと」、これは農村型である。都市の場合、中堅のエリートに多いという。はたから、何の不足もないと見られる人がある日突然に消えてしまう。何ものかに耐えきれなくなった人が、全てを捨てどこか遠くへ走るのだ。そして農村の場合は、それは出稼ぎによって起る。いつか、彼と村をつないでいた一本の心の糸も切れてしまう。彼の心にうっすらと燃え続けていた村の火が消えてしまったのだろう。

まじめであるが故に都市の汚濁に呑み込まれていく彼たち。そして、棄てられた〈女の心〉や〈小さい心〉は、男たちを奪っていった底知れぬ何かに対し怨嗟の情を醸します。もういまでは、昔から村にあったという〈ゆるし〉や〈やさしさ〉までも蒸発してしまったのだろうか?

(T)

こんなことをしています 各種農業団体

全国購買農業協同組合連合会

高利からの解放へ 自動車代の分割決済

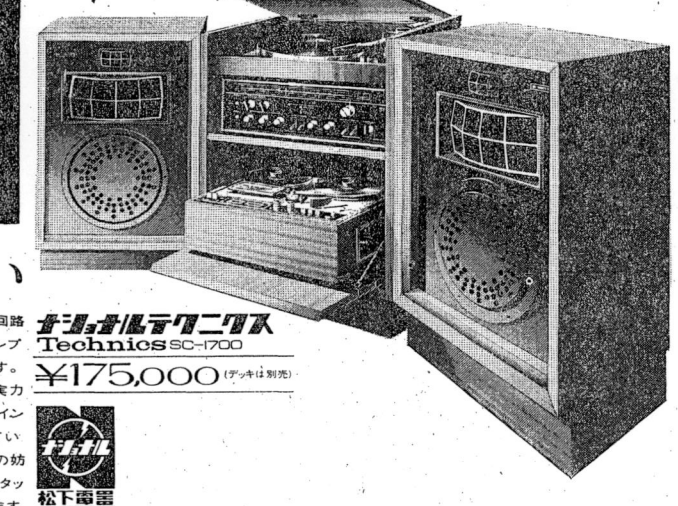

昨年来、自動車の新たな流通事情に対処して、現金決済の有利性を明確にしつつ、系統農協独自の「自動車代金分割決済制度」を提唱、この浸透に力を入れている。自動車購買事業は、農村の急速なモータリゼーションの進展に対し、❶取扱い体制の確立❷基幹農協の設置育成❸購買の計画化❹資金対策(農協自動車ローンの制度化)を基本施策としているが、さらに強力に推進するため、この制度を打出した。すでに、青森、秋田、長崎などは実施、四月からの県もかなりある。

この制度の狙いと背景は、大衆自動車の全国的な需要増加にともなって、販売競争も熾烈化し、割賦販売のウエイトが七〇%に近く、まだまだ伸びつつある。資本自由化を目前に、販売系列の再編成、販売競争の激化の傾向から、販売店による金利が強まり、割賦販売による金利収入に依存、また、金利引上げの動きがあるなどの一般情勢にかんがみて踏切ったもの。

また、現在、農家が購入する自動車のうち、農協利用はほぼ一六%で、一部の農協を除くと高い金利の割賦で販売店から直接購入している。それにともなって、その頭金、割賦金を農協貯金から引出すなどのケースが多いことなどの事情も、考慮してのことである。

そこで、農協としては、早急に自動車取扱いの体制づくりをするとともに、農家の資金事情や消費の実態、つまり、乗用車購入者の大半が農家の後継者や家族など若い人、農外所得者で農協との結びつきが薄く、現金決済が円滑に行なわれにくいのを是正する必要がある。

分割決済の実施により、❶組合員が高い金利で自動車を買わされることから守る❷組合員の購入する自動車を、系統購買のレールに乗せるのを目的としている。そのため、制度は、農協を実施主体として組合員向けの供給条件を、現金決済と分割決済の二本立てで設定、連合会は後者に対し一定期間の繰延べ決済の措置で、バックアップする。

農協の金利は、アドオン方式で年五%基準と考え、その他の所要資金量、実施の前提と手続きなど、詳細を記した手引きはすでに全国の農協に配布ずみなので、利用していただきたい。

〈注〉アドオン方式 融資を受けた全金額に対する利率を前もって計算、それを均等分したものを分割返済金に加えて支払うものをいう。 (広報部)

農林中央金庫

マイカーは火の車 コンピュータによる生活設計の診断

農林中金が昨年四月から実施している「コンピュータによる生活設計診断」の集計がまとまった。これは農協の組合員が、わが家の所得、家計費、借り入れ金、預貯金などを申し込み用紙に記入して中金へ送ると、コンピュータが生活設計の助言をしてくれるというもの。

今回集計したのは昨年四月から十一月まで八ヵ月間に診断した五千三百七十一件で、一家庭あたり平均年間所得は百三十一万円、そのうち二十一万円(一六・二%)が預貯金にまわされている。借り入れ金は平均四十三万七千円の残高があるが、一年間に十六万六千円が返済されており、家計のバランスも決して悪くない。

このように全体の平均数字だけを見ると、農家の生活は安定し、生活設計も順調に進んでいるかのように思えるが、中味を分析するといくつかの問題が指摘される。

第一に注意しなければならないのは農家と勤労者世帯との家族数の違いである。統計では農家所得が勤労者所得を上まわっているが、勤労者世帯の家族数が平均三・九六人なのに農家の場合は六人以上の家族が同居している家庭が全体の四五%、四人以上が八八%もある。これは家族一人当りの可処分所得(使えるお金)が農家では勤労者世帯よりもすくなくなるということだ。だから所得がふえたからといって都市の勤労者と同じように消費に走りすぎると貯蓄が犠牲になる。今回の診断結果を見ると、全般にその傾向が強い。消費水準は都市の勤労者世帯なみだが、預貯金のほうは五十万円未満という家庭が全体の四〇%もあった。

第二は教育資金を準備している家庭が非常にすくなかったことである。子どもの教育資金は早目に準備しなければいけないと頭の中ではわかっていても、何とかなるだろうという気持ちがあるのか、なかなか実行されず"イザ"という時になってあわてる例がすくなくない。

第三はマイカーの問題だ。都会にくらべて交通の不便な農村では自動車の必要性はよくわかるが、所得を無視して車を買うと"マイカー家計は火の車"になるおそれが大きい。自動車を一台維持していくには経費と償却を合わせて年間約二十五万円かかる(普通車の場合)。それにもかかわらず今回の診断では所得が五十万円未満の家庭でも三六・四%がマイカーを持っていた。こういう家庭ではよほどしっかり生活設計を立てないといけない。

(コンピュータによる生活設計診断を希望される方は農協へ申し込んでください) (総務部)

一干拓に十年も　オランダ

静岡県浜松市　渥美登美男

二面に掲載中の『ヨーロッパ農業に学ぶ』は、静岡県の産業青年海外研修団の報告書である。この事業に参加した浜松市の渥美登美男君より、そのおりの見聞と印象を記した一文が送られて来ているので、あわせて読んでいただくことにしたい。正式な報告書とも異なって、ある意味では、よりリアリティが漂っているかもしれない。

今年度で第二回目に当たる視察はEECを中心とし、オランダ、フランス、西ドイツ、スイス、イタリア、ギリシャの順に十六日間、一ヵ国二日内外というハードスケジュールであった。寸暇をおしんで、歩き、食べ、見、語った中で（本当はろくすっぽ英語は話せないんだが）、私が特に興味を持ち印象に残ったのは、オランダとスイスであった

まずオランダは、教科書の冒頭に書かれてあるといわれる「世界は神が造った、だがオランダは、オランダ人はオランダ人が造った」といわれているとおり、実際日本の九州くらいの面積しかない国土、しかも世界第一の人口過密国である（実質的には、シンガポール、香港、モナコについでだが）。

にもかかわらず、第一泊した街中のホテルの朝食時でさえも、車の騒音がしないのに驚かされた。まるで田舎にいるような気さえする。いたる所に原色の花が飾られ大木が立っている。オランダに一ヵ年研修に行っていた先輩が「犬の頭をたたいたらオランダ人が真剣に怒ったよ」といった言葉を思い出し、なる程と思われる。それくらいオランダの国民性は自然を大切にする気持の強いことがうかがえると思う。

人口多くても静か

車の騒音にしろ何にしろ、日本の住宅能地一五%に対し、オランダの場合九五%とケタはずれに異なるので、日本のほうが一定の所に人口密度が増すのは当然であろう。しかも水面以下三~四mはざらである。

やはり生産過剰が

この水に関係した干拓事業だが国民一人当り八百円の税で進められており、一カ所の事業が完成するのに十年の歳月を費やす。まず堤防を築き海水を外海へ排出、そこへ土壌修正のため、真水を入れ排水。その後、アシを空中散布し二度刈り取り、今度は牧草などに散布されているルーサンを空中散布して刈る。その土地に農地八五%、住宅一%、森貯水地五%、運河、道路九%と事業当初に決定してあるように整地される。あくまで計画的に着実に実行される。まるで4Hのプロジェクトである。これが本当の国造りであると思う。

だが最近は農産物過剰により工業用地が増えて来たようである。日本と比べて下さい。一回舗装した道路を何回も掘り返すようなミスは何もない。道路は立体交差が多いし電柱は地下埋設である。

また福祉制度が発達しており、人びとは安定した生活を送っている。だがそのために労働意欲の減退、私生児の増加などが問題になっている。私生児問題などは法律でおろすことが禁じられているため飛行機をチャーターし、外国旅行と称し、イギリスへ行って処理してくるとのことであった。また、国民性も良く、のんびりした性格の人が多い。そして、この国の女性は平均して美しい。（ただし二〇才以下）

フランスは、パリを見てフランスを語るな！と言われるとおり、パリは経済不安定で、品物は、市場価格の三~四倍の小売である。道順をたずねて、ノーコメント。観光地に街頭写真などがあり、四~五枚で四千円も取られた人があった。人々は夜中の二時三時頃まで遊び歩いている。

パリはファッションの街といわれるが、オランダよりもむしろ地味であった。ただファッションの震源地ではあるかもしれない。歴史跡をみながら、英語を話せるのにフランス語しか話してくれない人に対して、歴史とは何か、と街行く人に尋ねたいような衝動にかられた。

産業面では、ランジス中央市場という、現在世界で第一の規模といわれている所へ行った。まだ建築中の所もあったが、市場内にゴミ処理場のある所もめずらしい。例えば、魚の〝せり〟に世界各国（ヨーロッパ）からの魚の価格が電光掲示板で知らされ、それを見ながら〝せる〟という。また、場内には、荷車のレールが敷かれており、これだけを見ても、さすが世界一という感がする。

ドイツでは、地形が日本と類似しており、黒い森といわれる森林地帯は、何と一ヵ所が静岡県くらいの広さで、バスで三時間近く走るほどである。ここのステバッハ村の構造改善事業などは、村全体で家まで新築する。村長の任期八年、再任制は十二年だから、再任されれば二十年間は、村長である。

職業訓練行き届く

ヒットラーの時代にできたアウトバーンも素晴しいが、走っている車のマナーが良い。日本人は、前に車が走っているとそれを追越し、追越し目的地へ行く。だが、こちらは後続車がスピードを上げれば、スッとよけてやるという風である。国民性の違いであろう。

ウイリアム・テルが統一したといわれるスイスは、精密、観光、化学の五大業が発達しており、世界で一番住みよい国といわれている。確かに物価は安く、経済的に安定している。マネーチェンジはスイスで、というエージェント。国境の検問など他国に比べ厳重である。旅行者が多く流通が激しいためということである。

ヨーロッパ全体、職業訓練が発達しており、スイスでも国営と企業と両方ある。我々はミグロスという生活協同体を視察に行った。この組織に国民の半数が加入しており、ミグロス政党という、消費者を守るため政党員が、国民の九%いるとのことである。

現在、政治問題で大きくなっているのが、外人問題である。スイスの産業は、国民の二〇%の外人を入れて発展してきた。だが、もしここで戦争が起こったら、どうだろうか？　国民の二〇%が減ることになるであろう。としたら、国の産業はどうなるか。そこで、外人排斥党ができ、前年度の投票では、排斥四十六、保守五十四の少しの差で、今年はまだ多人労務者が居残ることができるそうだ。なぜ、ここまでに至ったか。現在日本も、労働年齢が日増しに高くなってきている。それに拍車をかけるように、産児制限が増えている。その結果がスイスで現われているように思う。

私のプロジェクト

こうする今年の稲作

北海道沙流郡平取町振内　奥村好志

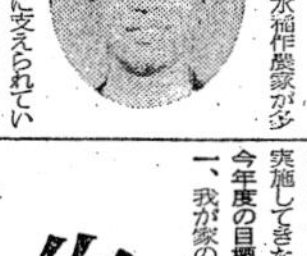

慎重に品種選択
収支、労力を調べて
作業体系を組まねば

近年の目ざましい農村の発展にともない経営の近代化が叫ばれている現在、真の近代化を見きわめて我が家の経営安定化を目ざしていきたいと思う。

私の住む町は、水稲作農家が多く町の経済もそれに支えられているといっても過言ではない。すなわち、我が家の経営の発展が町の発展にもつながる、この職業に従事できるということは、これからの経営を行なうにも大変心強いことである。しかし、家族の労働負担は、近年の高賃金と農業者不足もからんで非常に大きな問題となっている。そこで今年度のHPの課題として「我家の農業経営」を実施してきた。

今年度の目標

一、我が家の労働調査
二、経営計画により営農を実施する
三、我が家の収支を調べる

（一）、耕種概要
種子消毒四・一二ルベロン錠で行ない、播種は四、一九~二二条播で三・三㎡当り一、四四ℓ。移植五、二八~六、四で栽植密度は三十六×十八㎝。除草は三回ほどやり防除は二回であった。昨年は天候に恵まれ病害虫が少なく九・一六~一〇・三〇で収穫をむかえられた。

（二）、土壌断面および分析
我が家の土壌断面図を説明すると表土が火山灰性砂土壌が十㎝、その下は砂層、新規粗粒火山灰で肥料の保持力が弱い土壌である。もう一つの断面は、火山灰性砂土壌五㎝ぐらいで、その下は重粘土となっており、秋には排水が悪い条件にある。

分析の結果は、PH五・〇でアンモニア態窒素を含むとなっていて、窒素が多いと葉は濃緑色となり、茎や枝はむやみに大きくなり細胞がやわらかくなるために倒状や病害虫を受けやすい。また、有効燐酸も含んでいますが、燐酸吸収力が強く、そのため肥料を施すに当って、燐酸、カリなどをかなり多く施さないと効果が出ない土壌のように見つけられます。

施肥設計

		20Kg当り		我が家の設計10a当り	
肥料名		551号（高度化成）	666号（高度化成）	551号	666号
肥料成人	N	3.00Kg	3.20Kg	7.50Kg	8.00Kg
	P	3.00	3.20	7.50	8.00
	K	2.20	3.20	5.50	8.00

（三）施肥設計
我が家の土壌に合せた肥料として六〇六号の肥料を一〇アール当りN八・〇〇㎏、P八・〇〇㎏、K八・〇〇㎏施す。また、N七・五〇㎏、P七・五〇㎏、K五・五〇㎏など施し、後から除草のために追肥など施しました。（図表参照）

（四）特性調査
幼穂形成期（早生）は、七、一〇日、（中性）も同じ晩生は二日遅れて七月十二日である。また、出穂期は早生の八月二日。中性と晩生とが同じ八月四日でした。成熟期ですが、早生の九月十二日、晩生の九月二十日でやはり早生と晩生とがはっきり成熟期でわかりました。倒伏のほうは、ホウリュウだけが倒状でした。

（五）天気日数
天気日数は、我が家で農業気象観測をやっているのでこれを利用して調べたものである。あくまでも九時での観測の天気日数であるが、今年は天気に恵まれて雨の日が少なく晴天日が多く目立ったと思う。あいにく、稲の一生のだいじな時に雨降が少ないのが原因で今年のような年になりました。四~十月の降雨は四九八㎜である。

（六）家族別労働時間
自家労働時間を家族別に見ますと、本人が一番多く千五百八時間、父の千四百六十時間、母の労働時間千二百七時間。母の体があまり強くないためこのような時間になった。総労働時間として四千百七十五時間となったが、今年はあまり雇用労働を入れなかったからだと思う。

（七）収支結果
収入は、玄米の百九十万二千四百十五円となった。支出合計は五十三万五千四百九十五円となり、農業所得は百三十七万六千九百二十円となった。肥料費、租税公課、農具費が多くかかっている。

（八）経営分析結果
所得関係を見ると、農業粗収益百九十万二千四百十五円、農業支出五十三万五千四百九十五円、農業所得百三十七万六千九百二十円、農業所得率七〇%と中位である。我が家の生産要素である経営面積は、農業従事者一人耕地面積で少ないことがわかった。以上のことから、将来の農業としては理学的、省力化した経営に努める。

今年のまとめ

イ、安全確収でなければならない
ロ、計画的でなければならない
ハ、水稲の品種選択は慎重でなければならない

明年度の課題

イ、土地改良
ロ、経営規模拡大
ハ、労働時間の省力化を計る
ニ、各種作業体系の作成

ガーベラづくりを

神奈川県相模原市みのり会　関口みちよ

我家は、現在、七人家族であるが、農業労働力は五十七歳の父と私の二人きりで、母が家事一切を担当している。耕地は百四十アールで、大和いも、いちご、秋なす、ほうれん草、ガーベラを中心に栽培している。いままでは、クラブ活動などで片手間程度に仕事をしていたが、今年は、自分なりの役割を経営内に見つけて行きたいと思っている。

そこで、二つの計画を立てた。

1、冬期における作付問題（大和いも以外の作物）
2、ガーベラの栽培作業

前者については、年間を通して労働の平均化が出来ていないためである。特に、冬期の作付けは秋の収穫と重なり、二人だけの労力では、十分計画を練る必要がある。そこで、今年はホウレン草の作付けでやってみようと思う。

後者については、年前に取り入れたガーベラ栽培における作業を担当することで、特に、出荷に多くの時間を要するため、他の作物との関係を考えることが大切であるからである。

めざましく宅地化が進んでいる現在の私の環境で、自分なりに充実した毎日が送れる仕事をして行きたいと思う。

根系障害を防ぐ
水稲は土作りから

富山県新湊4Hクラブ　東沢敬剛

僕の住む新湊は、今や臨海工業地帯として発展の途上にあり、近い将来は対岸貿易の拠点地となるべきところだ。そのため、兼業化の増大は当地も例外ではない。現在、我が家の経営は、二・四ヘクタールの水稲単作であり、労働力は母と僕の二人なので、品種の作付配分により、労働の緩和をはかるため、早生一・一ヘクタール、中生〇・五ヘクタール、晩生〇・八ヘクタールといった具合である。将来まで、このような経営を続けては先行きは大したものでない。

昨年のプロジェクトは、増産と良質米生産に直結する水管理と、根の健全化について取り上げてみた。腐植過多の湿田であり、下層は地下水位が高く、透水性が小さいので土壌の還元が強く、水稲の根気障害のおそれが極めて大きい。水稲の活着がおくれるので、根系障害を防止のための中耕や、水管理が行なわれ難く、肥よく土であるので土壌分が多く、水稲の生育中期以降、過繁茂となりやすいために、病害虫の発生も多く、登熟歩合に影響している。

特に根の活力と、生葉数は養分吸収などの面に深いつながりがあるし、土壌及び水管理などの面から、土中の酸素不足の対応策としては間断排水である。面倒ではあるが、硫化水素の発生や有害ガスの発生防止に結びつくことにより根腐れ防止がなされ、刈取り時の生葉数も三枚くらいとなり、登熟向上に結びついた。他の隣接田では、根の伸長が黒色色化した。表層面に根が多く、深層からの地力窒素の吸収が行なわれないので、根上がりのような現象が見なれた。

やはり適地適作
法的に請負耕作を

収量は十アール当り五百二十キロで、昨年より減収であったが、二等米、三等米で、全売渡し数量が達成できた。ほんの一段階的なプロジェクトであったが、今後は、体系的な経営本来の面から行ないたい。

今日の余剰米対策として、作付転換及び休耕の推奨、そして買入れ制限あるいは二段米価などが提言され、我われ米作農家にとっては、ますます厳しい情勢となった。また、それに加わり、畜産物、茶、オレンジなども貿易の自由化にともなって窮地に追いやられ、もはや国際舞台にやむなく進出せねばならぬ状態になった。

こうした情勢の中で、従来通りの米作りでは先が暗い。今日の食管法において、米価はすべて国まかせであったことにより、市場性販売といった経営の概念がなかった。需要、供給、市場性など常に新しい情勢に対処しなくてはならない。今後の農業は、オール兼業化すると、ある新聞紙上に書いてあったことがある。しかし、このままでは、財産保持のための過剰投資に過ぎない消極的な方法である。

今後は、請負耕作を法律的に認め、大型機械導入による農業経営の規模拡大により、生産コストの低下をはかる。だが、米の過剰という問題はこれで解決はしない。やはり、適地適作で、生産地区の区分により、計画的な生産をはかり需要のバランスを考えるしか方法がないように思われる。

集団における指導者
リーダーシップ　人と人の相互作用　利害の対立生まずに

埼玉県農業普及課では、このほど『集団活動の手引き—農村青少年クラブのための—』を発行した。各クラブにおいても、現在は年度末に近く、次期リーダーが決定したり、しつつある。そのため、この冊子のなかの「集団におけるリーダー」を、掲載させていただく。筆者は市川普及活動（青少年）専門技術員、4Hクラブリーダー養成のために執筆されたものである。

1、リーダーシップとは

集団が発展的な活動をしていくためには、よき指導者がいなければならないとか、リーダーシップが大切だということがいわれている。指導者とかリーダーとか、あるいはリーダーシップという言葉をわれわれも常に使っているが、リーダーとリーダーシップという言葉をはっきり区別して用いているかというと、必ずしも区別しないで使っているばあいが少なくない。

リーダーを指導者と訳し、リーダーシップを指導力と解している場合が多い。しかし、リーダーシップを指導力と解したのでは、その本来の意味がちがってくる。指導力というのは指導する者の能力であるから、指導者としての立場にない者は、リーダーシップを発揮することができなくなってしまう。リーダーシップとはそういうものではない。

たとえば、グループの発展にはメンバーのすべてがリーダーシップを発揮する必要があるといわれている。もっともなことであるが、この場合リーダーシップを指導力と解釈すると、メンバーのすべてが均一の指導能力であれば、その能力の発揮はできないし、メンバーの指導能力に差があれば、指導能力の高いものだけが、その能力を発揮できるということになる。

また、リーダーシップを指導力と解釈すると、ヘッドシップとか支配というばあいの指導力との区別がつけにくくなる。ヘッドシップもまた指導力と訳さざるを得なくなり、リーダーシップもヘッドシップも同じ指導力という表現になって、そこに混同や混乱が生じてくる。

そこで、リーダーシップを指導力というように考えないで、指導の作用という解釈に立った方がよい。つまり、指導者個人の身にそなわった能力という考え方ではなく、人と人との間に生ずる相互作用という観点からリーダーシップの概念をとらえるとよい。

このような観点に立って考えると、リーダーシップとは集団的機能の一つであり、それは広い意味で、複数の個人を一定の目標達成に一致して貢献せしめる作用を指すのである。

従って、それはリーダーだけが独占するものではなく、グループの各メンバーもリーダーシップを発揮すべきものなのである。

リーダーシップとメンバーシップとは、民主的な、グループ（4Hクラブなど）においては別々のものではないようだ。

リーダーシップを指導の作用という意味に解釈したばあい、この作用と似た現象を指すものに支配もしくはヘッドシップ、あるいは大衆操作という現象がある。

ヘッドシップの特徴の一つは、指導者（作用主体）と追従者（作用客体）とが、目的において必ずしも利害が一致していると限らないという点である。しばしば利害が相反し、対立するという場合がある。第二の特徴として、方法において作用客体の態度や行動を組織の中にある権力や権威の力を背景とした強制力を行使することによって、変えていこうとする点である。

これに対し、リーダーシップは、作用主体と作用客体との間に利害の対立というものが存在しないのであり、態度や行動を強制力によって変えるのではなく、作用客体の自発性の刺激を通し、すなわち心からなる支持と心従とによって行なおうとする点に特徴がある。

リーダーシップ、大衆操作、ヘッドシップ、支配といった現象を、作用主体と作用客体との関係において、その利害関係の対立という点と強制力の行使という点について比較してみる必要がある。

グループのリーダーは、メンバーの自主性、自発性を重視しなければならない。

2、リーダーの性格と態度

他のメンバーからもリーダーであることが認められている人で、リーダーシップを十分に発揮しうる場合、その人はリーダーということができる。

青少年クラブの現在あるいは将来にむかって、どのようなリーダーが望まれるのであろうか。オランダのJ・ティンベルヘンは「新しい経済」という著書の中で、先進社会で指導的役割を果してきた人々の共通的な態度として、次の九項目をあげている。青少年クラブのリーダーにとっても示唆深いものがあると思う。

❶物質的な富への関心
❷未来への関心
❸冒険の精神
❹技術への関心
❺強い意志
❻辛い仕事に耐える能力
❼多くの人びとと協力する態度
❽新しい思想を受け入れる態度
❾複雑な現象の論理的な分析能力

リーダー（指導者）として必要な行為のあり方については、多くのことがいろいろな形で示されているが、次のこともその一つである。

1、民主的な考え方に従って行動する
2、真心のこもった奉仕をする
3、自分のやっている仕事に対し、常に目的を心の中に意識している
4、他の人びとにいつも注意を払っている
5、前に進もうとする他の人に喜んで援助し、手を貸し、あるいは一部を担当しようとする
6、大きな仕事を成し遂げたあとでも、小さい部分の仕事を喜んでする
7、目立たない存在であっても知性的である
8、謙虚である
9、失望、落胆を知らない。

以上の項目に関して、自分の行動を絶えず反省し改善の努力を続けることが大切なのである。

★　★　★

NHK農事番組（4月1日~11日）

テレビ

明るい農村　6・30~6・55総合
1日　話の広場　転耕田の決算書（東京洋菜研究会）山崎敬一
2日　村をむすぶ　札幌、名古屋、広島、福岡、東京
3日　農村新地図　埼玉県岩槻市
4日　明るい漁村　▼コンピューター漁業　▼海の百話　さくらだい
5日　村の記録　きびと肉牛（沖縄）
6日　きょうの話題
7日　産物往来　パン
8日　話題の広場（新農薬開発）東京都理化学研究所から中継録画
9日　村をむすぶ　仙台、大阪、福岡、東京
10日　農村新地図　千葉県館山市　詩人・関根弘

農業教室　7・30~8・00　教育
1日~3日　大規模稲作と作業計画（農林省農事試験場）高橋保夫
5日~7日　農政と稲作の方向（東京大学教授）金沢夏樹
8日~10日　自由化と日本農業（農業総合研究所）唯是康彦

あすの村づくり　日　7・00~8・00　教育　再　土　13・00~14・00　教育
11日　▼協同化—その成立の条件その1　▼静岡県御殿場市（東富士農場）石田九一　▼熊本県鹿山村（室山養蚕農協組合長）吉本平　（日本獣医畜産大学教授）吉田六順　（農技研経営土地利用部）森島隆ほか

ラジオ

早起き鳥　5・05~5・57　❶
1日（5・45~57）人と話題　庭木苗産地をめざして（北海道丸瀬布町長）越前修吉
2日　現地報告　農協がきずくニュータウン（横浜市港北区）
3日　村のポスト　投書・たより
4日（5・35~57）話題の窓　食糧消費動向の調査から（日本リサーチセンター）森宏
5日（5・41~57）人と話題　小笠原の近況（東京都小笠原村）通信員平野哲夫
6日（5・41~57）人と話題　スーパー契約は野菜工場（兵庫県小野市）
7日（5・41~57）人と話題　天敵の普及をはかる（農林省園芸試験場　久留米支場）田中学
8日（5・41~57）人と話題　ヘイキューブ輸入の波紋（農林省流通飼料課長）井上憲一
9日　人と話題—ローカル（関東甲信越管中）多摩を掘る　塩野半十郎
10日　人と話題—ローカル（関東甲信越管中）さかんな薬用にんじん栽培
4日　話の広場　6・10~6・30　❶　ハウスで（千代田村）
4日　うつり変わる...（...告から）農林省...　内藤隆
新しい農村　6・...
11日　経営手帳　販売をめざして（...市）武井喜美雄（32才）（農業評論家）松下清雄

私のIFYE生活から

45年度の派米草の根大使の古川みどりさんより、その報告書が届いた。滞米中の便りにもあったように、言葉に関してかなり苦労したらしい。しかし、その体験が言葉についていろいろと考える契機となってか、おもしろい考察がなされている。

シャクな「言葉」 国民性はっきり表す

岐阜県小泉4Hクラブ 古川みどり

帰郷した私に対して、誰もが、「アメリカはどうだった?」と言う。「どうだった」とは、全くとらえようもなく無責任な質問だとは思うが、「良かったよ、でも、言葉には困った」と言うことにしている。

言葉と国民性と

他の国へ行いて一番困ることばと聞かれたら、私は、何をさしおいても"言葉"だと答える。

出発前の先輩の助言のなかに「言葉は何とかなるよ」などと言われ、さんざんしていた心配をやめ、出発して行ったのであるが、全く私にとっては大した問題であった。はっきり言えば、私の推測がまさに的中していた。

俗に誰もが言う、「人間同士だもん、心と心、手まねで何とかなるさ…」は、違ってはいない。確かに、読めなくても話せなくても食事は適当にメニューを指させばいいし、死ぬ恐れは全くない。しかし、それは全く最低限以外の何ものでもないことは、私たちが物見見学の旅行者ではなく、一草の根大使、アメリカの家庭の子となるからであった。

他のアジア、オセアニア州からの代表などと共に受けたオリエンテーションは、まずほとんど理解できなかった。いやそれよりも、IFYEの仲間ということで心からの友情を示してくれる友を目の前に、笑顔を続けるだけで言葉を理解することすら困難であるのだから悲しい。もちろん、同じ若者同士、別に私たちだけ仲間はずれにされるのではないけれど。そして、いくら話せないとなげいても急に英語が話せるわけでもなく、それがまたシャクの種なのであり「外国へやってきた」という喜びよりも、人々との対話を禁じられたくやしさの方がよっぽど強く、誰に、ということもなく腹立たしかった。

しかし、オリエンテーションのうちはまだ良かった。派米協の日本支部の人も居られたし、同じ仲間だから、ビールを飲み、歌をうたえば、私たちは一つになれた。そして、いよいよ、泣き笑いの一人旅がはじまる。それは、自分一人がたよりなのである。私の Poor Englishというのを、どの程度にとってくれたのか、陽気な家族は会うなり「ペラペラ」と二十分近くも話した。やっとの思いで「理解できないのです」と言うと、話しをやめて唖然としている。

というわけで、二十一歳の私も日本では、誰にも疑われる必要もなかったのに、最低十四歳までに下った。話す言葉は幼児なみ、遊び相手は、小中学生、英語の先生は八歳の女の子、教科書は小学校、四五年生用、先生はなかなかきびしく、「ふろはどこですか」という私の発音をbathとbusと間違えて、サンザンであった。th の発音は日本の中学卒業生の中で、一人でもできるものはあるだろうか。

「何で英語で、こんなヘンナ言葉で話しが出来るのだろう。いやいや、いまにきっと、日本語でペラペラと説明してくれるに違いない」と、何度ベッドのなかで考え続けただろう。一種のノイローゼだったかもしれない。

好奇心の強い私はすべてのものが珍らしく、建物の名前はおろか、料理から指ヌキにいたるまで「what?」のくり返しなのであるがその説明は、ほんの少々わかるのみ、あとは適当に「ウンウン」と言っていたが、理解できなかった。

英語がどれだけか話せることによって、もっともっと多くのことが知れたのに、残念であった。言葉が話せたら、彼らにだってそうはひけをとらないものを、と思ってみても、他のアジアのIFYEの流ちょうな英語には何と言うこともできなかった。言葉は、何としても一番の急所であり、それだけに散々苦労した。

それでも、第二の州へ行く頃には、日常会話ではあまり苦労しないですむようになっていた。そして、そこで会った派米協の研修生たちは、一年半の在米ながら私より英語ができないことを知った。私たちは計画の性質上会合も多く会う人も多い関係で、自己流ながら通じるようになっていたのであるが、農家の一労働者となっている彼らには私たちほど話すチャンスがなかったのだろう。

言葉を覚えるには、まず質問すること、日本語でわかっても表わせなかった言葉は、単語を調べ次の日つかってみることではないかと思った。

アメリカに渡っていた頃は、英語が言葉として通じるのが不思議だと思ったのだが、それがどうしてか?という所までは考えが及ばないでいたが、フィリッピン、タイなどを回って帰って来てようやくわかった。言語はその国の国民性をよく示しているのである。

日本の歴史からは、静かで一本調子の言葉が生れ、情熱と陽気さが売りもののラテンアメリカは、リズミカルで歯切れのいいスペイン語を簡化させた。アメリカのように大陸で種々の民族を国民としている所には、英語をもっと合理的にした米語でなければならなかったのだと思える。それはラテンアメリカの言葉と違って陽気さよりも、直接的な言い方が出来、合理的で、環境がきびしいことをも示していると思う。その点、中国語、韓国語、タイ語は、日本語と調子が良く似ていた。同じような歴史が根底を流れているのがすぐ感じられ、国民性も良く似ていた。そのアジアの中でフィリッピンはスペイン、アメリカの植民地としての歴史を持っているため、スペイン系を思わせる言語を使っていた。国民性も、全く陽気である。食事ができなくとも服はなくとも、唄い踊ることの好きな人々なのだ。日本人が外国語のいらないのは、一民族一国家でどこへ行っても日本語が通じるからである。そのことは大いに誇り、もっと日本語を守らなければならないと思う。インド、ネパール、フィリッピンなどの国は、地方ごとに言葉が少しずつ違い、そのことが教育の進歩、社会の発展を抑えているらしい。知識階級、社交の会合はすべて英語がつかわれるのであるから、「自分たちの国の言葉(共通語)がほしい」というのは悲痛な彼らの念願である。

最後に、一言語国家として日本語に誇りを持つと同時に、国際人として他国語をもっと勉強する必要がある。親善も理解も、言葉を除いたら薄っぺらなものになる。そして、IFYEとして出発前に農業用語に重点をおいて英語勉強したらどうだろう。(つづく)

青春と仲間

天動説がなつかしい

近ごろ、引続いて二人の友人の結婚披露宴に招かれた。ずいぶん心やすく、わがままをいいあった連中なので、さして改まった気持にもならず、たらふく飲んでやるのが最大の祝意を表することだくらいに、のんびり構えていた。

いざ出席してみると、親族をはじめとして、そこに居並ぶ中学校以来の友達の多いのに驚いた。しかし、考えてみると、これはあたりまえなことである。彼らにとっては、彼らの生活の場、生活圏というものがあり、ぼくの関知しない生活はむろんのこと、付合いがあっても、何の不思議もありはしないのだから。

こんなことを忘れていたのは、全く迂闊な話であったわけだ。ぼくとて、彼らとばかり付合っていたのでなく、他にも親しい友人がある。どちらも、ぼくの生活の一部をなしており、いわばぼくを中心にしたエリア、宇宙が広がっている。

輪郭はないが、太陽系宇宙のようにひとつの秩序がある。そういう意味では、地動説よりも天動説がなつかしい。

また、磁石と砂鉄との関係に喩えてよく、同じ磁場にあっても、近い存在と遠い存在とでは、吸引力に強弱が生ずる。太陽の引力も距離と比例するように。人間である限り、こうした一種の宇宙にみな住んでいるが、常に、太陽であると同時に属星であることをまぬかれない。

つまり、対人関係における距離感について、いまさらながら心づいたということにすぎない。等しく友人とよびながらも、その持つ意味の軽重、ニュアンスにはかなりの差異がある。平常、一対一で付合っている場合には、宇宙体系がはっきりしないし、考える必要もないが、結婚式のように、すべてをかたちあるものとしてしまう場面にあっては、奇妙なほど露骨に現前してくるようだ。(山)

『空談』

今後の4Hクラブ活動 学びとる姿勢へ

大阪府連会長 原田正夫

我が国における4Hクラブ活動は、昭和二十三年、農業改良助長法の制定に基づき、農業改良普及事業の一環として、農村青少年の健全育成と食糧増産を目的としてアメリカから取入れられた。以来二十数年、関係機関の指導のもと、プロジェクト活動を中心に農業技術の改良、生活改善に取り組み仲間づくりをすすめ、豊かで明るい農村建設のために努力した先輩達の功績は極めて大である。

従来、特に戦後の激動期においては、生産プロジェクトというパイプを通して、4Hクラブに加入していればいつでも農業生産の新しい技術は得られるという裏付けによって"4Hクラブにしがみついてさえおれば何とかなる"という気風さえあったと聞く。

しかし、今日、諸情勢は厳しさを加え、二十数年続いた受身の学校教育的なクラブ活動が今後果して通用するのか……とか、生産技術研究一辺倒、仲間づくり優先の活動だけで激しい波を乗り切れるものだろうか……という疑問が感じられる。これは、都市化の激しい大阪のみならず全国各地で、組織活動を展開する仲間達が大なり小なり感じている悩みであろう。

過去数年間の4Hクラブとクラブ員の歩みを振り返る時、あまりにも技術を追求することに執着し仲間づくりに走りすぎたのではあるまいか。このことが、厳しい農業情勢とクラブ員の専門分野の多種多様化の中で、4Hクラブ活動が、個人の生活に直接生かされる部分がますます少なくなるという結果をもたらしたと、遅まきながら深く反省している。

今日、農業にファイトと情熱を注ぐ者なら、ひとり残らず、小さいものをより大きく、少ないものをより多く、にがいものをよりうまく生産することは、それを4Hクラブにうたうプロジェクトと、意識するとしないにかかわらず、日夜実践しているはずである。

今後、私達が組織活動に取り入れてゆかねばならないプロジェクトは、個人の生産技術の向上だけでなく、もっと広い視野にたって経営技術や農業をとり巻く経済政策に関する諸問題についての学習を行なうことから出発して、もっと幅広いプロジェクトを展開することにあると考える。

しかも、これらの活動が受身で"教えてもらう"という姿勢の学校教育的なものでなく、自ら仲間とともに積極的に"学びとる"という姿勢で、企業的農業者にふさわしい知識を身につけ、青年らしい自主独立の精神を培い、真の農業経営者を目指したく思う。

従来は4Hクラブに入ってきておれば、新しく奨励された生産技術はいつでも習得できた。さらに今後は、その上につみあげねばならないことがあると、私は提言する。それは、「今後は4Hクラブに入ってさえおれば、新しい農業に関する法令、制度を初め広い視野に立って、広範囲な知識を知ることが出来る」というクラブとクラブ活動を皆んなで作ることが必要であるということだ。

(第六回大阪府農村青年婦人グループ員大会『農業と生活』より)

社会の窓

ボタンは恨みの涙 もう二周してからズボンをはけ

折原俊二郎

起床五分前、隣りに寝ていた同級生がそっとゆり起してくれた。まだ、夢と現実の境がつかない。うつらうつらしていたら六時半の起床の鐘の音が、突然、耳の穴を通って脳のまん中をジャンジャンたたき出した。

枕もとにたたんであるズボンと上衣を急いで着け、校庭に走り出す。

外は強い霜で真白になっている。零下五～六度位はあるだろう。一周四百米もある校庭を二回廻る間に、上級生がのそのそ出てきた。三周して校庭に整列し、朝の点呼を受ける。人員確認のあとは服装検査である。私はうっかりしていた。突然「折原前に出ろ。ズボンをぬげ」、上級生の怒声が雷のように私の頭上で爆発した。

実は股ボタンをするのを忘れていたのである。私は急いでズボンをぬいだ。下にはうすいメリヤスの下着が一枚である。零下五～六度の寒さがジーンと下半身に迫ってきた。「もう二周してからズボンをはけ」、その声と共に私は一人だけで走り出した。一周の中ほどにさしかかった頃には、皆は宿舎にぞろぞろ帰っていった。一周目を終えた頃には、私に命令した上級生も肩をすぼめながら宿舎に走ってゆくのがみえた。

二周目にかかる頃から、自分のみじめな姿がどうにもやりきれなくなってきた。カーキ色の上衣に五ツのボタンをし、下半身はメリヤスシャツ一枚、足には古い地下足袋、どう考えても他人には見せられた代物ではない。泣くまいと思っても、目の前がかすんでくる。昭和十八年、新入生として寄宿舎に入って間もない頃の思い出である。

私はそれ以来股ボタンには神経質になった。ところがここ二～三年来時々股ボタンをするのを忘れることがある。年をとったのか、気がゆるみ出したのか。考えてみるとそればかりではなさそうである。今のズボンにはボタンがない。チャックという極めて効果的なものにかわってきたところにも原因があるようである。

ボタンとチャックとでは第一感覚がちがう、いや感覚ばかりではなく歴史の重みがちがう。長い時代を経験してきている。軍隊生活で多くの兵卒が泣かされたうらみの涙、その一粒一粒がボタンになったようにさえ思われる。しかし、チャックの方は、近代的な新しい工場の流れ作業の中で生れ、そこには人間の労働がなく、コンピューターがわがもの顔で機械を支配している。清潔で規則正しいリズムに乗っている。しかし、人間的な情も少ない。

ボタンとチャックの間にはこれだけ大きな差がある。社会は今猛烈な勢いで近代文明の中を進歩発展というプラカードをかかげて走っている。非効率的なものはすてられ、より効率的なものを求めて進んでいる。ボタンは本来の目的である役目から追われて、装飾の分野で生きのびているにすぎない。私も新しい時代の流れにおきざりにされないよう頑張っているのだが、時折、とり残されるような不安がフーと胸底をかすめるときがある。ボタンが本来の役目から追い出されたときのように…。(つづく)

逃避

茨城県・稲穂サークル4H 栗山純一

私は小さい時から、大変淋しがりやの方でした。男女を問わずいつも相手の人々に、本当の自分をわかってもらいたいと思う。そのため、自分を一生懸命説明する。

だけど、性格がそうさせるのか、言葉に出ない時、思いが通じなかった時、人間なんて結局は一人ぼっちで生きて行くほかないのだと感じる。

そんな時、旅行に行きたくなってしまう。

特に夜行の旅は、騒しさ、忙しさを忘れさせてくれる。自分を考えることができる。自分が一人であり、誰にも何も説明する必要はない。車輪がレールの切れ目に入る音だけが、かろやかであったり、淋しく聞こえてくる。隣りに坐っている人を見ていると、この人も、自分と同じように思っているのだろうと思い、気持も落着く。それでも、相手のない旅は、家から遠く離れてゆくにつれ、淋しさ、不安が高まってくる。

一人ぼっちだと、自分に言い聞かせてしまうと、あれこれと想像を楽しみ、時間のたつのも忘れてしまう。こんな時が自分では大好きである。焦点の定まらない漠然とした時間であり、何の得にもならないことに気が付く。でも楽しいものは楽しい。誰にも束縛されずに自由にできることが最高。

他人を避け、自己に閉じこもり、孤立化することによっての、自己満足でしかないのだろうか。不満を解消するための手段なのか。

それは自分が一番よく知っているはずだが、旅を自分一人の趣味、生きがい、そして楽しさを見つけだす心の現われだと信じたい。いつまでも旅を愛し、心の中に美しい思い出を作っておきたい。それが自分にとっては人生のように思えるのです。

(茨城県東村稲サークル4H十周年記念誌、『稲穂』より)

好きな4Hだが

静岡県碧南4Hクラブ 杉浦秀子

4Hクラブ員と一口に言ってもその中には地域のクラブと生活部のクラブもあり、また県や全国の行事にも出席する機会が多く、今の私の問題点と言えば、そのことが少なからぬ悩みです。

私も自分が好きで入っている4Hクラブだから、時間の許す限りは参加したいと思っているが、出席する時、家の人にいけないとは言われないが、「またか」とあまりいい顔をしないのを想像すると少しいやになってくる。これは今私がクラブの一部分の役員をしているから、普通以上に多いと思う。しかし、特に女子の人数が少ないという理由で、一人で何役をも受け持っているのは、その人の生活や経営上にも負担がかかり、また役員だから仕方ないと思いつつ、出席する会議などにはあまり身が入らないと思うのは、私みたいな者だけだろうか。

4Hクラブの集まりを考えてみれば、一ヵ月に一～二回、多くて三回くらいで決して多いとは思えない。そのくらいなら、日曜日に遊ぶかわりだと思えばいいが、仕事の都合もあり、また二日や三日続きの会議や集まりには困る。

私も先に言ったように、自分で好きだから入った4Hクラブだし家の人に出席するのを止められたことは一度もないが、役員会といえば大体夜ばかりだ。仕事にさしつかえないようにと思ってそうするのだが、当然、家の人は私が夜出るのをよくは思っていなく、私自身も夜はあまり出たくない。しかし、責任があると思って出ていくのだが、そんなことを思っているといやだ、少し。

でも、家の人に言えば、それがいやならやめよと言うことはわかっている。しかし、何の用事、集まり、会議もないようなら、4Hクラブに入っている価値がないとも思うし……。(第十一回愛知県青年農業者会議『みんなで輪になって考えよう』から)

青年の船便り <3>

赤道通過、腹に紙テープ

〈中林正悦君発〉

二月二十二日、インドネシアのジャカルタを後に、わが「青年の船」は、一路マレーシアへと出発しました。船内の生活にもすっかりなれ、日程の合間を見つけ日光浴を楽しむ余裕も出てきました。

そんなことを楽しんでいる二十三日十六時三十五分、突然の船内放送に目をさまされる。今、赤道を通過するとのアナウンスである。これが赤道かと思うものは少しもなく、ただ一面の大海原だけである。

そこで、赤色の紙テープを腹の上に巻き、せめてもの記念に残る形あるものと、写真を撮る。そんな翌日の二十四日午後三時、鼓笛隊の歓迎を受けながら、マレーシアのポートスウェッテンハム港に入港。

「どんぐりころころ」や「浜辺の歌」などの思わぬ歓迎演奏に、すっかり親しみを感じた寄港地活動第一日目だった。ここマレーシアには、二十八日迄の四日半滞在いたしました。その間には、クアラルンプールの絵に描いたように美しい大都会を訪れたり、地名もわからない農村の開拓部落を訪ねたり、大変、変化とみのりの多い体験をしました。

そこでまず感じたことは、複合民族国家であるということです。それは、英語とマレーシア語と漢字などの多数の文字が氾濫する看板に象徴されます。この国はマレー人四五%、中国人三五%、インド人九%、原住民一一%の多民族で構成されているのです。しかもそれぞれが独自の宗教(回教、ヒンズー教、仏教など)を持っており、それが信仰だけでなく、総ての生活様式にまで根深く入り込んでいるのです。

たとえば、回教では豚を食べることを禁じ、ヒンズー教では牛を食べることを禁じておっても、仏教を信仰する中国人の多くは、豚も牛もなければ、その食事にうるおいがないと考えるなど――。こんなことから、人種間の結婚、和合が行なわれにくく、今でも、複合民族国家であることが、大きな問題になっているようです。

しかも、この国の憲法百五十三条にマレー人の優遇が決められ、他の民族のものが大企業を経営しようとしても、出来ないことになっているのです。しかし、現実にはマレーシアの経済は中国人が握っており、政治はマレー人が握っていて、こうした矛盾と人種間の隔たりが、マレーシアの経済社会の開発に大きな問題点となっているようで…。

しかし、農村地帯へ入れば広々と続くバナナ、ココナッツ、パパイヤなどの果樹園風景と、そこで働く農村の人達と接し、のどかで平和なマレーシアを訪れたうれしさが、同業のよしみとでもいう思いが、とめどもなく湧いてくるのでした。

明日、インドのマドラス港に入港いたします。

三月三日 午後七時三十分

日本4H新聞
4Hクラブ 農事研究会 生活改善クラブ 全国弘報紙
発行所 社団法人 日本4H協会
東京都市ケ谷家の光会館内 電話（269）1675 郵便番号162
編集発行人 玉井光
月3回・4の日発行
定価 1部 20円
一ヵ年700円（送料共）
振替口座東京 12055番

クラブ綱領

私達は、実践を通じて自らを磨くとともに、互いに力を合わせて、よりよい農村、よりよい日本を創るため、四つの信条をかかげます。一、私達は農業の改良と生活の改善に役立つ腕をみがきます。一、私達は科学的に物を考えることのできる頭の訓練をします。一、私達は誠実で友情に富む心をつちかいます。一、私達は楽しく暮し元気で働くための健康を増進します。

近づく全協総会

一律五千円アップ 会費
会館建設など論点か

全国4Hクラブ連絡協議会（会長、久野知英君）の四十五年度通常総会は、いよいよ来る十三、十四の両日、東京・新宿区市ケ谷船河原町の家の光会館一階会議室で開催される。上提される主な議案は、四十五年度の事業経過と収支決算、監査の各報告、四十六年度の事業計画と予算両案、日本4H会館建設などであるが、とくにその中でも、この会館建設問題や会費値上げについては論議を呼びそうな気配である。

久野会長　坂井副会長　黒沢副会長　山本副会長　松浦事務局長　中野事務局次長　阿部事務局次長

4H会館の建設は、四十五年度を目標として募金活動が展開されてきたが、募金が予定額をかなり下回っているため、事実上不可能な状態となっている。

また、少なくとも今年度中にメドをつけるとしていた土地の確保も、地価の高騰や東京都内での国有地の払い下げがその後の調査によって困難であることがわかり、壁に突き当っている。このような状態から、同会館建設委員会とともに、全協執行部はかなり苦しい立場に追い込まれていることは事実で、この苦境をいかに乗り越え新しい方向を打ち出していくか注目される。

募金については、各県連ともかなり上向ムードで、実績を上げてきているが、それが総会の時点でどの程度に達するか、また、これら現役のほか、OBにも働きかけを行ない、一応四月十日までに全協の歴代役員が一人当り五万円以上を集めることになっている。

しかし、統一地方選挙のさ中であるなどから、どこまでその反応を示すかもまた関心がもたれる。

一方、会費（各県連の負担金）の値上げについては、四十六年度から、一律に五千円アップの方針を決め、このほど各県連に通知した。

これは、組織の拡充に伴う事務量の増大や印刷費、通信交通費、事務用品など諸経費の高騰によって全協の財政が逼迫してきていること、さらに、主体性を確立するための自己財源の確保などの理由によるもので、七年ぶりの値上げ。北海道（現在一万二千五百円）を除いて倍額となるわけである。

しかし、県連組織そのものの弱体や、意思伝達、事務連絡が円滑に行なわれていないために、現在でも未払いの県連があるので、このような状況の中でそれをどう調整していくかも問題であり、総会での話し合いが望まれるところである。

このほか、関心が持たれるのは役員改選。とくに、全協の伝統や意思を受け継ぎながら、これら4H会館建設をはじめとして、全国4Hクラブ員のつどい、財源確保など当面する大きな諸問題の解決を図り、各種の事業を展開していくためには、執行部にかけられる期待がますます大きくなっているといえる。その人選は大いに注目されるところ。

なお、今年度の全協役員は次のとおりである。

▽会長　久野知英（愛知）▽副会長　坂井邦夫（佐賀）黒沢健一（埼玉）山本たい子（青森）▽事務局長　松浦幸治（静岡）▽同次長　中野正義（神奈川）阿部邦芳（福島）▽監事　奥村秀宏（北海道）原田正夫（大阪）横井弘三（富山）

神奈川県連で総会開く

【神奈川】神奈川県農村青少年クラブ連絡協議会（会長、佐藤春雄君）の通常総会は、昨三日、高座郡海老名町杉久保の県農業大学校で開かれた。

埼玉県連も28日に総会

【埼玉】埼玉県農業研究団体連合会4H部（部長、網川信夫君）の総会は、来る二十八日、浦和市の自治会館で開かれる。

涼風暖風

よりどり見どり

愛用の辞典も古くなったので、新版が発行になったのを機会に買い替えることにした。社会の動きが激しいので、新語を盛りこんだ辞典でないと役に立たないからである。

本屋に行ってみて驚いた。国語辞典とはいっても五、六種類もある。私が使っていたA辞典のほか、他の国語辞典もそれぞれ改訂や新訂されている。集録語が何万に達するとか、便利で見やすいとか、最新で最高だとか、キャッチフレーズをしるした帯色紙を本ケースに巻いてある。手にとって内容を調べてみたが、それぞれ特長が違い、どれを選んだらよいのか見当がつかない。

値段もだいたい同じくらいだ。じっくり選ぶのもめんどうになったので、使いなれたA辞典の新版にした。

店員が包装している間、なにげなく目を移すと、すぐそばの中学生参考書売場では、ひたいに汗をにじませたオヤジさんが、あれこれ参考書を選んでいる。子供の進学祝いにでも学習参考書を買うつもりであろうか。店員に説明してもらっているようだが、英語にしろ、数学にしろ、どの科目一つみても参考書の種類は実に多い。学習手びき式・練習帳式・虎の巻式・辞典式などいろいろな型があり、また、型式ごとに幾つかの種類にわかれているし、おまけに、全科集成の大型参考書さえ何種も並んでいる。

その客は、両手に一種ずつ持って見比べたり、あれこれページを繰って眺めたり、裏を開いて値段を確かめたりしたあげく、ハンカチを取り出して顔の汗をぬぐい出した。見れば見るほど選び迷って途方にくれたとでもいうようすである。私が、辞典を選んだ時の困惑よりも大きいようだ。まったく人ごとではない。

そういえば、ネクタイや自動車をはじめ、物という物は、すべて多種多様になってきた。よりどり見どりといえば、何となく気楽にも思えるが、その人にとって重要な物ほど選択は大変なことである。一つ一つの機能・用途・構造・デザイン・経費などを知り、比較検討のうえ総合判定できる能力が必要になる。しかも、続々と新種や新型が出現するわけだから、選ぶということはますます大仕事になろう。気楽であるはずがない。

ちかごろ私は、婚約の報告にくる若い人たちに、最もむずかしい「選択」の大仕事を完成したお祝いを述べることにしている。

（北海道・三輪）

優良成績の発表も

栃木県連で総会開く
会長に矢野君

【栃木】栃木県青少年クラブ協議会（会長、野尻収士君）の定期総会は、さる三月十七日午前十時から栃木会館小ホールで開かれ、四十六年度の事業計画や新役員を決定した。

まず、野尻県連会長のあいさつのあと、四十五年度の事業経過や決算の両報告を承認、続いて四十六年度の活動方針や収支予算について決め、別記のとおり新役員を選んだ。

また、全国のクラブ員によって進められている日本4H会館建設の募金について協議し、四十五年度の優良クラブを表彰した。

四十六年度の新役員は次のとおり。

▽会長　矢野諮男（市貝地区）▽副会長　長芳孝（栃木）鈴木悦子（大田原）▽事務局長　五十畑茂（小山）▽同次長　江野口芳弘（足利）

このほか会計二名、書記二名、監事三名。

優良クラブは次のとおり。

▽上河内青少年クラブ▽鹿沼市花の和クラブ▽塩野室4Hクラブ▽真岡市中村4Hクラブ▽芳賀町舟戸ケ丘4Hクラブ▽大平町青少年クラブ▽小山市美田4Hクラブ▽塩谷郡船生4Hクラブ▽喜連川町金枝青少年クラブ▽西那須野町みつばち会▽那須町高久4Hクラブ▽烏山町青少年クラブ▽佐野さつき会▽足利女子4Hクラブ。

なお、総会に先立ち、クラブ員など関係者約四百人が出席して、農村青年の主張と題してプロジェクト活動実績優良事例発表が行なわれたあと、「あなたのプロジェクトは正しいか」と題して県普及教育課の湯浅甲子特別専門技術員の講話があった。

実績優良事例発表では、「坪当り粗収入一万円をめざしたハウス経営」（宇都宮市国本4Hクラブ・富貴沢太一君）や、「私のトマト栽培」（足利市御厨4Hクラブ・茂木茂雄君）などのプロジェクト活動の成果が披露された。

五日締切る
全国のつどい、愛知県内参加者

【愛知】愛知県4Hクラブ連絡協議会（会長、冨永博君）は、さる三月十九、二十日の両日、豊田市勘八境の老人福祉会館で単位クラブ会長会議を開き、四十六年度の事業計画などについて話し合った。

同県連では、今夏七月十二日から十六日までの五日間にわたって同県で開催される「第七回全国4Hクラブ員のつどい」（全国4Hクラブ連絡協議会、社団法人日本4H協会と共催）の準備を現在、つどい実行委員会の担当ごとに着々と進めている。また、四月十日の全国段階における第一次参加者申し込み期限に先立ち、県内参加者の申し込み締切りを四月五日をメドに、その取りまとめを急いでいる。

このように参加申し込みを早めているのは、つどい行事の柱となる現地交歓訪問で県外参加者を受け入れる際、できるだけ参加者の希望する経営のクラブ員宅に宿泊できるよう調整し、事前において相互に連絡を図りたいとの考えから県内参加者の早期把握が必要であるためである。

なお、来る二十三日、名古屋市の中電ビルショールームで定期総会を開くことにしている。

針尾4Hクが受賞

【長崎】針尾4Hクラブ（会員二十五人）は、さる三月十三、十四の両日、佐世保市の県立青少年の天地と同市白南風町のホテル松蔵で開かれた県と県教委など主催の「県青年のつどい」で優良青少年団体として表彰された。

初の球技大会ひらく　静岡県連

スポーツ通じ交流
農業への闘志託し激戦

クワをボールに替えて日ごろのチームワークを発揮し激戦を展開＝北駿Bチーム対夢踏チーム

【静岡】スポーツを通じてクラブ員相互の交流と親ぼくを図り、積極的に4H活動に取り組もうーと、静岡県農村青少年クラブ連絡協議会（会長、真田勝君）主催の第一回県農村青少年球技大会は、さる三月八日、県草なぎ体育館を中心に、静岡農高グランドや静岡市東部グランドを会場として花々しく開催された。

当日は、県下九十八のクラブから四百八十名のクラブ員が参加、ソフトボール、バレー、卓球の三種目で、日ごろ手にするトラクターやくわをボールに変えて腕を競い合った。

午前九時半、県営草なぎ体育館で開会式に入り、西部地区連を先頭に、中遠、中部、東部、賀茂の各地区連代表がそれぞれ色とりどりのユニホーム姿で入場行進。前方に、静岡テレビ、静岡新聞などの報道関係者が陣取る中で、まず鈴木政美事務局長が開会宣言。続いて真田県連会長が「この球技大会は、県第として第一回目の大会である。今月一月に開催を急きょ決定したので運営上にいろいろ問題があったが、みんなの協力で開催まで漕ぎつけることができた。今日一日を、農業青年らしいファイトで頑張って下さい」と呼びかけた。

ついで、県の田中後継者課長補佐から「このように県下一円のクラブ員が一堂に会し、スポーツを通じて親ぼくと交流を深めることは初めてである。クラブ員が自主的に企画運営し、この大会を進めることは県としても大変喜ばしいことであると思う。この大会を通じより充実した4Hクラブ活動が展開されることを願う」と激励のことばがあり、このあと北駿4Hクラブの宮崎君が選手を代表して宣誓。続いて競技に移り、バレー十二、卓球七、ソフト二十二の計四十一チームが、それぞれ草なぎ体育館、草なぎグランド、静岡農高グランドと東部グランドに分かれて試合に挑んだ。

前日とガラリと変って天気も大変よく、絶好の体育日より。農作業着や地下タビ姿のクラブ員や、背中にゼッケンをつけたおそろいのユニホームで気勢をあげるチームなどスタイルはさまざま。なかには、この大会にそなえて地元の中学校体育館を借りて農作業を終えてから四十日間も猛練習したクラブや、青年の家で一泊二日の合宿をして、試合前日から市内の旅館に泊ってこの大会にのぞんだクラブもあるという力の入れよう。

各試合とも、日ごろのチームワークを発揮して熱のこもったプレーを展開、青春を4H活動にかけている若人の意気を見せていた。

午後から勝ち残ったチームによって優勝をめざし激戦が展開された結果、バレーボールの部では、北駿4HのBチーム、ソフトボールでは中部選抜チーム、卓球は引佐選抜チームがそれぞれ優勝、総合では、一位中部地区、二位東部地区、三位中遠地区が決定した。

午後四時半から閉会式が行なわれ、真田会長が「みなさんの協力によって無事終了することができた。この大会でつちかった友情をいつまでも忘れないで頑張って下さい。来年は、おそらく駅伝大会が組まれると思うが、盛大になることを願う」と述べた。

この大会は、事業計画の中に組まれていないので予算もないために、クラブ員がお互いに金を出し合って開いたもの。運営面で問題もあったが、予想以上のクラブ員が参加し、一応成功したとみられる。現在まで、あまりにも教育的な行事が多く、クラブ員同士の親ぼくに欠けていたが、それらの面からこの大会の意義も大きいといえる。（鈴木政美君発）

資金不足など悩み

結婚適齢は22～25歳

農村青少年の意識をみる

「農村青少年意識」についてのアンケート調査は、ますます厳しくなる農業情勢の中で、日ごろ農村青少年がどのような考えを持ち悩んでいるかを知るために、四十五年度の「クラブ員の集い」のとき行なったもの。それによると、多くの人が経営面での改善を望んでいるが、資金不足や減反問題で悩んでおり、そういう中でもクラブ員は旅行をしたがっていることなどがわかった。

アンケート用紙を百枚配布したうち回収できたものは、四十六枚で、男子三十五名、女子十一名の割合。平均年齢は二十一・六歳。

このうち、専業農家が大部分で四十名の八七％、兼業はわずか六名の一三％である。経営の種類では、水稲が過半数を占め六二％、ついで果樹一三％、畜産八％、ソ菜七％となっていて、規模別にみると、一～二ha が三八％で一番多いが、〇・五ha 以下も三〇％、また〇・五から一ha も二一％と比較的に面積が小さく、二～三ha 八％、三ha 以上は五％に過ぎない。

一、いま、最もやってみたいと思っていることについてみると、男子の大部分が、規模拡大など経営面での改善や刷新を望んでおり、これに比べて、女子の場合は、旅行や学習、家庭生活など現実的なものをあげた人が多かった。

全体的には、経営面の改善が群をぬいて多く、その半数の割合で旅行が続き、またその約半数が学習、結婚、家庭生活をあげ、それより少し減ってレジャーなどとなっている。

一、現在、最も悩んでいるものとしては、ほとんどの人が経営面における規模拡大を望みながら、資金の不足や土地の購入が容易でないこと、さらに減反問題についても深刻な問題として訴えており、一方で、結婚、仲間のことなど、青年の悩みはつきないようである。

一、次に、現在農業をやっている理由についてみると、次のとおりである。

▽好きだから　三〇％
▽やりがいがあるから　二一％
▽長男（女）だから　一五％
▽自分に適した職業　八・七％
▽労力不足で仕方がない　六・五％
▽夢があるから　四・三％
▽その他　一三％

一、これから先も農業を続けていくかどうかについては、三十六名の回答があったが、その全員がこれからも続けて行きたいという希望。仲間と協力して当面する諸問題を解決し、プロとして農業を成功させたいという意見が多かった。

一、これから先、どのような方向に進むのが望ましいかという問に対しては次のとおり。

▽協業組合　三一％
▽米に寄る農作物の価格の補償　二六％
▽請負耕作　二〇％
▽農民の工員化（農協の組織で）　一四％
▽その他　八・六％

一、現在の農村生活の中で改善したいことでは、労働時間が四八・九％で約半数。農作業や生活での時間のけじめをつけることを望んでいる。ついで交際の二八・九％が続き、古いしきたりの中での近所づき合いに目が向けられている。このほか衣食住の改善を望みその他は四・四％。

異性に注文多い

一、結婚の相手にどんな人を選ぶか、また、何歳くらいで結婚したいかをみると、男性は、女らしく自分のことを本当に理解してくれて、最後までよい相談相手になってくれる人を求めている。

▽理解があり自分についてきてくれる人　六〇％
▽健康で明るい人　三一％
▽家庭的で料理の上手な人　二一％
▽しっかりした人で安心して経営の一部を任せられる人　八％

このほか、やさしく素直な人や農業の好きな人など。

女性の方は、やはり自分を積極的にリードしてくれ、力強く、それでいて信頼感があり、大切にしてくれる人と要望も多いようだ。

▽積極的にリードしてくれる人　四五％
▽信頼できる人　二七％
▽意志が強く、自分で決めたことは最後までやりぬく人　二〇％
▽その他　六％

適齢は、男子の場合、二十五歳が約三八％で最も多く、この約半分の割で二十四歳が続き、このほか二十一歳、二十六歳、二十歳の順で三十歳というのもある。

これに比べて女性の場合、二、三歳低く、二十二歳、二十三歳が同数で両方合わせて全体の約六割を占め、このほか二十一歳、二十四、二十五、二十歳などさまざまであった。

【福岡】山門郡と三池郡にまたがる女子だけの4Hクラブ、野菊会（会長、古賀鈴子さん）が、このほど機関誌「のぎく」創刊号を発行した。内容は、「野菊のように」という古賀会長のあいさつをはじめとして、四十四年七月に発足してからの歩み、四十五年度の行事報告、山門農改普及所の森所長のことばや青少年と生活改善両担当者の随想、また、クラブ員の作文や詩、俳句、創作などの文芸作品、さらに日常生活のエチケット、共同プロジェクトとして取り組んだ「主婦の生活時間と労働」、個人プロジェクトの実績発表や名簿などが要領よくまとめられている。B五版、ガル印りだが、カットも随所に入れて読み易くしている。この中から、プロジェクトとしてアンケート調査した「農村青少年の意識調査」の結果を紹介してみよう。

心頭技健

総会の季節である。二月に開かれた北海道連をはじめとして、すでに高知や栃木県連など終ったところもあるが、全国的にみて、これからというところが多い。全協の総会も十三、十四の両日、東京の家の光会館で開かれるが、この総会は、これから一年間の計を立てるときでもあり、真剣に取り組んでほしいものである▼マンネリ化という言葉は、単位クラブばかりでなく、地区連や県連においてもよく耳にする。しかし、その原因がどこにあり、それを解決するための具体策は何かについて余り聞かれないのは不思議だ。この場合は、多分に行事面を指しているものと思われるが、単位クラブの場合、プロジェクト活動を主体にして進めればこのようなマンネリ化は少なくなるのではないだろうか▼また、行事の中に新しいものを取り入れたり、アイデアを生かすのも一つの解決法であるがマンネリ化の原因は、定例会の持ち方にあると指摘する人もいる。ただ週一回や月一回集まるというだけでなく、みんなが問題意識と改善の意欲を持っていれば、定例会は盛り上がるのではないか▼さらに、この総会に当って、クラブ活動や組織がなぜ必要で、どのように展開すべきかを基本的な姿勢に立ち返って考えることが大切である。ふだんは、仕事や行事に追われて、大切なものを見落してしまいがちである。この反省によってマンネリ化を少しでも解消できよう。しかし、なぜやるか、そして正しい方法は何かを掴めば、やる気を起こさせる大きな力となるものと思われる▼当然、自主性の問題も大きく浮び上がってこよう。スケジュールが組まれ、お膳立てが出来た上で行なうなら誰のためのクラブや組織か分からなくなる。お金を出してくれるからと指導・育成機関に対する依存度が強いのは、問題である。自分から進んで村や農業をよくしていこうという意欲に欠ける▼今春、学校を卒業して就農した人たちを新会員として迎えたクラブも多いに違いない。彼らの期待に応えるためにも、総会に当って、「現状でよいのか」という問いかけをして、その回答が見つかったら、それに対して、青年らしく若いエネルギーを燃やしてほしいと思う。そして、それを一歩一歩積み重ねてこそ前進があり、マンネリ化もなくなるのではないだろうか。

「入れて良かった」

野菊会 初の親子の集い開く

【福岡】福岡県でもまれな女子ばかりのグループである野菊会（会長、古賀鈴子さん）が「よりよい農村を築くために」と、さる三月十三日、初の「親子の集い」を開いた。

野菊会は、さる四十四年七月に発足したばかりで、まだ地域になじみも薄く、クラブ活動についてよく理解されていない。そこで、とくに女子クラブ員の活動は親の理解が必要であることや、激動する農村の中で、若いクラブ員に大きな期待が寄せられている反面、若い後継者の減少など、クラブ員の親にもいろいろ悩みがあるのでお互いの立場から意見を出し合って一緒に解決して行こうということで開いたもの。

この日は、開会式、クラブの紹介のあと、共同プロジェクトの「農村婦人の生活時間と労働」について、県大会に出場して披露した「私の考えた作業衣」についての発表が行なわれ、続いて「これからの農家生活」と題する講演があり、午後から親との話し合いに入った。

話し合いでは、やはり女性だけに、生活改善についての意見が多かったが、とくに「娘がクラブに入会してから、農作業や家事面でも積極的になり、クラブに入れて良かったと思います」というお母さんの発言に、参加したクラブ員全員が、感謝と感激の面持ちだった。このあと親子一緒にレクリエーションを楽しみ、親子の集いの幕を閉じた。

「作物は育てそこなっても一年きりだが、人間にとっては一生の問題であるので、若いこの時期に仲間つくりを通して、将来よりよき農村婦人となるための勉強をしてほしい」という親の意見に、自分たちのクラブや気持を、こんなに理解してもらうことができたことに対し、クラブ員一同、これからますます頑張らなくてはと、決意を新たにしている。（同クラブ員、江崎京子さん発）

汗ダクで健闘

山門地区連 ソフト大会

【福岡】山門地区農村青少年クラブ連絡協議会（会長、森静男君）主催のソフトボール大会が、さる三月十四日、瀬高中学校・野球グランドで開催された。

これには、地区内の八つの単位クラブから十チームが出場、女子クラブ員や、ちょうど里帰り中のママさんOBと坊やなどの声援をうけて熱戦がくりひろげられた。選手の方は、日ごろ持ち慣れたクワやカマをバットやグローブに持ち替えて汗ダクダクで健闘、接戦の末、城山会Aチームが優勝し、森会長からカップが贈られた。

地区のクラブ員が全員顔を合わすのは、「クラブ員の集い」とこのソフトボール大会だけで、今後もこれらを通じて、クラブ員相互の交流を図る考えである。

なお、このソフト大会を最後に山門地区の四十五年度のすべての行事を終了した。（江崎君発）

知事と地域の将来など討論

山梨・塩山地区連

【山梨】塩山地区4Hクラブ連絡協議会（会長、鶴田五郎君）は田辺県知事を迎えて、さる三月十三、十四の両日、山梨市の働く婦人の家で教育会議を開いた。

これには、地区内のクラブ員約四十人が参加し、地域の将来とクラブ活動の意識をテーマに、田辺知事をまじえて農業行政などについて討論した。

活動の再考など

東八代郡連では研修会

【山梨】東八代郡4Hクラブ連絡協議会（会長、角田善文君）で も、さる三月二十、二十一の両日、山梨市の働く婦人の家で研修会を開いた。

研修テーマは①郡連活動をもう一度考えよう②対立的な感情下の地域青年団と4Hクラブのあり方の検討③一般知識を大いに吸収しようーで、二日間にわたって講義やレクリエーションなどをまじえて有意義に過ごした。

こんなことをしています 各種農業団体

県、市町村段階でも

―すすむ総合3か年計画推進体制

全国農業協同組合中央会

昨年末の第十二回農協大会決議を実践するため、系統農協では全中を中心に総合三か年計画推進体制の確立を急ぎ、全国段階では昨年秋、全国連合会の会長、理事長で構成する「全国総合三か年計画推進委員会」を中核に、開発小委員会、広報委員会、生活基本構想推進幹事会、農村医療対策委員会、都市農協問題研究会、農協労務問題基本調査会などの関連委員会を発足させているが、府県との連繋の強化によって運動を進めるため全販連、全購連の支所区分に、全販連・全購連・農林中金・全共連・新聞連・家の光および全中の当該支所長、担当者をもって構成するブロック推進班を設けた。

ブロック推進班の責任者は、北海道・近畿・中国ブロックが全販連、関東・甲信越・東海・北陸ブロックは全購連、東北・九州ブロックは農林中金の支所長がそれぞれ当たることとなった。各ブロックとも初会合を開いて今後の進め方を協議したが各県の実態と意向を十分に把握し、共通のテーマを設定し対策を具体化するという方向が確認され、推進班の今後の運営については、月一回の定例会議をもち、従来、農業基本構想推進のため設置されていたブロック共同対策室の事業も推進班に引き継ぎ、モデル営農団地の実績検討などを十分行ないながら進めることとなった。

都道府県の段階でも、それぞれ県大会を開催し全国大会の決議の実現を決定し、この体制が進んでいるが、全中が二月十八日現在でとりまとめたところによると、推進委員会を設けたところ二十三県、準備中のところ十七県と大半を占め、各種の事情から具体化がおくれているのは六県に過ぎない。

また、具体的計画内容についてみると、新しく総合三か年計画として県段階でまとめたもの二十五県、連合会毎の計画として進めているもの十一県、既に推進中の長期計画を再検討しこれを進めることにしているもの六県、未定のもの三県となっている。

市町村段階の対応も活発で、県下全農協が計画を樹立するもの三十八県、条件の整ったところから樹立するとするもの二県、未定六県となっている。

目標年次・様式・内容などについて統一して実行するもの三十五県、各個それぞれ行なうとするもの四県、未定七県となっている。

このような実態から全中では三月末現在でさらにくわしく再調査を行ない、主旨の徹底と運動の推進に重点をおいた活動を展開する。（教育広報課）

社団法人 家の光協会

協同組合のすべてがわかる やさしい手引き書発行

―「協同組合の話」

米の生産調整、貿易の自由化、資本の進出など、農業、農村をめぐる情勢はきびしく、とくに農協運動においても、従来の路線のたんなる発展強化という段階をのりこえ、新たな系統農協運動の展開を迫られています。

このようなとき、昨年秋開催の第十二回全国農協大会では、「協同組合の原点に返れ」という言葉を基調に、『自主建設路線の確立』と『総合力の発揮』を基本的な方針とした〝農協総合三か年計画〟が打出され、ことしはその樹立・達成に全組織がスタートする、第一年めの年にあたります。

このたび、家の光協会が発行しました『協同組合の話』は、協同組合原則の解説にはじまり、戦前の産組運動を含めて、農協運動の歴史をふりかえり、ここ数年来の高度経済成長下の農協、さらに農協事業の性格と課題などを解説して、「協同組合の原点」という言葉を本当に理解できるように、工夫されたものです。

協同組合関係の本は、これまでも数多く出版されていますが難解なものが多く、あまり通読されていません。この本は、そういう点でも、誰にも平易でわかりやすい解説書であると自信をもって、申しあげてよいかと思います。

今後、総合三か年計画を推進していくうえの必読の書として組合の役職員や組合員の方々にぜひおすすめ願いたいと存じます。

主な内容
協同組合とは
戦前の産業組合
戦後農協の混乱時代
高度経済成長下の農協
農協事業の性格と課題
生活協同組合の状況

体裁・定価
B6判・三五〇円（〒70円）

（文化部）

効率的な出荷体制を

農林省 酪農近代化の方針を発表

農林省はこのほど、昭和五十二年度を目標とした酪農近代化基本方針を次のとおり発表した。

一、牛乳の需要の長期見通しと生産数量の目標

1、地域別の需要の見通し（単位は千㌧）

(1)飲用向け需要量〈全国計〉五、一〇〇 北海道二〇五、東北三五五、関東一、九三〇、北陸二三五、東海四四〇、近畿九七〇、中国四国四九五、九州四八〇

(2)乳製品向け需要量〈全国計〉二、八五五

(3)自家消費など需要量一九〇

(4)需要量計八、一四六

2、牛乳の地域別の生産数量の目標

北海道二、五一〇、東北九五〇、関東二、〇四〇、北陸一五五、東海四七〇、近畿六二〇、中国四国七五〇、九州六五〇▽全国計八、一四五

二 近代的な酪農経営の基本的指標

区分	比較的土地条件に制約の小さい地域の酪農経営の水準	比較的土地条件に制約の大きい地域の酪農経営の水準	他作目との複合形態をとる場合の酪農部門の水準
(1)飼養頭数規模（経産牛頭数）	40頭以上	30頭以上	10頭以上
(2)酪農部門投下労働1時間当たり生乳生産量	30キログラム以上	25キログラム以上	16キログラム以上
(3)経産牛1頭当たり飼養管理労働時間	110時間以下	130時間以下	210時間以下
(4)飼料作10アール当たり労働時間	5時間以下	40時間以下	50時間以下
(5)飼料作10アール当たり養分生産量（TDN換算）	590キログラム以上	800キログラム以上	1,000キログラム以上
(6)飼料自給率（TDN換算）	80パーセント以上	60パーセント以上	65パーセント以上

三、集乳および乳業の合理化に関する基本的な事項

1、集送乳の合理化 生産者による共同販売体制を整備充実し、既存集送乳路線の整備をさらに推進するほか、今後さらに必要性が増す生乳の県間輸送にも対応できるよう効率的な出荷体制を整備する。

2、乳業の合理化 資本装備の高度化、技術の向上による生産性の向上を図るとともに、牛乳乳製品の流通販売行程における合理化に即応した生産施設の整備充実、工場排水などによる環境汚染の防止など社会的要請に応じた近代的な生産体制の整備を図る。

収益は会館の募金に 一石二鳥の剪定

小田原農業改良クラブ ミカンの依託研修

【神奈川県＝鈴木時保連絡報道員発】小田原農業改良クラブ（会長、石塚昇君）では、このほど地域の農家でミカンの剪定研修を行なった。

これは、研究と実益の一石二鳥をねらったもので、各農協に剪定を依頼したいという農家をまとめてもらい、クラブ員が交代で出かけてミカンを剪定、十五日間にわたって依頼面積九紛を無事完了した。この研修に参加してくれたクラブ員は全員で三十七人あったが、末端のクラブ員も喜んで参加してくれたために、クラブの団結強化やクラブ員の親ぼくという面でも有意義であった。

仕事の最中は、話し声も聞こえない状態であったが、昼食時には母親の作ってくれた弁当を食べながら、剪定方法などについて意見を交換したり、また午後は仕事の合い間に指導してもらったり、自分たちの腕を磨く良い機会であった。

なおこの作業で得た収益は、来年度のクラブ運営資金にまわし、一部は、日本4H会館の建設資金として寄付することにしている。

海外派遣の渉外団員を募る

総理府

全国4Hクラブ連絡協議会は、このほど総理府が実施する四十六年度（第十三回）青年海外派遣について各都道府県へ通知した旨と渉外担当団員の推せん依頼を同府から受けた。

この渉外担当団員は、一般の団員とは別個に中央において特別に選考する予定で、英語、ドイツ語、フランス語、スペイン語のいずれかに堪能な人となっている。資格要件は一般団員に準じるが、年齢は二十八歳まで認められ、必要書類をそえて四月二十日まで総理府に推せんすることになっている。

今回の派遣先は、北欧はじめ中欧、南欧、アフリカ、中近東、アジア、オセアニア、北米、中南米の九地域で、それぞれ約一ヵ月半から二ヵ月間の日程で今年の八月下旬から十月中旬にかけて出発の予定。一般団員の人員は、女性が参加しないアフリカの五名を除いて各地域とも十一名か十二名の計画。

都道府県推せん派遣団員の資格要件は次のとおり。

①優秀な青年で、海外における研修活動などの経験を帰国後積極的に生かし、将来、所属団体、地域、職域などで青少年活動について指導的役割を果すことができると認められること②地域、職域などの各種青少年団体で、健全な青少年活動を活発に行なっている人で、関係機関、団体から推せんされた人③それぞれの派遣地域に応じ、具体的な研修活動目的をもつ人④二十歳以上～二十六歳未満の人（四十六年四月一日現在）⑤体格は標準以上、健康状態が良好で長期の団体旅行に支障のない人（とくに胸部疾患、伝染性疾患のないこと）⑥協調性に富む円満な性格と健全な精神の持主で、出発準備から帰国後の整理まで、派遣計画にしたがって規律ある団体活動ができる人⑦中学校卒業程度以上の外国語の基本的能力があり、ある程度日常会話ができる人――などである。

組織のパイプを太く

静岡・西部地区連で総会 新会長に和久田君

【静岡】西部地域農村青少年クラブ連絡協議会（会長、名倉恭一君）は、さる三月二十五日、浜松市高町の西部総合庁舎で四十五年度の定期総会を開いた。当日は地区内二十一クラブから新旧役員三十六名が出席した。

まず、名倉会長のあいさつに続いて議事審議に移り、四十五年度の事業と会計両報告を承認し、四十六年度の新役員を選出したあと事業計画案を検討した。とくに、四十六年度から県連会費を一人当たり百円アップするので、四十六年度から四百円の会費を徴収することを承認した。

四十六年度の事業について、新しく選ばれた和久田政広会長は、クラブ員相互の親睦と交流を深めるため、第二回のスポーツ大会を開くよう進めたい。また、西部地区連独自でリーダー研修会を開くとともに、県連事業にも積極的に参加するようにして、単位クラブ、地区連、県連のパイプを太くしたいと抱負を述べた。

なお新役員は次のとおり。

▽会長 和久田政広（浜松市）▽副会長 豊田信行（河西町）有谷邦博（浜北市）▽書記長 堀越政次（細江町）▽会計長 小出研一（浜松市）▽女子代表 鈴木民江（同）▽県連理事 和久田政広、豊田信行、鈴木民江

畦道

村の狂気

今はどうか知らないが、昔どの村にも、たいがい一人や二人の「白痴」や「気狂い」がいたものである。私の幼年期の記憶からも「オッショ、オッショ」と掛け声をかけながら、いつも田んぼ道を走っていた「気狂い」の像が離れない。その正気を逸した弱者たちは奇妙に村の風景にとけ込んではいなかったか？

集落の道や野道に徘徊する彼らは、まるでその風俗が結晶したものであるかのように。そして彼らは、疎んじられながらも村落共同体の地理的空間の中に包摂されていたのだと思う。

たとえば、村人が時にそっと与える食物や、囃し立てる子供たちの声の棘のなさに、それは見ることができる。

◇

私は、近頃はじめて知ったのだが、「疎外」（alienation）という言葉には、同時に「狂気」という意味があるそうである。つまり、社会の共同性から疎外されると「狂気」に落ちるのである。何かわかったような気もする。狂う人とは、共同体の中でふるえながら生きている人たちなのであろう。もっとも弱く、もっとも感受性が強いが故に、共同体の〝歪み〟や〝重み〟を一身に引き受けて狂いゆく。そして、その「狂気」は、村落共同体自身の軋轢が生み落し（疎外）たものであるからこそ、村人から許されていたのではなかろうか。だから村人は、自分たちの無意識の遠い影を見るように、その「狂人」を眺めるのだ。ここでは、村落の狂気とは、許されるべき共同の〈業〉としてあったということを知ることができる。

◇

しかし今、その農村も狂人に住み[illegible]所になりはじめたようである。それは、村落の共同性が内部から破壊されはじめたからだ。その因は、企業農業である。利潤追求が唯一の価値基準である企業農業にとって、まだるっこい共同性は足手まといなのだから。個別の営農体が、激しく競争しあう場では、もう「弱者」や「穀つぶし」を許しておく共同性なぞないのだ。そこでは多分、人はひっそりと個的に狂い、人知れずはてゆく。ちょうど、狂った瞬間、一切から隔絶される都市の狂気のように……。（T）

④ ヨーロッパ農業に学ぶ

オランダ

モーレツ経営主

干拓酪農家 一日15時間の労働も

オランダ干拓地の中で最もすすんでいる東北干拓地にあるロープス氏（三十歳）宅を訪問した。

彼の経営規模は二十七紛、搾乳牛四十五頭であって二十年前に入植した父が今年の春、引退したあと国有である土地を除いて、牛やその他の施設を十万ギルダー（一千万円）で父親から買い、年間百万ずつ返済する契約で二人息子のうち弟の方があとを継いだ。兄は畜産技術者で農業をやる気がなかったので、弟が継いだが弟に言わせると兄は労働時間も少ないが自分は働きどうしであるから、兄の方が結局は頭が良かったと冗談を言っていた。しかし本心では現在の経営に満足し、その上に希望は大きく、売りに出る農場があればそれを買って経営規模の拡大を図りたいと言っていた。

また、EECの乳製品過剰問題についても実際には農業をやめていく人が多いので国全体での生産量に大きな変化はなく、統計的には需要も増えているのであまり心配はしていない。近い将来には三十頭以下の農家は自然淘汰され、良い農家だけが残るだろうと話し現在の激しい競争に耐える自信と農業に対する情熱をのぞかせていた。父は経営面から引退して老齢年金（月額四万七千円位）をもらって余生をおくっている。

経営の実績は、昨年の四十頭平均で搾乳量は一頭当たり五千百十三㌔、脂肪率四・二八㌫で、かなり高い水準を示し、技術の優秀さと品種改良の行き届いていることを示している（この地区の平均乳量は四千九百五十㌔である）。品種はホルスタイン種で日本のものと同じであるが、後体の大きさは格段の差が見受けられた。

また、機械化も充分行なわれており、パイプラインミルカー、冷却タンクに至るまで立派なものが導入されて、生産費低減には充分な配慮がなされていた。しかし、それにもかかわらず朝五時から夕方八時まで仕事をしなければならないという点に、現在の農業のおかれている立場が表われていると思い、複雑な感じがした。

一農家当りの平均面積は、二十四紛であり、十二紛の小さなものから最高七十二紛まであり国から土地を借り入植するが、ここでは十二年間の契約となっている。その地代は、ヘクタール当たり百～三百ギルダー、納屋五十五～百四十五ギルダー、住居八百～二千七百ギルダーとなっており、資金は自分で銀行から借りて来るが、その利子は八・五㌫であり、種々の制度金融のある日本と比べると、資金面については大変なようである。

干拓地での主婦は、農業労働はしないで家事と育児に専念することだけで、このロープス家でも労働者一人を雇い、主人と二人の労働力であるが、この労働者は二週間に一度土・日の連休があり週給は百六十五ギルダー（一万六千五百円）で、連休の時も三時間は働くことになっている。それを越えた場合は時間給で普通の倍額の労賃をはらうことになっている。とにかく経営主の働きぶりは猛烈で搾乳作業だけで他の労働のない時に骨休めをすると言っていた。家族づれで休みたい時は組合で世話してくれたが、現在では働き手がなくなかなか休みもとれないらしく、ここでも労働力不足には悩まされているようである。

前にこの農家の技術を高いと書いたが、気候その他の影響もあるだろうが、牧草については全く収量が低く、草の名前も特別にないと言っていた。一紛当り五㌧で、日本の一割程度であり草の改良の余地が多分にあると思われた。乳牛頭数が増えたので牧草の収量を増す努力をしなければならないといっていたが、この辺にはまだ充分研究の必要がありそうである。

しかし、面積が広いので全体量は多く、天日乾燥したあと五〇%ぐらいの水分にして百㌧貯蔵するそうである。濃厚飼料は夏一頭一㎏、冬でも四～五㎏であり、この辺にも生産費の安い原因があるものと思われた。四十五頭の牛を三台のミルカーで搾り四十五分で完了するといい、やや早すぎる点で疑問を感ずる。日量八百～九百ℓ、一頭当り二十ℓを搾るそうで、脂肪率で価格が変わる。この農家では脂肪率四㌫で、基本脂肪率三・七%で三十七セント（三十七円）に対し四十円で販売し、この牛乳価格は日本より大分安いが（日本五十五・六円）それに対する生産費は二十五セントと安く、利益は割合に多いように思った。また乳価は安定しており暴落や暴騰はないようだ。この販売価格のうち一%は、負担金として協同組合に納め、協同組合の利益は十年に一回の払い戻しがあり八〇%の農家が組合に加入している。乳牛の保険は一頭四十ギルダー（四千円）であるが、年間二頭死んでもかけないほうがトクだから掛けないと言っており、技術的には相当な自信を持っているようであった。

日本からの農友会の実習生に聞いた感じでは、オランダといえども平均的な技術は大したことはないと言う気がしているが、この農家はこの地域一帯のレベルを抜いているようだ。（四十五年度静岡県産業青年海外研修団農業班）

私のプロジェクト

農家の意識調査 氷見市

富山県氷見市・氷見若葉クラブ 野村敬子

「前進型」たったの26%
大半は子供に継がせない

クラブの活動概況

さる四十年に若葉クラブが発足し、現在、男子二十名、女子七名である。活動内容は、技術交換、農村問題についての話し合い、奉仕活動やレクリエーションなどを行なっている。

課題と取り組んだ動機

氷見市農家の経営と生活についての考え方を的確に理解し、地元農家の中枢リーダーとなるための資料とする。

調査方法とその結果

市内に点在するクラブ員が、附近の農家約二百五十戸から、直接聞きとり調査を行なった。対象は、三十歳以下の人が約三〇%、四十歳以上の人が五〇%であり、主な結果については調査結果にみるとおりである。

調査結果

解答者の状況は、二十～三十歳二九%、三十一～四十歳一九%、四十一歳以上五二%、家族構成をみると、一～三人三八%、四～五人四八%、六人以上一四%、水田経営面積は、〇・五ヘクタール以下一九%、〇・六～一ヘクタール六七%、一ヘクタール以上一四%となっている。

今後の経営方向については、㋑水田面積を拡大したい一四%㋺水田面積を縮少したい一〇%㋩現状のまま（兼業）七六%と出ており、転作については、㋑転作を希望する一〇%㋺転作を希望しない三三%㋩希望するが作物がない五七%と解答されている。

調査結果から農業生産についてまとめてみると、農業については、前向きに取り組んでいる前進型農家は二五・九%、現状維持型農家は二四・七%、また、あまり農業に関心を持たない後退型農家は四九・四%であった。

前進型農家についてみると

1、里山開発による酪農、果樹に関心が高い。

2、水稲では、経営拡大による安定を求めるものが多い。

3、温暖な気候なために、花卉栽培への関心が高い。

4、畜産関係では、養豚部門に関心が深い。

5、砂丘地では、施設園芸を望んでいる。

生活面についてみると

1、他産業に従事する主婦が、部落の農家の九〇%程度あり、農家収入も増大しているが、外で働くための環境が充分整備されていない。たとえば、子供の保育環境の未整備、労働災害保険の不加入者が多いことなど。

2、部落の習慣は、まだまだ根強く残っている。

3、農外収入は、主に住宅、車、家財道具、交際、子供のこづかいに使われている。

楽しみは一家だんらん

次に、子供に農業をやらせますかという問いに、㋑本人に任せる一〇%㋺やらせたくない三八%㋩やらせない五二%となり、娘さんを農家に嫁がせますかの質問には、㋑嫁がせたい二四%㋺嫁がせたくない四八%㋩その他二八%とみえており、嫁がせない理由としては、㋑収入が少ない三八%㋺将来性がない五〇%㋩その他一二%となっている。

ところで、市内の洋裁学校生に、あなたが嫁ぐとしたら、どういう職業を選びますかと問い、これに対する解答があり、㋑本人次第三九%㋺企業的農家二九%㋩サラリーマン三二%という数字もある。

畜産に対しての関心について、二十四歳以下の人の四五%が関心をもち、五五%がないとして、二十五～三十歳では、ある二〇%、ない一八%、三十一～四十歳では、ある二〇%、ない二七%、四十一歳以上では、ある六〇%、ない五七%と出ている。園芸については、㋑現在所有の山林を開拓して栽培する一〇%㋺山畑地に道路ができれば栽培する二五%㋩全然関心がない六一%㋥その他四%である。

生活面で、最も気持の休まるのはいつですかの問いには、㋑一家団らんの時四三%㋺夜ねる時一九%㋩夕食の時一六%㋥テレビを見ている時六%㋭その他一六%、あなたの部落で一番ほしい施設は何ですかに対して、㋑公民館・娯楽施設三八%㋺子供の遊び場二九%㋩ごみ捨て場二四%㋥その他九%と出て、部屋で改善したい習慣については、㋑冠婚葬祭五七%㋺嫁へのつけとどけ三三%㋩病気見舞五%㋥その他五%となっている。生活改善については、かなり関心のあることがわかる。

今後の問題

現状維持型、後退型農家の多い農村の中で、私たち若葉クラブ員は話し合いの機会を多く持ち、それぞれの経営分野を安定したものに伸ばしていく。また、生活面でも、みんなが住みやすくするために、慣習にとらわれた交際は少しずつ打破し、話し合いの機会を多く持てる家庭を、クラブ員自身が築いていきたいと思う。

青少年のつどい開く
岩手・紫波地区連

【岩手】紫波郡紫波町農村青少年クラブ連絡協議会（会長、藤尾正彦君）は、町、紫波農業改良普及所と共催によって、このほど紫波町公民館を会場に同町営農業団「あすをになう農村青年のつどい」を開いた。この日は、加盟十単位クラブの会員と、今春紫波高農業科、盛岡農業高校を卒業して農業に従事する人たちなど六十人が参加し、四十五年度同町青年農業集団選賞表彰式などが行なわれた。

静岡に負けず
茶に賭け2万ドル経営へ

奈良県 山添4Hクラブ 奥保博文

茶を主体とした経営で茶園が百五十アール、水田が二十アールの経営面積である。

月ケ瀬村は今まで、果樹、野菜などを多く栽培していたが、気温、土質などから、育ちや販売条件が悪いため価格が安く、経営が成り立たず、すべての家がお茶に変わってきた。また、第一次構造改善事業で土地を広め、共同工場がいくつか立ち、緑茶地帯になりつつある。

わが家も昨年まで個人工場で生産してきたが、今年度、第二次構造改善事業で、以前からの念願であった共同工場が設置された。また、山の開墾もする計画である。三年前は経営面積も狭く生活も苦しかったので、計画を立て夢をもって着々と実行してきた。茶園を購入したり、開墾をしたりして現在まで広め、前からの念願であった二万ドル経営という、破格的な収入を自分のものにしようと努力している。

月ケ瀬村は、茶以外の経営をしようとしても、立地条件が悪いので茶にすべてをかけ、品質改善にしぼり、静岡の茶にまけないよう努力している。しかし、我が村にも一つ大きな問題がある。

それは、山村にも工場がいくつか進出してきて、この工場が、茶の刈り子を集めて勤めさせるようにしたからである。このため、茶の生命である適期適採ができなくなってきている。今まで茶は、品質よりも量で生産していたが、これからは良い品質の茶を生産しなければならない今日、こうした悩みをかかえている。

しかし、現在、百五十アールの茶畑を立派に育成し、二万ドル経営を早く実現するため、農業機械を多く取り入れ楽に仕事して、あまった人手で茶畑を十分管理していくことを考えている。最後に、私の念願はあと五十アールの面積を広げることである。そして、第二次構造改善事業によって、二ヘクタールの経営面積をもつことである。あと三年もすれば、私の計画も実現出来ることを夢みながら努力している。

これからの農業では、何といっても人手不足が第一の問題と考える。今までも大きな問題であって、必死に人を求め努力してきたが、うまくいかず現在に至っている。今年からの第二次構造改善事業で茶工場の共同化が可能となり、その問題は解決しようとしている。そして、これからは、あらゆる農業機械による共同作業を主とし、能率のよい茶園経営こそ品質の良い、低コストの茶の生産が出来ると思っている。

ものぐさ精神が生んだ
女性用の砥石台

栃木県・都賀町青少年クラブ 手塚政子・大塚初江

農業の機械化で、このごろでは鎌を使っての作業も少なくなってきましたが、少なくなったとはいえ、私達の地方では、まだまだ鎌に頼らなければならない作業がたくさんあります。特に今年（四十五年）のように、麦の収穫期に三日続きの雨などが降ると、倒れてしまった麦の刈り取りは、いくら性能の良くなった機械とはいえ、鎌で部分刈りをしなければなりません。

また、刈り取りが出来るにしても、刈り出しや、周囲刈り、畔の草刈り……と、機械が大型化すればするほど、鎌の必要性は改めて見直さなければなりません。しかし、鎌を使う作業で面倒なことは、刈り取り機などとは違い、鎌ときをまめにしなければなりません。切れ味の悪くなった鎌は、とがなくてはならないのはわかっていても、水の便が悪く砥石に水をかけるのがめんどうだったりすると、切れの悪くなった鎌を、いつまでも使うことになりかねません。

特に私の場合、麦刈りの時には手袋をはめて作業をしたので、鎌ときの都度に手袋を外さなくてはならないので、他の人よりよけい手間がかかります。手袋を外すくらいは、わずかな時間ですむことなのですが、二回、三回とくり返すと、意外にめんどうなものです。かといって、手袋をはめたまま砥石に水かけをすると、手袋が濡れてしまうし……。

手袋外さず使えて便利

そんなことから、手袋を外さずしかも必要なときに、砥石に水が流れるような工夫はないものかと考え、この砥石台の工夫を思い立ちました。この砥石台は、サイホンの応用なのですが、最初は、どう作って良いかもわからず、ただ水道の蛇口をひねると、水が出るようにという、不可能に近いような、おぼろげな考えだったのです。ところが、以前、父がホースを使って池の水を出していたのを思い出し、早速、真似てみました。

最初は、砥石台の頭の部分に溝を作り、ビニール管でバケツと砥石台を結び、水が砥石にかかるようにしていましたが、何度か使ううちに、ビニール管が軽く柔らかいことから、バケツの中に入れておく管が出てしまったり、水の調節が出来なかったので、水が早くなくなってしまったりと、失敗の連続でした。

しかし、欠点がはっきりしていたので、バケツの中に入れる管は重しをつけて安定させ、水の調節が出来るようにするためにはと考えた末、管に針金をまくことによって、上下左右、自由に高さや向きを変えられるようにし、また、砥石台の溝には、止め金具をつけて管が台からずりおちないようにし、砥石台もかさばらず、持ち運びが便利なように折りたたみにしてみました。（別図参照）

作業着にも防水加工を

この砥石の使用方法ですが、バケツなどに水を入れ、ビニール管を重しのある方から徐々に水の中へ入れていき、管の中の空気をぬいて（同様に、片方の管を水の中に入れ、もう片方から口で吸って空気を抜く方法もある）、砥石台にとりつけ、管の口を上に向けておきます。これだけに装置しておけば、あとは使用したいときに、水の調節をしながら鎌ときをすることが出来ます。

私達のものぐさ精神が生んだ砥石台の工夫ですが、これを作ったことにより、陸田での鎌ときも容易になりましたし、バケツに手を入れて水をすくうこともなくなったので、バケツの中の水のよごれが少なく、お茶の時間の手洗いや緊急の場合にもこの水を利用出来ます。ただ、注意したいことは、水を高い位置におかねばならないということです。

また、これらに関連して、忙しい時期には、露のかわかぬうちから夜遅くまで作業をするので、手甲や地下足袋を露でぬらしてしまい、下の衣類にも浸み込むので、手甲と地下足袋に防水加工をほどこし、露ぬれを防いでいます。防水加工は、地下足袋でパララックス五パーセント、手甲は同液三パーセントと、濃度をかえてほどこしました。ただし、地下足袋の場合は、ゴム加工の部分があるので、ハケ塗りをして、手甲はパララックス液に浸してかわかし、アイロンで仕上げをします。

鎌ときなど、女性らしからぬ仕事だとは思いますが、これらのことを案出したことにより、麦刈り作業のたびに工夫の喜びを感じています。今後も、不便さを仕方がないというだけに終らせず、自分なりに工夫して、周囲の人にも喜んでもらえるようなものを、作っていきたいと思います。

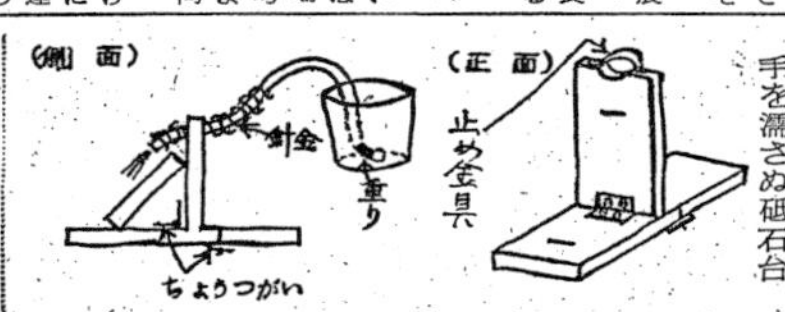

手を濡さぬ砥石台

我がささやかな抵抗

つどいのことども

何か違うんだ
笑顔と心づかいに飢えていた

佐賀県南波多4Hクラブ 桑木隆昭

僕は、佐賀のつどいに運営委員として参画した。その短かった日々を振り返ってみると、さまざまな感慨が湧いてくる。

僕にとって全国のつどいは何であったか、それは一口に言って、苦しみの連続であった。個人の感情を出すことの許されぬ、背水の陣を敷いた県連、ともすれば崩れそうになる心を自ら励まし、ともすればはみだしそうになる自分を抑さえ、とにかくもやり通せた時、心に押し寄せて来たのは、大きな空しさと不思議な敗北感だった。

厳しい状況の中で、どうにかやり遂げることが出来たのは、周囲の方々の暖かい理解と惜しみない協力のお陰であった。

僕は記念楽焼の担当としてこのつどいに参加したのだが、有田の業者の方の商売抜きの協力にどれほど助けられたか。本来ならばクラブ員が言ってくれるはずの言葉「私たちは、皆で見ています。しっかり頑張って立派なつどいにして下さい。私達も出来る限りのことはさせて戴きます」——を聞いた時、僕は涙を抑さえるのに苦労した。しかもこれと同じような言葉を、ある印刷所の人からも、広告を依頼にいった実業家からも戴いた。皆地域の立派な、安定した企業の経営者であり、従業員である。

僕のかさかさに乾き疲れきった心が、そのつど癒され潤いを与えられた。正にこの人達の言葉が、苦しい四ヵ月間、僕を支えてくれたのである。しかしそういう時でも、いつも心のどこかで叫び続けていた。「違う、そんなものじゃない、何かが違うんだ」と。

僕が求めていたのはそういうものではなかった。一体この〝つどい〟に何を求めていたか。その頃はまだ定かではなかったが、今にして考えてみると、青年の青年らしい暖かい心と心の触れ合いであったように思える。助けたかったのだ、青年として。そして、助けて欲しかったのだ、青年として。もちろん皆助け合った。お互いにアドバイスをし、手助けをし合った。しかし、そんなのではなくもっと深い……、あるいはつまらない簡単なというか、言葉ではない、実際何をやったかではなく……暖かいまなざし、やさしい笑顔、ちょっとした心づかい、そういうもので助け合いたかったのだ。そしてそれが望めないことを知ると、僕は自分の任務に打ち込んでいった。

ところが不思議なことに、一生懸命になればなるほど、仕事が進めば進むほど、みんなとは違うことをしているように思えてきてならなかった。別の大会の準備をしているようだった。そして妙な異和感を感じ、さながら第三者であるかのごとき錯覚にとらわれる時が、しばしばあった。しかし、それを自分で認めることは、何としても許せなかった。嫌だった。

そこでいかにも余裕があるように見せかけ、だから客観的な目で〝つどい〟を見ることが出来るんだと、自分で自分に言い訳をした。それで皆をごまかすことが出来た。が、しかしやはり自分をごまかすことは出来なかった。いつも不安だった。そして、その不定を隠すため、いつも肩をいからせて……。

そしてつどいは終った。

当時のアルバムを見て、自分の知らない場面の多さに改めて愕然とした。皆やっていたんだな、楽しそうだなと思った。しかしこれは、考えてみると、当時運営にタッチした役員は皆多かれ少なかれ抱いている気持であろう。そしてこれが大会というものなのか……、僕がこんなことを言う資格はないのかも知れない。だから……。

大会が終った日の夕方、反省会があった。皆わけもなくただワアワアと泣いた。久野会長も小林県連会長も声をつまらせ、涙がポロポロとほおを伝わっていった。しかし僕は泣けなかった。誰かれかまわずつかまえ議論をふっかけていた。

「『一生懸命出来る限りのことをやったのだから、それでいいんだ。悔いは無い。クラブ員も解かってくれるだろう。成功だった』と言うのはおかしい。いかに一生懸命やったからといって、クラブ員が満足してくれなければ、それは不成功であり、リーダーとしては、それではいけないんだ。そんなことを言うのは苦労の押し売りだ。もっと現実を厳しく見つめるべきだ」と。

皆にもこのつどいに対する不満があったはずだ。それを「御苦労さん」「終ったなー」「よくやったなー」などというような言葉でごまかしてしまって、ただ素晴らしい感激の涙にむせんでいるのを見た時、なぜか無性に腹が立った。

議論をふっかけること、これが僕に出来たこのつどいへのささやかな、しかも精一杯の抵抗だったのである。

その反省会を途中から抜け出した僕に、数日後、当時のあるい運営委員が「それからがよかったんだ」と教えてくれた。

住居と生活改善と

南側に老人部屋

香川県満濃4Hクラブ 植野美江

一、わが家の経営概況

わが家の農業従事者は、母（五十四歳）と私（二十一歳）の二人である。経営概況は、放牧と採草地四百アール、搾乳牛十一頭、初乳牛二頭、育成牛二頭、それに水田百アールである。

二、課題ととり組んだ動機

私たちの地域においても最近農村の人口が急激に減少し、過疎化が問題になってきている。その原因としては、（イ）農業収入が少ないために、他産業へ従事する（ロ）交通が不便である（ハ）農家には今もなお封建的風習が数多く残っている。以上のようにいろいろ問題はあるが、私は過疎化が問題となっている地域の住居実態調査をしてみた。

三、実行経過

その結果、不合理な住居が多く、例えば便所や風呂が屋外にあり、大変健康にも悪く不便である。天井のない家も多く、冬季すき間風が入り非常に寒い。農村特有の田の字型住居のためプライベートルームもなく照明も悪い。

四、本年度の実績をかえりみて

以上のようなことを解消するために、近代的な家族本位の住居改善を考えてみた。

（イ）、生産の場であった土間は老人部屋・便所・浴室とする。

（ロ）、団らんの間として居間兼応接間を広くとる。

（ハ）、若夫婦部屋・子供部屋・老人部屋などは南側の明かるい所にとる。

五、今後の計画

以上のような合理的な住居改善には常日頃住宅に関心をもち、生活改善に対する意識の高揚をはからなければならない。そのためには4Hクラブ員や婦人会の人たちとも話し合い研究する機会を多くもちたい。そうすることによって明るく楽しい健康的な生活を築いてゆけるものと確信している。

新しい農業へのあゆみ

私の住む満濃町は香川県のほぼ中心部にあたり、専業農家は五ヘクタールに満たず兼業率の高い町である。しかし研究心に富んだ専業農家の中には経営改善に努力し、その成果も著しいものがある。私は昨年の四月から農業を手伝っているが、わが家の酪農経営は成牛十一頭、育成牛二頭であり、その管理は母と兄嫁、それに私を加えた三人でする。私が常日頃感ずることは、女ばかりの管理のため十分に能力が発揮できない面もあり、早く目標の搾乳牛二十頭飼育にして働きに出ている父親に帰って来てもらいたいものである。専業農業として、自立してゆきたいものである。より合理的な作業そして所得が向上するならば、潤いのある最も人間的な生活が営めるのではないだろうか。理想郷建設のため4Hクラブなどにおいて大いに研究し実践してゆこうと考えている。

地下へ野菜収納

茨城県大子町農業学園 益子ふくえ

我が家は六人家族で、経営概況は山間地のため、椎茸、こんにゃく、お茶、それに堆肥を取る程度の和牛です。農業従事者は両親、兄、私の四人である。

我が家は、昨年家を新築した。今までの家は、三百年くらいたち改築するより新築の方が、資金や労力の面からも得であることなどから新築した。古い家は、田の字式で収納する所がなく、ただ広く集会場向きであった。新しい家の設計にあたっては、収納と家事の合理化、個別の部屋を持つこと、古い家の歴史を残すことに重点を置いた。

一、家事の合理化と収納としては母と私の意見を重要視してもらった。野菜を収納する地下室や戸棚は作りつけにし、コンセントを各部屋につけ、また炊事場には酪農用の温水機を取り付け、夜間電力利用のための燃料節約と家事作業が軽減した。

二、昔からある板の間と母の間の段々は、部屋の利用価値が少なくなる。そのため、家族全員の意見として敷地の高さを同じにした。結果としては、部屋への往来が楽になった。

三、三百年という古い歴史を、一つの文化遺産として次代へ伝えていくため、屋根やすす竹の材料を柱や床の間の飾りに残した。

しかし、問題点としては

ア、作業場がないため、炊事場へ作業を持ち込み、生産と生活の場との区別がつかない。

イ、便所が庭の入口にあるので、環境、衛生面からも、家の後手にもっていきたいと話し合ったが、易学などにより方角が悪いとのことで実現されなかった。

問題点は、これからの生活上からもいろいろ出てくると思うが、良い点として気分的に明るくなり衣服や身体の汚れも目立ち清潔になったことがあげられる。農家の住いとして、プライバシーを侵害されない独立した部屋が理想的であるが、日本の気候は多湿であるので、集会の場として利用することもあるので、開放的にならざるをえないと思う。

原稿募集

現在、年度がわりで、全国のクラブ員の皆さんは、一年間のプロジェクト活動のまとめをされていることと思います。そこで、それらの結果をぜひとも左記宛にお寄せ下さい。広く全国のクラブ員の方々にお知らせしたいと思うのです。お寄せ下さるときには、図表、資料写真（カラーでなくて結構です）、顔写真などを添えて下さい。

宛先 東京都新宿区市ヶ谷船河原町一一 家の光会館内 日本4H新聞編集部〒162

NHK農事番組（4月11日～21日）

テレビ

明るい農村 6・30～6・55総合
11日 明るい漁村
12日 村の記録 全村買収（岡山県備中町）
13日 きょうの話題
14日 産物往来 いちご
15日 話題の広場 ▼赤外線で公害摘発 ▼主婦のつむぎ講習会
16日 村をむすぶ 札幌、名古屋、松山、東京
17日 農村新地図 沖縄八重山石垣市（農林水産部）阿部照勝
18日 明るい漁村
19日 村の記録 八郎潟からの告発（秋田県大潟村）
20日 きょうの話題
21日 産物往来（菜草）

農業教室 7・30～8・00 教育
12日～14日 直播栽培のかんどころ（宇都宮大学教授）菅原友太
15日～17日 機械化移植稲作の再検討（農林省東北農業試験場）木根淵旨光
19日～21日 安定拡大をねらった水田酪農（農業総合研究所）桜井守正

あすの村づくり
日 7・00～8・00 教育
再 土 13・00～4・00
18日「協同化—その成立条件」その2 ▼「グループだより」福岡県宗像郡宗像町（吉武ゆり栽培グループ）▼「共同放牧場にかける」青森県むつ市斗南ケ丘（酪農青年研究会）▼「ある青年像」埼玉県南埼玉郡蓮田町（塚本和人）

ラジオ

早起き鳥 5・05～5・57
11日（5・31～57）米の生産調整・2年目①生産調整の目標と課題
12日 米の生産調整・2年目②悩み多い減反
13日 米の生産調整・2年目③転作の問題点
14日 米の生産調整・2年目④減反と銘柄米
15日 米の生産調整・2年目⑤ゆれうごく農家経済
16日 5人組で共同経営（栃木県那須町）白井春治
17日 減反で酪農専業へ（新潟県三島町）中村康平
18日 山村開発の課題 札幌—福岡—東京
19日 期待される野菜の海上輸送（宮崎県下）
20日 請負耕作の今後（愛知県農試指導部長）西尾敏男
21日 農協職員その後 鳥取県下因美線ほか。

話の広場 6・10～6・30 ❶
11日 主婦のつむぎ講習会（芳賀郡市貝村）
18日 レタス博士（神奈川県農業総合研究所）平間達也

新しい農村 6・00～6・30 14・30～15・00 ❷❷
11日 生産調整の課題（農林省審官・加賀山国雄ほか）「二百三十万トンの転作を主とする生産調整も現実には、いろいろな問題を残しながらスタートするが、とくに転作について技術的な側面から問題点をきく」
18日 すすむ農協合併（全国農協中央会常務会・松村正治）

ラジオ農業校
日 6・30～7・00 ❷
18日 優秀農家に学ぶ▼養蚕経営の規模拡大はかる（山梨県中巨摩郡玉穂村）松村昭彦ほか

友の門出を祝して

相手の人を大切に
やっと掴んだ幸福ですもの

福岡県瀬高町・野菊会　江崎京子

桜のたよりが聞かれる頃、貴女の花嫁姿を拝見することが出来そうですが、この日をどんなに待ち望んでいたことか――。

いい人とめぐり合われて、良かったですね。本当におめでとう。御両親もさぞかしお喜びのことと思います。

今、静かに考えてみますと、いろいろなことがありましたね。

貴女とはクラブが出来て以来ですから、わずか二年足らずのおつき合いでしたが、貴女と知り合いになれて、本当に幸福でした。

いつも、ニコニコしていて、明るく、くったくがなく、貴女がいるだけで、周囲がパッと明るくなったみたいで、さわやかな気持で過すことができました。

少々おっちょこちょいだが、ものごとをテキパキ片づけていく貴女。

農業に熱心で、常に農業者としての誇りを失わず、前進しようと努力している貴女。

そんな貴女ですが、兄弟がいないため、自分が親を見なければいけないという宿命を背負っていました。

そのことで、いろいろと悩み苦しんでいた貴女。

よく、二人で一緒に農作業をやりながらとか、役員会の帰りなどで、いろんなことを話し合いましたね。

「農業をやろうとする若者がだんだん減少しているのに、果して婿子に来て、農業をやってくれる人がいるだろうか」と心配し、また、「お嫁に行けるなら行きたい。どこへでも好きな所へ行ける江崎さんが羨しい」と言っていた貴女。

その貴女以上に、御両親は辛かっただろうと思います。

良縁は貴女の勇気から

御両親の思いの貴女ですから、「これが私に与えられた運命であり、それから逃げ出すことよりも、これからは、その中に自分の幸福というものを見つけなければ」と自分に言い聞かせていましたね。

もし、お嫁に行くように決ったとしても、貴女の性格からいざとなると、御両親を残して行くようなことは出来ないと思います。

そんな貴女でしたが、近所の人のお世話で、サラリーマンの人とお見合いをし、それがトントン拍子にまとまり、本当によかったですね。貴女のことを、常日頃見ておられ、ここなら相手の人も幸福になれるに違いないと、お世話をされたのだろうと思います。

相手の人は、家は農家だが、学校卒業後、県外就職をされており、それなのに、今まで勤めていた会社を退めて、貴女との未来に賭けられたその決断力。

また、貴女も農業の経験のない人を相手に選んだその勇気。

全く頭の下がる思いです。

相手の方も、貴女の農業に対する熱意に動かされたのだろうと思います。

今まで、クラブのリーダーとして、会員をリードして来た貴女のことですから、二人で協力し合って、幸福な家庭を築き上げるに違いありません。

やっとの思いで掴んだ幸福。

いろいろなことがありましたがこれからも、会社を退めてまで貴女との未来に賭けられた相手の方の気持を、大切にしてあげて下さい。

会員一同、心より貴女の御幸福をお祈り致しております。

また、全国の女子クラブ員の皆様の中にも、同じような立場の方がおられると思います。でも、「私は婿子をとらなければいけないから……」と言って、決して悲観しないで下さい。貴女の動作、行動を、他の人は見ているのです。私の友達も、近所の人がお世話をして下さったからこそ、話もまとまり、幸福を掴むことが出来たのです。

「幸福とは人から授かるものではなく、自分で掴むものである」と、人からよく言われます。その通りだと思います。

女子クラブ員の皆様も、真剣に農業と取り組んで、常に前向きの姿勢で進んでおられるならば、他の人もきっと貴女という人間を認めてくれると思います。

近い将来、女子クラブ員の皆様にも幸せが訪れることを信じてやみません。

社会の窓〈下〉

不便なチャック
隠語の由来は不明

折原　俊二郎

私はズボンを閉めるのはボタンが良いように思う。何故ならば、用事の済んだあと、一つ一つボタンをかけていると、いかにも完全に股を閉めたように思えるからである。

しかしチャックでは、スーと上に引きあげるだけのため、本当に閉っているだろうかと不安になり、下を見て確めたくなる。

でも、どうせ閉っていなくとも他人に害を与えることもあるまいと思いわざと見ないことにしている。

しかし、それでも何となく不安である。そこで、チャックの通った道順を指先で下から上にさわって、その感触で確め、やっと安心するという状態である。時間的にも労力的にも、ボタンよりチャックの方が効果的であるが、意識のうえでの不安感と、二度も確認しなければならないという不便さから、チャックはなじみにくい。

数年前、小学校の息子が、或るとき「お父さん、社会の窓が開いているよ」と言ったことがある。注意された私がキョトンとしていると、指でその場所を教えてくれた。それは、私のズボンがチャック式に変った最初のときである。わが家では、それ以来股ボタンの開いているのを「社会の窓が開いている」と言うことにしている。ところで、そのときは、社会の窓とはうまいことを言うと笑ったが、その言葉はいったいどこで聞いてきたのか、或いは自分で考えたのか、誰が言いだしたものなのかについては聞かずにしまった。

この隠語はときには大変便利に使うことができる。この前、子供と二人で電車で出かけたときのこと、二つ目の駅でやっと坐ったら、そのとたん子供が私の耳に口を寄せて「お父さん、社会の窓！」と注意してくれた。隣りに坐っていた奥さん風の人が、私の顔をチラッとみたが、この隠語はわからなかったらしい。私は誰にも感づかれずに、そっとチャックを引きあげた。

この頃、社会の窓という隠語はどこから生れ、どういう意味をもっているのか、それを考えるようになったが理解できないでいる。それかといって簡単に他人に聞くわけにもいかない。教えてもらいたくもあり、もらいたくもないという微妙な気持である。それは、ズボンの股ボタンは、それぞれの時代における社会の風潮をよく知っておるように思われるからである。

悪夢のような軍国時代、新しい民主主義時代、急速な経済発展、その波の中にあって一般民衆の喜怒哀楽、これらすべてのものが、社会の窓は知っているようである。もっと軟い考えでみつめてみるのも面白い。たった一人でいろいろのことを想像して二ヤリとするときがある。一人でニヤリと笑っているぶんには誰にも迷惑はかけないし、適当な暇つぶしにもなる。

しかし、これは男性のみの特権であることには間違いない。それだけに、恐妻家にはなお一層の楽しみともいえよう。（了）

（農林省・農業者大学校）

4Hのマークと共に
クラブ活動用品の案内

（単価）

- 4Hバッチ……50円
- レコード盤（4Hクラブの歌・4H音頭）……150円
- クラブ旗　大（72cm×97cm）……400円
- クラブ旗　小（36cm×49cm）……200円
- 手拭……100円
- ハンカチ……60円
- ネクタイピン……200円
- 女子用ブローチ……200円
- クラブ員専用便箋……100円
- 〃　封筒……70円

◎荷造り送料代百円です。

◎ご注文は代金を振替口座へお払込みを願います。代金着き次第ご送品致します。

社団法人　日4H協会代理部

東京都千代田区外神田6丁目15～11の705号

振替口座　東京72082番

貧困という意識は持たず
社会不安の中でものんびりと
マレー人

〈中町幸蔵君発〉

皆さんお元気ですか。私達、全協推薦六人も元気に活動を続けています。今日は、第三の寄港地、マレーシヤの活動報告をします。

ポーストウェッテンハムに入港しクアラランプール周辺で、二月二十五日から二十八日まで活動しました。マレーはマレー半島十一州、マンタン島北部にある二州からなっていて、首都はポーストウェッテンハムです。民族はマレー系四四%、中国系（華僑）三五%、インド系一一%、その他八%となっており、政治の主導権はマレー人、経済の主導権は華僑とはっきりしています。

マレーシヤは東南アジアでは発展途上国のナンバー・ワンと言われています。都会と言われる町は、日本では見られない緑と区画整備の整った町になっています。

その中でマレー政府は、マレー人優先政策で華僑に対する弾圧は相当に強いようです。首都では二十二日から三日間、戒厳令がしかれていたとのニュースがはいっています。

言葉についても英語、北京語、マレー語とあり、今までは英語を公用語としていたが、一九七〇年よりマレー語を公用語として認めているそうです。また教育についても、義務教育はないが、小学校六年までは国費で教育を受けることができるそうです。それから、東南アジア全体にそうですが、マレーにも失業者は多いようで、この対策としてクアラランプール郊外に、広い工業団地が日、米、英のプランテイションによって行なわれています。現地の人は、日本のプランテイションについて、歓迎しているように感じ取ることができました。

こうした中で農業は、農民が一〇〇%近くマレー人であるため、また食糧増産計画下にあることなどから、かなりの保護があるようです。地方開発センター、農林省の農村農業計画は立派なものができていますが、不安のない生活をしている農民には、縁遠い感がします。

農業と生活

米の自給は六〇%で、不足の四〇%を台湾、タイから輸入しています。マレーシヤは年間日差が三十五分しかありません。稲作については、品種はインジカ種（熱帯種）がほとんどで、草丈二メートルくらいあり、バスの中から田植え、草取り、収穫の姿がよく見られました。田植えはバラ植え、草取りは三十七センチになった草をカマでなぐっています。また収穫は、カゴを持ち、穂をつみ取るのです。収穫は熟したものから順にして、一ヵ月くらいかかるそうです。

研究所の人の話では、品種や技術の改良よりも、すずめとねずみの問題さえ解決できれば三〇～四〇%の増収があるのだがと言っていました。品種的には、フィリピンのIR系を採り入れたいと語っていました。その他ゴムとパーム油の生産は世界的に有名ですが、ゴムは人工ゴムの影響を受け、小規模農家では品種の改良も充分できず、意欲を失った答えしか返って来ませんでした。

次に農村の生活面ですが、農家はヤシ葉の屋根とかべがほとんどです。便所やフロはなく、カンポ（部落）は必ず川の近くに集まっています。その川が便所であり、フロであり、洗面所であり、炊事場でもあるわけです。農家は非常に貧しい感じがします。生活必要品といえば、ナベとコーヒーカップくらいで充分だそうです。それと、着物を入れる長持とラジオがあるくらいで、金持ちの農家では手回しのミシンが加わるそうです。

しかし、彼らは決して自分達が貧しいとは思っていません。自給自足の生活で、金の支出が少なく（文化教育に乏しいこと）、医療費は国家保障で無料であり、あまり生活をおびやかされることがないため、勤労意欲が乏しいとも感じられました。

婚礼儀式について

マレーの水牛は一頭百五十M＄（一万八千円）～二百M＄、牛肉を食べるのは婚礼の時ぐらいだそうです。婚約の結納には牛が必ず使われ、普通四～五頭渡し、式は女性の家で行なわれて、そこで二～三日過した後、新築の家に移り分家するそうです。また、嫁をもらったというようなことは言いません。彼らは嫁を買ったと言っています。

それに新築の家といっても、費用はヤシの葉なら三百M＄（三万六千円）、ラワンの家でも七百M＄（八万四千円）で建てられ、後々重荷になるような費用ではないとのことです。また分家すると、農業後継者として政府から四～五エーカーの土地を与えられ、区画整備の費用だけ、五年据置き十五年の分割払いで支払うのだそうです。政府では農協組織の確立を急いでいるようです。走り書きで失礼します。

青年の船便り〈4〉

『空談』

平均寿命という魔術

「数字の魔術」という言葉があるが、どうも、人はなにごとによらず、魔術にかかりたがる傾きがあるらしい。いつも馬鹿馬鹿しく感じるのは、例の平均寿命というやつで、女は七十何歳、男も七十歳に近づいたから、一流文明国になったとかいう類の話柄である。

平均寿命の伸びたのは、まあ、喜んでおいてもよいが、それがただちに、自分も七十歳までは生きられる保証を得たかのような、錯覚に陥るのはどうしてだろうか。あくまでも〈平均〉であって、個々の寿命や生物学的な生命が伸びたわけではないのだ。平均寿命と個別の寿命とは無関係であり、死と隣りあっているのは、いつの時代も同じことなのである。

いわゆる幼児死亡率が減少した結果、必然的に平均寿命が長くなったというだけの話である。医学の進展により、病死も少なくなっていようが、替って、交通事故や公害などが命を縮めつつある。さらに、従来、さほど目立なかった成人病が現われたり、老後の生活をどうするかといった切実な問題が生れてきていることも、忘失してはならない。

老人問題はともかく、個々の人間が常に死と背中あわせである事実をしかと見たがらないのは、やはり、死の恐怖からだろうか。「泉辺のわれ等に近く死は在れよ」（草田男）なろうことなら、思い出したくないだろうが、死ぬべき運命を負ったものというのは、古来、人間の定義のひとつでもある。

平均寿命というフィクションに隠れるよりは「無常迅速、生死事大」という古人の認識方法に、すぐれて透徹した眼光を感じる。個人、主体性などを云々するにも、平均的でなく、それぞれに切離された一個の人間、単独性を問題にするほかない。誰もがひとりで死んで行くことを、とくと考えてみるべきだ。（山）

青春と仲間

長女

今井恵子

駆け足で階段を上がる
二階は子豚舎だ
クリッとした目と　気持ち良く巻いた尾と
よし　調子いいな！
忙しい朝の時間に作業の手を休め
思わずふざけあう
今日はいっぱい刈った
父の運転する耕耘機の上で
遠くの夕焼け空を見つめ
赤トンボを目で追う
こんな時
一回きりしか歌えない、私のおかしな歌がでる
ささやかだけど酒のつまみを一品つくり
飯台の上にアッカン一本と並べる
湯あがりの父の顔が
おっ　うまそうだなとほころぶ
平凡で小さいけれど確かなしあわせである
あの人は
俺のそばにはもっとでっかいしあわせがあると言う
私は
このしあわせで充分だと言う

（新潟県長岡4Hクラブ）

私のIFYE生活から　―2―

岐阜県小泉4Hクラブ　古川みどり

日本　OB（ローカルリーダー）にしては　楽しみつつプロジェクト　米国

4Hクラブ

「アメリカの4Hクラブはいつ頃始まったのですか」と聞くと、ほとんどの普及員が五十年程度前のことですと言う。母は、「女の子は、（いかにしてトマトを冬に食べるか）から始まったのよ」と言う。形態も今のように子供中心。しかし、農家から発展していったのが今は都市のクラブ員が三分の二をしめているというのである。

アメリカの4Hクラブは、すでに多くの人人に紹介されているとおり年齢層が九歳～十九歳であり、活動自体も農村に限られてしまった日本とは多くの違いがある。綱領に記されているとおり「国、地域の生活向上のため自分達をみがく」のであり、「農村のため」と明記してしまった日本の4Hクラブ綱領が、このままであってもいいのか？を考えることが、日本の4Hクラブの今後の発展のために必要でもあると思う。

さて、アメリカの少年たちにはYMCA、ボーイスカウト、キャンプファイヤーガールスクラブなど各種の目的のことなった組織がある。しかし、全米に広がる農林省を後にひかえ力を持つクラブは、4Hが一番に違いない。現在、百五十万人のクラブ員を持ち、各州立大学にもうけられた農学部の普及課専門員が、州の行事から国際関係までの仕事をする。その下に郡があり、同じく4H指導だけの専門普及員がいて、ローカルリーダー研修会をはじめとして郡単位の行事を計画実行していく。アメリカでは、クラブ員の年齢が低いことから行事決定はすべて州、郡の普及員とローカルリーダーによって決められてしまう。ローカルリーダーとは、地域の大人の中から志願して無報酬で子供たちを直接指導していく人々である。アメリカの4Hはこのローカルリーダーの活躍によってささえられていた。

クラブ員はすべてプロジェクトを持たなければならない。しかし、そのプロジェクトは日本のそれとは違いもっと気楽な一つの趣味の感をうける。その科目も各州ごとに決められており百数種類あるといわれる。特に人気のあつまるプロジェクトと言えば農業関係の動物、植物の育成であり、女子はだんぜん料理、裁縫である。ある時、彼らに、なぜ4Hクラブをやっているかと聞いたら、口をそろえて「面白いから…。お金がもうかるから…。遊べるから…」であって、いかにも合理的な考え方だと驚いた。

4Hクラブ最大の行事は、4Hフェアとよばれる一種の農業祭である。全く多種多様。プロジェクトの成果を発表する。コンクール（品評会）であるのだが、その他、露店や見せ物小屋までくり出す。村祭りを持たぬアメリカでは、郡、州、アメリカ全土と進むこのフェアを家族づれで一日がかりで見物、応援する。子供を中心とした農業祭に違いない。そして、即売される家畜からの収入は、彼らの学資、おもに大学費用につかうというのだから両親ともおのずと力が入るのであろう。

日本の4Hクラブが、農業をもとにして戦後の食糧増産と歩みを同じくして急速に発展したのに比べ、アメリカの4Hクラブ活動は、子供の家庭教育（趣味をのばす、エチケットを養う etc）と密着し、多くのクラブ員を都会にも発展させたのである。しかし、理想に近く発展するアメリカの4Hクラブを現在の日本の4Hにどう生かすか。じゃあ、日本の4Hクラブは悪いかと言えばそうではない。年齢差はあるというものの、日本のクラブ員の年齢層はアメリカではほとんど活動していないのである。（農業改良クラブは三十代になる）。それを見ると日本の4Hは本当に青年自ら活動しているという強さがある。その所を生かしつつ、今後どのような方向に日本の4Hクラブを進めていったらいいか大きな課題である気がする。

さて、最後に私の考える日本4Hクラブの未来像を描いてみた。

第一、経験年数などによってクラブ員をわけ、それに合った共同プロジェクトを持たせる。（この共同プロジェクトは経営、農業技術改良や生活改善の本来のプロジェクト以外とする）目的は、新しいクラブ員に4Hクラブとは？プロジェクトとは？を身を持って教えるため。なお、現在日本では年齢制限がないが、今OBと呼ばれている人々を、アメリカでいうローカルリーダーとして組織し4Hの一端とする、などと考えてみましたが、経験が浅いので現在の問題点を捉えているかわかりません。

補足として、私が滞在した九軒の子供たちのプロジェクトを簡単に説明すると、第一の家庭では兄弟ともに弓矢、受け入れ家庭の両親がリーダーになり十数名の4Hクラブ員に弓矢を教える。女の子は他に、皮細工、裁縫。

第二の家庭では、十六歳の男の子は、父親のもっている五十頭と肉牛七十頭中二〇%を彼のものとしてすでに買いとり、それがプロジェクトである。姉、十七歳はブタ一頭、半年間で4Hフェアに売り出す。

第三番目は、親子十四名中六人が4Hクラブ員で、家族員すべてスキーのプロジェクトを持っていた。（父が十数名のリーダー）。女の子たちは、他に室内装飾、料理、裁縫。彼女たちは毎日食事の用意を手伝っていた。

第四では、馬、編みもの。第五では、男の子たちは各三頭の肉牛。女の子は、肉牛一頭と裁縫。第六番目は、地区の会長、郡の役員をやっている十七歳の彼女は、馬、肉牛、音楽、人と人（国際平和の人間理解）、犬の世話、保育、料理と驚くばかりの多さであった。彼女に言わせると「これらのプロジェクトの人員が少ないので一人で三つ四つ持っている人がほとんど」なのだと言った。その他の家庭もほぼ同じなので省略する。（つづく）

はなし

犬ふぐりのこと

東京でも、このあいだから犬ふぐりが咲いている。おそらく、全国各地の春先を色どるものと思われるが、ひとつひとつではさして目立たないけれども、群がり咲くから、可憐でありながら存外にぎやかな花である。ことに、大犬ふぐりだと、普通のものよりひとまわり大ぶりなので、葉の緑と花の瑠璃色とが調和の妙をみせる。

春先の雑草は、たとえば、はこべにしてもなずなにしても、とかく目立たぬ花をつけるが、この犬ふぐりばかりは例外というべきだろうか。しかし、誰の命名か知らないが、気の毒な名前をもらったものである。一種の義憤を覚えて、もっとふさわしい名前をあげたいと思うが、これはなかなかむずかしい。

犬のペニスと花のかたちが似ているためにつけられたということだが、世の中には、つまらぬところに神経が行届く人もいたものだと、あきれざるをえない。芭蕉は「事は鄙語の上に及とも、懐しく云とるべし」といっている。なにも、こんなところにリアリズムを振りまわし、むくつけき命名をすることは、少しもなかっただろうのに……。（Y）

日本4H新聞
4Hクラブ 農事研究会 生活改善クラブ
全国弘報紙
発行所
社団法人 日本4H協会
東京都市ケ谷家の光会館内
電話（269）1657郵便番号162
編集発行　玉井　光
月3回・4の日発行
定価　1部　20円
一ヵ年700円（送料共）
振替口座東京　12055番

クラブ綱領

私達は、実践を通じて自らを磨くとともに、互いに力を合わせて、よりよい農村、よりよい日本を創るため、四つの信条をかかげます。一、私達は農業の改良と生活の改善に役立つ腕をみがきます。一、私達は科学的に物を考えることのできる頭の訓練をします。一、私達は誠実で友情に富む心をつちかいます。一、私達は楽しく暮し元気で働くための健康を増進します。

OB会結成へ動く

全国的な組織化を

4H会館の建設を契機に

4HクラブOBの全国的な組織化は、これまでにも関係者から強く望まれてきたが、いま、日本4H会館の建設を契機として、全国4Hクラブ連絡協議会の役員やOBの間からその必要性が叫ばれ、全国的なOB会結成への機運は急速に高まってきている。

この全国的な4HOB会の結成を望む声は、かなり以前に現役から退いたOBよりも、むしろ現役と接触の機会が多い比較的に新しいOBの間から高まっている。その方法としては、はじめ全協の歴代役員でスタートし、これを核として全国的な組織に盛り上げようという考え方である。

このOB会結成への動きは、OB間相互の交流、情報の交換とともに、後輩に対する物心両面にわたる援助、伝統・意思の伝達などの必要性が強まってきているために生じているものであるが、とくに、全国のOBと現役クラブ員の一大事業である4H会館の建設に当って、OBの協力体制がぜひとも必要となってきていることがさらに拍車をかけている。

一部の県や地区では、4Hの先輩たちが農事研究会的なOB会を結成して、相互の親睦を図りながら、農業技術の向上、地域の発展のために活躍すると同時に、ローカルリーダーとして後輩の指導に当っているが、まだ数も少なく、全国的な組織につながる盛り上がりはみられない。

ことに、一家を持ち、経営の大黒柱となった場合、なかなか会合などへ出席できないという家庭の事情や、それらOB会のリーダーとなる人は、地域においても重要な地位にあって公的な役職を兼任している場合が多く、多忙であることから組織拡大になかなか手が回らないなどの実情がある。

全国段階でも、以前、全協の歴代役員を中心とする有志によって「四つ葉会」が結成されたが、その後、目立った活動もなく自然消滅のかたちになっている。また、同じく全協の歴代役員の有志によって、将来、4Hクラブ員同士が結婚して子供が生まれたら再会しようと提唱された「十二H会」も実現されそうもないようだ。

さらに、日本4H会館建設委員会にしても、全協の歴代役員と現執行部によって構成され、一応OBが網羅されてはいるが、OB会として独自に活動する段階にまで至っていない。

このように、これまでの過程をみても、全国的なOB会の結成がさけばれながら実現困難な状態にあったことは確かである。

しかし、4H会館の建設は、ただ研修所を建てるというだけでなく、これを旗印として全国のクラブ員とOBの結束を図ることが一つの大きな目的であり、いまこそOB会結成の好機であるといわれる。これら時代の要請とOB会結成を望む声をいかに有機的に結びつけていくかは、今後の大きな課題であるといえる。また、このOB会づくりを誰が中心となって進め、それをどう発展させていくかも問題であり、実現への道は容易ではないと思われるが、組織化が実現されれば、クラブ活動の充実や組織の強化拡充へ一歩前進することが期待されるだけでなく日本の農業の将来をも左右する大きな力となることは夢でないようだ。

そのためにも、この全国的なOB会の結成の成り行きは大いに注目される。

つどいのPR

〔北海道〕北海道4Hクラブ連絡協議会（会長・中山寿雄君）は、47年度に北海道で開催する4Hの一大祭典「第8回全国4Hクラブ員のつどい」のPRと準備資金確保のため、つどい協賛マッチ1万3千個を作り、道内のクラブ員に配売している。また、つどいを成功させようと呼びかけた名前入りの便せんと封筒を個人負担で作成しPRに努めている。このマッチはタテ5㌢・ヨコ38.5㌢大のもの＝写真

友情は海を越えて

第四回「青年の」船団員4H代表　岩田さん元気に帰国

さる二月五日、東京・晴海ふ頭から全国の青年男女など約三百五十名を乗せて出発した第四回青年の船"さくら丸"は、五十一日間の東南アジア諸国歴訪の旅を終えて三月二十七日、神戸港に帰港した。

言葉が交流の厚い力べ

この青年の船は、次代を担う青年の視野を広め、幅広い教養を身につけさせようと、政府が明治百年記念事業の一つとして実施しているもの。

今回の訪問国はフィリピン（都市・マニラ）、インドネシア（ジャカルタ）、マレイシア（ポートスウェッテンハム）、インド（マドラス）、シンガポール（シンガポール）、中華民国（高雄）の東南アジア六ヵ国で、各国の青年はじめ関係者と交歓し、友情を深めた。

この青年の船には、毎年、4Hクラブ員ら農業青年が大勢乗船しているが、今回も全国4Hクラブ連絡協議会（会長、久野知英君）から推せんされた六人の4H代表が乗船、活躍した。そのうち、福田勝美君（埼玉）と岩田乙女さん（静岡）の二人が、さる二日、青年の船の制服姿で新宿区市ヶ谷の全協事務局を訪ね、ちょうど総会の準備をしていた執行部に帰国の報告をした。

福田君と岩田さんは、この青年の船事業や国際交流などについて感想を次のように語っていた。

今回も、総理府の招きで来日し研修していた東南アジア五ヵ国の青年三十人が乗船、一般団員の中にまじって生活したが、寝食をともにしていると、外国人という意識は少なく、若者同士という感じが強かった。船酔いでの助け合いや出かける時には声をかけ合うなど団体生活の中でのちょっとした心づかいが強く友情を結びつけ、友情に国境はないという感じを抱いた。外国青年は別れるとき、声を出して泣いた。ありえまいと思われることだが、その現実に出会って強く感動した。

しかし、心の交流のために、言葉が大きな障害になっていると思う。寄港地先での民泊で歓待を受けたが、そのもてなしに対するお礼も言葉が通じないために、自分たちの気持が十分理解されなかったのではないか。

また、外国青年から訴えられたものでもあるが、"アジアは一つ"といっても、一つにするにも言葉がカベになっている。さらに、一つの国の中でも民族問題などをかかえており、アジア全体をまとめる前に自分の国をまとめることが先決だという切実な問題が提起されていた。

各国では貧富の差が大きく、貧しくても、それを当然のように考えている人々が少なくない。日本人に対しては、勤勉、奉仕的精神など高く評価し、アジアのリーダーとして考えており、日本が東南アジア諸国に経済援助をすることは当然であるという意識をもっているようだ。

この青年の船では、食事も良く、非常に楽しかった。この青年の船は続けるべきだと思う。

しかし、その反面、青年の船団員は、それぞれ地域のリーダーとなって活躍することになっているが、もっと意欲がわくように、先進地の参考になるものも見るべきで、なにか片手落ちのような感じもすると指摘していた。

最後に、全協執行部から、この貴重な体験を生かして地域のクラブリーダーとして、頑張ってほしいと要請があった。

なお、全協推せんの4H代表は次のとおりである。

福田勝美（埼玉・大山4Hクラブ、県連4H部理事）、中村正悦（三重・伊賀町農村青少年クラブ、県連会長）、三戸保（広島・豊平町楽農会、山県郡連副会長）中町幸蔵（高知・高岡4Hクラブ、土佐地区連会長）、横尾文三（佐賀、鍋島4Hクラブ、県連広報副委員長）各君と岩田乙女さん（静岡・北駿4Hクラブ、東部地区連書記）

また、社団法人全国農村青少年教育振興会の事務局員、福岡初枝さんが班長として乗船、活躍した。

川村君、イスラエルへ出発

全国4Hクラブ連絡協議会の評議員・川村雅士君（高知）は、世界で最も進んでいるといわれるイスラエルの共同体について勉強するため、さる四日、横浜から船で同国へ向けて出発した。

これは、日本共同体協会が同会で発行している月刊誌「キブツ」を通じて全国から参加者を募集して毎年実施しているもので、今年で八回目。一行は三十八名（昨年は四十五名）で一年間、現地で共同体について学び、帰国後その体験をもとに、それぞれ地域において活躍する。

川村君

会長に本田君
天草郡4H連協

【熊本】天草郡4Hクラブ連絡協議会の新役員が次のとおり決まった。

▽会長　本田博喜▽副会長　小林辰雄、松岡健吾、金山秀子▽事務局長　金子正寛▽同次長　蒲辺立子

涼風暖風

快的な東京脱出

一週間の勤めの終った土曜日の夕方、仲のよい友達と待合せた。

"さあこれから久々のおしゃべりと食事をどこでしよう" "ごみごみしたやかましい街中はうんざりだ" "いっそのこと東京を脱出しよう"

"どこへ？"

"御殿場においしい肉料理がある" "もう夕方だし東名高速道路の車もすいているだろう"

衆議一決、皆で御殿場へ行くことになった。

友達の自動車に同乗、二十分足らずで都心の街中を抜けて東名高速道路に入った。暫くは週末ゴルフなどの遊びに出向く車がある程度走っていたが、都心を遠ざかるに従って次第に数が減り快的なドライブである。制限速度一杯の時速八〇㌔のスピードも都心の三、四〇㌔程度にしか感じない。横浜・厚木の街の夜景、寒空の三日月、満天の無数星を眺めつつ御殿場に着いた。この間五十分足らずである。

北欧風のドライヴインのレストランに入る。ゆったりとした広さ、静かな雰囲気、おいしいステーキ、話もはずみ、なかなかよいものであった。

帰りは、往きとコースをかえて御殿場を出て籠坂峠を一気に越え、山中湖に出た。夏の季節には立錐の余地もない程の湖畔の駐車場も今は一台の車もない。ドライヴインも暗い。冬木立が外灯に照らされて繊細な影を落し、木の下の残雪をふむとザクザクと音がする。静寂そのものである。

人のいないところにやっと来た。東京を脱出したという実感を味わう。ふだんの疲れも、ストレスも一度に拭われた思い、元気回復、しばしの小憩後帰途につく。

河口湖に下りて、中央高速道路に入り、ここを一走して、調布から都心に向った。この間週末のスケートバスには幾台となく出会ったが、東京へ向う車はほとんどない。その快的なドライヴも八王子まで来ると何となく娑婆に来たという感じがした。

この間、神奈川、山梨の二県を通り抜けての数時間、距離にして三〇〇㌔足らず、高速道路の料金が東名、中央いずれも七百円……。

これまで、これだけの動きには一日がかりか、または一泊の行程でいったものであろう。テクテクと足で歩いた時代から、自転車に、オートバイに、自動車にとかわるに従い、一方では道路の整備が急速に進み、私達の行動範囲は次第に波紋を描くように広がっている。いまや、週末、おいしい肉料理をたべに一走りと東京を脱出し、快的な一時を持つことのできることを体験し、今昔の感をあらたにしたのは、ついこの間のことである。（T）

讃歌など募集

第11回全国農村青少年技術交換大会

第十一回全国農村青少年技術交換大会は、社団法人全国農村青少年教育振興会（会長・東畑精一氏）、岩手県、同県農村青年クラブ連絡協議会（会長、及川正紀君）の共催によって、来る八月一日から四日間、岩手県盛岡市などを会場として開催されるが、主催者では同大会のスローガン、マーク、讃歌を次の要領で全国から広く募集する。

▽募集内容

（一）スローガン
今日の農村青少年の心意気を、簡潔に力強く表現したもの（第十回大阪大会のものは「この若さ、燃やせわれらの農業へ」）

（二）マーク
自然、そして心の交流をモットーとする第十一回岩手大会を、図案で表徴したもの（図案は一色とし、その説明を付記すること）

（三）讃歌
◇詩……全国の農村青少年に呼びかけ訴えるなかから、この大会を讃え、この大会の意義を強調するもので、朗読のできるもの。
◇歌詩……大会の期間中に気軽に歌え、長く思いに残るキャンプソング風のもの（当選の歌詩の作曲は別に依頼する）
◇全体営火への献詞……キャンプ場の最後の夜をかざる全体営火の献詞を詩の形式にまとめ、朗読のできるもの。

▽応募資格
全国の4Hクラブ員など農村青少年クラブ員およびその育成指導機関・団体の職員とする。

▽入選・表彰
各部門とも入選一点、佳作二点として、入選者にはそれぞれ記念品を贈り、表彰する。

▽審査
審査は、大会実行委員会で構成する審査会で行なう。入選作については、実行委員会で補作することもあり得る。

▽応募方法
官製はがき一枚一篇とし、住所・氏名・年齢・所属団体を明記のこと。応募枚数には制限はない。讃歌の場合は原稿用紙を用いても差支えない。

▽期限
昭和四十六年五月三十一日まで

▽送り先
盛岡市内丸十の一（〒〇二〇）岩手県庁農業改良課内、第十一回全国農村青少年技術交換大会・岩手県実行委員会事務局。

この大会は、全国の農村青少年代表が農業や農家生活について、それぞれの知識や技術、意見を互いに交換するとともに、野外活動を通じて新しい農業と農村を担っていく自信と連帯感をつちかうことを目的として開くもので、農林省はじめNHK、全国4Hクラブ連絡協議会など二十三の関係機関と団体が後援している。

とくに、今回は、陸上自衛隊岩手駐とん部隊の支援によって、参加者全員がキャンプ生活をすることにしている。

主な行事は、各県代表による演示（プロジェクト発表）技術競技、キャンプ村設営による村ごとの話し合い、州ごとの営火、全体交流集会、全体営火、国立公園八幡平地域の自然観察と見学などで、参加者は、農村青少年千二百名（県内青少年約六百名）と関係指導者百名、大会運営委員二百名の計千五百名を予定している。

農作物に被害続出

鹿島臨海工業地帯のクラブ員　公害反対に立上る

【茨城】企業の操業が軌道にのりはじめた鹿島臨海工業地帯で、大気汚染や悪臭などの公害が発生し、農作物に被害が出ている。このため、神栖町のクラブ員ら農業青年が、「公害から農作物を守ろう」と立ち上がり、このほど公害対策青年協議会を結成した。このように青年たちが公害問題に本格的にのり出したのは県下ではじめて。それだけに、その成果に期待がよせられている。

同工業地帯は、さる一月二十日の東部石油化学コンビナート十三社の完工式があり、続々操業をはじめたことから公害問題が心配されている。

クラブ員たちが、最近、公害問題について調査したところ、①樹木や野菜がかれたり変色している②ビニールハウスの汚れがひどい③ビニールはふつう三年もつが、いまでは一年しかもたなくなった―などがわかった。とくに、同地方特産のピーマン、キュウリなどの被害がひどく、収穫はここ一、二年五〇％の減収となっている。

農家では、企業にその原因調査を依頼し、調査してもらうが、原因についてはさっぱり公表してくれないという。そこで、同コンビナート周辺のクラブ員たちが「農作物はわれわれの手で守ろう」と同協議会の結成となったもので、会員は十六歳から三十歳までの四十人。これから原因を追及、企業に対して調査結果の公表と対策の確立などの要請を推し進めるという。

中村久治会長は、この協議会の結成について「企業の進出には反対しているわけではない。企業があまりに無責任なので立ちあがった」といっている。

同協議会は、公害防止の運動を町ぐるみで進めるため、さっそく「公害反対」の立て看板二十本をつくり、町役場や開発組合鹿島事務所前などに立てた。（村山文雄君発）

クラブを見直す

福岡・八女西部地区連で「集い」開く　民泊などで研修

【福岡】八女西部地区4Hクラブ員の集いが、さる三月八、九日の二日間、広川町農協、同町中央公民館、同町一円において開催された。

この集いは、今後の農業に対処し得る技術の研鑽や現地交歓訪問を通じてクラブ員の仲間づくり、また地域社会から理解された家族ぐるみのクラブ活動を推進しようとするもの、約三百名が参加した。

一日目は、開会式のあと「[illegible]門の人びと」「青年とレジャー」の映画鑑賞。午後一時から松丸志摩三氏の「これからの農業と青年活動」について講演があり、続いて分科会に分かれて映画および講演の内容について話し合いが行なわれた。五時からは、広川町のクラブ員宅に分宿し、翌日の昼まで現地研修を行なった。

二日目は、午後一時に集合して、茶、落葉果樹、常緑果樹、花き、蔬菜の各部門に分かれて意見を交換し、四時からはアトラクションに移りゴーゴー大会を行なった。今までの頭を使う問題は忘れて、若さを大いに発散させ全員で踊った。その中で、最もリズムにのっていたもの、踊り方がよかったものなど上位十名にそれぞれの賞と賞品が渡された。

この研修は、八女西部としては第一回の研修であり、またクラブ員宅に分宿、現地研修ということでクラブ員同志の親睦もさることながら、家族および地域の人達との交流もできて、なごやかな雰囲気の中にもクラブを見つめなおせる研修であった。そして、松丸氏の講話にもプロの農業者になれと、今からは農業簿記よりも商業簿記を…などの厳しい批判と指摘があり、これから先の農業者としての難しさ、またやりがいを感じ、分科会でも「簿記の勉強をしたい」という意見が出されていた。

このように、研修によって、クラブ員の意識が高まり、農業者としての自覚も高まったように思われる。これを機会に第二回、第三回…とこの集いが続けられることを期待したい。

初めて開かれた八女西部4Hクラブ員の集いの開会式

貸切りバスで消費センター見学

【福岡】八女西部地区4Hクラブ連絡協議会では、研修事業の一つとしてさる三月二十日、福岡青少年のバスを貸りて福岡消費センターを見学した。

消費者センターでは、技師から食品や繊維の説明を聞いた。また道中のバスの中では「4Hに思うこと」と題して一人二分間ずつスピーチを行なった。四十五年度事業の反省や四十六年度への希望、また、生活改善部の姿など活発に意見が出され、四十六年度の運営面からも、さらにクラブ員の親ぼくを深めるうえでも大いに有意義であった。

心頭技健

女性上位時代、ウーマンリブと騒がれても、やはり結婚の好ましい相手として男性は「思いやりの「頼りにな[illegible]ことは、農[illegible]いようであ[illegible]銀行が「独[illegible]が貯蓄や、[illegible]えているか[illegible]した結果に[illegible]この調査が[illegible]国の独身サ[illegible]六十一人で[illegible]歳、高校卒[illegible]心。男女の[illegible]%、女性六三%となっている。

結婚に対する若い人たちの意識が、職業によって違うのはむしろおかしいと考えられるが、クラブの会合などで話題になっていることと対比させてみると面白いと思う▼調査結果によると、結婚の条件については、男性は相手を「健康」「人格」の順で、女性は「人格」「健康」の順で判断している。それに続いて、男性は女性に「容姿」を、女性は男性に「収入」を望み、「カー付き」は十項目の条件の中で最下位だった。週刊誌的な情報とは差があるようだ▼好ましい相手としては「思いやりのある人」（男性）「頼りになる人」（女性）の次に、男性の場合「頭のいい人」「趣味の豊かな人」、これに対し女性は「家庭的な人」「考えのしっかりした」を求めている。「頼りになる人」とは、どういう人か、やはり相手に判断してもらうしかないが、4Hクラブの各種のアンケートでも同じ結果が出ている▼また「結婚費用の全部を自分で用意する」という独身サラリーマンが、男性の五五・四%も占めている。女性は二五・六%で、あとは一部または全部を親に出してもらうという。貯蓄の方をみると、「結婚資金」のためにというものが男女平均六三・九%（男五四・二%、女六九・四%）でトップだった▼これについで「レジャーを楽しむため」が四〇%で、男性の場合「住宅資金」が三番目にあり二一・六%、苦しい住宅事情をあらわしている。男性は給料の一五%、女性は二二%を貯蓄に回すというが、4Hクラブ員の場合はどうであろうか。

「農業白書」を発表　農林省

活力ある農村を

安定兼業化を再認識

農林省はこのほど「四十五年度農業の動向に関する年次報告と四十六年度に講じようとする農業施策」（農業白書）を発表した。この農業白書は、農業基本法に基づいて毎年出しているもので、今年で十回目。とくに今回は、三十五年度以来の動きも入れて、きびしい状況下にある日本農業を分析し、安定兼業化を積極的に進め、活力ある農村をつくるべきであると指摘している。また、初めて公害問題を取りあげ、その解決を緊急に図るべきであるとしている。

白書が指摘している主な点は次のとおり。

①この九年間、農業の生産性は、欧米先進農業国なみに年率五・九%伸びた。しかし、製造業の生産性も年率一〇・八%伸びたので農業以外の職業との格差が開く一方だった。

②農産物価格は、年率八・三%上昇してきたが、四十三年度以来の米価の据置きなどでそれも限界に達し、都市勤労者なみの所得をあげるため、農業は「兼業化」への道を進まざるを得なかった。

③最近は、農村自体、非農家世帯が半分以上を占めるようになったため、地域の共同意識が薄れるとともに、経営規模の拡大がむずかしくなり、それに加えて農業公害、畜産公害など新しい問題が出てきており、その解決も迫られている。

こうした情勢から、政府は農村地域への工場導入を積極的に進めようとしているが、「兼業農家が離村すると、地域社会としての活力を失うことも予想される」として兼業の意義を積極的に受けとめ今後の方向としては、安定兼業化を進めながらも、農地の貸借などで規模拡大や生産の組織化を図ることが必要であると強調している。

結びとして、当面する緊急最大の課題として、米の生産調整をあげ、これに伴って農業の構造改善をいっそう進め、活力ある農村社会を建設する必要があると述べ、さらに、能率優先から生まれた農業公害や畜産公害などと真正面から取組み、これらの問題を緊急に解決しなければならない、と指摘している。

▼農業経済の概観と生産性、生活水準　一、農家はしだいに、農業収入だけに頼れなくなって兼業がふえ、農業全体に占める兼業農家の割合は、三十五年の六六%から四十五年に八四%にもなった。

また、農村自体も変り、四十五年は、一農業集落当り平均八十一世帯のうち兼業農家が三九%、非農家が五四%になり、農業従事者の老齢化も進んでいる。

一、四十五年度の農業生産は、西日本の米作不振などによって前年に比べ一・四%減ったが、このように前年より減ったのは六年ぶりである。

一、公害による農業の被害が多発している。水質汚濁による農産物の被害が一番多く、耕地面積の約三%が被害を受けている。土壌汚染によってカドミウム米が各地で発生し、農用地の汚染が大きな社会問題となっている。農薬残留問題はじめ畜産経営に伴う水質汚濁、悪臭の問題など農業が出す公害問題の緊急な解決が必要である。

一、四十五年度の農家所得は、全国平均一戸当り百四十万三千円で、前年度を一二%上回り、都市勤労者と同じ伸び。しかし、この増加の八二%が農外所得で、農業所得は稲作収入の収入が伸びないためわずか〇・四%増にとどまった。

一、生活水準は、農家総所得がふえたため、世帯員一人当りの家計費は勤労者世帯の九五%となった。人口五万人未満の市町村在住の勤労者世帯に比べると農家の方が三・二%上回っている。

▼農産物の需給と価格　一、食料の最終消費支出に占める加工・流通部門の受取り額がしだいに高まっている。このため、農業生産の拡大を促進するには、加工・流通過程の合理化を含めた総合的な対策が必要である。

一、生産調整が行なわれた米は四十五年産水稲で前年より九・二%減り千二百五十三万トンである。野菜の四十四年度の生産は天候不順で四・五%の減産。これに対し果樹の栽培面積は四十一万六千㌶と、三十五年の一・六倍にふえ、生産もこの十年間に年率五・五%伸びた。

畜産部門の生産は四十年代になって年率七・八%ずつ伸び、農業生産の上昇に寄与した。食肉ではブロイラー、豚肉の生産のふえ方が大きい。

普通畑作物は後退を続け、麦類や芋類の作付面積は年々減って輸入依存度を高めている。

▼農家経営の動向　一、農業就業人口は、四十四年度に八百六十二万人で前年度に比べて四・六%減った。この減少は、農業既就農者の引退や死亡、また転職に対して新規補充が大幅に減っているため。農業就業者の構成は一段と老齢化している。

一、農地価格の上昇は一段落しているものの依然として高い水準にある。普通水田十㌃当りの全国平均価格は四十四年には前年を上回る三十万円となっている。このため農家が農地を資産として保有する傾向を強め、耕地面積の拡大を通じた高能率農業への移行を阻止している。

一、四十四年度に年間百三十二万円（農家と生活環境の似た町村に住む勤労所得に均等するとみなして）以上の農家所得をあげた自立経営農家は戸数で九%に過ぎず前年より一%減っている。

◇

なお、農業に関して講じた施策のうち、近代的経営者の育成に関しては①学校教育と社会教育の充実②中核的農業者の育成③農業後継者育成資金の拡充改善などがあげられている。

とくに目新しいものとしては、高等学校に新科目として「農業施設」を設け、農業簿記を強化することになり、国立大学農学系学部に農学研究科や専攻課程を新設していること。また、中核的農業者については、近代的農業経営の担い手となる人材を育成するために設立された農林省中央青年研修施設が農林省の付属機関である農業者大学校に改組されたことや、新たに農村青少年を対象として働きながら学べる通信教育事業を実施することにしてその準備を始めたこと。後継者育成資金は、貸付ワクを大幅に拡大し、七十億円（四十四年度四十四億五千七百万円）となり、貸付限度額もこれまでの五十万から七十五万円にふやしたことなどである。

⑤ヨーロッパ農業に学ぶ

フランス

スナックバーも

規模誇るランジス中央市場

去年九月二十六日、フランスのパリ市郊外にあるランジス中央市場を視察した。

ランジス中央市場は、パリの市中では交通混雑からみて限界にきたので、パリ南方八キロの丘陵であった六百㌶を国家利益市場として一九六九年一月から開場したが、現在もまだ未完成部分が残っている。市場の総面積二百四十㌶、道路総延長十九キロ、駐車場三十二㌶、鉄道施設面積二十四㌶、運搬具（一九六九年）五百車両、一万台のトラック、電話三千回線、テレックス二百五十回線、自動電光告知板七つ、内部テレビジョン網の設置二百五十の規模である。

この市場には、どこのハイウェイからでも入れるようになっていて、機能としては、国立市場の倉庫と冷凍倉庫、路上倉庫（すべての物品を受入れる）、ランジス小売商人の中央施設、倉庫と農場、貨物自動車用技術施設、ホテル、観光用施設、工業と商業（市場を対象とした）施設、などがある。

市場の部門としては、果実、野菜（九棟）、乳製品（六棟）、魚貝類（一棟）、花卉（一棟）の各部門があり、その他として十七の銀行、大取引所、商品交換所、スナックバー、映写場（屋外）、キャバレー、病院などがあり、特に注目すべき点は、大きなゴミ処理場があって、ダンボールなどの包装資材も小さくカットして焼却し、市場内はいつもきれいに保たれていた。

市場に入れる業者については、土地と建物を借りる場合と、土地のみを借り自分で建物を建てて営業する業者との二種類がある。売買の方法としては、仲買い人が年間三万フラン（百九十万円）出資し定置つきの店舗を借り、青果物は見本を見、指値の最低価格からセリを行なうが、指値を下回ったりすると週の水・金曜日に再度セリにかけ、それでも成立しない時は生産者が自分で処理してしまう。魚貝類と乳製品にはセリはなく、自動電々告知板によって流通量や相場が示され、相対売りシステムである。

出荷方法としては、個人が貨車、自動車、などで出荷するが、運搬専門業者もおり、飛行機で持ち込むスケールの大きなものもある。

珍しいこととして、この市場からトラックを空荷のまま出さないで運輸流通機関として最大限に活用していた。

最後に市場に出されている品物を視察したが、青果物において外観や味は日本のそれらに比較して数段劣っているように思われる。これはヨーロッパの食生活の風習として、外観や味よりは、栄養価、ビタミンの供給源として考え、日本との食生活の違いをこの市場でも発見することはできた。

西ドイツ

人口集中する平坦地

バーデンブルゲン・ベルグ州の農村計画　密度の調整図る

去年九月二十八日、州政府農林省のチーレンビーラー氏から州の農村計画の考え方や、すすめ方について説明をうけた。

このバーデン・ベルグ州は起伏に富んだ所で約三十%は山間地にあり、中央部から西にかけては人口がふえ、反対に山間地の人口は減少しているのでこの人口の薄い所に計画が必要となっている。市街地には人口の集中化がすすみ一日平均十七㌶ずつの農地が減っている。また山間地はやせた所が多く、人口の集まる所に肥沃地が多い。ドイツ全体としては毎日八十五㌶ずつの農地が減っているが、これらは皆肥沃地であるので、マスタープランを立てて人口を分散する必要がある。また平坦地の農家は相続の時に農地が分散し、耕地が細分化され規模が小さいが、山間地は長男が相続してほかの人たちは町に出てしまうのでさらに平坦地に人口が集中してしまう結果になる。

地帯別の年間一人当りの所得は大体次の通りである。

シュツッガルト市周辺――一万三千ドイツマルク。

北部の肥沃地――一万一千ドイツマルク。

西南部地域――七千ドイツマルク。

南東部の山村――六千二百ドイツマルク。

北東部の過疎地帯――五千二百ドイツマルク。

構造改善は十年以前から始めたが、東部地帯から南にかけてはかなりの効果が表われている。しかし全域を均等に人口配分するのは無理である。町村の規模は極めて小さく、この州に二百の村がある（日本での部落と同じ）が、町村長は自分の村のことだけしか考えないで困っている。

州としては増加する村、減少する村の調整をやっているが、うまくいかない所では三〜四の村を集めて広域計画を立て、町村合併をすすめている。

（四十五年度静岡県産業青年海外研修団農業班）

ボーリング大会も

八代地区連が発足

【山梨】八代町にこのほど4Hクラブ連絡協議会が発足した。

同町内には「若葉」「八千草」「このひら」の三つの4Hクラブがあり、それぞれ農業技術の向上や会員同士の親ぼくを図るなど活動を続けているが、さらに広範囲で活動を行なう必要がでてきたために設立のはこびとなったもの。さる三月三十日夜、町民会館にクラブ員と関係者約四十人が集まり規約や役員、事業計画などを決めた。

計画によると、主な事業は、若者たちに人気のあるボウリング大会を開くのを初行事として、青年団とも話し合い、行政機関との話し合い（五月）、他の町村の仲間や町内の婦人会との交流（七月）、農業技術についての講演会（八、九月）、自分の営農状況を発表して意見を聞く会（十月）、研修旅行（十月）、果樹のせんてい、施肥、設計などの講習（十二月）などである。

畦道

銅羅の音と儀式と

高知県の川村雅士君（全協評議員）が、ほぼ一年間の予定でイスラエルのキブツへ研修に旅立つのを、三日、横浜港に見送った。帰省、就職、新婚旅行などに旅立つ友人を送った経験はあるが、それらのおりは、自動車、汽車、飛行機であり、船というのははじめてのことだった。

流行歌や小説などで、船出のもつ哀愁をおびた情緒は知っていたが、それがいまもはっきりと残っていることを、改めて体験した。たしかに、ここには様式がある。儀式が生きているといいかえてもよい。宗教とは何のかかわりもないが、いまなお、人と人との別れから神秘性は失われていない。この不可思議さが、「儀式」と呼ぶことを許すようだ。

出航の三十分もまえから、船と岸壁の間を、赤、紫、緑、黄、白などのテープが飛びかう。双方で大声を張りあげて叫び、呼びかけあう。しかし、眼前にみえながら、声は風に吹散らされて届かない。苛立ってか、いっそう大きな声を出す。そうするうちに、いわば自己催眠にかかったごとく、たれもたれもが次第に昂奮の度を高めてゆく。

最初、この光景は、見送るものと見送られるものとの閉された熱狂であるが、自らが帰った狂気はそれだけにとどまらず、四囲へ感染し波及する。旅立つものと、その何倍かの見送るものとが、それぞれひとつのマスに変貌する時点がある。いつと指摘はできないが、たとえば、あの銅羅の野性を呼び起すような音が、デーモンを招きよせるのであろうか。

さまざまに思いは異なっていようとも、同じような状況のもとで、ひとびとのメンタリティーはほぼひとつに溶けあって、日常空間は変貌し、新たな空間が現出する。共同体が確固として存在した過去には、村びと全員がひとつの幻覚をみるといったことも少なくなかったらしい。現代にあっては稀有な現象だろうが、船出にはそれがまだかすかに残っているようだ。

一種の自己陶酔であるから、醒めたものが見た場合、異和感を覚えるだろうが、そのなかにあると、そうした理性は働かない。考え方によっては至極恐いことでもあるが、人間の一面の真実であるから、あながちに否定はできない。そのへんの判断が鈍ったのは、ぼくも常軌を逸していたのだろうか。

それはともかく、川村君の旅路につつがないことを、祈っておこう。「さよならだけが人生だ」とは、井伏鱒二の言葉だったであろうか。昔から、人間の本質などというものは、あまり変化がないらしい。（Y）

減反農家は54%

農林省の米の生産調整に関する意識調査

「所得がへる」の声

農林省はこのほど、昨年八月現在で調査した「米の生産調整に関する意識」についての結果概要を発表した。

これは、四十五年の米の生産調整の実施状況と水稲作農家の意向をは握するため、全国水稲作農家のうち、十一万四千戸について郵送調査をしたもの。しかし、調査票の回収率が三六・四%に過ぎなかったので、さらに、調査票回収農家の約十分の一について事後調査を行ない、その結果から全国の水稲作農家の米の生産調整への対応と意向を推計したものである。

調査結果の概要は次のとおり。

一、減反をした農家数は、水稲作農家の五四%で二百六十万戸に当る。

減反農家数が多いのは、東北や北陸で、北海道と関東は低く、一般に、都市近郊地帯は減反農家が少ない。また、経営耕地規模が大きい農家、第一種兼業農家や専業農家が減反した割合が多い。

一、減反面積は、三十七万五千㌶で、水稲作付面積の一二%に当る（北海道は二〇%を上回る）。減反面積のうち、「休耕」は六四%、「転作」は二二%、「土地改良通年施行」は一一%である。

一、水稲作付面積のうち、一割未満を減反した農家、一割ぐらいを減反した農家、二割以上を減反した農家はともに約三分の一である。

休耕田、地力が低い

一、減反をした理由は、「食管制度を守るため」「割り当てられたので仕方なく」が多く、「人手が足りない」がこれについでいる。

一、減反した農家の六〇〜八〇%までが、単位面積当たり株数、施肥量、病害虫防除回数は、前年と「同じ」であるとしているが、「ふやした」ものの方が、「へらした」ものより多く、近年の傾向と同じくわずかながら増収への努力をしている。

一、転作をした田は、「畑作がしやすい」や「家から近い」という状態のものが多く、「農道が整備されている」や「集団で転作をした」というのは少ない。転作作物の使途は「ほとんど家で使う」ものの方が「ほとんど売る」よりわずかに多い。転作作物についての栽培経験は「全作物ある」とするものが過半数を占めている。

一、休耕をした田は、「部落のなかでは地力が低い」「家から遠い」について、「機械が使えない」「苗代あと地」となっており、「集団で休耕を計画した」は少ない。

一、減反をしなかった理由は「水稲をやめると所得がへる」が多く、「畑作ができない」がこれについでいる。

一、来年の減反意向は、「減反をする」が二五%、「減反をしない」が三九%、「考えていない」が三一%である。

一、水稲作の将来に対する意向は「ふやしたい」と、「へらしたい」がそれぞれ一一%で、四十年に実施した意識調査結果に比べると、「ふやしたい」農家数割合は約三分の一に減っている。

こんなことをしています　各種農業団体

全国共済農業協同組合連合会

多様化する保障需要に積極的対応へ

―46年度の事業方針と計画―

全共連は三月三十一日、東京・平河町の全共連ビルで臨時総会を開き、四十六年度事業計画を中心とする各案件を原案どおり決定した。四十六年度事業の重点方針、その具体的実施事項はつぎのとおり。

〈重点方針〉

一、保障需要の多様化にたいする積極的対応と新契約目標額の達成

二、新種共済開発体制の強化と開発研究の促進

三、情報システムの開発促進

四、沖縄県における農協共済事業実施対策の強化

〈具体的実施事項〉

一、普及推進（新契約目標）…①長期共済＝養老生命共済一兆七千億円、こども共済五百億円、建物更生共済一兆円、住宅建築共済百億円、②短期共済＝火災共済八千五百億円、団体建物火災共済九千五百億円、自動車共済十五兆三千億円、傷害共済一兆八千億円、定期生命共済七百五十億円、自賠責共済三百万台。

以上の新契約目標を達成するため、つぎの事項を実施する…①保障拡大額の開発、②普及活動の調査研究と普及情報活動の強化、③普及意欲向上のための諸施策の展開、④生活意識の変化に密着した広報活動の強化。

二、新種開発と仕組みの改訂…①インフレーションに対応できる変額性共済の開発研究、②個人金融資産収益の向上をめざす共済に関する開発研究、③建物更生共済の仕組み改訂

三、財産運用……①流通諸施設にたいする資金活用策の検討、②居住都市構想への対応、③財務分析の高度化、④協調運用の強化。

四、生活、福祉活動……①社会復帰施設（リハビリテーション施設）の開設促進、②交通事故対策の推進、③ガンなど成人病対策の促進。

五、経営管理……①系統共済を通ずる情報システムの開発促進②共済証書の統一的作成、③自動車共済事故査定体制の整備、④農協における共済事業マスタープランの策定検討。

六、人材の育成……①育成制度の検討、②教育研修体系の確立③教材の整備。

七、法制の整備……事業の円滑な発展を促すため、積極的に関係法令の整備改善をはかる。

（普及部）

全国販売農業協同組合連合会

農作物の過剰傾向に系統利用を充実

―46年度事業計画決まる―

全販連は三月[illegible]第二十回臨時総会で、昭和四十六年度の事業方針と事業計画を審議、決定しました。今回はその概要をお伝えしましょう。

▼"総合三か年計画に沿って（方針）

農業、農協をめぐるきびしい環境のもとで、昨年十一月の全国農協大会で決定された"総合三か年計画"の第一年度をむかえるにあたって、とくに積極的な方向を打ち出しています。なかでも農畜産物や米の過剰傾向に対し、あらゆる農産物の系統利用の充実、これにともなう計画生産、計画出荷の体制を固めることも、系統販売事業にとって本年度の大きな課題になっています。

そこで、全販連としては、当しあたり、①米の需給均衡の実現への取り組みと食管制度の堅持、②生鮮食料品の流通近代化の促進、③総合商社など大資本によるインテグレーションへの対応、などを中心に四十六年度の事業の方向をきめています。

【集中方針の前がきから】

農畜産物の生産、流通の動向に対処し、系統農協の総合力の発揮につとめつつ、販売事業のいっそうの拡充、強化をはかる。①このため系統農協の購買、信用、共済、指導などの諸事業との提携を強化し、米の需給均衡をはかるための生産への取り組みと自主流通米の取り扱いの飛躍的拡大をはかるための米穀共販体制の整備、②産地の計画生産、計画出荷体制の確立を基盤とした。大消費地における農畜産物販売網の体系的な拡充整備、③市場開発機能の充実による販路の開拓、販売さきの系列化の推進、④園芸畜産調査室を中心とする技術指導の積極化と、関係中央機関との提携による技術指導の一元化の推進などによって積極的に販売に取り組むことを基本とする―。

▼前年度計画対比二%の増（計画）

四十六年度の事業計画では、年間に一兆三千百十二億円の販売高を見込んでいます。これは新年度の計画に比べてわずかに二%の伸びということですが、米の生産調整による政府売り渡し米の取り扱いの減少が影響しているといえましょう。しかし反面、青果物や畜産物それに自主流通米については積極的な取り扱いの増加をすすめることになり、自由品目の合計は前年度の計画に比べて二五%以上も多くなっています。このあたりにも総合三か年計画の線に沿った積極的な方向が窺えます。

（広報部）

排出までを一連化

ヒンジードフォーク改善型除糞車

鶏舎は公害のない場所へ

私のプロジェクト

富山県・小矢部市4Hクラブ 飛渡勝人

地区の概況

私の住む小矢部市は富山県の西端に位置しており、市内を日本海にそそぐ矢部川が流れている。この小矢部市は、富山県の中でも畜産の盛んな中堅的都市である。

わたしの略歴

農家の長男として生れた私は、小さい頃から農業に興味を持ち、家が前から養鶏をやっていたことから農業高校に入学、三ヵ年間、農業の知識を身につけるため勉強した。昭和四十三年、高校を卒業後、自営に入り、採卵鶏を中心とする自立経営農家を目指して、現在、経営を進めている。

経営の状況

旧農場六棟、百六十五坪、成鶏七千羽、新農場四棟、成鶏五千羽、大雛一万羽。鶏糞乾燥機一基(五千羽処理)、スチームクリーナー一基、洗卵機(毎時四千個処理)、飼料撹拌機二基、ダンプカー一台(共有)、トラック二台(一・五トン、〇・八トン)、ヒンジードフォーク一台、家族労働力三名、雇用労働力二名。

作成の動機

ヒンジードフォーク改善型除糞車を作成したのは、次のような動機からである。畜産の振興政策が進められている中で、以前から父が行なっていた鶏舎が老朽化し、労働生産性が低下してきており、また、従来の経営規模では自主経営農家として、今後に不安を感じた。

そこで、私の高校卒業を機会に総合資金の借入れを行なって、公害の恐れのない新しい地所に、二万羽養鶏を目標として農場を作った。この新農場建設により多くの労働力が必要になった。しかし、近年の賃金高騰、労働不足などの事情から、大幅な労働力の節減を図るため、除糞作業の機械化を考えていたところ、フォークリフトをバケット使用するヒンジードフォークリフトのあることを知り、改造して除糞→ダンプ積み→排出処理の一連化を図り成功した。

ヒンジードフォーク改善型除糞車

この除糞車は、小松製作所と技術提携し、フォークリフトの中古車を使い改良して利用した。本体価格十五万円、修理・改造費合計三十万を要した。

運転経費は、新車価格七十七万六千円、年間千五百時間使用した場合の諸経費は、稼働率七〇%として一時間当り三百六十二円で、本品はこの半分の経費ですんだ。

用途

新農場の除糞と連続ダンプ積み作業、旧農場の鶏糞ダンプ積み作業、冬期除雪作業(タイヤチェーン使用)、鶏卵トラック積み作業、飼料など物資の積み上げ・積み下し運搬作業など、多方面に使用が可能である。

使用上の利点

(1)従来の自動排糞装置では毎日除糞を必要とし、鶏糞を一万へ寄せる能力しかないが、この除糞車では、三ヵ月間積み上げてある鶏糞を積載し、直接、ダンプ積みあるいは乾燥場までの運搬ができる。

(2)価格の面は三十万円ですみ、自動排糞装置の設備費にくらべ施設費が安価になる。

製作上、工夫した点

1、新型リフトでは車幅が広く通路に入らないので、旧型のリフトを利用した。

2、新農場で除糞の際、通路の汚染をさけるため、ボルトで両サイドにバケットを取りつけた。

3、その他の除糞作業時には、小廻りをきかせるため両サイドのバケットを取りはずす。

4、バケットの取りはずしを容易にし、フォークリフトにも利用できるようにした。

使用上の問題点

騒音による産卵率の低下が考えられたが、配飼車使用のために、心配はなかった。

底辺への援助を

口閉す軍政下の人々

青年の船便り <5>

インドネシア

〈横尾文三君発〉

全国クラブ員の皆さん、元気でクラブ活動にお励みのことと思います。フィリピン、マニラの寄港を終えた青年の船は、インドネシア、ジャカルタに入港しました。インドネシアという国は、大変キラキラ(これはインドネシア語でおおまかという意味)とは聞いていたが、八時予定の歓迎式が十一時となり、うわさの通りであった。

市内では相変らず日本の車が多い。第一印象は、マニラより少しはジャカルタの方がきれいである。そして建物も近代的なビルが並び、道路、セナヤン競技場、そしてムルデカ広場の独立記念塔にしても、威容を誇るスケールである。私達に馴染みの深いデビィ夫人の住居であったムルデカ宮殿も、記念塔からそう離れていなかった。

インドネシアを独立に導いたスカルノに対して、私達は常日頃関心を持っていたわけだが、幸い私の班にはスタントというインドネシアの青年が加わり、代々木の出航研修より行動を共にした。彼らにしてもスカルノのことについては、関心がないはずはないのであるから、いろいろな手段を使って聞いてみたが、話してくれない。

その原因として、スハルトの軍政下にある今日のインドネシアでその種のことは、日本のように話すことが出来なかったのではないだろうか。彼はスハルトを支持すると言った。しかしスカルノを否定はしなかった。

ということは、スタント一人をしてインドネシア青年の気持を推しはかるということは大変危険な考え方かもしれないけれど、彼等の中に独立を勝ち得、現在のインドネシアを作り上げた英雄としてのスカルノの姿は強く残っていることを感じた。

第一日目は、他に国会議事堂などスカルノが残した遺産とも呼ばれるものを見学した。

そして二日目、私達は表敬グループとなり、教育文化省、日本大使館、ジャカルタ特別市庁の三つに表敬した。教育文化省のスバルジ大臣は、一九四五年、日本領有時代に日本から祖国愛と勇気を知り、また日本とインドネシアには類似点が多く、君達JYGCがインドネシアに何があるかを認識し、これを機に友好関係を深め、世界の平和のために貢献して欲しいと語った。夜は大使館関係者、ジャカルタ市長、在留日本人を招待して、船内でビュッフェディナーが開かれた。

三日目、港より約六百キロ離れたボゴール植物園につく。ここには日本文化学院とインドネシア大学の学生約二百人が、交歓のため待っていてくれた。百ヘクタールにおよぶ広大な敷地には、九千種類の熱帯植物が植えられているという。途中、交歓をしながら濃緑の植物園を午前中一杯かかって歩く。午後は、ジャカルタの避暑地ともいわれる高原のプンチャックへ行く。

途中には政府指導のお茶のプランテイションがみられ、管理の行き届いた茶園が限りなく広がっていた。やがて南国の太陽が西の空に沈む頃、バスは日本大使公邸へと向う。大使主催の歓迎レセプションである。大使は挨拶の中で、私達日本人がアジア諸国に果さなければならない事柄について、主に経済援助の必要性について話された。船上では禁酒であり、久しぶりに飲んだアルコールで頭が宙に浮いたようになり、楽しい一時であった。

そして四日目、全国五持半起床、ジャカルタ最後の寄港地活動であるこの日は、個人研修テーマ別の農業、教育文化、経済、社会福祉の四つの部門に分かれそれぞれの視察を行なった。農業コースは、昨日行ったボゴール市までバスを走らせ、国立ボゴール農科大学と農業試験場、種子センターを視察した。農科大学の学長は、日本はすべての面で大きな手本を私達に示してくれたと前置きし、現在、国は総合開発五ヵ年計画を策定作業中であり、この計画の農業部門の計画を遂行する学者を、この大学で養成すると語った。

次の種子センターは、日本人技術者五人を初めとして、稲、麦、豆類の育種を行なっており場長は挨拶の中で、インドネシアは現在自給のための米の増産が当面の課題であり、それには①改良品種の育成②施肥技術の指導③病虫害の防除④灌漑施設の整備⑤技術の改良、以上五つの点を指導して行くことにより、その目的に近づけたいと語った。

以上、インドネシアの日程に従って主なものだけ書いたつもりであるが、見た場所もジャカルタとボゴール、それもごく一部であり、断片的な知識しか得ることが出来なかった。従ってインドネシアの経済、政治がどうであるということは書けないが、しかし、農業の面を私が見て書くならば、稲作一つにしても肥料を使う段階に入っていないし、農作物の経済栽培が行なわれている所は、バンドン、バリ島くらいといわれるだけあって、この地の農民は自然にはえている果物など食って生きている。

つまり、食べることにおいて何ら不自由を感じない彼らの自然的好条件が、農民の生産意欲の低下をもたらしている一番大きな原因ではないかと思った。そして小さな物置きみたいな家に住み、農機具一台さえも見ることの出来ない現状から、この国の農業発展にはまだかなりの年数がかかると思った。

次に貧富の差について書けばその日その日を適当に暮し、ハダシで歩いている人が不幸であるのか、またその人達がハイクラスの人を見てうらやましく思っているのか、私は解らなくなった。つまり、私達は、日本人と彼らの幸せの価値観を、もう一度考えなおさなければならないのではないかと思ったのである。

しかし、いずれにしてもこの国が日本より極端に遅れ、すべての面でアンバランスなのは確かである。だから日本の援助にしても、資本経済援助の形で、短い期間に高い利子で貸すよりも、援助が地方の農民にも何らかの形で行き渡るような方法を考え、少額でも長期的な援助の方法が必要ではないかと、私なりに考えた。

また、この地で頑張っておられる海外協力隊の人にも話を聞いたが、国の底辺を作る人々と働く彼らこそ、最も日本的な援助の方法であり、隊員が手を握り原地の人と汗を流しながら指導することによって、インドネシアの人々の勤労意欲が盛り上がり、やがて豊かなインドネシアが、彼らによって築かれるのではないかと感じたのである。

念願の半促成キュウリ

岐阜県美濃加茂市農業後継者クラブ 高井友慶

地域、わが家のあらまし

当市は岐阜県の中南部に位置して、年間平均気温は十五・四度と温暖であり、年間降水量は二千百五十一ミリである。土地利用区分は山林が半分を占め、耕地は三〇%にすぎない。経営形態は、水稲プラス畑作、または水稲プラス畜産が多い。市内の農業生産物は多種多様であるが山之上町の富有柿、二十世紀梨はよく知られている。それに観光面では、有名な木曽川の日本ライン下りが、市内太田町から出ている。

わが家の経営概況は、水田七十㌃、普通畑二十三㌃、桑園五十㌃、牧草畑二十㌃、ハウス七㌃、計百七十㌃と、乳牛八頭がいる。

施設園芸を選んだ動機

第一に農業が好きであり、農業高校および農業短大で学んだ理論を、自ら実践することによって、より深く農業を研究し理解したいと考えた。経営いかんによっては、一企業として規模拡大もでき、それと同時に、また一般的な農家でもあるところに強い興味が感じられた。長男であるためか、中学時付から、「俺は農業をやるのだ」と、何の抵抗もなく自然に自覚していた。今後は、消費動向にふさわしい作物を生産、供給したいと思う。

現在までの経過

高校時代から、ハウスを設けてキュウリ、トマトなどを栽培したいと思っていた。昨年三月、短大を卒業した。

半促成キュウリ

資金 五十万円の後継者育成資金と、父より二十万円の援助を受け、合計七十万円。

ハウス 八幡ビニールハウス 三連棟六百八十八平方メートルが一昨年十二月にほぼ完成。

栽培概況 播種は一月十三日から二十二日まで。品種は久留米H。定植は三月五日から十日まで。約千八百株。収穫は四月六日から七月十五日まで、百日間。

結果 出荷本数四万本、一株当たり二十二~二十三本、総収益三十九万四千円、経営費十五万五千円、所得二十三万九千円、一日当り労賃千三百~五百円。

反省 全体からみると、在学中から進めたためか何かと不十分な点が多く思うようにゆかなかった。また、自分ではできると思っていても、いざ実際となると問題点ばかりでレディネスを疑った。しかし病害虫防除は週に一回の薬剤撒布で充分だった。また、肥培管理は、元肥重点に考え、追肥は液肥を潅水と同じに行なってよかった。

目的とする経営

生産性がより高く、しかも健康で豊かな生活ができる施設園芸の企業化の実現である。

販路広いキノコ

冬の労力を有効に使用

島畑直行

我が家の経営状況

わたしの家は、北海道のほぼ中心、岩見沢市にあって、地域は水稲単作地帯である。家族労働単位二・八、水田面積四百三十三㌃で、水稲経営として極めて立地条件が良い方に属するものと思われる。

課題と取り組んだ動機

最近の農政の転換期にあたり、私は高校時代にホームプロジェクトを選定するとき、父と今後の営農の方針について相談した。水稲経営は、省力化により単位労働収入は高くなるが、面積が一定のために、経営全体の収入は増加しない。収入の増大をはかるためには他の作目を入れて、収入を求めることがたいせつである。この場合、年間の労働時間の平均化を、十分に考えることが必要である。

高校二年生のとき、農業センターで研修を受け、きのこ栽培の有利なことを学び、前述のような条件から、この導入を決定した。

計画と実行経過

きのこ栽培の特徴は、冬期余剰労力が活用できること、水稲との競合性がないこと、北海道の市場においても供給が少なく販路が広いこと、設備投資が少なく回収が早いなどがある。

私の経営成果は、五月末現在、貸借対照表、損益計算書から、純損益二十四万五千六百八十円の赤字になっているが、これは設備増設のためであり、きのこ栽培時期が十一月~五月で、試算によると今後、百万円の収入が見込め、今の赤字は黒字となる見通しだ。栽培面については、仕込みを行なってから四十五日くらいで出荷、現在百㌘一袋五十円前後である。市場価格も安定しており、安定経営の足がかりとなる。

実績をかえりみて

今まで実施した三年間は、問題点が多くあり、その一つとして資金、栽培、販売の問題があり、現在はやっと軌道にのっている。これからは、経営計画をよくたて自分の経営を知ることと、価格政策にたよらず、自立農家となることがたいせつである。

今後の計画

将来の計画は、主産地形成、共同出荷、また個々の経営の中で、一人一部門を確立、伸してゆきたい。

稲作における減反政策をはじめとして、現在の農業には数多くの課題がある。経営組織を考えてみた場合、将来は一般的に複雑多様であるが、今後は地域や経営規模に従って、水稲単作または合理的な「水稲プラス・アルファー」というように、専門化または複合化によって、所得の拡大をはか[illegible]ればならない。

これと同時に、たいせつ[illegible]は、多くの問題があるが、[illegible]平準化による共同化なり集[illegible]推進であろう。私の地域の[illegible]で、主産地形成、共同生産[illegible]「水稲プラス・アルファー」の[illegible]側を目標に進めたい。これ[illegible]まず自らが行動し実践する[illegible]たいせつである。今の青年[illegible]熱がないといわれるが、[illegible]の問題を解決し、自分自身[illegible]にしてこそ、青年なので[illegible]年としての新しい農業への[illegible]が始まると思うとともに、[illegible]とも、私はそのように歩み[illegible]している。(北海道岩見沢[illegible]延4Hクラブ)

下水使用は13%

アンケート

奈良県奈良市 奈良4Hクラブ 岡田光代

都市の公害に対し、私達の住む農村は自然環境に恵まれている反面、農村特有の問題がある。住居と畜舎の併設、建物の構造(方位、採光、居間の配置)及び下水やごみの処理の不完全からくる害虫、ハエ、ネズミなどの発生から農村の生活環境も近代化されねばならない。

また、よりよい環境を作ることは疾病を防ぐ。健康の保持増進を考え、最近、私の住む地区で「住居と生活施設状況」のアンケートをした結果、排水状況(炊事、風呂、洗濯などの汚水の処理)については、(公共の下水道の使用はわずか一三%とでている。これは完全なものではなく、下水道に対しての認識が薄く、上水道の設備の乏しい農家では、ほとんど飲料水を井戸に求めるため汚水が侵入しやすく、伝染病の原因というようなことを考えている人が少ない。

便所の設備については、位置が一番大きな問題になると思う。野良から帰ったままの服装で便所へ行くには、母屋の外にあれば便利だが、冬は暖い床から外に出ると老人や高血圧の人、また病人にとっては大変なことなので、屋内に改良便所式便所を造るようにしなければいけないと思う。

ごみ処理については、自己主義で自分の屋内はきれいにしても、まわりのことを考えずに捨てる人が半数いた。衛生に対する関心の薄いのには驚いた。更衣室に対しては、少し関心を持って来ているようであった。今後、私達は村の婦人会や実行組合の人達に働きかけて、一番改善しやすいところから、改善に取り組んで行きたいと思っている。

かぼちゃ

好調、鉄骨ハウス

トンネルやめ立体栽培

宮崎県宮崎市新生会 日高捨幸

わが家の経営概況

自立経営農家の後継者として、SAP活動に取り組んでいる。家族は父、母、妹、私の四人で、農業従事者は三人である。経営規模は水田八十㌃、畑四十㌃。

課題と取り組んだ動機

私は現在まで、父と共にかぼちゃ栽培に取り組んできた。当初は二~三㍍の竹を使用したトンネル型のかぼちゃ栽培であった。仕事の内容も、こもをかけた二重トンネルで、若い私もつかれるような重労働であった。

特に雨の前のこもかけで、夜もろくに寝られませんでした。また出荷は車もなく二㌔も離れた所へリヤカーで運搬していた。このような農業をやっていたら、何年経っても企業的経営農家になることはできないと思い、もっと労働を少なくして、収益のあがる方法はないものかと考えた。

計画と実行経過

農業高校を卒業と同時に、先輩のすすめるSAPに加入し、SAP部門学習で研究するかたわら、改良普及所の先生に相談し、一昨年、父母とも話しあって、鉄骨ハウス(三重ビニール)十㌃、トンネル二十㌃を栽培した。鉄骨ハウスは良い結果を得られたが、トンネルの方は、ハウスに比べ仕事がやりにくく、十分に手をかけることができなかった。

昨年は、鉄骨ハウス立体栽培二十㌃、トンネル十㌃にしたが、一昨年の二の舞で、トンネルの方は人手不足で収益が平年の半分にも満たない状態だった。こんなことではいけないと考え、トンネルをやめ、農業後継者資金を借り、鉄骨ハウスを三十㌃に増し、加温自動潅水施設を取り入れた。

実績をかえりみて

労力節減ができ、収益は上り、生活にゆとりが持てるようになり、農業をやる楽しみが出てきた。加温した場合、果実の肥大が早く、早期出荷ができ、しかも低温時に置いても樹勢が弱まることがなく安定した収量が上げられる。

今後の計画

本年度の収入は、二百九十万円を目標に努力しているが、将来は労働力の配分、換気設備などを取り入れ、ハウス面積を増し、一千万円以上の粗収入のある農業をやりたい。

新しい農業への歩み

宮崎市は、ハウス園芸の盛んな所で、ピーマン、きゅうり、かぼちゃなどの栽培を行なっている。しかし、農業と他産業の所得格差、雇用労働力の不足などで、きびしい情勢下におかれている。米作転換などの問題も加わって、野菜園芸の産地競争も激しくなっている。

また、生産販売価格の上昇は考えられない。そこで、生産コストの引き下げ、労働配分を考え、品質向上と均一化、土地条件の改善、近代的施設の導入などをはかることが必要である。SAP活動を中心に市、県に働きかける考えである。流通面は、カーフェリーの就航、日豊本線の電化で、より早く新鮮な生産物が消費者の手に渡るよう協力することを考えている。

ここで私が全国の農業に従事している若者に訴えたいことは、もっと社会、農業情勢を知り、現代農業がどのような立場にあるかを知って、これからの農業を私達若者の手で伸ばして行きたい。

友達五人と開墾

白菜作り、収入まあまあ

岐阜県高山市高山四ツ葉クラブ 若山茂

わが家の経営概況は、水田百㌃、普通畑四十五㌃、労働力は母と私である。学校を家の事情でやめ農業にとびこんだが、その頃のわが家は、水稲を重点に蔬菜が少々の程度であった。そこで、何か他の部門をと思っていた時、友達と二人で八十㌃の普通畑をかり、白菜作りを始めたのが動機であった。

また、その頃、当地方は高冷地蔬菜の産地化をめざしていたので、ある程度やれる自信があった。

そこで、一年目として四十五年春から作付けの計画を立て、四十五年春、五人共同で山林の開墾を行なった。面積三十五㌃、経費三十万円、資金のうち農協借入金は二十万円である。しかし、降雪地のため開墾作業が遅れ、また石が出たため石拾いが全部できず、一年目は二十㌃の作付けに終った。

作付品目は、春白菜十㌃、ホー菜七㌃、秋白菜十五㌃であった。しかし、全般的な野菜の高値から収支面はまあまあの成績に終ったように思う。プロジェクトに取組んで一年目、いろいろな問題が残されたように思っている。

生産者米価の据え置きのまま、生産調整も三年目に入り、いよいよ米作地帯の当地方においても、米作りはむずかしくなって来た。そこで、好きな野菜作りに重点をおき、生産調整水田の活用をはかり、施設園芸と露地園芸の二本立てで行きたい。

15ヘクタール請負耕作

三重県鈴鹿市農業青少年クラブ 北川保芳

我が家の経営概況

自作田一・五㌶、小作田〇・八五㌶であり、特に部分請負の多いのが特徴である。労働力は、両親、祖母と四人で、雇用労力は年間約八十人である。機械装備は、耕耘機、トラクター三台、収穫機二台、乾燥調整機三台、原動機十台、防除機二台、トラック・トレーラー五台、その他ライムソワー、揚水機など。

取組んだ動機

近年の農村の階層分化、兼業化の進む中で、我が家の経営面積一・五㌶では、水稲専作経営の道は遠く、しかも地価の高騰により、規模拡大を行なうにも極めて困難な状態である。そこで、稲作の部分請負、全面請負耕作に着手した。

計画と実行経過

一家族十五㌶経営の可能性を目標として、請負耕作を開始した。昭和四十一年度には、全面請負百二十七㌃、四十二年度百二十一㌃、四十三年度百五十㌃と、徐々に規模を拡大し、四十五年には百七十㌃、耕起八百㌃、収穫三百㌃、防除三百㌃に至っている。

都市化に鋭い反応

5周の年桜井市4Hクラブ

【奈良】桜井市4Hクラブ(会長大井勇雄君)の五周年記念大会がこのほど、県桜井総合庁舎で開かれた。当日は、白地にグリーンの四つ葉を染め抜いた新しいクラブ旗の披露や歴代会長への感謝状の贈呈などが行なわれた。また、池田市長や各界代表の挨拶もあり盛況をていしていた。

「明日の農業」と題して開かれた座談会では、クラブ員から「政府の減反政策は一時のがれのごまかし政策だ」、「新都市計画法に基づく調整区域なみの税金は不当」、「友達の大半がサラリーマンになり、後継者が減る一方だ」など、活発な意見や悩みが飛び出し、都市化時代の農業ととり組むクラブ員の姿を浮き彫りにしていた。

なお、同クラブが発足したのはさる四十年九月。これまでの"生産する農業"から"企業農業"への脱皮をはかるため、経営技術向上を押し進めており、四十三年十月には知事賞を贈られた。四十四年には市有地の水田七十㌃を借りて新しい農業、肥料の試験や、コンバインによる機械収穫など、多くの技術を習得。収益の一部をさいて市内の児童福祉施設「飛鳥学院」へモチつき慰問をしている。

◀投稿案内▶

本紙は、みなさん方の新聞として、全国のクラブ員に利用して戴きたいと考えています。それでクラブの催しや個人のプロジェクト、詩、短歌、随筆、写真、悩みや意見、村の話題、伝説、行事その他なんでも原稿にして送って下さい。

お願い ❶長さや形式は自由です ❷できるだけ記事に関連した写真をそえて下さい ❸送り先 郵便番号162 東京都新宿区市ケ谷船河原町11 日本4H新聞編集部

NHK農事番組 (4月22~30日)

テレビ

明るい農村 6・30~6・[illegible]

21日 産物往来 薬草[illegible]

22日 話題の広場▼米で[illegible]玉県農試から中継)▼出[illegible]

23日 村をむすぶ 大阪、新潟、東京[illegible]け橋に 木下滿一[illegible]

24日 農村新地図 三重[illegible](愛知大助教授)牧野田[illegible]

25日 明るい漁村

26日 村の記録 開発前夜[illegible]県下北地区)

27日 きょうの話題 現地[illegible]2年目の減反政策—担当者[illegible]

28日 産物往来 たまねぎ[illegible]

29日 話題の広場 農村を[illegible]った木工場(秋田県十文字[illegible]

30日 村をむすぶ 札幌、広島、東京[illegible]中継録画)

農業教室 7・30~8・00

22日~24日 黒字養鶏の条件[illegible]知県農業総合試験場)山田[illegible]

26日~28日 インテグレーションと農業(東京農業大学助教[illegible]

29日~5月1日 農作業の[illegible](東京農工大学助教授)光[illegible]中久二雄

あすの村づくり 日 7・00~8・00 再 土 13・00~14・00

25日「協同化—その成立[illegible]その3 ▼神戸市神出町[illegible]拓農協組合長)小沢進▼[illegible]村(新平須共同農場会長)▼茨城県東村(農業共同化[illegible]場主)

ラジオ

早起き鳥 5・05~5・[illegible]

22日 りんごの木を小さく[illegible](岩手県園芸試験場長)[illegible]

23日 中堅養成所の二十年[illegible]県館山市)農村中堅青年[illegible]

24日 会社ぐるみのレジャー[illegible](山梨県南巨摩郡中富町)

25日 農住都市マスタープラン[illegible]き(東大教授)高山英華

26日 セロリ団地を育てて[illegible]県茅野市)丸茂伊一

27日 新しい液体飼料([illegible]講師)新沢信男

28日 百ぷん農場にかける[illegible](北海道白滝村)斎藤好[illegible]

29日 農業者追放十人組[illegible]今治市越智郡)

30日 自由化にそなえて[illegible]りかえ(茨城県玉造村)

25日 農事放送通信員座談[illegible] 話の広場 6・10~6・[illegible]

新しい農村 6・00~6・[illegible] 年目を迎えた減反[illegible]

25日 どうなる今年の農業 14・30~15・[illegible]省官房調査課長)平弘ほか[illegible]の農産物、農業経済、農業[illegible]総括的展望が、農業観測[illegible]表されるが、変動多い農[illegible]どう考えているのか[illegible]動きと対比しながらきく。

ラジオ農業学校 日 6・30~7・00

25日 農業講演会▼農業[illegible]周年に想う(農村青少年[illegible]会会長)東畑精一

私のIFYE生活から ―3―

岐阜県小泉4Hクラブ 古川みどり

「地球は神が作った」宗教

生活 炭坑に次ぐ農業の死者

宗教

アメリカの宗教は、誰もが想像するとおりキリスト教である。しかし、私が聞いた所によると信者はおよそ六〇%くらいのところだと言っていた。私の家庭にしてもそうだが教会は持っていてもそれほど熱心でない家もあった。しかし、後半、特に熱心な信者そして牧師もやっている家庭に入ったことが、全くの無神論者だった私に大いなる影響を残した。

アメリカにおける宗教は、アメリカ人の精神の根底に通じていると言っても過言ではないのであろう。キリスト教は、大きくカソリックとプロテスタントがあり、カソリックは一般に古く建物も立派であり、封建的かつ信仰も深い。プロテスタントは、聖書と牧師を信じ新しく開放的であり、多くの派をもっている。ほとんどの教会は、五歳以上になると聖書の勉強をはじめる。これがいわゆるサンデースクールである。先生にはほとんど有志の信者があたる。これは、子供だけに限らず大人たちにも聖書の研究をしている所もあった。

私の入ったある家庭では、満二歳の子に「私は目が見えます。私は耳が聞えます。私は話せます。私は歩けます。神様ありがとう」という文句を子供の弟妹会までに十分言えるよう練習させていた。物心つく頃から、地球は神さまがおつくりになった。イエス様は神の子で罪深い我々をお救い下さった……と学び、食前に必らず神に感謝をのべるふん囲気に育ては、おのずとそれが当然になるに違いない。

ある時、高校へ行った私は、ふと地球の歴史と宗教は矛盾しているのだから先生は宗教をどうとらえているのかと、興味を持って尋ねた。私は、地球は太陽の破片であり、長年の進化の中から現在があるという勉強をしていたからだ。

しかし、何ということだろう。歴史の本にもちゃんと「何年前かはわからないけど、地球は神によって造られた」とされているのだ。先生の「全く矛盾する所はありません」の言葉を聞きながら、日本の場合について話す勇気もなくなってしまったほど、その言葉には自信があふれていた。自信ではなく当然のことという気持であったのだろう。アメリカにおいて、キリスト教は、まさにすべての根底をなしている。週一度、日曜日は仕事をやめ休養し神に祈るという日であり、教会は、離れて寄している隣人たちとの社交の場でもある。これらのことが、それを物語っている。

全くの無神論者だった私が心を動かされたのは、日曜日がきちんとしているとか、神に祈りをささげる人々を見たから……だけではない。「oh／poor Midori／」（貧しい心のミドリよ）といった母の言葉であった気もする。その悲痛な声は今も耳を去らない。地球や太陽が自然の中から形成された……と言った私の言葉を、彼女はどんな気持で聞いたか私にはとんと見当はつかないけれど。そして、「ミドリがもっとキリスト教を理解できるように日本語の聖書を買ってあげたい」とポンと十ドル（三千六百円）出してくれた一教会の友。そのお金で、クリスマスに「捜してもみつからなかったから」と英語の聖書を航空便九ドルもかけ送ってくれたホストファミリー。別れの涙できれぎれに「きっとまた会おう。私たちが日本へ行くか、ミドリがアメリカへ来るか。きっと会える。しかし、もし会えないようなことがあったとしてもどうか心配しないでほしい。きっと天国で会えるから。」真に神を信じている人を、家族とし父母としたことが私を少し変えてしまったような気がする。

家庭生活

家庭生活については、日本よりはるかに、陽気で健康的な気がした。家庭内では、まずアルコールを飲まない。核家族的な考え方にもとづいてか、親と子をはっきりしている。子供に分担仕事を持たせる。という点についてであるが、しかし、この頃はどこでも同じく子供に甘い親が多いと思った。

家庭の中で、その個人の生活は、はっきりしていた。農家であれば父は農業者。母は主婦。子供たちは学校中心であるが、分担仕事は家族の一人として当然やらなければならないのである。と言うことで一般の家庭では、夫の職業が何であれ、妻は主婦となり家事と社交（家庭対家庭の）をうまく切りまわす。そこで、私のような人間が入った場合すべて婦人にまかせられ日曜以外の外出は母の運転による案内であった。そこで、主婦はいったい何をどうやっているか……と言えば……

アメリカは、農業と同じく家事も、やりやすいようにほとんど機械化されている。台所は広く明るい。料理は五十%以上が天火の料理。ストーブは電気。掃除機、オトマチック洗たく機、ドライヤー、冷蔵庫、冷凍庫、皿洗い機、ミシン（電気）と合理的であるが、日本で育った私にとって、忙がしい忙がしいと主婦の会合に追われている彼らはどうしても恵まれていると思った。

それにひきかえ、父の方は、実に良く働く。収穫期にでも入れば、朝は六時頃から夜は九時までも、コンバイン、トラクターの相手である。アメリカでは、どんな小さな仕事に対してもそれ相応の機械があり、直接身体を使うわけではないが、十数時間も運転台にすわると言うことは気分的にも身体的にも相当苦しいものだと思える。ある日本の研修生は、「最後の五六時間には、もう意識がもうろうとして自分が今どこをやっているかさえわからなくなる」と話してくれた。それをたん的に示しているのが職業的死者数で、農業者の事故は、炭坑労働者につぐというのだった。私の滞在が許された農業者以外の家族、その人たちは自由業者の中に入るわけだが、そうなると、母は事務を手伝っていた。サラリーマンと違って土、日とまるまる休んでいる家庭はなかったが、時間的には余裕を持っている感じがした。

子供たちは、前にも書いたように必ず、決められた役割を持っていた。教育費も、高校生以上になれば自分で多くをまかなう生徒も多い。特に男生徒となればもちろんであり、九歳や十歳頃から、父の片腕として堂々と働いている。広い平野の中で近所の子供たちと遊ぶ機会のあまりない彼らにとっては、それは一つの遊びでもある感じを受けた。

老人たちを社会の中心からほうり出された淋しい人々、と考えるのは、私は一方的な見方だと思う。少なくとも、私の会った老人たちは、自分に最後に与えられた自由時間を、子供指導の奉仕活動（ほかに多々のサークル活動）、趣味を生かした生き方に、はり切っている様子がうかがわれた。しかし、ぐちを言う相手もケンカする相手もないということは確かに淋しいと思う。だが、核家族を社会共同の根本と考えている彼らは、何年たったとしてもその家族構成が変るとは思えない。

最後に、アメリカ農家の平均をのべると、土地二百エーカー。年純利益四百ドル（約百五十万円）であり、生活程度は平均以下となっている。若者の都市集中も変りはない。しかし、嫁不足というのはあり得ない。

あぐらをかいて来た5年間

新潟県長岡地区連会長 清水源作

まず意思の疎通を

逃げるのは簡単だけど

「4Hクラブ」、私は過去五年間、この名前の上にアグラをかいて来た。時にはその上でシビレをきらし、時にはその上で眠ったり、時にはその中で悲しんだり、時には思いきりその中を飛び回った。今静かに振り返えると、自分の人生にとって何ものにも替えがたい多種多様の影響を、大変に受けたように思う。

一口に五年というけれど、長いようでもあり、また短いような感じでもある。しかし、今となってはみんな楽しい想い出ばかりである。我々のクラブは、自主的な集まりであり、自由な活動を思い切り行なえるわけであるから、まことに理に合ったクラブであると思う。

世間はいろいろなことを言うけれども、何も気にする必要なんかない。

青年は、純粋で何ものにも変えがたい素直さを持っておる。大人の世界にはない人生観がある。これを互いにぶっつけ合って己を磨き、立派な一社会人に近づくべく、日夜クラブ活動に精進しておるわけであるから、このままでよいと思う。私も例外ではないけれど、人間なんて大変に強いようで弱い者であると思う。

だから、強くたくましい心を培うためにも、同じような世代の集まりである4Hクラブで、納得のゆく活動をしたら必ずやプラスになると思う。私は最後に地区連会長をやったわけであるが、非常に貴重な体験であったと喜んでおる。反面、人の心を結び合わせる難しさとか、会の運営にあたっては、後悔の連続であった。

しかし、いつ、いかなる場合でも言えることは、真心を持ってことに対処し、自信を持って行動すれば、必ず成果があるということである。クラブ活動をいろいろむずかしくいう人がおるけれど、私はむしろ出来るだけ簡潔に言ってきたつもりである。もっともらしい理屈を並べたてても、たいした効果は期待出来ないと考えたからである。

だからといって、4Hクラブ本来の持つ基本だけは忘れてはならない。一人一人のクラブ員と接する時、十人中十人までいろいろな悩みを持っておるからして、まず互いがそれらの解消に積極的に努めるなら、何気ない動きの中にも、どんなものにも負けない強力なクラブ作りが出来ると思う。なぜなら、互いに心が通じ合うことが基本だからである。

それさえうまく出来れば、何をやってもスムースにゆくものである。クラブ活動は、形式的に考えたら、それは本当に味気ないものであると思う。クラブ活動の必要性、クラブ活動の意義、あるいは自分自身にとってクラブ活動とは何であるのかを問うなら、まず何よりも自分から積極的に参加し、活動しなければならない。真の喜び、真の疑問は他から決して与えられるものではないと思う。

私自身、五年間、常にこうした姿勢でやってきた。逃げるのはたやすい。しかし、それが己にとって、何の効果があるのだと自分自身に言い聞かせ、逆にむかってゆく努力をしたのである。「最近の若者は人間が小さく出来ていて、単純な喜びに満足しておる傾向がある」などと、よく講演などで聞くけれど、この言葉は何を意味し、我々のどこを突いて言っておるのか、一人一人考えて胸においたらよいと思う。

むしろこれからだ

幸い私には機会があって、全国の仲間と話し合う機会を持つことが出来たけれど、率直に言って、みんな同じ青年であるということである。ややもすれば、「自分だけが／」という感じにとらわれやすいけれど、そういう考えは今日限り、払ってもらったらよいと思う。悩みは同じである。思いも同じである。違うのは、いかにその人が己の経営について、社会について、クラブについて、真剣かつ積極的に考えることが出来るかである。

それを自分の気持の中で整理出来た人が、本当にクラブ人として今後伸びてゆく人であると思う。クラブ活動は、私にそんなことを教えてくれたのである。私自身クラブを去る今となっても一生この経験は忘れることが出来ないと同時に、いつまでも私の心の中に燃え続けると考え、むしろこれからが私の本当の意味でのクラブ活動が始まると、気を引き締める今日この頃である。

活動は「生活を動かす」と書く

新潟県長岡4Hクラブ 今井恵子

クラブ活動

家の仕事、勤め先での仕事、その中で泣きながらの活動である。それは私にとってなんだろうと一時は随分考えた。ある時は誇りであり励みであり、またある時は口実であったりした。そしてそれは私の若さを証明してくれた、最も大切な場所でもある。役員としての責任なのかもしれないが、家の仕事より、勤め先の仕事より優先し、それは私にとって大事なものなのである。

役員会

早めに豚にエサをやり風呂へ入る。また今日も出るのかと言いながらも、明るいうちに風呂の火を入れ、出掛けにバス代あるのかと声をかける母。帰りは十二時をまわる。クラブ活動に対してわけのわからぬ程の家族の理解がそこにある。

花嫁修行

私にとってクラブ活動は、立派な花嫁修行でもある。4Hクラブ活動の根本は、立派な人間になることだという。習いものも必要だけれどその前に、まず、人間としての勉強をして、初めて女性としての勉強の成果が上がるのだと思う。人間として立派ではなく、なんで女性として立派になれようかと思うのである。第一の花嫁修行とでもいうのだろうか。

女らしさ

クラブ活動で、私はいろんなことを沢山得た。沢山の仲間と先輩に磨かれて、いろんな勉強をした。だけど、その活動の中で、一つだけ失いそうになっていたものがあったことについて、先日気付いてハッとした。それは落ち着いた控え目な女らしさとでもいうのだろうか。以前の私にしてみれば、男の人に、それも年上の男の人に意見するなどということは、考えられないことだった。

役員になって、男子クラブ員の中で対等にもまれ、また、そのことが要求された。初めは抵抗があったけれど、いつの間にか感じなくなってしまっていた。自分の意見をはっきり言うこととは別のことである。大変なことだと思うのである。それも、もう少しでそのことに気付かずにいるところだった。

本当のおもしろさ

私にとってクラブ活動は、五年目を終えようとしているが、この年初めてクラブ活動の本当のおもしろさを知ることが出来た。活動という字は、生活を動かすと書く。自分の生活を、動かせるだけ動かして得た私だけのおもしろさである。クラブ活動なんてとぐちる人は、活動しようとしなかった人に多い。なにごとにおいても、本当のおもしろさは、自分でやらねばわからないものなのだと思う。

青春と仲間

嫌いなマジック・ペン

マジック・ペンというやつは、どうも嫌いである。便利だといわれるが、まだ納得するに至っていない。これを手にしたが最後、便利さを味わうどころか、もう、そわそわと落着けなくなってしまうのだ。おそらく、けちと貧乏性とが原因ではないかと思う。

キャップを外せば蒸発する、このごく初歩的な知識が先入観となり、禍いしているのではなかろうか。使用していても、キャップを閉め忘れていても、こちらの意図とは関係なしに消耗することが、気がかりで落着けない。それが強迫観念にまで膨張し、さらに、旧弊な無駄使いに対するうしろめたさと絡みあうので、始末が悪いのである。

形あるものは滅するという認識からも遠く、これは一種のこわばりである。たしかに健康な状態といえず、ほめられたことではない。しかし、それをすっかり認める口惜しさから、ぼくは二つほどの口実を用意している。

ひとつは、筆触がよくないと、大仰にいえば非人間的なところがあり、たとえば、白墨が黒板と接触して甲高い悲鳴をあげたと同じように、いたく神経を刺激し、ぞくぞくと悪寒が走る。とても、馴染めたものではない。

いまひとつは、他の筆記用具も使えば減るのは必定だが、マジック・ペンのように、勝手に減らないし、第一、それをことさら意識させない。このあまりにもあらわに、消滅する現象を突きつけてくることに対する嫌悪、うとましさである。だから、坊主憎けれ袈裟までではないが、透けてインクの見える万年筆やボール・ペンも、好まない。

あるところへ招かれた芭蕉は、灯油に比べ蝋燭の減りが速いのを厭うて、次のように語ったという。「蝋燭をはや取べし。（中略）夜の更る事眼に見えて心せはしき。（中略）いのちもまたかくのごとし」と。 （山）

『空談』

詩集二つに決定

農民文学賞 新開、北川さん

第十四回「日本農民文学賞」が、このほど決定した。これは、日本農民文学会が毎年行なっているものであるが、本年は異例とも言える詩集二冊の受賞となった。受賞作は、新開ゆり子さんの詩集「炎」と北川広夫さんの詩集「灯のない部落」である。その中から、新開さんの二篇、北川さんの一篇を紹介する。新開ゆり子さんは、大正十二年生れ、福島市在住。北川広夫さんは、昭和十六年生れ、青森県上北郡在住。なお、くわしく鑑賞されたい方は「農民文学」第九十五号（定価二百円・送料十二円）に、その〈抄〉が掲載されているので、下記に問い合わせられたい。日本農民文学会 東京都新宿区市ケ谷船河原町十一 家の光協会別館内

朝のひぐらし

新開ゆり子

ひぐらしが啼いている
朝の 四時 から
満天の星に零かれて 墜ちた 女の
溢れた
目覚め を
消えがての星に怨かれて
踏み絵の夜をくり返す 女の
渇いた 夏 を
カナ カナ カナ
カナ カナ カナ
ぽろ ぽろに心くず折れ 夜ごと
贖罪の石積みかさねて
自己の葬りに旗ふりつづける 女
の
昏い 夜明け を
カナカナ カナカナ カナ
――凡俗の女の幸を語る声焼ければ眠つむりて耐えぬ――

恐怖

蒼く冴える月夜だ
阿武隈山脈のてっぺんが
水底でゆらいでいる
午前零時 零下 四度
半鐘が鳴っている
犬が吠えたてて いる
みんな起きろう 霜だどおう
大霜が来るだどう
水をまけ
ドラムカンさ火つけろ
泣いている童子（わらし）なんど
は柱さでもふんじばっておけ
藁を燃やせ
タイヤを焚け
ひらいたばっかりのつぼぐらぐち
の上さ
やっと定植終ったばかりの葉タバコの苗さも
ザラメ砂糖のかたまりみたいな
霜が降る
千の刃を逆手に持って 霜が下りる
桑畑の下はホース持ってつっ走れ
散水車はどうした
消防団はなにしてるだ
農協では重油を放出しろ
組合長を さがしてこう
急げ 急げ
すり半を鳴らせ
霜が来る 霜が来る
霜が降るだどおう

少年の日

北川広夫

吹雪の夜
うすい蒲団に丸まり眠る
凍えた夢に眠る石はかすかに
こぼす
いっ滴の苦しい冷汗を
書き損じた遺書の束を
黒い炎に溶かし
炎の柱を昇る少年の日
あおざめたおまえは
迷子になって怒りながらめぐり
めぐる
飢えの村々
無人の夜々
キュッ キュッキュッと小さくなく
豚の背にのって
荒れ果てた田
太い亀割れや
野草の群が住みついて
ワッワッワッ……
死んだ子供たちと騒ぎながら
役牛の骨を引きずっていくよ
土肌をむごたらしくひき裂かれ
たこの肉に
こわれた枯れ葉の館ひとつ
その中で夜は眠る
ひとり無念の石をかかえて眠る
深い土中に浸み透る
この底知れぬ渇き
この畑カラスウリの枯れ葉を掠め
さる
虚無的な風音 そのわななき
密かな祈り
こんな夜
どこの百姓家の塚にも竹が生え
る
白い竹が……
どこかで鳴る笛の音
その波紋にのって
先祖たちがはいだしてくる
藪陰から呪いの念仏をとなえ
じゅずを鳴らしてやってくる
処刑の鬼火が赤く燃える
おまえは歩く
山の廃村から里の廃村へ
無心な子供の夢を植えつけなが
ら
死んだ男たちの気配や
売られていった女房たちの足音
苔生す墓場を掘る
木製鍬の細い規則音
その日は晴れの日
「あとしっかりやってね……」
姉は白い布をかぶって嫁にいっ
た
頬に小粒のしずくをほろほろこ
ぼして
その日おまえの埋葬は終ったの
だ
柿の木の陰で
かげろうのように嗄りなきなが
ら終ったのだ

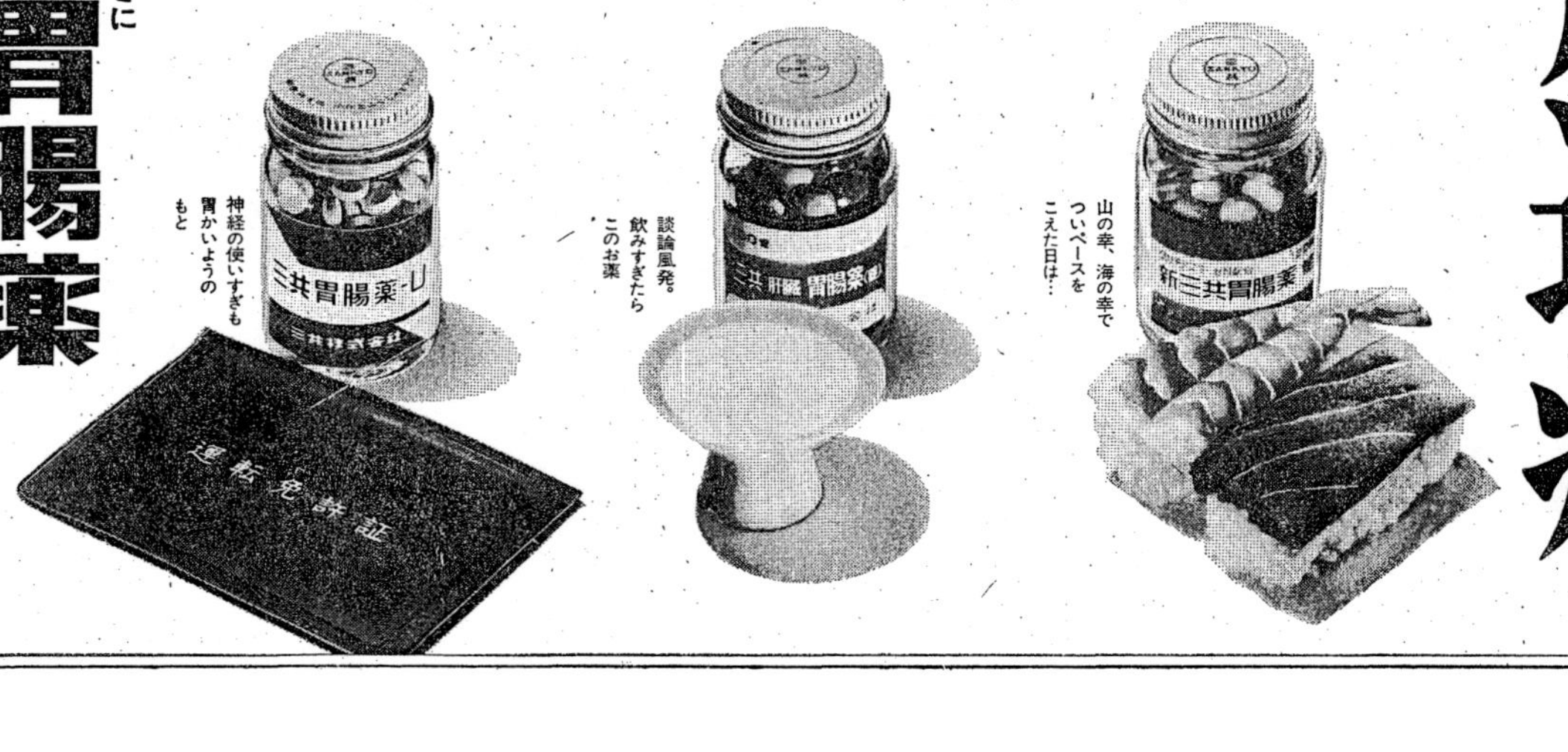

日本４Ｈ新聞
４Ｈクラブ
農事研究会
生活改善クラブ
全国弘報紙
発行所
社団法人 日本４Ｈ協会
東京都市ケ谷家の光会館内
電話(269)1657 郵便番号162
編集発行　玉井　光
月３回・４の日発行
定価　１部　20円
一ヵ年700円（送料共）
振替口座東京　12055番

クラブ綱領

私達は、実践を通じて自らを磨くとともに、互いに力を合わせて、よりよい農村、よりよい日本を創るため、四つの信条をかかげます。一、私達は農業の改良と生活の改善に役立つ腕をみがきます。一、私達は科学的に物を考えることのできる頭の訓練をします。一、私達は誠実で友情に富む心をつちかいます。一、私達は楽しく暮し元気で働くための健康を増進します。

スペース買い取り方式へ

４Ｈ会館の建設、新局面に進展

来年は北海道　つどい開催地

新会長に黒沢君（埼玉）　全協で総会開く

全国4Hクラブ連絡協議会（会長、久野知英君）は、さる十三、十四の両日、東京・新宿区市ヶ谷船河原町の家の光会館一階会議室で昭和四十五年度の通常総会を開催し、四十五年度の事業経過と収支決算、監査の各報告を承認、四十六年度の事業計画と収支予算を執行部提出の原案通り可決、会長に黒沢健一君（埼玉）を選んだほか役員を決定し、新陣容のもとに四十六年度へスタートした。また、日本4H会館は、諸事情から東京都内に単独で建設することが甚だ困難な状態に立至っているため、新しい方向としてビルのスペース買い取り方式で進めることにし、その内容を検討するため「特別委員会」を設置したほか、OBを母体とした「常任委員会」を発足させ、さらに今年度から会費（各県連負担金）を一律五千円値上げすることなどを決めた。

＝関連記事2面にあります

七年ぶり会費値上げ決る

総会は、十三日午後一時過ぎから全国道府県連会長などの代議員と全協執行部、同参与、オブザーバーなど約六十名の関係者の出席のもとに開かれた。

坂井邦夫副会長（佐賀）の開会のことば、二宮直子評議員（愛知）の先導で4Hクラブの歌を斉唱のあと久野会長（愛知）が「私たちは、昨年四月に開かれた総会において決議されたことを遂行するために曲りなりにも努力してきたが、やっと大海を渡って、いま岸壁にたどり着いたという状態である。今年度中にメドをつけると約束してきた4H会館建設の土地確保も、なんとか明るい見通しが出てきた。4Hクラブ、組織強化とともにこの総会で十分に検討してほしい」と呼びかけた。

つづいて参与である日本4H協会の新田事務局長からあいさつがあり、各ブロックから一名ずつ運営委員を選出して協議、綱川信夫運営委員長（埼玉）の資格審査報告と総会成立の宣言について、日程説明が行なわれた。

このあと、議長団に冨永博（愛知）神田勝敏（山口）甲斐徹治（宮崎）の三名を選び、議事録署名人に及川正紀（岩手）笠原正好（長野）両君、書記に下元耕三君（高知）と原照子さん（群馬）を指命して議事審議に入った。

まず、松浦幸治事務局長（静岡）から四十五年度の事業経過、中野正義事務局次長（神奈川）から同収支決算、奥村秀宏監事（北海道）から監査結果についてそれぞれ報告があり、久野会長ら執行部の補足説明を加えて審議し、これを承認した。

ついで、規約の一部改正として坂井邦夫副会長（佐賀）から、4H理念に基づく体系的運動を推進するための制度の設置について説明があったが、名称の問題や現在ある専門委員会、参与などとの関係から論議を呼び、その決定を翌日に持ち越すことにし、ついで、会費値上げについて松浦事務局長から説明があり、四十六年度から各道府県連一律五千円のアップを決めた。これは七年ぶり。

翌十四日は、午前八時半から再開、まず、前日審議未了となった規約改正について協議し、「常任委員会制度」を設けることを決定した。

つづいて四十六年度の事業計画について松浦事務局長、同収支予算案について中野事務局次長から説明があり、久野会長らの補足説明のあと項目別に審議し、事業計画のうち、日本4H会館建設についてだけ別項の議案の中で話し合うことにして、執行部提出の原案通り可決した。

つづいて、日本4H会館建設について黒沢健一副会長（埼玉）の説明のあと審議し、執行部で示したビルのスペース買い取り方針で進めることにして、その細部にわたって検討するため「特別委員会」を設置することを決めた。

このあと役員改選に入り、各ブロックから一名ずつ選ばれた選考委員と全協執行部三名によって選考委員会（委員長、山本哲嗣君・鳥取）が開かれ、女性の副会長一名は保留とすることにして別記のとおり会長と副会長、監事を選出、また、黒沢新会長から事務局長と同次長の選任がありこれを了承、評議員を各ブロックごとに選んだ。

ついで、顧問と参与を推たい、四十七年度に予定している「第八回全国4Hクラブ員のつどい」を北海道で開催することを正式に決定、また、評議員による各ブロック活動の実態について報告、岩手県連から今夏、同県で開かれる全国農村青少年技術交換大会の呼びかけなどがあった。

最後に、新旧役員のあいさつがあり、旧役員は、苦しかったこの一年間の回顧と現役から去って行く一抹の淋しさを訴え、また黒沢会長らは、久野前会長のあいさつを受けて「これから岸壁を離れて船出するところである。いろいろの問題が山積して課せられた任務は重いが、みなさんのご協力によって一歩一歩前進したい」と新年度への抱負を述べ、午後四時前閉会した。

全協総会の開会　議事審議に先立って開会のあいさつを述べる久野前会長＝東京・新宿区の家の光会館で

全協、46年度の新陣容成る

会長　黒沢　健一　埼玉県・前副会長

副会長　松浦　幸治　静岡県・前監事

副会長　奥村　秀宏　北海道・前監事

副会長（女子）　保留

事務局長　原田　正夫　大阪府・前監事

事務局次長　神田　勝敏　山口県

事務局次長　小宮山治夫　長野県

監事　蛯沢　勝雄　青森県
同　門脇　槙夫　高知県
同　元山　孝志　長崎県

評議員

総会の時点で選ばれたブロック代表評議員は次のとおり。

北海道　中山　寿雄
東北　山本たい子（青森）
関東　綱川　信夫（埼玉）
近畿　巳波　義司（奈良）

施設など変えず

家の光協会と折衝「特別委」設置

会館建設

4H会館建設は、さる三十八年に和歌山県の高野山で開かれた4Hクラブ員の全国大会で参加者によって提唱されたもので、翌三十九年、全協の初代会長・岩崎茂氏（静岡）を委員長とする「日本4H会館建設委員会」が結成されて以来、七年ぶりに具体的な方向を見い出すことができたわけである。

ことに、さる四十三年から全協が主体となって四十五年度を建設の最終年度として、約四千万円を目標に募金活動が全国にわたって展開されてきたが、末端へのPR不足などから募金が伸び悩み、すでに年度初めに四十五年度に建設することは事実上不可能であるとの態度を固めていた。

このため、少なくとも四十五年度中に土地確保のメドをつける方針で努力してきたが、その後の調査で①建設場所として望んできた東京都内の国有地の無償払い下げはない②国有地の有償による払い上げは市価を基準としており、募金目標内では取得することが不可能である③払い下げ可能地がなく必要面積を得ることが見込めない——などの事情が判明、また、それにかかわる民間私有地についてはなおさら地価の高騰で入手が困難であることから、新しい方向が求められていた。

そこで、全協執行部は、合同による庁舎方式とスペースの買い取り方式の二つの案を考えて、内々に関係方面に対して折衝、意向を打診してきたが、庁舎方式の見通しが立たずスペース買い取りに焦点をしぼって検討してきた。

その結果、家の光協会が、現在全協事務所が借用している家の光会館の別館を取り壊し、そのあとに、農村文化センター（仮称）のようなビルを建設する構想があり目下、その具体化を進めていることがわかったため、全協の要望を伝えたところ、快い回答をえたもの。

ビルの規模などについては、同協会で検討中なので、まだ確認されていないが、敷地面積は約五百坪（約千六百平方㍍）で、建坪がその二分の一くらいになるのではないかといわれている。

全協執行部の考えでは、そのうち一フロアーを買い取り、出来るだけ、主体性が保てるように、これまで描いてきた青写真に近い設計にしてもらうよう要望したいとしている。また、これに伴い名称も、4H会館から4Hセンターのように変更されることも考えられるが、これらについては、今後、「特別委員会」を中心として検討していくことになっている。

しかし、このスペース買い取り方式をとる以外に方法はないと決断を下し、家の光協会と折衝に当ったのは総会直前であったため、総会においては、突然、執行部から提案されるという形になったことから各県連会長らの動揺も隠しきれず、反発があった。

その主なものは、国有地払い下げが困難であると判明したのはいつか、見通しが甘かったのではないか、スペース買い取りによると施設が変わってくるのではないかなどで、とくにこの方式が止むを得ないと認めながらも、4H会館としてこれまで描いてきたイメージとかけ離れるため、募金の母体となっている一般クラブ員にどう納得させるかなどの意見も出された。

しかし、スペース買い取りでも主体性を生かして、施設も大幅に変更しないことで了承し、組織的にクラブ員に納得してもらうよう働きかけていくことにした。

栃木では募金百万円

募金については、これまでと同じく一人三百円をメドに行ない、各県連で集まった募金を全協連事務局へ送付するなど、県連会長会議で決議された事項を守ることにした。

また、これまで募金額が少なかった県連の実情が報告され、栃木県の場合のように、地区段階ではすでに百万円近い募金がなされているところもあり、各県連でも足並みを揃え、募金の全国的な平均化を図るよう努力することを申し合わせた。

国有地について

国有地について、全協執行部が調査し、これまでに判明した点は次のとおりである。

国有地（財産）には、行政財産と普通財産の二種類がある。行政財産は各省庁が管理している国有財産で、この種の払い下げや借用はしていない。普通財産は大蔵省直轄の管理地で、昭和二十二年から無償の払い下げはしていない。

有償による払い下げ、借用に関しても、最近二円五十銭の国有地払い下げ問題で世論の風当りも強く、普通財産の関係についてもまことに厳しい状態になっている。

関東に関しては、東京法務局が取り扱っている。

たとえ、国有地払い下げがあったとしても、市価（建設省土地鑑定委員会公示価格）で払い下げる基準になっている。

OBの支援態勢作る

「常任委員会」制度が発足

全協は、総会において規約を改正し、4HクラブOBを母体とする「常任委員会」制度を発足させ、このほど二十人に同委員会委員の就任と、日本4H協会の会員になるよう依頼した。

この常任委員会は、全協の会務に対し篤志的に指導・助言することが大きな役目で、その委員は、日本4H協会の会員と学識経験者で組織し会長が委嘱することにしている。

全協に対して指導・助言を与えるものとしては、現在、顧問・参与や昨年度設置した専門委員会があり、総会でも、これらとの関連が問われ、専門委員会に付帯条項をつけて拡大解釈してはどうかとの意見も出された。しかし、専門委員会を開く場合は経費がかかり、また、同委では全協の方向や諸問題の研究にとどまるが、全協で考えている新しい制度は、物心両面にわたって強力にバックアップしてくれる指導者を、過去に4H活動を積極的に進めていた先輩の中から広く求め、4H理念に基づく体系的運動を推進しようとするもので、いわばOBとの連けい強化にねらいがあるようだ。

規約の中でうたっている学識経験者も、4H活動や農業の体験者を指しているようで、とくに、4H協会の会員と学識経験者で組織することにしているのは、OBの全国的な組織がない現在、協会会員として資金面におけるバックアップとともに、ここを足がかりとしてOB組織の体制を固め、この常任委員会を核として、OBの全国的な組織化や4H活動の推進をはかろうとする意図がくみとれる。

現段階では、この常任委員会が今後、どのような活動を進めていくか、まだその具体策は打ち出されていないが、組織の主体性の確立やOBの全国的な組織化への一歩前進として同委員会の結成は高く評価されている。次第に高まってきているOBの全国的な組織化を要望する声といかに呼応し、発展していくかその成り行きが注目される。

また、この常任委員やOBについては、新年度の事業計画の中でもふれ、その積極的な働きかけを呼びかけている。

クラブ活動の拡充と啓発に関しては、4Hクラブ活動は時代に即応した高度な活動展開が要求されているが、そのために常任委員によるボランティア的啓発を推進し4Hの本質に基づくオルグ活動を通して新しい運動推進への拡充を図ると述べ、OB関係でも、県連や単位クラブ活動を体験したOBから組織的助言をあおぐよう積極的に取組むべきであるとしている。

全国段階だけでなく、地域においてもOBとの関連を密接にすることを強調し、さらにオルグ活動も考慮しているようである。

委員に20人選ぶ

常任委員は次のとおり（数字は年度、下は当時の役職）

岩手	小原忠孝	44	副会長
栃木	内田　一	40	事務局長
茨城	黒田　保	44	会長
埼玉	岡田右京正	42	事務局長
神奈川	遠藤清之丞	42	同次長
同	石井一雄	44	同
同	中野正義	45	同
同	佐藤春雄		同県連会長
山梨	太田正紀	42	副会長
静岡	長田清吉	41	会長
富山	梅田清雄	39	同
同	丸山　勉	42・43	同
愛知	久野知英	45	同
奈良	飯田喜代視	43	副会長
滋賀	中村利男	45	評議員
島根	浅野俊雄		二代目会長
広島	村上光雄	43	事務局次長
山口	沢野悦雄		三代目会長
大分	麻生浩一	40	副会長
佐賀	坂井邦夫	45	同

全協、今年度初の執行部会をひらく

全協は、四十六年度初の執行部会を、二十二、二十三日の両日、東京・新宿区市ケ谷船河町、家の光会館の同協議会事務局で開き、所年度事業の展開などについて協議した。

涼風暖風

おべんちゃらは嫌いだが

態度で示そうよ、という歌がブームをよんだことがあった。幸せなら手をたたこうという歌である。いまでも、青少年団体の会合などでよく歌われている。根強い人気だ。

日本人は、態度で示すことが苦手のようである。だからこんな歌が流行するのだ、といったらこじつけになるかも知れないが。

私も、感情や考えを態度であらわすのが大変下手だ、と自認している。そのため、だいぶ誤解されたり、損したりしていると思う。

先日、劇作家であり、詩人でもある菊田一夫先生の講演を聞く機会に恵まれた。講演の中で印象にのこったのは、お礼をいうことのむずかしさである。

菊田先生が、若い頃苦労されたことは、その著作などで知られているが、その一つに、十七歳での失業時代がある。この頃は食事をする金にも事を欠き、一食七銭のめしを、一日一食しか食べることができなかったそうである。いつもいきつけのめし屋のおやじさんが、余り顔色が悪いので気づいたらしく、「めしがあまって処分に困るから食べてくれ」と、どんぶりのおかわりを出してくれるようになった。先生は、おやじさんの好意にむせびながら、だまってどんぶりのおかわりをかっこみ、飢えをしのいだという。

やがて新しい職もみつかり、今こそめし屋のおやじさんに正面きってお礼をいおうとでかけると、おやじさんの屋台はなかった。隣りの屋台の小父さんに聞くと、二日前から風邪で寝こんでいるという。幾日かたって、またお礼に出かけたところ、めし屋のおやじさんは、風邪をこじらせて亡くなった、ということを知っただけ。おやじさんが、あまっためしだ、処分してくれ、とうそをいっていることを知りながら、むしろ知っているだけにお礼をいいそこねてしまったことを、今もって悔いている。先生の話は、そんな意味だった。

私は、喜怒哀楽をおもてに出さないのが男の美徳だ、という訓練をうけた。また、自分の苦しみは他人に迷惑をかけず、自分で解決しろ、としつけられてきた。それだけに、心の中のことを態度で示すのがきわめてまずい。感謝にしても、それを心に強くもてば、態度にでなくとも、意自ずから通じるものだと考えていた。でも、誰もが神通力をもっているわけでもない。逆に、恩知らず、と誤解されるのが関の山だろう。

世はまさに情報化社会だ。心の中に秘めているだけでは、他の情報、能弁の連中に先をこされてしまう。何時の時代でも、まめな人、おべんちゃらのうまい人がうまく世を渡っているのが常なのかも知れないが。ともかく、情報、いいかえれば、心の中のことを適確に伝える術は大切だと考えるようになった。

沢山の人が集まる青少年団体でも、同じことがおきていると思う。

（文部省　伊藤）

心頭技健

全協の役員が総会を最後に現役から退いていくとき、彼らは一様に一抹の淋しさを残していく。これまでもそんな体験を何回も味わったが、今年もやはり同じ感じを抱いた。彼らの心が無言のうちにこちらに伝播されてくるものだろうが、青春を4H活動に捧げ、精いっぱい努力してきたという自負心と、そのあとに訪ずれた心の空白が彼らを感無量にさせるに違いない▼今年の総会で、閉会に先立ってあいさつに立った坂井前副会長は「桜も散った。私も散ります。私の青春もこれで終ります……」と語りかけて、その後絶句してしまった。彼は何かを言おうとして壇上にあがったはずだったが、それも言わずじまいになった。言わなくても、わかってもらえると思ったのかもしれない▼そのマイクを背にしていた久野前会長は、一瞬おかしいなと思ったそうだ。そこで何が起っているかを彼は感じとっていた。みんなが同じ気持だったのである。確かにリーダーであるものは、孤独であり、苦しい。とくに、昨年度は全国のつどいが急きょ佐賀県で開催されたが、彼らはその渦中にいたわけである▼全協はいま役員の旅費も払えないほど台所が火の車で、先輩たちから受け継いだ4H会館建設や全国のつどいなど大きな事業をかかえ、みんなが頑張っている。それは十分承知のうえで、同じく苦労してきた仲だ。また、退任組の山本たい子副会長、中野、阿部両事務局次長にしろ同じで、あいさつは切々として訴えるものがあり、聞くも涙、語るも涙といったところであった▼彼らの多くは、期待されながら、家の経営や結婚などの問題をかかえて止むなく去っていくわけである。4H活動や全協組織への情熱が消えてしまうわけでない。却って、それだけ精根を傾けてやったのだから深い理解を持っており、これからも何かと力を借してくれるに違いない。大いに甘えるべきだと思う▼このようにして、現役とOBがつながっていけば、強い組織ができると思う。クラブ員も、悔いのない青春をおくるために情熱を注ごうではないか。

新年度の活動方針と事業計画 全協

活動方針

体系的な運動を

クラブ意識の高揚めざし

わが国は終戦直後の廃墟と混乱の中から立ちあがり、今や世界の驚異の的とされるような、経済大国へと成長した。そして、今日の激動する社会情勢の中で、4Hクラブ活動はその理念にもとづく本質的な面から再評価されようとしている。戦後の日本は、各般にわたって一大改革が断行されたが、農村においては農業生産の増大と農村民主化のため、昭和二十三年農業改良助長法が制定された。それにともない日本における4H活動は、農業改良普及事業の一環として農村青少年の指導育成の推進を目標に、政策的に組み入れられた。

その動乱期に全国の4Hクラブ員は、行政的指導を使命として受けとめ、食糧事情逼迫に際し、実践的プロジェクト活動を通じて食糧増産に積極的に励むとともに、農家生活や農村の民主化を推進し豊かな農村社会建設のため忠実に邁進した。この厳しい農村の中で育てられた精神的活動が、現在の日本の発展を促したひとつの基礎として意義ある功績を残したと考えられる。しかし、近年の急速な経済繁栄の過程において、多くのヒズミが生じ問題となっている。特に、産業構造の変化にともない農村社会における青年が減少し、末端組織に急激な変化と混乱を生じさせ、4Hクラブ活動の基本であるべきプロジェクト活動の衰退を招来し、クラブ員意識の低下とともに、4Hクラブ自体の存在を不安定なものにした。

青年は理想と現実に生き、真実と正義を希求する。その若さのゆえに、未来の希望に生きる創造的存在であり、本来その活動は自然発生的に芽ばえ周囲へ波及するものである。しかし、日本における4Hクラブ活動は、政策の一環として行政的に指導育成されたために、今なお行政によりかかっているのが現状である。つまり、それは過保護下における活動展開のために、青少年の自主性はそこなわれ、現在、われわれの活動をわれわれ自身で思考できない事態に陥っている。このことは、青少年自身の相互練磨による、人間形成の場である4Hクラブの存在を稀薄にさせ、クラブ員の主体性を低下させている。いかに文明が進み状況の変化があっても、青少年は夢と創意をもって改善への熱意を失なってはならない。人間が人間らしく、青年が青年として生きうる日本を築くためには、近代農業の実現と豊かな農村社会の建設がわれわれの組織はもとより国家発展の礎でもある。これこそ、われわれ4Hクラブ員の担うべき使命であり責務である。

そのためには、4Hクラブ導入以来の二十有余年、全国組織結成以来でも十五年の歴史を振り返り謙虚に深く反省し、4H精神の原点に立ち返り、その認識を新たにする必要がある。そうして、クラブ意識の高揚と主体性の確立を目的とした体系的運動を明確にさせつつ、家族や地域社会からも理解される高度のリーダー養成を図っていかなければならない。

われわれ4Hクラブ員は、近代農業の建設者としての自覚を強め真の4H精神にのっとり、一層の研鑽をつみ4Hクラブ活動を通して、日本はもとより世界人類発展のため貢献しなければならない。本年はこのような意味から、4H理念の再認識と本質に立脚した4H活動の推進を図るとともに、青年らしい自主独立の精神を養い、新しく来たろうとする歴史の黎明に向かって下記の事業を行なう。

事業計画

活動の啓発を重視

4H新聞 連絡報道員を推せん

一、組織強化と主体性の確立

(一) 事務局体制の確立

4Hクラブ活動の機能を充実しその使命達成をするとともに組織の主体性を確立させるため、自主的に企画運営のできる事務局を拡充強化し専任に近い事務局員を置く。

(二) 役員派遣

県連に対して役員を派遣して全協の活動方針や事業計画などについての相互理解を図ると共にクラブ活動上の問題点を把握し、その問題点解決に努め一層連携を深める。

(三) クラブ活動の拡充と啓発

激動する社会状勢下における4Hクラブ活動は時代に即応した高度な活動展開が要求されている。そのため、専門委員によるボランティア的啓発を推進し、人間形成の自主的教育の場として、4Hの本質に基づくオルグ活動を通して新しい運動推進への拡充を図る。そのため学習資料として手引の発行も併せて行なう。

(四) 日本4H新聞の活用と普及

全クラブ員が4H新聞をクラブ員の準機関紙として積極的に購読しクラブ活動上の学習資料として活用する。また、情報の交換を盛んにし、組織強化を図る一つの手段として、4H新聞の連絡報道員を自主的に推せんすることにし、各県連にその選任を依頼する。さらに、連絡報道員の研修を実施し紙面の充実と購読部数の増加を図ると共に購読料の還付金制度を利用して県連の自主財源の確保充実に資する。

二、4Hクラブ員の使命と精神の高揚

(一) 道府県連会長会議の開催

4H活動の推進を図り、全協と県連との連絡協調を密にするため年四回開催する。

(二) 全国4Hクラブ中央推進会議

4Hクラブの使命と精神をよく理解したリーダー養成は急務であり、クラブ活動の展開には正しい問題意識と高度のクラブ運営技術をもったリーダーが必要である。そのためリーダー養成最高の場として、4Hの本質に基づくクラブ運営やプロジェクト活動などの知識を修得し体系づける。

(三) 4Hクラブ員のつどい

全国の4Hクラブ員はもとより4Hクラブを理解する人々や家族が自由に参加できクラブ員が自主的に企画運営する〝つどい〟として開催する。毎年充実発展し今年第七回を迎える「つどい」を通して、4Hクラブ精神と同志意識の高揚、現地交歓訪問による農業技術の研鑽と視野の拡大、さらには家族と地域ぐるみの4H活動の推進を基本として明日を担う青年としての責務と誇りをつちかう。

(四) 全国青年農業者会議

近年の農業情勢の推移に伴い、プロジェクト活動の推進や展開において、大きな変化がみられる。全国のクラブ員が実践活動を通したプロジェクトを発表、研究討議し、将来の農業や人生設計に正確な認識と判断をもち、近代的農業に資するため、主催団体の一員として取り組む。

(五) 海外青年との交流

4Hクラブ員は進んで世界に雄飛し、海外青少年と積極的に親睦を深め日本青年としての責務を認識する必要がある。このため草の根大使（IFYE）、青年の船などに多数のクラブ員を派遣するとともに、来日する外国青少年の受入れ、親睦交歓活動など、積極的に取り組み国際的相互理解を深める。

(六) 沖縄親善交歓訪問

四十四年度第一回を開催し過去二回にわたるこの事業は沖縄と本土クラブ員の仲間意識の高揚と、クラブ員の共同精神の高揚に大きな成果があった。本年も第三回のこの事業を開催しさらに親睦を深めるものとする。

(七) 奉仕活動の展開

近年、4Hクラブ活動が自主的教育の場として地域社会から高く評価される折から、実践を通して誠実で友情に富む精神を培う奉仕活動をあらゆる機会において展開する。

(八) 日本4H会館の建設

全国4Hクラブ員の殿堂である4H会館建設はわれわれに課せられた重要なプロジェクトであり夢である。この会館建設は全協、県連はじめ全国クラブ員の強い意志決定と実行力がなければならない。近年ようやく早期建設への気運が高まり募金活動への熱意が急上昇し、建設委員会の充実強化とともに具体的な方向で推進する。

三、外部団体との連絡協調

(一) 中青連関係

中央青少年団体連絡協議会加盟団体の一員として、他の青少年団体との連携を深め幅広い連絡協調を図る。

(二) 青少年育成国民会議関係

国民会議の構成団体として青少年の健全育成に協力し、全協は中央組織に、県連は県組織に対して積極的に参加する。

(三) 官庁、団体関係

農林省、文部省、総理府、全国農村青少年教育振興会、日本4H協会などのほか各種団体より指導と助言をあおぐ。

(四) 4HクラブOB関係

4Hクラブ活動の展開において その本質に基づく高度な、指導と助言が求められている。このため全協はもとより、県連や単位クラブを体験したOBから組織的助言をいただくよう積極的にとり組み、地域社会から理解された4H活動を強力に推進する。

監査で指摘された主な点

四十五年度の事業経過に関する監査報告で指摘された主な点は次のとおりである。

一、実態調査 今年度は実施されなかったが、以前に実施されたものの報告が未だなされてない県連があるのは残念である。詳細にわたる調査はムリとしても、クラブ員数や、クラブ数は調査が可能だろうし、各県連の一層の協力を望む。

一、役員派遣（オルグ） 今年度は中・四国、北陸、東北を重点に二十数回にわたって実施した。各県連との連絡調整を図る意味から必要であると思うが、早急にその効果が表われないのは残念である。各ブロックごとに選出された評議員の役割についても検討してほしい。

一、4Hクラブ加入促進運動の展開 この事業は全協が実施するより、むしろ、県連、地区連が取りあげる事業ではないか。

一、全国4Hクラブ中央推進会議 予定とおり前・後期二回開催された。後期においては各県より多数の参加をみて開かれたが、行事内容が多い気がするし、プロジェクト活動に対する参加者の反応は薄い感がした。今年も二回開催するなら、期日や場所などを検討すべきである。

湯浅氏、清原農学寮長に

全国4Hクラブ連絡協議会参与の湯浅甲子氏（栃木県特別専門技術員）は、このほど若い農業経営者の養成施設である栃木県農業教育センター清原農学寮（宇都宮市上籠谷町一一四五の一）の寮長に就任された。

同氏は、全国4Hクラブ連絡協議会の参与と専門委員を兼任されており、毎年、静岡県御殿場市の国立中央青年の家で開催される全協と日本4H協会共催の「後期全国4Hクラブ中央推進会議」には講師として出席され、参加者に4Hの本質、プロジェクトの進め方などを中心に指導、助言されている。また、4H協会で実行している4Hクラブの手引き「創造の世代」の執筆者で、一昨年、ブラジル政府の招きで、約半年間、同国の青少年教育に当たられた。

決算面で議論わく

全協の総会 事業ではスムーズに

総会で審議された議案のうち、四十五年度の事業経過と収支決算の両報告、四十六年度の事業計画と収支予算両案に関して、議論された主な点は次のとおりである。

一、四十五年度の両報告については、とくに、収支決算面に質疑が集中した。その論点となった主なものは、赤字決算となっていて役員に支払うべき旅費が多額にのぼって未払になっていることや、支払い不可能な県の分担金まで予算に入れておくために、経費が不足する事態が生じるので、未払いの会費をどう扱うかなどであった。

しかし、これは、昨年、全国のつどい開催地として予定されていた岩手での開催が不可能になり、急きょ佐賀県に決定した事情から通信交通費などの経費がかさみ、それが四十五年度の予算の中から支払われたことが大きく響いたもの。このため、旅費の未払いは、全協の責任において、来年度、あるいは年次計画で支払うべきであるとの意見も出されたが、四十六年度の中における雑収入や日本4H協会との話し合いによって援助してもらうなどでカバーしていくことになった。

また、予算の全体額が少ないので、会費の値上げとともに、4H協会に奨励金の増額を要望し、四十六年それを達成している。

会費の未払い県については、納入方について積極的に働きかけることにした。

次に、事業面では、青年の船団員の選考方法と報告書の提出、前期中央推進会議の開催時期についての問題などで、推進会議での決議事項が進展されていない、農業問題にも触れてほしいなどの意見や要望が出された。

一、四十六年度の事業計画と予算案では、①沖縄への親善交歓訪問は、クラブ員同士がもっと交歓できるように日程が組まれた方がよい②4H新聞の活用と普及をさらに具体化するために、各県連ではもっと努力すべきである③赤字を出さないよう重点的にブロックに役員派遣する④「全国4Hクラブ員のつどい」の参加申し込みは今年は四月十日となっているが、少し伸ばしてほしい——などの質疑応答が行なわれた。

また、現在の活動では満足できず、社会的な組織を要望するクラブ員がふえているが、それらの中で、これから4H活動をどう進めていくかという基本的問題についての問いかけもあった。

予算面では、四十五年度の収支決算においてかなり突っ込んで審議されたために、その反動として余り質疑応答はなく、会費の納入期日を前期は五月末、後期は十二月までとすることなどを申し合わせた。

篤志的助言ねらい

規約の主な改正点

なお、規約の改正点は次のとおりである。

第四章「機関」の第十五条

旧

一、専門委員会
二、特別委員会

委員会は本会の会務処理に必要な事項を研究する。

新

一、常任委員会
二、専門委員会
三、特別委員会

委員会は次の通りとする。

○常任委員会は本会の会務に篤志的指導助言をする。

○専門委員会は本会の会務処理に必要な事項を専門的に研究する。

○特別委員会は本会の会務処理に特別な事態が生じた時これを研究する。

役員及び委員選出細目第三条

旧

委員会は評議員並びに学識経験者で組織し会長が委嘱する。

新

一、常任委員は日本4H協会の会員並びに学識経験者で組織し会長が委嘱する。

二、専門委員及び特別委員は評議員並びに学識経験者で組織し会長が委嘱する。

顧問、参与に十八名推たい

全協

全協は、四十六年度に次の人たちを顧問や参与に推たいした。

【顧問】池田俊也（農林省農政局長）田所萌（農林省農政局普及部長）宮脇朝男（全国農業協同組合中央会々長）東畑精一（全国農村青少年教育振興会々長）佐藤良（日本放送協会農林水産部長）松下幸之助（日本4H協会名誉会長）宮城孝治（日本4H協会々長）三宅三郎（日本4H協会副会長）

【参与】矢野晴男（農林省農政局普及部普及教育課長）矢口光子（同省普及部生活改善課長）大賀忠直（同省普及部普及教育課課長補佐）川崎繁（文部省社会教育局青少年教育課長）西川哲雄（全国農村青少年育成研究会々長）星野武四郎（篤志指導者）湯浅甲子（同）新田健吉（日本4H協会事務局長）岩崎茂（全協初代会長）久野知英（全協前会長）

地区にも報道員

本紙では、紙面をさらに充実させるため、今年度から県連のほか地区連にも連絡報道員をおくことにして、全協から推せんしてもらうことになりました。

どう受け止める？

会館建設の新方向

山口県連で30日に総会

【山口県＝松尾耕助連絡報道員発】山口県農村青少年クラブ連絡協議会（会長、神田勝敏君）の昭和四十六年度通常総会は、来る四月三十日に山口市にある県農業研修所において開催される。

総会に上提される議題は、①四十五年度事業報告および経費収支決算の承認②四十六年度事業計画および経費収支予算の議定③県連役員の改選④4H会館建設などであるが、4H会館建設について、全協の打ち出した方策を、県下のクラブ員がどのように受け止めるか注目される。

蛙道

ふるえる神経の歌

深夜、一人机に向ってとりとめもなく本をめくりながらウィスキーをかたむけていると、闇はしんしんと深まりすべての騒音も消え失せてゆく。やがて、私の神経がウィスキーに賑らみはじめた頃。確かに無限の宇宙の底にちっぽけな私の肉体を感じる。確かにある、確かにあると言葉を共鳴させ続けるとだんだん、すべての言葉は私の肉体から離れ、本箱のさまざまな読みなれた本と一緒にふあふあと暗闇に浮きはじめる。

二時間ほど過ぎた後、必ずこんな神経の幻飛行から四畳半の机の現実に引き戻されてくる。そして再び這うような漆黒の闇が迫ってくるのだ。まるで宇宙の中に、壁のように沈黙している、一つの巨大な耳があるかのように。もう醒めてしまった私の耳に、そんな闇の中から聞えてくる歌こそ朔太郎の「遺傳」なのだ。…………のをあある とをあある のをあある やわあある 犬は病んでゐるの？ お母さん。いいえ子供 犬は飢えてゐるのです」——と。

二日酔の朝。その日が晴れであればいつも、萎えてしまった私の神経を感じる。もの憂い白々とした五月の日光が体のすみずみまでしみわたるような。——学生時代。こんな日の昼下がりには、よく街の銭湯に出かけていった。タオルと石けんを片手にアスファルトの路面にカランコロンと下駄の音を響かせながら。銭湯へ続くその坂道では、私のアルコール漬けになった神経に、必ず一つの歌がやってきた。その歌は、今度は朔太郎の「珈琲店酔月」である。

「坂を登らんとして渇きに耐えず 蹌踉として酔月のどあを開けば 狼藉たる店の中より破れしレコードは鳴り………」この歌がブツブツと私の口から流れ出ると突然、坂の稜線の向うは何もないのっぺらぼうな真白な世界であるかのような幻覚に、私はとらわれるのだった。それはちょうど彼の散文詩〈坂〉が示唆するもののように。だから、萩原朔太郎の詩とは私にとって、二日酔の朝のふるえる神経なのだ。その日が、桜の咲く一週間のように晴れてさえいれば…　（T）

こんなことをしています 各種農業団体

まず後継者向けを

農協型住宅の取扱い開始

全国購買農業協同組合連合会

全購連では、今春以来、県連とともに農協の住宅事業の進め方について検討をかさねてきたが、このほどその方向をまとめ[illegible]③農住都市建設と賃貸住宅などである。とくに住宅についての技術[illegible]を早急に確立することを始め、今後の住宅[illegible]して、農協型小住宅[illegible]

この小型住宅は、農業後継者確保などの要請にこたえるとともに、農村における核家族化の傾向にも対応し、さらに、農業経営の多様化にともなう賃貸住宅、レジャーハウスなど多目的にわたる住宅をめざしている。

また、系統農協が体制を整備し一人の組み立て責任者と数人の協力者によって組み立て可能な構造の住宅を開発する。

この小住宅は、全購連がメーカーの協力のもとに開発したオリジナルな住宅とし、系統一元で取り扱い、農協・県連・全購連間は部材を、さらに農協がこれを組み立て住宅として供給することを原則としている。

この農協型小住宅の推進策として、モデル農協の設定をはじめとして、需要動向の把握、住宅相談室の開設、展示住宅の設置、スライドなどによるPRなどを計画、また、特別推進期間をもうけて積極的に普及推進を行なうことにしている。

設計考案の主な条件としては①規模は百平方㍍から百三十平方㍍（三十〜四十坪）・家族構成は二世代・五〜六人の家族が寝食を分離して、分離寝食の原則が保たれるとともに、家族共通の生活を十分考慮した間取りとする②間取りでは、農村生活における冠婚葬祭の習慣から、小規模の人寄せを考慮して、個室のうち二室はつづき間にする。

個室は原則としてタタミ敷きとするが、子供室は板張りである。炊事場は農作業と家事作業との関係で、土足で炊事作業ができるようになっている。炊事用熱源はプロパン。食堂は、一部土足のまま、一部すわって食事ができるよう考慮し、風呂焚口は、炊事場に設ける。便所は水洗が可能な地域では水洗方式とする。不可能な場合は無臭装置を考えた改良便槽式にする③暖炉、給湯設備を設ける——などである。

（広報課）

貯金もスローダウン

4〜6月期の農協資金見通し

農林中央金庫

農林中金調査部が、このほど発表した今年四〜六月期の「全国農協資金観測」によると、農協貯金も貸し付け金もその増加テンポがスローダウンし、農協資金は全般的に伸び悩みの様相を深めていく見通しである。

まず農協貯金は、今年三月末の残高五兆九千二百億円から約一千億円増加して六月末には六兆二百億円となる見込み。しかし六月末の年間増加率は一七・七%と昨年同期の二三・九%にくらべると大幅に低下、とくにこれまで二〇%以上の伸びをつづけてきた都市化地区の農協貯金が一七・八%程度に落ちるのが特徴的である。

その結果、農村・都市化両地区の間の貯金格差はなくなるものと予想されるが、これは都市化地区でここ二、三年来、貯金増加の大きな要因になっていた土地代金収入が頭打ちとなってきたのが最大の原因とみられる。

いっぽう農協貸し付け金は、六月末には三兆四千三百億円程度になる見込みだが、その年間増加率は一九・七%と昨年同期の二三・三%にくらべると低下する。しかし地区別にみると貸し付け金の場合には貯金と違って都市化地区での伸びが農村地区よりも大きい（六月末の年間増加率は都市化地区では二六・四%なのに対して農村地区では一〇・五%となる見込み）。

貸し付け金の伸びが全般的に低下してくる要因としては①農業の先行き不安感がひろがっているため、農家が投資や消費をさし控える傾向が強まっていること②都市化地区でも農外事業資金や商工資金などの借り入れ需要が減退気味なこと、などがあげられる。そうした傾向は今後、金融緩和の浸透にもともなっていっそう強まるのではないかと思われる。

このように今年四〜六月期の農協資金は、貯金・貸し付け金とも昨年同期にくらべ伸び悩み傾向を示し、全体としてここ当分の間いわば縮小均衡的な色合いを強めていくものとみられている。

（総務部）

私のプロジェクト

715人が入園
共同プロ 観光いも掘り

滋賀県大津市青空クラブ 山田庄八郎

青空クラブは、市街化が促進される中にあって、専業六十戸、兼業四十戸の比較的企業的な農業を営んでいる者が多い男子のみで構成されているクラブである。クラブの共通課題は、市街化に対応し、都市近郊を生かした都市農業を確立することである。

そうしたことから、その一つの試みとして、「観光いも掘り田」の開設を共同プロジェクトとして取組んだものである。その試みの利点は、投資が少なくてすみ、多労働を要せず、しかも地の利と人の利が結びついているなどの好条件が整っていることである。そういうことで意見の一致を見た。

次に、計画と実行経過について述べると圃場は十アールで生産調整田を借り受けることにした。耕起、植付、管理（除草追肥）は四、五人の出役ですんだ。苗は、三千本（@三円）を購入した。入園時と畝切りに一人、手洗水の運搬、簡易便所の設置、これらが圃場での主な作業である。客は、まず野外教育の教材として優先的に、保育幼稚園児を、ついで一般（子供会）などにPRした。入園期間は九月十八日～十月四日まで、総入園者七百十五人に達した。入園料は、一株三十円で、一人当たり約三株とした。多数依頼があったが面積の不足でやむなく断った。思ったよりも好評に終わった実績をかえりみて、その問題点を挙げると、入園期間が長期にわたったので、クラブ員の出役回数が多くなったこと、面積が少なすぎたこと、試食休憩所、駐車場、多数の手洗い施設の考慮がはらわれていなかったことなどである。今後の計画は、まだ面積を拡大して、初年度の問題点を改善し、充実した内容のもとにクラブ員の手で、地域のモデルケースを本年度こそ作り上げたいと思っている。こうしたことで少しでも地域の農業発展に貢献し、光明を与えることができれば幸いである。

○新しい農業へのあゆみ

新都市計画法の施行によって、市街化が急テンポで促進されている地域の中にあって、水田六十アール、露地野菜畑五十アールの経営を行なっている。しかし、市街化区域においては、農地が宅地なみの課税評価であり、従来の農業観と違った高能率、高収益の農業が要求されてくる。そこで、砂耕栽培施設を現在建設中である。施設面積は約四百平方メートルで、栽培品目は、収益性が高く、しかも栽培の回転率が高い軟弱野菜を主とする。この砂耕栽培施設が軌道に乗れば二、三年内に水耕施設（六百平方メートル）を増設する計画である。現在の露地野菜畑五十アールの栽培計画は、葉菜類を中心に栽培する。今後、労働条件が許す限り、安定した高能率、高収益農業を一日も早く実現したいと思っている。

3000羽養鶏を目標に
卵価暴落の中で開始

大分県日田市青年農業研究会 中島いく子

品種は統一して 防疫、環境衛生に努める

経営概要

私の住む所は、日田市より十キロ東北部に離れた山間地で、主として水田、野菜、果樹、山林を主体としている。家族構成は父母、祖父、妹と私の五人で、農業従事者は四人である。耕作面積は水田一ヘクタール、葉たばこ四十五アール、山林原野二ヘクタール、成鶏千八百羽で、養鶏部門を私が受け持っている。

取り組んだ動機

今までの経営では立地条件に恵まれず、生産性も向上せず、農業に対する希望も薄れてゆくので、家を継ぐ私にとって、何が一番適しているか考えた時、養鶏がまず上げられた。農協の係員に相談したところ、立地条件、気象条件ともに適していることと、ちょうど農業構造改善事業の養鶏指定地区に入っていたことにより、四十五年三月より養鶏に取り組んだ。

計画と実行経過

高校卒業後、県農業実践大学校で副専攻に養鶏を専攻し、卒業後、約一ヵ月養鶏農家で実習して管理技術を習得した。当初、採卵鶏二千羽を飼育する計画で、農業後継者資金と農業構造改善資金の融資を受け、五百羽収容する成鶏舎四棟を建設した。

そして、四十五年三月、四月、五月、十月の四回に合わせて二千三百四十羽導入した。飼料は完全配合飼料を使用し、一週間に一度カキガラを給与している。防疫としては、ニューカッスル予防、踏み込み消毒、鶏舎消毒を行ない、万全の対策をとっている。卵販売は、農協委託で普及所の指導により、昨年六月から簿記帳を始めた。

実績をかえりみて

当初は作業能率も上がらず、精一杯であった。しかし、日が経るにつれて慣れ、現在、千八百羽で約八時間労働で、すむようになった。飼料の値上がり、卵価の暴落という最悪の年に事業を開始したために、私にとっては大変な試練の年であった。支出の内訳は、六ヵ月間で、飼料六五%、ヒナ代二二%、衛生費一〇%が主なものだが、経費節減のため、飼料のバラ輸送を検討している。

病鶏などが多すぎたため、生存率は八〇%であった。この原因は、産卵開始頃にマレックス氏病や内臓疾患が発生したことである。この点から考えて、育成場の選択が重要なことを知った。また、初めてなので四品種を入れたが、それぞれ特長と弱点があるために、品種は統一した方が良いと思っている。

鶏糞は、冬期では天日乾燥がだめになるので、焼却したり近くの水田や山村に入れているが、ほとんど利益はない。そこで、ビニールハウス式のトンネルを新設、利用効果を上げたい。養鶏をはじめて感じたことは、防疫、環境衛生を重点とした経営の把握と診断、最少の労力で最大の利益を追求しなければということである。そこで、もっとも高度の技術の習得に努めたいと思う。

今後の計画

現在の二千羽程度では、十分な収益が上がらないので、さらに三千羽にもって行き、百三十～百五十万円くらいの所得を上げたいと思う。

今まで、農業の土台であった米が、急にゆらぎはじめた。他への転換をと思うが、安心して作れる作物がない。また、休耕や転作は各戸ばらばらである。皆で心を合わせて、新しい農業を築きたいものである。

私は農業後継者資金を借りて、養豚を開始した。しかし、融資額七十五万円、据置き一年では資金繰りが苦しい。償還期間の延長や増額が切に望まれる。

農協は私達のものである。しかし、最近の農協は、購買や共済事業に力を入れて、我々の利害と対立する面もでてきた。もっと営農団地の育成や販売事業に力を入れて、中間業者が手にしている利益まで、農民の、農協のものにするような努力が必要ではないか。私達も一生懸命に生産に取り組む。農民、農協、行政当局が全力を合わせて、明るい農村の建設に進みたいものである。

〝農村青少年の木〟植える
宮城県連の歴代会長たち四人

【宮城】宮城県農村青少年クラブ連絡協議会の歴代会長が、このほど利府町の県民の森に〝農村青少年の木〟を植えた。

同協議会はさる四十四年七月から、何か記念事業をやろうと会員から募金を続けていたが、これが七千円余りになったため、六日に同地で行なわれた県の緑化運動記念植樹に先がけて、青年の木を植えることにしたもの。

当日は千葉和典会長（石越町）をはじめ、四十二年度からの歴代会長とクラブ員代表三人が県民の森を訪れ、見晴らしのよい斜面にコブシの木一本を植えた。この木は四十二年度の会長で、庭園樹を栽培している寺島清六さんが、格安に提供したもので樹高約四メートル。モクレンに似てやや小型の白い花を春にいっぱいつけるという。

宮城に地区連
普及所の広域化で

【宮城】「かき根を取りはらって農業生活技術などを修得、交換し合い、バラ色の農業を築こう」と、このほど名取、岩沼、亘理、山元一市三町の農業後継者で、亘理名取地区農村青少年クラブ連絡協議会を結成した。宮城県でこのような組織が生まれたのは初めてで、活躍が期待されている。

各市町には従来、4Hクラブや農業後継者集団があり、さらに単位グループが一本化された組織はあるが、他市町との提携は、あまりない。亘理、名取地区が連絡協議会結成に踏みきったきっかけは、岩沼と亘理両町にあった農業改良普及所が一本化されたことにもよるが「小さな地域の殻の中にとじこもっていたのでは、近代農業の確立は望めない。市とか町といったかき根を取りはらって勉強し親ぼくをはからなくては…」ということである。連絡協議会に加盟する後継者は約八百人で、初年度事業として技術交換大会（七月）、クラブ員研修会（十一月）、実績発表会（一月）のほか、市町の各種事業への参加を決めた。

個人企業的方向へ
協業化むずかしい近郊

大阪

一万ドル農業と都市化の波

◎都市化に対応した農業のすすめ方――これを実現するには

（1）完全協業の方向

機械や農薬、肥料などは無駄なく理想的であるが、反面、個々の人々の技術の差、人間関係でみぞが出来、都市近郊では無理が多いという意見があった。しかし、環境や状況による。また、地方では実施できる要素が多い。

（2）部分協業の方向

一部分を組合などを通じて、薬剤散布、機械の共同利用などの方向があるが、これも初めのうちはよいが、年がたつとあなたまかせになったりして、思ったほどうまく行かない場合があり、これについてもよい点や問題点がある。

（3）個人企業的農業の方向

この方向が、都市近郊地として最もよいのではないかということになった。企業的といっても大企業とちがって、今までの農業のやり方を施設園芸として、省力的な自動化をすすめ規模の拡大をはかる。同時に、生活を基礎としの作業計画や作業能率を決め、サラリーマン的な生活を実現できるような作業計画に従って実施する。また、作業日誌や簿記を記入して、企業的農業の方向に農業を運営して成果をあげる。

◎助言者代表の助言のことば

▼第一分科会は十三名の人がいたが、急激に都市化する中で農業を進めて行くには、相当むずかしい点がある。

▼その中で、農業に対する階層分化が進んでいることがはっきりした。意欲的に農業に取り組もうとする人と、惰性で農業をやっている人との階層がはっきりしてきたことを感じた。

▼農業を進めて行く上で、行政機関や農業団体の援助に頼ろうとする気持ちが強いようである。もっと、新しい農業は自分の責任でやって行こうという気持を持ってほしい。

▼企業的農業を進めるには、農業経営の原点にもどって、科学的農業（たとえば、労働配布の分析、食事の中の栄養価の算出、農業簿記の記帳など）から、明日への農業設計や、生活設計に基いた農業経営）を進める必要がある。

▼見方によっては、今こそ企業的農業をやって行くには、絶好のチャンスであるという意見に感動した。

▼税金対策は、意識の問題と思う。サラリーマンと同じように払ってやるという気概が必要である。

▼大阪人同志の話しあいは活発であるが、全国での話しあいの場では意見が出にくい。今日の参加者の皆さんの意見は堂々たるものであるから、自信をもって全国でも発言してほしい。（大阪府農業生活研究クラブ連絡協議会の討議より。助言者は、平田農巣、東海林恵子の二氏）

後継者と交流
甲府 四クラブ合同

【山梨】大月市七保町・瀬戸やまぶきクラブ、上野原4Hクラブ、耕進会、西原4Hクラブは合同で大月・北都留地方の農業後継者との交流を行なうことになり、いま希望者を募集している。

やまぶきクラブは瀬戸に住む未婚女性グループで、毎月二回、料理を中心に、研究活動を行なっている。耕進会、西原4Hクラブは農業後継者グループ。それぞれ酪農、植木花木栽培、ウド栽培などに取り組む未婚の男女で結成している。各会員たちは「農業に取り組む若者や気の合った者同士の後継者グループがあれば、ともに語り合いたい」と話している。

朝食は六時五十分
一時間の昼寝もあります

わが家の生活改善

福島県福島市湯野農業青年会議 菊田正子

私の家は、りんご一・二ヘクタール、桃三十アール、水田二十アール、それに二年前、りんご八十アール桃一反を構造改善事業で植付け、労力面では四～七月まで、忙しい作業ばかりでかなり体を酷使します。特に母は、男性と違って雑用が多く、また雇用者の世話などで一番しわよせを受けている。そこで私は、ルーズであった生活時間の適正化をはかり能率的かつ家族が健康を保持できるよう心がけた。

まず、朝食をゆとりある楽しい時間にと思い、用意は私がまかされることになった。ふだん働く日は昼夜とも祖母が準備しているので、手のこんだもの、味の濃いものを作りたがらない。そこで私は、いままでの習慣を変え、朝食を時間の許す限り手のこんだものを作るようにして、昼夜の不足分をカバーするよう心がけた。母が野菜の手入れ、祖父が鶏を飼育し、野菜、卵は毎日、欠かさず食べられる。食事時間は、朝六時五十分にはみんなが食事を始められるようにし、朝食後も余裕ができ、身づくろいや家の整理、洗たくが、気をもまずスムーズにできるようになった。そして、AM十時から十分間、PM四時から二十分間の休憩を設け、腰をおろして休息する。

また、人を頼むほど忙しいため昼寝をしない家が多くなったけれど我が家では一時間昼寝をする。このように忙しい時、決めた時間に休息をとるのはとても体に良い。以上の計画を実行した結果、みなが時間を守るようになり、仕事にもはりあいができた。夏場、忙しさと疲労のため寝こんでいた父も全く病気をせず、また昨年は祖父がかぜをひいた以外、だれも病気をしなかった。今後の計画として、現在よいと思われる農休日を私ばかりでなく父母も理解し、他家で守らなくても、我が家だけは実行していくことが、より一層の健康の保持につながると考える。

新しい農業への歩み

私は昨年、京都へりんごの宣伝販売に行き、消費者や市場関係者の話を聞き大変参考になった。その中で最も強く感じたことはこれからの農業は農協を中心に構造改善事業その他による生産団地作りをし、その生産物を市場で銘柄にすることが必要であるということである。そして生産の規模を拡大することはできないから当然農協を通じて組合員が結束し、共選所、冷蔵所の諸設備をもち、有利な販売をはかるということが大切である。現時点での農協はまだまだ改善すべき点があり、それを組合員である私たちが親身に考え、特に販売面で有能な職員兼リーダーを持つと共に、生産や生活に必要なことをすべてまかせられるような農協を作ることこそ、将来、他産業と肩を並べられる農業を作るに必要なことだと思う。

青年団と駅伝大会開く
静岡、指導機関に頼らず

【静岡県＝鈴木政美連絡報道員発】さきごろ、第六回小笠原駅伝大会が菊川町で行なわれた。この大会は、青年団および4Hクラブ員が独自に企画運営したものである。

当日は、県下各地から二十三チームが参加、菊川中学前スタート浜岡町池新田高校前折返しの六区間二九・四キロでレースが展開された。浜名チームは、後半アンカー金山君が持前の根性で、〝浜岡青年〟を抜き去り〝御殿場青年〟とゴール寸前まで大接戦を演じた。その結果、タイム一時間四十八分二十八秒で、青年部三位に入賞した。

なお、従来の各大会は、市、町村の主催であるが、私たちはこの大会を経験する中で、関係指導機関にたよっていてはいけないと強く感じた。

就農者の激励会

【宮城】柴田町入間田中央集会所で、十五日、あすの農業を目指してがんばれと、就農者の激励会が行なわれた。

今年、中学や高校を卒業して農業をやることになった八人（うち中卒一人）に対して、町長は、困難はあるが町でもできだけ援助するから、新しい農業経営を学んでほしいと励ました。

私のIFYE生活から ＝4＝

岐阜県小泉4Hクラブ 古川みどり

「キスまでなら…」 反省会で皆親しくなる

昨年のIFYEには中間の世界会議が行なわれず残念であった。そこで、三十六ヵ国八十五名の世界のIFYE・PLYLEが集まったのは、最後の反省会の三日間のみであり、誰もがその短さをなげいていた。

私も兄との会見ののち、ドミニカ、リパブリックの仲間と一緒にシカゴ→ナイカガラの滝→ワシントン4Hセンターとバスでやってきた。ドミニカの彼は英語が私より話せず州の普及員の要望で共に旅したが、珍道中であった。

さて一日夜ほとんど全員集合した夕食後は、種々と話しがはずんだ。ケニヤの普及員は大真目に「ホスト州を出る前に偉大なる体験をした」と自分の手で雲をさわってきたことを語った。そうこうするうち陽気なスペイン系ラテンアメリカンが、ゲームとダンスをはじめた。激しいラテンアメリカの曲に合わせて踊る。彼らはいずれも、踊りの名手なのである。まるでリズムの中から生れたのではないかと思うほどである。とにかく、ドミニカの彼は、土曜日の夜はどこかで必ずダンスパーティーがあり、この半年間は踊れなくてとても淋しかったといっていた。

反省会は、講演からの各地区別の問題点提出で、私達が自国へ帰ったら何をどうするかが最大の焦点であった。講師から要点として、一に、まず帰ってもえらい顔をするな。二に、給料や地位を上げろと言うな。そして、徐々にアメリカで考えたことを実行に移していってほしい。そして、各地区ごとに何をおこなったらよいかを発表し合い世界平和をめざすことを誓った。ヨーロッパは、先進国ということを鼻にかけない。遅れている国々へ技術的援助はどんどんしなければならないが、金銭的援助はやめる。アフリカは、まず国づくりとして教育を充実させる。他国の援助に期待せざるをえない。ラテンアメリカは農業技術の普及と観光。オセアニアは、ヨーロッパと同じく、一応安定した生活を送っているので他国への技術援助を増進させる。アジアは、飢餓をなくすため食料増産。そして、宗教の悪影響をさけ産児制限によって人口増加をふせぐ。そのためには何といっても義務教育の普及が第一である、と一応のメドをつけた。

今まで、アメリカという中で「アメリカはいい国ですね大好きです」と言ってきた反動なのか、反省会でのアメリカ追求はかなりきびしかった。ある者ははっきり「アメリカのベトナムをはじめとするインドシナ攻撃は、明らかにアメリカ側の横暴でなかったか」とせめよる。講師らアメリカ人は言葉を出すことができなかったり「アメリカは自国を世界一だと思い上っている」等々。

最後の夜、明日、皆わかれわかれに自国へ去らなければならないという気持が全員をおおった。ヨーロッパ勢は相変らず飲みに出かけ、アジア・アフリカの多くがベッドへ入り、ラテンアメリカと他国五、六人が集まっていた。4H財団からのアンケートを書き上げて、下へおりていった午前十二時半相変らずポツリポツリと話していた。一時頃になり、一人が「今夜は最後だからダンスをしよう」と切り出し徹夜のダンスの引き金をひいた。会議室にプレイヤーを用意し明りを暗くしてダンスは始まった。二時頃、飲んでいた連中も少しずつ帰ってきた。次々と相手を変えて踊っていたが一時間もするときっちりカップル同士になってしまう。四時頃になると、少々足の方がおかしくなってしまう。

また、「最後の夜」の心とムードが若者を酔わせてしまう。「キスまでなら許してあげる」と小声で話しながら外へ消えて行く者、抱き合ったまま踊っている者、「今夜限り…」という心が若者をそうさせるのか。彼らの国ではこれらは当り前のことなのか。

結局、皆若者なのに違いない。別れの時抱き合い、涙を流し、世界は一つの心だけで皆アメリカを後にした。きっと平和があることを信じ合って。

（おわり）

干しわらびの保存食
なじめる味に変える

新潟県上川村MHTクラブ 土屋トエ子

私たちの地方は、山菜が豊富で雪消えから六月頃まで食卓をにぎわし楽しませてくれる。乾燥させたり、塩漬けにしたりして冬期間の貯蔵食品として大きな役割をはたしている。しかし、調整方法は限られており、山菜独特の風味を生かすことのみにとらわれて、味や内容が貧弱である。しかも栄養に欠けているように思われる。食生活の改善がさけばれており、風味だけでは食生活を充実することはできないと思う。そこで私たちはいろいろな料理を試みてみた。その一つ、干しわらびを使った料理を説明します。

一、材料

干しわらび・五十グラム。しいたけ・五枚。こんぶ・二十センチ。しょう油・大サジ三杯。さとう・大サジ三杯。みりん酒・少々。

二、作り方

（イ）、干しわらびは一晩水につけてもどしてから三センチ位の長さに切る。また煮もどしてもよい。（ロ）、しいたけは水にもどし、一センチくらいの幅に切る。（ハ）、こんぶはきれいに洗い、三センチ角切りにする。（ニ）、わらび、しいたけ、こんぶは酒を加えて中火で煮込み、やわらかくなったらしょう油、さとう、みりんで調味し、とろ火で一時間くらい煮込むとよい。

三、料理のコツ

（イ）、味つけは水煮を充分にしてやわらかくなってからにする。（ロ）、こげつきやすいのでとろ火であげる。

わらびの塩漬けは、クセが強くてなかなかなじめなかったのですが、干しわらびは塩漬けと異なった味が引き出せるし、だれでもなじめる味と思われる。干しわらびさえあれば、年中作ることができるし、この料理は一週間保存できます。べんとうの友に、農繁期の保存食に絶好である。

NHK農事番組（5月1日～10日）

テレビ

明るい農村 6・30～6・55 総合
- 1日 農村新地図 東京都新島
- 2日 明るい漁村
- 3日 村の記録 民権の里（憲法記念日特集）東京五日市町ほか
- 4日 きょうの話題
- 5日 産物往来 山の幸、海の幸（こどもの日によせて）－フィルムと座談会－
- 6日 話題の広場 飼料荷上げ－神戸港神戸サイロ倉庫から中継－
- 7日 村をむすぶ 仙台、大阪、福岡、東京
- 8日 農村新地図 新潟県山古志村（NHK農林水産部）後藤正十郎
- 9日 明るい漁村
- 10日 村の記録 千頭牧場（大阪府堺市）

農業教室 7・30～8・00 教育
- 3日～5日 作付転換と野菜栽培（大阪府立大学助教授）増井貞雄
- 6日～8日 田植機を使った稲作（農林省農事試験場）向井三雄▼長野県穂高（あずみ農協）▼栃木県西那須野（桜井氏）

あすの村づくり 日 7・00～8・00 教育 再 土 13・00～14・00
- 2日 ▼グループ便り「岡山樹立クラブ」福島市▼仲間とともに「水田酪農二十頭への壁」島根県簸川郡斐川町▼ある青年像・先達に学ぶ「長嶋隆司－25歳」埼玉県鴻ノ巣市
- 9日 ▼グループ便り「商業後継者グループ」三重県松阪市▼仲間とともに「農家の生活時間を考える」愛媛県喜多郡内子町

ラジオ

早起き鳥 5・05～5・57 ❶
- 1日 りんごの請負接木（長野県上高井郡小布施町）
- 2日 マンスホルト・プランその後（農林省調査官）後藤康夫
- 3日（5・31～57）特集・開発と農地（青森県下北地方）
- 4日 大規模花木園にかける（岐阜県大垣市）林新太郎
- 5日 小笠原の近況（東京都小笠原村）平野哲夫
- 6日 期待される建売農場（広島県下）
- 7日 農村のあゆみをつづる（栃木県真岡普及所長）阿部久雄
- 8日 人気よぶ山菜加工（新潟県東蒲原郡津川村）
- 9日 林業白書から（林業経営研究所）森巌夫ほか
- 10日 農民乳業会社その後（北海道十勝地方）

話の広場 6・10～6・30 ❶
- 2日 鉄工場で稼ぐ酪農家－吾妻町－
- 9日 米から高級金魚へ－羽生市－

新しい農村 6・00～6・30 ❷ 14・00～15・00 ❷
- 2日 養蚕振興の課題（全国養蚕農協連参事）安田忠之ほか
- 9日 農業金融の問題点（東大教授）川野重任ほか

ラジオ農業学校 日 6・30～7・00 ❷
- 2日 グループの集い▼農業の位置をめぐって（農政調査委員会）石川英夫ほか
- 9日 経営手帳▼共同経営をはばむもの（埼玉県運田町）塚本和人 日本獣医畜産大学（吉田六順）

青年の戦い

直接の利益ないけれど 読書が育てた私

高尾　香

「若い時の心の伴侶には友と書がある」、と言ったある作家のことを思い出しながら、この原稿を綴り出しました。

大寒ともなれば、朝床より離れる時は本当につらい。この時ほど自己と戦い意志の強さを必要とする時はないと思う。人生は常に自己との戦いであろう。己に勝った者が、人生の勝利者ではなかろうか（人生に勝負があるとは思わないが自己に対しての満足感を得る比率を意味し人間には完全という事はないが己を正確に知り一歩でも近づくように努力してゆくことを想定して）。特に青年期は人生の花形であり、この時代の過し方によってその人の人生は決定されると言っても過言ではない。

私の真の青春は、二十歳位の時から始まったように思う。それまでは、仲間のするようにただ遊ぶ一方であった。僅稼ぎに行った金で町へ飲みに行き、あちらにぶらぶらこちらにぶらぶらして、周囲に対してもさほど注意もせずに過してきた。ところが、チョッとの機会で私の青春は一変した。

それは、先輩によって私の心の一面に残っていた冒険心をそそられ、以来それが何であるかわからないが自分に対して自信を失くし、なんとかしなければ自己を高めなければと思う感情が浮び上がり、不安でたまらなかった。このような場合多くの仲間は、妥協してゆくことが多い。そこで私も、自分に対してしょせん無理だと言いきかせようとした。しかし、「人はある目的、それが何であるかぼやけてわからぬが、それに向って直進している時に、一息入れてゆっくり考えている時に、その目的がはっきりしてくる」と言った先輩の助言で、私は読書を始めたり青少年活動に参加するなどで、そのギャップを埋めようと努力してきたように思う。

それでは、読書は何を私に与えてくれたであろうか（私の場合多くは文学作品に接してきたが）。現代の社会は物質を追って発展している。その中で自分の余暇時間の多くをついやしながら、読書は目に見える報酬は与えてくれないし、ともすれば仲間からさえも敬遠され浮いてしまうことさえある。無駄ではないか？という観念さえ抱いてしまう。しかし、反面には幅の広い知識を与えてくれたり、自分に対して「いましめ」を与えてくれた。本質的に、人間の生き方、理性、知性、感性などを与えながら、生きてゆくことのすばらしさを心の傷痕としてしらずしらずのうちに与えながら、人間社会のあるべき姿を語ってくれるし、私自身も考えさせられた。その結果として私の人間性を、高めてくれると信じる‼ 一昨年、私は三ヵ月間をついやしてトルストイの「アンナ・カレーニナ」を読んだが、今振り返ってみて今まで自分になかった一面を与えてくれたような気がする。この作品は十九世紀のロシアを舞台にしてあるが、一面にはその当時の農民の実際の姿を写し出している。私の言葉で言い表わしえなかったことを文章として表現してあった。私達が秋の収穫をする時のあの感動、仕事を終えて家路につく時の喜びを、トルストイは理性を踏まえて私に語ってくれた。人間の最終目的は何か、幸福とは何か、私は農業青年として考えてみた時に、農民の真の幸福、働く喜び、農村の良さを考えさせてくれた。

だが、読書が必要と知りつつも、並大抵の意志ではくずされる。青少年活動をやっていると自分の時間を持つことが少なくなり、夜遅く帰って本を手にしたまま眠ったこともしばしばあるが、暇がないといって自分にうそをつくし、暇が出来てもなかなかそのムードに入ってゆけない。また現在このような読書の喜びを話し合う仲間が本当に少ない。読書のことを少しでも話題に乗せようとするならば、するどく批判される。「カタイ」と言うのだ。そして不安な農業情勢の中でどうしても農業関係の知識をおろそかにすることが多い。しかし、私は〝苦あれば楽あり〟という言葉を自分に言いきかせながら忍耐強く書を読みたい。

4Hクラブの本質論は何であるのかわからないが、人間形成の場とするならば読書活動を推進してゆくべきだと思う。一個人が接する人は限られた範囲である。もっと多くの人と接するには本に頼る以外にはない。私は本を読むことによって何かが得られると信じ、青春時代に貪欲に読書癖をつけ得たことは、これから長い人生の試練となり道しるべとしたい。

（佐賀県連『四つ葉』五号より）

〝4Hだけ〟は狭い

活動家の育成を 行政指導でなく

静岡県浜名4Hクラブ　鈴木　政美

この目まぐるしい社会情勢の中にあって、私たち青年はどのような思想を持って人生を送っているのか、私なりに考えを述べたいと思う。現在の私は、地域の青少年活動にがんばっています。その中で先輩たちが日頃言うことは、現代の青年は自己主義的なことばかり言っており考えることも未熟でしっかりした考えを持っていないということである。私も現実は、たしかにそうだと思う。言葉使いにしてもそうである。

このようなことを考え、民主主義の日本をどのように考え行動していくか疑問に思う。今後日本を背負うのは私たち青年である。私たち青年がもっとよりよい日本をつくるには、何事に対しても相当な勉強をしなければならない。いま、青少年がみっちり厳しい教育を受ける教育の場を全体につくることが必要だと思う。特に私は思うのだが、二年前西ドイツのリュッセルドルフの駅前に立った時、あの高級車の流れと人の足の運びの速さや商品の量、ビルの近代化、ひきしまった顔、高度経済成長によるEECの主導国の姿が何も聞かずにすぐ解るようであった。とにかく西ドイツの国民はものすごく働くし、またすごく勉強している。学校教育よりもむしろ社会教育、職業教育を重点に国の政策が行なわれているようだ。日本においては、青少年の犯罪、大学紛争などいろいろ多くの社会問題が沢山ある。ここで私は、日本でも徴兵制度を施行せよとまではいわないが、せめて国民学校のようなものを施行し、学校教育を終えると青年は義務的に一年位集団活動の中で徹底的に教育を受けさせる必要があると思う。そうでなければ、将来の日本はほろびるのではないかと考える。

現在の4H活動を展開していく上においてもたしかにクラブに加入しているクラブ員は多いが、活動家が少ないと思う。将来のクラブ発展についても今後のプロジェクト活動、クラブ活動の中でいかに多くの活動家を育てるかにかかっていると思う。現在、県あるいは市町村に担当の青少年普及員がおり、さかんにプロジェクトの充実を指導している。ある普及所では総合技術研修などの講座を開いている。しかし、私は常に疑問に思うのだが、高校を卒業してすぐにプロジェクトを進め経営的なことばかり指導しても、おそらくその学習に顔を出す青年は少数だと思う。このあまりにも行政的な指導が、今後の後継者育成に役立つとは私には思えない。それよりも、卒業後一、二年は、専門研修所あるいは先進地留学を積極的におし進める方が先決ではないだろうか。また、クラブ活動にあっては、数々の事業に一人でも多くの人たちを参加させ一人でも多くの活動家を育てることが、これからの役員の任務だと思う。単位クラブと県連とのパイプを密にし、末端のクラブ員の活動を強化しなければならない。県連があって単位クラブがあるのではなく、単位クラブ、地区連があって県連があるのである。そして、いくら県連が立派な行事計画を組んでも、その行事にクラブ員が協力しなければなにもならないのではないかと思う。

最後に、私たち青年は全国各地域にある青年団、青年学級、BBS、その他各種の団体に参加する必要があると思う。おそらく農業後継者はほとんどの人が4Hクラブに加入しているが、4Hクラブ活動ばかり行なっているとか一つの型にはまった人間になると思う。そこで、青年活動の中であらゆる職業の人たちと接し、人の意見を聞き、また自分の意見を述べ、バラエティな考えを育てる必要を感ずる。「若い」という、若者だけに与えられた特権を多いに生かし二度と来ない青春を悔いないものにしたい。

青春と仲間

生甲斐の〝はかり〟

三重県安芸郡芸濃町　竹尾　剛

生甲斐を辞書で引くと、生きているはりあい、生きている価値とある。

価値観が年齢によって変って来た。私のことを例にとって考えてみよう。

幼ない頃は、チャンバラとか野球などで遊ぶことが楽しみであり夕暮でボールが見えなくなるころまで熱中したものである。高校生になると柔道で汗を流したり、弱電気工作に凝って、ステレオを組立てていた時など食事もわすれて熱中した。これが完成した時の喜びは、またひとしおであった。

卒業後は、温室経営の自主独立をめざして努力したが、この頃の苦労は大きかったものの、今までにないはりあいのある人生であることに気づいた。

仕事を通じて人生を考え、人間いかに生きるかを追求し、自分なりの人生観をつかめた時も、充実していた。

クラブ活動をする中でも、自分の責任を立派に果せた時など、心からこみあげてくる満足感を味わったものだ。

このように、過去のことが楽しく思いだされるのも、その時その時に生甲斐を感じていたからだと思う。

そして今、自分にお前の価値は何かと自問自答してみると、自分が生みだした温室経営という一個の生命を大きく強く育てて行くことであり、この仕事を通じてよりよい人間として成長することだと、答えがかえってくる。

そして、もう一つは、自分の価値観に賛同し、ともに努力をおしまない女性をさがすことも、青春期の生甲斐であろう。

つまり、生甲斐とは、自分に与えられた責務とか価値観に対し、いかに努力して目標に到着しえたかの自己満足であり、この程度が生甲斐のはかりであると察する。

（三重県津 安芸農村青少年連協『若い息吹き』第七号より）

涙

三重県津市　富田久子

涙は私と同じ年、赤ちゃんの時、母を呼ぶ時も、空腹を満たす時も唯一の武器であった。目いっぱいの涙に、母は何度となくほおずりをしてくれたことでしょう。小学生の頃、友達とけんかをし、よごれた顔に涙を流し母の胸にぬぐった。それは幼心に感じた最高の抵抗であったに違いない。子供の頃は悲しい時、苦しい時にだけ涙を流していたように思う。

初めて知った恋、うれしいはずなのに自然に目がうるんで、何もかも雨上りのように淡く光って見えた。その涙には、誰にも答えず語りつくすことのできない何かが含まれていたのだろう。やがて知った失恋の味。それは生暖かく、ちょっぴりからい涙の味であった。もう二度と知りたくない味。そして社会人となり、初めて知る冷たい風。抑えることのできない涙を知った。その涙が私をなぐさめてくれたたった一人のやさしい母であった。

涙を流して知っていく人生。私は泣き虫かも知れない。ちっぽけな人間かも知れない。そんなちっぽけな人間の心の底から流れる涙が一番大好き。

（三重県安芸濃村青少年連協『若い息吹き』第七号より）

誰のクラブか 魅力は引出すもの

鳥取県大山町
農村青年会議
山根公昭

私が青年会議に属してから、早や三年目の春を迎えようとしている。

三年前の今頃は青年会議という組織さえ知らず、ただ私の同期生とともに、将来の農業経営を語り合っていたものである。しかし、私が一年間の全寮生活を終え我家に帰ってみると、すぐに自分は大山町青年会議の一員として、また役員として存在していると電話が届いたのである。

抵抗は感じられたけれども

幾度かは耳に入ったこのクラブだが、どんな目的で、またどんな活動を行なってきているのか、全く知らない自分であったため、役員会・例会の通知があるごとに何らかの抵抗が感じられた。ところが、今こうしてペンを走らせている現在、私はこのクラブが好きになり、自分なりに一生懸命頑張ってきているように、私自身思えるのである。

抵抗の感じられたこのクラブがまた少しも魅力を感じさせなかったクラブが、何故、こんなにまで自分を魅了させてくれたのだろうか。私は誰でもいい、問いかけてみたい。「あなたはなんのために、このクラブに入っているのか、また何故、青年活動を行なわなければならないのか。そして、今あなたは4Hクラブの本質が答えられますか」と……。

質問を出した以上、私は全部において答えなければならない。しかし正直いって、私も百%解答は出せない。でも自分なりに満足出来る答えは、自分自身持っているつもりである。

「青年会議の会員は多くても、実際に集まるのはわずか。何故、皆がもっと真剣に考えてくれないのだろうか」このように、他県へ行っても、他町村のクラブにおいても、現状は一緒である。「魅力のないクラブだなァ」と、クラブ員が口走るのをよく耳にすることがある。

しかし、私はそうは思わない。魅力はある。クラブ員みずから魅力を引きだそうとしないからではないのか。青年会議は我々のクラブだ。自分たちのクラブを自分たちの手で魅力あるクラブにするのが本当ではなかろうか。クラブ員あっての青年会議、青年会議あっての我々農業後継者と、一つの関連性をもたねばならないのではなかろうか。

私たち大山町では、ここ近年、上り調子にクラブがのびつつある。近い将来、必ず満足出来るクラブにのし上がると紙面をもってお約束しても、過言ではない。私自身今年の目標は会員の共同プロジェクト、親子ぐるみの4H、会員相互の助け合い、これを実行したいのである。

一緒に考えて行かなくては

誰のための4Hか、それは私たち農村青年のクラブなのである。皆、一人一人がもっと真剣に考え、自分のために、また青年活動発展のために、今一度再認識していただきたいのである。いや、一緒に考えて行こうではありませんか。

（鳥取県連『県連会報』三月二十五日号より）

日本はほろびるのではないか

川村君、ソビエトから第一信

三日にイスラエルへ旅立った川村雅士君（四十五年度全協評議員）から、途次のソビエトの模様を伝えてきた。

前略　横浜での見送り有難う。日本を離れて十日、元気に旅をつづけています。

現在は、ソ連モルタビア共和国にいます。ソ連の広さには、あらためておどろきました。コルホーズ、ソホーズの農場を見ていると、物質ばかり進んだ日本、人間性を無視した今の経済の発展から、私は、今に日本が、ほろびるのではないかと不安である。

素朴なソ連の農村、愛敬のある子供達、私には、このソ連で学びうることが沢山あるようです。ではサヨウナラ。

ソ連キシネフにて　川村雅士

空談

言葉が人を斬るとき

文法学者も説いていることだが、敬語は、人と人との関係や距離を示す。殊に日本語はそれが判然としている。単に目上、目下に限らず、親疎によっても変ってくる。だからこそ、その場にふさわしい言葉を選ぶ必要がある。

いつでも、どこでも、だれにでも、敬語を使えばよいというものではない。むしろ、使っては失敬な場合もある。それをわきまえぬと、相手をいたく傷つけてしまう。それくらいなら、いっそさっぱり、初めから敬語など振りまわさぬ方が、よほどすがすがしいというものだ。

だから、皮肉や嫌がらせのように、意識的に相手をやっつけ、参らせる目的のときには、はなはだ有効に働く。こうした意地悪さは不快だけれども、意思的であるから、まだしも許せる。しかし、なかには、ほとんど悪意なしで、使うべきでない相手に敬語を乱発して、困惑させる人がある。なまじの敬語にもまして、罪はずっと深い。

上田秋成は、剣は人を斬れば血が吹くからすぐわかる。それにひきかえ、言葉は人をどれほど傷つけても眼にみえないが、その実、やはり血を流すから始末に悪いと書いている。どぎついくらい痛烈な批評で高名の秋成なればこそ、その辺の消息に通じていたのだ。これが、デリカシーというものである。

女についてはいざ知らず、デリカシーを欠いた男ほど、我慢のならぬものはない。これを具えることが、男の資格だからである。心ない言葉によって、人の運命にもかかわるような痛手を負わせることは、罪と呼ぶほかない。それに心づかない粗雑な神経とは、どういうものなのだろうか。

とかく、ぼくらは、人を傷つけながら知らずにいることが多いが、そんなことを考えると厭世的になってしまう。（山）

ポケット

伊万里地区　相良法子

ポケットの中には
何がはいっているのでしょう
喜び　悲しみ
楽しさも　苦しみも
みんなはいっているのでしょう
ポケットの中には
何がはいっているのでしょう
チェリー……？　レモン……？
いいえ
小さな小さな幸福がはいっているのです
私の知らない間に
小さな小さな幸福が
そうっとはいっているのです

（佐賀県連『四つ葉』四号より）

長女に生れたから悪いのよ

掛川後継者クラブ　水野　公代

〝農業〟この言葉を口に出すのがつらい。若者は町に出て行く。年寄り、女の仕事、そう言われる今日、私の家も兼業農家。

私は自転車のペダルを踏み大きな声で歌を歌いながら野良仕事に出かける。その道は国道、農道ではない、そこは私の嫌いな道。違う世界を見るから自分と比較してしまい着飾った娘をうらめしく思って見てしまう。この道に車が通らなければいい、いつも空想する。排気ガスの臭いもなく服も汚れず美しい自然を見るだろう。大人は「よくやるネー」と言う。返す言葉がない、「好きだからネ」と答えればいいのだが、嫌いという言葉が先に出る今「長女に生れた私が悪いのよ」なんてふざけてみても…。

仕事はつらい。女では重労働だと思うことも幾度となく体に感じた。そして得たもの、二年目にして喜びを知った。仕事に慣れてきた体。お茶の機械を半日持ち続けて刈れた。お茶をかつぐのに肩の痛みがなくなり重い物をかつぐ力が出た。田植えも手袋をはめて母と並んで植えた。草刈りも去年は思うように鎌を使えず根をバラバラにしてみたりして、母の刈るのを見てはそれにならったものだが今年はそれが少しうまくいくようになった。一年目は夢中で、ただがむしゃらに体を動かした。二年目にこつを覚え始めたから、もっともっと沢山手にして何年もかかって大人になりそれが備わっていくだろう。早く一人前になってこつを覚えたい。こつと努力を平々につかえる腕がほしい。自然の美しさが好き、でも動物は嫌い、へびを一日に何度となく見てびくびく歩く、はちもこれは羽があるからこまりもの、くまんばちを警戒して草を刈った日（ああ命がけだなあ）。娘に青春はあるだろうか？　若者と話し行動するでもなく雨の降るのを待ちこがれる。一人で色々夢見たり洋裁をしたりしていつも孤独、それが好きだがやはり寂しい。農業をやる娘さん、友達になって下さい。農業に励む娘さんと一緒に働いてみたい、とても楽しいことだろう。農業は戸の仕事であることがつまらない。野良仕事には会社勤めのように朝の時間制がない。寒い朝はのんきであるが、その反面忙しい時期は夕方遅くなり、つらい日もある。農家には日曜がない。今日は真青な秋空の下、草刈りの手を休め、木々の間からのぞく青空は美しい、この秋の景色が大好きな私。自然を愛する私。農業も愛する娘になりたい。

（静岡県中遠地区連「あぜみち」六号より）

生活もの知りコーナー

◆老年期は長い

学校の同窓会などに出ると、おどろくことがあります。同じ年齢のはずなのに、まだ若い人もいるし、すっかり老いこんだ人もいます。そして、語り合ってみて再びびっくりします。青年の気分の人もいるし、寂滅ちかい気分の人もいます。暦年齢と肉体年齢、精神年齢とは別ものです。いつまでも身体と心を若々しく保っていくコツを心得てください。

①卵、豆、牛乳、チーズ、レバー、牛豚肉、魚介類などのたん白質食品を毎日欠かさず食べる②動物の脂肪は避ける③三十五歳を過ぎたら、高血圧予防のため食塩、しょうゆ、みそ、漬物を減らして薄味にする④老化は腰から、一日に八㌔（約一万歩）を歩く⑤趣味をもちつづける⑥一日に八時間きちんと眠る⑦不愉快なことにこだわらない⑧ベストをつくしてくよくよしない⑨糖尿病は老化のもと早期発見⑩歯は命とり、初期症状を学ぶなどである。

日本4H新聞
4Hクラブ
農事研究会
生活改善クラブ
全国弘報紙
発行所
社団法人 日本4H協会
東京都市ケ谷家の光会館内
電話(269)1675 郵便番号162
編集発行　玉井　光
月3回・4の日発行
定価　1部　20円
一ヵ年700円（送料共）
振替口座東京　12055番

クラブ綱領

私達は、実践を通じて自らを磨くとともに、互いに力を合わせて、よりよい農村、よりよい日本を創るため、四つの信条をかかげます。一、私達は農業の改良と生活の改善に役立つ腕をみがきます。一、私達は科学的に物を考えることのできる頭の訓練をします。一、私達は誠実で友情に富む心をつちかいます。一、私達は楽しく暮し元気で働くための健康を増進します。

全協、18日から2回目の執行部会

全国4Hクラブ連絡協議会（会長、黒沢健一君）は、今年度二回目の執行部会を来る十八日から三日間、東京・新宿区市ヶ谷、家の光会館内、同協議会事務所でひらく。

現リーダーが自主訓練

実践法をマスター　6月4日から東京で

前期中央推進会議の要領決る

組織など系統的に講義と討論

全国4Hクラブ連絡協議会（会長、黒沢健一君）は、昨年に続いて今年度も社団法人日本4H協会と共催の全国4Hクラブ中央推進会議を二回開催することになったが、その前期推進会議の実施要領を、このほど開いた今年度初の執行部会で決めた。

後期の推進会議が次期リーダーを対象としているのに対し、前期では現役リーダーを対象に、4Hクラブの本質・理念、リーダー、組織のあり方などについて研修、それらの実践的方法を体得してもらい、4H活動の推進を図ることがねらい。

この推進会議は、かつて中央研修会と呼ばれてきたが、単なる研修だけに終ることなく、積極的に4H活動を推進する研修の場とするために改称してから今年で五年目。とくに会議の内容は全国でも最高のレベルにあるといわれながら、現リーダーの再訓練という意味から十二月では効果が薄いということで昨年から二回開催することとにし、その前期を現リーダーの研修に当てているもの。

実施要領は次のとおり。

一、主催　全国4Hクラブ連絡協議会、社団法人日本4H協会

二、後援　農林省、社団法人全国農村青少年教育振興会（予定）

三、期日　来る六月四日から六日までの三日間

四、場所　オリンピック記念青少年総合センター（東京都渋谷区神園町三ノ一）、電話四六七―七二〇一

五、参加者　県連会長、県連役員（日本4H会館建設推進委員と4H新聞連絡報道委員を含む）男女各二名の計五名

六、参加経費　一人当り二千四百円（二泊六食）

七、会議の主な内容

(一) 全協活動方針説明

(二) 講義　①「組織について」＝全国4Hクラブ連絡協議会元会長、黒田保君②「4Hクラブの本質について」＝日4H協会、新田健吉常務理事③「プロジェクトについて」＝北海道普及指導活動（専門技術員）三輪敢氏

(三) 道府県連会長会議

(四) 4H会館推進委員会議

(五) 4H新聞連絡報道員研修

(六) 分科会、全体会議

なお、日程は次のとおり。

▽一日目（四日）午前十一時……受付け、午後一時……オリエンテーション、開会式、三時……全協活動方針の説明、二時五十分……「組織」についての講義、七時……懇親会、九時……フリータイム

▽二日目（五日）午前八時……「4Hクラブの本質」についての講義、十時……分科会（本質について）、これと並行して、八時から十二時まで道府県連会長会議、午後一時……全体討議（同）二時三十分……「プロジェクト」について講義、七時……女子クラブ員研修、4H会館推進委員の会議、4H新聞連絡報道員研修、九時……フリータイム

▽三日目（六日）午前八時……全体討議　①記念撮影②会長会議の協議内容報告③プロジェクト、組織についての質疑応答④4H会館建設を含めて全協活動方針の補足説明⑤反省レポート作成、十一時三十分……閉会式、昼食、解散。

涼風暖風

付属品のまた付属品

私はかねがね、カメラの広角レンズを欲しいと思っている。風景や大勢の人を撮影するのに二八ミリ程度の交換レンズがあれば、大いに威力を発揮するだろうと考えるのだが、高価なのでおいそれとは買えないでいる。

良い写真をとろうと思えば、カメラの付属品が必要になる。望遠や広角などの交換レンズをはじめ、晴天や曇天に合わせて何種類かのフィルターがいる。暗いところではフラッシュライトやストロボがほしいし、バルブでシャッターを切るにはカメラぶれを防ぐ三脚やレリーズが欠かせない。逆光撮影には直射光や反射光を防ぐレンズフードがいるし、昆虫や細字を写す場合には接写レンズがあると便利である。カメラの手入れに使うシリコン布から、ゴミ落しのブロアブラシ、それにカメラの安定保持に役だつホルダー、ネガフィルムがたまれば整理用のファイルだってほしくなる。別に写真専門家ではないにしろ、いろいろな付属品がいる。

付属品が必要なのはカメラに限ったことではない。ラジオだって、一人静かに聞くときのイヤホーン、就寝しながら聞いていても時間がくると自動的にスイッチが切れるスリーピングタイマー、FM放送をステレオで聞けるアダプター、カセットレコーダーに接続する録音コードなど、便利な付属品がいっぱいある。トラクターだって、けん引する農業機械があってこそ威力が出る。

こうした付属品は本体とは構造的に独立しているけれども、三脚にしろイヤホーンにしろ、付属品それ自体だけでは何の役にもたたない。本体に連結してはじめて有効化し、本体の持っている機能を高めたり変化させたりするわけだ。つまり、付属品は本体があってこそ生きてくることになる。ところが、付属品はたいてい一つの役割しかないので、用途によっては何種類も必要になる。それだけに付属品をそろえるとなると経済的に容易ではないが、多様性の機能を楽しむ魅力に勝てず、つい付属品のあれこれに関心が集中し、いつのまにか本体の重要性を忘れてしまいがちである。これでは本末転倒である。付属品に押しまくられ、付属品を使いこなすどころか本体の機能まで低下させかねない。

私は先日、フィルターのケースを買ったが、考えてみるとこれはカメラの付属品のまた付属品ではないか。それでいて、私の写す写真はピンボケが多いときているのだから、まったく救いようがない。

（北海道・三輪）

副会長に松本さん　全協

全国4Hクラブ連絡協議会の四十六年度の女子副会長にこのほど栃木県の松本良子さんが決定した。全協では、総会において副会長三名のうち女子一名を保留し、後日開く執行部会で選出することにしていたもので、これによって執行部全員が決まった。なお、紅一点として松本さんの今後の活躍が期待される。

松本副会長

会長に池田君選ぶ　熊本県連

【熊本】県農村青少年クラブ連絡協議会（会長、野中富美男君）の通常総会は、さる四月二十一日、熊本市のむつみ荘で、約九十人が出席して開かれた。

新年度の事業はリーダー研修、技術交換大会、農村教育青年会議・女子クラブ員の研修などに力を入れる。

また、役員改選の結果、次の新役員が選ばれた。

▽会長　池田隆実（下益城郡松橋町）▽副会長　大橋修一（芦北郡芦北町）中川孝一（菊池市）河津スヤ（阿蘇郡南小国町）▽女子部長　園山信子（上益城郡益城町）

"はなやぐ"国際交流

明神さんら11日に米国へ出発　「草の根大使」決る

社団法人日本4H協会（会長、宮城孝治氏）は、国際農村青年交換（IFYE）計画に基づいて四十六年度に米国と中華民国（台湾）に派遣する4Hクラブ員代表"草の根大使"を全国から募集していたが、このほど各二名ずつを決定した。それによると米国派遣は昨年に続いて女性二人、中華民国は男女各一名。また、今年度来日する米国の4Hリーダー二人も、このほど同国の派遣機関である4H財団から伝えられてきた。やはり女性二名で、ことしは日米交流も花やかさをましそう気配である。

㊤ランダーさん
㊦ウインさん

㊤明神さん
㊦石井さん

㊤入江さん
㊦橋口君

晴れの日本代表に選ばれたのは米国が、高知県の明神節子さん（二三）と、大分県の石井万代子さん（二一）、中華民国が、佐賀県の橋口晴喜君（二三）と、鳥取県の入江志津子さん（二二）の各二人。

一方、米国の来日クラブ員は、ジャネット・ランダーさん（二二）とダイアン・ウインさん（二〇）の二人で、ともに4Hのリーダー。米国の草の根大使が女性だけというのは初めてで、いずれの国もウーマンリブの旋風。

滞在期間は、米国が六ヵ月間、台湾が三ヵ月間で、明神さんら二人は、来る十一日午後八時羽田から出発、また米国クラブは六月二十日に来日する予定。台湾は未定。

これらクラブ員は、訪問国で、それぞれオリエンテーションを受けたあと受け入れ農家に入り、その家族の一員として生活する。一戸の農家に滞在する期間は二、三週間で、その間、農業や家庭生活、風俗習慣、4Hクラブ活動について学ぶとともに、4Hクラブや村の会合、学校などに出席して交歓、あらゆる機会を通じて日本の正しい姿をつたえ、両国間の相互理解と親善につくす。単なる農業研修だけでなく民間外交官の役も果すところから"草の根大使"と呼ばれており、日本からの派米は今年で十九回、派中は五回目。大いに活躍が期待される。

なお、米国、台湾とも来日クラブ員の農家受入れについては、社団法人全国農村青少年教育振興会の協力を得ている。

日米両国代表の略歴

四十六年度の日・米両国代表の草の根大使の略歴は次のとおりである。

日本代表

❶現住所❷最終学歴❸所属クラブ❹クラブ歴❺プロジェクト❻趣味、特技

明神節子さん　❶高知県須崎市多ノ郷甲一八七六ノ三❷高知県立高知農業高等学校❸あおい4Hクラブ❹四十四年度県連副会長❺ハウス「きゅうり」の除草・労働の軽減❻生花、茶道

石井万代子さん　❶大分県津久見市上青江二〇八五❷大分県立津久見高等学校❸津久見市柑橘振興青年同志会❹北部市農村青年連絡協議会❺柑橘の栽培❻花道、茶道、普通自動車免許

入江志津子さん　❶鳥取県東伯郡赤碕町宮木三一〇ノ一❷鳥取県立赤碕高等学校❸赤碕グリーン4Hクラブ❹四十六年度県連生活部長❺農作業着の改良、料理改善❻スポーツ、普通自動車免許

橋口晴喜君　❶佐賀県伊万里市木須町三九八六❷佐賀県立伊万里農林高校、鯉淵学園❸牧島4Hクラブ❹伊万里地区連会長三期、県連事業部組織委員❺柑橘の栽培❻スポーツ、大型自動車特種、普通自動車免許

米国代表

❶出身地❷家族❸宗教❹学歴❺組織の経験❻農場経験❼趣味

ジャネット・ランダーさん　❶テキサス州❷両親、弟三人❸バプテスト❹大学三ヵ年終了〈農業情報課程〉❺4Hクラブ員十ヵ年、州4H、FFA（日本のFFJと同じ）会員、リーダー研修の州キャンプ立案❻五百六十エーカーの農場に十八年間在任、牛、小麦、トウモロコシ❼読書、音楽、社交

ダイアン・ウインさん　❶カンサス州❷両親、弟一人、妹五人❸キリスト教❹大学三ヵ年終了〈家政学課〉❺4Hクラブ員四ヵ年、学生家政クラブ、ラジオ番組の演出、教会と大学内の組織活動❻農場在任、庭園の管理❼読書、料理、散歩、サイクリングなど

昨年「つどい」で終始

会長に井手君　4H本質の再認識を　佐賀県連総会

井手県連会長

【佐賀】佐賀県4Hクラブ連絡協議会（会長、小林秀敏君）の四十五年度総会は、このほど佐賀市の青年会館で開かれた。同県連の四十五年度活動は、急きょ開催を引き受けた「第六回全国4Hクラブ員のつどい」で明け暮れした一年であったが、まだその熱気がこもる中で新年度の事業や新役員を決定し、力強くスタートした。

同県連は、昨年度の総会寸前、第六回全国4Hクラブ員のつどい開催地として予定されていた岩手県での開催が不可能になったため全国の仲間を救おうと、つどい誘致を引き受けた。この決定が突然であったため県内のクラブ員にとっては全く"寝耳に水"の状態。しかも準備期間は約四ヵ月間と他県の場合にくらべて極端に短く、さらに農繁期という悪条件が重なる中で、ムードの盛り上げに努力、成功させたものである。

つどい準備のために開いた会合は実に十九回におよんでおり、つどいで終始した一年といえる。

しかし、行事消化に追われ、4Hまたそのほとぼりも醒めない中で総会がもたれたわけであるが、また本来の4H活動に立ち返り、現状に対する反省とともに、新年度への意欲をみせている。

活動方針では、4Hクラブの本質に基づいたプロジェクト活動の推進や経済社会の一分野として発展できるように広い角度からの学習をと呼びかけている。

4H本来の姿からかけ離れて同志のなぐさめあい活動になってはいないかと指摘、そのためにも4Hの本質を再認識し、お互いの責任と友愛のもとに諸行事を進める必要があると強調している。

総会で決定した四十六年度の事業計画は次のとおり。

一、クラブ組織の強化と主体性の確立

①事務局体制の整備強化②広報活動の推進＝機関誌の発行、日本4H新聞やローカル紙などへの投稿、リレー日記の実施、4H新聞の購読推進③県下クラブ員の実態調査④リーダー育成研修

二、国際交流の促進

三、他団体との連携

①OB関係②官庁、団体関係

主な行事計画では、リーダー研修会、県技術交換大会、県クラブ員のつどい、女子研修、新経営者の教育会議など県連独自に実施するもののほか、全協主催の第七回全国4Hクラブ員のつどい、中央推進会議などの全国大会、また九州ブロックの親子会議にも参加することにしている。また、新役員には次の人たちが選ばれた。

▽会長　井手忠男▽副会長　古川恵久、女子一名は欠員▽事務局長　古賀信幸▽事務局次長　稲富雄、塚原昭彦▽広報　横尾文三、吉田康弘▽女子部　杠恵美子、相良法子▽監事　徳富九州男、浦田一三、藤光美佐子▽事業部長　桑本隆昭▽組織　橋口晴喜、末次昭健、麻生スミ子

組織の引締めへ

会長に竹松君　全員が本紙を購読　富山県連総会

竹松県連会長

【富山】富山県4Hクラブ連絡協議会（会長、五十里国明君）の総会は、さる四月十二日、富山市の県庁横の県民会館で開かれ、会長に竹松幸夫君を選んだほか別記の新役員を決定した。

四十六年度の主な事業計画としては、実践的農業者の育成とともに、このところ県連活動が停滞気味であったために、とくに、県連組織の充実・強化や事務局体制の強化に力を入れることにしている。その一つの手段として、全国クラブ員の準機関紙である日本4H新聞の全員購読運動をおし進めて、クラブ員としての意識を高めることにしている。

また、実践的農業者の育成としては、農村青少年大学を実施することを計画している。これは、農閑期となる十一月から翌年の二月にかけて部門別に勉強するもので今年で二回目。

なお、四十六年度の新役員は次のとおり。（カッコ内は地区）

▽会長　竹松幸夫（小矢部）▽副会長　大原弘次（高岡）藤井よし子（滑川）▽事務局長　飯森正嗣（富山）▽事務局次長　藤村広治（小矢部）▽理事　竹内茂樹（高岡）槻田利雄（黒部）橋爪忠則（福野）宝田良次（魚津）▽監事　佐伯伸策（新湊）高橋万蔵（滑川）岩崎誠（福光）

申込み20日までに　全国のつどい

今夏七月十二日から五日間にわたって愛知県で開催される「第七回全国4Hクラブ員のつどい」の主催者＝全国4Hクラブ連絡協議会（会長、黒沢健一君）、愛知県4Hクラブ連絡協議会（会長、富永博君）、社団法人日本4H協会（会長、宮城孝治氏）は、同つどいの参加者申し込み期限を来る二十日と決め、早急に参加者を募るよう働きかけることにした。

岐阜県連でリーダー研修会

【岐阜】岐阜県4Hクラブ連絡協議会（会長、林新太郎君）では、さる四月三十日と五月一日の両日同県可児郡可児町坂戸の農業高等学園内、農村青年研修館で4Hクラブリーダー研修会を開いた。

意見発表者を募集

「全国のつどい」の地区連行事　東愛知ブロックで

【愛知】「第七回全国4Hクラブ員のつどい」（全国4Hクラブ連絡協議会、愛知県4Hクラブ連絡協議会、日本4H協会の共催）は、今夏七月十二日から十六日までの五日間、愛知県で開催されるが、東愛知ブロックでは、意見発表会と分科会討議を計画、その発表者を全国の仲間から募集することになった。この意見発表は、分科会討議のための課題提起として活用することにしており、同ブロックの参加者は約四百名が予定されている。

意見発表者の募集要領は次のとおり。

【テーマ】

一、村に生きる　村での役、祭礼や公民館活動、青年団活動などを通じて「村」を考え、過疎化、都市化にどのように対処すべきか、農村の自治体活動体としての役割は何であったか。

二、これからの農業　私たちが目指す十年後の生産、流通の形態は?

三、わがクラブ　4H活動は真の自主活動を行ない、その活動の中で何を学ぶのか、実践活動から得た意見。

四、主婦の立場　家庭管理者として主婦の責任は何か、そして何を目指すのか。

五、農政と私（例、米の生産過剰をどう考える）

六、恋人　恋愛を通じて考えたこと、知ったこと。

【応募資格】第七回全国4Hクラブ員の集いに参加する4Hクラブ員とOB、指導者。

【原稿】発表概要を原稿用紙三枚以内にまとめて下さい。なお応募者は別紙に、住所、氏名、年令、性別、所属クラブ名、役職、クラブ歴、簡単な自己紹介（電話があれば電話番号）を明記して下さい。

【送り先】〒四四〇　豊橋市八町通五―四、豊橋農業改良普及所内、4H事務局。

【原稿締切】来る六月十日まで必着のこと。

【発表者選考】応募者の中から前記のテーマごとに各一名、計六名の発表者を東愛知ブロック運営委員会が選考し、採用者には直接連絡します。

【記念品】発表者には記念品をさし上げます。

【備考】発表の際、スライドや図表を使用してもよい。

（第七回全国4Hクラブ員のつどい　東愛知ブロック大会運営委員会）

高知で初の4H祭開く

15日、土佐で

【高知】高知県[illegible]ブ連絡協議会は、来る十[illegible]堂で初の「[illegible]する。

昨年、4H[illegible]記念大会を開[illegible]くに今年は「[illegible]彩な行事を計[illegible]4H祭はその[illegible]実施・運営する[illegible]ラブ活動の成果[illegible]も反映させ、[illegible]就いた人たち[illegible]さえて担い手[illegible]う趣旨。

主な行事と[illegible]激励、講演、パ[illegible]ド、農産物の[illegible]クションなど[illegible]

参加者は、4[illegible]めとしてOB、[illegible]農場生徒、[illegible]団体の青少年[illegible]定している。

心頭技健

[illegible]が、これが[illegible]いま「日本人[illegible]っている。[illegible]ロッパはじめ[illegible]ロシア、アメ[illegible]各国人が、日[illegible]論じてきたが[illegible]からみたもの[illegible]めずらしい▼[illegible]るように、[illegible]たのは、母性[illegible]父性原理な[illegible]ていることで[illegible]的社会であり[illegible]も、この母性[illegible]説明できると[illegible]農耕社会が[illegible]が、ヨーロッ[illegible]りも、人間が[illegible]方法で進んで[illegible]はっきりして[illegible]たと思ったら[illegible]いう手順で、[illegible]しながら次か[illegible]われてきた。[illegible]たんせいこめ[illegible]ったために、[illegible]母性主義が生[illegible]し、第二次大[illegible]値の転回によ[illegible]理にひびが入[illegible]び上がってき[illegible]非連続性の原[illegible]支配は「甘え[illegible]らし、この[illegible]なものに対す[illegible]るといわれ[illegible]父性原理は、[illegible]さが求めら[illegible]の関係にも[illegible]父親をきび[illegible]としてみると[illegible]性をとおして[illegible]一個の独立[illegible]同時に父親の[illegible]文化や思想の[illegible]ナミックに[illegible]うだ▼この関[illegible]もいえること[illegible]ち、とくに親[illegible]解し合えない[illegible]このような[illegible]考え農業経[illegible]情熱を注いで[illegible]

たけなわ 各県連の総会

いま、全国各県連の総会がたけなわ。ともに、激変する農業情勢の中で4Hクラブ活動の重要性を認識し、新年度へ意を新たにしているようである。以下はその模様。

募金に全力注ぐ 会長に岡村君 青年の声訴える

高知県連

【高知県=堀見とし連絡報道員発】高知県農村青少年クラブ連絡協議会（会長、門脇典夫君）は、さる三月九、十日の両日、昭和四十五年度通常総会を開催した。

岡村県連会長

総会は、4Hクラブの歌斉唱にはじまり、門脇会長のあいさつのあと、議長を選出し議事審議に入った。まず、四十五年度の事業実施と決算書、事業・会計監査の各報告があり、これを承認した。

つづいて、四十六年度事業計画と収支予算の両案が審議され、別記のとおり決定した。

ついで規約の一部改正と役員改選が行なわれ、新年度の会長に選任された岡村康夫君が、新役員を代表して力強くあいさつし、四十六年の事業のスタートを切った。

四十六年度の基本方針に基づく重点目標は次のとおり。

一、地区連、単位クラブの充実と組織強化 単位クラブでは、個々の地域にマッチしたプロジェクト活動を行ない、その成果を地域社会へ環元できるような体制にする。

また、地区連においては考え方を広く県民、県行政機関に理解を求める

現在の農村青少年の置かれている立場、役割、またそこから生れる考え方を県行政に反映さすとともに問題の解決を図るために次の事業を行なう。

（一）農村青少年技術交換大会
（二）青年農業者会議
（三）青年議会
青年の政治に対する関心と知識を高め、議会政治を学ぶとともに青年の意見を広く県民に訴え、県政に反映させるため青年団と共催で行なう。
（四）リーダー研修会
クラブ活動の正しい進め方についての知識を持ったリーダーが必要である。関係機関の協力を得て次期リーダーを中心に研修会を開催する。また、中央で開催される全国4Hクラブ中央推進会議に代表を派遣する。
（五）キャラバン隊の実施
県連とクラブ員との相互の連帯や親睦を深め、各地区の実情を充分知るため、県下各地へ出向き、クラブ員との交流を図る。
（六）農村と農村青少年クラブの実態調査
現在の農村社会、またその中における4Hクラブ活動の実態を数字的にとらえ、今後の活動に生かす。
（七）明日を築く農村青少年のつどい（仮名）
新規の就農者を励ますと共に、4Hクラブを県民にPRし正しい理解を求める。
（八）広報活動の推進
年二～三回の新聞「いしずえ」を発行。特集号として機関誌を年一回発行。
（九）スポーツ大会の開催
（十）県青年の船への乗船
（十一）4H会館の建設
早急に七十万円募金達成のため全力を上げて募金活動を行なう。

新役員はつぎのとおり。

▽会長 岡村康夫（室戸）副会長 和田利明（大豊）下元新三（高南）白木竹子（高南）▽事務局長 中町幸蔵（嶺北）▽事務局次長 公文豊（物部）川淵慶憲（中央）▽理事 白石智之（須崎）酒井一（北幡）板本寿美男（大方）大坪啓助（安芸）立仙光正（野原）山本昇平（梼原）▽監事 村用正行（伊野）田村昇（宿毛）

組織強化など柱 新会長に林君選ぶ 監事を五名に

岐阜県連

【岐阜】岐阜県4Hクラブ連絡協議会（会長、岩田英明君）の昭和四十六年度年次総会は、さる四月七日、同県可児郡可児町坂戸の農業高等学園内、農村青年研修館で開かれ、新年度の事業計画などを決めた。

四十六年度は、仲間づくりの推進とともに知識・技術の向上を図って企業的な農業経営の確立と地域農業の発展に努力することにして、①クラブ組織の強化と連絡協調②クラブリーダーの養成③仲間づくりの推進④農業経営と農家生活の知識、技術の向上—の四本の柱を中心に事業を計画している。

主なものでは、リーダー研修、部門研修、夏のつどい、農村女性のつどい、4Hクラブ大会などを開催するほか、ヨーロッパ農業視察を実施、また、愛知県で開かれる第七回全国4Hクラブ員など全国大会に参加する。

新役員は次のとおり。

▽会長 林新太郎（大垣市）▽副会長 中野俊一（高山市）古川みどり（多治見市）▽事務局長 館一文（海津郡）▽事務局次長 桐山輝夫（不破郡）▽書記 肥田久子（可児郡）▽会計 鷹見恵三（中津川市）▽監事 棚稲範行（山県郡）後藤正治（郡上郡）遠藤哲郎（恵那市）、このほか西濃、飛騨ブロックから各一名を選出し監事を五名とする。

一人一課題研究 山本君会長に 女子研も組入れ

鳥取県連

山本県連会長

【鳥取】鳥取県農村青年会議連絡協議会（会長、中盤正幸君）の四十六年度の通常総会は、さる四月三日、東伯郡関金町の県立営農研修所で開かれ、四十六年度の事業計画や新役員が決定された。

事業では①プロジェクト活動の推進②組織活動の充実③女子活動の促進④OBとの連けい強化などを大きな柱としている。

プロジェクトは、4Hクラブの本質を見極め一人一課題をもって農業経営、技術の向上を図りながら会員相互の連けいを強め、組織面では、昨年に続いてオルグ活動を実施して、単位クラブ、地区連、県連間の連けいをガッチリさせることにしている。

また、女子活動では、女子クラブ員だけで話す機会がなかったために、昨年「同じ立場のものが集まって農村婦人の生き方などについて話し合おう」と、女子クラブ員が自主的に女子研修会を開いたが、今年はこれを県連事業の中に組み入れることにした。OBとの関係では、先輩の名簿作成とともに、県連が開く夏や冬のつどいなどにも参加してもらい、連けいを密接にして自分たちの向上にも役立てる。主な県連独自の事業としては、リーダー研修会、女子研修、夏と冬のつどい、オルグ活動などを計画。このほか、会協が開く第七回全国4Hクラブのつどいはじめ中・四国若い農業者のつどいなど全国や地区の行事に積極的に参加することにしている。

新役員は次のとおり。

▽会長 山本哲嗣（東伯郡）▽副会長 山脇俊（倉吉市）山根令子（西伯郡）伊達厚爽（米子市）▽事務局長 西尾正之（八頭郡）▽事務局次長 西谷光徳（倉吉市）

プロジェクトを推進 会長に菅野君 クラブのPRも

福島県連

【福島】福島県農村青少年クラブ連絡協議会（会長、斎藤賢一君）の第二十三回年次総会は、さる四月九日、郡山市の県農業試験場で開かれ、四十六年度の事業計画や新役員を決めた。四十六年度の事業計画は次のとおり。

一、知識・技術の向上交換
①プロジェクト活動の推進＝プロジェクト活動の記録、プロジェクト発表の推進②若い農業者のつどい開催・運営③第六回県農村青年4Hのつどい開催④県農村教育青年会議、開催⑤県農業経営学園受講の推進
二、クラブとリーダー資質向上
①クラブ活動記録の推進②単位クラブ会長研修③県農村青少年指導者研修の開催・運営④第十一回全国農村青少年技術交換大会、第二回東北農村青年会議、第十一回全国青年農業者会議に参加
三、クラブの啓蒙・広報
①県連だよりの発行②農村青少年展の開催③農業改良普及誌「農友」活用と放送利用④日本4H新聞の購読普及
四、会議の開催と代表派遣
①総会、役員会②代表派遣は、全協総会、全国4Hクラブ員のつどい、国際農村青年交換計画による4Hクラブ員のアメリカと中華民国への派遣者推せん
五、関係機関との連携
六、事務局関係

また、新役員には次の人たちが選ばれた。

▽会長 菅野寿広（安達郡）▽副会長 蓬沼哲（河沼郡）菊田正子（福島市）▽監事 五十嵐庄一（河沼郡）広野真一（南会津郡）高橋栄一（伊達郡）

蛙道

わが味覚、この遅き乳離れ

感覚はすべからく閉鎖的であるが、わけても、味覚にはその傾向がきわめて強い。いま少し具体的にいうならば、なかなか母親の味覚の影響圏から脱しえぬらしい。ぼくは、フライでも、トンカツでも、キャベツの刻んだのでも、そのほか普通ならソースを使う料理のすべてに、醤油を用いるといって笑われるのが毎度である。

なにも奇を衒っているわけではなく、これが一番うまいと感じられるから、それに従っているまでのことで、場合によってはソースの塩を振った方がスマートにみえるだろうが、そこまで気兼ねしいしいものを食うにも及ぶまいと考えている。頑固にうつろうとも、ソースの方がうまいと信じられるまでは、変えるつもりはさらさらない。

つまり、これも母が古風な人間で、ソースのうまみを解さず、食卓の調味料といえば、醤油がオール・マイティーであって、ほかをほとんど知らなかったために、自然、ぼくも感化されたものであろう。でも、このことに関してのみは、母を恨む気持は微塵もない。多かれ少なかれ、たれもがこうした偏見を持っているだろうし、こんな、もっともプリミティヴで、ヴィヴィットな感覚を大切にしなくては、あるいは固執しなくては、広い普遍の世界へ乗りだすこともむずかしいからだ。

しかし、それは口実であり、わがままにすぎないとの見方もあろう。だが、色彩の説明が大変である以上に、味覚について語るのはより困難である。表現する言葉の数も乏しく、比喩的に語るしか説明の仕方がないからにちがいない。これは、おそらく、舌の働きそのものが、多岐にわたる細分化を遂げていないことと同時に、比較の場がないことと、客観的な判断が不可能なためではないだろうか。

味覚が母の好みに左右されると心づいたのは、酒屋でさまざまな者との出合いを重ね、母が好まず、また、知らぬ味をいろいろと覚えて以後である。現在、食わず嫌いはないし、かつて、酒席でなまこと初対面したときにも、その味や佳しと舌鼓をうったものだ。ソースを使わぬとはいえ、ただ選ばぬだけ、受けつけぬのでは決してない。

人類は食物の範囲を広げてきたのではなく、次第に狭く選択の輪を縮めてきたのだと、山本周五郎は語ったという。同感である。食物史の大きな流れと、個人の広げた味覚の世界、味覚史とは、逆の方向をとっているようだが、人類の食物史、味覚史上にも、どこかに、縮小から拡大へという転回点があったかもしれない。

いずれにせよ、味覚に対しては、頑固かつ柔軟でありたい。その意味からいうと、食通の文章は、味覚にもまして閉鎖的で、いじましく、うとましい。ぼくの知る限り、食物のことを書いて豊かに開かれた世界を持つのは、吉田健一、高橋義孝が双璧をなし、これに次ぐ岡部伊都子を加えたお三方に、とどめをさす。（Y）

オルグ活発に 会長に渥美君 会費の徴収決る

静岡県連

渥美県連会長

【静岡】静岡県農村青少年クラブ連絡協議会（会長、真田勝君）は、さる四月二十一日、静岡市東草深町の県職員会館で四十五年度の通常総会を開催した。

当日は、県下各地区連から新旧役員代表二十八名と青少年担当普及員五名が出席、まず真田会長が「四十五年度は、とくにオルグ活動の実施、4H会館建設の募金推進、またクラブ員の念願であった第一回スポーツ大会が実施され、県連、地区連、単位クラブのつながりが一層密になったことは確かであると思う。今後より一層多くの活動家を育ててほしい」とあいさつ、内山県後継者養成課々長から激励のことばがあり、ついで議長団を選出し議事審議に入った。

連絡報道員の神尾君から四十五年度の事業経過と収支予算、理事の河村君から会計監査の各報告があり、これを承認。このあと役員改選が行なわれ、新会長に前書記長の渥美登美康君が選出されたほか別記役員を決定した。

前会長からバトンタッチされた渥美新会長は「四十六年度はオルグを年二回実施して組織の充実を図るとともに、県連の中に企画、事業、生活の各部と情宣局を設けるよう考えたい。また、ここ数年問題になっていた会費の徴収が総会で決定されたので頑張りたい」と抱負を述べた。

ついで鈴木政美事務局長から四十六年度の事業計画と収支予算両案の説明がありこれを決定、規約の一部を改定した。

四十六年度の活動方針

（一）農村青少年クラブの組織の拡充（二）県連活動、事業内容の周知徹底（三）事務局体制の整備（四）県連絡協議会々員の明確化と会費の徴収（五）他団体との連けい（六）県連バッチの取りまとめと、日本4H新聞の購読推進。

主な行事としては、単位クラブ会長会議と第一回リーダー研修会（五月）をはじめ、地区連へのオルグ（七月）、第十六回県技術交換大会（八月、井川キャンプ）、二回目のオルグ（十月）、第十一回県青年教育会議、県青少年クラブ功労者表彰事業（一月）、二回目のリーダー研修会（二月）、県農村青少年スポーツ大会（三月）などを計画している。

新役員は次のとおり。

▽会長 渥美登美康（雄踏町）▽副会長 神尾徹（韮山町）岩田乙女（小山町）▽事務局長 鈴木政美（浜北市）留任▽書記長 松村和子（岡部町）▽会計長 鈴木政好（豊岡村）▽会計監事 鈴木一（南伊豆町）長谷川光義（富士宮市）▽理事 土屋欣吾（河津町）勝又啓二（御殿場市）鈴木記久安（静岡市）高田正夫（掛川市）坪井治男（清水市）磯部貞子（磐田市）豊田信行（湖西町）鈴木民江（浜松市）和久田敏広（浜松市）（鈴木事務局長発）

なんとかならぬか 農地不足を訴え 加世田市連、行政関係者と語る会

【鹿児島】加世田市農村青少年クラブ連絡協議会（会長、仮屋秀三君）は、このほど加世田農業改良普及所で総会を開いたあと、行政機関の代表者と語る会を催した。この中で茶と果樹栽培の竹内清行さんは、次のような現実を語った。

友人の一人、内宮誠君は愛知県半田市で二年間酪農研修を行ない郷里の内布で酪農をする計画で帰郷した。まず土地を、と目ぼしい山林を見つけ、契約を結んで手付け金を払ったが、急に地主が契約解除を申し入れてきたため、農地購入のむずかしさを痛感。こんなことでは酪農はできぬと再び出かせぎに行ってしまった。もう一人の友人は、タバコ栽培の父親を助け、規模拡大しようと出かせぎから帰って来たが、これも農地が手にはいらず地場産業に就職した。

「過疎に悩む現在、Uターン現象は好ましいことだが、せっかく農業をしようと思っても農地の流動がスムーズにいかず、出バナをくじいている。こんなことでは後継者は育たぬ」と訴えた。

また、あるクラブ員からは「公有地の払い下げはできぬか」と土地不足の打開策に対する質問もあった。

これに対して岩野市農政課長は「農業振興地域整備法に基づく農業地の指定を四十五年度に受け、本年度中に仕上げをする計画だ。これが実施されると山林転用、宅地化が制限されるので、農地保全がうまくいくだろう。荒らした農地を山林に転用する人もいるが、こんなことができなくなると、農地の売り渡しが少しは活発になるのでは…」と答えていた。

こんなことをしています 各種農業団体

全国農業協同組合中央会

市場開発に乗出す ——農産物の安定供給をめざし

物価の上昇、とくに農畜産物の価格の不安定は消費者にとっても、生産に当るわれわれにとっても決して望ましいものではなく、何んとか安定の方策を明らかにし、この対策を確立して行かなくてはなりません。そしてこのことは、ただ消費者サイドとか生産者サイドからの問題の提起だけでは解決はできません。大きな政治力が要請されるところであります。

農林省は、昭和四十六年度予算編成に当り、この施策の一環として、農協等農業団体が行なう国内農産物の市場開発推進事業についての経費の一部を計上いたしましたが、四月九日、各事業の実施主体と農林省で設置した市場開発推進会議を開き協議しました。

各事業の概要と進渉状況はつぎの通りです。

（一）国内農産物市場開発調査研修事業（分担＝全中）
主要都市の消費世帯一万戸を対象に調査を行ない一二月までに調査結果をまとめ、この結果を活用したマーケティング研修会を全国七ブロックで実施する。

（二）海外販路拡大調査事業（分担＝全販・全中・日園連・組合貿易）
日・ソバーター貿易の拡充をはかるためソ連に調査員を派遣する。また、海外流通業者を招へいし、国内事情を紹介する。

（三）農産物長期安定取引推進モデル事業（分担＝全中・全販）
加工原料果実、冷食等加工原料野菜について四地区を選定し契約栽培事例調査を行なう。また、全国六ブロックごとに主産県を選定し、その契約栽培濃密指導を行なう。

（四）優良国内農産物消費普及推進事業（分担＝全販）
東京二か所、名古屋、大阪、神戸各一か所で、デパートのコーナーを借り、青果物、畜産物加工食品、特産物を展示・即売する。期間は約一八〇日間とし五月より実施する。

（五）農協営総合食料品小売センター設置事業（分担＝全購）
全国で十か所の農協または連合会を選定し、農協総合食料品小売センターを四七年三月までに設置する。現在実施農協について調整中。

（六）農畜産物消費者啓発情報提供事業（分担＝全中・新聞連）
生鮮食料品を中心とした食料品に関する情報を消費者に提供するため、みどり（タブロイド版四頁）を毎月二回（第二、四木曜日）七〇万部発行する。配布は日刊新聞折り込み生活センター、生協組織との提携による。（教育広報課）

社団法人 家の光協会

"しつけ"はこれで ——「家の光」七月号の別冊付録に

出稼ぎやパートタイムの共稼ぎなどで農家のおかあさんが、家庭を離れるケースが多くなってきています。一方、テレビ普及や各種のマンガの氾濫で、"現代っ子"たちの心は、多様化してきています。

こうしたところから、"子どものしつけ"について悩むおとうさんおかあさんが増えてきました。

『家の光』七月号では、こうした悩みにこたえ、幼児から中学校までの子どもたちの心の動きと、親の悩みを取り上げ、その解決を考える別冊付録「子どものしつけに迷うとき」を企画しました。

編集のねらいはつぎの通りです。

実にたくさんの"しつけの本"が出回っている。ちょっと書店をのぞいてみても「家庭教育の○○」「ママの知らない△△」「頭の良い子にする××」といったたぐいの本が、せり合うようにして並んでいる。

ところで、問題はこれら教育書の中味である。その内容を見ると、たいていの本が「子どもの心理分析」にはじまり「おとなの生活態度の反省」といったところで終わっている。その論旨には、親とし、おとなとして、一言の反論の余地もない。

しかし、こうした高まいな教育・しつけ論が、一面では今のおとなを自信喪失に追いやり、かえって"しつけ不在"の家庭をつくりだしていることも否めない。本来、子どものしつけはもっと常識的、日常的なものであるはず。構えた姿勢では、いつかボロが出て、子どもの不信感をそそるのがオチであろう。

『家の光』七月号付録は、こうした観点にたって、なるべく説教臭くなく、きのうきょう家庭生活で起こっていることがらを、親の迷いと子どもの立場の両面から解きほぐしていこうというもの。したがって、執筆陣にもそれぞれの地方で庶民の実生活に触れている先生をお願いし、子ども自身の生活作文も、ふんだんに盛り込むつもりである。

『子どものしつけに迷うとき』—このタイトルの意図の底にあるものをご理解いただき、ときには父親やクラブ員の寄り合いでも、話のまくらとして活用していただきたい。

『家の光』七月号別冊付録とも230円

（文化部）

私のバラ経営

坪四千円を目標に
温室は二連棟、自動灌水で

神奈川県厚木市青空クラブ　難波博文

私は農学校を出てあてもないまま、二宮の園芸試験場に入りました。そこで初めてバラを知りました。知るといっても、ほんの一部にしかすぎませんが、自分なりに知り、定植してから一年間バラとすごし、自信はなかったのですが、自分で「温室バラ経営」をやる決心をしました。が、一番心配なことがありました。それは、火山灰土でうまく育つのだろうかということでした。

心配した火山灰土

少し多いが品種は五つ

温室は六六〇平方㍍（四十四年三月完成）二連棟の鳥居式です。八五㌢幅のベットを十二取り、通路は五六㌢、一ベット三条植えで三〇〇本植わり、中央は自動灌水のパイプが通るように千鳥に植えました。

品種は五品種、M・リンカーン、G・ラプチャー、S・スターを一六五㌢ずつに植え、ハロー、ガーネットも一六五㌢で植えました。五品種は少し多いように思いましたが、将来のことを考えて、どの品種が火山灰土に適しているか、経済性、栽培面など比較し、多少なりとも自分で知っておけば、増築の時に有利な品種を導入できると考えました。

病気を避け台木づくり

今のところ、めだって悪いようなことはないですが、スーパースターが少し生育が悪いようです。火山灰土に適していないのかもしれません。スーパーは、芽接苗と切接苗の両方を植えましたが、ほとんど同じ生育です。リンカーンも芽接苗と切接苗の両方でもが、切花本数を調査してないので、はっきりどちらの方が良いと言うことはできませんが、見た感じですと、芽接苗の方が生育が良いようです。

ガーネットは、私にとっては冒険の一つでした。フロリバンダ系の花なので小さく、数が切れます。最初は安くてひっこ抜きたくなりましたが、だんだん花の良さがわかってきて、二十円前後に売れるようになった時は、胸をなぜおろしました。

ゴールデンラプチャーは挿木苗を半ベット、残り二ベット半に切接苗を使いました。ゴールデンラプチャーの台木だけは、ガンシュ病を避けるため自分で作った台木に接木しました。

その他は、全部台木を買って自分で接木しました。挿木苗を入れた理由は、接ぎが悪く接木苗が不足してしまったため、予想外に接ぎが悪かったからです。この原因は、いろいろな悪条件がかさなってしまったからです。十分に苗がないということは、少しぐらい悪い苗も使わなければなりません。これは、私にとってはとてもマイナスでした。

よい苗がないとこまる

それと、挿木苗は、接木苗よりも白ボケが少ないということで、悪い苗ではありませんでしたが植えました。そこで切花本数を調査しました。栽培管理は同じように行なって、昨年の九月十五日より十二月までの調査では、挿木苗一五八六本、白ボケ二四八本、接木苗一二八二本、白ボケ四二八本で、白ボケの出る率は、挿木一五・六％、接木三三・三％（これは少し多いようです）、挿木苗の方が良い結果がでました。

しかし、金銭的な比較ができませんので、売上げにどのくらいの違いがあるのかわかりません。挿木の場合、二年目、三年目と自根で大丈夫なのか、また、今は東側のサイドの一番条件の良いところなので、これを中央西側へ植えた場合には、どうなのか一概には言えません。

栽培管理について、灌水はエルメコを使用した自動灌水で、三三〇平方㍍に一回十五〜二十分間、毎分四〇〇㍑のポンプで七〜八トンくらい灌水します。

追肥は三三〇平方㍍当り、一回に油カス三〇㌔、骨粉一〇㌔、硝安加里を使っています。その他、ピンチ後、採花の後、樹勢を見て弱っているような時に、硝安加里を使っています。牛糞は七月下旬〜八月上旬にかけて施用し、深耕の時に牛糞を入れました。初めはいやでしかたがなかったのです。なぜ俺がこんな苦労をしなければならないのか？というよりもはずかしく、世間体が気になったのかもしれません。今考えるとそんな自分をはずかしく思います。

害虫はヨトウ、アオムシ

虫の害では、アオムシ、ヨトウ、ダニの害をうけ、中でもヨトウ、ダニにはそうとうに手をやきました。薬はEPN一五〇〇倍、ケルセン一五〇〇倍、ニッソールの一〇〇〇倍を使用、殺菌剤としてダイセンステンレス三〇〇〇倍、ポリオキシン一二〇〇倍を使い、ウドンコ病にはカラセン三〇〇〇〜四〇〇〇倍を使用、リンカーンに時々薬害をうけました。薬液は六六〇平方㍍に一回一五〇㍑です。

私は昨年の暮まで、坪四〇〇〇円を目標に頑張ってきました。その結果、スーパー五三九〇本、リンカーン五二二〇本、ゴールデンラプチャー八一九〇本（白一三二〇本）、ハロー四四三〇本、ガーネット八六四〇本出荷し、どうにか目標に達しました。

今年の剪定の時期まで失敗してもいいから、思いきってやってみたいと思っています。二年目は、今年度の経験を生かし、一歩進んだ経営をしたいと思います。

今日までの反省では、いろいろある中でも、ゴーラップの白ボケが多いので少なくする。それと、バラという植物がまだ私にはわかりません。自分の勘で育てねばならないので、危険なことがいっぱいです。そう一度にわかろうとしてもむりだと思いますので、少しずつでもいいから、バラという植物を理解し、自分の経営に役立てていきたいと思っています。

高知で地区連会長会議開く

【高知】高知県農村青少年クラブの四十六年度第一回地区連会長会は四月十九日、高知市本町の県文教会館で開かれ、県下各地から約五十人が出席。さらに、同クラブの総会で決まった四十六年度事業計画の具体的な取り組み方や、新しく農業に従事した青年を励まし、クラブの運動を県民にPRしていくための「4H祭」開催などについて話しあった。

まず、新しく農業の仲間に加わった就農者を励まし、連帯意識を強めるため"明日を築く農村青少年のつどい"（4H祭）を開く。これは設立二十周年記念に当たった昨年度の大会が、内外から好評だったため、今後は四十六年度を第一回としてこの運動を続けようというもの。日時は五、六月、場所は高知市の県農協会館を予定。

このほか、政治に対する関心や知識を高める目的で、高知県青年団協議会と共催の高知県青年議会を開く。十月上旬に"本会議"を予定、それまで事前研修や四つの委員会に分かれ討論などを行なうことになっている。

また、農村社会の実態、クラブ活動のあり方を研究、今後の活動資料とし、県の実施する台湾、沖縄への「青年の船」には積極的にクラブ員を乗船させる。

サラリーマンをやめて 農業者へ転身

静岡県掛川後継者クラブ　萩原治

時代の移り変わりの激しいスピィーディな現代にはいろいろな生き方、考え方がある。中には、その現代にそぐわないと思われる生き方をせざるを得なくなった者もいるし、自分からその道や生き方を、選んだ者もいる。たとえば僕のように。

僕は、昨年（昭和四十五年）二月迄はサラリーマンであった。しかし本年三月より祖父の後を継いで農業後継者として再出発した。もとより自分は農家育ちでもなく学校も掛川西高を卒業、以来約五年間、計二十三年と一ヵ月余りほとんど農業とは無関係な道を歩いて来た。では、どうしてこの年齢（二十三歳）になってこの道を選んだのか。それはとても一口では言い尽くせないが、その主な理由はサラリーマン生活に、飽きたというか退屈してしまい、またこの世界での自分に限界を感じてしまったことからでしょうか。

飽きた退屈したといっても会社では結構忙がしく、仕事（本社の下請工場の生産管理）以外にも、社内報編集係（メンバー七名にて二ヵ月に一度発行）、柔道部副部長兼マネージャー（毎週火、木、金曜日午後六時より八時迄練習）といった具合で身体は忙がしく、退屈する暇はなかった。

しかし、ふと我に帰って自分の将来、たとえば三十歳になった自分、四十歳になった自分、そして定年後（これはちょっと行き過ぎかな）の自分を考えたときほんとうに寂しく不安になりました。自分の周囲のそれぞれの年齢に来た人々に自分を充当してみると……これでいいのか、このままで良いのか、と考えるようになった。

祖父が病気で倒れたのは丁度そんなことを考え出した頃だった。それ以来、休日のほとんどを農業に向けるようになった。ある日、経験のない僕が秋冬番茶を刈ろうとしている所へ、祖父が不自由な身体でそれも一人で来て、注意をし刈り方を教えてくれた。

この頃から「農業をやろう」と決心し、その時の資金にと、百万円を目標に貯蓄に精を出すことにした。一方では独立後必要と思われる免許を取ることを考え、二年間で大型特殊免許、二級ボイラ技士免許、第四種危険物取扱主任者免許を取得した。また暇を作っては養鶏の講習会に出席し、良い参考書や業界誌があれば買入れ通勤電車の中で読んだ。いまになって考えれば無理をしたものだと思う。これらのことは全部私事であり会社では以前と同じ一人三役をしていたのだから。しかし、農業に従事し営農に関するほとんどのことが自分の両肩にかかって来た現在、そしてまがりなりにも事業拡大に踏み切れた現在あの時無理をしておいて良かったと一人考える自分である。

以上のようにこの文章を読んで下さった皆さんに比較し、随分廻り道をした僕ですが、三年先、五年先、いや十年先になってきっと、「廻り道ではあったが、農業を選んでほんとうに良かったなあ」と思う日が来ることを祈り信じて、今後も「この道より我を生かす道なし、この道を歩く……実篤」の精神でより一層頑張って行こうと思います。（静岡県中遠地区連『あぜみち』六号より）

話しあっても 地域へ帰るとダメ
むずかしい米作一本

岩手県青少年クラブ連協　小田島栄一

米の生産調整に代表されるように私たち農民は、ひたひたと押し寄せる不穏なムードに、ただ出稼ぎに、あるいはニコヨンに、目標のない生活を続けている。そんな中で、過日、私たちは四回目の農業新世代の集いを催し、県下六十三市町村から集った約千名の友と共にいろいろの問題について真剣に話し合った。しかし、過去二〜三年の状態をみても、いかに十分な話し合いをし、意気高揚しても、いざ地域に帰るとその後は大会時の言動とは裏腹になかなか実のある活動が見られない。かつて三十年〜三十五年頃までは、食糧増産という時代をバックに、数多くの農村青年が共通のテーマを持ち、実践、学習に励んでいた。しかしその後米作一本の経営に大きな問題が起る一方、農村からは青年が流出し部落的クラブはくずれていった。現在、私たちのクラブの大半は機能グループ集団であり（水稲、酪農部門別目的集団）、しかもそれは一地域的なものではなく広範囲な所から集まってきているのが多いようである。彼らは、共同経営、一部共同、共同学習などいろいろである。問題はこれらのグループ結成の遅れている地域の友である。私は、できるだけ数多くの話し合いの場を持ち、少数精鋭のグループを多く作り、その連絡協議会を作ってこそ本当のクラブ活動ではないかと思っている。

○地域的機能グループの養成

農業をとりまくきびしい状勢の中で、現に若者は職業として農業を選び熱心に実践活動を続けている。しかし、それはあまりにも個人的でありすぎると思われる。これら個々の経営で共通のものは、特に地域グループを作り、共同学習を通し、実践に反映してこそ、これからの農業に対処できる大きな力になるのではないだろうか。そのために、リーダーはたえず末端クラブ員の声を十分ききとる態度が必要だと思う。

○横との連絡を密に

私たちの今までの活動は、あまりにも縦にのみ強く横のつながりに欠けておったと思われる。私たちは自分たちのことのみならず、もっともっと他の組織とも話し合わなければならない。私たちがのびていくための知識を増す一つの方法であり、その機会をもうけることもリーダーの使命であると思われる。

私のプロジェクト
家事も農作業もやりたい

千葉県東金市東金4Hクラブ　小倉純子

先日、テレビの座談会で農家の主婦が、家事と仕事をどのように行なっているか、ということが話し合われました。そこに出席した女性は、ほとんどが一家の経営の中心となって働いている人達でした。経済が豊かで、労働力も豊富なら、何も女性を農作業にかり出さなくてもいいはずです。でも今の私達の生活と比べると格段の差です。

では、この現実の中で私はどう生きてゆくべきか考えました。家事を中途半端にするわけではないが、とかく家庭生活が味気ないものになりつつある家庭が、ふえています。こう考えてみると、今までの主婦は、あまりにも家庭を犠牲にしてきたと思います。これからは、もっと家庭での時間を多くするような努力が必要です。

しかし、このような現状を少しでも改善してゆくには、男性の理解なくしては進歩がありません。

でもその反面、経済を別にして考えた場合でも、生産活動にたずさわりたいという欲求が出てきて家事に専念したいという欲求とぶつかり合ってしまいます。どうしたらよいのでしょうか。

慣行法より適す
田植機 機種別の比較も

秋田県仙北村農業近代化ゼミナール稲作クラブ　小西郁雄

グループの経営概要

会員数十四名。水田単作経営、平均水田面積二・五㌶。

取り組んだ動機

この厳しい農業情勢に対処し、魅力ある農業を造るため、田植機を導入することにより一貫した機械化体系を確立する。たとえば、トラクター→育苗→田植機→除草剤→大型防除機→コンバイン→カントリーエレベーター、今年度は三機種の長所短所を探り合わせて、慣行法と比較調査し、来年度に導入する機種を決定する資料を得る。

計画と実行経過

（1）機種別の性能比較調査
（2）移植時の労力比較調査
（3）各種の長所短所を探求
（4）生育調査（各機種の慣行法を一週間ごとに調査、スライド撮影）
（5）機械植えと慣行法の相違点を探求

実績をかえりみて

（1）グループ結成が遅れ、育苗段階の詳しい資料を得ることができず、残念だった。
（2）慣行法より、機械植えの方法、今後の経営に適合しておることを確認した。
（3）わがグループの環境に適した機種を選択することができた。

今後の計画

今年度の研究により、田植機の性能面での検討はほぼ終えたために、来年度は、「一貫機械化体系確立」を最終目標として、経営性地域計画や利用体系などの残された諸問題と、取り組んで行くつもりである。

新しい農業へのあゆみ

さきに、農林省が示した「明日の農業地図」をみても、秋田県は米を主体とする食糧基地として役割りを持つことになった。その中でも、雄物川流域の豊沃な仙北平野は、秋田米生産の中核として今後も、合理的な米づくりを続けて行くものと信じている。

しかし、米の過剰を契機として米の生産消費の議論が高まっている情勢の中で、米づくりは、産地競争、商品性、生産費などをふまえながら進めて行かなければならない。そのためには、経営委譲、離農など農業者組織の改変や農地提供などによる規模の拡大をはかり、生産組織を整備し、農工兼労の体制をはっきりさすべきだと思われる。

このように、環境を整備した上に立ち、米づくりの「機械化一貫体系」の確立を、農協などで導入しているカントリーエレベーターなどの近代化施設に結びつけ、うまい米づくりを進めていかなくてはならない。

きゅうりやめピーマンを

高知県芸西村青年農業研究会　松本康一

わが家の経営概況

ピーマン四十㌃、ハウスきゅうり三十㌃、トマト十㌃、早掘甘藷二十㌃、水稲百四十㌃、農業従事者は、父母と祖父、私の四人で、ほかに祖母、弟の六人家族である。

取り組んだ理由

今後、きゅうりに変わる作物として、きゅうりに比べ省力化ができ、技術、収益性が高く、これからのハウス栽培として、発展性のある作物と思い、四十一年度よりピーマン栽培を始めた。近所での栽培を見たり、クラブの学習活動を通じて研究した。

計画・実行経過・反省

私どものハウス地帯は、三十八年度に、農業構造改善事業によって、一区画三十㌃の区画整備が行なわれた。せまい水田では、労力や資本も多くいるので、四十一年にハウスをそこへ移した。マンモスハウス、ビニールの二重張り、熱風加温機を入れ、十㌃当たり資材費三十万円、全自動の熱風加温機は一台二十二万円を要した。燃料は重油で、年間燃料費が四十六万円。

四十一年から四十四年まで、ピーマンときゅうりを栽培していたが、今年はピーマンを四十㌃の栽培とした。私がプロジェクトを持ったものでは、誘蛾灯によるハスモンヨトウの誘殺は効果があがった。現在、省力化をねらいとする栽培の試みとして地中灌水、マルチング、換気扇を導入している。

今後の計画

早播きを行なって、早期収量をあげる。規模を拡大し、省力化するように、機械類はすべて自動化して、八桁農業をやりたい。

高校卒業後、父といっしょにハウス経営を営んでいるが、私の小さい時からわが家は、きゅうり、トマト、ナス、スイカなどを栽培してきた。いろいろと作ってみたが、労力の割合に収入が少ないので、きゅうりにしぼってみた。しかし、四十一年からピーマンを導入した。ピーマンはビタミンAに富み、栄養価も高く、あらゆる料理に利用され、調理方法も手軽で今後の食生活に適している。

われわれ生産者は、良い品を生産することが使命であり、米の生産調整によるしわよせが予想される生産過剰の波に大きくゆすられるとき、ゆるぎない経営をするため、今後、栽培活動は大切です。

養蚕から酪農へ

群馬県杉陽クラブ　須藤京子

私の家は、家族六人、耕地面積百三十㌃、宅地二十五㌃、畜舎設備は牛舎二棟二十六頭入り、サイロが六基、ミルカーが二頭搾乳一、四頭搾乳一、ドロップクーラーなど。飼養頭数は搾乳牛二十四頭、育成牛十頭、年間乳量約十一万キログラム、機械はカッター一台、耕運機三台、草刈機二台などがある。

私の家も昭和三十九年までは養蚕を中心とする農家であった。

しかし、この経営では労働の平均化と安定がえられないので酪農専業を実施することになり、昭和四十三年に桑園全部を飼料畑に換え、乳牛二十五頭とし、その後、少しずつ頭数をふやしてきた。そのため冬の飼料がたりなくなるので、サイロを増加して飼料自給度の向上と飼料作物の作付変更により労働の平均化をはかろうと思い、四十五年度にサイロ二基より六基に増加した。飼料の取りも改善し、刈取機二台を使用するようにした。また作付時期を計画して収穫時期を調整し、労力の平均化をはかりながら、サイロ六基いっぱいにすることができた。これも父母の二人でなく私が卒業し、家に入ったからこそ、できたのではないかと、うれしい気持がしている。

今後の課題として、楽をして牛が飼えるように、機械化はもちろん、飼料の改善をはかり、牛舎の管理設備を活用して健康な牛づくりとたのしみのある生活をすごして行けるような経営をめざし頑張ろうと思っている。

○ 新しい農業への歩み

私が女性でありながら、酪農に生きるということは周囲の人は驚く。しかし私は宿命などと思っていない私なりの夢があるからだ。私の部落は我が家を含めて四軒の酪農家が並んでおり、父と同年輩の経営主がお互いに話し合いながら欠点を補いあって経営している。本当に力強い。将来、私もこのように皆と話し合いながらやってみたいと思う。

私の家の規模では、将来頭数を伸ばすのに耕地が少ない。耕地の拡大も現状では無理である。私は牛に追い回される生活は嫌いだ。だから、牛を改良して乳量を増し、機械化して労力を省くことに主力をおきたい。将来、よき相手を迎えて、仕事と余暇をはっきり区別した楽しい生活を築くつもりだ。酪農の規模は現在のままでも、経済的には十分である。問題は、私自身の技術と経営能力にある。これからも勉強が必要だと思う。

後継者をはげます

【仙台】十三日、柴田町入間田中央集会所で就農者激励会があった。ことし中学、高校を卒業して農業をやることになった八人。いずれも水田八㌃から一・五㌶を耕作する農家の後継者たちだ。

激励会に先だって開かれた町農村青少年クラブ連絡協議会総会に出席して、さっそくクラブの仲間入りしたが、八人のうち三人が、野菜、養蚕、花作り勉強のため先進地へ一年間"留学"することにしている。

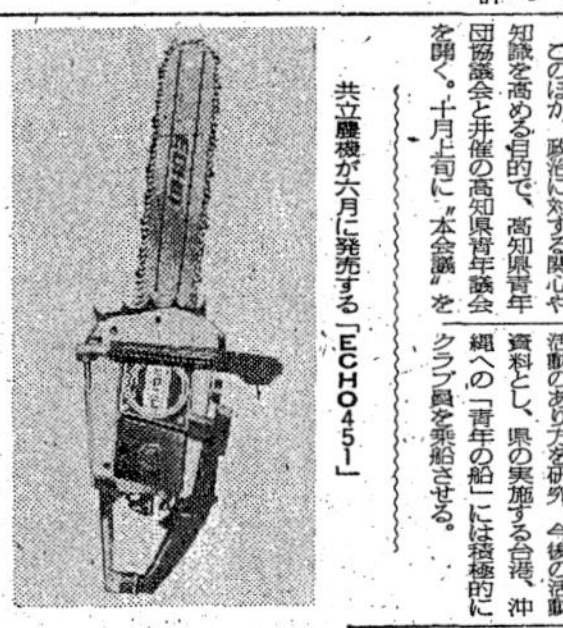

共立農機が六月に発売する「ECHO451」

完全消音のチェンソー
共立農機㈱ 6月に発売

共立農機株式会社では、このほど完全無振動のチェンソーCS−CS−四五一、CS−六〇一VLの二機種を開発。六月一日全国発売する。

このエコーチェンソーは、わが国最初の国産チェンソーとして、八年前（昭和三十八年）に開発された。同社では、二機種発売を機に、チェンソー販売体制の強化を図り、国内市場の五〇％を確保、三年先には七〇％のシェア・アップを狙っている。

その特長は次の通りである。①六ヵ所に防振ゴムを施してあるので、エンジン及び鋸断時の振動を完全に吸収した。②鋸断中自由に給油量の調節がはかれるのでチェンが過熱することなくラクに作業を進められる。③共立空冷2サイクルエンジンを使用していので、パワーは抜群なうえ、トルク特性が非常に優れているのですばらしい切れ味を発揮できる。

価格は現円正価、八万三千円−CS−四五一・十六型、九万九千八百円−CS−六〇一VL・二〇型付。

◀投稿案内▶

本紙は、みなさん方の新聞として、全国のクラブ員に利用して戴きたいと考えています。それでクラブの催しや個人のプロジェクト、詩、短歌、随筆、写真、悩みや意見、村の話題、伝説、行事その他なんでも原稿にして送って下さい。

お願い　❶長さや形式は自由です　❷できるだけ記事に関連した写真をそえて下さい　❸送り先　郵便番号162　東京都新宿区市ヶ谷船河原町11　日本4H新聞編集部

奉仕作業の花壇づくり
富山、立山4Hクラブ

【富山】わが郷土"立山"をより美しくしようと、立山町4Hクラブ（会長・森次行君）は、四月十七日、同町佐伯会館で会員二十人がPR用の花壇づくりの奉仕作業を行なった。

これは、今春六月の桂台−美女平間の自動車道開通などによる立山アペンハートの開通にそなえたもの。花壇は登山のノドに当たる県道富山〜立山公園線と立山〜水橋線のまじわるバイパス陸橋付近に設けられた。リンゴ箱にカンナ・百五本が飾られ、箱に"立山を美しく""立山町4Hクラブ"と大書してあり、運転手や電車利用の人たちに立山の自然を守ってもらおうというもの。

NHK農事番組（5月11〜20日）

テレビ

明るい農村　6・30〜6・56総合
11日　きょうの話題
12日　産物往来　夏みかん
13日　話題の広場　青年の村をつくる−青森県上北郡六戸町から中継−
14日　村をむすぶ　仙台、名古屋、長野、東京
15日　農村新地図　愛知県稲沢市（農大教授）宮崎敏行
16日　明るい漁村
17日　村の記録　ミニコミ記者−愛知県半田市ほか
18日　きょうの話題
19日　産物往来、はちみつ
20日　話題の広場　農民減反工場（栃木県大田原市農民工場から中継）

農業教室　7・30〜8・00　教育
10日〜12日　果実の需給と価格（農技研）小野隆志▼都内▼秋田県鹿角果樹農協
13日〜15日　水田の雑草対策（宇都宮大学）竹松哲夫
17日〜19日　米と農業（農技研）福永一夫

あすの村づくり　日　7・00〜8・00　再　土　13・00〜14・00
16日　▼グループ便り「洛北農業クラブ」京都市　▼仲間とともに「安全な野菜をつくる」久留米市4Hクラブ　▼ある青年像・先輩に学ぶ「菅村和弘−24歳」兵庫県日高町

ラジオ

早起き鳥　5・05〜5・57 ❶
11日　水耕栽培にとりくむ（愛知県海部郡十四山村）村井邦彦
12日　転作ととりくむ営農団地（宮城県角田市伊具郡下）
13日　生協と農協の契約生産（横浜市、福島市ほか）
14日　鳥を守って三十年（日光博物館長）高田武夫
15日　ふえる出づくり（長野県諏訪地方）
16日　大豆需給を考える（農林省農産課長）川田則雄ほか
17日　新しいい草産地（熊本県八代郡鏡町農協）太田俊之
18日　クロレラで蚕をかう（日本クロレラ研究所長）代田稔
19日　十三ヘクタールの請負耕作（新潟県白根市）
20日　成功したお茶の流通センター（奈良県経済連）吉村宗一郎

話の広場　6・10〜6・30 ❶
16日　和牛とともに二十年（矢板市）米本菊次

新しい農村　6・00〜6・30 ❷
2日　14・00〜15・00 ❷　全販・全購の合併をめぐって（全国農協中央会長）宮脇朝男ほか

ラジオ農業学校　日　6・30〜7・00 ❷
16日　優秀農家に学ぶ「秋田県能代市斎藤新作さんを訪ねて」〜水田・酪農〜

笑顔

静岡県あざみ4Hクラブ　佐野よし子

昭和四十四年三月、農業高校を卒業すると同時に地域にあるFS農業青年会議あざみクラブの一員として4H活動に参加。多くの農業後継者である青年男子にまじり社会人一年生として第一歩を歩み始めた…早いものであれからもう三年目を迎え、ようやく自分の歩むべき道を"農業"に見出し今日に至っている。

近ごろ、農村社会に生きる多くの青年は、＜仲間を求めて＞いろいろな活動に参加している。その中でも特に私はこれからの"農業社会に生きる女性"として、現在いや将来どのような生き方をしたらよいのか。……少し考えていることがある。

よく聞く言葉だが、女性の好かれる第一条件に"明朗な人"というのがあげられている。それでは明朗とは一体何か……「気持ちが明るくてほがらかなこと」と辞書に記されている。クラブ活動においていろいろな仲間を見て、また知る。いつも陽気な人は、活気に満ちているから誰からも好かれる。また、職場においても"明るい女性"というものは尊重されるべきものなのである。気持が明るいと、しぜんと笑顔になる。しかしこうした笑顔というものはすぐ出るものではなく、またつくられるものでもない。それは、日々の生活の中から生まれるものだと私は思う。私自身は4H活動の日々の生活の中で仲間に接する、その中で学びとることがある。だから私にとって活動は大切なものなのである。現代に生き、そして、未来の農村社会に生きる私達。

私達女性は家庭を守る第一任者として、どのような家庭づくりをしたらよいのだろうか。いつも笑顔の絶えない家庭。それには女性である私達がまず"明るい気持の持ち主"になることだと思う。人生は喜怒哀楽といいますね。苦しい時、辛い時……手を見つめましょう。仲間と握りあった暖かい手を。そして、いつの日かあなたの顔がほころび、明るくなったあなたを私は見つけるでしょう。笑顔とバイタリティーで乗り切ろうではありませんか、その日のために。私達女性はもっともっと積極的に4H活動に参加し、多くの仲間と共に肩を組み、明日の農村社会を築き上げようではありませんか。笑顔は農村から!! さあ、今日も一日がんばりましょう。

この道より
我を生かす
道なし
この道を　歩く　（実篤）

青春と仲間

昼は農協、夜は4H

岐阜県古川4Hクラブ　稲葉圭子

高校を卒業してもう半年以上たってしまいました。高校時代は学校へ行くのが家にいるより楽しかったのに、勤め初めの頃は農協へ行くのがいやでたまりませんでした。毎日毎日、注意ばっかり受けて、持っていた夢もしぼんでしまいました。親友も岐阜の方へ就職してしまい、さみしくてしかたありませんでした。

そんな頃でした、4Hクラブからさそいがあったのは……。私は今まで古川町に4Hクラブがあることを知りませんでした。古川に住んでいながら古川町のことを知らなかったんです。私はただ農家の跡取り娘であるというだけで、農業を一生懸命にやろうという気もありませんでした。でも、何か一つ目標をもって加入してくれればいいという話だったので、入らせてもらいました。

それからは昼間は農協、夜は4Hクラブの行事に参加する日が多くなりました。私はそれまで、夜、家をあけることが全然なかったので、そう思ったのかも知れません。初めて4Hクラブの定例会に参加した時は、クラブ員みんなが大きく見えました。そして、自分の目的を持って進んでいるように思いました。

いちご狩り、県内の果樹園での桃の袋がけ、キャンプなど、いろんな行事に参加させてもらいました。ほんとうに楽しかった。仕事も一人でやればつらいが、みんなでやれば楽しんでできるんだなあと思いました。

そのうちにみんなの中から、4Hクラブはなんだろうという疑問が起きてきました。先輩の人達を招いて話し合ったこともありました。しかし、それでも私にははっきりしませんでした。ただ一つ、ほかのクラブ、青年団活動とは違って、プロジェクトというものが4Hクラブにはある、ということがわかりました。

行事にも参加できないことが多く、出席しても少ししかおれないこともあります。でも入ったからには、何か自分の心に残ることをしたいという気持でいます。今年ははじめてだったため、クラブでは何をしたらよいのかわかりませんでした。来年は、自分の手で何かプロジェクトをしたいなあなんて考えています。身体は大変ですが友達もふえ、夢がもてるようになりました。

（放送利用農業集団岐阜県大会岐阜4Hクラブ大会記念号『若い』より）

みんなやるから

＜自分＞はどうした？

静岡県豊岡4Hクラブ　長野　広

先日、干しものざおをかける台を売りに来た人いわく「お宮の前からお宅の裏の家までずっとみんな買ってくれましたョ」と言って三千なんぼするその台を買うようにすすめた。私は解からないので家の人に代ったが、私の家でも買うことになったらしい。商人という者は人の心をよく知っているもので、その辺の心理学者より余程知識がある。特に農村の人は「みんなが買ったから」ということばに非常に弱いらしい。「みなさんが入っています『○○保険』」というのもよく聞くことばだ。

みんなが入っているからなぜ私も入らねばならないのであろう？　みんなが買おうが、入ろうが、行こうが、その手で自分の意志を変える必要はまったくない。とは言え、私もそのことばには弱いものだ。なぜだろう、「みんながやっているにはなぜお前だけがやらないのか？」ことの良い悪いの判断より、他の人はどうなんだろう？　と思いがちである。

つまり、自分自身に誇りが無い、自信、信念、確信が無いからだろう。そういう人の弱みにつけ込んだ言い方は実にきたない。ますますその人から自信をなくしてしまうものだ。このごろの人の特徴にそうした集団心理（？）に走りやすい傾向が多くあるのではなかろうか。ある宗教団体に入っておれば、自分が努力しなくても、考えなく苦しまぬとも、みんななんとか同じ位の生活は出来る。自分の間違った行動に対して反省するよりも「みんなやってんじゃないか」と責任を転化する。みんながやっていることは正しいとの保障はない。みんながいうことが真理だという証明は出来ない。地球が太陽の囲りを回っているということは小学生でも知っているが、五百年程前コペルニクスはそれと同じことを言った。つまり地動説を唱えた、しかし、当時それを信ずる者は皆無に等しく、彼は気違いあつかいされ迫害さえ受けたと聞く。生命の危険さえ感じながらも正しいことを、真理を唱えた彼をスバラシイと思う。自分はとてもそんな勇気はないけれども、若い女性の見ている所では一つやってみようかとも思う。

流行だと言って自分の体も考えず、にスカートを短くしたり長くしたり、赤くしたり白くしたりする女子が多く、借金してスポーツカーを買ったり、オートバイを乗り回したり、集団団交とか集団万引、集団リンチとかこのごろ「集団」ということばがよく目に写る。集団を作らぬと流行おくれみたいである。みんながどう思おうと、本当のことを言いたいし、たとえ自分の不利なことでも、正しいことを行なうだけの心の豊かさと勇気を持っていたいと思う。（静岡県中遠地区連『あざみち』六号より）

煙

道政辰夫

おまえは　なじみぶかそうに
空のこころにとけこんで行く
小さな煙突の生活からあふれでて
大空にとり残されても
おまえはすぐに
遠い日の友だちの様に
空のこころにとけこんでゆく
おしえてはくれまいか

（北海道平取町4Hクラブ連絡協議会『青春』一号より）

組織のハカリ

機関誌の必要性

神奈川県厚木市青空クラブ　秋本茂雄

「機関誌、それは組織の報告、宣伝等のために発刊される書物」と辞書にあります。従ってそれを読むことにより、その組織のカラーや水準が推測できると思うのです。

だからといって、それを良く見せようと、背伸びしてまで作る必要もないのではないでしょうか。読む人にとって、その組織の内情が簡単にわかるようにすれば良いと思うのです。

また、そのことは原稿を書く上にもいわれると思います。この機関誌を編集するに当たり、部員宅へ原稿を依頼しに行った際、数人の人に「書いたことがないから」とか、「書けない」とか言って断られました。

こういうことは残念だと思うのです。読むことができ、書くことができ、考えることのできる人間であれば、何かしら書けると思うのです。それが、作家の書く文のようにならなくても良いのです。

また、それで当然なのです。人に伝えたいこと、考えていること、夢、反省していること、などを素直に書き、別に飾る必要はないと思うのです。

それから、文を書くことは機関誌の原稿に限らず、今後、人間として生きて行く上に、大切なことだと思うのです。それは、自分が生活して行く過程において、その時期の生活状況、経営状況、考え方、夢などを作文、感想文、また日記などにして残しておけば、後に自分というものを、いつでも顧みることが容易にでき、思い出を書き残す資料となるでしょう。

そういう意味で、文を書くことは必要があると思い、機関誌は組織の報告、宣伝のみでなく、一人ひとりに文を書かせる機会を与えるということにも、意義があり必要があると、私は機関誌の必要性をこう解釈するのです。

（神奈川県青空クラブ『六周年の歩み』より）

空談

現実と言葉との空隙

小説はめったに読まぬが、たまたま拾い読みしたフォークナーの短篇『クマツヅラの匂い』に、「現実とそれを語き表わしたものとのあいだには、どうしようもないギャップのあるということに気づいた」という一節があった。

言葉に際して、見失われ、掬いおとされるものと、不必要な夾雑物が混入してくるものとがあるのは、日常、いくらでも体験する。ひとまず、めんどうな文学のようなものは除外し、事実の報道を一義とする新聞記事などを考えても、＜ずれ＞は指摘できる。同一事件を扱いながら、新聞ごとに、ポイントの置き方やニュアンスが異なる場合も少なくない。社の方針といった外的条件に発する相違でなく、また、もっと隠微な、記者の視座とか語彙とかに由来するものでもない。

たとえば、言葉はすべてでない、信用できないという根強い通念も、ここらあたりに起因していよう。たしかに、＜現実＞には言葉が立入れぬ領域が多く、言葉は、すべてを覆っているわけではないし、ぼくらを欺くことも皆無だとはいえない。しかし、言葉にもまた現実を越えた広い空間がある。現実と言葉との世界が等質・等価でなく、互いにはみだす部分が多いために、「どうしようもないギャップ」や異和感が生じてくるのだ。その意味では、ひとつの事実をどれほど忠実に伝えようと努力したところで、百パーセントを望むのは、ついに不可能な希求かもしれない。

現実は、混沌とした流動態であり、固定したかたちを持っておらず、これに言葉で目鼻をつける行為、つまり、書き現わす作業は、抽象になることをまぬかれない。現実を視る筆者の位置により、様相は千変万化してやます、また、何らかの先入観や固定観念の＜色眼鏡＞によって、主体が視たもの、ひいては書き伝えられるものが、事実そのものから、否応もなくデフォルマシオンされてしまうことも、やむをえぬのであろうか。

如上のことどもを確認したうえで、なおかつ、事実を事実として書き現わし、伝達する作業を断念してはなるまい。現実と表現との間に横たわり広がる、架橋不可能かもしれぬ空間を、ギャップを、ずっと見据えつづけること、その不条理ともいうべきやりきれなさ、苛立ちに、辛抱強く耐えつづけることによって、現実を言葉で奪取る作業へ、無限に近づいて行くほかあるまい。それは、芥川龍之介が「百里の半ばを九十九里とする超数学」といったような、きつい覚悟を要するだろうけれども……。（山）

「いい加減な農政だ」農業はやめないが

北海道去場愛稲クラブ　辻本隆文

皆さん、今の農業経営をどう思いますか。国は「水田面積を増やせ増やせ」と農業に力を入れ過ぎて、ブレーキを今頃ふむなんての、は適当だと思いませんか？　一割減反、二割減反など、今度は水田をやめなさいとだんだん国は、強制的に出て来ています。そうなると二分や三分など中途半端な農業は本当に自分で自分の首をしめているようなものです。

国は、そういう所をどう思って「減らせ」、「やめろ」などと、言っているんでしょうか。俺は、そういう適当なやり方をうらみます。本当に、適当だと思いませんか！　今後こういうふうに国が強制するならば、何んらかの対策を俺達農業後継者は望みます。

でも、俺達は農業をやめる気持はまったくありません。今後農業はどういう立場に置かれると思いますか？　それは、俺にもはっきりわかりませんが、ここ四、五年のことだと思います。その四、五年を、小さな経営者はもち切れず、農業をはなれて行く人も少なくありません。今からは苫小牧工業港の影響もふりかかってきて一層苦しくなると思います。俺は、そう考えています。（平取町4Hクラブ連絡協議会『青春』一号より）

4H活動をかえりみて　＜上＞

父の理解を支えに

よい先輩たちに恵まれて

佐賀県連45年度副会長　麻生すみ子

私が4Hクラブに入って、早や三年が過ぎました。あのころの私は、高校を卒業してまもなく、同じ年代の人との話し合いの場がほしく、数名が中心となり、普及所の先生方の援助もあって、半田4Hクラブを結成したものでした。

でも今は、この激動する七〇年代の一こまにおいては、そんなのんきなことでは仲間との対話も交流も、容易なものではありません。どの会合も、どの会合も参加者が少なく、しかもだんだんと同じ顔ぶれの数名によって、クラブ活動の歯車がまわっていることに、皆さん、もう気づいていらっしゃることでしょう。

そんなことでいいものでしょうか。誰もが今の農村の現状に、または農政に対して、いろんな考えや不満を少なからずいだいているであろうに……。この大切な時期に出かせぎという逃避の中にいて、身も心もさまよっていていいものでしょうか。現在の私達は集まるということをしらない。いや、しない。小さな意見でもいい……。一人ひとりが、なぜそれをもちよって、大きな農村青年としての声として叫ばないのか……そんなことを思うと、しだいしだいに腹が立ってくるのです。

私の4Hクラブ活動をふりかえってみるとき、いろんなことがありました。私の青春は、この中で花開いたといっても過言ではないでしょう。私は四十一年に高校を卒業し、それ以来、父と共に農業をしております。私には三人姉妹の長女ということがなかったら、他にやりたいということも多かったし、農業以外の職についての夢もありました。

卒業のころ、長女だから農業をしなくてはいけない……、ひいては家を継がなくてはいけないということ、いわば「みえない糸」で縛られ、自由を束縛されたということに対して、私なりに両親と話し合いをし、反抗をもしたものでした。しかし、親の望むことに、または現在の農村社会の中に、私の意見をも通すことができず、結局、父を中心に祖父母と共にミカン作りと取り組んできました。

そんな中で、少しずつ仕事に慣れていくうち、父の言う通りに「指図をうけて」やっていく農作業に、物足りなさを感じるようになったり、また、親元にばかりいても井の中の蛙で終るし、他人の飯も食べて、苦労してみなければと思う気持が強くなりました。

それと同じく、同世代の青年と話してみたい……、みんなどんなことを考え悩んでいるのであろうか……という気持が、しだいしだいに強まっていき、先進地留学に二ヵ月間を出向き、それを契機に私の4H活動が始まっていきました。それから半田4Hクラブを作り、地区連加入と同時に、しばらくして地区の役員として出るようになりました。

人一倍、好奇心と、学べるものは何でも学びたいという気持が強かった私は、見るもの聞くもの、私の内に吸収され、ピンピンと私の体の中へはねかえっていきました。私が4H活動をやっていく中で、すばらしい先輩に何人も恵まれたことはとても幸せなことでした。先輩は美しい言葉で、ある時は後姿の行動で教えてくれました。リーダー研修会、技術交換会、青年会議、役員会、すべての行事に「我」など意識する間もなくほんとうに無我夢中の一年、二年が過ぎました。

そうした私の行動を、先輩や仲間と共に暖かく理解してくれた人がありました。それは家族です。特に父でした。初めのうちは、父も役員会の通知に、または二泊三日の研修会に興味を持って、進んで行くよう勧めてくれたものです。

しかし、一年が過ぎると「家のことも少しは考えなさい!!　個人の経済の上に立ったところの青年活動でなくてはいけないんじゃないのか……」と、その一言だけいう父、ほんとうに考えてみろといわれる通り、家のことなど「家庭のこと、仕事のこと」ふりむきもせず、私の欲求をみたすがため、つっぱしっていたといっても、言い過ぎではなかったかもしれません。

そんな父にすまないという気持が出てきました。しかし、いつまでもそのことを気にする私ではありませんでした……。家を出るときは出にくいが、一歩出てしまえば、家のこと、仕事のことなど忘れて、クラブ活動に一生懸命になったものです。

今は効果はなくても長い将来ということを、胸の奥深くいつも持って、そのことを支えに活動に励んできたものです。

そこで思うに、やはりクラブ活動をする上で家族の理解、暖かな愛情、これは、やろうとする意欲と共に大切なものであることを痛感しております。今では、私のクラブ活動を見て、半ばあきらめの気持も加わってか一言も言いませんが、やはり家族の理解がなかったら、私のこのクラブ活動歴はなかったものと思います。

（つづく）

（佐賀県連『四つ葉』五号より）

クラブ員の新聞に

編集部より山田君への返事

前略　私が4H新聞を取り初めてから、二年になりますが、初め中の記事だけを読んでいました。そのうち、4Hクラブに活発、不活発なところがあると思い、記事の発信県を表にしてみますと、次のような結果が出ました。

各県に、連絡報道員があると聞いています。どうしてでしょうか、全然、記事のみえない県もあります。そのようなところにも、良い記事があると考えます。そうした県の記事も、今後、どしどし載せて下さい。　敬具

山田田吾作

記事の平均化には

先だって、編集部宛にこのような便りが届いた。別紙として、二月二十四日から四月四日までの五回にわたる「記事の発信県を表にした」ものが、添えられていた。編集部としても、掲載頻度が県により大きな差があるのを、どうしたら平均化できるかと考えていた矢先きだったので、こうした意見が出るのも当然だと思われる。特定の県のみを扱うのは、不公平だという声を聞いたこともある。なるほど、無理もない、もっともだと感じながら、是正できないままになっていた。

人手不足その他から、直接、編集部が全国各地へ取材に出られず、各県の報道員に頼っていたため、よく送稿してもらえるところと、そうでないところとの差が生まれた。報道員の肩書を持たないクラブ員のなかにも、熱心に投稿して下さる人もある。純然たる機関紙でなく、「準機関紙」であるという曖昧さが、こうした事態にしてしまったのではないかと思う。

しかし、原則論を振りまわすだけでは、現状を打開することはできない。本年度から、一歩前進して、報道員は協会の依頼から全協の推薦というかたちになり、県段階のみでなく、地区段階にまで置くようになった。いくらかでも、記事の数、内容の充実に役立てばと、全協執行部と4H新聞編集部とが話合った結果である。

報道員のみでなく

しかし、報道員だけでは、すべてをカバーすることが不可能であるし、「準機関紙」であろうとも機関紙である以上は、すべてのクラブ員のものでなくてはならない。つまり、作者が同時に読者であるというかたち、読者と4H新聞とがさらに密接に結びついて、そこに、あるひとつの、打てば響くような交流関係、往復運動が生じてこなくてはうそである。

そうした意味においても、冒頭に引いた山田田吾作君のような便りは、よろこぶべきである。手応えのないところでは、編集部としても企画の立てようもないから。

企画にも参加して

企画といえば、これも単に編集部から一方的に流すべきものではなく、むしろ逆に、クラブ員の方からさまざまなアイディアや注文があってしかるべきだ。

一般の日刊紙でさえも、近ごろは、投書欄にかなりのスペースが割かれているのだから、4H新聞が官報のような一方交通であっては、あまり歓迎できない。"講読してやっている"ではなく、"自分たちで作ってやる"という方向へ進めてほしい。山田君の便りを公開したのも、そういう意図からである。どうも、ありがとう。

（日本4H新聞編集部）

草木虫魚

エニシダの変身

エニシダが咲きそめた。アジア西部、アフリカ北部、ヨーロッパが原産地で、渡来してから三百年、まだどこかに異国の匂いをとどめるが、「えにしだ」と書きたいような、日本の花のやさしさをただよわす。中国名を「金雀花」と呼ぶのは、息をのむほどに鮮かな黄色と、花びらのかたちによるのだろうか。マメ科特有の花弁をじっとみつめつづけていると、雀のようでもあるが、蝶か蜜蜂か、または蛾の翔ぶ姿に、いつか変身している。おやと思う間もなく、一瞬の幻影はもとのエニシダへ戻ってしまうが、しばらく待てば、また蝶や蜜蜂たちはやってくる。きっと、若葉の林を吹いてきた風の、プレゼントだったのかもしれない。「えにしだの黄にむせびたる五月かな　万太郎」

（Y）

日本4H新聞
4Hクラブ　農事研究会　生活改善クラブ
全国弘報紙
発行所　社団法人 日本4H協会
東京都市ケ谷家の光会館内
電話(269)1675郵便番号162
編集発行　玉井 光
月3回・4の日発行
定価 1部 20円
一ヵ年700円（送料共）
振替口座東京 12055番

クラブ綱領

私達は、実践を通じて自らを磨くとともに、互いに力を合わせて、よりよい農村、よりよい日本を創るため、四つの信条を かかげます。一、私達は農業の改善と生活の改善に役立つ腕をみがきます。一、私達は科学的に物を考えることのできる頭の訓練をします。一、私達は誠実で友情に富む心をつちかいます。一、私達は楽しく暮し元気で働くための健康を増進します。

48年に「つどい」誘致へ　神奈川県連

満場一致で決る　総会
「準備委員会」を発足　会長に杉崎君

【神奈川県＝鈴木時保連絡報道員発】神奈川県農村青少年クラブ連絡協議会（会長 佐藤春雄君）は、さる四月三日、高座郡海老名町杉久保の農業大学校で四十五年度の定期総会を開き、四十六年度の事業計画や新役員を決定するとともに、四十八年度に開催される「第九回全国4Hクラブ員のつどい」を同県に誘致することを満場一致で決め、さっそく同つどいの準備委員会を発足させることにした。

20周年機に盛上り期待

杉崎県連会長

総会は、佐藤県連会長のあいさつのあと議長を選出して議事審議に入り、まず四十四年度の事業と収支決算の両報告、監査報告を満場一致で承認した。つづいて、四十六年度については役員選出を行ない、別記のとおり新役員を選んだあと事業計画と予算両案について審議し、決定した。

このあと、新役員を代表して会長に選出された杉崎正章君が「県連二十周年を契機に県連・地区連が一層盛り上るように努力したい」と抱負を述べて新年度へのスタートを切った。

最後に、全国4Hクラブ連絡協議会の中野事務局次長から全国4Hクラブ員のつどい開催要領の説明があり、これに対して質疑応答のあと、四十八年度に開催される「第九回全国4Hクラブ員のつどい」を神奈川県に誘致する件について、クラブ員の意思決定が満場一致でなされ、さっそく準備委員会を発足させることになった。

新年度の活動方針と事業計画は次のとおり。

・激化する農業の中で、クラブ活動の意義を深め組織強化を図りながら、クラブ員相互の親睦をはかることを目的として次の事業を行なう。

①リーダー研修会（五月）②県農村青少年クラブ員の集い（九月）③青年会議（三月）④県連だよりの発行（四月）⑤諸団体との連携強化⑥その他。

新役員は次のとおり。（カッコ内は地区）

会長 杉崎 正章（小田原）
副会長 河崎 幸一（川崎）
同 青木 和子（大和）
事務局長 八木健一（津久井）
事務局次長 鈴野 実（秦野）
会計監事 安室 実（相模原）

伸びる「祭典」のレール

【解説】神奈川県連が、さる四月三日、高座郡海老名町の農業大学校で開いた定期総会で、四十八年度に開催される「第九回全国4Hクラブ員のつどい」を同県に誘致する方針を満場一致で決議し、さっそくつどいの準備委員会を発足させることになった。

この意思決定により、全国4Hクラブ員のつどいは、今年度開催される愛知から来年の北海道、そして神奈川県連へとレールが敷かれることになった。

また、これまで、つどいが開催された県連は、大分を皮切りに埼玉（第二回）富山（三回）鳥取（四回）佐賀（五回）で、まだ開催されていないブロックは東北地方を残すだけとなった。

このつどいは、自分たちの意志と力で自分たちの大会を持とう―というクラブ員の強い願望と情熱が形となって現われたもので、大分県の城島高原で旗上げしたのがはじまり。当時は、この青年の願いが理解されず、周囲の非協力、無視という厳しい環境のなかで、先輩たちは汗と泥にまみれて、共鳴してくれる人だけでもよい―と4Hの旗の下に集まり、つどいの炎を燃やしたわけである。

それ以来、クラブ員一人ひとりの自主独立の精神の涵養、組織の主体性の確立、4Hクラブ精神と同志意識の高揚による仲間づくりとともに、現地交歓訪問（民宿）を通じての農業技術の研修、視野の拡大、さらには、家族と地域ぐるみの4Hクラブ活動の推進という趣旨のもとに開かれ、参加者は実践を通じてそれを学び、明日への努力を誓い合ってきた。とくに、青年の手による自主運営、民泊による交歓と研修、家族と地域ぐるみの参加などこのつどいの大きな特色が注目されて、周囲からの協力もあり参加者は毎年増加の一途をたどってきている。

また、ややもすると、この種の大会にありがちな形式化、虚飾化は警戒すべきであるが、行事構成面で県連のウエイトが大きく、毎年、それぞれ特色ある行事が組まれその心配も今のところはない。それは、つねに原点に立ち返り、力強く再出発しようという伝統が脈々と流れているからであろう。

このつどいも、今年で早くも第七回を迎え、さらにレールが伸びたわけであるが、第十回は思い出の地、大分県で再び開こうとの声もある。

ただ神奈川県連の場合、都市近郊という事情から二年後にはクラブ員が相当減少するのではないかと予想されているため、現地交歓訪問での民泊が懸念されるが、これは、関東ブロック、とくに神奈川の隣接各県連が協力体制をつくれば解決できるものと思われる。

いずれにしても、この青年のための、青年による、青年の大会が全国クラブ員の協力のもとにさらに発展することが期待される。

つどいの日程

◇1 日目（7月12日）

午前10時	受付け	名古屋駅 名古屋城前
午後1時	市中パレード	愛知県庁 愛知文化講堂
〃 2時	オリエンテーション	
〃 2時30分	開会式 歓迎レセプション	
〃 4時30分	現地交歓訪問（各ブロックへ移動）	愛知県下一円
〃 7時	入浴・夕食	
〃 8時	ブロック歓迎会（郷土品の交換）ブロック別宿泊	

◇2 日目（13日）

午前6時	起床・洗面・朝食	
〃 8時30分	オリエンテーション、地区の紹介	
〃 9時30分	単位クラブ・グループ討議（部門別）	
12時	昼食	
午後1時	優良農家の視察と話し合い（ブロック別）	
〃 6時	現地交歓訪問（家族との話し合い）	クラブ員宅

◇3 日目（14日）

	現地交歓訪問　クラブ員の生活を体験、農業の研修、家族や地域指導者との話し合い、クラブ活動状況についての話し合い、地域への奉仕活動	クラブ員宅
午後8時	単位クラブ別行事	
〃 10時	民泊	

◇4 日目（15日）

午前8時30分	県内視察（バス利用、ブロック別にコースを考える、三ケ根山に集合）	
午後3時30分	三ケ根山頂のつどい三ケ根山旅館へ移動	
〃 5時	入浴・夕食	旅館
〃 7時30分	夕べのつどい	宮崎海岸
〃 10時	自由交歓	旅館

◇5 日目（16日）

午前6時30分	起床・洗面・朝食	旅館
〃 8時	バス移動	岡崎市民会館
〃 9時30分	記念講演（講師と演題は未定）日本4H会館建設について	
〃 11時	わかれのつどい 閉会式	
午後1時	解散（バス利用）	

海岸線が美しい吉良海岸

大詰めを迎えた準備
申込みを早めに
21日に主催者が打合せ
第7回つどい

今夏七月十二日から十六日までの四泊五日間にわたって愛知県で開催される「第七回全国4Hクラブ員のつどい」まで、あと二ヵ月足らずに迫ったが、主催者＝全国4Hクラブ連絡協議会（会長 黒沢健一君）愛知県4Hクラブ連絡協議会（会長 鳥居久雄君）社団法人日本4H協会（会長 宮城孝治氏）は、来る二十一日、蒲郡市の愛知荘で、同つどいについての打合わせ会を開く。

現在、東京・新宿区市ケ谷の全協事務局には、全国の各道府県連からつどい参加者の申し込みが届いているが、全般的に申し込みの出足が遅れているため、主催者では早めに申し込んでほしいと呼びかけている。

これまでの申し込み状況をみると、五月八日現在、九十五名という大量参加を申し込んだ佐賀県連（昨年度のつどい開催地）をトップに、来年度、第八回のつどいが開かれる北海道二十八名、三重三十一名、奈良（第四回つどい開催地）十九名、埼玉（同第二回）十五名、高知十四名、千葉十名と十名以上の県連が続き、さらに茨城では約四十名を参加させたいとの問い合わせをしてきているなど、遅れていた参加申し込みも、ここにきて好調な出足をみせている。

しかし、まだ未提出の県連も少なくないことや、愛知県連が早期に参加者を把握したいと要望しているため、できるだけ早く申し込んでほしいと主催者側では語っている。

愛知県連が、早めに参加者を把握したいとしているのは、つどい行事の現地交歓訪問で、県外参加者の希望にあったプロジェクト（経営部門）を行なっているクラブ員宅に宿泊できるよう事前に参加者個人と直接連絡したいという意向のためである。

これは、同県連が今回のつどいのキャッチフレーズとして「肌で感じる愛知の農業」をかかげているように、今回の現地交歓訪問では、農業経営を重視していることとも関連しており、それが地区連行事中心という形で現われている。

地元の準備状況も、いま県連から地区連にその主力が移ってきている。愛知の農業は日本農業の縮図ともいわれるように、渥美、尾張など地区によって経営形態が異なるが、今回の現地訪問では、その地区の特色を十分に出して、参加者に肌で愛知農業を知ってもらおうという趣向。本紙前号でも紹介したとおり、東愛知ブロックでは、意見発表会と分科会討議を計画、その発表者を全国から広く募集することにしているほか、その他の地区連でもそれぞれ検討している。

しかし、今月の中旬にかけて地区連において総会が開かれ、役員改選が行なわれているため、一部の地区連で計画立案が遅れているようだ。また、地区連によって行事や歓迎会などの規模が余りにも異るのは好ましくないとして、二十一日の打合せ会で最終的に調整することにしている。

同県連では、すでに開・閉会式場や旅館などの予約を済ませて着々と準備を進めているので、あとは参加者の把握が問題になるわけである。

十日に地区連会長会議を開き、さらに二十日には全体の打合わせを行なうことにしており、つどいの準備も、いよいよ大詰めの段階を迎えたといえる。

十一月下旬を予定
沖縄への親善交歓訪問
全協

全国4Hクラブ連絡協議会（会長 黒沢健一君）は、今年も全国4Hクラブ員による沖縄親善交歓訪問を計画し、いまその準備を急いでいる。

この沖縄訪問は、全沖縄4Hクラブ連絡協議会（会長 大城正幸君）が全協に加盟しているにもかかわらず、諸事情から沖縄の4Hクラブ員たちが全協の実施する事業にこれまで十分に参加できないため、本土から訪問し、相互の理解と親密を深め、4Hクラブ活動や農業の発展に努力し合おうというもので、今年で三回目。第一回は、年度の途中で突然実施に踏み切ったため募集期間が短かかったこともあって参加者は二十三名であったが、昨年は五十二名の参加者があり、沖縄のクラブ員宅に分宿して交歓、相互理解と友情を深めるなどの効果をあげた。

実施期間は、今回も沖縄の技術交換大会が開かれる十一月下旬が予定されている。しかし毎年、海外に旅行する人がふえてきているため、飛行機の座席も早目に確保する傾向にある実情から、参加の申し込みは例年より早める模様である。

日程は、事前と事後の研修も含めて七日間が予定され、主な行事としては、琉球政府関係機関への表敬あいさつ、沖縄の技術交換大会に参加、沖縄クラブ員宅への分宿による現地交歓会、南部戦蹟視察などが組まれている。

まず一日目は、本土で事前研修し、二日目に結団式をしたあと沖縄へ出発、到着後直ちに関係機関への表敬あいさつ、三日から四日目にかけて技術交換大会に参加し交歓、終了後沖縄クラブ員宅に分宿して生活、五日目に分宿先から帰り、南部戦蹟や地域農業を視察、六日目に那覇空港を発ち、本土に帰着、七日目にかけて事後研修し解団式を最後に解散することにしている。

参加者は、4Hクラブ員、OBとその家族などで、経費は約六万円が見積られている。

この訪問は、班別行動によって行なわれるので、沖縄クラブ員と交歓というだけでなく、規律ある団体生活を通じて自分を磨き、また、本土から参加したクラブ員同士の心のつながりも強めるなど予期以上の成果を収めている。

なお前回は、参加者全員がレポートを提出し、黒沢現会長が中心となって報告書を発行した。B5版で、クラブ員が見聞した沖縄訪問体験の感想が九十六頁にわたってまとめられている。

研修会などを計画
兵庫県連で総会　会長に沖野君再選

【兵庫】兵庫県農業青年クラブ連絡協議会（会長、沖野員嘉君）は、さる四月二十日、兵庫県民会館で四十六年度の通常総会を開き、新年度の事業計画や役員などを決定した。

四十六年度の主な事業計画としては、①会議（総会、評議員会、企画委員会、広報委員会）②技術交換大会（地区、県大会の開催と全国大会への参加）③青年農業者会議（地区、県大会の開催と全国大会への参加）④クラブ員研修会（女子クラブ員研修会）⑤農青連会報の発行（年三回、クラブ員名簿の作成）などで、このほか近畿ブロックや全国規模で開かれる各種の行事に代表クラブ員を派遣することにしている。

新役員は次のとおり。（カッコ内は地区名）

会長 沖野員嘉（豊岡）
副会長 魚住眞一（明石）
同 苅尾孝子（竜野）
事務局長 矢内作夫（佐用）
企画委員会委員長 藤原和章（西神戸）
同副委員長 森崎宮治郎（津名）
広報委員会委員長 小西聰（豊岡）
同副委員長 東仲 優（三田）
監事 山下和芳（三原）
同 酒井 康（柏原）
同 村上 等（竜野）
▽顧問 兵庫県知事、同県農林部長、神戸新聞社長、同県市町会長、同農協中央会長、NHK神戸支局長▽参与 兵庫県農林部農業改良課長、同課普及係長、同県農業振興協会事務局長

募金協力も　4H会館
香川県連も総会　クラブ加入を勧誘

【香川】香川県農村青少年クラブ連絡協議会（会長 浅野稔君）の四十六年度通常総会は、さる四月二十八日、香川県青年センターで開かれ、新年度の事業計画や役員が決定された。

四十六年度の主な事業としては①農村青少年技術交換大会の開催②青年農業者会議の開催③指導者育成＝リーダー研修会の開催と、全国4Hクラブ中央推進会議への代表派遣④県内クラブ相互の連絡強化⑤他県の活動状況の把握＝中・四国ブロック会議や農村青少年のつどいに参加、なかまづくりの推進⑥中・四国地域若い農業者の集いへの参加⑦青年団体協議会への参加と呼びかけ⑧青年の船への積極的参加⑨4H会館の建設に協力などを計画。また、新規就農者に対しクラブ加入を呼びかけることにしている。

新役員は次のとおり。

会長 矢木 照男（大川郡）
副会長 大山 圓實（同）
同 三好 朝子（同）
理事 木村 一夫（小豆郡）
同 八木和之祐（小豆郡）
同 政木 勉（木田郡）
同 三野 俊昭（坂出市）
同 松園 雅彦（仲多度郡）
同 近藤 広義（三豊郡）

涼風暖風
孤独・孤独・孤独

●〝ジュラクはどこですか〟
▼〝どの向うの十字路を左に行ったところです〟
●〝そうですか、どうもありがとう、どなたか待合せですか〟
▼〝ええ〟
●〝どなたです?〟
▼〝主人です〟
●〝そうですか、ジュラクは知っていたのですよ。きれいなので声をかけてみたくなって、お茶でも飲みませんか〟
▼〝ええ間もなく来ますので〟
●〝保険の外交ですか〟
▼〝いいえ〟
●〝事務ですか〟
▼〝ええ〟
●〝ちょっとどうですか〟
▼〝またいつかね〟
●〝いつかでなくて、二十日はどうですか〟
▼〝二十日はちょっと都合が悪いですね〟
●〝では、三十日〟
▼〝そうですね〟
●〝いいですか〟
▼〝その日にならないとわかりませんけど〟
●〝若い人は約束をしても、スッポかして来ない人がいるけど、中年の人は必ず約束を守るから、あなたも来てくれますね〟
▼〝……〟
●〝三十日、ジュラクの前で……六時でいいですか、それとも六時半?〟
▼〝六時では早いですね〟
●〝では六時半から七時〟
▼〝……〟
●〝ジュラクの前で、待っています〟
▼〝その日にならないとわかりませんよ〟
●〝まっていますよ、三十日、六時半〟

夕方の人混みの中に、足早に立去ったのは、三十歳を過ぎた立派な青年紳士であった。

×××

○〝いま何時ですか〟
○〝六時二十分です〟
○〝どうもありがとう〟

男性とも女性とも、ちょっとには判断のつきかねる二人の人に問いかけられた。

×××

ここは新宿、三越デパートの正面入口の前、友達との約束時間十五分前のわずか十分間のできごとである。

翌朝このことを職場で話をした。ところが、皆の関心と興味が集まって、〝それから〟〝そしてどうしたの〟……と、とうとう一部始終話をさせられてしまった。そして各々

〝どうするの、三十日デイト?〟
〝二十日、三十日とは月給日を考えてるのね〟
〝来るかしらね〟
〝主人役を引き受けて一緒に行ってみようかしら〟
〝あなたにもそんな面があったの〟
〝待合せの相手が御主人だと、よく言ったわね〟
〝みんなでいってみようじゃない〟

との話題でにぎやかなことであった。

そして私は、この或る日のハプニングを通じて思ったことは、東京人とは、全く孤独なものであるということであった。（T）

心頭技健

さいきん、農村青少年で漫画や週刊誌を読む人がふえているが、同じ年齢の大学生はどんな雑誌や週刊誌を読んでいるかという面白い統計がある。全国四十六大学の調査によると、月刊誌は、①文芸春秋②中央公論③世界④就職ジャーナル⑤展望―の順になっている。このうち東大生についてだけみると「世界」が一位になっている▼週刊誌では、①朝日ジャーナル②少年マガジン③週刊朝日④サンデー毎日⑤エコノミスト⑥少年サンデーの順。このうち東大生の場合は、少年サンデーが少年マガジンに次いで多く、全国大学の統計と少し順位が違っている。しかし、全般的にみて、東大生といえども、全国の平均的な大学生と余り変わっていないことがわかる▼十年ほど前の調査だと、東大生の購読誌には特徴があり、月刊誌では、「世界」や「中央公論」がとくに多く、週刊誌は集計の対象にならなかったそうである。ところがいまは、服装からヘアースタイルまで殆んど同世代の人たちと似てきており、あの銀杏並木をホット・パンツのお嬢さんが闊歩するだろうとさえいわれている▼ついでに、東大生が会社を選ぶ要因についてみてみると、自分のもっともやりたい仕事である（六一・七％）が多く、ついで、仕事にやりがいがある（五七・四％）、自分の専門を生かすことができる（四七・七％）、将来性のある企業（四一・三％）、職務への適性（四〇・四％）、技術者を大切にする（三〇・一％）、基礎のしっかりした会社（二七・二％）となっている▼このほか、給与、福利厚生施設や勤務時間が短く、仕事が楽――あげている人も多い。職業選択で宿命的なところがある農村青年とはやや異質のものがあるが、やりがいのある仕事を選ぶことには変わりはない。クラブ員のアンケートでも〝やりがいがある〟という答えが圧倒的に多い▼漫画が若い人たちに読まれる理由については、いろいろと論じられているのでおわかりのことと思うが、さいきん、クラブの行事でクラブ活動とは全然関係のないカー・レースなどの映画が上映されるのもこれと似ていないだろうか。ワクから飛び出してワクの内側を見直そうという思考方法か。

◆農村青少年の意識調査をみる◆

社団法人全国農村青少年教育振興会では、さる三月二日から四日間東京・渋谷区のオリンピック記念青少年総合センターなどで開かれた第十回全国青年農業者会議において「農村青少年の意識」についてアンケート調査したが、このほどその結果をまとめた。それによると①将来の農業経営の形態として、果樹や野菜、畜産などを望んでいる②収入では、五百万円前後を希望している人が多い③公害問題について大きな関心を示している④農政や農業団体などに対し、農民側にたった施策を望んでいる⑤クラブ活動については、組織が弱いことを指摘し、よい指導者が少ないことを訴えている——などがわかった。以下はアンケート結果のあらましである。

弱いクラブ組織

ほしい500万円 農業収入

アンケート回答者は百九十九名で、その内訳をみると、性別では男子百二十八名、女子七十一名。年齢別では二十歳以下が二十七名、二十一歳から二十五歳までが百十二名、二十五歳以上が四十二名、不明は十八名である。

農業経営の形態別についてみると、専業は男子で百八名、女子で四十六名、兼業は男子十四名、女子二十二名の割合である。専業が男子の八五%、女子の六五%を占めているが、わが国全体としては兼業がふえて農家戸数の約八割を占めているので、この会議の特殊性を物語っているといえる。

果樹・野菜など志向

粗収入では、百万円以下が男八名、女十二名と少なく、百万から二百万円が男四十一名、女三十二名で、女子では最高。二百万から五百万円は男五十九名、女十九名と男子では最も多くなっている。さらに、五百万円以上も男十八名女四名となっていて、八ケタ農業も夢ではない。希望する額でも、五百万円くらいのところが多い。

次に、将来、志向する経営類型では、多岐にわたっているが、野菜や果樹が多い。

内訳をみると、水稲は男二十四名、女十九名、麦は男ゼロ、女一名、野菜が男三十七名、女十六名、果樹が男四十名、女二十六名、養蚕は男七名、女一名、養鶏が男四名、女五名、養豚が男六名、女三名、酪農が男十一名、女九名、肉牛は男二十一名、女七名となっている。

また、花卉・花木は男九名、女五名、茶は男四名、女三名、茸は男子になく、女一名、その他は男十名、女七名の割合。このほか、タバコ、稚タケ、植木、施設園芸、淡水魚、軟弱野菜など多種にわたっている。

それでは、このような形態をどのような方法で進めるかについてみると次のようになっている。

家族を中心に規模拡大をはかるというものが男四十七名、女二十四名で最も多く、ついで、協業や集団的生産組織を中心に生産向上をはかるものが男三十四名、女二十四名、立地条件が異なるからいちがいにいえぬというものが男三十二名、女十五名。

公害にも大きな関心

公害、自然環境の保全、人間疎外、人間性の回復といわれるが、農業経営や生活について、こうした問題を考えたことのある人は大部分で、男百十九名、女六十二名(ない人に男五名、女六名)となっており、公害問題はやはり大きな関心事となっている。

地域の農村問題と青少年の活動をみると、これらに参加したり意見を発表する機会のあるものが男九十九名、女三十八名、時々あるものは男二十九名、女二十七名で地域に及ぼす青少年の力は大きいといえる(全くないもの男五名、女四名)

農民側に立つ施策を

では、農業や農政問題についての要望、希望はどうかというと、割合に回答が少なかったが、次のようなものがあった。

一、農民側に立った農政、長期で低利な融資を望み、特産地形成の推進、離農者対策には資金だけでなく転職の斡旋も要望している。

一、長期的視野に立った政策を推進し、総合農政でうたわれている適地適作や市街地域内での農業者対策の推進、また専業農業育成のために、食管法の改正(消費者価格、生産者価格を除く)を望む声もある。

このほか、農産物の自給率の明確化、県、市単位ではなく、もっと細分化された施設を望んでいる。

一、農業団体については、農協は本来の目的から離れつつあるが機構を再検討し、営利主義に走らず、技術面の指導もしてほしい。もっと青年の意見を取入れたり、研修事業、研修の援助をしてほしい。また、全国的な同一作目の組織の結成、流通機構の再検討、情報の一本化、地域格差の是正などが課題であり、地域のビジョンづくりをしてほしいなど。

リーダー不足を訴え

次に、クラブ活動についての回答は次のとおり。

このアンケートは、まず「農村青少年グループ活動を活発に進めるために一番欠けていると思われる事項に順位をつけて下さい」とあり、続いて順位をつける事項が六つ並んでいる。

回答を集計してみると次のようになった。

順位をつけられた事項の中で、一位の回答が最も多かった事項は、「農村青少年の活動が弱い」で全体の三八%。続いて、「農村青少年のグループ活動のリーダーが少ない」二八%、「農村青少年の教育研修活動やグループ活動に対する指導者が少ない」一七%、「農村青少年の教育活動についての情報や教材が少ない」九%、最後が、「農村青少年の意見を発表する機会や刊行物が少ない」八%の順になっている。

青年自身に意欲欠く

また、各事項ごとに集計してみるとつぎのようなことが目だった。

一、「農村青少年の活動組織が弱い」という認識が、女性の三九%に比べ男性は四九%と高い。

一、「農村青少年の教育研修活動やグループ活動対にする指導者が少ない」という認識については逆に、男性の二〇%に比べて女性は二六%とやや高い。

一、「農村青少年グループ活動のリーダーが少ない」という認識は二十一歳~二十五歳の人に強く二十六歳以上の人には弱いようである。

続いて、「その他」の欄に記載されていたものとしては▽青年自身に意欲がない▽大きな組織に頼りすぎる▽地域へのPR不足▽青年の人員減少、などが目だっていた。

⑥ ヨーロッパ農業に学ぶ

一人平均25ヘクタールに

ステッバッハ村構造改善事業 満足げな転職者

西ドイツ

昨年の九月二十八日われわれは三十年前にヒットラーが作ったといわれるアウトバーンを走ってステッバッハの村落に着いた。ゲミンゲン村のクラーネ(王冠)という食堂で昼食をとったあとマアーグ農業事務所長とジウィーグラー村長の話を公民館で聞いた。この構造改善事業はドイツのグリーンプランというEECにおける西ドイツの位置を高くするための構想によって始められた。一九五九年より経済規模拡大を図り当時は村の耕地は六百五十ha、人口約八百人で農業従事者は四十人であったが、離農転職をすすめ現在は十七人である。したがって一人当りの平均耕地面積は十haであったが、今では二十五haとなった。この事業は、農民の自発的な気持ちで進めたが、最初は反対もあり三名の実行委員によって改善事業の説得に当り、一九六〇年に新しい住宅地に移るように百二戸の新しい家を造った。古い家は政府が買い上げ、新しい家を購入するための資金は、一戸当り十三万ドイツマルク(千三百万円)、そのうち九万ドイツマルク(九百万円)は政府の長期ローン(年利0・5%)の制度によった。

町役場の庁舎は、四十二万ドイツマルク(四千二百万円)をかけて新築したばかりである。

農耕地は一区画二~三haであり一ha当りの土地改良事業費は二千ドイツマルク(二十万円)のうち千四百ドイツマルクは州政府や中央政府からの援助を受け、六百ドイツマルクはローンを使った。

実施後の経済効果としては、一ha当り八千ドイツマルクしかなかった地価が、所得が上る様になったことから二万ドイツマルク(二百万円)もするようになった。土地は個人所有であってほかの耕作者に貸した人と売った人がある。

土地の交換分合についてはお互いの自由意志で出来るものだけ実施した。転職した人はトラック運転手やビル工事などに行ったが、収益が上る様になって満足している人が多い。農場当り(二~三人の労働者)としては粗収入七万ドイツマルク~九万ドイツマルクを上げ、経費は三万ドイツマルクである。一人当り所得は一万五千~一万八千ドイツマルク(百五十万円~百八十万円)で、州政府農務省の話の中で所得の高い都市が集中するシュッツガルト近辺の一万三千ドイツマルクより高い水準を示している。

実施後の効果として、①耕作していない所も耕地とすることができた②以前は経営的に赤字であったが、現在は収支の採算があうようになった③規模拡大によって生産性が向上したことなどがあげられ、離農・転職した人からも生活が安定し、向上したのでよろこばれている。

その後新旧の村の様子を案内してくれた。この地方の集落は家並がかなり密集しており、その村の中に教会が新教・旧教の二つがあって、周辺が農地という形をしている。部落の周外には人影がまばらであった。そ[illegible]しい計画図を描き、一区画を二~三haの規模としたものであるが、肥沃地とは言えない。未だたちのきをしない古い家もあり、近代的建築とコケむした古い家とが両立して対照的であった。低所得者のための特別の住宅も建っていた。今までの排水路は暗きょにして排水をしてある。十年前、最初に移転したという酪農家を見せてもらったが、質素な中にも清潔な台所、応接間、寝室や便所があり、保存食品のピクルスや大きな冷蔵庫の中の豊富な肉の貯が、構造改善事業の効果が成功していることを物語っていると思う。村長は選挙法によって選ばれ、任期は最初八年でさらに信任されれば十二年と長く一人を信頼して事業を進めている。このように長期にわたる事業ができるのも責任者である村長の任期の長いことが、かなり功を奏したものと思われた。

(四十五年度静岡県産業青年海外研修団農業班)

蛙道

気をつけて視られている人

姦淫。この言葉からはプーンと船来ものの匂いがたち昇る。そして、たしか聖書の姦淫について書いてある中に〈視姦〉というような言葉があった。だいぶ前、金がなくなった時私は、他の数冊の本と一緒に聖書を売りとばしてしまったのでかっこうよく引用できないが、それは、もしもあなたがみだらな心をいだいて異性をながめたならばもうそれは姦淫をおかしたことになる…というものであったと思う。

この戒が、現在も生きていたとすれば、さしずめ東京の国電などは姦淫電車と呼べるのではないか。ミニや…パンツの大衆的氾濫である。気の弱い私なぞ電車の中では視線が散って、読書の行間が全然すすまず困ってしまう。「目を盗む」という言葉があるが、よく言ったものだと今頃感心している。都会人は目を盗む種族ではないか。キチンとワイシャツを着てネクタイを締め、人目がないとみるやミニからはみ出した大脚もとにチラッ、チラッと視線を送る。こんなのをみていると、中学生の頃読んだ石川五右衛門のことを思いだす。道ですれ違った美少女を、五右衛門が立ちどまって吸いよせられるようにジッと眺め入るという描写であった。こうはいかぬものか。しばしば私も生きのいい脚を正面からまじまじと視つめることによって、都会人であることを脱しようと決心するのだがなかなか…。

先日、高校生の間で人気のあるという「赤頭巾ちゃん気をつけて」という本を読んだ。都市でスンナリ育った人の田舎者に対するコンプレックスが書かれていた箇所があった。簡単に言ってしまえば、スマートに育った奴がバイタリティに対して脅迫観念をいだいているのだ。ざまみろと言いたい。これが「スマートにスマートに」と人に視られることばかり気にしている都会人の末路である。考えてみればカラフルに着飾った神経症なぞちっともビューティフルなんかではない。通勤電車の窓に走る風景を決して視ようとはしない都会人。ただムッツリと視線を落して吊り皮にぶらさがる都会人。そのうえに露出症の都会人。この頃私は、ここで常に生き生きとしているためには、対象に穴のあくほどの眼力を創りあげていくしかないのではないかとつくづく思っている。(T)

4Hの本質など討議

佐賀県連で前期リーダー研修

【佐賀】佐賀県4Hクラブ連絡協議会(会長、井手忠男君)では今年度前期のリーダー研修会を、さる四月二十七、二十八の両日、佐賀郡大和町都渡郡の県青年の家で開いた。

主な内容は、「4Hの本質」について日本4H協会の新田事務局長、「日本農業の将来」について佐賀大学農学部・江里口広文部技官の両講義があり、この講義をもとにそれぞれ分科会と全体会議で意見を交換し、リーダーのあり方を勉強した。また、佐賀市教育委員会の竹下富太郎氏の指導でフォークダンスの基礎講習を受け、レクリエーションの進め方についても学んだ。

一人一プロジェクト

嬉野農生会で総会 町民からも期待大

【佐賀】嬉野農生会(会長 秋月健二君・会員四十人)は、このほど嬉野中央公民館で総会を開いた。当日は、町長はじめ多勢の来賓を迎えて午前九時半から開会、会長のあいさつに続いて新役員と十人の新会員(うち女子七名)の紹介があり、事業計画などを審議したあと秋月新会長が「厳しい農業情勢のもとで、今年度は各クラブ員が一人一プロジェクトを持つことを目標に頑張っていきたい」と抱負を述べ、最後に退会者に記念品を贈り、十二時に閉会した。

同地区は、佐賀県の温泉地、嬉野温泉があるところで、四方が山に囲まれ人口一万九千人、観光客でにぎわうところ。お茶どころとしても有名であるが、その中にあって、クラブ員たちは町の主幹作物である茶の研究と研修にひたすら努力し、町民からも信頼され大いに期待されており、それが事業や予算面にも表われている。

四十六年度の事業計画は次のとおり。

総会(四月上旬)プロジェクト実習(茶苗さし木)視察研修(十月上旬)プロジェクト発表会(十二月中旬)十周年記念行事(一月二十七日)女子研修(三月上旬)決算総まとめ(同月下旬)

【茶園事業計画】茶園消毒、土壌検定用土採収(四月中旬)一番茶摘み、追肥と除草、除草剤試験(五月上旬)茶園消毒(六月上旬)二番茶摘み、土壌検定結果報告(七月上旬)茶園消毒(同月中・下旬)三番茶摘み、茶園消毒(八月中旬)元肥と深耕(九月中旬)刈番茶摘み(十二月上旬)春肥(IB化成、CDU化成)

これらの事業計画のほかに、定例会ごとに学習会を設けて、講義や農機具の分解、プロジェクト学習、レクリエーションなど多彩な活動を展開している。また、町から借り受けた茶園五十aも共同プロジェクトとして取り組み、町産業の発展にも貢献している。

予算面では、クラブ会費四万円(一人当たり千円)、町助成金十万円、農業助成金三万円、茶園収入十四万円、前年度繰越金一万四千八百四十五円、合計三十一万四千八百五十五円と単位クラブとしては大型。町民からも信頼され、期待されている。

新役員は次のとおり。

会長 秋月 健二(俵坂)
副会長 山口 武男(大舟)
同 永尾 豊(釜松)
同 中山 節子(今寺)
書記 野口きみよ(俵坂)
監事 大川 武義(舟牛川)
同 藤川 克己(湯の場)
茶責任者 秋月 健次(舟牛川)
同 中島 澄(大野原)

(藤津地区4Hクラブ連絡協議会・山口良二君発)

福岡県連でリーダー研修

【福岡】福岡県農村青少年クラブ連絡協議会(会長 荒渡宏君)は、さる十一、十二の両日、福岡市の社会教育会館で、新役員百二十名を対象にリーダー研修会を開催した。

四つ葉の団旗とユニフォーム

志太農業青年会で新調

【静岡】志太農業青年会(会長・中村茂君=会員六十人)では、結成してから今年でまる八年を迎えたのを記念して、このほど団旗と四つ葉のクローバーをデザインしたユニホームを作った。

団旗は、グリーン地の真ん中に四つ葉のクローバーを配し、その一つひとつの葉に、クラブ員の住んでいる藤枝市、焼津市、大井川町、岡部町の頭文字をローマ字で書きこんだもの。また、ユニフォームは黄色地で、左腕にクローバーをぬいこんである。これを機会に同クラブの活動も活発になるものと期待されている。

こんなことをしています 各種農業団体

全国販売農業協同組合連合会

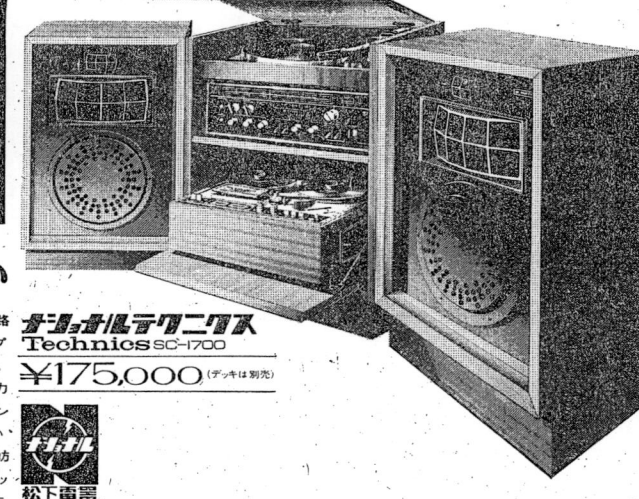

近代的な設備を誇る

大阪に食肉センター完成

〝食肉集配センター〟ともいうべき、全販連の大阪畜産物販売所がこのほど店開きしました。

これは、従来からあったブロイラー処理、販売のための大阪食鳥販売所に、牛、豚肉の貯蔵加工施設を併設したもので、昨年らいすすめていた施設の拡張工事をこのほど完了、三月下旬に、正式に畜産物販売所としてスタートしたものです。

ここでは、約二千三百平方mほどの建物に牛、豚肉用の懸肉室や冷蔵、冷凍倉庫、カット肉加工室、また、食鳥部門では屠殺処理室のほか解体加工室、冷凍倉庫など、食肉に関する近代的な施設をすべて備えています。そして、産地から持ち込まれた牛、豚の枝肉をそのまま冷蔵・貯蔵したり、買手の要求に応じて部分肉に加工して販売したりします。

また、食鳥については生鳥のまま受入れ、最新型の一連の処理機械を使って屠殺、脱毛、解体して貯蔵するほか、買手の要求に応じて正肉としての販売もしています。

もともと、食肉の流通については、産地側で枝肉センターの整備がすすみ、出荷、輸送の合理化がかなりすすんでいるにもかかわらず、受入れ側の消費地では、処理、加工が必要なため、その改善、近代化があまり実っていない、といわれてきました。

そこで、全販連では、すでにこれまでにも東京生鮮食品集配センターなどで、産地側の合理化に対応できる受入れ体制の整備をいそいできました。因みに東京・集配センターでは食肉の取扱いが年間に百億円ちかくにのぼっています。このことは、集配センターのもつ機能と役割りが、消費地の食肉業界でも大きく評価されつつあることを物語っているといえそうです。

今回スタートした〝大阪畜産物販売所〟も、京阪神地区における総合的な食肉センターとして、その役割りが大きく期待されていますし、食肉業界でも注目のマトになっていることはいうまでもありません。

なお、全販連では、大消費地でのこうした施設の整備を急いでいますが、このほかにも、現在、鶏卵部門で、鶏卵製造とGPセンターを兼ねた東京鶏卵販売所の城南分室が近く落成のはこびになっています。

○大阪畜産物販売所は、大阪府摂津市大字鳥飼下(電話・茨木五四—五四一一代、〒・五六七) 大阪、京都間の国鉄電車で千里丘駅下車、タクシーで十分ぐらいです。

(広報課)

全国共済農業協同組合連合会

交通遺児に愛の手を

全共連など街頭で募金

全国春の交通安全運動(後期)のスタートする四月二十六日から二十八日にわたる三日間全共連(会長・滝沢敏)では、東京都共済連(会長・新井登治)と共同で〝交通遺児に愛の手を〟を合い言葉に数寄屋橋公園、新宿駅西口、渋谷駅など都内四ヵ所の目ぬき通りにおいて交通遺児育英資金の街頭募金を行ないました。

これは、財団法人・交通遺児育英会が中心となって行なっている活動に賛同して行なわれたものです。

交通事故による被害者の子弟つまり交通遺児は、年々増加の一途をたどり、いまやその数は推定十万人(七大都府県二八%その他の県七二%)にものぼっており、不幸な生活を強いられております。

この交通遺児達にせめて高校への進学の機会を、さらに学力優秀なものには大学への進学の道を開き、社会的に有用な人材を育成しようという目的で昭和四十四年五月に財団法人・交通遺児育英会が設立されました。

この設立趣旨に賛同した農協共済組織では、全共連を中心として系統組織が一体となり、昨年秋の全国交通安全運動月間(四十五年十月六日から)を機に全国運動として「交通遺児募金への協力運動」を展開しており、今回の街頭募金もこの一環として行なわれたものです。

街頭には、全共連滝沢会長、山中専務、黒川・浅川両常務をはじめとする役職員、ならびに東京都共済連職員が午前十時三十分から午後六時まで、道行く人々に協力を呼びかけました。

初日の二十六日、数寄屋橋公園においては、全共連役職員のほか、農協共済の提供テレビ番組「お茶の間百科」に出演している芝山みよか、大谷正子、下重暁子さん、東宝女優の土田早苗、矢野泊子さんらが協力にかけつけ、募金人形〝さっちゃん〟を手にした熱心な呼びかけに注目をあつめていました。

また、ある女子大学自動車部員が自主参加するハプニングもあり、三日間合計約五十万円の募金額とともに、交通遺児に対する一般国民の関心を高めるのに大きな成果をあげました。

なお、春の交通安全運動に合わせて、系統農協は、あげて特別募金運動を実施しており、街頭募金は十七県共済連が行ない職場募金も五月一日までの間、全国農協中央会をはじめ各中央機関、全国の組合、連合会の職場で強力に展開中です。

(普及部)

親父、おれの番だよ

新潟県柏崎市北陸4Hクラブ　大矢辰栄

水田、ワラ加工、畜産　これでは心細い

親父は四十六歳……。親父はとても若くて働き者である。一番鶏が鳴く前に、カタコトと機械をいじくる音がする。どんなに酔って帰って母にシボラレても、朝は母よりも早く起きる。先日、だいぶ飲んで「あんた…‼」と言われていたけれど、朝になると、「おれは三時半に目が覚めて、ナワを三つ落した……」と言っていた。

彼に言わせると、「軍隊で鍛えたからナ…」ということであるが……？　また、親父は村一番の先駆者でもある。テーラーを入れたのも村一番、手動式の稲刈り機を入れたのも村一番、車もバイクも村一番に、経営へ取り入れたのである。また昨年は全作田植機という、世間の人々の方が焼き心配するような大冒険をして、みごと成功をおさめたのである。

親父に言わせると「俺はスリルを味わっているんだ」などと言っているが、一歩誤れば夜逃げ？というような不安と、戦ったのであろう。常に農業に対する信念・研究心・意欲・将来の展望を持って、酔っていてもやるべきことはやり、知るべき情勢を知っているから、村の先駆者でいられるのだろう。農業に対して信念を持っていないなら先駆者はおろか、息子も都会へ逃げて行ったことだろう。こんな親父ももうすぐ五十歳。いくら気を張っても、老年にはかなわない。次は俺の、……三代目の番である。

今日の経営は三本の柱で成り立っている。一本は、二十五アールの水田、いま一本は、副産物を利用したワラ加工、もう一本は、水田を肥やす畜産である。まあ形態だけはなんとか出来てる。これが親父の理想であるようだが、将来を展望したとき、何かかみ合わない不安がある。

水田においては、「四〜五ヘクタールにならなければ」と政府は言っているが、工業化が進み、土地が一家の財産になってしまい、簡単に手に入らなくなった。ワラ加工にしても、現在、年間七十万円の収入はあるが、原料不足、ナワに代わるものの出現により、お先真暗のような気がする。また、畜産にしても、水田の肥料にと考えていては、手間代も出ない。

これから数年は、これでもよいかも知れない。だが、企業化が進み、集団化が進み、大量生産、市場での競争があった時、主たる産物がないので、争いに耐えていかれるか疑問である。この三本の柱は、一家としてはとても合理的だと思う。しかし一集団の一つとしては不利に思われる。

どれをとっても、見ばえがしないからである。どれかが犠牲になるからである。どれかが足を引っぱるからである。それなら、一本だけの専業化にしなければならなくなる。水田なら、集団的に一人が十町くらい集めて、五、六人の水稲株式会社でも作らなければ、だめだ。水田だからといって、稲作をしなければならぬという定義はない。反当りの収益が多ければ、畜産でもいいわけである。

僕としては、畜産をなんとか伸ばして行こうと思う。畜産をやるには、将来、必ずインテグレーション系列下に入らなくてはならなくなるだろう。だが、小作はいやだ。時代への逆行のようだが、…願わくば、系列に対抗出来るようになりたいと思う。そのためには親父の元気なうちに、ジャンプするバネを貯えておこうと思っている。家の経済を考えて行なわなければ、夢は夢で終ってしまう。僕はまだ若い。可能性を含んだ生命を持っている。親父見ていろ……。（新潟県連『農業改良クラブだより』より）

梨作、23戸で完全協業経営

"人間優先"モットーに　適正労働で生産は40%増

広島県世羅町幸水園生活改善グループ　光元恭枝

1、二十三戸の農家による四十アールの梨作の完全協業経営における私達のグループ活動の概況

(1) 健康管理と適正労働により、生活優先のグループ活動を推進している。

(2) 生活と生産の調和を日常の活動課題とした。

(3) 活動状況は、①健康診断②栄養改善③生活改善④共同炊事並びに各戸の台所改善⑤労働適正と体力増進⑥生活と生産に必要ある各部研修会、視察並びに旅行⑦定例会などである。

2、課題と取り組んだ動機

私達農家は、二十三戸平均一アールくらいの水稲を耕作していたが、昭和三十八年から四十アールの梨園を完全協業で始め、経営拡大にのり出したが、三〜四年経過したころ、労働過重と栄養不足から病人が出て、経営の続行が困難と思われたので、四十二年から普及所の指導により婦人部でグループを作り、人間優先の経営に切りかえた。

3、計画と実行経過

普及所の協力で各農家の生活の実態調査をして、それに基いて生活設計を進めた。健康管理事業を計画し、三ヵ月に一回健康診断を行なって、要注意者には労働を減免した。労働から来る過重を改善し、栄養からきた農夫症などには栄養改善計画を進め、副食物の共同購入を毎週一回行ない、緑黄野菜などの調達を図り、毎月の料理講習も行なった。

その結果、栄養などは一〇〇%に近い供給となり、体力は改善された。四十三年度からは、県や普及所の指導で労働適正化事業を推進した。まず、適正労働で生産の三〜四倍増を計画し、自家の稲作二十三アールを協業で、部分的請負耕作の形をとり、婦人の過重労働を取り除き、さらに台所改善も全戸が行ない、家事労働の軽減を図った。

健康診断とあわせて体力増進を計り、当時から毎朝作業始め五分前に、農民体操を取り入れ今日に至っている。生活を豊かにするためには、体力とか適正労働ばかりでは満足のものとならないので、四十五年度からは文化活動も始めた。精神生活の充実にも努力している。これらに要する経費は、設備費で二百五十万円くらい投入し、運営費の三十一万円は協業経営の事業として計画しているので、その方から支給している。

4、実績をかえりみて

以上のように、人間生活優先の経営に切り替えてからは、生産活動もスムーズに進み、健康状況はよくなった。むずかしいとされていた協業経営も、協調、相互理解、自己制御など、近代的経営能力の開発に役立ち、さらにこれらの困難を克服する原因となった。

5、今後の計画

(1) 今後は、労働適正化時間を、家事労働を含めて八時間以内とし、週一回の休日（有給）を目標とする。

(2) 共同生活センターを充実し、完全給食、保育所の設置、共同浴場、共同洗濯場設置、会館の建設（娯楽施設、研修の場、休養室、宿泊所）

(3) 文化部の活動促進

(4) 冷凍食品貯蔵庫の完全活用

6、新しい農業への歩み

現在、世羅幸水農園は参加農家二十三戸が、各自一アールずつの稲作を自営しながら、四十アールの梨園を完全協業経営のかたちで、三キロないし八キロの距離から自家用車で通勤している農業経営である。今後、きびしい経済社会の中で自立して行くためには、このような集団生産組織で協同事業として経営し、しかも、これが人間生活を豊かにしながら、適正労働で生産を数倍にするものでないと、農業は成り立たないという考えから、将来のビジョンを立てている。

特に一戸当たりの所得を三百万円以上にすることを、人間生活を豊かにする目標として進めている。そのためには機械力をフルに利用し、協同の力で労働管理、環境の整備、文化生活、教養などに必要な事業を進める考えである。その方途を大別すれば

1、高度の技術開発を行なうために、農民自からの創意工夫の努力によりこれを達成する。

2、より高い人間開発を行なうために、協同の力により、あらゆる文化的生活へ努力を続ける。

3、作る農業から売る農業への市場開発に必要な事業を、強く進める。

このようになる。従来の農業は、人間性を無視した経営であったので、若い人には魅力が持てなかった。そのため、農民も人間であるということを、私達の今後の歩みとしたい。

私のプロジェクト

温州蜜柑で勝負

脅威、グレープフルーツ

和歌山県川辺町川辺4Hクラブ　原修一

温州みかん百二十五アール、夏柑七十アール、ネーブルオレンジ十五アール、その他十五アール、合計二百二十五アール、これが我が家の現栽培状況である。その中で、夏柑が三〇%弱の七〇アールを占めていることが気がかりである。というのは、周知の通り、本年度より夏柑と同期に出荷期を持つグレープフルーツが、貿易の自由化によって米国から、日本の市場に入荷されることである。

それでなくとも、近年、夏柑は、甘夏、ハッサク、イチゴなどによって、商品価値を低下させられている。グレープフルーツの自由化は、今以上に夏柑の商品価値を大きく低下させるだろう。またこれから先、ネーブル、バレンシア両オレンジ、ポンカンなども自由化され、日本市場に入荷される時代が来るだろう。

私はこれから先、日本で柑橘栽培を維持してゆくものは、温州みかん以外にないものと想像する。理由として、第一に、温州みかんは日本で育成された柑橘であり、第二に、他の柑橘類と収穫期、味を異にし、第三に、生食、ジュース、缶詰にと幅広い用途を持ち、第四に、小樹のため作業が楽であるなどがあげられる。

以上の点から、これから大型化されてゆく柑橘栽培の中で、もっとも安定度の高い柑橘類は温州みかんだと言えるだろう。しかし、現状維持の経営、栽培方法ではその力も減少する。そこで、一つ、早・中・晩生、生食、ジュース、缶詰用と植付割合を決め、合理的に栽培する。二つ、スプリンクラーの多目的利用による省力化。三つ、販売ルートの改善。四つ、これらすべてを共同化するなどのことを、確実に実用化してゆくのが、日本農業を産業として発展させて行く道だと確信する。

用途も広く、かつ外国市場へも出て行く可能性の最も大きい温州みかんを二十〜三十アール、共同で経営してゆくつもりである。この面積を四〜五人でやってゆくのだから、合理化、省力化をはかって行く必要がある。そのためにも、スプリンクラーの多目的利用を幅広くすること、共同販売ルートの確保、米国の十分の一の経営方法でもよいから、取り入れてやって行く予定である。

有利な大型豚

島根県佐田町農林改良青年会議　坂本隆敏

我が家の経営概況　水田七十アール、畑二十アール、梅園二十アール、山林二百八十アール、和牛二頭、繁殖豚十五頭、肉豚百五十頭。

課題と取り組んだ動機　従来より、当地域には級徳豚と呼ばれる中型種の豚が多く飼育されて来たが、ここ数年来の大型種の普及に対し、この級徳豚と大型種に、どれだけの経済的な差が出てくるかを比較し、大型品種の有利性を確めるとともに、地域の養豚農家に品種更新の必要性を知らせ、地域ぐるみの品種統一によって肉豚の質的向上を計り、市場性に合った肉豚生産の経営安定に結びつけたい。

計画と実行経過　私が養豚経営に取り組んだのは四十四年からであるが、まず農業近代化資金を四十万円借入し、百頭収容の豚舎を建て、さらに二十五万円の近代化資金により母豚を導入し、現在の繁殖豚十五頭、肉豚百五十頭の段階に至った。その中から、同じ頃生れた級徳豚と大型種（LHL）の仔豚、それぞれ九頭の同腹豚を選び出し、肥育の比較を行なった。

実績をかえりみて　比較の結果、肥育日数、飼育要求率、格付率など、いずれにおいても、大型種が経済的にすぐれていることが判明した。大型種の有利性は、以前より認められていることであるが、実際に自分の手によって、そのことを確めえたことは大きな収穫であると思う。

今後の計画　今後は、地域の品種統一を計る中で、さらに大型種間による交配方法の比較を試み、研究し、自分の経営に最も適した品種の交配方法を見出したい。また、大型品種に多い繁殖障害については、放牧飼育も検討実施してみたい。

営農指導員だった経験をフルに使う

自分が農業に取り組むまでは、農協の営農課で営農指導員として勤めていたが、その間に得た知識技術などをフルに自分の経営に取り入れて行きたい。その中で、特に自分が専門として取り組んでいた養豚を中心として、減反問題も関連して梅園を拡大し、養豚プラス梅園、それに補完的なものとして、水稲、和牛、山林をつけ加えた経営形態としたいと思う。

養豚の方は、昭和五十年を目標に約一アールに増園、それにつけ加えての和牛、稲作などは現状維持程度で、余剰能力、または環境条件などの面であくまでも補完的なものとして、経営に加える。問題点として、多頭養豚による繁殖管理、公害問題などについては、放牧養豚、無看護分娩、糞尿処理施設などを検討する。

十和田市に農改センターできる

【青森】十和田市に地区農業改良センターがこのほど完成した。改良普及所（中島普及所長）の事務所が老朽化、これを西二十三番地の官庁街通り西端に移転するに当たり、国の補助を得て県が一千万円の工事費で建てたもので、規模は鉄骨ブロック平屋約二百六十平方㍍。内部には土壌診断の実験室や生活改善の一環としての調理室、それに研修室などがあり、4Hクラブなどの農村青年が早くも利用している。

みかんの品質向上を

佐賀藤津地区連　ジュース作りの実習

【佐賀県＝吉田秀隆通信報道員発】藤津地区4Hクラブ連絡協議会（会長、井上利幸君）では、さる三月十四日、太良町の産業センターで、持ち寄ったみかん百キロを使って、ジュース作りを実習した。余剰みかん活用法だが、実際に製造、味わうことによって、みかん作りの欠点をなおす材料にすることを目的とした。

まだまだ、味をいろいろ改善すべき点を見出したようで、「ことしこそ、うまいみかんを作ろう」と、張り切って行なった。釘尾澄子生活改善部長以下、女子クラブ員二十人が皮をむいて、ジューサーにかけ、果汁を作り、砂糖を入れて煮こみ、晒袋でこしビンに詰め、一・八リットルビンに二十四本も出来た。

栓を密封しておけば、二年間は保存出来るというが、出来上がったジュースは、川島農発代会長ら男子十八人が加わって、いろいろなカクテルにして試飲した。

原料のみかんは、クラブ員が栽培したものを持ち寄ったが、全国的に過剰気味になっており、品質の向上が強く要求されている。そこで、農家の跡取りたちが組織している4Hクラブで、独自にうまいみかん作りの研究に乗り出したものだが、この日も、剪定講習があり、真剣に取り組んだ。

五町村が共同で後継者作り

高知県香美郡

【高知】香南五ヵ町村が連帯して、このほど、若い農業青年の研修活動に乗りだした。初の活動として新就農者の激励会を開いたが、施設園芸の見学や話し合いなどは、参加者に好評だった。

これは香美郡南部の香我美町、夜須町、野市町、赤岡町、吉川村の五町村が、農業に就く若ものが減っている時期でもあり、新しい意味での地域の連帯感を、強めてほしいという願いから発足したもの。南国農業改良普及所がパイプ役をつとめ、広域的な後継者研修の構想は、町村ぐるみの協力により実現された。ちなみに、この五町村の新規就農者は十六人。

この激励会には、これら新就農者をはじめとして、4Hクラブ員や行政、農協の関係者など約四十人が参加した。そして、南国市の岩原柑橘農園、高知市三里の施設園芸を見学したあと、五台山で研究討議を行なった。

秋と冬の労働力を十分利用したい

ホップ プラス シイタケ　一万ドル経営へ歩む

長野県上水内郡戸隠村農業青年会議　小林将信

我が家の経営概況　水田二十八アール、ホップ五十五アール、普通畑二十アール、シイタケ三千八百本、労働人員は母と私の二人。

課題と取り組んだ動機　私の村は六百〜千三百メートルの起伏の多い土地で、気象条件も厳しい地帯である。そこで、価格が安定し、戸隠の土地、気象条件に適しているホップを始め、また、自然条件に適したシイタケを始めた。

計画と実行経過と資金　四十二年、卒業と同時に農業経営者となり、四十三年、二十七アールを借地し、ホップを五十五アールまで拡大、四十四年、共同防除、中型花摘機、乾燥機を導入、四十五年シイタケ三千八百本導入。四十年と四十五年の作付けと所得を比較すると、ホップ二十八アールから五十五アールへ、二十四万円から五十六万円へ、水稲三十アールから二十八アールへ、十万円から十二万円へ、その他二十五アールは変らず、十万七千円から二万六千円へと変化している。

実績をかえりみて　ホップは一日当り報酬が三千七十五円になった。それと、秋冬の労力にはまだ余裕がある。

今後の計画　五十年には、ホップ一ヘクタールで粗収入二百万円（純益百二十万円）、水稲二十二アールで十万二千円（七万五千円）、シイタケ一万本で二百四十万円（百六十八万円）、繁殖豚十五頭で七十二万円（三十八万円）、合計五百二十二万二千円（三百三十三万五千円）を予定している。シイタケの夏出し、秋出し栽培、機械化によるホップの規模拡大、地力確保と収益増大のために豚の導入などを考えている。

新しい農業への歩み　これからの農業は、農産物の輸入、食糧の過剰問題などの厳しい情勢の中で、特に私のような所では、農業の自立化は困難である。こうした中で、私は地域の特性を活かした農業をすすめ、合理的な運営をはかって、完全な自立農家を目指して行く。それには、ホップの増反によって経営の基幹とし、管理面は機械化を行なって省力多収をねらいたいと思う。

水田は減反し、その土地はシイタケのホダ場とする。余った労力で夏、秋出しシイタケの栽培を拡大して行く。さらに、地力保持とあわせて収益増大を目的として、繁殖豚を取入れる。以上の外に、冬期労働により、山林資源活用と労働の合理化をはかり、所得目標一万ドル農家を目指し、その上に文化的生活の出来る基礎づくりをしたい。

専門学習会開く

佐賀藤津地区

【佐賀】鹿島市一市三町の若い農業経営者を対象に、新時代の農業の専門知識と技術を研究し合うためのグループ、藤津農業専門学習会の発会式が、さきごろ、鹿島市民会館で開かれた。

この学習会は、藤津農業改良普及所の音頭で開くもの。同普及所では昨年、後継者五百五十人の家庭を訪問、父母や後継者の専門学習に関する希望を調べた。この結果、父母の側からは『地についた勉強をしてほしい』という声が圧倒的で、青年自体も専門知識の吸収に対する意欲的な意見が多く、4Hクラブ員以外はほとんど学習の機会も持たないなどが解った。農業主体の後継者約三百五十人を対象に、加入調査したところ、約百三十人の申し込みがあった。

クラブ紹介

浜松北温室組合青年部

「全員独身です」　メロン専門の後継者

全国的にメロンで知られている静岡県西部地方において、メロン栽培の後継者だけで組織している温室組合青年部を紹介します。

静岡県は、くだものの王様"メロン"の生産で全国の九〇%を占めており、出荷は東京、大阪、名古屋、広島という大消費地に、毎日、多くのメロンが出荷されています。

メロンといえば共撰化で有名な芳松園があります。二年前農林水産部門で晴れの天皇杯を受賞した農事組合法人芳松園（組合長、中津川高治氏）は、浜松市の南部にあり、本県メロン栽培農家の手本になっています。いまや日本農業は、このきびしい社会情勢の中にあって、大変むずかしい時期にあります。今、問題になっている新都市法、線引きの問題など、将来、農業を目指す青年達が、深く考えなければならない大きな問題です。全く政府は行きあたりばったりの政策をとっており日本農業はどうなるか、先行きが心配です。

この目ざましい工業の発展の中にあって、浜松北温室組合青年部（部長、市川勝彦君）は、三年前に、部員二十名で発足し、部員はみな独身者、平均百三十坪のガラス温室を持っていますが、市当局も、施設園芸には、相当力を入れており、規模拡大を進めています。そして、この青年部は、他地域の青年部との交流会、先進地視察、野球大会、ボーリング大会、部員のメロン品評会など、多くの年間事業を組んでおります。

さる四月二十日、浜北市中瀬の渥美清也さん宅に、先進地留学生として、宮崎県から佐藤君が一年間の研修に入りました。なお、佐藤君は、昨年サッカーでインターハイに出場しており、なかなかのスポーツマンです。彼は研修への抱負を「私の人生はサッカーで生きようと思いましたが、やはり私は農業が好きで、特にメロン栽培に生きがいを感じた。そして、技術を取得すると同時に、サッカーできたえたド根性を生かし、人間形成の面でも、大いに勉強したい」と語っていました。

今後、青年部部員の一人一人の目標は、温室二百坪、年間四作栽培し、一ケース平均三千八百円で年間所得四百万円がスローガンとなっています。そして近年は五ベッド四十坪の大型温室に移り変っています。活動面では、定例会を月二回、出荷の休みの金曜日を利用して行ないます。この定例会では、各個人のプロジェクトの発表、流通機構、将来のメロンの見通しなど夜がふけるのも忘れて話し合っています。その上、他の青少年活動にも参加しているのです。

青年部で一番の問題になっているのは、専門技術員の設置です。いろいろと行政的に問題はあるかと思いますが、現在、温室組合（組合員二百二十名）に対しては、浜松、浜北市において専門技術員がおらず、細かいことなどで悩むことが多いのです。一日でも早く、専門普及員が駐在してほしいとは、メロン農家の願いなのです。

市川部長は、これからの抱負を次のように述べています。

「今後、他地域の青年部との交流を活発にし、広い視野でのメロンを作るように、私達青年部では、深く考えなければならない。さらに、個人プロジェクトの充実、また、青年部が一体になり、地域農業建設のために一生懸命がんばりたい。」

（鈴木政美県連事務局長発）

NHK農事番組（5月21日〜31日）

テレビ

明るい農村 6・30〜6・55 総合
- 21日 村をむすぶ 札幌、大阪、松山、東京
- 22日 農村新地図 岩手県葛巻町 中野清見
- 23日 明るい漁村
- 24日 安全食糧へのみち（その1）－フィルム構成－農薬禍
- 25日 安全食糧へのみち（その2）－フィルムと座談会－加害者はだれか
- 26日 安全食糧へのみち（その3）無農薬農業は可能か
- 27日 話題の広場 町営肉牛繁殖センター 北海道白老町（開拓医師）矢沢信明
- 28日 村をむすぶ 広島、福岡、松本、東京
- 29日 農村新地図 北海道伊達町（北大）金田弘夫・
- 30日 明るい漁村
- 31日 村の記録－八郎潟からの出発－秋田県八郎潟

農業教室 7・30〜8・00 教育
- 20日〜22日 飼料生産をどうするか（農林省農林水産技術会議）戸島光▼長野県下▼栃木県下ほか
- 24日〜26日 大型養蚕の実際（農林省蚕糸試験場）針塚正樹▼四国地方の協業養蚕▼栃木、埼玉の個別大型
- 27日〜29日 養蚕の新技術（農林省蚕糸試）渡辺昭典▼前橋市▼福島市ほか
- 31日〜6月2日 野菜産地の動向（農技研）加賀見宏▼埼玉県騎西町▼静岡県焼津市ほか

あすの村づくり 日 7・00〜8・00 再 土 13・00〜14・00
- 23日 ▼グループ便り「若草4Hクラブ」鳥取県名和町▼仲間とともに「酪農二十三年の歩み」北海道別海村上春別▼ある青年像・先輩に学ぶ「森田義一・五十才」奈良県北葛城郡新庄町
- 30日 2回目の稲作減反 栃木県大田原市から中継

ラジオ

早起き鳥 5・05〜5・57 ❶
- 21日 農場移転の波紋 埼玉県下
- 22日 施設化すすむぶどう栽培 山梨県下
- 23日 安全食糧への道① 農薬汚染と今後の農業（農林省植物防疫課長）福田秀夫ほか
- 24日 安全食糧への道② 野菜産地の悩み
- 25日 安全食糧への道③ 汚染牛乳追放
- 26日 安全食糧への道④ 安全農業への課題
- 27日 安全食糧への道⑤ 安全使用基準の周辺
- 28日 農薬安全ととりくむ－群馬県勢多郡新里村
- 29日 生物農薬の開発（理化学研究所）住木諭介
- 30日 話題の窓（5・31〜57）多元報告「減反の動きを現地にみる」福岡－大阪－仙台－東京

話の広場 6・10〜6・30 ❶
- 23日 酪農者の職業訓練校（鹿島町）
- 30日 農事放送通信員懇談会「観光農業」

新しい農村 6・00〜6・30 ❷ 14・00〜15・00 ❷
- 23日 林業構造改善事業の問題点（林野庁林政部長）池田正範
- 30日 どうする余り米（農林省官房長）大田康二

ラジオ農業学校 日 6・30〜7・00 ❷
- 23日 農業講演会
- 30日 農業ゼミナール

いつか私は…

静岡県若鮎会　博松せつ子

養豚試験場の夕日は、紅葉のあざやかさをひきたたせ、とても美しい。そんな中で、母親が餌を食べている間、数頭の子豚は背のびしながら乳を、残りは離乳食に舌づつみをうちながら、飛びはねている。夕日に照らされ、親子がいっそういきいきとして見える。

「もっと食べて、母さんより早く大きくおなりなさい」

◇

私は山歩きが好きで、こんな思い出があります。夕方、落葉が充満している中を歩いている時でした。すると向こうから、灰色の洋服を愛らしく着こなした坊やが、紙飛行機を精いっぱいの力で空中へ投げつけながら、走って行く。

坊やの数歩前には母親が……。母と子の間には、具体的な何らの対話もない。音としてあるのは、冬をまもなく招いて来そうな秋風が、さびしく聞こえるだけであった。しかし、私は見ていた。母親が、坊やを振り返ることなく子供の足音に耳を傾け、自分の歩調を整えていることを。親子の足どりは、決して軽そうには見えない。だけど、心の中には私の想像にもおよばない愛情の自然の流れがあるように見えた。

◇

いつか私に、……母とよばれる日がくるでしょう。その時には、あの母親のように、子供に対してやさしく、きびしい何かを持ちたい。何かを！　しかし、その前に私には、やらなくてはならないことが沢山ある。来年は神奈川県へ行き、自分自身、どれだけできるか可能性をためすとともに、この青春時代を、情熱をもち精一杯生きたい。

夕日も沈みかけ、子豚たちは、母豚のわきでとても気持ちよさそうに寝ていた。その姿は、実に自然で愛らしい。

（静岡県中遠地域連『あぜみち』六号より）

みみずのひとりごと

卵は（いま）も十円だ　結婚もおぼつかない

静岡県豊岡4Hクラブ　豊岡農夫

本当に百姓で生活して行けるのか不安で仕様がない。兼業農家が大部分となる豊岡村で、何人が農業で残って立ち行けるか。その中に私の名があればよいが、これからの農業で、園芸へ進む人がうらやましい。畜産業は、拡大と公害の関係で、村を脱出することまで考えてしまう。

車、車、車、皆持っている。その維持消却を考えただけでゾッとする。結婚を考えた場合、新聞に出ていたのだが、サラリーマンの結婚時の所得の平均は、男四万五千円、女二万二千円という。自分で嫁さんもろうて、月七万三千円？　農業所得で九十万～百万円の所得補償ができる自信があるだろうか。

私にはない。青年学級、4H活動もよいが、自己の足元が不安である。十年先のビジョンを説く農林省、県などの先生方、実際の農政は急進展する。農村の経済情勢から五年遅れて、跡を追うのが現状ではないか？　県の先生や普及員の先生方の中で、今日から、辞職して自分で農業を行なおうと考え、実行する人があるか？　サラリーマンの説く言葉の空々しいことよ。

卵は十年前も一個十円くらいだった。今日でもやはり十円だ。飼料も労賃もあがっているのに、これは養鶏家の経済力というのか。

稲作農家は過保護ではないか。米一俵、十年前はいくらだった。

大藤の人達は、田圃がないため茶の栽培に精出して、立派な百姓になっている。初めて、天竜農協の本所へ行ってみて驚いた。あれは、組合員の本所ではない。お役所か職員のための建物だ。第一、役員が三人もいて、一人も見えるところにはいない。豊岡村の農協は、やはり豊岡農協でありたかった。

どんな次第で今のようになったか知らないが、私達からみれば変だ。農協は「組合員のために」というが、本当に農業で行こうとする者は困惑する。先日の交歓会で日野の一人が言った。「農協は資本を借り入れるところで、これからの農家は、別に専門農協を作るべきだ」と、「静岡のメロン農協は、日本一だ」とも。

村で真面目に百姓をしている、五十歳くらいの変わった農家の人の話が面白いので、書いてみる。先進地の視察などは、自分一人か、本当に、そのことが必要な親友と二人くらいだけで行くべきであると、グループなどで行くのは遊びだと、農協や普及所のいう〝もうかる作物〟は、先進地のもうけた話であって、何も得るところはない。本当にもうかる作物は、自分で見出して、人より先にマスターしてこそもうかるのであると。

むずかしい農村の構造改善を言う先に、農林省から近代化が必要ではないかと、農業委員会、普及所、農協、統計調査所などは必要がない。農政がないから、米穀検査員は農協の職員にしてしまえばよい。普及員で技術のあるものは試験場へ、他は農協へ、これからの農家は、直接、試験場へ行くだけの自己のレベルアップが必要だと、こう語っている。

青春と仲間

恋には―窓がない

大城禎子

恋には見逃せる窓なんてありはしない

恋が出て行く為のドアなら
沢山あるけれど

恋はそれでも何処からか
入り込んでくる

入って来た恋は放っておくさ
けど逃げ出さぬ様に見張っていなきゃ……

恋
ひとつ　又　ひとつ消えて行く
悲しくかつ淋しい

覚えておこうよ
カーテンをおろそうと
思ったとき
恋には窓なんてない事をね

（福岡県山門郡野菊会『のぎく』一号より）

うつくしい手を　農業に誇り持っても

静岡県オオロラクラブ　斎藤みち子

カアサンハ、アカギレイタイ、ナマミソスリコム、ネユキガトケリヤ、モウスグ、ハルダデ、ハタケガマッテルヨ……。

母さんの歌の一節である。母さんの手にアカギレが切れるのは、私だって知ってる。幼い時から、カサカサの母の手のあちこちがはぜ、血が出ているのを見ている。白いバンソウコウをまいたり、ワセリンをぬったりしている母のそばで、私も同じことをしてもらったこともある。

稲刈りが終って、空がぬけそうに青くなって、風が冷めたくなると、手はカサカサになっている。

お勤めの友だちの手はすらっとしていて、とってもきれい。バスの吊皮にぶらさがった手を見比べて、思わず自分の手をひっこめた私……。

「仕事に誇りを持ってりゃあ、手がどんなふうでも、恥しいことないよ」と言う人がいた。いくら農業が好きで、誇りを持っていたって、やっぱり、手は美しくありたいもの。そりゃあ、お勤めの人の手と同じなんて無理だけど、たとえスキの切り傷があっても、マメができてかたくなっていたって、関節が太くなっていたって、若い娘らしい手でありたい。

アカギレに生味噌をすりこむなんて、そんな母さんは少ないだろうけど、アカギレから連想される母さんは、まだまだ多いのでは……。

台所用洗剤のCMじゃあないけど、美しい手は、生きたアクセサリーとか。

時々、口ずさむ母さんの歌と、右手小指の小さなアカギレが、いつまでも美しい手でありたいと思わせた、秋深いある一日。（静岡県中遠地区連『あぜみち』六号より）

雨の休日

石原裕二郎

仕事から帰って来ると、一通の手紙が来ていた。S子からである。中をみるとラブレターである。あいつ、またこんなものをよこしやがってと思ったが、かわいそうになり、一度、会ってやることにした。

二人は歩いた。ただ歩くだけだった。そして、彼女が俺の目を見た。そして、お互いの口が近づき始めた。その時、ものすごい地震が起こった。俺はハッとして、あたりを見まわした。ふとんの上ではないか。夢だったのである。

地震と思ったのは、弟がゆり起こしていたのだ。チクショウ、弟の奴、いいところでがっかりさせやがる。しかたなく起きる。七時二十分。

外は雨が降っている。チキショウ、また、仕事が出来ないではないか。やむをえず、本を読んでいた。十時、友人が来る。さっそく二人でアルバイト。何のアルバイトかって？　もちろん、パチンコよ。

さっそく打ち始める。出る出る。じつによく出る。一箱、二箱とたまる。もちろんとなりの台だけど。俺の台はちっとも出ない。二百円打って、三百円目である。

そのまま、友達の家へ行き、昼食になる。あとは二階へ上って本を読む。何の本って、決まってるじゃないか。アサー　オラオラオラ、おんどりゃ、血みると、鼻血がブーってやつ。そうそう、谷岡ヤスジだよ。

こんなのばかり、見ているわけじゃないよ。ハレンチ学園に、巨人の星、いろいろあるさ。夕飯もごちそうにならないで家へ帰る。

テレビを見ているうちに、夕食が出来た。ふろに入り、またテレビを見る。

アッ、大変だ。テレビに俺が出ているではないか。そんなはずがない？　目をこすって、もう一度よく見ると、石原裕次郎ではないか。あいつ、近ごろ、やけに俺と似て来やがった。ニャロメ。

今日は雨のため、一日中、仕事が出来なかった。つらい一日であった。明日、天気になあーれ。おやすみ。

（福岡県八女市4Hクラブ『心』創刊号より）

4H活動をかえりみて

＜下＞

「女らしさ」を持つということは　自然な振舞いかな

佐賀県連45年度副会長　麻生すみ子

4Hクラブを通して多くの仲間を知りました。いろんな、ほんとにいろんな経験をさせていただきました。私のような長女であり、同じような悩みを持つ人、語り合い励まし合い、自分ばかりでないと自分自身を励ましたものです。

また、卒業したてのころ、父の言う通りにやることに不満をいだいた私も、後継者資金を借りうけ、プロジェクトとして苺栽培、レタス作りに取り組みました。

大きなことは言ったものの、やはり自分が責任を持って、技術、資金、経営とやるのは、私には、ほんとうにたいへんでした。レタス、苺のプロジェクトの他、もっと大きな（？）私のプロジェクトがありました。それは自分自身との戦いです。いつも自分自身に不安であり、未熟であり、まだまだと自分をみつめ反省し、常に疑問や問題を持って、ものごとに接することに気をつけました。

私はそのことに一つの課題を持ってあたってきました。というのはクラブに入って一年目、ある先輩から「おまえは女らしくない」と、ぷつんと言われたことがあります。平気な顔をしてうけた私でも、さすがにこたえました。それ以来、ではどんなことが女らしいというのか……、一体、何がそれを女らしいといわせるのか……と、人に会うたび、本を読むたび、自分の行動をながめたり、反省したりするときに思ったものです。

「お茶を習い、いけ花をし、おしとやかにしている人が、女らしい人」……、私はそのことばかりが女らしいとは思いません。青年団の先輩と話したことがあります。「女とは、男性よりも一歩先に立って物事を見、そのことに対して用意をして待つべきだ……」、それが女らしいということにつながるのではなかろうかと、おっしゃったことがあります。

初めは、そのことの意味がピンとはきませんでしたけれど、クラブ活動をやっていく中で、私なりに、このことではなかろうかとか、もっと深く意味があるんだろうかと、解決の道にと意識を持たせつづけてくれました。「やさしさ」それも必要でしょう。またあるとき、お兄様のようにしたっている友をまじえた三人の対話の中の「女らしいとは、自然にふるまいのできる人ではないのかな……」という言葉に、はっとするものがありました。

こうしたクラブ活動の中で、または人と人との対話の中で、女らしいとはどんなことかを考え、追求してきました。では、どんなことが女らしいのですかと問われても、はっきりと「……です」と、大声でいうことはできません。問題はいつも疑問を持ち、問題意識を持つこと、それが大切ではなかろうか。そうしたことによって、解決の道につながっていくのではないかと、このクラブ活動を通して感じている私です。

で、話は変りますが、私がクラブ活動をやっていく中で、もう一つ気づいた大きなことがあります。というのは、地元の青年との対話、これが大切だということ。地域の一人一人のクラブ員の盛り上りがあってこそ、地区連も県協も活きてくるし、活かされてくるのではないでしょうか。私は普通のクラブ員としてのクラブ活動よりも、いわゆる組織、役員としてのクラブ活動が多かったのです。

しかし、やはり大切なのは、地区の盛り上りであるし、私達の住んでる村、市を動かしていくクラブ員の活動だということです。私達の4Hクラブでは山岳会、フォークダンスクラブなどの同好会とは異なり、農村というバックボーンがあることも、忘れてはならないのです。地域社会に密着したところの活動、組織のあり方が、私達4Hクラブであると思います。

長女であったことに、たまらなくて反抗し、農業というもう決まった職業、一生の内で職業の選択、決意ということは大切なことなのに、その自由さえないという、いつまでも心の中でくすぶり続けてきた気持も、アメリカでの六ヵ月の滞在が、気持をかえさせてくれました。

アメリカ農業の後継者は、親が農業でも、農業を継がなくてはいけないというのではなく、ほんとうに好きだからどういう態度で、自然を相手にする魅力から、自分の職業として土地を求め、機械を買って、新しく始めていく姿があります。このことが、私にも、新しく農業という職業を、父とは別に始めるんだという素直な気持で、いままでとは異なった職業観を持たせてくれたのです。（佐賀県連『四つ葉』五号より）（おわり）

空談

古本屋のお婆さんへ

貧しいものの哀れさか、古本屋歩きも十数年になる。もっとも、少しでも安く買いたい一心だけではなく、新刊本は、しばらく店頭にあるのみで、すぐに姿を消してしまうから、数年まえに出た本などは、古本屋に頼るしか仕方がないこともあるのだが。

古本の値段は、多く裏表紙の内側か扉に記され、鉛筆を用いるのが例である。本屋によっては、客が購う段になると、その値を消してくれるところもある。いつも、お婆さんが店番をしている某店では、たいがい四、五百円どまりのものしか買わないのに、こちらが恐縮するほど、ていねいに頭を下げて挨拶してくれ、消しゴムできれいに値を消しさってくれる。

どこで求めても変らないもの、いずれ必要になりそうなものなどは、つい、ここで手に入れようかという気になる。鉛筆で書いた値段くらい、自分で消してもよいのだが、やはり、このお婆さんの仕草はとてもうれしい。いったいに、古本の値が残っているのは、無惨な感じがして、心が冷えるものだ。消しさってくれるのは、そこまで察してかどうかわからないけれども、おくゆかしく、思いやりからでたものと、ぼくにはうつる。

物品の売買という味気ない行為を越えて、そこに、あたたかな人間の附合い、心の通いあいの芽ばえをみる。そんなささやかな心づかいが、たまらないなつかしさに浸らせてくれ、深い感謝を捧げないではいられない。根源的な意味における教養が働いており、人間としての心得がもつ静謐な輝きと、安らぎとがある。

つまり、ここに文明人がいる。意識的ではあるまいが、お婆さんは無言のうちに体現している。こうしたことの尊さ、大切さ、生きることのなつかしさなどは、こんなところでしか見出せないし、学べないような気がする。実生活が〈大学〉であったと自伝に記したのは、ツルゲーネフだったか、誰であったか。生きることを学ぶとは、たとえば、この古本屋のお婆さんに会うことでもあろうか。

こんな人の多い国が文明国で、それ以外に文明国などはない。（山）

牛は可愛い

神奈川青空クラブ　藤丸美也子

牛を飼っているのを見たのは、クラブに入って間もない畑作交換の時でした。

私は酪農と聞いて、広い牧草地を、牛が「モウー」といいながら暮らしているんだろうと思っていました。が、当日、酪農をしている家をまわり、牛は牛小屋で「モウー」といっていました。

牛に触れられるのがこわくて、出来るだけ近づかないようにと思っていると、牛は珍らしい人が来たものだと思ったのか、「モウー」と顔を近づける。そうするとこわいけど、可愛らしく思えました。（神奈川県厚木市青空クラブ『七周年の歩み』より）

趣味、それは打ちこんでいる姿

――三重県津市　中島福子――

若い時代には浅く広く「何でもやってみよう」ということを目標に、現在までいろんなことに手をつけて来ました。だから、「あなたの趣味は」と尋ねられても、ハッキリ「何々です」といえるような趣味は持ち合わせていませんが、第一にスポーツ、中でもバドミントン、ソフトボール、卓球などです。

学生時代にはスポーツはあまり好きでありませんでした。会社へ入ってから、友達の影響で覚えたら好きになり、今では、私の趣味の一つになりました。第二に手芸です。手編みを主としています。自分で完成させる楽しさが、一番大きな原因になり、今では、かかせない趣味の一つです。第三に詩です。今、一番こっているのは詩なのです。自分で書いてみたり、本を読んだりしているうちに好きになりました。

人がやっていることは、何でもやりたいという気持があります。だから、人に気が多いと言われる時があります。自分の好きなことをやっていたら、いやな時間、いやな気持を忘れさせてくれるのが趣味だと私は思うのです。

趣味とは、生活にたのしみを加えてくれるもの、私達の生活から取り離すことの出来ないものと、私は思います。おそらく、趣味を持っていない人はいないだろうと思います。何か一つに打ちこんでいる姿、それは本当に美しいことだろうと思います。一つしか持っていない人は二つに、二つの人は三つに、一つ一つを完全にマスターして、自分のアイドルにし、若人らしく、楽しく、素晴しい生活を送りましょう。（三重県津安芸連協『若い息吹き』七号より）

草木虫魚

ひとつ目の鯉の墓

きみは、初めて捕まえた魚（サカナと訓むこと）のことを覚えているかい。ぼくは覚えているぞ。ほんとうに、それが最初だったかどうか、たしかでないが、そんなことはどうだっていいんだよ。もの書きの処女作に意味があるように、紛うかたなく、魚を捕まえたという記憶が大切なんだよ。

ぼくはねえ、母の里の近くの小川で、池から逃げだした三、四寸の鯉を手掴みにしたことが、忘れられないんだ。魚との出会いなんだな。まあ、運命的というべきだろうな。――紡績工場の排水で汚れて、ちょろちょろしか水は流れていなかったがね、友だちと争って、夢中だったなあ。

いまでもゆめにみるさかなとり

ところが、その鯉の片目が潰れていたんだよ。それが妙に傷ましくてね、とっても、せつなかったなあ。鱗もちょっと剥げていたしね、悲しいよりも、実際に痛みを感じたもんだ。痛みは感染するんだよ。ぼくらの手から、素早く逃げられる状態でなかったこと、そんな片輪の魚だったことが、忘れられない原因だろうか。

魚取りといえば、いまだって胸が弾むし、よく夢にもみるんだけれど、その後、山女を追ったときのこと、鮒をおさえたときのことなど、いくつかのポイントのように、よく思い出す場面があるよ。その片目の鯉についてはね、大人になってから、柳田国男というえらい学者がね、目がひとつの魚は、神さまに好かれ、親しく仕えることができるんだと、書いていらっしゃるのを読んだよ。

ひとつ目の魚の伝説は、全国各地にあるんだそうだ。ことによると、二十年以上もまえに、ぼくに捕まえられた鯉も、明神さまのお使いかもしれなかったんだなあ。神さまが、魚というものは、こういうもんだよと教えてくださるために、鯉をお寄越しになったかもしれないものね。じゃあなかったら、ぼくのようなのろまな子よりも、もっとすばしこい子が捕えただろうからね。

長いこと忘れていたけれど、このごろ、ときどき、その鯉のことを思い出すんだよ。池に放したような気もするし、すぐに死んでしまって、ぼくが、いちばん仲よくしていたたっちゃんという女の子と、てあつくお墓を作って葬っただような気もするな。ふたりでひざまずき、じいっと手を合わせていたのが、ほんとうじゃあないかと思うよ。草の葉なんかを刻んで、供えたりしてね。

おとなになったらおもいだすよ

きみには、そんな思い出はないのか。大人になったら思い出すようなことが、きっと、いまにね、いくつかできると思うよ。ぼくだって、片目の鯉やたっちゃんのことを、忘れないんだもの。あのころも、やっぱり、ぼくはぼくだったんだなあと思うもの。――たっちゃんかい、たっちゃんはね、もう、二人の子供のお母さんになっているって、いつか祖母から聞いたよ。（Y）

4Hのマークと共に

クラブ活動用品の案内

品名	（単価）
4Hバッチ	50円
レコード盤（4Hクラブの歌・4H音頭）	150円
クラブ旗　大（72cm×97cm）	400円
クラブ旗　小（36cm×49cm）	200円
〃　式	100円
ハンカチ	60円
ネクタイピン	200円
女子用ブローチ	200円
クラブ員専用便箋	100円
〃　封筒	70円

◎荷造り送料代百円です。
◎ご注文は代金を振替口座へお払込みを願います。代金着き次第ご送品致します。

社団法人　日4H協会代理部
東京都千代田区外神田6丁目15～11の705号
振替口座　東京72082番

日本4H新聞

4Hクラブ　農事研究会　生活改善クラブ　全国弘報紙

発行所　社団法人　日本4H協会　東京都市ケ谷家の光会館内　電話(269)1675　〒番号162　編集発行　[illegible]　月3回・4の日発行　定価1部20円　一ヵ年700円（送料共）　振替口座東京12055番

クラブ綱領

一、私達は、実践を通して科学を磨くとともに、互いに力を合わせて、よりよい日本を創るため、四つの信条をかかげます。一、私達は、農業と生活の改善に役立つ腕をみがきます。一、私達は科学的に物を考えることのできる頭の訓練をします。一、私達は誠実で友情に富む心をつちかいます。一、私達は楽しく暮し元気で働くための健康を増進します。

4H会館構想を練直す

初の「特別委員会」開く

宿泊設備はムリ

維持、管理面も問題に

全国4Hクラブ連絡協議会（会長　黒沢健一君）は、現在、早期建設をめざして全国的に募金活動を展開している日本4H会館の使用方法などについて具体化を図るため、特別委員会を四月二十八、二十九の両日、東京・新宿区市ヶ谷の同協議会事務所で執行部会を開いた。

特別委員会の委員には、今年度設置した常任委員（歴代全協役員二十人）の中から次の七人が選ばれた（敬称略）

遠藤清之丞（神奈川、四十二年度全協事務局次長・日本4H会館建設委員会事務局長）▽飯田富代視（奈良、四十二、四十三年度副会長）▽黒田保（茨城、四十四年度会長）▽久野知英（愛知、四十五年度会長）▽坂井邦夫（佐賀、四十五年度副会長）▽中野正義（神奈川、四十五年度事務局次長）▽佐藤春雄（神奈川、四十五年度県連会長）

当日はこのうち、止むを得ず出席できなかった遠藤、坂井両君を除く五人が顔をみせ、委員長に黒田君を選出した。

会館の施設については、総会で申し合わせたように、全協の主体性を生かし、これまでの構想を大幅に変更しないという基本的な方針にそって審議された。

とくに論点となったのは①宿泊施設の必要性②クラブ員にとって魅力ある施設とは何か③建設後の維持・管理のための資金捻出方法をどうするか――などである。

まず、宿泊施設に関しては、ビルの建設者である家の光協会が宿泊施設の拡張を計画していると考えられることや、宿泊施設を作った場合、その維持・管理が大変であること、また、独自に守衛をおかなければならないだけでなく、消防、税金関係など多方面にわたって難しい問題が生じてくることが予想されるため、必要ではないとの意見が強かった。

しかし、クラブ員が地方から出かけてきて気楽に宿泊できるということが大きな魅力となっているので、省くべきでないとの意見もあり、なかなか結論が出なかった。

結局、宿泊施設を欲しいとの要望があることを家の光協会に伝えるとともに、同協会の宿泊施設に優先的に斡旋してもらえるよう要望することにして、4H会館には宿泊施設を作らないとの方針で進めることにした。

また、止むを得ず同協会の宿泊施設に泊まれない場合などを考え、和室を拡張してそれに備えるという弾力的な態度で望むことになった。

談話室などの施設

次に、クラブ員にとって魅力ある施設としては、これといった名案がでなかったが、来訪者が気軽に談合でき、そのうえ資料展示、応接などをかね備えた談話室を設けることにした。また、視聴覚室[illegible]の捻出方法についても協議されたが、あくまでクラブ員の殿堂として考え、当面は、会議室があいている場合に貸すなどの方法をとって行くことにした。

面積については、一フロアーとして予定されている、二百五十坪（約八百二十五平方㍍）のうち、実際に使用できるのは約六割、百五十坪（四百九十五平方㍍）が見込まれ、別記のとおり部屋別に割りふりした。この中で、研修室と視聴覚室を隣接させてアコーデオン・ドアで仕切り、必要な場合には大ホールとして使用するなどの工夫をこらしている。

しかし、これまで描かれてきた4H会館建設についてのイメージ――全国のクラブ員とOBの結束を図る旗印、全国クラブ員の殿堂、研鑽と交流の場、サービスセンターとしての機能――を十分に生かしていくためには、今後、さらに検討を重ねていく必要があると思われる。

クラブ員の「殿堂」のイメージ崩さず

黒田特別委員長

全協は、4H会館の建設用地として予定していた東京都内での土地入手が甚だ困難な状態にあるため、都内に単独で建設することは現状として不可能であるとの決断を下し、さきの総会において、ビルのスペース買い取り方式という新しい方向で進めることを決定、その使用方法などを検討するため特別委員会を発足させた。

このビルの買い取りを決定したのは、家の光協会（会長　宮部一郎氏）に、現在全協事務所を借用している同協会の旧館を取り壊しその後にビルを新築して農村文化センター（仮称）にしようという構想があることを知り、同協会と折衝した結果、明るい見通しが出てきたためである。その後、全協が提出した要望書に対し、同協会から回答があり、その使用目的や坪数、所用室数など具体的な計画を知らせてほしいとの問い合わせがあったもの。

今回開いた特別委員会との打合せは、それに回答するためにもたれたものであり、協議結果については、来る六月四日から東京・代々木のオリンピック記念青少年総合センターで開く前期全国4Hクラブ中央推進会議における会長会議で了承を求めてから家の光協会に提示したいとしている。

主な施設と面積

1、研修室	50坪	（165㎡）
2、会議室	10坪	（33㎡）
3、視聴覚室	25坪	（82.5㎡）
4、和室	20坪	（66㎡）
5、談話室	10坪	（33㎡）
6、事務室	20坪	（66㎡）
7、書庫	10坪	（33㎡）
8、給湯室	5坪	（16.5㎡）
9、その他、便所、廊下など		

なお、面積は、ビルの構想が具体化した場合、それに応じて正式に決定する。

会館の主な用途

1、クラブ員の各種研修会および会合
2、クラブ活動の資料および作品展示・保管
3、クラブ員の交歓と休憩
4、世界各国のクラブ員との交流の場とする
5、クラブ員のサービスセンターとしての機能
6、全国4Hクラブ連絡協議会の事務所

末端へPR図る

募金　指導機関に協力依頼

4H会館建設の構想の具体化とともに、募金を伸ばすための方法についても審議された。

募金活動は、全国の平均化がさけばれていることもあって、これまで低滞していた各県連もここにきてかなりムードを盛りあげてきている。しかし、募金目標額にはほど程いので、さらに拍車をかける必要があるとして、当面、次の事柄に力を入れることにした。

一、募金活動が円滑に行なわれるよう各道府県の行政指導機関にも協力を求める。

一、各県連へのオルグなどを通じて、クラブ員に会館建設について説明し、募金の協力を呼びかける。

一、日本4H新聞の購読者の増加を図り、新聞を通じて会館建設についてPRし、ムードを盛り上げる。

この新聞利用とオルグによって末端クラブ員に周知徹底を図り、クラブ員としての意思統一と同時に、末端からの盛り上がりを求める。

一、会合などに出席した人たちは、ムードとして会館建設に大いに意欲を示すが、地元活動の段階になると鳴りをひそめる場合が多いので、各県連、地区連に募金活動の中心となって推進してくれる人を育てる必要がある。

クラブ員の手で

このほか、募金目標額の四千万円は、クラブ員だけからの募金に期待するのは困難なので、賛助金など他の方法も考える必要があるが、クラブ員としての自覚、意識を高めていくことが大切であるなどが論じ合われた。

「4H祭」を企画

山口県連で通常総会

会長に松尾君選出　4H会館建設に協力

松尾会長

【山口県＝松尾耕助連絡報道員発】山口県農村青少年クラブ連絡協議会（会長　神田勝敏君）は、さる四月二十日、山口市の県農業研修所で四十六年度の通常総会を開催した。

当日は、県下十五地区の代議員やオブザーバーなど約五十名が出席し、午後一時から開会。

4Hクラブの歌を斉唱のあと、神田会長が「クラブ員皆さんのご協力によって無事終ろうとしている。四十六年度も県下クラブが団結して、さらにクラブ活動を盛り上げて欲しい」とあいさつ。ついで岩瀬普及教育課長の祝辞があり続いて徳山の田村君を議長に選出し議事審議に入った。

まず、四十五年度の事業報告と経費収支決算、監査報告があり、審議しこれを承認した。

続いて、四十六年度の事業計画案と経費予算案が執行部から説明され、可決された。

四十六年度事業計画の中で新しく加わったものに4H祭があり、これにかなり質疑が集中していた。この4H祭のねらいは、地域のクラブ活動の成果を展示、発表し、今後のクラブ活動を促進するとともに、一般の人々にも理解を深めてもらうために県農業祭に合わせて行なうというもの。

このあと、4H会館建設について全協総会において検討された事項について審議。まず神田会長が全協総会の説明し了承を求めた。その結果、スペース買い取りには協力することを申し合わせた。しかし、早く会館の設備などの内容を打ち出して欲しいという声が多かった。

このあと役員の改選に入り、新理事男性四名、女性二名の計六名と監事二名を選出し、最後に新旧役員のあいさつがあり午後四時過ぎ閉会した。

四十六年度の県連役員は次のとおり。（カッコ内は地区名）

会長　松尾耕助（日置）
副会長　久保山誠（楠）
〃　田坂恭子（平生）
事務理事　白松博元（阿武）
理事　中野宏（豊田）
〃　田村俊昭（大島）
〃　須内和朗（大島）
理事　坂本重子（岩国）
〃　水津信子（阿東）
監事　神田勝敏（鹿野）
〃　福島多康代（平生）

なお、五月二十一日、二十二日の両日、宇部市の宇部青年の家において幹部研修会を実施した。

会長に飯島君選ぶ　山梨県連

【山梨】山梨県4Hクラブ連絡協議会（会長　河東哲征君）の四十六年度の新役員が、このほど開かれた総会で次のとおり決定した。

新役員は次のとおり。（カッコ内は地区名）

会長　飯島晶田（山梨）
副会長　斉藤明男（東八）
総務部長　内田操（甲府）
総務部企画係長　鶴田豊一（敷島）
同広報係長　相川三幸（塩山）
同財務係長　村松正幸（峡西）
外務部長　古屋始芳（山梨）
事業部長　芦沢清年（峡西）
生活部長　中村ちづ子（塩山）
監事　桐原宣（同）
同　岡部秋男（北都留）
同　横森宏争（韮崎）

新会員の増加へ

群馬県連会長に前原君

【群馬県＝斉藤竹代連絡報道員発】群馬県青少年クラブ連絡協議会（会長　長井健一君）の通常総会は、さる四月二十七日、前橋市で開催された。

まず四十五年度の事業実績と収支決算を承認したあと、四十六年度の役員選出を行ない、会長に前原保夫君、副会長に原照子さんと保坂功次君（事務局長を兼務）を選んだ。

ひき続いて四十六年度の活動方針と収支予算を決定し、午後三時閉会した。

四十六年度の活動基本方針としては、①組織の強化と新入会員の加入促進②プロジェクト活動の推進③広報活動の推進などを大きな柱としてかかげ、具体的な事業として、県青少年クラブ員のつどいを充実するとともに、リーダーの資質的向上をはかることを申し合わせた。

予算面では、総予算三十六万円と少ないが、機関紙を通じて新入会員に、PRしたり、プロジェクト実績発表の成果を広く紹介するなど実のある活動を展開することにしている。新役員十二名は、県下のクラブ員とともに県連活動を発展させていくため大いに張切っている。

「専門部」を設置

静岡県連、役員会で事業具体化　今年は駅伝大会も

【静岡】静岡県農村青少年クラブ連絡協議会（会長　渥美登雄君）は、さる六日、静岡市東草深町の県職員会館で、今年度初の役員会を開いた。

この役員会には、県下五地区連から十六名の代表が出席、四十六年度の活動方針に基づく事業計画の具体化、専門部の設置、日本4H新聞連絡報道員の選出、県連顧問の推戴などについて審議し、次のとおり決定した。

一、事業計画

▽単位クラブ会長会議（五月二十八、二十九日）▽第十六回県技術交換大会（八月二十三日から二十五日までの三日間）▽第一回県リーダー研修会（十一月中旬、一泊二日間）▽地域連オルグ（六月～七月）▽第二回県農村青少年スポーツ大会（十月五日）▽第十一回県農村教育青年会議（一月二十五日から二泊三日間）▽四十六年度功労者表彰事業（一月二十六日）▽第二回県リーダー研修会（二月二十四日から二泊三日間）▽機関紙の発行（七月と一月の二回）▽単位クラブ実態調査（三月一日）

一、県連専門部

▽事業部（部長　鈴木紀久安君）　クラブ員の意識を高揚するための各種事業を企画、推進することを主な任務とする。

▽組織部（部長　鈴木一君）　クラブの組織の拡張、充実するための活動を主な任務とする。

▽広報部（部長　豊田信行君）　クラブの広報、機関紙、日本4H新聞に関することを主な任務とする。

▽生活部（部長　鈴木民江さん）　女子クラブ員の活動発展のための各種事業を企画、推進することを主な任務とする。

一、日本4H新聞連絡報道員の選出

広報部から四名を選出

一、顧問の選出（二名）

真田勝（前会長）植松美津子（前副会長）

このほか、スポーツ大会について昨年の第一回大会は、球技三種目（バレーボール、ソフトボール、卓球）で行なわれたが、第二回はこの三種目のほかに駅伝大会を組み入れることになった。

（鈴木事務局長発）

石井さんら出発

派米クラブ員

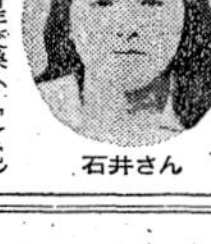
石井さん

明神さん

国際農村青年交換（IFYE）計画に基づく四十六年度の米国派遣代表として日本4H協会から選ばれた4Hクラブ員二人＝明神節子さん(二三)高知県須崎市多ノ郷と石井万代子さん(二二)大分県津久見市上青江＝は、さる十一日午後七時十分、羽田発のノースウェスト機四便でアメリカのシアトルへ向けて出発した。

同日は、4H協会職員と全国4Hクラブ連絡協議会の黒沢会長や原田事務局長らが見送った。

明神さんと石井さんは、ワシントンでオリエンテーションを受けたあと各州の受入れ農家に入り、その家族の一員として生活する。

滞在期間は約六ヵ月間で、この間、農業の手伝いなどともに草の根大使として4Hクラブ員や地域の人たちと交歓、両国の相互理解と親善に努めることにしている。日本から女性二人が米国を訪ずれたのは昨年に続いて今年で二回目。

二人は、出発に先立って、言葉や生活などに対する不安を抱きながらも、目と耳と口と肌でアメリカを感じ、全国4Hクラブ員の代表として恥じないように頑張ってきますと語っていた。

築こう！みんなを結ぶ4H会館

日本4H会館建設委員会
全国4Hクラブ連絡協議会

本紙の購読者倍増をめざす

熊本県連

【熊本】熊本県農村青少年クラブ連絡協議会（会長　[illegible]君）は、この[illegible]第一回の役員会[illegible]活動の一環として[illegible]の倍増を図る[illegible]

また、今年度[illegible]けられた本紙の連絡報道[illegible]合わせ会を、来る六月五日[illegible]くことにしている。

愛媛で大会開く

【愛媛】愛媛県の若い農業経営者大会が、さる五、六の両日、松山北高と松山市民会館ホールで開かれた。

一日目は、松山北高で県下の若い農業従事者約千三百人を集め、まず新規就農者二百八人の激励会を開いたあと農業者会議に入り、十五分科会で意見を交換、二日目は松山市民会館に会場を移して、全体会議をもち、前日の分科会の報告をした。

このあと、「新しい農業への歩み」について六名の代表が白石知事、森本農林事務次官と懇談、午後から「農業の動向と今後の農政」と題して森本次官の講演があった。

涼風暖風

データでしゃべろ

宮沢通産大臣が総理大臣秘書官のときの話だとか伺った。宮沢さんが当時の首相のお伴をして訪米し、日米両首脳のトップ会談に同席した。談たまたま高潮したとき、アメリカの大統領が、この問題については日本ではこれこれの議論が交されているけれども、と発言した。首相も秘書官も、そんな議論があることを知らなかったという。帰国して、秘書官があちらこちらを調べたら、あるときの国会の委員会で行なわれた討議内容であった。秘書官ですら知られないような委員会議事録をアメリカ側は手に入れ、首脳会談の事前に大統領へ資料を提出し、じゅうぶん検討していたわけである。

この話はまた聞きなので、その真偽の程は知らない。しかし、会議の前に必要な資料をそろえ、これを分析し、客観的、実証的に議論を展開する必要を説いていることはわかる。

青少年団体の会合に出席すると、皆さんがあわをとばしての議論で、けんけんがくがく、ほんとうに楽しいと思う。議論をしながらコミュニケィションの技術を学び自分の存在を強調し、思考の訓練をしているわけである。自分の存在を強調し、ということは、くじゃくのオスがきれいな尾羽をひろげて、メスの関心をひこうとしているようなもの。また、にわとりのおんどりが、けんかのとき、頭の羽根を逆立てているようなものだ、といっていた人がいるが、まあ、こんなウィットもわかることが世渡りのテクニックかも知れない。

脱線してしまったが、ともかく、青少年が中心のグループは、議論のための議論、ゾルレン、つまりかくあるべしという意味合いの議論が多い。私は、この種の議論は決して悪いとは思わない。むしろ、こんな楽しいものはない、とさえいいきれる。

ところで、甲羅を経た大人たちと議論するときは、これではやりこめられてしまう。データ発言の説得力がなければいけない。データをつきつけ、過去からの推移はこうで、現在はこうであって、こういう要因が加味されれば、将来はこういうカーブで、こうなるという具合にやらなければだめだろう。ハッタリや思いつき、ひとりよがりの理論構成では、相手は納得しない。評価の定まったもので裏付けして、話に客観性をもたせなければならないわけだ。

こう考えてくると、議論をする前に相当勉強しておかなければいけないということになる。ただし、恋人どうしの会話は別だろう。恋人どうしの会話は、やはりフィーリングを大切にしなキァー。

（文部省　伊藤）

心頭抜健

[illegible]

経営問題に挑戦

群馬県連で春期大会開く　女子活動も話合う

【群馬県＝斎藤竹代連絡報道員発】群馬県青少年クラブ連絡協議会（会長 前原保夫君）は、さる七、八の両日、群馬県農村青年研修館で四十六年度の県農業近代化ゼミナール交換研究会（春季大会）を開いた。

この研究会は、クラブ員が日ごろ実践活動を通じて得た知識や技術の競技によって相互に交流するとともに、活動上の問題点などについて話し合い、これからの活動の参考にしようというもので、六十七名が参加した。

まず一日目は技術競技が行なわれた。昨年までは全科目を男女一名ずつが組んで競技する形をとってきたが、今年度は新しい型式として、選択科目を加えて個人競技を取り入れ、日ごろの成果を試す場として全員で腕を競い合った。

選択科目の主なものは、乳牛、養鶏、果樹普通作、肥育牛、工芸作物、養豚、野菜、生活改善などで、各部門とも出題三十問のうち十問が実物鑑定。競技者の数が一番多かったのは野菜の部であったが、各自、自分の仕事の分野について挑戦した。

このほか必須科目があり、青少年活動と農業経営について各十五問ずつ計三十問について全員が真剣に取り組んだ。この反省としては、全般に理解度が低かったようである。

約三時間にわたって合計六十の問題について競い合った結果、次の人たちが上位入賞した。

◇男子総合（60点満点）△一位 栗原良一（太田）48点・野菜▽二位 松井健（富岡）46点・工芸作物▽三位 関勇（沼田）44点・同

◇女子総合（60点満点）▽一位 矢島麗子（富田）33点・生活改善▽二位 中島勝美（中之条）32点・同

女子の中にも、養鶏、乳牛、養豚、野菜などの部門に挑戦した人がいる。

二日目は、二つの分科会に別かれて交換討議が行なわれた。

主な内容は、女子クラブ員の活動や、クラブ、農業に対する悩みやその解決方法などで、日ごろクラブ員が悩み考えていることについて活発に意見がかわされた。これは今後のクラブ活動上大いに参考になった。

長崎のクラブ員招き意見交換　佐賀・太良4Hク

【佐賀】藤津郡太良町の五つの4Hクラブが太良町4Hクラブを結成したのを記念して、さる六日、同町公民館で意見交換会を開いた。

同町には、これまで、三谷、川原、小田、蕪田、中尾の五つの4Hクラブがあったが、農村青少年の流出や出かせぎに行く人が多くなって、昨年はどのクラブもクラブ員が十人以下になり、中には四、五人というミニグループも出て、活動に支障をきたしていたため、新しい発展をめざして合同したもの。

交換会には、約三十人が出席、長崎県佐世保市の針尾4Hクラブの二十人も招いて地域農業のあり方やクラブ活動状況などについて意見を交換。午後からは風配高原に登ってバレーボール、ソフトボールなどで交歓し、今後の努力を誓い合った。なお、太良町4Hクラブの新役員は次のとおり。

▽会長 大鋸勝▽副会長 荒木新一▽事務局長 川良文雄▽同次長 竃永光康▽監事 島村義高、徳永孝憲

7月に20周年大会　新潟県連

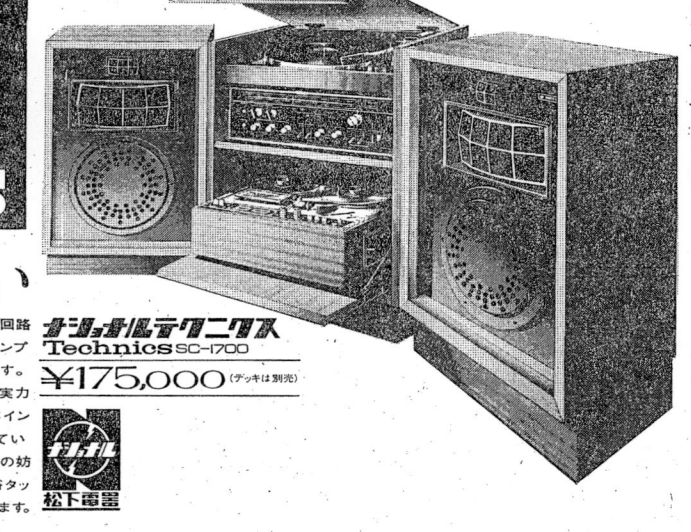

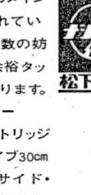

【新潟】新潟県農業改良クラブ連盟（会長 瀬戸治彦君）は、昭和二十七年に結成してから今年で二十周年を迎えたのを記念して、来る七月四日、長岡市の厚生会館中ホールで式典を興行するほか記念誌の発行や記念植樹などの行事を計画している。

記念行事大会では、デモンストレーションとしてトラクターなど農業機械による市中行進のあと記念式典、つづいて農業青年の主張、記念講演、農産物展示即売会などを実施する。

記念式典は、県連二十年の経過報告、表彰状と感謝状の贈呈、シンボルマークの発表、県連旗設定の発表などを予定している。

また、この記念大会の関連事業として、県連のシンボルマークをクラブ員から募集し、一位の作品を県連旗やペナントに使うことにしているほか、農業青年の主張論文をクラブ員から募る。

畜産物、果実などは上向き

今年度の農業観測

農林省はこのほど、今年度の農業観測を発表した。その概要は次のとおり。

一、四十六年度の農業総生産は前年度よりも二・三%減り、二年連続してわずかながら減少した。

種類別にみると、畜産物が一一%の高い伸びをみせたほか、果実もみかんの豊作で前年度を上回った。しかし、米が九%、麦類が大幅に三六%、雑類も二〇%減った。

一、農産物価格は、生産者米価の二年連続据置き、畜産物の低下などがみられたものの、果実、野菜などでかなり上昇したため、総合では三%程度伸びた。この結果、四十五年度の農業総産出額は、四兆五千六百五億円となり、また、米の生産調整奨励金千百二十六億円、良質米奨励金など二百三十八億円を加えた農業所得は二兆六千九百億円となって、前年度を四%上回った。

一、四十六年度の見通しは、農業生産のうち、米が二百三十万トンの減産となるが、これに替って畜産物、果実がややふえる予想なので、全体では大体四十五年度なみとみられる。

農産物価格では、野菜が多少値下がりする見通しであるが、米価の三%引上げなど他の農産物の値上がりが前年度なみになる見込みであるため、全体では三%台以内（〇—三%未満）の値上がりになりそうである。そこで、農業総産出額、農業所得とも二%台以内の増加とみられる。

一、四十六年度の農業生産資材では、化学肥料や農薬の需要が米の生産調整による影響で横ばい、またはやや減る見込み。価格は全般に三～五%台上昇することが予想されるため、農業資材の値上がりに農産物の値上がりが追いつかず、四十三年度について交易条件が悪くなる傾向がみられるようである。

西川氏、農業共済係長に就任

全国4Hクラブ連絡協議会の参与、西川哲雄氏（長野県専門技術員）は、このほど同県農政課農業共済係長に就任した。

同氏は、戦後にスタートした普及事業とともに歩んできた人。とくに、4Hクラブの発足に当っては、長期間にわたる研修を受け、その体験をもとに今日まで4Hクラブ活動の普及啓蒙に情熱を注いできた。4H発足から今日までひき続いて青少年担当として指導に当っている人は全国でもわずかとなったが、同氏はそのうちの一人で、現在、全協の専門委員でもある。

ヨーロッパ農業に学ぶ ⑦

植えるため伐る

バーデン・ヴィルテンベルグ州の林業界　コスト高で無利潤

西ドイツ

九月二十八日午前九時、バーデン・ヴィルテンベルグ州政府および農林省を訪問し、午前十一時三十分まで同州の林業事情、農業情勢について説明を受けた。林業事情については、州林務官ルップ氏から説明があった。

バーデン・ヴィルテンベルグ州の森林面積は約百三十万㌶で、国有林、公有林、私有林ともそれぞれ三分の一ずつとなっているが、一九六二年の資料（村井副団長調査）によると四二%、二五%、三三%といわれる。公有林の多いことが特長であり、私有林の五〇%は会社や旧領地主などの大規模所有者のもので、残りの五〇%が農家の所有で小規模である。

歴史的に見た場合、日本と同様第二次世界大戦後農地改革が行なわれ、それが林業まで実施された（日本の場合林業は行なわれなかった）。ドイツの場合、林業者の要求で国が地主に二十年間無利子という融資を行ない、地主がまた買い戻しを行なったのである。

樹種別の内容は、トウヒ四一・八%、アカマツ二六・六%、ブナ二三・六%、カシワ類八・〇%、針葉樹、広葉樹の混植が特長である。バーデン・ヴィルテンベルグ州の六十㌶の面積が有名なシュバルト・バルトに集中している。ここは、八百㍍～千㍍ぐらいの高度のところに植えられている。

最近における問題点として重要なことは、労働力不足と労働賃金の大幅な値上がりによるコストアップである。木材の価格は、最近二十年間たいした変動はないが、労働者の賃金は三倍も上がっている。また、労賃を含めた総コストと収入の関係では、五十五年～五十八年までは儲けがあったが、六十五年を境いにコストが収入を上まわり、林業は現在のところ利潤はないとのことである。コストが収入を上回っても森を持つことは良いことだとフック氏は強調したが、それは「林は伐るために植えるのでなく植えるために伐る」という言葉のそれである。レクリエーション、保護施設など多目的に利用することも価値あることである。

日本の場合、外国から多くを輸入するが、西独の場合は輸入しなくてもよいとのことである。また地理条件、気象条件なども日本と同じように良好である。

九月二十九日シュツットガルトを発ち、前日の説明のあったシュヴァルツヴァルトをはじめ、バーデン・ヴィルテンベルグ州の林業事業をバス視察した。STOTTGART・CalW・Calmbach-Schwarzenbg（昼食）・ZURICHの行程でシュヴァルツヴァルトの一部を視察した。モミ、トウヒ、カバの樹、欧州アカマツなどの樹が整然と植えられていた。また、舗装された道路が縦横に走り観光資源としても十分その価値を発揮していた。シュヴァルツヴァルトの森林面積は六十万㌶で静岡県の五十二万㌶より少し広いとのことであった。特徴としては二十年～百年の間、間伐的にぬき切りを行ない、八十年～百年で木林として切る。伐採の方法は帯状もしくは帯状であり、一㌶の石数は二百五十～三百㎥である。一年生～百年生の間の樹がそろっていて森林を育てるということが完全に守られている。また、林道は極めてよく完備されていた。

ドイツ林業の問題点としては林業労働力の不足と共に林価が低迷していることである。それで一九七〇年に財政的に補助することが法令として決まり実施されることになった。これは森林組合とか共同体のみを対象に行なわれ、個人は対象外となっている。それから一番大きな悩みとして、所有規模の零細性がある。これらは集団経営や共同経営をはかることにより大規模化していかなければならない問題である。また、林道は大変よく完備されているが、林業労働力の不足、林価の低迷にどのように対処してゆくかが今後の大きな課題である。機械力の導入により合理化をはかることも進められようが、森林そのものを多目的に利用することも併せて進めなければならない。レクリエーションの場としても、保養施設の場としても緑の森林は大切である。社会開発が進むにつれ自然は大きく破壊されてゆく、そのためにも森林を育てることは必要である。「伐るために植えるのではなく、植えるために伐る」という言葉が頭から離れない。

ヤングが抬頭

岐阜県連で前期リーダー研修会　夜も昼以上の成果

【岐阜】岐阜県4Hクラブ連絡協議会（会長 林新太郎君）は、さる四月三十日と五月一日の二日間、可児郡の岐阜県農業高等学園内の青年研修館で、今年度初の行事として前期リーダー研修会を開催した。

昨年までは、五月中旬に行なわれてきたが、今年はあくまでも農繁期の前に行なうことを前提として早めに開かれたもので、これには、海抜ゼロ㍍の南濃から海抜三千㍍の飛騨地区まで各単位クラブから多数の参加があった。とくに、この研修会で強く感じられたことは、若さの抬頭ということで、若さと実行力を誇る各リーダーから建設的な意見が続出し、県連役員も一瞬たじろぐという一幕もあった。

一日目の開会式では、まず林会長が「県連はみんなで築くものである。クラブ一人ひとりの意見を尊重し、みんなの手で4Hクラブをよりよいものにしてほしい」と力説。ついで学園長の県農産普及課長から激励のことばが述べられた。

このあと県連の新役員紹介、自己紹介に続いて県連活動方針の説明と全協総会の報告が同総会出席者から行なわれた。とくに、全協の大きな事業である4H会館建設については、いろいろと論議されたが、会館建設の推進については県連として従来通り押し進め、募金活動を積極的に展開する（夜の運営会と役員会の意向）ことを申し合わせた。そのためにも、4H会館建設という言葉自体と認識が末端クラブ員まで浸透するように努力する必要があることを痛感。

午後は、「半経営者」ではなく「満足される経営者」をめざして県農業改良クラブ会長の土屋義隆氏から講義を受けた。「ただ動くな！頭を使え……」—情報、収集、各種の調査が必要であり、アイデアを生かせなど約二時間にわたって"集団の統率"について述べられた。

このあと、自己主張を体で表わそうとバレーボールを行なったが、その中でもたれた二十分間デスカッション「動きながらの発言」は好評であった。

すし詰め行事の中で夜の楽しみはレクリエーション。講師に、4Hクラブ員にはなじみ深い杉山氏を愛知県から招き、「リーダーとしてのレクリエーションの持って行き方」と題して、実技を中心に指導を受けた。リーダーたちは楽しみながら、レクの実践的方法を学んだ。夜もフトンの中で意見交換が行なわれ、昼以上の成果があったとの声も聞かれた。

二日目は、「クラブ活動の進め方」と題して二時間にわたって討議した。一日ぶりに語り手にまったリーダーたちは、真剣に意見をかわし、最後にはこの研修会の方向や意義についてまで話が進み予定時間を三十分以上もオーバーするという意気込みだった。

続いて「グループ活動とこれからの農業者」と題して県の加藤専門技術員から講義を聞いた。

蛙道

音のふるさと

聞えてくる。拡大なパンパスを渡りゆくインディアンフルートの音が…。サイモンとガーファンクルの『コンドルは飛んでいる』だ。あの〈曲〉が、路地裏の民家のラジオから流れ出てくる時、私は歩を釘づけにされたままパンパスを吹き渡る風の音を聞き枯れた草の匂いをかぐのだ。どうしてこうも音楽は、その風土をイメージさせるのだろう？私の場合は音楽から風土や風俗を切り離して聞くことができない。音そのものを聞く力のない生来の音痴なのだ。でも、音楽とはそれぞれの風土と民俗に抱き温められ孵化されて生まれるものではなかろうか。

昔、ユダヤ音楽を聞いたことがある。とてつもなく巨大に低音なラッパの響と鈍重に鳴り響くシンバルの音が錯綜する。どれだけ聞いてもなじむことのできない音の世界だ。子供の頃、高熱にうかされてよく見た暗黒の夢のような。これにくらべて遊牧民の音楽の明るく自由なこの音の広がりかたはどうだろう。なにものにも拘らない、しわがれきった音。砂漠に乾かされた畜糞の臭いがしみ込んだ音。もし私がマリファナを喫えば、多分こういう世界を幻覚するのだろう。そして農耕民族の音楽には、とりとめのなさと安堵感を感ずることができる。けむる雨のむこうに緑の風土が視えてくる。それは、雨の大陸と四季の島だ。いつも私は、こんなふうにそれぞれの民族の音楽からその風土をイメージしている。

日本の民謡。これは「…地方の民謡」といわれるように地方によって分類されている。そのせいではないが、やはり〈民謡のふるさと〉をイメージさせずにはおかない。いいかえれば、「おくに」である。今、私を惹きつけるのは北海道の民謡と白山山系に伝わる民謡である。朗朗と響く江差追分は、灰色の海の広がりと北海の厳しさが感じられる。また、白山の民謡には渓谷の村から見あげる晴れた空の色と雪に閉ざされた村落共同体の親密さがあるのだ。そのうえにこれらの民謡は、その郷の人の一人一人の顔まで思い浮ばせてくるからだ。（T）

組織のパイプ太く

高知県連で地区連会長会議開く　県知事も激励

【高知県＝公文豊連絡報道員発】高知県農村青少年クラブ連絡協議会（会長 岡村康文君）は、さる四月十九日、高知市帯屋町の「文教会館」で地区連会長会議を開いた。これは、地区連と県連のパイプを太くし、組織強化を図ろうというねらいで開かれたもので地区連の正副会長三十八名が出席した。

岡村会長のあいさつのあと、県知事、県農林部長、同技術課長からそれぞれ激励のことばが述べられ、続いて会議に入った。

全協総会の報告について、県連の四十六年度事業計画などについて報告された。その中でも、とくに、青年の声を行政に反映させようという県青年会議や、クラブ員のプロジェクト研究成果を披露しまた、新規就農者を激励する県4H祭などが注目されている。

この会議の成果をもとに、県連事業が地区連の理解と協力によって強力に展開されるものと期待される。

表彰された岐阜県連

北アルプスの清掃奉仕で

【岐阜】岐阜県4Hクラブ連絡協議会が、「北アルプス美化の会」（会長 今井嗣延氏）から特別表彰を受け、このほど開かれたリーダー研修会で披露された。

これは、昨年七月二十五日から三日間にわたって吉城郡上宝村の平湯キャンプ場で開かれた「岐阜県4Hクラブ交の集い」（担当、飛弾4Hクラブ＝会長中野俊一君）の二日目、乗鞍登山の際、参加者百三十余名が約半日にわたって公園一帯を清掃したことが認められたもの。

国立公園である乗鞍岳は、東洋のスイスとして知られ、この美化の会は、一市三郡（高山市、吉城、大野、益田各郡）の市長村長で結成されている。

いま、レジャー時代といわれる中で観光客のマナーの低下がとりざたされているが、現実は想像以上のひどさだ。このようなときクラブ員による清掃奉仕は、他に与える影響も大きいと高く評価されたようである。県4Hクラブとしてはこれからも美化に大いに協力していく考えである。

なお、表彰状とともに贈られた金一封は、そのまま北アルプス美化の会に寄付した。

こんなことをしています　各種農業団体

全国購買農業協同組合連合会

薬害から肌を守る

皮ふ保護クリーム「カネクタンF」　一戸一本以上の普及

いよいよ農作業も本格的になってきたが、農作業でつねに気をつけなければならないことは農薬による危被害や、手足、顔などの肌あれ。

そこで、皮ふ保護クリーム「カネクタンF」を系統農協で扱っているが、組合員から大変好評を得ており、今年も春期に全国で百万本の全戸予約達成運動を展開している。

カネクタンFは、農作業、炊事、洗たくなどによる肌あれ防止はもちろん、農薬による危被害からの皮ふ保護クリームとして好評をはくしている。すでに系統オリジナル商品として取り扱いをはじめてから四年になるが、その間普及宣伝をはかってきた結果、この商品の品質のよさは高く評価されており、また廉価であることから組合員に浸透してきている。

系統農協では、全戸必ず一本以上の愛用を推進目標として、今年も全国で百万本の全戸予約達成運動を展開し、普及活動をくりひろげている。

全国運動としては、一月から六月までの期間を設定しているが、地域の実施に応じてこの運動に参加することにしている。

系統農協では、今年も国、都道府県で実施する「農薬危被害防止運動」に合わせて、「農薬安全使用デー」の全国統一運動を推進することにしているが、この防除資材の中にカネクタンFが組み入れられている。

このカネクタンFの特徴や使用方法は次のとおり。

【特徴】①強力な転移性のクリームなので、皮ふの角質層に密着して強い油の膜をつくり、水に溶けた物質をはじく②湯、石けん、洗剤にも油の膜がとれない③無味、無臭、無害なので炊事にも安心して使える④皮ふ呼吸をさまたげないので身体のどこにも使用できる⑤チューブ入りで携帯にも便利、戸外での仕事に持ち歩きできる。

【使用方法】①農薬散布作業のときは、保護衣を着用する前に皮ふの保護クリーム「カネクタンF」を顔、腕、手、胸、腹、わき、下肢などに十分すり込む②カネクタンをまんべんなく皮ふに塗擦すると皮ふに密着して保護膜をつくり農薬などの侵入を防ぐので、皮ふの障害を起こさない③衣類の摩擦などでとれる部分や、露出している部分は一～三時間ごとに塗るようにする④皮ふに付着している薬剤は石けんでよく洗い、水気を拭きとってから塗るとよいなど。

カネクタンFは肥料散布、田植え、果樹の手入れ、トマトの芽かきをはじめ、洗たく、炊事などの皮ふあれ、かぶれ防止に大変効果がある。（広報課）

農林中央金庫

クローバーと太陽

農協貯金　シンボルマーク誕生

明るい太陽のもと、一面に緑のカーペットを敷きつめたようなクローバー。たいていは三つ葉だが、ごくまれに四つ葉が混じっている。それを見つけた人には幸福が訪れる、という。野辺で一生懸命になって四つ葉のクローバーをさがしたのも、なつかしい幼い日の思い出だ。花ことばは"幸福"そして"私のもの"—。

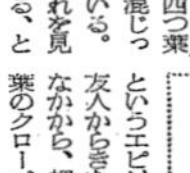

ボクシングの、ある世界チャンピオンは、だいじな試合のときにはいつもこの四つ葉のクローバーを手のなかに握り、その上にグローブをはめて闘った、というエピソードもある。古い友人からきた久しぶりの手紙のなかから、押し葉にされた四つ葉のクローバーが出てきたりすると、ほんとうに、うれしくなるものだ。

百科辞典を引くと—〈クローバー〉はマメ科の多年生草本、ヨーロッパの原産、日本名はシロツメクサ。江戸時代のむかし、オランダ製のガラス器などの荷造りのとき、詰め草として使われたので、この名がつけられたという。牧草や緑肥として農業に利用され、またミツバチに蜜を供給する蜜源植物としても大切にされている。

ところでこんど農協貯金のシンボル・マークに、このクローバーが使われることとなった。シンボル・マークというのは団体や事業体の"こころ"を表現した"しるし"で、五輪のオリンピック・マークは、その代表的なものといえよう。このシンボル・マークは人々に信頼と親しみを呼び起こす。

誕生した農協貯金のシンボル・マークは、図のように、"幸福"をあらわすクローバーに"希望"をあらわす太陽をあしらったデザインで、色は燃える太陽の金赤の地に、クローバーの葉を白でクッキリと示したもの。

よく見ると下のほうにAの字があるが、これは英語の農業（アグリカルチュア）の頭文字。

農林中金では、このシンボル・マークを全国の農協に掲げる計画だ。しあわせを呼び、暮らしに力をつける農協貯金の新しいマークを、いつまでも守り育てていきたいものである。（総務部）

私が目指す企業酪農

佐賀県藤津地区北鹿島4Hクラブ 堀 勝

先だって、佐賀県藤津地区連の四十五年度会長の井上利幸君を通じて、プロジェクトのまとめたものが二編ほど届いた。そのうちのひとつ、酪農の企業経営を目指している堀勝君のレポートを紹介する。彼の場合は、父親は水田を担当、堀君が酪農を担当し、親子契約を結んでいるという。また、友人と乾草などで共同化をはかっており、今後も、この方向をより強化したい意向のようである。まだまだ、牛乳の需要の増加の可能性があるとして、かなりの自信を持っている。

まだ見込める需要

共同化も順調に進んで

減反の有効な利用を

優れた牛を育てたいという堀君、収入の増大も目指している

地元大和町から、南の方へ約四十㌔下りますと、佐賀県の南東部に面した鹿島市があります。鹿島市の中でも最北部に面した塩田川流域（杵島郡をさかいに）北鹿島地区があります。地区の農家戸数は四百二十八戸で、耕地面積は、水田四百六十㌶、畑四十五㌶、計五百五㌶で、一戸当り平均は百十八㌃という純水田地帯です。

そのうち、酪農戸数は二十一戸で、一戸当りの頭数は四・五頭、年間集乳量は二十三万五千百二十㌔です。私の家の経営は水田百八十㌃、畑十㌃、みかん三十㌃、乳牛七頭（搾乳牛四、育成牛三）、植林五十㌃です。家族労働は、父母と僕の三人が主にやっていますが、酪農は僕、農業は父がそれぞれ責任を持ち、親子契約を結んでいます。

酪農を始めた動機は、昭和四十年に構造改善事業が行なわれ、またトラクターなどの機械化により労力が省けたことと、米作一本の農業じゃあ、どうしてもいけないと友達といつも話し合っているうちに、元4Hクラブ員であられた先輩の呼びかけにより、4Hクラブ（酪農グループ）が出来上がりました。

これには、普及所の先生を初め酪連、市役所、農協などの暖かい御指導のもとに、これまでの会員の人間関係の和が、今後の計画や事業を進めるために大きなプラスとなり、また基礎となりました。それと普及所の先生のおかげで、静岡県に二ヵ月間、国内研修に行って来て、昭和四十三年に後継者育成資金により、三間×四間半の畜舎と、一頭の乳牛から始めました。

僕の考えとしては、「しっかり頑張らなくちゃいけない。人に負けちゃいけない」、半面、最初の嬉しい気持と「食べさせよう、よく管理しなくちゃ」という熱心な気持から、快調なスタートを切りました。でも、ようやく軌道に乗りかかったなあと思ったら減反、BHC、販売の問題などいろいろあり、それでも、BHCの問題はやっと佐賀県も安全性を証明されました。販売の問題は、佐賀県は全国でも名高い給食県ですが、実際は二十五万本以下、したがって三人に一本も飲んでいないわけなんです。

昭和四十三年に二頭入れましたが、搾乳したのは一頭で、平均も五千八百㌔です。四十四年の場合も同じく三頭入れましたが、搾乳したのは二頭です。現在、搾乳四頭と育成三頭がいます。搾乳した昨年度は一万八千九百㌔で、乳代九十万円、一頭当たりの乳量は六千百㌔でした。今年度の計画としては、五頭搾乳で頭当たり六千㌔に持って行くつもりでおります。

四十五年度の飼料作物は、裏作に七十㌃と減反十五㌃にトウモロコシ及びソルゴーを作りました。四十三年には三十㌃、四十四年には五十㌃と、頭数とともにふやしました。今年度の計画として、八十㌃のイタリアンをすでに播種しています。現在、その一回刈りをやっています。減反田は、二〇%を予想して三十㌃にトウモロコシ及びソルゴーを作るつもりでいます。

裏作の飼料作物の段階の中で、共同乾草をつづけています。僕達の班六人共同で、一人四十㌃を共同用としました。収量は、十五㌧梱包で二百個（二回刈りで）でした。それから、昨年、球ころ栽培の集団化を二町の水田を借りうけて、八名でトウモロコシを作りました。今後も、乾草グループ及び4Hクラブ（酪農グループ）の人達と話し合い、気を合わせて実践していきたいと思っています。

昨年の管理労働時間を集計しますと、給飼、搾乳、運搬、管理など合わせて、千百七十時間になります。一日を八時間労働にしますと、百四十六日になりました。労働時間は、4Hクラブ（酪農グループ）記帳簿の上から出しております。

そこで、年間の収支決算をしますと、乳代、子牛代、育成評価額合わせて百七万八千円となりました。支出の部では、飼料費が一番多く、後継者育成資金返却や減価償却費、飼育労働費など合わせて八十六万二千二百六十八円になります。収入から支出を差引いて十九万五千七百三十二円が純収益となりました。我が家の粗収入は二百四十万円で、乳代は三八%となっております。四十三年は一五%、四十五年は三八%、なお五十年の目標は、七百万円収入の中の七〇%を乳代にしたいと思っています。

今後の目標として、まず酪農経営規模の拡大、現在の搾乳牛四頭、育成牛三頭を基礎として、育成牛を育てるとともに導入牛を考えています。その時は、拡大資金や近代化資金を利用したいと思っています。次には、貯蔵飼料の確保増大、減反を有効に利用して、思いきって一町を飼料転換したいと思っています。そして、飼料は、多頭化した場合、作業労働が問題になってきますので、青刈りではなく、サイレージに持って行きたいと思っています。その時の労働は乾草の共同および記帳グループの人達と、一緒になってやりたいと思っています。

さらに、優良家畜の育成、一頭当りの能力の上から考えても、優良子牛の育成が重要になってきます。現在、地区で冷凍凍結精液を利用していますが、今後は積極的に利用し、優良子牛の育成をはかりたいと思っています。そして、一頭当りの牛の質、能力を延したいと思います。したがって、年間五千㌔を目標にしているが、多頭化した場合、六千㌔を目標に持って行きます。

それから、集団栽培をやって行く計画は、前の飼料作物で、一部集団化の実践と共同乾草を実施して来たので、今後は、スムーズに出来ると思います。地区の酪農家と話し合い、進めて行きたいと思っています。糞尿処理の問題については、この一町の転換飼料作物田と、現在、みかん園の人達と契約していますが、今後は、4Hクラブ員のみかん作りの人達と相談して、解決をはかりたいと思っています。

最後に、国際問題については、乳価に限らず、農業はすべて自由化貿易になっていますが、脱粉、バター、チーズはすでに自由化になっています。それで今後は、やはり自給率の向上（七〇%に持って行く）と、それから一頭の乳量六千㌔（年間四千㌔では合わない）に変えられないことはないと思います。それには乳牛の質の改良、向上をはかりたい、これが私の計画です。

昭和45年度収支決算書

項目		金額	摘要
収入の部	乳代	910,000	
	子牛代	18,000	
	育成評価額	150,000	
	計	1,078,000	
支出の部	飼料費 購入	413,370	
	飼料費 自給	39,398	
	診療・衛生費	37,000	
	水道、光熱費	7,500	
	減価償却 乳牛	90,000	6産平均÷4頭（2割含）
	減価償却 建物	8,000	35万円÷40年
	減価償却 器具、機械	16,000	ミルカー、草刈機など
	借入金返済	125,000	
	飼育労働費	146,000	146×1000円
	計	862,268	
純収入		195,732	
1日労働報酬		2,340	労働費＋純収入÷146

グループの現況

酪農家数		21
頭数	搾乳牛	71
	育成牛	23
1戸当り頭数		4.5
年間集乳量（kg）		235,120
年間金額（円）		11,352,270
搾乳牛1頭当り金額（円）		160,000

私のプロジェクト

12名で茶の共同経営

栽培技術の統一も図る

滋賀県甲賀郡信楽町農業後継者クラブ 小山 修

1、わが家の経営概況

水田四十五㌃、茶園百二十（未成園七十㌃）㌃、家族六人（本人、妻、父、母、子供二人）、労働力三・三人、主要農機具、製茶機械一式、耕耘機、動力茶摘機、動力噴霧機、四輪トラック。

2、課題と取り組んだ動機

当地区は標高四百㍍の山間地、農家の八〇%が古くから茶業と林業を営んできたが、零細規模で一戸当り平均茶栽培面積五十㌃程度であった。ところが、近年、社会経済事情の変貌などから、農業経営においても規模の拡大、省力による合理化が要求され、昭和四十年、農業構造改善事業の指定を受け、茶園造成十五㌶の実現に踏切った。

3、計画とそれを実行した経過

事業の推進計画に基き、われわれ茶業後継者クラブ員十二名は、茶園造成に対し、測量から土地の配分、栽培技術の統一など、事業推進に積極的に協力した。茶の栽培は、特に幼木の仕立管理が大切で、早期成園化をはかるには、施肥、中耕除草、防除など、時期的な技術が生育を左右するため、栽培技術の統一をはかった。

4、自分の実績を顧りみて

茶業後継者クラブ員の茶に対する意欲的な働きかけが、一般農家の行動に漸次変化をもたらし、生産組織づくりに協力的となり理解が得られた。一方、新植茶園の栽培技術も統一され、生育は良好である。

5、わが家の今後の計画

規模拡大を実現した今日、茶生産組合という一つの集団組織をつくり、大型共同製茶工場の設置により、自家の施設を廃し、摘茶、製造、販売に至るまでの一連作業を、共同組織で運営していくことを確固たる方針として、これが将来、各自の利益となり、茶業発展の方向になる。

6、新しい農業への歩み

消費経済の発達した今日、零細な農業所得では生活の維持すらむずかしく、兼業化の増加が目立っているなかで、当地区は昔から茶業が発達した銘茶の産地であり、農家の生命ともいえる。幸い昭和四十年より農業構造改善事業の指定を受け、山林を切開き十五㌶の茶園を造成し、生産の基盤を築いた。

これからの茶業は、国際的な視野に立って、輸入茶に負けない良茶で、低コスト生産の茶が要求される。したがって、今までの農家個々の伝統的な経験技術のみの生産、販売方法では無駄が多くかつ資力に乏しいため、共同組織力によって方向を見出さなければならない。

当地区では、茶農家二十一戸が一致協力をして、茶の集団生産組織をつくり、栽培技術統一および協定、大型製茶工場設置による共同加工、販売方法の統一をはかるよう、目下、実現に努力している。それには、相互の話し合いにより共同意識の理解を深め、綿密な運営計画のもとに、茶業の発展を期したい。

父と法人を設立して

農地の集団化と基盤の整備

岡山県邑久町新農業経営クラブ 三宅豊産

1、わが家の経営概況

昭和三十九年に、父とともに稲作専業の農業法人を設立、また高校在学中の未熟な私が副社長となり、九・六㌶の水田で米の生産を行なった。昭和四十三年、頼みの父が死亡、その後は母と一人の常勤社員とともに、水稲作の企業化を目ざした。耕地は六団地に分かれ、基盤整備も不十分で二十六枚に分散。四十四年は七百三十俵、四十五年は生産調整による八十㌃の休耕で六百六十俵の出荷で、利益率は四〇%である。

2、課題と取り組んだ動機

圃場の分散は大型機械化をはばみ、また臨時人夫を入れての経営も次第に雇用困難となり、小型機械導入によって生産合理化をはかり、構成員だけの大規模稲作経営に努力した。

3、計画と実行の経過

季節的な労働ピークを解決するため、直播き栽培、自脱型コンバイン導入、籾乾燥貯蔵調整施設の建設、新肥料、新農薬など。

4、実績をかえりみて

直播き栽培可能地には、すべて直播きを導入した。そのため、雇用労働の必要がなくなり、賃金支出は急減した。昨年は収量が思わしくなかったが、地味の作柄も平年比で九六%と悪かった。

5、今後の計画

新技術、最新式機械がいかに揃っていても、圃場の条件が数百年前と同じで、未整備のままでは利用価値は少ない。そこで、今後は分散している農地を集団化し、基盤整備を行ないたい。そして、機械の合理的利用による管理の徹底と、省力化で良質米の量産をはかる。また、冬期の余剰労力で他作物にも取り組み、徹底したコストの引き下げが当面の目標である。

6、新しいあゆみ

わが「三宅農業」は、米だけの生産法人である。それだけに、生産調整政策は、私から生産意欲を奪った。しかし、この政策によって自ら、自由競争に打ち勝っていけるような力をつける、チャンスを与えられたともいえる。そこで私はコスト引き下げを目標とし、第一に圃場の集団化を目ざして六団地にまとめ、区画整備を行なって、社員三人で生産できる圃場基盤を整備したい。

そして、全圃場に直播き（ばらまき）栽培を取り入れ、裏作にも麦のばらまき栽培を導入したい。また、新農薬、新肥料を積極的に使用し、社内労働だけでまかなえるよう収穫期間と品種の組み合わせで調整し、良品均質米の生産をしたい。そして、社員の定期的な健康診断を実施して、健康管理にも十分留意し、楽しく明るい生活と農業経営を目指して行きたい。

野菜、キビにプラス

肉牛多頭飼育 飼料確保に時間かけぬ

沖縄県豊見城村翁長4Hクラブ 当銘 進

野菜とキビ作、野菜はピーマンを主にさや豆やキュウリなど七十㌃、キビは四十㌃、一昨年から肉牛の飼育を手がけ、現在、肉牛十九頭、育成牛十五頭、子牛八頭、繁殖牛六頭、計四十八頭だが、二年計画で六十頭飼育を目指してる。

多頭飼育に踏切ったのは、勉強の合い間に弟たちに手伝ってもらえる、民家を離れていて畜舎を作りやすく、管理も便利、近くで粗飼料が豊富に入手できる、きゅう肥が得られ、野菜やキビにプラスするなどからである。父に大工の経験があり、畜舎も材料費だけで格安にできた。餌は、配合飼料のほかに、粗飼料として牧草、さつまいも、またカズラ、ススキ、カヤなどの野草やキビも与える。カッターで細かくし、ドラムカンで工夫した運搬器で運ぶ。これだと容易に運べる。子牛と繁殖牛は、好みに合わせて細かく気を配っている。

これまでの多頭飼育の体験によって、①粗飼料の確保に時間をかけないようにする②栄養価の高い粗飼料の確保につとめる③各係留場に自動給水器を設置する④繁殖中、素牛に優良品種を導入する。この四点を早急に行なわなくてはならない。

これの具体策としては、①現在の牧草畑二十㌃を四十㌃に拡張、不足分は野菜やキビで補う②時期に合った優良品種の牧草を栽培する③優良品種牛を特産地から直接に、継続的な導入をはかり、将来は全部優良牛に切りかえるなどを計画、すでに実行段階へはいっている。

一度外からみた農業――

睡眠七時間以上に

岡山県高梁市高梁農業後継者クラブ 川上幸子

1、わが家の経営概況

水田百四十㌃、普通畑二十五㌃、果樹百㌃、酪農成牛二十五頭、育成五頭、農業所得百七十万円。

2、課題と取り組んだ動機

高校卒業後、被服工場に勤めるかたわら、家事作業や農作業の手伝いをしているうちに、特に家事作業技術に興味を覚えた。

3、計画と実行経過

（1）家事作業の能率化をはかるために家事作業の計画化

一日、一週間、一ヵ月、一ヵ年間の主な家事作業計画の樹立。食の面では献立や買い物、食糧計画について、衣住の面では乳牛管理といった環境整理を目的とし、農作業衣の充実、住まいの清潔化につとめている。

（2）生活時間配分の調整

乳牛の飼料給与を担当しているので、この飼育管理に合わせた時間配分について家族と話しあい、食事時間を決め、家族全員がこれに合わせた日課を行なうようにしている。特に睡眠七時間以上の確保、昼間のお茶うけの時をもうけ話し合いの場をもっている。

4、実績をかえりみて

（1）計画を実行するために、作業を後日にゆずらないよう黒板にメモしたり、能率化について家事作業施設の改善や、収納方法など、常にアイデアを考えるようになった。

5、今後の計画

現在、農業の一部を担当しているが、将来、農業の基幹労働をするためには、家庭管理との両立が大きな課題となる。今のうちに経営の生活技術を十分勉強し、農家の主婦として生きがいのある生活がしたい。

6、新しい農業へのあゆみ

会社に勤める一般サラリーマンとして、過去に二ヵ年ほどの経験をもち、労使関係、上司と一般社員など、毎日の生活に精神的苦労が多く、自然を相手とする農業が無性になつかしくなり、家に帰って二ヵ年を過ぎようとしている。

両親といっしょに農業に取り組んでみると、精神的苦労はあまりないが、地域社会の封建性からくる主婦の地位が低く、農業の改善が大切と痛感している。特に、現在の農業経営の中では、主婦労働の過重が問題となり、家計をはじめとする住まいの改善、くらしの改善などの家庭管理ができておらず、農業経営全体から考えてみる必要がある。

それは、地域開発とあわせて農業の規模拡大による所得の増大、そして、農業と生活を分離した農業経営を進めたい。

地元特産振興に 花木一万本作る

八尾市の4Hクラブ

【大阪】八尾市では、都市化が進み、専業農家が減っているが、同市の神立地区の4Hクラブ（会長、谷口健治君）では、特産花木の振興に取り組んでいる。同地区は高安山の中腹にあり、キクの産地として有名だが、最近、栽培農家が次第に減少、十四年まえに結成された4Hクラブも、ほとんど活動していなかった。

谷口会長は、「このままでは、クラブも、神立の花もだめになってしまう」と、今年から共同プロジェクトに、各種の花木の苗、約一万本を育成することに決めた。そのために、谷口君は温室を提供し、会員が苗木を持ちより、床土の材料、ホルモン利用による効果などを研究し、四月のはじめに、エンコスギの苗木千八百本を植えた。

グループでプリンスメロンをつくる

長崎県西有家町農業後継者クラブ 小関清美

1、わが家の経営概況

水田三㌶、水稲二・七㌶、麦一・五㌶に、父母と私の三人で従事して、動力は、トラクター、バインダー各一台。

2、課題と取り組んだ動機

水稲単作に不安をもち、プリンスメロンの栽培にクラブ員五名とともに取り組んだ。

3、計画と実行経過

作付面積七十㌃、栽培は農協の栽培ごよみを参考にして、クラブ員と夜を徹して、技術面の研究や先進地視察により、支出五万円、粗収入二十五万円を目標に計画してみた。

4、実績をかえりみて

①栽培ごよみをたよりすぎ、天候と見合わせた施肥適期の失敗による着果の遅れ。

②個人出荷のため、有利に販売できなかった。

5、今後の計画

このプロジェクトを考えるのには、次のことが必要であろう。

①品質のよい揃ったものを、大量に生産すること。

②市況、他産地の動きなどの情報を早くつかみ、これに対応すること。

③地域の人に働きかけ、生産から販売までを組織化して、産地形成に若い仲間は立ちあがらなくてはならない。

休耕田を展示圃場に

富山上市町4Hクラブ 牧草や野菜の共同プロ

【富山】上市町4Hクラブ（会長北野克己君、会員二十五名）では、現在、農村が直面している転作作物を率先して選び出そうと計画、このほど、野開発地内の休耕田に牧草、カタウリの共同展示圃場を作った。この結果は、農家の人々の資料とする。

本年度、上市町の減反割りあては、三百三十三㌶にのぼり、そのうち、圃場整備による休耕百四十六㌶、転作八十㌶、休耕百二十七㌶となっている。転作の奨励作物は、山間地で杉などの林産物、山ろくでブドウ、カキなどの果樹や蔬菜、スイカ、飼料作物などがあげられている。しかし、採算がとれるのかどうか、ほとんどの農家には迷いがある。

こうした事情を打開するため、女子三人を含む十三人のクラブ員が話し合って、北野会長の休耕田三㌃に展示圃場を作ることにしたもの。この南加積地区は、和牛の飼育が盛んであるところから、まず二㌃にハイスーダン、イタリアンライグラス、オーチャードグラスなど三種類の牧草を播いた。残り一㌃は、漬物用に需要の多いカタウリを播きつけした。クラブ員を四班に分け、週一回、成育調査、追肥、防除、刈り取り調査などを行なって、資料を作る。

大玉みかんにほぼ成功する

徳島県阿南市加茂谷果樹研究会 森 栄一

1、課題に取り組んだ動機

（1）自分で経営できるから。

（2）山間地という見地から、他にこれといった作目もなく、これまでに、ある程度軌道に乗っており、今後、経営方法によっては有利な作目であるから。

2、計画と資金

省力化をはかるため、農道を整備する。急傾斜地が多く相当な経費が必要なので、共同で資金を導入し、整備する。

3、本年度の実績をかえりみて

大玉でうまいみかん作りを計画してきたが、本年度（四十四年）は、だいたい良くできたと思う。共同で冷房貯蔵庫と缶詰工場を設置したので、経営も安定するものと思う。

4、今後の計画

経営の近代化をはかる――農道やモノレールの整備。

十㌃当り収量を高める――土壌改良、老木の更新剪定。

◀投稿案内▶

本紙は、みなさん方の新聞として、全国のクラブ員に利用して戴きたいと考えています。それでクラブの催しや個人のプロジェクト、詩、短歌、随筆、写真、悩みや意見、村の話題、伝説、行事その他なんでも原稿にして送って下さい。

お願い ❶長さや形式は自由です ❷できるだけ記事に関連した写真をそえて下さい ❸送り先 郵便番号162 東京都新宿区市ケ谷船河原町11 日本4H新聞編集部

NHK農事番組

（6月1〜10日）

テレビ

明るい農村 6・30〜6・55 総合

1日 きょうの話題 あれから一年（カドミウム事件のその後）

2日 産物往来 ふき

3日 話題の広場 子牛の双子センター（鹿児島）

4日 村をむすぶ 名古屋、札幌、松山、東京

5日 農村新地図 （京都宇治市）

BK・RFD

6日 明るい漁村

7日 村の記録 阿蘇の幌馬車―熊本県一の宮町―

8日 きょうの話題

9日 産物往来 つつじ

10日 話題の広場 酪農団地をつくる（福島県双葉郡川内村）

農業教室 7・30〜8・00 教育

3〜5日 傾斜地酪農の課題 （岩手大学教授）千田英二

7〜9日 果樹と農薬 （農林省農業技術研究所）福永一夫

あすの村づくり 日 7・00〜8・00 再 土 13・00〜14・00 教育

6日 「2年目の減反稲作（2）」（農林省農政局長）中野和仁、（評論家）森有義、（東大教授）金沢夏樹ほか

ラジオ

早起き鳥 5・41〜5・57 ❶

1日 きのこのなぞを解く（京大教授）安本教伝

2日 山村の民俗をさぐる（林野庁森林組合課長）森安太郎

3日 村営バスの決算書（富山県東礪波郡利賀村）

4日 直売でのびる茶産地（神奈川県あしがら農協）

5日 さかんなたにしの養殖（長野県佐久市）

6日 すすむ米の商品化（全糧連企画調査部長）矢野一男ほか

7日 減反共助方式の波紋（宮城県下）

8日 自然食をもとめて（山梨県北巨摩郡大泉村）

9日 新しい肉牛づくりにかける（北海道旭川市）上野裕幸

10日 作物の成長と光（農業技術研究所）稲田勝美

話の広場 6・10〜6・30

6日 留学研修生花ざかり（川口市安行）❶

新しい農村 6・00〜6・30 ❷

6日 指定産地の問題点（横須賀農協）三浦良平、（農技研）小野誠志、「指定産地という名のもとに、野菜生産をつづける産地の裏側にある問題点をさぐる」

ラジオ農業学校 日 7・30〜7・00 ❷

6日 グループの集い「野菜の需給動向をめぐって」（徳島県名西郡石井町）小川邦夫、（徳島県園芸蚕糸課長）立石一ほか

草の根大使 出発にあたって

米国

即席で踊り習う

大分県　石井万代子

このたび、国際農村青年交換計画による4Hクラブ員の、米国派遣日本代表として行くことになりましたが、あまりクラブのために役立っていない私は、このような大役を充分果たせるかどうか心配ですが、一生懸命頑張りたいと思います。

私がこの派遣に応募した時は どうせだめだから心配ないという簡単な気持でした。そして、一週間くらいして、第一次にパスしたという通知にびっくりしましたが、もう二次の面接試験に通ることはおそらくないだろうと、この時も簡単な気持でした。それで試験を受け、身体検査も済ませて帰った私は、十日後に、決定したという通知を受けました。

いざ決定したと思うと、その時は、嬉しいのと不安な気持でいっぱいでした。ちょうど、肥料ふりをして、甘夏取りをしていた私でしたが、こんなにのんびりしていては、一時も早く仕事を済ませておかないと、用意に間に合わないと思いました。

実際に用意にかかったのは、出発の十日前からです。それからは、昨年行かれた方に電話をかけて、持って行くものや、向うに行っての行事などを聞いたり、即席で舞踊のけいこをしたりして、今日、いよいよ出発の日となりました。

出発を目前にして、私が思うのは、アメリカに行って、生活や言葉などの点で、充分やって行けるだろうかということ、今も嬉しいのと不安な気持でいっぱいです。

私がアメリカへ行ってしたいことは、家庭生活を知りたいことと、そして、私は特に、柑橘農家ですから、グレープフルーツなどの柑橘主産地を見たい、また、日本を離れて外国から見た日本の良さなどを知りたいと思います。

できるだけ多くのアメリカの人達に、日本のことを多く知ってもらえるようにつとめ、代表として恥しくない勉強をして来たいと思います。

強い女になる？

高知県　明神節子

クラブの仲間や御世話のかけっぱなしの先生達に見送られてやって来た。東京は恐い!!「出発を前にして感想を」と聞かれる。

アメリカについて目で耳で口で肌で感じ、日本を外からみた時、今まで考えていたこと、気づかなかった細やかな点を（日本の女性、アメリカの女性について、農村主婦の生き方、やがては、妻に主婦に母になるその家庭生活を!!）女性なりに感じるでしょう。日本の国を守り、日本のよさをみつけ、それをいつまでも残していくことが、私達の役目だと思います。

アメリカ大使館へ お挨拶に行く。やさしく、ほほえみ、語りかけてくれる様子はよくわかるが、ペラペラと話す言葉の三分の一ぐらいの単語しか意味がわからない。また首をかしげるのもある。巨大な人に比喩的表現をすると「背の高さ」は、ジャングルの中で小さな杉がどんなに伸びようかと考えているみたい。「目」は、青く澄んだ海、魚がどこへ泳ごうか迷っているみたい。「鼻」は、山のように高く、その先は「つりばり」のように曲っている。

私は……？ 六ヵ月間生活ができるでしょうか？ なんとかなるだろう!!とそんな気持。ただクラブ活動において、男女の別の意識なく接して来たのだから、仲間や家族と離れ、習慣も言葉も違う所で生活しても、一人で生きられるという覚悟ができ、今よりも、もっともっと強い女になりはしないかと心配です。でも帰ってきたら、妻に主婦に母となる女の幸福、平凡な女の生き方を、夢みているのです。行ってきます。

私にとっての4Hクラブ

「農業」にこもるな 学生だけにまかせず

44年度草の根大使、岩手県　菅原敏

こよみの上では、まだ一月ですが外を見まわしても雪がなく、縁側でポカポカと日なたぼっこをしながら、こうしてペンを走らせていると、もうすっかり春の気配が感じられる私達、岩手の地方の今日この頃です。みな様のところはいかがですか？ 早いもので去年夢中ですごしてきた他国での生活から、一年がすぎようとしているんですね。不思議なことに、月日がたつにつれ、むこうでの生活が強く思い出されます。

本来なら今頃この貴重な体験を生かし、我々の4Hクラブ活動にはりきっていなければならないわけですが、昨年の三月県連の委員をやめてから、少しずつ日本の4H活動のあり方に疑問をもちはじめ悩んでいます。自分が一生懸命クラブに参加している時は、多くの同じ仕事をする仲間を得、充実したかのように思えましたが、いざクラブから離れてみると、果して自分に何が残っただろうか？

同世代の人の存在

それより、農業という二字のからにとじこもり、他をあまりかえりみなかったのではなかろうか？ あまりにも私達農業者は、農業だけにこだわっているのではないだろうか？ クラブの行事、話し合いでも語り合うことは、同じようなことで、結論の得られない一時的な逃避だったように思えるのです。

私達と同じ世代で、油で真黒になって働いている人、行政の仕事にたずさわり、ペンを握る人、社会を騒がしている学生、みな私達と同じ年代です。農業をしている私達が、自分のことを真剣に考えることも大事です。しかし今の年代から農業だけを考えていたら、そのままの気持で三十にも年をへて行ったらと思うと、こわい気がします。もっと他も正しく理解できる、ながめることのできる広い心が必要だと思います。

私の支持したい党は？ 絶対これという、これにしたいという党は、みあたりません。そう思うと学生運動もいちがいに批難はできないし、学生だけにまかせてそっぽをむいているわけにもいかないでしょう。以前私は、クラブに入っていながら家の方がひまだったので勤めたことがありました。

その時、クラブの人に勤めていながら恥しくもなくよくクラブに来られる、と言われたことがありました。これなどは、他を見ようとしない気持、農業だけにこだわっている気持が、充分にうかがわれます。強い言葉で言うなら、利己主義的になりつつあるのです。四つのHというのは、心、腕、頭、健康です。

日本の4Hは、日本の人々にそう知られていません。しかし台湾やアメリカ、諸外国では農業をしている人ばかりでなく多くの人々が知っています。台湾に行く前、羽田の飛行場で私の胸のバッジを見て「オオ4Hクラブ」と叫んだアメリカ人がいました。また、台湾でも買物をしている時、デパートの若い店員さんも、学生も、文房具屋のおばさんも、親しみをこめて、「四健会」と言ってくれました。

いま学ばなくては

日本の4H活動も農業だけの4Hから脱皮し、もっと心の広く正しい4Hをこの世代にこの時に学びたいと思います。私みたいにクラブを離れて、はじめて他に目をむけられるようなクラブ員は、今後、一人も出したくないと思います。それともこんな考えをおこすのは、私だけなのでしょうか？ みなさんの御意見をお聞かせ願いたいと思います。

（国際農村青年交換日本協議会機関誌『草の根』三号より）

青春と仲間

『空』談

去来してやまぬ風景

現実にあった光景なのか、なにかに触発されて、その後の長い時間の流れのなかで育ちつづけ、もとの景色とは、似ても似つかぬほどに変貌したのっぴきならぬ風景なのか、ぼくにはよくわからないけれども、奇妙に明るく、まばゆく輝いた白い道が浮かんでくる。直として曲らぬ真夏の一本道なのである。

幼ないころの遠足のおりの記憶の断片かとも思われるが、それにしても少しおかしいのは、先生や級友たちの姿が全くみえないことであり、そうかといって、ぼくもどこにもいないのだ。ただ、酷暑の生みだすしんしんたる静寂があたりを領しており、その灼熱の極みは、不快感とは全く別趣な、ある意味では爽快さへつながっているようでさえあり、本来、肉体に属する暑や粘液質などを、浄化させ、透明にしてしまう作用すらあるかと思われる。

幻影というには、あまりにもけざやかであり、現実のどこぞの道というには、あまりにも手触りがなさすぎ、完璧なタブロオと化した風景である。二十年近い間、この風景は、何度となく、めくるめくようにぼくの眼前に顕われては、また消えた。その意味では、いたく親しいものでありながら、ぼくはそこへ少しも近づけないような気もするし、厳然と、なにものかにより、拒み通されつづけているかのようでさえある。

いつも、これがやってくると、軽い失神状態に陥るのでもあろうか、意識は遠のいたようになるが、その間は、みつめていようという意思すら持っていないのに、この風景ばかりはいよいよ鮮明に網膜に灼きついて、離れることがない。タブロオとぼくとのあわいには、大変に張りつめた空間が横たわり、濃密な時間が流れており、レモンを噛んで、奥歯がきゅっと引きしまるような、硬質な時空を感じつづける。

この風景が顕現するのは、決って、死について考えるときである。原因はわからないが、おそらく、死ぬることの恐怖よりも、永遠に生きつづけなくてはならぬことの恐怖の方が、より深いのだと得心するまでは、今後も、この風景は去来してやまないであろう。（山）

草の根大使を受入れて

お世辞も覚えて ほしい農業への関心

福島県原町　田中よし子

あれからもう三ヵ月（注 執筆当時）も過ぎようとしています。私にはまだつい昨日のことのように、中華民国の粘蕙娥（ネン ケイガ）さんと過した日々が思い出されます。

今まで新聞やラジオ、雑誌等で、草の根大使ということを聞いたりしたことはありましたが、私がその代表の方と、生活を共にする……などとは考えてみたこともありませんでした。

六月のある日、改良普及所の先生から、受け入れについてのお話があった時、〝こんな機会は、めったにない、私達も勉強になるから〟ということで、承知はしてみたものの、言葉や生活習慣の違いに、大きな不安があったことも忘れられません。

そんな不安はよそに、月日は一日一日と迫り、何の準備もできないうちに、とうとう七月二十二日になってしまいました。その日私が、市役所に行ってから彼女等に会うまでの数十分は、長いような、短いような落ちつかない状態でした。彼女の最初の印象は、想像していたよりも、陽気な、人なつっこい人でした。

また、一緒の曾明正（カンメイセイ）さんも、思ったよりも日本語がじょうずなので、一安心。我家についてからは、母の作ったのり巻きを食べ「おかあさん、おいしい、ありがとう」「もう満腹です」などと、かたことではありますが、日本語で話し、自分から私達の中に溶けこもうという気がじゅうぶんに見え、本当にうれしかった。

つぎの日からは、相馬野馬追い見物や、盆踊り、花火大会……等と忙しい毎日でした。それでも、夜は十一時ごろまで、お互いの国のことなど話しあいました。その内容も、いろいろで、大学への進学率から蒋介石、はては灰皿の話まで出て笑いました。そんな時、私は、日本に生まれ、育ったことが、何かとても幸福なように感じました。現在も台湾では、女子のミニスカート禁止、男子の長髪は禁止だそうです。何事も、すべて個人よりも国家を守るためとかで、なかなかきびしいそうなのです。また、男子には、兵役の義務があるというのには少し驚いた。

いろんなことがありましたが、次の滞在地へ出発するころには、だいぶ日本語も覚え、冗談やお世辞も言うようになりました。今思うと、彼女には、何もしてやれず、本当に申しわけなかったと思っています。また、このために改良普及所の先生方を初めとしクラブ員の皆様にも、御迷惑や御心配をかけて、本当に申しわけなく思っております。私の一生の良き思い出となることと思っています。

最後に、たった一つ残念だったことは、彼女の農業に対する関心が全くといってよいほど無かったことです。（福島県農村青少年クラブ連絡協議会『4Hふくしま』四十五年十二月一日号より）

私の行く道

幌毛志クラブ　白川秀子

左右が、暗かった、その後も暗かった、私の道。だが遠くはるかな谷、小さな光があった。その小さな光を求め、私は、暗やみを、ここまで歩んで来た。

この光こそ私の運命なのだ。人間は、みんな苦しみ、悲しみ、悩み、そして楽しみ仕事…人生を送っている。しかし、その中には大きな目的がある。目的があってこそ前進するのだ。私にある小さな光、それは私にしかみえない光なのだ。悲しくなった時、淋しくなった時、いつも、はげまし、なぐさめてくれる光、今の私からは遠い光、遠い道、くじけずに、私は、この限りない道を、一歩一歩確実に、今日も行くのでしょう……。

（北海道平取町4Hクラブ連絡協議会『青春』一号より）

鮒の泳ぐ井戸で顔を洗って

厚木市　内田博夫

毎年仕事の都合で県外研修には参加できなかったが、本年度は前もって役員会に時期の変更を申し入れ、初めて参加した。研修が行なわれたのは去年の、九月九日である。クラブ員は市役所の車六台に乗り合同庁舎を出発、東名ハイウェーにて一路静岡へ。四時過ぎ掛川市役所へ到着、直ちに受入式に入った。市長をはじめ三笠4Hクラブ農業後継者クラブの暖かい歓迎を受け、受け入れ農家との顔合せが終り、直ちに茶畑を見学…。広く敷き広められた緑に魅了され、受け入れ農家へ向かった。

暖かいもてなしを受け、近くの公民館で開かれる親睦会に出席した。ビールで乾杯し、時の経つのも忘れて歌をうたい話しに花を咲かせ、数時間にしてお互いは数年来の仲間となった。この研修が終ってから我々クラブ員がおりにふれて愛唱している「雪山に消えたあいつ」はこの時に相手側のクラブ員に教わったものだ。再び受け入れ農家に戻り、今度は当家のオヤジさんを始め家族を混えてまたもや、ビールを飲み交し雑談した。

翌朝生まれて初めてフナの泳ぐ井戸水で洗面した。午前中茶畑の中耕を手伝った……と言っても仕事は二の次でお互いあらゆることについてじっくりと話し込んだ。年齢の割に彼の考え方や態度がしっかりしているのには感心させられた。意外だったのは当地の埋葬の方法だった。かなり以前から殆んどが火葬とのことだった。

昼食ののち家族の方との別れを惜しみながら三時頃研修センターに着いた。約六十人の仲間達はソング、ゲーム、ダンスなどで午後のひとときを過ごした。当地のクラブ員の芸達者には驚いた。楽しい夕食のあとは分科会……各サークル入り混って活発な意見交換が行なわれた。その中で感じたことは、相手側のクラブ員の経営の殆んどは、まだ親が主体で本人はその手伝い程度ということである。青空クラブ員のように親から独立して本人が主体となっている経営が成されていないということだった。しかし仕事への情熱、意気込みは強く感じられた。翌朝、反省会ののち全員で記念写真を撮り再び会う約束を交わし一路帰途についた。

（神奈川県厚木市青空クラブ『七周年の歩み』六号より）

〈詩〉

豊岡4Hクラブ　伊藤敬子

やさしい海をみたくて来たのに
海は小雨に体をふるわせていた
静かネ
あなたはジッと海をみつめた
海って　どうしてあんなに広いの
あなたはダマッテ答えない
子供が波に追われてかけてくる
海が　ちょっぴり笑った
元気ネ　寒くないのかしら
あなたはピクとも耳を傾けない
好きヨ
あなたの目がキラッと動く
冬の海って
あなたの意地悪な目が私をにらんだ
窓の外に風が動いた
遠くに白い船がかすんでみえる
船ヨ　どこへ行くのかしら
あなたはもう海を見なかった
何か言って
あなたはダマッテ首を振る
あなたも私も　もう
海などどうでもいいと思っていた
いつの間にか海は　銀色の光に
抱きしめられていた

（静岡県中遠地区連『あぜみち』六号より）

草木虫魚

紫苑との出会い

紫苑の花が好きになったのは、いつごろからであったろうか。草花をつくづくと眺めるようになる以前から、田舎の家の庭にあったのを覚えているが、鼻を刺激するにおいに馴染めなかったし、とりたてて美しい花とは思わず、どちらかといえば、なんとなく毛嫌いさえしていた。少しきついうならば、草花のうちには数えたくないといった感じだった。

その厭わしさが薄れて行き、なんとなく注意してみるようになったのは、いつごろからであったろうか。考えてみれば、あまり幼ないものが好むような花でないことは、たしかであろう。とりつくしまもないように、すっくと丈高い梢上に淡い紫色の頭状花をつけ、風に揺れていた。十五夜の供花として使われ、その雅韻と楚々たる風情を愛でて、切花としても用いられ、華道では秋草の名花と呼んでいる。

あれちのぎくとにかようすがた

気づかぬ間に好きになり、心にとめるようになったのは、いつごろからであったろうか。すらりと伸びた茎、どこか荒地野菊にかようつつましさと、さびしさがつきまといながら、しかも、一心に耐えつづけているような花として、改めて庭前の紫苑にゆかしさを覚えだしたのは、中学生の後半、つまり思春期のさなかではなかったろうか。学校の成績はよくなかったけれども、しかし、賢く勝気だった女の子、ぼくにはふりむきもせず、ぼくの友人とばかり親しくしていた女の子への思いが、講談本で知った「横恋慕」というものだと心づいたとき、ぼくの眼に紫苑は近しく、はじめてみるもののように、ほんとうに新鮮で美しかった――。

今年の八重桜の色が淡かったように、花はさまざまな条件で、色の濃淡、形の大小がはっきりと変わる。心なしか、その年の紫苑はとりわけ色濃く、しかも小ぶりだったような気がしてならない。日本の古典では、ものごとを忘れない花として扱っていたり、「しおに」とやわらかく訛った訓み方をしているが、そういうことを知ったのは、ずっと後年になってからである。

いってかえってきてわかるよさ

そのままではなく、ひとたびどこかに突きあたり、ふたたび戻ってこなくてはわからぬような、複雑微妙な味わいを持つのが、紫苑の美しさのように思う。もう何年もみていないが、今年の秋あたりは、どこかで眺めてみたいものだ。いまのぼくには、どんなふうにみえるだろうか。長いことこだわりつづけて、ぼくの女性観になにがしかの影を落しているだろう女の子に、そっと会ってみたいような気もしてきた。（Y）

日本4H新聞
4Hクラブ 農事研究会 生活改善クラブ 全国弘報紙
発行所 社団法人 日本4H協会
東京都市ケ谷家の光会館内
電話(269)1675郵便番号162
編集発行 玉井 光
月3回・4の日発行
定価 1部 20円
一カ年 700円(送料共)
振替口座東京 12055番

クラブ綱領

私達は、実践を通じて自らを磨くとともに、互いに力を合わせて、よりよい農村、よりよい日本を創るため、四つの信条をかかげます。一、私達は農業の改良と生活の改善に役立つ腕をみがきます。一、私達は科学的に物を考えることのできる頭の訓練をします。一、私達は誠実で友情に富む心をつちかいます。一、私達は楽しく暮し元気で働くための健康を増進します。

地区行事も具体化 第7回全国4Hのつどい
愛知用水など視察
現地訪問の中で特色打出す

七月十二日から四泊五日間の日程によって愛知県内で開催される「第七回全国4Hクラブ員のつどい」まで、あと四十日足らずに迫ったが、主催者＝全国4Hクラブ連絡協議会（会長 黒沢健一君）、愛知4Hクラブ連絡協議会（会長 鳥居久雄君）、社団法人日本4H協会（会長 宮城孝治氏）＝では、五月二十一日午前十時から蒲郡市の「愛知荘」で同つどいについての合同打合わせ会議を開き、今回のつどいの大きな特色でもある現地交歓訪問におけるブロック行事に焦点を合わせて、その準備の状況や県外参加者の受入れ態勢などについて話し合った。

この会議には、全協から黒沢会長はじめ松浦幸治副会長、原田正夫事務局長、4H協会から坂本静馬渉外部長、地元愛知県連から鳥居会長ら執行部、つどい運営委員、ブロック長、それに側面からバックアップしている愛知県庁の青少年担当官と各農改普及所の青少年担当普及員など約四十名が出席した。

今回のつどいに際して、地元愛知県連では、日本農業の縮図といわれる愛知の農業を参加者に知ってもらおうと、「肌で感じる愛知の農業」をスローガンにかかげ、つどいの柱である現地交歓訪問において地区別に特色ある行事を計画し、これまで準備を進めてきている。

また、民泊でも、県外参加者が同種の経営をしているクラブ員宅に宿泊できるように配慮し、プロジェクトを重視している。

この日の打合わせでは、主に県外参加者の受入れ態勢や行事面の準備の進行状況について、各ブロックから報告があり、これを中心に話し合った。

それによると、ブロック数は、愛日、江南、海部・稲沢、知多、安城、西尾、岡崎、豊田、足助、東愛知、田原の十一で、一日目から三日目にかけて、それぞれ特色ある日程が組まれている。

一応共通した日程としては、一日目開会式終了後バスで移動し、ブロックごとに歓迎会を開き、その夜はブロク別に宿泊、二日目は午前中、同じくブロックごとに意見交換や地区紹介、午後から優良農家の視察や話し合いなどをする。夜は、クラブ員宅に民泊し、家族と意見交換、三日目は農作業の手伝いや地域への奉仕活動をして、四日目は、公共施設などを視察しながら参加者全員が三ケ根山頂に集合することにしている。

この中で、とくにブロック別行事として特色が出されるのは、一日目から二日目にかけてと四日目の午前中。宿泊場所をみても、公民館をはじめとしてユースホステル、国民休暇村などさまざま。歓迎会も、スライドや民謡などで楽しんでもらおうと地区ごとに工夫を凝らしている。

二日目午前中の行事では、意見交換会や、地区の紹介、分科会討議などそれぞれ特色ある行事が組まれ、さらに午後からの優良農家の視察になると地域農業の特殊性がはっきりしてくる。例えば、愛日ブロックでは、切花、サボテン、露地野菜、桃園、愛知用水などの視察を計画しているが、他地区でもパイロット果樹園や農事試験場など多種に及んでいる。

また、民泊では、必ず農作業を体験することにしており、参加者は農作業着を持参するよう呼びかけている。

このほか、四日目の夜七時半から宮崎海岸で行なう夕べのつどいを「若者の祭典」と銘打ち、にぎやかにくりひろげるよう計画している。

なお、主催者代表は、二十八日から各会場をまわり、あと一月余に迫ったつどい準備に力を入れた。

民泊では農作業を

東愛知では分科会討議
意見発表者募る

東愛知ブロックでは、意見発表会と分科会討議を計画し、その発表者を全国の仲間から募集している。この発表は、分科会討議のための課題提起として活用するもので、同ブロックの参加者は約四百名が予定されている。

意見発表者の応募要領は次のとおり。

▽テーマ ①村に生きる②これからの農業③わがクラブ④主婦の立場⑤農政と私⑥恋人など。

▽応募資格 第七回全国4Hクラブ員の集いに参加する4Hクラブ員とOB、指導者。

▽原稿 発表概要を原稿用紙三枚以内にまとめて下さい。別紙に住所、氏名、年齢、性別、所属クラブ名、役職、クラブ歴、簡単な自己紹介（電話があれば電話番号も）を明記すること。

▽送り先 〒四四〇 豊橋市八町通五－四、豊橋農業改良普及所内、4H事務局

▽発表者 応募者の中から前記のテーマごとに各一名、計六名の発表者を選考し、発表者には直接連絡し、発表後記念品を贈呈。なお、発表の際に、スライドや図表を使用してもよい。

藤田さん　橋本君　山本君　岡林君　近藤君　浦田君

藤田富美子（[illegible]） ❶山口県阿武郡阿武町福賀笹尾❷福賀4Hクラブ❸四十五年度阿武萩地区連副会長❹排球（県体出場）、陸上、家畜人工授精師免許、毒物劇物取扱責任者免許、第七回全国農村青年会議に出席

橋本光好（[illegible]） ❶福島県郡山市中田町海老根泉田一〇六❷中田4Hクラブ❸同クラブ会長、郡山4Hク連絡協議会のプロジェクト部長❹卓球（中学時代選手）、家畜人工授精師免許申請資格、郡山市の実績発表などで最優秀賞

山本賢治（[illegible]） ❶愛知県蒲郡市柏原町小塚八❷蒲郡4Hクラブ❸豊橋地区連絡協議会会長、第七回全国4Hクラブ員のつどいの行事準備員❹マラソン、卓球（高校時代に主将）、弁論（高校時代に県大会出場）

岡林誠介（[illegible]） ❶高知県香美郡土佐山田町二三四九❷土佐山田4Hクラブ❸四十五年度同クラブ副会長、四十六年度同会計❹バレーボール（高校時代選手）、四十四年度全国農村青少年技術交換大会の技術部門で受賞

近藤武十郎（[illegible]） ❶徳島県三好郡井川町井内東四〇五三❷井川町農業後継者クラブ❸同クラブ会長四十五、四十六年度県連理事❹野球、農業機械指導技師（全購連認可）、阿波踊連長、第六回全国農村青少年技術交換大会出席

浦田 健（[illegible]） ❶佐賀県伊万里市南波多町高瀬一〇五一❷南波多4Hクラブ❸四十六年度に県連同監査、第一回沖縄親善交歓訪問（全協主催）に参加❹卓球（高校時代選手）、青年団演劇部演出、第六回全国農村青年会議に出席

藤田さんら六人
第五回「青年の船」団員候補決る

第五回「青年の船」一般団員の候補者が、このほど総理府青少年対策本部から発表された。それによると、全国4Hクラブ連絡協議会推薦の4H代表は、昨年と同じく男子五人、女子一人の計六人が団員候補に選ばれた。

団員候補に内定した人たちは、来る六月十三日から二十日まで静岡県御殿場市中畑の国立中央青年の家で実施される青年の船事前研修に参加し、団員として適当であると認められた場合、正式に決定されることになっている。

この青年の船は、次代の日本を担う青年の視野を広め、幅広い教養を身につけさせようと、政府が明治百年記念事業の一つとして実施しているもの。これまで四回にわたって東南アジア諸国を訪問し、各国間との相互理解を深めた。また、船内の規律ある団体生活を通して心身を鍛練するなど多くの成果をあげている。

今回の訪問国は、中華民国（台湾）、タイ、シンガポール、マレイシア、ビルマとセイロンの六カ国が予定されている。

この青年の船には、全協のほか各道府県から推薦された多くの4Hクラブ員が毎回乗船し、活躍している。

なお、全協推薦で団員候補に選ばれた人たちは、六月四日から三日間にわたって東京・代々木のオリンピック記念青少年総合センターで開催される全国4Hクラブ前期中央推進会議はじめ全協が主催する行事に参加することになっている。

一般団員候補に内定した全協推薦の4Hクラブ員代表は別記。❶住所❷所属単位クラブ名❸役職名❹特技、趣味

なお、今回の青年の船は、九月二十日に東京・晴海ふ頭から出港し、五十四日間にわたって歴訪、十一月十二日神戸に帰港の予定。

涼風暖風

慢性不満症の流行

近ごろの子供は、大変りっぱな机を使うようになったものである。木製机は昔のことで、今はスチール製の机になった。しかも、スチール本棚が組み込まれた新型の机が売り出されている。これは、さぞかし便利だろうと思っていたうちに、こんどはその本棚の下側に蛍光ランプがセットされて、ますます便利になった。

ところがさらに新型が出た。机上のスチール本棚の下部面が改良されて、鉛筆けずり器や学習時間表が組み入れられたし、置時計までも装備された。おまけに、机自体も高さを自由に調節できる装置がついた。改良がどんどん進んで次々と新型が出現するようになると、一年前に購入した机ですら旧式で古びた感じがするに違いなかろう。

鉛筆けずり器でもそうだ。手動式から電動式に変わったのもつかの間で、細い太いの削り方を調節できる新タイプが発売された。色鉛筆と製図用鉛筆とでは削り方も違うが、自動的に変化させられるのは便利である。電気せんたく機だって、ローラーを手で回して水を絞る型が自動脱水型に改良されたし、さらに洗いから脱水まですべて自動式にセットされた機種だって珍しくはない。いちいち数えるときりがないが、白黒テレビはカラーに変わり、それが大型化し自動調節化するなど、改良型が続々と出現する。

私は先年、アメリカ渡航を機会にカメラを購入したが、当時は最新型であったのに二年もたたないうちに改良型が現われ、続いて最新鋭型が出るしまつである。私のそのカメラは、開放測光こそできないがレンズは優秀だし機能もすぐれ、ボディだって新品と同じようにピカピカである。それなのに、何となく古い感じがおもしろくない。

街の店に陳列してある新型カメラを見るたびにシャクにさわる。だからといって買い替えるのは高価すぎて容易でないし、今のカメラで十分に役だつと思ってはみるが、なんとも不満である。満足だったのは買った当座の一時期で、十分に使いこなさないうちに新型が現われ、それを求められないという不満だけが膨脹するわけである。

新型の出現は、改良・進歩・発展であり、現状に対する不満こそ飛躍のもとであるが、それを獲得できない飢えにも似た状態はやりきれないものである。私はこれを、慢性不満症と名づけることにした。（北海道・三輪）

総会

原点に立脚して 会長に角田君
福岡県連

【石沢章男通信報道員発】福岡県農村青少年クラブ連絡協議会（会長 荒渡宏君）の総会は、四十六年度県農村青少年リーダー研修をかねて、さる五月十二日福岡市百道の福岡県社会教育会館で開かれた。この総会では、今年度事業計画や新役員を決定し、また昭和四十六年度活動基本計画を打ち出して会則の改正が行なわれた。

まず、荒渡県連会長のあいさつのあと議長を選出して議事審議に入り、四十五年度の事業と収支決算の報告が行なわれた。県連に対する不満や疑問を明らかにするために活発な意見が出た。つづいて四十六年度の役員承認を行ない、新年度会長に角紫男君、そして副会長（男女各一名）事務局次長（男女各二名）会計（一名）連絡報道員（四名）理事（十九名）を決定した。

ついで四十六年度の会則、事業計画、予算両案について審議し別記のとおり決定した。このあと、角新会長が「本年度は、クラブ活動の原点に立脚したクラブ活動を推進し、主体性をもって各関係指導機関や団体との連携を一層密にして農村青少年の実践グループとしての誇りと自覚をもち、本年度の活動基本計画にマッチするように努力したい」と抱負を述べて新年度へのスタートを切った。

▽四十六年度活動基本計画
一、クラブ活動の強化と主体性の確立
二、クラブの使命と精神高揚
三、国際交流の推進
四、他団体との連絡協調

▽行事計画
リーダー研修（五月十一、十二日）次期リーダー研修（十二月中旬）県技術交換大会（七月中旬）幹部研修会（九月上旬）女子研修会（九月上旬）農村青年祭（十二月）青年会議（一月下旬）県協総会（三月上旬）

20周年の記念行事 会長に稲井君
徳島県連

徳島県農村青少年クラブ連絡協議会（会長 正木久之君）の総会は、さる五月一日、徳島市幸町の消防会館で開かれ、四十六年度の事業計画や新役員が次のとおり決定された。

主な事業は、クラブ発足二十周年行事（十月二～四日、石井町）はじめ技術交換大会（七～八月）ブロック対抗球技大会（十一月上旬）リーダー研修会（十二月上旬）農業者会議（十二、一月）実績発表大会（八～十月）農業後継者激励大会（二月）などを計画している。

また、合同機関紙「みどりの仲間」の発行や4H会館建設の募金、4H新聞の購読推進をはかるほか中・四国ブロック会議や第七回全国4Hクラブ員のつどいなどに代表派遣する。

新役員（カッコ内は地区名）
会長 稲井富士男（板野郡）
副会長 佐藤 源二（名西郡）
同 斉藤 恵子（鳴門市）
事務局長 大西 宏幸（阿南市）
事務局次長 中山 雅夫（徳島市）
同 大松 良子（板野郡）
会計 斉藤 佳子（鳴門市）
監事 京石 学（美馬郡）
同 伊丹 康夫（勝浦郡）
理事 正木 久之（名東郡）
同 近藤 吉正（三好郡）
同 近藤武十郎（同）
同 長尾志満子（同）
同 広瀬 健一（板野郡）
同 渋谷 元春（同）

部門別の研修 会長に巳波君
奈良県連

奈良県4Hクラブ連絡協議会（会長 中津甚之丞君）の総会がさきごろ開かれ、四十六年度の新役員などが決定された。

四十六年度の主な事業では、今年度担当県となった「近畿の集い」（八月二十一日～二十三日、奈良公園などで開催）を核として、部門別研修に力を入れることにしている。これまでは、どちらかといえばレクリエーション的な行事が多かったが、経営の高度化、専門化にともない農業技術面の習得が必要であるため、会員がプロジェクトを持ち、部門別研修を重視していくことにした。

また、役員では、会長の責任を軽減するため、今年度は企画部長を設け、それぞれ総括、近畿の集い、技術面を担当することにした。

新役員は次のとおり。
会長 巳波 義司（生駒郡）
副会長 中井 道俊（山辺郡）
同 大倉たか子（大和郡山市）
事務局長 阪口登美雄（生駒郡）
会計 松原 善男（高市郡）
企画部長 南 幸作（郡山市）
同（集い担当） 宮生 武（桜井市）
同（技術担当） 奥井 正（天理市）
広報部長 木谷 進計（北葛城郡）
女子部長 高松 久代（同）

今年もみかん販売 会長に中江君
滋賀県連

滋賀県農業後継者クラブ連絡協議会（会長 中村利男君）の四十六年度の事業計画と新役員はこのほど開かれた総会で次のとおり決定した。

◇四十六年度の重点活動目標
一、組織強化と主体性の確立
事務局体制の強化、会長会議、巡回リーダー研修の実施、渉外活動の推進、自主財源の確保、女子部門、専門部会の活動推進
二、研究実践活動
三、外部団体との連絡 県青少年団体、FFJ、OBとの連携、官庁、団体、農協その他

具体的には、①自主財源と日本4H会館建設の募金のため、昨年度に引き続いて、みかんの販売事業に取り組む②機関紙、文集の発行③地区巡回懇談会の開催④専門部会制度の設置⑤プロジェクト活動の推進⑥OB組織との連携⑦系統だった活動の展開⑧渉外活動の展開などを計画、また、リーダーと女子の研修、スポーツ集会も行なうことにしている。

新役員は次のとおり。
会長 中江 弘嗣
副会長 今井 順
同 深尾 和子
同 野田 敬子
事務局長 沢 昌弘
監事 福永 利平
会計 門坂 宏

社会環境の問題も 会長に鴇田君
千葉県連

千葉県農村青少年クラブ連合会（会長 篠崎義則君）は、さる五月十八日、千葉県青少年会館で総会を開き、四十六年度の事業計画や新役員を決めた。

四十六年度の事業は、次の活動方針に基づいて展開していくことにした。

一、クラブ員にプロジェクト活動の必要性を再認識させるとともに、目を広く社会に向け、農政、社会環境などの問題も積極的に学習する。

一、単位クラブ、地区連、県連のパイプを再検討し、クラブ活動の性格をはっきりさせる。

一、自主団体であるとの認識のもとに事務局体制の強化をはかる。

◇事業計画▽技術交換大会（六月下旬）▽野外集合研修会（七月下旬）▽球技大会（十一月上旬）▽農業者会議（一月下旬）▽実績発表大会（三月中旬）

このほか、関東ブロック推進会議、第七回全国4Hクラブ員のつどい、全国4Hクラブ中央推進会議、全国技術交換大会、全国農業者会議への出席などを計画していた。

新役員は次のとおり（カッコ内は地区名）
会長 鴇田 剛（君津郡）
副会長 花沢 広吉（市原市）
同 山田 桃子（君津郡）
事務局長 鈴木 哲夫（我孫子市）
組織部長 三平 信一（安房郡）

4H会館建設に30万円募金

同県連では、日本4H会館建設の募金のため、四十五年度に準備委員会を設置して、積極的に募金活動を展開してきた結果、約三十万円の実績をあげることができた。

農政の学習も 会長に黒川君
三重県連

三重県農村青少年クラブ連絡協議会（会長 中村正悦君）の総会は、さる五月一日、農業技術センターで開かれ、四十六年度の事業計画などが決定された。

四十六年度の活動方針としては（1）組織体制の整備強化＝①地区活動の充実②情報伝達の徹底、（2）仲間づくりの推進＝①他団体との交流②他地区との交流③農業高校生との交換会④県と地区連行事への積極的な参加、（3）学習活動の推進＝①農政学習会②部門別研修③女子生活技術研修④海外研修などを決めた。

具体的には、リーダー研修会（六月上旬）全国農村青少年技術交換大会参加者の選考（六月下旬）第七回全国4Hクラブ員のつどい（七月中旬）への参加、県技術交換大会（七月下旬）農業高校生との交換会（十一月）県農業者会議（十一月下旬）女子研修会（一月下旬）県外青少年との交換会、放送利用県のつどい（二月下旬）全国農業者会議（三月下旬）への参加者などを計画している。

新役員は次のとおり（カッコ内は地区名）
会長 黒川 正信（津市）
副会長 山出公一郎（度会郡）
同 北出 和美（阿山郡）
事務局長 浜野 洋幸（志摩郡）
同次長 大西 信孝（伊勢市）
同 羽根ゆた子（志摩郡）
理事 平野 雅範（桑名郡）
同 諸戸 誠（同）
同 矢田 稔（四日市）
同 柳川 良子（同）
同 西村 茂則（鈴鹿市）
同 芳村 和子（津市）
同 山下 博（一志郡）
同 道颪 隆良（松阪市）
同 中村千代子（多気郡）
同 大西 信孝（伊勢市）
同 楠 多誓子（同）
同 浜野 洋幸（志摩郡）
同 羽根ゆた子（同）
同 杉浦 主一（南牟婁郡）
同 藤原 政則（北牟婁郡）

8月21日から3日間
「近畿の集い」大綱まとまる 奈良公園で

【奈良県＝木谷進計連絡報道員発】奈良県4Hクラブ連絡協議会（会長 巳波義司君）は、さる四月三十日と五月一日の二日間にわたって奈良県立農業大学校内で「近畿の集い」開催打ち合わせ会を開いた。当日は、近畿連旧役員と奈良県連役員全員が参加し、本年度の「近畿の集い」の大綱を次のように決めた。

一、開催期日 八月二十一日から二十三日までの二泊三日間

一、会場 奈良公園、県立葉山野外活動センターを中心とする。

一、目的 近畿は一つという団結のもとで、近畿地方の農村青少年が一堂に集い、明日の農業の担い手として広い視野に立ち、社会情勢、農業情勢を的確に判断し、実践できる人間形成をはかると共に、一層の親睦を深める。

一、テーマ 「私たちは何を求め、何をなすべきか」―①農業者として②青年として③クラブ員として④女子として―

なお、この集いのリハーサルを七月十七、十八の両日（一泊二日）行なう予定である。

心頭技健

このほど総理府青少年対策本部から発表された「青少年の連帯感などに関する調査」によると、現代の青年は、人生観や生活の意識において、大人の常識をやぶるものではなく、むしろ、多少積極性を欠く不安も感じるという▼職業についても「仕事がらく」や「かっこいい職場」など利己的で軽薄な意識をもつものは少なく、大部分の青少年は、まじめに現実的に考えているという結果が出ている。また、親、とくに母親との対話をもっている青少年は全体の八割（父親とは四六％）もいる▼この調査は、全国の十五歳から二十四歳の男女千七百七十万人の約一割、十六万人を対象として、都道府県の協力のもとに昨年十一月一日から二十日にかけて行なわれたもの。調査項目は、家族と家庭、学校、友人・団体、地域、社会と国家、人生観と生活などだが、その結果からは、どこからも、親子の断絶も見当らず、火薬の匂いもしてこない▼しかし、日本の社会に対しては、あきたらないと感じている青少年は六七％に達し、とくに大学生は八割強という高さ。その理由としては▽正しいと思うことが通らない（四八％）▽貧富の差がありすぎる（三八％）▽国民の意見がまとまっていない（三三％）▽若者の意見が反映されていない（三二％）▽まじめな者がむくわれない（三二％）▽風俗が乱れている（二七％）▽社会のしくみがきまりきっている（二六％）などをあげている▼では、現代の青年はどんなときに生きがいを感じているかとなると、スポーツや趣味に打込んでいるときや友人・仲間といるときなどで、楽しいときをあげているものが多い。また、職業についている人は、仕事に打込んでいるときがスポーツや趣味より多い。国のためにという観念は薄く、自分の生活を大切にして、手堅くいこうという考え方が強い▼この調査結果によって現代の若者気質を即座に断言するのは性急であり、また、一人ひとりの日常的な悩みや不満はかげに隠れてしまうが、全体の傾向として把握することができよう。この資料をもとに、本当に青少年の身になった育成、指導助言を関係者に望みたい。

好評、初のボーリング大会
山門地区連で交換会

【福岡県＝石沢章男連絡報道員発】福岡県山門地区連絡協議会（会長 小宮一範君）主催による第二回山門地区交換会が、去る五月七日高田町公民館において行なわれた。この交換会は、山門地区の七つの単位クラブ相互間の親睦を深めるために毎年開催されているもの。

午前中は、開会式のあと分科会が開かれたが、昼食は、女子会員の手作りによるおにぎりが出され、それを食べながらの話し合いであった。午後からは、大牟田市社会教育課の竜氏の指導によるレクリエーションや各クラブからの催し物で楽しんだ。そして、夕方はボーリング大会。城山会との共催でボーリング場を貸切って行なわれた。三ゲーム投げ、城山会（会長 佐藤典美君）から三位までの入賞者には優勝トロフィーが、また十位までの入賞者にはそれぞれ賞品が贈られた。初めての試みであったが、好評だった。

野菜の比重を高く
農林省・調査団が報告

野菜の値だんを安定させるために、農林省から依頼されて学識経験者や消費者代表ら十人が行なっていた「生鮮食料品安定対策特別調査」（主査、川野重任 東大教授）の東京地区での結果がこのほどまとまった。

それによると、農業政策の中で野菜の比重を思い切って高めて、抜本的な対策強化に取組むよう要請、また▽国の補助を受けている指定産地を総合点検して新産地の育成をはかるべきものである▽御売市場を改善し、流通合理化をはかり産地直結制度を拡げることが必要である▽消費地の貯蔵能力を高め、標準小売価格制度を再検討すべきである▽産地、消費地での情報サービスを高め、輸入対策を検討する必要がある―と強調している。

農林省は、生鮮食料品価格安定対策本部を設けて、野菜の価格安定の対策を検討しているが、この特別調査は民間の立場から問題点をさぐり、その対策をたてようというもので、農林省としては、同じ調査をしている関西地区の結果報告を参考にして、本格的に取組む方針のようである。

東京地区での調査は、高知、愛知、神奈川などの野菜産地を実地調査したほか、農林省の説明、生産者団体、卸売市場、小売業者代表らの意見を聞く一方、卸売市場や小売店などをまわって問題点をさぐったもの。

調査報告の中で、野菜対策の方法としてあげている点は次のとおり、

一、農業政策における野菜の比重を思い切って高める。

一、秋冬ダイコン、キャベツ、白菜、タマネギなどを重点的に取りあげ、将来性のある産地を育成する。

一、卸売市場の思い切った合理化をはかる。

一、消費者と消費地を直接対象とした野菜対策を強化する。

また、野菜価格安定について、次のことがらを提言している。

一、野菜供給力の強化 ①指定産地を総合的に点検し、新産地の育成をはかる。新産地は、米からの転換にともなって、長期的に安定できる団地を選ぶ必要がある②資本投下を拡充して本格的な大型産地をつくる③価格変動の回復措置なども考える。

一、野菜流通の合理化 ①卸売市場の適正な配置を進め、貯蔵施設の強化、せり取引の安定をはかる②産地農協とスーパー、生協などとの直接取引を促進する。

一、消費地、消費者対策の強化 ①消費地の貯蔵力を高める②価格動向を知らせる情報サービスの整備③野菜の規格、包装の合理化や簡素化を進める④標準小売価格制度を一般小売店の段階まで進める。

一、情報活動の強化と輸入対策 ①野菜生産農家の計画生産や出荷調整を進めるため、適切な情報を流すほか、産地相互の情報交換などを促進する必要がある②野菜の輸入については、輸入承認の対策や数量を適正にする必要がある。しかし、輸入には限界があるので、将来の可能性について検討していく必要がある、など。

新しいフィーリングで
農協問題をプロジェクトに
山梨県連で代表者会議

【山梨県＝相川連絡報道員発】山梨県4Hクラブ連絡協議会（会長 飯島昌由君）は、去る五月一、二の両日、山梨県中巨摩郡芦安村桃の木温泉において「明るい農村建設をめざして」をスローガンにクラブ代表者会議を開催した。これには、県下八十余名の地区連、単位クラブの代表者が参加し、仲間意識の高揚をはかるとともに、これからのクラブ活動を実践的に押し進めていくための知識を身につけ、また県連、地区連、単位クラブの連携を深めようと熱心に意見交換された。

一日目は、午後二時から開会式に入り、オリエンテーションのあと山梨大学の古屋健二助教授の講演があった。その内容は「クラブリーダーとしての心構えやカウンセリング（人づき合い・人間関係）の仕方」を中心にしたものであった。

この講演の中で、古屋助教授は「人は誰かに相談されても何もしてやることは出来ない、しかし、その人が自分で立ち上るとき、つきあって一緒に苦しんでやることはできる」、また、リーダーはクラブ員に対し〝聞く話す聞く話す〟というくりかえしがたいせつだ」などの話をされた。クラブ員は、心理学者である助教授のこの風変りな講演にとまどった感じであった。

夕食後は、新聞社の元編集長の雨宮氏の講話。時事問題、現在の政治や農政の実態について話され、農民は政治、農政のあり方が正しいかどうかをみきわめる必要があり、農民が目覚め、団結することが必要だということを強調された。

二日目は、朝のつどいのあと朝食。八時二十分から県連事業の検討会が行なわれた。この検討会では、県連事業資料をもとに活動方針、事業計画が執行部から説明があり、年間事業計画が意欲的に検討された。

共同プロジェクトにおいては、クラブ員の中から「農協問題などをクラブ員全員で共プロとして取り組んでみたらどうか」などの意見が出され、まさに精鋭の代表者が4Hクラブに新しいフィーリングを打ち出した感があった。このように、三時半にわたる検討会も意欲的に行なわれ、これからのクラブ員の実践活動が期待される。

昼食後は、みんなで語ろうと分散会。そして、ここ桃の木の里、初夏を思わせるような太陽の下でなごやかなうちに会議は終った。

講演に熱心に耳を傾ける参加者＝山梨県連のクラブ代表者会議で

工場の娘さん招いて〝いちご狩り〟
西方村4Hクラブ

【栃木】上都賀郡西方村の4Hクラブ員ら約四十人は、さる五月二十三日、鹿沼市の帝国繊維鹿沼工場で働く女子職員六十三人と交歓会を開き、楽しくすごした。これは、嫁不足に悩んでいる4Hクラブ員たちに、よい結婚相手をさがそうと同村青壮年クラブが音頭をとり、帝国繊維の独身女子職員に呼びかけて招いたもの。

女子職員の一行は、4Hクラブなどが依頼した貸切りバスで訪れ、クラブ員たちのアドバイスを受けながら西方中体育館前のいちご畑で、約二時間にわたって、いちごもぎを楽しんだ。

このあと体育館で昼食をとり、午後はレクリエーションで三時過ぎまで交歓した。

このいちご狩り招待には、女子職員百二十人の希望者があったが、勤務の関係で六十三人に減ったもの。同村には、十八歳から二十四歳までの4Hクラブ員や農研クラブ員は約五十人いるが、このうち半数以上は嫁不足に悩んでいるという深刻さ。このいちご狩りがとりもつ縁となってカップルができれば、その嫁キキンは少しでも解消できようというわけだが、大きな収穫が期待されよう。

ヨーロッパ農業に学ぶ ⑧
国会議員が18人
ミグロス生活協同組合 資本金が13億円

スイス第一の都市、チューリヒにあるミグロス生活協同組合、チューリヒ支部配送センターを訪問した。早速二班に分れ配送センター内にある食品工場、包装工場、牛乳の検査場、従業員のための洗濯場、保育園を見学した後、会議室で説明を受けた。

ミグロスは市民生活の安定向上を図るのを目的に、一九二五年株式会社として発足した。当時の規模は極めて貧弱で、五台の移動販売車をもち品物も六種類だけだったということで、現在のミグロスを知るものには想像もできないことである。一九二五年〜一九四一年までは株式会社であったが、それ以後は生活協同組合に改めた。

ミグロス生活協同組合の特徴は、一般消費者なら誰でも組合員になれることである。また、一回八百円位の組合費を支払えば、終身まで組合員であり、配当こそないが、品物を安く買えることと文化活動面での利益がある。いかにミグロスが文化活動に力を入れているかは、売上げの〇・五％が回されていることでもよくわかる。

ミグロスは「新鮮な品物をより早く大量にしかも安く扱うことをモットーにしている」と言われ、一般市価より五〜六％安く、しかも商品によっては品物を売る日付まで書いてあり期限を過ぎた物は廃棄処分にするとのことで、徹底した消費者に対するサービス精神を貫いているとも言える。概要は次の通りである。

組織・機構 資本金十三億円 組合員 八十三万一千人 配送センター十二ヵ所（チューリヒのセンターが第一位である）

施設の一日当り処理能力の一例▽砂糖五十万トン、値段の変化に対し単価は一定で、量目で調節している。▽ミルク八〜十二万ℓ、脂肪量により単価を決定し一ℓで八十一円と六十八円がある。▽ヨーグルト二十万カップ。▽鶏卵二十万個、外国物六個のパッケージが五十円と六十円とがあり、国内物は九十円と百円である。

事業の種別としては、食料品、日用品、金融、保険、運輸、ガソリンスタンドなどがある。製品は全部自社製品でミグロスマークを付けてあり、野菜などは農家との契約栽培である。売上はミグロス全体で二千五百億円またチューリヒ配送センターでは四百億円で全部現金販売である点が注目される。利益率は三％であり、利益の五％が次年度の繰越金である。チューリヒ支部配送センターの概況としては三十八台の移動販売車を持ちチューリヒ市内を巡回する。品物は全部食料品であり一台に九百種類の品物を持っている。また一ヵ所に十五分位停まり三十〜四十人の客が集まるということであり、走る場所は決められている。市内八十二店のマーケットには百五十台の配送車によりここから配送されるが、この場合一般マーケットより電話注文があれば、コンピューターにより処理され、その日のうちに品物が積み込まれて次の朝早く配送される。配送センターは中央部と直結されており、一日四十〜五十車両の貨物が入るとのことである。ミグロスは、肉・野菜を売るためのものと経営者のための二つの訓練所を持っている。

スイス

ヨーロッパの各国が労働者問題で悩んでおり、現在スイスは全人口の三十％が国外労働者である。しかし、もうこれ以上の外国人労働者を入れることは、政治問題に発展しており、限界ギリギリであるとのことでミグロスも労働者の確保には頭を痛めていた。これを解決するには、人口を増やせばよいわけだが、子供の教育費その他に金がかかるのでそれもできないといっていた。また、一般消費者を守るために政党をもち、国民議会の九％の議席「十八人」を占めている。このように日本の協同組合とは全然かけ離れており、組合員を利用し販売網をつかんだ大企業のように思えた。（四十五年度静岡県産業青年海外研修団農業班）

蛙道
〈眼〉を引き抜かれた民草

命あずけます。流れ流れて東京は 夜の新宿花園で……藤圭子のうたう艶歌『命預けます』である。この歌が、なぜわれわれの心情を惹きつけるのであろうか。私がグッとくる所といえば、やはり歌の最初と最後に繰り返される〝命あずけます〟である。「あずけます」の〝あ〟に情をこめて歌う歌い方。そこに響いてくるものは、煩わしい自分の身まわりの一切を人に預けてしまった後にのこる解放感みたいなものではなかろうか。火事で自分の全財産を焼いてしまった時、常識とは逆に感ずる「サッパリした」という実感のような。よくいえば〝決意しきった時〟の白白と光る美学みたいなものであろう。

しかし、私はこの頃、浪曲からヤクザ映画までの奥底に光っている、この〈預ける〉〈まかせる〉ということにまつわる美学を疑いはじめている。一人の庶民がその〝上つ方〟に「おまかせします」と言い切った一瞬に流す一つぶの涙。上つ方への信頼で、〝己を虚しゅうできた〟という法悦感。安心感。そして、永劫に続くかのような〝調和〟の幻想。たしかに美しい。ふかい日本の心を逆撫でされているかのように。だが疑わしいのである。この瞬間から、一人の庶民の〈眼〉は産卵する海亀のように瞳が空しく焦点を失なっていく。つまり、「おまかせします」とは自分の〈眼〉でもの視ることをやめますという暗黙の意味がこめられているからだ。元来、日本の農民いや日本人は、己の〈眼〉を上へ上へと預けることによって自己の生活を守ろうとしてきた。家族はその戸主に預け、戸主は族の長に預け、また村の〝おさ〟に預け、そしてさらにその上へと…。いまだかつて、「上へおまかせする」ことによってまかせた庶民の一人一人が報われたことなどないにもかかわらず。そして、この心性の遺伝因子は、今日のわれわれの血の中にも濃く流れ続けているようだ。強固に自己の実感からものを言おうとしない〝性癖〟。その場の雰囲気で「言うことがコロッと変わる」などがそれであろう。（T）

OBが農協青年部に
浜北市連で農協関係者と懇談会 改善を望む声強い

【静岡県＝鈴木政美連絡報道員発】浜北市4Hクラブ連絡協議会（会長 有谷国晴君）は、さる五月十八日、浜北市農協会議室で河合多三組合長と懇談会を開いた。当日は男女二十名のクラブ員と農改普及所から河合松三普及員、農協側から組合長のほか高林勇常務が出席し、農協のあり方について話し合った。とくに、その中で問題になっている農協青年部のあり方が焦点となった。

この浜北市農協は、五年前に五つの農協が合併し、市一本化になったもので、組合員が六千七百人、貯金額も三十五億という県下でも有数の農協。現在、市内には千五百戸の専業農家があり、とくに施設園芸や養豚、果樹が中心となっている。

この話し合いでは、クラブ員から「農産物の出荷のマージンが高すぎる。他の農協も同じだと思うが、農業指導よりも、金融関係に力を入れている。合併して感ずることは、役員だけの農協になりがちではないか」などの質問や意見が出された。

これに対し、河合組合長は「組合長になって一年目で、最初からなにもかも実行するのは難しい。今後、五ヵ年計画で広報活動に力を入れていきたい。また、農政問題も深く考えたい。一年後には機構改革を行ない、開発課を設置して、適地適作にあった農業の産地化に力を入れたい。そして組合員一人ひとりが気軽に利用できる農協をつくりたい」と話していた。

また、農協側から、青年部を結成したい意向が示されたが、クラブ員側から、4Hクラブ員が青年部に加入すると、4H活動が低下するのは間違いない。また、青年部を結成すると、どうしても政治活動に走りがちである。私たちは青年らしく物事を考えなければならない。ほとんどのクラブ員が青年部結成には反対ではないが、もし結成するならば、4HクラブのOBが中心となり、現役のクラブ員が加入するのは好ましくないという結論になった。

こうして、短時間の話し合いであったが、多くのクラブ員から建設的な意見が出され、ある程度農協の内容や方針が把握できたようである。

派米研修生を募る
農業研修生派米協会 二年間の農業実習

社団法人農業研修生派米協会（会長 堀内謙介氏）は、四十六年度に派米する農業研修生を募集している。

これは、日米両国政府の援助のもとに農村青少年を米国に派遣し学課研修と農作業実習によって、国際的視野と優れた経営能力を身につけさせ、帰国後、意欲的に経営の改善や農業の近代化のために努力してもらおう―というもので、今年で七回目。

派遣期間は二ヵ年で、派遣人員は二百名。

派遣される者の資格条件は、次に掲げる資格条件を備えている者であって、都道府県知事が、社団法人農業研修派米協会会長に推せんした者とする。

（1）四十九年三月末までに高等学校かそれ以上の学校を卒業している者であって、現に農業に従事し将来とも農業経営に当たろうとする意志が強固な後継者や独立経営の基盤を有する者とする。なお、将来農業移住者として海外に渡り、あるいは開発途上国の農業分野における技術協力要員として活躍しようとする明確な意志を有する者も若干名加える。

（2）二十年七月一日から二十八年六月三十日までの間に生まれた独身の男子。

（3）英語に対する基礎的理解力があり、旺盛な研究心と逞しい実践力を有し、性質明朗で協調性がある者。

（4）酒乱、その他悪癖を持たず、反社会的行為および犯罪行為もなく、また極右、極左主義者でもなく、かつそれらの団体に関係のない思想堅実な者。

（5）次に掲げるような疾患あるいは身体障害ならびに畸型のない者であって、継続的農業分野に耐え得る者。

各種の結核、肋膜炎、性病、癩病、トラホーム、色盲、強度の近視、中耳炎、蓄膿症、慢性胃腸疾患、高血圧症、神経痛、痔疾、皮膚病、その他の伝染病、精神病、てんかん病、精神障害、精神薄弱、麻薬常飲、慢性アルコール中毒。

（6）体格が、おおむね左記の程度以上の者。

体重五十五㎏、身長百六十㎝、胸囲＝身長の½。

（7）両親、兄弟、姉妹のいずれにも、米国市民権を有する者がいないものであって、いままでに米国移住の申請をしたこともなく、また農業研修生あるいは農業実習生等の海外派遣事業に参加したことがない者など。

募集期間は、来る七月二十日まで、県別の締切日は、それぞれ各県で決めることになっている。

なお、詳細は、各県担当課あるいは、社団法人農業研修生派米協会（東京都）に問い合わせて下さい。

こんなことをしています
各種農業団体

全国農業協同組合中央会
意義は大きいが
農協 農業基本構想三年間の歩み

昭和四二年一一月の第一一回全国農協大会で、農協としての農業基本構想を決定し、系統農協挙げての推進を決議いたしました。

この決議の内容を一口にいいますと、農協として農業のビジョンをえがいたもので、第一は専業農家を中核に兼業農家を包摂した集団生産組織を育成し、所有と経営の分離によって生産規模を拡大し、大型の革新的農業技術を開発した、いわゆる高能率、高所得農業の実現であり、第二は既に昭和三六年以来進めてきた営農団地構想を更に具体化し、農畜産物の流通、とくに価格形成の主導権を生産者の手に確保するという目標をかかげたものでした。

この具体的な進め方として、当初の三年間を推進の第一段階として、農業基本構想の趣旨の徹底と都道府県農業基本構想の策定、二、営農団地の造成推進、三、営農団地造成に対応する販売事業等の体制整備、四、豊かな農村地域社会の建設と生活活動の強化を基本目標として進めてきましたが、このほどこの結果をまとめました。

この結果を概括的にみますと

一、基本構想に対する認識はかなり、ゆきわたってきている。二、三六の都府県に推進本部あるいは推進委員会が発足し、営農団地推進のための共同対策案も三九都道府県で整備されている。三、都道府県の農業基本構想は四三の都道府県で策定された。四、営農団地推進のためのモデル営農団地制度は、四四都道府県で採用されている。五、販売事業等の体制整備については、生販連の集配センターの発足、経済連・農政でも具体的努が続行なわれている。六、生活活動については昭和四五年一〇月の第一二回全国農協大会で、「生活基本構想」を決定した。七、農協の農業基本構想は、国の農業施策にかなりの影響を与え、第二次構造改善事業、営農団地特別整備事業、広域営農団地関連事業などの具体的な政策となってあらわれてきている、などがうかがわれ、農協が農業基本構想を樹てて進んできたことの意義は少なくないが、構想の域にとどまり、日常の事業活動の指針として定着するまでにいたっていない反面も否定できない。

このことは、基本構想実現のための具体的推進計画とその裏付け措置、組織内部の段階別部門別任務分担の不明確であったことが反省され今後の推進上とくに留意すべき点として明らかにされている。（教育広報課）

社団法人家の光協会
今市など六農協に
第22回「家の光文化賞」決る

第二二回「家の光文化賞」については、青森県の七輪農協をはじめ全国都道府県農協中央会から推薦された一三の候補組合について、慎重な審査を重ねた結果、つぎの五組合が受賞組合と決定しました。

栃木県 今市地区農業協同組合（江連一郎組合長）

福井県 鯖江市農業協同組合（山田伝助組合長）

兵庫県 一宮町農業協同組合（田路 幸組合長）

島根県 出雲市農業協同組合（岸 明叱組合長）

愛媛県 松柏農業協同組合（村上喜朗組合長）

なお、「家の光文化賞」は、昭和二四年に『家の光』創刊二十五周年を記念して設定、今回で受賞した組合は一二三組合となりました。

表彰式は六日一四日、受賞組合の代表を招いて、「家の光協会通常総会」終了後、家の光会館で行なわれます。

「家の光選定歌」踊り方講習会開く

全国の愛読者から歌詞を募集 農村の健康なレクリエーションとして「家の光選定歌」は『組合花笠音頭』と『空っていいな』（ホームソング）に決定し、レコード化されましたが、これに踊りの振り付けを、関矢幸雄先生に依頼、明るく、力強い、現代的センスにあふれた振り付けができあがりました。

この音頭と、ホームソングの普及のため、関矢幸雄先生を講師に、六月一五日の広島県（中国・四国地区の各県対象）をはじめ、全国五ヵ所で、踊り方指導者養成を行ないます。

なお、音頭とホームソングの作詞・歌手等は次のとおり。

『組合花笠音頭』（協同組合音頭）
作詞 岩崎芳雄（神奈川県）
補作 佐伯孝夫
作曲 清水保雄
歌 鈴木正夫

『空っていいな』（ホームソング）
作詞 辻本畑三（東京都）
補作 佐伯孝夫
作曲 服部克久
歌 立川澄人 小杉真貴子 東京混声合唱団

（文化部）

70年代の知的な農村主婦とは

佐賀県藤津地区鮒越4Hクラブ　平富美子

佐賀県藤津地区連の四十五年度会長の井上利幸君を通じて送られてきた、プロジェクトの報告書三編のうち、五月二十四日号にひきつづい、「七十年代の知的な農村主婦」と題する平富美子さんのアンケート調査のまとめを載せる。農家生活、わけても主婦の生活は大変だといわれているが、やはり、まだまだ今後に残された課題といったものが、数多くあることは否めないようである。

調査結果を図表にして発表する平富美子さん

共稼ぎと同じ　農作業に八時間　家事には重点をおかない

私の部落は、大良岳を頂点として有明海へ扇状に広がった山麓の一部です。すぐ近くに日本三大稲荷の一つ、祐徳稲荷神社があります。戸数八十戸、標高百米の丘をなしていて、みかん栽培の盛んな部落です。

私達の4Hクラブは、誕生して今年で五年目を迎えます。クラブ員は十四名で、三分の一が女子です。男性のエリート達のリーダーシップもあって、地域の〝革の根大使〟をめざし頑張っています。今年は、新しいイメージの中で七十年代の知的な農村主婦になるためのプロジェクトをしてみました。

最近、農村では封建性も薄くなり、食生活も大分よくなりましたが、まだまだ改善しなければならない問題は、山積みしております。私達は4Hクラブの集会で、よく次のような農村主婦の問題を話します。それは、農村婦人の労働過重問題、子供の満足するような環境作り、不十分な住居の設備についてなどです。

毎年、夏になると田植後の消耗した体にのしかかる仕事が多く、みかんの摘果や除草と、昼休みも出来ずに働く母のあまりにも悲惨な姿を見て、どうにかしてもう少しゆとりのある生活が出来ないものかと思ったのです。これは私の母ばかりではなく、どこの主婦にしても同じことです。そのためには自分の時間も少なく、毎日、仕事場と家との往復で、社会面には目を向けることも、勉強することもないわけです。

そういった主婦の現状を見て、もう少し住みよく明るい環境作りをしたい、私達が主婦となる時には、自分の時間とゆとりを持ち、もっと家事や育児に重点を置き、そうして、社会面にも目を向ける余裕のある生活をしたいと思うのです。そこで、まず、現在の主婦はどんな生活をし、どんな理想に向かって歩んでいるのか、アンケート調査をしました。

課題を①主婦と生活②住居改善③子供の環境の三つとして、改善すべき点を見つけようと、友達と話し合い計画してみました。みかん収穫の終った農閑期に、部落中をクラブ員が手分けして、アンケート用紙を配りました。婦人会のみなさんのご協力をえて集計しましたところ、次のようになりました。

初めに住居改善ついては、「台所に天井がない」という家が四十六戸です。天井がないと、煤が落ちて不潔なのです。また、作業服の置場が設置されず、目につく所においてあったりする家が、五十二戸もあります。農家は、土間や台所が意外と広いものです。この広すぎる土間に、古ダンスなどを利用し、作業服の置場を工夫したら、整理整頓が出来、どんなに明るくなるでしょう。

作り方は、ひき出しを全部はずし、タンスを横にたおします。タンスの中の上の方にかぎくぎをつけます。小さなタナには、小物類を入れるようにしますと、これだけでかんたんにロッカー風になります。

次に風呂に脱衣場がない家も二十八戸あります。これも作ろうと思えば、みんな箱などですぐに出来るのです。一番改善したいところは、という質問に対して多かった答えが、台所、風呂、便所の順になっています。

二番目に主婦と生活では、一家にお姑さんがおられるかどうかが問題です。お姑さんがおられる！ということで、一日の農作業、家事、育児時間が変ってくるからです。一日の農作業時間は、八時間の人が一番多く、七十二人です。これでは、共稼ぎと同じということです。それから、主婦の自分の時間は、テレビを見る時間をふくめて三時間が一番多い。また、将来、農作業と家事のどちらに重点をおきたいかという質問に対し、農作業に重点をおくという人が、半数以上もいるのにおどろきました。

これに対し、私達青年は、将来は家事や育児に重点をおける農村主婦でありたいと、願っているのは言うまでもありません。ここに今まで経験を重ねた人と、理想ばかりを追う私達との違いが、出て来るのだと思います。健康状態も肝臓病や神経痛が意外に多く、胃や腰痛などもふくめたら、病身者がなんと三分の一もいるのです。農作業と家事をあずかる一家の主婦が、これでいいものでしょうか。もっと徹底した治療と、無理をしないことが、第一条件でありそのために、私達に与えられた課題も大きくなります。

未婚者と意識に差

三つ目の子供の環境では、子供と話す時間が一時間以内という結果になっています。これに対し、主婦のテレビを見る時間は、三時間以上もあります。せめて、子供との時間を一時間は取り入れたいものです。また、家族旅行に行かないという家が大部分です。将来子供に農業をさせるか！という点でも、長男長女だからさせるという人が大部分なのです。

この調査をして私が強く感じたのは、私達の部落は、みかん産地で生活も大分良くなっているものの、主婦の労働過重はまだまだ大きいということです。そのため、社会面への勉強不足、そして子供との話し合いの時間が少ないということです。また、将来、農作業と家事のどちらに重点をおくかというのに対して、七対三の割り合いで今までのように農作業だという主婦が多く、これが将来の理想であっていいものでしょうか。

私達が今まで話し合ってきた理想の知的な主婦になるためには、雰囲気作りから真剣に考える必要があると思います。これからは、ますます機械化へ、そして考える農業へと変ってゆくと思います。その中で、七十年代に主婦となる私達は、今まで以上に勉強を重ねて、機械化に負けないよう、小さなことから、一歩ずつ努力して行かねばならないと思います。

七十年代の知的な農村主婦は、もっと社会面にも目を向けて、考える、記録する、工夫する、研究する、そしてそれをみんなに公言できる。すなわち「カキクケコ主婦」にならなければならないのです。今後はもっと広く、深い分野での調査を行ない、それぞれを比較し、結果を町内、そして市内中にも発表しようと思います。婦人会の人達と協力し合って、もっと実践を通しての改善に努め、少しでも理想に近づけるよう、努力して行きたいと思います。

私のプロジェクト

男にたよらず

セロリで自信つける

神戸市垂水区西神戸農業青年クラブ　北山和代

1、我が家の経営概況

水田が百二十アール（水稲、軟弱野菜）、畑は四十アール（根菜類）、それにビニールハウス二十五アール（トマト、春菊）、労働力は男一人、女二人。

2、課題と取り組んだ動機

我が家の経営の中に、自分の部門を持ちたい。等級により価格差が著しいセロリ栽培はやりがいがある、またセロリの需要はまだ伸びると考えた。

3、計画と実行経過

兵庫県立農業試験場園芸部へ研究生として一ヵ年、静岡県浜松市大久保町への先進地農家留学研修を終えて、取り組み始めている。

4、実質をかえりみて

セロリといえば、食べたことはあっても、栽培方法など全くわからなかったのが、浜松での研修で身につけることのできた。

5、今後の計画

男の人にたよらなくても、機械を使いこなせるようにする。トンネルトマトと洋菜類の栽培に重きを置き、軟弱野菜の周年栽培をする。かんらん（赤）や、十月出荷のレタスも労力があればつくる。

セロリを作ろうと考えた動機は、あととり娘では終りたくないと考えたからで、そして、女でもやれば出来るという自信をつけたかったからである。それには、親と同じものを作ったのではだめだと考え、セロリ栽培を選んだ。

今の我が家の経営は、トンネルトマトと軟弱野菜が主体で、一年間の労働配分や耕地利用から考えて、十一月から十二月出荷のセロリが一番良くかみ合うし、等級によって価格差の著しいセロリは、作りがいのある作物だと思う。今年初めて試みるわけであるが、一度や二度の失敗は覚悟して、うまくゆけばハウス栽培もしたいと考えている。

共同茶園を開きたい

クラブで苗木育成を請負う

島根県八東郡鹿島町　農林改良青年会議　稲田誠人

1、私達グループ活動の概況

農業後継者のグループである私達の会は、会員十八名で毎月定例の学習会や酪農、花木の部門活動、茶苗の生産などいろいろと活動している。

2、課題と取り組んだ動機

グループの会員は年々減少し、年齢差も生ずるなどして会員が満足する活動が困難になって来たので、何か良い方法がないかと話し合った結果、茶業組合の茶苗圃の管理を一切引き受けることになった。それは、会員が働きながら話し合いや茶栽培の勉強もでき、その上、労賃の一部を活動費に使えるなどいろいろと活動にプラスすると考えたからである。

3、計画と実行経過

昭和四十三年から、茶業組合の苗圃の管理を一切引き受け、普及員の指導で床作り、穂木の準備、挿木、日覆、灌水、施肥、除草などを、できるだけ会員全員で行なってきた。四十五年度からは独立して会員の米の生産調整用の旧五アールを借りて、茶苗作りをはじめた。資金には町役場からの補助と会費をあて、収入があるまでは無報酬で働くことにした。

4、実績をかえりみて

会員が同じ目的に向って、いっしょに働くことにより、お互いが心を打ち明けて話し合えるようになって、会の運営がスムーズにやれるようになった。引き受けた茶苗圃の管理も順調にゆき、良い苗ができた。昨年から独立して始めた茶苗生産も、秋には販売できる予定である。

5、今後の計画

苗圃を拡大し、花木の苗は会員で育成して販売する計画である。できれば、共同茶園を開きたいと考えている。

能率的な団地作りを

みかん畑二町が八つに分散

福岡県粕屋郡古賀町橘4Hクラブ　秋山治美

私の家はみかん園の二町、水田一町を耕しているが、私たちみかん作りの者にとって、ここ二、三年は大きな試練が待ちうけているように思う。まず、今年春よりグレープフルーツの輸入により、夏かん、甘夏、八朔類への影響、また、作付面積の四〇％近くが若木といわれ、価格の下落が心配されている温州など、問題は山積している。

この中にあって、私はクラブ活動を通して、我家の経営内容を理解するとともに、将来に対する計画を立てる上の基礎として、経営診断を行なった。

まず、クラブへ出て感じることは、労働日数が非常に短いということ、普通のサラリーマンは、年間三百日前後は働いていると思うが、我家は二百日余りと、その差がかなりあることがわかった。これは、農村が一つの共同体のような感じで、行事、祭りごとに外へ出る用が多いからである。この点は、どうしようもないというのではなく、〝何とかしなければ〟という姿勢で改善しなければいけないと思う。

もう一つ、我家のみかん園は二町余りの面積で、実に八ヵ所にも散らばっているために作業能率が低く、また、機械化という点でも困難な状態になっている。今からのみかん作りは生産費を下げ、作業能率の上がる園でなければ、太刀打ちできないと思う。このような中で、私は園一つ一つをどうしようということではなく、新しい場所に一団地五町歩くらいまとめ、そこで新しい施設、設備を作り、全く新しい経営を行なってゆきたいと思っている。

このように自分の経営内容を掘り下げ、調査してみるといろいろな問題点があるのがわかる。これらの問題点を理解しながら、計画実行、反省を繰り返し、その基礎となる経営診断を行なっていきたいと考える。そして、時代の流れに流されないでしっかりと進む方向を見きわめ、一人前の農業経営者になりたいと思っている。

生活費のために働きに出る主婦

岐阜県吉城郡古川町4Hクラブ　小洞篤子

1、わが町のあらまし

私たちの町は、本州の中央を縦断する「日本アルプス」の山脈にかこまれた飛騨高原の北部、古川盆地にある。標高が最低四百六十mで専業農家四・三％、第二種兼業農家七十二・四％である。稲作が中心で他に養蚕、桃、乳牛、和牛などが主な作目になっている。

2、課題にとりくんだ動機

近年、古川町も社会状勢の影響を受けて農家主婦の工場勤めが目立つようになった。一家の主婦が農作業、家事、おまけに工場へと出かけるのはなぜか、またそのために家庭はどうなっているのか、主婦としての悩みは何か、生活時間はどうなっているのか、その実態を知ろうとした。

3、計画と実行経過

実態を調べるために（一）主婦の工場づとめ実態調査と（二）家庭主婦生活時間調査を行ない、それぞれ百戸程度を調査対象として女子クラブ員全員で手分けして個々の農家を歩いた。この調査内容を詳細にのべる余裕はないが、勤めの動機は七四％が生活費をまかなうため、一〇％が子供の教育費のためとなっている。勤めて困っていることは、第一に過労（二七％）、第二に農業との両立（二〇％）、その他子供の教育（一六％）、家族団らん（一五％）、家事支障（一三％）となっている。勤めに出てよかったことは、生活が楽になった。現金収入があり計画的な生活ができるようになった。社会勉強になる。気分的に若返る。話しあいができるなどとなっている。主婦の生活時間は年齢によりちがうが、平均すると農作業七・四時間、家事五・四時間、育児、娯楽が三・一時間、睡眠時間七・六時間となっている。

4、調査結果をかえりみて

主婦が工場勤めをする原因を考えてみるに、古川町の農業も機械化され、労力が浮いてきたこととともに、農業所得だけでは生活できなくなったことにあると思われる。水稲中心である古川町農業は減反と騒がれている現在、農業だけで家計を維持していくことは、一層困難である。古川では、林業、しいたけ栽培、酪農、果樹園芸など、農業を安定収入のあるものとし農家主婦が安心して家事、農作業に従事できる、そんな町を築いていきたいと思う。

5、新しい農業へのあゆみ

私の住む古川町は、前記のアンケート調査で述べたようにいろいろな理由により農家の主婦も他に働きに出なければならなくなっていることがわかった。私たちはこのアンケート結果について、4Hクラブの仲間が集まってこれからの村はどのようにしていけばよいのか話しあっている、また村の中で農業をどのように位置づけるかいろいろプランをねっている、これからの新しい農業を考えるとき、仲間とともに集団の力で進めていくことが非常に大切なことと思われる。規模の小さい個々の農家の力は小さなものである。それだけにお互いが団結し、新しい農業への目標に向って力をあわせていくことがもっとも大切だと考えられる。理想としては、主婦は家事と育児に専念し、時は農作業の補助をするような豊かな農家生活を築きたいものである。

水害が転機に

大衆野菜の輪作へ進む

千葉県君津郡君津町小糸4Hクラブ　渡辺雅文

私の家は水田一・五ha、畑三十アールを耕作し、家族は父親と妹と三人である。水田も畑も全て川の氾濫の危険性のある低地である。規模は小さいが、いくら機械化ができても父一人で管理できる面積でなく、といって自分と二人で、就労する自立経営規模でもない。

そこで昨年、苺を経営の内に取り入れてみた。成績は悪くなかったが、父も私もあまり細かい仕事は好まないので、「下葉がき」など管理作業の根気のいる仕事は、女手がなくては毎日の管理に無理があり、面積拡大はできかねる。七月の集中豪雨により苺の株が川の氾濫で全滅したのを機会に、農業形態を変えてみることにした。

裏作には、かんらん、レタス、なす、春菊を取り入れることにした。この考えに至ったのは、若者がみな高度の技術、資金を投入する施設園芸や酪農、養豚養鶏などを取り入れ、大衆野菜を見落しがちの昨今、各産地の生産者年齢が高くなり、大型経営に変化しつつあることによる。誰でもすぐでき、雇用人に誰を入れても仕事ができる作物で、しかも経営上、年間を通して飽きのない作物をとの考えから。収穫の面からいうと、水稲↓春菊↓かんらん↓レタス↓なすの輪作体系を考えてみた。

ところが、実行段階で稲の収穫期とかんらんの移植がかちあい、予定の半分の八千本しか確保できず、二十アールに定植した。また、春菊は、川の氾濫で耕地が荒らされて、結局ブルドーザを頼んで整地したために、ハウス建設が遅れ、今年は残念ながら一作を見送る結果となり、レタスは六条植で七アールに、四条植で十五アールに、計一万二千本を定植した。

昨年の苺栽培は、目に見えぬ労働時間がかかりすぎ余暇を十分に取ることができなかった。今年の作付は雇用人数も多かったが、資金もかからず、余暇もでき、これで価格さえ安定してくれれば、こんな楽な仕事はないと思う。今後の計画は、価格の安定した時期に、ピークのくる栽培形式にすること、過剰投資の水稲機械を裏作に作用する方法の検討、および一作目ごとの面積の拡大、作目間の仕事のかちあいの調整、余暇利用方法の取り入れなど、まだ問題点は多々あるが、ここに書いたことが現在の私の経営である。

「これからの農業は、個々の農業ではよほどの腕のよい人でないと、専業はできないと思う。農業をやりたくない者には、無理やりやらせる必要もない。資金の貸付で、やたらに機械を持たせることもない。国も今後の農業を、企業形態にしてゆけばよい。

各県にある農協組織が企業団体の中枢となり、組合活動を活発化させ、今の販売方法を変えて、農家↓組合↓消費者というう販売、購買ルートになるようにする。農協連が生産や販売消費面に緻密なる情報網を張り、土地や気候条件にあった作物を作り、過剰投資を避け、価格の不安定をなくし、生産者がいつの時代にも合った労働報酬を得られ、生産物の価格の決められるような形態の農業になるべきである。

ほたるを孤児院へ

川辺4Hクラブ

【和歌山】日高郡、川辺町4Hクラブ（会長　原修一君）の会員三十八人は、さる五月二十九、三十の両日夜、同町小熊を中心とした日高川のほとりで、ホタル狩りをした。

両夜で獲れたホタルは、排気ガスなどの公害でホタルが見られなくなった東京都内の孤児院十五ヵ所に贈る。また、このほかクラブ員らがたんせいこめて栽培した夏ミカン十五箱（二百二十五キロ）もいっしょに贈り、慰問することにしている。近年は、東京でホタルなどみかけることはないので、子供たちから、大いによろこばれた。

農薬に強く外出にも使える

実態調査から作業衣

佐賀県神埼郡神埼町日の隈4Hクラブ　陣内ヒロ子

文化の発展とともに、我々人間の生活もむしばまれていく。都会では公害に悩まされ、農村では農薬問題に頭を痛めさせられる。恐しいことであるといって、傍観していても解決しない。そこで私達生活専門部では、農薬の危害を身近に感じ、婦人用作業衣の改善に取り組んでみた。

まず、作業衣の条件として、格好よく、つまり着て楽しく魅力あるものに主眼をおいた。その他安全性、働きやすさ、あみ利用などをも含め、作業衣のままでの買物や、急な外出にも不便を感じないように、と、デザインに気を配った。また、農薬の危害をこうむらないためにもと、農薬散布後の健康状況を知るため、無作為抽出法によるアンケートをとった。

おおむね二十歳～五十歳までの男女で、稲作地帯が殆んどであるが、その結果、有障率が全体の七二・五％を示し、症状も数種にわたった。さらに疲労度を知るためフリッカー測定器により調査を行なってみた。ただし、測定対象者の正確な生活調査を行なっていないので、疲労度は一つの方向にしか過ぎない。しかし、農薬散布前後の変動差は、マイナス2～マイナス6の間で、疲労度の高いことがうかがわれた。

このような実態から、私達は作業衣の防水を試みた。さいわい防水剤が一着分三十円程度にしかならず、防水方法も誰にも簡単に出来、従来の作業衣への応用も出来るなど、ちょっとした工夫により農薬問題から身を守ることが可能で、しかも着て楽しい魅力ある作業衣への改善が出来る。すでに農協などで市販されている新しい作業衣と比較し、今後どのように改善すべきかなどの研究を重ね、より一層着て楽しく、農薬から身を守ることが出来、魅力ある作業衣へ改善してゆきたいと思う。

会長に岩本君

熊野市連で総会開く

【三重】熊野市農村青少年クラブはこのほど開いた総会で、四十六年度の新役員と次の事業計画を決めた。

【役員】会長、岸本一郎（会計兼務）▽副同、大西和彦（書記同）▽地区理事、島田裕臣、河上兼子

【事業計画】六月、水稲航空防除▽七月、プロジェクト発表会▽八月、地区交換大会（キャンプ大会）▽九月、農協ミカン果汁調査▽十月、体力つくり大会▽十一月、県農村青年農業者会議▽一月、新年会、レクリエーション▽二月、先進地視察▽三月、柑きつ研究会。

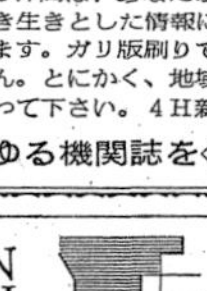

NHK農事番組

（6月11～20日）

テレビ

明るい農村　6・30～6・55　総合

11日　村をむすぶ　仙台、東京、大阪、福岡
12日　農村新地図（秋田県小保内村）自由学園生徒
13日　明るい漁村
14日　村の記録、「4年目の技術銀行」埼玉県下
15日　きょうの話題　未定
16日～19日　参議院選挙政見放送のため「明るい農村」は中止
20日　明るい漁村

農業教室　7・30～8・00　教育

10～12日　都市近郊の稲作（愛知県農業総合試験場）西尾敏男
14～16日　飼料作物の利用技術（農林省草地試験場）高野信雄
17～19日　トマト生産の経営と技術（千葉県農業試験場）荻原佐太郎

あすの村づくり　日　7・00～8・00　教育　再　土　13・00～14・00　教育

13日　「煙と夜間農業（仮）―岡山県水島コンビナートの場合」（岡山大学教授）福田稔、（新農政研究所）武田邦太郎、（京都大学教授）柏祐賢ほか
20日　「過その中の42工場（仮）―鳥取県智頭町の場合」（智頭町農協組合長）吉田冥爽、（新農政研究所）武田邦太郎、（京都大学教授）柏祐賢ほか。

ラジオ

早起き鳥　5・41～5・57　❶

11日　若木の出作り（中野通信員）埼玉県川口市
12日　農協の休耕田管理―新潟県新発田市
13日　麦作はどうなる（農林省調査官）羽多実ほか
14日　手を結ぶ農協と生協―仙台市ほか
15日　減反と過疎地農協―島根県邑智郡
16日　清浄豚をつくる―横浜市南農協
17日　工場進出その後―愛知県南設楽郡鳳来町
18日　どうなる野菜の増反―栃木県下
19日　期待されるきじの養殖―長野県飯田市
20日　市場流通を考える―「青果物と市場流通」（京都府大助教授）藤谷築次ほか

話の広場　6・10～6・30　❶

13日　行商かもめ部隊（千葉県長生郡一ノ宮町）
20日　共同で稲作転換（高崎市）

新しい農村　6・00～6・30　❷

13日　米の等級改訂（検査規格をめぐって（農林省検査課長）森道弘ほか「食糧庁は米の等級改訂を実施しようとしている。五等米廃止、等外一～四等の格上げなど、これをめぐる産地の問題について話し合う」
20日　農住都市建設をめぐって（協同組合研究所）一楽照雄ほか「都市化地域の生きる道、農住構想が打ち出されて以来各地に生れつつあるが、その問題点をさぐる。農地所有と農民の対応、資金、その他緑地のあり方など……」

ラジオ農業学校　日　6・30～7・00　❷

13日　経営手帳―「今年の米価と所得確保への道」（栃木県大田原市）農協青年部
20日　優秀農家に学ぶ―「福岡県山門郡大和田町松藤満雪さんを訪ねて」（水田酪農）松藤満雪ほか

4H活動をかえりみて

底辺と県連結ぶ――見逃せぬ女子部の活躍

45年度神奈川県連会長　佐藤春雄

近年神奈川農業の変貌は著しく新都市計画法の施行とともに、急速に都市化の波が県内各地に及び近郊農業確立のために士と取組んでいる農村青少年に、新たなる不安をなげかけている。

そして、そのような農村青少年で構成されている県連も、クラブ員の声を基にして、現状にあった活動をという方針で四十五年度の事業を行なって来た。

都市化が進み、農業情勢がきびしくなるとともに、次の世代を荷なう我々農村青少年の使命と言うものは、重要なものとなり、各種の問題を打開して行くためには個人のつながりではなく、組織を通じて仲間全体の連携を深めて行くことが、我々の職業域のみならず、広く社会的にその力を持つことになるのである。

四十五年度県連事業も、農村青少年の組織である県連を、クラブ員個々の人に理解してもらおうという目的のもとに、第一の行事として、地区オルグ活動を展開して来た。この行事を行なうことによって、私達県連執行部のメンバーは、今まで理事などからは聞くことの出来なかった現状に苦しむ点などを、知ることが出来た。

そして私はこのオルグにおいて、組織活動、特に青少年活動においては頂点をより高くするより、底辺の充実に努力にするべきであるということを、あらためて知り、県連のリーダーとして県連組織活動の再検討を考えさせられた次第である。

組織の連携をこのオルグにより一歩進めた県連は、このような組織において活躍してもらうリーダーの研修会を、「農村青年の生き方」というテーマを折込みながら行なった。そして組織、リーダーと農村青少年の団結を目標に歩みを進め、クラブ員全員の交流と親睦を深め、クラブ員相互の意志を統一すべく「力強い団結、共に築こう我らの農業」という大会スローガンをもとに、第二回農村青少年クラブ員の集いを開催した。

さらに、県農政課、NHKとの共催で行なった「青年会議」は、その内容に「農業者シンポジウム」、「実績発表」などの県連提示案を含め、「新しい農業の歩み」というテーマのもとに開催され、シンポジウムにおける各先輩達の体験談は、我々に現実の明暗を与え、今後の活動に新たなる期待と不安をもたらした。

以上述べた四つの事業をもとにして県連活動を進めて来たわけであるが、県下女子クラブ員の交流と親睦を深め、農村女性としての資質の向上を目的として、「ハイキング」「女子研修会」「アイデア交換」という行事を行なって来た女子部の活動も忘れてはならないものであり、クラブ員の集いにおけるジュースのサービスなどは大いに好評を受けた次第である。今後もこの女子部の活動は進めて行くべきであると思っている。

県連はこれら主体行事のなかに、渉外事務の方の活動として県連だよりの発行、日本4H会館建設の推進を行なって来た。県連だよりにおいては、回数を多くし地区の情報交換に役立てて来、4H会館建設においては関東ブロックなどとの連絡を密にし、神奈川県独自の形で進めて来た。また事務の方では、県各機関よりの情報を早く末端クラブ員に知らせるために事務局だよりを発行し、4H新聞の購読などに成果を示したことは言うまでもない。

そして今年度においては、連絡を密にしたことにより県青少年関係の行事に多数の参加者を集めることが出来、さらには全国の段階における青少年育成国民会議、全国4Hクラブ連絡協議会の各行事に、積極的に派遣を行なえたことは、成果大なるものとなっている。

県連と地区連の連携を深め、移り変る農業情勢に対処出来るクラブ活動を目標に行なって来た今年度の県連活動も、数多くの問題点、課題を残しながら今過ぎ去ろうとしているが、私が思う今後の県連の方向を、以上の体験のもとに述べてみると、その一つとして、私がオルグ活動で得た、頂点と底辺の問題を今後の県連活動に生かしてもらいたいと思う。

県連が難しい神奈川県の農業情勢の中で、農村青少年としての活動を進めて行くためには、より高度なクラブ活動というより、現実を見つめたクラブ活動の方向に進んで行かねばならないと思う。地区連、単位クラブの連携を強化し、未加入の農村青年グループの参加を計り、県各農業機関に対処する時にも、青少年グループの活動というより農業後継者の組織であるという点において、農政問題などにも研究的態度を取り、農村青少年としての活動である県連の底辺を、幅広い充実したものにしてもらいたいと思う。

さらにもう一つは、神奈川のクラブ構成をよく見つめ、三角形の頂点と底辺とを結ぶ二本の辺、すなわち構成人数や特色を決め、頂点を決めていただきたいと思う。頂点は県連執行体制の位置であると思うのである。

最後に、来年度（四十六年）の県連役員の人達に大きな期待をかけるとともに、わが青春を投じたこの県連活動において、至らぬ私に、ご協力と情あるご批判をいただいたクラブ員の皆様、また会務遂行におきましてご指導、ご鞭撻を頂った県農政課をはじめとする各関係機関の皆様には、この紙面をもって、感謝の意を心から表したいと思う。

クラブとともに過したわが青春、一つの使命を果しえた喜びを感じ、今後の県連活動の発展を祈りながら、次への歩みを進めたいと思っている。

（神奈川県連「県連だより」三月一日号より）

青春と仲間

本当にそうか　農業が好きか　冷静に考えなおす

奈良県御所4Hクラブ　野瀬善玄

俺はなぜ農業をやるのか？　そうだ!!　高校を卒業する時に考えたではないか。農業は他の産業よりも儲かる、七桁から八桁の農業をやるんだ。また、こんな風にも考えた。人につかわれるよりも自分が社長である農業の方がいい。本当に高校を卒業する時は、このように考えた。

しかし、今、農業から一時的に離れて考えると、本当に自分はそのように思ったのか疑問である。

周囲のものからそのように思わされたのではなかったか？

例えば、俺は長男であり、家ではおまえは長男だから農業をやるんだ、といつも言われていた。

高校でも同じように、農業はすばらしい職業だといつもそのように教えられ、卒業する前は卒業後農業をやらないものに対して、優越感さえ感じるほどになった。

何も思うことなしに、なんの心配も、不安もなしに、農業という職業に入った。

実際に農業をやって見ると、現実はそんなに甘くはなかった。もし、高校を農業高校でなしに、他の普通高校に行っていたら、農業をやっていたか疑問である。

我々はもっと農業というものを冷静になって、客観的に考えなければならないのではないか。

その意味では私は一時的にしろ農業から離れ、農村という現実から離れて、より客観的に農業というものを考えられる立場にある。

この機会をフルに生かして、農業というものをより客観的に考えて見たい。

農業というのは本当に儲かる職業なのか。

他の産業に比べて農業は、本当に経済的な面での将来性があるのか。

このように考えると農業をやることがバカバカしくなる。

でも、このことだけは言えるのではないか。

人間らしく生きる。

人間が人間として生きる。

この点のみにおいて、農業というのが存在するような気がする。

機械の一部になりたくない

私にも人間らしい人間というのがどんなものなのか、はっきりわからない。

けれども、ベルトコンベアで流れてくる部品に対して、ハンダづけばかりやって、いつも同じスピードで、ただベルトコンベアのスピードでしか動くこと、作業をやることがゆるされない。

そこで人間としてではなく、機械の一部としての人間しか存在しない。すなわち、機械が主で人間は従である。このような社会の中で、農業の持っている意味を充分に考えなければならないのではないだろうか。

私は人間として生きたい。

【奈良県連十五周年記念誌『若い力』より】

☆　☆　☆

肥料の計算もしないで
沖縄を訪ねた私たち

埼玉県　白子恵宥

沖縄は一口に言って、悲しい島であると思った。遠い歴史をさかのぼってみても、また近くは第二次大戦の悲劇を考えてみても、そして今日の立場を考えても、思えば思うほど、悲しいことのかずかずでうまってしまいそうな島である。最近、特にクローズアップされてきた沖縄は、基地の中の沖縄か?沖縄の中の基地かとまで言われる軍事基地として、返還問題、復帰問題でニュースの焦点となっていた。

それだけにこの交換訪問は、私達にとってテレビや新聞などのニュースだけではわからなかった現実の姿を見て感じたことになり、広い視野に立って考えると、沖縄の生産状況はみじめであると思った。格差があまりにもあり、やっと生活し、雨がなんとかしのげるぐらいの家に住み、不潔な身じたくをしているのが心さみしげであった。

しかし、私達が民泊した東風村字東洛平、この村は平均以上の所だった。砂糖キビと野菜を中心にした農業経営をしている。分科会的話し合いの時に一番感じたことは、野菜栽培をとって見ても、肥料の成分計算をせずに、ただ何袋とか言っている現状である。そして、この村の青年がビィジョンとして考えていることは、砂糖キビから野菜プラス観葉植物方面へであり、私も立地条件を利用した栽培方法ではないかと感じた。また、現在本土でも問題になっている流通面が、一番問題ではないかと心配される。野菜一つを例にとっても、土壌、水利問題などが本土と変った心配の要素ではないかと思った。

市場見学に行って感じたのは、品質が多いことであった。返還後を考えれば、本土から沖縄へ野菜などが入ってきたら、とても沖縄の品物では太刀打ちできないのではないかと思った。今後の課題としては、自分が植木や切花などをやっているせいか、立地条件を大いに生かして、沖縄県として立派な農業経営をしてもらうことだと考えた。

全国4Hクラブ連絡協議会は、今年も昨年に引続いて、第三回の沖縄親善交換訪問の計画を立てているが、本年は、可能ならば飛行機をチャーターしたいなどという話も出ている。いずれ、くわしいことが発表になることと思われるが、昨年の参加者たちのレポートもまとまっているので、そのなかから抜粋して、参加する人たちに読んでいただく。昨年に続き、また今年も行きたいという人もあるとか聞いているが、本土返還までは自由に往来できないので、この機会を生かしてほしい。

米国人も見ない土地
ペンシルバニア州へ行く私たち

前略

出発の際、大変お世話になりました。二人共元気で毎日オリエンテーション通りに生活しています。

このホテル（ワシントン・ホテル）は、台湾、フィリピン、イギリス、オーストラリアの九人がいるのですが皆英語はペラペラ、全くわからないのは我々二人だけです。仲間とは身ぶり手ぶりでなんとか二人で力を合わせるとわかるけど、毎日の講義の時間は全くわかりません。

明神・石井さん（派米クラブ員）の第一便

宿舎では、毎晩のように台湾、フィリピン、イギリス、オーストラリアの仲間が遊びに来てくれます。私たちは、みそ汁を茶碗（お茶の道具）で"はし"をつけて食べさせたり（ジャパニーズスープ）、そろばん（ジャパニーズコンピューター）、そうめん（ジャパニーズスパゲティ）などを教えたり、着物姿を見せてあげたりしています。だから、毎日がとても楽しい!

しかし、オーストラリアの男性に、「日本の家は紙でできているの?」「柔道はできるのか?」など聞かれたり、「日本人は背が低い」と言われたり…。そのうえ、ここでは、人それぞれ姿や服装が違っているので、私の顔にも皺がふえる一方です。

五月十五日。パーティに出席する前に買物に出かけました。買物の途中モンタナ州の人に話しかけられ、モンタナ（私の行く所）に来たら電話するようにとナンバーまで教えていただきました。それから、食堂に入っていると三人の家族づれの人に「パイはうまい?」と話しかけられました。この人も農業をしているとのこと。ビートと鶏をやっておられるそうです。

また、私たちが4Hクラブの交換訪問でコロラド、ペンシルバニアやモンタナなどを訪ずれる予定だと話すと「アメリカの人だって一生のうちにそんな所を見ずじまいの人だっている。あなたたちは幸せだ」と言ってくれました。

いよいよ五月十八日からは、それぞれの家庭に三週間ずつ入ります。それでは今日はこれにて。

明神　石井

屋根の上で

安芸　小黒幸夫

近くの花園のなんでもない花
その花びらの色が
空の青さといっしょに　目にしみて
屋根の上から山々を見ると
山が何かを言っている
でもこんなに遠くでは
山のささやきなんて
聞こえはしない

（津安芸連協『若い息吹き』七号より）

女に気をつけろ

北海道赤井川4Hクラブ　安田正一

はじめに　私は農業学園在学中に、文集のための原稿を書けと言われた。私は真面目なことを書くつもりであったが、どうしても頭にうかばず迷いに迷ったあげく、「女には気をつけろ」と題して、ずいぶんとエゲツナイことを書いた。内容を知りたい人は学園生に聞いてもらうことにして、とにかく意外にそれが学園生にうけたのである。今回こそは、真面目にと思ったがやはりだめであった。そこでやむをえず、「女には気をつけろ」の第二弾をここに書くことにした。（屋寿打症市）

◇―◇―◇

先日、私がある町に行ったときのことである。目的の場所へ行くのには、駅から歩いて三十分くらいかかる所である。バスはちょうど出発したあとで、一時間後でないと次のバスはない。ハイヤーに乗るには百四十円がおしいような気もする。時間は充分あったので私は歩くことに決めて駅前の通りをブラブラと歩き出した。

やはり町と名のつく所だけに通りは人でごったがえしていた。若い人、年寄った人、どの顔を見てもみんなちがった顔をしている。十人十色、村とはちがう空気につつまれていた。そんなせいもあるが、若い女性のミニスカートが目立っていた。中には今流行のパンタロンをはいた女性もいたが、やはり男の目につくのはミニの女性であるらしく、すれちがったミニ姿を振り返って見る人もいた。

これからはだんだん暖かくなって、ますますミニスカート姿の女性が増えて来ることだろう。そこで、私はミニをはく人に忠告する。これはあるドライブインに行った時の話であるが、そこでは女店員は制服を着るらしく、皆んな同じ服を着ていた。着ると言っても、それはミニであるから、正確には腰につけていたと言うべきであるかもしれない。

私は友人とそこに行きコークを注文した。コークは、店員の手によって我々の前のテーブルに運ばれた。ためらうことなく、二人はコークを飲んでいた。そこまでは良いが、お客は私と友人と二人だけである。店員はひまでもあり、腹もへっていたのであろうが、一人の店員は、ミニスカートのままカウンターに向って足をおっぴろげてすわり、口にはパンをほおばった。普通でもこんな格好は見にくいものである。まして、ミニスカートでやったので……。

ミニをつける女性の諸君、気をつけてくれたまえ。とにかくこれからは日増しに暖かくなり、ミニ姿の女性が多くなることが予想される。野郎どもとしては、眼の保養にもなり、実にウッシッシーのことであるが、それだけに問題がある。

女性諸君は、どんな気持でミニをつけているのか私にはわかりかねるが、猫も杓子もミニ、ミニといってミニをつけたがる。ミニスカートをつけた若い女性が、お尻をふりふり歩いていると、たいていの野郎はドキリとするはずである。ただドキリとするだけであればよいが、中には変な気を起してお尻をさわったり、夜道でおそいかかったりするのが出て来るのである。

そうして、おそわれた女性は、ギャーギャーとさわぎたてて男に責任を押しつける。男はムショ入りとなる。男にはなんの責任もない。そんな気をおこさせた女の方に責任があるのに、国はそれを咎めず、男の責任としている。4Hクラブの男性諸君、女には気をつけろ。――ただし、責任はもてないぞ!!

（北海道赤井川4Hクラブ『若い足跡』一号より）

『空談』
雑書に育てられて

あなたを育てた本は何かとか、孤島へ一冊しか持って行かれぬとしたら、どんなものを選ぶか、といったアンケートのようなものをみるたびに、ぼくならどう答えるだろうかと思い、その都度、とてもそんなことはできないと諦めてしまう。

また、たとえば、必要な百冊の本などといった類の目録をみても、どれも悪い本ではないが、読んだこともないものばかりで、いかにスタンダードな書物とかかわらずにきたことかと思う。記憶に残っている本は、なんとか倶楽部といった雑誌類、寛永三馬術などの講談本、あとは著者も書名もろくおぼえというようなものばかりだから無理はない。

つまり、図書館や古書肆などをいまから捜したところで、決してみつかりはしない雑書、あるいは「買わない読まない」のスローガンのもとに、教育熱心なママたちから焚書の憂き目に合わされそうなものばかりなのだ。事実、戦後の二十四年あたりが書物の紙質のよくなりはじめる境目と証言できるのは、雑書に親しんだおかげである。何とか倶楽部なぞには、現在の週刊紙のグラビアからみれば、全く子供だましのヌードなどもあり、土蔵の小さな窓から射しこむ光のなかで、心臓をどきどきさせながらページをなでまわしていた。

そうしたなかで、春陽堂の明治大正昭和文学全集とか、小川未明、鈴木三重吉、浜田広介、坪田譲治など、いわば名作童話と呼ばれる面正しいものもなかったではないが、名作を読んでやろうという意識があったわけではない。ただ、手近にあったものを濫読しつづけたのみで、いまなおその癖は抜けきらない。それにもかかわらず、現在よりも読み方として正しかったと思うのは、雑書にしろ名作にしろ、再読三読をくりかえしていたことだ。

人生は短いから、良書と附合わなくてはならないというラスキンだかの言葉は、正しいといわざるをえないが、それは大人になってからの読書訓という限定が必要だろう。純文学などと聞くと、なんだか恥部をむきだされたような羞恥心を覚えてしまうが、俗悪とさえ呼べるかもしれぬ、いわゆる読み捨ての書物が、ぼくに及ぼした影響は少なくない。（山）

草木虫魚
お酉様の赤目芋

よいところの生れでもなかったのに、ぼくには買食いの習慣がない。貧しかったからであろうか、または、母が神経質だったためでもあろうか。だから、街頭や車中で口へものを入れるのに、いままでも強い抵抗感がある。ガムでさえも、ためらいを持つ。歩きながらものを食うものでないと、祖父母にたしなめられたことも、一度や二度ではなかった。それらのことでもが、いまなお尾を曳いているのだろう。

学校のころ、二十歳前後の若い友人たちは、夕方になれば空腹をこらえかねて、下校の途次、揚物屋でコロッケやフライを買って、まだジュブジュブと音を立てているようなやつに喰いついていたものだ。そのすぐあと、また、屋台のおでんを求めるものさえいた。ひとつやろうとか、うまいよといわれたものだが、めったなことでは手を出さなかった。屈託なく、それらをたちまち平らげてしまうのをみて、羨しいような思いになったことを忘れない。ぼくにも人並みの食欲はあったし、ああできたらなあと、つねづね思っていたのだから。

そんななかでも、ことさらにショックだったのは、何人かの年若い友だちに誘われて、三の酉まであったその年、浅草のお酉様の熊手市に出かけたことがある。アーク灯のカーバイトの匂いこそしなかったが、綿飴やカルメ焼きの店が出ており、妙に心が弾んだ。はなから熊手を買おうなどという気はないのだから、あちこちで客が値切り、売主ががんばる光景、まとまって手をしめているのなどをものめずらしげにみて歩いた。

そうして、この祭りの名物であるという、笹竹に赤目芋の茹でたのを三つ四つ串刺しにしたのを売っているところへくると、ひとりの女の子に、あれが食べたいといわれたのに、ぼくは戸惑ってしまった。育ちのよい女の子が、歩きながら、この雑踏のなかでその芋を齧ろうというのだ。なんとかかんとか、理由にならぬことを並べたててごまかしてしまったが、明らかに不満気な様子だった。

以前、写真雑誌の小さな写真に十二、三のかわいい女の子が、紅をさした唇を大きく開いて、おでんにかぶりつきそうにしているのがあった。それは、ものを食うことに、なにがしかの罪悪感めいたものを持ちつづけているぼくにとっては、尋常でない驚きを与えた。そこには、罪悪感とは全く関係なく、ものを食うことの美しさ、屈託のないやさしさが匂いたっていたからだ。――そんなことを思い出しながら、赤目芋を買わなかったことを悔い、怏々として楽しまなかった。それ以来、八百屋の店頭などで八ツ頭をみてさえ、あの夜を思い出すのだ。

女の子は、しばらくしてから、自分で一本の笹竹の赤目芋を買ったものの、ひとりでは食うこともならず、所在なげにぶらさげて歩いていた。往来交う人のなかには、うまそうにかじっては塩をふりかけている人もいたような気がする。それからというもの、ぼくは呑屋で陶然となりながら、肴の衣かつぎの皮をつるりとはがしていたりすると、突然、たった一度しか行ったことのないお酉様の幻をしかとみたりするのだ。（Y）

日本4H新聞
4Hクラブ
農事研究会
生活改善クラブ
全国弘報紙
発行所
社団法人 日本4H協会
東京都市ケ谷家の光会館内
電話(269)1675郵便番号162
編集発行　玉井　光
月3回・4の日発行
定価　1部　20円
一カ年　700円（送料共）
振替口座東京　12055番

クラブ綱領

私達は、実践を通じて自らを磨くとともに、互いに力を合わせて、よりよい農村、よりよい日本を創るため、四つの信条をかかげます。一、私達は農業の改良と生活の改善に役立つ腕をみがきます。一、私達は科学的に物を考えることのできる頭の訓練をします。一、私達は誠実で友情に富む心をつちかいます。一、私達は楽しく暮し元気で働くための健康を増進します。

組織の強化など誓う

全国4Hクラブ　前期　中央推進会議開かる

成果は今後の活動に

全国4Hクラブ連絡協議会（会長　黒沢健一君）、社団法人日本4H協会（会長　宮城孝治氏）共催の前期・全国4Hクラブ中央推進会議は、さる四日から六日までの三日間、東京・渋谷区神園町のオリンピック記念青少年総合センターで開催された。

中央推進会議は、一昨年まで十二月に静岡県御殿場市の国立中央青年の家で開催されてきたが、現リーダーの再訓練としては時期が遅いとして、昨年度から二回開くことになり、次期リーダー養成を目的とした後期に対し、この前期は現リーダーを対象にしており今年で二回目。これには、各県連の会長はじめ役員、女子リーダー、4H会館建設推進委員、4H新聞連絡報道員、全協推せんの「青年の船」団員、国際農村青年交換計画に基づく派米、派中（台湾）クラブ員（ともに4H協会主催）など八十余名が参加、4Hクラブの本質やプロジェクトの進め方、リーダーのあり方、組織強化などについての実践方法を身につけた。また期間中会長会議が開かれ、4H会館建設問題などについて真剣に討議された。

閉会式で、会議の成果を各県地区で生かしてほしいと強調する黒沢全協会長

会議は、4Hの本質、プロジェクトの取り組み方、組織とリーダーのあり方についての講演を中心に分科会や全体会議が開かれ、系統的に4Hクラブ活動の積極的な推進策を体得するという方法で進められた。

また、これと同時に、全国クラブ員とOBの一大事業である4H会館建設を推進するための会議や女子リーダーと4H新聞連絡報道員の研修、さらに、全協事業など全般にわたる討議をするための県連会長会議も開かれ、クラブ員がかかえる諸問題について総合的に取り組んだ。

講義の講師は▽「組織」について＝黒田保元全協会長（四十四年度、茨城）▽「4Hの本質」について＝日本4H協会の新田事務局長▽「プロジェクトの進め方」について＝三輪敏北海道専門技術員（青少年担当）の三人。

黒田元全協会長は、農高を卒業後、4Hクラブを結成してから今日まで歩んできた自分の体験をもとに、組織を強化するためには、①4Hクラブが好きだという人を一人でも多くつくる②連帯意識と自分が今日あるのはクラブがあってこそ培われたという感謝の気持が大切③事務の引き継ぎを確実に行ない、組織で決定したことは必ず実行するのが基本である④役員は個人的な発言や行動を慎しみ組織はスジを通すことが必要である⑤さいきん、4H活動の幅が狭くなってきているが、窓口を広げて行くべきだ⑥年齢に合わせた活動も考える⑦OBとの連けい強化――などの点について強調した。

4Hクラブの本質については、これまで中央推進会議で毎回講義があるほか、「4Hクラブの手引き」にも紹介されているが、分科会や全体討議における話し合いでは、本質に合った活動を進めようという意見が大勢を占めた反面、農業所得の向上や行事など目先のことがらに捉われて、性急に政治活動などに走ろうとするクラブ員も一部にいたことは見逃せない。

また、プロジェクトの進め方については、行事消化のために多忙で実施できないとの声も出ていた。（講義の内容は三面に連載）

しかし、リーダーは、プロジェクト活動においてもクラブ員より優れている必要があり、役員が責任を分担すれば任務を軽減できる、また県連運営や組織強化もプロジェクトになるなど具体的な説明があり、納得していたようだ。

討議内容から受け取れたことは4Hの本質やプロジェクトについて理解していると思っているクラブ員も、まだ十分に理解しているとはいえず、それを指摘し、指導助言してくれる仲間がいないままクラブ活動や行事が進められているということであった。そのためにも、現リーダーの再訓練の場でもあるこの会議で、4H活動の基本的な姿勢に立ち返えり、リーダーとしてあるべき姿を再認識し、積極的に推進していこうという意欲を高めたことは大いに意義があったといえる。しかし、ここでの成果は仲間との交流の中で高めた意欲を県連や地区の活動に生かされてこそ、その成果が現われるので、参加者の今後の活躍が期待されよう。

主な日程経過

会議の主な日程は次のとおり。

一日目は、午後一時過ぎからオリエンテーションのあと開会式に入り、黒沢全協会長、新田健吉4H協会事務局長のあいさつに続いて、同センターの赤石清悦理事長から激励のことばがあり、4Hクラブの歌を斉唱して終了。

続いて、四十六年度の全協活動方針と事業計画について原田事務局長が説明、黒沢会長が十一月に実施する第三回の全国4Hクラブ員沖縄親善交歓訪問などについて補足説明した。

このあと「組織」について黒田保元全協会長の講義、久野知英前同会長（愛知）の話があり、夜は懇親会として歌などのゲームをまじえて全員が自己紹介した。

二日目は、午前八時から「4Hの本質」について新田4H協会事務局長の講義、続いて分科会、午後一時半から全体会議をもち、同講義の内容を中心に4Hの本質とクラブ活動のあり方を真剣に討議した。この間、別室で県連会長会議が開かれた。

二時半過ぎから「プロジェクトの進め方」について三輪北海道専技の講義があり、夜は、三会場に分かれて、4H会館建設の会議と女子クラブ員および4H新聞連絡報道員の両研修が行なわれた。

三日目は、午前八時から全体会議を開き、三輪専技に対する質問のあと昨夜の研修内容が報告され、それをもとに意見交換した。この間、別室で会長会議が開かれていたが、途中から同会議に出ていた県連会長らも加わり、女子研修の持ち方などについて活発に意見がたたかわされた。また、同会議の内容が報告された。反省レポートをまとめたあと閉会式が行なわれ黒沢会長、新田局長のあいさつのほか三輪専技から激励のことばがあり十二時前に終了した。

涼風暖風

親切な導きによる十年目の出会い

かれこれ、十年になるかと思うが、こうもインフレが続いては、先行きが心配だと安月給の中から少しずつ貯めた総ての貯金をはたいて、わずかな土地を伊豆の山に求めた。悪徳な方の厚意に甘えて、買う時にその山にいったきりで、あとは総てまかせきり。その後一度もそこに出向いたこともなく、半ば忘れかけていた。

五月の連休に伊豆にドライブにいった途中、急に思い立ち、立ち寄りたくなってかつての記憶をたよりに、久々に我が子の顔でもみるような気持ちでそこにいくことにした。ところが、どうもうろ覚えのことでは道がわからない。丁度畑仕事をしていた人がいたので尋ねてみた。〝その土地なら、その南の山になるだよ〟と目の前の山を指差し、この先の貯水槽のわきを登ればよいと教えてくれた。そしてもと来た道を戻ってみたがまたして見当がつかない。たしか山の上の方で海が見えたはずだが……と記憶をたどるが、それらしき場がない。……と再び通りがかりの人に尋ねた。〝この道で間違いありませんよ、ここだと思うが、この山の道はわかりにくく、とてもあなた達では無理ですよ、私もそっちにいくので一緒に行ってあげましょう〟と道案内をしてくれることになった。

松林の小道は、昨夜の雨でしっとりと湿り、どうかすると粘土の上に重なった落葉が、ズルッと滑る。〝たしかにこの山だよ、わしのあとについて来るといいだよ〟、彼は枯れたあしのはを根もとからかき分け、軽い足どりで登りはじめた。そのあとについて、イバラのトゲに足や手をひっかけながら、あえぎあえぎ遅れないようについて登った。

山に登りつめてみると、成程、ここは一度来たことのあるようなところだ。海が見える。そして伊豆七島らしき島がみえる。右手にサボテン公園も見える。山の頂の境界の標をみながら再び記憶をたどる。……でもこんな山の上だったかしら、十年もたつとこんなに雑木が繁るのかしら、……〝以前来た時はこのかやや、雑木が伐ってあったのでしょう〟〝ここはよく木が育ちますよ〟と納得しかねている私に彼が声をかけた。

十年近くも、遠く離れていて久しぶりに出合った我が子は、なんと大きくなったものよ。幼い時の面影が残っているようであるし、違う人のようでもある……といった感じである。

〝度々来て面倒みてあげることだよ。折角、買った土地なんだろうし、放っておくと他人様のものになってしまうだよ〟と憂えている私に再び語りかけてくれた。

思いたって急にここまで、記憶をたよりに時間をかけて登っては来たのであるが、それにしても案内してくれた彼の親切なこと。ふだん、ごみごみとして砂漠のように枯れ切った都会の空気中で、荒々しくギスギスした感情ない人間がうようよといる中であわただしく生活している者にとって、この親切はあたたかい仏様に出合ったようなありがたいものであった。見ず知らずの、何のかかわり合いのない人が、これ程までに相手の不安な気持を察し、自分にできる精一杯の時間と手間をかけ、情を示してくれたとは……そのことは、都会人の失い忘れかけた大事な、人の心を思い出させてくれたような思いで、ほのぼのと心の温まる思いで一杯だった。そして、あたりまえのことを忘れ、荒れた気持の自分をふりかえった。

この新鮮な空気と山々の木々の緑、そしてここに住む人々の純朴な親切な心をいつまでも持ちつづけてほしいものと、いや、周りのものは決してこれを汚してはならないと何度となく言い聞かせつつ山を下りて来た。（T）

問題は〝イメージ〟

募金の平均化を強調

4H会館

前期中央推進会議最終日の六日、全協としての懸案事項である「4H会館建設」についての県連会長会議が朝八時から開かれた。

これは、さきの全協通常総会で決定された「4H会館のスペース買い取り方式での建設」をさらに推進し、そのPRの徹底化をはかるためのものである。また、スペースの買い取りを予定している家の光協会・農村文化センター（仮称）の建築青写真が八月に出されるにもかかわらず、募金額が、目標額に対して全国的に伸び悩んでいるためでもある。

会議では、各県連の募金活動の進展状況の報告を中心に白熱した討論が繰りひろげられた。討論は末端クラブ員にとって「スペース買い取り方式」はどのような利益があるのか、会館の内容やイメージがはっきりしないと募金活動に力が入らないのではないか、などがその主な内容であった。

さすがに〝農村文化センター（仮称）でのスペース買い取り〟という会館建設計画がさし迫っているためか、建てた後の末端クラブ員の利用が問題になっていたようだ。

なお、この会長会議で確認された事項は次のとおりである。

各県連から全協に対する要望事項

一、一戸建からスペース買い取りに変更したが、末端のクラブ員に周知徹底できる方法を明示してほしい。

二、今後の具体的な計画を明確に各県連に通知してほしい。

三、クラブ員が会館建設の必要性を認識していないので、建設の意義を明確にすること。

四、全協も事業を執行して募金活動をすべきである。

五、各県連に募金額の平均化を図る配慮をして欲しい。

六、県連では末端のクラブ員までPRは行き届かないので、4H新聞を通じてPRにつとめてもらいたい。

七、家の光協会と密接な交渉をすすめ、具体的な経過を通知するようにしてほしい。

八、維持管理の面から最低限度確保できるスペースを明確にすること。

全協からの説明内容

一、家の光協会の青写真が八月末にできあがるので、今後交渉をすすめる。

二、必要金額や期日を決めて通知するので各県連一律に募金額を提出してほしい。

三、募金は早急に送付してほしい。

四、各県の募金額が平均化されていないので努力してほしい。

五、宿泊設備の設置については今後充分検討する。

六、会館の室数、坪数については多少変更はある。具体的には決定できない。

七、各県連より要望事項があれば早急に全協あてに通知してもらいたい。

飛行機をチャーター

沖縄訪問

会長会議　「青年農業者会議」も論議

推進会議日程の二日目、午前八時から道府県連会長会議が開かれた。この会議の議題としてあげられたものは、①第七回全国4Hクラブ員のつどい②第三回沖縄親善交歓訪問③後期中央推進会議④第十一回全国農業者会議についてなどである。

会議の進行は、全協からの各案件の日程・内容説明、要望事項伝達などに対して、各県連からの質議がなされるといった形で進められた。議題ごとに問題になった点は次のとおりである。

一、「第七回全国4Hクラブ員のつどい」について

まず、各県連のつどい参加人員と取りくみ状況の報告が行なわれた。そこでは、島根県連の県連自体の組織的たてなおしをやらなければならない状況であるとの実情や、石川県連のクラブ員はほとんどが養豚などの自立経営者であるため、家をあけられないなどの実態、また、福岡、佐賀県連などから台風、つゆあけの集中豪雨などの場合やむをえず参加人員が変動が予想されるなどの報告があり、注目をあつめていた。

さらに、来年の北海道でのつどいの開催時期についても討論されたが、他の府県の農繁期や六〜七月の北海道の観光シーズンをさけたいなどの理由から、八月下旬〜九月上旬の開催時期が北海道連より提案された。そのほか、できるだけ技術交換大会と時期をずらしてほしいなどの要望も出された。

一、全国4Hクラブ員による「第三回沖縄親善交歓訪問」について

この親善訪問については、飛行機のチャーターということに論議が集中していたようだ。各県連から飛行機チャーターについての財政的な懸念が出されていたが、これに対しては「最後の訪問団として百十名を派遣するためには、チャーターのほうが便利だし、格安だ。また、これはどんなことがあっても成功させたい」と全協としての決意のほどを示していた。

さらに、この第三回以後の海外派遣について全協からハワイはどうかとの提案があったが、東南アジアや台湾などの意見も出て、この件については後期中央推進会議までの各県連への懸案事項とした。

一、「後期中央推進会議」「青年農業者会議」について

後期中央推進会議では、女子研修のあり方が問題となっていた。

また「青年農業者会議」については、代表討議の内容、NHKの放映のあり方に論議が集中した。「発言の内容までNHKに指示されるようでは、青年の主体性はどこに行ったのか」、「テレビで放映されているようなものが、青年農業者の姿では絶対にない、あれでは幻滅だ」などの厳しい意見が出されたが、これに関連して全協と農林省、振興会、4H協会との関係、位置づけも討議された。

友よ来れ、愛知へ

「つどい」で何かを探そう

愛知県4Hクラブ連絡協議会会長　鳥居久雄

4Hの祭典―「第七回全国4Hクラブ員のつどい」が愛知県で開催されることは、みなさんが良くご存知の通りです。そのつどいも、開催県の愛知県連となりますと、全国のみなさんより以上に緊迫感を持って、クラブ員一人ひとりに迫まってきており、それが県連全体に張りつめた空気さえ漂わせています。

すでに、本紙で紹介された通り、全協、日本4H協会、愛知県連および県下のブロック長を集めて開かれた合同会議での申し合わせ事項も確認され、全国から参加されるクラブ員のみなさんに少しでも多く楽しい思い出を残してもらい、より多くの友だちを作っていただこうと、各クラブとも最終的な準備を[illegible]っています。

しかしながら、県外からの参加申し込みは、まだ当初の目標[illegible]です。民宿受入[illegible]五百名で余裕が[illegible]ます。どうぞ大勢のク[illegible]んが申し込んで[illegible]いします。

[illegible]、みなさんに考えてもらいたいことがあります。というのは、「全国のつどい」もはや七回を迎えたわけですが、農村青少年が、ただ単に集まるだけでいいのかということです。地域に入って交歓実習をする中で、農業公害や減反の問題などを話し合うことによって、新しい4Hクラブの方向というものが浮かび上がってきても良いのではないか、いや、本当はそうあってこそ組織力が発揮できるのだ！と考えるのです。

そのとき、クラブ員の殿堂として、拠点としての4H会館も具体化してくるはずです。

全国クラブ員のみなさん、つどい＝愛知大会で大いに語り、何か新しいものを探そうではありませんか。

そして、参加経費を払っても、それ以上の大きな収穫を持って帰って下さるよう期待します。

では、全国のクラブ員のみなさん、愛知県で待っています。

女子研修

魅力あるカラーを

リーダーは初心に返れ

女子研修会は、推進会議二日目の夜、男性を部屋からシャットアウトする中で秘かに開かれた。出席者は各県連の女子リーダー十六名で、ウーマンリブを反映して大いに赤い気炎を上げたようだ。以下は、全体会議で報告された同研修の主な内容である。

まず、各県連の女子研修会についての状況をみると、年一回実施している県連が多い（島根、三重、新潟、栃木）が、神奈川県連のように三回実施しているところや一〜二回（福島）もある。しかし、地区連や単位クラブでは開いているが、県連として行事の中に組んでいない（埼玉、千葉）ところや昨年度から実施した県連（山口）また、今年度から計画している県連もある（静岡）

内容では、各県連によってさまざまであるが、講演をもっている県連が多い（島根、神奈川、三重、栃木など）

この講演のほかには、農村生活や主婦のあり方について討論形式で話し合う（三重）、アイデア交換、手芸（神奈川）、若い女性の結婚や家庭に密着した科学的学習（三重）、料理、農業に関した知識講座（福島）、相互の親ぼくをはかり、農村女性に必要な一般知識を身につける（新潟）、OBの体験談、農村主婦の生き方、健康管理など（栃木）、女子クラブのあり方、結婚の心構え、フィルムフォーラム（山口）などであるが農業から離れて行事による交流を図るために水泳訓練をしている県連（三重）もある。また、山口のように、昨年初めて実施したが、男性が参加しなかったために不成功に終った例もある。

名称に抵抗も

これらの行事内容から、女子研修の問題点として①行事の重複がみられる②女子リーダー研修という名前に抵抗がある③参加人数が少ないので、いかにして多くするか④真に心と心の交流がない――などが指摘され、また、時間的にルーズであるとの声もあった。

これらの反省から、これからの女子研修の持ち方として次のことがあげられた。

一、女子会員の意見や要望の受け入れ方として、地区に男女一名ずつの委員を設け、その委員から報告を受ける。

二、外面的な行事運営などは男性にまかせ、女性は内面的なことを重視する。

三、参加人数をふやすために、単位クラブや地区連でできない県独自の行事を組み、クラブ員の興味をひくようにポイントを作るなどカラーを打ち出す。

四、行事を組む場合、時間に余裕を持たせるとともに、時間厳守を徹底させる。

また、女子リーダーのあり方としては①いかにして多くの個性の意見を聞き入れるかが役目である②4Hに入った当時の気持、いわゆる初心にかえる③積極的に声をかけたり、多くの行事に参加するなどして末端の女子クラブ員と密接化を図る④常にリーダーとしての勉強をする⑤頼れる人になる――などがあげられた。

心頭技健

自分達が決めたことを守り、実行するということは当然のことで、それでこそ社会の秩序も保たれ組織も成り立っているわけである。しかし、全協の総会や県連会長会議などをみていると、この当り前のことが忘れられているように感じられることがある▼これは、組織的な意識の低さ、役員の多忙という事よりも、前任者と後任者の事務の引き継ぎが不徹底であったり末端クラブ員への意思徹底がスムーズに行なわれていないことが大きな原因となっているといえる。組織強化のためには、まず、このつまったパイプをきれいにする必要があろう▼そうでないと、会議では、ちぐはぐな意見が多くなるし、いつも、同じことを初めから説明しなければならないので、時間のロスも多い。また、いくら決議し、執行部が何回も口をすっぱくして説明しても気勢が上がってこないのは明らかだ▼会議の席では全体のムードに動かされるためか、建設的な意見を吐き、意欲をみせる人が、その後案外音さたなしという例も少なくない。これでは、会議の中での発言が、組織の意向として示されたのか、単なる個人的な意見として出されたのか見分けにくい▼今回開かれた中央推進会議の中での会長会議においても、全協執行部の尻をたたくような、意欲ある意見や要望が各代表者から出されたようだが、それが組織として決定した場合、県連もそれに従って動ける体制にあるかどうか問題である▼このように前向きな姿勢として、各県連から要望などが出されてきていること自体は大いに好ましい傾向であるし、全協執行部としても、それに応える必要があろう。しかし、会議で決定したことは徹底するような県連の体制づくりこそが先決となってくるのではないだろうか▼いま、全国的に展開されている4H会館の募金によって、農村青少年の組織力と将来への意欲が問われている。もう一度組織のパイプについて考える必要があろう。

もっと親と対話を
山口県連で幹部研修会
欠ける"4HのPR"

【山口県＝須内和明連絡報道員発】山口県農村青少年クラブ連絡協議会（会長 松尾耕助君）は、さる五月二十一、二十二の両日（一泊二日間）宇部市常盤の宇部市青年の家で幹部研修会を開いた。これは、県ならび地区農村青少年クラブの活動方針について意見交換するとともに、今後のクラブ活動を維持促進するためとクラブリーダーのあり方について話し合うためにもたれた。

地区に連絡報道員　会長会議

一日目、受付、開会式、オリエンテーションのあと、本年度の県連活動方針と事業計画の説明に入り質疑応答を行なった。これは早くクラブ員に事業計画、内容を知ってもらうとともに、仲間がどの事業にもより多く集まるように行なったもの。続いて、レクリエーションなどで楽しいひと時を過ごした。

入浴、夕食の後は、情報交換に入った。各クラブ活動の現況や活動において感じた疑問点を互いに提起し合い、あわせて会長会議を行なった。その内容としては、①各地区に連絡報道員をおく②4H会館の地区負担金を早く出す③全国クラブ員のつどい申し込みについて④技術交換大会の参加人員などについて⑤4H祭について、などで真剣に討議された。

二日目は、洗面、朝のつどい、朝食などをすませ研修に移った。今後のクラブ活動をどう進めるかについて参加者は、三分科会に分かれて熱心に討議した。どの分科会でも一様に、親との会話、理解、4HのPRに欠けている、集会の時間などいろいろ意見が出されていた。昼食後、反省会、閉会式をして解散した。

なお、反省会で出た意見のいくつかをあげてみると次のようなものである。

一、開催時期や場所について検討してほしい。一、分科会、自由時間を長く取ってほしい。一、各地区の状況をもっと徹底的に掘り下げて討議する。一、問題点が出るだけでそれを解決するまでにいたっていない。

これらの意見を参考に、来年はもっと充実した研修会にするように役員一同頑張っている。

来年も美しい花を
甘木4Hクラブの50人　サクラに薬剤散布

【福岡県朝倉地区＝松沢善孝連絡報道員発】「来年もまたきれいな花を咲かせてくれ」―こんな願いのもとにさる五月二十九日甘木4Hクラブ（会長 永盛英雄君）の会員五十名は、福岡のサクラの名所として知られる甘木市丸山公園のサクラに除虫剤散布作業の奉仕をした。

同公園のサクラには、数年前、大敵のテングス病が発生し名物サクラの全滅が心配されていた。しかし、同4Hクラブ員が奉仕を買って出て以来、毎年春開花前に病気にかかった枝の切り落しや花の終った後の除虫剤散布などを行なってきた。当日は六台の動力噴霧器をたくみに使って広い公園内のサクラ一本一本にチームワークよく除虫剤を散布した。

最近のレジャーブームを反映して花をながめにくる人は多いものだが、花を咲かせようとする人は少ないので、クラブ員は今後とも続けていくと張り切っている。これで来春もまた、素晴らしいサクラの花がながめられるだろうと市民に大いに感謝されている。

福島県連でクラブ会長研修
25・26日　郡山で

【福島】福島県農村青少年クラブ連絡協議会（会長 菅野舜広君）は、県と共催して、来る六月二十五、二十六の両日、郡山市の県農業試験場で県下の単位クラブ会長研修会を開く。

主な内容は、講演を中心として講師を囲んでの討議、県連と単位クラブとの情報交換、分科会と全体討議での話し合い、反省評価などを計画している。

到着時間の連絡早めに
「つどい」参加者へ

全国4Hクラブ連絡協議会などが来る七月十二日から五日間（四泊）にわたって愛知県で開催される「第七回全国4Hクラブ員のつどい」の主催者では、同つどい参加者に次の点を呼びかけている。

一、参加者は、各県連ごとに揃って到着できるよう配慮するようにしてほしい。

一、名古屋駅への到着時間を早目に決定し、その時間を愛知県連に連絡してもらいたい（愛知県庁農業技術課内、電話＝〇五二―九六一―二一二一）

一、第一案内所は、新幹線「名古屋駅」大壁画前に設け、各路線の開札口に案内人をおくので、そのクラブ員の指示に従ってほしい。

一、受付け場所は、名古屋城前の駐車場で、受付け時間は十二日午前九時から十二時まで。受付けを済ませた参加者は、軽装なスタイル（白色のトレーニングパンツ）に着替え、市中パレードに備えて待機する。荷物は現地交歓訪問へ行くバスに積み込む。

クラブ活動の新しい方向を探る〈上〉
OBと手を結べ
受入れる態勢づくり先決

中尾克美

北海道4Hクラブ連絡協議会（会長 中山寿雄君）に加盟しているクラブ員は一万三千名、クラブ数八百といわれる。全国の約一割を占めているだけに、その行動、活動は注目を集めている。そのこともあってか、道連協の役員を中心に、各関係の指導機関を含めて、グループ活動などの育成面における力の入れ方は過剰といわれるほどである。

こういう中にあって、この春三日間にわたって開かれた全道青年農業者会議におけるグループ部会の運営、進行に当った中で感じたことがらを、今後の北海道における「新しいグループ活動への方向づけ」として、まとめてみることにした。

その前に、会議の模様について説明すると、発表者が地区代表として二十七名、部会は百名余りの参加者で進められた。

発表は一人十分の実績発表、五分の質疑応答の合計十五分の持ち時間で、各地区での活動を紹介した。後半はその発表を中心に部会討議を行なったが、そこで出されたクラブ内外を通じての主な問題点は次のとおりであった。

一、クラブOBとクラブ員との関係が持てていない

一、4Hクラブと青年会の両クラブに加入しているクラブ員の行動などはむずかしいが、その方向づけをする必要がある

一、クラブ活動に対する家族や地域社会の理解度の低さ

一、女子クラブ員の減少について

一、4Hクラブ員としての学習とその方法の選び方

一、都市近郊のクラブ活動のすすめ方

一、過疎地域におけるクラブ活動のあり方

以上の諸問題のうち、まずOBとの関連をみてみよう。

さいきんの新しい傾向としてクラブ員の若齢化が目立っている。発表者の年齢をみても、最高年齢が二十四歳で、二十三、四歳のクラブ員は全体の一割にもみたない数である。このことからも、二十四歳から三十歳くらいの農村青年の生き方に何か問題がありそうだし、また現在のクラブに本来ならば当然加入しているべき二十三～二十五歳の仲間の少ない点に注目しなければならないと思う。

もちろん、OB会員が一つの組織を形成して働きかけてくれるのが本来の姿ではあるが、今のところその数は少ない。

網走管内紋別市にある「むつみ会」は、全道に先きがけてOB会を組織し、若年クラブ員を中心に育成している。また、個々個において地域とクラブのパイプ役になったり、いろいろ相談を受けているが、全体的にみてまだまだ数は少ない。

そこで、OBを受け入れるような態勢にすることがまず第一の必要条件と考えられるが、とくに、方法として、次のようなことが考えられる。

一、クラブの会合には助言者としてアドバイスを受ける仕組みにしておく

一、経営面の個々の相談役として、常日頃から交際を深めておき、プライベートなことの相談者にすることがコツ

一、OBでも、年齢の若い人には、OBといった形ではなく一年長者としてクラブ内での位置づけを考えて、参画してもらえるシステムをつくる必要がある。

やはり、幅広い活動を展開するためには、OBの協力を得て、タイアップして活動しなければならないと思う。

（北海道4Hクラブ連絡協議会・評議員　留萌市藤小二十線）

完成した販売体制
首都圏のタマゴ

全国販売農業協同組合連合会

東京、新宿にある全販連の東京鶏卵販売所の、昭和四十五年度におけるタマゴの販売高が二百億円をこえました。現在、全販連全体のタマゴの販売高は、年間に六百億円あまりですから東京だけでその三分の一を取り扱ったことになります。もっとも、東京周辺の立川、横浜両販売所での販売高をこれに加えるとザッと三百億円になりますから、京浜市場だけで全販連全体の半分を扱ったことになります。

・因みに、東京での全販連扱いのタマゴは市場入荷量の六五％以上に、また横浜市場では同様八〇％以上にのぼっています。出回りの調節、価格形成に、京浜市場での全販連の地位はますます高まっているわけです。

ところで、京浜地区でのタマゴの販売がここ二―三年急速に伸びた陰には、全販連が昨年からスタートさせた"首都圏の鶏卵販売網整備構想"がありました。つまり最近の交通事情の悪化でタマゴの搬入、搬出はもちろん、販売についてもキメの細かいサービスをしながら大量の品物を有利に売捌くためには、東京都内はもちろん周辺地域にストックポイント（荷捌所）的な施設を出来るだけたくさんもつ必要があります。そして東京はじめ各地の販売所がお互いに密接な連絡をとりながら販売荷捌きをしなければなりません。

そこで全販連では、新宿の東京鶏卵販売所を軸に東京都内では神田、足立、城東、城北、城西の各荷捌所を設け、一方、周辺部には千葉市、大宮市、川崎市（城南販売所）にそれぞれ販売所を、さらにそれらを取りまくかたちで立川、横浜、平塚の各販売所を配置しています。

もちろん、こうした販売所では、その日その日の適正な入荷の調整をしながら、相互に連絡をとりあってムラのない安定した販売を実現していることは、いうまでもありません。そして販売、取引きのすんだタマゴは最寄りの荷捌所を通じて迅速に配置されるのです。こうした販売体制がととのって、買手の問屋さんやスーパー、小売店などからも大変な好評を博しています。そうしたことが販売量の増大、価格形成に対する発言権を大きくしたともいえるでしょう。とくに、さきほどご紹介した販売所のなかの城南販売所では三百㌧収容の、タマゴでは最大の貯蔵庫のほか液卵の製造設備をもつ。最新の販売所です。次回の機会に詳しくご紹介しましょう。

（企画部広報課）

2兆3,079億円
45年度 農協共済の新契約

全国共済農業協同組合連合会

このほど、昭和四十五年度の農協共済事業優績組合表彰として一、二九一の表彰組合がきまりましたが、四十五年度の全国普及概況を紹介しましょう。

四十五年度の一年間にわたる農協共済普及推進の新契約実績は次のとおりでした。

まず、長期共済は、生命共済一兆六、六一七億円、こども共済三四二億円、建物更生共済六、一二〇億円で、合計二兆三、〇七九億円となり、目標の二兆二、〇〇〇億円を大幅に突破するという輝かしいものでした。

つぎに短期共済をみますと、火災共済五、一六二億円、団体建物火災共済七、二五七億円、自動車共済一兆九、五三〇億円、傷害共済一兆一、〇四四億円で、いずれも目標を大幅に突破しました。しかし、自賠責共済においては二九二万台と昨年より一二万台増加しましたが、残念ながら目標を割るという結果でした。

実績の内容では、まず新契約一件当りの共済金額は生命共済一四一・二万円、こども共済六八・二万円、建物更生共済一一九・一万円で、長期共済合計では一二三・六万円となりました。また、一組合員戸当りの新契約平均共済金額は四三・二万円となっています。

これを都道府県別にみると次のようになっています。

長期共済新契約高ベスト一は前年にひき続いて愛知県の一、二三六億円でした。二位は兵庫県の一、一一七億円、三位は長野県の一、〇〇二億円、ついで静岡、埼玉県と続いていますが、愛知、兵庫、長野の三県が新契約高で史上初めて一、〇〇〇億円の大台にのりました。

では、一組合員戸当りの新契約額はどうかといいますと、トップは神奈川県の一〇三・七万円でした。二位は愛知県で七〇・七万円、三位が富山県六三・五万円で、以下兵庫、東京、福井、静岡、愛媛と続いています。

また、保有契約高をみますと全国では、生命共済六兆一、二五三億円、こども共済三、五九七億円、建物更生共済四兆五、二四九億円で、合計一一兆〇九八億となりました。これは世界で第十位、わが国では日本生命について第二位の保有契約高です。一組合員当りの保有契約金は、生命共済一一四・七万円、こども共済六・七万円、建物更生共済八四・七万円で、合計二〇六・一万円となっています。

（普及部）

こんなことをしています
各種農業団体

米国草の根大使の日程

6月20日午後4時30分　羽田着
21日～24日、農林省など関係方面への来日あいさつとオリエンテーション
26日～7月10日　大分県
7月12日～16日　「第7回全国4Hクラブ員のつどい」（愛知県）に参加
17日～30日　鳥取県
8月1日～4日　「第11回全国農村青少年技術交換大会」（岩手県）に参加
5日～19日　岩手県
21日　東京で中間協議
23日～9月12日　埼玉県
9月13日～10月3日　新潟県
10月4日～24日　石川県
25日～11月7日　帰国準備
11月8日　帰国報告会
11月10日　羽田発、帰国

質問コーナー

米国の草の根大使は20日に来日
今年で19回目

【質問】いつも楽しく、そしてためになる新聞を作っている編集部の方々、本当にご苦労さまです。私は、昨年九月から4H新聞を購読している二十歳の酪農青年クラブ員です。二、三の質問がありますので、お知らせ下さい。

一、今回の、来日"草の根大使"のアメリカクラブ員・ランダーさんとウインさんの活動日程は？ また、米国クラブ員の来日は何回目ですか

二、来日する草の根大使は、現在、アメリカと中華民国（各国）だけですか

三、この新聞の編集部員は何人ですか

（北海道厚岸郡厚岸町太田村字片無去　佐藤心夫）

【答】一、来日米国クラブ員の主なスケジュールは左表の通りですが、彼女たちの滞在期間は約六ヵ月間で、各県の受入れ農家でその家族の一人として生活することになっています。その間、日本の農業や農家生活、習慣、4Hクラブ活動などについて学ぶかたわら地域の人や4Hクラブ員などと交歓し、米国のそれらについて紹介するなど民間外交官として日米両国の相互理解と親善に一役買うことになっています。

また、米国クラブ員の来日は今年で十九回目になります（日本からの米国派遣は十八回）

二、以前にはブラジルからも来日したことがありますが、現在はアメリカと台湾だけです（台湾は今年で五回目）

国際農村青年交換計画に基づいてアメリカと交換派遣している国は年によって違いますが、四十ヵ国前後といわれ、旅行の途中に日本に立ち寄る外国クラブ員も多く、飛行機のなかで日本代表のクラブ員と顔を合わせることもあります。また、過去二年間、カナダからも十代の4Hクラブ員が来日しました。

三、編集部員は現在三人だけです（ともに独身男性）

しかし全国クラブ員の連絡機関紙という性格から、クラブ員に連絡報道員（県と地域段階）をお願いし、編集員の一人として協力してもらうことにしています。みなさんも、どしどし要望やアイデア、意見などをよせて下さい。

（編集部）

⑨ ヨーロッパ農業に学ぶ
販路拡大が必要　みかん缶詰
グレープ・フルーツなど　アメリカから輸入

今回の海外研修ではスケジュールの関係で果実産業を詳しく調べる事は出来なかったがそれぞれの国に行きショッピングの間に店頭にならべられた果実により、どのものがいくらぐらいに売られているかという果実についての概況は知ることが出来た。

ヨーロッパに於けるオレンジ、みかん類の産地はギリシャ、イタリア、ポルトガル、スペインなど地中海沿岸に限られている。スペイン、イタリーが主産地で、EEC国内に於いては、この他アメリカ、イスラエル、キプロスなどのものが見受けられた。グレープ・フルーツはキプロスでわずかにとれるだけでイスラエル、南ア連邦、アメリカなどから輸入されている。レモン類は地中海沿岸地帯で生産される。レバノン、トルコ、アラブ連合などにもあり、それらのものとアメリカ産が輸入されている。その他、りんご、ぶどう―生食用と醸造用―、なし、もも、桜桃などはEEC国内で相当量にわたって生産されている。

EEC

各国の生産量としては、オレンジ、みかん類―アメリカ五百二十七万三千ﾄﾝ、スペイン二百七万九千ﾄﾝ、日本百八十五万ﾄﾝ。りんご類―フランス四百四十万一千ﾄﾝ、西ドイツ二百二十三万八千ﾄﾝ、イタリア百九十三万二千ﾄﾝ。ぶどう類（生食用）―イタリア一千百六十九万二千ﾄﾝ、フランス九百五十六万六千ﾄﾝ。（いずれも一九六七年）などである。

オレンジ、みかん類の輸入は、フランス、西ドイツ共に七十万ﾄﾝ、オランダで二十三万ﾄﾝ、スイス九万二千ﾄﾝの輸入をしている。イタリーは気候的に恵まれている点もあって、果物の種類も産額も多くオレンジ、みかん類を反対に十五～十七万ﾄﾝを輸出している。その他りんご、ぶどう、なし、ももなどはフランス、西ドイツ、オランダ、スイスでも産出するが、品種などの違いがあって輸出するのもあるし輸入したりしている。

終りにみかんについて簡単にのべてみたい。国際的に見る場合は主産国はアメリカ、スペインなどであって加工分野のみかん缶詰がEEC諸国でスペイン物と競合する。現在の時点ではみかん缶詰はドイツのハンブルグを中心にEEC諸国にでまわっているが量が少なく定着した需要はあまりない。将来過剰の問題もあるので宣伝などを徹底して行ない販路を伸す工夫をしなければならないと思う。

私たちは、どこの国に行っても色々の果物店に行き日本製のみかん缶詰をさがしたが時期的な関係もあっておめにかかれた所はスイスのヒェンヌだけであった。時期的なこともあろうが残念に思った。

（四十五年度静岡県産業青年海外研修団農業班）

蛙道
記憶の中の風影

だれにも、後味の悪い思い出がまつわりついている風影がある。その風影が目に浮んでくるたびに、ズーンと暗い気分にひき落されるような。私の場合、それは、鹿児島市の「城山」である。錦江湾に面して展開した鹿児島の市街の背後に迫るシラス台地である。その山頂の展望台からは、海をへだててポッカリと浮ぶ桜島が手にとるように見ることができる。そして、そこから見える火を吐く桜島は、うす紫、あわい桃色、緑…とその山肌の色を一日のうちに何度も変化させる。だがそれに較べ、こちら側の城山はジメジメとした深閑さがあった。ここをバスで訪れるたくさんの観光客は、対岸の桜島の絢爛たる美しさのために、城山の陰湿さにはだれも気がつくことはない。また、この台地は西南戦役の賊軍が壊滅していった場所でもある。

私は、中学生から高校のはじめにかけてこの台地の麓に住んでいた。その頃いつも、夕暮れになると家を出てここの林の中を歩き廻っていた。そんな散歩の終りには、たいがいこの台地をくりぬいている鉄道のトンネルの入口に来ていた。そして、鉄路が見降ろせる斜面に腰をおろし、壮烈な叫びをあげながらトンネルに突入していく黒い蒸気機関車を眺めていた。「この汽車に乗っていつか必ずこの街を抜け出すぞ」という焼け付くような思いに駆られながら。

この台地の後味の悪さとは、そんなことばかりではない。さらに南の島々からやってきた売春婦が、ここでみさかいなく中学生にまで声をかけるということもあった。真白なコートを着て、夕暮れの森陰に異様に眼を光らせこちらを見ている女には恐怖感すら感じた。そしてまた、台地の麓のあちらこちらにまだ残っていた防空壕に住みつく浮浪者たちである。その中の一人に、あちこちの民家で物乞いをして暮していた、中年の男がいた。精薄ぎみの彼は、もらった物が気に入らないと所かまわず頭からぶっ倒れるのである。そして、人目があるかぎりいつまでも倒れていた。いまでも私は、彼のイガグリ頭からアスファルトの上に流れ出る真っ赤な血の広がりを忘れることができないでいる。

（T）

プロジェクトの進め方〈1〉

北海道専門技術員　三輪　勲

問題点を掴むこと 「困った感じ」を大切に

六月四日から六日まで行なわれた、全国4Hクラブ連絡協議会の前期中央推進会議において、北海道専門技術員・三輪勲氏が、「プロジェクトの進め方について」と題する講演を行なった。具体的に、みなが問題としている点について、かなり掘り下げた内容であったため、今後、実際に活動をするうえに役立つと考えられるので、要旨を掲載することにした。

なぜプロジェクトをやらなくてはならぬか、どうして必要かを考えてみたいが、そのまえに、常識的だけれどもプロジェクトとは何かをおさらいしておきたい。一口にいえば、計画事業ということになるが、日常、農業や生活と真正面から取組んでいる人々が、実践のなかから知識や技術を学びとる学習の仕方を指している。

その学習方法は、①問題点を把握し、解決すべき目標を明らかにする②それを達成するための計画を立案する③実際に自分の体でぶつかり実践する④その結果の反省と評価をするといった手順を踏む。これが、従来の学習と根本的に異なっている点である。

従来の学習は、①読む②聞く③話を聞く④話合う⑤視る（農家留学や視察）⑥実践といったプロセスをとるが、プロジェクトは、これを逆にひっくりかえしたやり方である。たとえば、北海道で水田をやっている農家は、所得増大、規模拡大を考えて、冬期の余剰労働力を有効に振り向けようとした。

そこで、①まず本土の先進地農家へ二ヵ月留学して初歩から学び②さらにあちこちを見学、人々に質問をただし、同地の普及員にも質問した③帰宅してレポートをまとめた。これは、すでに養鶏を始めるための経営設計であった④次いで、地元の普及所で資料を集め、専門書を読むというやり方をした。これがプロジェクトの本道である。

ひとまず、本質をおさえたから、全然プロジェクトをやらなかったらどうか考えよう。こうした問いは案外忘れられている。リーダーたちは、どうすれば活発になるか、若い人、経験の浅い人にもプロジェクトを持ってもらえるかと悩むが、根本のところをなおざりにしているために、なかなか解決がつかない。

結論を先にいえば、プロジェクトを全然やらなかったら、問題を解決する力が出てこない。つまり、①注意力が生れず②創造力がつかず③判断力が得られず④現状を理解する力が身につかない。この現状を把握することこそが問題解決につながり創造力を引きだす源泉になるわけだから、プロジェクトの重要性は大きいといわねばならない。

さらに詳細にみるなら、積極的、自主的な学習法、目的をはっきりさせ、自分の意思でやり、自分で励まし力づけなくては、ほんとうに生きた知識や技術が身についてこない。経営や生活に直結した学習にならず、あくまで生活の内部でやる学習であるべきプロジェクトとはいえなくなってしまう。

そこで、これをやらぬ場合の具体的な損失を考えてみよう。たとえば、地域社会からの協力や地域の発展がないところに、各農家の進展もなく、協業、共同なども行なわれない。だから4Hクラブが母体となって、クラブ員一人々々のプロジェクトがよりよく推進されるように、奉仕するような活動が必要である。ここに4Hクラブの大きな存在理由がある。

プロジェクトをやらぬと、前述のようなマイナスがある。抽象的、観念的、理論的に結論を出さず、日常生活のなかから、具体的、実際的な疑問や不安を解決し、教えられた知識を記憶するのではなく、生活のなかから知識や技術を得るものである以上、たとえば、新入部員が、高校時代すでに学んだから、もうやらなくてもよいといったり、また、勉強は日常から離れるほど勉強らしく高度になると考えたりするのは、一見もっともらしいが誤っている。

プロジェクトというものは、大変に発展性を持った学習方法であり、三段跳びにもたとえられる。①助走、行動を起こす糸口をつかむ準備段階。まず、問題意識を明確にする。問題とは困った感じ、気持ち、これを感じて掴まなくてはプロジェクトが始まらない。一番根本的なことでもある。

②ホップ、問題意識がはっきりして、解決しないではいられない時期。問題点が具体的になってはいるが、まだあまり高度なことは出来ない。調査などを通じたりして行なって、無理をしないこと。ひとつのサイクルが短期間で終了する身近な、小規模なものに限る。ことに若い人たちや未経験者には、それが必要である。三日間くらいで、小さな技術を習得するといったことでもよい。

③ステップ、そろそろ本格的に跳躍にかかり、幼稚なものでは満足できない。たとえば、地域の発展の方向を見定めて、それに合わせ、わが家の問題点を解決する段階にさしかかる。もう、断片的なプロジェクトではだめだし、第一段階のような学習中心でもいけない。継続的な拡大を図らなくてはならない。

たとえば、一年目に鶏百羽、二年目は五百羽、三年目は千羽、二千羽という広げ方が必要で、一年目は鶏、二年目はきゅうり、三年目は土壌調査といったかたちをとらない。もちろん、同時にいくつかのプロジェクトを行なっていかれる能力をつける必要もあるが、生産中心、学習中心（直接に利益をあげない器具の改良など）の二つの方法を一緒にやっていくことも大切である。（つづく）

私のプロジェクト

内地米に負けない

北海道青年農業者会議・稲作部会

百余名が研究討議

昭和四十五年度北海道青年農業者会議の稲作部会は、二月三日、北海道立労農会館（札幌市）を会場に、各地より百余名のクラブ員が集まった。午前中、各支部庁代表者十一名の実績発表が行なわれ、午後は午前中に発表された十一の発表の中より問題を摘出し、新しい稲作の展望を参加者全員で研究討議を行なって、今後の稲作の方向、実践活動等について話し合われた。わが北海道は稲作面積二十八万ヘクタールを有し、稲作はわれわれが農業を営むための重要な作目である。現在、異常なる農業情勢を迎え、われわれ4Hクラブ員は、稲作の諸問題、地域における営農改善に日夜プロジェクトとして取り組んでいる実践経過と意見発表を、持ち時間十分で発表し、それに対して、主任専門技術員山本兇一先生、石狩中部地区農業改良普及所長橋本正春先生の助言指導をいただき、終始なごやかな雰囲気の中にも、現在の厳しい情勢が窺われた。十一の実績発表のうち、二つの発表を選んで紹介する。はじめは山田君、次が「きのこ栽培を試みて」と題する鳥畑直行君（岩見沢市幌延4Hクラブ）の発表である＝北海道連絡協議会事務局長、沢田義夫君発＝

沢田事務局長

除草体系を作る　山田君の発表

「我家の農業経営改善」と題しての山田之博君（勇払郡追分町農村青少年クラブ）の発表は、次のようなものである。

米田五ヘクタール、畑二ヘクタール、山林十三ヘクタールの混合経営である。今まで三年間プロジェクトをして、稲作栽培技術などの実践を行なって、本年は経営実態をさらに深く追求して行くとともに、混合経営における省力化を目指して努力した。

労働のピークは、五月が水田の田植えと畑作の蒔きつけ時期とぶつかり、一日平均十時間以上の労働をしている。年間労働時間数は父が千五百四十四時間でもっとも多く、次いで母が千三百三十五時間、私は千八時間となり、機械の作業時間は四百二十時間で、水稲十アール当りの使用時は七・三時間となった。

第一の改善、除草体系は、昨年まで移植時二十〜三十五日に除草剤を散布していたが、効果が少なく、雑草も大きくなっており、手取除草に多くの労力を要した。そこで今年は、田植え前に土壌処理にニップを散布し、移植後二十日に機械除草を行なって、パムコン粒剤を散布した。その後、手取除草を行ない、MCPを散布することによって、除草効果を高めることが出来た。

その結果、除草労働は、昨年の家族労働二百九十九時間、雇用労働六十時間、合計三百五十九時間から、今年は家族労働二百十四時間で済み、四〇％の労働力の削減が出来た。第二の改善、納屋の構造は、昨年まで天井が低く、運搬してきた稲も、出入口が狭く大変苦労していた。その点を改良して天井を高く、入口を広くし、シャッターを取り付け、車も中にはいれるように、コンクリートを打った。大きさも五・四×九メートルであったものを、六・三×十四・四メートルに広げた。

第三に、脱穀方法を改善した。昨年までは、稲を納屋に運んで脱穀していたが、今年はハーベスターを導入した。水田で脱穀を行なって、籾だけを納屋に運ぶようになり、昨年は、家族労働五百九十四時間、雇用労働百五十七時間、合計七百五十一時間であったが、本年は家族労働四百六十七時間で済み、三八％の削減となった。

本年度の収支は、農業粗収入三百四十五万九千円（水稲八七％、畑作九％、園芸作物四％）、農業経営費九十三万円（機械、建物償却費二三％、肥料費二二％、その他）で、農業所得は二百五十二万九千円となった。以上のように経営概況と把握し、経営改善を行なった。

今後は経営の安定を図るため、第一に、生産コスト低減のために、基盤整備を行ない、労働力をさらに省力化し、機械の効率を高める。

第二に、地力の向上のため、堆肥の増産と客土を行なう。

第三に、所得拡大のため、園芸作物（メロンなど）に力を注ぐ。

第四に、良質米の生産のために品種の選択と施肥改善に努める。

以上のような目標を定め、がっちりした経営基盤確立のために、懸命に努力する覚悟である。

きのこを加えて　鳥畑君の発表

水田面積四百五十アールでの今後の稲作には、非常な問題がある。水稲栽培は、今後、ますます省力化されて、単位当りの労働生産性は向上するが、規模が一定している限り、経営全体の収入は増加しない。また、現在の稲作労働時間は、非常に不均衡である。この二点に着目し、高校時代、札幌農業センターで実技研修を受け、また技術的には難しいが、成功すると非常に市場性のあるエノキ茸栽培を始めることにした。水稲部門は父にまかせ、私がきのこ栽培に打ち込む。

きのこ栽培の利点を上げると、

1、冬期余剰労力の活用ができ、水稲経営との競合性を避けうる。

2、きのこは主として本州が主産地で、市場にも少なく、販路が容易に掴める。

3、施設、設備、原材料の投資が少なく、回収も早いなどがある。

実際に行なってみて、夏は水稲、冬はきのこ栽培というように、作業体系のバランスがよくとれて、年間労働時間が平均化された。

エノキ茸栽培について説明すると、まず米糠と鋸屑を一対三の割合で混合し、原料に対して〇・二%の石灰を混ぜる。次に瓶詰めをし、殺菌、植菌、培養を行ない、培養室の温度十八度、湿度八〇%で二十二〜二十五日間培養する。次にはもとの古い種菌を取り除く掻き作業を行なう。芽出し室では温度十〜十二度、湿度九九〜一〇〇%とし、約一週間で芽出しができる。発芽は温度八%、湿度八〇%くらいで、約二週間して出荷できる大きさになるが、現在、一包み五十円で販売している。

現在の建物施設額は百四十四万円程度で、そのうち七十五万円が長期借入資金に頼っている。

四十五年度の収支は、

建物施設償却費　十四万八千六百円

固定資産税　二万五千円

光熱水利費　十八万四千四百円

支払労賃　十三万五千八百円

諸材料原料費　十万七千円

販売収益　三十五万五千七百二十円

純利益（赤字）　二十四万四千六百八十円

このようになるが、十一月から二ヵ月あまり収穫しただけで、まだ三ヵ月あまり収穫できるので、最終的には黒字になる。

以上の実践経過を振り返ると、第一の関門は、茸小屋を建てる資金を出してもらった時であった。「先行きのわからぬものに金は出さない」と言われ、一生懸命頼むその姿に誠意が認められ五十万円の借用ができた。第二の関門は、初年度は雑菌のため満足な製品ができなくて、家族の風当りも強く中止しなければならないと思ったこともあった。しかし、惨めなエノキ茸を見る時、来年こそは立派なものを作り出さなければと、反対意見を振り切る勇気を奮い立たせてくれた。そうして二年目には、どうにか売れそうな作物ができたのだが。

第三の関門は、店でそう簡単に買ってはくれず、学校帰りに風呂敷に包んだきのこを持ち、何軒も店を回ってなんとか売ったが、高校生の私は、このような姿を人に見られたくなかった。そうして、現在では得意店もでき、一人立ちできるようになったわけである。

これまでの数々の失敗や苦労の積み重ねが、今日の私を作った。

わが家では、きのこ栽培が経営になくてはならぬ存在となった。弱小農家と言われながら、自立の道があるのだと信じたい。

経営転換と拡大を 籾での貯蔵を考えよう

以上二編とも、発表からの抜粋だが、このような力強い発表は、三時間あまりにわたって行なわれた。午後より、午前中に発表された内容を参考として、「新しい稲作へのあゆみ」と題する研究討議が行なわれた。司会に沢田義夫道連事務局長、書記に飛岡良成同事務局次長、松田千賀子代議員を選出して進行、助言者は午前中に引き続き山本兇一技師、橋本正春技師にお願いし、発表者十一名は前に出て、盛大に参加者との意見交換がなされ、二時間三十分あまりにわたって、研究討議は行なわれた。将来の新しい稲作経営の発展方向を考え、自立経営者として良質米の安定生産、生産費の低下を図る稲作、冷災害を軽減する水田管理等の実行計画を、どのように立て、実践活動を進めていくかについて話し合われた内容を、要約して紹介する。

近年は、味の良い米が要求され、良質米の安定生産が叫ばれている現在において、品質を低下させている原因を考えてみると、生脱穀、急激な火力乾燥、精選の不良等が、品質を低下させる第一の要因であり、また、品種の選択、稲作の技術的な面においても、同じことが言える。この点については今後、一つ一つ改良するように、われわれが努力しなければならない。

米の需要を見ると、三等以上の良質米より、四等以下の米の方が需要が多いと聞いている。そうして、これは中間において業者が、そのような傾向にあるのだと指摘された。北海道米は他府県に比べ、食味において劣るという評判があるようだが、実際に食味試験をすると、他府県には絶対劣らないという結果が出る。

北海道米がまずいというのは一部にはそのような米もあるようにも思うが、全体をみると、ひけはとらないと信じている。今後、その一部については早急に改善が行なわれ、北海道米は「おいしい米」だと言われるように、知名度を全国に徹底するように努力したい。

現在、米の貯蔵法は、玄米にして倉庫に一俵一俵積み重ねているが、品質、食味を保持するためには、最良の策とはいえないのではあるまいか。人間の食糧というものは、良質でどんな時でも必要なだけあるように、保持しておくことが大事ではなかろうか。

貯蔵法については、岩手県の南都田農協が、籾で貯え、需要に応じてその時々に籾摺調整して出す方式を、日本で初めて行なっている。その結果を聞くと、品質、食味の保持においても良いという結果が出ている。アメリカにおいても、その方式によって行なわれているので、将来は籾で貯蔵する方法にして行くべきであろう。

新しい稲作経営を考えると、やはり、農家所得を増大させることを考えなければならない。それには、水田面積の拡大による規模の拡大と、思い切っての経営転換の方法と、技術的な改善方法等があるようである。単に面積を拡大するにも、農用地としての安価な水田はなく、非常に難しい状態であるが、それでも、規模の拡大を図り自立経営を営むのが、目標であろう。しかし、現状では、稲作経営を営み、副業として酪農園芸、小家畜による経営の拡大を図る方法もあり、実際に、クラブ員の中で成功している例もある。

冬期間の利用法としては、その年度の反省、経営診断を行ない、悪かった点、改善しなければならない点等、十分に検討を加え、いろいろな研修に努め、明年度の経営設計樹立に利用することが、一番良いのではないだろうか。現状では、クラブ員も第三次産業で冬期間仕事をしているようだが、われわれ若き農業者として、あまり望ましい姿とはいえないように感ずる。やはり、農業者は農業によってより多くの収入を上げるように努力する必要がある。

現在の情勢を見ると、米価は上がらず、諸物価の上昇によって、生産費も上昇しつつある。経営費の切り下げを強く考えなければならない時である。そこで出た意見は、機械の減価償却費が経営費の中で大きな負担となっていることが指摘され、償却費を低下させることによって、経営負担が軽減されるというものだった。

その解決策として、機械の共同利用を行なう。しかし、共同利用は、技術的な面、また、人間関係の面において、非常に難しい問題がある。それは、立派なリーダーが統率をとることによって可能だが、立派なリーダーとはどのような人なのかが、問題となる。

今まで4Hクラブの目標に、技術を磨く、科学的な頭脳を訓練することがあげられているが、今後は、人間的な和、リーダー（指導者）としての修養を含めた活動目標を持たなくてはならない。それが、これからの4Hクラブ活動における実践活動であること等々、いろいろと話が進み、うちとけたうちにも、意義ある研究討議は終了した。以上が、昭和四十五年度北海道青年農業者会議稲作部会の報告のあらましである。

ハッピ姿で4H祭　高知県連

【高知】激動期の農村を背負うヤングパワーの意気を見せようと、高知県連（会長 岡村康夫君）では、初めての「高知県4H祭」をさる五月十六日、高知市で開いた。これは県、県教委、県農協、中央会、高知新聞などの後援もあった。

まず午前中は、土佐女子高の講堂に県下各地から胸にワッペンをつけたり、ハッピ姿も交えた七百人が勢ぞろい。岡村会長や藤田県農協中央会長があいさつにたち、ことし就農した若者を激励した。これに対し、新就農者の楠瀬常夫君（三巳）が、「広い視野に立って希望の持てる新しい農業を築いて行きたい」と誓った。

引き続いて午後は、農林省農業大学校の和田金次郎講師が「農村青年に訴える」と題して記念講演。そのあと、テーマ・「変革期の農業と4Hクラブ活動」のパネル討論に移った。論議は、「農産物価格が安過ぎる」「流通の中間経費が多い」「専門的知識を身につけよう」などに集中。また、会場からは「これまでのクラブ活動は具体性のない口先だけの仲間づくりではなかったか」とする反省も出た。

閉会後、高知小の鼓笛隊を先頭に市内パレード。日曜でにぎわう追手筋に四つ葉のクローバを染めぬいたクラブ旗をひらめかせた。また、道々ではクラブ員が持ち寄ったキュウリ、ピーマン、トマトやユリなどの花を買い物にきた主婦たちに配った。

現地で学ぶ プロジェクト視察　佐賀北鹿島4Hクラブ

【佐賀】去る五月十一日、北鹿島4Hクラブ（会長中原秀男君）では、クラブ員のプロジェクトを現地視察し、現地において、プロジェクトの内容、問題を話し会いながら巡回した。北鹿島地区は、水稲を主体とし、裏作に施設園芸をやっている。クラブ員のプロジェクトを大別すると、施設園芸、酪農、養豚、水稲と生活に直結したものであるが、その中でも、施設園芸のいちご栽培やトマト栽培が目立ち、現在、共同出荷が行なわれている。

クラブ員で、菊を栽培している大隈和則君のハウスは、今が花盛りとあって、黄色い花がハウスいっぱいに咲きほこっていた。家族ぐるみの4H活動を目標としているので、現地視察している時も、家族ぐるみで話し合った。問題点として、施設園芸で温度調節や灌水など少し困っていた。また、自分の家の仕事とは別に、プロジェクトだけを自分の仕事としてやり、親に仕事のことを聞いてもあまり返事が返ってこないので、親とはあまり話し合わないなど、自分の悩みも打ち明け、他のクラブ員から、自分は母に話して、母が父に伝えるなどの打開策も飛びだした。また、女性から、個人プロジェクトの持ち方がどうしたら良いかわからないなど、女子の意見も真剣に話し合われた。

プロジェクト視察のあとは、浜干拓を視察し、コンバイン、カントリーエレベーターの説明を聞いて、これからの米つくりに大きな希望を持ち、前向きの姿勢でこれからも頑張って行こうとがっちりと手を取り合った。【藤津地区4H連協、瀬戸則行君発】

井の中の蛙から脱出

和歌山県かつらぎ4Hクラブ　岡崎　孝枝

近代社会における女性の地位や知識が向上している中で、農村の女性は視野が狭く、物価や公害、教育などの社会問題に、あまり関心がない。また、会合や井戸端会議などでは、身近な話題に終始している。新聞や書物を手にすることも少なく、狭い世間の中で生活している。そこでこれらの問題を作っている原因について考えてみる。

まず、❶女性は野良仕事や家事が多く、時間がない❷自分一人の時が多く、人と接する機会が少ない。たまに婦人会などに出ても、話し合うのは自分と同じ環境の人達で、話題もかたよってしまう。これでは、いつまでたっても、農村女性は「井の中のかわず」で終り、目まぐるしく変化する社会から取り残されるのではないだろうか。

私の住む所は、二十戸たらずのいわゆる僻地で、つきあいの狭い所である。若い人は勤めに出て、私と同じように農業をしている人は、ほんの数人に過ぎない。たまに会う学校時代の友人と話していても、話題が少なく、いつの間にか、私は私だけのカラに閉じこもり、自己中心的な人間になって行った。

そんな私に、今から二年前、先輩から4Hクラブへの入会を勧められた。初めはクラブの目的なども知らずにいたが、研修会、交歓会、共同プロジェクト、学習会、先進地見学などの行事参加の機会が多くなるにつれて、共通の友人も出来、農業に対する意見も聞けるようになった。

これからは、農村女性として積極的にクラブ活動に取り組み、知識を高め、信頼されるクラブ員になりたいと思う。こうして得た経験を後継クラブ員と勉強[illegible]の女性の人達と交歓会な[illegible]て、余裕のある楽しい生[illegible]ため、地域全体の向上を[illegible]行きたいと思っている。

4Hクなど連絡協議会作る

山梨県[illegible]

【山梨】御坂町出は、このほど、四Hクラブ、後継者の会、[illegible]青年組織 連絡協議会を[illegible]活動の柱五つを決めて[illegible]一番初めに、新学卒者の[illegible]を考え、二十五歳までの[illegible]Hクラブに入会するよう[illegible]かけている。

眠らされている？……クラブ機関誌

——せっかく作ったクラブの機関誌です　全国の仲間に紹介してやって下さい——

全国の仲間は、あなたのクラブの機関誌を読みたがっています。生き生きとした情報に飢えてます。もっともっと交流を欲しています。ガリ版刷りでもかまいません。字が下手でもかまいません。とにかく、地域に眠らせないで！できた機関誌は、すぐ送って下さい。4H新聞のスペースが空いてます。

あらゆる機関誌を〈4H新聞〉へ送って下さい

NHK農事番組（6月21日〜）

テレビ

明るい農村　6・30〜6[illegible]

25日　村をむすぶ　仙台[illegible]　大阪、甲府

26日　農村新地図（佐渡[illegible]市）川北倫明

27日　明るい漁村

28日　村の記録「牛とユ[illegible]　岩手県一戸町

29日　きょうの話題

30日　産物往来　えび

農村教室　7・30〜8[illegible]

21〜23日　肉牛経営の[illegible]戸大学教授）福島敬[illegible]

24〜26日　これからの[illegible]（農林省園芸試験場[illegible]岸光夫

28〜30日　大型農機の[illegible]省農業技術研究所）[illegible]

あすの村づくり

日　7・00〜8[illegible]

再　土　13・00〜14[illegible]

27日　「討論—農工の[illegible]の理想と現実」

ラジオ

早起き鳥　5・41〜5[illegible]

21日　市場流通を考え[illegible]善されるか市場取引[illegible]

22日　市場流通を考え[illegible]える転送」

23日　市場流通を考え[illegible]がれる地方市場の[illegible]

24日　市場流通を考え[illegible]題多い間品規格」

25日　合併すすむ生花[illegible]都下）

26日　どんぐり牧場に[illegible]山梨県大月市浜橋

27日　多元報告—「農[illegible]の期待と不安」（福[illegible]仙台、東京）

28日　期待される夏し[illegible]島県林試）湯浅茂

29日　ふえる薬草の栽[illegible]取県薬農組合）

30日　九州縦断機械化[illegible]話の広場　6・10〜[illegible]

27日　今後の飼料価[illegible]（農林省流通飼料課[illegible]

新しい農村　6・00〜[illegible]

27日　一「4月から6月ま[illegible]料は値上げをストッ[illegible]6月以降が問題、こ[illegible]料問題を展望する。

ラジオ農業学校

日　6・30〜[illegible]

27日　農業講演会

推進会議で考えたこと

県連間に方法の違いが

関東の一参加者

各都府県連の現リーダーが集結した中央推進会議にて感じたことは、各県連とも4Hクラブに対する基本的考えは異なっていなくとも、今後の発展させるべき方向についての考えは、相当のちがいがあるということである。

日本経済の飛躍的成長は、農業情勢の変転をきたし私達に大くの不安を抱かせている。このような時こそ全国の4Hクラブ員が、心を一つにし諸問題に対処しなくてはならないと思う。自からが求める農村青年像として、自からが求める4Hクラブ活動を推進しなくては、いくら騒ぎ、わめいても同じ事ではないだろうか。

この推進会議など種々の会合事業において真の主体性のある4Hクラブ活動をめざす、発展的考えの統一が必要であると痛感する。統一した時こそ全国のクラブ員の若き農業者意識の高揚が図れるのではないだろうか。

体で語る人さらに貴し

徳島県　稲井富士男

私は、今度で推進会議は二度目になる。一回目は、昨年後期の推進会議、それと今度である。私にとって、昨年後期の推進会議は忘れがたいものであった。それに参加したからこそ、今度自分が出席する運びとなったのである。

その時に感銘したことの一つ、末次一郎先生の組織についての講演の一節を皆さんに紹介しよう。

「語る人貴し、語られることも知らで、体で語る人さらに貴し、導く人貴し、導くとも知らでうしろ姿で導く人さらに貴し」この言葉を忘れることなく、今後もさらに4Hクラブ活動にまい進したいと思っている。

やはり女子研と懇談会

埼玉県　岡野美千代

三日間のうち、初めの日と最後の日に雨が降ってしまったけれど私自身一番良かったなと感じたものは、懇親会と女子クラブ員研修でした。懇親会の場合、皆での歌、ゲームや自己紹介をとおして、今まで地図の上だけだった各県名が身近に感ずることができました。

また、女子クラブ員だけの研修ではなんとなく気持も落ちつき楽しく聞くことができました。そして、他の県での女子活動がとてもさかんなのには驚きました。私達の県では、研修、つどいにしてみても男女一緒に行なっています。地区連にしてみても同じです。

朝のつどいは、明治神宮の森に囲まれたこのオリンピックセンターで千何名かの人達と一緒にやっています。体操でたくさんの人達が揺れ動くと、まるで回りの緑までが一緒に揺れ動いているかのように見えます。最後の全体会議を聞いている今、外は雨の音でいっぱいです。雨までが私達の別れを悲しむかのようにすごい音をたてて降っているのです。

書くって、いやだよね

題名はどうしようか

静岡県オーロラクラブ　よこやま　きみよ

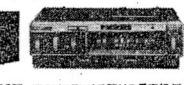

〝ちょっとみんな、女神の原稿一月の末までに書いといてよ！自分らで作るだで〟

去年の暮、クラブの集会があった時、〝女神の原稿は、一月の末までに出すようにするか〟と話し合ったばかりなのに、結局、そのままになっていて、最近の私達の頭といったら、〝そんな話あったっけ？〟と全然さえないの。

先日、中野さんから、〝ちょっとあんた、女神の原稿書いてある？〟と、当然のように聞かれたから、〝うん、だいじょうぶだよ、書いてあるもん〟と調子よく答えてしまったから、たいへん、大変、いま大あわて。今日、お茶の接待をして疲れちゃったけど、とにかく何か書かなくてはと、今ねじりはちまきで一生懸命。時計はいつしか十一時を指しているの。いつもなら、すやすやとかわいい？寝息を立てているのに、かわいそうに今夜の私といったら……。

それにしても、文を書くのって、本当にむずかしいね。私、大嫌いだよ――。何か書こうとしても、題名は浮かんで来ないし、題名なんて、マア、後でいいやと思っても、出だしの文句がなかなか浮かんで来なくて、本当に本当に苦労しちゃうよ――私。

これじゃあ、太らっと思って、もりもり食べても、精神的に苦労が多くて太るどころか、よけいにやせ細っちゃうよ――。もっと図太く生きにゃあ損だと思っても、私って……ウッフン……だもんで、結局だめね。これからはもっとどかっと落着いて、少しくらい鈍いって言われてもいいから、そんな風に生きようかしら？

本当はそんなことおおっぴらに言ったら、〝あんた、それ以上鈍くなったら生きていてもしょうがないに、今のうちにこの世とおさらばした方がましだに〟と言われそうだから、私独りの胸にしまっといて、だんまっているだ。誰にもないしょだもん。

だけん、私、本当に困ったよ――。もう十一時半になっちゃう。もう考えすぎて頭が痛くなっちゃいそうだもん。明日もう一日、新茶の接待をしなきゃーならないのに。これじゃー明日の朝までかかっちゃいそうだもん、どうしようかな？　明日という日は明るい日と書くのか、疑問に思っちゃうけん――みんなもそう？

もしかしたらもしかして、皆んなも、今頃、眠たい目をこすりながら必死になって、私んみたいに考えているんじゃない？　マア、徹夜で書く方はいないと思うけど、でも、ひょっとしたら、明日はうさぎさんみたいに真ッ赤な目をしてホームに立つ人もいるかも知れんと思うよ、私。面白いね、楽しみだね、明日が――やっぱり明日という日は明るい日と書いていいだね。

なんて書んでいるけど、本当は一月の末までだったんだから、やっぱり皆んな書いてあって、私んみたいに悩んでいる人なんてないかもね？　あーア、今頃、皆んな誰かさんの夢でも見ているんじゃないかな？　それとも花よりだんごといって、食べ物の夢かな？　そんなこと想像していたら、頭をひねって考えるだけ損みたいだから、ここらでやめるだ。

やたらのこと書いてたら、チッター書けたもんね。文ってこうして、思ったことを書きゃーいいだね。考えようによっちゃー、すごくおもしろいものね。とにかく、朝になっちゃうで、この辺で急いでやめるだ。

そいだけーん、〝どんな文じゃだめだ〟って、言われりゃー困ったよ……。いいもん、そうしたら、すねちゃうで――私って、いつも静かで、おしとやか（？）すぎるって言われるで、活発になった夢でも見るかな？

そいじゃーみなさま、おやすみなさいませ。（静岡県オーロラクラブ『めがみ』二号より）

兄の頼もしい片腕

福岡県大川市農村青少年クラブ　中村　恵美子

父の死が転機に

励まし受けた　全国4Hのつどい

私の青春

私は高校を卒業してはや二年に達しようとしています。

いやいやながら親の後からついていくだけの手伝い的農業も、少しずつ身についてきました。今でこそ農業に対して意欲があると言い切れますけど、学校に通っている間、農業をすごく嫌っていたのです。それは第一に楽しみ、笑いがないのではありませんが、それに朝早くから薄暗くなるまで農業にとり組んでいる両親を見ていると農業というものは、あくせく働くだけで、とてもつまらなくて馬鹿らしいと頭から考え、「農業は大嫌いだ」と言って、私、いや、誰でもがサラリーマンにあこがれるのは当然だと思います。

私は農家に生れ育った以上は農業を職業としていかなくてはならない運命とあきらめたものの、親に反対し、勤めに出たい気持もあり、不安定な毎日を送っていました。しかし農業という職業につかなくてはならない、決定的な変動が起ったのです。

それは一家の大黒柱である父が突然に亡くなったことです。赤々と燃えていた炎が一瞬のうちに暗い不幸のどん底に落ちこみ、これから生きてゆく上の不安と、とまどいが、私にふりかかってきたのです。でもこんな不幸をいくら悲しんでも父は二度とこの世にはもどってきません。だからそのとき父に一番喜んでもらうことは、母と私とが一体となり、兄の片腕となって農業にとりくみ、母に父の分まで長生きしてもらう他はないと思いました。

うらやましい就職の友

それでも、卒業間近に迫って就職もすっかり決って喜びをかくしきれない友の顔を見ていると、何故、農家などに生れたのだろうかと、親を何回うらんだことがあったでしょう。でも、そのようなぐらついた気持でいる私を、亡き父が見たらどんなにか嘆き悲しむにちがいないと思い、「これではいけない」と自分自身に言いきかせて、心をしっかりと持ち、張り切って農業にとり組もうと心に決めました。

そのような時、兄が勧めてくれた4Hクラブに入会しました。その4Hクラブも初めは先輩達と顔を合すのがとても楽しみで、無我夢中で行事に参加していました。月日がたつにつれて先輩達の農業に対する考え方、心意気を聞き、自分がこんなにもいい加減なものであったかと、これ程劣等感をいだいたことはありません。ですから農業問題について少しでも視野を広くし、関心を持とうと思いはじめました。

その時、佐賀での全国4Hクラブ員のつどいに参加したのです。他県の4Hクラブ員の農業への考え方は私達よりも雄大であり、世間の荒波にうち勝ち、くじけずにいる人達が頼もしく思えてなりませんでした。

頼もしい雄大な考え方

私はこの人達に少しでも応えられる農村女性となるように努力をし、兄の荷が軽くなり明るい家庭をきずくために私なりに精一杯張切って、農業にとり組みたいと思います。

（福岡県大川市農村青少年クラブ『若い土』七号より）

親切な黒人家族

明神さんと辛い別れ

草の根大使だより　石井万代子

前略　新田先生、坂本先生お元気ですか。私は今、最初のホストファミリーであるコロラドのロッキーフォートという村に来ています（五月十九日に来ました）。

シアトルでオリエンテーションを受けた後（一日だけ）、明神さんと二人で、一日だけのホストファミリーであるカーチス・ジャクソン氏の家へ行きました。ジャクソン氏は黒人の方で、一緒にオリエンテーションを受けた人で黒人の家庭に泊ったのは、私達だけでした。とても親切にしてくれて、十六日の夕食は、シアトルにある日本料理店ベニハナというお店に連れて行ってくれました。

十七日の朝、いよいよ明神さんと別れる日が来ました。二人とも日本を離れた時よりもさびしく、もっと二人でおられたらと言って別れました。モンタナから、すぐ手紙をくれるように言ってましたが、今日もまだ来ません。十七日の朝、私は七時四十五分シアトル発（飛行機）、そしてデンバーに十時半着、そこからバスでデンバー市内へ。バス停からフォートコリンへ4Hのリーダーの方（コロラド州）が、迎えに来てくれていました。

十七日と十八日の二日間は、その家に滞在、十九日の朝六時に家を出て、七時四十五分デンバー発、約六時間の長いバス旅の後、やっとロッキーフォートに到着。そこでも迎えの方が来ていてくれて、ホストファミリーの家まで送ってくれました。ドナルド・ヘンドリックス夫妻の家は、八千エーカーの牧場で、肉用牛を飼っています。そして労働者はヘンドリックさん一人で、奥さんは全然農場の方には出ません。ただ家庭のことをしているだけです。牛は三十エーカーに一頭当たり放牧していまず。この地方の夏は、ホット・アンド・ドライな所だそうですが、シアトルにくらべるととてもあついです。

家族は六人で、高校生のトムとバーバラは、学校から帰ると毎日牧場の方を手伝っています。それぞれ子供達が皆仕事を分担しているのは、日本ではあまり見られないことだと感心します。今のところ、私の仕事は別に与えられていませんが、五歳になるレイとは良い遊び相手です。月曜日（二十四日）に学校へ行く予定です。まだ英語が良く話せなくって困っています。

では、またお便りします。4Hの皆様によろしくお伝え下さい。さようなら。

五月二十三日　石井万代子

私の心は

木室支部　柿添

私の心は冷たくひかる雪
私の心は凍てついたつらら
私の心は枯木に止った一羽のカラス
寒く冷たく吹く北風に
黒いマントをひるがえしいて戯れる私
友をも失い、ただ自分一人の世界を造り
自ら孤独の中にひたる私
誰もいらない　何もいらない
暗い夕焼けで終る一日
こうしていよう　夕焼けが沈むまで
朝の光を見る事が出きないと知った日
カラスの姿はどこにも無く
暗くよどんだ灰色の空には
今日も北風が吹き抜ける

（福岡県大川市農村青少年クラブ『若い土』七号より）

生活もの知りコーナー

◆酒とコーヒー

酒の酔いを早くさましたいときには、濃いコーヒーやお茶を飲めばよいといわれています。それはコーヒーに含まれているカフェインに利尿作用があり、アルコール分を尿と一緒に出してしまう、いわゆる排泄を早める働きがあるからです。

酒の酔いの程度は、血液中のアルコールの濃度と一致し、血液中のアルコールの濃度が濃くなるにつれて、しだいに理性を欠くようになってきます。そこで、コーヒーを飲んで排泄作用を早めれば、血液中のアルコールの濃度がうすまり、酔いがさめてきます。それから、カフェインは脳の血管を広げ、心臓の働きも盛んにするので脳の血のめぐりをよくし、脳神経をさえさせる作用もあります。

ただし、コーヒーが習慣性になっている人は、よほど濃いコーヒーを多量に飲まなければ、酔いをさますことはできません。このほか、上等の緑茶にもカフェインが含まれているので、コーヒー同様酔いをさます妙薬といえます。

クラブ紹介

ワイワイキャアキャア

佐賀県〈はづきクラブ〉

私達の「はづきクラブ」は、平均十九・五歳という若き十人の女性グループです。昨年の八月にこのクラブを結成しましたので、八月（はづき）となづけました。

グループ員には、家事手伝いの人もいますが、ほとんど勤めておりますので、集会は夜ばかりですが、皆よく出席します。集会の半分以上は、ワイワイキャーキャーで終ってしまいますが、それでいいだろうと思っています。

活動としては、ダンスや郷土民謡のおどり、料理など行ない、特にダンスは、全員が一つはおどれるようになりました。私達女性のグループは、男性のグループのように、ハウスとか養豚とか一つに決っていませんし、生活全般という幅広い範囲の中から、一つの具体的な目的をさがすことは、実際、なかなか困難です。

でも、行事の組み方によって、楽しくも、おもしろくもなりますし、入ってよかったと思うようなグループにしていきたいと思います。

（佐賀県杵島東部地区農業新経営者専門研究クラブ連絡協議会『わらすぼ』創刊号より）

青春と仲間

沖縄を訪ねた私たち

空・海・澄む瞳

摩文仁丘、人もまばらに

岡山県　土井　馨

沖縄において心に残ったのは、真青な空、そして海、原色の花の数々、女性のひとみだったと思います。

ここで二十五年前、戦争があったとはとても思えない。人間の血と肉と弾丸を肥料として、植物が生育し人間が生活している。何か大自然というものは恐しく、でっかいものだと実感として感じています。自然の中でも原色の花の数々、特に激戦地でのハイビスカスの花、とても美しかった。二度と戦争はくり返してはならないと思います。二度と……。

また、沖縄の女（ひと）は美しい。あの澄んだひとみで、できるものならば、ゆるされるのなら、あなたとふたりで、くらしてみたいなんて、言わせてみたい……。

沖縄の人にはゆずりあいの精神が宿っているのかな。親切だ。それからよく働く。真黒になって、頭の上に荷物を乗せた人、背骨がまっすぐだ。筋金入りだ。これなら歩いても腰が曲線をえがくことはないだろう。それにつよい。カカア天下だよ。

最も淋しく感じたことは、あの激戦地だった摩文仁丘で、岡山の塔へ行った時だった。その塔はたいへんりっぱなものだったけれども、あまり人が来ていない。雑草がはえ、石は作った時のまま、さびていない。もっと多くの人々が行ける時が早く来てほしいと思います。

（全国4Hクラブ連絡協議会発行『第二回沖縄親善 交歓 訪問 報告書』より）

空談

さまようエトランゼ

酒はおかしなもの、したたかに飲んでなお体がしゃんとしていて、頭もしんと澄みわたることがある。そんな深夜、ぶらぶら散歩するような気分で家へ帰るのは、すこぶる快いが、いつごろからか、これにいまひとつ楽しみが加わった。

ほかには誰も歩いておらず、ぼくの靴音のみがはっきり響きかえる。まっすぐとみえながら少し弓なりに反る道に、コンクリートの塀が立っている。ある地点から、ぼくの靴音が、他人のものでもあるかのように、小さくこつこつと塀から戻ってくる。はじめのころは、誰かがこちらへ歩いてくるのかとさえ思ったものだ。

「ああ、ほんとうのおれがやってくるな」と、いつも思う。まこと愚かしい白日を踊り消し、辿り過ぎしながら、酔生夢死が理想だなんぞと嘯いていても、このときばかりは真顔になってしまう。俗事に紛れ、本来、おるべきところにいない自分、自分でなくなった自分、そんな異和感、不在感、いたたまれなさが、いちどきに露呈する。もっとも、普段は、ほんとうの自分だなんて、幻想でしかないと思いもするのだが――。

しかし、ほんとうの自分がどこかにあるはずだという思いは、認識の問題を遠く離れて、奥深い私やかな祈りに達している。S・Fではないが、反世界には、現世界のぼくと同じ存在があって、いずれ、宇宙の涯にでも行けば会えるかもしれぬが、それは、どうしてか薄気味が悪い。ぼくは、そうした彼岸の存在との出会いを求めているのではない。

さまざまな遮蔽物が取除かれて、日常の価値感が顚倒し、恐しいほどに色褪せた空間に、ひとり行つぼくを見出すことである。久しく見失なわれていたぼくを、存在の故郷のなかに再び投げ出し、臨済録にいう無位の真人だと確認することでもあろうか。一種のエトランゼ、さまよえるユダヤ人であるぼくが、いわば、神の国に住む自分を、夢み、予感することなのだ。

まだ見つからぬ存在の原郷と、ほんとうの自分とが現われるのを、ぼくはじっと待っている。靴音の谺に聴き入っていると、それは、遙かなところより、この現身に宿ろうとやってくる根源的な自己からの呼びかけ、ひめやかな合図、予兆ではあるまいかと、思わずにはいられない。存在の開示を暗示するような、そのシンボリックな靴音がもたらすのは、静謐な愉びであり、また透明感に満ちた壮大な宇宙感覚でもある。（山）

草木虫魚

記憶の根とつつじ

つつじとあやめとのショットがくりかえされ、そのなかに、つつじのアップ、あやめのアップが挟まれ、また、高速度撮影による池水の飛沫がくりかえされる。そして[illegible]みに沈んでゆく反響音がともなう。――これは、お家騒動から刺客に襲われて、記憶を喪失した津山藩十万石の御曹子が、町娘との生活を始めるために、過去の自分をどうしても喚い起さなくてはと、もどかしがっているテレビ・ドラマの一シーンである。

人は記憶を辿るとき、遠くを眺めやるような仕草をしたり、眼をつぶったりする。流水のなかの鯊をみるごとく、なにかそこにあることはわかっていながら、不安定に揺れ動き、ひとつの物体として定着されず、もどかしいいら立ちに包まれる。そのしかと掴めぬもののかたちを、たとえば、御曹子の場合、つつじやあやめというかつての事件の場にあったものが、失なわれた記憶を、辛くもつなぎとめていたわけである。

いわば、記憶が保持されるためには、それを結びつけておく紐帯のようなものがなくてはならず、ひとたび記憶とかかわりあいを持った事物は、単に事物にとどまらず、ぼくらの内奥に棲みつき、なにか特殊なものに転身を始める。この根のようなものを、あたためつづける必要があるようだ。（Y）

4Hのマークと共に

クラブ活動用品の案内

（単価）

4Hバッチ……50円
レコード盤（4Hクラブの歌・4H音頭）……150円
クラブ旗　大（72cm×97cm）……400円
クラブ旗　小（33cm×49cm）……200円
手拭……100円
ハンカチ……60円
ネクタイピン……200円
女子用ブローチ……200円
クラブ員専用便箋……100円
〃　封筒……70円

◎荷造り送料代百円です。
◎ご注文は代金を振替口座へお払込みを願います。代金着き次第ご送品致します。

社団法人　日4H協会代理部
東京都千代田区外神田6丁目15～11の705号
振替口座　東京72082番

日本4H新聞

4Hクラブ 農事研究会 生活改善クラブ 全国弘報紙

発行所 社団法人 日本4H協会
東京都市ケ谷家の光会館内
電話(269)1675郵便番号162
編集発行 玉井 光
月3回・4の日発行
定価 1部 20円
一カ年 700円(送料共)
振替口座東京 12055番

クラブ綱領

私達は、実践を通じて自らを磨くとともに、互いに力を合わせて、よりよい農村、よりよい日本を創るため、四つの信条をかかげます。一、私達は農業の改良と生活の改善に役立つ腕をみがきます。一、私達は科学的に物を考えることのできる頭の訓練をします。一、私達は誠実で友情に富む心をつちかいます。一、私達は楽しく暮し元気で働くための健康を増進します。

過疎を吹き飛ばせ!

「青年の山」育てる

物部村のクラブ員 魅力ある村づくりへ

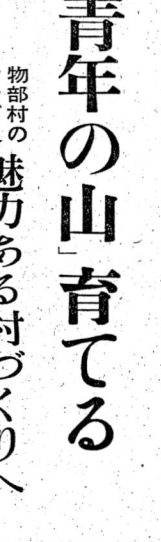

【高知県=公文豊連絡報道員発】過疎現象や出かせぎのみられる中で、若い力で魅力ある村づくりをしようと、森林組合を結成して「青年の山」と取り組んでいる4Hクラブがある。それは、物部村農林業後継者クラブ。優良材を育て、将来は外国へも輸出しようと夢を大きくふくらませている。

物部村は、高知市内から東へ四十キロくらいの所にあり、徳島県境に接する人口約八千人の村。さいきんは、やはり過疎現象に見舞われ、若者のほとんどが都会に流出し、そのあとも出かせぎに出るといった状態である。このような中で「若い力で魅力ある村づくりを」と4Hクラブの物部村農林業後継者クラブの同志十五名が、第一生産森林組合(組合長・公文亨君)をつくり、国有林十一・三㌶を借り受けて一年前から準備を進めていたもの。

苗木から植付けまで、プロジェクトをかねて自分たちの手で行なった。山の中に約三十平方㍍の山小屋を建て、共同生活をしながら約二ヵ月がかりで、成地から植付けまでをこのほど終えた。

クラブ員たちは、機械なども取り入れて省力化を図り、将来は、外国へも輸出できる優良材を生育しようと張り切っている。青年の山は、数年後には共有林を買って規模を広げ、仲間づくりとともに「魅力ある村づくりを」と村の将来を夢みて〝過疎なんかふき飛ばせ〟とファイトをもやしている。

来日した米国の草の根大使、ウィーンスさん(右)とランダースさん=羽田空港到着ロビーで

大分などで生活

米国から〝草の根大使〟来日

今年度の米国代表の4Hクラブリーダー〝草の根大使〟=シャネット・ランダースさん(二二)とダイアン・ウィーンスさん(二〇)=の二人は、さる二十日、予定より約三十分遅れて午後五時過ぎ羽田着のノースウエスト機で来日した。彼女たちは、国際農村青年交換(IFYE)計画に基づいて社団法人日本4H協会の招きで来日したもので、約六ヵ月間滞在し、各県の受入れ農家で生活しながら両国の相互理解と親善の役を果すことになっている。

二人は、以前、米国の実施機関である4Hクラブ財団から送られてきた写真よりも若々しく、チャーミング。旅の疲れも見せず、出迎えた4H協会の新田事務局長らと元気に来日のあいさつをかわしたあと、都内の宿舎に向った。

翌二十一日からは、宮城4H協会長はじめ関係機関、団体など関係方面を訪れて来日のあいさつ、また、農林省の普及教育課青少年班や生活改善課でオリエンテーションを受けた。

4H活動など予備知識もつ

二人は、このあと大分県を皮切りに鳥取、埼玉、新潟、石川各県の受入れ農家に入り、その家族の一員として生活することになっている。その間、七月十二日から愛知で開かれる「第七回全国4Hクラブ員のつどい」や八月一日から岩手で催される「第十一回全国農村青少年技術交換大会」はじめ、地区や県連の行事にも出席して交歓、日本の農業や農村生活、4Hクラブ活動などについて学ぶと同時に、米国のそれらを紹介し、民間外交官として相互理解と親善に努力することになっている。

彼女たちは、日本の農業や農村生活、文化、教育などについて学びたいと大いに意欲をもやしているが、心配なのは言葉らしい。しかし、西洋文化を調和させた日本の文化、生活、また、アメリカと年齢や内容が違う4Hクラブ活動などについても相当の予備知識をもっているようだ。果して、青い目に日本がどう映るか、彼女たちの今後の活躍が期待されよう。

なお、この来日米国クラブ員の受け入れについては、全国農村青少年教育振興会はじめ各県の協力を得ている。

民泊をふやす

第3回沖縄親善交歓訪問

参加者百十名を募集

実施期間は、11月21日から8日間

「全協号」で往復

全国4Hクラブ連絡協議会(会長 黒沢健一君)は、過去二年間にわたって実施してきた全国4Hクラブ員による沖縄親善交歓訪問を今年度もひき続いて行なうことになり、このほどその実施要領を作成し各県連に通知するとともに、全国のクラブ員に参加を呼びかけている。

この沖縄訪問は、全沖縄4Hクラブ連絡協議会が全協に加盟しているにもかかわらず、経費などの関係から沖縄のクラブ員が全協の催す事業に参加できなかったために、本土のクラブ員が沖縄を訪問して相互の理解と親睦を深めるとともに、4Hクラブ活動の健全な発展を図ろうというもの。また、この訪問は、沖縄クラブ員との交流だけでなく、参加者同士の仲間意識や共同精神の高揚などの面でも予期以上の成果を上げている。

とくに今回は、この訪問が最後になることも予想されるため、飛行機一機をチャーター、参加者も百十名と大幅な増員(第一回が二十三名、第二回六十名)計画をたてている。また、昨年初めて実施した沖縄クラブ員宅への民泊も好評でありながら、日程の関係でクラブ員と交歓する時間が少なかったため、今回は民泊を一日ふやし二泊三日の現地交歓訪問を予定している。

第三回沖縄訪問の実施要領は次のとおり。

【期日】今秋十一月二十一日〜二十八日、八日間(事前と事後の両研修各一日を含む)

【参加者】4Hクラブ員、OBとその家族

【募集人員】百十名

【経費】五万七千円(大阪までの往復は個人負担、大阪—沖縄間の交通、宿泊、渡航手続きに要する費用などを含む)

◎予約申し込みをするため、応募と同時に全額納入すること

【提出書類】①履歴書 一通②住民票 二通③写真(タテ・ヨコ五㌢程度のもの)三枚④道府県連会長推せん書 一通(二名以上の場合は一括推せんでよい)⑤昭和四十四年六月以降沖縄へ行った人は、その時の旅券をあわせて送付すること⑥論文 次の中から一題を選んで、四百字詰原稿用紙二〜三枚程度の文にまとめること ▽自主的な4Hクラブ活動と組織強化について▽わが家の農業経営▽4Hクラブ員として沖縄で知りたいこと▽私たちと4Hクラブ

【申し込み締切日】来る八月二十日

【申し込み先】東京都新宿区市ケ谷船河原町十一、家の光会館内、全国4Hクラブ連絡協議会事務局

【日程】▽十一月二十一日(日) 大阪府立青年の家(同府三島郡島本町桜井)に集合 入所式、事前研修、予防注射、渡航手続き

▽二十二日(月) 結団式、午後十二時二十分大阪国際空港出発(日航機・ボーイング727、チャーター機) 午後二時二十分沖縄・那覇空港到着、関係機関表敬あいさつ、オリエンテーション、名護市内旅館に宿泊

▽二十三日(火) 沖縄クラブ員との対面式(名護青年の家)、沖縄技術交換大会に参加、意見交換会(話し合い)、キャンプファイヤー、名護青年の家に宿泊

▽二十四日(水) 前日にひき続いて技術交換大会に参加、現地交歓訪問へ出発、沖縄の農業視察、民泊(クラブ員宅)

▽二十五日(木) 現地交歓訪問、観光地視察、民泊(クラブ員宅)

▽二十六日(金) 現地交歓訪問、那覇市集合(十二時)、沖縄の歴史を訪ねて(南部戦跡=糸満、姫百合の塔、健児の塔、摩文仁丘)、自主的行動

▽二十七日(土)、関係機関あいさつ、午後二時二十分那覇空港を出発、同四時二十時大阪国際空港到着、帝釈(たいしゃく)等に宿泊

▽二十八日(日) 事後研修、解団式、解散

盛大に「4H祭」

高知県連で初の試み

【高知】さる五月十六日、高知県農村青少年クラブ連絡協議会(会長 岡村康夫君)主催の第一回県4H祭がにぎやかにくりひろげられた。この4H祭では、クラブ活動の紹介やクラブ員の農作物の展示、パネル討議などのほか新規就農者の激励と記念品の贈呈、市内パレードなどが行なわれ、参加者は次代の農業の担い手として努力することを誓い合った。

当日、会場の土佐女子高校講堂は八百人の仲間と、単位クラブや地区連の活動状況の紹介展示、クラブ員が丹精こめて作ったキュウリ、ナス、シイタケなどたくさんの農産物で色どられた。これら農作物を生産した誇りと農業に生きる勇気に満ちたクラブ員が埋める中で開会式が行なわれた。

県知事や農林部長の祝辞のあと岡村県連会長が「厳しい農業の中に、すばらしい未来を、みんなと一緒に作り出そうではありませんか」と呼びかけ、開会式を終了。続いて「農村青少年に訴える」と題して農林省農業大学校の講師、和田金次氏の講演があった。

ついで、かつて活躍した4HクラブOBはじめ新しくクラブに加入したばかりのクラブ員、また現クラブ員の各層から選ばれた代表者によって「変革期の農業と4Hクラブ活動」をテーマにパネル討議が行なわれた。会場との質疑応答なども取り入れられ、助言者として出席した農林部長や県農協中央会会長も、農業の問題点を突いてくるパネラーや会場からの質問に汗をふきふき、応答する姿も見られた。

新会員を激励

また、当日は、今春、県下の農業高校や中学校、経営伝習農場を卒業して新しく農業者となった百二十六名の参加者に対し、岡村会長が励ましのことばをおくったあと、記念品としてソロバンとクローバーの4Hバッチ、ボールペンなどが贈られた。

激励を受けた新クラブ員たちからは、「農業の厳しさをしみじみと痛感した」「生きがいがある」「団結しなければならない」など次代のリーダーとして素質を持った声が聞かれた。

市内パレードで気勢あげる

この大会の最も花やかな行事として市内パレードが行なわれた。市内小学校の鼓笛隊を先頭に県連旗、岡村会長、農林部長、県下の百におよぶクラブ旗をかかげた約千人の参加者が行進、道行く人たちにクラブ員が作ったキュウリ、シイタケ、花などをプレゼントして八十万県民に4Hクラブ員の意気とクラブ活動の姿を示した。

最後には高知城、追手門に集結して、「より強く より明るく より豊かに未来へはばたくわれらの仲間」というスローガンを全員で唱和して解散した。

こうして初の試みであった「4H祭」も盛大のうちに終ったが、これを機会にして、さらに、日常のプロジェクトやクラブ活動を充実発展させていくことが大いに期待されよう。(高知県連・中町幸)

涼風暖風

実力をつける

現在は実力の世界だといわれている。静的な社会にあっては、学校時代に蓄積した知識や技術が生涯にわたり通用し、経験と固定した秩序によって社会生活をおくることができた。しかし、今日のような動的な社会にあっては、思考の方向、決断の基準となる固定したものがあらかじめ設定されているわけではない、という。知識も絶えず変化し、技術革新の激しいときだけに、毎日、毎日を学習するようでなければ、社会の進展にとりのこされてしまうわけである。実力をつけることをいつも心がけていることが大切であり、実力があれば、動的な社会では抜きんでることが可能だともいえる。

ところで、最近脚光をあびているのが社会通信教育である。高等学校や大学の課程を通信制によって行なうのが、いわゆる学校通信教育であるが、社会通信教育は、社会教育の通信版である。英語の力を伸ばしたい、習字が上手になりたい、速記の勉強をしたい、というような希望を、通信教育で学ぶのが社会通信教育というわけ。

現在、社会通信教育は、いろんな分野にわたって実施されている。ただ、通信教育は通信を媒体として行なわれるものであり、直接的ではないので、受講者にとっては何かと不安の点が多い。加えて、社会通信教育の中には、内容や指導が粗悪であったり、営利本位に流れたりするものもあるようである。

そこで、文部省では、社会通信教育を安心して受けることができるようにするため、社会教育上、奨励すべきものを認定している。文部省認定社会通信教育と称しているのがこれである。

文部省認定社会通信教育は、今のところ一四八コースある。法律、簿記、孔版(ガリ版)、校正、レタリング、電子計算機、速記、秘書、経営などの事務系が四二コース。採鉱、電気、ラジオ・テレビ、無線、建築、製図、測量、自動車、それに農業経営、酪農、園芸、蚕業、かん・びん詰、水産加工などの技術系が七六コース。このほか、料理、保育、和・洋裁、家庭経営、編物、英語、フランス語、書道、ペン習字、音楽などの生活・教養系の三〇コースが文部省認定社会通信教育になっている。

これらの文部省認定社会通信教育を受講している人は約六三万人いるが、その六四%は一〇代、二〇代の若ものたちである。学校を卒業してからも、こんなに多くの若ものたちが学んでおり、実力を養っているわけである。今からでも遅くはない、というところか。

なお、文部省認定社会通信教育の受講手続き等は、教育委員会などで教えてくれる。(文部省 伊藤)

加藤氏に「つどい」の講師

若い根っ子の会会長

(…蔵事務局長発)来る七月十二日から十六日まで愛知県で開催される「第七回全国4Hクラブ員のつどい」(全国4Hクラブ連絡協議会、愛知県4Hクラブ連絡協議会、社団法人日本4H協会の主催)の最終日に岡崎市民会館で行なわれる記念講演の講師に、若い根っ子の会会長の加藤日出男氏がこのほど決定した。

同氏は、現在、総理府青少年問題審議会の委員であるほか多方面で活躍されている。創作や詩作などにも情熱を傾けられており、その中にはテレビ化されたものも少なくない。また、関係方面から若い人たちを対象とした会合に招かれて講演した回数も多い。昨年開かれた埼玉県連の4Hのつどいや栃木県連の大会、また、単位クラブなどでも、同氏を招いているがその情熱的な講演には定評があり今回のつどいでも大いに期待されよう。

なお、つどいの参加申し込みはさる二十日、締切られた。主催者側では、参加者名簿やしおりの作成など最後の準備に取りかかっている。

初のペーパーテスト

熊本県連の技術交換大会 全国大会が早まり

【熊本県=中川孝一連絡報道員発】熊本県農村青少年クラブ連絡協議会(会長 池田隆美君)は、さる五日、熊本農業試験場で県下のクラブ員約百名のもとに全国農村青少年技術交換大会の県予選を行なった。

昨年までは、八月上旬に県下クラブ員約五百名が集加してキャンプ形式の技術交換大会が開かれ、実物鑑定、演示発表、レクリエーションなどが行なわれてきたが、八月上旬岩手で行なわれる全国大会の参加者申し込み期限が早まったため、従来の方法では間に合わなくなり、ペーパーテストによる選考会が行なわれたもので、これは初めての試み。

この日、十一地方の代表者五十六名のほかに多数の一般参加者があり、クラブ員の熱意がうかがわれた。午後一時の受付けのあと技術競技代表五十名は、作物、野菜、果樹、畜産、生活改善の五部門に分かれてペーパーテストと取り組んだ。また、演示発表は、技術競技終了のあと行なわれ、代表六名がそれぞれ日ごろの研究成果を発表し質問を受けた。

この競技や演示の審査は、県農業改良課専門技術員によって行なわれ、次の八名が県代表として全国大会に参加することになった。

【技術競技の部】▽作物 坂本昭郎(八代) 宮本規伊子(阿蘇)▽野菜 山下竜則(菊池)▽果樹 高塚克輔(宇城)▽畜産 奥村一和(上益城)▽生活改善 坂本敏江(菊池) 川端るみ子(上益城)

【演示発表】 村上康博(宇城)

【県選】 河津スヤ、春田基美子

農業視察や海水浴など多彩

山口で19日から技術交換大会ひらく

【山口】山口県農村青少年クラブ連絡協議会(会長 松尾耕助君)は、県、構地区農業改良普及協議会、大島郡農村青少年クラブ連絡協議会と共催で、来る七月十九日から二十一日までの三日間、大島郡橘町安下庄の立岩海水浴場を会場として第十一回県農村青年技術交換大会を開く。

行事は、クラブ活動の発表と意見交換をはじめとして農業視察、島めぐり、交歓の夕べ(郷土芸能、天体観測、共同炊事、キャンプファイヤー)、海水浴、川柳の創作、写生・料理のコンクールなど多彩である。

心頭技健

鳥や虫が都会からしだいに去っていったように、セメントで固められた都会の中で、毎日、排気ガスを吸ってあくせくと働く人間も、土の匂いや緑への憧憬が強まっていく。昨今、家庭菜園や観光農業がはやるのもそのためのようだ。人間回復の地を農村に求めようとする現われともいえる▼このほど「現代社会と農業に関する研究会」(主宰、農政局農林漁業金融公庫理事)が農林省に提言したところによると、これからの農業は、これまでのように食料を供給するだけでなく、人間回復の場として環境保全などの新しい要請に応え、整備していく必要があると強調している▼この研究会は、農政学者だけでなく、工学者、医学者など十九人が農林省に委託され、昨年十二月から、将来の日本の農業政策をどう進めるかについて検討していたもので、農林省は、この提言をこれからの総合農政を進める上で生かしていくという▼それによると、高密度都市化社会の中で、レクリエーション活動としての農業の意義はますます高まると述べている。他産業に従事しながら趣味として農業生産を営む「ホビーファーム」や市民菜園を、積極的に進める必要があるというわけだ▼とくに、過疎地帯の山村でこのようなレクリエーションの役割が、新しい雇用と所得の視点から重要になってくるともいう。農村は都市と対立すべきものではなく、包括してとらえ、機能面での連絡を重視すべきであると指摘している▼また、人間環境の保全のために、いままでの技術体系を再検討し、天敵利用の生物制御技術の開発、耐病性新品種の育成、導入なども努める必要があると述べている。これまで、多量の農薬によって、自然浄化の役割をもつ微生物を減少させてきたが、考え直そうというわけだ▼これまで、単に食糧供給の場として考えられてきた農業が、このように人間回復の場として考えられるようになったことは大いに注目されよう。しかし、それによって農村まで毒されるのは好ましくない。計画を進めるに当っては、農民の意思を十分に尊重する必要がある。

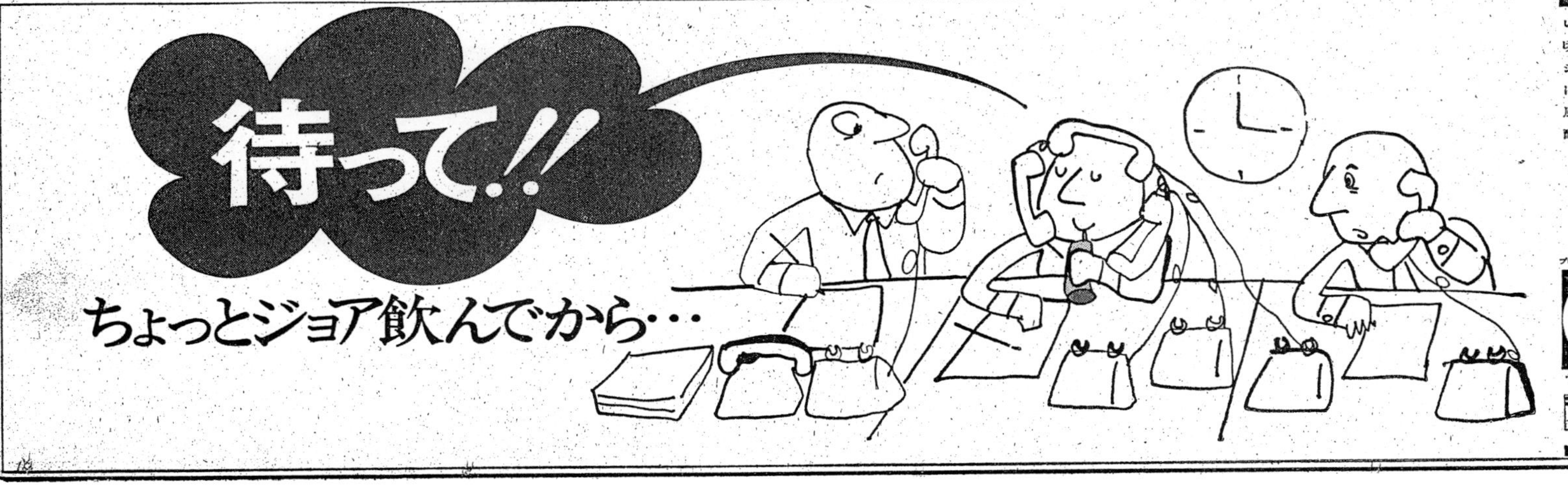

両殿下をお迎えして 来月、八ヶ岳で

第二回全国農村青少年研修教育センター研修生交換大会

体験発表や体育競技など行事

農林省など主催の第二回全国農村青少年研修教育センター研修生交換大会は、皇太子、美智子妃両殿下をお迎えして、来る七月二十日から二十三日までの四日間、長野県諏訪郡原村の八ヶ岳経営伝習中央農場で開催される。

この大会は、全国の農村青少年研修教育センターの研修生が日ごろの学習や体育・文化活動の成果を交換し、お互いの交流を通じて幅広い視野を養い、農業への意欲をたかめるのがねらい。

参加者は、経営伝習農場や高等農業教育施設など研修教育センターの研修生を中心に同指導職員と先輩の農業者など約千三百名が予定されている。

大会の主な行事は、経営部門ごとの体験発表と意見交換、鑑定や判定、審査などの技術競技、ソフトボール、バレーボール、卓球、柔道、剣道、二千メートルリレーの六種目で競う研修センター対抗の体育競技、また、キャンプ生活などが組まれている。

一日目は、午後四時半から開会式に入り、五時半から夕食、夜は自由交換する。二日目は、朝のつどいのあと六時半から一時間にわたって食前作業、八時半から昼食をはさんで午後四時まで体験発表と交換討議。ひき続いて技術競技を行ない、六時から懇親会で楽しく過ごすことにしている。

三日目は、前日と同じく食前作業のあと、八時半から午後四時半まで昼食をはさんで体育競技をくりひろげ、腕と足を競い合う。ついで表彰式と閉会式、七時からキャンプファイヤー。最終日は朝のつどい、朝食のあと八時半に解散することになっているが、希望者だけ朝三時半に起床して八ヶ岳へ登山し、午後四時ころまでに下山して解散する。

両殿下は、二日目の体験発表と交換討議にご臨席されることになっている。

なお、主催は、農林省、全国農村青少年教育振興会、経営伝習農場全国協議会、経営伝習農場同窓会全国連盟、農村更生協会の五者で、長野県、全国農業改良主務課長協議会、NHKなどの後援が予定されている。

住民期待の全国展 特産物送って…

粟野町青少年クラブ　全国の同志に依頼

【栃木】上都賀郡の粟野町青少年クラブ協議会では、今秋十一月二十三日に地元で開かれる町民感謝祭において全国特産物展示会を計画し、そのとき展示する各都道府県の特産物を送ってほしいと全国のクラブ員に、協力を求めている。

この特産展は、4Hクラブ員の日ごろの活動を町の人たちに理解してもらうとともに、全国各地域の農業の姿を知り、自分たちの地区の農業について反省し、新たな農業意欲をもやそうというもの。

同地域で初めての試みなので住民の期待も大きく、いまから各層各団体の連けいを密にして、立派な効果が上がるようにと連日努力を重ねている。

このため、全国各都道府県からの展示物の出品を一つでも多く集まることを期待しており、同クラブでは「たいへん勝手ですが全国各地のクラブ員の理解あるご協力をお願いします」と呼びかけている。

なお、連絡先は次のとおり。

栃木県上都賀郡粟野町中粟野板名九八　粟野町青少年クラブ協議会　青木守(プロジェクト担当)　電話　粟野(〇二八九〇九)七一七四

若い血潮が騒ぐ

嘉穂4Hクラブ　「つどい」に期待

【福岡県嘉穂地区=大屋恵子連絡報道員発】来る七月十二日から愛知県で開かれる「第七回全国4Hクラブ員のつどい」に参加する嘉穂地区4Hクラブ(会長 溝口正明君)の参加者は、本紙に記載してあった意見発表の原稿募集の記事を見つけ、"初めての参加だから"と原稿作りに乗り出し、先日、東愛知ブロックの事務局へ応募した。

新聞を見たのが六月三日で、原稿の締め切り日は十日。せめて七日までには書き上げなければと頑張った。全国の代表六名の中に選ばれるかもという期待もあったが、たとえ、代表に残らないにせよ、全国大会に参加することや、自分の意見を文章にまとめることにも意義があると考えた。

前年までは参加する人はなかったが、今回は嘉穂地区はじめ五つの単位クラブ七十名の中から十一名もの参加者を送り出すということは、現在の激動する農業情勢が若者の血を沸かせたのであろう。

時代に取り残されぬように多くの人たちと接し、意見を聞き、また、自分の意見を述べ、過疎化の激しい同じ立場にある多くの友と心ゆくまで論じながら解決して行かねばならぬという意思がはっきり出ている。

嘉穂地区の単位クラブである嘉麻川4Hクラブ(会長 斉藤生保君)に対する町長の協力も大きく斉藤会長を先頭に役員たちは、つどい参加の負担を少しでも軽くしようと、日夜、役場、農協、公民館へと資金援助を交渉中である。

このように第三者に対して協力を仰ぐことは、つどいの趣旨からみて好ましい傾向とはいえないが、地域ぐるみの4H活動からみればその効果も少なくないと思われる。

こんご、嘉穂地区4Hクラブをさらに活発にして、将来、町農業の担い手になろうと全員たゆまぬ努力を続けている。

クラブ活動の新しい方向を探る<中>

地域とも密着を 4H活動の理解が必要

中尾克美

次に、4Hクラブと青年会の二重会員の問題についてみてみよう。

双方の目的などの面で混同しがちであるのと例会などの会合で出席回数がどうしても多くなるので、その出席調整のために生じる参加率の低下が目立つ。

その解決のためには、新しい時代にあった改組が必要とされるが、今のところ成功例も少ない。数年間、これらの問題で合併してみたり、また分離したりと多くの動きがみられるが、まだまだ考えなければならない点がある。

第三点としてあげた、クラブ活動に対する家族や地域社会の理解であるが、その評価は余り高くないのが現状のようである。それは、クラブ員のプロジェクト発表をみても、発表のためのプロジェクト活動の展開といった面が多分にあり、家族や地域との密着という点になると実際のところ少ないようだ。

根室管内の別海村(香川県と同じ面積で日本で一番広い村)の上春別4Hクラブは地域に密着した活動を行なっている。

クラブ員数は男子二十名、女子三名の二十三名で、生産、生活、文化、圃場の四部門に分かれて活動を展開しているが、とくに地域との関係を密にするため広報活動を充実させている。

部門別の活動内容は次のようなものである。

▽生産部—サイレージの品質向上と量の確保、地区の乳牛品評会への出品

▽生活部—OB、先生の奥さん、母親たち、普及員などの指導で食生活の改善

▽文化部—ポスター、入会のしおりなどによる会員の勧誘、機関紙の地域への配布、一年間の反省とする研究資料を集録し地域の理解を得る

などであるが、クラブ活動のすべてが地域と密着している例である。

後志管内赤井川村(北海道で人口が一番少ない村)の赤井川4Hクラブは、クラブ員三十四名の一村一クラブで、赤井川村での青年組織は、青年会と4Hクラブだけ。ともに広域クラブの形をとっている。

ここでは、4Hクラブ員が中心となり、村にある社会教育団体四団体で「青年と婦人のつどい」を結成し、明るい村づくりを目指した村民活動を展開している。行事の中から拾ってみると、「村民のつどい」に農産物品評会、生活改善展、バザー、盆踊り大会など、それぞれの分野で担当、総合して催し、村民の三分の一が参加している状態であり、地域にあったPRの方法を考え、活動とマッチさせている。

いま、二つの例をあげてみたが、プロジェクト活動と地域活動の関連を考えることや、4Hクラブとしての正しい奉仕活動が、地域社会への4Hクラブ活動の理解度を高める運動になると思う。また、家庭の理解を得るためには、やはり、対話を続ける必要があり、さらに、地域社会との結びつきにOB会員の位置も見逃がしてはならないと考える。

(北海道4Hクラブ連絡協議会・評議員)

連絡報道員研修の主な内容

組織で伸ばそう 報道員はレーダー役

さる四日から東京・渋谷区神園町のオリンピック記念青少年総合センターで開かれた全国4Hクラブの前期中央推進会議(全国4Hクラブ連絡協議会と日本4H協会の共催)の中で、本紙連絡報道員の研修が行なわれました。

本紙では、県連会長から推薦された人たちに連絡報道員としてご協力いただいておりますが、末端クラブ員の声をふやし、さらに紙面を充実させるため、今年度から地区にも新たに連絡報道員を設けることにしました。とくに、全協の事業計画の中でも明記されているように、本紙を全国クラブ員の連機関紙として活用するという建前から、今年度から、これらの連絡報道員を全協から推薦していただくことになりました。

研修に出席された人たちは、こうして選ばれた連絡報道員の方々ですが、本紙編集部から連絡報道員の役割や記事の書き方について説明があったあと、広報活動と購読の普及活動などについて話しあいました。その要旨は大体次のとおりです。

一、連絡報道員は、4H新聞編集員の一人であるという自覚をもち、地元クラブ員の新聞に対する不満や要望をすばやくキャッチし、それに対応するようにレーダーの役目をはたす。

一、自分が積極的に記事を投稿するほか、クラブ員にも投稿を働きかけると同時に、紙面の作成に対し企画やアイデアを提案する。

一、新聞の内容として、技術面(クラブ員の研究成果など)、特集(農業や経営など)、県連役員などのニューフェース(横顔)紹介、失敗したプロジェクトの例、レクリエーション(クラブで新たに考案したものも含めて)、漫画などを取り入れていく。

一、同じ県連でも年によって投稿回数が違うのは、報道員自身の意識の差によるが、それと同時に県連会長など役員の認識不足に影響されるので、組織として考える必要がある。

一、4H新聞の普及について県連の役員段階までは話があるが、立ち消えになることが多いので、県連の事業計画の中へ4H新聞の購読推進を盛り込むなどして普及に力を注ぐ。

一、末端クラブ員には4H新聞があるということさえ知らないところがある。そのため"自分たちの新聞"があるということを末端のクラブ員にもっとPRするとともに、"自分たちの新聞"を自分たちで作っていくという意識を形づくっていく必要もある。

一、購読の普及については、県連で計画し、地区連に責任をもたせ、4H協会から還元される奨励金(百部以上の場合、一部につき三百円)の一部を地区連に戻している県連の例も示された。

一、連絡報道員には、記事の書き方や連絡報道員の役割などの資料を送付する。

(編集部)

登ろう富士へ

静岡・北駿4Hクラブ

全国仲間に呼びかけ 8月2日から3日間、五回目の「集い」

【静岡】毎年、全国のクラブ員に呼びかけて「富士登山の集い」を実施している北駿4Hクラブ(会長 勝又敏明君)は、今年もひき続いて二泊三日の日程で実施することとなり、仲間ヤーイと参加を呼びかけている。

富士山麓で生活している同クラブの会員たちが全国大会などの会合に出席したとき、富士山にまだ登ったことがないという人たちが多いことを知り、それでは、自分たちが日本一の秀峰「富士」へ案内しようと、全国のクラブ員に呼びかけて実施しているもので今年で五回目。また、登山に先立って話し合いやキャンプファイヤーを開いたり、登山後には茶菓子を食べながら楽しく反省会を開いて親睦を深めている。

夏の日の思い出に

このように、全国のクラブ員に呼びかけて行事を催しているのは単位クラブとしては同クラブだけで、青春の思い出、楽しい夏のひとときを送るためにも、多勢の仲間が参加して下さいと望んでいる。

実施期日は八月二日から四日までの三日間で、六十名の参加者を見込んでいる。会費は宿泊代、バス代などを含んで三千円。申し込み期日は七月二十日まで。

申し込み先(事務局)は、静岡県駿東郡小山町一色三三六、込山しづ江　電話=〇五五〇(六〇)六五八

(同クラブ、宮崎清士君発)

畦道

新説、珍説・急がば廻れ

また聞きだから保証のかぎりではないが、おもしろい話がある。某氏は九州の国東半島の生れであるために、幼いころから海とは慣れ親しんでいる。素もぐりで三十メートルも潜った経験があるという。ちょっとしたビルディングの屋上から地上までの距離だから、腰に鉛バンドをつけないと、そうはもぐれない。多分、肺活量もかなり大きくなくては不可能であろう。しかし、ぼくがおもしろいと感じたのは、三十メートルも潜ったという事実ではなく、彼が身につけたこつというか、知恵である。

何十メートルも潜れば水圧は強いし、呼吸もできないから辛いだろう。そのためか、いざ、浮上するとなれば、早く水面へ到達したいという気持になるらしい。だが、このとき、水面を見上げながら泳ぎあがろうとするのは、絶対に禁物だという。つまり、これだけの距離を浮上するには、前述のような準備もあって容易ではない。なかなか到達できないために、つい焦燥感に駆られてしまうのだそうだ。あせることは危険きわまりないので、この場合の秘訣として、水面を見ず、水底を見るようにしながら、泳がなくてはならない。こうすることにより、まだ届かないという焦躁をまぬかれうるらしいのだ。

目的に向かって一直線に邁進するのが、よいことであるかのようにいわれるけれども、必ずしも、傍目もふらずに直進することは、よいとばかりいえぬところがおもしろい。水面という目標から眼を外し、逸脱させなくては、そこへ到達できないというアイロニカルというか、パラドキシカルな現実は、古い俗諺にいう「急がば廻れ」式のところがある。

しかし、だからといって、これを妙に教訓的にとる必要は、さらさらない。むしろ、そのように短絡、ショートする精神をふてぶてしく嘲笑しているとみるべきである。人間という一条縄では行かぬ存在、また、それを取巻く現実というものの猥雑さが、ふと、垣間見させた哄笑でもあろうか。(Y)

集会場建設の資金づくりに共同栽培

岐阜・山県郡4Hクラブ

【岐阜】山県郡4Hクラブ(会長 稲棚竜行君)では、自分たちの集会場を建てようと、その資金を稼ぎ出すために、いま同郡高富町七日市地内でトウモロコシ栽培と取り組んでいる。

土地は、同地区の整備事業で休耕地となっている六十アールを県事務所の世話で借りたものだが、この共同栽培は、新しい農業技術の取得だけでなく、仲間づくりにも役立つ思わぬ効果も出ている。

トウモロコシは成育さえ順調なら約三十万円の利益がある見込みだ。クラブ員たちは集会場の建設を夢みて作業を続けている。

国体にそなえて休耕田で花づくり

和歌山・かつらぎ4Hク

【和歌山】伊都郡かつらぎ町三谷の4Hクラブ(会長 名倉芳一君)では、国体の準備のために、名倉会長ら二十四人がこのほど地区内の休耕田で花づくりに精を出した。

この花づくりは、同クラブの協同プロジェクト活動の一つとして始めたもので、五月初めに播種したサルビアをこの日苗床に移植した。

ざっと四万本のサルビアは、七月中旬には同町の国体競技場に定植することにしている。

こんなことをしています

各種農業団体

18型にスポット カラーテレビ推進運動決る

全国購買農業協同組合連合会

系統では、カラーテレビの普及期取り扱い方針を決め、五月から七月にかけて、一斉推進運動を展開している。カラーテレビは、消費者運動の結果、一般に商品に対する要求がシビアになっており、このため系統も、20型から18型、16型、13型をそろえ、消費の多様化に対応するとともに、要望の多いコンソレット型に重点を置いている。また、とくに今回は単協からの数量積み上げを強調、取り扱い数量も大幅な増加をめざしており、このため組合員農家の耐久消費財所有台帳の整備、テレビ巡回診断などが重視されている。

カラーテレビ導入推進期間にあたってつぎのような要領を設定する。

第一には、消費者買い控え運動終結宣言がなされ、そこから出た意見として、消費者の生活に密着する商品価格の良心的なカラーテレビを供給せよとの消費者の要求が強い。そこで、これらに焦点をしぼって、要望の多いコンソレット型に系統も合わせて、すべての家庭にカラーテレビをすすめていく。

第二には、これから年末にかけて、家電各メーカーでは、比較的普及の遅れていた農村部に大幅に"ダッシュ"をかけてくるものと予想される。系統としても、このような無差別導入を抑制しなければならない。

普及台数は全体で約五十万台とみており年末普及率は五〇%(二軒に一台)になるもよう。そのなかで、系統としてできるだけ多くの供給計画をたて農村市場を確保していく。

第三には、消費が多様化してきているので、それに対応して系統では、20型、18型、16型、13型、をとりそろえる。なかでも、もっとも組合員にメリットがあるといわれる18型にスポットをあてて、いっせいに運動を展開する。

推進期間は、五、六、七月の三ヵ月で、七～八月に取りつけをする。従って、お盆に家族そろってみられるように、早目に引き取ってもらう。

とくに今回は、単協からの数量を積み上げることを強調し、購入予想農家数を確実に把握し県連も引き取り台数を十分確認し、全購連へと組織的に積み上げるよう呼びかけをする。その場合、ポイントとなるのは、組合員消費者の耐久消費財所有台帳の完備である。また、いっせいに各家庭へテレビ巡回診断をする。

さらに、各県ごとにESS農協の協議会を開いて、主旨の徹底、意識の統一をはかっていく。従って、ESS農協は一単協あたり四十台以上引き取り、一般の単協は少なくとも十台くらい引き取ってもらいたいと考えている。

(広報課)

優良企業には融資 農村への工場誘致で

農林中央金庫

今年の通常国会に提出されていた「農村地域工業導入促進法」が、五月二十四日成立した。

この法律は、都県における過密、地価の高騰、公害問題、労働力不足などによって設置が困難になってきた工場を、積極的、計画的に農村地域に導入するとともに、米の生産調整や水田の転用促進、出かせぎの激増が問題となっている農村に雇用機会をつくり、農家の所得向上に役立てることによって、農業の構造改善を進めようというものである。

骨子は、工場誘致を計画的に行なうため、国の基本計画をもとに都道府県および市町村が具体的な導入計画をつくるほか、①導入企業に対して各種の税制上の優遇措置がとられるとともに、②進出工場には農林中金から期間十年の融資を行なう、③地方公共団体がこのために行なう用地造成などの経費に係る地方債の起債について適切な配慮を加える、などとなっている。

農林、通産、労働の三省では、この法律にもとづき七月末までに、就業条件、公害対策、業種選定などを盛り込んだ基本方針を作成するが、ごく大づかみの方向として、電機、繊維など公害のすくない業種を重点的に導入、こんご五年間に約一〇〇万人の農家に就業の機会を与える方針のもよう。このために必要な資金は約六兆円、提供される農地は約一万五千㌶と見込まれている。

本年度は、四十六都道府県、百五十市町村が八月末までに工業導入の実施計画を作成するもようで、この導入を円滑に進めるための機関として、財団法人「農村地域工業導入促進センター」が、この秋には設立される。

こうした農村工業化のための必要資金は、その約八割を日本開発銀行、中小企業金融公庫、農林中金などからの融資によってまかなうことが期待されている。農林中金の一般産業に対する融資は、これまで農林漁業に関係ある「関連産業」だけに限定されていたが、この法律によって、導入計画に組まれたものであれば、業種や金額の制限なしに、融資することが可能となった。

これについて農林中金では、「計画的に導入される公害のない優良な企業に対しては、農業の構造改善を進めるという見地から、できるだけ積極的に融資していきたい」という方針を表明している。

(総務部)

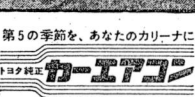

新築

家中の意見を入れ 誰にも頼らず

柳川市昭代4Hクラブ　桃島　一美

我が家の農業従事者は、父(四三)、母(四三)、祖父(七七)、私(二三)の四人である。経営概況は、水田八十㌃それに養蚕を行なっている。減反問題が起こっているけれども水田が高価であるために、経営の拡大は計画的に行なわれないのが悩みである。

昨年、我が家ではだれにも頼らずに、一家あげて三年間がかりで練り上げた設計により、新築を行なった。初めて新築を思いたってからの三年間というものは、日常生活の中において、新築のための参考になるものを一つでも見つけようと、気をつけていたように思われる。その結果として、どこを見ても、家族一人ひとりの意見が取入れてない所はない。

新築するまでの家は、長方型で作業場が広く、プライバシーが守られず、昼間でも薄暗い上に照明も悪く、また、家事を行なうにも不便で不潔になりがちであった。以上のようなことを解消するために、計画を立てた。今もなお、農家には封建的な風習が数多く残っているけれども、しかし、そのようなことをなるべく気にかけないようにして、『家の光』の「新宅拝見」などを手本とし、もっとも近代的に、家族本位を中心に考え、家事作業が行なわれやすいように、また、プライベートな場所が得られ、一家が集まる居間兼応接間を重視して、設計にあたった。

近代的な中にも、昔からの格式も取入れた。洋間は近代的に、老人部屋、座敷などの和室は純日本風に作ることとして、一枚ドアを開けるだけでムードがガラリ変るようにすることも願いであった。炊事場兼食堂は、ハッチで間仕切りを行なって、炊事をしているときでも、普通の来客は通すことが出来るようになっている。なお、食堂を土間にするか板張りにするか、最後まで問題になったが、農作業を行なう際の利用に、板張りでは不便ということから、土間に決めた。

二階には二間取って、一つは洋間で弟が使用、もう一つは和室で妹が使用している。それから、今後の生活程度の向上を見込んで、風呂場、炊事場へボイラーを利用した温湯を送ることができるように、また、夏には一部の部屋に冷房が行なわれるように、パイプの配管だけはすませている。しかし、いろいろな方面から見ると、まだまだといった所が多い。今後の問題としては、もっと日常生活がしやすく、家族みんなのプライバシーが守られるような改善をしていかなくてはと思う。

それにしても、家族全員が前向きに考え、話し合ったからこそ、人々から、近代的な建物が出来上がったと言ってもらえるのだと思う。今後、4Hクラブ員のみなさんたちが新築なさる時も、大工さんまかせにしたり、また設計者などにあまりたよらず、家族全員の話し合いの上に立って考えるべきだと思う。見学などにもこだわらず、今までの農家から、何か一つでも前進するように努力されるならば、明るい家庭作りがなされるのではないだろうか。ただ、あまりにも〝理想的〟になりすぎて、生活上、不便にならないように気をつけ、注意しなければならないと思う。

海外視察で考えたこと

筑後市4Hクラブ　北原　元彦

あまりにも無駄 日本作業、土地整備の遅れ

さきごろ、カナダ、アメリカなど七ヵ国を一ヵ年半にわたって、視察してきた北原元彦君(四十三年度、筑後市連会長)が、その報告をまとめた。彼は五月に結婚したばかりであるが、高校時代に父親を亡くし、以来、養豚の自営を母親とやってきた。

私のプロジェクト

このたび一ヵ年半の期間に、カナダ、アメリカ、ブラジル、アルゼンチン、パラグワイ、ウルグワイ、ハワイの六ヵ国を各移住機関の支援を受けまして、日系の移住地を視察する機会に恵まれました。この事業の目的は、農村青年の海外農業拓殖の研究と推進活動の原動力となり得る、中堅青年をブラジルに派遣し、現地実習によって、農業拓殖の実際を研修させるのが目的であります。

今回の私の応募の動機は、次のようなものです。急転する社会情勢なり、日本農業の推移から見て今後、農業を担う経営者としてどう進んだらいいのか。それには、人生態度かは気持の転換が必要であります。その手段として、若い世代に郷里や国を離れ、祖国日本の現実を見つめなおし、特に百姓の自由化が諸外国から要求される中で、私達若い農業の後継者は、何を学び、何を目標に、どうすればよいのか。

こう考えた時、それは体ひとつで燃えるような精神力と強固な信念と団結力、伝統力で地球上の眠れる宝庫、ブラジルの荒野を開拓した先輩同胞のもとで、現地研修の体験を得たいと、ブラジル農業拓殖実習を希望しました。私達のブラジル国滞在期間は六ヵ月で、期間内に、基地実習、農家実習、研修旅行「日系農商工」の三つに分かれて、実習研修旅行を行ないました。

基地実習先は、サンパウロ州リベロンプシット郡全拓連ガタハラ農場でした(三月十日~四十六日)。ここで主にブラジル国の事情について、地理、歴史社会、産業、生活、風俗、習慣、農業、機械実習および移住ポルトガル語を学び、生活に肉体的、精神的に呼応できる能力と農家実習に臨む姿勢を整え、ブラジル国の全般的なことを研修したわけです。

基地実習は、ブラジル国の日常生活にあわせて、六時起床、六時三十分~七時三十分朝食・パンとコーヒー、八時~十時作業、十時~十一時昼食、十一時~二時作業、二時~三時休憩、三時~五時三十分作業、六時夕食といった時間割りになっています。農村労働法と宗教との兼ね合いから、日曜日はきちんと休んでいますから、農休日というものはありません。

作業は、実習期間中に次の作業をおこないました。稲の収穫コンバイン作業、大豆コンバイン作業、トウモロコシのコンバイン作業、みかん、パイナップル定植、除草作業、豚舎管理、各種コンバイン、トラクター運転・整備実習をおこない、農家実習、研修旅行にそなえました。

この実習を通じて、トラクター、コンバインのアタッチメントの取り替えにより、水稲、大豆とトウモロコシの収穫体系に簡単にはいれます。一袋を二人の作業員で、袋づめをふくめて一時間半で完了します。これら実習作業を通じて感じたことは、農業機械が一貫体系で高度に利用されているということであります。

日本に脅威だ 安いブラジルの肉

日本の場合は、省力、機械化……と叫ばれているが機械による一貫した作業体系、土地基礎整備の遅れから、あまりにも無駄が多いことを強く感じ、反省させられました。狭い土地柄、次の耕地への移動を、もっと農業団地としての構想を若者の間で真剣に討議し合うことの必要性を、私は強く感じさせられました。だが、それにしても、農業問題が激動している今日、農民、農村青年の間で、個人個人意識の中でまとまりをなくしているようにも思えてなりません。

基地実習期間中に、イタリー系の養豚場視察と、サンパウロ州4Hクラブ幹部研修会に、オブザーバーとして出席する機会をえました。サンパウロ州フランカのイタリー系の養豚の特徴は、自然環境に恵まれ、繁殖と肉豚生産の一貫経営で、屠殺場があり、豚肉をスーパーや加工商社へ契約販売をおこなっています。飼料自給は、二百㌶の雄大な耕地に、トウモロコシ、飼料用カボチャ、綿実粕と、屠殺場から出た廃物コップを利用し、飼料配合工場を、二ヵ所に所有し、自給率は五九%であります。

肉豚の品種は、LW・L・ポーランドチャイナの元豚をつかっています。システム化された養豚場であり、農場で生産される豚は、枝肉でスーパー、加工場に渡されております。作業員の労働賃金は八時間労働で四百円以下とのことです。それに、畜産公害はありません。経営主の話では、近い将来豚肉を冷凍魚と同様に品種統一して、規格品を日本へ輸出したいという意向を持っているようです。

粗放的な近代化された施設から生産された安い肉類が、自由化の波にのって上陸してくることを考えますと、日本の養豚業は、たちまちにしてきびしい立場に立たされるのではないかと感じます。私は、このような現場の視察によって、今まで気づかなかったことを知り、「一貫したひとつの経営技術」は、非常に参考になりました。

次に、ブラジルの後継者に対する農業施策を報告しておきます。全拓連におきまして、開催されたサンパウロ州4Hクラブ幹部研修会に出席しました。実習生の中で私だけが4Hクラブ活動の経験者で、クラブ活動に関心を持っていたので、日本の4Hクラブ活動とブラジルの4Hクラブ活動のちがいを学びたいと思っていましたが、後継者問題における国の施策は、日本の場合、非常に恵まれていることに気づきました。

難しい融資条件 4Hクラブ 年齢差も問題に

それは、ブラジルにおける後継者対策を考えた場合、後継者資金面での援助がなく、経営拡大は自己の能力においてなされなければなりません。その点、日本の農業の金融制度面においては、ある程度恵まれているのではないだろうか。研修会を通じて、彼らとの対話の中で一番記憶に残るのは、親子関係、一世の親は、日本の環境から脱皮していません。青年はブラジルで生まれ、ブラジル社会で育ってきた考えのひらきがあり、親が理解してくれません。

また、経営拡大の営農資金を自己資金だけでおこなうことは、現在では、それが非常にむずかしいことになっています。原因としては、インフレで年間一七~一八%もある関係から、融資の条件がしばしば変るからです。融資条件での支払期間が短く、せいぜい一年から二年、年間利息は二〇%近く、据置期間はほとんどありません。

農産物の流通機構の改善、農産物の流通税においては一五%、市場、運賃の手数料を含めると二五~三〇%になります。流通税の緩和をやってもらいたいというような、切実な問題をかかえている。クラブ活動での問題点として、クラブ員の年齢差の問題。プロジェクト発表のマンネリ化、経営拡大を計ろうとしても親の反対があるなど三点が、議題に上りました。

プロジェクトの進め方〈2〉

〝個人〟も〝共同〟も必要 リーダーは振りわけを

北海道専門技術員　三輪　勲

④ジャンプ、いよいよ最終段階。プロジェクトというよりは経営そのものとなる。経営とプロジェクトの段階を並行させてみると、(イ)経営把握、診断が、問題点の発見に相当し、(ロ)経営目標(部門か全体かなど)を立てるのが、やはりプロジェクトでも目標決定であり、(ハ)経営設計は、計画立案に当たり、(ニ)経営そのものが、実験・実行の過程と同じであり(ホ)経営診断が、反省・評価となる。

プロジェクトとは、以上のようなものであるから、日本農業の青年たちの活動として、きわめて、的確・有効である。しかし、初めからむずかしく考えなくてもよいわけで、学習中心とか身のまわりの小さなことから始めるのがよい。また、プロジェクトの課題を、妙に狭く考える必要は少しもない。

三年まえ、北海道の青年を研修にアメリカへ連れていったとき、アメリカのプロジェクトが日本のそれとかなり異なるのに驚いた。クラブ員の年齢が九歳から十九歳と低いこともあるけれども、ともかく広範囲にわたっている。日本のように、飼育、栽培、経営、生活改善などといった限定がされていない。

たとえば、小鳥の巣箱、牛の飼槽といった木工、ワイシャツのアイロン掛け台、長靴脱ぎ機といったものから、キイ・ケース、書類ケース、犬の首輪といった皮細工、農場や作業場の配電などの電器製品の組立もあるし、家庭生活といっても単に衣食住に限られず、家庭経済、家族関係の改善(話合いをどうするかといったこと)、近所付合いの仕方、レクリエーションといったものまで含んでいた。つまり、プロジェクトは固定されたせまくるしいものでなく、発展性を持ったものと考えなくてはならないだろう。

ところで、話題は変わるが、プロジェクトといっても、個人がよいのか、共同がよいのかといった問題が、あちこちで問題となっている。結論をさきに述べてしまうと、どちらも必要といわざるをえない。双方の組合わせと結びつけ方については、リーダーがクラブ員を指導するときに、大いに注意しなくてはならない。

個人プロジェクトは、自主性・自発性によって伸展させる以外にないが、これがうまく行なわれることによって、4Hクラブそのものに協力する雰囲気が高まってくる。逆に共同プロジェクトは、全員の協力によって成立つものだが、これが成功する場合、各自がそれぞれの自主性・自発性を尊重しあうようになる。つまり、一方だけでなく両方は車輪のごとくに進まなくてはならないのである。

さて、次に共同プロジェクトはいかなるときに行なうべきだろうか。なんでも共同でやればよいというものではなく、課題によっては十分な効果を収めえないものもある。課題を選ぶ場合の条件として、次のような三つくらいが考えられる。

①まず、課題の規模の大きなもの、たとえば、町の経営状況を把握しようなどというとき、多人数でなくてはできない②経営や生産の技術や知識、それも総合的にやらないと成功しないといったもの、こういうものは分担を決めたりしてやる③一人でやるよりは能率の上ることが目にみえてわかるものといった課題を選出する必要がある。三つは相関関係にあり、切離しては考えられない。

個人でやるのがよいか、共同でやるのがよいかを振りわけるのは、日ごろ、リーダーが考えておくべきことがらである。ことに、新人クラブ員や経験の浅いクラブ員にとっては、個人でやるのは苦痛である。プロジェクトは、本来、楽しいものであり、いやいやながらやるものではない。寝食すら忘れさせるような、魅力のあるものだということを、体験させるためにも、このことは大切である。

それでは、共同プロジェクトの長所はなにか。①各自が実践した結果を、みなが検討し、相互交換が可能であり、より深く掘りさげることができ、いままで気づかなかった点を指摘されたり、協力を得られたりする。つまり、異なる立場から検討されるため、新しい照明が当てられて、能率がよくなる。

②前述のごとく能率的に動けるようになり、③そのために意欲が生じてくる。ひとりだと、いやになり、怠け、成育の観察や調査など継続的に行なわなくては意味ないものも、途中でつまずき、投げだしてしまいがちである。しかし、共同でやることにより、互いに努力し、励ましあうことができ、特に、初心者にとっては、共同の方がやりやすい。

④また、共同プロジェクトは行事と結びつけることが可能となる。これは大切なことで、プロジェクトはあくまでも日常活動であって、行事ではないのだから、とくに銘記しておくべきである。行事と結びつけるというのは、たとえば、乳牛についてやっているとすると、研修会や視察旅行などの行事が、そのままプロジェクトのプログラムともなり、将来、規模の拡大を図ったり、協業化を進めるところまでも行く素地となる。行事との結びつきを重視したいゆえんである。

☆　☆　☆

(つづく)

幼時からの執着

ツツジ栽培で一本立ち

岐阜県安八郡輪之内町4Hクラブ　大谷　春雄

▼我が家・地域の状況

輪之内町は、岐阜県の南部に位置し、昔から幾多の水害にみまわれたために、堤防の中にあり(輪中地帯)、純田舎といった地域である。経営形態は、主として水稲単作か二作地帯であるが、年々、一部には施設園芸農家が増えつつあるが、大部分は農業外収入を求めざるをえない状態である。農産物も、トマト、胡瓜、イチゴくらいのもので、数少ない。

▼我が家の経営状況

水田が百二十㌃、普通畑が二十五㌃弱、主として、水稲プラス畑を利用する苗木、植木などの栽培、繁殖、販売によっているが、少収入にすぎない。

▼課題と取り組んだ動機

幼いころから、農業、いや土いじりに特別な興味を持ち、また、生まれた時から、植物、緑に囲まれたなかで育ったためか、これに対する執着心が強かった。庭にある自慢の庭木、また、どうしてもほしい珍品、貴重品を手軽に挿し木、接ぎ木でふやすことができたら、どんなにうれしいだろうと思った。ベテランとまではいかなくとも、自由自在にできるとしたら――と考えた。

▼現在の栽培状況

県立の農業高校の卒業を前にして、父から畑を借り入れ、先進地見学や視察をして技術を学び、多くの繁殖方法を取得、農業経営への基礎を築いた。最初は簡単なものから始めたが、現在、主にやっているツツジ、アザレヤの栽培技術を紹介しよう。

(1) 常緑ツツジの挿し木

サツキの挿し木の方法で、どの種類でもほとんど発根するけれども、なかには、挿す時期や挿し床などを、変えてさしつかえないものもある。

春挿しは、東京付近で四月下旬から五月上旬、新芽の伸び始める時期に行なう。サツキと同様な管理でよいが、特に注意する点としては、気温が低いので灌水は少なめにし、地温の上昇をはかる。

用土・挿し床　床挿しには鹿沼土、または赤土などの細かい粒を用いる。約五㌢弱挿す(箱挿しも同様)。

管理　挿し終ったならば、充分に灌水し、風害と西日を避けるために、ヨシズで床の周囲を被覆する。活着後は、薄い液肥を秋までに数回やり、冬はヨシズかけ、トンネルかけ、霜よけをする。

注意点　床挿しは、用土が過湿のまま経過して、発根を遅らせがちであるから、特に注意を要す。箱挿しより発根の遅れることが多いのである。

(2) その他の栄養繁殖

一般に圧条法、あるいは高取り法による取木、まれには、安全で確実な方法として、呼び接ぎが行なわれる。普通、多く、台木には、リュウキュウツツジを用いる。

(3) 実生法

常緑ツツジでは、品種改良の目的に用いられるのが普通だが、落葉ツツジ、特にレンゲ、クロフネツツジなどは、大量繁殖のために実生が多く使われる。

注意　落葉性のツツジの挿し木は、一般に活着率がきわめて低いので、日本はもとよりアメリカでは、多くミスト法が用いられている。

以上のように、簡単に栽培方法を述べてみたが、今後、さらに幾多の技術を学び、実用向けに多量増殖して、これらツツジ類のみならず、他のものも研究して行くつもりである。

ひまな3~5月

半促成キュウリで増収へ

甲府市山城新生4Hクラブ　内田　操

一、我が家の経営概況

水田一㌶、畑二千㌃、会新地面積一・二㌶。私の家族は男二人、女二人であり農業専従は三人(私、父、母)。私の住んでいる所は、甲府市の南、山城地区でいちご、なす、きゅうりなどが栽培されている。私の家では、水田の裏作として半促成きゅうり(ハウス)を二十㌃ばかり、私を中心に行なっている。ほかに稲と養蚕を少しやっている。

二、課題と取り組んだ動機

私が高校卒業前までは、私達の地域も、米・麦・養蚕経営の農家が多く、私の家でも父母が米、麦、養蚕を中心にやっていた。私が家に入ってから初めて野菜栽培を取り入れた。これには二つのわけがあった。その一は、以前の経営では、労働のピークが五月、六月、七月に集中するということ、その二は農家のひまな三月、四月、五月の現金収入が少ないことなどから野菜経営に取り組んだわけである。

三、計画と実行経過

野菜作りを始めた時点では面積も少なく、また施設もよくなく貧弱な経営であった。最初は、黒イボで始めたものも今年からは白イボに全部切りかえ、すべて一年生のつもりでやっている。

四、実積をかえりみて

私をはじめ私達の地域もまだまだ新興産地で、これといった実績は別にないが、過去の経験を基本としてすばらしい実績をのこすよう努力したい。

五、今後の計画

今年で、農業に入ってから六年目になり高校時代から今までの中でいろいろ考えさせられた。私は野菜栽培、稲作栽培を通してある程度の農業の知識もわかった。農業はいろいろの面、あらゆる所に問題が生じている現状です。私の地域も、今では大変農業のやりにくい地域になった。工場、住宅が増え都市計画法により土地を手ばなす農家もふえてきた。この現状の中で、ただ単に農業を良くするのではおさまらない現状になってきた。私はこのような現在に生きる青年として、深く考えさせられる。私達の野菜栽培も施設、設備に多く金がかかり頭を悩ませている。そして、野菜は値段の高低があまりひどく差がありすぎるが、だからといって農業はすてない。私はマイペースで現在の野菜栽培を力強く押し進めて行きたい。

NHK農事番組 (7月1日~10日)

テレビ

明るい農村　6・30~6・55　総合

1日　話題の広場「期待されるハイキューブ生産」―仔牛の自動ほ乳機―浦上将

2日　村をむすぶ　名古屋、福岡、徳島、東京

3日　農村新地図「北海道共和町」―詩人　友田多喜雄

4日　明るい漁村

5日　村の記録「産地直結」―福岡県下、東京都下

6日　きょうの話題

7日　産物往来　さくらんぼ

8日　話題の広場「ミニリンゴを育てる」―受粉昆虫の人工増殖―小林森己

9日　村をむすぶ　宗谷、大阪、山口、東京

10日　農村新地図　埼玉県秩父市(学習院大教授)井上幸治

農業教室　7・30~8・00　教育

1~3日　野菜と農薬(農林省農業技術研究所)福永一夫

5~7日　畑作酪農の課題(東京大学教授)川延謙造

8~10日　原料乳地帯の課題(北海道酪農協会)小林道彦

あすの村づくり

日　7・00~8・00　教育

再　土　13・00~14・00　教育

4日「グループだより」―高知県安芸郡芸西村・芸西4Hクラブ―ハウス園芸の盛んな高知県では、6月~7月にかけて、ほんの短い期間ではあるが、農閑期を迎える。6月下旬春の出荷が終り、7月下旬になると次の苗の植えつけが始まる。この1か月たらずの間にハウス地帯の青年たちは、この一年間の成果や研究課題の発表、そしてグループでの旅行、レクリエーションなど一年分の活動を行なう。番組では、他の農村地帯とは異った時期に、盆と正月を一度に楽しむハウス地帯のバケーションのもようをつたえる。

ラジオ

早起き鳥　5・41~5・57　①

1日　期待される牛乳の長距離輸送(帯広畜産大学教授)西村正一

2日　高山植物売ります(日光市立農業マイクロ実験場)古口条三

3日　農協のエノキダケ研究所(中野市農協)阿部貞満

4日　グレープ・フルーツの自由化(農林省園芸蚕糸局長)荒勝巌男ほか

5日　島のダム開発~広島県瀬戸田町~(中野ダム工事組合長)木村孝之

6日　裏小作で飼料づくり(熊本県八代郡竜北村)早川中

7日　国産鶏をつくる(白河種畜牧場)川口宏平

8日　集団移住を終えて(高知県安芸郡芸西村・企画課長)長崎道信

9日　畜産に生きる親子三代(茨城県久慈郡里美村)荷見清太郎

話の広場(日)6・10~6・30　①

4日　こん虫を育てる(真岡市)及川健

新しい農村　6・30~7・00　②

4日　農村婦人と健康(千葉大農山村医学研究所)内田昭夫

厚生省の調査で北海道から熊本までの貧血実態調査が行なわれた。その結果、農村婦人に圧倒的に多い。20代、30代に多く40代でへり50才台は少ない。貧血にみられる婦人の健康問題とその原因をきく。

ラジオ農業学校

日　6・30~7・00　②

4日　グループの集い「異実の需給動向をめぐって」、堺市別府4Hクラブ、(助言者―大阪府泉北普及所長)重里重三

米国での生活から

さきに、昨年度の派米第の根大使・古川みどりさんのアメリカでの生活のレポートを載せたが、ともに渡米した坂本重子さんの報告を載せる。四百字詰め原稿用紙二百枚以上の長いものなので、いくつかに分けられたセクションのなかから、編集部で選ぶことにする。概念的に知っているアメリカと、実際にそのなかで生活して見聞した生活の違いといったものが、あるのではないだろうか。

常に空腹の子供達
お客さん扱いされ困る

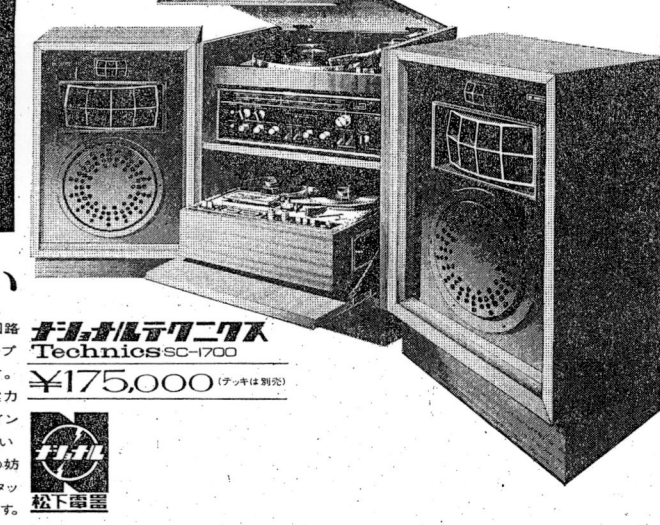

坂本重子

Melrin Holben 家はワシントンにあり、昨年、六月二十七日から、七月十四日までの十八日間滞在、宗教はプロテスタント、農地は約六反、羊四十頭、馬六頭（4Hプロジェクト）、豚五頭（4Hプロジェクト）。

御主人が兵隊さん、奥さんが先生の時に知り合いになられ、御主人が何度も何度も足を運ばれた末に結婚されたというお二人で、その姿が今も残ってか、御主人は全く奥さんには頭が上らないという感じの御夫婦。両家とも、家柄が良かったらしく若い時の苦労話はあまり耳にしなかった。

御主人は、戦争中に一年間くらい、西日本から九州にかけて走り回って生活しておられ、写真を見ながら親切だった農家の人達について、いろいろな思い出話を聞かせて下さった。その中で強く耳に残っているのは、御主人の頭の中にある日本が、現在もその時代とあまり変っていないであろうと、思っておられることだ。

奥さんは、こうした御主人の考えには間違いが多いので、正しく眼を向けるように話しているのですが……と言っておられたが、その意見には私も同感だった。そんな意味からも、私を受け入れて下さったのかもしれない――、この時は、そう思った。

この家庭には、男三人、女三人の子供さんがおられ、大学生をはじめとして、子供に必要な教育費を、御主人の給料と狭い農地から作り出すのは大変らしく、上の子三人は、休みに入るとアルバイトをして、自分達の小遣いや学資の何分の一かを作っておられた。

車も免許証を持った人間が五人いるのに対して、一台しかないため外出は大変不便で、ケンカがたえず、夏休み中などに、下の子供達が水泳の練習や課外学習を受けに行く時には、近所の教会の友達が連れて行ってあげていた。帰りは迎えに行くが時たま迎えの者以外が乗って出たまま帰って来ない時には、一時間も二時間も、子供達は待っていることがあるし、時には待ちきれなくて、約一時間三十分くらいの道のりを歩いて帰ってくる。大変きびしい、生活である。

食事についても、食べ盛りの子供達ばかりがそろっていて、沢山の食料が必要なのに、家計費に余裕がなく、お腹一杯に食べられないので、一日中「腹がへった、腹がへった」と言っている。冷蔵庫を開けても、食べられるものはすぐになくなってしまうので、何も入っていない。

生活費の高いアメリカでの八人家族の生活。普通は四～五人なので、この家の生活がいかに難しいかがわかる。

こんなにも、生活に無理があるのに、なぜ私を受け入れられたのだろうと？不思議だったので、一度、奥さんにたずねたところ、「私達は日本人が好きなので……」と言われただけでしたが、私には、外国の人を自分の家庭に入れて、自分の子供と同じに扱って生活することの難しいのを、簡単に引き受けることができるものではないので、御夫婦ともに4Hクラブのリーダーであるこの家の人が、立場上、受けざるを得なかったのではないだろうか！とそんな気がしました。

しかし、家庭の貧しさに比べて、子供達の心は明るく、御夫婦も教会で他の信者達の世話をしておられるように、人が良く近所の人達もその点についてはほめられておられたけれども、家の中と外との生活態度が極端に異なったり、キリスト教の深い信者であり4Hクラブのリーダーでもあるのに、行動の中にその心が見えなく、毎日気を張りつめた生活を送り、精神的にとても疲れた家だった。

そして、「身分相応」という言葉の意味を身を持って教えてくれた家でもあり、最初から最後までお客さんとして見られ、どうしても家族の一員として溶け込めない家庭でもあった。

御主人の妹さんの家で

うれしかったこと

①州の4H大会で顔を合わせた派米研修生の入っておられる家と近く、何度か顔を合わせ、その人の友達や世話役の人も含めて、数多くの人と意見交換ができた。

②プールマンのお医者さん宅へ下宿している女の子と、プールで偶然顔を合わせ、お互いが覚えていて少し話ができた。

③奥さんに教えていただき、妹のための服を三着作った。

悲しかったこと

①食事の用意を全然していないのに、二人の指導員の人を昼食に招かれて、「日本食を作って下さい」と言われ、インスタントの寿司の素とすまし汁ですませた時。

②日本女性は、お茶とお花が絶対にできるという見方の上で私に何の相談もなく、クラブ員と少数の父兄を招かれて、お花の指導をして下さいと言われ、近所に花をもらいに行って、自分なりに済ませた時。

③食事の時いつも、「お客さんから先に――」と、私にお皿を渡されたり、無理してデザートを用いられ、よそ行きの態度を取られた時。

楽しかったとき

①馬に一人で、約十五分くらい乗れた。

②御両親の家族全員が、年一回、各姉妹・兄弟の家へ集まって行なわれるピクニックへ行き若い従姉妹さんや、おじさん、おばさんといろいろなことを話すことができた。

苦しかったとき

①家族七人に私が加わっての大家族に似合わない食事の量で、空腹の時が多かった。

②砂漠地帯にある民家なので気温が高く、暑さに弱い私にはつらかった。

③表現するには難しい家庭内の数多くの仕事に追い回わされ朝九時から夜九時すぎまで、ほとんど休憩する暇がなかった。（ただし、自主的です）

（つづく）

青春と仲間

市場は女ばかり
沖縄を訪ねた私たち

静岡県 杉村茂美

琉球政府関係機関へ挨拶をしてから、私達は研修のやまばに入った。全沖縄技術交換大会に参加した。沖縄クラブ員とプロジェクト発表、キャンドルファイヤー、体力づくりなどを、同じ農業をしている友達として、若い力と熱気のこもった青年の家の、あの二日間を思いうかべる。

キャンドルファイヤーは、ぼくにとって忘れがたいもので、クラブ員が一つの円になり手に手をとりあった。遠くはなれても決して忘れない。

民泊にはいると、家の人達は私を待ちこがれていたように、家族そろって本土のことを話し、また戦争の被害者として沖縄の実態を説明してくれた。自分はそれを聞き、悲惨な沖縄がその生活から回復するまでは、なみたいていのことではあるまいと思った。

市場に朝三時ごろ行った。沖縄の市場で働いているのは女子ばかりだ。あんな市場は本土では見られない。沖縄農業が本土と比較されるようになるまで進むには、七十二年の沖縄返還までに農業生活を安定させなければいけないのではないか。

戦場がまざまざと思い起されるような所を見学しているうちに、テレビ、新聞で報じているベトナム戦争などを思いうかべて、爆音がするとベトナムへ出発するのかと、ぞっとした。米兵は沖縄で犯罪を行なっても罰せられず、ベトナムへ送られるという。このような矛盾を知って目の前が暗くなっていくような気がした。

（全国4Hクラブ連絡協議会『第二回沖縄親善交歓訪問報告書』より）

未明から開かれる市場、本土ではみられない

憧れから直視へ
山というものの意味

三重県安濃 後藤

山のあなたの空遠く幸い住むと人の言う。

山のあなたの一節である。山というもの、これはいくつかの代名詞に使われる。例えば、人生においても山の頂に向って登る行程だと思う。幼い頃、それは庭の片すみの砂山で遊び、小さい頃、それは近くの丘で蝶を追い、少年の頃、それは近くの山へ登る。

山への「めざめ」もこの頃にある。そして今、それは世間・社会という山で苦しみ、楽しむものである。若者はすべてgoing to でなければならない。そして、一つ一つの壁に向って Let go ……。

幼い頃、また小さい頃、それは自然への憧れであり、現在、それは自然を直視し改善していくことにある。現在は、社会的な人間の価値を決める初段階でもあり、人生の一番大事な行為である結婚問題もこの時期にある。険しいアルプスのちょうどふもとについた感じで、新しい道を一歩一歩踏みしめて、山登りはそれに適した登り方があるように。

山登りの途中に安心して進める広い道があるように、人生にも明るく希望に満ちて毎日が充実している頃、ちょうど若人が恋人を得た頃の心境だろう。また途中には谷川添いの道もある。人生において一服の清涼剤にもなる清らかな渓流の音、こんな静かな安らぎがあってもいいだろう。また途中には険しい岩場もあるだろう。細いザイル一本に、そして力強い脚力に託しての岩登り、一歩一歩確実に登りたい。決してあせらず、人生にもこんな時期があるだろう。

ある若者が一人の若い女性に恋をした時、慎重に、そして力強く引っぱっていくだろう。もし恋に破れた時、彼はまた岩登りをするだろう。一歩一歩力強く、若者には明るい未来があるからだ。そしてその岩の頂に立った時、きっとこう考えるだろう。「ここに来てよかった」と。

そして思いだすだろう。ふもとで道を聞いた老婆を、そして道端に一輪咲いた花を、そして汗をふきふき登った険しい坂を、岩場に今立った時、下界に広がるすばらしい景色を……。こんな時「山のあなたの空遠く幸い住むと人のいう」この一節を思いだす。心が充実して頂を征服した満足感を「幸い」と考えでなぜ悪いだろう。人生には頂上を目して努力する姿が必要だろう。

嬉しい時、悲しい時、そして苦しい時、それは一つの坂道であり一輪の花であり、また険しい岩場であるように。人生に繰返しはない。ただ前進。後悔のない人生を送りこの変化に富んだ豊かな社会をちょうど回り灯ろうのように。

山は限りなく大きく
山は限りなく美しくそして力強く
山は限りなく可能性を含み
山は限りなく自然である。

（三重県津安芸連協『若い息吹き』七号より）

キブツ 教授も呼捨て
川村君、イスラエル便り

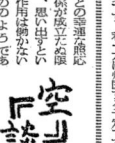

前略、シャローム。

4H協会、4Hクラブ連絡協議会のみなさん、お元気ですか。横浜では、見送り有難うございました。手紙を書こうと思いながら、大変遅くなって申し訳ございません。全協は、四十六年度の新役員も決定し、新しい活動を始められたことと存じます。

夢にまで見た理想社会……キブツ。私は、イスラエル（キブツ）集団共同農場を体験することが、学生時代からのひそかな夢であった。今、夏の太陽の下、イスラエル・キブツ・ラマト・ヨハナンで真黒く日焼けして、生活しています。

イスラエルの国土は、四国とほぼ同じくらいの小さな国です。人口約三百万。二千年の昔、ローマ帝国に攻めこまれ、世界各地に離散し、差別と迫害に苦しみ、流浪の旅人となってしまったユダヤ人にとって、パレスチナに帰ることは、悲痛な願いだった。シオニズムの丘に帰ろうと、シオニズム運動を起こし、新しい国・イスラエル国を建設した。建国後二十三年、砂漠と岩だけの原野は、グレープフルーツ、オレンジ、オリーブ、バナナ、ナシ、リンゴなどの果樹が植えられ、キブツ（集団農場）、モシャブ（協業）が建設された。

イスラエルでは、農業を始めようとする者に対し、キブツ、モシャブ、個人経営を自由に選択することができます。中でも、キブツの社会は、自由平等で誰からも搾取されず、誰をも搾取せず、支配者もなく、同志の話し合いで、能力に応じて働き、分配する社会です。

農場の中央に食堂を建設し、それを取りまくように、学校、子供の家、病院、集会場、洗濯場、劇場、プールなどを建設して、さらにこれを取りまくように、文化住宅が整然とならび、そこから放射状に完備した道路が、農場に、工場に伸びている。

やはり気になる日本のこと

キブツでは、原則として親子が別居制を取っている。お母さんから子供が生まれると、一週間ぐらいで子供の家に入ります。男二名、女二名で十八歳まで生活します。親子の対話は、毎日、五時～七時までの二時間あります。これは世界にも例のない実験で、キブツの仕組のなかでもいちばん興味があります。キブツでは、長と名のつく人は一人もいません。また、先生であろうが、先生であろうが、「君」や「さん」をつけて呼ばずに、呼びすてです。大学教授や大臣であろうと、一度キブツに入ると、オレンジの収穫や食堂での皿洗いの労働をしなければならないわけです。

こうして、キブツで生活していると、日本の将来が不安です。私は、農村に足を踏入れて四年、4H活動、青年活動、時代にともなった農村の改革に頑張った。農業を知れば知るほど、矛盾がつのるばかりであった。日本経済の高度な発展は、農村を住みにくくさせ過疎問題、公害問題がおこり、人間性を失わせつつあることを考えた時、イスラエルのキブツに、新しき人間の生きる道を求めずにはいられない。私は、キブツが人間の絶対的な社会であるとは思わない。だが、今の日本の社会から考えた時、これほど素晴しい社会はない。

隔離された共同体ではない

日本に、五～六年間で約三百名くらい、キブツ研修を終え、日本へ帰国した青年がいる。その中に農村青年の研修者の少ないことが残念でならない。日本農業そのものが家族経営的で、農業が伝統的な壁にそって立ちはだかっていることが、原因であろうか。私は、今の日本農業を救う道は、経済がどんどん進んでいる今日、家族経営、自立経営ではたしてよいのであろうかと、疑問を抱く。

「イスラエルに発達したキブツはすでに六十年の歴史を重ねる。それは、今や狂い咲きする根なし草ではない。人類の多年の願望である自由平等、無搾取、協労動、協同一体化社会を形成し、理想社会の見本を世界に示している。

日本にも数多くの共同農場、協業農場がある。だが、今ある日本の共同農場（共同体）は、社会から隔離された共同体でしかない。日本の共同体は、「はなばなしく咲いて、はなばなしく散る」といった共同農場、協業農場が多いことには驚く。

後継者問題や嫁不足で悩む日本農業を考えた時、イスラエルのキブツ社会は、もっとも人間的な社会といえよう。私は、日本農業の将来進むべき道を、このイスラエルのキブツの中で考え、一年、みっちり勉強し、来年四月下旬、日本に帰国する予定です。

協会、全協のみなさん、日本農業のパイオニアとなる活動を展開されること、さらに4Hクラブの発展を、遠くイスラエルよりお祈りします。シャローム。

一九七一年六月七日 川村雅士

追伸、七月より、ヘブライ語学校へ入学の予定（夜間）。なお、キブツは、ヘブライ語でグループ、共同の意、二百三十集団、九万人がいる。モシャブは、協業経営の意、三百五十集団、十二万人である。

『空談』
思い出すということ

梅雨晴れの日曜日の夕方、銭湯の湯船に浸りながら、高窓からぼんやりと空を眺めていた。薄雲が、刷毛で刷いたようにみえるだけで、なにの変哲もない空だったが、そこから眼を離すことができないでいた。ことさらに、雲を観察するというのでもなく、むしろ、そうした外界の〈もの〉を視るというよりは、内部に萌したもどかしさ、焦点の定らぬもの、なにかに届きそうでいて到達できぬじれったさに、じっと耐えていたというべきかもしれない。内部と外部との通路が絶たれた感じでもあった。

雲と直接の関係があるのかどうかもわからないのだが、ぼくはなにかを思い出そうとしていたのだ。いや、そうしたアクティヴなものではなく、不定形な雲のかたちのように漠然としているのだが、なにかがあるはずだと思わせられるというのか、それは、ぼくへ浸透してきたというのが正しい。あくまでもネガティヴな感覚である。記憶と呼びうるものが、蘇りくるまえの陣痛とまではっきりいえないが、胎動のようなものだとまではいうておいてもよい。

たしかな理解をするまえに、ぼくらは、そのものからのかすかな合図、手応えを受けとめる。アランは、詩の理解に先立ってぼくらにやってくるものを、「グラース」という言葉で説明していたが、かたちとなって現われるまえの運動、イメージを形成する間際の混沌たる化学反応のような作用、望遠鏡や顕微鏡のピントが、次第に定って行くような求心的な時間、そういうときのもどかしさと同じではなかっただろうか。

結局、銭湯では、具体的な記憶を呼び醒すことなく終ってしまったが、あれは、たしかになにかへ行き着こうとしていながら、失敗してしまったのだ。内部と外部との幸運な照応関係が成立たぬ限り、思い出すという作用は働かないもののようである。そうした脈絡が結べず、内外を往き通う橋が架けられなかった以上、それはやむをえざる仕儀であった。

かつて、小林秀雄は、思い出すことの大切さとむずかしさを語ったが、やはり難しいのである。記憶が蘇るというのは、いわば、往相還相において、過去と現在とが出会うことであり、双方の照射によって、新たな空間が創造される謂ではないだろうか。この作用が成立するには、きわめて多くの複雑な条件が微妙に働かなくてはならず、そうした機会は稀だからである。（山）

募集 この欄では投書を待っています。どしどしお寄せ下さい。

草木虫魚
狂咲いた柘榴の花

梅雨どきになると、柘榴の花が咲き出す。朱のきわみのような鮮明さを持ち、固い結晶のごとき充実感を帯びていながら、しかも、雨の舗道に散った花は、その朱が溶けて流れだすのではないかと思わせる趣きがある。ときには、水溜りなどに映って、水溜りそのものを朱に染めることさえあって、その印象には強いものがある。

あじさいとともに、この時期の花として逸しえないが、かつて、十年近くもまえ、まだ学校に通っていたころ、夏休みに帰省したおり、草は萎え、墓石は灼けほてっている八月の墓地でみかけた柘榴の狂咲きの数輪は、いまもって忘れられない。ぼくのこの花に対するイメージを、決定的にしてしまったのではないだろうか。

うんざりするほど暑く、すべてのものがかげろうのように歪んでしまうような午下り、散歩の途中で広い墓域を通り抜けた。そのとき、遥かかなたに一樹があり、近づくにつれて、血のように燃える花をつけているとみえたのが、柘榴だった。ぼんやりとした眼に、それは、突刺すような激しさで飛びこんできた。そして、その真赤に狂咲く花が、死者の意思表示なのだと、有無をいわさず、瞬間的に悟らさせられてしまった。

紺碧の空を背景に、晩夏の午下りに狂咲く真赤な柘榴。――なぜか、遠き祖々の血といった観念がいちどきに吹きこんできた。また、それまで持てあましていた自意識、厭人癖、そういったさまざまなペシミスティックな思いが、相対化されたように感じた。それですっかり気弱さが癒えたわけではないけれども、回復するひとつの契機ではあったと思っている。

〈族〉、うからという古い言葉が念頭をかすめた。ぼくが存在するために、どれほど多くの人びとが存在してきたことか。めくるめくような時間の長さを思い、ぼくはしばらく呆然と立ちつくしていた。眼をあげると、依然、柘榴の花は真赤に、灼熱した晩夏の大気のなかに氷のごとく燃えていた。以来、花季の六月になると、八月の空を思い出す。やはり、柘榴は八月の花だという私かな確信は、曲げられない。（Y）

解説執筆者

安岡健一（やすおか・けんいち）

一九七九年生まれ。大阪大学大学院人文学研究科准教授。飯田市歴史研究所顧問研究員。

『「他者」たちの農業史　在日朝鮮人・疎開者・開拓農民・海外移民』（京都大学学術出版会、二〇一四年）、『コロナ禍の声を聞く　大学生とオーラルヒストリーの出会い』（監修、大阪大学出版会、二〇二三年）、『農業開発の現代史　冷戦下のテクノロジー・辺境地・ジェンダー』（足立芳宏編、京都大学学術出版会、二〇二二年）ほか。

資料 戦後日本の農業と地域1

復刻版 日本4H新聞 第9巻

第577号〜第646号
（1969年7月4日〜1971年6月24日）
第1回配本・全3巻

解説 安岡健一

2024年12月25日 初版第一刷発行

発行者 船橋竜祐
発行所 不二出版 株式会社
〒112-0005
東京都文京区水道2-10-10
電話 03（5981）6704
https://www.fujishuppan.co.jp
組版／昴印刷 印刷／富士リプロ 製本／青木製本
乱丁・落丁はお取り替えいたします。

第1回配本・全3巻セット 揃定価89,100円（揃本体81,000円+税10%）
（分売不可） ISBN978-4-8350-8855-6 C3336
第9巻 ISBN978-4-8350-8857-0

2024 Printed in Japan